수능대비
새로운 교육과정

수능과 내신의 수학개념서

MAPL SERIES
YOUR MASTER PLAN
www.mapl.co.kr

Your master plan.
mapl

마플교과서
미적분

TIGER

호랑이 (Tiger - 학명 : Panthera tigris)

위기대처능력자

사자가 초원의 왕이라면 나는 밀림의 왕입니다. 숲에서 생활하고 사냥하기에 최적화된 힘과 순발력을 겸비하고 있지요. 사냥감을 쫓기 위해서 7~8미터쯤 우습게 도약하고 10미터 정도의 낙차는 가볍게 뛰어 내릴 수 있답니다. 그리고 난 추위에도 아주 강해서 영하 30도에서도 살아남을 수 있어요. 나의 순발력과 악조건에서도 견딜 수 있는 힘, 위기가 두렵지 않은 나의 능력! 당신에겐 나의 이런 능력이 필요할 거예요!

MAPLBOOKS Since 1996. Heemang Institute, Inc. www.mapl.co.kr
mapl
마플교과서
Your master plan. MAPL

수능과 내신의
수학개념서

미적분

수능과 내신의 수학개념서

마플교과서

미적분

마플교과서 미적분
ISBN : 978-89-94845-72-2 (53410)
발행일 : 2020년 1월 10일(1판 1쇄)
인쇄일 : 2023년 11월 9일
판/쇄 : 1판 6쇄

펴낸곳
희망에듀출판부 *(Heemang Institute, inc. Publishing dept.)*

펴낸이
임정선

주소 경기도 부천시 석천로 174 하성빌딩
(174, Seokcheon-ro, Bucheon-si, Gyeonggi-do, Republic of Korea)

교재 오류 및 문의
mapl@heemangedu.co.kr

희망에듀 홈페이지
http://www.heemangedu.co.kr

마플교재 인터넷 구입처
http://www.mapl.co.kr

교재 구입 문의
오성서적
Tel 032) 653-6653
Fax 032) 655-4761

핵심단권화 수학개념서

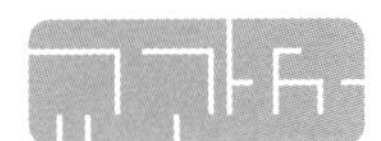

마플교과서 시리즈

내신 1등급 완성

마플시너지 시리즈

수능에 강하다!

MAPL THE BANK

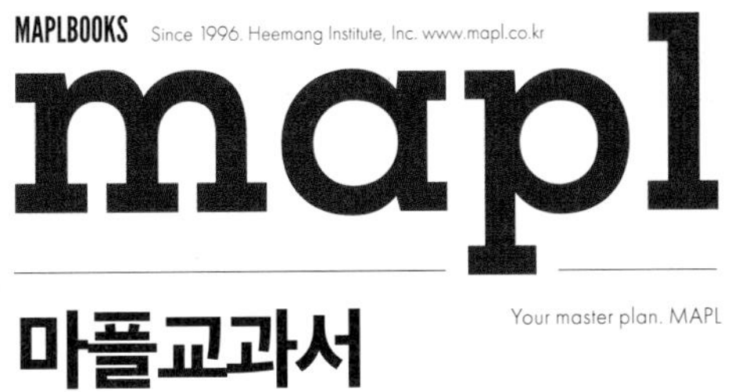

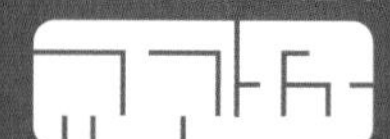

마플총정리 시리즈

INTRO

매시 업은 [으깨어서 하나로 뭉친다]는 의미로써 원래 DJ 뮤지션들이 여러 곡을 샘플링하거나 서로 다른 곡을 조합하여 새로운 곡을 만들어 내는 것을 의미하는 음악용어이나 IT(정보기술) 분야에서는 웹상에서 웹서비스 업체들이 제공하는 다양한 정보(콘텐츠)와 서비스를 혼합하여 새로운 서비스를 개발하는 것을 의미합니다. 즉 서로 다른 웹사이트의 콘텐츠를 조합하여 새로운 차원의 콘텐츠와 서비스를 창출하는 것을 말합니다.

마플 수학 교과서는 매시업(MASH UP)된 교재입니다

마플교과서는 학생 여러분이 수능과 내신을 효율적으로 준비할 수 있도록 교육과정에 따라 체계적으로 꾸며졌습니다.
한 눈에 모든 유형을 볼 수 있도록 구성된 신개념 교과서입니다.
또한 개정교과서의 핵심 내용정리, 학교 내신 빈출문제, 수능 기출 및 전국 연합 모의고사의 엄선된 문제로 구성된 단권화된 유형별 개념서입니다.

1 핵심내용과 문제를 단권화한 마플 교과서

고등학생들이 수학 공부에 좌절하는 이유는 공부 자체의 양이 많고, 전 범위 시험에 따른 효과적인 반복학습 요구량이 급증하기 때문입니다. 단권화를 완성해 놓으면 엄청난 위력이 발휘되지만 거기에 도달하기까지의 지루함, 진도의 느림 등 많은 어려움이 있습니다.
이에 마플 교과서는 이 한 권으로 시간의 효율화를 기할 수 있고, 최근의 학교시험 경향과, 수능 과정의 기본적인 개념 정리를 한 눈에 쉽게 파악할 수 있도록 단권화하여 정리하였습니다.

2 마플 교과서는 반복입니다

많은 문제를 풀기보다 학생스스로 자연스럽게 개념을 습득하고, 문제를 해결하는 수학적인 힘을 기르기 위해서는 반복학습이 중요합니다.
이에 마플 교과서는 개념정리의 보기문제와 개념익힘의 확인, 변형, 발전문제, 단원종합문제의 BASIC, NORMAL, TOUGH문제를 통하여 자동적으로 유사문제 및 변형된 다양한 문제를 접할 수 있어, 새로 개정된 수학과 교육과정에 맞추어 문제해결 능력, 수학적 추론 능력, 의사소통 능력을 키울 수 있습니다.

3 문제은행으로 구성된 교재

개념서 따로, 문제집 따로가 아닌 마플 교과서 한 권으로 두 가지 효과를 낼 수 있도록 문제은행식으로 구성되었습니다. 수학적 사고 능력이 능동적으로 키워질 수 있도록 구성된 교육과정에 따라 체계적인 문제흐름으로 문제를 구성하여 어떠한 형태의 문제라도 자신감있게 해결할 수 있도록 구성하였습니다.

끝으로 이 개념서를 통하여 학생 여러분의 수학적 창의성과 문제해결 능력이 크게 배양되어 학생이 꿈꾸는 희망이 실현되길 바랍니다.

희망에듀 출판부

CONTENTS 목차

III 적분법

마플교과서특강

마플수능특강

MAPLGUIDE

구성과 특징

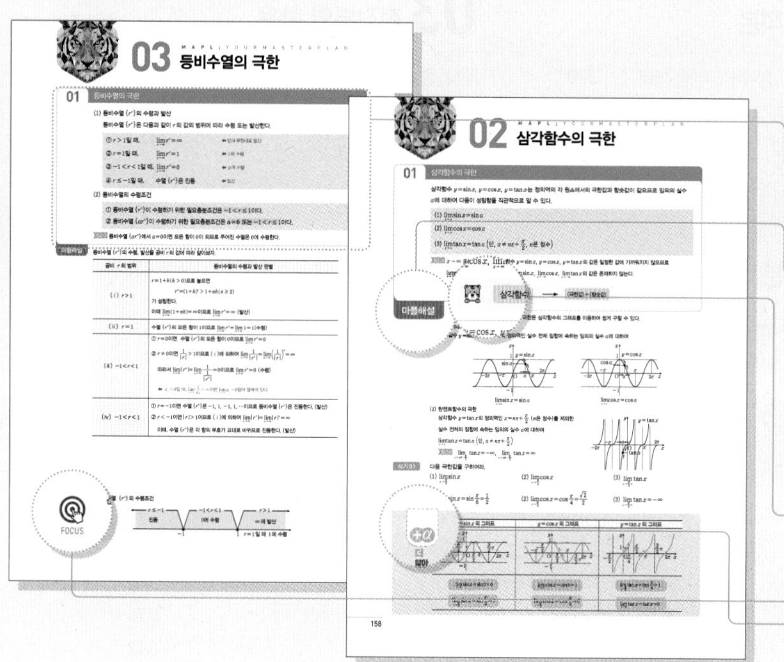

01 개념정리 단계

자세한 개념 설명 + [보기]의 일체화

개념정리

교육과정을 체계화하여 알기 편하게 구성하였고 교과서의 개념을 [보기]문제로 정리, 일체화를 꾀했습니다.

마플해설

개념의 원리나 공식 유도 과정 및 성질을 증명하여 개념의 완벽한 이해를 돕기 위한 부가 설명입니다.

FOCUS정리

주요 개념 정리와 마플해설 단계에서 배운 내용을 요약, 정리하여 학습 내용을 한 눈에 쉽게 상기할 수 있도록 요점 정리와 보충 학습이 가능하도록 했습니다.

Keypoint

마플해설에서 요점이나 중심을 두는 부분으로 핵심만을 쉽게 정리하여 암기할 수 있도록 제시된 내용입니다.

$+\alpha$ 더 알아보기

개념정리와 마플해설에서 필요한 세부적인 내용을 추가하여 정리하였습니다.

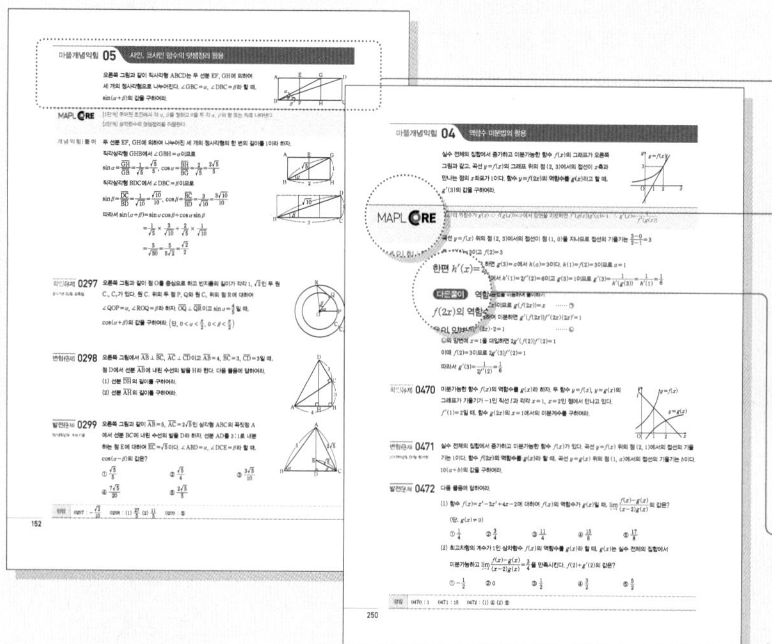

02 개념익힘 단계 PART1

핵심 개념을 아우르는 예시문제 연습

마플개념익힘

개념정리 단계를 통해 배운 개념을 적용할 수 있는 대표적인 핵심 유형 문제입니다. 마플코어에서 새로 도입할 내용과 원리의 실마리를 제공하고 마플 풀이를 통해서 개념을 확실하게 이해할 수 있도록 했습니다.

마플코어

학습한 내용의 핵심개념을 정리하여 개념 익힘 해결에 결정적 역할을 하는 실마리를 제공합니다. 보다 쉽게 문제와 개념을 연결해 해결할 수 있도록 도움을 줍니다.

다른 풀이

다각적으로 사고하는 연습이 필요하므로 다른 방법(교육과정 외의 개념 또는 특이한 풀이, 직관적인 풀이 등)으로 문제에 접근할 수 있도록 알려 줍니다.

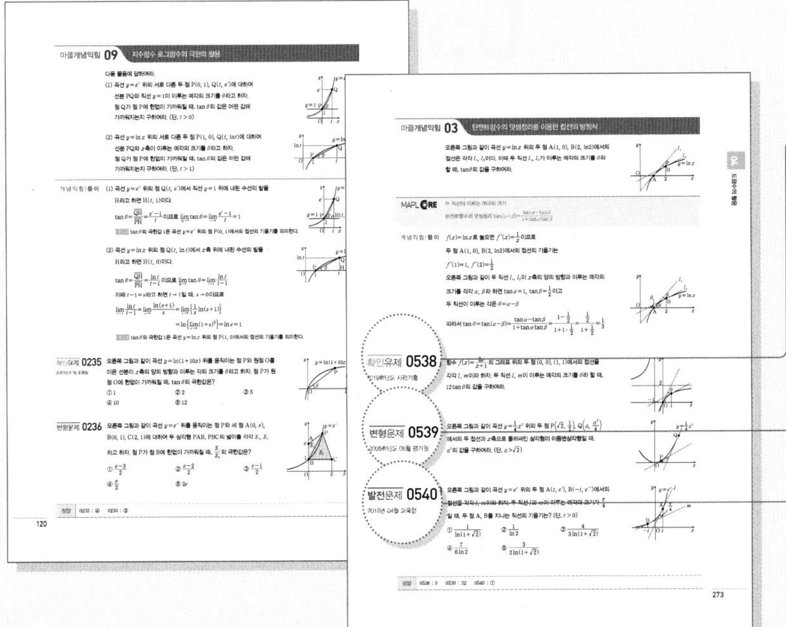

03 개념익힘 단계 PART2
확인유제 + 변형문제 + 발전문제

확인유제

개념익힘문제를 통해 익힌 풀이 과정을 반복 연습하면서 스스로 문제를 해결할 수 있는 힘을 키울 수 있습니다.

변형문제

개념익힘 및 확인유제보다 더 새롭고 강한 개념을 가지는 업그레이드된 문제입니다. 사고력을 키울 수 있는 문제로 구성되어 새로운 문제 적응력을 키울 수 있습니다.

발전문제

내신과 수능에서 개념익힘에 해당하는 종합적인 문제해결능력을 키울 수 있는 응용문제로서 고득점을 얻기 위한 중요한 문제로 구성되었습니다.

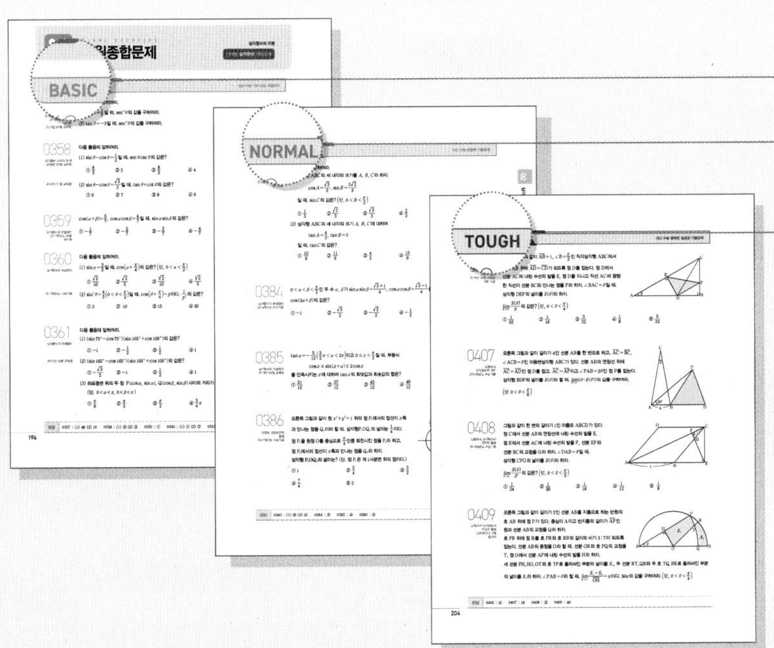

04 단원종합문제
BASIC + NORMAL + TOUGH

BASIC 내신, 수능 기본 대표기출문제

정답률 70%이상의 내신 기출문제와 교육청/평가원 기출문제로, 기본 계산문제와 내용 실수를 줄이도록 기존의 개념익힘문제를 반복할 수 있도록 구성된 문제입니다.

NORMAL 내신, 수능 변별력 기출문제

정답률 30%이하인 학교내신 1등급, 수능 1등급을 목표로 해서 변별력 있는 문제로 구성하였습니다.

서술형

복합적인 내용을 가진 변별력 높은 서술형 문제를 단계별로 서술하여 서술형 대비를 보다 체계적으로 할 수 있게 하였습니다.

TOUGH 내신, 수능 행복한 일등급 기출문제

각종 기출문제에서 오답률 70%이상의 문제로서 수학적 사고력을 기르고, 문제해결능력 및 추론문제로 구성된 수능 21, 29, 30번에 도전하는 수준 높은 문제로 구성하였습니다.

MAPLGUIDE 구성과 특징

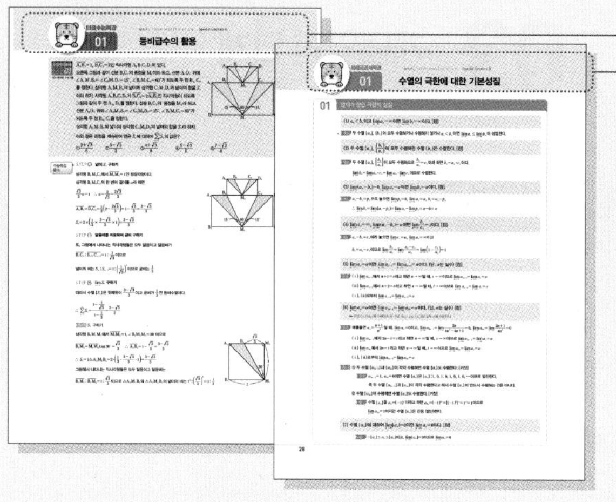

05 마플특강 / 교과서특강
심층학습을 위한 추가 파트

마플수능특강

교육과정에서 다루는 새로운 개념 이해와 수능문제 해결능력에 유용한 내용을 제시하여 수학적 원리의 이해도를 높일 수 있도록 했습니다.

마플교과서특강

학교 교과서에서 수학적 사고력을 기르는 내용을 요점정리하여 추가했습니다.

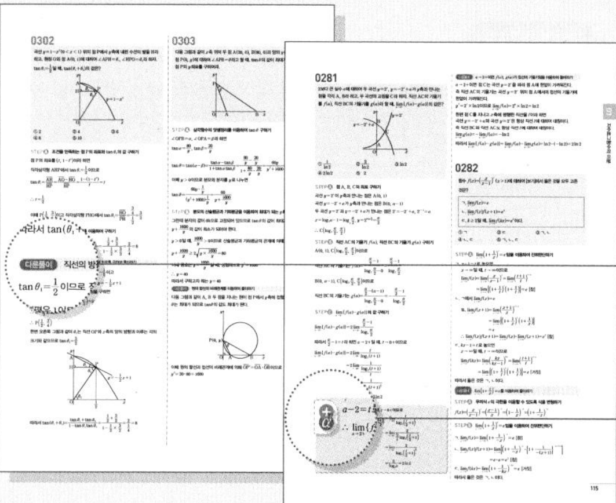

06 정답과 해설
정답과 해설의 요소들

다른풀이

다각적으로 사고하는 연습이 필요하므로 다른 방법 (교육과정 외의 개념 또는 특이한 풀이, 직관적인 풀이 등)으로 문제에 접근할 수 있도록 알려줍니다.

$+\alpha$

해설부분의 추가적인 설명이 필요한 내용을 정리하였습니다.

미적분

01 수열의 극한

1. 수열의 수렴과 발산
2. 수열의 극한값의 계산
3. 등비수열의 극한

01 수열의 수렴과 발산

MAPL ; YOUR MASTER PLAN

01 수열의 수렴

일반적으로 수열 $\{a_n\}$에서 n이 한없이 커질 때, 일반항 a_n의 값이 일정한 값 α에 한없이 가까워지면 수열 $\{a_n\}$은 α에 수렴 (收斂)한다고 한다.

이때 α를 수열 $\{a_n\}$의 극한값 또는 극한 (極限)이라 하고, 이것을 기호로 다음과 같이 나타낸다.

$$\lim_{n\to\infty} a_n=\alpha \text{ 또는 } n\to\infty\text{일 때, } a_n\to\alpha$$

특히, 수열 $\{a_n\}$에서 모든 자연수 n에 대하여 일반항이 $a_n=c$ (c는 상수)인 경우, 즉 $c, c, c, \cdots, c, \cdots$

인 수열은 c에 수렴하므로 $\lim_{n\to\infty} a_n=\lim_{n\to\infty} c=c$이다.

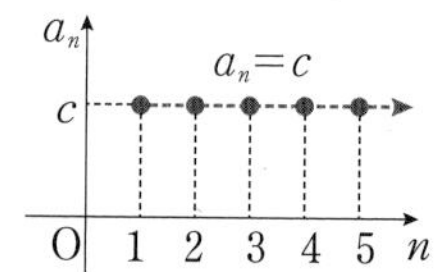

마플해설 수열 $\{a_n\}$에서 n이 한없이 커질 때, 일반항 a_n의 값이 일정한 값에 가까워지는 경우를 그래프를 통하여 알아보자.

다음과 같은 두 수열

$\{a_n\}: 2, \frac{3}{2}, \frac{4}{3}, \frac{5}{4}, \cdots, \frac{n+1}{n}, \cdots$

$\{b_n\}: 1, -\frac{1}{2}, \frac{1}{3}, -\frac{1}{4}, \cdots, \frac{(-1)^{n+1}}{n}, \cdots$

에서 n이 한없이 커질 때, 일반항의 값이 변하는 것을 그래프로 나타내면 다음과 같다.

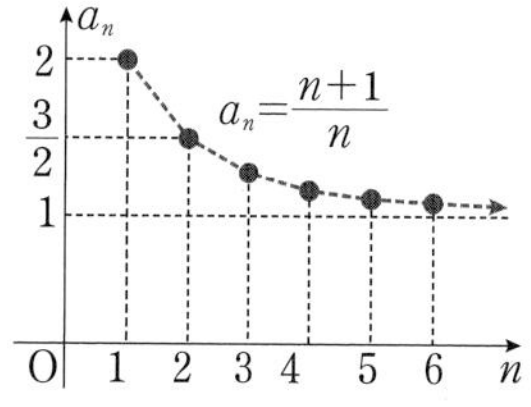

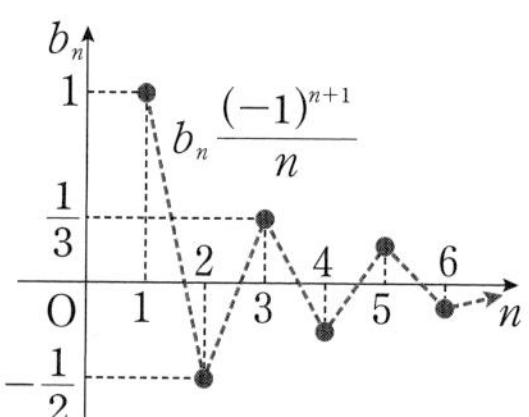

위의 두 그래프에서 수열 $\left\{\frac{n+1}{n}\right\}$의 일반항 $\frac{n+1}{n}$의 값은 1에 한없이 가까워지므로 $\lim_{n\to\infty}\frac{n+1}{n}=1$

수열 $\left\{\frac{(-1)^{n+1}}{n}\right\}$의 일반항 $\frac{(-1)^{n+1}}{n}$의 값은 양, 음의 부호를 교대로 가지면서 0에 한없이 가까워지므로 $\lim_{n\to\infty}\frac{(-1)^{n+1}}{n}=0$

보기 01 다음 수열 $\{a_n\}$의 극한값을 구하여라.

(1) $\frac{1}{1}, \frac{1}{2}, \frac{1}{3}, \frac{1}{4}, \cdots, \frac{1}{n}, \cdots$ (2) $1+\frac{1}{2}, 1+\frac{1}{4}, 1+\frac{1}{8}, \cdots, 1+\left(\frac{1}{2}\right)^n, \cdots$

풀이 (1) 오른쪽 그래프에서 n이 한없이 커질 때, $\frac{1}{n}$의 값은 0에 한없이 가까워지므로 이 수열은 수렴하고 그 극한값은 0이다.

$\therefore \lim_{n\to\infty}\frac{1}{n}=0$ 또는 $n\to\infty$일 때, $\frac{1}{n}\to 0$

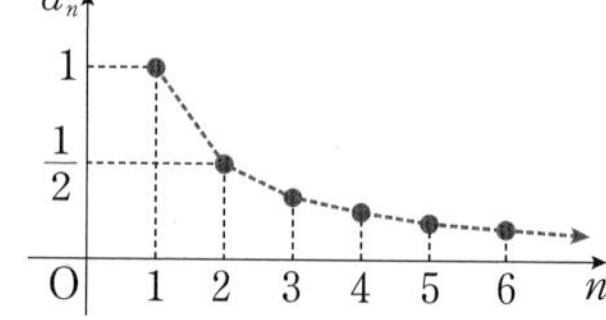

(2) 오른쪽 그래프에서 n이 한없이 커질 때, $1+\left(\frac{1}{2}\right)^n$의 값은 1에 한없이 가까워지므로 이 수열은 수렴하고 그 극한값은 1이다.

$\therefore \lim_{n\to\infty}\left\{1+\left(\frac{1}{2}\right)^n\right\}=1$ 또는 $n\to\infty$일 때, $1+\left(\frac{1}{2}\right)^n\to 1$

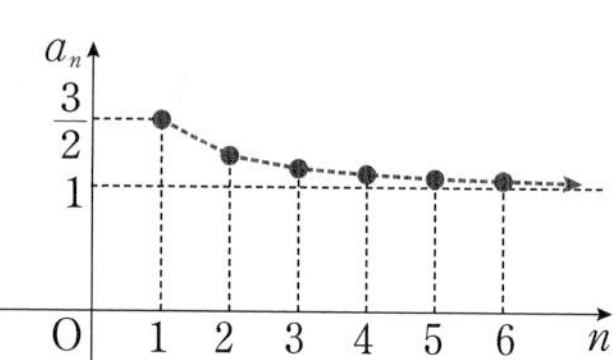

더 알아보기

① 기호 lim는 극한을 뜻하는 limit의 약자로 '리미트'라고 읽는다.

② $\lim_{n\to\infty} a_n=\alpha$는 n이 한없이 커질 때, a_n의 값이 α와 같거나 α에 한없이 가까워진다는 것이다.

③ 여기서 n의 값이 한없이 커지는 것을 기호 ∞를 사용하여 $n\to\infty$로 나타내고, ∞를 무한대라고 읽는다. ∞는 수가 아니라 한없이 커지는 상태를 나타내는 기호이다.

02 수열의 발산

수열 $\{a_n\}$이 일정한 값에 수렴하지 않을 때, 수열 $\{a_n\}$은 발산 (發散)한다고 하며 극한값이 존재하지 않는다고 한다.

(1) 양의 무한대로 발산

수열 $\{a_n\}$에서 n이 한없이 커질 때, 일반항 a_n의 값도 한없이 커지면 수열 $\{a_n\}$은 양의 무한대로 발산한다고 하며 이것을 기호로 다음과 같이 나타낸다.

$$\lim_{n\to\infty} a_n=\infty \text{ 또는 } n\to\infty\text{일 때, } a_n\to\infty$$

참고 $\lim_{n\to\infty} a_n=\infty$는 수열 $\{a_n\}$의 극한값이 ∞라는 것이 아니라, a_n의 값이 한없이 커지는 상태라는 것을 의미한다.

(2) 음의 무한대로 발산

수열 $\{a_n\}$에서 n이 한없이 커질 때, 일반항 a_n의 값이 음수이면서 그 절댓값이 한없이 커지면 수열 $\{a_n\}$은 음의 무한대로 발산한다고 하며 이것을 기호로 다음과 같이 나타낸다.

$$\lim_{n\to\infty} a_n=-\infty \text{ 또는 } n\to\infty\text{일 때, } a_n\to-\infty$$

(3) 진동

수열 $\{a_n\}$에서 n이 한없이 커질 때, 양의 무한대나 음의 무한대로 발산하지 않고 수렴하지도 않으면 이 수열은 진동한다고 한다.

주의 일반적으로 진동하는 경우를 포함하여 수렴하지 않는 수열을 발산한다고 한다.

마플해설 (1), (2) 두 수열

$\{a_n\}: 2, 4, 6, \cdots, 2n, \cdots$

$\{b_n\}: -1, -2, -4, \cdots, -2^{n-1}, \cdots$

두 수열 $\{a_n\}$, $\{b_n\}$에서 n이 한없이 커질 때, 항의 값이 변하는 상태를 그림으로 나타내면 다음과 같다.

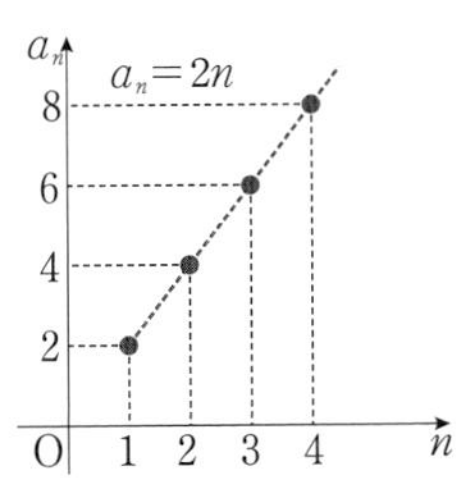

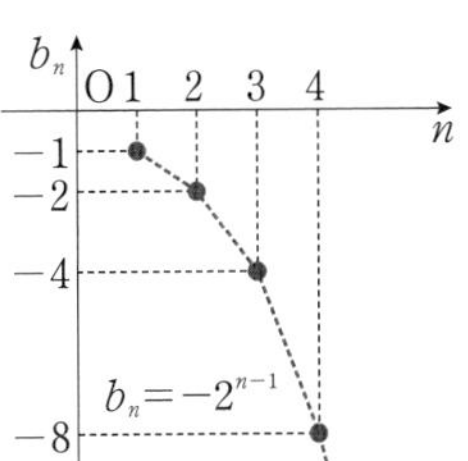

위의 그래프에서 n이 한없이 커질 때, 수열 $\{a_n\}$의 일반항 $2n$의 값도 한없이 커지므로 $\lim_{n\to\infty} 2n=\infty$,

또, n이 한없이 커질 때, 수열 $\{b_n\}$의 일반항 -2^{n-1}의 값은 음수이면서 그 절댓값이 한없이 커지므로 $\lim_{n\to\infty}(-2^{n-1})=-\infty$

따라서 두 수열 $\{a_n\}$, $\{b_n\}$은 모두 수렴하지 않는다.

이와 같이 어떤 수열이 수렴하지 않을 때, 그 수열은 발산한다고 한다.

(3) 두 수열

$\{a_n\}: 1, -1, 1, -1, \cdots, (-1)^{n-1}, \cdots$

$\{b_n\}: 1, -2, 4, -8, \cdots, (-2)^{n-1}, \cdots$

두 수열 $\{a_n\}$, $\{b_n\}$에서 n이 한없이 커질 때, 항의 값이 변하는 상태를 그림으로 나타내면 다음과 같다.

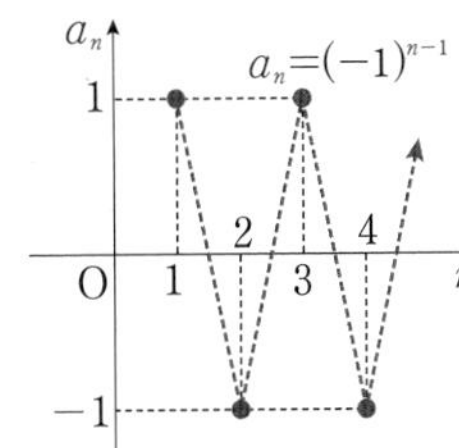

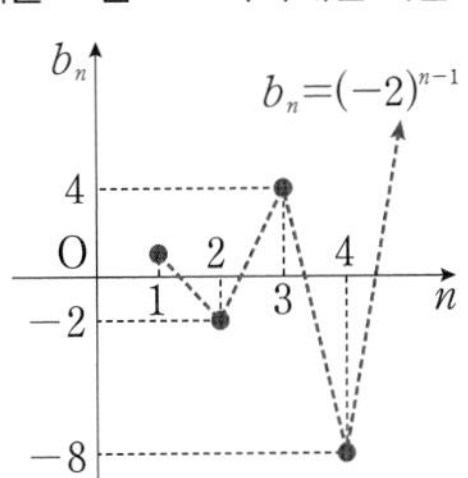

위의 두 그래프에서 두 수열 $\{a_n\}$, $\{b_n\}$이 수렴하지도 않고, 양의 무한대나 음의 무한대로 발산하지도 않으면 그 수열은 진동한다고 한다.

03 수열 $\{a_n\}$의 수렴과 발산

수열 $\{a_n\}$에 대하여 수렴하는 경우와 발산하는 경우는 다음과 같다.

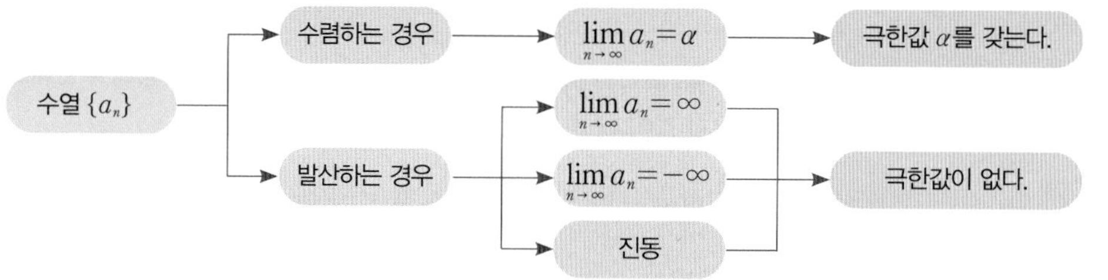

보기 02 다음 수열의 수렴, 발산을 조사하고, 수렴하면 그 극한값을 구하여라.

(1) $1^2+1,\ 2^2+2,\ 3^2+3,\ \cdots$ (2) $-\frac{5}{3},\ -\frac{6}{3},\ -\frac{7}{3},\ \cdots$

(3) $1,\ 3,\ 1,\ 3,\ 1,\ 3,\ \cdots$ (4) $\frac{2}{1},\ \frac{2}{3},\ \frac{2}{5},\ \frac{2}{7},\ \frac{2}{9},\ \cdots$

풀이 (1) 주어진 수열의 일반항 a_n은 $a_n=n^2+n$이다.

오른쪽 그림에서 n이 한없이 커질 때, n^2+n의 값이 한없이 커지므로 이 수열은 양의 무한대로 발산한다.

즉, $\lim_{n\to\infty}(n^2+n)=\infty$ 또는 $n\to\infty$일 때, $n^2+n\to\infty$

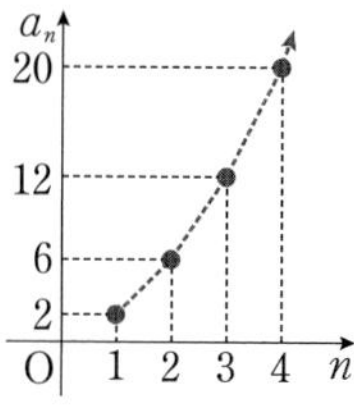

(2) 주어진 수열의 일반항 a_n은 $a_n=-\frac{n+4}{3}$이다.

오른쪽 그림에서 n이 한없이 커질 때, $-\frac{n+4}{3}$의 값은 음수이면서 그 절댓값이 한없이 커지므로 이 수열은 음의 무한대로 발산한다.

즉, $\lim_{n\to\infty}\left(-\frac{n+4}{3}\right)=-\infty$ 또는 $n\to\infty$일 때, $-\frac{n+4}{3}\to-\infty$

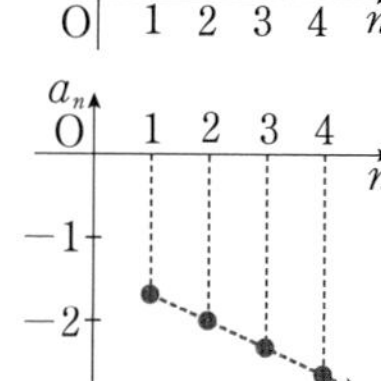

(3) 주어진 수열은 1과 3이 반복되므로 오른쪽 그림과 같이 n이 한없이 커질 때, 일정한 값에 수렴하지 않고 양의 무한대나 음의 무한대로 발산하지도 않는다. 따라서 이 수열은 진동한다.

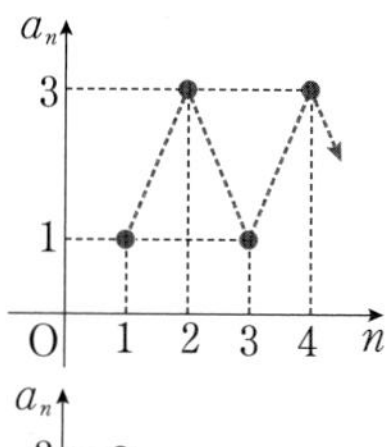

(4) 주어진 수열의 일반항 a_n은 $a_n=\frac{2}{2n-1}$이다. 오른쪽 그림에서 n이 한없이 커질 때, $\frac{2}{2n-1}$의 값은 0에 한없이 가까워지므로 이 수열은 0에 수렴한다.

즉, $\lim_{n\to\infty}\frac{2}{2n-1}=0$

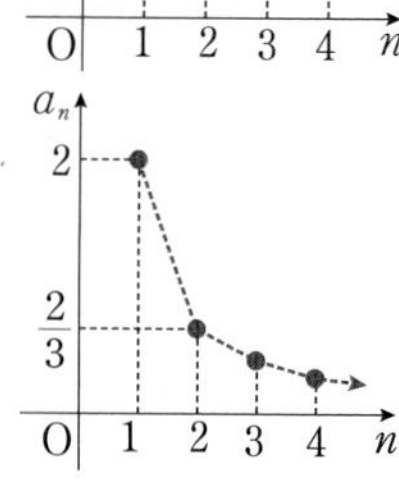

+α 더 알아보기

진동하는 수열에 대한 오해

① 진동하는 수열은 항상 부호가 교대로 반복된다.

수열 $\{2+(-1)^n\}$에서 수열의 각 항은 $1,\ 3,\ 1,\ 3,\ \cdots$으로 두 양수가 반복되어 나타난다.
따라서 진동하는 수열이라고 해서 항상 각 항의 부호가 교대로 바뀌는 것은 아니다.

② 진동하는 수열은 항상 일정한 값이 반복된다.

수열 $\{(-1)^n n\}$에서 수열의 각 항은 $-1,\ 2,\ -3,\ 4,\ \cdots$로 수렴하지 않고, 양의 무한대나 음의 무한대로 발산하지도 않으므로 진동한다. 하지만 일정한 값이 반복되어 나타나지 않는다.
따라서 진동하는 수열이라고 해서 항상 일정한 값이 반복되어 나타나는 것은 아니다.

③ 양수와 음수가 교대로 반복된다고 하면 항상 진동하는 수열이다.

수열 $\left\{\left(-\frac{1}{2}\right)^{n-1}\right\}$에서 수열의 각 항은 $1,\ -\frac{1}{2},\ \frac{1}{4},\ -\frac{1}{8},\ \cdots$로 양수와 음수가 교대로 반복되어 나타나지만, 0에 한없이 가까워지므로 0에 수렴한다.
따라서 양수와 음수가 교대로 반복된다고 해서 항상 진동하는 수열이라고 할 수는 없다.

02 수열의 극한값의 계산

MAPL; YOUR MASTER PLAN

01 수열의 극한에 대한 기본 성질

수렴하는 두 수열 $\{a_n\}$, $\{b_n\}$에 대하여 $\lim_{n\to\infty} a_n=\alpha$, $\lim_{n\to\infty} b_n=\beta$ (α, β는 실수)일 때,

① $\lim_{n\to\infty} ca_n=c\lim_{n\to\infty} a_n=c\alpha$ (단, c는 실수)

② $\lim_{n\to\infty}(a_n+b_n)=\lim_{n\to\infty} a_n+\lim_{n\to\infty} b_n=\alpha+\beta$

③ $\lim_{n\to\infty}(a_n-b_n)=\lim_{n\to\infty} a_n-\lim_{n\to\infty} b_n=\alpha-\beta$

④ $\lim_{n\to\infty} a_nb_n=\lim_{n\to\infty} a_n\times\lim_{n\to\infty} b_n=\alpha\beta$

⑤ $\lim_{n\to\infty}\frac{a_n}{b_n}=\frac{\lim_{n\to\infty} a_n}{\lim_{n\to\infty} b_n}=\frac{\alpha}{\beta}$ (단, $b_n\neq0$, $\beta\neq0$)

주의! 두 수열 $\{a_n\}$, $\{b_n\}$ 중 어느 하나라도 수렴하지 않으면 위의 성질이 성립하지 않을 수 있으므로 수열의 극한에 대한 기본 성질을 이용할 때는 주어진 수열이 수렴하는 수열인지를 반드시 확인해야 한다.

마플해설 수렴하는 수열의 극한에 대한 기본 성질 ②, ④를 알아보자.

일반항이 $a_n=2+\frac{1}{n}$, $b_n=3-\frac{2}{n}$인 두 수열 $\{a_n\}$, $\{b_n\}$의 극한값을 각각 구하면

$\lim_{n\to\infty} a_n=\lim_{n\to\infty}\left(2+\frac{1}{n}\right)=2$, $\lim_{n\to\infty} b_n=\lim_{n\to\infty}\left(3-\frac{2}{n}\right)=3$이므로

$\lim_{n\to\infty} a_n+\lim_{n\to\infty} b_n=2+3=5$ …… ㉠　$\lim_{n\to\infty} a_n\times\lim_{n\to\infty} b_n=2\times3=6$ …… ㉡

한편 $a_n+b_n=\left(2+\frac{1}{n}\right)+\left(3-\frac{2}{n}\right)=5-\frac{1}{n}$, $a_nb_n=\left(2+\frac{1}{n}\right)\left(3-\frac{2}{n}\right)=6-\frac{1}{n}-\frac{2}{n^2}$이므로

$\lim_{n\to\infty}(a_n+b_n)=\lim_{n\to\infty}\left(5-\frac{1}{n}\right)=5$ …… ㉢　$\lim_{n\to\infty} a_nb_n=\lim_{n\to\infty}\left(6-\frac{1}{n}-\frac{2}{n^2}\right)=6$ …… ㉣

㉠과 ㉢, ㉡과 ㉣로부터

$\lim_{n\to\infty}(a_n+b_n)=\lim_{n\to\infty} a_n+\lim_{n\to\infty} b_n$, $\lim_{n\to\infty} a_nb_n=\lim_{n\to\infty} a_n\times\lim_{n\to\infty} b_n$임을 알 수 있다.

일반적으로 수렴하는 두 수열에서 각 항의 합, 차, 실수배, 곱, 몫을 항으로 가지는 수열의 극한에 대하여 기본 성질이 성립한다.

더 알아보기

① 수렴하지 않는 수열에 내하여 수열의 극한에 대한 기본 성질은 성립하지 않는다.

두 수열 $\{a_n\}$, $\{b_n\}$에 대하여 일반항이 $a_n=\frac{1}{n}$, $b_n=n$일 때, $\lim_{n\to\infty} a_nb_n$의 값을 구하는 과정을 조사한다.

먼저 실제로 계산을 해서 올바른 극한값을 구하면 $\lim_{n\to\infty} a_nb_n=\lim_{n\to\infty}\left(n\cdot\frac{1}{n}\right)=\lim_{n\to\infty}1=1$ [참]

하지만 수열의 극한에 대한 기본 성질을 이용하여 계산하면 $\lim_{n\to\infty} a_nb_n=\lim_{n\to\infty}\frac{1}{n}\times n=\lim_{n\to\infty}\frac{1}{n}\times\lim_{n\to\infty} n=0\cdot\infty$

이므로 $0\times\infty=0$이라 할 수 없다. 이와 같이 식을 변형하여 계산하면 틀린 결과를 얻게 된다.

왜냐하면 앞에서 수렴하는 두 수열에 대해서만 각 항의 곱으로 이루어진 수열의 극한값이 두 수열의 곱과 같다고 했기 때문이다.

즉, $\lim_{n\to\infty} a_n=\lim_{n\to\infty}\frac{1}{n}=0$, $\lim_{n\to\infty} b_n=\lim_{n\to\infty} n=\infty$이므로 수열 $\{b_n\}$은 발산한다.

따라서 $\lim_{n\to\infty}\frac{1}{n}\times n=\lim_{n\to\infty}\frac{1}{n}\times\lim_{n\to\infty} n$이 성립하지 않는다.

② 수열의 극한 ($\lim_{n\to\infty} a_n$)과 함수의 극한 ($\lim_{x\to\infty} f(x)$)의 비교

실수 전체의 집합에서 정의된 함수 $f(x)$가 $-\frac{1}{2}\le x\le\frac{1}{2}$에서

$f(x)=2x^2$이고 주기가 1일 때,

$f(1)=a_1$, $f(2)=a_2$, $f(3)=a_3$, $\cdots$, $f(n)=a_n$, $\cdots$이라고 하자

수열 $\{a_n\}$의 일반항 a_n은 $a_n=0$이므로 $\lim_{n\to\infty} a_n=0$이다.

그러나 함수의 극한 $\lim_{x\to\infty} f(x)$는 존재하지 않는다.

따라서 수열의 극한과 함수의 극한이 다름을 알 수 있다.

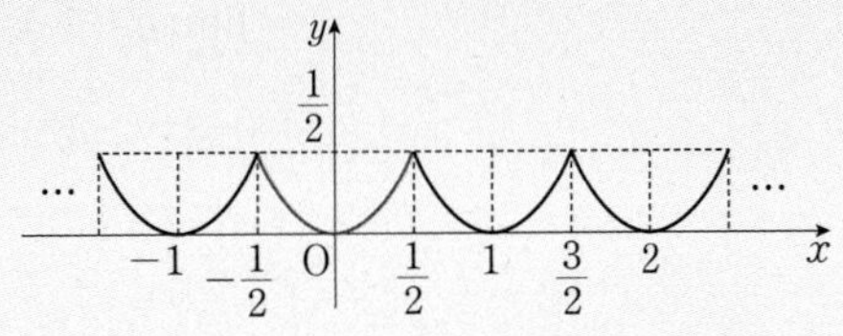

보기 01 다음 극한값을 구하여라.

(1) $\lim_{n\to\infty}\left(2+\frac{1}{n}\right)$ (2) $\lim_{n\to\infty}\left(2-\frac{1}{n}\right)\left(3+\frac{2}{n}\right)$ (3) $\lim_{n\to\infty}\frac{2+\frac{3}{n^2}}{1+\frac{2}{n}}$

풀이

(1) $\lim_{n\to\infty}\left(2+\frac{1}{n}\right)=\lim_{n\to\infty}2+\lim_{n\to\infty}\frac{1}{n}=2+0=2$ ⬅ $\lim_{n\to\infty}\frac{1}{n}=0$

(2) $\lim_{n\to\infty}\left(2-\frac{1}{n}\right)\left(3+\frac{2}{n}\right)=\lim_{n\to\infty}\left(2-\frac{1}{n}\right)\times\lim_{n\to\infty}\left(3+\frac{2}{n}\right)=\left(\lim_{n\to\infty}2-\lim_{n\to\infty}\frac{1}{n}\right)\times\left(\lim_{n\to\infty}3+2\lim_{n\to\infty}\frac{1}{n}\right)$

$=(2-0)\cdot(3+2\cdot0)=2\cdot3=6$

참고 $\lim_{n\to\infty}\left(2-\frac{1}{n}\right)\left(3+\frac{2}{n}\right)=\lim_{n\to\infty}\left(6+\frac{1}{n}-\frac{2}{n^2}\right)=\lim_{n\to\infty}6+\lim_{n\to\infty}\frac{1}{n}-2\lim_{n\to\infty}\frac{1}{n^2}=6+0-2\cdot0=6$

(3) $\lim_{n\to\infty}\frac{2+\frac{3}{n^2}}{1+\frac{2}{n}}=\frac{\lim_{n\to\infty}\left(2+\frac{3}{n^2}\right)}{\lim_{n\to\infty}\left(1+\frac{2}{n}\right)}=\frac{\lim_{n\to\infty}2+\lim_{n\to\infty}\frac{3}{n^2}}{\lim_{n\to\infty}1+\lim_{n\to\infty}\frac{2}{n}}=\frac{\lim_{n\to\infty}2+3\lim_{n\to\infty}\frac{1}{n}\times\lim_{n\to\infty}\frac{1}{n}}{\lim_{n\to\infty}1+2\lim_{n\to\infty}\frac{1}{n}}$

$=\frac{2+3\cdot0\cdot0}{1+2\cdot0}=2$ ⬅ $\lim_{n\to\infty}\frac{1}{n^2}=\lim_{n\to\infty}\left(\frac{1}{n}\times\frac{1}{n}\right)=\lim_{n\to\infty}\frac{1}{n}\times\lim_{n\to\infty}\frac{1}{n}=0\times0=0$

보기 02 $\lim_{n\to\infty}a_n=3$, $\lim_{n\to\infty}b_n=2$일 때, 다음 수열의 극한값을 구하여라.

(1) $\lim_{n\to\infty}(2-a_n)$ (2) $\lim_{n\to\infty}(3a_n+4b_n)$ (3) $\lim_{n\to\infty}(5a_nb_n)$ (4) $\lim_{n\to\infty}\frac{2a_n+1}{b_n^2}$

풀이

(1) $\lim_{n\to\infty}(2-a_n)=\lim_{n\to\infty}2-\lim_{n\to\infty}a_n=2-3=-1$

(2) $\lim_{n\to\infty}(3a_n+4b_n)=3\lim_{n\to\infty}a_n+4\lim_{n\to\infty}b_n=3\cdot3+4\cdot2=17$

(3) $\lim_{n\to\infty}5a_nb_n=5\lim_{n\to\infty}a_n\times\lim_{n\to\infty}b_n=5\cdot3\cdot2=30$

(4) $\lim_{n\to\infty}\frac{2a_n+1}{b_n^2}=\frac{\lim_{n\to\infty}(2a_n+1)}{\lim_{n\to\infty}b_n^2}=\frac{2\lim_{n\to\infty}a_n+\lim_{n\to\infty}1}{\lim_{n\to\infty}b_n\times\lim_{n\to\infty}b_n}=\frac{2\cdot3+1}{2\cdot2}=\frac{7}{4}$

보기 03 두 수열 $\{a_n\}$, $\{b_n\}$에 대하여 다음 물음에 답하여라.

(1) $\lim_{n\to\infty}a_n=-2$, $\lim_{n\to\infty}b_n=2$일 때, $\lim_{n\to\infty}\frac{2a_n-b_n}{a_nb_n+1}$의 값을 구하여라.

(2) $\lim_{n\to\infty}(a_n+b_n)=-3$, $\lim_{n\to\infty}a_nb_n=2$일 때, $\lim_{n\to\infty}(a_n^2+b_n^2)$의 값을 구하여라.

풀이

(1) $\lim_{n\to\infty}\frac{2a_n-b_n}{a_nb_n+1}=\frac{\lim_{n\to\infty}(2a_n-b_n)}{\lim_{n\to\infty}(a_nb_n+1)}=\frac{2\lim_{n\to\infty}a_n-\lim_{n\to\infty}b_n}{\lim_{n\to\infty}a_n\times\lim_{n\to\infty}b_n+\lim_{n\to\infty}1}$ ⬅ $\lim_{n\to\infty}\frac{a_n}{b_n}=\frac{\lim_{n\to\infty}a_n}{\lim_{n\to\infty}b_n}$ 이용

$=\frac{2\cdot(-2)-2}{-2\cdot2+1}=\frac{-6}{-3}=\mathbf{2}$ ⬅ $\lim_{n\to\infty}a_n=-2$, $\lim_{n\to\infty}b_n=2$

(2) $\lim_{n\to\infty}(a_n^2+b_n^2)=\lim_{n\to\infty}\{(a_n+b_n)^2-2a_nb_n\}$ ⬅ 곱셈 공식 $a^2+b^2=(a+b)^2-2ab$ 이용

$=\lim_{n\to\infty}(a_n+b_n)\times\lim_{n\to\infty}(a_n+b_n)-2\lim_{n\to\infty}a_nb_n$ ⬅ $\lim_{n\to\infty}(a_n+b_n)=-3$, $\lim_{n\to\infty}a_nb_n=2$

$=(-3)\cdot(-3)-2\cdot2=5$

02 $\frac{\infty}{\infty}$, $\infty-\infty$꼴의 수열의 극한

(1) $\frac{\infty}{\infty}$꼴 극한

일반항의 분모와 분자가 각각 양의 무한대 또는 음의 무한대로 발산하는 유리식으로 주어진 수열의 극한은 분모의 최고차항으로 분모, 분자를 각각 나누어 그 극한값을 구한다.

이때 차수가 1 이상인 두 다항식 $f(n)$, $g(n)$에 대하여 $f(n)$, $g(n)$의 차수에 따라 $\frac{f(n)}{g(n)}(g(n)\neq 0)$의 극한은 다음과 같다.

① ($f(n)$의 차수)>($g(n)$의 차수)일 때, $\lim_{n\to\infty}\frac{f(n)}{g(n)}=\infty$ 또는 $\lim_{n\to\infty}\frac{f(n)}{g(n)}=-\infty$

EX $\lim_{n\to\infty}\frac{3n^2+1}{n+2}=\lim_{n\to\infty}\frac{3n+\frac{1}{n}}{1+\frac{2}{n}}=\infty$, $\lim_{n\to\infty}\frac{-n^2+2n}{3n+1}=\lim_{n\to\infty}\frac{-n+2}{3+\frac{1}{n}}=-\infty$

② ($f(n)$의 차수)=($g(n)$의 차수)일 때, $\lim_{n\to\infty}\frac{f(n)}{g(n)}=\frac{(f(n)\text{의 최고차항의 계수})}{(g(n)\text{의 최고차항의 계수})}$

EX $\lim_{n\to\infty}\frac{2n^2+n}{3n^2+2}=\lim_{n\to\infty}\frac{2+\frac{1}{n}}{3+\frac{2}{n^2}}=\frac{2+0}{3+0}=\frac{2}{3}$

③ ($f(n)$의 차수)<($g(n)$의 차수)일 때, $\lim_{n\to\infty}\frac{f(n)}{g(n)}=0$

EX $\lim_{n\to\infty}\frac{2n-1}{n^2+2}=\lim_{n\to\infty}\frac{\frac{2}{n}-\frac{1}{n^2}}{1+\frac{2}{n^2}}=\frac{0-0}{1+0}=0$

(2) $\infty-\infty$꼴 극한

일반항이 양의 무한대 또는 음의 무한대로 발산하는 두 식의 차로 주어진 수열의 극한은 다음과 같이 구할 수 있다.

① $\infty-\infty$꼴의 다항식은 최고차항으로 묶어 그 극한을 구한다.

EX $\lim_{n\to\infty}(n^2-2n+3)=\lim_{n\to\infty}n^2\left(1-\frac{2}{n}+\frac{3}{n^2}\right)=\infty$

② $\infty-\infty$꼴의 무리식은 분모를 1로 생각하고 분자를 유리화하여 식을 변형한 후 그 극한을 구한다.

EX $\lim_{n\to\infty}(\sqrt{n+1}-\sqrt{n})=\lim_{n\to\infty}\frac{(\sqrt{n+1}-\sqrt{n})(\sqrt{n+1}+\sqrt{n})}{\sqrt{n+1}+\sqrt{n}}=\lim_{n\to\infty}\frac{(n+1)-n}{\sqrt{n+1}+\sqrt{n}}=\lim_{n\to\infty}\frac{1}{\sqrt{n+1}+\sqrt{n}}=0$

$\lim_{n\to\infty}(\sqrt{n^2+n}-n)=\lim_{n\to\infty}\frac{(\sqrt{n^2+n}-n)(\sqrt{n^2+n}+n)}{\sqrt{n^2+n}+n}=\lim_{n\to\infty}\frac{(n^2+n)-n^2}{\sqrt{n^2+n}+n}$

$=\lim_{n\to\infty}\frac{n}{\sqrt{n^2+n}+n}=\lim_{n\to\infty}\frac{1}{\sqrt{1+\frac{1}{n}}+1}=\frac{1}{1+1}=\frac{1}{2}$

주의 ∞는 수가 아니라 커지는 상태를 나타내므로 $\frac{\infty}{\infty}\neq 1$, $\infty-\infty\neq 0$임에 주의한다.

더 알아보기

두 수열 $\{a_n\}$, $\{b_n\}$에 대하여 $\lim_{n\to\infty}a_n=\infty$, $\lim_{n\to\infty}b_n=0$이면 $\lim_{n\to\infty}a_nb_n=0$이라 할 수 없다.

① $a_n=n^2$, $b_n=\frac{1}{n}$이면 $\lim_{n\to\infty}a_n=\lim_{n\to\infty}n^2=\infty$, $\lim_{n\to\infty}b_n=\lim_{n\to\infty}\frac{1}{n}=0$이고 $\lim_{n\to\infty}a_nb_n=\lim_{n\to\infty}\left(n^2\times\frac{1}{n}\right)=\lim_{n\to\infty}n=\infty$

② $a_n=n$, $b_n=\frac{1}{n}$이면 $\lim_{n\to\infty}a_n=\lim_{n\to\infty}n=\infty$, $\lim_{n\to\infty}b_n=\lim_{n\to\infty}\frac{1}{n}=0$이고 $\lim_{n\to\infty}a_nb_n=\lim_{n\to\infty}\left(n\times\frac{1}{n}\right)=\lim_{n\to\infty}1=1$

③ $a_n=n$, $b_n=\frac{1}{n^2}$이면 $\lim_{n\to\infty}a_n=\lim_{n\to\infty}n=\infty$, $\lim_{n\to\infty}b_n=\lim_{n\to\infty}\frac{1}{n^2}=0$이고 $\lim_{n\to\infty}a_nb_n=\lim_{n\to\infty}\left(n\times\frac{1}{n^2}\right)=\lim_{n\to\infty}\frac{1}{n}=0$

보기 04 다음 극한값을 구하여라.

$\frac{\infty}{\infty}$꼴의 극한

(1) $\lim_{n\to\infty}\frac{2n^2+3n+1}{n^2+1}$ (2) $\lim_{n\to\infty}\frac{n^2-2n-1}{n+1}$ (3) $\lim_{n\to\infty}\frac{4n+5}{2n^2+3n-1}$

풀이

(1) 분모의 최고차항 n^2으로 분모, 분자를 각각 나누면

← (분자의 차수)=(분모의 차수) ⇨ 최고차항의 계수의 비에 수렴한다.

$$\lim_{n\to\infty}\frac{2n^2+3n+1}{n^2+1}=\lim_{n\to\infty}\frac{2+\frac{3}{n}+\frac{1}{n^2}}{1+\frac{1}{n^2}}=\frac{2+0+0}{1+0}=2$$

(2) 분모의 최고차항 n으로 분자, 분모를 각각 나누면

← (분자의 차수)>(분모의 차수)일 때 ⇨ ∞ 또는 $-\infty$로 발산한다.

$$\lim_{n\to\infty}\frac{n^2-2n-1}{n+1}=\lim_{n\to\infty}\frac{n-2-\frac{1}{n}}{1+\frac{1}{n}}=\infty$$

(3) 분모의 최고차항 n^2으로 분자, 분모를 각각 나누면

← (분자의 차수)<(분모의 차수)일 때 ⇨ 0에 수렴한다.

$$\lim_{n\to\infty}\frac{4n+5}{2n^2+3n-1}=\lim_{n\to\infty}\frac{\frac{4}{n}+\frac{5}{n^2}}{2+\frac{3}{n}-\frac{1}{n^2}}=\frac{0+0}{2+0-0}=0$$

보기 05 다음 극한값을 구하여라.

$\infty-\infty$꼴의 극한

(1) $\lim_{n\to\infty}(\sqrt{n^2+n}-n)$ (2) $\lim_{n\to\infty}\frac{1}{\sqrt{n^2+2n}-n}$ (3) $\lim_{n\to\infty}(n^2-2n-1)$

풀이

(1) 근호가 있는 부분을 유리화하면

$$\lim_{n\to\infty}(\sqrt{n^2+n}-n)=\lim_{n\to\infty}\frac{(\sqrt{n^2+n}-n)(\sqrt{n^2+n}+n)}{\sqrt{n^2+n}+n}$$

← $(\sqrt{n^2+n}-n)(\sqrt{n^2+n}+n)=(n^2+n)-n^2=n$

$$=\lim_{n\to\infty}\frac{n}{\sqrt{n^2+n}+n}$$

$$=\lim_{n\to\infty}\frac{1}{\sqrt{1+\frac{1}{n}}+1}=\frac{1}{1+1}=\frac{1}{2}$$

(2) 근호가 있는 부분을 유리화하면

$$\lim_{n\to\infty}\frac{1}{\sqrt{n^2+2n}-n}=\lim_{n\to\infty}\frac{\sqrt{n^2+2n}+n}{(\sqrt{n^2+2n}-n)(\sqrt{n^2+2n}+n)}$$

← $(\sqrt{n^2+2n}-n)(\sqrt{n^2+2n}+n)=(n^2+2n)-n^2=2n$

$$=\lim_{n\to\infty}\frac{\sqrt{n^2+2n}+n}{2n}$$

$$=\lim_{n\to\infty}\frac{\sqrt{1+\frac{2}{n}}+1}{2}=\frac{1+1}{2}=1$$

(3) $\infty-\infty$꼴이면서 근호가 없는 다항식이므로 최고차항 n^2으로 묶어낸다.

$$\lim_{n\to\infty}(n^2-2n-1)=\lim_{n\to\infty}n^2\left(1-\frac{2}{n}-\frac{1}{n^2}\right)=\infty(1-0-0)=\infty$$

더 알아보기

극한의 계산에서 알려진 성질

① $\infty\pm$(상수)$=\infty$

② $\infty\times$(양수)$=\infty$, $\infty\times$(음수)$=-\infty$

③ $\frac{\infty}{(양수)}=\infty$, $\frac{\infty}{(음수)}=-\infty$

④ $\infty\times\infty=\infty$

⑤ $\frac{(상수)}{\infty}=0$

03 수열의 극한의 대소 관계

수렴하는 두 수열 $\{a_n\}$, $\{b_n\}$에 대하여 $\lim_{n\to\infty} a_n=\alpha$, $\lim_{n\to\infty} b_n=\beta$($\alpha$, β는 상수)일 때,

① 모든 자연수 n에 대하여 $a_n \le b_n$이면 $\alpha \le \beta$이다.
② 모든 자연수 n에 대하여 $a_n < b_n$이면 $\alpha \le \beta$이다.
③ 수열 $\{c_n\}$이 모든 자연수 n에 대하여 $a_n \le c_n \le b_n$이고 $\alpha=\beta$이면 $\lim_{n\to\infty} c_n=\alpha$이다.

⬅ 샌드위치 법칙 (Sandwich rule)

주의 두 수열 $\{a_n\}$, $\{b_n\}$에 대하여 $a_n<b_n$이라고 해서 반드시 $\lim_{n\to\infty} a_n < \lim_{n\to\infty} b_n$이 성립하는 것은 아니다.

마플해설 세 수열 $\{a_n\}$, $\{b_n\}$, $\{c_n\}$에 대하여 $\lim_{n\to\infty} a_n=\alpha$, $\lim_{n\to\infty} b_n=\beta$($\alpha$, β는 실수)일 때,

② $a_n=1-\frac{1}{n}$, $b_n=1+\frac{1}{n}$이면 모든 자연수 n에 대하여 $1-\frac{1}{n}<1+\frac{1}{n}$이므로 $a_n<b_n$이지만
$\lim_{n\to\infty} a_n=1$, $\lim_{n\to\infty} b_n=1$이다.
즉, 모든 자연수 n에 대하여 $a_n<b_n$일 때에도 $\lim_{n\to\infty} a_n=\lim_{n\to\infty} b_n$인 경우가 있다.
따라서 $\alpha \le \beta$이다.

③ $a_n=\frac{1}{n}$, $b_n=\frac{3}{n}$, $c_n=\frac{2}{n}$일 때, $a_n<c_n<b_n$이지만 $\lim_{n\to\infty} a_n=\lim_{n\to\infty} b_n=0$이고 $\lim_{n\to\infty} c_n=0$
즉, 모든 자연수 n에 대하여 $a_n \le c_n \le b_n$이고 $\lim_{n\to\infty} a_n=\lim_{n\to\infty} b_n=\alpha$($\alpha$는 실수)이면 $\lim_{n\to\infty} c_n=\alpha$이다.

보기 06 수열 $\{a_n\}$이 모든 자연수 n에 대하여 $\frac{3n-1}{n+1} \le a_n \le \frac{3n+1}{n+1}$을 만족할 때, $\lim_{n\to\infty} a_n$의 값을 구하여라.

풀이 $\frac{3n-1}{n+1} \le a_n \le \frac{3n+1}{n+1}$이고 $\lim_{n\to\infty}\frac{3n-1}{n+1}=3$, $\lim_{n\to\infty}\frac{3n+1}{n+1}=3$이므로
수열의 극한의 대소 관계 ③에 의하여 $\lim_{n\to\infty} a_n=3$

보기 07 수열 $\{a_n\}$이 모든 자연수 n에 대하여 부등식 $2n-1<na_n<2n+1$을 만족시킬 때, $\lim_{n\to\infty} a_n$의 값을 구하여라.

풀이 $2n-1<na_n<2n+1$에서 $\frac{2n-1}{n}<a_n<\frac{2n+1}{n}$ ⬅ $\lim_{n\to\infty}\frac{2n-1}{n} \le \lim_{n\to\infty} a_n \le \lim_{n\to\infty}\frac{2n+1}{n}$
이때 $\lim_{n\to\infty}\frac{2n-1}{n}=2$, $\lim_{n\to\infty}\frac{2n+1}{n}=2$이므로 수열의 극한의 대소 관계 ③에 의하여 $\lim_{n\to\infty} a_n=2$

FOCUS

수열의 극한과 대소 관계의 활용

(1) 두 수열 $\{a_n\}$, $\{b_n\}$이 발산할 때,
① $a_n \le b_n$이고 $\lim_{n\to\infty} a_n=\infty$이면 $\lim_{n\to\infty} b_n=\infty$
② $a_n \le b_n$이고 $\lim_{n\to\infty} b_n=-\infty$이면 $\lim_{n\to\infty} a_n=-\infty$

(2) 세 수열 $\{a_n\}$, $\{b_n\}$, $\{c_n\}$에 대하여 $a_n \le c_n \le b_n$이 성립하고, 두 수열 $\{a_n\}$, $\{b_n\}$이 각각 수렴할 때, 수열 $\{c_n\}$은 반드시 수렴한다고 할 수 없다.
해설 두 수열 $\{a_n\}$, $\{b_n\}$이 각각 수렴하지만 극한값이 같지 않으면 수열 $\{c_n\}$은 수렴할 수도 있고, 발산할 수도 있다.
예를 들면 $a_n=-1-\frac{1}{n}$, $b_n=3+\frac{1}{n}$, $c_n=(-1)^n$일 때, $a_n \le c_n \le b_n$이 성립하고,
수열 $\{a_n\}$은 -1, 수열 $\{b_n\}$은 3으로 수렴하지만 수열 $\{c_n\}$은 진동하면서 발산한다.

(3) 임의의 자연수 n에 대하여 $|a_n| \le M$(M은 양의 상수)이고 $\lim_{n\to\infty} b_n=0$이면 $\lim_{n\to\infty} a_nb_n=0$
즉, $\lim_{n\to\infty}$\{(일정한 범위의 수)×(0으로 수렴하는 수열)\}=0
해설 $|a_nb_n| \le M|b_n|$이므로 $0 \le \lim_{n\to\infty}|a_nb_n| \le M\lim_{n\to\infty}|b_n|=0$이면 $\lim_{n\to\infty}|a_nb_n|=0$ $\quad\therefore \lim_{n\to\infty} a_nb_n=0$

마플개념익힘 01 수열의 극한에 대한 기본 성질 (1)

두 수열 $\{a_n\}$, $\{b_n\}$에 대하여

$$\lim_{n\to\infty}(a_n-2)=4,\ \lim_{n\to\infty}(2a_n+b_n)=7$$

일 때, $\lim_{n\to\infty}\frac{a_n-b_n}{a_n+b_n}$의 값을 구하여라. (단, $a_n+b_n\neq0$)

MAPL CORE $\lim_{n\to\infty}a_n=\alpha$, $\lim_{n\to\infty}b_n=\beta$ (α, β는 실수)일 때,

① $\lim_{n\to\infty}(a_n\pm b_n)=\lim_{n\to\infty}a_n\pm\lim_{n\to\infty}b_n=\alpha\pm\beta$

② $\lim_{n\to\infty}ca_n=c\lim_{n\to\infty}a_n=c\alpha$ (단, c는 실수)

③ $\lim_{n\to\infty}a_nb_n=\lim_{n\to\infty}a_n\times\lim_{n\to\infty}b_n=\alpha\beta$

④ $\lim_{n\to\infty}\frac{a_n}{b_n}=\frac{\lim_{n\to\infty}a_n}{\lim_{n\to\infty}b_n}=\frac{\alpha}{\beta}$ (단, $b_n\neq0$, $\beta\neq0$)

참고 수렴하는 수열에서 $\lim_{n\to\infty}$기호를 분배하거나 묶을수 있다.

개념익힘 | 풀이 $\lim_{n\to\infty}(a_n-2)=4$이므로

$\lim_{n\to\infty}a_n=\lim_{n\to\infty}\{(a_n-2)+2\}=\lim_{n\to\infty}(a_n-2)+\lim_{n\to\infty}2=4+2=6$

$\lim_{n\to\infty}(2a_n+b_n)=7$이므로

$\lim_{n\to\infty}b_n=\lim_{n\to\infty}\{(2a_n+b_n)-2a_n\}=\lim_{n\to\infty}(2a_n+b_n)-2\lim_{n\to\infty}a_n=7-2\times6=-5$

따라서 $\lim_{n\to\infty}\frac{a_n-b_n}{a_n+b_n}=\frac{\lim_{n\to\infty}a_n-\lim_{n\to\infty}b_n}{\lim_{n\to\infty}a_n+\lim_{n\to\infty}b_n}=\frac{6-(-5)}{6+(-5)}=\mathbf{11}$

확인유제 0001 수열 $\{a_n\}$에 대하여

$$\lim_{n\to\infty}(a_n+1)=\alpha,\ \lim_{n\to\infty}\frac{4a_n-1}{a_n+1}=3$$

일 때, 실수 α의 값을 구하여라. (단, $\alpha\neq0$, $a_n+1\neq0$)

변형문제 0002 두 수열 $\{a_n\}$, $\{b_n\}$에 대하여

$$\lim_{n\to\infty}(a_n-4)=1,\ \lim_{n\to\infty}(b_n+3)=5$$

일 때, $\lim_{n\to\infty}(2a_n-3b_n)$의 값은?

① 2 ② 4 ③ 6 ④ 8 ⑤ 10

발전문제 0003 다음 물음에 답하여라.

2019년 03월 교육청

(1) 두 수열 $\{a_n\}$, $\{b_n\}$에 대하여

$$\lim_{n\to\infty}(a_n+2b_n)=9,\ \lim_{n\to\infty}(2a_n+b_n)=90$$

일 때, $\lim_{n\to\infty}(a_n+b_n)$의 값을 구하여라.

2017년 03월 교육청

(2) 두 수열 $\{a_n\}$, $\{b_n\}$이

$$\lim_{n\to\infty}(a_n-1)=2,\ \lim_{n\to\infty}(a_n+2b_n)=9$$

를 만족시킬 때, $\lim_{n\to\infty}a_n(1+b_n)$의 값을 구하여라.

정답 0001 : 5 0002 : ② 0003 : (1) 33 (2) 12

마플개념익힘 02 수열의 극한에 대한 기본 성질 (2)

두 수열 $\{a_n\}$, $\{b_n\}$에 대하여

$$\lim_{n\to\infty} a_n=\infty,\ \lim_{n\to\infty}(a_n-b_n)=3$$

일 때, $\lim_{n\to\infty}\frac{2b_n+2}{a_n+1}$의 값을 구하여라.

MAPL CORE $\lim_{n\to\infty} a_n=\infty$, $\lim_{n\to\infty}(a_n-b_n)=\alpha$일 때, 극한에 관한 성질을 이용하여 다음과 같이 구한다.

[1단계] $a_n-b_n=c_n$로 놓으면 $b_n=a_n-c_n$, $\lim_{n\to\infty} c_n=\alpha$이 성립한다.

[2단계] $\lim_{n\to\infty} a_n=\infty$이므로 $\lim_{n\to\infty}\frac{c_n}{a_n}=\frac{\alpha}{\infty}=0$임을 이용하여 주어진 식의 값을 구한다.

개념익힘 | 풀이 수열 $\{a_n-b_n\}$이 수렴하므로 $a_n-b_n=c_n$이라 하면 $b_n=a_n-c_n$, $\lim_{n\to\infty} c_n=3$

$$\lim_{n\to\infty}\frac{2b_n+2}{a_n+1}=\lim_{n\to\infty}\frac{2(a_n-c_n)+2}{a_n+1}=\lim_{n\to\infty}\frac{2(a_n+1)-2c_n}{a_n+1}$$

이때 $\lim_{n\to\infty} a_n=\infty$이므로 $\lim_{n\to\infty}\frac{2}{a_n}=0$, $\lim_{n\to\infty}\frac{c_n}{a_n}=0$

따라서 $\lim_{n\to\infty}\frac{2b_n+2}{a_n+1}=\lim_{n\to\infty}\frac{2(a_n+1)-2c_n}{a_n+1}$의 분모, 분자를 a_n으로 나누면

$$\lim_{n\to\infty}\frac{2+\frac{2}{a_n}-\frac{2c_n}{a_n}}{1+\frac{1}{a_n}}=\frac{2+0-0}{1+0}=\mathbf{2}$$

확인유제 0004 두 수열 $\{a_n\}$, $\{b_n\}$에 대하여

$$\lim_{n\to\infty} a_n=\infty,\ \lim_{n\to\infty}(a_n-2b_n)=3$$

일 때, $\lim_{n\to\infty}\frac{3a_n+2b_n}{a_n-b_n}$의 값을 구하여라.

변형문제 0005 두 수열 $\{a_n\}$, $\{b_n\}$은 다음 조건을 만족시킨다.

2012년 03월 교육청

(가) $\lim_{n\to\infty} a_n=\infty$

(나) $\lim_{n\to\infty}(2a_n-5b_n)=3$

$\lim_{n\to\infty}\frac{2a_n+3b_n}{a_n+b_n}=\frac{q}{p}$일 때, $p+q$의 값을 구하여라. (단, p, q는 서로소인 자연수이다.)

발전문제 0006 두 수열 $\{a_n\}$, $\{b_n\}$에 대하여

$$\lim_{n\to\infty} a_n=\infty,\ \lim_{n\to\infty}(b_n-a_n)=3$$

일 때, $\lim_{n\to\infty}\left(\frac{b_n^2}{a_n}-\frac{a_n^2}{b_n}\right)$의 값은?

① $\frac{1}{3}$ ② 1 ③ 3 ④ 6 ⑤ 9

정답	0004 : 8 0005 : 23 0006 : ⑤

마플개념익힘 03 $\frac{\infty}{\infty}$ 꼴의 극한값 (1)

다음 극한값을 구하여라.

(1) $\lim_{n\to\infty}\frac{(2n+1)(2n-3)}{4n^2+5}$　　(2) $\lim_{n\to\infty}\frac{3n-1}{\sqrt{n^2+1}}$　　(3) $\lim_{n\to\infty}\frac{\sqrt{4n^2-2n+1}+\sqrt{n^2-n}}{n+3}$

MAPL CORE $\frac{\infty}{\infty}$ 꼴의 극한 계산 ⇨ 분모의 최고차항으로 분모, 분자를 나눈다.

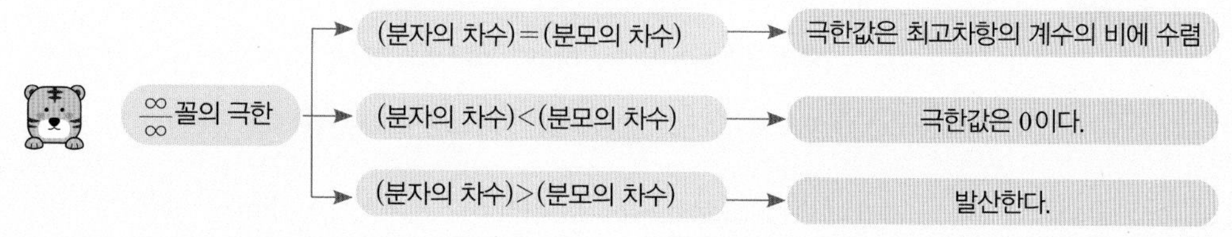

개념익힘 | 풀이 (1) 분모, 분자를 각각 n^2으로 나누면

$$\lim_{n\to\infty}\frac{(2n+1)(2n-3)}{4n^2+5}=\lim_{n\to\infty}\frac{4n^2-4n-3}{4n^2+5}$$

$$=\lim_{n\to\infty}\frac{4-\frac{4}{n}-\frac{3}{n^2}}{4+\frac{5}{n^2}}=\frac{4}{4}=\mathbf{1}$$ ⬅ $\lim_{n\to\infty}\frac{1}{n}=\lim_{n\to\infty}\frac{1}{n^2}=0$

(2) 분모, 분자를 n으로 나누면

$$\lim_{n\to\infty}\frac{3n-1}{\sqrt{n^2+1}}=\lim_{n\to\infty}\frac{3-\frac{1}{n}}{\sqrt{1+\frac{1}{n^2}}}=\frac{3-0}{\sqrt{1+0}}=\mathbf{3}$$ ⬅ $\lim_{n\to\infty}\frac{1}{n}=\lim_{n\to\infty}\frac{1}{n^2}=0$

(3) 분모, 분자를 n으로 나누면

$$\lim_{n\to\infty}\frac{\sqrt{4n^2-2n+1}+\sqrt{n^2-n}}{n+3}=\lim_{n\to\infty}\frac{\sqrt{4-\frac{2}{n}+\frac{1}{n^2}}+\sqrt{1-\frac{1}{n}}}{1+\frac{3}{n}}=2+1=\mathbf{3}$$

확인유제 0007

2013년 03월 교육청
2020년 06월 평가원

다음 극한값을 구하여라.

(1) $\lim_{n\to\infty}\frac{5n^2+3n}{(2n+1)(2n-1)}$　　(2) $\lim_{n\to\infty}\frac{\sqrt{9n^2+4n+1}}{2n+5}$　　(3) $\lim_{n\to\infty}\frac{2n+1}{\sqrt{9n^2+1}-n}$

변형문제 0008

x에 대한 이차방정식

$$x^2-(2n^2+3n+1)x+(n^2+n)=0$$

의 두 근을 α_n, β_n이라 할 때, $\lim_{n\to\infty}\left(\frac{1}{\alpha_n}+\frac{1}{\beta_n}\right)$의 값은?

① -2　② -1　③ 0　④ 1　⑤ 2

발전문제 0009

2013학년도 06월 평가원

닫힌구간 $[-2, 5]$에서 정의된 함수 $y=f(x)$의 그래프가 오른쪽 그림과 같다.

$$\lim_{n\to\infty}\frac{|nf(a)-1|-nf(a)}{2n+3}=1$$

을 만족시키는 상수 a의 개수는?

① 1　② 2　③ 3
④ 4　⑤ 5

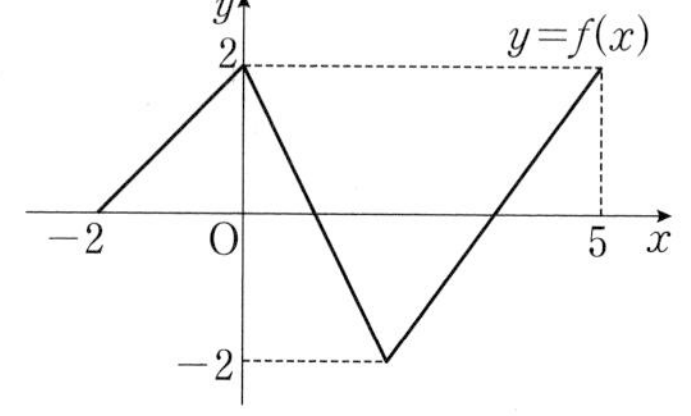

정답 0007 : (1) $\frac{5}{4}$ (2) $\frac{3}{2}$ (3) 1　0008 : ⑤　0009 : ②

마플개념익힘 04 $\frac{\infty}{\infty}$꼴의 극한값 (2)

다음 극한값을 구하여라.

(1) $\lim_{n\to\infty}\frac{1+2+3+\cdots+n}{n^2}$　　(2) $\lim_{n\to\infty}\frac{1^2+2^2+3^2+\cdots+n^2}{n^3}$

MAPL CORE

① $\sum_{k=1}^{n}k=1+2+3+\cdots+n=\frac{n(n+1)}{2}$

② $\sum_{k=1}^{n}k(k+1)=1\cdot2+2\cdot3+3\cdot4+\cdots+n(n+1)=\frac{n(n+1)(n+2)}{3}$

③ $\sum_{k=1}^{n}k^2=1^2+2^2+3^2+\cdots+n^2=\frac{n(n+1)(2n+1)}{6}$

개념익힘 | 풀이

(1) $\lim_{n\to\infty}\frac{1+2+3+\cdots+n}{n^2}=\lim_{n\to\infty}\frac{\frac{n(n+1)}{2}}{n^2}=\lim_{n\to\infty}\frac{n^2+n}{2n^2}=\lim_{n\to\infty}\frac{1+\frac{1}{n}}{2}=\mathbf{\frac{1}{2}}$ ⬅ 분모, 분자를 n^2으로 나누면

(2) $\lim_{n\to\infty}\frac{1^2+2^2+3^2+\cdots+n^2}{n^3}=\lim_{n\to\infty}\frac{n(n+1)(2n+1)}{6n^3}=\lim_{n\to\infty}\frac{\left(1+\frac{1}{n}\right)\left(2+\frac{1}{n}\right)}{6}=\frac{1\cdot2}{6}=\mathbf{\frac{1}{3}}$

⬅ 분모, 분자를 n^3으로 나누면

오답풀이

(1) $\lim_{n\to\infty}\frac{1+2+3+\cdots+n}{n^2}=\lim_{n\to\infty}\left(\frac{1}{n^2}+\frac{2}{n^2}+\frac{3}{n^2}+\cdots+\frac{n}{n^2}\right)=0+0+0+\cdots+0$

(2) $\lim_{n\to\infty}\frac{1^2+2^2+3^2+\cdots+n^2}{n^3}=\lim_{n\to\infty}\left(\frac{1^2}{n^3}+\frac{2^2}{n^3}+\frac{3^2}{n^3}+\cdots+\frac{n^2}{n^3}\right)=0+0+0+\cdots+0$

참고 n이 한없이 커지면 더하는 수열의 개수도 계속 늘어나 무한히 많아지므로
수열의 극한에 대한 기본 성질을 적용할 수 없다.

확인유제 0010

다음 극한값을 구하여라.

(1) $\lim_{n\to\infty}\frac{1+3+5+\cdots+(2n-1)}{2+4+6+\cdots+2n}$　　(2) $\lim_{n\to\infty}\frac{1\cdot2+2\cdot3+\cdots+n(n+1)}{n^3}$

변형문제 0011

다음 물음에 답하여라.

(1) 수열 $\{a_n\}$이 $a_1=1$, $a_2=4$이고, 모든 자연수 n에 대하여 $a_{n+1}-a_n=a_{n+2}-a_{n+1}$을 만족시킬 때,

$\lim_{n\to\infty}\frac{a_na_{n+1}}{1+2+3+\cdots+n}$의 값은?

① 6　② 10　③ 12　④ 18　⑤ 24

2014년 10월 교육청

(2) 첫째항이 2이고 공차가 3인 등차수열 $\{a_n\}$의 첫째항부터 제 n항까지의 합을 S_n이라 할 때,

$\lim_{n\to\infty}\frac{S_n}{a_na_{n+1}}$의 값은?

① 2　② 1　③ $\frac{1}{2}$　④ $\frac{1}{3}$　⑤ $\frac{1}{6}$

발전문제 0012

2011년 04월 교육청

자연수 n에 대하여

$$f(n)=\frac{1^2+2^2+3^2+\cdots+n^2}{3+5+7+\cdots+(2n+1)}$$

일 때, $\lim_{n\to\infty}\frac{f(n)}{n}$의 값을 구하여라.

정답 0010 : (1) 1 (2) $\frac{1}{3}$　0011 : (1) ④ (2) ⑤　0012 : $\frac{1}{3}$

마플개념익힘 05 $\infty-\infty$꼴의 극한값

다음 극한값을 구하여라.

(1) $\lim_{n\to\infty}(\sqrt{n^2+4n+11}-n)$ (2) $\lim_{n\to\infty}\frac{3}{\sqrt{n^2+3n+2}-n}$ (3) $\lim_{n\to\infty}\frac{\sqrt{n+3}-\sqrt{n}}{\sqrt{n+1}-\sqrt{n}}$

MAPL CORE $\infty-\infty$꼴의 무리식의 극한은
유리화를 이용하여 식을 변형한 후 그 결과가 다시 $\frac{\infty}{\infty}$이 되도록 하여 극한을 구한다.

개념익힘 | **풀이**

(1) $\lim_{n\to\infty}(\sqrt{n^2+4n+11}-n)=\lim_{n\to\infty}\frac{(\sqrt{n^2+4n+11}-n)(\sqrt{n^2+4n+11}+n)}{\sqrt{n^2+4n+11}+n}$ ⬅ 분모를 1로 놓고 유리화

$$=\lim_{n\to\infty}\frac{4n+11}{\sqrt{n^2+4n+11}+n}=\lim_{n\to\infty}\frac{4+\frac{11}{n}}{\sqrt{1+\frac{4}{n}+\frac{11}{n^2}}+1}=\frac{4}{1+1}=\mathbf{2}$$

(2) $\lim_{n\to\infty}\frac{3}{\sqrt{n^2+3n+2}-n}=\lim_{n\to\infty}\frac{3(\sqrt{n^2+3n+2}+n)}{(\sqrt{n^2+3n+2}-n)(\sqrt{n^2+3n+2}+n)}$ ⬅ 분모를 유리화

$$=\lim_{n\to\infty}\frac{3(\sqrt{n^2+3n+2}+n)}{3n+2}$$

$$=\lim_{n\to\infty}\frac{3\left(\sqrt{1+\frac{3}{n}+\frac{2}{n^2}}+1\right)}{3+\frac{2}{n}}=\frac{3(1+1)}{3}=\mathbf{2}$$

(3) $\lim_{n\to\infty}\frac{\sqrt{n+3}-\sqrt{n}}{\sqrt{n+1}-\sqrt{n}}=\lim_{n\to\infty}\frac{(\sqrt{n+3}-\sqrt{n})(\sqrt{n+3}+\sqrt{n})(\sqrt{n+1}+\sqrt{n})}{(\sqrt{n+1}-\sqrt{n})(\sqrt{n+1}+\sqrt{n})(\sqrt{n+3}+\sqrt{n})}$ ⬅ 분모, 분자를 유리화

$$=\lim_{n\to\infty}\left(\frac{n+3-n}{n+1-n}\times\frac{\sqrt{n+1}+\sqrt{n}}{\sqrt{n+3}+\sqrt{n}}\right)$$

$$=3\lim_{n\to\infty}\frac{\sqrt{n+1}+\sqrt{n}}{\sqrt{n+3}+\sqrt{n}}=3\times\frac{1+1}{1+1}=\mathbf{3}$$

확인유제 0013

x에 대한 이차방정식

$$x^2-x+\sqrt{n^2+n}-n=0$$

의 두 근을 α_n, β_n이라 할 때, $\lim_{n\to\infty}\left(\frac{1}{\alpha_n}+\frac{1}{\beta_n}\right)$의 값을 구하여라.

변형문제 0014

2016학년도 09월 평가원

자연수 n에 대하여 x에 대한 이차방정식

$$x^2+2nx-4n=0$$

의 양의 실근을 a_n이라 할 때, $\lim_{n\to\infty}a_n$의 값은?

① 1 ② 2 ③ 3 ④ 4 ⑤ 6

발전문제 0015

2017년 10월 교육청

다음 물음에 답하여라.

(1) 등차수열 $\{a_n\}$이 $a_3=5$, $a_6=11$일 때, $\lim_{n\to\infty}\{\sqrt{n}(\sqrt{a_{n+1}}-\sqrt{a_n})\}$의 값을 구하여라.

(2) $\lim_{n\to\infty}\{\sqrt{2+4+6+\cdots+2n}-\sqrt{1+3+5+\cdots(2n-1)}\}$의 값을 구하여라.

정답 0013 : 2 0014 : ② 0015 : (1) $\frac{\sqrt{2}}{2}$ (2) $\frac{1}{2}$

마플개념익힘 06 소수부분의 극한값 계산

자연수 n에 대하여 $\sqrt{n^2+n}$의 소수부분을 a_n이라 할 때, $\lim_{n\to\infty} a_n$의 값을 구하여라.

MAPL CORE 근호를 포함한 수의 소수부분의 극한값 계산 방법

[1단계] 주어진 수의 근호 안의 수와 적당한 완전제곱수의 대소 관계를 추정하여 주어진 수의 정수부분을 찾는다.

[2단계] 주어진 수에서 정수부분을 뺀 소수부분을 구하고, $\infty-\infty$꼴의 극한값 계산을 이용하여 소수부분의 극한값을 구한다.

개념익힘 | **풀이** $\sqrt{n^2+n}$의 소수부분을 구하기 위해서는 $\sqrt{n^2+n}$의 정수부분을 구해야 한다.

$\sqrt{n^2+n}$의 정수부분은 근호 안의 수들의 대소 관계를 이용하면

근호 안의 수 n^2+n의 이차항과 일차항에 주목하여 완전제곱수를 찾으면 된다.

$n=\sqrt{n^2}<\sqrt{n^2+n}<\sqrt{n^2+2n+1}=\sqrt{(n+1)^2}=n+1$

즉, $n<\sqrt{n^2+n}<n+1$이므로 정수부분은 n이다.

$a_n=\sqrt{n^2+n}-n$ ⬅ $\sqrt{n^2+n}$에서 정수부분을 뺀 부분이 $\sqrt{n^2+n}$의 소수 부분이다.

$$\lim_{n\to\infty} a_n=\lim_{n\to\infty}(\sqrt{n^2+n}-n)=\lim_{n\to\infty}\frac{(\sqrt{n^2+n}-n)(\sqrt{n^2+n}+n)}{\sqrt{n^2+n}+n}$$

$$=\lim_{n\to\infty}\frac{n}{\sqrt{n^2+n}+n}=\lim_{n\to\infty}\frac{1}{\sqrt{1+\frac{1}{n}}+1}$$

$$=\frac{1}{\sqrt{1+0}+1}=\mathbf{\frac{1}{2}}$$

확인유제 0016 자연수 n에 대하여

$$\sqrt{4n^2+2n+1}$$

의 소수부분을 a_n이라 할 때, $\lim_{n\to\infty} a_n$의 값을 구하여라.

변형문제 0017 다음 물음에 답하여라.

2008년 03월 교육청

(1) 자연수 n에 대하여 $\sqrt{n^2+1}$의 정수부분을 a_n이라 할 때, $\lim_{n\to\infty} a_n(\sqrt{n^2+1}-a_n)$의 값은?

① 0 ② $\frac{1}{2}$ ③ $\frac{\sqrt{2}}{2}$ ④ 1 ⑤ $\sqrt{2}$

2007학년도 수능기출

(2) 자연수 n에 대하여 $\sqrt{n^2+3n}$의 소수부분을 a_n이라 할 때, $\lim_{n\to\infty}\frac{10}{a_n}$의 값은?

① 8 ② 10 ③ 16 ④ 18 ⑤ 20

발전문제 0018 수열 $\{a_n\}$의 일반항 a_n이 $a_n=9n^2-2n$일 때, $\lim_{n\to\infty}(\sqrt{a_n}-[\sqrt{a_n}])$값을 구하여라.

2008학년도 경찰대기출

(단, $[x]$는 x보다 크지 않은 최대의 정수이다.)

정답 0016 : $\frac{1}{2}$ 0017 : (1) ② (2) ⑤ 0018 : $\frac{2}{3}$

마플개념익힘 07 수렴하는 수열이 주어질 때 미정계수의 결정

다음 등식이 성립하는 a, b의 값을 구하여라. (단, a, b는 실수)

(1) $\lim_{n\to\infty}\frac{an^3+bn^2+3n-1}{3n^2-2n+1}=3$　　(2) $\lim_{n\to\infty}(an-\sqrt{4n^2+bn})=-4$

MAPL CORE

(1) $\frac{\infty}{\infty}$ 꼴의 수렴하는 수열이 주어질 때, 미정계수의 결정	(2) $\infty-\infty$ 꼴의 극한의 미정계수 결정
$\lim_{n\to\infty}a_n=\infty$, $\lim_{n\to\infty}b_n=\infty$이고 $\lim_{n\to\infty}\frac{b_n}{a_n}=\alpha$ (α는 실수) ① $\alpha=0$이면 ⇨ (a_n의 차수)>(b_n의 차수) ② $\alpha\neq0$이면 ⇨ (a_n의 차수)=(b_n의 차수) 이고 $\lim_{n\to\infty}\frac{b_n}{a_n}=$(최고차항의 계수의 비)	[1단계] 무리식을 유리화하여 $\frac{\infty}{\infty}$ 꼴로 변형한다. [2단계] 0이 아닌 상수 α로 수렴하면 $\alpha=\frac{\text{분자의 최고차항의 계수}}{\text{분모의 최고차항의 계수}}$임을 이용하여 미지수를 계산한다.

개념익힘 | 풀이 (1) 분모, 분자를 n^2으로 나눈다.

$$\lim_{n\to\infty}\frac{an^3+bn^2+3n-1}{3n^2-2n+1}=\lim_{n\to\infty}\frac{an+b+\frac{3}{n}-\frac{1}{n^2}}{3-\frac{2}{n}+\frac{1}{n^2}}$$

이때 $a\neq0$이면 $\lim_{n\to\infty}an=\pm\infty$이므로 주어진 극한값은 발산한다. 즉 $a=0$이어야 한다.

즉, $\lim_{n\to\infty}\frac{bn^2+3n-1}{3n^2-2n+1}=\lim_{n\to\infty}\frac{b+\frac{3}{n}-\frac{1}{n^2}}{3-\frac{2}{n}+\frac{1}{n^2}}=\frac{b+0-0}{3-0+0}=\frac{b}{3}$이므로 $\frac{b}{3}=3$　$\therefore b=9$

따라서 $\boldsymbol{a=0,\ b=9}$

(2) $\lim_{n\to\infty}(an-\sqrt{4n^2+bn})=\lim_{n\to\infty}\frac{(an-\sqrt{4n^2+bn})(an+\sqrt{4n^2+bn})}{an+\sqrt{4n^2+bn}}=\lim_{n\to\infty}\frac{(a^2-4)n^2-bn}{an+\sqrt{4n^2+bn}}$ …… ㉠

㉠의 값이 존재하려면 $a^2-4=0$이어야 하므로 $a=2$ 또는 $a=-2$

이때 $a=-2$이면 $\lim_{n\to\infty}(an-\sqrt{4n^2+bn})=-\infty$이므로 $a=2$

이것을 ㉠에 대입하면 $\lim_{n\to\infty}\frac{-bn}{2n+\sqrt{4n^2+bn}}=\lim_{n\to\infty}\frac{-b}{2+\sqrt{4+\frac{b}{n}}}=\frac{-b}{2+2}=-4$

이므로 $b=16$

따라서 $\boldsymbol{a=2,\ b=16}$

확인유제 0019 다음 등식이 성립하도록 상수 a, b의 값을 구하여라.

(1) $\lim_{n\to\infty}\frac{an^2+bn+1}{4n+2}=3$　　(2) $\lim_{n\to\infty}(\sqrt{n^2+an}-n)=2$

변형문제 0020 다음 물음에 답하여라.

2007학년도 09월 평가원

(1) $\lim_{n\to\infty}\frac{\sqrt{kn+1}}{n(\sqrt{n+1}-\sqrt{n-1})}=5$일 때, 상수 k의 값은?

① 12　② 16　③ 20　④ 25　⑤ 36

2016학년도 09월 평가원

(2) 양수 a와 실수 b에 대하여 $\lim_{n\to\infty}(\sqrt{an^2+4n}-bn)=\frac{1}{5}$일 때, $a+b$의 값은?

① 11　② 30　③ 60　④ 90　⑤ 110

발전문제 0021 정수 k와 실수 a에 대하여 $\lim_{n\to\infty}\frac{n^4(n^2+2)}{(an^2+n+7)^k}=\frac{1}{27}$일 때, ak의 값을 구하여라.

정답　0019 : (1) $a=0$, $b=12$ (2) $a=4$　0020 : (1) ④ (2) ⑤　0021 : 9

마플개념익힘 08 일반항 a_n을 포함하는 수열의 극한값

다음 물음에 답하여라.

(1) 수열 $\{a_n\}$에 대하여 $\lim_{n\to\infty}\frac{a_n+5}{2a_n+1}=3$일 때, $\lim_{n\to\infty}a_n$의 값을 구하여라.

(2) 수열 $\{a_n\}$에 대하여 $\lim_{n\to\infty}(n^2+4n+3)a_n=4$일 때, 극한값 $\lim_{n\to\infty}(2n^2+3n)a_n$을 구하여라.

MAPL CORE

(1) $\lim_{n\to\infty}\frac{pa_n+s}{qa_n+r}=\alpha$ (단, α는 상수)일 때, $\lim_{n\to\infty}a_n$의 값을 구하는 방법

[방법1] $\frac{pa_n+s}{qa_n+r}=b_n$으로 놓고 a_n에 대하여 정리한다.

[방법2] $\lim_{n\to\infty}b_n=\alpha$와 수열의 극한값의 기본 성질(수열이 수렴할 때)을 이용한다.

(2) 치환을 이용한 수열의 극한

$\lim_{n\to\infty}f(n)a_n$꼴이 수렴하면 $f(n)a_n=b_n$으로 치환하며 $\lim_{n\to\infty}b_n$이 수렴함을 이용한다.

개념익힘 | **풀이**

(1) $\frac{a_n+5}{2a_n+1}=b_n$으로 놓으면 $a_n+5=b_n(2a_n+1)$ $\quad\therefore\ a_n=\frac{-b_n+5}{2b_n-1}$

이때 $\lim_{n\to\infty}b_n=3$, 즉 수열 $\{b_n\}$은 수렴하므로

$$\therefore\ \lim_{n\to\infty}a_n=\lim_{n\to\infty}\frac{-b_n+5}{2b_n-1}=\frac{\lim_{n\to\infty}(-b_n+5)}{\lim_{n\to\infty}(2b_n-1)}=\frac{-\lim_{n\to\infty}b_n+\lim_{n\to\infty}5}{2\lim_{n\to\infty}b_n-\lim_{n\to\infty}1}=\frac{-3+5}{2\cdot3-1}=\mathbf{\frac{2}{5}}$$

(2) $(n^2+4n+3)a_n=b_n$으로 놓으면 $a_n=\frac{b_n}{n^2+4n+3}$이고 $\lim_{n\to\infty}b_n=4$이다.

$$\therefore\ \lim_{n\to\infty}(2n^2+3n)a_n=\lim_{n\to\infty}\left(\frac{2n^2+3}{n^2+4n+3}\times b_n\right)=\lim_{n\to\infty}\frac{2+\frac{3}{n^2}}{1+\frac{4}{n}+\frac{3}{n^2}}\times\lim_{n\to\infty}b_n=\frac{2+0}{1+0+0}\times4=\mathbf{8}$$

확인유제 0022 다음 물음에 답하여라.

(1) 수렴하는 수열 $\{a_n\}$에 대하여 $\lim_{n\to\infty}\frac{5a_n-1}{a_n+1}=3$일 때, $\lim_{n\to\infty}(3a_n+2)$의 값을 구하여라.

(2) 수열 $\{a_n\}$에 대하여 $\lim_{n\to\infty}(n-1)a_n=2$일 때, $\lim_{n\to\infty}(3n+2)a_n$의 값을 구하여라.

변형문제 0023 다음 물음에 답하여라.

2010년 07월 교육청

(1) 두 수열 $\{a_n\}$, $\{b_n\}$에 대하여 $\lim_{n\to\infty}\frac{a_n}{2n+3}=2$, $\lim_{n\to\infty}\frac{b_n}{3n+1}=3$일 때, $\lim_{n\to\infty}\frac{a_nb_n}{n^2+4}$의 값은?

① 12 ② 24 ③ 36 ④ 48 ⑤ 60

2017년 04월 교육청

(2) 두 수열 $\{a_n\}$, $\{b_n\}$이 $\lim_{n\to\infty}\frac{a_n}{3n}=2$, $\lim_{n\to\infty}\frac{2n+3}{b_n}=6$을 만족시킬 때, $\lim_{n\to\infty}\frac{a_n}{b_n}$의 값은? (단, $b_n\neq0$)

① 10 ② 12 ③ 14 ④ 16 ⑤ 18

발전문제 0024 수열 $\{a_n\}$과 $\{b_n\}$이

2012학년도 09월 평가원

$$\lim_{n\to\infty}(n+1)a_n=2,\ \lim_{n\to\infty}(n^2+1)b_n=7$$

을 만족시킬 때, $\lim_{n\to\infty}\frac{(10n+1)b_n}{a_n}$의 값을 구하여라. (단, $a_n\neq0$)

정답 0022 : (1) 8 (2) 6 0023 : (1) ③ (2) ⑤ 0024 : 35

마플개념익힘 09 수열의 극한값의 대소 관계

다음 물음에 답하여라.

(1) $n \geq 2$인 모든 자연수 n에 대하여 수열 $\{a_n\}$이 부등식 $\frac{n}{n^2+1} < a_n < \frac{n}{n^2-1}$을 만족시킬 때,

$\lim_{n\to\infty} na_n$의 값을 구하여라.

(2) 수열 $\{a_n\}$이 모든 자연수 n에 대하여 부등식 $\sqrt{4n^2+4n} \leq \sqrt{na_n} \leq 2n+1$을 만족시킬 때,

$\lim_{n\to\infty} \frac{a_n{}^2+na_n}{n^2}$의 값을 구하여라.

MAPL CORE

① $a_n \leq b_n$이고 $\lim_{n\to\infty} a_n=\alpha$, $\lim_{n\to\infty} b_n=\beta$이면 $\alpha \leq \beta$이다.

② $a_n < b_n$이고 $\lim_{n\to\infty} a_n=\alpha$, $\lim_{n\to\infty} b_n=\beta$이면 $\alpha \leq \beta$이다.

③ $a_n \leq c_n \leq b_n$이고 $\lim_{n\to\infty} a_n=\alpha$, $\lim_{n\to\infty} b_n=\alpha$이면 $\lim_{n\to\infty} c_n=\alpha$이다.

개념익힘 | **풀이**

(1) $\frac{n}{n^2+1} < a_n < \frac{n}{n^2-1}$의 각 변에 n을 곱하면 $\frac{n^2}{n^2+1} < na_n < \frac{n^2}{n^2-1}$

이때 $\lim_{n\to\infty} \frac{n^2}{n^2+1} = \lim_{n\to\infty} \frac{n^2}{n^2-1} = 1$이므로 수열의 극한값의 대소 관계에 의하여 $\lim_{n\to\infty} na_n = \mathbf{1}$

(2) 부등식 $\sqrt{4n^2+4n} \leq \sqrt{na_n} \leq 2n+1$의 각 변을 제곱하면 $4n^2+4n \leq na_n \leq (2n+1)^2$

위 등식의 각 변을 n^2으로 나누면 $4+\frac{4}{n} \leq \frac{a_n}{n} \leq 4+\frac{4}{n}+\frac{1}{n^2}$

이때 $\lim_{n\to\infty}\left(4+\frac{4}{n}\right)=4$, $\lim_{n\to\infty}\left(4+\frac{4}{n}+\frac{1}{n^2}\right)=4$이므로 수열의 극한의 대소 관계에 의하여 $\lim_{n\to\infty} \frac{a_n}{n}=4$

따라서 $\lim_{n\to\infty} \frac{a_n{}^2+na_n}{n^2} = \lim_{n\to\infty}\left(\frac{a_n}{n}\right)^2 + \lim_{n\to\infty} \frac{a_n}{n} = 4^2+4 = \mathbf{20}$

확인유제 0025

다음 물음에 답하여라.

2014학년도 06월 평가원

(1) 수열 $\{a_n\}$이 모든 자연수 n에 대하여 부등식 $3n^2+2n < a_n < 3n^2+3n$을 만족시킬 때,

$\lim_{n\to\infty} \frac{5a_n}{n^2+2n}$의 값을 구하여라.

2020학년도 09월 평가원

(2) 모든 항이 양수인 수열 $\{a_n\}$이 모든 자연수 n에 대하여 부등식 $\sqrt{9n^2+4} < \sqrt{na_n} < 3n+2$를 만족시킬 때,

$\lim_{n\to\infty} \frac{a_n}{n}$의 값을 구하여라.

변형문제 0026

2016학년도 수능기출

수열 $\{a_n\}$에 대하여 곡선 $y=x^2-(n+1)x+a_n$은 x축과 만나고, 곡선 $y=x^2-nx+a_n$은 x축과 만나지 않는다.

$\lim_{n\to\infty} \frac{a_n}{n^2}$의 값은?

① $\frac{1}{20}$ ② $\frac{1}{10}$ ③ $\frac{3}{20}$ ④ $\frac{1}{5}$ ⑤ $\frac{1}{4}$

발전문제 0027

다음 물음에 답하여라.

2012년 03월 교육청

(1) 수열 $\{a_n\}$이 모든 자연수 n에 대하여 $n < a_n < n+1$을 만족시킬 때, $\lim_{n\to\infty} \frac{1}{n^2}\sum_{k=1}^{n} a_k$의 값을 구하여라.

2006학년도 수능기출

(2) 수열 $\{a_n\}$이 모든 자연수 n에 대하여 $n < a_n < n+1$을 만족시킬 때, $\lim_{n\to\infty} \frac{n^2}{a_1+a_2+\cdots+a_n}$의 값을 구하여라.

정답 0025 : (1) 15 (2) 9 0026 : ⑤ 0027 : (1) $\frac{1}{2}$ (2) 2

마플개념익힘 10 수열의 극한의 도형의 활용

오른쪽 그림과 같이 한 변의 길이가 n인 정삼각형의 각 변을 n등분한 점들을 각 변에 평행한 선분으로 모두 이을 때, 삼각형의 내부에 그어진 선분의 길이의 합을 a_n이라고 하자. 한 변의 길이가 1인 정삼각형의 개수를 b_n이라고 할 때, $\lim_{n\to\infty}\frac{b_n}{a_n}$의 값을 구하여라.

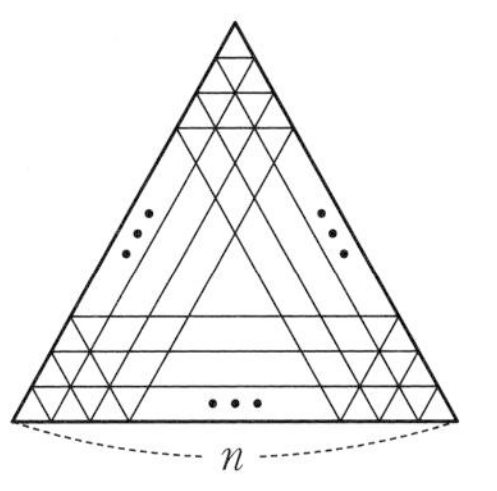

개념익힘 | **풀이** 삼각형의 내부에 그어진 선분들의 길이를 각 꼭짓점에서부터 차례로 나열하면

$1, 2, 3, \cdots, n-1$

삼각형의 내부에 그어진 선분의 길이의 합은 $a_n=3\cdot\frac{(n-1)n}{2}=\frac{3n^2-3n}{2}$

또, 한 변의 길이가 1인 정삼각형의 개수를 각 꼭짓점에서부터 차례대로 나열하면

$1, 3, 5, \cdots, 2n-1$

$b_n=\frac{n\{2\cdot1+(n-1)\cdot2\}}{2}=n^2$

따라서 $\lim_{n\to\infty}\frac{b_n}{a_n}=\lim_{n\to\infty}\frac{2n^2}{3n^2-3n}=\mathbf{\frac{2}{3}}$

확인유제 0028 오른쪽 그림은 한 변의 길이가 n인 정사각형의 각 변을 n등분하여 각 변에 평행한 선분을 모두 이어서 나타낸 것이다.
[n단계]에서 한 변의 길이가 1인 정사각형의 개수를 a_n, [n단계]에서 한 변의 길이가 1인 정사각형들의 꼭짓점이 되는 점들의 개수를 b_n이라고 할 때, $\lim_{n\to\infty}\frac{b_n}{a_n}$의 값을 구하여라.
(단, 중복되는 꼭짓점은 한 번만 센다.)

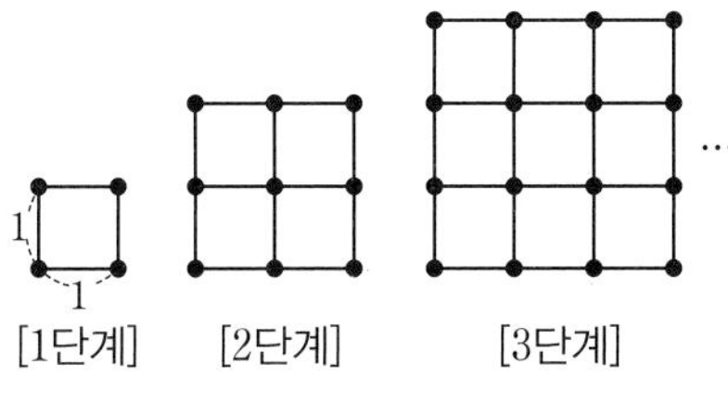

변형문제 0029 다음 물음에 답하여라.

(1) 오른쪽 그림과 같이 한 변의 길이가 1인 정사각형을 이어 붙여서 길이가 1씩 커지는 직사각형 모양을 만든다고 하자. n번째 만든 모든 점의 개수를 a_n, 길이가 1인 모든 선분의 개수를 b_n이라 할 때, $\lim_{n\to\infty}\frac{a_n}{b_n}$의 값을 구하여라.

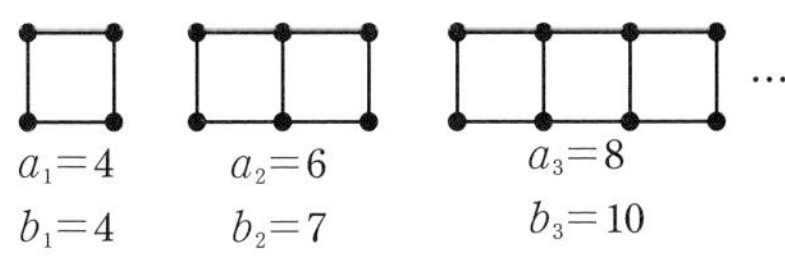

(2) 오른쪽 그림과 같이 한 변의 길이가 1인 정삼각형들을 이어 붙여서 한 변의 길이가 1씩 커지는 정삼각형을 만든다. n번째 만든 도형의 모든 점의 개수를 a_n이라 할 때, $\lim_{n\to\infty}\frac{a_n}{n^2+1}$의 값을 구하여라.

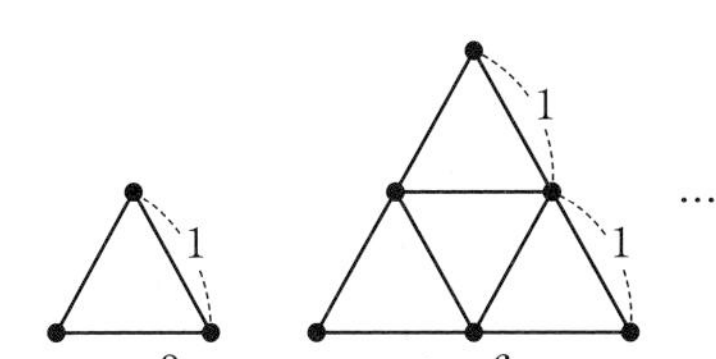

발전문제 0030 오른쪽 그림과 같이 길이가 1인 성냥개비들을 정사각형 모양으로 배열할 때, [n단계]에서 사용한 성냥개비의 개수를 a_n, [n단계]에 있는 한 변의 길이가 1인 정사각형의 개수를 b_n이라고 하자. 이때 $\lim_{n\to\infty}\frac{4b_n}{a_n}$의 값을 구하여라.

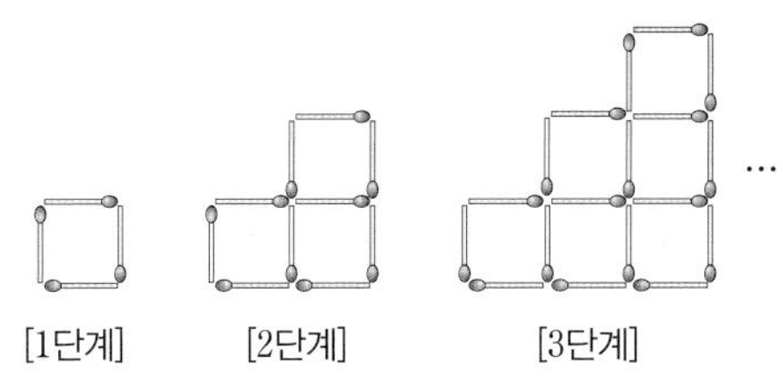

정답 0028 : 1 0029 : (1) $\frac{2}{3}$ (2) $\frac{1}{2}$ 0030 : 2

마플개념익힘 11 함수의 그래프와 수열의 극한 $\left(\frac{\infty}{\infty}\right)$

2009학년도 사관기출

모든 자연수 n에 대하여 곡선 $y=x^2$과 직선 $y=2x+n$이 만나는 두 점을 각각 A_n, B_n이라 하자.

선분 $\mathrm{A}_n\mathrm{B}_n$의 길이를 a_n이라 할 때, $\lim\limits_{n\to\infty}\frac{\sqrt{5n+1}}{a_n}$의 값을 구하여라.

[1단계] 구하려는 선분의 길이를 n에 관한 식으로 나타낸다.

[2단계] 극한의 성질을 이용하여 극한값을 구한다.

참고 극한값을 구할 때, 최고차항의 계수를 확인한다.

곡선 $y=x^2$과 직선 $y=2x+n$의 교점의 x좌표를 α, β라 하면

두 점의 좌표는 $\mathrm{A}_n(\alpha,\ 2\alpha+n)$, $\mathrm{B}_n(\beta,\ 2\beta+n)$

또한, α, β는 $x^2=2x+n$의 두 근이므로

이차방정식 $x^2-2x-n=0$의 근과 계수의 관계에 의하여

$\alpha+\beta=2,\ \alpha\beta=-n$

선분 $\mathrm{A}_n\mathrm{B}_n$의 길이가 a_n이므로

$a_n=\sqrt{(\beta-\alpha)^2+(2\beta-2\alpha)^2}=\sqrt{5(\beta-\alpha)^2}$

이때 $(\beta-\alpha)^2=(\alpha+\beta)^2-4\alpha\beta=4-4\cdot(-n)=4n+4$이므로 $a_n=\sqrt{5(4n+4)}$

따라서 $\lim\limits_{n\to\infty}\frac{\sqrt{5n+1}}{a_n}=\lim\limits_{n\to\infty}\frac{\sqrt{5n+1}}{\sqrt{5(4n+4)}}=\frac{1}{\sqrt{4}}=\mathbf{\frac{1}{2}}$

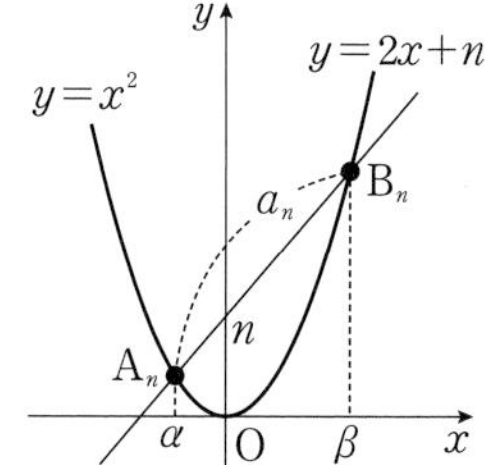

확인유제 0031

다음 물음에 답하여라.

2010년 07월 교육청

(1) 자연수 n에 대하여 곡선 $y=x^2$과 직선 $y=-x+n$이 만나서 생기는 두 교점 사이의 거리를 l_n이라 할 때,

$\lim\limits_{n\to\infty}\frac{l_n^2}{n}$의 값을 구하여라.

2011년 07월 교육청

(2) 2 이상의 자연수 n에 대하여 곡선 $y=\frac{2}{x}$와 직선 $y=-x+2n$의 두 교점을 A_n, B_n이라 하고

선분 $\mathrm{A}_n\mathrm{B}_n$의 길이를 l_n이라 할 때, $\lim\limits_{n\to\infty}\frac{l_n}{n}$의 값을 구하여라.

변형문제 0032

2016학년도 06월 평가원

자연수 n에 대하여 직선 $y=2nx$ 위의 점 $\mathrm{P}(n,\ 2n^2)$을 지나고 이 직선과 수직인 직선이 x축과 만나는 점을 Q라 할 때, 선분 OQ의 길이를 l_n이라 하자. $\lim\limits_{n\to\infty}\frac{l_n}{n^3}$의 값은? (단, O는 원점이다.)

① 1　　② 2　　③ 3

④ 4　　⑤ 5

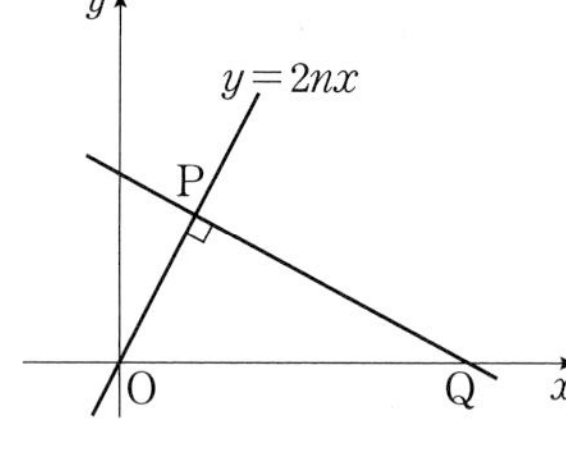

발전문제 0033

2016년 04월 교육청

오른쪽 그림과 같이 자연수 n에 대하여 곡선 $y=x^2$ 위의 점 $\mathrm{A}_n(n,\ n^2)$을 지나고 기울기가 $-\sqrt{3}$인 직선이 x축과 만나는 점을 B_n이라 할 때,

$\lim\limits_{n\to\infty}\frac{\overline{\mathrm{OB}_n}}{\overline{\mathrm{OA}_n}}$의 값은? (단, O는 원점이다.)

① $\frac{\sqrt{3}}{7}$　　② $\frac{\sqrt{3}}{6}$　　③ $\frac{\sqrt{3}}{5}$

④ $\frac{\sqrt{3}}{4}$　　⑤ $\frac{\sqrt{3}}{3}$

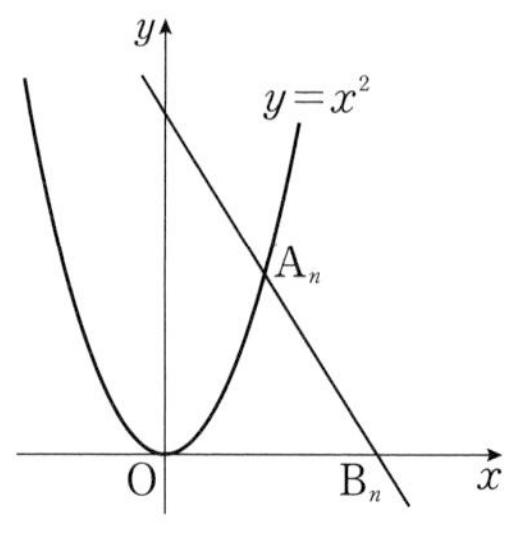

정답 0031 : (1) 8 (2) $2\sqrt{2}$　　0032 : ④　　0033 : ⑤

마플개념익힘 12 함수의 그래프와 수열의 극한 ($\infty-\infty$)

오른쪽 그림과 같이 좌표평면에서 무리함수 $y=\sqrt{x}$의 그래프를 x축의 방향으로 -2만큼, y축의 방향으로 1만큼 평행이동한 그래프를 나타내는 함수를 $y=f(x)$라 하고, 자연수 n에 대하여 직선 $x=n$이 곡선 $y=f(x)$와 만나는 점을 P_n이라 하자. 직선 $\mathrm{P}_n\mathrm{P}_{n+2}$의 기울기를 a_n이라 할 때, $\lim_{n\to\infty}\sqrt{n}\,a_n$의 값을 구하여라.

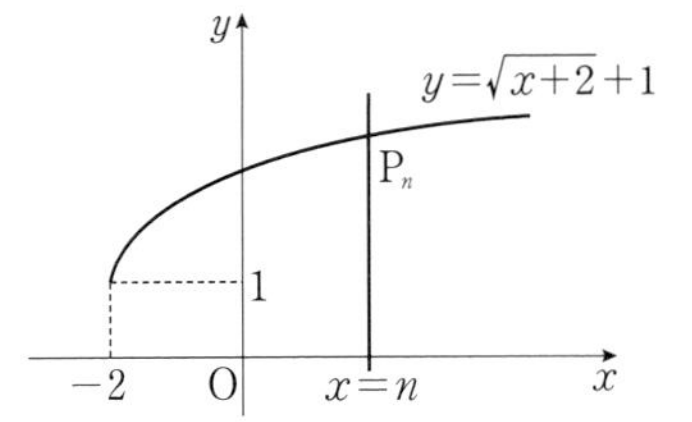

MAPL CORE [1단계] 구하려는 선분의 길이(기울기)를 n에 관한 식으로 나타낸다.
[2단계] 분자를 유리화하여 식을 변형한 후 극한값을 구한다.

개념익힘 | **풀이** $f(x)=\sqrt{x+2}+1$이므로 두 점 P_n, P_{n+2}의 좌표는 각각 $\mathrm{P}_n(n,\ \sqrt{n+2}+1)$, $\mathrm{P}_{n+2}(n+2,\ \sqrt{n+4}+1)$이고

직선 $\mathrm{P}_n\mathrm{P}_{n+2}$의 기울기 a_n은 $a_n=\dfrac{\sqrt{n+4}-\sqrt{n+2}}{2}$

따라서
$$\lim_{n\to\infty}\sqrt{n}\,a_n=\lim_{n\to\infty}\frac{\sqrt{n}(\sqrt{n+4}-\sqrt{n+2})}{2}$$
$$=\lim_{n\to\infty}\frac{\sqrt{n}(\sqrt{n+4}-\sqrt{n+2})(\sqrt{n+4}+\sqrt{n+2})}{2(\sqrt{n+4}+\sqrt{n+2})}$$
$$=\lim_{n\to\infty}\frac{\sqrt{n}}{\sqrt{n+4}+\sqrt{n+2}}=\lim_{n\to\infty}\frac{1}{\sqrt{1+\frac{4}{n}}+\sqrt{1+\frac{2}{n}}}=\frac{1}{1+1}=\mathbf{\frac{1}{2}}$$

확인유제 0034
2019년 04월 교육청

오른쪽 그림과 같이 자연수 n에 대하여 직선 $x=n$이 두 곡선 $y=\sqrt{5x+4}$, $y=\sqrt{2x-1}$과 만나는 점을 각각 A_n, B_n이라 하자. 선분 OA_n의 길이를 a_n, 선분 OB_n의 길이를 b_n이라 할 때, $\lim_{n\to\infty}\dfrac{12}{a_n-b_n}$의 값은? (단, O는 원점이다.)

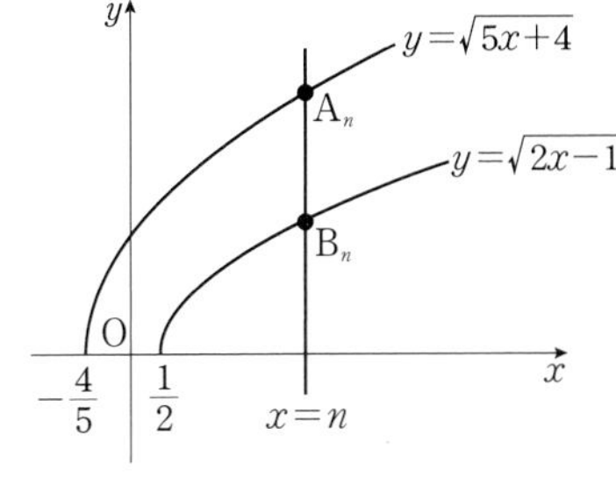

① 4 ② 6 ③ 8
④ 10 ⑤ 12

변형문제 0035
2017년 06월 교육청

오른쪽 그림과 같이 자연수 n에 대하여 곡선 $y=2x^2$ 위의 점 $\mathrm{P}(n,\ 2n^2)$을 지나고 선분 OP에 수직인 직선 l이 y축과 만나는 점을 Q라고 할 때, $\lim_{n\to\infty}(\overline{\mathrm{OP}}-\overline{\mathrm{OQ}})$의 값은? (단, O는 원점이다.)

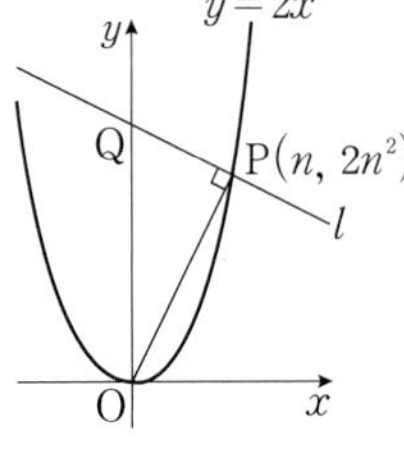

① $-\dfrac{1}{6}$ ② $-\dfrac{1}{5}$ ③ $-\dfrac{1}{4}$
④ $-\dfrac{1}{3}$ ⑤ $-\dfrac{1}{2}$

발전문제 0036

오른쪽 그림과 같이 자연수 n에 대하여 가로의 길이가 n, 세로의 길이가 48인 직사각형 $\mathrm{OAB}_n\mathrm{C}_n$이 있다. 대각선 AC_n과 선분 $\mathrm{B}_1\mathrm{C}_1$의 교점을 D_n이라 한다. 이때 $\lim_{n\to\infty}\dfrac{\overline{\mathrm{AC}_n}-\overline{\mathrm{OC}_n}}{\overline{\mathrm{B}_1\mathrm{D}_n}}$의 값을 구하여라.

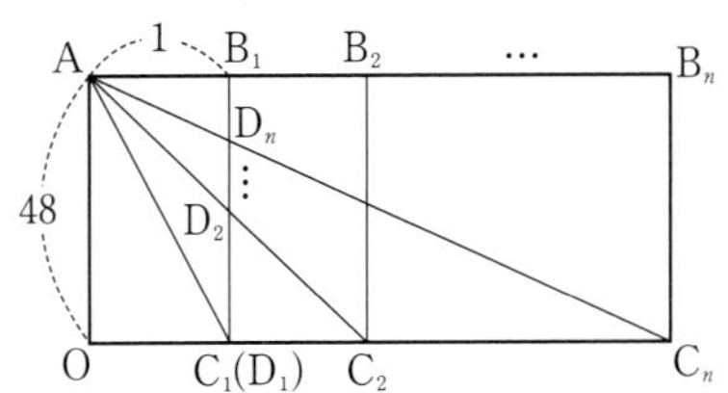

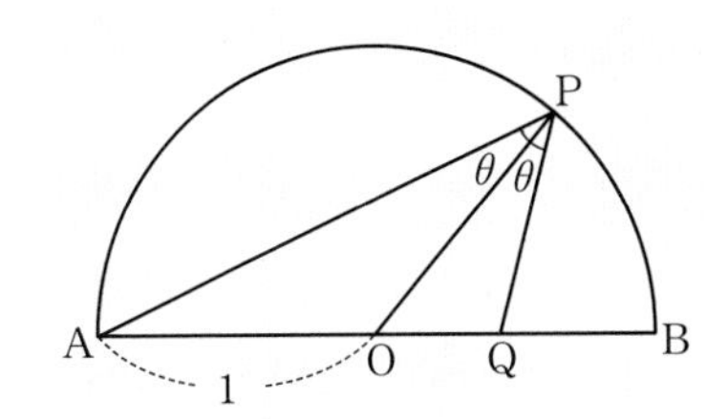

정답 0034 : ③ 0035 : ③ 0036 : 24

수열의 극한에 대한 기본성질

01 명제가 참인 극한의 성질

(1) $a_n < b_n$이고 $\lim_{n\to\infty} a_n = \infty$이면 $\lim_{n\to\infty} b_n = \infty$이다. [참]

해설 두 수열 $\{a_n\}$, $\{b_n\}$이 모두 수렴하거나 수렴하지 않거나 $a_n < b_n$이면 $\lim_{n\to\infty} a_n \le \lim_{n\to\infty} b_n$이 성립한다.

(2) 두 수열 $\{a_n\}$, $\left\{\frac{b_n}{a_n}\right\}$이 모두 수렴하면 수열 $\{b_n\}$은 수렴한다. [참]

해설 두 수열 $\{a_n\}$, $\left\{\frac{b_n}{a_n}\right\}$이 모두 수렴하므로 $\frac{b_n}{a_n} = c_n$이라 하면 $b_n = a_n \cdot c_n$이다.

$\lim_{n\to\infty} b_n = \lim_{n\to\infty} a_n \cdot c_n = \lim_{n\to\infty} a_n \cdot \lim_{n\to\infty} c_n$이므로 수렴한다.

(3) $\lim_{n\to\infty}(a_n - b_n) = 0$, $\lim_{n\to\infty} a_n = \alpha$이면 $\lim_{n\to\infty} b_n = \alpha$이다. [참]

해설 $a_n - b_n = p_n$으로 놓으면 $\lim_{n\to\infty} p_n = 0$, $\lim_{n\to\infty} a_n = \alpha$, $b_n = a_n - p_n$

$\therefore \lim_{n\to\infty} b_n = \lim_{n\to\infty}(a_n - p_n) = \lim_{n\to\infty} a_n - \lim_{n\to\infty} p_n = \alpha - 0 = \alpha$

(4) $\lim_{n\to\infty} a_n = \infty$, $\lim_{n\to\infty}(a_n - b_n) = \alpha$이면 $\lim_{n\to\infty} \frac{b_n}{a_n} = 1$이다. [참]

해설 $a_n - b_n = c_n$이라 놓으면 $\lim_{n\to\infty} c_n = \alpha$, $\lim_{n\to\infty} a_n = \infty$이고

$b_n = a_n - c_n$이므로 $\lim_{n\to\infty} \frac{b_n}{a_n} = \lim_{n\to\infty} \frac{a_n - c_n}{a_n} = \lim_{n\to\infty}\left(1 - \frac{c_n}{a_n}\right) = 1$

(5) $\lim_{n\to\infty} a_n = \alpha$이면 $\lim_{n\to\infty} a_{n+1} = \lim_{n\to\infty} a_{n+2} = \alpha$이다. (단, α는 실수) [참]

해설 (i) $\lim_{n\to\infty} a_{n+1}$에서 $n+1 = s$라고 하면 $n \to \infty$일 때, $s \to \infty$이므로 $\lim_{n\to\infty} a_{n+1} = \lim_{s\to\infty} a_s = \alpha$

(ii) $\lim_{n\to\infty} a_{n+2}$에서 $n+2 = t$라고 하면 $n \to \infty$일 때, $t \to \infty$이므로 $\lim_{n\to\infty} a_{n+2} = \lim_{t\to\infty} a_t = \alpha$

(i), (ii)로부터 $\lim_{n\to\infty} a_{n+1} = \lim_{n\to\infty} a_{n+2} = \alpha$

(6) $\lim_{n\to\infty} a_n = \alpha$이면 $\lim_{n\to\infty} a_{2n-1} = \lim_{n\to\infty} a_{2n} = \alpha$이다. (단, α는 실수) [참]

⬅ 수열 $\{a_n\}$이 α에 수렴하면 두 수열 $\{a_{2n-1}\}$과 $\{a_{2n}\}$도 모두 α에 수렴한다.

해설 예를 들면 $a_n = \frac{n+1}{n^2}$일 때, $\lim_{n\to\infty} a_n = 0$이고, $\lim_{n\to\infty} a_{2n-1} = \lim_{n\to\infty} \frac{2n}{4n^2 - 4n + 1} = 0$, $\lim_{n\to\infty} a_{2n} = \lim_{n\to\infty} \frac{2n+1}{4n^2} = 0$

(i) $\lim_{n\to\infty} a_{2n-1}$에서 $2n-1 = s$라고 하면 $n \to \infty$일 때, $s \to \infty$이므로 $\lim_{n\to\infty} a_{2n-1} = \lim_{s\to\infty} a_s = \alpha$

(ii) $\lim_{n\to\infty} a_{2n}$에서 $2n = t$라고 하면 $n \to \infty$일 때, $t \to \infty$이므로 $\lim_{n\to\infty} a_{2n} = \lim_{t\to\infty} a_t = \alpha$

(i), (ii)로부터 $\lim_{n\to\infty} a_{2n-1} = \lim_{n\to\infty} a_{2n} = \alpha$

주의 ① 두 수열 $\{a_{2n-1}\}$과 $\{a_{2n}\}$이 각각 수렴하면 수열 $\{a_n\}$도 수렴한다. [거짓]

반례 $a_{2n-1} = 1$, $a_{2n} = 0$이면 수열 $\{a_n\}$은 $\{a_n\}$: $1, 0, 1, 0, 1, 0, 1, 0, \cdots$이므로 발산한다.

즉 두 수열 $\{a_{2n-1}\}$과 $\{a_{2n}\}$이 각각 수렴한다고 해서 수열 $\{a_n\}$이 반드시 수렴하는 것은 아니다.

② 수열 $\{a_{2n}\}$이 수렴하면 수열 $\{a_n\}$도 수렴한다. [거짓]

반례 수열 $\{a_n\}$을 $a_n = (-1)^n$이라고 하면 $a_{2n} = (-1)^{2n} = \{(-1)^2\}^n = 1^n = 1$이므로

$\lim_{n\to\infty} a_{2n} = 1$이지만 수열 $\{a_n\}$은 진동 (발산)한다.

(7) 수열 $\{a_n\}$에 대하여 $\lim_{n\to\infty}|a_n| = 0$이면 $\lim_{n\to\infty} a_n = 0$이다. [참]

해설 $-|a_n| \le a_n \le |a_n|$이고, $\lim_{n\to\infty}|a_n| = 0$이므로 $\lim_{n\to\infty} a_n = 0$

02 명제가 거짓인 극한의 성질

(1) 수열 $\{a_n \pm b_n\}$이 수렴하면 수열 $\{a_n\}$, $\{b_n\}$은 각각 수렴한다. [거짓]

반례 $a_n=-n$, $b_n=n+1$이라 하면 $a_n+b_n=1$이므로 수열 $\{a_n+b_n\}$은 수렴하지만 두 수열 $\{a_n\}$, $\{b_n\}$은 발산

주의 $c_n=a_n+b_n$일 때, 두 수열 $\{a_n\}$과 $\{c_n\}$이 수렴하면 수열 $\{b_n\}$도 수렴한다. [참]

해설 $c_n=a_n+b_n$이면 $b_n=c_n-a_n$이므로 $\lim_{n\to\infty} b_n=\lim_{n\to\infty}(c_n-a_n)$에서 두 수열 $\{a_n\}$, $\{c_n\}$이 수렴하므로 극한의 성질에 의하여 $\lim_{n\to\infty} b_n=\lim_{n\to\infty}(c_n-a_n)=\lim_{n\to\infty} c_n-\lim_{n\to\infty} a_n$이므로 수열 $\{b_n\}$의 극한값이 존재하므로 수렴한다.

(2) 수열 $\{a_nb_n\}$이 수렴하면 수열 $\{a_n\}$, $\{b_n\}$은 모두 수렴한다. [거짓]

반례 $a_n=n$, $b_n=\frac{1}{n}$이면 수열 $\{a_nb_n\}$이 1로 수렴하지만 수열 $\{a_n\}$은 발산한다. ⬅ $\lim_{n\to\infty} a_nb_n=1$이지만 $\lim_{n\to\infty} a_n=\infty$이다.

(3) 수열 $\{a_nb_n\}$이 수렴하면 두 수열 $\{a_n\}$, $\{b_n\}$ 중 적어도 하나는 수렴한다. [거짓]

반례 수열 $\{a_n\}$: $1, 0, 1, 0, 1, 0, \cdots$, 수열 $\{b_n\}$: $0, 1, 0, 1, 0, 1, \cdots$이라 하면

수열 $\{a_nb_n\}$은 $0, 0, 0, 0, \cdots$이므로 0으로 수렴하지만 두 수열은 $\{a_n\}$, $\{b_n\}$ 모두 발산(진동)한다.

(4) 수열 $\{a_n^2\}$이 수렴하면 수열 $\{a_n\}$도 수렴한다. [거짓]

⬅ 양의 실수 α에 대하여 $\lim_{n\to\infty} a_n^2=\alpha$이면 $\lim_{n\to\infty} a_n=\sqrt{\alpha}$로 수렴한다. [거짓]

반례 수열 $a_n=(-1)^n$일 때, $\lim_{n\to\infty} a_n^2=\lim_{n\to\infty}(-1)^{2n}=1$이므로 수열 $\{a_n^2\}$은 수렴하지만

$\lim_{n\to\infty} a_n=\lim_{n\to\infty}(-1)^n$이므로 수열 $\{a_n\}$은 진동하면서 발산한다.

(5) 수열 $\left\{\frac{a_n}{b_n}\right\}$이 수렴하면 수열 $\{a_n\}$, $\{b_n\}$은 모두 수렴한다. [거짓]

반례 $a_n=n$, $b_n=n^2$이면 수열 $\left\{\frac{a_n}{b_n}\right\}$은 0으로 수렴하지만 수열 $\{a_n\}$, $\{b_n\}$은 모두 발산한다.

(6) 두 수열 $\{a_n\}$, $\{a_nb_n\}$이 모두 수렴하면 수열 $\{b_n\}$은 수렴한다. [거짓]

반례 $a_n=\frac{1}{n}$, $b_n=n$이면 두 수열 $\{a_n\}$, $\{a_nb_n\}$이 모두 수렴하지만 수열 $\{b_n\}$은 발산한다.

(7) $\lim_{n\to\infty} a_nb_n=0$이면 $\lim_{n\to\infty} a_n=0$ 또는 $\lim_{n\to\infty} b_n=0$이다. [거짓]

반례 수열 $\{a_n\}$: $1, 0, 1, 0, 1, 0, \cdots$, 수열 $\{b_n\}$: $0, 1, 0, 1, 0, 1, \cdots$이라 하면

수열 $\{a_nb_n\}$은 $0, 0, 0, 0, \cdots$이므로 $\lim_{n\to\infty} a_nb_n=0$이다. 하지만 $\lim_{n\to\infty} a_n$, $\lim_{n\to\infty} b_n$은 모두 진동한다.

(8) $a_n<b_n<c_n$이고 $\lim_{n\to\infty}(c_n-a_n)=0$이면 수열 $\{b_n\}$은 수렴한다. [거짓]

반례 $a_n=n-\frac{1}{n}$, $b_n=n$, $c_n=n+\frac{1}{n}$이라 하면 $a_n<b_n<c_n$이고, $\lim_{n\to\infty}(c_n-a_n)=\lim_{n\to\infty}\frac{2}{n}=0$이지만 수열 $\{b_n\}$은 발산한다.

(9) 수열 $\{a_n\}$이 발산하고 수열 $\{b_n\}$이 수렴하면 수열 $\left\{\frac{b_n}{a_n}\right\}$은 0으로 수렴한다. [거짓]

반례 수열 $\{a_n\}$: $1, 2, 1, 2, 1, 2, \cdots$, 수열 $\{b_n\}$: $1, 1, 1, 1, 1, 1, \cdots$이라 하면

수열 $\{a_n\}$이 발산하고 수열 $\{b_n\}$이 수렴하지만 수열 $\left\{\frac{b_n}{a_n}\right\}$은 $1, \frac{1}{2}, 1, \frac{1}{2}, 1, \frac{1}{2}, \cdots$으로 발산한다.

마플개념익힘 01 수열의 참, 거짓 판단

수열 $\{a_n\}$, $\{b_n\}$의 극한에 대한 다음 [보기]의 설명 중 옳은 것을 골라라. (단, α는 상수)

ㄱ. $\lim_{n\to\infty}(a_n-b_n)=0$이면 $\lim_{n\to\infty}\frac{a_n}{b_n}=1$이다.

ㄴ. $\lim_{n\to\infty}a_n=\alpha$이면 $\lim_{n\to\infty}a_n^2=\alpha^2$이다.

ㄷ. $\lim_{n\to\infty}(a_n-b_n)=0$, $\lim_{n\to\infty}a_n=\alpha$이면 $\lim_{n\to\infty}b_n=\alpha$이다.

개념익힘 | **풀이** ㄱ. $a_n=\frac{1}{n^2}$, $b_n=\frac{1}{n}$, $\lim_{n\to\infty}(a_n-b_n)=0$이지만 $\lim_{n\to\infty}\frac{a_n}{b_n}=\lim_{n\to\infty}\frac{\frac{1}{n^2}}{\frac{1}{n}}=\lim_{n\to\infty}\frac{n}{n^2}=0$이다. [거짓]

ㄴ. $\lim_{n\to\infty}a_n=\alpha$로 수렴하므로 $\lim_{n\to\infty}a_n^2=\lim_{n\to\infty}a_n\cdot\lim_{n\to\infty}a_n=\alpha\cdot\alpha=\alpha^2$ [참]

ㄷ. $a_n-b_n=c_n$으로 놓으면 $\lim_{n\to\infty}c_n=0$, $\lim_{n\to\infty}a_n=\alpha$, $b_n=a_n-c_n$

$\lim_{n\to\infty}b_n=\lim_{n\to\infty}(a_n-c_n)=\alpha-0=\alpha$ [참]

따라서 옳은 것은 ㄴ, ㄷ이다.

확인유제 **0037** 두 수열 $\{a_n\}$, $\{b_n\}$의 극한에 대한 다음 [보기]의 설명 중 옳은 것만을 있는 대로 고른 것은?

ㄱ. $\lim_{n\to\infty}a_n=\alpha$, $\lim_{n\to\infty}b_n=\beta$이면 $\lim_{n\to\infty}a_nb_n=\alpha\beta$

ㄴ. 두 수열 $\{a_n\}$, $\{b_n\}$이 수렴할 때, $a_n<b_n$이면 $\lim_{n\to\infty}a_n<\lim_{n\to\infty}b_n$

ㄷ. $\lim_{n\to\infty}a_nb_n=0$이면 $\lim_{n\to\infty}a_n=0$ 또는 $\lim_{n\to\infty}b_n=0$

① ㄱ ② ㄱ, ㄴ ③ ㄴ, ㄷ ④ ㄱ, ㄷ ⑤ ㄱ, ㄴ, ㄷ

변형문제 **0038** 세 수열 $\{a_n\}$, $\{b_n\}$, $\{c_n\}$에 대한 옳은 설명을 [보기]에서 모두 고른 것은?

2006년 03월 교육청

ㄱ. 두 수열 $\{a_n\}$, $\{a_nb_n\}$이 모두 수렴하면 수열 $\{b_n\}$은 수렴한다.

ㄴ. $\lim_{n\to\infty}(a_n-2b_n)=0$이고 $\lim_{n\to\infty}b_n=1$이면 $\lim_{n\to\infty}a_n=2$이다.

ㄷ. $a_n<b_n<c_n$이고 $\lim_{n\to\infty}(c_n-a_n)=0$이면 수열 $\{b_n\}$은 수렴한다.

① ㄱ ② ㄴ ③ ㄱ, ㄴ ④ ㄱ, ㄷ ⑤ ㄴ, ㄷ

발전문제 **0039** 수열 $\{a_n\}$, $\{b_n\}$, $\{c_n\}$에 대하여 옳은 설명을 [보기]에서 모두 고른 것은?

ㄱ. 수열 $\{a_nb_n\}$이 수렴하면 두 수열 $\{a_n\}$, $\{b_n\}$ 중 적어도 하나는 수렴한다.

ㄴ. $\lim_{n\to\infty}\frac{b_n}{a_n}=\alpha$, $\lim_{n\to\infty}a_n=0$이면 $\lim_{n\to\infty}b_n=0$이다. (단, α는 상수)

ㄷ. $a_n\le c_n\le b_n$, $\lim_{n\to\infty}a_n=\alpha$, $\lim_{n\to\infty}b_n=\beta$이면 수열 $\{c_n\}$은 수렴한다.

ㄹ. 모든 자연수 n에 대하여 $0<a_n<b_n$일 때, 수열 $\{b_n\}$이 수렴하면 수열 $\{a_n\}$도 수렴한다.

① ㄱ ② ㄴ ③ ㄷ, ㄹ ④ ㄴ, ㄷ, ㄹ ⑤ ㄱ, ㄴ, ㄷ, ㄹ

정답 0037 : ① 0038 : ② 0039 : ②

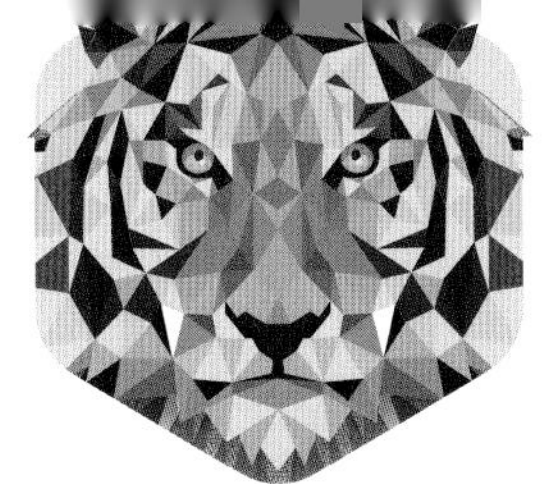

MAPL; YOUR MASTER PLAN

03 등비수열의 극한

01 등비수열의 극한

(1) 등비수열 $\{r^n\}$의 수렴과 발산

등비수열 $\{r^n\}$은 다음과 같이 r의 값의 범위에 따라 수렴 또는 발산한다.

① $r>1$일 때, $\lim_{n\to\infty} r^n=\infty$ ⬅ 양의 무한대로 발산

② $r=1$일 때, $\lim_{n\to\infty} r^n=1$ ⬅ 1에 수렴

③ $-1<r<1$일 때, $\lim_{n\to\infty} r^n=0$ ⬅ 0에 수렴

④ $r\le -1$일 때, 수열 $\{r^n\}$은 진동 ⬅ 발산

(2) 등비수열의 수렴조건

① 등비수열 $\{r^n\}$이 수렴하기 위한 필요충분조건은 $-1<r\le 1$이다.

② 등비수열 $\{ar^n\}$이 수렴하기 위한 필요충분조건은 $a=0$ 또는 $-1<r\le 1$이다.

참고 등비수열 $\{ar^n\}$에서 $a=0$이면 모든 항이 0이 되므로 주어진 수열은 0에 수렴한다.

마플해설 등비수열 $\{r^n\}$의 수렴, 발산을 공비 r의 값에 따라 알아보자.

공비 r의 범위	등비수열의 수렴과 발산 판별
(i) $r>1$	$r=1+h\,(h>0)$으로 놓으면 $r^n=(1+h)^n>1+nh\,(n\ge 2)$ 가 성립한다. 이때 $\lim_{n\to\infty}(1+nh)=\infty$이므로 $\lim_{n\to\infty} r^n=\infty$ (발산)
(ii) $r=1$	수열 $\{r^n\}$의 모든 항이 1이므로 $\lim_{n\to\infty} r^n=\lim_{n\to\infty} 1=1$ (수렴)
(iii) $-1<r<1$	① $r=0$이면 수열 $\{r^n\}$의 모든 항이 0이므로 $\lim_{n\to\infty} r^n=0$ ② $r\ne 0$이면 $\frac{1}{\lvert r\rvert}>1$이므로 (i)에 의하여 $\lim_{n\to\infty}\frac{1}{\lvert r^n\rvert}=\lim_{n\to\infty}\left(\frac{1}{\lvert r\rvert}\right)^n=\infty$ 따라서 $\lim_{n\to\infty}\lvert r^n\rvert=\lim_{n\to\infty}\frac{1}{\frac{1}{\lvert r^n\rvert}}=0$이므로 $\lim_{n\to\infty} r^n=0$ (수렴) ⬅ $a_n>0$일 때, $\lim_{n\to\infty}\frac{1}{a_n}=\infty$이면 $\lim_{n\to\infty} a_n=0$임이 알려져 있다.
(iv) $r\le -1$	① $r=-1$이면 수열 $\{r^n\}$은 $-1, 1, -1, 1, \cdots$이므로 등비수열 $\{r^n\}$은 진동한다. (발산) ② $r<-1$이면 $\lvert r\rvert>1$이므로 (i)에 의하여 $\lim_{n\to\infty}\lvert r^n\rvert=\lim_{n\to\infty}\lvert r\rvert^n=\infty$ 이때 수열 $\{r^n\}$은 각 항의 부호가 교대로 바뀌므로 진동한다. (발산)

FOCUS

등비수열 $\{r^n\}$의 수렴조건

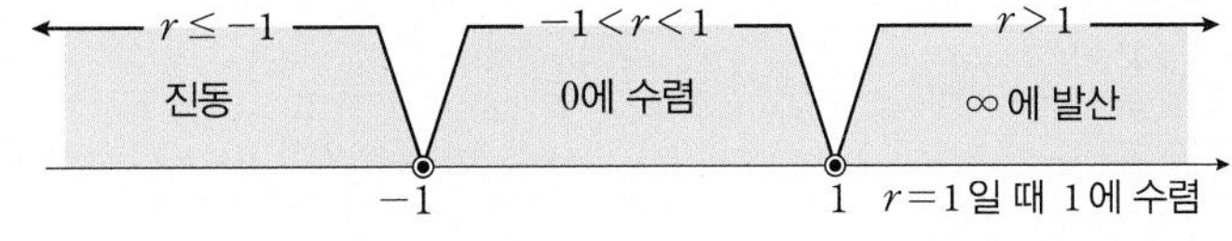

보기 01 다음 수열의 수렴, 발산을 조사하여라.

(1) $\left\{\left(\frac{4}{3}\right)^n\right\}$ (2) $\left\{\left(\frac{2}{3}\right)^n\right\}$ (3) $\{(-2)^n\}$ (4) $\left\{\left(-\frac{1}{3}\right)^n\right\}$

풀이 (1) 등비수열 $\left\{\left(\frac{4}{3}\right)^n\right\}$은 공비가 $\frac{4}{3}$이고 $\frac{4}{3}>1$이므로 양의 무한대로 발산한다. 즉 $\lim_{n\to\infty}\left(\frac{4}{3}\right)^n=\infty$

(2) 등비수열 $\left\{\left(\frac{2}{3}\right)^n\right\}$은 공비가 $\frac{2}{3}$이고 $-1<\frac{2}{3}<1$이므로 0에 수렴한다. 즉 $\lim_{n\to\infty}\left(\frac{2}{3}\right)^n=0$

(3) 등비수열 $\{(-2)^n\}$은 공비가 -2이고 $-2<-1$이므로 발산(진동)한다.

(4) 등비수열 $\left\{\left(-\frac{1}{3}\right)^n\right\}$은 공비가 $-\frac{1}{3}$이고 $-1<-\frac{1}{3}<1$이므로 0에 수렴한다. 즉 $\lim_{n\to\infty}\left(-\frac{1}{3}\right)^n=0$

보기 02 다음 수열이 수렴하기 위한 x의 범위를 구하여라.

(1) $\{(2x+1)^{n-1}\}$ (2) $\left\{\left(\frac{x-3}{2}\right)^n\right\}$

풀이 (1) 등비수열 $\{(2x+1)^{n-1}\}$은 공비가 $2x+1$이므로

수렴할 조건은 $-1<2x+1\le 1$, $-2<2x\le 0$ $\therefore -1<x\le 0$

(2) 등비수열 $\left\{\left(\frac{x-3}{2}\right)^n\right\}$는 공비가 $\frac{x-3}{2}$이므로

수렴할 조건은 $-1<\frac{x-3}{2}\le 1$, $-2<x-3\le 2$ $\therefore 1<x\le 5$

보기 03 $r\ge 0$일 때, 수열 $\left\{\frac{r^n}{1+r^n}\right\}$의 수렴, 발산을 조사하고, 수렴하면 그 극한값을 구하여라.

풀이 r^n을 포함한 수열의 극한값은 $0\le r<1$, $r=1$, $r>1$인 경우로 나누어 생각한다.

(ⅰ) $0\le r<1$일 때, $\lim_{n\to\infty}r^n=0$이므로 $\lim_{n\to\infty}\frac{r^n}{1+r^n}=\frac{0}{1+0}=0$

(ⅱ) $r=1$일 때, $\lim_{n\to\infty}r^n=\lim_{n\to\infty}1^n=1$이므로 $\lim_{n\to\infty}\frac{r^n}{1+r^n}=\frac{1}{1+1}=\frac{1}{2}$

(ⅲ) $r>1$일 때, $\lim_{n\to\infty}r^n=\infty$이므로 $\lim_{n\to\infty}\frac{1}{r^n}=0$에서

$$\lim_{n\to\infty}\frac{r^n}{1+r^n}=\lim_{n\to\infty}\frac{1}{\frac{1}{r^n}+1}=\frac{1}{0+1}=1$$

따라서 주어진 수열은 $0\le r<1$일 때 0으로 수렴하고, $r=1$일 때 $\frac{1}{2}$로 수렴하며, $r>1$일 때 1로 수렴한다.

더 알아보기

$\frac{\infty}{\infty}$꼴 분수식의 극한 간편 계산법

(1) 분자, 분모가 모두 다항식일 경우

⇨ 분자, 분모의 최고차항만으로 이루어진 분수식의 극한값과 같다.

EX (1) $\lim_{n\to\infty}\frac{n^3+3n+3}{n^2+2n-4}=\lim_{n\to\infty}\frac{n^3}{n^2}=\infty$

(2) $\lim_{n\to\infty}\frac{2n^2+n+1}{3n^2-2n-1}=\lim_{n\to\infty}\frac{2n^2}{3n^2}=\frac{2}{3}$

(3) $\lim_{n\to\infty}\frac{2n^2-n+3}{3n^3+5n-1}=\lim_{n\to\infty}\frac{2n^2}{3n^3}=0$

(4) $\lim_{n\to\infty}\frac{n}{\sqrt{n^2+2n+3}+n}=\lim_{n\to\infty}\frac{n}{\sqrt{n^2}+n}=\lim_{n\to\infty}\frac{n}{n+n}=\frac{1}{2}$

(2) 분자, 분모가 모두 거듭제곱으로 이루어진 경우

⇨ 분자, 분모에서 밑의 절댓값이 가장 큰 항만으로 이루어진 분수식의 극한값과 같다.

EX (1) $\lim_{n\to\infty}\frac{4^n+3^n+1}{3^{n+1}-2^n}=\lim_{n\to\infty}\frac{4^n}{3^{n+1}}=\lim_{n\to\infty}\frac{1}{3}\left(\frac{4}{3}\right)^n=\infty$

(2) $\lim_{n\to\infty}\frac{4^n+2^{n+1}}{2^{2n+1}-2^n}=\lim_{n\to\infty}\frac{4^n}{2^{2n+1}}=\lim_{n\to\infty}\frac{1}{2}\left(\frac{4}{4}\right)^n=\frac{1}{2}$

(3) $\lim_{n\to\infty}\frac{4^n-3^n}{5^n+2^n}=\lim_{n\to\infty}\frac{4^n}{5^n}=\lim_{n\to\infty}\left(\frac{4}{5}\right)^n=0$

마플개념익힘 01 등비수열의 극한

다음 극한값을 구하여라.

(1) $\lim_{n\to\infty}\frac{2^n}{3^n+5^n}$ (2) $\lim_{n\to\infty}\frac{2^n+3^{n+1}}{2^{n+1}+3^n}$ (3) $\lim_{n\to\infty}(4^n-5^n)$

MAPL CORE

① $\lim_{n\to\infty}\frac{c^n+d^n}{a^n+b^n}$이 $\frac{\infty}{\infty}$꼴인 극한값 ⇨ 분모에서 밑의 절댓값, 즉 $|r|$의 값이 가장 큰 항으로 분모, 분자를 나눈다.

② $\lim_{n\to\infty}(a^n-b^n)$이 $\infty-\infty$꼴인 극한값 ⇨ 밑이 가장 큰 항으로 묶는다.

개념익힘 | 풀이

(1) 분모와 분자를 5^n으로 나누면 $\lim_{n\to\infty}\frac{2^n}{3^n+5^n}=\lim_{n\to\infty}\frac{\left(\frac{2}{5}\right)^n}{\left(\frac{3}{5}\right)^n+1}=\frac{0}{0+1}=0$

따라서 주어진 수열은 **0**에 수렴한다.

(2) 분모와 분자를 3^n으로 나누면 $\lim_{n\to\infty}\frac{2^n+3^{n+1}}{2^{n+1}+3^n}=\lim_{n\to\infty}\frac{\left(\frac{2}{3}\right)^n+3}{2\left(\frac{2}{3}\right)^n+1}=\frac{0+3}{2\cdot0+1}=3$

따라서 주어진 수열은 **3**에 수렴한다.

(3) 5^n으로 묶으면 $\lim_{n\to\infty}(4^n-5^n)=\lim_{n\to\infty}5^n\left\{\left(\frac{4}{5}\right)^n-1\right\}=-\infty$

확인유제 0040

2019학년도 09월 평가원

다음 극한값을 구하여라.

(1) $\lim_{n\to\infty}\frac{3\times4^n+2^n}{4^n+3}$ (2) $\lim_{n\to\infty}\frac{4^{n+1}-1}{(2^n+1)(2^n-1)}$ (3) $\lim_{n\to\infty}\frac{a^{n+1}-b^{n+1}}{a^n+b^n}(0<a<b)$

변형문제 0041

2015년 09월 교육청

다음 물음에 답하여라.

(1) $\lim_{n\to\infty}\frac{a\cdot4^{n+1}+3^{n+1}}{4^n+3^n}=6$일 때, 상수 a의 값은?

① $\frac{1}{2}$ ② 1 ③ $\frac{3}{2}$ ④ 2 ⑤ $\frac{5}{2}$

(2) $\lim_{n\to\infty}\frac{(3\times2^{n-1})^2-3^n}{a\times4^n+2^{n-1}}=3$일 때, 상수 a의 값은?

① $\frac{1}{4}$ ② $\frac{1}{2}$ ③ $\frac{3}{4}$ ④ 1 ⑤ $\frac{5}{4}$

발전문제 0042

다음 물음에 답하여라.

(1) 두 수열 $\{a_n\}$, $\{b_n\}$이 모든 자연수 n에 대하여 $\log_2 a_n=2n$, $\log_2 b_n=n+1$을 만족시킬 때,

$\lim_{n\to\infty}\frac{b_{2n}}{a_n+b_n}$의 값을 구하여라.

(2) 두 실수 $a=2^{\frac{2}{3}}$, $b=3^{\frac{1}{2}}$에 대하여 $\lim_{n\to\infty}\frac{a^{n+3}+b^{n-2}}{a^n+b^n}$의 값을 구하여라.

정답 0040 : (1) 3 (2) 4 (3) $-b$ 0041 : (1) ③ (2) ③ 0042 : (1) 2 (2) $\frac{1}{3}$

마플개념익힘 02 등비수열의 수렴조건

다음 등비수열이 수렴하기 위한 x값의 범위를 구하여라.

(1) $\left\{\left(\frac{3x+1}{2}\right)^n\right\}$ (2) $\{(x-3)(x+2)^{n-1}\}$

MAPL CORE

등비수열의 수렴조건

① 첫째항과 공비가 같은 등비수열 $\{r^n\}$이 수렴하기 위한 조건 ⇨ $-1<r\le 1$

② 첫째항과 공비가 다른 등비수열 $\{ar^{n-1}\}$이 수렴하기 위한 조건 ⇨ $a=0$ 또는 $-1<r\le 1$

개념익힘 | 풀이

(1) 수열 $\left\{\left(\frac{3x+1}{2}\right)^n\right\}$은 공비가 $\frac{3x+1}{2}$인 등비수열이므로 수렴하려면

$-1<\frac{3x+1}{2}\le 1$, $-2<3x+1\le 2$

$\therefore \mathbf{-1<x\le\frac{1}{3}}$

(2) 수열 $\{(x-3)(x+2)^{n-1}\}$은 첫째항이 $x-3$이고 공비가 $x+2$인 등비수열이므로 수렴하려면

$x-3=0$ 또는 $-1<x+2\le 1$

(i) $x=3$일 때, 주어진 수열은 $0, 0, 0, 0, \cdots$,이므로 0으로 수렴한다.

(ii) $x\ne 3$일 때, 주어진 수열이 수렴하려면 $-1<x+2\le 1$에서 $-3<x\le -1$

(i), (ii)로부터 구하는 x값의 범위는 $\mathbf{x=3}$ **또는** $\mathbf{-3<x\le -1}$

확인유제 0043

2013년 03월 교육청

다음 등비수열이 수렴하기 위한 x값의 범위를 구하여라.

(1) $\left\{\left(\frac{2x-3}{5}\right)^n\right\}$ (2) $\{(-1+\log x)^n\}$

변형문제 0044

다음 물음에 답하여라.

(1) 등비수열 $\left\{(x+1)\left(\frac{x-2}{3}\right)^{n-1}\right\}$이 수렴할 때, 정수 x의 개수는?

① 3 ② 4 ③ 5 ④ 6 ⑤ 7

(2) 수열 $\left\{(x-3)\left(\frac{x^2+2x-1}{2}\right)^n\right\}$이 수렴하도록 하는 정수 x의 개수는?

① 3 ② 4 ③ 5 ④ 6 ⑤ 7

발전문제 0045

다음 물음에 답하여라.

2007년 03월 교육청

(1) $0<x<16$일 때, 등비수열 $\left\{\left(\sqrt{2}\sin\frac{\pi}{8}x\right)^n\right\}$이 수렴하도록 하는 자연수 x의 개수는?

① 5 ② 7 ③ 9 ④ 11 ⑤ 13

2008년 03월 교육청

(2) 등비수열 $\left\{\left(-\sin\frac{k\pi}{4}\right)^n\right\}$이 수렴하도록 하는 10 이하의 자연수 k의 개수는?

① 5 ② 6 ③ 7 ④ 8 ⑤ 9

(3) 등비수열 $\left\{\left(\frac{\log_3 2x-1}{2}\right)^n\right\}$이 수렴할 때, 정수 x의 개수는?

① 11 ② 13 ③ 15 ④ 17 ⑤ 19

정답 0043 : (1) $-1<x\le 4$ (2) $1<x\le 100$ 0044 : (1) ⑤ (2) ③ 0045 : (1) ② (2) ④ (3) ②

2018년 11월 교육청

공비가 3인 등비수열 $\{a_n\}$이

$$\lim_{n\to\infty}\frac{a_n-2}{3^{n+1}+2a_n}=\frac{2}{5}$$

를 만족시킬 때, 첫째항 a_1의 값을 구하여라.

MAPL CORE

[1단계] 등비수열의 일반항과 합을 구한다. $a_n=ar^{n-1}$, $S_n=\frac{a(r^n-1)}{r-1}$ (단, $r\neq 1$)

[2단계] $\frac{\infty}{\infty}$ 꼴의 등비수열의 극한을 구한다.

개념익힘 | **풀이** 첫째항이 a_1이고 공비가 3이므로 등비수열 $\{a_n\}$의 일반항은 $a_n=a_1\times 3^{n-1}$

$$\lim_{n\to\infty}\frac{a_n-2}{3^{n+1}+2a_n}=\lim_{n\to\infty}\frac{a_1\times 3^{n-1}-2}{3^{n+1}+2a_1\times 3^{n-1}}$$

$$=\lim_{n\to\infty}\frac{a_1-\frac{2}{3^{n-1}}}{9+2a_1}$$ ⬅ 분모, 분자를 3^{n-1}으로 나눈다.

$$=\frac{a_1}{9+2a_1}$$

따라서 $\frac{a_1}{9+2a_1}=\frac{2}{5}$이므로 $a_1=\mathbf{18}$

확인유제 0046 다음 물음에 답하여라.

2016학년도 06월 평가원

(1) 공비가 3인 등비수열 $\{a_n\}$의 첫째항부터 제 n항까지의 합 S_n이 $\lim_{n\to\infty}\frac{S_n}{3^n}=5$를 만족시킬 때, 첫째항 a_1의 값은?

① 8 ② 10 ③ 12 ④ 14 ⑤ 16

2015학년도 06월 평가원

(2) 첫째항이 3이고 공비가 3인 등비수열 $\{a_n\}$에 대하여 $\lim_{n\to\infty}\frac{3^{n+1}-7}{a_n}$의 값은?

① 1 ② 2 ③ 3 ④ 4 ⑤ 5

변형문제 0047 다음 물음에 답하여라.

2016학년도 수능기출

(1) 첫째항이 1이고 공비가 $r(r>1)$인 등비수열 $\{a_n\}$에 대하여 $S_n=\sum_{k=1}^{n}a_k$일 때, $\lim_{n\to\infty}\frac{a_n}{S_n}=\frac{3}{4}$이다. r의 값은?

① 2 ② 3 ③ 4 ④ 6 ⑤ 8

(2) 등비수열 $\{a_n\}$에 대하여 $a_1=2$, $a_2=6$일 때, $\lim_{n\to\infty}\frac{a_n}{a_1+a_2+a_3+\cdots+a_n}$의 값은?

① $\frac{1}{3}$ ② $\frac{2}{3}$ ③ 1 ④ $\frac{4}{3}$ ⑤ $\frac{5}{3}$

발전문제 0048 다음 물음에 답하여라.

(1) 수열 $\{a_n\}$의 첫째항부터 제 n항까지의 합 S_n이 $S_n=2n+\frac{1}{2^n}$일 때, $\lim_{n\to\infty}a_n$의 값은?

① $\frac{1}{2}$ ② 1 ③ $\frac{3}{2}$ ④ 2 ⑤ $\frac{5}{2}$

2008학년도 09월 평가원

(2) 수열 $\{a_n\}$의 첫째항부터 제 n항까지의 합 S_n이 $S_n=2^n+3^n$일 때, $\lim_{n\to\infty}\frac{a_n}{S_n}$의 값은?

① $\frac{1}{6}$ ② $\frac{1}{3}$ ③ $\frac{1}{2}$ ④ $\frac{2}{3}$ ⑤ $\frac{5}{6}$

정답 0046 : (1) ② (2) ③ 0047 : (1) ③ (2) ② 0048 : (1) ④ (2) ④

마플개념익힘 04 r^n을 포함한 수열의 극한 (1)

수열 $\left\{\dfrac{1-r^n}{1+r^n}\right\}$의 수렴, 발산을 조사하여라. (단, $r \neq -1$)

MAPL CORE r^n을 포함한 수열의 극한값을 구하려면 r의 값의 범위를

$|r|>1(r<-1$ 또는 $r>1)$, $r=1$, $r=-1$, $|r|<1(-1<r<1)$

구분하여 구한다.

개념익힘 | 풀이 (ⅰ) $|r|>1$일 때, $\lim\limits_{n\to\infty} r^n=\infty$이므로 $\lim\limits_{n\to\infty}\dfrac{1}{r^n}=0$

주어진 수열의 일반형의 분모, 분자를 r^n으로 나누면

$$\therefore \lim_{n\to\infty}\frac{1-r^n}{1+r^n}=\lim_{n\to\infty}\frac{\frac{1}{r^n}-1}{\frac{1}{r^n}+1}=\frac{0-1}{0+1}=-1$$

(ⅱ) $r=1$일 때, $\lim\limits_{n\to\infty} r^n=1$이므로 $\lim\limits_{n\to\infty}\dfrac{1-r^n}{1+r^n}=\dfrac{1-1}{1+1}=0$

(ⅲ) $|r|<1$일 때, $\lim\limits_{n\to\infty} r^n=0$이므로 $\lim\limits_{n\to\infty}\dfrac{1-r^n}{1+r^n}=\dfrac{1-0}{1+0}=1$

(ⅰ)~(ⅲ)에 의하여 주어진 수열은 $|r|>1$일 때 **-1,** $r=1$일 때 **0,** $|r|<1$일 때 **1로 수렴**한다.

확인유제 0049 $\lim\limits_{n\to\infty}\dfrac{1-r^n}{1+r^n}(r>-1)$의 값은 $|r|<1$이면 a이고, $r=1$이면 b이며, $r>1$이면 c일 때, x의 이차방정식 $ax^2+(b+1)x+c=0$의 두 근의 제곱의 합을 구하여라.

변형문제 0050 다음 물음에 답하여라.

(1) 양의 실수 x에 대하여 $f(x)=\lim\limits_{n\to\infty}\dfrac{x^{n+1}+1}{x^{n-1}+x}$일 때, $f\left(\dfrac{1}{2}\right)+f(1)+f(4)$의 값은?

① 13 ② 15 ③ 17 ④ 19 ⑤ 21

(2) 함수 $f(x)=\lim\limits_{n\to\infty}\dfrac{x^{2n+1}+6}{x^{2n}+3}$에 대하여 $f\left(f\left(\dfrac{1}{2}\right)\right)$의 값은?

① 2 ② 3 ③ 4 ④ 5 ⑤ 6

발전문제 0051 다음 물음에 답하여라.

(1) $\lim\limits_{n\to\infty}\dfrac{r^{n+1}-r^n+4}{r^n+1}=2$를 만족시키는 모든 양수 r의 값의 합은?

① 2 ② 3 ③ 4 ④ 5 ⑤ 6

2019년 03월 교육청

(2) $\lim\limits_{n\to\infty}\dfrac{\left(\frac{m}{5}\right)^{n+1}+2}{\left(\frac{m}{5}\right)^n+1}=2$가 되도록 하는 자연수 m의 개수는?

① 5 ② 6 ③ 7 ④ 8 ⑤ 9

정답 0049 : 3 0050 : (1) ④ (2) ① 0051 : (1) ③ (2) ①

마플개념익힘 05 r^n을 포함한 수열의 극한 (2)

함수 $f(x)$를

$$f(x)=\lim_{n\to\infty}\frac{x^{n+1}+2^{n+2}}{x^n+2^n}$$

으로 정의할 때, $\sum_{k=1}^{10}f(k)$의 값은?

MAPL CORE x^n (n은 자연수)을 포함한 수열의 극한값을 구하려면 x의 값의 범위를

$1\le x<2,\ x=2,\ 2<x\le 10$

로 구분하여 구한다.

개념익힘 | 풀이 (ⅰ) $1\le x<2$일 때,

$$f(x)=\lim_{n\to\infty}\frac{x^{n+1}+2^{n+2}}{x^n+2^n}=\lim_{n\to\infty}\frac{\frac{x^{n+1}}{2^n}+4}{\frac{x^n}{2^n}+1}=\lim_{n\to\infty}\frac{x\left(\frac{x}{2}\right)^n+4}{\left(\frac{x}{2}\right)^n+1}=4$$ ⬅ $\lim_{n\to\infty}\left(\frac{x}{2}\right)^n=0$

(ⅱ) $x=2$일 때,

$$f(2)=\lim_{n\to\infty}\frac{2^{n+1}+2^{n+2}}{2^n+2^n}=\lim_{n\to\infty}\frac{6\cdot 2^n}{2\cdot 2^n}=3$$

(ⅲ) $2<x\le 10$일 때,

$$f(x)=\lim_{n\to\infty}\frac{x^{n+1}+2^{n+2}}{x^n+2^n}=\lim_{n\to\infty}\frac{x+\frac{2^{n+2}}{x^n}}{1+\frac{2^n}{x^n}}=\lim_{n\to\infty}\frac{x+4\cdot\left(\frac{2}{x}\right)^n}{1+\left(\frac{2}{x}\right)^n}=x$$ ⬅ $\lim_{n\to\infty}\left(\frac{x}{2}\right)^n=0$

즉, $f(3)=3,\ f(4)=4,\ f(5)=5,\ \cdots,\ f(10)=10$

$\therefore \sum_{k=1}^{10}f(k)=4+3+\sum_{k=3}^{10}f(k)=4+3+(3+4+5+\cdots+10)=$ **59**

확인유제 0052 다음 물음에 답하여라.

2015학년도 수능기출

(1) 자연수 k에 대하여 $a_k=\lim_{n\to\infty}\frac{\left(\frac{6}{k}\right)^{n+1}}{\left(\frac{6}{k}\right)^n+1}$이라 할 때, $\sum_{k-1}^{10}ka_k$의 값을 구하여라.

2017년 06월 교육청

(2) 자연수 k에 대하여 $a_k=\lim_{n\to\infty}\frac{2\times\left(\frac{k}{10}\right)^{2n+1}+\left(\frac{k}{10}\right)^n}{\left(\frac{k}{10}\right)^{2n}+\left(\frac{k}{10}\right)^n+1}$이라 할 때, $\sum_{k=1}^{20}a_k$의 값을 구하여라.

변형문제 0053

2016년 03월 교육청

오른쪽 그림과 같이 곡선 $y=f(x)$와 직선 $y=g(x)$가 원점과 점 $(3,\ 3)$에서 만난다.

$$h(x)=\lim_{n\to\infty}\frac{\{f(x)\}^{n+1}+5\{g(x)\}^n}{\{f(x)\}^n+\{g(x)\}^n}$$

일 때, $h(2)+h(3)$의 값은?

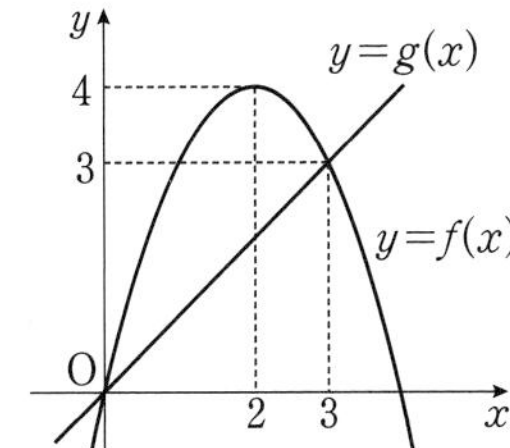

① 6 ② 7 ③ 8 ④ 9 ⑤ 10

발전문제 0054

2009년 03월 교육청

수열 $\{\sqrt{16^n+a^n}-4^n\}$이 수렴하도록 하는 자연수 a의 개수는?

① 1 ② 2 ③ 3 ④ 4 ⑤ 5

정답 0052 : (1) 33 (2) 32 0053 : ③ 0054 : ④

자연수 n에 대하여 직선 $x=9^n$이 곡선 $y=\sqrt{x}$ 및 x축과 만나는 점을 각각 P_n, Q_n이라 하자. 사각형 $P_nQ_nQ_{n+1}P_{n+1}$의 넓이를 a_n이라 할 때, 다음 물음에 답하여라.

(1) a_n을 구하여라.

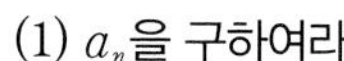

(2) $\lim_{n\to\infty}\frac{a_{n+1}-20^n}{a_n+20^n}$의 값을 구하여라.

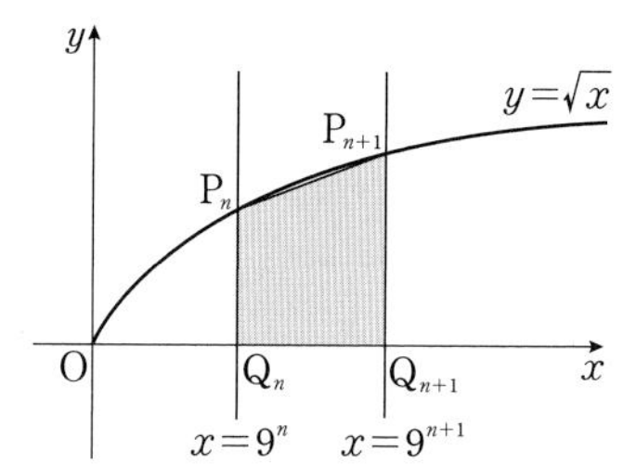

MAPL CORE [1단계] 구하려는 사각형의 넓이, 선분의 길이를 n에 관한 지수식으로 나타낸다.
[2단계] 극한의 성질을 이용하여 극한값을 구한다.

개념익힘 | 풀이 (1) 두 점 P_n, P_{n+1}의 좌표가 각각 $P_n(9^n, 3^n)$, $P_{n+1}(9^{n+1}, 3^{n+1})$이므로 사각형 $P_nQ_nQ_{n+1}P_{n+1}$의 넓이 a_n은

$$a_n=\frac{1}{2}(\sqrt{9^n}+\sqrt{9^{n+1}})(9^{n+1}-9^n)$$
$$=\frac{1}{2}(3^n+3^{n+1})(9^{n+1}-9^n)$$
$$=\frac{1}{2}\times3^n\times(1+3)\times9^n\times(9-1)$$
$$=\mathbf{16\times27^n}$$

(2) $$\lim_{n\to\infty}\frac{a_{n+1}-20^n}{a_n+20^n}=\lim_{n\to\infty}\frac{16\times27^{n+1}-20^n}{16\times27^n+20^n}=\lim_{n\to\infty}\frac{16\times27-\left(\frac{20}{27}\right)^n}{16+\left(\frac{20}{27}\right)^n}=\mathbf{27}$$

확인유제 0055
2017학년도 수능기출

자연수 n에 대하여 직선 $x=4^n$이 곡선 $y=\sqrt{x}$와 만나는 점을 P_n이라 하자. 선분 P_nP_{n+1}의 길이를 L_n이라 할 때, $\lim_{n\to\infty}\left(\frac{L_{n+1}}{L_n}\right)^2$의 값을 구하여라.

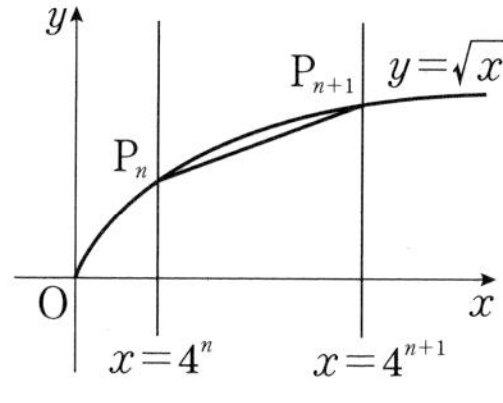

변형문제 0056

오른쪽 그림과 같이 자연수 n에 대하여 두 지수함수 $y=4^x$, $y=3^x$의 그래프와 직선 $x=n$의 교점을 각각 P_n, Q_n이라 하자.
이때 $\lim_{n\to\infty}\frac{\overline{P_{n+1}Q_{n+1}}}{\overline{P_nQ_n}}$의 값은?

① 2 ② 3 ③ 4
④ 5 ⑤ 6

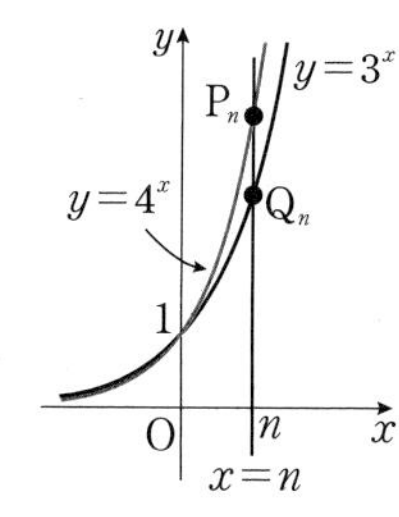

발전문제 0057
2005학년도 09월 평가원

오른쪽 그림과 같이 x축 위에

$$\overline{OA_1}=1,\ \overline{A_1A_2}=\frac{1}{2},\ \overline{A_2A_3}=\left(\frac{1}{2}\right)^2,\ \cdots,\ \overline{A_nA_{n+1}}=\left(\frac{1}{2}\right)^n,\ \cdots$$

을 만족하는 점 A_1, A_2, A_3, $\cdots$에 대하여 제 1사분면에 선분 OA_1, A_1A_2, A_2A_3, $\cdots$을 한 변으로 하는 정사각형 $OA_1B_1C_1$, $A_1A_2B_2C_2$, $A_2A_3B_3C_3$, $\cdots$을 계속하여 만든다. 원점과 점 B_n을 지나는 직선의 방정식을 $y=a_nx$라 할 때, $\lim_{n\to\infty}2^na_n$의 값을 구하여라.

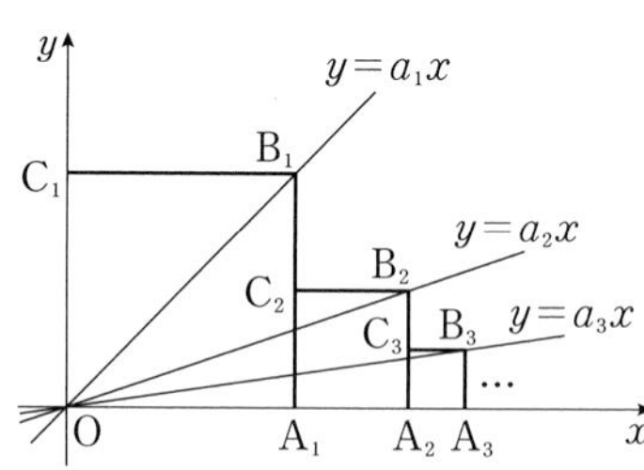

정답 0055 : 16 0056 : ③ 0057 : 1

BASIC

내신 수능 기본 대표 기출문제

0058

$\frac{\infty}{\infty}$, $\infty-\infty$꼴 극한
2015학년도 수능기출

다음 극한값을 구하여라.

(1) $\lim_{n\to\infty}\frac{4n^2+6}{n^2+3n}$의 값은?

① 1 ② 2 ③ 3 ④ 4 ⑤ 5

2014학년도 09월 평가원

(2) $\lim_{n\to\infty}(\sqrt{n^2+28n}-n)$의 값은?

① 13 ② 14 ③ 15 ④ 16 ⑤ 17

0059

등비수열이 포함된 식의 극한
2017학년도 06월 평가원

다음 물음에 답하여라.

(1) $\lim_{n\to\infty}\left(2+\frac{1}{3^n}\right)\left(a+\frac{1}{2^n}\right)=10$일 때, 상수 a의 값은?

① 1 ② 2 ③ 3 ④ 4 ⑤ 5

2019년 04월 교육청

(2) $\lim_{n\to\infty}\frac{a+\left(\frac{1}{4}\right)^n}{5+\left(\frac{1}{2}\right)^n}=3$일 때, 상수 a의 값은?

① 11 ② 12 ③ 13 ④ 14 ⑤ 15

0060

$\frac{\infty}{\infty}$꼴 미정계수의 결정
2013학년도 06월 평가원

다음 물음에 답하여라.

(1) 두 상수 a, b에 대하여 $\lim_{n\to\infty}\frac{an^2+bn+7}{2n+1}=3$일 때, $a+b$의 값은?

① 6 ② 8 ③ 10 ④ 12 ⑤ 14

(2) $\lim_{n\to\infty}\frac{an^2+2}{3n(2n-1)-n^2}=3$을 만족시키는 상수 a의 값은?

① 15 ② 16 ③ 17 ④ 18 ⑤ 19

0061

$\frac{\infty}{\infty}$꼴 미정계수의 결정
2010년 10월 교육청

다음 물음에 답하여라.

(1) 두 등식 $\lim_{n\to\infty}\frac{an+b}{n}=2$, $\sum_{n=1}^{5}(an+b)=60$을 만족시키는 상수 a, b의 합 $a+b$의 값은?

① 2 ② 4 ③ 6 ④ 8 ⑤ 10

2018년 04월 교육청

(2) $\lim_{n\to\infty}\frac{3n-1}{n+1}=a$일 때, $\lim_{n\to\infty}\frac{a^{n+2}+1}{a^n-1}$의 값은? (단, a는 상수이다.)

① 1 ② 3 ③ 5 ④ 7 ⑤ 9

정답 0058 : (1) ④ (2) ② 0059 : (1) ⑤ (2) ⑤ 0060 : (1) ① (2) ① 0061 : (1) ④ (2) ⑤

0062

∞−∞꼴 미정계수의 결정
2014년 03월 교육청

다음 물음에 답하여라.

(1) 실수 a에 대하여 $\lim_{n\to\infty}(\sqrt{n^2+an}-n+2a)=10$일 때, a의 값은?

① 0 ② 1 ③ 2 ④ 3 ⑤ 4

(2) $\lim_{n\to\infty}\frac{an+b}{\sqrt{n^2+3n}-n}=6$일 때, 두 상수 a, b에 대하여 $a+b$의 값은?

① 3 ② 6 ③ 9 ④ 12 ⑤ 15

0063

$\frac{\infty}{\infty}$꼴 미정계수의 결정

다음 물음에 답하여라.

(1) 등식 $\lim_{n\to\infty}\frac{(4n)^2-1}{n^2}=\lim_{n\to\infty}\frac{(2n+1)(an+1)}{(3n-1)(n+1)}$을 만족시키는 상수 a의 값은?

① 8 ② 12 ③ 24 ④ 36 ⑤ 40

(2) 등식 $\lim_{n\to\infty}\frac{a\times 2^n+8}{2^{n-2}+1}=\lim_{n\to\infty}\frac{a\times\left(\frac{1}{2}\right)^n+8}{\left(\frac{1}{2}\right)^{n-2}+1}$을 만족시키는 상수 a의 값은?

① 0 ② 1 ③ 2 ④ 4 ⑤ 8

0064

소수부분의 극한값 계산
2007학년도 수능기출

다음 물음에 답하여라.

(1) 자연수 n에 대하여 $\sqrt{n^2+3n}$의 소수부분을 a_n이라 할 때, $\lim_{n\to\infty}\frac{10}{a_n}$의 값은?

① 5 ② 10 ③ 15 ④ 20 ⑤ 25

(2) 자연수 n에 대하여 $\sqrt{4n^2+4n+2}$의 정수 부분을 a_n, 소수 부분을 b_n이라고 할 때, $\lim_{n\to\infty}a_nb_n$의 값은?

① $\frac{1}{3}$ ② $\frac{1}{2}$ ③ 1 ④ 2 ⑤ 3

0065

수열의 극한의 활용
2014년 03월 교육청

수열 $\{a_n\}$에 대하여 $\lim_{n\to\infty}\frac{a_n}{n}=\frac{1}{3}$일 때, $\lim_{n\to\infty}\frac{\sqrt{9n^2+n}-n}{a_n}$의 값은?

① $\frac{1}{6}$ ② $\frac{1}{4}$ ③ $\frac{1}{3}$ ④ 3 ⑤ 6

0066

수열의 극한의 성질의 활용

다음 물음에 답하여라.

(1) 수열 $\{a_n\}$에 대하여 $\lim_{n\to\infty}\frac{a_n}{2n+1}=5$일 때, $\lim_{n\to\infty}\frac{(n+1)a_n}{3n^2}$의 값은?

① $\frac{4}{3}$ ② 2 ③ $\frac{8}{3}$ ④ $\frac{10}{3}$ ⑤ 4

2013년 07월 교육청

(2) 수열 $\{a_n\}$에 대하여 $\lim_{n\to\infty}\frac{a_n}{n+1}=3$일 때, $\lim_{n\to\infty}\frac{(2n+1)a_n}{3n^2}$의 값은?

① 1 ② 2 ③ 3 ④ 4 ⑤ 5

0067

수열의 극한의 기본성질

수열 $\{a_n\}$, $\{b_n\}$이

$$\lim_{n\to\infty}(n^2+1)a_n=2,\ \lim_{n\to\infty}\frac{b_n+1}{n}=\frac{1}{2}$$

을 만족시킬 때, $\lim_{n\to\infty}\frac{n^3a_n}{b_n+1}$의 값은? (단, $b_n\neq-1$)

① 1 ② 2 ③ 3 ④ 4 ⑤ 5

정답 0062 : (1) ⑤ (2) ③ 0063 : (1) ③ (2) ③ 0064 : (1) ④ (2) ② 0065 : ⑤ 0066 : (1) ④ (2) ② 0067 : ④

0068

수열의 극한의 활용 2006학년도 09월 교육청

다음 물음에 답하여라.

(1) 자연수 n에 대하여 x에 대한 이차방정식 $x^2+(2n^2+n)x-n^2=0$의 두 근을 α_n, β_n이라고 할 때, 극한값 $\lim_{n\to\infty}\left(\frac{1}{\alpha_n}+\frac{1}{\beta_n}\right)$을 구하여라.

(2) 자연수 n에 대하여 이차방정식 $x^2+(\sqrt{n}+1)x-\frac{\sqrt{n}}{2}-\frac{3}{4}=0$의 두 근을 α_n, β_n이라 할 때, $\lim_{n\to\infty}\left(\frac{1}{\alpha_n}+\frac{1}{\beta_n}\right)$의 값을 구하여라.

0069

삼각함수를 포함한 수열의 극한의 대소 관계

다음 물음에 답하여라. (θ는 상수이고 n은 자연수)

(1) $\lim_{n\to\infty}\frac{\sin n\theta}{n+2}$의 값은?

① -2 ② -1 ③ 0 ④ 1 ⑤ 2

(2) $\lim_{n\to\infty}\frac{\cos(n+1)\theta}{n^2+1}$의 값은?

① -2 ② -1 ③ 0 ④ 1 ⑤ 2

2011년 03월 교육청

(3) $\lim_{n\to\infty}\frac{n(n+\cos n\pi)}{n^2+1}$의 값은?

① 1 ② 2 ③ 3 ④ 4 ⑤ 5

0070

수열의 극한의 활용

다음 물음에 답하여라.

(1) 이차함수 $f(x)=3x^2-2x$의 그래프 위의 두 점 $\mathrm{P}(n,\ f(n))$, $\mathrm{Q}(n+1,\ f(n+1))$을 지나는 직선의 기울기를 a_n이라고 할 때, $\lim_{n\to\infty}\frac{a_n}{n}$의 값을 구하여라.

2005학년도 수능기출

(2) 이차함수 $f(x)=3x^2$의 그래프 위의 두 점 $\mathrm{P}(n,\ f(n))$, $\mathrm{Q}(n+1,\ f(n+1))$ 사이의 거리를 a_n이라고 할 때, $\lim_{n\to\infty}\frac{a_n}{n}$의 값을 구하여라. (단, n은 자연수이다.)

0071

등비수열의 극한 2014학년도 수능기출

다음 물음에 답하여라.

(1) $\lim_{n\to\infty}\frac{2\times 3^{n+1}+5}{3^n}$의 값은?

① 10 ② 9 ③ 8 ④ 7 ⑤ 6

(2) $\lim_{n\to\infty}\frac{6^n+5^n+3}{(2^n-1)(3^n+2^n)}$의 값은?

① -2 ② -1 ③ 0 ④ 1 ⑤ 3

0072

등비수열의 극한 2020학년도 사관기출

다음 물음에 답하여라.

(1) $\lim_{n\to\infty}\frac{a\times 3^{n+2}-2^n}{3^n-3\times 2^n}=207$일 때, 상수 a의 값은?

① 17 ② 19 ③ 21 ④ 23 ⑤ 25

(2) $\lim_{n\to\infty}\frac{a\times 6^{n+1}-2^n}{2^n(3^n+2^n)}=12$일 때, 상수 a의 값은?

① 1 ② 2 ③ 3 ④ 4 ⑤ 6

정답 0068 : (1) 2 (2) 2 0069 : (1) ③ (2) ③ (3) ① 0070 : (1) 6 (2) 6 0071 : (1) ⑤ (2) ④ 0072 : (1) ④ (2) ②

0073

$a_n = S_n - S_{n-1}$을 활용한 수열의 극한
내신빈출

다음 물음에 답하여라.

(1) 수열 $\{a_n\}$에서 첫째항부터 제 n항까지의 합 S_n이 $S_n = 2n^2 - n$일 때, $\lim_{n\to\infty} \frac{a_n a_{n+1}}{S_n}$의 값은?

① 2 ② 4 ③ 6 ④ 8 ⑤ 10

(2) 수열 $\{a_n\}$의 첫째항부터 제 n항까지의 합 S_n이 $S_n = 2n + 2^n$일 때, $\lim_{n\to\infty} \frac{a_n}{2^n}$의 값은?

① $\frac{1}{2}$ ② 1 ③ $\frac{3}{2}$ ④ 2 ⑤ $\frac{5}{2}$

0074

수열의 극한의 대소 관계

다음 물음에 답하여라.

(1) 모든 자연수 n에 대하여 수열 $\{a_n\}$이 $1+3^{n+1} < (3^n + 2^{n+1})a_n < 3^{n+1} + 2^n$을 만족시킬 때, $\lim_{n\to\infty} a_n$의 값을 구하여라.

2014년 04월 교육청

(2) 모든 항이 양수인 수열 $\{a_n\}$이 모든 자연수 n에 대하여 $1+2\log_3 n < \log_3 a_n < 1+2\log_3 (n+1)$을 만족시킬 때, $\lim_{n\to\infty} \frac{a_n}{n^2}$의 값을 구하여라.

0075

나머지 정리와 등비수열의 극한
내신빈출

다음 물음에 답하여라.

(1) 자연수 n에 대하여 x에 대한 다항식 $3x^{n+1}+x$를 일차식 $x-2$로 나눈 나머지를 a_n이라고 할 때, $\lim_{n\to\infty} \frac{a_n}{2^n - 1}$의 값은?

① 0 ② 1 ③ 2 ④ 3 ⑤ 6

2006학년도 06월 평가원

(2) 자연수 n에 대하여 다항식 $f(x) = 2^n x^2 + 3^n x + 1$을 $x-1$, $x-2$로 나눈 나머지를 각각 a_n, b_n이라 할 때, $\lim_{n\to\infty} \frac{a_n}{b_n}$의 값은?

① 0 ② $\frac{1}{4}$ ③ $\frac{1}{3}$ ④ $\frac{1}{2}$ ⑤ 1

0076

등비수열의 극한
내신빈출

$0 < a < b$이고 $\lim_{n\to\infty} \frac{a^{n+1} + 2b^n}{a^n + b^{n+1}} = \frac{1}{2}$일 때, 상수 b의 값은?

① 2 ② 3 ③ 4 ④ 6 ⑤ 8

0077

등비수열의 극한
내신빈출

다음 물음에 답하여라.

(1) 이차방정식 $x^2 - 5x + 6 = 0$의 두 근을 a, b라 할 때, $\lim_{n\to\infty} \frac{a^n + b^n}{a^{n-1} + b^{n-1}}$의 값은?

① $\frac{1}{3}$ ② $\frac{1}{2}$ ③ 1 ④ 2 ⑤ 3

(2) 이차방정식 $x^2 - 4x - 1 = 0$의 두 근을 α, β라고 할 때, $\lim_{n\to\infty} \frac{\alpha^{n+1} + \beta^{n+1}}{\alpha^n + \beta^n}$의 값은?

① 0 ② $2-\sqrt{5}$ ③ 1 ④ 2 ⑤ $2+\sqrt{5}$

0078

등비수열 $\{x^n\}$의 수렴 발산

다음 물음에 답하여라. (단, n이 자연수)

(1) 함수 $f(x)$를 $f(x) = \lim_{n\to\infty} \frac{x^n + 3}{x^n + 1}$으로 정의할 때, $f(-3) + f\left(\frac{1}{4}\right) + f(1)$의 값을 구하여라.

(2) 함수 $f(x)$를 $f(x) = \lim_{n\to\infty} \frac{x^{2n} + 5}{x^{2n} + 1}$으로 정의할 때, $f(-2) + f\left(\frac{1}{3}\right) + f(-1)$의 값을 구하여라.

정답 0073 : (1) ④ (2) ① 0074 : (1) 3 (2) 3 0075 : (1) ⑤ (2) ④ 0076 : ③ 0077 : (1) ⑤ (2) ⑤ 0078 : (1) 6 (2) 9

0079

등비수열의 합을 이용한 극한
내신빈출

다음 물음에 답하여라.

(1) 수열 $\{a_n\}$의 첫째항부터 제 n항까지의 합 S_n이 $S_n=5^n-1$일 때, $\lim_{n\to\infty}\frac{a_n}{5^n-3}$의 값은?

① $\frac{1}{5}$　② $\frac{2}{5}$　③ $\frac{3}{5}$　④ $\frac{4}{5}$　⑤ 1

(2) 첫째항이 a인 수열 $\{a_n\}$이 다음 조건을 만족시킨다.

> (가) 모든 자연수 n에 대하여 $a_{n+1}=3a_n$이다.
>
> (나) $\lim_{n\to\infty}\frac{a_{n+1}+2^{n-1}}{3a_n-3^{n+1}}=\frac{7}{4}$

a의 값은? (단, $a\neq3$)

① 4　② 5　③ 6　④ 7　⑤ 8

등비수열의 합을 이용한 극한

수열 $\{a_n\}$의 첫째항이 9이고, 모든 자연수 n에 대하여 이차방정식

$$x^2+3\sqrt{a_n}x+a_{n+1}=0$$

이 중근을 가질 때, $\lim_{n\to\infty}\frac{2^n a_n+3^{2n+1}}{4^n a_n-2^n}$의 값은?

① $\frac{1}{4}$　② $\frac{1}{2}$　③ $\frac{3}{4}$　④ 1　⑤ $\frac{5}{4}$

0081

약수의 합과 등비수열의 극한

다음 물음에 답하여라.

(1) n이 양의 정수일 때, 6^n의 양의 약수의 총합은 $T(n)$이다. 이때 $\lim_{n\to\infty}\frac{6^n}{T(n)}$의 값을 구하면?

① $\frac{1}{2}$　② $\frac{1}{3}$　③ $\frac{1}{6}$　④ $\frac{1}{12}$　⑤ $\frac{1}{18}$

(2) 자연수 n에 대하여 3^{n-1}의 모든 양의 약수의 합을 a_n, 9^n의 모든 양의 약수의 합을 b_n이라 할 때,

$\lim_{n\to\infty}\frac{b_n}{{a_n}^2}$의 값은?

① $\frac{10}{3}$　② 4　③ $\frac{14}{3}$　④ $\frac{16}{3}$　⑤ 6

0082

수열의 진위판단
내신빈출

수렴하는 두 수열 $\{a_n\}$, $\{b_n\}$의 극한에 대한 설명 중 다음 [보기] 중 옳은 것을 모두 고르면?

> ㄱ. $a_n\le b_n$이고 $\lim_{n\to\infty}a_n=\alpha$, $\lim_{n\to\infty}b_n=\beta$이면 $\alpha\le\beta$이다.
>
> ㄴ. $a_n<b_n$이고 $\lim_{n\to\infty}a_n=\alpha$, $\lim_{n\to\infty}b_n=\beta$이면 $\alpha<\beta$이다.
>
> ㄷ. $\lim_{n\to\infty}a_n=\alpha$, $\lim_{n\to\infty}b_n=\beta$이고 $\alpha\le\beta$이면 $a_n\le b_n$이다.

① ㄱ　② ㄴ　③ ㄱ, ㄴ　④ ㄴ, ㄷ　⑤ ㄱ, ㄴ, ㄷ

0083

등비수열이 수렴할 조건
내신빈출

다음 물음에 답하여라.

(1) 등비수열 $\left\{\left(\frac{x^2-2x}{3}\right)^n\right\}$이 수렴할 때, 정수 x의 개수는?

① 3　② 4　③ 5　④ 6　⑤ 7

(2) 수열 $\{(x^2-x-1)^n\}$이 수렴할 때, 정수 x의 개수는?

① 1　② 2　③ 3　④ 4　⑤ 5

(3) 수열 $\left\{\left(\frac{x^2-6x+7}{2}\right)^n\right\}$이 수렴하도록 하는 모든 정수 x의 합은?

① 11　② 12　③ 13　④ 14　⑤ 15

정답　0079 : (1) ④ (2) ④　0080 : ③　0081 : (1) ② (2) ⑤　0082 : ①　0083 : (1) ③ (2) ② (3) ②

0084

수열의 미정계수의 결정
내신빈출

다음 물음에 답하여라.

(1) 등식 $\lim_{n\to\infty}\frac{an^3+bn^2+2}{(3n+a)(n+b)}=4$가 성립하도록 하는 두 상수 a, b에 대하여 $a+b$의 값은?

① 4 ② 6 ③ 8 ④ 10 ⑤ 12

(2) $\lim_{n\to\infty}\{\sqrt{n^2+an}-(bn-4)\}=6$이 성립하도록 두 상수 a, b의 값을 정할 때, $a+b$의 값은?

① 2 ② 3 ③ 4 ④ 5 ⑤ 6

0085

$\infty-\infty$, $\frac{\infty}{\infty}$꼴 극한

다음을 만족시키는 두 상수 a, b에 대하여 ab의 값은?

$$\lim_{n\to\infty}2n(\sqrt{n^2+1}-\sqrt{n^2-1})=a,\ \lim_{n\to\infty}\frac{(3n+1)(an-1)}{n^2+1}=b$$

① 6 ② 8 ③ 10 ④ 12 ⑤ 14

0086

등비수열의 극한
내신빈출

자연수 k에 대하여 $a_k=\lim_{n\to\infty}\frac{\left(\frac{2k+1}{11}\right)^n-1}{\left(\frac{2k+1}{11}\right)^n+1}$일 때, $\sum_{k=1}^{10}a_k$의 값은?

① -2 ② -1 ③ 0 ④ 1 ⑤ 2

0087

$\infty-\infty$꼴 극한의 활용
내신빈출

첫째항이 2, 공차가 2인 등차수열 $\{a_n\}$의 첫째항부터 제 n항까지의 합을 S_n이라 할 때, $\lim_{n\to\infty}(\sqrt{S_{n+1}}-\sqrt{S_n})$의 값은?

① $\frac{1}{2}$ ② $\frac{\sqrt{2}}{2}$ ③ 1 ④ $\sqrt{2}$ ⑤ 2

0088

수열의 극한의 대소 관계
2010학년도 06월 평가원

두 수열 $\{a_n\}$, $\{b_n\}$이 모든 자연수 n에 대하여 다음 조건을 만족시킬 때, $\lim_{n\to\infty}b_n$의 값은?

(가) $20-\frac{1}{n}<a_n+b_n<20+\frac{1}{n}$

(나) $10-\frac{1}{n}<a_n-b_n<10+\frac{1}{n}$

① 3 ② 4 ③ 5 ④ 6 ⑤ 7

0089

수열의 극한의 대소 관계
내신빈출

모든 자연수 n에 대하여 수열 $\{a_n\}$이 부등식

$$2n-1<na_n<\sqrt{4n^2+5n}$$

을 만족시킬 때, $\lim_{n\to\infty}\frac{(n^2+2n)a_n}{5n^2+3}$의 값은?

① $\frac{2}{5}$ ② $\frac{1}{2}$ ③ 1 ④ $\frac{3}{2}$ ⑤ 3

정답 0084 : (1) ⑤ (2) ④ 0085 : ④ 0086 : ④ 0087 : ③ 0088 : ③ 0089 : ①

0090

수열의 극한의 대소 관계
2014년 03월 교육청

두 수열 $\{a_n\}$, $\{b_n\}$이 모든 자연수 n에 대하여 다음 조건을 만족시킨다.

(가) $4^n < a_n < 4^n+1$
(나) $2+2^2+2^3+\cdots+2^n < b_n < 2^{n+1}$

$\lim_{n\to\infty}\frac{4a_n+b_n}{2a_n+2^n b_n}$의 값은?

① $\frac{1}{4}$ ② $\frac{1}{2}$ ③ 1 ④ 2 ⑤ 4

0091

등비수열 $\{r^n\}$의 수렴 발산

$\lim_{n\to\infty}\frac{a^{n+1}+b^{-n+1}}{a^{n-1}+b^{-n}}=9$를 만족할 때, 등비수열 $\lim_{n\to\infty}\left\{\frac{(b+1)^n}{a^{2n}}\right\}$이 수렴하도록 하는 모든 자연수 b의 합은?
(단, $a>1$, $b>1$)

① 20 ② 27 ③ 35 ④ 44 ⑤ 53

0092

등비수열 $\{r^n\}$의 수렴 조건

수열

$$\{(x+2)(x^2-4x+3)^{n-1}\}$$

이 수렴하도록 하는 모든 정수 x의 합을 구하여라.

0093

수열의 극한의 활용
2010년 03월 교육청

다음 물음에 답하여라.

(1) 이차함수 $f(x)=2x^2-2nx+\frac{1}{2}n^2+6n+1(n=1, 2, 3, \cdots)$의 그래프의 꼭짓점의 좌표를 $\mathrm{P}_n(x_n, y_n)$이라 할 때, $\lim_{n\to\infty}\frac{y_n}{x_n}$의 값은?

① $\frac{1}{2}$ ② 2 ③ 6 ④ 12 ⑤ 14

2009학년도 09월 평가원

(2) 자연수 n에 대하여 이차함수 $f(x)=\sum_{k=1}^{n}\left(x-\frac{k}{n}\right)^2$의 최솟값을 a_n이라 할 때, $\lim_{n\to\infty}\frac{a_n}{n}$의 값은?

① $\frac{1}{12}$ ② $\frac{1}{6}$ ③ $\frac{1}{3}$ ④ $\frac{1}{2}$ ⑤ 1

0094

수열의 극한의 활용

다음 물음에 답하여라.

(1) 자연수 n에 대하여 점 $(2n, 0)$을 지나고 원 $x^2+y^2=n^2$에 접하는 직선의 y절편을 a_n이라 할 때, $\lim_{n\to\infty}\frac{a_n}{n+1}$의 값은? (단, $a_n>0$)

① $\frac{2\sqrt{3}}{3}$ ② $\frac{\sqrt{3}}{3}$ ③ $\frac{3\sqrt{2}}{2}$ ④ $\frac{4\sqrt{2}}{3}$ ⑤ $\frac{4\sqrt{3}}{3}$

2011학년도 09월 평가원

(2) 좌표평면에서 자연수 n에 대하여 기울기가 n이고 y절편이 양수인 직선이 원 $x^2+y^2=n^2$에 접할 때, 이 직선이 x축, y축과 만나는 점을 각각 P_n, Q_n이라 하자. $l_n=\overline{\mathrm{P}_n\mathrm{Q}_n}$이라 할 때, $\lim_{n\to\infty}\frac{l_n}{2n^2}$의 값은?

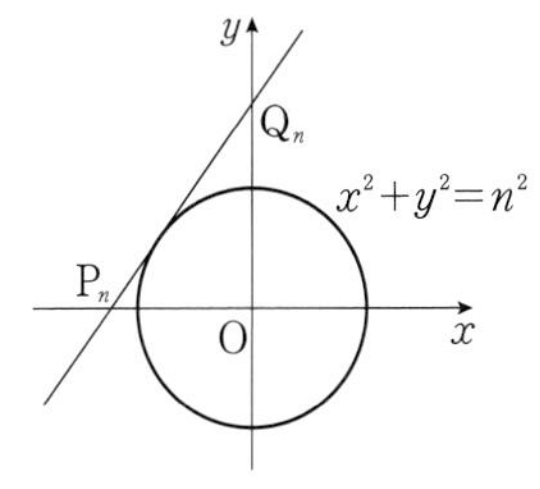

① $\frac{1}{8}$ ② $\frac{1}{4}$ ③ $\frac{3}{8}$
④ $\frac{1}{2}$ ⑤ $\frac{5}{8}$

정답 0090 : ③ 0091 : ③ 0092 : 2 0093 : (1) ④ (2) ① 0094 : (1) ① (2) ④

0095

수열의 극한의 활용

다음 물음에 답하여라.

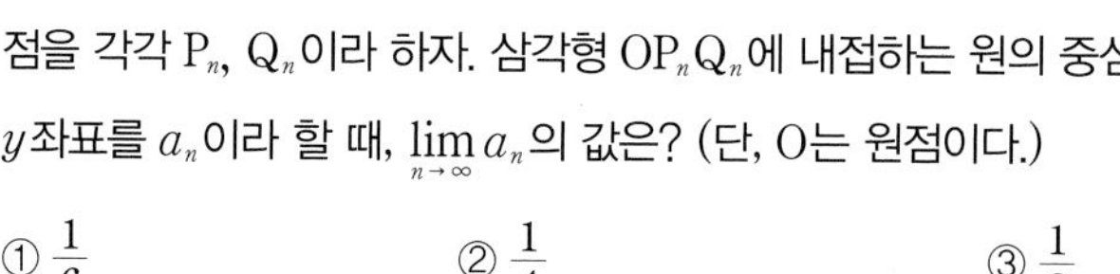

(1) 자연수 n에 대하여 직선 $x=2n$이 직선 $y=\frac{1}{n}x$ 및 x축과 만나는 점을 각각 P_n, Q_n이라 하자. 삼각형 OP_nQ_n에 내접하는 원의 중심의 y좌표를 a_n이라 할 때, $\lim_{n\to\infty} a_n$의 값은? (단, O는 원점이다.)

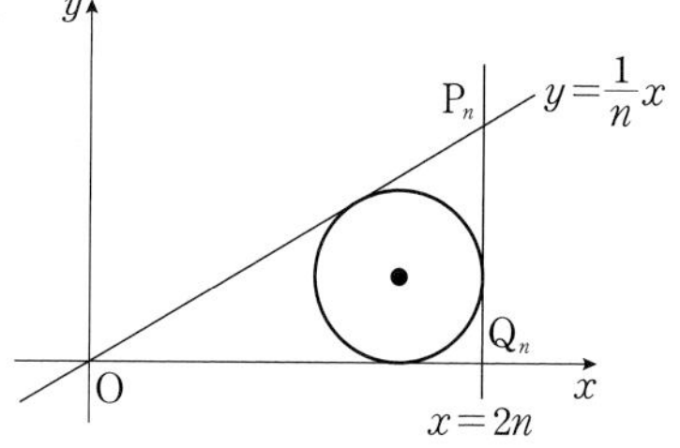

① $\frac{1}{6}$　② $\frac{1}{4}$　③ $\frac{1}{2}$
④ 1　⑤ 2

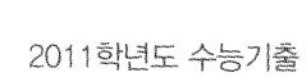

2011학년도 수능기출

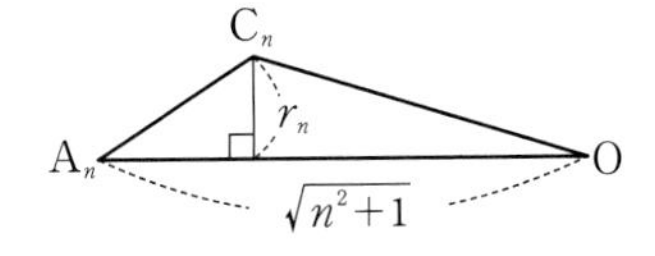

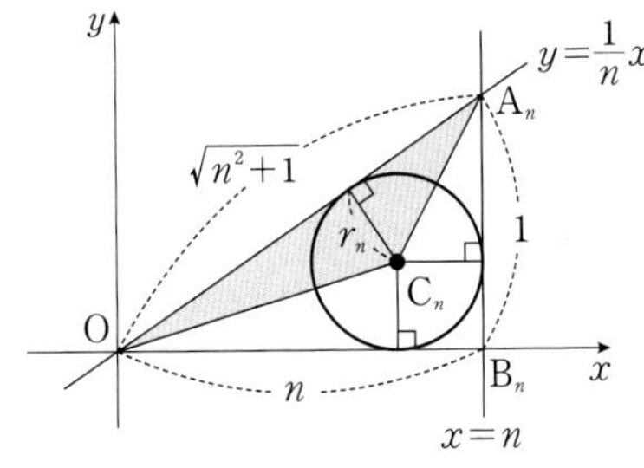

(2) 좌표평면에서 자연수 n에 대하여 두 직선 $y=\frac{1}{n}x$와 $x=n$이 만나는 점을 A_n, 직선 $x=n$과 x축이 만나는 점을 B_n이라 하자.
삼각형 A_nOB_n에 내접하는 원의 중심을 C_n이라 하고, 삼각형 A_nOC_n의 넓이를 S_n이라 하자. $\lim_{n\to\infty}\frac{S_n}{n}$의 값은?

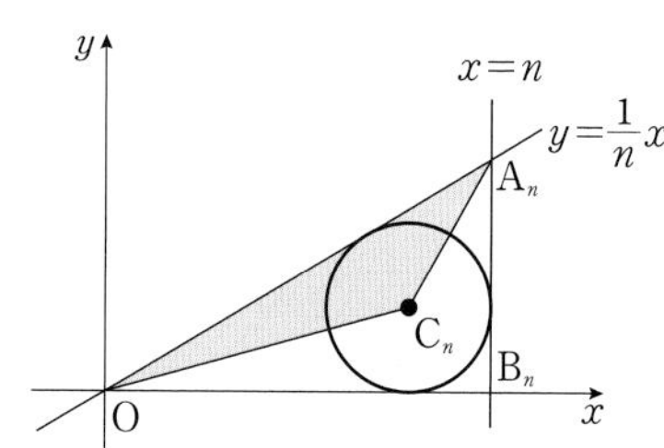

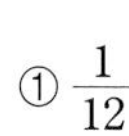
① $\frac{1}{12}$　② $\frac{1}{6}$　③ $\frac{1}{4}$
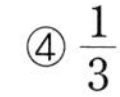
④ $\frac{1}{3}$　⑤ $\frac{5}{12}$

0096

수열의 극한의 활용
2018년 10월 교육청

다음 물음에 답하여라.

(1) 자연수 n에 대하여 원 $x^2+y^2=4n^2$과 직선 $y=\sqrt{n}$이 제 1사분면에서 만나는 점의 x좌표를 a_n이라 할 때, $\lim_{n\to\infty}(2n-a_n)$의 값은?

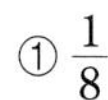
① $\frac{1}{8}$　② $\frac{1}{6}$　③ $\frac{1}{4}$　④ $\frac{1}{3}$　⑤ $\frac{1}{2}$

2015년 11월 교육청

(2) 좌표평면에서 자연수 n에 대하여 원 $x^2+y^2=n^2$과 곡선 $y=\sqrt{x+n}$이 만나는 두 점 사이의 거리를 a_n, 원의 지름의 길이를 b_n이라 할 때, $\lim_{n\to\infty}(b_n-a_n)$의 값은?

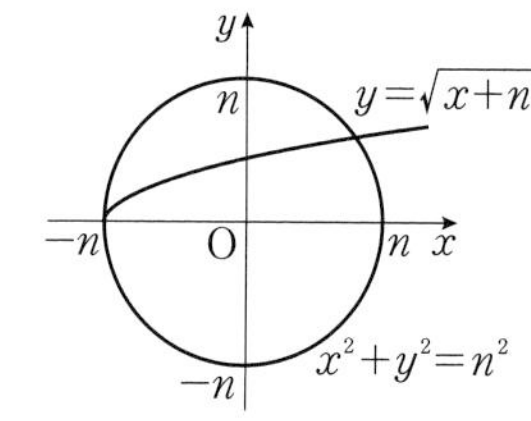

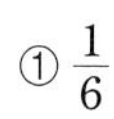
① $\frac{1}{6}$　② $\frac{1}{3}$　③ $\frac{1}{2}$

④ $\frac{2}{3}$　⑤ $\frac{5}{6}$

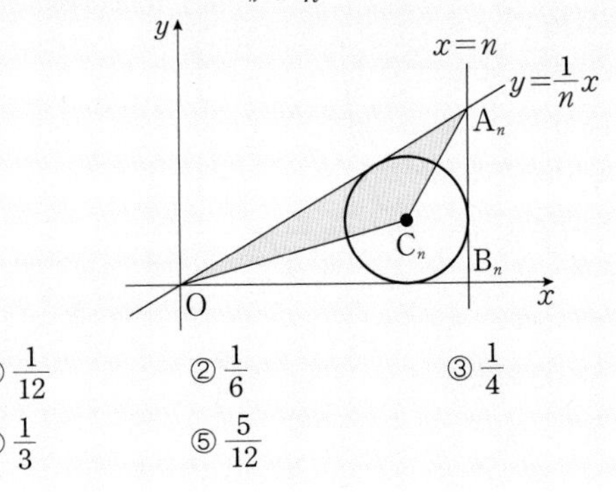

0097

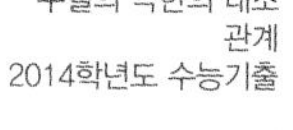

수열의 극한의 대소 관계
2014학년도 수능기출

자연수 n에 대하여 직선 $y=n$과 함수 $y=\tan x$의 그래프가 제 1사분면에서 만나는 점의 x좌표를 작은 수부터 크기순으로 나열할 때, n번째 수를 a_n이라 하자 $\lim_{n\to\infty}\frac{a_n}{n}$의 값은?

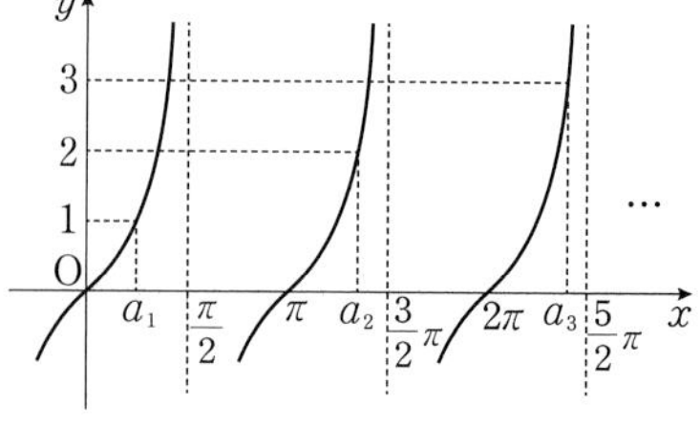

① $\frac{\pi}{4}$　② $\frac{\pi}{2}$　③ $\frac{3}{4}\pi$

④ π　⑤ $\frac{5}{4}\pi$

정답　0095 : (1) ④ (2) ③　0096 : (1) ③ (2) ③　0097 : ④

0098 n이 자연수일 때, 이차방정식 $x^2-3x+n-\sqrt{n^2+2n}=0$의 두 근을 α_n, β_n이라 할 때,

$\lim_{n\to\infty}\left(\frac{1}{\alpha_n}+\frac{1}{\beta_n}\right)$의 값을 구하는 과정을 다음 단계로 서술하여라.

∞−∞의 활용
서술형

[1단계] 이차방정식의 근과 계수의 관계에 의하여 $\alpha_n+\beta_n$, $\alpha_n\beta_n$의 값을 구한다.

[2단계] $\frac{1}{\alpha_n}+\frac{1}{\beta_n}$을 n에 관한 식으로 정리한다.

[3단계] $\lim_{n\to\infty}\left(\frac{1}{\alpha_n}+\frac{1}{\beta_n}\right)$의 값을 구한다.

0099 자연수 n에 대하여 직선 $y=nx$와 곡선 $y=\frac{1}{x}$이 만나는 서로 다른 두 점 사이의 거리를 a_n이라 할 때, $\lim_{n\to\infty}(\sqrt{n+1}\,a_{n+1}-\sqrt{n}\,a_n)$의 값을 구하는 과정을 다음 단계로 서술하여라.

수열의 극한의 활용
서술형

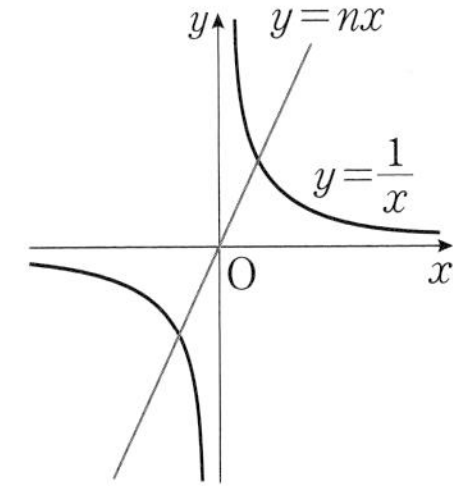

[1단계] 곡선과 직선의 교점의 좌표를 구하여 두 점 사이의 거리 a_n을 구한다.

[2단계] $\sqrt{n}\,a_n$, $\sqrt{n+1}\,a_{n+1}$을 n에 관한 식으로 나타낸다.

[3단계] 분모를 1로 보고 분자를 유리화하여 극한값 $\lim_{n\to\infty}(\sqrt{n+1}\,a_{n+1}-\sqrt{n}\,a_n)$을 구한다.

0100 수열 $\{a_n\}$이 모든 자연수 n에 대하여

$$\frac{1}{\sqrt{n+2}+\sqrt{n+3}}<a_n<\frac{1}{\sqrt{n+1}+\sqrt{n+2}}$$

을 만족시킬 때, $\lim_{n\to\infty}\frac{a_1+a_2+a_3+\cdots+a_n}{\sqrt{n+1}}$의 극한값을 구하는 과정을 다음 단계로 서술하여라.

수열의 극한의 대소 관계
서술형

[1단계] $\frac{1}{\sqrt{n+2}+\sqrt{n+3}}<a_n<\frac{1}{\sqrt{n+1}+\sqrt{n+2}}$에서 양 끝 변의 분모를 유리화하여 부등식에 $n=1, 2, 3, \cdots$을 차례대로 대입하여 각 변끼리 더하여 $a_1+a_2+a_3+\cdots+a_n$의 범위를 구한다.

[2단계] 1단계에서 구한 범위의 양변을 $\sqrt{n+1}$로 나누어 $\lim_{n\to\infty}\frac{a_1+a_2+a_3+\cdots+a_n}{\sqrt{n+1}}$의 범위를 구한다.

[3단계] 수열의 극한의 대소 관계를 이용하여 $\lim_{n\to\infty}\frac{a_1+a_2+a_3+\cdots+a_n}{\sqrt{n+1}}$의 극한값을 구한다.

0101 수열 $\{a_n\}$에 대하여 이차함수 $y=x^2-3(n+1)x+a_n$의 그래프는 x축과 만나고, 이차한수 $y=x^2-3nx+a_n$의 그래프는 x축과 만나지 않을 때, $\lim_{n\to\infty}\frac{a_n}{n^2}$의 값을 구하는 과정을 다음 단계로 서술하여라.

수열의 극한의 대소 관계
서술형

[1단계] 이차함수 $y=x^2-3(n+1)x+a_n$의 그래프는 x축과 만나도록 하는 a_n의 범위를 구한다.

[2단계] 이차함수 $y=x^2-3nx+a_n$의 그래프는 x축과 만나지 않도록 하는 a_n의 범위를 구한다.

[3단계] $\lim_{n\to\infty}\frac{a_n}{n^2}$의 값을 구한다.

[4단계] 구한 답이 문제의 뜻에 맞는지 확인한다.

0102 자연수 n에 대하여 오른쪽 그림과 같이 기울기가 n이고 곡선 $y=x^2$에 접하는 직선이 x축, y축과 만나는 점을 각각 P_n, Q_n이라고 하자.

$l_n=\overline{P_nQ_n}$이라고 할 때, $\lim_{n\to\infty}\frac{l_n}{2n^2}$의 값을 구하는 과정을 다음 단계로 서술하여라.

수열의 극한의 활용
서술형

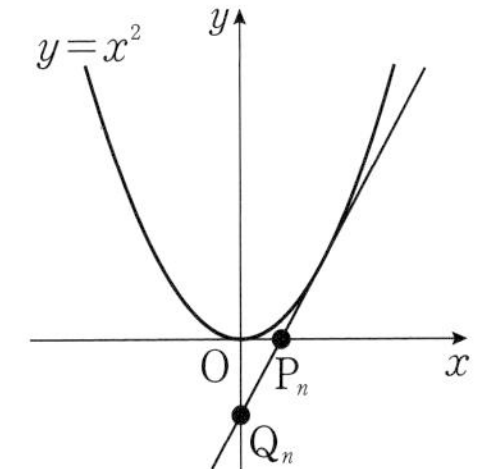

[1단계] 기울기가 n이고 곡선 $y=x^2$에 접하는 직선의 방정식을 구한다.

[2단계] x축, y축과 만나는 점을 각각 P_n, Q_n이라 할 때, $l_n=\overline{P_nQ_n}$의 값을 구한다.

[3단계] $\lim_{n\to\infty}\frac{l_n}{2n^2}$의 값을 구한다.

정답 0098 : 해설참조 0099 : 해설참조 0100 : 해설참조 0101 : 해설참조 0102 : 해설참조

0103
등비수열의 극한의 활용

다음은 첫째항이 2, 공비가 3인 등비수열 $\{a_n\}$에서 $\lim_{n\to\infty}\frac{a_1+a_2+a_3+\cdots+a_n}{a_n+a_{n+1}}$의 값을 구하는 과정이다.
(가), (나), (다)에 알맞은 식과 수를 각각 $f(n)$, $g(n)$, a라 하면 $af(3)g(2)$의 값을 구하여라.

> 등비수열 $\{a_n\}$의 첫째항이 2, 공비가 3이므로
>
> $a_n=$ (가) , $a_{n+1}=2\times3^n$
>
> $a_1+a_2+a_3+\cdots+a_n=$ (나)
>
> $\lim_{n\to\infty}\frac{a_1+a_2+a_3+\cdots+a_n}{a_n+a_{n+1}}=\lim_{n\to\infty}\frac{\text{(나)}}{\text{(가)}+2\times3^n}=$ (다)

0104
수열의 극한의 활용
1995학년도 수능기출

오른쪽 그림과 같이 좌표평면 위에 두 점 O(0, 0), A(2, 0)과 직선 $y=2$ 위를 움직이는 점 P$(t, 2)$가 있다. 선분 AP와 직선 $y=\frac{1}{2}x$가 만나는 점을 Q라고 하자. △QOA의 넓이가 △POA의 넓이의 $\frac{1}{3}$일 때 t의 값을 t_1, $\frac{1}{2}$일 때 t의 값을 t_2, $\frac{n}{n+2}$일 때 t의 값을 t_n이라고 하자. 이때 $\lim_{n\to\infty}t_n$의 값을 구하여라.

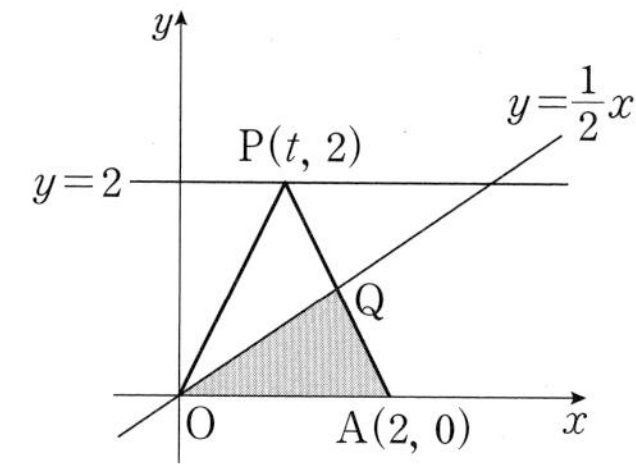

0105
수열의 극한의 활용
2014년 03월 교육청

첫째항이 1이고 공차가 6인 등차수열 $\{a_n\}$에 대하여

$$S_n=a_1+a_2+a_3+\cdots+a_n$$
$$T_n=-a_1+a_2-a_3+\cdots+(-1)^n a_n$$

이라 할 때, $\lim_{n\to\infty}\frac{a_{2n}T_{2n}}{S_{2n}}$의 값을 구하여라.

0106
수열의 극한의 활용
2018년 11월 교육청

다음 물음에 답하여라.

(1) 자연수 n에 대하여 점 $(4n, 3n)$을 중심으로 하고, x축에 접하는 원 C_n이 있다. 원 C_n 위의 점 P에 대하여 선분 OP의 길이가 자연수가 되도록 하는 점 P의 개수를 a_n이라 할 때, $\lim_{n\to\infty}\frac{1}{n^2}\sum_{k=1}^{n}a_k$의 값을 구하여라. (단, O는 원점이다.)

2015학년도 09월 평가원

(2) 자연수 n에 대하여 점 $(3n, 4n)$을 중심으로 하고 y축에 접하는 원 O_n이 있다. 원 O_n 위를 움직이는 점과 점 $(0, -1)$ 사이의 거리의 최댓값을 a_n, 최솟값을 b_n이라 할 때, $\lim_{n\to\infty}\frac{a_n}{b_n}$의 값을 구하여라.

정답 0103 : 54 0104 : 4 0105 : 6 0106 : (1) 6 (2) 4

0107

수열의 극한의 활용
2009학년도 수능기출

자연수 n에 대하여 두 점 P_{n-1}, P_n이 함수 $y=x^2$의 그래프 위의 점일 때, 점 P_{n+1}을 다음 규칙에 따라 정한다.

> (가) 두 점 P_0, P_1의 좌표는 각각 $(0, 0)$, $(1, 1)$이다.
> (나) 점 P_{n+1}은 점 P_n을 지나고 직선 $\mathrm{P}_{n-1}\mathrm{P}_n$에 수직인 직선과 함수 $y=x^2$의 그래프의 교점이다. (단, P_n과 P_{n+1}은 서로 다른 점이다.)

$l_n=\overline{\mathrm{P}_{n-1}\mathrm{P}_n}$이라 할 때, $\lim_{n\to\infty}\frac{l_n}{n}$의 값은?

① $2\sqrt{3}$　② $2\sqrt{2}$　③ 2　④ $\sqrt{3}$　⑤ $\sqrt{2}$

0108

수열의 극한의 활용

다음 물음에 답하여라.

(1) 함수 $f(x)$가 모든 실수 x에 대하여 다음 조건을 만족시킨다.

> (가) $-1<x\le 1$일 때, $f(x)=2x$
> (나) $f(x+2)=f(x)$

자연수 n에 대하여 직선 $y=\frac{1}{n}x$와 함수 $y=f(x)$의 그래프의 교점의 개수를 a_n이라 할 때, $\lim_{n\to\infty}\frac{a_n}{n}$의 값을 구하여라.

1997학년도 수능기출

(2) 모든 실수에서 정의된 함수 $f(x)$가 모든 실수 x에 대하여 다음 조건을 만족시킨다.

> (가) $-1<x\le 1$일 때, $f(x)=x^2$
> (나) $f(x+2)=f(x)$

자연수 n에 대하여 직선 $y=\frac{1}{2n}x+\frac{1}{4n}$과 함수 $y=f(x)$의 그래프의 교점의 개수를 a_n이라고 할 때, $\lim_{n\to\infty}\frac{a_n}{n}$의 값을 구하여라.

0109

수열의 극한의 활용
2018년 03월 교육청

좌표평면에서 자연수 n에 대하여 곡선 $y=(x-2n)^2$이 x축, y축과 만나는 점을 각각 P_n, Q_n이라 하자. 두 점 P_n, Q_n을 지나는 직선과 곡선 $y=(x-2n)^2$으로 둘러싸인 영역 (경계선 포함)에 속하고 x좌표와 y좌표가 모두 자연수인 점의 개수를 a_n이라 하자. 다음은 $\lim_{n\to\infty}\frac{a_n}{n^3}$의 값을 구하는 과정이다.

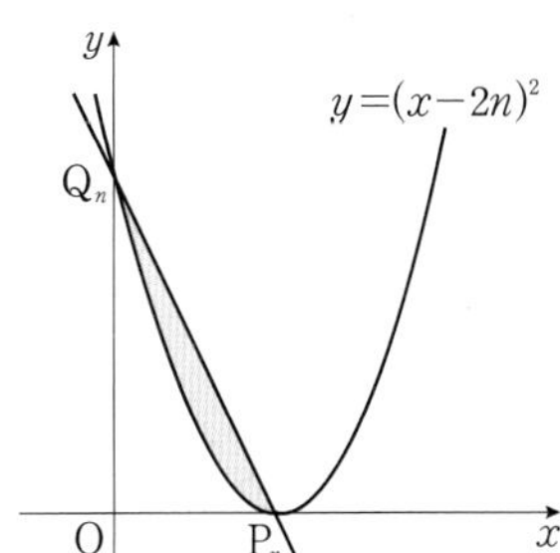

> 두 점 P_n, Q_n을 지나는 직선의 방정식은
> $y=$ (가) $\times x+4n^2$이다.
> 주어진 영역에 속하는 점 중에서 x좌표가 k (k는 $2n-1$ 이하의 자연수)이고 y좌표가 자연수인 점의 개수는
> (나) $+2nk$이므로
> $a_n=\sum_{k=1}^{2n-1}($ (나) $+2nk)$이다.
> 따라서 $\lim_{n\to\infty}\frac{a_n}{n^3}=$ (다) 이다.

위의 (가), (나)에 알맞은 식을 각각 $f(n)$, $g(k)$라 하고, (다)에 알맞은 수를 p라 할 때, $p\times f(3)\times g(4)$의 값은?

① 100　② 105　③ 110　④ 115　⑤ 120

정답 0107 : ②　0108 : (1) 2 (2) 2　0109 : ⑤

온세상 포근한 솜이불 덮는계절

한국의 절기 ㉑ '대설'

자료출처 : 한국민속대백과사전 http://folkency.nfm.go.kr

24절기 가운데 스물한 번째에 해당하는 절기. 소설(小雪)과 동지(冬至) 사이에 위치한다.

일년 중 눈이 가장 많이 내린다는 절기인 대설은 시기적으로는 음력 11월, 양력으로는 12월 7일이나 8일 무렵에 해당하며 태양의 황경은 255도에 도달한 때이다. 우리나라를 비롯한 동양에서는 음력 10월에 드는 입동(立冬)과 소설, 음력 11월에 드는 대설과 동지 그리고 12월의 소한(小寒), 대한(大寒)까지를 겨울이라 여기지만, 서양에서는 추분(秋分) 이후 대설까지를 가을이라 여긴다.

특히 24절기 중 대설이 있는 음력 11월은 동지와 함께 한겨울을 알리는 절기로 농부들에게 있어서 일년을 마무리하면서 새해를 맞이할 준비를 하는 농한기(農閑期)이기도 하다.

이 시기는 한겨울에 해당하며 농사일이 한가한 시기이고 가을 동안 수확한 피땀 어린 곡식들이 곳간에 가득 쌓여 있는 시기이기 때문에 당분간은 끼니 걱정을 하지 않아도 되는 풍성한 시기이다. 한편 이날 눈이 많이 오면 다음해에 풍년이 들고 따뜻한 겨울을 날 수 있다는 믿음이 전해지지만 실제로 이날 눈이 많이 오는 경우는 드물다. 또 눈과 관련하여 "눈은 보리의 이불이다."라는 말이 있다. 이 말은 눈이 많이 내리면 눈이 보리를 덮어 보온 역할을 하므로 동해(凍害)를 적게 입어 보리 풍년이 든다는 의미이다.

미적분

Ⅰ 수열의 극한 Ⅱ 미분법 Ⅲ 적분법

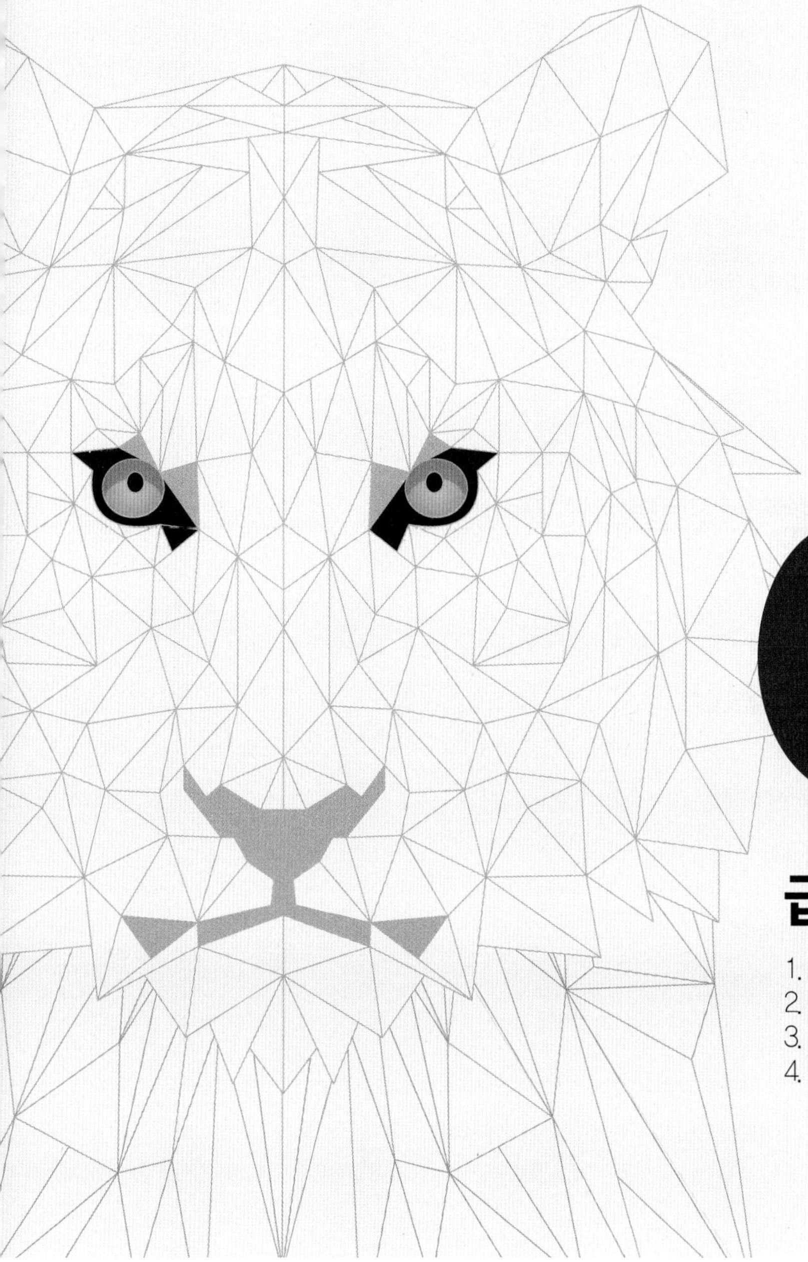

02

급수

1. 급수의 수렴과 발산
2. 급수와 수열의 극한 사이의 관계
3. 등비급수
4. 등비급수의 활용

01 급수의 수렴과 발산

01 급수의 수렴과 발산

(1) 급수

수열 $\{a_n\}$의 각 항을 차례대로 덧셈 기호 +를 사용하여 연결한 식

$$a_1+a_2+a_3+\cdots+a_n+\cdots$$

을 급수(級數)라 하고, 이것을 기호 $\sum$를 사용하여 다음과 같이 나타낸다.

$$a_1+a_2+a_3+\cdots+a_n+\cdots=\sum_{n=1}^{\infty}a_n$$ ← a_n은 이 급수의 제 n항이다.

참고 다음 표현은 모두 같다. $\sum_{n=1}^{\infty}a_n=\sum_{k=1}^{\infty}a_k=\sum_{i=1}^{\infty}a_i=a_1+a_2+a_3+\cdots+a_n+\cdots$

(2) 부분합

급수 $\sum_{n=1}^{\infty}a_n$에서 첫째항부터 제 n항까지의 합 $S_n=a_1+a_2+a_3+\cdots+a_n=\sum_{k=1}^{n}a_k$를 이 급수의 제 n항까지의 부분합(部分合)이라고 한다.

(3) 급수의 수렴

급수 $\sum_{n=1}^{\infty}a_n$의 부분합으로 이루어진 수열 $\{S_n\}$이 일정한 수 S에 수렴할 때,

즉, $\lim_{n\to\infty}S_n=\lim_{n\to\infty}\sum_{k=1}^{n}a_k=S$일 때, 급수 $\sum_{n=1}^{\infty}a_n$은 S에 수렴한다고 한다.

이때 S를 급수의 합이라 하고, 다음과 같이 나타낸다.

참고 $n=1, 2, 3, \cdots$일 때,
$S_1=a_1$
$S_2=a_1+a_2$
$S_3=a_1+a_2+a_3$
$\vdots$
$S_n=a_1+a_2+a_3+\cdots+a_n$

$$a_1+a_2+a_3+\cdots+a_n+\cdots=S \text{ 또는 } \sum_{n=1}^{\infty}a_n=S$$

참고 $\sum_{n=1}^{\infty}a_n=\lim_{n\to\infty}S_n=\lim_{n\to\infty}\sum_{k=1}^{n}a_k$이므로 급수를 나타내기도 하고 급수의 합을 나타내기도 한다.

(4) 급수의 발산

급수 $\sum_{n=1}^{\infty}a_n$의 부분합으로 이루어진 부분합의 수열 $\{S_n\}$이 발산할 때, 급수 $\sum_{n=1}^{\infty}a_n$은 발산한다고 하며 발산하는 급수에 대해서는 그 합을 생각하지 않는다.

보기 01 다음 급수의 수렴, 발산을 조사하고 그 합을 구하여라.

(1) $1+2+3+\cdots+n+\cdots$

(2) $1+\frac{1}{3}+\left(\frac{1}{3}\right)^2+\cdots+\left(\frac{1}{3}\right)^{n-1}+\cdots$

풀이 주어진 급수의 제 n항까지의 부분합을 S_n이라 하면

(1) $S_n=\sum_{k=1}^{n}k=\frac{n(n+1)}{2}$이므로 $\lim_{n\to\infty}S_n=\lim_{n\to\infty}\frac{n(n+1)}{2}=\infty$

따라서 주어진 급수는 양의 무한대로 발산한다.

(2) $S_n=\sum_{k=1}^{n}\left(\frac{1}{3}\right)^{k-1}=\frac{1-\left(\frac{1}{3}\right)^n}{1-\frac{1}{3}}=\frac{3}{2}\left\{1-\left(\frac{1}{3}\right)^n\right\}$이므로 $\lim_{n\to\infty}S_n=\lim_{n\to\infty}\frac{3}{2}\left\{1-\left(\frac{1}{3}\right)^n\right\}=\frac{3}{2}$

따라서 주어진 급수는 $\frac{3}{2}$에 수렴한다.

보기 02 다음 급수의 수렴, 발산을 조사하고 그 합을 구하여라.

(1) $\sum_{n=1}^{\infty}\left(\frac{1}{n}-\frac{1}{n+1}\right)$　　(2) $\sum_{n=1}^{\infty}(\sqrt{n+1}-\sqrt{n})$

풀이 주어진 급수의 제 n항까지의 부분합을 S_n이라 하면

(1) $S_n=\sum_{k=1}^{n}\left(\frac{1}{k}-\frac{1}{k+1}\right)$

$=\left(1-\frac{1}{2}\right)+\left(\frac{1}{2}-\frac{1}{3}\right)+\cdots+\left(\frac{1}{n}-\frac{1}{n+1}\right)$

$=1-\frac{1}{n+1}$

이때 $\lim_{n\to\infty}S_n=\lim_{n\to\infty}\left(1-\frac{1}{n+1}\right)=1$

따라서 주어진 급수는 수렴하고, 그 합은 1이다.

(2) $S_n=\sum_{k=1}^{n}(\sqrt{k+1}-\sqrt{k})$

$=(\sqrt{2}-1)+(\sqrt{3}-\sqrt{2})+\cdots+(\sqrt{n+1}-\sqrt{n})$

$=\sqrt{n+1}-1$

이때 $\lim_{n\to\infty}S_n=\lim_{n\to\infty}(\sqrt{n+1}-1)=\infty$

따라서 주어진 급수는 발산한다.

+α 더 알아보기

(1) 급수를 계산하는 순서

[1단계] 부분합 $S_n=\sum_{k=1}^{n}a_k$를 구한다.

[2단계] 수열 $\{S_n\}$의 수렴, 발산을 조사한다.

① $\lim_{n\to\infty}S_n=S$(일정한 값)이면 급수 $\sum_{n=1}^{\infty}a_n$은 S에 수렴

② $\lim_{n\to\infty}S_n\neq S$(일정한 값)이면 급수 $\sum_{n=1}^{\infty}a_n$은 발산

(2) 수열과 급수의 수렴과 발산의 조사 비교

① 수열 $\{a_n\}$의 수렴과 발산 ⇨ $\lim_{n\to\infty}a_n$의 값을 조사한다.

② 급수 $\sum_{n=1}^{\infty}a_n$의 수렴과 발산 ⇨ 수열 $\{a_n\}$의 부분합 S_n에 대하여 $\lim_{n\to\infty}S_n$의 값을 조사한다.

분수식의 급수계산

01 수렴하는 급수의 여러 공식

(1) $\sum_{n=1}^{\infty}\frac{1}{n(n+1)}=\frac{1}{1\cdot 2}+\frac{1}{2\cdot 3}+\frac{1}{3\cdot 4}+\cdots+\frac{1}{n(n+1)}+\cdots=1$

해설 $S_n=\sum_{k=1}^{n}\frac{1}{k(k+1)}=\sum_{k=1}^{n}\left(\frac{1}{k}-\frac{1}{k+1}\right)$ ← 제 n항까지의 부분합을 S_n이라 하면

$=\left(1-\frac{1}{2}\right)+\left(\frac{1}{2}-\frac{1}{3}\right)+\left(\frac{1}{3}-\frac{1}{4}\right)+\cdots+\left(\frac{1}{n}-\frac{1}{n+1}\right)=1-\frac{1}{n+1}$

이때 $\lim_{n\to\infty}S_n=\lim_{n\to\infty}\left(1-\frac{1}{n+1}\right)=1$이므로 $\sum_{n=1}^{\infty}\frac{1}{n(n+1)}=1$

(2) $\sum_{n=1}^{\infty}\frac{1}{n(n+2)}=\sum_{n=2}^{\infty}\frac{1}{(n-1)(n+1)}=\frac{1}{1\cdot 3}+\frac{1}{2\cdot 4}+\frac{1}{3\cdot 5}+\cdots+\frac{1}{n(n+2)}+\cdots=\frac{3}{4}$

해설 $S_n=\sum_{k=1}^{n}\frac{1}{k(k+2)}=\sum_{k=1}^{n}\frac{1}{2}\left(\frac{1}{k}-\frac{1}{k+2}\right)$ ← 제 n항까지의 부분합을 S_n이라 하면

$=\frac{1}{2}\left\{\left(1-\frac{1}{3}\right)+\left(\frac{1}{2}-\frac{1}{4}\right)+\left(\frac{1}{3}-\frac{1}{5}\right)+\cdots+\left(\frac{1}{n-1}-\frac{1}{n+1}\right)+\left(\frac{1}{n}-\frac{1}{n+2}\right)\right\}=\frac{1}{2}\left(1+\frac{1}{2}-\frac{1}{n+1}-\frac{1}{n+2}\right)$

이때 $\lim_{n\to\infty}S_n=\lim_{n\to\infty}\frac{1}{2}\left(1+\frac{1}{2}-\frac{1}{n+1}-\frac{1}{n+2}\right)=\frac{3}{4}$이므로 $\sum_{n=1}^{\infty}\frac{1}{n(n+2)}=\frac{3}{4}$

(3) $\sum_{n=1}^{\infty}\frac{1}{(n+1)(n+2)}=\frac{1}{2\cdot 3}+\frac{1}{3\cdot 4}+\frac{1}{4\cdot 5}+\cdots+\frac{1}{(n+1)(n+2)}+\cdots=\frac{1}{2}$

해설 $S_n=\sum_{k=1}^{n}\left(\frac{1}{k+1}-\frac{1}{k+2}\right)$ ← 제 n항까지의 부분합을 S_n이라 하면

$=\left(\frac{1}{2}-\frac{1}{3}\right)+\left(\frac{1}{3}-\frac{1}{4}\right)+\left(\frac{1}{4}-\frac{1}{5}\right)+\cdots+\left(\frac{1}{n+1}-\frac{1}{n+2}\right)=\frac{1}{2}-\frac{1}{n+2}$

이때 $\lim_{n\to\infty}S_n=\lim_{n\to\infty}\left(\frac{1}{2}-\frac{1}{n+2}\right)=\frac{1}{2}$이므로 $\sum_{n=1}^{\infty}\frac{1}{(n+1)(n+2)}=\frac{1}{2}$

(4) $\sum_{n=1}^{\infty}\frac{1}{4n^2-1}=\sum_{n=1}^{\infty}\frac{1}{(2n-1)(2n+1)}=\frac{1}{1\cdot 3}+\frac{1}{3\cdot 5}+\frac{1}{5\cdot 7}+\cdots+\frac{1}{(2n-1)(2n+1)}+\cdots=\frac{1}{2}$

해설 $S_n=\sum_{k=1}^{n}\frac{1}{(2k-1)(2k+1)}=\sum_{k=1}^{n}\frac{1}{2}\left(\frac{1}{2k-1}-\frac{1}{2k+1}\right)$ ← 제 n항까지의 부분합을 S_n이라 하면

$=\frac{1}{2}\left\{\left(1-\frac{1}{3}\right)+\left(\frac{1}{3}-\frac{1}{5}\right)+\cdots+\left(\frac{1}{2n-1}-\frac{1}{2n+1}\right)\right\}=\frac{1}{2}\left(1-\frac{1}{2n+1}\right)$

이때 $\lim_{n\to\infty}S_n=\lim_{n\to\infty}\frac{1}{2}\left(1-\frac{1}{2n+1}\right)=\frac{1}{2}$이므로 $\sum_{n=1}^{\infty}\frac{1}{4n^2-1}=\frac{1}{2}$

(5) $\sum_{n=1}^{\infty}\frac{1}{n(n+1)(n+2)}=\frac{1}{1\cdot 2\cdot 3}+\frac{1}{2\cdot 3\cdot 4}+\frac{1}{3\cdot 4\cdot 5}+\cdots+\frac{1}{n(n+1)(n+2)}+\cdots=\frac{1}{4}$

해설 $S_n=\sum_{k=1}^{n}\frac{1}{k(k+1)(k+2)}=\sum_{k=1}^{n}\frac{1}{2}\left\{\frac{1}{k(k+1)}-\frac{1}{(k+1)(k+2)}\right\}$ ← 제 n항까지의 부분합을 S_n이라 하면

$=\frac{1}{2}\left\{\left(\frac{1}{1\cdot 2}-\frac{1}{2\cdot 3}\right)+\left(\frac{1}{2\cdot 3}-\frac{1}{3\cdot 4}\right)+\cdots+\left(\frac{1}{n(n+1)}-\frac{1}{(n+1)(n+2)}\right)\right\}=\frac{1}{2}\left\{\frac{1}{2}-\frac{1}{(n+1)(n+2)}\right\}$

이때 $\lim_{n\to\infty}S_n=\lim_{n\to\infty}\frac{1}{2}\left\{\frac{1}{2}-\frac{1}{(n+1)(n+2)}\right\}=\frac{1}{2}\left(\frac{1}{2}-0\right)=\frac{1}{4}$이므로 $\sum_{n=1}^{\infty}\frac{1}{n(n+1)(n+2)}=\frac{1}{4}$

(6) $\sum_{n=1}^{\infty}\frac{1}{n^2}=1+\frac{1}{2^2}+\frac{1}{3^2}+\cdots+\frac{1}{n^2}+\cdots$

해설 $\sum_{n=1}^{\infty}\frac{1}{n^2}=1+\frac{1}{2^2}+\frac{1}{3^2}+\cdots+\frac{1}{n^2}+\cdots<1+\frac{1}{1\cdot 2}+\frac{1}{2\cdot 3}+\frac{1}{3\cdot 4}+\cdots+\frac{1}{n(n+1)}+\cdots$

$=1+\sum_{n=1}^{\infty}\frac{1}{n(n+1)}=2$ ← $\sum_{n=1}^{\infty}\frac{1}{n(n+1)}=1$

$\therefore 1<\sum_{n=1}^{\infty}\frac{1}{n^2}<2$이므로 $\sum_{n=1}^{\infty}\frac{1}{n^2}$은 수렴한다.

02 발산하는 급수

(1) $\sum_{n=1}^{\infty}\frac{1}{\sqrt{n+1}+\sqrt{n}}=\frac{1}{\sqrt{2}+1}+\frac{1}{\sqrt{3}+\sqrt{2}}+\frac{1}{\sqrt{4}+\sqrt{3}}+\cdots+\frac{1}{\sqrt{n+1}+\sqrt{n}}+\cdots$

해설 $S_n=\sum_{k=1}^{n}\frac{1}{\sqrt{k+1}+\sqrt{k}}$

$=\sum_{k=1}^{n}\frac{\sqrt{k+1}-\sqrt{k}}{(\sqrt{k+1}+\sqrt{k})(\sqrt{k+1}-\sqrt{k})}$

$=\sum_{k=1}^{n}(\sqrt{k+1}-\sqrt{k})$

$=(\sqrt{2}-\sqrt{1})+(\sqrt{3}-\sqrt{2})+(\sqrt{4}-\sqrt{3})+\cdots+(\sqrt{n+1}-\sqrt{n})$

$=(\sqrt{n+1}-\sqrt{1})$

이때 $\lim_{n\to\infty}S_n=\lim_{n\to\infty}(\sqrt{n+1}-1)=\infty$이므로 급수 $\sum_{n=1}^{\infty}\frac{1}{\sqrt{n+1}+\sqrt{n}}$은 양의 무한대로 발산한다.

(2) $\sum_{n=1}^{\infty}\frac{1}{\sqrt{n+2}+\sqrt{n}}=\frac{1}{\sqrt{3}+1}+\frac{1}{\sqrt{4}+\sqrt{2}}+\frac{1}{\sqrt{5}+\sqrt{3}}+\cdots+\frac{1}{\sqrt{n+2}+\sqrt{n}}+\cdots$

해설 $S_n=\sum_{k=1}^{n}\frac{1}{\sqrt{k+2}+\sqrt{k}}$

$=\sum_{k=1}^{n}\frac{\sqrt{k+2}-\sqrt{k}}{(\sqrt{k+2}+\sqrt{k})(\sqrt{k+2}-\sqrt{k})}$

$=\sum_{k=1}^{n}\frac{1}{2}(\sqrt{k+2}-\sqrt{k})$

$=\frac{1}{2}\{(\sqrt{3}-\sqrt{1})+(\sqrt{4}-\sqrt{2})+(\sqrt{5}-\sqrt{3})+\cdots+(\sqrt{n+1}-\sqrt{n-1})+(\sqrt{n+2}-\sqrt{n})\}$

$=\frac{1}{2}\{\sqrt{n+2}+\sqrt{n+1}-(1+\sqrt{2})\}$

이때 $\lim_{n\to\infty}S_n=\lim_{n\to\infty}\frac{1}{2}\{\sqrt{n+2}+\sqrt{n+1}-(1+\sqrt{2})\}=\infty$이므로 급수 $\sum_{n=1}^{\infty}\frac{1}{\sqrt{n+2}+\sqrt{n}}$은 양의 무한대로 발산한다.

(3) $\sum_{n=1}^{\infty}\frac{1}{n}=1+\frac{1}{2}+\frac{1}{3}+\frac{1}{4}+\frac{1}{5}+\frac{1}{6}+\frac{1}{7}+\frac{1}{8}+\cdots+\frac{1}{n}+\cdots$

해설 $\sum_{n=1}^{\infty}\frac{1}{n}=1+\frac{1}{2}+\frac{1}{3}+\frac{1}{4}+\frac{1}{5}+\frac{1}{6}+\frac{1}{7}+\frac{1}{8}+\cdots+\frac{1}{n}+\cdots$ ← 각 군의 마지막 항이 $\left(\frac{1}{2}\right)^n$이 되도록 묶는다.

$=1+\frac{1}{2}+\left(\frac{1}{3}+\frac{1}{4}\right)+\left(\frac{1}{5}+\frac{1}{6}+\frac{1}{7}+\frac{1}{8}\right)+\left(\frac{1}{9}+\cdots+\frac{1}{16}\right)+\cdots$

$>1+\frac{1}{2}+\left(\frac{1}{4}+\frac{1}{4}\right)+\left(\frac{1}{8}+\frac{1}{8}+\frac{1}{8}+\frac{1}{8}\right)+\left(\frac{1}{16}+\cdots+\frac{1}{16}\right)+\cdots$

$=1+\frac{1}{2}+\frac{1}{2}+\frac{1}{2}+\frac{1}{2}+\cdots=\infty$

$\therefore \sum_{n=1}^{\infty}\frac{1}{n}=\infty$

더 알아보기

① 급수 $\sum_{n=1}^{\infty}\frac{1}{n^2}$은 오일러가 1735년에 $\sum_{n=1}^{\infty}\frac{1}{n^2}=\frac{\pi^2}{6}$임을 알아냈다.

② $\sum_{n=1}^{\infty}\frac{1}{n}=\infty$

다음 급수의 합을 구하여라.

(1) $1+\frac{1}{1+2}+\frac{1}{1+2+3}+\frac{1}{1+2+3+4}+\cdots+\frac{1}{1+2+\cdots+n}+\cdots$

(2) $\frac{1}{2^2-1}+\frac{1}{4^2-1}+\frac{1}{6^2-1}+\frac{1}{8^2-1}+\cdots$

MAPL CORE [1단계] n항까지 합을 구한다. $\left(S_n=\sum_{k=1}^{n}a_k\right)$ [2단계] 극한값을 구한다. $(S=\lim_{n\to\infty}S_n)$

개념익힘 | 풀이 (1) 주어진 수열의 일반항은 $a_n=\frac{1}{1+2+3+\cdots+n}=\frac{1}{\frac{n(n+1)}{2}}=\frac{2}{n(n+1)}$

$S_n=\sum_{k=1}^{n}\frac{2}{k(k+1)}=2\sum_{k=1}^{n}\left(\frac{1}{k}-\frac{1}{k+1}\right)$ ← 제 n항까지의 부분합을 S_n이라 하면

$=2\left\{\left(1-\frac{1}{2}\right)+\left(\frac{1}{2}-\frac{1}{3}\right)+\cdots+\left(\frac{1}{n}-\frac{1}{n+1}\right)\right\}=2\left(1-\frac{1}{n+1}\right)$

$\therefore \lim_{n\to\infty}S_n=\lim_{n\to\infty}2\left(1-\frac{1}{n+1}\right)=\mathbf{2}$ ← $\sum_{n=1}^{\infty}\frac{1}{1+2+3+\cdots+n}$

(2) 주어진 수열의 일반항은 $a_n=\frac{1}{(2n)^2-1}=\frac{1}{(2n-1)(2n+1)}$

$S_n=\sum_{k=1}^{n}\frac{1}{(2k-1)(2k+1)}=\frac{1}{2}\sum_{k=1}^{n}\left(\frac{1}{2k-1}-\frac{1}{2k+1}\right)$ ← 제 n항까지의 부분합을 S_n이라 하면

$=\frac{1}{2}\left\{\left(1-\frac{1}{3}\right)+\left(\frac{1}{3}-\frac{1}{5}\right)+\cdots+\left(\frac{1}{2n-1}-\frac{1}{2n+1}\right)\right\}$

$=\frac{1}{2}\left(1-\frac{1}{2n+1}\right)$

$\therefore \lim_{n\to\infty}S_n=\lim_{n\to\infty}\frac{1}{2}\left(1-\frac{1}{2n+1}\right)=\mathbf{\frac{1}{2}}$

확인유제 0110 다음 급수의 합을 구하여라.

(1) $\frac{1}{2}+\frac{1}{2+4}+\frac{1}{2+4+6}+\cdots+\frac{1}{2+4+\cdots+2n}+\cdots$

(2) $\frac{1}{1^2+2}+\frac{1}{2^2+4}+\frac{1}{3^2+6}+\cdots+\frac{1}{n^2+2n}+\cdots$

(3) $\frac{1}{2\cdot5}+\frac{1}{5\cdot8}+\frac{1}{8\cdot11}+\cdots+\frac{1}{(3n-1)(3n+2)}+\cdots$

변형문제 0111 다음 급수의 합을 구하여라.

(1) $\sum_{n=1}^{\infty}\frac{2n+1}{1^2+2^2+3^2+\cdots+n^2}$ (2) $\sum_{n=1}^{\infty}\frac{1}{n\sqrt{n+1}+(n+1)\sqrt{n}}$ (3) $\sum_{n=2}^{\infty}\log_2\left(1-\frac{1}{n^2}\right)$

발전문제 0112 다음 물음에 답하여라.

(1) 수열 $\{a_n\}$의 첫째항부터 제 n항까지의 합 S_n이 $S_n=\frac{1}{2}(n^2+3n)$일 때, $\sum_{n=1}^{\infty}\frac{1}{a_na_{n+2}}$의 값은?

① $\frac{1}{12}$ ② $\frac{1}{6}$ ③ $\frac{1}{4}$ ④ $\frac{1}{3}$ ⑤ $\frac{5}{12}$

2010년 10월 교육청

(2) 수열 $\{a_n\}$의 첫째항부터 제 n항까지의 합 S_n이 $S_n=n^2+2n$일 때, 급수 $\sum_{n=1}^{\infty}\frac{2}{a_na_{n+1}}$의 값은?

① $\frac{1}{3}$ ② $\frac{1}{4}$ ③ $\frac{1}{5}$ ④ $\frac{1}{6}$ ⑤ $\frac{1}{7}$

정답 0110 : (1) 1 (2) $\frac{3}{4}$ (3) $\frac{1}{6}$ 0111 : (1) 6 (2) 1 (3) -1 0112 : (1) ⑤ (2) ①

마플개념익힘 02 급수의 활용 (1)

모든 자연수 n에 대하여 다항식 x^2-1을 $x-2n$으로 나눈 나머지가 a_n이라 할 때,

급수 $\sum_{n=1}^{\infty}\frac{12}{a_n}$의 값을 구하여라.

MAPL CORE 다항식을 일차식으로 나눈 나머지를 구하려면 (일차식)$=0$일 때의 x의 값을 대입하면 된다.
다항식 $f(x)$를 $x-\alpha$로 나눈 나머지는 $f(\alpha)$이다.

개념익힘 | 풀이 $f(x)=x^2-1$이라 하면 $x-2n$으로 나눈 나머지 $a_n=f(2n)=(2n)^2-1$

$$\sum_{n=1}^{\infty}\frac{12}{a_n}=12\sum_{n=1}^{\infty}\frac{1}{(2n)^2-1}=12\sum_{n=1}^{\infty}\frac{1}{(2n-1)(2n+1)}$$

$$\therefore 12\sum_{n=1}^{\infty}\frac{1}{(2n-1)(2n+1)}=12\lim_{n\to\infty}\sum_{k=1}^{n}\frac{1}{(2k-1)(2k+1)}$$

$$=12\lim_{n\to\infty}\sum_{k=1}^{n}\frac{1}{2}\left(\frac{1}{2k-1}-\frac{1}{2k+1}\right)$$

$$=6\lim_{n\to\infty}\left\{\left(1-\frac{1}{3}\right)+\left(\frac{1}{3}-\frac{1}{5}\right)+\cdots+\left(\frac{1}{2n-1}-\frac{1}{2n+1}\right)\right\}$$

$$=6\lim_{n\to\infty}\left(1-\frac{1}{2n+1}\right)$$

$$=\mathbf{6}$$

확인유제 0113
2013년 07월 교육청

모든 자연수 n에 대하여 수열 $\{a_n\}$은 다음 두 조건을 만족시킨다. 이때 $\sum_{n=1}^{\infty}a_n$의 값은?

(가) $a_n\neq 0$
(나) x에 대한 다항식 $a_nx^2+a_nx+2$를 $x-n$으로 나눈 나머지가 20이다.

① 10 ② 12 ③ 14 ④ 16 ⑤ 18

변형문제 0114
2016학년도 09월 평가원

다음 물음에 답하여라.

(1) 등차수열 $\{a_n\}$에 대하여 $a_1=4$, $a_4-a_2=4$일 때, $\sum_{n=1}^{\infty}\frac{2}{na_n}$의 값은?

① 1 ② $\frac{3}{2}$ ③ 2 ④ $\frac{5}{2}$ ⑤ 3

(2) 등차수열 $\{a_n\}$에 대하여 $a_1=1$, $a_2+a_4=10$일 때, $\sum_{n=1}^{\infty}\frac{1}{a_na_{n+1}}$의 값은?

① $\frac{1}{4}$ ② $\frac{1}{2}$ ③ $\frac{3}{4}$ ④ 1 ⑤ 2

발전문제 0115

다음 물음에 답하여라.

(1) 자연수 n에 대하여 x의 이차방정식 $x^2+(n-1)x+n^2=0$의 두 근을 α_n, β_n이라 할 때,

$\sum_{n=1}^{\infty}\frac{1}{(\alpha_n-1)(\beta_n-1)}$의 값을 구하여라.

(2) 자연수 n에 대하여 이차방정식 $x^2-8nx+n+2=0$의 서로 다른 두 근을 α_n, β_n이라 할 때,

$\sum_{n=1}^{\infty}\frac{1}{n^2}\left(\frac{1}{\alpha_n}+\frac{1}{\beta_n}\right)$의 값을 구하여라.

정답 0113 : ⑤ 0114 : (1) ① (2) ② 0115 : (1) 1 (2) 6

자연수 n에 대하여 직선

$$(2n-1)x+(2n+1)y=1$$

과 x축 및 y축으로 둘러싸인 부분의 넓이를 a_n이라 할 때, $\sum_{n=1}^{\infty} a_n$의 값을 구하여라.

MAPL CORE

[1단계] 구하는 넓이, 길이, 자연수의 좌표를 구한다.

[2단계] 급수 $\sum_{n=1}^{\infty} a_n$의 부분합 S_n을 구하여 $\lim_{n \to \infty} S_n$의 값을 구한다.

개념익힘 | **풀이** 오른쪽 그림에서 직선 $(2n-1)x+(2n+1)y=1$과 x축 및 y축으로 둘러싸인 부분의 넓이 a_n은

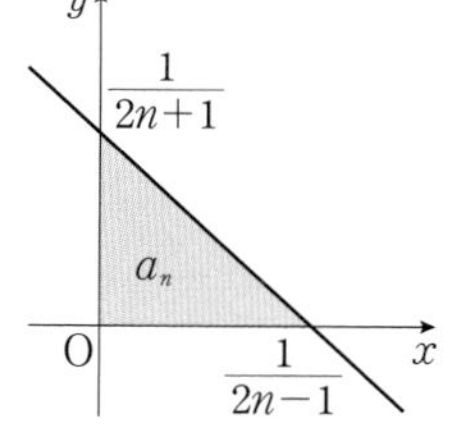

$$a_n=\frac{1}{2}\times\frac{1}{2n-1}\times\frac{1}{2n+1}$$

$$=\frac{1}{2}\times\frac{1}{(2n-1)(2n+1)}$$

$$=\frac{1}{4}\left(\frac{1}{2n-1}-\frac{1}{2n+1}\right)$$

따라서 $\sum_{n=1}^{\infty} a_n=\lim_{n \to \infty}\sum_{k=1}^{n} a_k=\lim_{n \to \infty}\sum_{k=1}^{n}\frac{1}{4}\left(\frac{1}{2k-1}-\frac{1}{2k+1}\right)$

$$=\lim_{n \to \infty}\frac{1}{4}\left(1-\frac{1}{2n+1}\right)=\mathbf{\frac{1}{4}}$$

확인유제 0116 자연수 n에 대하여 두 직선

$$\frac{n}{3}x+(n+1)y=1,\ nx-(n+1)y=-1$$

및 x축으로 둘러싸인 부분의 넓이를 S_n이라고 할 때, $\sum_{n=1}^{\infty} S_n$의 값은?

① $\frac{1}{4}$ ② $\frac{1}{2}$ ③ 1 ④ 2 ⑤ 4

변형문제 0117
2006학년도 09월 평가원

좌표평면에서 직선 $x-3y+3=0$ 위에 있는 점 중에서 x좌표와 y좌표가 자연수인 모든 점의 좌표를 각각 $(a_1, b_1), (a_2, b_2), \cdots, (a_n, b_n), \cdots$이라 할 때, 급수 $\sum_{n=1}^{\infty}\frac{1}{a_n b_n}$의 값은? (단, $a_1<a_2<\cdots<a_n<\cdots$이다.)

① 1 ② $\frac{1}{2}$ ③ $\frac{1}{3}$ ④ $\frac{1}{4}$ ⑤ $\frac{1}{5}$

발전문제 0118
2008학년도 수능기출

$n\geq 2$인 자연수 n에 대하여 중심이 원점이고 반지름의 길이가 1인 원 C를 x축 방향으로 $\frac{2}{n}$만큼 평행 이동시킨 원을 C_n이라 하자.

원 C와 원 C_n의 공통현의 길이를 l_n이라 할 때, $\sum_{n=2}^{\infty}\frac{1}{(nl_n)^2}=\frac{q}{p}$이다.

$p+q$의 값을 구하여라. (단, p, q는 서로소인 자연수이다.)

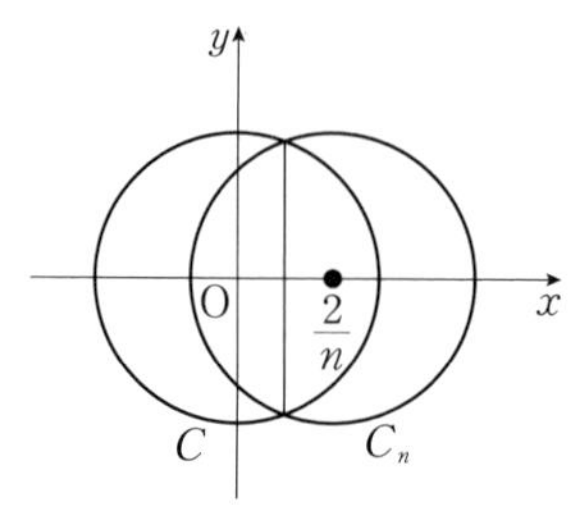

정답 0116 : ④ 0117 : ③ 0118 : 19

02 급수와 수열의 극한 사이의 관계

01 급수와 수열의 극한 사이의 관계

(1) 급수 $\sum_{n=1}^{\infty}a_n$이 수렴하면 $\lim_{n\to\infty}a_n=0$이다.

설명 급수 $\sum_{n=1}^{\infty}a_n$이 S에 수렴할 때, 제 n항까지의 부분합을 S_n이라 하면 $\lim_{n\to\infty}S_n=S$, $\lim_{n\to\infty}S_{n-1}=S$

이때 $a_n=S_n-S_{n-1}\,(n\geq 2)$이므로 수열 $\{a_n\}$의 극한값은 다음과 같다.

$\lim_{n\to\infty}a_n=\lim_{n\to\infty}(S_n-S_{n-1})=\lim_{n\to\infty}S_n-\lim_{n\to\infty}S_{n-1}=S-S=0$

따라서 급수 $\sum_{n=1}^{\infty}a_n$이 수렴하면 $\lim_{n\to\infty}a_n=0$이다.

참고 어떤 명제가 참이면 그 대우도 참이므로 (1)의 대우인 '$\lim_{n\to\infty}a_n\neq 0$이면 급수 $\sum_{n=1}^{\infty}a_n$은 발산한다.' 도 참이다.

EX 급수 $\sum_{n=1}^{\infty}(a_n-1)$가 수렴하면 $\lim_{n\to\infty}(a_n-1)=0$이므로 $\lim_{n\to\infty}a_n=\lim_{n\to\infty}\{(a_n-1)+1\}=\lim_{n\to\infty}(a_n-1)+\lim_{n\to\infty}1=0+1=1$

(2) (1)의 역인 '$\lim_{n\to\infty}a_n=0$이면 급수 $\sum_{n=1}^{\infty}a_n$은 수렴한다.' 는 참이 아니다.

즉, $\lim_{n\to\infty}a_n=0$이지만 급수 $\sum_{n=1}^{\infty}a_n$이 발산하는 경우가 있다.

설명 급수 $\sum_{n=1}^{\infty}a_n$이 수렴하면 $\lim_{n\to\infty}a_n=0$이지만, $\lim_{n\to\infty}a_n=0$이라고 해서 급수 $\sum_{n=1}^{\infty}a_n$이 반드시 수렴하는 것은 아니다.

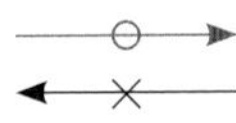

$\sum_{n=1}^{\infty}a_n=\alpha$수렴 → (○) $\lim_{n\to\infty}a_n=0$, ← (×)

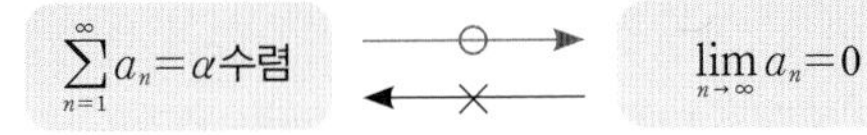

마플해설 $\lim_{n\to\infty}a_n=0$이지만 급수 $\sum_{n=1}^{\infty}a_n$이 발산하는 경우

(1) $a_n=\frac{1}{n}$

설명 $\lim_{n\to\infty}a_n=\lim_{n\to\infty}\frac{1}{n}=0$이지만 ⬅ $\lim_{n\to\infty}a_n=0$이지만

$\sum_{n=1}^{\infty}\frac{1}{n}=1+\frac{1}{2}+\frac{1}{3}+\frac{1}{4}+\frac{1}{5}+\frac{1}{6}+\frac{1}{7}+\frac{1}{8}+\cdots+\frac{1}{n}+\cdots$은 발산한다. ⬅ $\sum_{n=1}^{\infty}a_n$은 발산

따라서 $a_n=\frac{1}{n}$일 때, $\lim_{n\to\infty}a_n=0$이지만 급수 $\sum_{n=1}^{\infty}a_n$은 발산한다.

(2) $a_n=\frac{1}{\sqrt{n+1}+\sqrt{n}}=\sqrt{n+1}-\sqrt{n}$

설명 $\lim_{n\to\infty}a_n=\lim_{n\to\infty}\frac{1}{\sqrt{n+1}+\sqrt{n}}=0$이지만 ⬅ $\lim_{n\to\infty}a_n=0$이지만

급수 $\sum_{n=1}^{\infty}a_n$의 n항까지의 부분합을 S_n이라 하면

$S_n=\sum_{k=1}^{n}a_k=\sum_{k=1}^{n}\frac{1}{\sqrt{k+1}+\sqrt{k}}=\sum_{k=1}^{n}(\sqrt{k+1}-\sqrt{k})$

$=(\sqrt{2}-1)+(\sqrt{3}-\sqrt{2})+(\sqrt{4}-\sqrt{3})+\cdots+(\sqrt{n+1}-\sqrt{n})$

$=-1+\sqrt{n+1}$

이고, $\lim_{n\to\infty}S_n=\lim_{n\to\infty}(-1+\sqrt{n+1})=\infty$이므로 급수 $\sum_{n=1}^{\infty}a_n$은 발산한다. ⬅ $\sum_{n=1}^{\infty}a_n$은 발산

따라서 $a_n=\frac{1}{\sqrt{n+1}+\sqrt{n}}$일 때, $\lim_{n\to\infty}a_n=0$이지만 급수 $\sum_{n=1}^{\infty}a_n$은 발산한다.

02 급수의 수렴, 발산의 판정법

부분합의 극한을 구하지 않고도 급수가 수렴하는지 발산하는지의 여부를 알 수 있다.

급수의 수렴, 발산 판정법

'$\lim_{n\to\infty} a_n \neq 0$이면 급수 $\sum_{n=1}^{\infty} a_n$은 발산한다.' 도 참이다. ⬅ 급수 $\sum_{n=1}^{\infty} a_n$이 수렴하면 $\lim_{n\to\infty} a_n = 0$이다. 의 대우

마플해설 명제 '급수 $\sum_{n=1}^{\infty} a_n$이 수렴하면 $\lim_{n\to\infty} a_n = 0$이다.' 의 대우를 이용하여 급수의 부분합의 극한을 구하지 않고도 수렴, 발산을 판정할 수 있기 때문에 급수의 수렴, 발산의 판정법이라고 한다.
앞으로 급수의 합을 구할 때는 $\lim_{n\to\infty} a_n \neq 0$인지 먼저 확인해 보면 많은 시간을 절약할 수 있다.

$\lim_{n\to\infty} a_n \neq 0$ —급수의 발산 판정법→ $\sum_{n=1}^{\infty} a_n$ 발산

보기 01 다음 급수가 발산함을 증명하여라.

(1) $\sum_{n=1}^{\infty} \frac{n}{n+1}$ (2) $\sum_{n=1}^{\infty} \frac{n+1}{n-1}$ (3) $\sum_{n=1}^{\infty} \left\{1-\left(\frac{1}{2}\right)^{n-1}\right\}$

풀이 (1) $a_n = \frac{n}{n+1}$이라 하면 $\lim_{n\to\infty} a_n = \lim_{n\to\infty} \frac{n}{n+1} = \lim_{n\to\infty} \frac{1}{1+\frac{1}{n}} = 1 \neq 0$

따라서 $\lim_{n\to\infty} a_n \neq 0$이므로 $\sum_{n=1}^{\infty} \frac{n}{n+1}$은 발산하여 합이 존재하지 않는다. ⬅ $\lim_{n\to\infty} a_n \neq 0$이면 급수 $\sum_{n=1}^{\infty} a_n$은 발산한다.

(2) $a_n = \frac{n+1}{n-1}$이라 하면 $\lim_{n\to\infty} a_n = \lim_{n\to\infty} \frac{n+1}{n-1} = \lim_{n\to\infty} \frac{1+\frac{1}{n}}{1-\frac{1}{n}} = 1 \neq 0$

따라서 $\lim_{n\to\infty} a_n \neq 0$이므로 $\sum_{n=1}^{\infty} \frac{n+1}{n-1}$은 발산하여 합이 존재하지 않는다. ⬅ $\lim_{n\to\infty} a_n \neq 0$이면 급수 $\sum_{n=1}^{\infty} a_n$은 발산한다.

(3) $a_n = \left\{1-\left(\frac{1}{2}\right)^{n-1}\right\}$이라 하면 $\lim_{n\to\infty} \left\{1-\left(\frac{1}{2}\right)^{n-1}\right\} = 1-0 = 1 \neq 0$

따라서 $\lim_{n\to\infty} a_n \neq 0$이므로 $\sum_{n=1}^{\infty} \left\{1-\left(\frac{1}{2}\right)^{n-1}\right\}$은 발산하여 합이 존재하지 않는다. ⬅ $\lim_{n\to\infty} a_n \neq 0$이면 급수 $\sum_{n=1}^{\infty} a_n$은 발산한다.

보기 02 다음 급수가 발산함을 증명하여라.

(1) $\frac{1^2}{1^2+1} + \frac{2^2}{2^2+1} + \frac{3^2}{3^2+1} + \cdots + \frac{n^2}{n^2+1} + \cdots$

(2) $\frac{1}{2} + \frac{2}{5} + \frac{3}{8} + \cdots + \frac{n}{3n-1} + \cdots$

풀이 (1) $\sum_{n=1}^{\infty} \frac{n^2}{n^2+1} = \frac{1^2}{1^2+1} + \frac{2^2}{2^2+1} + \frac{3^2}{3^2+1} + \cdots + \frac{n^2}{n^2+1} + \cdots$에서 $a_n = \frac{n^2}{n^2+1}$이라 하면

$\lim_{n\to\infty} a_n = \lim_{n\to\infty} \frac{n^2}{n^2+1} = \lim_{n\to\infty} \frac{1}{1+\frac{1}{n^2}} = 1$

따라서 $\lim_{n\to\infty} a_n \neq 0$이므로 이 급수는 발산한다. ⬅ $\lim_{n\to\infty} a_n \neq 0$이면 급수 $\sum_{n=1}^{\infty} a_n$은 발산한다.

(2) $\sum_{n=1}^{\infty} \frac{n}{3n-1} = \frac{1}{2} + \frac{2}{5} + \frac{3}{8} + \cdots + \frac{n}{3n-1} + \cdots$에서 $a_n = \frac{n}{3n-1}$이라 하면

$\lim_{n\to\infty} a_n = \lim_{n\to\infty} \frac{n}{3n-1} = \lim_{n\to\infty} \frac{1}{3-\frac{1}{n}} = \frac{1}{3}$

따라서 $\lim_{n\to\infty} a_n \neq 0$이므로 이 급수는 발산한다. ⬅ $\lim_{n\to\infty} a_n \neq 0$이면 급수 $\sum_{n=1}^{\infty} a_n$은 발산한다.

03 급수의 성질

수열의 극한에 대한 기본 성질로부터 수렴하는 급수에서도 다음과 같은 성질이 성립함을 알 수 있다.

두 급수 $\sum_{n=1}^{\infty} a_n$, $\sum_{n=1}^{\infty} b_n$이 모두 수렴하고, 그 합을 각각 S와 T라 할 때,

① $\sum_{n=1}^{\infty} ca_n = c\sum_{n=1}^{\infty} a_n = cS$ (단, c는 상수)

② $\sum_{n=1}^{\infty} (a_n \pm b_n) = \sum_{n=1}^{\infty} a_n \pm \sum_{n=1}^{\infty} b_n = S \pm T$

③ $\sum_{n=1}^{\infty} (pa_n \pm qb_n) = p\sum_{n=1}^{\infty} a_n + q\sum_{n=1}^{\infty} b_n = pS \pm qT$ (단, p, q는 상수)

주의 급수의 성질에서 곱의 성질과 몫의 성질은 성립하지 않는다.

$$\sum_{n=1}^{\infty} a_n b_n \neq \sum_{n=1}^{\infty} a_n \times \sum_{n=1}^{\infty} b_n, \quad \sum_{n=1}^{\infty} \frac{a_n}{b_n} \neq \frac{\sum_{n=1}^{\infty} a_n}{\sum_{n=1}^{\infty} b_n}$$

그러나 수열의 극한의 성질에서 수열 $\{a_n\}$, $\{b_n\}$이 수렴할 때,

$$\lim_{n\to\infty} a_n b_n = \lim_{n\to\infty} a_n \times \lim_{n\to\infty} b_n, \quad \lim_{n\to\infty} \frac{a_n}{b_n} = \frac{\lim_{n\to\infty} a_n}{\lim_{n\to\infty} b_n} \ (b_n \neq 0, \ \lim_{n\to\infty} b_n \neq 0)$$

마플해설

$\sum_{n=1}^{\infty} a_n$, $\sum_{n=1}^{\infty} b_n$이 수렴하고 그 합을 각각 S와 T라 할 때,

① $\sum_{n=1}^{\infty} ca_n = \lim_{n\to\infty} \sum_{k=1}^{n} ca_k = c\lim_{n\to\infty} \sum_{k=1}^{n} a_k = c\sum_{n=1}^{\infty} a_n = cS$

② $\sum_{n=1}^{\infty} (a_n \pm b_n) = \lim_{n\to\infty} \sum_{k=1}^{n} (a_k \pm b_k) = \lim_{n\to\infty} \left(\sum_{k=1}^{n} a_k \pm \sum_{k=1}^{n} b_k\right) = \lim_{n\to\infty} \sum_{k=1}^{n} a_k \pm \lim_{n\to\infty} \sum_{k=1}^{n} b_k = \sum_{n=1}^{\infty} a_n \pm \sum_{n=1}^{\infty} b_n = S \pm T$

③ $\sum_{n=1}^{\infty} (pa_n \pm qb_n) = \lim_{n\to\infty} \sum_{k=1}^{n} (pa_k \pm qb_k) = \lim_{n\to\infty} \left(p\sum_{k=1}^{n} a_k \pm q\sum_{k=1}^{n} b_k\right) = p\lim_{n\to\infty} \sum_{k=1}^{n} a_k \pm q\lim_{n\to\infty} \sum_{k=1}^{n} b_k = p\sum_{n=1}^{\infty} a_n \pm q\sum_{n=1}^{\infty} b_n = pS \pm qT$

보기 03 $\sum_{n=1}^{\infty} a_n = 3$, $\sum_{n=1}^{\infty} b_n = -2$일 때, 다음 급수의 합을 구하여라.

(1) $\sum_{n=1}^{\infty} (2a_n + 3b_n)$

(2) $\sum_{n=1}^{\infty} \left(\frac{a_n}{3} - \frac{b_n}{2}\right)$

풀이 $\sum_{n=1}^{\infty} a_n = 3$, $\sum_{n=1}^{\infty} b_n = -2$가 각각 수렴하므로 급수의 성질에 의하여

(1) $\sum_{n=1}^{\infty} (2a_n + 3b_n) = 2\sum_{n=1}^{\infty} a_n + 3\sum_{n=1}^{\infty} b_n = 2\times 3 + 3\times(-2) = 0$

(2) $\sum_{n=1}^{\infty} \left(\frac{a_n}{3} - \frac{b_n}{2}\right) = \frac{1}{3}\sum_{n=1}^{\infty} a_n - \frac{1}{2}\sum_{n=1}^{\infty} b_n = \frac{1}{3}\times 3 - \frac{1}{2}\times(-2) = 1 + 1 = 2$

보기 04 두 수열 $\{a_n\}$, $\{b_n\}$에 대하여 다음 물음에 답하여라.

(1) $\sum_{n=1}^{\infty} a_n = 5$, $\sum_{n=1}^{\infty} (2a_n + b_n) = 15$일 때, $\sum_{n=1}^{\infty} b_n$의 값을 구하여라.

(2) $\sum_{n=1}^{\infty} (a_n + b_n) = 6$, $\sum_{n=1}^{\infty} (a_n - b_n) = 2$일 때, $\sum_{n=1}^{\infty} a_n$의 값을 구하여라.

풀이 (1) $\sum_{n=1}^{\infty} a_n = 5$, $\sum_{n=1}^{\infty} (2a_n + b_n) = 15$이므로

$\sum_{n=1}^{\infty} b_n = \sum_{n=1}^{\infty} \{(2a_n + b_n) - 2a_n\} = \sum_{n=1}^{\infty} (2a_n + b_n) - 2\sum_{n=1}^{\infty} a_n = 15 - 2\cdot 5 = 5$

(2) $\sum_{n=1}^{\infty} a_n = \sum_{n=1}^{\infty} \frac{1}{2}\{(a_n + b_n) + (a_n - b_n)\} = \frac{1}{2}\left\{\sum_{n=1}^{\infty} (a_n + b_n) + \sum_{n=1}^{\infty} (a_n - b_n)\right\} = \frac{1}{2}(6 + 2) = 4$

마플개념익힘 01 급수와 수열의 극한 사이의 관계

수열 $\{a_n\}$에 대하여 다음 물음에 답하여라.

(1) 급수 $\sum_{n=1}^{\infty}(a_n-3)=2021$일 때, $\lim_{n\to\infty}a_n$의 값을 구하여라.

(2) 수열 $\{a_n\}$에 대하여 $\sum_{n=1}^{\infty}\left(a_n-\frac{n}{3n-5}\right)=2$일 때, $\lim_{n\to\infty}(9a_n+2)$의 값을 구하여라.

MAPL CORE (1) 급수 $\sum_{n=1}^{\infty}(a_n+k)$가 수렴하면 $\lim_{n\to\infty}(a_n+k)=0$이다. 즉 $\lim_{n\to\infty}(a_n+k)=0$에서 $\lim_{n\to\infty}a_n=-k$ (단, k는 상수)

(2) $\sum_{n=1}^{\infty}\{a_n-f(n)\}$이 수렴하면 $\lim_{n\to\infty}\{a_n-f(n)\}=0$이므로 $\lim_{n\to\infty}a_n=\lim_{n\to\infty}f(n)$

개념익힘 | 풀이 (1) 급수 $\sum_{n=1}^{\infty}(a_n-3)=2021$이 수렴하므로 $\lim_{n\to\infty}(a_n-3)=0$

이때 $\lim_{n\to\infty}a_n=\lim_{n\to\infty}\{(a_n-3)+3\}=\lim_{n\to\infty}(a_n-3)+\lim_{n\to\infty}3=0+3=3$

따라서 $\lim_{n\to\infty}a_n=\mathbf{3}$

(2) 급수 $\sum_{n=1}^{\infty}\left(a_n-\frac{n}{3n-5}\right)$이 수렴하므로 $\lim_{n\to\infty}\left(a_n-\frac{n}{3n-5}\right)=0$

이때 $\lim_{n\to\infty}a_n=\lim_{n\to\infty}\left\{\left(a_n-\frac{n}{3n-5}\right)+\frac{n}{3n-5}\right\}=\lim_{n\to\infty}\left(a_n-\frac{n}{3n-5}\right)+\lim_{n\to\infty}\frac{n}{3n-5}$

$=0+\lim_{n\to\infty}\frac{1}{3-\frac{5}{n}}=\frac{1}{3}$

따라서 $\lim_{n\to\infty}(9a_n+2)=9\times\frac{1}{3}+2=\mathbf{5}$

확인유제 0119

수열 $\{a_n\}$에 대하여 다음 물음에 답하여라.

(1) $\sum_{n=1}^{\infty}a_n=3$일 때, $\lim_{n\to\infty}\frac{3a_n+5n+1}{a_n-3n+2}$의 값을 구하여라.

(2) 수열 $\{a_n\}$에 대하여 $\sum_{n=1}^{\infty}\left(a_n-\frac{3n+1}{n}\right)=2$일 때, $\lim_{n\to\infty}(2a_n+5)$의 값을 구하여라.

변형문제 0120

다음 물음에 답하여라.

2014년 04월 교육청

(1) 수열 $\{a_n\}$에 대하여 $\sum_{n=1}^{\infty}\left(2-\frac{a_n}{9^n}\right)=1$일 때, $\lim_{n\to\infty}\frac{9^n}{2a_n+1}$의 값은?

① $\frac{1}{5}$ ② $\frac{1}{4}$ ③ $\frac{1}{3}$ ④ $\frac{1}{2}$ ⑤ 1

2019년 04월 교육청

(2) 수열 $\{a_n\}$에 대하여 $\sum_{n=1}^{\infty}\left(7-\frac{a_n}{2^n}\right)=19$일 때, $\lim_{n\to\infty}\frac{a_n}{2^{n+1}}$의 값은?

① 2 ② $\frac{5}{2}$ ③ 3 ④ $\frac{7}{2}$ ⑤ 4

발전문제 0121

다음 물음에 답하여라.

2020학년도 06월 평가원

(1) 수열 $\{a_n\}$이 $\sum_{n=1}^{\infty}(2a_n-3)=2$를 만족시킨다. $\lim_{n\to\infty}a_n=r$일 때, $\lim_{n\to\infty}\frac{r^{n+2}-1}{r^n+1}$의 값을 구하여라.

2011학년도 09월 평가원

(2) 두 수열 $\{a_n\}$, $\{b_n\}$에 대하여 급수 $\sum_{n=1}^{\infty}\left(a_n-\frac{3n}{n+1}\right)$과 $\sum_{n=1}^{\infty}(a_n+b_n)$이 모두 수렴할 때,

$\lim_{n\to\infty}\frac{3-b_n}{a_n}$의 값을 구하여라. (단, $a_n\neq0$)

정답 0119 : (1) $-\frac{5}{3}$ (2) 11 0120 : (1) ② (2) ④ 0121 : (1) $\frac{9}{4}$ (2) 2

항의 부호가 교대로 변하는 급수

01 급수 $1-1+1-1+\cdots$의 합

급수 $\sum_{n=1}^{\infty}(-1)^{n-1}=1+(-1)+1+(-1)+1+(-1)+\cdots$의 수렴과 발산의 조사

[방법1] $\lim_{n\to\infty}a_n\neq 0$이면 급수 $\sum_{n=1}^{\infty}a_n$은 발산함을 이용하여 발산함을 보이기

$a_n=(-1)^{n-1}$이라 하면 $\lim_{n\to\infty}a_n=\lim_{n\to\infty}(-1)^{n-1}\neq 0$이므로 $\sum_{n=1}^{\infty}(-1)^{n-1}$발산한다.

[방법2] 이탈리아 수학자 그란디 (Grandi, G, 1671 ~ 1724)의 급수 $\sum_{n=1}^{\infty}(-1)^{n-1}$가 발산함을 보이기

$\sum_{n=1}^{\infty}(-1)^{n-1}=1-1+1-1+1-1+\cdots$을 계산하면

짝수 항까지의 부분합을 계산하면

$S=1-1+1-1+1-1+\cdots=(1-1)+(1-1)+(1-1)+\cdots=0+0+0+\cdots=0$

홀수 항까지의 부분합을 계산하면

$S=1-1+1-1+1-1+\cdots=1+(-1+1)+(-1+1)+(-1+1)+\cdots=1+0+0+0+\cdots=1$

이 급수는 짝수항까지의 부분합이 0에 수렴하고, 홀수항까지의 부분합이 1에 수렴하여 두 결과가 같지 않으므로 발산한다.

항의 부호가 교대로 바뀌는 급수

① $\lim_{n\to\infty}S_{2n-1}=\lim_{n\to\infty}S_{2n}=\alpha$ (α는 상수)이면 급수는 α에 수렴하고, 그 합은 α이다.

② $\lim_{n\to\infty}S_{2n-1}\neq\lim_{n\to\infty}S_{2n}$이면 급수는 발산하고 그 합은 없다.

보기 01 급수 $\frac{1}{2}-\frac{2}{3}+\frac{2}{3}-\frac{3}{4}+\frac{3}{4}-\frac{4}{5}+\cdots$의 수렴, 발산을 조사하여라.

풀이 부호가 교대로 나타나므로 짝수 항까지의 합과 홀수 항까지의 합을 각각 구한다.

$S_{2n}=\left(\frac{1}{2}-\frac{2}{3}\right)+\left(\frac{2}{3}-\frac{3}{4}\right)+\left(\frac{3}{4}-\frac{4}{5}\right)+\cdots+\left(\frac{n}{n+1}-\frac{n+1}{n+2}\right)=\frac{1}{2}-\frac{n+1}{n+2}$ $\quad\therefore \lim_{n\to\infty}S_{2n}=-\frac{1}{2}$

$S_{2n-1}=\frac{1}{2}+\left(-\frac{2}{3}+\frac{2}{3}\right)+\left(-\frac{3}{4}+\frac{3}{4}\right)+\cdots+\left(-\frac{n}{n+1}+\frac{n}{n+1}\right)=\frac{1}{2}$ $\quad\therefore \lim_{n\to\infty}S_{2n-1}=\frac{1}{2}$

$\therefore \lim_{n\to\infty}S_{2n}\neq\lim_{n\to\infty}S_{2n-1}$이므로 발산한다.

보기 02 급수 $1-\frac{1}{2}+\frac{1}{2}-\frac{1}{3}+\frac{1}{3}-\frac{1}{4}+\frac{1}{4}-\cdots$의 수렴, 발산을 조사하여라.

풀이 부호가 교대로 나타나므로 짝수 항까지의 합과 홀수 항까지의 합을 각각 구한다.

$n=2k$일 때, $S_{2k}=\left(1-\frac{1}{2}\right)+\left(\frac{1}{2}-\frac{1}{3}\right)+\cdots+\left(\frac{1}{k}-\frac{1}{k+1}\right)$

$\therefore \lim_{k\to\infty}S_{2k}=\lim_{k\to\infty}\left(1-\frac{1}{k+1}\right)=1$

$n=2k-1$일 때, $S_{2k-1}=1+\left(-\frac{1}{2}+\frac{1}{2}\right)+\left(-\frac{1}{3}+\frac{1}{3}\right)+\cdots+\left(-\frac{1}{k}+\frac{1}{k}\right)$

$\therefore \lim_{k\to\infty}S_{2k-1}=1$

따라서 $\lim_{k\to\infty}S_{2k}=\lim_{k\to\infty}S_{2k-1}=1$이므로 1로 수렴한다.

02 S_n을 구하기 어려운 급수

$a_n>0$, $a_n'>0$인 수열 $\{a_n\}$에 대하여 급수 $S=\sum_{n=1}^{\infty}a_n$의 수렴과 발산을 판단해야 하는데, S_n을 구하기 어려운 경우가 있다.

이때 새로운 급수 $S'=\sum_{n=1}^{\infty}a_n'$과 그 부분합 S_n'으로부터 다음 사실을 이용한다.

(1) $S>S'$이고 $\lim_{n\to\infty}S_n'$이 발산하면 급수 S는 발산한다.

(2) $S<S'$이고 $\lim_{n\to\infty}S_n'=\alpha$(일정)이면 급수 S는 수렴한다.

보기 03 급수 $S=\sum_{n=1}^{\infty}\frac{1}{n}=1+\frac{1}{2}+\frac{1}{3}+\frac{1}{4}+\frac{1}{5}+\frac{1}{6}+\frac{1}{7}+\frac{1}{8}+\cdots+\frac{1}{n}+\cdots$의 수렴, 발산을 조사하여라.

풀이 분모가 1, 2, 4, 8, …인 것을 기준으로 묶어 생각한다.
이때 3은 4와 묶고 5, 6, 7은 8과 묶는다.
즉 주어진 급수를 다음과 같이 생각한다.

$$S=\sum_{n=1}^{\infty}\frac{1}{n}=1+\frac{1}{2}+\frac{1}{3}+\frac{1}{4}+\frac{1}{5}+\frac{1}{6}+\frac{1}{7}+\frac{1}{8}+\cdots+\frac{1}{n}+\cdots$$ ⬅ 조화급수

$$=1+\frac{1}{2}+\left(\frac{1}{3}+\frac{1}{4}\right)+\left(\frac{1}{5}+\frac{1}{6}+\frac{1}{7}+\frac{1}{8}\right)+\left(\frac{1}{9}+\frac{1}{10}+\cdots+\frac{1}{16}\right)+\cdots$$

이때 $\frac{1}{3}>\frac{1}{4}$, $\frac{1}{5}>\frac{1}{8}$, $\frac{1}{6}>\frac{1}{8}$, $\frac{1}{7}>\frac{1}{8}$, $\frac{1}{9}>\frac{1}{16}$, $\frac{1}{10}>\frac{1}{16}$, …이므로

$$S>1+\frac{1}{2}+\left(\frac{1}{4}+\frac{1}{4}\right)+\left(\frac{1}{8}+\frac{1}{8}+\frac{1}{8}+\frac{1}{8}\right)+\left(\frac{1}{16}+\frac{1}{16}+\cdots+\frac{1}{16}\right)\cdots$$

$$=1+\frac{1}{2}+\frac{1}{2}+\frac{1}{2}+\frac{1}{2}+\cdots$$

이 부등식의 우변을 S'이라 하고 S'의 부분합을 S_n'이라고 하면

$S_n'=1+\frac{n}{2}$에서 $\lim_{n\to\infty}S_n'=\lim_{n\to\infty}\left(1+\frac{n}{2}\right)=\infty$

따라서 $S>S'$이고 $\lim_{n\to\infty}S_n'$이 발산하므로 급수 $S=\sum_{n=1}^{\infty}\frac{1}{n}=\infty$이다.

보기 04 급수 $S=\sum_{n=1}^{\infty}\frac{1}{n^2}=\frac{1}{1^2}+\frac{1}{2^2}+\frac{1}{3^2}+\frac{1}{4^2}+\frac{1}{5^2}+\frac{1}{6^2}+\cdots+\frac{1}{n^2}+\cdots$의 수렴, 발산을 조사하여라.

풀이 $\frac{1}{2^2}<\frac{1}{1\cdot2}$, $\frac{1}{3^2}<\frac{1}{2\cdot3}$, $\frac{1}{4^2}<\frac{1}{3\cdot4}$, …을 이용하면

$$S=\sum_{n=1}^{\infty}\frac{1}{n^2}=1+\frac{1}{2^2}+\frac{1}{3^2}+\cdots+\frac{1}{n^2}+\cdots$$

$$<1+\frac{1}{1\cdot2}+\frac{1}{2\cdot3}+\frac{1}{3\cdot4}+\cdots+\frac{1}{n(n+1)}\cdots$$

$$=1+\sum_{n=1}^{\infty}\frac{1}{n(n+1)}=2$$

$\therefore 1<\sum_{n=1}^{\infty}\frac{1}{n^2}<2$이므로 $\sum_{n=1}^{\infty}\frac{1}{n^2}$은 1보다 크고 2보다 작은 값에 수렴한다.

참고 급수 $\sum_{n=1}^{\infty}\frac{1}{n^2}$은 오일러가 1735년에 $\sum_{n=1}^{\infty}\frac{1}{n^2}=\frac{\pi^2}{6}$임을 증명하였다.

03 등비급수

01 등비급수의 수렴과 발산

(1) 첫째항이 a, 공비가 r인 등비수열 $\{ar^{n-1}\}$의 각 항을 합으로 이루어진 급수

$$\sum_{n=1}^{\infty} ar^{n-1} = a + ar + ar^2 + \cdots + ar^{n-1} + \cdots$$

을 첫째항이 a, 공비가 r인 등비급수(等比級數)라고 한다.

(2) 등비급수 $\sum_{n=1}^{\infty} ar^{n-1} = a + ar + ar^2 + \cdots + ar^{n-1} + \cdots \ (a \neq 0)$은

① $|r| < 1$이면 수렴하고, 그 합은 $\frac{a}{1-r}$이다.

② $|r| \geq 1$이면 발산한다.

참고 $a=0$일 때, $\sum_{n=1}^{\infty} ar^{n-1} = 0+0+0+\cdots$이므로 등비급수 $\sum_{n=1}^{\infty} ar^{n-1}$은 0에 수렴한다.

 등비급수 $\sum_{n=1}^{\infty} ar^{n-1}$이 수렴할 필요충분조건은 $a=0$ 또는 $|r| < 1$이다.

마플해설 $a \neq 0$일 때, 등비급수 $\sum_{n=1}^{\infty} ar^{n-1} = a + ar + ar^2 + \cdots + ar^{n-1} + \cdots$의 수렴과 발산에 대하여 알아보자.

등비급수 $\sum_{n=1}^{\infty} ar^{n-1} (a \neq 0)$의 제 n항까지의 부분합 S_n은

$r \neq 1$이면 $S_n = a + ar + ar^2 + \cdots + ar^{n-1} = \frac{a(1-r^n)}{1-r}$

$r = 1$이면 $S_n = a + a + \cdots + a = na$이다.

따라서 등비급수 $\sum_{n=1}^{\infty} ar^{n-1}$은 다음과 같이 r의 값의 범위에 따라 수렴하거나 발산한다.

① $|r| < 1$인 경우 : $\lim_{n \to \infty} r^n = 0$이므로 $\sum_{n=1}^{\infty} ar^{n-1} = \lim_{n \to \infty} S_n = \lim_{n \to \infty} \frac{a(1-r^n)}{1-r} = \frac{a}{1-r}$

② $|r| \geq 1$인 경우 : $\lim_{n \to \infty} ar^{n-1} \neq 0$이므로 등비급수 $\sum_{n=1}^{\infty} ar^{n-1}$은 발산한다.

보기 01 다음 등비급수의 수렴, 발산을 조사하고, 수렴하면 그 합을 구하여라.

(1) $1 + \frac{1}{2} + \frac{1}{4} + \frac{1}{8} + \frac{1}{16} + \cdots$

(2) $1 - \frac{1}{2} + \frac{1}{4} - \frac{1}{8} + \cdots$

(3) $1 - \frac{3}{2} + \frac{9}{4} - \frac{27}{8} + \cdots$

(4) $1 - \sqrt{2} + 2 - 2\sqrt{2} + \cdots$

풀이 (1) 주어진 등비급수의 공비는 $\frac{1}{2}$이고, $\left|\frac{1}{2}\right| < 1$이므로 이 등비급수는 수렴한다. 그 합은 $\frac{1}{1-\frac{1}{2}} = 2$

(2) 주어진 등비급수의 공비는 $-\frac{1}{2}$이고, $\left|-\frac{1}{2}\right| < 1$이므로 이 등비급수는 수렴한다. 그 합은 $\frac{1}{1-\left(-\frac{1}{2}\right)} = \frac{2}{3}$

(3) 주어진 등비급수의 공비는 $-\frac{3}{2}$이고, $\left|-\frac{3}{2}\right| > 1$이므로 이 등비급수는 발산한다.

(4) 주어진 등비급수의 공비는 $-\sqrt{2}$이고, $|-\sqrt{2}| > 1$이므로 이 등비급수는 발산한다.

FOCUS

일반적으로 급수의 수렴, 발산은 일반항의 극한 $\lim_{n \to \infty} a_n$을 조사하거나 부분합의 극한 $\lim_{n \to \infty} S_n$을 조사해야 한다.
그러나 등비급수인 경우에는 공비 r의 값만으로도 수렴, 발산을 판단할 수 있고 공비와 첫째항인 r, a의 값을 알면 그 합도 구할 수 있다.

보기 02 다음 등비급수가 수렴하도록 실수 x의 값의 범위를 정하여라.

(1) $1-2x+4x^2-8x^3+\cdots$　　(2) $\frac{2-x}{2}+\frac{(2-x)^2}{4}+\frac{(2-x)^3}{8}+\cdots$

풀이 (1) 주어진 등비급수의 공비가 $-2x$이므로 수렴하려면 $-1<-2x<1$이어야 한다.

$\therefore -\frac{1}{2}<x<\frac{1}{2}$

(2) 주어진 등비급수의 공비가 $\frac{2-x}{2}$이므로 수렴하려면 $-1<\frac{2-x}{2}<1$이어야 한다.

즉, $-2<2-x<2$이므로 $0<x<4$

보기 03 다음 급수의 합을 구하여라.

(1) $\sum_{n=1}^{\infty}\frac{2^n+3^n}{5^n}$　　(2) $\sum_{n=1}^{\infty}\frac{2^n+(-1)^n}{3^n}$

풀이 (1) $\sum_{n=1}^{\infty}\frac{2^n+3^n}{5^n}=\sum_{n=1}^{\infty}\left\{\left(\frac{2}{5}\right)^n+\left(\frac{3}{5}\right)^n\right\}=\sum_{n=1}^{\infty}\left(\frac{2}{5}\right)^n+\sum_{n=1}^{\infty}\left(\frac{3}{5}\right)^n$

$=\frac{\frac{2}{5}}{1-\frac{2}{5}}+\frac{\frac{3}{5}}{1-\frac{3}{5}}=\frac{2}{3}+\frac{3}{2}=\frac{13}{6}$ ⬅ $\left|\frac{2}{5}\right|<1,\ \left|\frac{3}{5}\right|<1$

(2) $\sum_{n=1}^{\infty}\frac{2^n+(-1)^n}{3^n}=\sum_{n=1}^{\infty}\left\{\left(\frac{2}{3}\right)^n+\left(-\frac{1}{3}\right)^n\right\}=\sum_{n=1}^{\infty}\left(\frac{2}{3}\right)^n+\sum_{n=1}^{\infty}\left(-\frac{1}{3}\right)^n$

$=\frac{\frac{2}{3}}{1-\frac{2}{3}}+\frac{-\frac{1}{3}}{1-\left(-\frac{1}{3}\right)}=2-\frac{1}{4}=\frac{7}{4}$ ⬅ $\left|\frac{2}{3}\right|<1,\ \left|-\frac{1}{3}\right|<1$

보기 04 어떤 공을 공중에서 지면에 수직으로 떨어뜨리면 떨어진 높이의 0.6배만큼 튀어 오르는 과정을 무한히 반복한다고 한다. 이 공을 지상 10m의 높이에서 지면에 수직으로 떨어뜨렸을 때, 공이 멈출 때까지 움직인 거리를 구하여라.

풀이 공이 멈출 때까지 움직인 거리는

$10+2\times(10\times0.6+10\times0.6^2+\cdots)=10+2\times\frac{10\times0.6}{1-0.6}=10+30=40(\mathrm{m})$

더 알아보기

등비수열의 수렴 조건과 등비급수의 수렴 조건

첫째항이 $a(a\neq0)$, 공비가 r인 등비수열과 등비급수의 수렴 조건을 살펴보면

① 등비수열 $\{ar^{n-1}\}$의 수렴 조건　$-1<r\le1$

② 등비급수 $\sum_{n=1}^{\infty}ar^{n-1}$의 수렴 조건　$-1<r<1$

$r=1$일 때, 등비수열 $\{ar^{n-1}\}$은 수렴하지만 등비급수 $\sum_{n=1}^{\infty}ar^{n-1}$은 발산한다.

왜냐하면 $r=1$일 때,

등비수열 $\{ar^{n-1}\}$: $a, a, a, \cdots, a, \cdots$　⇨ a로 수렴

등비급수 $\sum_{n=1}^{\infty}ar^{n-1}=a+a+a+\cdots+a+\cdots$　⇨ a를 계속 더해야하므로 수렴하지 않고 발산

따라서 $r=1$은 등비수열에서는 수렴 조건이지만 등비급수에서는 발산 조건임에 유의한다.

참고 등비급수 $\sum_{n=1}^{\infty}ar^{n-1}$이 수렴할 필요충분조건은 $a=0$ 또는 $|r|<1$이다.

마플개념익힘 01 등비급수의 수렴조건

다음 등비급수에 대하여 답하여라.

$$1+\frac{2-x}{2}+\frac{(2-x)^2}{4}+\frac{(2-x)^3}{8}+\cdots$$

(1) 이 등비급수가 수렴하도록 하는 x의 값의 범위를 구하여라.

(2) 이 등비급수가 $\frac{2}{3}$로 수렴할 때, x의 값을 구하여라.

MAPL CORE 등비급수의 수렴 조건

등비급수 $\sum_{n=1}^{\infty}ar^{n-1}$의 수렴 조건 ⇨ $a=0$ 또는 $-1<r<1$

$-1<r<1$일 때, $\sum_{n=1}^{\infty}ar^{n-1}$의 합 ⟶ $\frac{a}{1-r}$

개념익힘 | **풀이** (1) 등비급수 $1+\frac{2-x}{2}+\frac{(2-x)^2}{4}+\frac{(2-x)^3}{8}+\cdots$은 첫째항이 1이고, 공비가 $\frac{2-x}{2}$이므로

이 급수가 수렴하려면 $-1<\frac{2-x}{2}<1$, $-2<2-x<2$

$\therefore$ $\mathbf{0<x<4}$

(2) 등비급수는 $\frac{1}{1-\frac{2-x}{2}}=\frac{2}{3}$, $\frac{2}{x}=\frac{2}{3}$이므로 $\mathbf{x=3}$ ⬅ $a=1$, $r=\frac{2-x}{2}$

확인유제 0122

다음 등비급수에 답하여라.

$$x+x(x-1)+x(x-1)^2+x(x-1)^3+\cdots$$

(1) 이 등비급수가 수렴하도록 하는 x의 값의 범위를 구하여라.

(2) 이 등비급수가 $\frac{1}{2}$로 수렴할 때, x의 값을 구하여라.

변형문제 0123

다음 물음에 답하여라.

(1) 급수 $\sum_{n=1}^{\infty}(x+1)\left(\frac{x-1}{2}\right)^{n-1}$이 수렴하도록 하는 모든 정수 x의 개수는?

① 4 ② 5 ③ 6 ④ 7 ⑤ 8

(2) 급수 $\sum_{n=1}^{\infty}(x^2-4)\left(\frac{x-2}{3}\right)^{n-1}$이 수렴하도록 하는 모든 정수 x의 개수는?

① 2 ② 3 ③ 4 ④ 5 ⑤ 6

발전문제 0124

등비급수 $\sum_{n=1}^{\infty}r^n$이 수렴할 때, 다음 [보기]에서 항상 수렴하는 것만을 있는 대로 고른 것은?

ㄱ. $\sum_{n=1}^{\infty}r^{2n}$ ㄴ. $\sum_{n=1}^{\infty}\frac{r^n+(-r)^n}{2}$ ㄷ. $\sum_{n=1}^{\infty}\left(\frac{r-1}{2}\right)^n$ ㄹ. $\sum_{n=1}^{\infty}\left(\frac{r}{2}-1\right)^n$

① ㄱ, ㄴ ② ㄴ, ㄹ ③ ㄱ, ㄴ, ㄷ ④ ㄱ, ㄷ, ㄹ ⑤ ㄱ, ㄴ, ㄷ, ㄹ

정답 0122 : (1) $0\le x<2$ (2) $\frac{2}{3}$ 0123 : (1) ① (2) ⑤ 0124 : ③

마플개념익힘 02 등비급수의 합

다음 등비급수의 합을 구하여라.

(1) $\sum_{n=1}^{\infty}\left\{\frac{3}{5^n}+\frac{2}{(-3)^n}\right\}$　　(2) $\sum_{n=1}^{\infty}\frac{2^{n-1}+3^{n+1}}{4^n}$　　(3) $\sum_{n=1}^{\infty}\left(\frac{1}{3}\right)^n\sin\frac{n\pi}{2}$

MAPL CORE

수렴하는 등비급수의 합, 차 구하는 순서

[1단계] 급수의 성질을 이용하여 주어진 급수를 수렴하는 두 등비급수로 나타낸다.

[2단계] 각 등비급수의 첫째항 a와 공비 r $(|r|<1)$을 찾아 등비급수의 합 $\frac{a}{1-r}$을 구한다.

개념익힘 | **풀이**

(1) $\frac{3}{5^n}+\frac{2}{(-3)^n}=3\left(\frac{1}{5}\right)^n+2\left(-\frac{1}{3}\right)^n$이고, 두 등비급수 $3\sum_{n=1}^{\infty}\left(\frac{1}{5}\right)^n$, $2\sum_{n=1}^{\infty}\left(-\frac{1}{3}\right)^n$이 각각 수렴하므로

$$\sum_{n=1}^{\infty}\left\{\frac{3}{5^n}+\frac{2}{(-3)^n}\right\}=3\sum_{n=1}^{\infty}\left(\frac{1}{5}\right)^n+2\sum_{n=1}^{\infty}\left(-\frac{1}{3}\right)^n=3\cdot\frac{\frac{1}{5}}{1-\frac{1}{5}}+2\cdot\frac{-\frac{1}{3}}{1-\left(-\frac{1}{3}\right)}=\frac{3}{4}-\frac{1}{2}=\mathbf{\frac{1}{4}}$$

(2) $\frac{2^{n-1}+3^{n+1}}{4^n}=\frac{1}{2}\left(\frac{1}{2}\right)^n+3\left(\frac{3}{4}\right)^n$이고, 두 등비급수 $\frac{1}{2}\sum_{n=1}^{\infty}\left(\frac{1}{2}\right)^n$, $3\sum_{n=1}^{\infty}\left(\frac{3}{4}\right)^n$이 각각 수렴하므로

$$\sum_{n=1}^{\infty}\frac{2^{n-1}+3^{n+1}}{4^n}=\frac{1}{2}\sum_{n=1}^{\infty}\left(\frac{1}{2}\right)^n+3\sum_{n=1}^{\infty}\left(\frac{3}{4}\right)^n=\frac{1}{2}\cdot\frac{\frac{1}{2}}{1-\frac{1}{2}}+3\cdot\frac{\frac{3}{4}}{1-\frac{3}{4}}=\frac{1}{2}+9=\mathbf{\frac{19}{2}}$$

(3) $$\sum_{n=1}^{\infty}\left(\frac{1}{3}\right)^n\sin\frac{n\pi}{2}=\frac{1}{3}\sin\frac{\pi}{2}+\left(\frac{1}{3}\right)^2\sin\pi+\left(\frac{1}{3}\right)^3\sin\frac{3}{2}\pi+\left(\frac{1}{3}\right)^4\sin2\pi+\left(\frac{1}{3}\right)^5\sin\frac{5}{2}\pi+\cdots$$

$$=\frac{1}{3}-\left(\frac{1}{3}\right)^3+\left(\frac{1}{3}\right)^5-\cdots=\frac{\frac{1}{3}}{1-\left(-\frac{1}{9}\right)}=\mathbf{\frac{3}{10}}$$

확인유제 0125 다음 급수의 합을 구하여라.

2007년 03월 교육청

(1) $\sum_{n=1}^{\infty}\frac{2^n+3^n}{4^n}$　　(2) $\sum_{n=1}^{\infty}\frac{5^{n+2}-4^{n+2}}{6^n}$　　(3) $\sum_{n=1}^{\infty}\left(\frac{1}{2}\right)^n\cos n\pi$

변형문제 0126 다음 급수의 합을 구하여라.

2003학년도 수능기출

(1) $\sum_{n=1}^{\infty}\left\{\frac{1+(-1)^n}{3}\right\}^n$　　(2) $\frac{1+(-3)}{4}+\frac{1^2+(-3)^2}{4^2}+\frac{1^3+(-3)^3}{4^3}+\cdots$

발전문제 0127 자연수 n에 대하여 다음 물음에 답하여라.

(1) 이차함수 $y=3x^2+x-6$의 그래프가 x축과 만나는 두 점의 x좌표를 각각 α, β라고 할 때, $\sum_{n=1}^{\infty}\left(\frac{1}{\alpha}+\frac{1}{\beta}\right)^n$의 값을 구하여라.

(2) 이차방정식 $x^2+(3^n-2^n)x-4^n=0$의 서로 다른 두 실근을 α_n, β_n이라 할 때, $\sum_{n=1}^{\infty}\left(\frac{1}{\alpha_n}+\frac{1}{\beta_n}\right)$의 값을 구하여라.

정답 0125 : (1) 4 (2) 93 (3) $-\frac{1}{3}$　0126 : (1) $\frac{4}{5}$ (2) $-\frac{2}{21}$　0127 : (1) $\frac{1}{5}$ (2) 2

등비수열 $\{a_n\}$에 대하여

$$\sum_{n=1}^{\infty} a_n=2,\ \sum_{n=1}^{\infty} a_n^2=12$$

일 때, $\sum_{n=1}^{\infty} a_n^3$의 값을 구하여라.

MAPL CORE [1단계] 주어진 등비급수의 합을 이용하여 연립하여 첫째항 a와 공비 r을 구한다.

[2단계] $\sum_{n=1}^{\infty}(a_n)^2=\frac{a^2}{1-r^2},\ \sum_{n=1}^{\infty}(a_n)^3=\frac{a^3}{1-r^3}$

개념익힘 | 풀이 등비수열 $\{a_n\}$의 첫째항을 a, 공비를 r로 놓으면 수열 $\{a_n^2\}$은 첫째항이 a^2, 공비가 r^2인 등비수열이다.

이때 $-1<r<1$이면 $0\le r^2<1$이다.

$\sum_{n=1}^{\infty} a_n=\sum_{n=1}^{\infty} ar^{n-1}=2$에서 $\frac{a}{1-r}=2,\ a=2(1-r)$ …… ㉠

$\sum_{n=1}^{\infty} a_n^2=\sum_{n=1}^{\infty} a^2r^{2n-2}=12$에서

$\frac{a^2}{1-r^2}=\frac{a^2}{(1-r)(1+r)}=\frac{2a}{1+r}=12,\ a=6(1+r)$ …… ㉡

㉠, ㉡을 연립하면 $a=3,\ r=-\frac{1}{2}$

따라서 $\sum_{n=1}^{\infty} a_n^3=\sum_{n=1}^{\infty} a^3r^{3n-3}=\frac{a^3}{1-r^3}=\frac{27}{1-\left(-\frac{1}{8}\right)}=\mathbf{24}$

확인유제 0128 등비수열 $\{a_n\}$에 대하여

$$\sum_{n=1}^{\infty} a_n=4,\ \sum_{n=1}^{\infty} a_n^2=\frac{16}{3}$$

일 때, $\sum_{n=1}^{\infty} a_n^3$의 값을 구하여라.

변형문제 0129 다음 물음에 답하여라.

(1) 등비수열 $\{a_n\}$에 대하여 $\sum_{n=1}^{\infty} a_n=6,\ \sum_{n=1}^{\infty} a_{2n}=2$일 때, $\sum_{n=1}^{\infty} a_n^2$의 값은?

① 4 ② 6 ③ 8 ④ 10 ⑤ 12

(2) 등비수열 $\{a_n\}$에 대하여 $\sum_{n=1}^{\infty} a_n=8,\ \sum_{n=1}^{\infty} a_{2n-1}=\frac{32}{5}$일 때, a_2의 값은?

① $\frac{1}{2}$ ② 1 ③ $\frac{3}{2}$ ④ 2 ⑤ $\frac{5}{2}$

발전문제 0130 다음 물음에 답하여라.

(1) 공비가 같은 두 등비수열 $\{a_n\}$, $\{b_n\}$에 대하여 $a_1+b_1=6,\ \sum_{n=1}^{\infty} a_n=5,\ \sum_{n=1}^{\infty} b_n=4$가 성립할 때,

$\sum_{n=1}^{\infty}(2a_n^2+b_n^2)$의 값을 구하여라.

2009학년도 수능기출

(2) 공비가 같은 두 등비수열 $\{a_n\}$, $\{b_n\}$에 대하여 $a_1-b_1=1$이고 $\sum_{n=1}^{\infty} a_n=8,\ \sum_{n=1}^{\infty} b_n=6$일 때,

$\sum_{n=1}^{\infty} a_nb_n$의 값을 구하여라.

정답 0128 : $\frac{64}{7}$ 0129 : (1) ⑤ (2) ③ 0130 : (1) 33 (2) 16

마플개념익힘 04 $a_na_{n+1}=p^n$꼴에서 일반항을 구하여 등비급수 계산

2010학년도 06월 평가원

수열 $\{a_n\}$에서 $a_1=1$이고, 자연수 n에 대하여

$$a_na_{n+1}=\left(\frac{1}{5}\right)^n$$

이다. $\sum_{n=1}^{\infty}a_{2n}$의 값을 구하여라.

MAPL CORE $a_na_{n+1}=p^n$꼴에서 일반항 $\{a_{2n}\}$ 구하기

⇨ 항 사이의 관계식 $a_na_{n+1}=p^n$의 n에 1, 2, 3, …을 차례로 대입하여 수열 $\{a_{2n}\}$의 항을 정하여 급수를 계산한다.

개념익힘 | **풀이** $a_1=1$, $a_na_{n+1}=\left(\frac{1}{5}\right)^n$에서 $n=1, 2, 3, \cdots$을 대입하면

$a_1a_2=\frac{1}{5}$에서 $a_2=\frac{1}{5}$, $a_2a_3=\left(\frac{1}{5}\right)^2$에서 $a_3=\frac{1}{5}$

$a_3a_4=\left(\frac{1}{5}\right)^3$에서 $a_4=\left(\frac{1}{5}\right)^2$, $a_4a_5=\left(\frac{1}{5}\right)^4$에서 $a_5=\left(\frac{1}{5}\right)^2$

⋮

즉 $a_{2n}=\frac{1}{5}\left(\frac{1}{5}\right)^{n-1}=\left(\frac{1}{5}\right)^n$ ⬅ 수열 $\{a_{2n}\}$은 첫째항이 $\frac{1}{5}$이고 공비가 $\frac{1}{5}$인 등비수열이다.

$a_1=1$, $a_2=\frac{1}{5}$, $a_3=\frac{1}{5}$, $a_4=\left(\frac{1}{5}\right)^2$, $a_5=\left(\frac{1}{5}\right)^2$, $a_6=\left(\frac{1}{5}\right)^3$, $a_7=\left(\frac{1}{5}\right)^3$, $\cdots$

이때 짝수항은 $a_2=\frac{1}{5}$, $a_4=\left(\frac{1}{5}\right)^2$, $a_6=\left(\frac{1}{5}\right)^3$, …이므로 $a_{2n}=\frac{1}{5}\left(\frac{1}{5}\right)^{n-1}=\left(\frac{1}{5}\right)^n$

따라서 $\sum_{n=1}^{\infty}a_{2n}=\dfrac{\frac{1}{5}}{1-\frac{1}{5}}=\mathbf{\frac{1}{4}}$

확인유제 0131

2013년 10월 교육청

수열 $\{a_n\}$이 $a_1=\frac{1}{8}$이고,

$$a_na_{n+1}=2^n\ (n\ge 1)$$

을 만족시킬 때, $\sum_{n=1}^{\infty}\frac{1}{a_{2n-1}}$의 값을 구하여라.

변형문제 0132

2008학년도 사관기출

다음과 같이 귀납적으로 정의된 수열 $\{a_n\}$이 있다.

$$a_1=2,\ a_{n+1}a_n=\left(\frac{1}{4}\right)^n\ (n=1, 2, 3, \cdots)$$

이때 $\sum_{n=1}^{\infty}a_{2n-1}+\sum_{n=1}^{\infty}a_{2n}$의 값은?

① $\frac{17}{6}$ ② $\frac{19}{6}$ ③ $\frac{7}{2}$ ④ $\frac{23}{6}$ ⑤ $\frac{25}{6}$

발전문제 0133

2010학년도 06월 평가원

$a_1=8$, $a_na_{n+1}=3^n\ (n=1, 2, 3, \cdots)$으로 정의된 수열 $\{a_n\}$에 대하여

$\lim_{n\to\infty}\frac{a_1+a_3+a_5+\cdots+a_{2n-1}}{a_{2n}}$의 값을 구하면?

① 30 ② 32 ③ 36 ④ 42 ⑤ 55

정답 0131 : 16 0132 : ① 0133 : ②

04 급수와 수열의 극한의 성질

01 명제가 참인 급수의 성질

(1) 급수 $\sum_{n=1}^{\infty} a_n$이 수렴하면 급수 $\sum_{n=1}^{\infty} \frac{1}{a_n}$은 발산한다. (단, $a_n \neq 0$) [참]

해설 급수 $\sum_{n=1}^{\infty} a_n$이 수렴하면 급수와 수열의 극한 사이의 관계에 의하여 $\lim_{n\to\infty} a_n = 0$이다.

따라서 $\lim_{n\to\infty} \frac{1}{a_n} \neq 0$이므로 급수 $\sum_{n=1}^{\infty} \frac{1}{a_n}$은 발산한다.

(2) 급수 $\sum_{n=1}^{\infty} \frac{1}{a_n}$이 수렴하면 급수 $\sum_{n=1}^{\infty} a_n$은 발산한다. [참]

해설 급수 $\sum_{n=1}^{\infty} \frac{1}{a_n}$이 수렴하면 급수와 수열의 극한 사이의 관계에 의하여 $\lim_{n\to\infty} \frac{1}{a_n} = 0$이다.

따라서 $\lim_{n\to\infty} a_n \neq 0$이므로 급수 $\sum_{n=1}^{\infty} a_n$은 발산한다.

(3) 급수 $\sum_{n=1} a_n$이 수렴하면 $\lim_{n\to\infty} a_n = 0$이다. [참]

해설 수열 $\{a_n\}$의 첫째항부터 제 n항까지의 부분합을 S_n이라 할 때,

급수 $\sum_{n=1}^{\infty} a_n$이 S에 수렴한다고 하면 $\lim_{n\to\infty} S_n = S$, $\lim_{n\to\infty} S_{n-1} = S$이고,

$a_n = S_n - S_{n-1} (n \geq 2)$이므로 $\lim_{n\to\infty} a_n = \lim_{n\to\infty}(S_n - S_{n-1}) = \lim_{n\to\infty} S_n - \lim_{n\to\infty} S_{n-1} = S - S = 0$

즉, $\sum_{n=1}^{\infty} a_n$이 수렴하면 $\lim_{n\to\infty} a_n = 0$이다.

(4) $a_n > b_n$이고 $\sum_{n=1}^{\infty} a_n = \alpha$, $\sum_{n=1}^{\infty} b_n = \beta$이면 $\alpha > \beta$이다. [참]

해설 $\alpha - \beta = \sum_{n=1}^{\infty} a_n - \sum_{n=1}^{\infty} b_n = \sum_{n=1}^{\infty} (a_n - b_n) = (a_1 - b_1) + (a_2 - b_2) + (a_3 - b_3) + \cdots > 0 \quad \therefore \alpha > \beta$

참고 $a_n > b_n$이고 $\lim_{n\to\infty} a_n = \alpha$, $\lim_{n\to\infty} b_n = \beta$이면 $\alpha \geq \beta$이다.

(5) 등비급수 $\sum_{n=1}^{\infty} a_n$이 수렴하면 $\sum_{n=1}^{\infty} a_{2n}$도 수렴한다. [참]

해설 등비수열 $\{a_n\}$의 첫째항을 a, 공비를 r라고 하면 일반항은 $a_n = ar^{n-1}$이다.

$\sum_{n=1}^{\infty} a_n$이 수렴하면 $a=0$ 또는 $-1 < r < 1$이다.

$a=0$일 때, $\sum_{n=1}^{\infty} a_{2n} = 0 + 0 + \cdots = 0$이므로 $\sum_{n=1}^{\infty} a_{2n}$도 수렴한다.

$-1 < r < 1$일 때, $a_{2n} = ar^{2n-1} = ar \times (r^2)^{n-1}$에서 공비 r^2은 $0 \leq r^2 < 1$이므로 $\sum_{n=1}^{\infty} a_{2n}$도 수렴한다. [참]

(6) 등비급수 $\sum_{n=1}^{\infty} a_n$이 발산하면 $\sum_{n=1}^{\infty} a_{2n}$도 발산한다. [참]

해설 $\sum_{n=1}^{\infty} a_n$이 발산하면 $r \leq -1$ 또는 $r \geq 1$이다.

등비수열 $\{a_{2n}\}$의 공비 r^2은 $r^2 \geq 1$이므로 $\sum_{n=1}^{\infty} a_{2n}$도 발산한다.

02 명제가 거짓인 급수의 성질

(1) 급수 $\sum_{n=1}^{\infty} a_n b_n$이 수렴하면 $\lim_{n\to\infty} a_n = 0$ 또는 $\lim_{n\to\infty} b_n = 0$이다. [거짓]

반례 급수 $\sum_{n=1}^{\infty} a_n b_n$이 수렴하면 급수와 수열의 극한 사이의 관계에 의하여 $\lim_{n\to\infty} a_n b_n = 0$이다.

수열 $\{a_n\}$: 1, 0, 1, 0, 1, 0, ⋯, 수열 $\{b_n\}$: 0, 1, 0, 1, 0, 1, ⋯이라 하면

수열 $\{a_n b_n\}$은 0, 0, 0, 0, ⋯이므로 $\lim_{n\to\infty} a_n b_n = 0$이다. 하지만 $\lim_{n\to\infty} a_n$, $\lim_{n\to\infty} b_n$은 모두 진동한다.

(2) 급수 $\sum_{n=1}^{\infty} a_n$이 수렴하면 $\sum_{n=1}^{\infty}\left(a_n + \frac{1}{2}\right)$도 수렴한다. [거짓]

반례 $\sum_{n=1}^{\infty}\left(a_n + \frac{1}{2}\right) = \sum_{n=1}^{\infty} a_n + \sum_{n=1}^{\infty}\frac{1}{2}$에서 $\sum_{n=1}^{\infty}\frac{1}{2} = \infty$이므로 $\sum_{n=1}^{\infty}\left(a_n + \frac{1}{2}\right)$은 발산한다.

(3) $\lim_{n\to\infty} a_n = 0$이면 급수 $\sum_{n=1}^{\infty} a_n$이 수렴한다. [거짓]

반례 $a_n = \sqrt{n+2} - \sqrt{n+1}$이라 하면 $\lim_{n\to\infty}(\sqrt{n+2} - \sqrt{n+1}) = \lim_{n\to\infty}\frac{1}{\sqrt{n+2} + \sqrt{n+1}} = 0$이다.

그러나 $\sum_{n=1}^{\infty} a_n = \sum_{n=1}^{\infty}(\sqrt{n+2} - \sqrt{n+1}) = \lim_{n\to\infty}(\sqrt{n+2} - \sqrt{2}) = \infty$이므로 이 급수는 발산한다.

즉, $\lim_{n\to\infty} a_n = 0$이지만 급수 $\sum_{n=1}^{\infty} a_n$은 수렴하지 않는다.

(4) $\sum_{n=1}^{\infty} a_n$이 수렴하고 $\sum_{n=1}^{\infty} b_n$이 발산하면 $\sum_{n=1}^{\infty} a_n b_n$은 발산한다. [거짓]

반례 $a_n = \left(\frac{1}{3}\right)^n$, $b_n = 2^n$이라 하면 $\sum_{n=1}^{\infty} a_n = \sum_{n=1}^{\infty}\left(\frac{1}{3}\right)^n = \frac{\frac{1}{3}}{1-\frac{1}{3}} = \frac{1}{2}$, $\sum_{n=1}^{\infty} b_n = \sum_{n=1}^{\infty} 2^n = \infty$이지만

$\sum_{n=1}^{\infty} a_n b_n = \sum_{n=1}^{\infty}\left(\frac{1}{3}\right)^n \times 2^n = \sum_{n=1}^{\infty}\left(\frac{2}{3}\right)^n = \frac{\frac{2}{3}}{1-\frac{2}{3}} = 2$ 수렴한다.

(5) $\sum_{n=1}^{\infty} a_n$, $\sum_{n=1}^{\infty} b_n$이 수렴하면 $\sum_{n=1}^{\infty} a_n b_n = \sum_{n=1}^{\infty} a_n \cdot \sum_{n=1}^{\infty} b_n$이다. [거짓]

반례 $a_n = \left(\frac{1}{2}\right)^n$, $b_n = \left(\frac{1}{3}\right)^n$이라 하면 $\alpha = \sum_{n=1}^{\infty} a_n = \frac{\frac{1}{2}}{1-\frac{1}{2}} = 1$, $\beta = \sum_{n=1}^{\infty} b_n = \frac{\frac{1}{3}}{1-\frac{1}{3}} = \frac{1}{2}$

이때 $a_n b_n = \left(\frac{1}{6}\right)^n$이므로 $\sum_{n=1}^{\infty} a_n b_n = \frac{\frac{1}{6}}{1-\frac{1}{6}} = \frac{1}{5}$ $\quad\therefore \sum_{n=1}^{\infty} a_n b_n \neq \alpha\beta$ [거짓]

(6) $\sum_{n=1}^{\infty} a_n = \alpha$, $\sum_{n=1}^{\infty} b_n = \beta$이고 $\alpha > \beta$이면 $\lim_{n\to\infty} a_n > \lim_{n\to\infty} b_n$이다. [거짓]

반례 $\sum_{n=1}^{\infty} a_n$, $\sum_{n=1}^{\infty} b_n$이 각각 수렴하므로 $\lim_{n\to\infty} a_n = 0$, $\lim_{n\to\infty} b_n = 0$

참고 위 급수의 진위판단은 등비급수의 진위판단도 포함한다.

등비급수 $\sum_{n=1}^{\infty} ar^{n-1} = \frac{a}{1-r}$ (단, $a \neq 0$, $-1 < r < 1$)

마플개념익힘 01 급수와 수열의 극한 사이의 관계의 진위판단

2010학년도 06월 평가원

두 수열 $\{a_n\}$, $\{b_n\}$에 대하여 다음 [보기] 중 옳은 것만을 있는 대로 골라라.

ㄱ. $\lim_{n\to\infty} a_n=0$이면 $\sum_{n=1}^{\infty} a_n$은 수렴한다.

ㄴ. $\sum_{n=1}^{\infty} a_n$과 $\sum_{n=1}^{\infty} b_n$이 수렴하면 $\sum_{n=1}^{\infty}(a_n-b_n)$도 수렴한다.

ㄷ. $\sum_{n=1}^{\infty} a_n b_n$이 수렴하고 $\lim_{n\to\infty} a_n\neq 0$이면 $\lim_{n\to\infty} b_n=0$이다.

MAPL CORE

① 급수 $\sum_{n=1}^{\infty} a_n$이 수렴하면 $\lim_{n\to\infty} a_n=0$이다. [참]

② $\lim_{n\to\infty} a_n=0$이면 급수 $\sum_{n=1}^{\infty} a_n$이 수렴한다. [거짓]

③ 급수 $\sum_{n=1}^{\infty} a_n b_n$이 수렴하면 $\lim_{n\to\infty} a_n=0$ 또는 $\lim_{n\to\infty} b_n=0$이다. [거짓]

④ $\sum_{n=1}^{\infty} a_n=\alpha$, $\sum_{n=1}^{\infty} b_n=\beta$이고 $\alpha>\beta$이면 $\lim_{n\to\infty} a_n>\lim_{n\to\infty} b_n$이다. [거짓]

개념익힘 | 풀이

ㄱ. 반례 $a_n=\dfrac{1}{\sqrt{n+1}+\sqrt{n}}$로 놓으면 $\lim_{n\to\infty} a_n=\lim_{n\to\infty}\dfrac{1}{\sqrt{n+1}+\sqrt{n}}=0$이지만

$\sum_{n=1}^{\infty}\dfrac{1}{\sqrt{n+1}+\sqrt{n}}=\infty$이므로 $\sum_{n=1}^{\infty} a_n$은 발산한다. [거짓]

ㄴ. $\sum_{n=1}^{\infty} a_n=\alpha$, $\sum_{n=1}^{\infty} b_n=\beta$로 놓으면 $\sum_{n=1}^{\infty}(a_n-b_n)=\sum_{n=1}^{\infty} a_n-\sum_{n=1}^{\infty} b_n=\alpha-\beta$이므로 수렴한다. [참]

ㄷ. 반례 $\{a_n\}$: 1, 0, 1, 0, $\cdots$, $\{b_n\}$: 0, 1, 0, 1, $\cdots$이면

$\sum_{n=1}^{\infty} a_n b_n=0$이므로 0에 수렴하고, $\lim_{n\to\infty} a_n\neq 0$이지만 $\lim_{n\to\infty} b_n\neq 0$이다. [거짓]

따라서 옳은 것은 ㄴ뿐이다.

확인유제 0134 다음 물음에 답하여라.

(1) 두 수열 $\{a_n\}$, $\{b_n\}$에 대하여 옳은 것만을 [보기]에서 있는 대로 고른 것은?

ㄱ. 급수 $\sum_{n=1}^{\infty}(a_n-3)$이 수렴하면 $\lim_{n\to\infty} a_n=3$이다.

ㄴ. $\sum_{n=1}^{\infty} a_n=\alpha$, $\lim_{n\to\infty} b_n=\beta$이면 $\lim_{n\to\infty} a_n b_n=0$이다. (단, α, β는 상수이다.)

ㄷ. $\sum_{n=1}^{\infty} a_n$이 수렴하고 $\lim_{n\to\infty} b_n=\infty$이면 $\lim_{n\to\infty} a_n b_n=0$이다.

① ㄱ　② ㄴ　③ ㄱ, ㄴ　④ ㄱ, ㄷ　⑤ ㄱ, ㄴ, ㄷ

(2) 두 수열 $\{a_n\}$, $\{b_n\}$에 대하여 옳은 것만을 [보기]에서 있는 대로 고른 것은?

ㄱ. 급수 $\sum_{n=1}^{\infty} a_n$이 수렴하면 수열 $\{a_n\}$은 수렴한다.

ㄴ. 수열 $\{a_n\}$이 양의 무한대로 발산하면 급수 $\sum_{n=1}^{\infty}\dfrac{1}{a_n}$은 수렴한다.

ㄷ. 급수 $\sum_{n=1}^{\infty} a_n$, $\sum_{n=1}^{\infty} b_n$이 각각 수렴하면 $\sum_{n=1}^{\infty} a_n b_n=\sum_{n=1}^{\infty} a_n\times\sum_{n=1}^{\infty} b_n$이다.

① ㄱ　② ㄴ　③ ㄱ, ㄴ　④ ㄱ, ㄷ　⑤ ㄱ, ㄴ, ㄷ

정답 0134 : (1) ③ (2) ①

변형문제 0135 다음 물음에 답하여라.

(1) 두 수열 $\{a_n\}$, $\{b_n\}$에 대하여 옳은 것만을 [보기]에서 있는 대로 고른 것은?

ㄱ. $\sum_{n=1}^{\infty} a_n$이 수렴하면 $\lim_{n\to\infty} ka_n=0$ (단, k는 상수)

ㄴ. $\sum_{n=1}^{\infty} a_n$, $\sum_{n=1}^{\infty} \frac{b_n}{a_n}$이 수렴하면 $\lim_{n\to\infty} b_n=0$ (단, $a_n \neq 0$)

ㄷ. $\sum_{n=1}^{\infty} a_n=\alpha$, $\sum_{n=1}^{\infty} b_n=\beta$이고 $\alpha>\beta$이면 $\lim_{n\to\infty} a_n > \lim_{n\to\infty} b_n$이다.

① ㄱ ② ㄴ ③ ㄱ, ㄴ ④ ㄴ, ㄷ ⑤ ㄱ, ㄴ, ㄷ

(2) 두 수열 $\{a_n\}$, $\{b_n\}$에 대하여 옳은 것만을 [보기]에서 있는 대로 고른 것은?

ㄱ. 급수 $\sum_{n=1}^{\infty}(a_n+b_n-1)$과 $\sum_{n=1}^{\infty}(a_n-b_n+1)$이 모두 수렴하면 $\lim_{n\to\infty}(2a_n+3b_n)=3$이다.

ㄴ. $\lim_{n\to\infty}(a_n-2)=0$이면 급수 $\sum_{n=1}^{\infty} a_n=2$이다.

ㄷ. $\lim_{n\to\infty} a_n=0$이면 급수 $\sum_{n=1}^{\infty}\left(\frac{1}{3}\right)^{a_n}$도 수렴한다.

① ㄱ ② ㄴ ③ ㄱ, ㄴ ④ ㄱ, ㄷ ⑤ ㄱ, ㄴ, ㄷ

2005학년도 수능기출

(3) 등비수열 $\{a_n\}$에 대하여 옳은 것을 모두 고른 것은?

ㄱ. 등비급수 $\sum_{n=1}^{\infty} a_n$이 수렴하면 $\sum_{n=1}^{\infty} a_{2n}$도 수렴한다.

ㄴ. 등비급수 $\sum_{n=1}^{\infty} a_n$이 발산하면 $\sum_{n=1}^{\infty} a_{2n}$도 발산한다.

ㄷ. 등비급수 $\sum_{n=1}^{\infty} a_n$이 수렴하면 $\sum_{n=1}^{\infty}\left(a_n+\frac{1}{2}\right)$도 수렴한다.

① ㄱ ② ㄴ ③ ㄱ, ㄴ ④ ㄱ, ㄷ ⑤ ㄴ, ㄷ

발전문제 0136 다음 물음에 답하여라.

(1) 두 수열 $\{a_n\}$, $\{b_n\}$에 대하여 옳은 것만을 [보기]에서 있는 대로 고른 것은?

ㄱ. $\lim_{n\to\infty} a_n b_n$이 발산하면 $\lim_{n\to\infty} a_n$이 발산하거나 $\lim_{n\to\infty} b_n$이 발산한다.

ㄴ. $\sum_{n=1}^{\infty} a_n b_n$이 발산하면 $\lim_{n\to\infty} a_n$이 발산하거나 $\lim_{n\to\infty} b_n$이 발산한다.

ㄷ. $\sum_{n=1}^{\infty} a_n b_n$이 수렴하면 $\sum_{n=1}^{\infty} a_n$과 $\sum_{n=1}^{\infty} b_n$이 모두 수렴한다.

① ㄱ ② ㄴ ③ ㄱ, ㄴ ④ ㄱ, ㄷ ⑤ ㄱ, ㄴ, ㄷ

(2) 두 수열 $\{a_n\}$, $\{b_n\}$에 대하여 옳은 것만을 [보기]에서 있는 대로 고른 것은?

ㄱ. 급수 $\sum_{n=1}^{\infty}(a_n+b_n)$이 발산하면 두 급수 $\sum_{n=1}^{\infty} a_n$, $\sum_{n=1}^{\infty} b_n$ 중 적어도 하나는 발산한다.

ㄴ. 두 급수 $\sum_{n=1}^{\infty} a_n$, $\sum_{n=1}^{\infty} b_n$이 모두 수렴하고 $\sum_{n=1}^{\infty} a_n < \sum_{n=1}^{\infty} b_n$이면 $\lim_{n\to\infty} a_n < \lim_{n\to\infty} b_n$이다.

ㄷ. 모든 자연수 n에 대하여 $a_n<b_n$이고 두 급수 $\sum_{n=1}^{\infty} a_n$, $\sum_{n=1}^{\infty} b_n$이 모두 수렴하면 $\sum_{n=1}^{\infty} a_n < \sum_{n=1}^{\infty} b_n$이다.

① ㄱ ② ㄴ ③ ㄱ, ㄷ ④ ㄴ, ㄷ ⑤ ㄱ, ㄴ, ㄷ

정답 0135 : (1) ③ (2) ① (3) ③ 0136 : (1) ① (2) ③

04 등비급수의 활용

MAPL; YOURMASTERPLAN

01 순환소수의 등비급수

순환소수는 등비급수를 이용하여 다음과 같이 분수로 나타낼 수 있다.

(1) $0.\dot{a}\dot{b}=0.abababab\cdots$

$$=0.ab+0.00ab+0.0000ab+0.000000ab+\cdots=\frac{0.ab}{1-0.01}=\frac{ab}{99}$$

(2) $0.\dot{a}b\dot{c}=0.abcabcabc\cdots$

$$=0.abc+0.000abc+0.000000abc+\cdots=\frac{0.abc}{1-0.001}=\frac{abc}{999}$$

(3) $0.a\dot{b}\dot{c}=0.abcbcbcbc\cdots$

$$=0.a+0.0bc+0.000bc+0.00000bc+\cdots=0.a+\frac{0.0bc}{1-0.01}=\frac{99a+bc}{990}$$

마플해설 등비급수를 이용하여 순환소수로 나타내어진 유리수를 분수로 나타내는 방법이다.

예를 들면 순환소수 $0.\dot{7}$을 분수로 나타내면

$0.\dot{7}=0.77777\cdots=0.7+0.07+0.007+0.0007+\cdots$

$$=\frac{7}{10}+\frac{7}{10^2}+\frac{7}{10^3}+\frac{7}{10^4}+\cdots$$

이므로 $0.\dot{7}$은 첫째항이 $\frac{7}{10}$, 공비가 $\frac{1}{10}$인 등비수열의 합과 같다. 즉 $0.\dot{7}=\frac{\frac{7}{10}}{1-\frac{1}{10}}=\frac{7}{9}$

보기 01 등비급수를 이용하여 다음 순환소수를 분수로 나타내어라.

(1) $0.\dot{2}\dot{3}$ (2) $1.\dot{4}5\dot{6}$

풀이 (1) $0.\dot{2}\dot{3}=0.23+0.0023+0.000023+\cdots$

$$=\frac{23}{100}+\frac{23}{100^2}+\frac{23}{100^3}+\cdots$$ ← 첫째항이 $\frac{23}{100}$, 공비가 $\frac{1}{100}$인 등비급수

$$=\frac{\frac{23}{100}}{1-\frac{1}{100}}=\frac{23}{99}$$ ← $0.\dot{2}\dot{3}=\frac{23}{99}$

(2) $1.\dot{4}5\dot{6}=1+0.456+0.000456+0.000000456+\cdots$

$$=1+\frac{456}{1000}+\frac{456}{1000^2}+\frac{456}{1000^3}+\cdots$$ ← 색칠한 부분은 첫째항이 $\frac{456}{1000}$, 공비가 $\frac{1}{1000}$인 등비급수

$$=1+\frac{\frac{456}{1000}}{1-\frac{1}{1000}}=1+\frac{456}{999}=\frac{1455}{999}=\frac{485}{333}$$ ← $1.\dot{4}5\dot{6}=1+\frac{456}{999}$

더 알아보기

순환소수 $0.\dot{9}$는 1과 같음을 등비급수를 이용하여 설명한다.

$0.\dot{9}=0.9999\cdots=0.9+0.09+0.009+0.0009+\cdots$

$$=\frac{9}{10}+\frac{9}{10^2}+\frac{9}{10^3}+\frac{9}{10^4}+\cdots$$

$$=\frac{\frac{9}{10}}{1-\frac{1}{10}}=1$$

따라서 $0.\dot{9}=1$임을 알 수 있다.

02 도형에서의 등비급수의 활용

도형의 길이와 넓이가 일정한 비율로 한없이 작아질 때, 도형의 선분들의 길이의 합이나 넓이의 합은 등비급수를 이용하여 다음과 같은 순서로 해결한다.

[1단계] 도형의 성질을 이용하여 닮음인 도형들에 대하여 첫 번째 도형의 길이 (또는 넓이, 부피), 두 번째 도형의 길이 (또는 넓이, 부피), …를 차례로 구한다.
[2단계] 1단계에서 구한 각각의 값들을 이용하여 급수에서 이웃한 항 사이의 비를 구하고, 이 급수가 첫째항이 a, 공비가 $r(-1<r<1)$인 등비급수임을 확인한다.
[3단계] 수렴하는 등비급수의 합의 공식 $\frac{a}{1-r}(-1<r<1)$에 대입한다.

참고 도형의 길이와 넓이에 대한 문제를 해결할 때는 도형에 대한 다음 성질이 자주 이용된다.
① 두 닮은 도형에서 대응하는 변의 길이의 비는 일정하다.
② 두 도형의 닮음비가 $m:n$일 때, 둘레의 길이의 비는 $m:n$이고, 넓이의 비는 $m^2:n^2$이다.

마플해설 일정한 닮음비로 닮은꼴을 유지하면서 한없이 작아지는 도형이 주어질 때, 이 모든 도형들의 넓이의 합 또는 이들 모든 도형에 포함된 특정 선분(곡선)의 길이의 합은 등비급수를 이용하여 구할 수 있다.
두 닮은 도형의 닮음비가 $1:r\,(0<r<1)$일 때, 넓이의 비는 $1:r^2$임을 이용하여 넓이의 등비급수의 합을 구할 수 있다.

보기 02 오른쪽 그림과 같이 한 변의 길이가 1인 정사각형을 4등분하여 그 중 한 정사각형을 색칠하고, 색칠하지 않은 정사각형 중 한 정사각형을 4등분하여 그 중 한 정사각형을 색칠하는 과정을 반복할 때, 색칠한 모든 부분의 넓이를 구하여라.

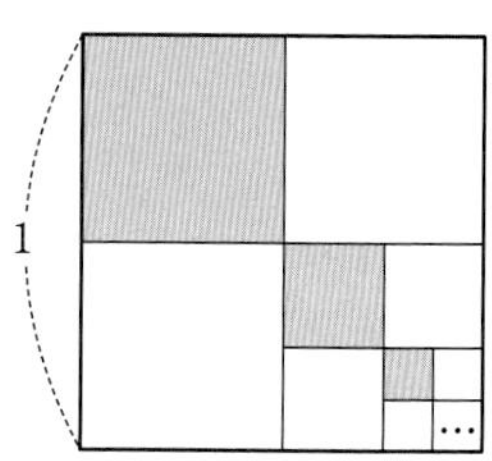

풀이 오른쪽 그림과 같이 색칠한 정사각형의 넓이를 차례로 $S_1, S_2, S_3, \cdots$이라고 하면 $S_1=\frac{1}{4}$, $S_2=\left(\frac{1}{4}\right)^2$, $S_3=\left(\frac{1}{4}\right)^3$, $\cdots$

따라서 색칠한 모든 부분의 넓이는

$$S_1+S_2+S_3+\cdots=\frac{1}{4}+\left(\frac{1}{4}\right)^2+\left(\frac{1}{4}\right)^3+\cdots=\frac{\frac{1}{4}}{1-\frac{1}{4}}=\frac{1}{3}$$

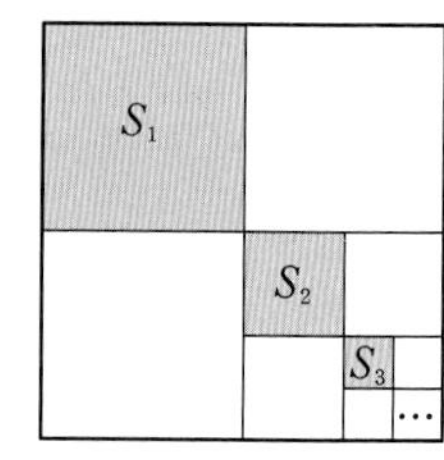

보기 03 오른쪽 그림과 같이 넓이가 1인 삼각형 ABC의 각 변의 중점을 이어 삼각형 $A_1B_1C_1$을 만든다. 또, 삼각형 $A_1B_1C_1$의 각 변의 중점을 이어서 삼각형 $A_2B_2C_2$를 만든다. 이와 같은 과정을 한없이 반복한다고 할 때, 삼각형 $A_1B_1C_1$, 삼각형 $A_2B_2C_2$, 삼각형 $A_3B_3C_3$, …의 넓이의 합을 구하여라.

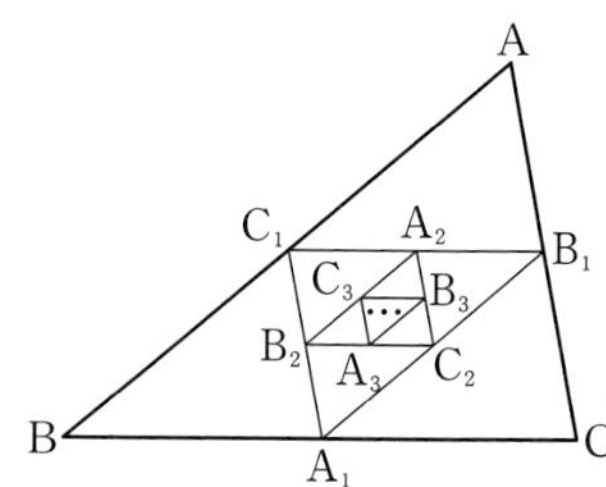

풀이 삼각형 ABC와 삼각형 $A_1B_1C_1$에서 $\overline{A_1B_1}=\frac{1}{2}\overline{AB}$, $\overline{B_1C_1}=\frac{1}{2}\overline{BC}$, $\overline{C_1A_1}=\frac{1}{2}\overline{CA}$이므로

삼각형 ABC와 삼각형 $A_1B_1C_1$은 닮음비가 $2:1$인 닮은 삼각형이다.

즉, 삼각형 $A_nB_nC_n$과 삼각형 $A_{n+1}B_{n+1}C_{n+1}$은 닮은비가 $2:1$이므로 넓이의 비는 $4:1$이다.

즉, 삼각형 $A_nB_nC_n$의 넓이를 S_n이라 하면

$S_1=1\times\frac{1}{4}=\frac{1}{4}$, $S_2=\frac{1}{4}S_1=\left(\frac{1}{4}\right)^2$, $S_3=\frac{1}{4}S_2=\left(\frac{1}{4}\right)^3$, $\cdots$ ⬅ 넓이의 비가 $4:1$이므로 공비는 $\frac{1}{4}$

따라서 구하는 넓이의 합은 $\frac{1}{4}+\left(\frac{1}{4}\right)^2+\left(\frac{1}{4}\right)^3+\cdots=\frac{\frac{1}{4}}{1-\frac{1}{4}}=\frac{1}{3}$

보기 04 한 변의 길이가 2인 정삼각형을 사등분하여 얻은 4개의 정삼각형 중 하나를 색칠하여 얻은 그림을 R_1이라 하자. R_1에서 새로 얻은 정삼각형 중 색칠되어 있지 않은 하나의 정삼각형을 다시 사등분하여 얻은 4개의 정삼각형 중 하나를 색칠하여 얻은 그림을 R_2라 하자. 이와 같은 과정을 계속하여 n번째 얻은 그림 R_n에 색칠되어 있는 부분의 넓이를 S_n이라 할 때, $\lim_{n\to\infty} S_n$의 값을 구하여라.

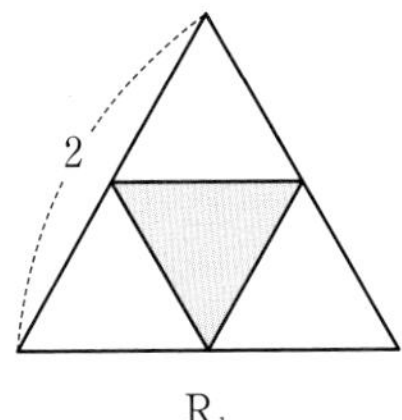

R_1

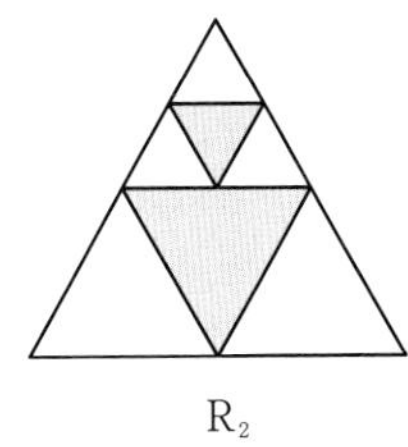
R_2

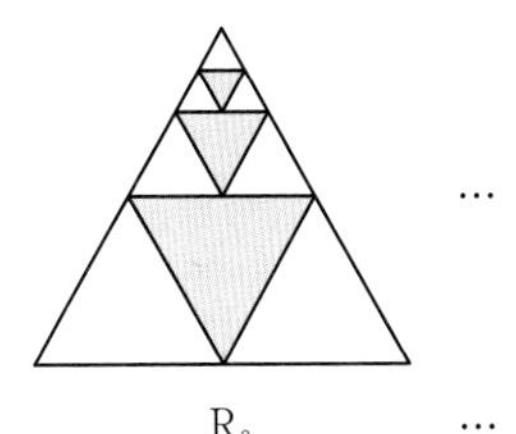
R_3

⋯

풀이 오른쪽 그림과 같이 R_n에 새로 색칠되는 정삼각형의 넓이를 $\{a_n\}$이라 하면

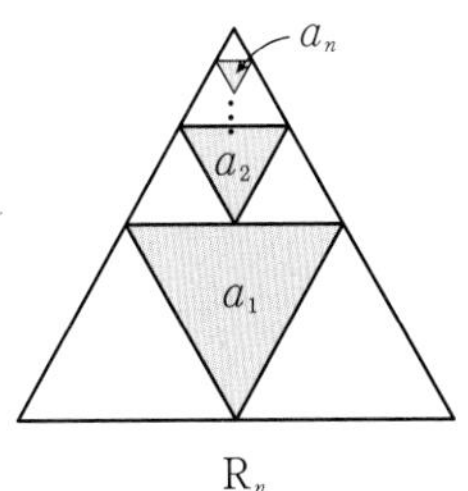

R_n

$a_1=\frac{\sqrt{3}}{4}\cdot 1^2=\frac{\sqrt{3}}{4}$ ⬅ 한 변의 길이가 a인 정삼각형의 넓이 $\frac{\sqrt{3}}{4}a^2$

$a_2=\frac{1}{4}\cdot a_1=\frac{1}{4}\cdot\frac{\sqrt{3}}{4}$

$a_3=\frac{1}{4}\cdot a_2=\left(\frac{1}{4}\right)^2\cdot\frac{\sqrt{3}}{4}$

⋮

수열 $\{a_n\}$은 첫째항이 $\frac{\sqrt{3}}{4}$이고, 공비가 $\frac{1}{4}$인 등비수열이므로 $a_n=\frac{\sqrt{3}}{4}\cdot\left(\frac{1}{4}\right)^{n-1}$이다. ⬅ $a_{n+1}=\frac{1}{4}a_n$

따라서 $S_n=\sum_{k=1}^{n}\frac{\sqrt{3}}{4}\cdot\left(\frac{1}{4}\right)^{k-1}$이므로 $\lim_{n\to\infty}S_n=\lim_{n\to\infty}\sum_{k=1}^{n}\frac{\sqrt{3}}{4}\cdot\left(\frac{1}{4}\right)^{k-1}=\frac{\frac{\sqrt{3}}{4}}{1-\frac{1}{4}}=\frac{\sqrt{3}}{3}$

FOCUS

(1) 닮음인 도형의 길이나 넓이의 합

무한히 반복되는 닮은 도형들의 길이나 넓이의 합을 구할 때에는 먼저 이웃한 두 도형으로부터 닮음비 (1 미만의 닮음비)를 구한 후에 다음과 같이 계산한다.

① 길이의 합 $=\dfrac{\text{처음 도형의 길이}}{1-(\text{닮음비})}$

② 넓이의 합 $=\dfrac{\text{처음 도형의 넓이}}{1-(\text{닮음비})^2}$

(2) 무한히 이동하는 동점의 극한의 위치

일정한 규칙에 따라 무한히 이동하는 점의 극한을 구할 때에는 급수를 활용한다.

마플개념익힘 01 순환소수에서의 등비급수의 활용

첫째항이 $0.\dot{5}$, 공비가 $0.0\dot{2}$인 등비수열 $\{a_n\}$에 대하여 급수 $\sum_{n=1}^{\infty} a_n$의 값을 구하여라.

MAPL CORE 순환소수를 분수로 나타내어 등비급수 구하는 방법
[1단계] 주어진 순환소수를 등비급수로 나타낸다.
[2단계] 첫째항과 공비를 구하여 등비급수의 합을 구한다.

개념익힘 | **풀이** 등비수열 $\{a_n\}$의 첫째항이 $0.\dot{5}$이므로

$0.\dot{5}=0.555\cdots=0.5+0.05+0.005+\cdots$

에서 이 급수는 첫째항이 0.5, 공비가 0.1인 등비수열이다.

즉, $0.\dot{5}=\dfrac{0.5}{1-0.1}=\dfrac{5}{9}$

등비수열 $\{a_n\}$의 공비가 $0.0\dot{2}$이므로

$0.0\dot{2}=0.0222\cdots=0.02+0.002+0.0002+\cdots$

에서 이 급수는 첫째항이 0.02, 공비가 0.1인 등비수열이다.

즉, $0.0\dot{2}=\dfrac{0.02}{1-0.1}=\dfrac{1}{45}$

따라서 수열 $\{a_n\}$은 첫째항이 $\dfrac{5}{9}$, 공비가 $\dfrac{1}{45}$인 등비수열이므로 $\sum_{n=1}^{\infty} a_n=\dfrac{\frac{5}{9}}{1-\frac{1}{45}}=\mathbf{\dfrac{25}{44}}$

확인유제 0137 첫째항이 $0.\dot{2}$, 공비가 $0.0\dot{6}$인 등비수열 $\{a_n\}$에 대하여 급수 $\sum_{n=1}^{\infty} a_n$의 값은?

① $\dfrac{4}{45}$ ② $\dfrac{5}{21}$ ③ $\dfrac{15}{22}$ ④ $\dfrac{7}{8}$ ⑤ $\dfrac{5}{2}$

변형문제 0138 다음 물음에 답하여라.

(1) $\dfrac{12}{99}$를 순환소수로 나타낼 때, 소수점 아래 n번째 자리의 수를 a_n이라 하자. 예를 들면 $a_3=1$이다.
급수 $\sum_{n=1}^{\infty} \dfrac{a_n}{2^n}$의 값은?

① $\dfrac{4}{3}$ ② $\dfrac{3}{2}$ ③ $\dfrac{5}{3}$ ④ 2 ⑤ $\dfrac{5}{2}$

(2) $\dfrac{8}{33}$을 소수로 나타낼 때 소수점 아래 n번째 자리의 수를 a_n이라 할 때, 수열 $\{a_n\}$에 대하여
급수 $\sum_{n=1}^{\infty} \dfrac{a_n}{7^n}$의 값은?

① $\dfrac{1}{3}$ ② $\dfrac{1}{2}$ ③ $\dfrac{3}{8}$ ④ $\dfrac{3}{5}$ ⑤ $\dfrac{5}{3}$

발전문제 0139 수열 $\{a_n\}$의 각 항이 $a_1=0.\dot{1}$, $a_2=0.\dot{1}\dot{0}$, $a_3=0.\dot{1}0\dot{0}$, $\cdots$, $a_n=0.\underbrace{\dot{1}00\cdots0\dot{0}}_{0\text{이 } n-1\text{개}}$, $\cdots$일 때,

2006학년도 09월 평가원

$\sum_{n=1}^{\infty}\left(\dfrac{1}{a_{n+1}}-\dfrac{1}{a_n}\right)$의 값은?

① 1 ② 2 ③ 3 ④ 4 ⑤ 5

정답 0137: ② 0138 : (1) ① (2) ③ 0139 : ①

오른쪽 그림과 같이 좌표평면 위의 점 P가 원점 O를 출발하여 P_1, P_2, P_3, …으로 움직인다.

$$\overline{OP_1}=1,\ \overline{P_1P_2}=\frac{2}{3}\overline{OP_1},\ \overline{P_2P_3}=\frac{2}{3}\overline{P_1P_2},\ \cdots$$

일 때, 점 P_n이 한없이 가까워지는 점의 좌표를 구하여라.

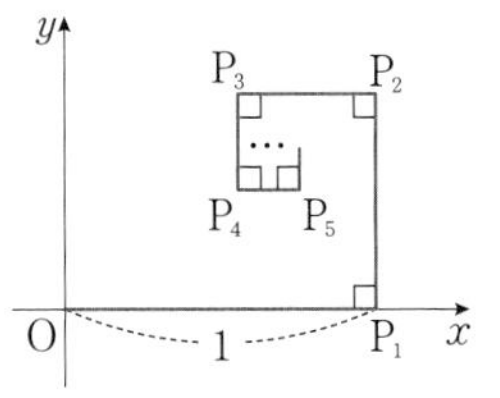

MAPL CORE 주어진 조건을 이용하여 점 P_1, P_2, P_3, …의 x좌표와 y좌표를 각각 등비급수로 나타낸다.
즉, 한없이 움직이는 점이 가까워지는 점의 좌표는 x좌표와 y좌표가 변하는 규칙을 찾는다.

개념익힘 | **풀이** 점 P_n의 좌표를 $(x_n,\ y_n)$이라고 하면

$$x_1=\overline{OP_1}=1,\ x_2=x_1,\ x_3=x_2-\overline{P_2P_3}=1-\left(\frac{2}{3}\right)^2,\ x_4=x_3,$$

$$x_5=x_4+\overline{P_4P_5}=1-\left(\frac{2}{3}\right)^2+\left(\frac{2}{3}\right)^4,\ \cdots$$

$$\lim_{n\to\infty}x_n=\overline{OP_1}-\overline{P_2P_3}+\overline{P_4P_5}-\cdots=1-\left(\frac{2}{3}\right)^2+\left(\frac{2}{3}\right)^4-\cdots=\frac{1}{1-\left(-\frac{4}{9}\right)}=\frac{9}{13}$$

또, $y_1=0,\ y_2=\overline{P_1P_2}=\frac{2}{3},\ y_3=y_2,\ y_4=y_3-\overline{P_3P_4}=\frac{2}{3}-\left(\frac{2}{3}\right)^3,\ y_5=y_4,$

$$y_6=y_5+\overline{P_5P_6}=\frac{2}{3}-\left(\frac{2}{3}\right)^3+\left(\frac{2}{3}\right)^5,\ \cdots$$

$$\lim_{n\to\infty}y_n=\overline{P_1P_2}-\overline{P_3P_4}+\overline{P_5P_6}-\cdots=\frac{2}{3}-\left(\frac{2}{3}\right)^3+\left(\frac{2}{3}\right)^5-\cdots=\frac{\frac{2}{3}}{1-\left(-\frac{4}{9}\right)}=\frac{6}{13}$$

따라서 점 P_n은 점 $\left(\mathbf{\frac{9}{13}},\ \mathbf{\frac{6}{13}}\right)$에 가까워진다.

확인유제 0140 오른쪽 그림과 같이 좌표평면 위의 점 P가 원점 O를 출발하여 P_1, P_2, P_3, …으로 움직인다.

$$\overline{OP_1}=1,\ \overline{P_1P_2}=\frac{4}{5}\overline{OP_1},\ \overline{P_2P_3}=\frac{4}{5}\overline{P_1P_2},\ \cdots$$

일 때, 점 P_n이 한없이 가까워지는 점의 좌표를 구하여라.

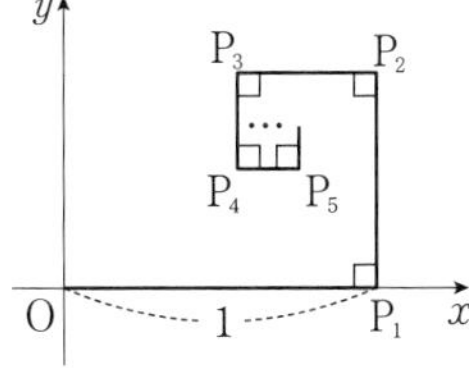

변형문제 0141 오른쪽 그림과 같이 x축의 양의 방향과 $\overline{OP_1}$이 이루는 각의 크기가 30°이고, 자연수 n에 대하여 점 P_n이

$$\overline{OP_1}=1,\ \overline{P_1P_2}=\frac{1}{4}\overline{OP_1},\ \overline{P_2P_3}=\frac{1}{4}\overline{P_1P_2},\ \cdots$$

일 때, 점 P_n이 한없이 가까워지는 점의 좌표를 구하여라.
(단, O는 원점이고, $\angle OP_1P_2=60°$, $\angle P_nP_{n+1}P_{n+2}=60°\ (n\geq1)$)

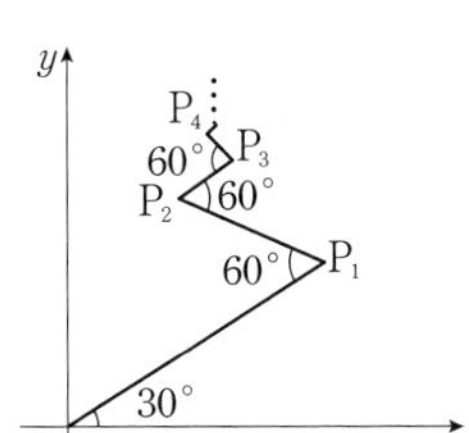

발전문제 0142 오른쪽 그림과 같이 좌표평면 위의 점 P가 원점 O를 출발하여 P_1, P_2, P_3, …으로 움직인다.

$$\overline{OP_1}=4,\ \overline{P_1P_2}=\frac{3}{4}\overline{OP_1},\ \overline{P_2P_3}=\frac{3}{4}\overline{P_1P_2},\ \cdots$$

일 때, 점 P_n이 한없이 가까워지는 점의 x좌표를 구하여라.
(단, $\angle OP_1P_2=60°$, $\angle P_nP_{n+1}P_{n+2}=60°\ (n\geq1)$)

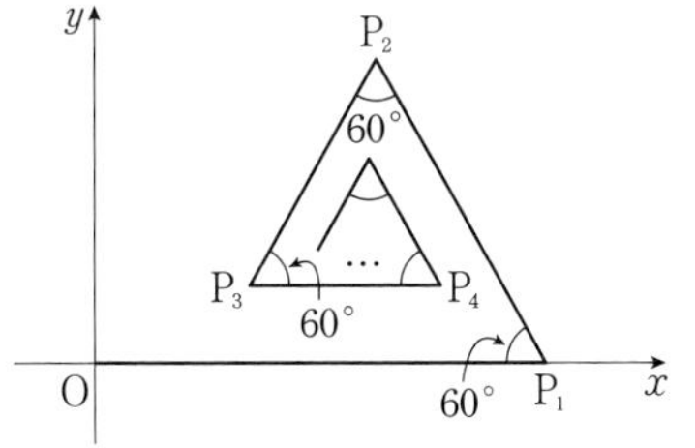

정답 0140 : $\left(\frac{25}{41},\ \frac{20}{41}\right)$ 0141 : $\left(\frac{2\sqrt{3}}{5},\ \frac{2}{3}\right)$ 0142 : $\frac{88}{37}$

어떤 공을 높이가 hm인 곳에서 수직으로 떨어뜨리면 떨어진 높이의 $\frac{3}{4}$만큼 튀어 오른다. 이 공을 높이가 8m인 곳에서 수직으로 떨어트릴 때, 공이 상하 운동을 계속한다고 할 때, 공이 움직인 거리의 합을 구하여라.

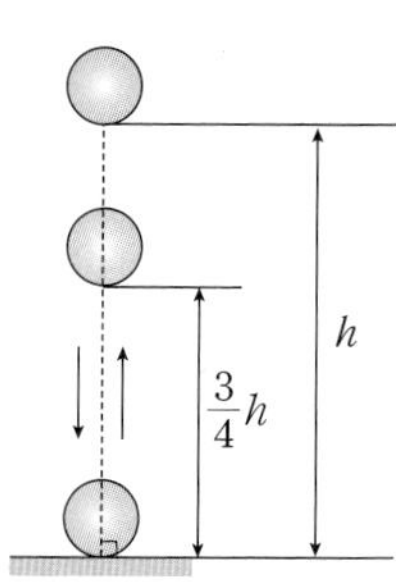

MAPL CORE 닮은 모양이 한없이 반복되는 도형에서 길이의 합은 다음과 같은 순서로 구한다.
[1단계] 문제의 뜻에 맞게 도형의 규칙을 발견하여 첫째항 a, 공비 r의 값을 찾아낸다.
[2단계] 등비급수의 합의 공식 $S=\frac{a}{1-r}$에 대입한다.

개념익힘 | 풀이 공이 처음 지면에 닿을 때까지 움직인 거리를 l, 공이 지면에 n번째 닿은 후 $(n+1)$번째 닿을 때까지 움직인 거리를 l_n이라 하면 $l=8(\text{m})$이고

$l_1=l\times\frac{3}{4}+l\times\frac{3}{4}=2\times l\times\frac{3}{4}=2\times8\times\frac{3}{4}=12(\text{m})$

$l_2=\frac{l_1}{2}\times\frac{3}{4}+\frac{l_1}{2}\times\frac{3}{4}=l_1\times\frac{3}{4}=12\times\frac{3}{4}=9(\text{m})$

$l_3=\frac{l_2}{2}\times\frac{3}{4}+\frac{l_2}{2}\times\frac{3}{4}=l_2\times\frac{3}{4}=9\times\frac{3}{4}=\frac{27}{4}(\text{m})$

⋮

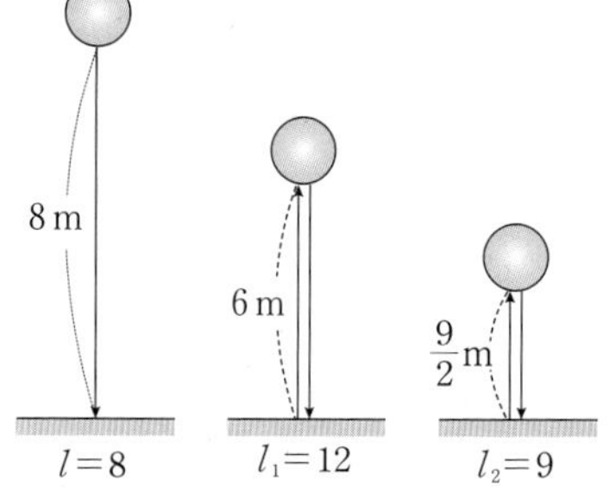

따라서 수열 $\{l_n\}$은 첫째항이 12, 공비가 $\frac{3}{4}$인 등비수열이므로

$\sum_{n=1}^{\infty}l_n$은 수렴하고 공이 움직인 거리의 합은 $l+\sum_{n=1}^{\infty}l_n=8+\frac{12}{1-\frac{3}{4}}=\mathbf{56(m)}$

확인유제 0143 어떤 공을 높이가 hm인 곳에서 수직으로 떨어뜨리면 떨어진 높이의 $\frac{2}{3}$만큼 튀어 오른다. 이 공을 높이가 9m인 곳에서 수직으로 떨어뜨릴 때, 공이 상하 운동을 계속한다고 할 때, 공이 움직인 거리의 합을 구하여라.

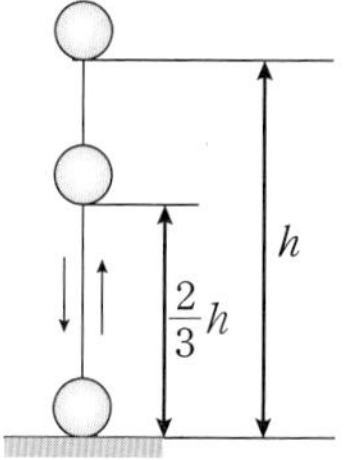

변형문제 0144 어떤 공을 높이가 hm인 곳에서 수직으로 떨어뜨리면 떨어진 높이의 $\frac{2}{5}$만큼 튀어 오른다. 이 공이 상하 운동을 계속한다고 할 때, 공이 움직인 거리의 합은 49m이었다. 처음 공이 떨어뜨린 높이 h의 값은?

① 15m ② 18m ③ 21m ④ 24m ⑤ 27m

발전문제 0145 길이가 1m인 어떤 진자가 천장에 수직으로 매달려 있다. 다음 그림과 같이 진자를 각 θ만큼 당겼다가 놓으면 추가 처음 매달려 있던 위치를 기준으로 이전에 올라간 각의 $\frac{2}{3}$배만큼 반대쪽으로 올라갔다가 내려오는 과정을 멈출 때까지 계속 반복한다고 한다. 이 진자의 추가 정지할 때까지 움직인 거리의 합을 구하여라.
(단, 처음에 잡아당긴 거리는 포함되지 않는다.)

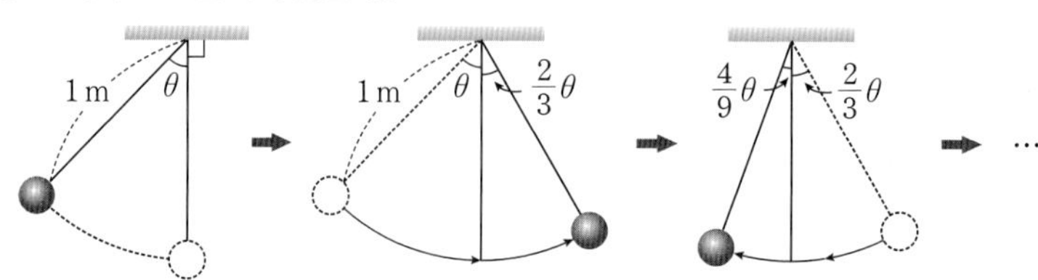

정답 0143 : 45 0144 : ③ 0145 : 5θ

마플개념익힘 04 등비급수의 활용 – 선분의 길이의 합 (2)

오른쪽 그림과 같이 $\angle XOY=30°$일 때, 반직선 OX 위에 $\overline{OP_0}=2$인 점 P_0을 잡고 점 P_0에서 반직선 OY에 수선 P_0P_1을 긋는다. 또, 점 P_1에서 반직선 OX에 수선 P_1P_2를 긋는다. 이와 같은 과정을 한없이 반복할 때, 이들 수선의 길이의 합 $\overline{P_0P_1}+\overline{P_1P_2}+\overline{P_2P_3}+\cdots$을 구하여라.

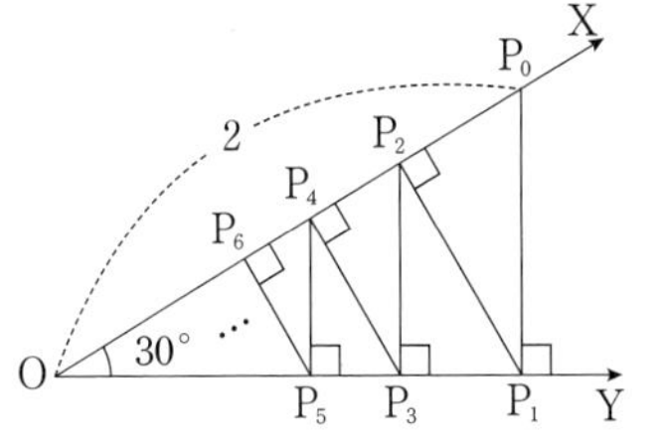

MAPL CORE 닮은 모양이 한없이 반복되는 도형에서 길이의 합은 다음과 같은 순서로 구한다.

[1단계] 첫째항(길이) l_1을 구한다.

[2단계] 첫 번째, 두 번째로 그려지는 도형의 닮음비 $a:b$, 즉 공비 $\frac{b}{a}(a>b)$를 구한다.

[3단계] $\sum_{n=1}^{\infty} l_n=\frac{l_1}{1-\frac{b}{a}}$

개념익힘 | 풀이 $\angle P_0OP_1=\angle P_0P_1P_2=\angle P_1P_2P_3=\cdots=30°$이므로

$$\overline{P_0P_1}=\overline{OP_0}\times\sin 30°=2\times\frac{1}{2}=1$$

$$\overline{P_1P_2}=\overline{P_0P_1}\times\cos 30°=1\times\frac{\sqrt{3}}{2}=\frac{\sqrt{3}}{2}$$

$$\overline{P_2P_3}=\overline{P_1P_2}\times\cos 30°=\frac{\sqrt{3}}{2}\times\frac{\sqrt{3}}{2}=\left(\frac{\sqrt{3}}{2}\right)^2$$

$$\vdots$$

따라서 구하는 수선의 길이의 합은

$$\overline{P_0P_1}+\overline{P_1P_2}+\overline{P_2P_3}+\cdots=1+\frac{\sqrt{3}}{2}+\left(\frac{\sqrt{3}}{2}\right)^2+\cdots=\frac{1}{1-\frac{\sqrt{3}}{2}}=\mathbf{4+2\sqrt{3}}$$

참고 △ABC에서 C=90°

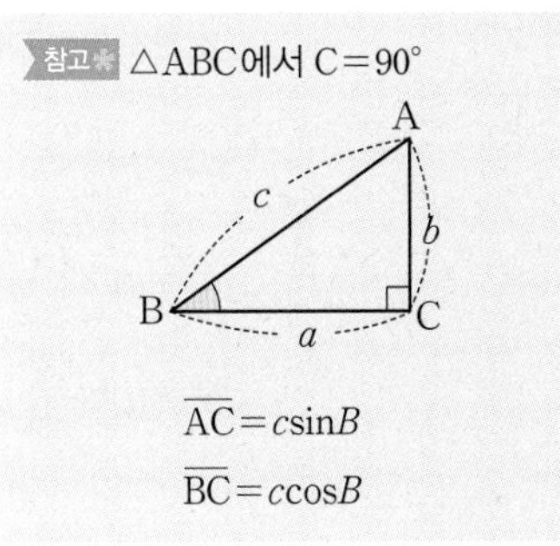

$\overline{AC}=c\sin B$

$\overline{BC}=c\cos B$

확인유제 0146 오른쪽 그림과 같이 점 $P_1(1, 0)$에서 직선 $y=x$에 내린 수선의 발을 P_2, 점 P_2에서 y축에 내린 수선의 발을 P_3, 점 P_3에서 직선 $y=-x$에 내린 수선의 발을 P_4, 점 P_4에서 x축에 내린 수선의 발을 P_5라 하자. 이와 같은 방법으로 P_6, P_7, P_8, $\cdots$을 그려 나갈 때, $\overline{P_1P_2}+\overline{P_2P_3}+\overline{P_3P_4}+\cdots$의 값을 구하여라.

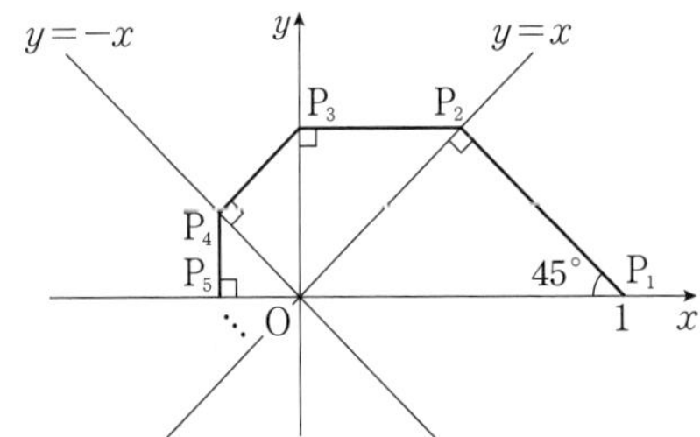

변형문제 0147 오른쪽 그림과 같이 한 변의 길이가 2인 정사각형 $A_1B_1C_1D_1$의 각 변의 중점을 연결하여 정사각형 $A_2B_2C_2D_2$를 만들고, 정사각형 $A_3B_3C_3D_3$을 만든다. 이와 같은 방법으로 정사각형을 한없이 만들 때, 모든 정사각형의 둘레의 길이의 합을 구하여라.

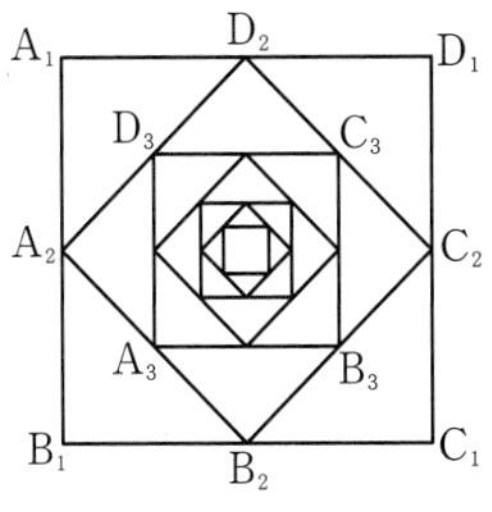

발전문제 0148 오른쪽 그림에서 △ABC는 한 변의 길이가 2인 정삼각형이고 $\overline{AB}$, $\overline{AC}$의 중점을 각각 B_1, C_1이라고 하자.

또, $\overline{AB_1}$, $\overline{AC_1}$의 중점을 각각 B_2, C_2라고 하자. 이와 같은 과정을 한 없이 반복할 때, $\overline{CB_1}+\overline{B_1C_1}+\overline{C_1B_2}+\overline{B_2C_2}+\overline{C_2B_3}+\cdots$의 값을 구하여라.

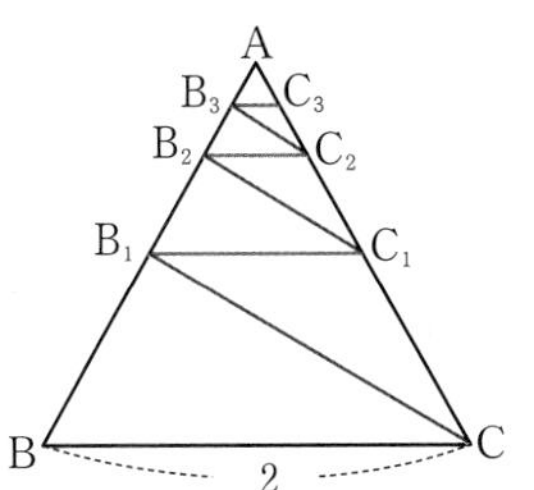

정답 0146 : $\sqrt{2}+1$ 0147 : $16+8\sqrt{2}$ 0148 : $2\sqrt{3}+2$

마플개념익힘 05 등비급수의 활용 – 도형의 넓이의 합

오른쪽 그림과 같이 한 변의 길이가 4인 정사각형 $OA_1B_1C_1$의 내부에 점 O를 중심으로 하고 선분 OA_1을 반지름으로 하는 사분원을 그린 다음 그 사분원에 내접하는 정사각형 $OA_2B_2C_2$를 그린다. 이와 같은 방법으로 정사각형과 사분원을 한없이 그릴 때, 색칠한 부분의 넓이의 합을 구하여라.

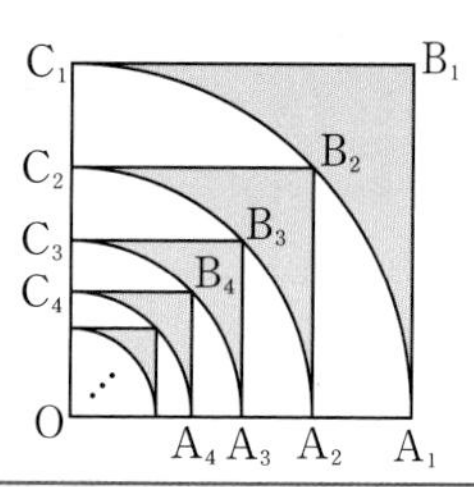

MAPL CORE 닮은 모양이 한없이 반복되는 도형에서 길이의 합은 다음과 같은 순서로 구한다.

[1단계] 첫째항(넓이) S_1을 구한다.

[2단계] 첫 번째, 두 번째로 그려지는 도형의 닮음비 $a : b$를 구하여 넓이의 비 $a^2 : b^2$, 즉 공비 $\frac{b^2}{a^2}(a>b)$를 구한다.

[3단계] $\sum_{n=1}^{\infty} S_n = \frac{S_1}{1-\frac{b^2}{a^2}}$

개념익힘 | 풀이 오른쪽 그림과 같이 정사각형 $OA_nB_nC_n$의 한 변의 길이를 a_n, 색칠한 부분의 넓이를 S_n이라 하면

직각삼각형 $OC_{n+1}B_{n+1}$에서 $a_{n+1}{}^2 + a_{n+1}{}^2 = a_n{}^2$

$a_{n+1}{}^2 = \frac{1}{2}a_n{}^2 \quad \therefore a_{n+1} = \frac{\sqrt{2}}{2}a_n$

$a_n = a_1 \times \left(\frac{\sqrt{2}}{2}\right)^{n-1} = 4 \times \left(\frac{\sqrt{2}}{2}\right)^{n-1}$ 이므로

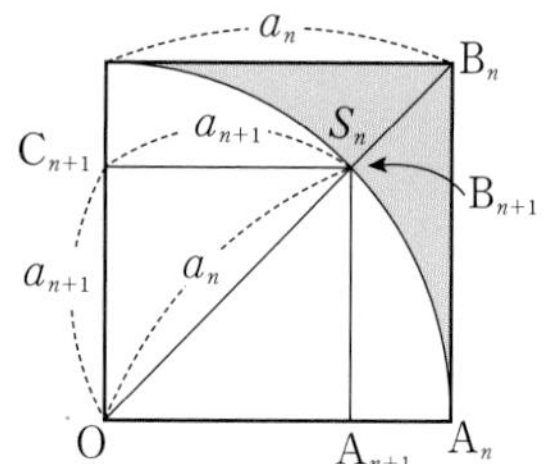

$S_n = a_n{}^2 - \frac{\pi}{4}a_n{}^2 = \left(1-\frac{\pi}{4}\right)a_n{}^2 = (16-4\pi)\times\left(\frac{1}{2}\right)^{n-1} \quad \therefore \sum_{n=1}^{\infty} S_n = \sum_{n=1}^{\infty}\left\{(16-4\pi)\times\left(\frac{1}{2}\right)^{n-1}\right\} = \frac{16-4\pi}{1-\frac{1}{2}} = \mathbf{32-8\pi}$

확인유제 0149 오른쪽 그림과 같이 한 변의 길이가 1인 정사각형 $OA_1B_1C_1$의 내부에 점 O를 중심으로 하고 $\overline{OA_1}$을 반지름으로 하는 사분원을 그린 후, 그 사분원에 내접하는 정사각형 $OA_2B_2C_2$를 그린다. 이와 같은 과정을 한없이 반복한다고 할 때, n번째 얻어지는 호 A_nC_n의 길이를 l_n, 선분 A_nB_n, 선분 B_nC_n, 호 A_nC_n으로 둘러싸인 도형의 넓이를 S_n이라 할 때, 다음 물음에 답하여라.

(1) 급수 $\sum_{n=1}^{\infty} l_n$의 값을 구하여라.

(2) 급수 $\sum_{n=1}^{\infty} S_n$의 값을 구하여라.

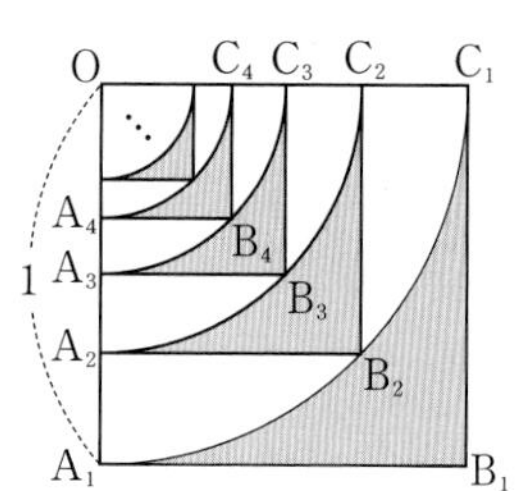

변형문제 0150 다음 물음에 답하여라.

(1) 오른쪽 그림과 같이 $\overline{OP}=\overline{OQ}=1$인 직각이등변삼각형 OPQ에서 점 O와 각 변의 중점을 꼭짓점으로 하는 정사각형 $OA_1B_1C_1$을 만든다. 또, 직각이등변삼각형 A_1PB_1에서 점 A_1과 각 변의 중점을 꼭짓점으로 하는 정사각형 $A_1A_2B_2C_2$를 만든다. 이와 같은 과정을 한없이 반복할 때, 이들 정사각형의 넓이의 합을 구하여라.

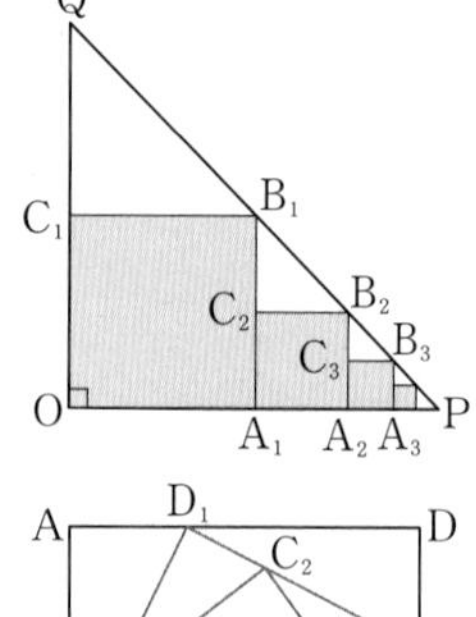

(2) 오른쪽 그림과 같이 한 변의 길이가 1인 정사각형 ABCD의 각 변을 2 : 1로 내분하는 점을 연결하여 정사각형 $A_1B_1C_1D_1$을 만든다.
또, 정사각형 $A_1B_1C_1D_1$의 각 변을 2 : 1로 내분하는 점을 연결하여 정사각형 $A_2B_2C_2D_2$를 만든다. 이와 같은 과정을 계속하여 n번째 만들어진 정사각형 $A_nB_nC_nD_n$의 넓이를 S_n이라 할 때, 급수 $\sum_{n=1}^{\infty} S_n$의 합을 구하여라.

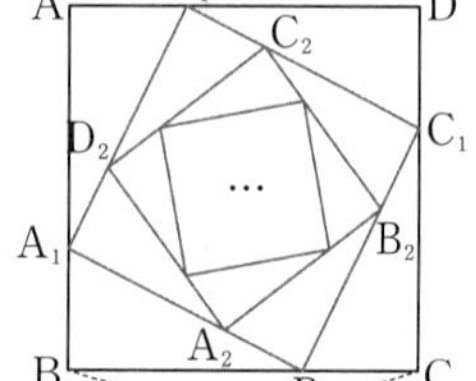

정답 0149 : (1) $\frac{2+\sqrt{2}}{2}\pi$ (2) $2-\frac{\pi}{2}$ 0150 : (1) $\frac{1}{3}$ (2) $\frac{5}{4}$

발전문제 0151 다음 물음에 답하여라.

2019년 04월 교육청

(1) $\overline{B_1C_1}=8$이고 $\angle B_1A_1C_1=120°$인 이등변삼각형 $A_1B_1C_1$이 있다. 그림과 같이 중심이 선분 B_1C_1 위에 있고 직선 A_1B_1과 직선 A_1C_1에 동시에 접하는 원 O_1을 그리고, 이등변삼각형 $A_1B_1C_1$의 내부와 원 O_1의 외부의 공통부분에 색칠하여 얻은 그림을 R_1이라 하자.
그림 R_1에서 원 O_1과 선분 B_1C_1이 만나는 점을 각각 B_2, C_2라 할 때, 삼각형 $A_1B_1C_1$ 내부의 점 A_2를 삼각형 $A_2B_2C_2$가 $\angle B_2A_2C_2=120°$인 이등변삼각형이 되도록 잡는다. 중심이 선분 B_2C_2 위에 있고 직선 A_2B_2와 직선 A_2C_2에 동시에 접하는 원 O_2를 그리고 이등변삼각형 $A_2B_2C_2$의 내부와 원 O_2의 외부의 공통부분에 색칠하여 얻은 그림을 R_2라 하자. 이와 같은 과정을 계속하여 n번째 얻은 그림 R_n에 색칠되어 있는 부분의 넓이를 S_n이라 할 때, $\lim_{n\to\infty} S_n$의 값은?

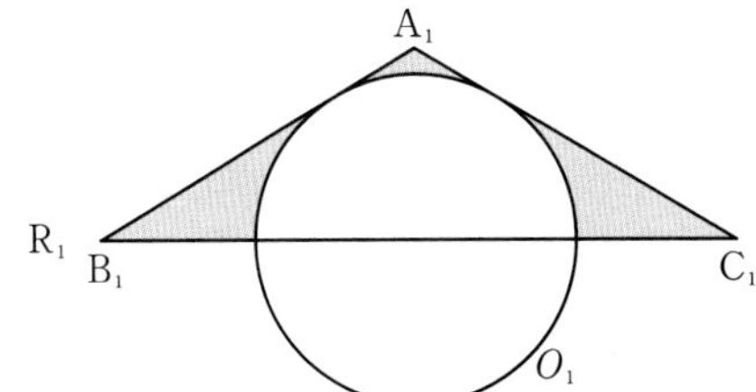

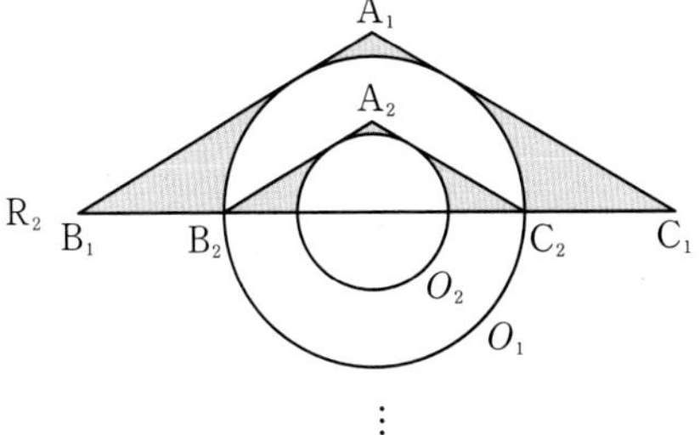

⋮

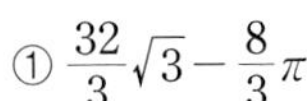
① $\frac{32}{3}\sqrt{3}-\frac{8}{3}\pi$ ② $\frac{32}{3}\sqrt{3}-\frac{4}{3}\pi$ ③ $\frac{64}{9}\sqrt{3}-\frac{8}{3}\pi$
④ $\frac{64}{9}\sqrt{3}-\frac{5}{3}\pi$ ⑤ $\frac{64}{9}\sqrt{3}-\frac{4}{3}\pi$

2018년 03월 교육청

(2) 그림과 같이 $\overline{A_1B_1}=2$, $\overline{B_1C_1}=3$인 직사각형 $A_1B_1C_1D_1$이 있다. 선분 A_1D_1을 삼등분하는 점 중에서 A_1에 가까운 점부터 차례대로 E_1, F_1이라 하고, 선분 B_1F_1과 선분 C_1E_1의 교점을 G_1이라 하자.
삼각형 $B_1G_1E_1$과 삼각형 $C_1F_1G_1$의 내부에 색칠하여 얻은 그림을 R_1이라 하자.
그림 R_1에서 선분 B_1C_1 위에 두 꼭짓점 B_2, C_2가 있고, 선분 B_1G_1 위에 꼭짓점 A_2, 선분 C_1G_1 위에 꼭짓점 D_2가 있으며 $\overline{A_2B_2}:\overline{B_2C_2}=2:3$인 직사각형 $A_2B_2C_2D_2$를 그린다. 선분 A_2D_2를 삼등분하는 점 중에서 A_2에 가까운 점부터 차례대로 E_2, F_2라 하고, 선분 B_2F_2와 선분 C_2E_2의 교점을 G_2라 하자. 삼각형 $B_2G_2E_2$와 삼각형 $C_2F_2G_2$의 내부에 색칠하여 얻은 그림을 R_2라 하자.
이와 같은 과정을 계속하여 n번째 얻은 그림 R_n에 색칠되어 있는 부분의 넓이를 S_n이라 할 때, $\lim_{n\to\infty} S_n$의 값은?

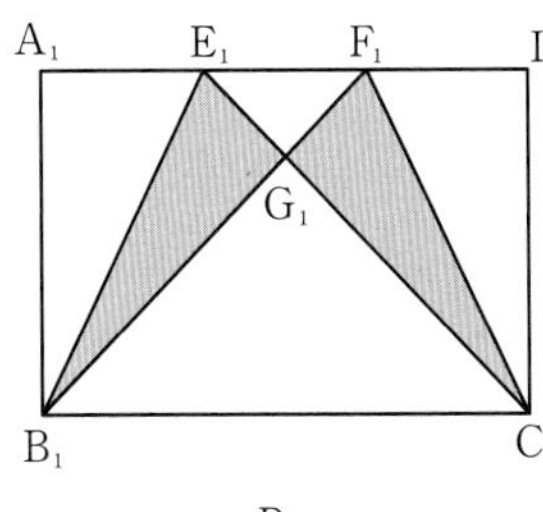

R_1

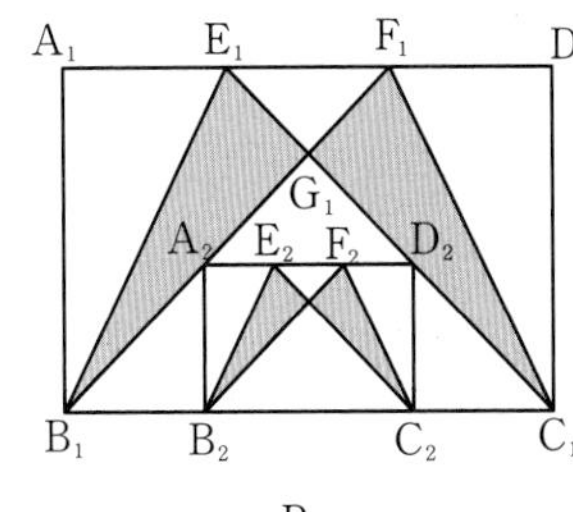

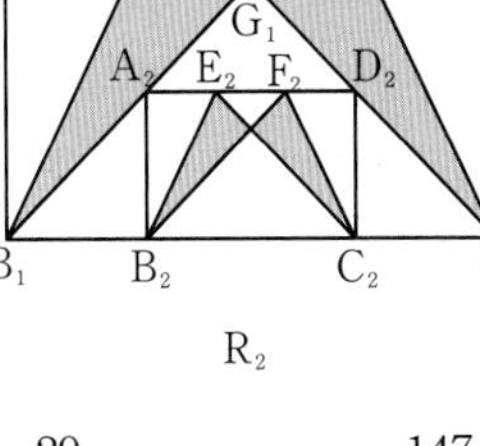

R_2

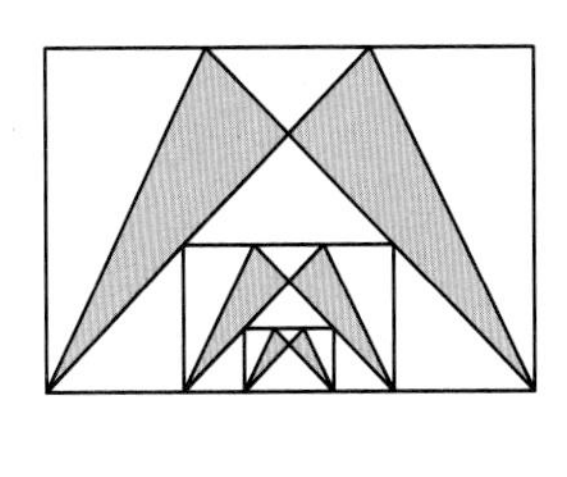

R_3

⋯

① $\frac{141}{80}$ ② $\frac{143}{80}$ ③ $\frac{29}{16}$ ④ $\frac{147}{80}$ ⑤ $\frac{149}{80}$

정답 0151 : (1) ③ (2) ④

오른쪽 그림과 같이 $\angle C_1=90°$인 직각삼각형 AB_1C_1에서 $\angle B_1=60°$, $\overline{B_1C_1}=6$이다. 점 B_1을 중심, $\overline{B_1C_1}$을 반지름으로 하는 원을 그려 $\overline{AB_1}$과 만나는 점을 C_2, 부채꼴 $B_1C_1C_2$의 넓이를 S_1이라 하자.

점 C_2를 지나면서 $\overline{AB_1}$에 수직인 직선이 $\overline{AC_1}$과 만나는 점을 B_2라 하고 점 B_2를 중심, $\overline{B_2C_2}$를 반지름으로 하는 원을 그려 $\overline{AC_1}$과 만나는 점을 C_3, 부채꼴 $B_2C_2C_3$의 넓이를 S_2라 하자. 이와 같은 과정을 한없이 반복할 때, $S_1+S_2+S_3+\cdots$의 값을 구하여라.

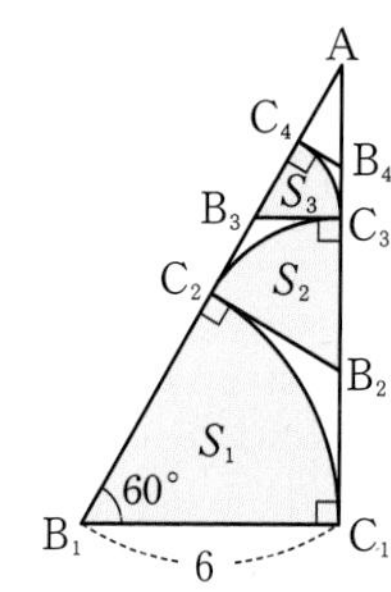

MAPL CORE 닮은 모양이 한없이 반복되는 도형에서 길이의 합은 다음과 같은 순서로 구한다.

[1단계] 첫째항(부채꼴의 넓이) S_1을 구한다.

[2단계] 첫 번째, 두 번째로 그려지는 도형의 닮비 $a:b$를 구하여 부채꼴의 넓이의 비 $a^2:b^2$, 즉 공비 $\frac{b^2}{a^2}(a>b)$를 구한다.

[3단계] $\sum_{n=1}^{\infty}S_n=\frac{S_1}{1-\frac{b^2}{a^2}}$

개념익힘 | 풀이 오른쪽 그림에서 $S_1=\pi\times6^2\times\frac{60}{360}=6\pi$

선분 B_1B_2를 그으면 삼각형 $B_1B_2C_2$에서

$\overline{B_1C_2}:\overline{B_2C_2}=\sqrt{3}:1$, $\overline{B_2C_2}=2\sqrt{3}$

즉 $S_2=\pi\times(2\sqrt{3})^2\times\frac{60}{360}=2\pi$

선분 B_2B_3을 그으면 삼각형 $B_2B_3C_3$에서 $\overline{B_2C_3}:\overline{B_3C_3}=\sqrt{3}:1$이므로

$2\sqrt{3}:\overline{B_3C_3}=\sqrt{3}:1$, $\overline{B_3C_3}=2$

즉 $S_3=\pi\times2^2\times\frac{60}{360}=\frac{2}{3}\pi$

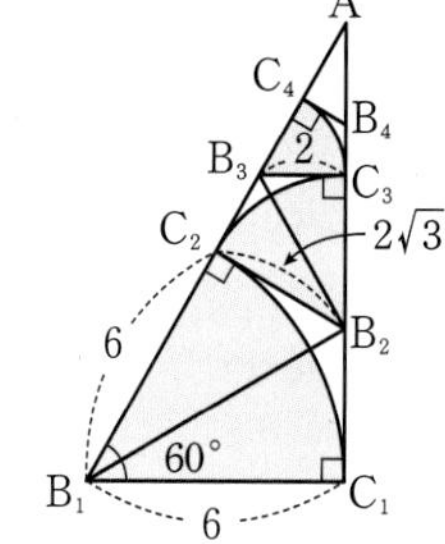

따라서 수열 $\{S_n\}$은 첫째항이 6π, 공비가 $\frac{1}{3}$인 등비수열이므로 $S_1+S_2+S_3+\cdots=\frac{6\pi}{1-\frac{1}{3}}=\mathbf{9\pi}$

확인유제 0152
2015학년도 06월 평가원

그림과 같이 $\overline{A_1D_1}=2$, $\overline{A_1B_1}=1$인 직사각형 $A_1B_1C_1D_1$에서 선분 A_1D_1의 중점을 M_1이라 하자. 중심이 A_1, 반지름의 길이가 $\overline{A_1B_1}$이고 중심각의 크기가 $\frac{\pi}{2}$인 부채꼴 $A_1B_1M_1$을 그리고, 부채꼴 $A_1B_1M_1$에 색칠하여 얻은 그림을 R_1이라 하자. 그림 R_1에서 부채꼴 $A_1B_1M_1$의 호 B_1M_1이 선분 A_1C_1과 만나는 점을 A_2라 하고, 중심이 A_1, 반지름의 길이가 $\overline{A_1D_1}$인 원이 선분 A_1C_1과 만나는 점을 C_2라 하자. 가로와 세로의 길이의 비가 $2:1$이고 가로가 선분 A_1D_1과 평행한 직사각형 $A_2B_2C_2D_2$를 그리고, 직사각형 $A_2B_2C_2D_2$에서 그림 R_1을 얻는 것과 같은 방법으로 만들어지는 부채꼴에 색칠하여 얻은 그림을 R_2라 하자. 이와 같은 과정을 계속하여 n번째 얻은 그림 R_n에 색칠되어 있는 부분의 넓이를 S_n이라 할 때, $\lim_{n\to\infty}S_n$의 값은?

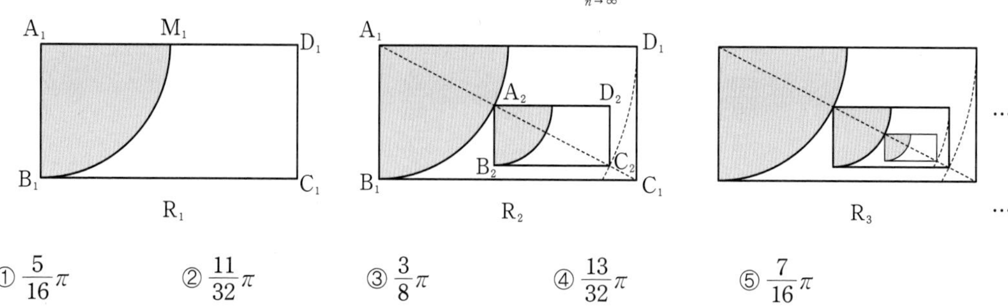

① $\frac{5}{16}\pi$ ② $\frac{11}{32}\pi$ ③ $\frac{3}{8}\pi$ ④ $\frac{13}{32}\pi$ ⑤ $\frac{7}{16}\pi$

정답 0152 : ①

변형문제 0153 (1) 한 변의 길이가 $2\sqrt{3}$인 정삼각형 $A_1B_1C_1$이 있다. 그림과 같이 $\angle A_1B_1C_1$의 이등분선과 $\angle A_1C_1B_1$의 이등분선이 만나는 점을 A_2라 하자. 두 선분 B_1A_2, C_1A_2를 각각 지름으로 하는 반원의 내부와 정삼각형 $A_1B_1C_1$의 내부의 공통부분인 모양의 도형에 색칠하여 얻은 그림을 R_1이라 하자.

2018학년도 06월 평가원

그림 R_1에서 점 A_2를 지나고 선분 A_1B_1에 평행한 직선이 선분 B_1C_1과 만나는 점을 B_2, 점 A_2를 지나고 선분 A_1C_1에 평행한 직선이 선분 B_1C_1과 만나는 점을 C_2라 하자. 그림 R_1에 정삼각형 $A_2B_2C_2$를 그리고, 그림 R_1을 얻는 것과 같은 방법으로 정삼각형 $A_2B_2C_2$의 내부에 모양의 도형을 그리고 색칠하여 얻은 그림을 R_2라 하자. 이와 같은 과정을 계속하여 n번째 얻은 그림 R_n에 색칠되어 있는 부분의 넓이를 S_n이라 할 때, $\lim_{n\to\infty} S_n$의 값을 구하여라.

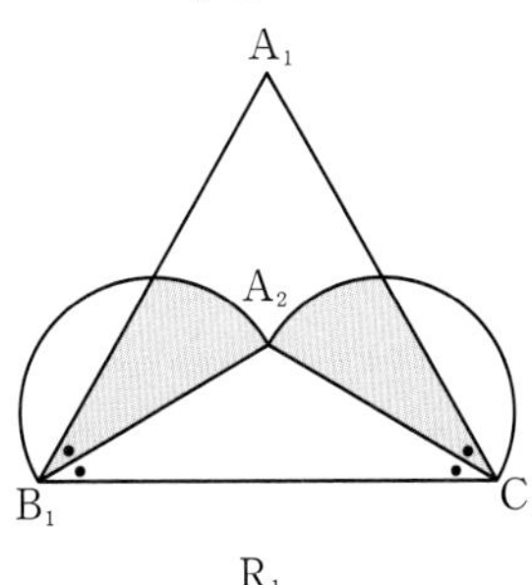

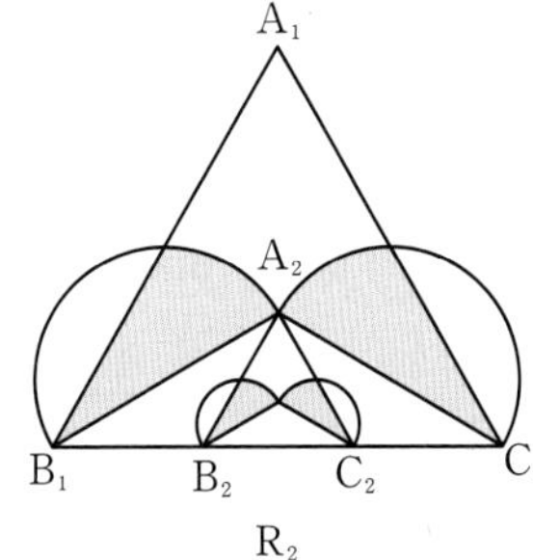

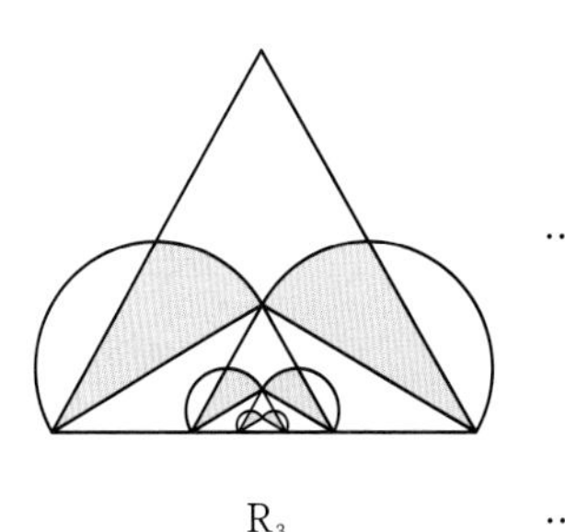

…

2019학년도 06월 평가원

(2) 오른쪽 그림과 같이 $\overline{A_1B_1}=1$, $\overline{A_1D_1}=2$인 직사각형 $A_1B_1C_1D_1$이 있다.

선분 A_1D_1 위의 $\overline{B_1C_1}=\overline{B_1E_1}$, $\overline{C_1B_1}=\overline{C_1F_1}$인 두 점 E_1, F_1에 대하여 중심이 B_1인 부채꼴 $B_1E_1C_1$과 중심이 C_1인 부채꼴 $C_1F_1B_1$을 각각 직사각형 $A_1B_1C_1D_1$ 내부에 그리고, 선분 B_1E_1과 선분 C_1F_1의 교점을 G_1이라 하자. 두 선분 G_1F_1, G_1B_1과 호 F_1B_1로 둘러싸인 부분과 두 선분 G_1E_1, G_1C_1과 호 E_1C_1로 둘러싸인 부분인 모양의 도형에 색칠하여 얻은 그림을 R_1이라 하자.

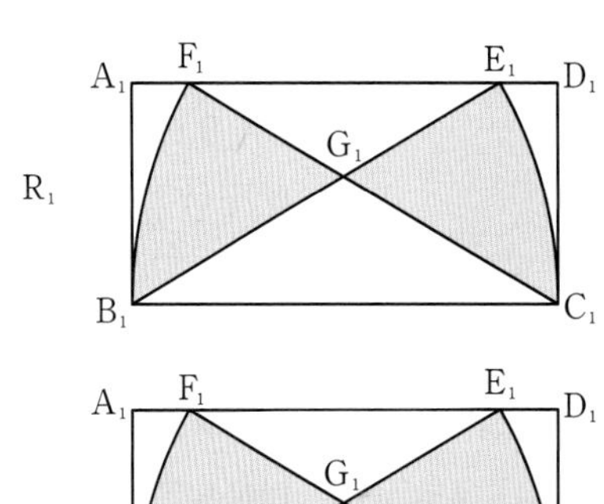

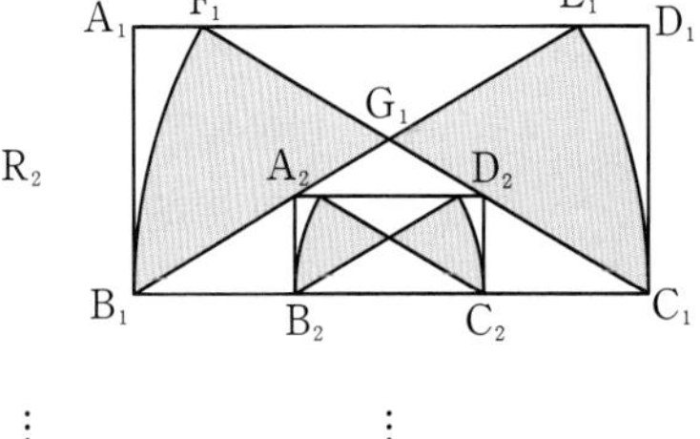

⋮ ⋮

그림 R_1에서 선분 B_1G_1 위의 점 A_2, 선분 C_1G_1 위의 점 D_2와 선분 B_1C_1 위의 두 점 B_2, C_2를 꼭짓점으로 하고 $\overline{A_2B_2}:\overline{A_2D_2}=1:2$인 직사각형 $A_2B_2C_2D_2$를 그리고, 그림 R_1을 얻는 것과 같은 방법으로 직사각형 $A_2B_2C_2D_2$ 내부에 모양의 도형을 그리고 색칠하여 얻은 그림을 R_2라 하자. 이와 같은 과정을 계속하여 n번째 얻은 그림 R_n에 색칠되어 있는 부분의 넓이를 S_n이라 할 때, $\lim_{n\to\infty} S_n$의 값은?

① $\dfrac{3\sqrt{3}\pi-7}{9}$ ② $\dfrac{4\sqrt{3}\pi-12}{9}$ ③ $\dfrac{3\sqrt{3}\pi-5}{9}$

④ $\dfrac{4\sqrt{3}\pi-10}{9}$ ⑤ $\dfrac{4\sqrt{3}\pi-8}{9}$

정답 0153 : (1) $\dfrac{9\sqrt{3}+6\pi}{16}$ (2) ②

발전문제 0154 다음 물음에 답하여라.

2019년 10월 교육청

(1) 오른쪽 그림과 같이 $\overline{AB}=2$, $\overline{BC}=4$이고 $\angle ABC=60°$인 삼각형 ABC가 있다. 사각형 $D_1BE_1F_1$이 마름모가 되도록 세 선분 AB, BC, CA 위에 각각 점 D_1, E_1, F_1을 잡고, 마름모 $D_1BE_1F_1$의 내부와 중심이 B인 부채꼴 BE_1D_1의 외부의 공통부분에 색칠하여 얻은 그림을 R_1이라 하자.
그림 R_1에서 사각형 $D_2E_1E_2F_2$가 마름모가 되도록 세 선분 F_1E_1, E_1C, CF_1 위에 각각 점 D_2, E_2, F_2를 잡고, 마름모 $D_2E_1E_2F_2$의 내부와 중심이 E_1인 부채꼴 $E_1E_2D_2$의 외부의 공통부분에 색칠하여 얻은 그림을 R_2라 하자.
이와 같은 과정을 계속하여 n번째 얻은 그림 R_n에 색칠되어 있는 부분의 넓이를 S_n이라 할 때, $\lim_{n\to\infty} S_n$의 값은?

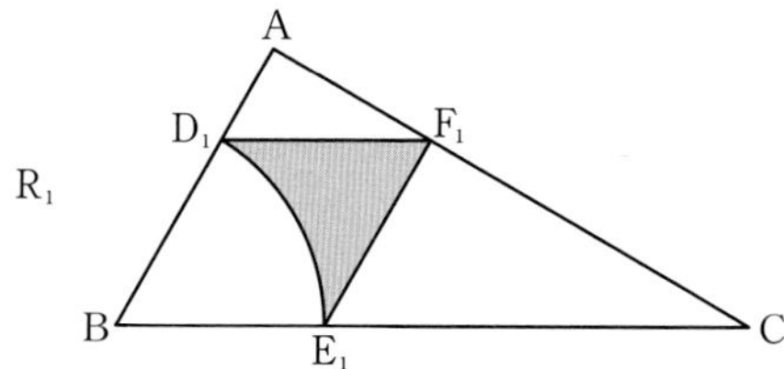

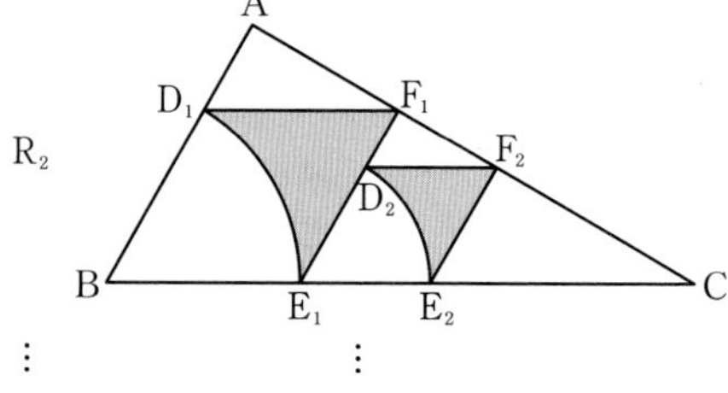

① $\frac{4(3\sqrt{3}-\pi)}{15}$ ② $\frac{4(3\sqrt{3}-\pi)}{9}$ ③ $\frac{8(3\sqrt{3}-\pi)}{15}$

④ $\frac{2(3\sqrt{3}-\pi)}{3}$ ⑤ $\frac{8(3\sqrt{3}-\pi)}{9}$

2019학년도 09월 평가원

(2) 오른쪽 그림과 같이 $\overline{A_1B_1}=3$, $\overline{B_1C_1}=1$인 직사각형 $OA_1B_1C_1$이 있다. 중심이 C_1이고 반지름의 길이가 $\overline{B_1C_1}$인 원과 선분 OC_1의 교점을 D_1, 중심이 O이고 반지름의 길이가 $\overline{OD_1}$인 원과 선분 A_1B_1의 교점을 E_1이라 하자. 직사각형 $OA_1B_1C_1$에 호 B_1D_1, 호 D_1E_1, 선분 B_1E_1로 둘러싸인 ◸ 모양의 도형을 그리고, 색칠하여 얻은 그림을 R_1이라 하자.
그림 R_1에 선분 OA_1 위의 점 A_2와 호 D_1E_1 위의 점 B_2, 선분 OD_1 위의 점 C_2와 점 O를 꼭짓점으로 하고 $\overline{A_2B_2}:\overline{B_2C_2}=3:1$인 직사각형 $OA_2B_2C_2$를 그리고, 그림 R_1을 얻은 것과 같은 방법으로 직사각형 $OA_2B_2C_2$에 ◸ 모양의 도형을 그리고 색칠하여 얻은 그림을 R_2라 하자. 이와 같은 과정을 계속하여 n번째 얻은 그림 R_n에 색칠되어 있는 부분의 넓이를 S_n이라 할 때, $\lim_{n\to\infty} S_n$의 값은?

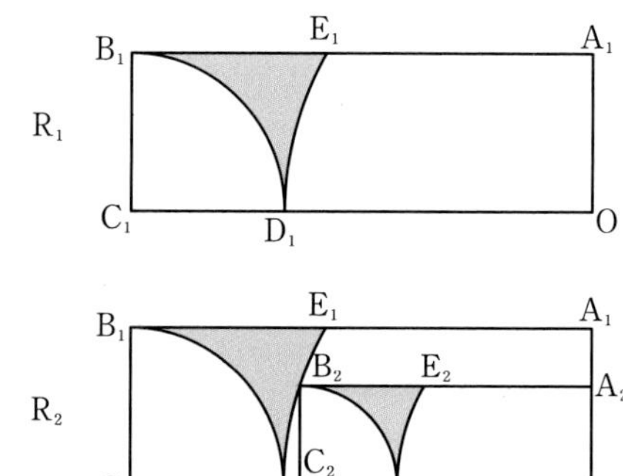

① $4-\frac{2\sqrt{3}}{3}-\frac{7}{9}\pi$ ② $5-\frac{5\sqrt{3}}{6}-\frac{35}{36}\pi$ ③ $6-\sqrt{3}-\frac{7}{6}\pi$

④ $7-\frac{7\sqrt{3}}{6}-\frac{49}{36}\pi$ ⑤ $8-\frac{4\sqrt{3}}{3}-\frac{14}{9}\pi$

정답 0154 : (1) ③ (2) ②

마플개념익힘 07 개수가 변화하는 등비급수의 활용

2012학년도 수능기출

반지름의 길이가 1인 원이 있다. 그림과 같이 가로의 길이와 세로의 길이의 비가 3 : 1인 직사각형을 이 원에 내접하도록 그리고, 원의 내부와 직사각형의 외부의 공통부분에 색칠하여 얻은 그림을 R_1이라 하자.
아래 그림 R_1에서 직사각형의 세 변에 접하도록 원 2개를 그린다. 새로 그려진 각 원에 그림 R_1을 얻는 것과 같은 방법으로 직사각형을 그리고 색칠하여 얻은 그림을 R_2라 하자.
아래 그림 R_2에서 새로 그려진 직사각형의 세 변에 접하도록 원 4개를 그린다. 새로 그려진 각 원에 그림 R_1을 얻는 것과 같은 방법으로 직사각형을 그리고 색칠하여 얻은 그림을 R_3라 하자.
이와 같은 과정을 계속하여 n번째 얻은 그림 R_n에서 색칠된 부분의 넓이를 S_n이라 할 때, $\lim_{n\to\infty} S_n$의 값은?

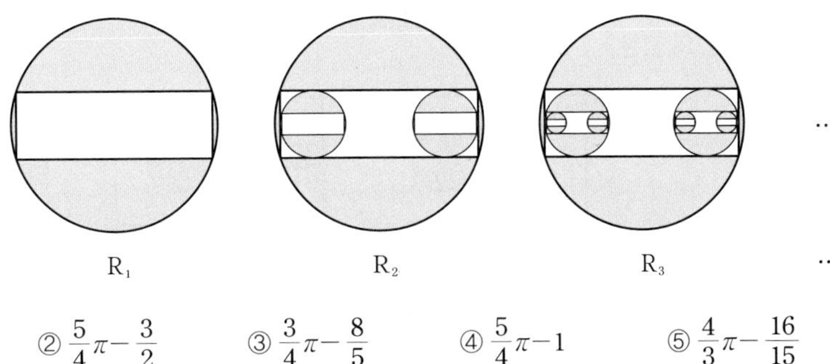

① $\frac{5}{4}\pi-\frac{5}{3}$ ② $\frac{5}{4}\pi-\frac{3}{2}$ ③ $\frac{3}{4}\pi-\frac{8}{5}$ ④ $\frac{5}{4}\pi-1$ ⑤ $\frac{4}{3}\pi-\frac{16}{15}$

MAPL CORE 닮음인 도형의 개수가 일정한 비율로 늘어나는 경우 도형의 길이, 넓이의 급수를 구하는 방법은 다음과 같은 순서로 구한다.
[1단계] 첫째항(길이, 넓이) l_1, S_1을 구한다.
[2단계] 첫 번째, 두 번째로 그려지는 도형의 닮음비가 $a : b(a>b)$인 도형의 개수가 p배씩 늘어날 때, 공비는 다음과 같다.

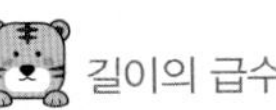

 길이의 급수의 공비는 $\frac{b}{a}\times p$, 넓이의 급수의 공비는 $\frac{b^2}{a^2}\times p$

[3단계] $\sum_{n=1}^{\infty} l_n=\dfrac{l_1}{1-\frac{b}{a}\times p}$, $\sum_{n=1}^{\infty} S_n=\dfrac{S_1}{1-\frac{b^2}{a^2}\times p}$

개념익힘 | **풀이** 원에 내접하는 직사각형의 가로, 세로의 길이를 각각 $3a$, a라 하면
직사각형의 대각선의 길이가 2이므로 $a^2+(3a)^2=2^2$, $10a^2=4$

$\therefore a=\sqrt{\frac{2}{5}}=\frac{\sqrt{10}}{5}\ (\because a>0)$

$\therefore S_1=\pi-3a^2=\pi-\frac{6}{5}$

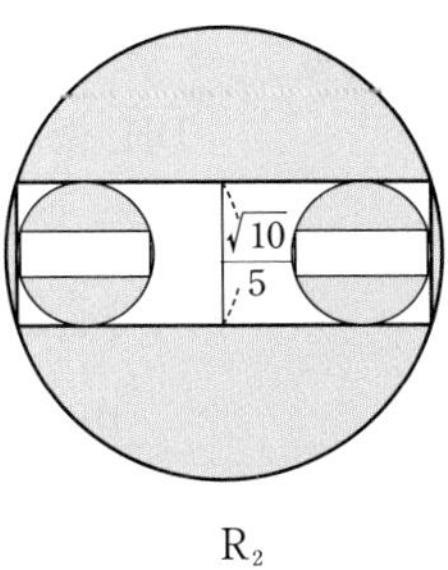

그림 R_2에서 새로 그려진 원의 지름의 길이는 $a=\frac{\sqrt{10}}{5}$

그림 R_1, R_2의 원의 지름의 길이를 비교하면 닮음비는

$2 : \frac{\sqrt{10}}{5}=1 : \frac{\sqrt{10}}{10}$이므로 넓이의 비는 $1 : \frac{1}{10}$이고 공비는 $\frac{1}{10}$

각 그림에서 새로 그려진 원의 색칠된 부분은 개수가 2배씩 늘어나므로 공비는 $2\times\frac{1}{10}=\frac{1}{5}$

공비가 $\frac{1}{10}$인 등비수열을 이루고 새로 그려진 원의 개수는 $1, 2, 2^2, \cdots$인 등비수열을 이루므로,

따라서 $\lim_{n\to\infty} S_n$은 첫째항이 $S_1=\pi-\frac{6}{5}$이고 공비가 $\frac{1}{5}$인 등비급수이므로

$$\lim_{x\to\infty} S_n=\frac{\pi-\frac{6}{5}}{1-\frac{1}{5}}=\frac{5\pi-6}{4}=\mathbf{\frac{5}{4}\pi-\frac{3}{2}}$$

확인유제 0155 2016학년도 수능기출

그림과 같이 한 변의 길이가 5인 정사각형 ABCD의 대각선 BD의 5등분점을 점 B에서 가까운 순서대로 각각 P_1, P_2, P_3, P_4라 하고, 선분 BP_1, P_2P_3, P_4D를 각각 대각선으로 하는 정사각형과 선분 P_1P_2, P_3P_4를 각각 지름으로 하는 원을 그린 후, 모양의 도형에 색칠하여 얻은 그림을 R_1이라 하자.

그림 R_1에서 선분 P_2P_3을 대각선으로 하는 정사각형의 꼭짓점 중 점 A와 가장 가까운 점을 Q_1, 점 C와 가장 가까운 점을 Q_2라 하자. 선분 AQ_1을 대각선으로 하는 정사각형과 선분 CQ_2를 대각선으로 하는 정사각형을 그리고, 새로 그려진 2개의 정사각형 안에 그림 R_1을 얻는 것과 같은 방법으로 모양의 도형을 각각 그리고 색칠하여 얻은 그림을 R_2라 하자. 그림 R_2에서 선분 AQ_1을 대각선으로 하는 정사각형과 선분 CQ_2를 대각선으로 하는 정사각형에 그림 R_1에서 그림 R_2를 얻는 것과 같은 방법으로 모양의 도형을 각각 그리고 색칠하여 얻은 그림을 R_3이라 하자. 이와 같은 과정을 계속하여 n번째 얻은 그림 R_n에 색칠되어 있는 부분의 넓이를 S_n이라 할 때, $\lim_{n\to\infty} S_n$의 값은?

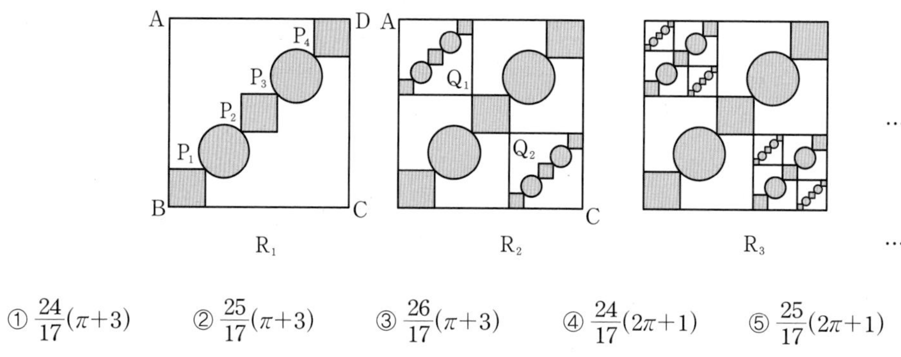

① $\frac{24}{17}(\pi+3)$ ② $\frac{25}{17}(\pi+3)$ ③ $\frac{26}{17}(\pi+3)$ ④ $\frac{24}{17}(2\pi+1)$ ⑤ $\frac{25}{17}(2\pi+1)$

변형문제 0156 2020학년도 09월 평가원

그림과 같이 중심이 O, 반지름의 길이가 2이고 중심각의 크기가 90°인 부채꼴 OAB가 있다. 선분 OA의 중점을 C, 선분 OB의 중점을 D라 하자. 점 C를 지나고 선분 OB와 평행한 직선이 호 AB와 만나는 점을 E, 점 D를 지나고 선분 OA와 평행한 직선이 호 AB와 만나는 점을 F라 하자.

선분 CE와 선분 DF가 만나는 점을 G, 선분 OE와 선분 DG가 만나는 점을 H, 선분 OF와 선분 CG가 만나는 점을 I라 하자. 사각형 OIGH를 색칠하여 얻은 그림을 R_1이라 하자.

그림 R_1에 중심이 C, 반지름의 길이가 $\overline{CI}$, 중심각의 크기가 90°인 부채꼴 CJI와 중심이 D, 반지름의 길이가 $\overline{DH}$, 중심각의 크기가 90°인 부채꼴 DHK를 그린다. 두 부채꼴 CJI, DHK에 그림 R_1을 얻는 것과 같은 방법으로 두 개의 사각형을 그리고, 색칠하여 얻은 그림을 R_2라 하자.

이와 같은 과정을 계속하여 n번째 얻은 그림 R_n에 색칠되어 있는 부분의 넓이를 S_n이라 할 때, $\lim_{n\to\infty} S_n$의 값은?

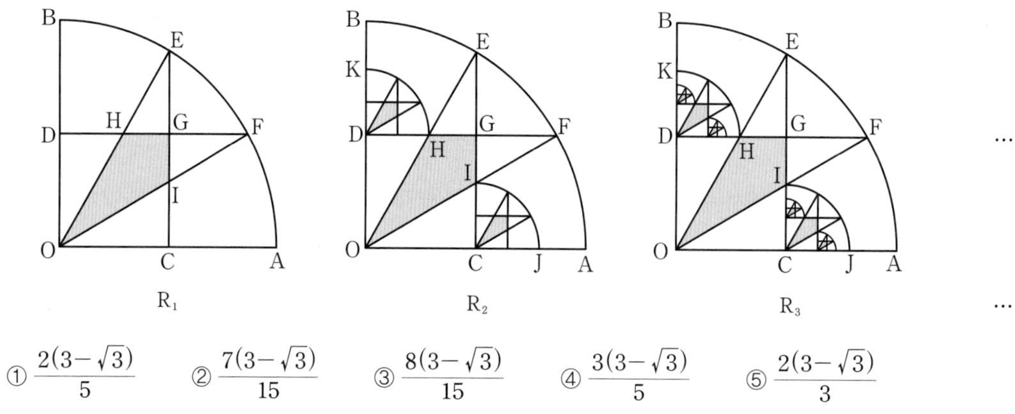

① $\frac{2(3-\sqrt{3})}{5}$ ② $\frac{7(3-\sqrt{3})}{15}$ ③ $\frac{8(3-\sqrt{3})}{15}$ ④ $\frac{3(3-\sqrt{3})}{5}$ ⑤ $\frac{2(3-\sqrt{3})}{3}$

정답 0155 : ② 0156 : ①

발전문제 0157 다음 물음에 답하여라.

2017학년도 수능기출

(1) 그림과 같이 길이가 4인 선분 AB를 지름으로 하는 원 O가 있다. 원의 중심을 C라 하고, 선분 AC의 중점과 선분 BC의 중점을 각각 D, P라 하자. 선분 AC의 수직이등분선과 선분 BC의 수직이등분선이 원 O의 위쪽 반원과 만나는 점을 각각 E, Q라 하자. 선분 DE를 한 변으로 하고 원 O와 점 A에서 만나며 선분 DF가 대각선인 정사각형 DEFG를 그리고, 선분 PQ를 한 변으로 하고 원 O와 점 B에서 만나며 선분 PR이 대각선인 정사각형 PQRS를 그린다. 원 O의 내부와 정사각형 DEFG의 내부의 공통부분인 모양의 도형과 원 O의 내부와 정사각형 PQRS의 내부의 공통부분인 모양의 도형에 색칠하여 얻은 그림을 R_1이라 하자.
그림 R_1에서 점 F를 중심으로 하고 반지름의 길이가 $\frac{1}{2}\overline{DE}$인 원 O_1, 점 R을 중심으로 하고 반지름의 길이가 $\frac{1}{2}\overline{PQ}$인 원 O_2를 그린다. 두 원 O_1, O_2에 각각 그림 R_1을 얻은 것과 같은 방법으로 만들어지는 모양의 2개의 도형과 모양의 2개의 도형에 색칠하여 얻은 그림을 R_2라 하자. 이와 같은 과정을 계속하여 n번째 얻은 그림 R_n에 색칠되어 있는 부분의 넓이를 S_n이라 할 때, $\lim_{n\to\infty} S_n$의 값은?

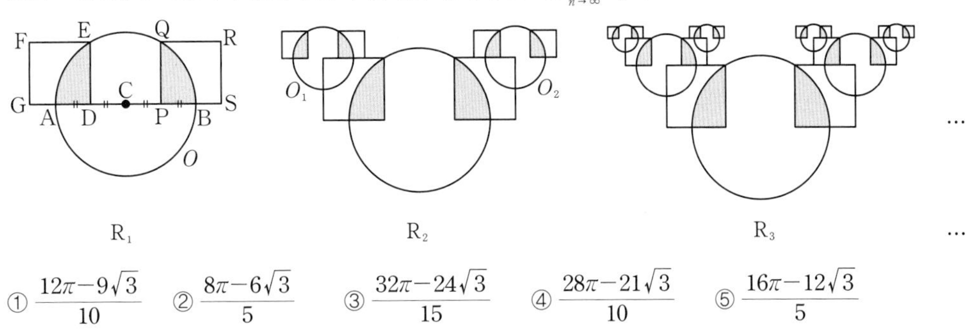

① $\frac{12\pi-9\sqrt{3}}{10}$ ② $\frac{8\pi-6\sqrt{3}}{5}$ ③ $\frac{32\pi-24\sqrt{3}}{15}$ ④ $\frac{28\pi-21\sqrt{3}}{10}$ ⑤ $\frac{16\pi-12\sqrt{3}}{5}$

2016학년도 09월 평가원

(2) 그림과 같이 한 변의 길이 6인 정삼각형 ABC가 있다. 정삼각형 ABC의 외심을 O라 할 때, 중심이 A이고 반지름의 길이가 $\overline{AO}$인 원을 O_A, 중심이 B이고 반지름의 길이가 $\overline{BO}$인 원을 O_B, 중심이 C이고 반지름의 길이가 $\overline{CO}$인 원을 O_C라 하자.
원 O_A와 원 O_B의 내부의 공통부분, 원 O_A와 원 O_C의 내부의 공통부분, 원 O_B와 원 O_C의 내부의 공통부분 중 삼각형 ABC내부에 있는 모양의 도형에 색칠하여 얻은 그림을 R_1이라 하자.
그림 R_1에 원 O_A가 두 선분 AB, AC와 만나는 점을 각각 D, E, 원 O_B가 두 선분 AB, BC와 만나는 점을 각각 F, G, 원 O_C가 두 선분 BC, AC와 만나는 점을 각각 H, I라 하고, 세 정삼각형 AFI, BHD, CEG에서 R_1을 얻는 과정과 같은 방법으로 각각 만들어지는 모양의 도형 3개에 색칠하여 얻은 그림을 R_2라 하자. 그림 R_2에 새로 만들어진 세 개의 정삼각형에 각각 R_1에서 R_2를 얻는 과정과 같은 방법으로 만들어지는 모양의 도형 9개에 색칠하여 얻은 그림을 R_3이라 하자. 이와 같은 과정을 계속하여 n번째 얻은 그림 R_n에 색칠되어 있는 부분의 넓이를 S_n이라 할 때, $\lim_{n\to\infty} S_n$의 값은?

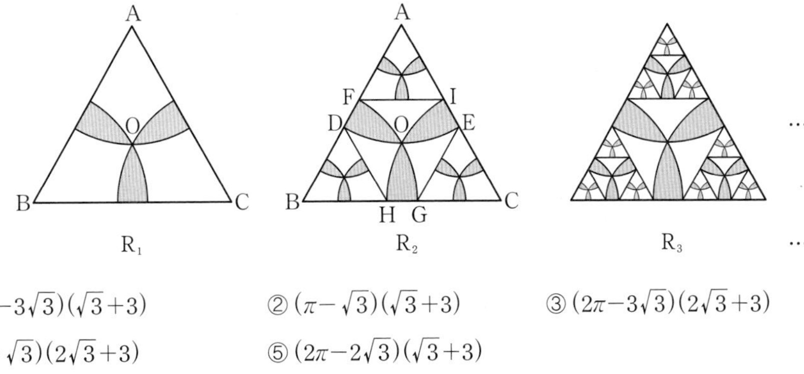

① $(2\pi-3\sqrt{3})(\sqrt{3}+3)$ ② $(\pi-\sqrt{3})(\sqrt{3}+3)$ ③ $(2\pi-3\sqrt{3})(2\sqrt{3}+3)$
④ $(\pi-\sqrt{3})(2\sqrt{3}+3)$ ⑤ $(2\pi-2\sqrt{3})(\sqrt{3}+3)$

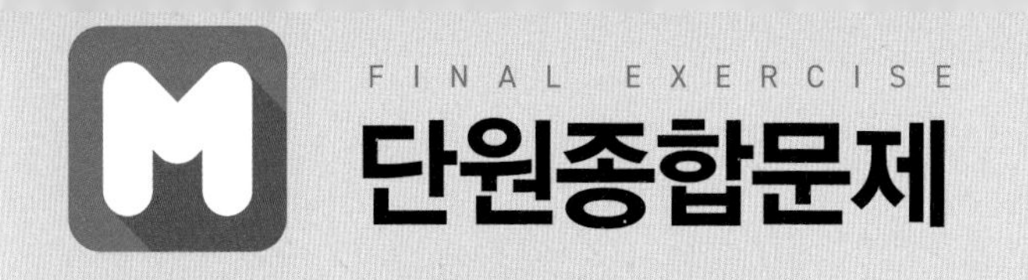

정답 0157 : (1) ③ (2) ③

BASIC
내신 수능 기본 대표 기출문제

0158
급수의 성질
2015학년도 수능기출

다음 물음에 답하여라.

(1) 두 수열 $\{a_n\}$, $\{b_n\}$에 대하여 $\sum_{n=1}^{\infty} a_n=4$, $\sum_{n=1}^{\infty} b_n=10$일 때, $\sum_{n=1}^{\infty}(a_n+5b_n)$의 값은?

① 6　② 14　③ 25　④ 35　⑤ 54

(2) 두 급수 $\sum_{n=1}^{\infty} a_n$, $\sum_{n=1}^{\infty} b_n$이 수렴하고 $\sum_{n=1}^{\infty}(a_n-3b_n)=10$, $\sum_{n=1}^{\infty}(3a_n-2b_n)=9$일 때, $\sum_{n=1}^{\infty}(a_n-b_n)$의 값은?

① 1　② 2　③ 3　④ 4　⑤ 5

(3) 두 수열 $\{a_n\}$, $\{b_n\}$에 대하여 $\sum_{n=1}^{\infty}(a_n+2b_n)=10$, $\sum_{n=1}^{\infty}(b_n-2a_n)=15$일 때, $\sum_{n=1}^{\infty}(a_n+b_n)$의 값은?

① 1　② 3　③ 5　④ 7　⑤ 9

0159
급수의 계산
2006년 04월 교육청

다음 물음에 답하여라.

(1) 정수 a, b에 대하여 $\sum_{n=1}^{\infty}\frac{1}{n(n+2)}=2^a\times3^b$가 성립할 때, a^2+b^2의 값은?

① 3　② 4　③ 5　④ 6　⑤ 8

(2) 급수 $\sum_{n=1}^{\infty}\frac{2022}{4n^2-1}$의 값은?

① 1007　② 1009　③ 1010　④ 1011　⑤ 2010

0160
급수의 활용
2015학년도 09월 평가원

자연수 n에 대하여 $3^n\times5^{n+1}$의 모든 양의 약수의 개수를 a_n이라 할 때, $\sum_{n=1}^{\infty}\frac{1}{a_n}$의 값은?

① $\frac{1}{2}$　② $\frac{7}{12}$　③ $\frac{2}{3}$　④ $\frac{3}{4}$　⑤ $\frac{5}{6}$

0161
급수의 활용
2005학년도 12월 평가원
내신빈출

다음 물음에 답하여라.

(1) 수열 $\{a_n\}$에 대하여 다항식 $a_nx^2+a_nx+2$를 $x-n$으로 나눈 나머지가 25일 때, 급수 $\sum_{n=1}^{\infty} a_n$의 값을 구하여라.

(2) 모든 자연수 n에 대하여 x에 관한 이차방정식 $x^2+(2n-1)x+n^2=0$의 두 근이 α_n, $\beta_n(\alpha_n>\beta_n)$일 때,

$\sum_{n=1}^{\infty}\frac{1}{(\alpha_n-1)(\beta_n-1)}$의 값을 구하여라.

0162
급수의 수렴
내신빈출

수렴하는 급수만을 [보기]에서 있는 대로 고른 것은?

ㄱ. $\sum_{n=1}^{\infty}\frac{1}{n(n+1)}$　ㄴ. $\sum_{n=1}^{\infty}\frac{n+2}{3n-1}$　ㄷ. $\sum_{n=1}^{\infty}\frac{1}{\sqrt{n+1}+\sqrt{n}}$　ㄹ. $\sum_{n=1}^{\infty}\frac{n^2}{1+2+3+\cdots+n}$

① ㄱ　② ㄴ, ㄹ　③ ㄴ, ㄷ　④ ㄱ, ㄴ, ㄹ　⑤ ㄴ, ㄷ, ㄹ

정답 0158 : (1) ⑤ (2) ④ (3) ②　0159 : (1) ③ (2) ④　0160 : ①　0161 : (1) 23 (2) $\frac{3}{4}$　0162 : ①

0163

급수와 일반항 사이의 관계

다음 물음에 답하여라.

(1) 수열 $\{a_n\}$의 첫째항부터 제 n항까지의 합을 S_n이라 하자. $\lim_{n\to\infty} S_n=7$일 때, $\lim_{n\to\infty}(2a_n+3S_n)$의 값은?

① 7 ② 14 ③ 21 ④ 28 ⑤ 32

(2) 수열 $\{a_n\}$에 대하여 $\sum_{n=1}^{\infty} a_n=5$이고 첫째항부터 제 n항까지의 합을 S_n이라 할 때, $\lim_{n\to\infty}\frac{2S_n+a_n+2}{S_{n-1}-a_n-3}$의 값은?

① 2 ② 3 ③ 4 ④ 5 ⑤ 6

0164

급수와 일반항의 관계 2015학년도 06월 평가원

다음 물음에 답하여라.

(1) 수열 $\{a_n\}$에 대하여 급수 $\sum_{n=1}^{\infty}\left(a_n-\frac{5n}{n+1}\right)$이 수렴할 때, $\lim_{n\to\infty} a_n$의 값은?

① -5 ② -1 ③ 0 ④ 1 ⑤ 5

2017년 09월 교육청

(2) 수열 $\{a_n\}$에 대하여 급수 $\sum_{n=1}^{\infty}\left(a_n-\frac{7n}{3n+2}\right)$이 수렴할 때, $\lim_{n\to\infty}\frac{(3n+5)a_n}{n+3}$의 값은?

① 5 ② 6 ③ 7 ④ 8 ⑤ 9

0165

급수와 수열의 극한 사이의 관계

다음 물음에 답하여라.

(1) 수렴하는 두 수열 $\{a_n\}$, $\{b_n\}$이 모든 자연수 n에 대하여 $\lim_{n\to\infty}(a_n+b_n)=6$, $\sum_{n=1}^{\infty}(2a_n-b_n)=5$일 때, $\lim_{n\to\infty} a_nb_n$의 값은?

① 8 ② 10 ③ 14 ④ 12 ⑤ 16

2013년 03월 교육청

(2) 두 수열 $\{a_n\}$, $\{b_n\}$에 대하여 $\lim_{n\to\infty}\frac{a_n}{n}=1$, $\sum_{n=1}^{\infty}\frac{b_n}{n}=2$일 때, $\lim_{n\to\infty}\frac{a_n+4n}{b_n+3n-2}$의 값은?

① 1 ② $\frac{4}{3}$ ③ $\frac{5}{3}$ ④ 2 ⑤ $\frac{7}{3}$

0166

급수와 수열의 극한 사이의 관계 2013년 03월 교육청

다음 물음에 답하여라.

(1) 수열 $\{a_n\}$에 대하여 급수 $\sum_{n=1}^{\infty}\frac{a_n-n}{n}$이 수렴할 때, $\lim_{n\to\infty}\frac{5n+a_n}{5n-a_n}$의 값은?

① $\frac{1}{2}$ ② $\frac{3}{4}$ ③ 1 ④ $\frac{5}{4}$ ⑤ $\frac{3}{2}$

(2) 수열 $\{a_n\}$에 대하여 급수 $\sum_{n=1}^{\infty}\left(\frac{a_n}{n}-1\right)$이 수렴할 때, $\lim_{n\to\infty}\frac{a_n+3}{2n+1}$의 값은?

① $\frac{1}{6}$ ② $\frac{1}{2}$ ③ $\frac{3}{4}$ ④ 1 ⑤ $\frac{5}{4}$

0167

급수와 수열의 극한 사이의 관계 2014년 11월 교육청

다음 물음에 답하여라.

(1) 수열 $\{a_n\}$에 대하여 급수 $\sum_{n=1}^{\infty}\left(a_n-\frac{2n}{n+1}\right)$이 수렴할 때, $\lim_{n\to\infty}(2a_n^2+3a_n-1)$의 값은?

① 11 ② 13 ③ 15 ④ 17 ⑤ 19

2013학년도 수능기출

(2) 수열 $\{a_n\}$에 대하여 급수 $\sum_{n=1}^{\infty}\left(na_n-\frac{n^2+1}{2n+1}\right)=3$일 때, $\lim_{n\to\infty}(a_n^2+2a_n+2)$의 값은?

① $\frac{13}{4}$ ② 3 ③ $\frac{11}{4}$ ④ $\frac{5}{2}$ ⑤ $\frac{9}{4}$

정답 0163 : (1) ③ (2) ⑤ 0164 : (1) ⑤ (2) ③ 0165 : (1) ① (2) ③ 0166 : (1) ⑤ (2) ② 0167 : (1) ② (2) ①

0168

등비급수 계산
내신빈출

$\sum_{n=1}^{\infty}\frac{1+3+3^2+\cdots+3^{n-1}}{5^n}$의 합은?

① $\frac{1}{8}$ ② $\frac{3}{8}$ ③ $\frac{5}{8}$ ④ $\frac{9}{8}$ ⑤ $\frac{21}{8}$

0169

등비급수의 수렴 조건과 삼각함수의 성질
2005학년도 12월 평가원

다음 물음에 답하여라.

(1) $0<\theta<\pi$일 때, $\sum_{n=1}^{\infty}(\cos\theta)^{2n-1}=\frac{2}{3}$를 만족시키는 θ의 값은?

① $\frac{\pi}{6}$ ② $\frac{\pi}{4}$ ③ $\frac{\pi}{3}$ ④ $\frac{\pi}{2}$ ⑤ $\frac{2}{3}\pi$

2006년 04월 교육청

(2) $0<\theta<\frac{\pi}{2}$에 대하여 $\sum_{n=1}^{\infty}\cos^2\theta(\sin\theta)^{n-1}=\frac{18}{13}$을 만족시킬 때, $24\tan\theta$의 값은?

① 6 ② 8 ③ 10 ④ 12 ⑤ 14

0170

등비급수의 계산
내신빈출

두 등비수열 $\{a_n\}$, $\{b_n\}$에 대하여 $a_1=b_1=2$이고 $\sum_{n=1}^{\infty}a_n=5$, $\sum_{n=1}^{\infty}b_n=6$일 때, $\sum_{n=1}^{\infty}a_nb_n$의 값은?

① $\frac{17}{3}$ ② $\frac{19}{3}$ ③ $\frac{20}{3}$ ④ 7 ⑤ 9

0171

급수와 일반항의 관계
2008학년도 수능기출

다음 물음에 답하여라.

(1) 수열 $\{a_n\}$에 대하여 $\sum_{n=1}^{\infty}\frac{a_n}{4^n}=2$일 때, $\lim_{n\to\infty}\frac{a_n+4^{n+1}-3^{n-1}}{4^{n-1}+3^{n+1}}$의 값은?

① 12 ② 14 ③ 15 ④ 16 ⑤ 20

(2) 모든 항이 양수인 수열 $\{a_n\}$에 대하여 급수 $\sum_{n=1}^{\infty}\left(2-\frac{a_n}{3^n}\right)$이 수렴 할 때, $\lim_{n\to\infty}\frac{4a_n-3^{n+1}}{3a_n+2^n}$의 값은?

① $\frac{1}{3}$ ② $\frac{1}{2}$ ③ $\frac{2}{3}$ ④ $\frac{4}{3}$ ⑤ $\frac{5}{6}$

2011학년도 06월 평가원

(3) 모든 항이 양수인 수열 $\{a_n\}$에 대하여 $\sum_{n=1}^{\infty}(3^na_n-2)$가 수렴할 때, $\lim_{n\to\infty}\frac{6a_n+5\cdot 4^{-n}}{a_n+3^{-n}}$의 값은?

① 2 ② 3 ③ 4 ④ 5 ⑤ 6

0172

등비급수의 수렴조건
2013학년도 09월 평가원

다음 물음에 답하여라.

(1) 등비급수 $\sum_{n=1}^{\infty}\left(\frac{2x-5}{7}\right)^n$이 수렴하기 위한 모든 정수 x의 값의 합은?

① 12 ② 13 ③ 14 ④ 15 ⑤ 16

(2) 등비급수 $\sum_{n=1}^{\infty}\left(\frac{2a-1}{6}\right)^n$이 수렴하도록 하는 모든 정수 a의 개수는?

① 3 ② 4 ③ 5 ④ 6 ⑤ 7

0173

등비급수의 수렴조건
2008년 04월 교육청

다음 물음에 답하여라.

(1) 급수 $\sum_{n=1}^{\infty}(x+1)\left(1-\frac{x}{4}\right)^{n-1}$이 수렴하도록 하는 모든 정수 x의 개수는?

① 4 ② 5 ③ 6 ④ 7 ⑤ 8

(2) 급수 $\sum_{n=1}^{\infty}(x^2-25)\left(\frac{x-2}{3}\right)^{n-1}$이 수렴하도록 하는 모든 정수 x의 개수는?

① 4 ② 5 ③ 6 ④ 7 ⑤ 8

정답 0168 : ③ 0169 : (1) ③ (2) ③ 0170 : ③ 0171 : (1) ④ (2) ⑤ (3) ③ 0172 : (1) ④ (2) ④ 0173 : (1) ⑤ (2) ④

0174

등비수열과 등비급수의 수렴조건

다음 물음에 답하여라.

(1) 등비수열 $\left\{\left(\frac{x}{2}-1\right)^n\right\}$과 등비급수 $\sum_{n=1}^{\infty}\left(\frac{x-4}{3}\right)^{n-1}$이 동시에 수렴하도록 하는 실수 x의 값의 범위는?

① $1<x\le 2$ ② $1<x\le 3$ ③ $2\le x<5$
④ $1<x\le 4$ ⑤ $1<x\le 5$

(2) 수열 $\{(1-\log_2 x)^n\}$과 등비급수 $1+\frac{x}{3}+\left(\frac{x}{3}\right)^2+\left(\frac{x}{3}\right)^3+\cdots$이 모두 수렴하도록 하는 x의 값의 범위는?

① $-3<x\le 2$ ② $1<x\le 3$ ③ $1\le x<3$
④ $-2<x\le 1$ ⑤ $-3<x\le 1$

0175

등비급수의 계산
내신빈출

다음 중 급수의 합이 큰 것부터 나열하면?

$A=\sum_{n=1}^{\infty}\frac{3^n+(-2)^n}{4^n}$ $B=\sum_{n=1}^{\infty}\left(\frac{1}{2^n}-\frac{1}{4^n}\right)$ $C=\sum_{n=1}^{\infty}(2^{n+1}-1)\left(\frac{1}{4}\right)^n$

① $A>B>C$ ② $A>C>B$ ③ $C>B>A$ ④ $C>A>B$ ⑤ $B>C>A$

0176

등비급수의 계산

다음 물음에 답하여라.

(1) 첫째항이 3인 등비수열 $\{a_n\}$에 대하여 $\sum_{n=1}^{\infty}a_n=\frac{15}{4}$일 때, $\sum_{n=1}^{\infty}a_{2n}$의 값은?

① $\frac{2}{3}$ ② $\frac{3}{4}$ ③ $\frac{4}{5}$ ④ $\frac{5}{8}$ ⑤ $\frac{6}{7}$

(2) 첫째항이 4인 등비수열 $\{a_n\}$에 대하여 $\sum_{n=1}^{\infty}a_n=\frac{16}{3}$일 때, $\sum_{n=1}^{\infty}\sqrt{a_n}$의 값은?

① 2 ② 3 ③ 4 ④ 5 ⑤ 6

0177

등비급수의 계산
2015학년도 수능기출

다음 물음에 답하여라.

(1) 등비수열 $\{a_n\}$에 디하여 a_1-3, $a_2=1$일 때, $\sum_{n=1}^{\infty}{a_n}^2$의 값은?

① $\frac{81}{8}$ ② $\frac{83}{8}$ ③ $\frac{85}{8}$ ④ $\frac{87}{8}$ ⑤ $\frac{89}{8}$

2017년 03월 교육청

(2) 수열 $\{a_n\}$이 모든 자연수 n에 대하여 $a_1=3$, $a_{n+1}=\frac{2}{3}a_n$을 만족시킬 때, $\sum_{n=1}^{\infty}a_{2n-1}$의 값은?

① $\frac{3}{2}$ ② $\frac{9}{5}$ ③ $\frac{27}{5}$ ④ $\frac{81}{5}$ ⑤ $\frac{27}{2}$

0178

등비급수의 계산
내신빈출

다음 물음에 답하여라.

(1) 등비수열 $\{a_n\}$에 대하여 $a_1+a_2=18$, $a_2+a_3=9$일 때, 급수 $\sum_{n=1}^{\infty}a_n$의 값은?

① 6 ② 12 ③ 18 ④ 24 ⑤ 36

(2) 등비수열 $\{a_n\}$에 대하여 $a_1+a_3=10$, $a_2+a_4=5$일 때, $\sum_{n=1}^{\infty}a_na_{n+2}$의 값은?

① $\frac{52}{3}$ ② $\frac{58}{3}$ ③ $\frac{61}{3}$ ④ $\frac{64}{3}$ ⑤ $\frac{72}{3}$

정답 0174 : (1) ④ (2) ③ 0175 : ② 0176 : (1) ④ (2) ③ 0177 : (1) ① (2) ③ 0178 : (1) ④ (2) ④

0179 나머지 정리와 등비급수의 계산 내신빈출

다음 물음에 답하여라.

(1) 자연수 n에 대하여 다항식 x^2+2x를 $2^n x-1$로 나눈 나머지를 a_n이라 할 때, $\sum_{n=1}^{\infty} a_n$의 값은?

① $\frac{3}{2}$　② $\frac{5}{3}$　③ 2　④ $\frac{7}{3}$　⑤ 3

(2) 자연수 n에 대하여 다항식 $x^n(5x^n+3x)$를 $3x-2$로 나눈 나머지를 a_n이라 할 때, $\sum_{n=1}^{\infty} a_n$의 값은?

① 2　② 4　③ 6　④ 8　⑤ 12

0180 두 근이 주어진 등비급수의 계산 내신빈출

다음 물음에 답하여라.

(1) 이차방정식 $7x^2+x-1=0$의 두 근을 α, β라고 할 때, $\frac{1}{\beta-\alpha}\sum_{n=1}^{\infty}(\beta^n-\alpha^n)$의 값은?

① 1　② 2　③ 4　④ 5　⑤ 7

(2) 이차방정식 $9x^2-7x+1=0$의 두 근을 α, β라고 할 때, $\frac{1}{\beta-\alpha}\sum_{n=1}^{\infty}(\beta^n-\alpha^n)$의 값은?

① $\frac{2}{3}$　② 2　③ $\frac{5}{3}$　④ $\frac{7}{2}$　⑤ 3

0181 순환소수와 등비급수 내신빈출

다음 물음에 답하여라.

(1) 자연수 n에 대하여 9^n-1을 10으로 나눴을 때의 나머지를 a_n이라고 할 때, $\sum_{n=1}^{\infty}\frac{a_n}{10^n}$의 값은?

① $\frac{80}{99}$　② $\frac{20}{33}$　③ $\frac{46}{99}$　④ $\frac{10}{33}$　⑤ $\frac{17}{99}$

(2) 순환소수 $0.\dot{3}4\dot{5}$의 소수점 아래 n번째 자리의 숫자를 a_n이라고 할 때, 수열 $\{a_n\}$에 대하여 $\sum_{n=1}^{\infty}\frac{a_n}{2^n}$의 값은?

① $\frac{2}{7}$　② $\frac{3}{7}$　③ $\frac{5}{7}$　④ $\frac{15}{7}$　⑤ $\frac{25}{7}$

0182 등비급수의 도형의 활용 내신빈출

오른쪽 그림과 같이 한 변의 길이가 2인 직각이등변삼각형 ABC에 내접하는 정사각형 $AA_1B_1C_1$을 그리고, 직각이등변삼각형 A_1BB_1에 내접하는 정사각형 $A_1A_2B_2C_2$를 그린다. 이와 같은 과정을 반복하여 직각이등변삼각형에 내접하는 정사각형을 한없이 그려갈 때, $\overline{AB_1}+\overline{A_1B_2}+\overline{A_2B_3}+\cdots$의 값은?

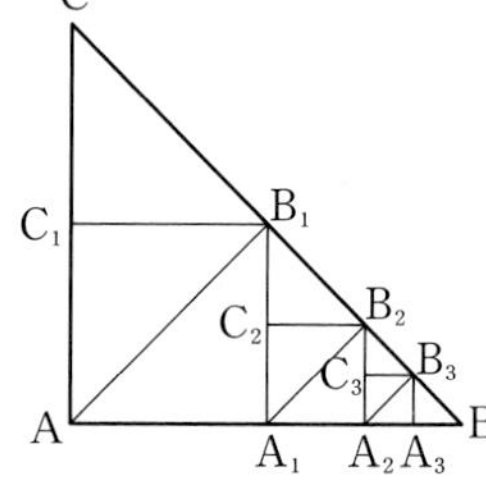

① $\sqrt{2}$　② $2\sqrt{2}$　③ $3\sqrt{2}$
④ $4\sqrt{2}$　⑤ $6\sqrt{2}$

0183 등비급수의 도형의 활용 내신빈출

오른쪽 그림과 같이 자연수 n에 대하여 직선 $x=3^n$이 곡선 $y=\sqrt{x}$와 만나는 점을 A_n이라 하고, 삼각형 $A_nB_nC_n$이 정삼각형이 되도록 x축 위의 두 점 B_n, C_n을 정한다. 삼각형 $A_nB_nC_n$의 넓이를 S_n이라 할 때, $\sum_{n=1}^{\infty}\frac{1}{S_n}$의 값은?

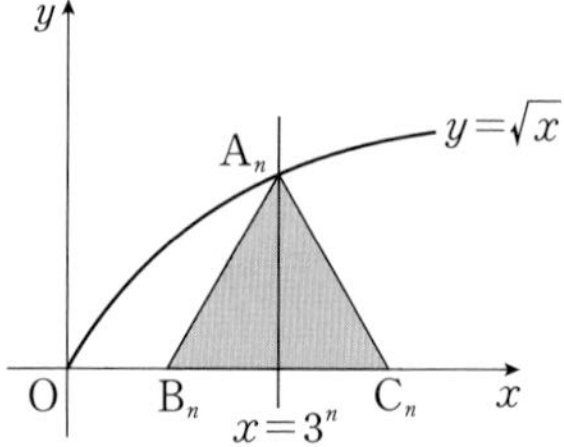

① 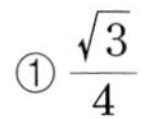 $\frac{\sqrt{3}}{4}$　② $\frac{\sqrt{3}}{3}$　③ $\frac{\sqrt{3}}{2}$
④ 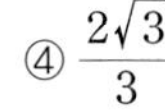 $\frac{2\sqrt{3}}{3}$　⑤ $\frac{3\sqrt{3}}{4}$

정답 0179 : (1) ④ (2) ④　0180 : (1) ① (2) ⑤　0181 : (1) ① (2) ⑤　0182 : ②　0183 : ③

0184

급수의 계산
내신빈출

수열 $\{a_n\}$이 $a_1=3$이고 모든 자연수 n에 대하여 $a_1+a_2+a_3+\cdots+a_n=n(n+2)$를 만족시킬 때, $\displaystyle\sum_{n=1}^{\infty}\frac{12}{a_na_{n+1}}$의 값은?

① 2 ② 4 ③ 6 ④ 8 ⑤ 10

0185

급수의 합
내신빈출

다음 물음에 답하여라.

(1) 수열 $\{a_n\}$에서 $\displaystyle\lim_{n\to\infty}a_n=5$이고 $\displaystyle\sum_{n=1}^{\infty}\frac{a_{n+1}-a_n}{a_na_{n+1}}=\frac{1}{20}$일 때, a_1의 값은? (단, $a_n\neq 0$)

① 2 ② 4 ③ 6 ④ 8 ⑤ 10

(2) 수열 $\{a_n\}$의 일반항이 $a_n=\dfrac{3n^2}{n^2+1}$ $(n=1, 2, 3, \cdots)$일 때, $\displaystyle\sum_{n=1}^{\infty}\frac{a_n-a_{n+1}}{a_na_{n+1}}$의 값은?

① $-\frac{2}{3}$ ② $-\frac{1}{3}$ ③ 0 ④ $\frac{1}{3}$ ⑤ $\frac{2}{3}$

0186

등비급수의 합
내신빈출

$\displaystyle\sum_{n=1}^{\infty}\frac{(2^n+1)(3^n+1)}{12^n}-\sum_{n=1}^{\infty}\frac{(2^n-1)(3^n-1)}{12^n}$의 값은?

① $\frac{4}{5}$ ② $\frac{14}{15}$ ③ $\frac{16}{15}$ ④ $\frac{6}{5}$ ⑤ $\frac{4}{3}$

0187

등비급수의 합
내신빈출

다음 물음에 답하여라.

(1) 첫째항이 5인 등비수열 $\{a_n\}$이 $\displaystyle\sum_{n=1}^{5}a_n=\sum_{n=6}^{\infty}a_n$을 만족시킬 때, a_{16}의 값은?

① $\frac{5}{2}$ ② $\frac{5}{4}$ ③ $\frac{5}{8}$ ④ $\frac{2}{3}$ ⑤ $\frac{5}{6}$

(2) 등비수열 $\{a_n\}$에 대하여 $\displaystyle\lim_{n\to\infty}\frac{a_n}{3^n}=2$일 때, $\displaystyle\sum_{n=1}^{\infty}\frac{1}{a_n}$의 값은?

① $\frac{1}{6}$ ② $\frac{1}{5}$ ③ $\frac{1}{4}$ ④ $\frac{1}{3}$ ⑤ $\frac{1}{2}$

0188

등비급수의 합
2010학년도 수능기출

등비수열 $\{a_n\}$이 $a_2=\frac{1}{2}$, $a_5=\frac{1}{6}$을 만족시킨다.

$$\sum_{n=1}^{\infty}a_na_{n+1}a_{n+2}=\frac{q}{p}$$

일 때, $p+q$의 값을 구하여라. (단, p, q는 서로소인 자연수이다.)

0189

등비급수의 합
2015학년도 06월
평가원

공비가 양수인 등비수열 $\{a_n\}$이

$$a_1+a_2=20,\ \sum_{n=3}^{\infty}a_n=\frac{4}{3}$$

를 만족시킬 때, a_1의 값을 구하여라.

정답 0184 : ① 0185 : (1) ② (2) ② 0186 : ③ 187: (1) ③ (2) ③ 0188 : 19 0189 : 16

0190

급수의 성질

다음 물음에 답하여라.

(1) 두 수열 $\{a_n\}$, $\{b_n\}$이 다음 조건을 만족시킬 때, $\lim_{n\to\infty}(a_n^2+4b_n^2)$의 값은?

(가) $\sum_{n=1}^{\infty}(a_n-2b_n)=6$

(나) 모든 자연수 n에 대하여 $\frac{3n^2+1}{n^2+2}<a_nb_n<\frac{3n^2+2n}{n^2+1}$

① 8 ② 12 ③ 14 ④ 16 ⑤ 18

2013년 04월 교육청

(2) 두 수열 $\{a_n\}$, $\{b_n\}$이 다음 조건을 만족시킬 때, $\lim_{n\to\infty}a_n$의 값은?

(가) 모든 자연수 n에 대하여 $\frac{2n^3+3}{1^2+2^2+3^2+\cdots+n^2}<a_n<2b_n$

(나) $\sum_{n=1}^{\infty}(b_n-3)=2$

① 3 ② 4 ③ 5 ④ 6 ⑤ 7

0191

등비급수의 수렴조건과 극한값 계산
내신빈출

다음 두 조건을 만족시키는 모든 정수 r의 개수는?

(가) 급수 $\sum_{n=1}^{\infty}\left(\frac{r-5}{8}\right)^n$이 수렴한다.

(나) $\lim_{n\to\infty}\frac{r^{n+1}-7^n+2}{r^n+7^{n+1}+2^{n-1}}=-\frac{1}{7}$

① 6 ② 7 ③ 8 ④ 9 ⑤ 10

0192

등비급수의 활용
2013학년도 06월 평가원

2보다 큰 자연수 n에 대하여 $(-3)^{n-1}$의 n제곱근 중 실수인 것의 개수를 a_n이라 할 때, $\sum_{n=3}^{\infty}\frac{a_n}{2^n}$의 값은?

① $\frac{1}{6}$ ② $\frac{1}{4}$ ③ $\frac{1}{3}$ ④ $\frac{5}{12}$ ⑤ $\frac{1}{2}$

0193

등비급수의 활용

첫째항이 3, 공비가 $\frac{1}{2}$인 등비수열 $\{a_n\}$에 대하여 T_n을 다음과 같이 정의하자.

$$T_n=\sum_{k=1}^{\infty}a_k+\sum_{k=2}^{\infty}a_k+\sum_{k=3}^{\infty}a_k+\cdots+\sum_{k=n}^{\infty}a_k$$

$\lim_{n\to\infty}T_n$의 값은?

① 7 ② 9 ③ 12 ④ 15 ⑤ 17

0194

등비급수의 활용

자연수 n에 대하여 원 $x^2+y^2=\left(\frac{1}{4}\right)^n$의 접선 중 기울기가 -1이고 제 1사분면을 지나는 접선이 x축과 만나는 점의 좌표를 $(a_n, 0)$이라고 할 때, $\sum_{n=1}^{\infty}a_n$의 값은?

① $\frac{1}{2}$ ② $\frac{\sqrt{2}}{2}$ ③ 1 ④ $\sqrt{2}$ ⑤ 2

정답 0190 : (1) ② (2) ④ 0191 : ④ 0192 : ① 0193 : ③ 0194 : ④

0195

등비급수의 활용
내신빈출

다음 물음에 답하여라.

(1) 어느 음료 회사에서 1년 동안 판매한 음료수의 빈 캔을 수거한 결과, 처음 판매한 음료수 캔의 45%가 수거되었다. 수거된 빈 캔은 재처리 과정을 거쳐 수거된 양의 $\frac{2}{3}$가 재활용된다고 한다. 처음 700kg의 음료수 캔을 생산하여 위와 같은 재처리 과정을 무한히 반복할 때, 재활용되는 캔의 양은 최대 몇 kg인지 구하여라.

(2) 어느 장학 재단에서 12억 원의 기금을 조성하였다. 매년 초에 기금을 운용하여 연말까지 10%의 이익을 내고 기금과 이익을 합한 금액의 20%를 매년 말에 장학금으로 지급하려고 한다. 장학금으로 지급하고 남은 금액을 기금으로 하여 기금의 운용과 장학금의 지급을 매년 이와 같은 방법으로 실시할 계획이다. 기금을 조성한 후 n번째 해에 지급하는 장학금을 a_n억 원이라고 할 때, $\sum_{n=1}^{\infty} a_n$의 값을 구하여라.

0196

도형과 등비급수
내신빈출

오른쪽 그림과 같이 반지름의 길이가 4인 원 C_1에 내접하는 정삼각형을 그리고, 이 정삼각형의 내접원을 C_2라 하자.
또, 원 C_2에 내접하는 정삼각형을 그리고 이 정삼각형의 내접원을 C_3이라 하자. 이와 같은 과정을 한없이 반복할 때, C_1, C_2, C_3, $\cdots$의 둘레의 길이의 합을 구하여라.

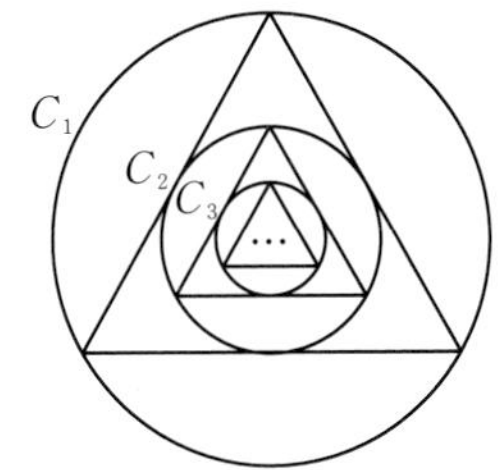

0197

도형과 등비급수
1996학년도 수능기출

오른쪽 그림과 같이 정사각형에 직각이등변삼각형과 정사각형을 번갈아 붙이는 과정을 한 없이 반복한다. 이때 정사각형을 S_1, S_2, S_3, $\cdots$, 삼각형을 T_1, T_2, T_3, $\cdots$이라고 하자. S_1의 한 변의 길이가 2일 때, 이들 사각형과 삼각형의 넓이의 총합은?

① 10 ② 11 ③ 12
④ 13 ⑤ 14

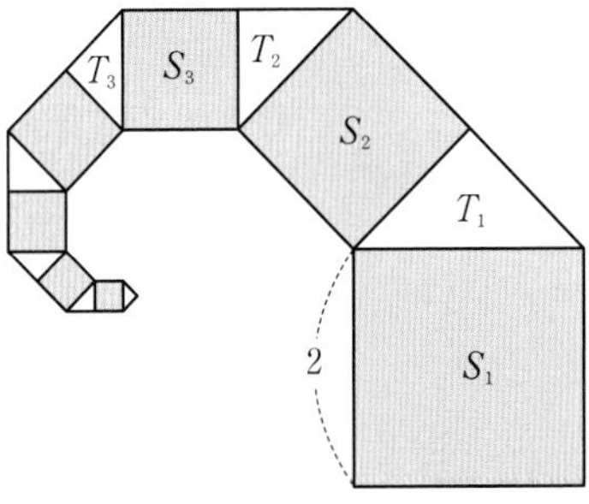

0198

도형과 등비급수
2012년 수능기출

좌표평면에서 자연수 n에 대하여 점 P_n의 좌표를 $(n, 3^n)$, 점 Q_n의 좌표를 $(n, 0)$이라 하자. 사각형 $P_nQ_{n+1}Q_{n+2}P_{n+1}$의 넓이를 a_n이라 할 때, $\sum_{n=1}^{\infty} \frac{1}{a_n} = \frac{q}{p}$이다. p^2+q^2의 값을 구하여라.
(단, p와 q는 서로소인 자연수이다.)

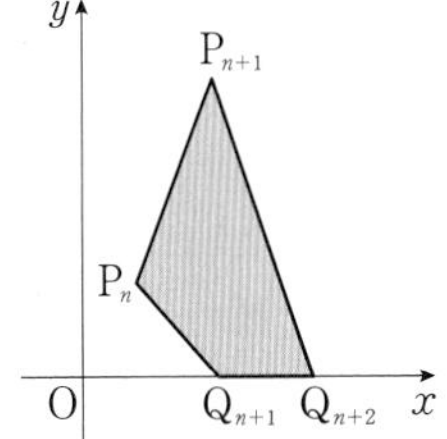

0199

급수의 수렴과 발산
서술형
서술형

수열 $\{a_n\}$의 일반항이 $a_n = \frac{1}{n(n+1)(n+2)}$일 때, 급수 $\sum_{n=1}^{\infty} a_n$의 합을 구하는 과정을 다음 단계로 서술하여라.

[1단계] $\frac{1}{n(n+1)(n+2)} = \frac{a}{n(n+1)} + \frac{b}{(n+1)(n+2)}$일 때, 상수 a, b의 값을 구한다.

[2단계] 급수 $\sum_{n=1}^{\infty} a_n$의 합을 구한다.

정답 0195 : (1) 300(kg) (2) 22 0196 : 16π 0197 : ① 0198 : 37 0199 : 해설참조

0200

$\sum_{n=1}^{\infty}\frac{1}{n}$이 발산

서술형

급수 $\sum_{n=1}^{\infty}\frac{1}{n}$이 발산함을 다음 단계로 서술하여라.

[1단계] 급수 $\sum_{n=1}^{\infty}\frac{1}{n}$의 제 2^k항 $(k \geq 2)$까지의 부분합 $S_N(N=2^k)$을

$$S_N=1+\frac{1}{2}+\left(\frac{1}{3}+\frac{1}{4}\right)+\left(\frac{1}{5}+\frac{1}{6}+\frac{1}{7}+\frac{1}{8}\right)+\cdots+\left(\frac{1}{2^{k-1}+1}+\cdots+\frac{1}{2^k}\right)$$

과 같이 나타내었을 때, 각각의 괄호 안의 합은 $\frac{1}{2}$보다 큼을 보인다.

[2단계] 부등식 $S_N > 1+\frac{k}{2}$가 성립함을 보인다.

[3단계] 급수 $\sum_{n=1}^{\infty}\frac{1}{n}$의 발산함을 보인다.

0201

급수의 활용

서술형

자연수 n에 대하여 두 함수 $y=\frac{|x|}{n}$와 $y=|\sin \pi x|$의 그래프의 교점의 개수를 a_n이라고 할 때, $\sum_{n=1}^{\infty}\frac{1}{a_n a_{n+1}}$의 값을 구하는 과정을 다음 단계로 서술하여라.

[1단계] 두 함수 $y=\frac{|x|}{n}$와 $y=|\sin \pi x|$의 그래프의 교점의 개수 a_n을 구한다.

[2단계] $\sum_{n=1}^{\infty}\frac{1}{a_n a_{n+1}}$의 부분합을 S_n이라 하면 S_n의 값을 구한다.

[3단계] $\lim_{n\to\infty}S_n$의 값을 구한다.

0202

등비급수의 합

서술형

급수 $\sum_{n=1}^{\infty}(\cos x)^{n-1}=\frac{2}{3}$을 만족시키는 실수 x의 값을 구하는 과정을 다음 단계로 서술하여라. (단, $0 < x < \pi$)

[1단계] 수열 $\{(\cos x)^{n-1}\}$의 첫째항과 공비를 구한다.

[2단계] 등비급수가 $\frac{2}{3}$로 수렴하도록 하는 $\cos x$의 값을 구한다.

[3단계] $0 < x < \pi$에서 실수 x의 값을 구한다.

0203

등비급수의 수렴조건

서술형

다음 등비급수의 수렴에 대하여 서술하여라.

$$x+x(x^2-x+1)+x(x^2-x+1)^2+x(x^2-x+1)^3+\cdots$$

[1단계] 급수가 수렴하도록 하는 실수 x의 값의 범위를 구한다. (단, $x \neq 0$)

[2단계] 이 급수가 4로 수렴할 때, x의 값을 구한다.

0204

도형과 등비급수

서술형

오른쪽 그림과 같이 $\overline{AB}=1$, $\overline{BC}=2$인 직각삼각형 ABC의 내부에 정사각형 A_1, A_2, A_3, $\cdots$을 한없이 만든다고 하자. 정사각형 A_n의 둘레의 길이를 l_n, 넓이를 S_n이라고 할 때, 다음 단계로 서술하여라.

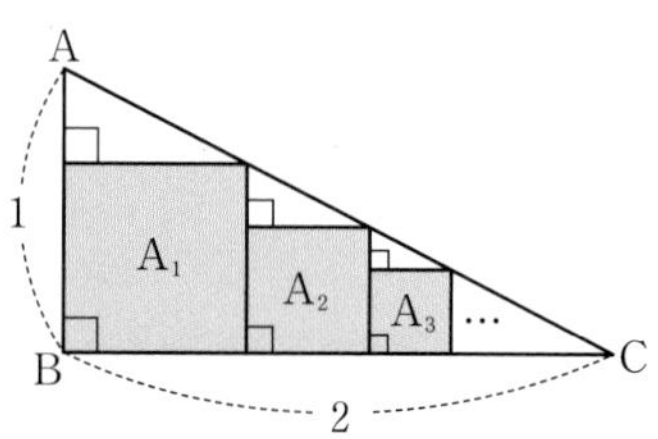

[1단계] 정사각형 A_1의 한 변의 길이 a_1을 구한다.

[2단계] $\sum_{n=1}^{\infty}l_n$의 값을 구한다.

[3단계] $\sum_{n=1}^{\infty}S_n$의 값을 구한다.

정답 0200 : 해설참조 0201 : 해설참조 0202 : 해설참조 0203 : 해설참조 0204 : 해설참조

0205

급수와 수열의 극한의 대소 관계 2014년 03월 교육청

두 수열 $\{a_n\}$, $\{b_n\}$이 모든 자연수 n에 대하여

$$1+2+2^2+\cdots+2^{n-1}<a_n<2^n$$

$$\frac{3n-1}{n+1}<\sum_{k=1}^{n}b_k<\frac{3n+1}{n}$$

을 만족시킬 때, $\lim_{n\to\infty}\frac{8^n-1}{4^{n-1}a_n+8^{n+1}b_n}$의 값은?

① 1 ② 2 ③ 4 ④ 8 ⑤ 16

0206

순환소수와 등비급수 2013학년도 사관기출

집합 $A=\{1, 2, 3\}$에 대하여 수열 $\{a_n\}$은 집합 A의 원소로 이루어진 수열이다.

이 수열이 등식 $\sum_{n=1}^{\infty}\frac{a_n}{10^n}=\frac{104}{333}$를 만족시킬 때, $\sum_{n=1}^{\infty}\frac{a_n}{5^n}=\frac{q}{p}$이다. $p+q$의 값을 구하여라.

(단, p, q는 서로소인 자연수이다.)

0207

등비급수의 활용 2016학년도 09월 평가원

자연수 n에 대하여 직선 $y=\left(\frac{1}{2}\right)^{n-1}(x-1)$과 이차함수

$y=3x(x-1)$의 그래프가 만나는 두 점을 $\mathrm{A}(1, 0)$과 P_n이라 하자.

점 P_n에서 x축에 내린 수선의 발을 H_n이라 할 때, $\sum_{n=1}^{\infty}\overline{\mathrm{P}_n\mathrm{H}_n}$의 값은?

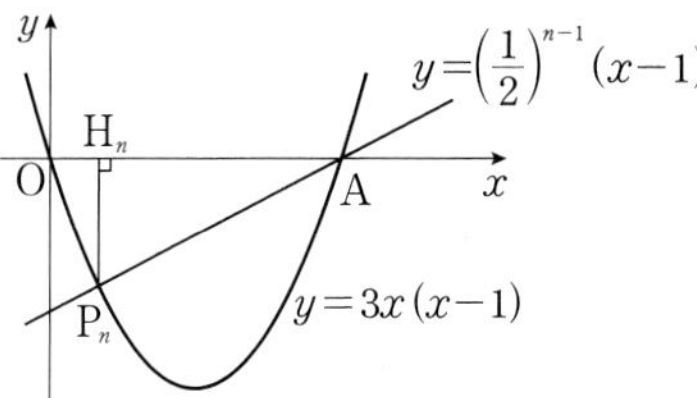

① $\frac{3}{2}$ ② $\frac{14}{9}$ ③ $\frac{29}{18}$

④ $\frac{5}{3}$ ⑤ $\frac{31}{18}$

0208

급수의 활용 2012년 11월 교육청

모든 자연수 n에 대하여 좌표평면 위에 점 P_n을 다음 규칙에 따라 정한다.

(가) 점 P_1의 좌표는 $(1, 1)$이다.

(나) 점 P_n의 x좌표는 n이다.

(다) 두 점 P_n, P_{n+1}을 지나는 직선의 기울기는 $\frac{1}{2^n}$이다.

두 직선 $x=n$, $x=n+1$과 선분 $\mathrm{P}_n\mathrm{P}_{n+1}$, x축으로 둘러싸인 도형의 넓이를 a_n이라 하자.

급수 $\sum_{n=1}^{\infty}(a_n-\alpha)$가 수렴할 때, 상수 α의 값은?

① $\frac{3}{2}$ ② $\frac{7}{4}$ ③ 2 ④ $\frac{9}{4}$ ⑤ 3

정답 0205 : ③ 0206 : 103 0207 : ② 0208 : ③

0209

도형과 등비급수
2020학년도 06월
평가원

그림과 같이 한 변의 길이가 4인 정사각형 $A_1B_1C_1D_1$이 있다. 선분 C_1D_1의 중점을 E_1이라 하고, 직선 A_1B_1 위에 두 점 F_1, G_1을 $\overline{E_1F_1}=\overline{E_1G_1}$, $\overline{E_1F_1}:\overline{F_1G_1}=5:6$이 되도록 잡고 이등변 삼각형 $E_1F_1G_1$을 그린다. 선분 D_1A_1과 선분 E_1F_1의 교점을 P_1, 선분 B_1C_1과 선분 G_1E_1의 교점을 Q_1이라 할 때, 네 삼각형 $E_1D_1P_1$, $P_1F_1A_1$, $Q_1B_1G_1$, $E_1Q_1C_1$로 만들어진 모양의 도형에 색칠하여 얻은 그림을 R_1이라 하자.

그림 R_1에 선분 F_1G_1 위의 두 점 A_2, B_2와 선분 G_1E_1 위의 점 C_2, 선분 E_1F_1 위의 점 D_2를 꼭짓점으로 하는 정사각형 $A_2B_2C_2D_2$를 그리고, 그림 R_1을 얻는 것과 같은 방법으로 정사각형 $A_2B_2C_2D_2$에 모양의 도형을 그리고, 색칠하여 얻은 그림을 R_2라 하자. 이와 같은 과정을 계속하여 n번째 얻은 그림, R_n에 색칠되어 있는 부분의 넓이를 S_n이라 할 때, $\lim_{n\to\infty}S_n$의 값은?

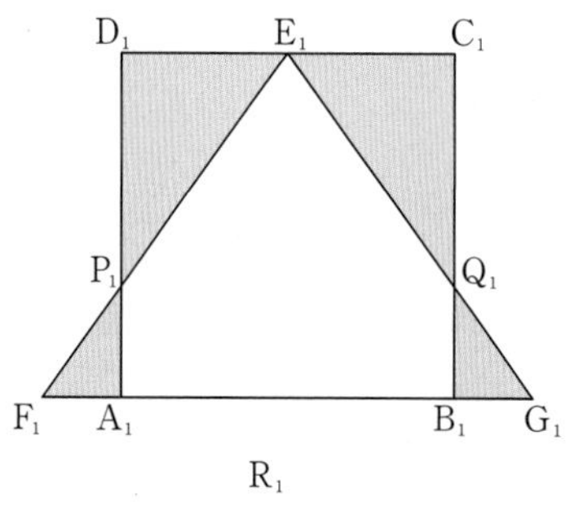

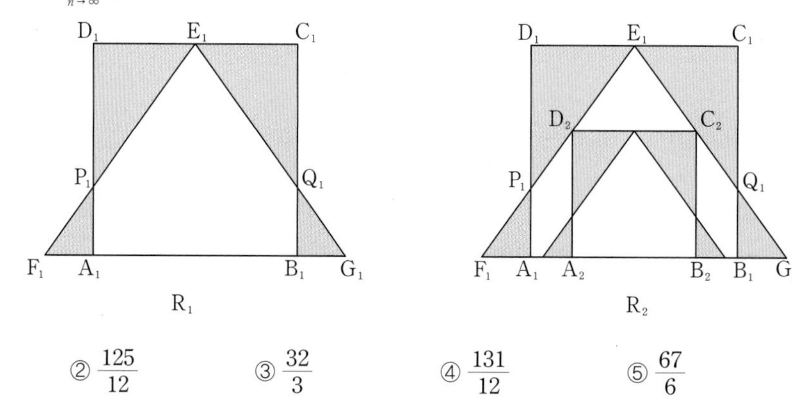

① $\frac{61}{6}$　② $\frac{125}{12}$　③ $\frac{32}{3}$　④ $\frac{131}{12}$　⑤ $\frac{67}{6}$

0210

도형과 등비급수
2019학년도 수능기출

그림과 같이 $\overline{OA_1}=4$, $\overline{OB_1}=4\sqrt{3}$인 직각삼각형 OA_1B_1이 있다. 중심이 O이고 반지름의 길이가 $\overline{OA_1}$인 원이 선분 OB_1과 만나는 점을 B_2라 하자. 삼각형 OA_1B_1의 내부와 부채꼴 OA_1B_2의 내부에서 공통된 부분을 제외한 모양의 도형에 색칠하여 얻은 그림을 R_1이라 하자. 그림 R_1에서 점 B_2를 지나고 선분 A_1B_1에 평행한 직선이 선분 OA_1과 만나는 점을 A_2, 중심이 O이고 반지름의 길이가 $\overline{OA_2}$인 원이 선분 OB_2와 만나는 점을 B_3이라 하자. 삼각형 OA_2B_2의 내부와 부채꼴 OA_2B_3의 내부에서 공통된 부분을 제외한 모양의 도형에 색칠하여 얻은 그림을 R_2라 하자. 이와 같은 과정을 계속하여 n번째 얻은 그림 R_n에 색칠되어 있는 부분의 넓이를 S_n이라 할 때, $\lim_{n\to\infty}S_n$의 값은?

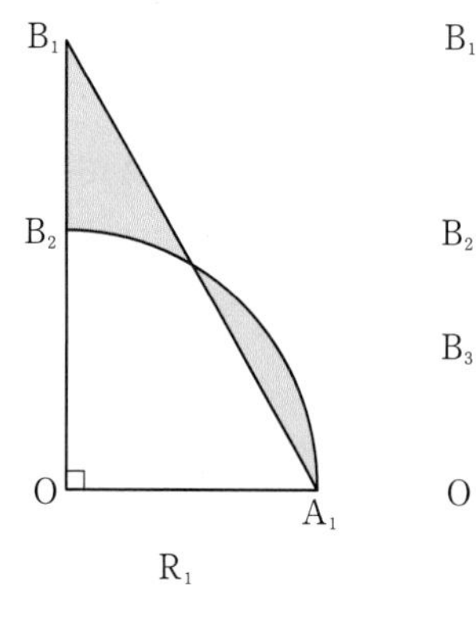

① $\frac{3}{2}\pi$　② $\frac{5}{3}\pi$　③ $\frac{11}{6}\pi$　④ 2π　⑤ $\frac{13}{6}\pi$

정답 0209 : ②　0210 : ④

등비급수의 활용

수능특강문제 01 2011학년도 수능기출

$\overline{A_1B_1}=1$, $\overline{B_1C_1}=2$인 직사각형 $A_1B_1C_1D_1$이 있다.
오른쪽 그림과 같이 선분 B_1C_1의 중점을 M_1이라 하고, 선분 A_1D_1 위에 $\angle A_1M_1B_2=\angle C_2M_1D_1=15°$, $\angle B_2M_1C_2=60°$가 되도록 두 점 B_2, C_2를 정한다. 삼각형 $A_1M_1B_2$의 넓이와 삼각형 $C_2M_1D_1$의 넓이의 합을 S_1이라 하자.
사각형 $A_2B_2C_2D_2$가 $\overline{B_2C_2}=2\overline{A_2B_2}$인 직사각형이 되도록 그림과 같이 두 점 A_2, D_2를 정한다. 선분 B_2C_2의 중점을 M_2라 하고, 선분 A_2D_2 위에 $\angle A_2M_2B_3=\angle C_3M_2D_2=15°$, $\angle B_3M_2C_3=60°$가 되도록 두 점 B_3, C_3을 정한다. 삼각형 $A_2M_2B_3$의 넓이와 삼각형 $C_3M_2D_2$의 넓이의 합을 S_2라 하자. 이와 같은 과정을 계속하여 얻은 S_n에 대하여 $\sum_{n=1}^{\infty}S_n$의 값은?

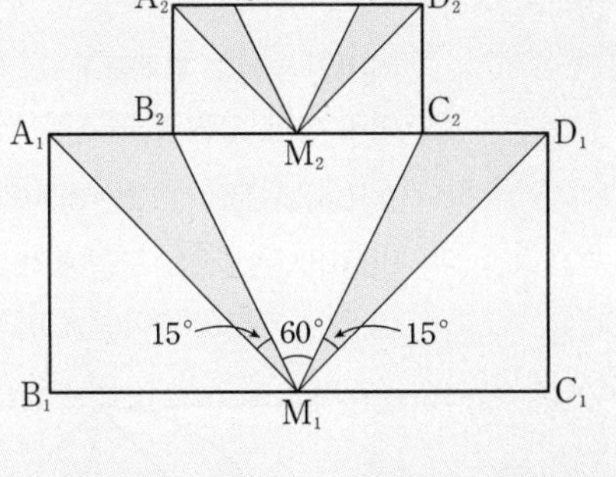

① $\frac{2+\sqrt{3}}{6}$ ② $\frac{3-\sqrt{3}}{2}$ ③ $\frac{4+\sqrt{3}}{9}$ ④ $\frac{5-\sqrt{3}}{5}$ ⑤ $\frac{7-\sqrt{3}}{8}$

수능특강 풀이

STEP A 넓이 S_1 구하기

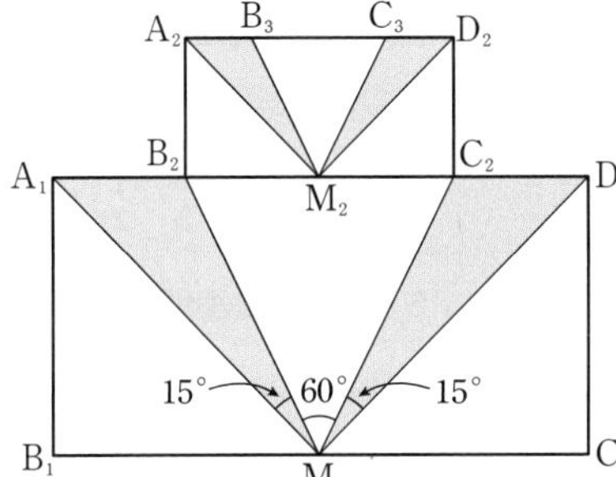

삼각형 $B_2M_1C_2$에서 $\overline{M_1M_2}=1$인 정삼각형이다.
삼각형 $B_2M_1C_2$의 한 변의 길이를 a라 하면

$$\frac{\sqrt{3}}{2}a=1 \quad \therefore a=\frac{2}{\sqrt{3}}=\frac{2\sqrt{3}}{3}$$

$$\overline{A_1B_2}=\overline{D_1C_2}=\frac{1}{2}\left(2-\frac{2\sqrt{3}}{3}\right)=1-\frac{\sqrt{3}}{3}=\frac{3-\sqrt{3}}{3}$$

$$S_1=2\times\left(\frac{1}{2}\times\frac{3-\sqrt{3}}{3}\times1\right)=\frac{3-\sqrt{3}}{3}$$

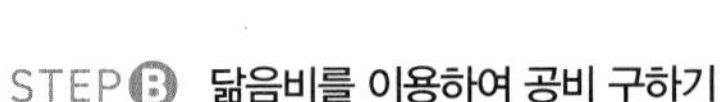

STEP B 닮음비를 이용하여 공비 구하기

또, 그림에서 나타나는 직사각형들은 모두 닮음이고 닮음비가

$B_nC_n:\overline{B_{n+1}C_{n+1}}=1:\frac{1}{\sqrt{3}}$이므로

넓이의 비는 $S_n:S_{n+1}=1:\left(\frac{1}{\sqrt{3}}\right)^2$이므로 공비는 $\frac{1}{3}$

STEP C $\lim_{n\to\infty}S_n$ 구하기

따라서 수열 $\{S_n\}$은 첫째항이 $\frac{3-\sqrt{3}}{3}$이고 공비가 $\frac{1}{3}$인 등비수열이다.

$$\therefore \sum_{n=1}^{\infty}S_n=\frac{1-\frac{1}{\sqrt{3}}}{1-\frac{1}{3}}=\frac{3-\sqrt{3}}{2}$$

정답 ②

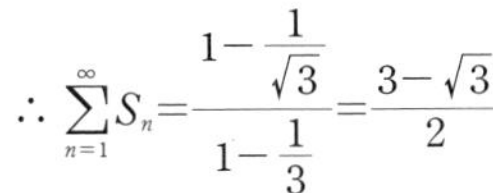
참고 S_1 구하기

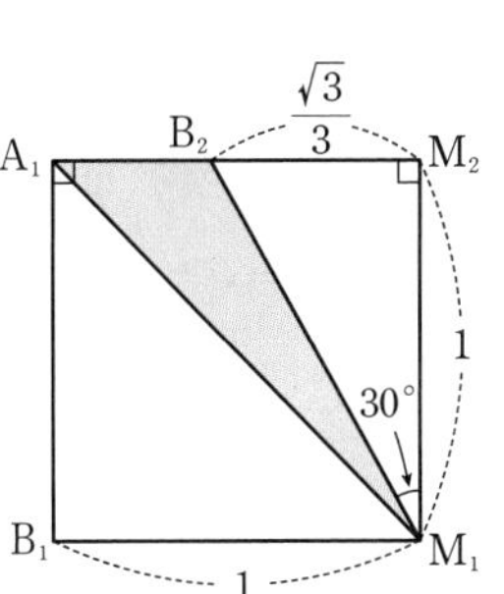

삼각형 $B_2M_1M_2$에서 $\overline{M_1M_2}=1$, $\angle B_2M_1M_2=30°$이므로

$$\overline{B_2M_2}=\overline{M_1M_2}\tan30°=\frac{\sqrt{3}}{3} \quad \therefore \overline{A_1B_2}=1-\frac{\sqrt{3}}{3}=\frac{3-\sqrt{3}}{3}$$

$$\therefore S_1=2\triangle A_1M_1B_2=2\cdot\left(\frac{1}{2}\cdot\frac{3-\sqrt{3}}{3}\cdot1\right)=\frac{3-\sqrt{3}}{3}$$

그림에서 나타나는 직사각형들은 모두 닮음이고 닮음비는

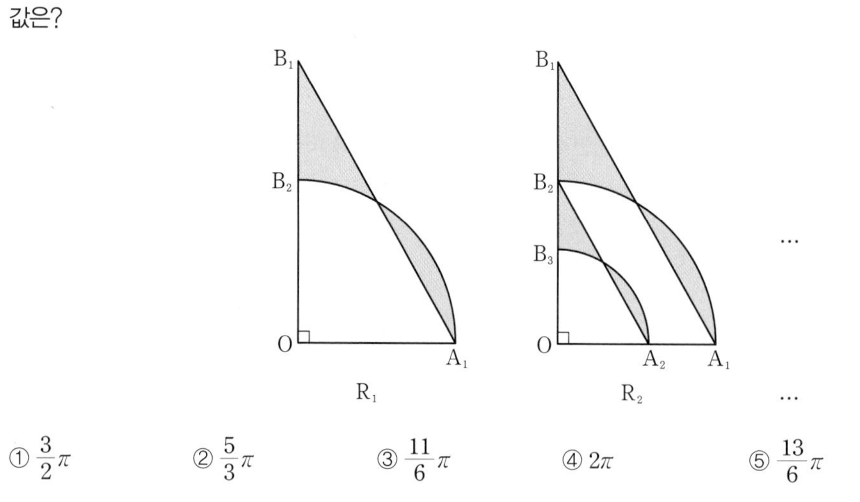

$\overline{B_1M_1}:\overline{B_2M_2}=1:\frac{\sqrt{3}}{3}$이므로 $\triangle A_1M_1B_2$와 $\triangle A_2M_2B_3$의 넓이의 비는 $1^2:\left(\frac{\sqrt{3}}{3}\right)^2=1:\frac{1}{3}$

2014학년도 수능기출

직사각형 $A_1B_1C_1D_1$에서 $\overline{A_1B_1}=1$, $\overline{A_1D_1}=2$이다. 그림과 같이 선분 A_1D_1과 선분 B_1C_1의 중점을 각각 M_1, N_1이라 하자. 중심이 N_1, 반지름의 길이가 $\overline{B_1N_1}$이고 중심각의 크기가 $\frac{\pi}{2}$인 부채꼴 $N_1M_1B_1$을 그리고, 중심이 D_1, 반지름의 길이가 $\overline{C_1D_1}$이고 중심각의 크기가 $\frac{\pi}{2}$인 부채꼴 $D_1M_1C_1$을 그린다. 부채꼴 $N_1M_1B_1$인 호 M_1B_1과 선분 M_1B_1로 둘러싸인 부분과 부채꼴 $D_1M_1C_1$의 호 M_1C_1과 선분 M_1C_1로 둘러싸인 부분인 모양에 색칠하여 얻은 그림을 R_1이라 하자. 그림 R_1에 선분 M_1B_1 위의 점 A_2, 호 M_1C_1 위의 점 D_2와 변 B_1C_1 위의 두 점 B_2, C_2를 꼭짓점으로 하고 $\overline{A_2B_2}:\overline{A_2D_2}=1:2$인 직사각형 $A_2B_2C_2D_2$를 그리고 직사각형 $A_2B_2C_2D_2$에서 그림 R_1을 얻는 것과 같은 방법으로 만들어지는 모양에 색칠하여 얻은 그림을 R_2라 하자. 이와 같은 과정을 계속하여 n번째 얻은 그림 R_n에 색칠되어 있는 부분의 넓이를 S_n이라 할 때, $\lim_{n\to\infty}S_n$의 값은?

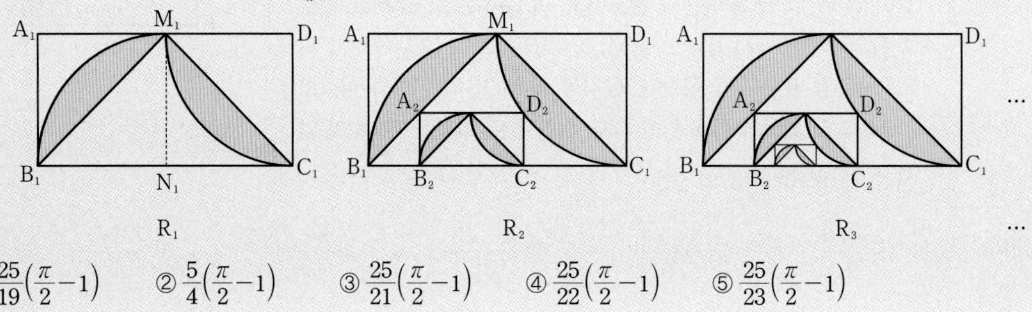

① $\frac{25}{19}\left(\frac{\pi}{2}-1\right)$ ② $\frac{5}{4}\left(\frac{\pi}{2}-1\right)$ ③ $\frac{25}{21}\left(\frac{\pi}{2}-1\right)$ ④ $\frac{25}{22}\left(\frac{\pi}{2}-1\right)$ ⑤ $\frac{25}{23}\left(\frac{\pi}{2}-1\right)$

수능특강 풀이

STEP A 넓이 S_1 구하기

그림 R_1에 색칠되어 있는 두 활꼴의 넓이가 서로 같으므로 넓이는

$S_1=2\times\{$(부채꼴 $N_1M_1B_1$의 넓이)$-$(삼각형 $N_1M_1B_1$의 넓이)$\}$

$=2\times\left(\frac{1}{2}\cdot1^2\cdot\frac{\pi}{2}-\frac{1}{2}\cdot1\cdot1\right)=\frac{\pi}{2}-1$

STEP B 닮음비를 이용하여 공비 구하기

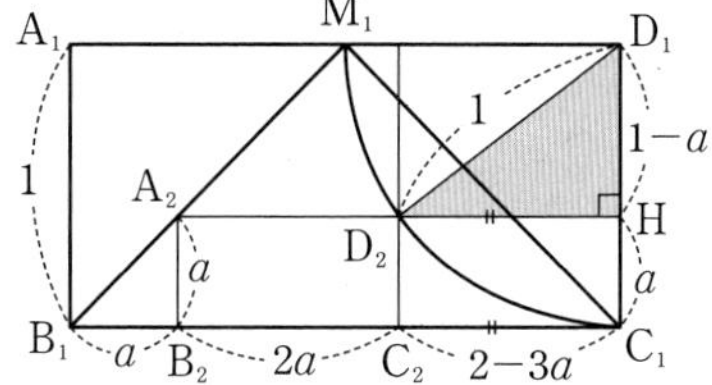

공비 r을 구하기 위해 먼저 길이의 닮음비 $\overline{A_1B_1}:\overline{A_2B_2}$을 구한다.

또, 그림 R_2에서 직사각형 $A_2B_2C_2D_2$의 세로의 길이를 a,

가로의 길이를 $2a$라 하면 $\angle A_2B_1B_2=45°$, $\angle A_2B_2B_1=90°$이므로

$\triangle A_2B_1B_2$는 직각이등변 삼각형이다.

$\therefore \overline{B_1B_2}=\overline{A_2B_2}=a$

D_2에서 $\overline{D_1C_1}$로 내린 수선의 발을 H라 하자.

$\overline{A_2B_2}:\overline{A_2D_2}=1:2$이므로

$\overline{B_1B_2}=\overline{A_2B_2}=a$, $\overline{B_2C_2}=2a$, $\overline{C_2C_1}=\overline{D_2H}=2-3a$

또한, $\overline{HD_1}=1-a$

$\triangle D_2HD_1$에서 $\overline{D_2H}^2+\overline{HD_1}^2=1$이므로 $(2-3a)^2+(1-a)^2=1$

$5a^2-7a+2=0$, $(5a-2)(a-1)=0$ $\therefore a=\frac{2}{5}$ 또는 $a=1$

$a\neq1$이므로 $a=\frac{2}{5}$

이때 직사각형 $A_1B_1C_1D_1$과 직각삼각형 $A_2B_2C_2D_2$의 닮음비는 $\overline{A_1B_1}:\overline{A_2B_2}=1:\frac{2}{5}$이고 넓이의 비는 $1:\frac{4}{25}$

STEP C $\lim_{n\to\infty}S_n$ 구하기

따라서 수열 $\{S_n\}$은 첫째항이 $\frac{\pi}{2}-1$이고 공비가 $\frac{4}{25}$인 등비수열이다.

$\therefore \lim_{n\to\infty}S_n=\dfrac{\frac{\pi}{2}-1}{1-\frac{4}{25}}=\frac{25}{21}\left(\frac{\pi}{2}-1\right)$

정답 ③

수능특강문제 03
2018학년도 수능기출

오른쪽 그림과 같이 한 변의 길이가 1인 정삼각형 $A_1B_1C_1$이 있다. 선분 A_1B_1의 중점을 D_1이라 하고, 선분 B_1C_1 위의 $\overline{C_1D_1}=\overline{C_1B_2}$인 점 B_2에 대하여 중심이 C_1인 부채꼴 $C_1D_1B_2$를 그린다. 점 B_2에서 선분 C_1D_1에 내린 수선의 발을 A_2, 선분 C_1B_2의 중점을 C_2라 하자. 두 선분 B_1B_2, B_1D_1과 호 D_1B_2로 둘러싸인 영역과 삼각형 $C_1A_2C_2$의 내부에 색칠하여 얻은 그림을 R_1이라 하자. 그림 R_1에서 선분 A_2B_2의 중점을 D_2라 하고, 선분 B_2C_2 위의 $\overline{C_2D_2}=\overline{C_2B_3}$인 점 B_3에 대하여 중심이 C_2인 부채꼴 $C_2D_2B_3$을 그린다. 점 B_3에서 선분 C_2D_2에 내린 수선의 발을 A_3, 선분 C_2B_3의 중점을 C_3이라 하자. 두 선분 B_2B_3, B_2D_2와 호 D_2B_3으로 둘러싸인 영역과 삼각형 $C_2A_3C_3$의 내부에 색칠하여 얻은 그림을 R_2라 하자.
이와 같은 과정을 계속하여 n번째 얻은 그림 R_n에 색칠되어 있는 부분의 넓이를 S_n이라 할 때, $\lim_{n\to\infty}S_n$의 값은?

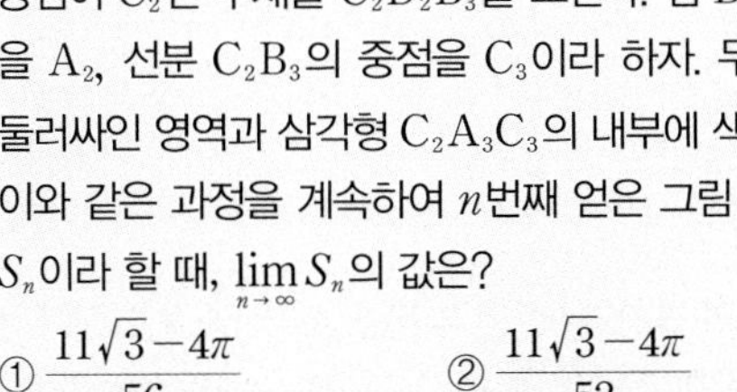

① $\frac{11\sqrt{3}-4\pi}{56}$　② $\frac{11\sqrt{3}-4\pi}{52}$　③ $\frac{15\sqrt{3}-6\pi}{56}$
④ $\frac{15\sqrt{3}-6\pi}{52}$　⑤ $\frac{15\sqrt{3}-4\pi}{52}$

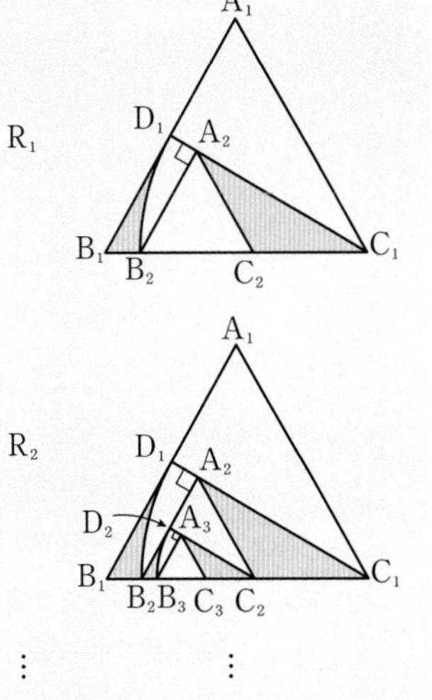

STEP Ⓐ R_1에서 색칠된 S_1의 값 구하기

$\angle B_1C_1D_1=30°$, $\angle C_1D_1B_1=90°$이므로 직각삼각형 $B_1C_1D_1$에서 $\overline{C_1D_1}=\overline{B_1C_1}\cos 30°=1\times\frac{\sqrt{3}}{2}=\frac{\sqrt{3}}{2}$

한편 두 선분 B_1B_2, B_1D_1과 호 D_1B_2로 둘러싸인 영역의 넓이는

$$\triangle B_1C_1D_1-(\text{부채꼴 } B_2C_1D_1)=\frac{1}{2}\times\overline{C_1D_1}\times\overline{D_1B_1}-\overline{C_1D_1}^2\times\pi\times\frac{30°}{360°}$$
$$=\frac{1}{2}\times\frac{\sqrt{3}}{2}\times\frac{1}{2}-\left(\frac{\sqrt{3}}{2}\right)^2\times\pi\times\frac{1}{12}$$
$$=\frac{\sqrt{3}}{8}-\frac{\pi}{16}$$
$$=\frac{2\sqrt{3}-\pi}{16}\quad\cdots\cdots ㉠$$

$\overline{C_1A_2}\sin 30°=\overline{B_2C_1}\cos 30°\cdot\sin 30°$

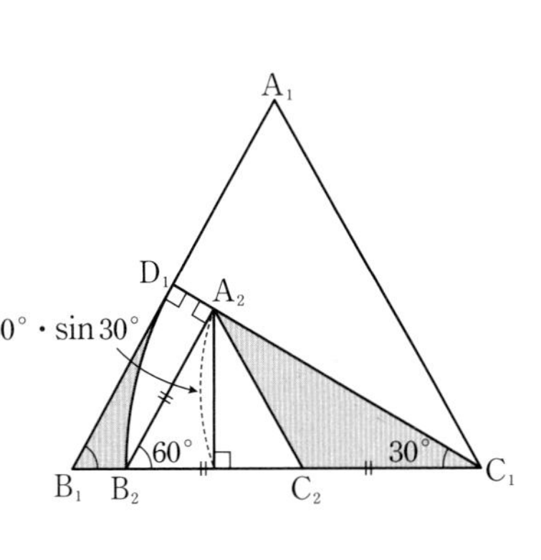

또, 삼각형 $C_1A_2C_2$의 넓이는

$$\frac{1}{2}\times\overline{C_2C_1}\times\overline{C_1A_2}\times\sin 30°=\frac{1}{2}\times\left(\frac{1}{2}\overline{B_2C_1}\right)\times\left(\overline{B_2C_1}\cos 30°\right)\times\sin 30°$$
$$=\frac{1}{2}\times\left(\frac{1}{2}\times\frac{\sqrt{3}}{2}\right)\times\left(\frac{\sqrt{3}}{2}\times\frac{\sqrt{3}}{2}\right)\times\frac{1}{2}$$
$$=\frac{3\sqrt{3}}{64}\quad\cdots\cdots ㉡$$

즉 R_1의 넓이 S_1은 ㉠과 ㉡에 의해 $S_1=\frac{2\sqrt{3}-\pi}{16}+\frac{3\sqrt{3}}{64}=\frac{11\sqrt{3}-4\pi}{64}$

STEP Ⓑ R_2에서 정삼각형의 길이를 구하여 닮음비를 이용하여 공비 구하기

한편 직각삼각형 $A_2B_2C_1$에서 $\angle B_2C_1A_2=30°$이므로 $\angle A_2B_2C_1=60°$

또, $\overline{A_2B_2}=\overline{B_2C_1}\sin 30°=\frac{1}{2}\overline{B_2C_1}=\frac{1}{2}\times\frac{\sqrt{3}}{2}=\frac{\sqrt{3}}{4}$

그러므로 삼각형 $A_2B_2C_2$에서 $\angle A_2B_2C_2=60°$이고 $\overline{A_2B_2}=\overline{B_2C_2}$

즉 삼각형 $A_2B_2C_2$은 한 변의 길이가 $\frac{\sqrt{3}}{4}$인 정삼각형이다.

길이의 비가 $1:\frac{\sqrt{3}}{4}$이므로 넓이의 비는 $1:\frac{3}{16}$

STEP Ⓒ $\lim_{n\to\infty}S_n$의 값 구하기

따라서 $\lim_{n\to\infty}S_n$은 첫째항이 $\frac{11\sqrt{3}-4\pi}{64}$이고 공비가 $\frac{3}{16}$인 등비수열이다.

$$\therefore \lim_{n\to\infty}S_n=\frac{\frac{11\sqrt{3}-4\pi}{64}}{1-\frac{3}{16}}=\frac{11\sqrt{3}-4\pi}{52}$$

정답 ②

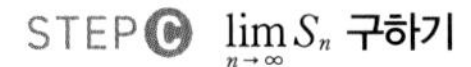

2020학년도 수능기출

오른쪽 그림과 같이 한 변의 길이가 5인 정사각형 ABCD에 중심이 A이고 중심각의 크기가 $90°$인 부채꼴 ABD를 그린다. 선분 AD를 $3:2$로 내분하는 점을 A_1, 점 A_1을 지나고 선분 AB에 평행한 직선이 호 BD와 만나는 점을 B_1이라 하자. 선분 A_1B_1을 한 변으로 하고 선분 DC와 만나도록 정사각형 $A_1B_1C_1D_1$을 그린 후, 중심이 D_1이고 중심각의 크기가 $90°$인 부채꼴 $D_1A_1C_1$을 그린다. 선분 DC가 호 A_1C_1, 선분 B_1C_1과 만나는 점을 각각 E_1, F_1라 하고, 두 선분 DA_1, DE_1과 호 A_1E_1로 둘러싸인 부분과 두 선분 E_1F_1, F_1C_1과 호 E_1C로 둘러싸인 부분인 ◸ 모양의 도형에 색칠하여 얻은 그림을 R_1이라 하자.

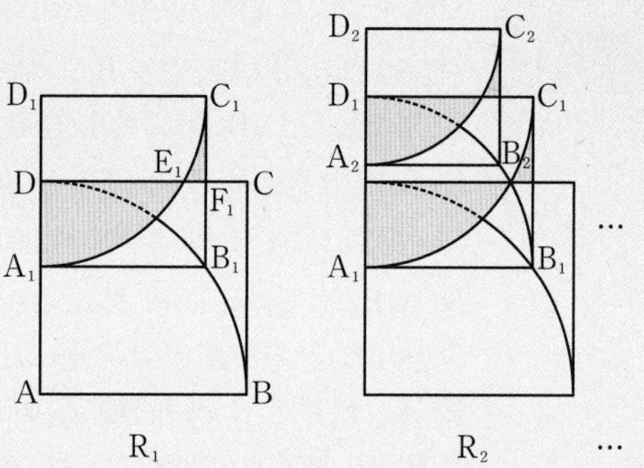

그림 R_1에서 정사각형 $A_1B_1C_1D_1$에 중심이 A_1이고 중심각의 크기가 $90°$인 부채꼴 $A_1B_1D_1$을 그린다. 선분 A_1D_1을 $3:2$로 내분하는 점을 A_2, 점 A_2를 지나고 선분 A_1B_1에 평행한 직선이 호 B_1D_1과 만나는 점을 B_2라 하자. 선분 A_2B_2를 한 변으로 하고 선분 D_1C_1과 만나도록 정사각형 $A_2B_2C_2D_2$를 그린 후, 그림 R_1을 얻은 것과 같은 방법으로 정사각형 $A_2B_2C_2D_2$에 ◸ 모양의 도형을 그리고 색칠하여 얻은 그림을 R_2라 하자. 이와 같은 과정을 계속하여 n번째 얻은 그림 R_n에 색칠되어 있는 부분의 넓이를 S_n이라 할 때, $\lim_{n\to\infty} S_n$의 값은?

① $\frac{50}{3}\left(3-\sqrt{3}+\frac{\pi}{6}\}\right)$ ② $\frac{100}{9}\left(3-\sqrt{3}+\frac{\pi}{3}\right)$ ③ $\frac{50}{3}\left(2-\sqrt{3}+\frac{\pi}{3}\right)$

④ $\frac{100}{9}\left(3-\sqrt{3}+\frac{\pi}{6}\right)$ ⑤ $\frac{100}{9}\left(2-\sqrt{3}+\frac{\pi}{3}\right)$

수능특강 풀이

STEP A R_1의 넓이 S_1 구하기

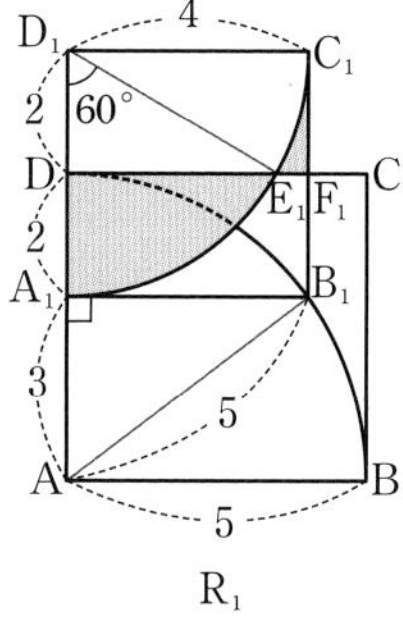

그림 R_1에서 $\overline{AA_1}=3$, $\overline{AB_1}=5$이므로 $\overline{A_1B_1}=4$

즉 $\overline{D_1E_1}=4$, $\overline{D_1D}=2$이므로 $\angle DD_1E_1=60°$, $\angle C_1D_1E_1=30°$

아래 그림과 같이 영역 DA_1E_1, $C_1E_1F_1$의 넓이를 각각 P_1, P_2라 하고

P_1을 다음과 같이 구하면

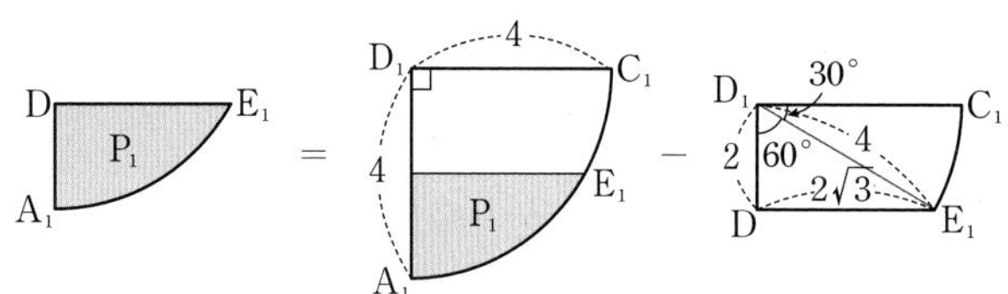
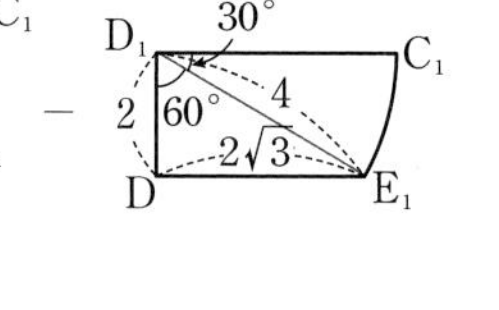

$P_1=4\pi-\left(\frac{1}{2}\cdot2\sqrt{3}\cdot2+\frac{1}{2}\cdot4^2\cdot\frac{\pi}{6}\right)=4\pi-2\sqrt{3}-\frac{4}{3}\pi=\frac{8}{3}\pi-2\sqrt{3}$ …… ㉠

P_2를 다음과 같이 구하면

$P_2=2\cdot4-\left(\frac{1}{2}\cdot2\sqrt{3}\cdot2+\frac{1}{2}\cdot4^2\cdot\frac{\pi}{6}\right)=8-2\sqrt{3}-\frac{4}{3}\pi$ …… ㉡

㉠, ㉡에서 $S_1=P_1+P_2=\left(\frac{8}{3}\pi-2\sqrt{3}\right)+\left(8-2\sqrt{3}-\frac{4}{3}\pi\right)=8-4\sqrt{3}+\frac{4}{3}\pi$

STEP B 닮음비를 이용하여 공비 구하기

정사각형 $A_{n+1}B_{n+1}C_{n+1}D_{n+1}$와 $A_nB_nC_nD_n$의 한 변의 길이의 비는 $5:4$이므로

각 색칠한 부분들의 넓이의 비는 $25:16$이므로

그림 R_{n+1}에서 새로 색칠한 부분의 넓이는 그림 R_n에서 새로 색칠한 부분의 넓이의 $\frac{16}{25}$이다.

STEP C $\lim_{n\to\infty} S_n$ 구하기

따라서 첫째항이 $8-4\sqrt{3}+\frac{4}{3}\pi$이고 공비가 $\frac{16}{25}$인 등비수열이므로 $\lim_{n\to\infty} S_n=\frac{8-4\sqrt{3}+\frac{4}{3}\pi}{1-\frac{16}{25}}=\frac{100}{9}\left(2-\sqrt{3}+\frac{\pi}{3}\right)$

정답 ⑤

미적분

Ⅰ 수열의 극한　Ⅱ 미분법　Ⅲ 적분법

01

지수로그함수의 미분

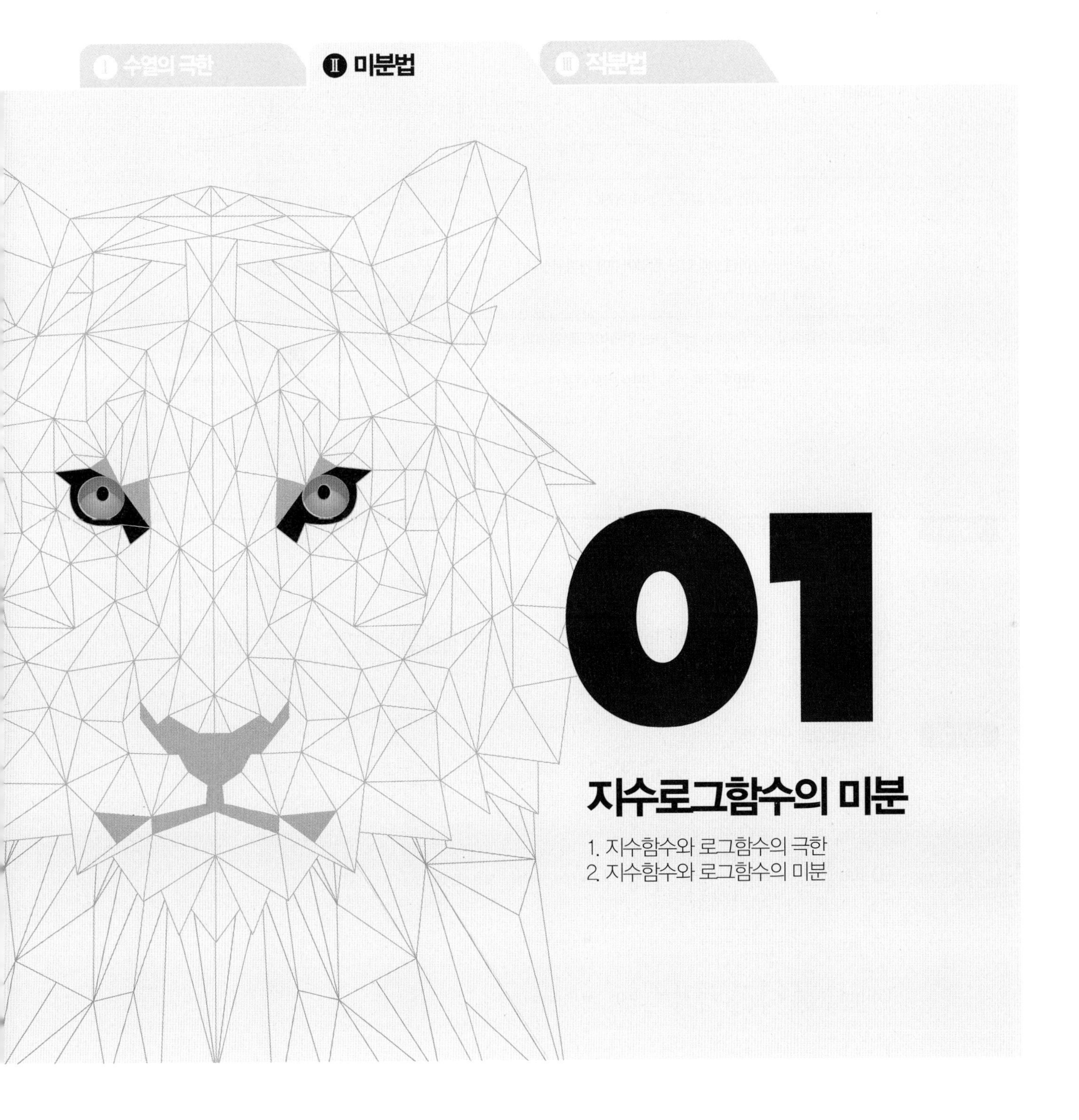

1. 지수함수와 로그함수의 극한
2. 지수함수와 로그함수의 미분

MAPL; YOURMASTERPLAN

01 지수함수와 로그함수의 극한

01 지수함수 $y=a^x(a>0,\ a\neq1)$의 극한

$x\to\infty$ 또는 $x\to-\infty$일 때, 지수함수 $y=a^x(a>0,\ a\neq1)$의 극한은 다음과 같다.

(1) $a>1$일 때, $\lim_{x\to\infty}a^x=\infty,\ \lim_{x\to-\infty}a^x=0$

(2) $0<a<1$일 때, $\lim_{x\to\infty}a^x=0,\ \lim_{x\to-\infty}a^x=\infty$

마플해설 지수함수 $y=a^x(a>0,\ a\neq1)$의 극한

	$a>1$	$0<a<1$
그래프	$y=a^x$, y, 1, O, x	$y=a^x$, y, 1, O, x
극한값	① $x\to\infty$이면 y의 값은 한없이 커진다. ➡ $\lim_{x\to\infty}a^x=\infty$ ② $x\to-\infty$이면 y의 값은 한없이 0에 가까워진다. ➡ $\lim_{x\to-\infty}a^x=0$	① $x\to\infty$이면 y의 값은 한없이 0에 가까워진다. ➡ $\lim_{x\to\infty}a^x=0$ ② $x\to-\infty$이면 y의 값은 한없이 커진다. ➡ $\lim_{x\to-\infty}a^x=\infty$

참고 지수함수 $y=a^x(a>0,\ a\neq1)$는 연속이므로 임의의 양수 r에 대하여 $\lim_{x\to r}a^x=a^r$

$\lim_{x\to0}a^x=a^0=1,\ \lim_{x\to1}a^x=a^1=a$

등비수열의 극한
① $r>1$일 때, $\lim_{n\to\infty}r^n=\infty$
② $0<r<1$일 때, $\lim_{n\to\infty}r^n=0$

보기 01 다음 극한값을 구하여라.

(1) $\lim_{x\to\infty}2^x$ (2) $\lim_{x\to-\infty}3^x$ (3) $\lim_{x\to\infty}\left(\frac{1}{3}\right)^x$ (4) $\lim_{x\to-\infty}\left(\frac{1}{2}\right)^x$

풀이 (1) $\lim_{x\to\infty}2^x=\infty$ (2) $\lim_{x\to-\infty}3^x=0$ (3) $\lim_{x\to\infty}\left(\frac{1}{3}\right)^x=0$ (4) $\lim_{x\to-\infty}\left(\frac{1}{2}\right)^x=\infty$

보기 02 다음 극한값을 구하여라.

(1) $\lim_{x\to\infty}\frac{3^x-2^x}{3^x+2^x}$ (2) $\lim_{x\to-\infty}\frac{3^x+2}{3^x-1}$ (3) $\lim_{x\to0}\frac{3^x-2^x}{3^x+2^x}$

풀이 (1) $\lim_{x\to\infty}\frac{3^x-2^x}{3^x+2^x}=\lim_{x\to\infty}\frac{1-\left(\frac{2}{3}\right)^x}{1+\left(\frac{2}{3}\right)^x}=\frac{1-0}{1+0}=1$ ⬅ 분자, 분모를 3^x으로 나누면

(2) $\lim_{x\to-\infty}\frac{3^x+2}{3^x-1}=\frac{0+2}{0-1}=-2$ ⬅ $\lim_{x\to-\infty}3^x=0$

(3) $\lim_{x\to0}\frac{3^x-2^x}{3^x+2^x}=\frac{3^0-2^0}{3^0+2^0}=\frac{1-1}{1+1}=\frac{0}{2}=0$ ⬅ $\lim_{x\to0}a^x=a^0=1$

02 로그함수 $y=\log_a x(a>0,\ a\neq 1)$의 극한

$x\to 0+$ 또는 $x\to\infty$일 때, 로그함수 $y=\log_a x(a>0,\ a\neq 1)$의 극한은 다음과 같다.

(1) $a>1$일 때, $\lim_{x\to 0+}\log_a x=-\infty$, $\lim_{x\to\infty}\log_a x=\infty$

(2) $0<a<1$일 때, $\lim_{x\to 0+}\log_a x=\infty$, $\lim_{x\to\infty}\log_a x=-\infty$

마플해설 로그함수 $y=\log_a x(a>0,\ a\neq 1)$의 극한

	$a>1$	$0<a<1$
그래프	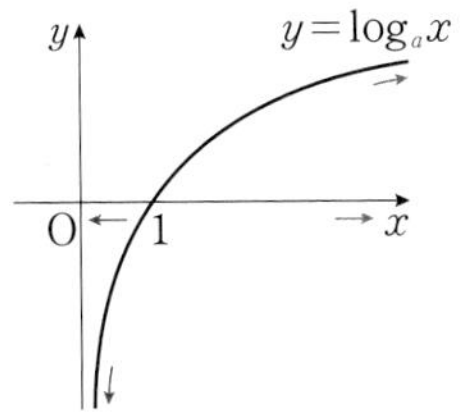	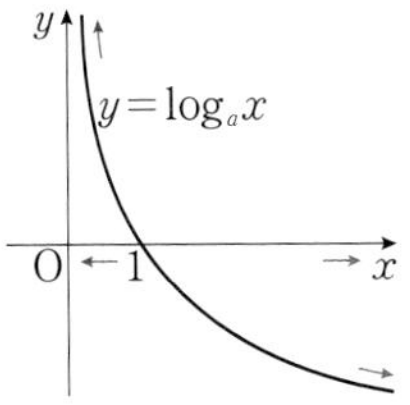
극한값	① $x\to 0+$이면 y의 값은 음수이면서 절댓값이 한없이 커진다. ➡ $\lim_{x\to 0+}\log_a x=-\infty$ ② $x\to\infty$이면 y의 값은 한없이 커진다. ➡ $\lim_{x\to\infty}\log_a x=\infty$	① $x\to 0+$이면 y의 값은 한없이 커진다. ➡ $\lim_{x\to 0+}\log_a x=\infty$ ② $x\to\infty$이면 y의 값은 음수이면서 절댓값이 한없이 커진다. ➡ $\lim_{x\to\infty}\log_a x=-\infty$

참고 로그함수 $y=\log_a x(a>0,\ a\neq 1)$는 연속이므로 임의의 양수 r에 대하여 $\lim_{x\to r}\log_a x=\log_a r$

$\lim_{x\to 1}\log_a x=0$, $\lim_{x\to a}\log_a x=1$

보기 03 다음 극한값을 구하여라.

(1) $\lim_{x\to 0+}\log_2 x$ (2) $\lim_{x\to\infty}\log_3 x$ (3) $\lim_{x\to 0+}\log_{\frac{1}{3}} x$ (4) $\lim_{x\to\infty}\log_{\frac{1}{4}} x$

풀이 (1) $\lim_{x\to 0+}\log_2 x=-\infty$ (2) $\lim_{x\to\infty}\log_3 x=\infty$

(3) $\lim_{x\to 0+}\log_{\frac{1}{3}} x=\infty$ (4) $\lim_{x\to\infty}\log_{\frac{1}{4}} x=-\infty$

보기 04 다음 극한값을 구하여라.

(1) $\lim_{x\to 1}\dfrac{2x}{\log_3(x+2)}$ (2) $\lim_{x\to\infty}\{\log_3(9x+1)-\log_3 x\}$ (3) $\lim_{x\to 1+}\{\log_2(x^2-1)-\log_2(x-1)\}$

풀이 (1) $\lim_{x\to 1}2x=2$이고 $\lim_{x\to 1}\log_3(x+2)=\log_3 3=1$이므로 $\lim_{x\to 1}\dfrac{2x}{\log_3(x+2)}=2$

(2) $\lim_{x\to\infty}\{\log_3(9x+1)-\log_3 x\}=\lim_{x\to\infty}\log_3\dfrac{9x+1}{x}=\log_3\lim_{x\to\infty}\dfrac{9x+1}{x}=\log_3 9=2$ ⬅ $\lim_{x\to\infty}\dfrac{9x+1}{x}=9$

(3) $\lim_{x\to 1+}\{\log_2(x^2-1)-\log_2(x-1)\}=\lim_{x\to 1+}\log_2\dfrac{x^2-1}{x-1}=\log_2\lim_{x\to 1+}\dfrac{x^2-1}{x-1}=\lim_{x\to 1+}\log_2(x+1)=1$

참고 로그의 성질 $\log_a \mathrm{M}-\log_a \mathrm{N}=\log_a\dfrac{\mathrm{M}}{\mathrm{N}}$ (단, $a>0,\ a\neq 1,\ \mathrm{M}>0,\ \mathrm{N}>0$)을 이용하여 계산한다.

+α 더 알아보기

$a>0,\ a\neq 1$인 임의의 실수 a와 함수 $f(x)$에 대하여

(1) $\lim_{x\to\infty}f(x)=\alpha(\alpha>0)$이면 ⇨ $\lim_{x\to\infty}\{\log_a f(x)\}=\log_a\{\lim_{x\to\infty}f(x)\}=\log_a\alpha$

(2) $\lim_{x\to c}f(x)=\alpha(\alpha>0)$이면 ⇨ $\lim_{x\to c}\{\log_a f(x)\}=\log_a\{\lim_{x\to c}f(x)\}=\log_a\alpha$

03 무리수 e의 정의

x가 한없이 0에 가까워짐에 따라 $(1+x)^{\frac{1}{x}}$의 값은 어떤 일정한 값에 수렴함이 알려져 있고, 이 값을 e로 나타낸다.

(1) $\lim_{x\to 0}(1+x)^{\frac{1}{x}}=e$　　　　(2) $\lim_{x\to\infty}\left(1+\frac{1}{x}\right)^{x}=e$ (단, $e=2.718281\cdots\cdots$)

마플해설

극한값 $\lim_{x\to 0}(1+x)^{\frac{1}{x}}$을 알아보자.

오른쪽은 실수 x의 값에 따른 $(1+x)^{\frac{1}{x}}$의 값과 함수 $y=(1+x)^{\frac{1}{x}}$의 그래프를 공학적 도구를 이용하여 나타낸 것이다.

① $x\to 0+$일 때, $(1+x)^{\frac{1}{x}}$의 값은 $2.71828\cdots$에 한없이 가까워진다.

② $x\to 0-$일 때, $(1+x)^{\frac{1}{x}}$의 값이 $2.71828\cdots$에 한없이 가까워진다.

즉, x의 값이 0에 한없이 가까워질 때, 함수 $f(x)=(1+x)^{\frac{1}{x}}$의 값은 2와 3 사이의 어떤 일정한 값에 가까워진다.

실제로 $\lim_{x\to 0}(1+x)^{\frac{1}{x}}$의 값이 존재함이 알려져 있고, 이 극한값을 e로 나타낸다.

즉 $\lim_{x\to 0}(1+x)^{\frac{1}{x}}=e$이다.

이때 e는 무리수이고 그 값은 $e=\mathbf{2.718281828459 04}\cdots$임이 알려져 있다.

한편 $e=\lim_{x\to 0}(1+x)^{\frac{1}{x}}$에서 $\frac{1}{x}=t$로 놓으면 $x\to 0+$일 때, $t\to\infty$이므로 e를 다음과 같이 나타낼 수도 있다.

$$\lim_{t\to\infty}\left(1+\frac{1}{t}\right)^{t}=e$$

참고 오일러가 e가 무리수임을 처음으로 증명하였고, 이 값을 e로 나타내었다.

x	$(1+x)^{\frac{1}{x}}$
0.01	2.70481383
0.001	2.71692393
0.0001	2.71814593
0.00001	2.71826824
⋮	⋮
(0)	?
⋮	⋮
−0.00001	2.71829542
−0.0001	2.71841776
−0.001	2.71964222
−0.01	2.73199903

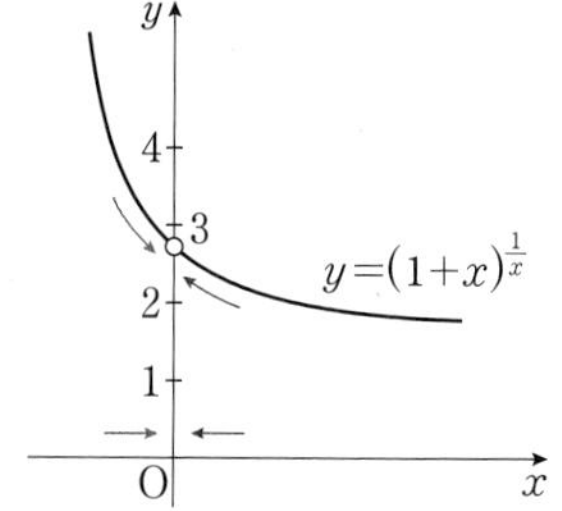

보기 05 다음 극한값을 구하여라.

(1) $\lim_{x\to 0}(1+3x)^{\frac{1}{x}}$　　(2) $\lim_{x\to 0}(1+x)^{\frac{3}{x}}$　　(3) $\lim_{x\to\infty}\left(1+\frac{1}{3x}\right)^{x}$　　(4) $\lim_{x\to\infty}\left(1+\frac{1}{x}\right)^{3x}$

풀이

(1) $3x=t$로 놓으면 $x\to 0$일 때, $t\to 0$이므로 $\lim_{x\to 0}(1+3x)^{\frac{1}{x}}=\lim_{x\to 0}\left\{(1+3x)^{\frac{1}{3x}}\right\}^{3}=\lim_{t\to 0}\left\{(1+t)^{\frac{1}{t}}\right\}^{3}=e^{3}$

(2) $\lim_{x\to 0}(1+x)^{\frac{3}{x}}=\lim_{x\to 0}\left\{(1+x)^{\frac{1}{x}}\right\}^{3}=e^{3}$

(3) $3x=t$로 놓으면 $x\to\infty$일 때, $t\to\infty$이므로 $\lim_{x\to\infty}\left(1+\frac{1}{3x}\right)^{x}=\lim_{t\to\infty}\left(1+\frac{1}{t}\right)^{\frac{t}{3}}=\lim_{t\to\infty}\left\{\left(1+\frac{1}{t}\right)^{t}\right\}^{\frac{1}{3}}=e^{\frac{1}{3}}$

(4) $\lim_{x\to\infty}\left(1+\frac{1}{x}\right)^{3x}=\lim_{x\to\infty}\left\{\left(1+\frac{1}{x}\right)^{x}\right\}^{3}=e^{3}$

$\lim_{■\to\infty}\left(1+\frac{1}{■}\right)^{■}$ 또는 $\lim_{●\to 0}(1+●)^{\frac{1}{●}}$ ⟶ $(1+0)^{\infty}$ ⟶ 무리수 e

더 알아보기

컴퓨터 프로그램으로 x의 값이 한없이 커질 때, $\left(1+\frac{1}{x}\right)^{x}$의 값을 구하여 보면 일정한 값에 가까워진다.

이 값은 수학에서 원주율 π, 허수단위 i와 더불어 가장 중요하게 사용되는 상수 가운데 하나로 꼽힌다.

원래 복리로 이자를 계산하는 과정에서 복리를 계산하는 기간을 줄일수록 일정 기간 후 원리합계가 많아지는 가에 대한 궁금증을 해결하는 과정에서 나온 값이다.

이 값을 밑으로 하는 지수함수와 로그함수는 앞으로 배우게 될 미적분에서 매우 중요한 역할을 한다.

04 자연로그

(1) 자연로그

무리수 e를 밑으로 하는 로그 $\log_e x$를 x의 **자연로그**라고 하며, 이것을 간단히 $\ln x$로 나타낸다.

자연로그는 밑 e를 생략하고 간단히 $\log_e x = \ln x$로 나타낸다.

(2) 자연로그의 성질 (단, $x>0$, $y>0$) ⬅ 자연로그는 로그의 특수한 경우이므로 로그의 성질이 모두 성립한다.

① $\ln 1 = 0$, $\ln e = 1$　　② $\ln xy = \ln x + \ln y$

③ $\ln \frac{x}{y} = \ln x - \ln y$　　④ $\ln x^n = n \ln x$

참고 $\ln x$는 자연로그를 뜻하는 영어 natural logarithm의 첫 글자에서 순서를 바꿔 쓴 것이고 '엘엔 엑스' 라고 읽는다.

로그	사용	표현
상용로그(밑이 10인 로그)	실생활에 자주 사용	$\log_{10} x = \log x$
자연로그(밑이 e인 로그)	수학적 활용도가 높고, 특히 자연현상을 표현 할 때 자주 사용	$\log_e x = \ln x$

마플해설 지수함수 $y=e^x$과 로그함수 $y=\ln x$

$e>1$이므로 지수함수 $y=e^x$과 로그함수 $y=\ln x$의 그래프는 오른쪽 그림과 같다.

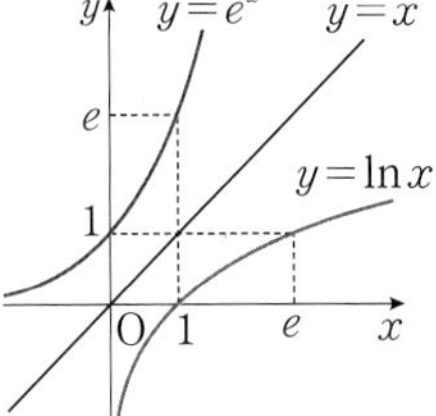

① 로그함수 $y=\ln x$와 지수함수 $y=e^x$은 서로 역함수의 관계에 있으므로 두 함수의 그래프는 직선 $y=x$에 대하여 대칭이다.

$$y=e^x \Longleftrightarrow x=\ln y$$

② 지수함수 $y=e^x$과 로그함수 $y=\ln x$는 모두 x의 값이 증가할 때, y의 값도 증가한다.

③ 지수함수 $y=e^x$의 그래프는 점 $(0, 1)$을 지난다. ⬅ 지수함수 $y=e^x$는 x축을 점근선으로 한다.

④ 로그함수 $y=\ln x$의 그래프는 점 $(1, 0)$을 지난다. ⬅ 로그함수 $y=\ln x$는 y축을 점근선으로 한다.

보기 06 다음 자연로그의 값을 구하여라.

(1) $\ln e$　(2) $\ln\sqrt{e}$　(3) $\ln\frac{1}{e^2}$　(4) $e^{\ln 3}$

풀이 (1) $\ln e = \log_e e = 1$

(2) $\ln\sqrt{e} = \frac{1}{2}\ln e = \frac{1}{2}$

(3) $\ln\frac{1}{e^2} = \ln e^{-2} = \quad 2\ln e = -2$

(4) $e^{\ln 3} = 3^{\ln e} = 3$

보기 07 다음 극한값을 구하여라.

(1) $\lim_{x\to 0} e^x$　(2) $\lim_{x\to 1} e^x$　(3) $\lim_{x\to\infty} e^x$　(4) $\lim_{x\to -\infty} e^x$

(5) $\lim_{x\to e} \ln x$　(6) $\lim_{x\to 1} \ln x$　(7) $\lim_{x\to\infty} \ln x$　(8) $\lim_{x\to 0+} \ln x$

풀이 (1) $\lim_{x\to 0} e^x = e^0 = 1$　(2) $\lim_{x\to 1} e^x = e^1$　(3) $\lim_{x\to\infty} e^x = \infty$　(4) $\lim_{x\to -\infty} e^x = 0$

(5) $\lim_{x\to e} \ln x = \ln e = 1$　(6) $\lim_{x\to 1} \ln x = \ln 1 = 0$　(7) $\lim_{x\to\infty} \ln x = \infty$　(8) $\lim_{x\to 0+} \ln x = -\infty$

더 알아보기

① $\ln\left\{\lim_{x\to\infty}\left(1+\frac{1}{x}\right)\right\} = \ln 1 = 0$　② $\ln\left\{\lim_{x\to 0}(1+x)\right\} = \ln 1 = 0$

③ $\ln\left\{\lim_{x\to\infty}\left(1+\frac{1}{x}\right)^x\right\} = \ln e = 1$　④ $\ln\left\{\lim_{x\to 0}(1+x)^{\frac{1}{x}}\right\} = \ln e = 1$

⑤ $\lim_{x\to\infty} x\{\ln(x+a) - \ln x\} = a$　⬅ $\lim_{x\to\infty} x\{\ln(x+a)-\ln x\} = \lim_{x\to\infty} x\ln\frac{x+a}{x} = \lim_{x\to\infty}\ln\left\{\left(1+\frac{a}{x}\right)^{\frac{x}{a}}\right\}^a = \ln e^a = a$

⑥ $\lim_{x\to\infty} x\{\log_a(x+1) - \log_a x\} = \log_a e = \frac{1}{\ln a}$　⬅ $\lim_{x\to\infty} x\{\log_a(x+1)-\log_a x\} = \lim_{x\to\infty} x\log_a\frac{x+1}{x} = \lim_{x\to\infty}\log_a\left(1+\frac{1}{x}\right)^x = \log_a e = \frac{1}{\ln a}$

05 밑을 e로 하는 지수함수와 로그함수의 극한값

무리수의 정의를 이용한 지수함수 로그함수의 극한은 다음과 같다.

(1) $\lim_{x \to 0} \frac{\ln(1+x)}{x}=1$　　(2) $\lim_{x \to 0} \frac{e^x-1}{x}=1$

마플해설 밑이 e인 지수함수와 로그함수의 극한

$\lim_{\star \to 0} \frac{\ln(1+\star)}{\star}=1$, $\lim_{\blacksquare \to 0} \frac{e^{\blacksquare}-1}{\blacksquare}=1$

(1) $\lim_{x \to 0} \frac{\ln(1+x)}{x}=\lim_{x \to 0} \frac{1}{x}\ln(1+x)=\lim_{x \to 0}\ln(1+x)^{\frac{1}{x}}$ ⬅ 로그의 성질

$=\ln\left\{\lim_{x \to 0}(1+x)^{\frac{1}{x}}\right\}$ ⬅ 무리수 e의 정의

$=\ln e=1$ ⬅ 로그의 성질

(2) $e^x-1=t$로 놓으면 $e^x=t+1$이므로 $x=\ln(1+t)$

한편 $x \to 0$일 때, $t \to 0$이므로

$$\lim_{x \to 0} \frac{e^x-1}{x}=\lim_{t \to 0} \frac{t}{\ln(1+t)}=\lim_{t \to 0} \frac{1}{\frac{\ln(1+t)}{t}}=\frac{1}{\ln\left\{\lim_{t \to 0}(1+t)^{\frac{1}{t}}\right\}}=\frac{1}{\ln e}=1$$

밑이 e인 지수함수와 로그함수의 극한의 확장

① $\lim_{x \to 0} \frac{\ln(1+bx)}{ax}=\frac{b}{a}$　　② $\lim_{x \to 0} \frac{e^{bx}-1}{ax}=\frac{b}{a}$

보기 08 다음 극한값을 구하여라.

(1) $\lim_{x \to 0} \frac{\ln(1+3x)}{x}$　　(2) $\lim_{x \to 0} \frac{e^{5x}-1}{x}$　　(3) $\lim_{x \to 0} \frac{e^x-1}{\ln(1+x)}$

풀이 (1) $\lim_{x \to 0} \frac{\ln(1+3x)}{x}=\lim_{x \to 0}\ln(1+3x)^{\frac{1}{x}}=\lim_{x \to 0}\ln\left\{(1+3x)^{\frac{1}{3x}}\right\}^3=\ln e^3=3$

속해법 $\lim_{x \to 0} \frac{\ln(1+3x)}{x}=\lim_{x \to 0} \frac{\ln(1+3x)}{3x}\cdot 3=1\cdot 3=3$ ⬅ $\lim_{\bullet \to 0} \frac{\ln(1+\bullet)}{\bullet}=1$

(2) $e^{5x}-1=t$로 놓으면 $x=\frac{\ln(1+t)}{5}$

$x \to 0$일 때, $t \to 0$이므로

$$\lim_{x \to 0} \frac{e^{5x}-1}{x}=\lim_{t \to 0} \frac{5t}{\ln(1+t)}=\lim_{t \to 0} \frac{5}{\frac{\ln(1+t)}{t}}=\frac{5}{\ln\left\{\lim_{t \to 0}(1+t)^{\frac{1}{t}}\right\}}=\frac{5}{\ln e}=5$$

속해법 $\lim_{x \to 0} \frac{e^{5x}-1}{x}=\lim_{x \to 0} \frac{e^{5x}-1}{5x}\cdot 5=1\cdot 5=5$ ⬅ $\lim_{\blacksquare \to 0} \frac{e^{\blacksquare}-1}{\blacksquare}=1$

(3) 분자, 분모를 각각 x로 나누면 $\lim_{x \to 0} \frac{e^x-1}{\ln(1+x)}=\lim_{x \to 0} \frac{\frac{e^x-1}{x}}{\frac{\ln(1+x)}{x}}$

이때 $\lim_{x \to 0} \frac{e^x-1}{x}=1$, $\lim_{x \to 0}\ln(1+x)^{\frac{1}{x}}=1$이므로 $\lim_{x \to 0} \frac{e^x-1}{\ln(1+x)}=1$

FOCUS

지수함수와 로그함수의 미분계수에서의 의미

① $\lim_{x \to 0} \frac{\ln(1+x)}{x}=1$ ⇨ 함수 $y=\ln x$의 그래프 위의 점 $(1,\ 0)$에서의 접선의 기울기가 1이다.

② $\lim_{x \to 0} \frac{e^x-1}{x}=1$ ⇨ 함수 $y=e^x$의 그래프 위의 점 $(0,\ 1)$에서의 접선의 기울기가 1이다.

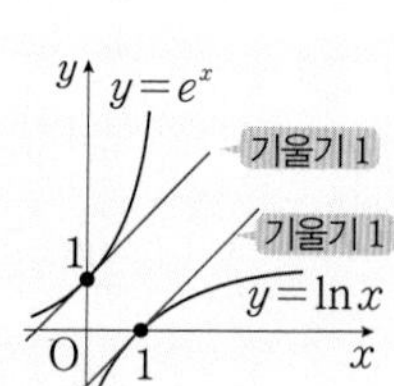

06 밑이 e가 아닌 지수함수와 로그함수의 극한값

$a>0$, $a\neq 1$일 때, 무리수 e와 로그의 정의를 이용하면 다음과 같은 극한이 성립한다.

(1) $\lim_{x\to 0}\frac{\log_a(1+x)}{x}=\frac{1}{\ln a}$　　(2) $\lim_{x\to 0}\frac{a^x-1}{x}=\ln a$

마플해설 밑이 e가 아닌 지수함수와 로그함수의 극한

(1) $\lim_{x\to 0}\frac{\log_a(1+x)}{x}=\lim_{x\to 0}\frac{1}{x}\log_a(1+x)=\lim_{x\to 0}\log_a(1+x)^{\frac{1}{x}}=\log_a\left\{\lim_{x\to 0}(1+x)^{\frac{1}{x}}\right\}=\log_a e=\frac{1}{\log_e a}=\frac{1}{\ln a}$

(2) $a^x-1=t$로 놓으면 $a^x=1+t$　$\therefore x=\log_a(1+t)$

한편 $x\to 0$일 때, $t\to 0$이므로

$$\lim_{x\to 0}\frac{a^x-1}{x}=\lim_{t\to 0}\frac{t}{\log_a(1+t)}=\lim_{t\to 0}\frac{1}{\frac{1}{t}\log_a(1+t)}=\lim_{t\to 0}\frac{1}{\log_a(1+t)^{\frac{1}{t}}}=\frac{1}{\log_a e}=\log_e a=\ln a$$

밑이 e가 아닌 지수함수와 로그함수의 극한의 확장

① $\lim_{x\to 0}\frac{\log_a(1+mx)}{nx}=\frac{m}{n}\cdot\frac{1}{\ln a}$　　② $\lim_{x\to 0}\frac{a^{mx}-1}{nx}=\frac{m}{n}\cdot\ln a$

보기 09 다음 극한값을 구하여라.

(1) $\lim_{x\to 0}\frac{\log_3(1+2x)}{x}$　　(2) $\lim_{x\to 0}\frac{5^x-1}{x}$　　(3) $\lim_{h\to 0}\frac{3^h-1}{h}$

풀이

(1) $\lim_{x\to 0}\frac{\log_3(1+2x)}{x}=\lim_{x\to 0}\frac{1}{x}\log_3(1+2x)=\lim_{x\to 0}\log_3\{(1+2x)\}^{\frac{1}{x}}$

$$=\lim_{x\to 0}\log_3\left[\{(1+2x)\}^{\frac{1}{2x}}\right]^2=\log_3 e^2=2\log_3 e=\frac{2}{\ln 3}$$

속해법 $\lim_{x\to 0}\frac{\log_3(1+2x)}{x}=\lim_{x\to 0}\frac{\log_3(1+2x)}{2x}\cdot 2=\frac{1}{\ln 3}\cdot 2=\frac{2}{\ln 3}$

(2) $5^x-1=t$로 놓으면 $5^x=1+t$, $x=\log_5(1+t)$, 또 $x\to 0$일 때, $t\to 0$

$$\therefore \lim_{x\to 0}\frac{5^x-1}{x}=\lim_{t\to 0}\frac{t}{\log_5(1+t)}=\lim_{t\to 0}\frac{1}{\frac{\log_5(1+t)}{t}}=\frac{1}{\log_5 e}=\ln 5$$

(3) $3^h-1=t$로 놓으면 $3^h=1+t$, $h=\log_3(1+t)$, 또 $h\to 0$일 때, $t\to 0$

$$\therefore \lim_{h\to 0}\frac{3^h-1}{h}=\lim_{t\to 0}\frac{t}{\log_3(1+t)}=\lim_{t\to 0}\frac{1}{\frac{\log_3(1+t)}{t}}=\frac{1}{\log_3 e}=\ln 3$$

변형된 지수함수와 로그함수의 극한

① $\lim_{x\to 1}\frac{\ln x}{x-1}=1$　⬅ $x-1=t$로 놓으면 $x\to 1$일 때, $t\to 0$이므로 $\lim_{x\to 1}\frac{\ln x}{x-1}=\lim_{t\to 0}\frac{\ln(1+t)}{t}=\ln\left\{\lim_{t\to 0}(1+t)^{\frac{1}{t}}\right\}=\ln e=1$

② $\lim_{x\to 1}\frac{\log_a x}{x-1}=\frac{1}{\ln a}$　⬅ $x-1=t$로 놓으면 $x\to 1$일 때, $t\to 0$이므로 $\lim_{x\to 1}\frac{\log_a x}{x-1}=\lim_{t\to 0}\frac{\log_a(1+t)}{t}=\frac{1}{\ln a}$

FOCUS

지수함수와 로그함수의 미분계수에서의 의미

① $\lim_{x\to 0}\frac{\log_a(1+x)}{x}=\frac{1}{\ln a}$

⇨ 함수 $y=\log_a x$의 그래프 위의 점 $(1, 0)$에서의 접선의 기울기가 $\frac{1}{\ln a}$이다.

② $\lim_{x\to 0}\frac{a^x-1}{x}=\ln a$

⇨ 함수 $y=a^x$의 그래프 위의 점 $(0, 1)$에서의 접선의 기울기가 $\ln a$이다.

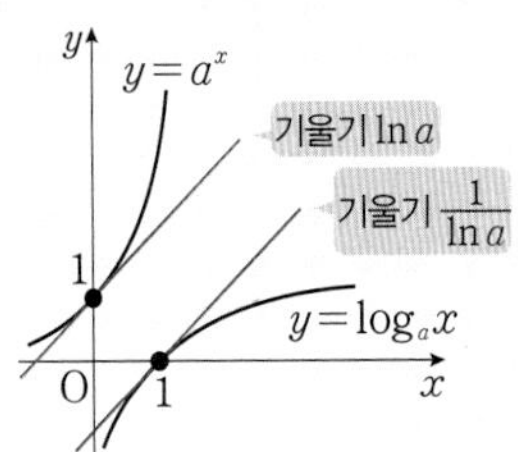

마플개념익힘 01 지수함수와 로그함수의 극한

다음 극한값을 구하여라.

(1) $\lim_{x\to\infty}\frac{3^x}{3^x-2^x}$ (2) $\lim_{x\to\infty}(3^x+2^x)^{\frac{1}{x}}$

(3) $\lim_{x\to\infty}\{\ln(2+3x)-\ln x\}$ (4) $\lim_{x\to 3}(\ln|x^2-9|-\ln|x-3|)$

MAPL CORE

① $\lim_{x\to\infty}\frac{a^x}{b^x+c^x}$꼴 ⇨ 분모에서 밑이 가장 큰 항으로 분모, 분자를 나눈다.

② $\lim_{x\to\infty}(a^x+b^x)^{\frac{1}{x}}$꼴 ⇨ 밑이 가장 큰 항으로 묶는다.

③ $\lim_{x\to\infty}\{\log_a f(x)-\log_a g(x)\}$꼴 ⇨ $\lim_{x\to\infty}\log_a\frac{f(x)}{g(x)}$

개념익힘 | **풀이** (1) 양변의 분모, 분자를 3^x으로 나누면

$$\lim_{x\to\infty}\frac{3^x}{3^x-2^x}=\lim_{x\to\infty}\frac{1}{1-\frac{2^x}{3^x}}=\lim_{x\to\infty}\frac{1}{1-\left(\frac{2}{3}\right)^x}=\frac{1}{1-0}=\mathbf{1}$$

(2) 3^x으로 묶어 내면

$$\lim_{x\to\infty}(3^x+2^x)^{\frac{1}{x}}=\lim_{x\to\infty}\left[3^x\left\{1+\left(\frac{2}{3}\right)^x\right\}\right]^{\frac{1}{x}}=\lim_{x\to\infty}3\left\{1+\left(\frac{2}{3}\right)^x\right\}^{\frac{1}{x}}=3(1+0)=\mathbf{3}$$

(3) 로그의 성질에 의하여

$$\lim_{x\to\infty}\{\ln(2+3x)-\ln x\}=\lim_{x\to\infty}\ln\frac{2+3x}{x}=\lim_{x\to\infty}\ln\left(\frac{2}{x}+3\right)=\mathbf{\ln 3}$$

(4) 로그의 성질에 의하여

$$\lim_{x\to 3}(\ln|x^2-9|-\ln|x-3|)=\lim_{x\to 3}\ln\left|\frac{x^2-9}{x-3}\right|=\lim_{x\to 3}\ln\left|\frac{(x+3)(x-3)}{x-3}\right|$$
$$=\lim_{x\to 3}\ln|x+3|=\mathbf{\ln 6}$$

확인유제 0211 다음 극한값을 구하여라.

(1) $\lim_{x\to\infty}\frac{2^{x+1}-3^{x+1}}{2^x-3^x}$ (2) $\lim_{x\to\infty}(5^x+3^x)^{\frac{1}{x}}$

(3) $\lim_{x\to\infty}\{\log_2(4x^2+1)-\log_2(x^2+4)\}$ (4) $\lim_{x\to 1}(\ln|x^3-1|-\ln|x^2-1|)$

변형문제 0212 다음 극한값을 구하여라.

(1) $\lim_{x\to\infty}\frac{\left(\frac{1}{2}\right)^{x-1}+\left(\frac{1}{3}\right)^{x+1}}{\left(\frac{1}{2}\right)^{x+2}+\left(\frac{1}{3}\right)^x}$ (2) $\lim_{x\to-\infty}\frac{2^{2x}+\left(\frac{1}{3}\right)^{x+1}}{2^{2x+1}+\left(\frac{1}{3}\right)^x}$ (3) $\lim_{x\to 0+}\frac{\log_3 x^3-1}{\log_3 3x+1}$

발전문제 0213 다음 물음에 답하여라.

(1) $\lim_{x\to\infty}\frac{9^x}{9^x+a^x}+\lim_{x\to\infty}\frac{a^x}{9^x-1}=1$이 성립하도록 하는 자연수 a의 개수를 구하여라.

(2) $\lim_{x\to\infty}\frac{a^{2x}+a}{a^{2x+2}+7a^2}=\frac{1}{4}$을 만족시키는 모든 양수 a의 값의 합을 구하여라.

(3) $\lim_{x\to\infty}\frac{a^{x+2}+2a^x+3^x}{a^{x+1}-a^x-3^{x+1}}=6$을 만족시키는 1보다 큰 상수 a의 값을 구하여라.

정답 0211 : (1) 3 (2) 5 (3) 2 (4) $\ln\frac{3}{2}$ 0212 : (1) 8 (2) $\frac{1}{3}$ (3) 3 0213 : (1) 8 (2) $\frac{25}{7}$ (3) 4

마플개념익힘 02 무리수 e의 정의

2017년 11월 교육청

다음 극한값을 구하여라.

(1) $\lim_{x\to0}(1+2x)^{\frac{3}{2x}}$ (2) $\lim_{x\to\infty}x\ln\left(1+\frac{3}{x}\right)$ (3) $\lim_{x\to1}x^{\frac{2}{x-1}}$

MAPL CORE (1) $\lim_{\bullet\to0}(1+\bullet)^{\frac{1}{\bullet}}=e$, $\lim_{\blacksquare\to\infty}\left(1+\frac{1}{\blacksquare}\right)^{\blacksquare}=e$ ⬅ 역수 관계임에 유의한다.

(2) $\lim_{x\to0}\left(1+\frac{b}{a}x\right)^{\frac{d}{cx}}=\lim_{x\to0}\left\{\left(1+\frac{b}{a}x\right)^{\frac{a}{bx}}\right\}^{\frac{bd}{ac}}=e^{\frac{bd}{ac}}$ (단, $abcd\neq0$)

개념익힘 | 풀이 (1) $2x=t$로 놓으면 $x\to0$일 때, $t\to0$이므로

$\lim_{x\to0}(1+2x)^{\frac{3}{2x}}=\lim_{x\to0}\{(1+2x)^{\frac{1}{2x}}\}^3=\lim_{t\to0}\{(1+t)^{\frac{1}{t}}\}^3=\boldsymbol{e^3}$

(2) $\lim_{x\to\infty}x\ln\left(1+\frac{3}{x}\right)=\lim_{x\to\infty}\ln\left(1+\frac{3}{x}\right)^x=\lim_{x\to\infty}\ln\left\{\left(1+\frac{3}{x}\right)^{\frac{x}{3}}\right\}^3=\ln e^3=\mathbf{3}$

(3) $x-1=t$로 치환하면 $x=1+t$이고 $x\to1$일 때, $t\to0$이므로

$\lim_{x\to1}x^{\frac{2}{x-1}}=\lim_{t\to0}(1+t)^{\frac{2}{t}}=\lim_{t\to0}\{(1+t)^{\frac{1}{t}}\}^2=\boldsymbol{e^2}$

확인유제 0214

2012학년도 06월 평가원

다음 극한값을 구하여라.

(1) $\lim_{x\to0}(1+3x)^{\frac{1}{6x}}$ (2) $\lim_{x\to\infty}x\ln\left(1+\frac{1}{x}\right)$ (3) $\lim_{x\to\infty}\left(\frac{2x+1}{2x}\right)^x$ (4) $\lim_{x\to1}x^{\frac{1}{1-x}}$

변형문제 0215

다음 물음에 답하여라.

(1) $\lim_{x\to\infty}\left(1+\frac{6}{x}+\frac{9}{x^2}\right)^{ax}=e^{18}$을 만족시키는 상수 a의 값은?

① 1 ② 2 ③ 3 ④ 4 ⑤ 5

(2) $\lim_{x\to\infty}x\{\ln(x+a)-\ln x\}=2$를 만족시키는 상수 a의 값은?

① 1 ② 2 ③ 3 ④ 4 ⑤ 5

발전문제 0216

다음 물음에 답하여라.

(1) $\lim_{n\to\infty}\left\{\frac{1}{2}\left(1+\frac{1}{n}\right)\left(1+\frac{1}{n+1}\right)\left(1+\frac{1}{n+2}\right)\cdots\left(1+\frac{1}{2n}\right)\right\}^n$의 값은?

① e ② $\sqrt{e}$ ③ 1 ④ $\frac{1}{\sqrt{e}}$ ⑤ $\frac{1}{e}$

(2) $f(n)=\lim_{x\to\infty}\left(1+\frac{n}{x}\right)^x$일 때, $\ln f(1)+\ln f(2)+\cdots+\ln f(10)$의 값은?

① 10 ② 15 ③ 50 ④ 55 ⑤ 100

정답 0214 : (1) $\sqrt{e}$ (2) 1 (3) $\sqrt{e}$ (4) $\frac{1}{e}$ 0215 : (1) ③ (2) ② 0216 : (1) ② (2) ④

마플개념익힘 03 밑을 e로 하는 지수함수와 로그함수의 극한값

다음 극한값을 구하여라.

(1) $\lim_{x\to0}\frac{1-e^{-x}}{x}$ (2) $\lim_{x\to0}\frac{\ln(1-x)}{4x}$ (3) $\lim_{x\to0}\frac{e^{2x}-1}{\ln(1+3x)}$

MAPL CORE 두 함수 $f(x)$, $g(x)$가 각각 x, $\ln(1+x)$, $e^{x}-1$ 중 하나일 때, $\lim_{x\to0}\frac{f(x)}{g(x)}=1$, $\lim_{x\to0}\frac{f(ax)}{g(bx)}=\frac{a}{b}\,(b\neq0)$

개념익힘 | **풀이** (1) $-x=t$라 하면 $x\to0$일 때, $t\to0$이고 $x=-t$이므로

$$\lim_{x\to0}\frac{1-e^{-x}}{x}=\lim_{t\to0}\frac{1-e^{t}}{-t}=\lim_{t\to0}\frac{e^{t}-1}{t}=\mathbf{1}$$

참고 $\lim_{x\to0}\frac{1-e^{-x}}{x}=\lim_{x\to0}\frac{1}{x}\left(1-\frac{1}{e^{x}}\right)=\lim_{x\to0}\frac{1}{x}\cdot\frac{e^{x}-1}{e^{x}}=\lim_{x\to0}\frac{1}{e^{x}}\cdot\frac{e^{x}-1}{x}=\frac{1}{e^{0}}\cdot1=1$

다른풀이 $f(x)=1-e^{-x}$라 하면 $f(0)=0$이므로 $\lim_{x\to0}\frac{1-e^{-x}}{x}=\lim_{x\to0}\frac{f(x)-f(0)}{x-0}=f'(0)$

$f'(x)=e^{-x}$이므로 $f'(0)=1$ $\therefore \lim_{x\to0}\frac{1-e^{-x}}{x}=1$ ⬅ 지수함수, 도함수의 성질 참고

(2) $-x=t$로 놓으면 $x\to0$일 때, $t\to0$이므로 $\lim_{x\to0}\frac{\ln(1-x)}{4x}=\lim_{t\to0}\frac{\ln(1+t)}{-4t}=-\mathbf{\frac{1}{4}}$

(3) 분자, 분모를 각각 x로 나누면 $\lim_{x\to0}\frac{e^{2x}-1}{\ln(1+3x)}=\lim_{x\to0}\frac{\frac{e^{2x}-1}{x}}{\frac{\ln(1+3x)}{x}}=\lim_{x\to0}\frac{\frac{e^{2x}-1}{2x}\cdot2}{\frac{\ln(1+3x)}{3x}\cdot3}$

이때 $\lim_{x\to0}\frac{e^{2x}-1}{2x}=1$, $\lim_{x\to0}\ln(1+3x)^{\frac{1}{3x}}=1$이므로 $\lim_{x\to0}\frac{e^{2x}-1}{\ln(1+3x)}=\mathbf{\frac{2}{3}}$

확인유제 0217 다음 극한값을 구하여라.

2013년 03월 교육청
2014년 11월 교육청

(1) $\lim_{x\to0}\frac{\ln(1+3x)}{e^{2x}-1}$ (2) $\lim_{x\to0}\frac{e^{2x}-e^{-3x}}{x}$

(3) $\lim_{x\to0}\frac{(e^{2x}-1)\ln(1+2x)}{2x^{2}}$ (4) $\lim_{x\to0}\frac{\ln(1+x)(1+2x)(1+3x)}{e^{2x}-1}$

변형문제 0218 다음 극한값을 구하여라.

(1) $\lim_{x\to0}\frac{e^{x}+e^{2x}+e^{3x}+\cdots+e^{10x}-10}{x}$의 값은?

① 10 ② 20 ③ 30 ④ 45 ⑤ 55

(2) $\lim_{x\to0}\frac{1}{x}\ln(1+x)(1+2x)(1+3x)(1+4x)\cdots(1+10x)$의 값은?

① 10 ② 20 ③ 30 ④ 45 ⑤ 55

발전문제 0219 다음의 함수 중에서 극한값 $\lim_{x\to0}\frac{e^{x}-1}{f(x)}$이 존재하는 것을 모두 고른 것은?

2005학년도 06월 평가원

ㄱ. $f(x)=2x$ ㄴ. $f(x)=e^{2x}-1$ ㄷ. $f(x)=\ln(1+2x)$

① ㄱ ② ㄷ ③ ㄱ, ㄴ ④ ㄴ, ㄷ ⑤ ㄱ, ㄴ, ㄷ

정답 0217 : (1) $\frac{3}{2}$ (2) 5 (3) 2 (4) 3 0218 : (1) ⑤ (2) ⑤ 0219 : ⑤

마플개념익힘 04 밑이 e가 아닌 지수함수와 로그함수의 극한값

다음 극한값을 구하여라.

(1) $\lim_{x\to0}\frac{3^x-1}{2^x-1}$ (2) $\lim_{x\to0}\frac{\log_3(1+2x)}{\log_3(1+x)}$ (3) $\lim_{x\to0}\frac{3^{x+2}-9}{x}$

MAPL CORE ① $\lim_{x\to0}\frac{\log_a(1+x)}{x}=\frac{1}{\ln a}$ ② $\lim_{x\to0}\frac{a^x-1}{x}=\ln a$

개념익힘 | **풀이** (1) $\lim_{x\to0}\frac{3^x-1}{2^x-1}=\lim_{x\to0}\frac{3^x-1}{x}\cdot\frac{x}{2^x-1}=\mathbf{\frac{\ln 3}{\ln 2}}$

(2) $\lim_{x\to0}\frac{\log_3(1+2x)}{\log_3(1+x)}=2\lim_{x\to0}\frac{\log_3(1+2x)}{2x}\cdot\frac{x}{\log_3(1+x)}=2\cdot\frac{1}{\ln 3}\cdot\ln 3=\mathbf{2}$

(3) $\lim_{x\to0}\frac{3^{x+2}-9}{x}=\lim_{x\to0}\frac{9(3^x-1)}{x}=\lim_{x\to0}9\cdot\frac{3^x-1}{x}=9\cdot\ln 3=\mathbf{9\ln 3}$

참고 $\lim_{x\to0}\frac{9(3^x-1)}{x}=\lim_{x\to0}9\cdot\frac{e^{x\ln 3}-1}{x\ln 3}\cdot\ln 3=9\cdot1\cdot\ln 3=9\ln 3$

확인유제 0220 다음 극한값을 구하여라.

(1) $\lim_{x\to0}\frac{\log_3(1+4x)}{2x}$ (2) $\lim_{x\to0}\frac{3^x-2^x}{x}$ (3) $\lim_{x\to0}\frac{8^x-1}{e^{3x}-1}$

변형문제 0221 다음 극한값을 구하여라.

(1) $\lim_{x\to0}\frac{2^x-1}{\log_2(1+2x)}$ (2) $\lim_{x\to0}\frac{\{\log_2(1+x)\}(4^x-1)}{x^2}$ (3) $\lim_{x\to0}\frac{e^x-3^{-x}}{x}$

발전문제 0222 다음 물음에 답하여라.

(1) $\lim_{x\to0}\frac{\log_3(3+x)-1}{x}$을 구하면?

① $\frac{1}{3\ln 3}$ ② $\frac{3}{\ln 3}$ ③ $\frac{1}{3}$ ④ $\frac{\ln 3}{3}$ ⑤ $3\ln 3$

(2) $\lim_{x\to0}\frac{a^x+b^x-2}{x}=\ln 24$를 만족시키는 두 양의 정수 a, b의 순서쌍 (a, b)의 개수는?

① 4 ② 6 ③ 8 ④ 10 ⑤ 12

2006학년도 09월 평가원

(3) $\lim_{x\to0}\frac{2^x+2^{2x}+2^{3x}+\cdots+2^{10x}-10}{x}$의 값은?

① $\ln 2$ ② $10\ln 2$ ③ $35\ln 2$ ④ $55\ln 2$ ⑤ $385\ln 2$

정답 0220 : (1) $\frac{2}{\ln 3}$ (2) $\ln\frac{3}{2}$ (3) $\ln 2$ 0221 : (1) $\frac{(\ln 2)^2}{2}$ (2) 2 (3) $\ln 3e$ 0222 : (1) ① (2) ③ (3) ④

마플개념익힘 05 지수함수와 로그함수의 미정계수 결정

다음 등식이 성립할 때, 상수 a, b의 값을 각각 구하여라.

(1) $\lim_{x\to 0}\dfrac{\ln(a+2x)}{x}=b$ (2) $\lim_{x\to 0}\dfrac{e^{ax}+b}{x}=2$ (3) $\lim_{x\to 0}\dfrac{\ln(a+3x)}{e^{2x}-1}=b$

MAPL CORE $\lim_{x\to a}\dfrac{g(x)}{f(x)}=\alpha$가 존재하고

① $\lim_{x\to a}f(x)=0$이면 $\lim_{x\to a}g(x)=0$이어야 한다. ② $\alpha\neq 0$, $\lim_{x\to a}g(x)=0$이면 $\lim_{x\to a}f(x)=0$이어야 한다.

개념익힘 | **풀이**

(1) $x\to 0$일 때, (분모)$\to 0$이고 극한값이 존재하므로 (분자)$\to 0$이어야 한다.

즉, $\lim_{x\to 0}\ln(a+2x)=0$이므로 $\ln a=0$ $\therefore a=1$ …… ㉠

㉠을 주어진 식에 대입하면 $\lim_{x\to 0}\dfrac{\ln(1+2x)}{x}=\lim_{x\to 0}\dfrac{\ln(1+2x)}{2x}\cdot 2=2=b$

따라서 $\boldsymbol{a=1,\ b=2}$

(2) $x\to 0$일 때, (분모)$\to 0$이고 극한값이 존재하므로 (분자)$\to 0$이어야 한다.

즉, $\lim_{x\to 0}(e^{ax}+b)=0$이므로 $1+b=0$ $\therefore b=-1$ …… ㉠

㉠을 주어진 식에 대입하면 $\lim_{x\to 0}\dfrac{e^{ax}-1}{x}=\lim_{x\to 0}\dfrac{e^{ax}-1}{ax}\cdot a=a=2$

따라서 $\boldsymbol{a=2,\ b=-1}$

(3) $x\to 0$일 때, (분모)$\to 0$이고 극한값이 존재하므로 (분자)$\to 0$이어야 한다.

즉, $\lim_{x\to 0}\ln(a+3x)=0$이므로 $\ln a=0$ $\therefore a=1$ …… ㉠

㉠을 주어진 식에 대입하면 $\lim_{x\to 0}\dfrac{\ln(1+3x)}{e^{2x}-1}=\lim_{x\to 0}\dfrac{\ln(1+3x)}{3x}\cdot\lim_{x\to 0}\dfrac{2x}{e^{2x}-1}\cdot\dfrac{3x}{2x}=1\cdot 1\cdot\dfrac{3}{2}=\dfrac{3}{2}=b$

따라서 $\boldsymbol{a=1,\ b=\frac{3}{2}}$

확인유제 0223 다음 등식이 성립할 때, 상수 a, b의 값을 각각 구하여라.

(1) $\lim_{x\to 0}\dfrac{\ln(a+4x)}{x}=b$ (2) $\lim_{x\to 0}\dfrac{e^{ax}+b}{\ln(1+2x)}=2$ (3) $\lim_{x\to 0}\dfrac{(e^x-1)\ln(1+x)}{ax^2+b}=2$

변형문제 0224 다음 물음에 답하여라.

(1) $\lim_{x\to 0}\dfrac{\ln(a+3x)}{x^2+x}=b$를 만족시키는 상수 a, b에 대하여 $a+b$의 값은?

① 1 ② 2 ③ 3 ④ 4 ⑤ 5

(2) $\lim_{x\to 0}\dfrac{e^{ax+b}-1}{\ln(1+cx)}=3$을 만족시키는 상수 a, b, c에 대하여 $\dfrac{a+b}{c}$의 값은?

① 0 ② 1 ③ 2 ④ 3 ⑤ 4

(3) $\lim_{x\to 0}\dfrac{\ln(1+ax^2)}{2x^2+b}=6$을 만족시키는 두 상수 a, b에 대하여 $a+b$의 값은?

① 6 ② 8 ③ 10 ④ 12 ⑤ 14

발전문제 0225 다음 극한값을 만족하는 양수 a의 값을 구하여라. (단, $a\neq 1$)

2008학년도 06월 평가원

(1) $\lim_{x\to 0}\dfrac{(a+12)^x-a^x}{x}=\ln 3$ (2) $\lim_{x\to 0}\dfrac{a^x-(2a+2)^x}{x}=-3\ln 2$

정답 0223 : (1) $a=1$, $b=4$ (2) $a=4$, $b=-1$ (3) $a=\frac{1}{2}$, $b=0$ 0224 : (1) ④ (2) ④ (3) ④ 0225 : (1) 6 (2) $\frac{1}{3}$

마플개념익힘 06 지수함수 로그함수의 함수의 극한의 성질

함수 $f(x)$에 대하여

$$\lim_{x\to 0}\frac{f(x)}{e^x-1}=8$$

일 때, $\lim_{x\to 0}\frac{f(x)}{\ln(1+4x)}$의 값을 구하여라.

MAPL CORE 두 함수 $f(x)$, $g(x)$에 대하여 $\lim_{x\to a}f(x)=\alpha$, $\lim_{x\to a}g(x)=\beta$ (α, β는 실수)일 때,
$\lim_{x\to a}f(x)g(x)=\lim_{x\to a}f(x)\cdot\lim_{x\to a}g(x)=\alpha\beta$임을 이용하여 극한값을 구한다.

개념익힘 | **풀이** $\lim_{x\to 0}\frac{f(x)}{e^x-1}=8$이므로

$$\lim_{x\to 0}\frac{f(x)}{\ln(1+4x)}=\lim_{x\to 0}\left\{\frac{f(x)}{e^x-1}\cdot\frac{e^x-1}{x}\cdot\frac{x}{\ln(1+4x)}\right\}$$

$$=\lim_{x\to 0}\frac{f(x)}{e^x-1}\cdot\lim_{x\to 0}\frac{e^x-1}{x}\cdot\lim_{x\to 0}\frac{x}{\ln(1+4x)}$$

$$=\lim_{x\to 0}\frac{f(x)}{e^x-1}\cdot\lim_{x\to 0}\frac{e^x-1}{x}\cdot\frac{1}{4}\lim_{x\to 0}\frac{4x}{\ln(1+4x)}$$

$$=8\cdot 1\cdot\frac{1}{4}\cdot 1=\mathbf{2}$$

확인유제 0226 다음 물음에 답하여라.

(1) 연속함수 $f(x)$가 $\lim_{x\to 0}\frac{f(x)}{e^{2x}-1}=6$을 만족할 때, $\lim_{x\to 0}\frac{f(x)}{x}$의 값을 구하여라.

2006학년도 06월 평가원

(2) 연속함수 $f(x)$가 $\lim_{x\to 0}\frac{f(x)}{\ln(1-x)}=4$를 만족할 때, $\lim_{x\to 0}\frac{f(x)}{x}$의 값을 구하여라.

변형문제 0227 다음 물음에 답하여라.

(1) 함수 $f(x)$에 대하여 $\lim_{x\to 0}\frac{f(x)}{e^x-1}=3$일 때, $\lim_{x\to 0}\frac{f(x)f(2x)}{\ln(x^2+1)}$의 값은?

① 9 ② 12 ③ 15 ④ 18 ⑤ 21

2013년 10월 교육청

(2) 연속함수 $f(x)$에 대하여 $\lim_{x\to 0}\frac{\ln\{1+f(2x)\}}{x}=10$일 때, $\lim_{x\to 0}\frac{f(x)}{x}$의 값은?

① 1 ② 2 ③ 3 ④ 4 ⑤ 5

발전문제 0228 함수 $f(x)$가 $\lim_{x\to 0}\frac{f(x)}{\ln(1+x)}=1$을 만족시킬 때, [보기]에서 항상 옳은 것을 모두 고른 것은?

ㄱ. $\lim_{x\to 0}\frac{x}{f(x)}=1$ ㄴ. $\lim_{x\to 0}\frac{f(x)+x}{\ln(1+x)}=2$ ㄷ. $\lim_{x\to 0}\frac{\{f(x)\}^2}{\ln(1+x)}=0$

① ㄱ ② ㄴ ③ ㄷ ④ ㄴ, ㄷ ⑤ ㄱ, ㄴ, ㄷ

정답 0226 : (1) 12 (2) -4 0227 : (1) ④ (2) ⑤ 0228 : ⑤

함수 $f(x)$가 $x>-1$인 모든 실수 x에 대하여 부등식

$$\ln(1+x) \le f(x) \le e^x - 1$$

을 만족시킬 때, $\lim_{x\to 0}\frac{f(x)}{x}$의 값을 구하여라.

MAPL CORE

① 함수의 극한의 정의에 의하여 $\lim_{x\to a+}f(x)=\lim_{x\to a-}f(x)=\alpha$이면 $\lim_{x\to a}f(x)=\alpha$

② 함수의 극한의 대소 관계에 의하여 $f(x)\le h(x)\le g(x)$이고 $\lim_{x\to a}f(x)=\lim_{x\to a}g(x)=\alpha$이면 $\lim_{x\to a}h(x)=\alpha$이다.

개념익힘 | **풀이**

(ⅰ) $x>0$일 때, 주어진 부등식의 각 변을 x로 나누면

$$\frac{\ln(1+x)}{x} \le \frac{f(x)}{x} \le \frac{e^x-1}{x}\text{이고 } \lim_{x\to 0+}\frac{\ln(1+x)}{x}=1,\ \lim_{x\to 0+}\frac{e^x-1}{x}=1$$

이므로 함수의 극한의 대소 관계에 의하여 $\lim_{x\to 0+}\frac{f(x)}{x}=1$

(ⅱ) $-1<x<0$일 때, 주어진 부등식의 각 변을 x로 나누면

$$\frac{\ln(1+x)}{x} \ge \frac{f(x)}{x} \ge \frac{e^x-1}{x}\text{이고 } \lim_{x\to 0-}\frac{\ln(1+x)}{x}=1,\ \lim_{x\to 0-}\frac{e^x-1}{x}=1$$

이므로 함수의 극한의 대소 관계에 의하여 $\lim_{x\to 0-}\frac{f(x)}{x}=1$

(ⅰ), (ⅱ)에 의하여 $\lim_{x\to 0+}\frac{f(x)}{x}=\lim_{x\to 0-}\frac{f(x)}{x}=1$이므로 $\lim_{x\to 0}\frac{f(x)}{x}=\mathbf{1}$

확인유제 0229 함수 $f(x)$가 $x>-1$인 모든 실수 x에 대하여 부등식

$$\ln(x^2+2x+1) \le f(x) \le e^{2x}-1$$

을 만족시킬 때, $\lim_{x\to 0}\frac{f(x)}{x}$의 값을 구하여라.

변형문제 0230
2013학년도 06월 평가원

함수 $f(x)$가 $x>-1$인 모든 실수 x에 대하여 부등식

$$\ln(1+x) \le f(x) \le \frac{1}{2}(e^{2x}-1)$$

을 만족시킬 때, $\lim_{x\to 0}\frac{f(x)}{3x}$의 값은?

① 1 ② e ③ 3 ④ 4 ⑤ $2e$

발전문제 0231 다음 물음에 답하여라.

(1) 함수 $f(x)$가 $x>0$인 모든 실수 x에 대하여 부등식

$$e\ln x \le f(x) \le e^x - e$$

를 만족시킬 때, $\lim_{x\to 1}\frac{f(x)}{x^2-1}$의 값을 구하여라.

(2) 모든 양수 x에 대하여 함수 $f(x)$가 부등식

$$\ln ex \le f(x) \le e^{x-1}$$

을 만족시킬 때, $\lim_{x\to 1}\frac{f(x)-1}{x^2+x-2}$의 값을 구하여라.

정답 0229 : 2 0230 : ③ 0231 : (1) $\frac{e}{2}$ (2) $\frac{1}{3}$

마플개념익힘 08 지수함수 로그함수의 연속과 미정계수의 결정

다음 함수가 $x=0$에서 연속일 때, 실수 a의 값을 구하여라.

(1) $f(x)=\begin{cases} \dfrac{e^{2x}-1}{x} & (x\neq0) \\ a & (x=0) \end{cases}$ (2) $f(x)=\begin{cases} \dfrac{a^{x}-1}{x} & (x\neq0) \\ 2 & (x=0) \end{cases}$ (3) $f(x)=\begin{cases} \dfrac{\ln(1+2x)}{e^{x}-1} & (x\neq0) \\ a & (x=0) \end{cases}$

MAPL CORE $x\neq a$에서 연속인 함수 $g(x)$에 대하여 $f(x)=\begin{cases} g(x) & (x\neq a) \\ b & (x=a) \end{cases}$일 때,

함수 $f(x)$가 $x=a$에서 연속이려면 ⇨ $\lim\limits_{x\to a}g(x)=b$

개념익힘 | 풀이 (1) 함수 $f(x)$가 $x=0$에서 연속이려면 $\lim\limits_{x\to0}f(x)=f(0)$이어야 한다.

$$\lim_{x\to0}f(x)=\lim_{x\to0}\frac{e^{2x}-1}{x}=2\lim_{x\to0}\frac{e^{2x}-1}{2x}=2\cdot1=2 \quad \therefore a=\mathbf{2}$$

(2) 함수 $f(x)$가 $x=0$에서 연속이려면 $\lim\limits_{x\to0}f(x)=f(0)$이어야 한다.

$$\lim_{x\to0}f(x)=\lim_{x\to0}\frac{a^{x}-1}{x}=\ln a=2 \quad \therefore a=\boldsymbol{e^2}$$

(3) 함수 $f(x)$가 $x=0$에서 연속이려면 $\lim\limits_{x\to0}f(x)=f(0)$이어야 한다.

$$\lim_{x\to0}f(x)=\lim_{x\to0}\frac{\ln(1+2x)}{2x}\cdot\frac{x}{e^{x}-1}\cdot2=1\cdot1\cdot2=2=a \quad \therefore a=\mathbf{2}$$

확인유제 0232 다음 함수가 모든 실수 x에서 연속이 되도록 상수 a, b에 대하여 $a+b$의 값을 구하여라.

2014학년도 05월 평가원

(1) $f(x)=\begin{cases} \dfrac{\ln(a+2x)}{x} & (x\neq0) \\ b & (x=0) \end{cases}$ (2) $f(x)=\begin{cases} \dfrac{e^{2x}+a}{x} & (x\neq0) \\ b & (x=0) \end{cases}$

변형문제 0233 다음 물음에 답하여라.

2012학년도 09월 평가원

(1) 함수 $f(x)=\begin{cases} \dfrac{e^{3x}-1}{x(e^{x}+1)} & (x\neq0) \\ a & (x=0) \end{cases}$가 $x=0$에서 연속일 때, 상수 a의 값은?

① $\frac{1}{2}$ ② 1 ③ $\frac{2}{3}$ ④ $\frac{3}{2}$ ⑤ $\frac{5}{6}$

2017년 07월 교육청

(2) 함수 $f(x)=\begin{cases} \dfrac{e^{ax}-1}{3x} & (x<0) \\ x^2+3x+2 & (x\geq0) \end{cases}$이 실수 전체의 집합에서 연속일 때, 상수 a의 값은? (단, $a\neq0$)

① 6 ② 7 ③ 8 ④ 9 ⑤ 10

(3) 함수 $f(x)=\begin{cases} \dfrac{\ln(x+a)-2}{x} & (x>0) \\ x^2-3x+b & (x\leq0) \end{cases}$이 실수 전체의 집합에서 연속일 때, 두 상수 a, b에 대하여 ab의 값은?

① $\frac{1}{e}$ ② $\frac{2}{e}$ ③ 1 ④ e ⑤ $2e$

발전문제 0234 다음 물음에 답하여라.

2014학년도 수능기출

(1) 이차항의 계수가 1인 이차함수 $f(x)$와 함수 $g(x)=\begin{cases} \dfrac{1}{\ln(x+1)} & (x\neq0) \\ 8 & (x=0) \end{cases}$에 대하여 함수 $f(x)g(x)$가

구간 $(-1, \infty)$에서 연속일 때, $f(3)$의 값은?

① 6 ② 9 ③ 12 ④ 15 ⑤ 18

(2) 이차항의 계수가 1인 이차함수 $f(x)$와 함수 $g(x)=\begin{cases} \dfrac{1}{e^{x}-1} & (x\neq0) \\ 4 & (x=0) \end{cases}$에 대하여 함수 $y=f(x)g(x)$가

실수 전체의 집합에서 연속일 때, $f(-2)$의 값은?

① −4 ② −2 ③ 0 ④ 2 ⑤ 4

정답 0232 : (1) 3 (2) 1 0233 : (1) ④ (2) ① (3) ③ 0234 : (1) ② (2) ⑤

마플개념익힘 09 지수함수 로그함수의 극한의 활용

다음 물음에 답하여라.

(1) 곡선 $y=e^x$ 위의 서로 다른 두 점 $\mathrm{P}(0, 1)$, $\mathrm{Q}(t, e^t)$에 대하여 선분 PQ와 직선 $y=1$이 이루는 예각의 크기를 θ라고 하자. 점 Q가 점 P에 한없이 가까워질 때, $\tan\theta$의 값은 어떤 값에 가까워지는지 구하여라. (단, $t>0$)

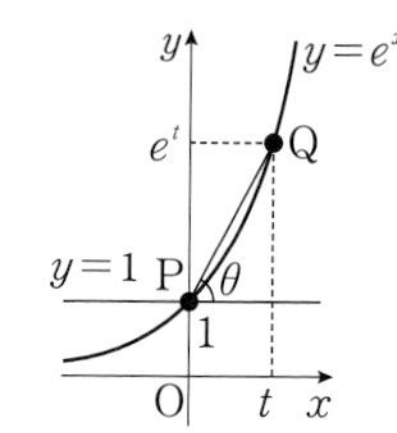

(2) 곡선 $y=\ln x$ 위의 서로 다른 두 점 $\mathrm{P}(1, 0)$, $\mathrm{Q}(t, \ln t)$에 대하여 선분 PQ와 x축이 이루는 예각의 크기를 θ라고 하자. 점 Q가 점 P에 한없이 가까워질 때, $\tan\theta$의 값은 어떤 값에 가까워지는지 구하여라. (단, $t>1$)

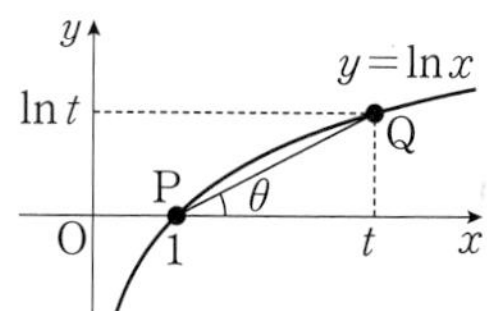

개념익힘 | **풀이** (1) 곡선 $y=e^x$ 위의 점 $\mathrm{Q}(t, e^t)$에서 직선 $y=1$ 위에 내린 수선의 발을 H라고 하면 $\mathrm{H}(t, 1)$이다.

$\tan\theta=\dfrac{\overline{\mathrm{QH}}}{\overline{\mathrm{PH}}}=\dfrac{e^t-1}{t}$이므로 $\displaystyle\lim_{\mathrm{Q}\to\mathrm{P}}\tan\theta=\lim_{t\to0}\frac{e^t-1}{t}=\mathbf{1}$

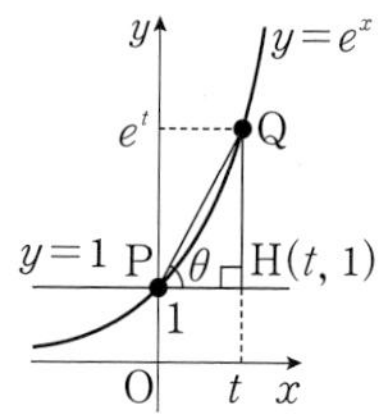

참고 $\tan\theta$의 극한값 1은 곡선 $y=e^x$ 위의 점 $\mathrm{P}(0, 1)$에서의 접선의 기울기를 의미한다.

(2) 곡선 $y=\ln x$ 위의 점 $\mathrm{Q}(t, \ln t)$에서 x축 위에 내린 수선의 발을 H라고 하면 $\mathrm{H}(t, 0)$이다.

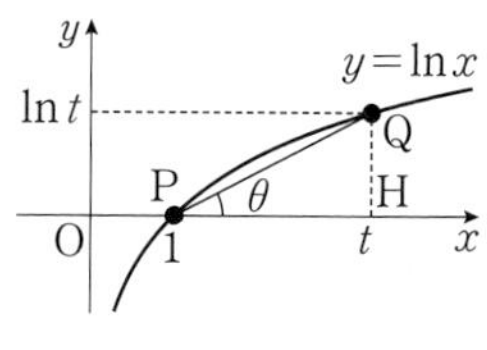

$\tan\theta=\dfrac{\overline{\mathrm{QH}}}{\overline{\mathrm{PH}}}=\dfrac{\ln t}{t-1}$이므로 $\displaystyle\lim_{\mathrm{Q}\to\mathrm{P}}\tan\theta=\lim_{t\to1}\frac{\ln t}{t-1}$

이때 $t-1=s$라고 하면 $t\to1$일 때, $s\to0$이므로

$$\lim_{t\to1}\frac{\ln t}{t-1}=\lim_{s\to0}\frac{\ln(s+1)}{s}=\lim_{s\to0}\left\{\frac{1}{s}\ln(s+1)\right\}$$

$$=\ln\left\{\lim_{x\to0}(1+s)^{\frac{1}{s}}\right\}=\ln e=\mathbf{1}$$

참고 $\tan\theta$의 극한값 1은 곡선 $y=\ln x$ 위의 점 $\mathrm{P}(1, 0)$에서의 접선의 기울기를 의미한다.

확인유제 0235 2005년 07월 교육청

오른쪽 그림과 같이 곡선 $y=\ln(1+10x)$ 위를 움직이는 점 P와 원점 O를 이은 선분이 x축의 양의 방향과 이루는 각의 크기를 θ라고 하자. 점 P가 원점 O에 한없이 가까워질 때, $\tan\theta$의 극한값은?

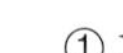

① 1　② 2　③ 5　④ 10　⑤ 12

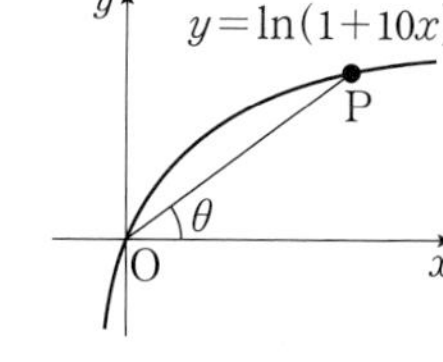

변형문제 0236 오른쪽 그림과 같이 곡선 $y=e^x$ 위를 움직이는 점 P와 세 점 $\mathrm{A}(0, e)$, $\mathrm{B}(0, 1)$, $\mathrm{C}(2, 1)$에 대하여 두 삼각형 PAB, PBC의 넓이를 각각 S_1, S_2라고 하자. 점 P가 점 B에 한없이 가까워질 때, $\dfrac{S_1}{S_2}$의 극한값은?

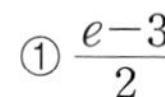

① $\dfrac{e-3}{2}$　② $\dfrac{e-2}{2}$　③ $\dfrac{e-1}{2}$　④ $\dfrac{e}{2}$　⑤ $2e$

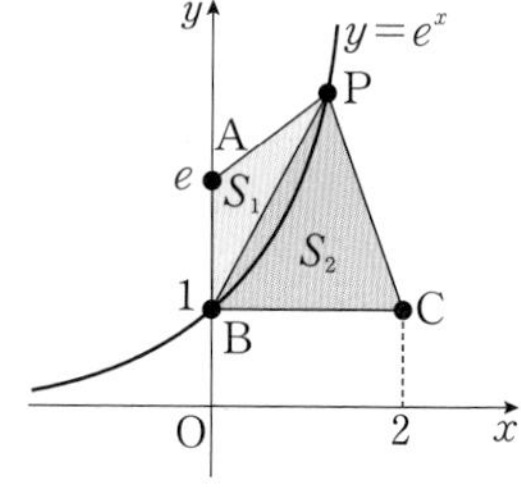

정답 0235 : ④　0236 : ③

발전문제 **0237** 다음 물음에 답하여라.

2017년 11월 교육청

(1) 그림과 같이 곡선 $y=xe^x$ 위의 점 $\mathrm{P}(t,\ te^t)(t>0)$을 중심으로 하고 y축에 접하는 원을 C라 하자. 원 C의 반지름의 길이를 $r(t)$, 원점 O를 지나고 원 C에 접하는 직선 중에서 y축이 아닌 직선의 기울기를 $m(t)$라 할 때, $\lim_{t\to0+}\frac{4r(t)-e^t\times m(t)}{t}$의 값을 구하여라.

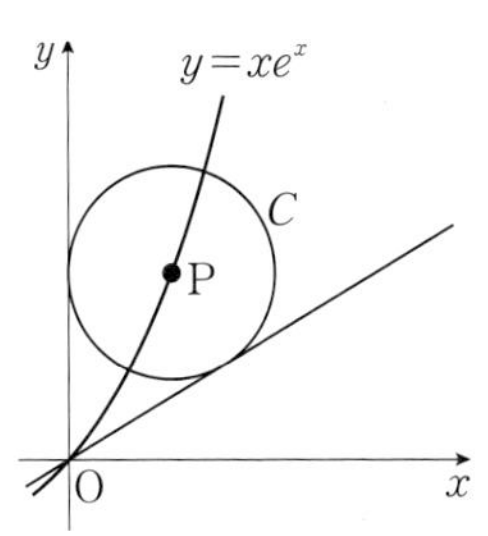

2017년 10월 교육청

(2) $t<1$인 실수 t에 대하여 곡선 $y=\ln x$와 직선 $x+y=t$가 만나는 점을 P라 하자. 점 P에서 x축에 내린 수선의 발을 H, 직선 PH와 곡선 $y=e^x$이 만나는 점을 Q라 할 때, 삼각형 OHQ의 넓이를 $S(t)$라 하자. $\lim_{t\to0+}\frac{2S(t)-1}{t}$의 값을 구하여라.

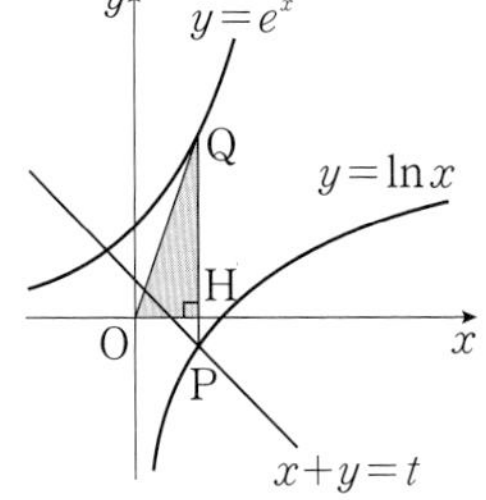

2015년 11월 교육청

(3) 곡선 $y=\ln(x+1)$ 위를 움직이는 점 $\mathrm{P}(a,\ b)$가 있다.
점 P를 지나고 기울기가 -1인 직선이 곡선 $y=e^x-1$과 만나는 점을 Q라 하자. 두 점 P, Q를 지름의 양 끝점으로 하는 원의 넓이를 $S(a)$, 원점 O와 선분 PQ의 중점을 지름의 양 끝점으로 하는 원의 넓이를 $T(a)$라 할 때, $\lim_{a\to0+}\frac{4T(a)-S(a)}{\pi a^2}$의 값을 구하여라. (단, $a>0$)

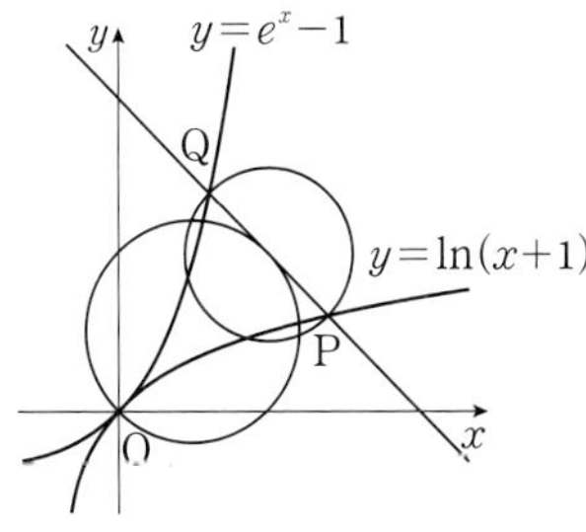

정답 0237 : (1) 3 (2) 1 (3) 2

MAPL; YOURMASTERPLAN

02 지수함수와 로그함수의 미분

01 지수함수의 도함수

(1) 지수함수 $y=e^x$, $y=a^x$의 도함수는 다음과 같다.

① $y=e^x \Rightarrow y'=e^x$

② $y=a^x \Rightarrow y'=a^x\ln a$ (단, $a\neq1$, $a>0$)

(2) 미분가능한 함수 $f(x)$에 대하여 합성함수의 미분법을 이용하면 다음이 성립한다. ⬅ 여러 가지 미분법에서 정리한다.

① $y=e^{f(x)} \Rightarrow y'=e^{f(x)}f'(x)$

② $y=a^{f(x)} \Rightarrow y'=a^{f(x)}\ln a\cdot f'(x)$ (단, $a\neq1$, $a>0$)

마플해설

(1) 지수함수의 극한 $\lim_{x\to0}\frac{e^x-1}{x}=1$, $\lim_{x\to0}\frac{a^x-1}{x}=\ln a$를 이용하여 지수함수의 도함수를 구할 수 있다.

① $y=e^x$의 도함수 $y'=\lim_{h\to0}\frac{e^{x+h}-e^x}{h}=\lim_{h\to0}\frac{e^x(e^h-1)}{h}=e^x\lim_{h\to0}\frac{e^h-1}{h}=e^x\cdot1=e^x$

② $y=a^x$의 도함수 $y'=\lim_{h\to0}\frac{a^{x+h}-a^x}{h}=\lim_{h\to0}\frac{a^x(a^h-1)}{h}=a^x\lim_{h\to0}\frac{a^h-1}{h}=a^x\ln a$ ⬅ $\lim_{h\to0}\frac{a^h-1}{h}=\ln a$

(2) 지수함수 합성함수의 도함수 ⬅ [3단원] 합성함수의 미분법에서 정리한다.

① $y=e^{f(x)}$이면 $y'=e^{f(x)}f'(x)$

$u=f(x)$로 놓으면 $y=e^u$이므로 $\frac{dy}{du}=e^u$, $\frac{du}{dx}=f'(x)$

$\therefore y'=\frac{dy}{dx}=\frac{dy}{du}\cdot\frac{du}{dx}=e^u\cdot f'(x)=e^{f(x)}f'(x)$

② $y=a^{f(x)}$이면 $y'=a^{f(x)}f'(x)\ln a$

$u=f(x)$로 놓으면 $y=a^u$이므로 $\frac{dy}{du}=a^u\ln a$, $\frac{du}{dx}=f'(x)$

$\therefore y'=\frac{dy}{dx}=\frac{dy}{du}\cdot\frac{du}{dx}=a^u\ln a\cdot f'(x)=a^{f(x)}f'(x)\ln a$

보기 01 다음 함수를 미분하여라.

(1) $y=e^{x+1}$ (2) $y=2\cdot3^x$ (3) $y=10^x$

(4) $y=xe^x$ (5) $y=e^x(x-x^2)$ (6) $y=e^x+3^x$

풀이

(1) $y=e^{x+1}=e\cdot e^x$이므로 $y'=e(e^x)'=e\cdot e^x=e^{x+1}$

(2) $y'=2(3^x)'=2\cdot3^x\ln3=2(\ln3)\cdot3^x$

(3) $y'=(10^x)'=10^x\ln10$

(4) $y'=(x)'\cdot e^x+x(e^x)'=e^x+xe^x=(1+x)e^x$

(5) $y'=(e^x)'(x-x^2)+e^x(x-x^2)'=e^x(x-x^2)+e^x(1-2x)=e^x(-x^2-x+1)$

(6) $y'=e^x+3^x\ln3$

더 알아보기

도함수가 자신과 같은 함수

모든 실수 x에 대하여 $f'(x)=f(x)$를 만족하는 함수 $\Rightarrow$ e^x의 실수배인 함수, 즉 $f(x)=ke^x$(k는 실수)이다.

보기 02 다음 함수를 미분하여라.

(1) $y=e^{-x}$ (2) $y=e^{2x}$

(3) $y=3^{2x+1}$ (4) $y=xe^{3x}$

풀이 (1) $y=e^{-x}=(e^{-1})^x$이므로 $y'=(e^{-1})^x\ln e^{-1}=-e^{-x}$

(2) $y=e^{2x}=e^x\cdot e^x$이므로 $y'=(e^x)'e^x+e^x(e^x)'=e^{2x}+e^{2x}=2e^{2x}$

참고 $y=e^{2x}=(e^2)^x$이므로 $y'=(e^2)^x\ln e^2=(e^2)^x\cdot 2=2e^{2x}$

참고 합성함수의 미분에 의하여 $y'=e^{2x}(2x)'=2e^{2x}$

(3) $y=3^{2x+1}=3\cdot(3^2)^x=3\cdot 9^x$이므로 $y'=3\cdot 9^x\ln 9=3^{2x+1}\ln 3^2=2\cdot 3^{2x+1}\ln 3$

참고 합성함수의 미분 $y=3^{2x+1}$에서 $y'=3^{2x+1}\ln 3\cdot(2x+1)'=2\cdot 3^{2x+1}\ln 3$

(4) $y'=x'e^{3x}+x(e^{3x})'=e^{3x}+x\cdot 3e^{3x}=e^{3x}(1+3x)$

참고 $y=e^{3x}$에서 $y=(e^3)^x$이므로 $y'=(e^{3x})'=e^{3x}\ln e^3=3e^{3x}$

보기 03 다음 함수를 미분하여라.

(1) $y=(x^2+1)e^{-x}$ (2) $y=(x^3+2)\left(\frac{1}{2}\right)^x$

풀이 (1) $y'=(x^2+1)'\left(\frac{1}{e}\right)^x+(x^2+1)\left\{\left(\frac{1}{e}\right)^x\right\}'$ ⬅ $e^{-x}=\left(\frac{1}{e}\right)^x$

$=2x\cdot\left(\frac{1}{e}\right)^x+(x^2+1)\left(\frac{1}{e}\right)^x\cdot\ln\frac{1}{e}$

$=2xe^{-x}-(x^2+1)e^{-x}=-(x-1)^2e^{-x}$

(2) $y'=(x^3+2)'\left(\frac{1}{2}\right)^x+(x^3+2)\left\{\left(\frac{1}{2}\right)^x\right\}'$

$=3x^2\left(\frac{1}{2}\right)^x+(x^3+2)\cdot\left(\frac{1}{2}\right)^x\cdot\ln\frac{1}{2}$

$=\{3x^2-(x^3+2)\ln 2\}\left(\frac{1}{2}\right)^x$

보기 04 다음 물음에 답하여라.

(1) 함수 $f(x)=e^x+3^{2x}$에 대하여 $f'(1)$의 값을 구하여라.

(2) 함수 $f(x)=(x^2-1)e^x$에 대하여 $f'(1)$의 값을 구하여라.

(3) 함수 $f(x)=x^2e^{x-1}+1$ 위의 점 $(1,\ 2)$에서의 접선의 기울기를 구하여라.

풀이 (1) $f(x)=e^x+3^{2x}$에서 $f'(x)=(e^x)'+(9^x)'=e^x+9^x\ln 9$

따라서 $f'(1)=e+9\ln 9$

(2) $f(x)=(x^2-1)e^x$에서 $f'(x)=(x^2-1)'e^x+(x^2-1)(e^x)'=2xe^x+(x^2-1)e^x$

따라서 $f'(1)=2e$

(3) $f(x)=x^2e^{x-1}+1$에서 $f'(x)=(x^2)'e^{x-1}+x^2(e^{x-1})'+(1)'=2xe^{x-1}+x^2e^{x-1}$

따라서 점 $(1,\ 2)$에서의 접선의 기울기는 $f'(1)=3$

더 알아보기

미분법의 기본공식

① $y=c$ (c는 상수) ⇨ $y'=0$

② $y=x^n$ (n은 정수) ⇨ $y'=nx^{n-1}$

③ $y=cf(x)$ (c는 상수) ⇨ $y'=cf'(x)$

④ $y=f(x)\pm g(x)$ (c는 상수) ⇨ $y'=f'(x)\pm g'(x)$

⑤ $y=f(x)g(x)$ ⇨ $y'=f'(x)g(x)+f(x)g'(x)$

02 로그함수의 도함수

(1) 로그함수 $y=\ln x$, $y=\log_a x$의 도함수는 다음과 같다.

① $y=\ln x$ ⇨ $y'=\dfrac{1}{x}$ (단, $x>0$)

② $y=\log_a x$ ⇨ $y'=\dfrac{1}{x\ln a}$ (단, $a>0$, $a\neq 1$, $x>0$)

(2) 미분가능한 함수 $f(x)$에 대하여 합성함수의 미분법을 이용하면 다음이 성립한다. ⬅ 여러 가지 미분법에서 정리한다.

① $y=\ln|f(x)|$ ⇨ $y'=\dfrac{f'(x)}{f(x)}$ (단, $f(x)\neq 0$)

② $y=\log_a|f(x)|$ ⇨ $y'=\dfrac{f'(x)}{f(x)}\cdot\dfrac{1}{\ln a}$ (단, $a>0$, $a\neq 1$, $f(x)\neq 0$)

마플해설

(1) $\lim_{x\to 0}(1+x)^{\frac{1}{x}}=e$임과 도함수의 정의를 이용하여 로그함수의 도함수를 구할 수 있다.

① $y=\ln x$의 도함수

$$y'=(\ln x)'=\lim_{h\to 0}\frac{\ln(x+h)-\ln x}{h}=\lim_{h\to 0}\frac{1}{h}\ln\left(\frac{x+h}{x}\right)$$

$$=\lim_{h\to 0}\left\{\frac{1}{x}\cdot\frac{x}{h}\ln\left(1+\frac{h}{x}\right)\right\}=\frac{1}{x}\lim_{h\to 0}\ln\left(1+\frac{h}{x}\right)^{\frac{x}{h}}$$

이다. 이때 $\frac{h}{x}=t$라 하면 $h\to 0$일 때, $t\to 0$이므로

$$y'=\frac{1}{x}\lim_{t\to 0}\ln(1+t)^{\frac{1}{t}}=\frac{1}{x}\ln\lim_{t\to 0}(1+t)^{\frac{1}{t}}=\frac{1}{x}\ln e=\frac{1}{x}$$

> 참고 $\frac{h}{x}=t$라 하면 $h\to 0$일 때, $t\to 0$이므로
>
> $$\lim_{h\to 0}\frac{\ln(x+h)-\ln x}{h}=\lim_{h\to 0}\frac{1}{x}\cdot\frac{x}{h}\ln\left(1+\frac{h}{x}\right)$$
> $$=\lim_{t\to 0}\frac{1}{x}\cdot\frac{\ln(1+t)}{t}$$
> $$=\frac{1}{x}\lim_{t\to 0}\frac{\ln(1+t)}{t}$$
> $$=\frac{1}{x}$$

② $y=\log_a x(a>0,\ a\neq 1)$의 도함수

로그함수 $y=\log_a x(a>0,\ a\neq 1)$에서 $\log_a x=\dfrac{\log_e x}{\log_e a}=\dfrac{\ln x}{\ln a}$이므로

$$y'=(\log_a x)'=\left(\frac{\ln x}{\ln a}\right)'=\frac{1}{\ln a}(\ln x)'=\frac{1}{\ln a}\cdot\frac{1}{x}=\frac{1}{x\ln a}$$

(2) 로그함수 합성함수의 도함수 ⬅ [3단원] 합성함수의 미분법에서 정리한다.

① $y=\ln|f(x)|$이면 $y'=\dfrac{f'(x)}{f(x)}$

(i) $f(x)>0$일 때, $y=\ln f(x)$이고,

$u=f(x)$로 놓으면 $y=\ln u$이므로 $\dfrac{du}{dx}=f'(x)$, $\dfrac{dy}{du}=\dfrac{1}{u}$

$$\therefore\ y'=\frac{dy}{dx}=\frac{dy}{du}\cdot\frac{du}{dx}=\frac{1}{u}\cdot f'(x)=\frac{f'(x)}{f(x)}$$

(ii) $f(x)<0$일 때, $y=\ln\{-f(x)\}$이고,

$u=-f(x)$로 놓으면 $y=\ln u$이므로 $\dfrac{du}{dx}=-f(x)$, $\dfrac{dy}{du}=\dfrac{1}{u}$

$$\therefore\ y'=\frac{dy}{dx}=\frac{dy}{du}\cdot\frac{du}{dx}=\frac{1}{u}\cdot\{-f'(x)\}=\frac{f'(x)}{f(x)}$$

따라서 (i), (ii)에 의하여 $y'=\dfrac{f'(x)}{f(x)}$

② $y=\log_a|f(x)|$이면 $y'=\dfrac{f'(x)}{f(x)}\cdot\dfrac{1}{\ln a}$

$y=\log_a|f(x)|=\dfrac{\ln|f(x)|}{\ln a}$이므로

$$y'=(\log_a|f(x)|)'=\left(\frac{\ln|f(x)|}{\ln a}\right)'=\frac{1}{\ln a}\cdot(\ln|f(x)|)'=\frac{f'(x)}{f(x)}\cdot\frac{1}{\ln a}$$

보기 05 다음 함수를 미분하여라.

(1) $y=\ln 2x$ (2) $y=\log_3 5x$

(3) $y=(\ln x)^2$ (4) $y=x\log_3 x$

풀이 (1) $y=\ln 2x=\ln 2+\ln x$이므로 $y'=(\ln 2)'+(\ln x)'=0+\frac{1}{x}=\frac{1}{x}$

(2) $y=\log_3 5x=\log_3 5+\log_3 x$이므로 $y'=(\log_3 5)'+(\log_3 x)'=0+\frac{1}{x\ln 3}=\frac{1}{x\ln 3}$

(3) $y=(\ln x)^2=\ln x\cdot\ln x$이므로 $y'=(\ln x)'\cdot\ln x+\ln x\cdot(\ln x)'=\frac{1}{x}\cdot\ln x+\ln x\cdot\frac{1}{x}=\frac{2\ln x}{x}$

(4) $y'=(x)'\log_3 x+x(\log_3 x)'=1\cdot\log_3 x+x\cdot\frac{1}{x\ln 3}=\log_3 x+\frac{1}{\ln 3}$

보기 06 다음 함수를 미분하여라.

(1) $y=x^2\ln 2x$ (2) $y=x^3\log_3 2x$ (3) $y=\ln x\log_3 x$

(4) $y=e^x\ln x$ (5) $y=(e^x+1)\log_2 x$ (6) $y=2^x\log_3 x$

풀이 (1) $y'=(x^2)'\ln 2x+x^2(\ln 2x)'=2x\ln 2x+x^2\left(0+\frac{1}{x}\right)=2x\ln 2x+x$

(2) $y'=(x^3)'\log_3 2x+x^3(\log_3 2x)'=3x^2\log_3 2x+x^3\cdot\left(0+\frac{1}{x\ln 3}\right)=3x^2\log_3 2x+\frac{x^2}{\ln 3}$

(3) $y'=(\ln x)'\log_3 x+\ln x(\log_3 x)'=\frac{1}{x}\cdot\log_3 x+\ln x\cdot\frac{1}{x\ln 3}=\frac{\log_3 x}{x}+\frac{\ln x}{x\ln 3}$

(4) $y'=(e^x)'\ln x+e^x(\ln x)'=e^x\ln x+e^x\cdot\frac{1}{x}=e^x\left(\ln x+\frac{1}{x}\right)$

(5) $y'=(e^x+1)'\log_2 x+(e^x+1)(\log_2 x)'=e^x\log_2 x+(e^x+1)\frac{1}{x\ln 2}=e^x\log_2 x+\frac{e^x+1}{x\ln 2}$

(6) $y'=(2^x)'\log_3 x+2^x(\log_3 x)'=2^x\ln 2\cdot\log_3 x+2^x\cdot\frac{1}{x\ln 3}=2^x\left(\ln 2\log_3 x+\frac{1}{x\ln 3}\right)$

보기 07 다음 물음에 답하여라.

(1) 함수 $f(x)=x^2\ln x+3$에 대하여 $f'(e)$의 값을 구하여라.

(2) 함수 $f(x)=e^{2x}\ln x$에 대하여 $f'(1)$의 값을 구하여라.

(3) 곡선 $f(x)=x^3-\ln x$ 위의 점 $(1, 1)$에서의 접선의 기울기를 구하여라.

풀이 (1) $f(x)=x^2\ln x+3$에서 $f'(x)=(x^2)'\ln x+x^2(\ln x)'+(3)'=2x\ln x+x^2\cdot\frac{1}{x}=2x\ln x+x$

따라서 $f'(e)=3e$

(2) $f(x)=e^{2x}\ln x$에서 $f'(x)=(e^{2x})'\ln x+(e^{2x})(\ln x)'=2e^{2x}\ln x+e^{2x}\cdot\frac{1}{x}$

따라서 $f'(1)=2e^2\ln 1+\frac{e^2}{1}=e^2$

(3) $f(x)=x^3-\ln x$에서 $f'(x)=(x^3)'-(\ln x)'=3x^2-\frac{1}{x}$

따라서 점 $(1, 1)$에서의 접선의 기울기는 $f'(1)=3-1=2$

마플개념익힘 01 지수함수 로그함수의 도함수

다음 물음에 답하여라. (단, e는 자연로그의 밑이다.)

2013학년도 수능기출 (1) 함수 $f(x)=x\ln x+13x$에 대하여 $f'(1)$의 값을 구하여라.

2018학년도 06월 평가원 (2) 함수 $f(x)=e^x(2x+1)$에 대하여 $f'(1)$의 값을 구하여라.

MAPL CORE

① $y=e^x \Rightarrow y'=e^x$

② $y=a^x \Rightarrow y'=a^x\ln a$ (단, $a\neq 1$, $a>0$)

③ $y=\ln x \Rightarrow y'=\frac{1}{x}$ (단, $x>0$)

④ $y=\log_a x \Rightarrow y'=\frac{1}{x\ln a}$ (단, $a>0$, $a\neq 1$, $x>0$)

개념익힘 | 풀이

(1) $f(x)=x\ln x+13x$에서 $f'(x)=(x)'\ln x+x(\ln x)'+(13x)'=\ln x+x\cdot\frac{1}{x}+13=\ln x+14$

따라서 $f'(1)=\mathbf{14}$

(2) $f(x)=e^x(2x+1)$에서 $f'(x)=e^x(2x+1)+2e^x$

따라서 $f'(1)=\mathbf{5e}$

다른풀이 $f'(1)=\lim_{h\to 0}\frac{f(1+h)-f(1)}{h}=\lim_{h\to 0}\frac{e^{1+h}\{2(1+h)+1\}-3e}{h}=\lim_{h\to 0}\left\{\frac{2he^{1+h}}{h}+\frac{3e(e^h-1)}{h}\right\}$

$=2\lim_{h\to 0}e^{1+h}+3e\lim_{h\to 0}\frac{e^h-1}{h}$

$=2e+3e=5e$

확인유제 0238

다음 물음에 답하여라.

(1) 함수 $f(x)=x^3+10\ln x$에 대하여 $f'(10)$의 값은?

① 120 ② 151 ③ 251 ④ 281 ⑤ 301

2013년 10월 교육청 (2) 함수 $f(x)=e^{3x}+10x$에 대하여 $f'(0)$의 값은?

① 17 ② 16 ③ 15 ④ 14 ⑤ 13

2014학년도 수능기출 (3) 함수 $f(x)=e^x\ln x$에 대하여 $f'(1)$의 값은?

① 1 ② 2 ③ e ④ $2e$ ⑤ $3e$

변형문제 0239

다음 물음에 답하여라.

(1) 함수 $f(x)=\ln x+\ln 2x+\ln 3x+\cdots+\ln 10x$의 도함수 $f'(x)$에 대하여 $f'\left(\frac{1}{2}\right)$의 값은?

① 10 ② 20 ③ 30 ④ 40 ⑤ 50

(2) 함수 $f(x)=(e^x+x^2)\ln x$에 대하여 $f'(1)$의 값은?

① $e+1$ ② $e+2$ ③ $e+3$ ④ $e+4$ ⑤ $e+5$

발전문제 0240

다음 물음에 답하여라.

(1) 함수 $f(x)=x^2\ln x$일 때, $\lim_{x\to 1}\frac{f(x)}{x-1}$의 값을 구하여라.

2006학년도 09월 평가원 (2) 함수 $f(x)=e^{5x}$에 대하여 극한값 $\lim_{x\to 0}\frac{f'(x)-5}{x}$의 값을 구하여라.

정답 0238 : (1) ⑤ (2) ⑤ (3) ③ 0239 : (1) ② (2) ① 0240 : (1) 1 (2) 25

다음 물음에 답하여라.

(1) 함수 $f(x)=x\ln x+x^3$에 대하여 $\lim_{h\to0}\frac{f(1+h)-f(1-h)}{h}$의 값을 구하여라.

(2) 함수 $f(x)=2xe^x$에 대하여 $\lim_{x\to1}\frac{f(x)-f(1)}{x-1}$의 값을 구하여라.

MAPL CORE 함수 $f(x)$가 $x=a$에서 미분가능할 때,

(1) $\lim_{h\to0}\frac{f(a+mh)-f(a+nh)}{h}=(m-n)f'(a)$ ⬅ $\lim_{\square\to0}\frac{f(a+\square)-f(a)}{\square}=f'(a)$: □부분이 서로 같아야 $f'(a)$가 된다.

(2) $\lim_{x\to a}\frac{f(x)-f(a)}{x-a}=f'(a)$ ⬅ $\lim_{\diamond\to\triangle}\frac{f(\diamond)-f(\triangle)}{\diamond-\triangle}=f'(\triangle)$: ◇와 △에 들어갈 부분이 각각 서로 같아야 한다.

개념익힘 | **풀이** (1) $\lim_{h\to0}\frac{f(1+h)-f(1-h)}{h}=\lim_{h\to0}\frac{f(1+h)-f(1)+f(1)-f(1-h)}{h}$

$=\lim_{h\to0}\frac{f(1+h)-f(1)}{h}+\lim_{h\to0}\frac{f(1-h)-f(1)}{-h}$

$=f'(1)+f'(1)$

$=2f'(1)$

한편 $f(x)=x\ln x+x^3$에서 $f'(x)=\ln x+x\cdot\frac{1}{x}+3x^2=\ln x+3x^2+1$

따라서 $\lim_{h\to0}\frac{f(1+h)-f(1-h)}{h}=2f'(1)=2(\ln1+3+1)=\mathbf{8}$

(2) $\lim_{x\to1}\frac{f(x)-f(1)}{x-1}=f'(1)$

한편 $f(x)=2xe^x$에서 $f'(x)=(2x)'e^x+2x(e^x)'=2e^x+2xe^x=2e^x(1+x)$

따라서 $\lim_{x\to1}\frac{f(x)-f(1)}{x-1}=f'(1)=2e(1+1)=\mathbf{4e}$

확인유제 **0241** 다음 물음에 답하여라.

(1) 함수 $f(x)=x^2e^x$에 대하여 $\lim_{x\to1}\frac{f(x)-f(1)}{x^2-1}$의 값을 구하여라.

(2) 함수 $f(x)=x\ln x$에 대하여 $\lim_{x\to1}\frac{f(x^2)-f(1)}{x-1}$의 값을 구하여라.

변형문제 **0242** 다음 물음에 답하여라.

(1) 함수 $f(x)=x\ln x$에 대하여 $\lim_{h\to0}\frac{f(e+h)-f(e-2h)}{h}$의 값은?

① 2 ② e ③ 6 ④ $2e$ ⑤ e^2

(2) 함수 $f(x)=x^2\ln x-x$에 대하여 $\lim_{h\to0}\frac{f(e+eh)-f(e-eh)}{h}$의 값은?

① $4e^2$ ② $5e^2-e$ ③ $6e^2-2e$ ④ $7e^2-3e$ ⑤ $8e^2-4e$

발전문제 **0243** 함수 $f(x)=x\log_5 x$에 대하여 $\lim_{t\to\infty}t\left\{f\left(e+\frac{1}{t}\right)-f\left(e-\frac{1}{t}\right)\right\}$의 값은?

① $\frac{2}{\ln5}$ ② $\frac{4}{\ln5}$ ③ $2\ln5$ ④ $4\ln5$ ⑤ $6\ln5$

정답 0241 : (1) $\frac{3}{2}e$ (2) 2 0242 : (1) ③ (2) ③ 0243 : ②

함수

$$f(x)=\begin{cases} \ln x & (x \ge 1) \\ ax+b & (x<1) \end{cases}$$

가 $x=1$에서 미분가능할 때, 상수 a, b의 값을 구하여라.

MAPL CORE

$f(x)=\begin{cases} g(x) & (x \ge a) \\ h(x) & (x<a) \end{cases}$가 $x=a$에서 미분가능하면 함수 $f(x)$는 $x=a$에서 연속이고, $f'(a)$가 존재한다.

[1단계] $x=a$에서 함수 $f(x)$가 연속 ⇨ $\lim_{x \to a+} f(x)=\lim_{x \to a-} f(x)=f(a)$

[2단계] $x=a$에서 미분계수 $f'(a)$가 존재 ⇨ $g'(a)=h'(a)$

개념익힘 | 풀이 $f(x)$가 $x=1$에서 미분가능하면 $x=1$에서 연속이려면

$\lim_{x \to 1+} f(x)=\lim_{x \to 1-} f(x)=f(1)$에서 $\lim_{x \to 1+} \ln x=\lim_{x \to 1-}(ax+b)=f(1)$

$\therefore a+b=0$ ...... ㉠

함수 $f(x)$가 $x=1$에서 미분가능하므로 $\lim_{x \to 1+} \frac{f(x)-f(1)}{x-1}=\lim_{x \to 1-} \frac{f(x)-f(1)}{x-1}$이다.

$\lim_{x \to 1+} \frac{f(x)-f(1)}{x-1}=\lim_{x \to 1+} \frac{\ln x-\ln 1}{x-1}=\lim_{x \to 1+} \frac{\ln x}{x-1}=1$ ⬅ $x-1=t$로 놓으면 $\lim_{x \to 1+} \frac{\ln x}{x-1}=\lim_{t \to 0+} \frac{\ln(1+t)}{t}=1$

$\lim_{x \to 1-} \frac{f(x)-f(1)}{x-1}=\lim_{x \to 1-} \frac{(ax+b)-(a+b)}{x-1}=\lim_{x \to 1-} \frac{a(x-1)}{x-1}=a$

$\therefore a=1$

㉠에서 $b=-1$

따라서 $\boldsymbol{a=1,\ b=-1}$

참고 (ⅰ) $x=1$에서 연속이므로 $\lim_{x \to 1+} \ln x=\lim_{x \to 1-}(ax+b)=f(1)$ $\therefore a+b=0$

(ⅱ) $x=1$에서 미분계수가 존재하므로 $f'(x)=\begin{cases} \frac{1}{x} & (x>1) \\ a & (x<1) \end{cases}$에서 $\lim_{x \to 1+} f'(x)=\lim_{x \to 1-} f'(x)$

이므로 $\lim_{x \to 1+} \frac{1}{x}=\lim_{x \to 1-} a$ $\therefore 1=a$

(ⅰ), (ⅱ)에서 $a=1$, $b=-1$

확인유제 0244 다음 물음에 답하여라.

2016년 11월 교육청

(1) 함수 $f(x)=\begin{cases} (3x+1)e^x & (x \le 0) \\ ax+1 & (x>0) \end{cases}$이 $x=0$에서 미분가능할 때, 상수 a의 값은?

① 1 ② 4 ③ 7 ④ 10 ⑤ 13

(2) 함수 $f(x)=\begin{cases} 3+a\ln x & (0<x \le 1) \\ bx+2 & (x>1) \end{cases}$가 $x=1$에서 미분가능할 때, 두 상수 a, b에 대하여 $a+b$의 값은?

① -3 ② -2 ③ -1 ④ 1 ⑤ 2

변형문제 0245 함수 $f(x)=\begin{cases} x+1 & (x<0) \\ e^{ax+b} & (x \ge 0) \end{cases}$은 $x=0$에서 미분가능하다. $f(10)=e^k$일 때, 상수 k의 값을 구하여라.

2017년 10월 교육청

(단, a와 b는 상수이다.)

발전문제 0246 함수 $f(x)=\begin{cases} ax^2+1 & (x \le 1) \\ \ln bx & (x>1) \end{cases}$가 $x=1$에서 미분가능할 때, 상수 a, b에 대하여 ab의 값은?

① $\frac{1}{2}\sqrt{e}$ ② $\frac{1}{2}e$ ③ $\frac{1}{2}e\sqrt{e}$ ④ $2e\sqrt{e}$ ⑤ $5e$

정답 0244 : (1) ② (2) ⑤ 0245: 10 0246 : ③

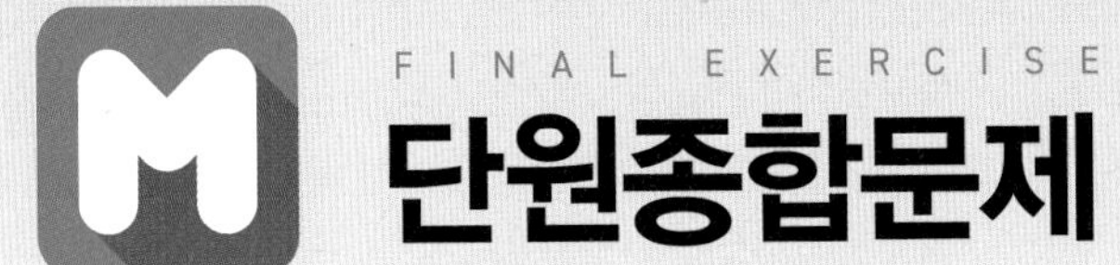

FINAL EXERCISE
단원종합문제

BASIC

내신 수능 기본 대표 기출문제

0247
지수로그함수의 극한
2015학년도 수능기출

다음 물음에 답하여라.

(1) $\lim_{x\to0}\frac{\ln(1+x)}{3x}$의 값은?

① 1 ② $\frac{1}{2}$ ③ $\frac{1}{3}$ ④ $\frac{1}{4}$ ⑤ $\frac{1}{5}$

2019학년도 수능기출

(2) $\lim_{x\to0}\frac{x^2+5x}{\ln(1+3x)}$의 값은?

① $\frac{7}{3}$ ② 2 ③ $\frac{5}{3}$ ④ $\frac{4}{3}$ ⑤ 1

0248
지수함수의 극한
2018년 07월 교육청

다음 물음에 답하여라.

(1) $\lim_{x\to0}\frac{e^{3x}-1}{2x}$의 값은?

① $\frac{1}{2}$ ② $\frac{3}{4}$ ③ 1 ④ $\frac{5}{4}$ ⑤ $\frac{3}{2}$

2014년 04월 교육청

(2) $\lim_{x\to0}\frac{e^{x}-1}{e^{3x}-1}$의 값은?

① 1 ② $\frac{2}{3}$ ③ $\frac{1}{2}$ ④ $\frac{1}{3}$ ⑤ $\frac{1}{6}$

0249
지수함수의 극한
2020학년도 09월 평가원

다음 물음에 답하여라.

(1) $\lim_{x\to0}\frac{e^{6x}-e^{4x}}{2x}$의 값은?

① 1 ② 2 ③ 3 ④ 4 ⑤ 5

2018년 03월 교육청

(2) 함수 $f(x)=e^{x}-e^{-x}$에 대하여 $\lim_{x\to0}\frac{f(x)}{x}$의 값은?

① 1 ② 2 ③ 3 ④ 4 ⑤ 5

0250
지수로그함수의 극한
2018학년도 수능기출

다음 물음에 답하여라.

(1) $\lim_{x\to0}\frac{\ln(1+5x)}{e^{2x}-1}$의 값은?

① 1 ② $\frac{3}{2}$ ③ 2 ④ $\frac{5}{2}$ ⑤ 3

2017학년도 수능기출

(2) $\lim_{x\to0}\frac{e^{6x}-1}{\ln(1+3x)}$의 값은?

① 1 ② 2 ③ 3 ④ 4 ⑤ 5

정답 0247 : (1) ③ (2) ③ 0248 : (1) ⑤ (2) ④ 0249 : (1) ① (2) ② 0250 : (1) ④ (2) ②

0251

무리수 e의 정의
2011년 04월 교육청

다음 물음에 답하여라.

(1) $\lim_{x \to \infty}\left(1+\frac{1}{x}\right)^{-2x}$의 값은?

① $\frac{1}{e^2}$ ② $\frac{1}{e}$ ③ 1 ④ e ⑤ e^2

2012학년도 06월 평가원

(2) $\lim_{x \to 0}(1+3x)^{\frac{1}{6x}}$의 값은?

① $\frac{1}{e^2}$ ② $\frac{1}{e}$ ③ $\sqrt{e}$ ④ e ⑤ e^2

0252

지수로그함수의 극한
2014학년도 06월 평가원

다음 물음에 답하여라.

(1) $\lim_{x \to 0}\frac{e^{2x}+10x-1}{x}$의 값은?

① 9 ② 10 ③ 11 ④ 12 ⑤ 13

2014학년도 09월 평가원

(2) $\lim_{x \to 0}\frac{\ln(1+3x)+9x}{2x}$의 값은?

① -6 ② -2 ③ 0 ④ 2 ⑤ 6

0253

지수로그함수의 극한
내신빈출

다음 물음에 답하여라.

(1) $\lim_{x \to \infty}\frac{e^{\frac{1}{x}}-1}{\ln(1+3x)-\ln(3x)}$의 값은?

① 1 ② $\frac{3}{2}$ ③ 2 ④ $\frac{5}{2}$ ⑤ 3

(2) $\lim_{x \to 0}\frac{\ln(1+2x)+\ln(1-2x)}{x^2}$의 값은?

① -5 ② -4 ③ -3 ④ -2 ⑤ -1

0254

지수로그함수의 극한의 진위판정
내신빈출

다음 [보기] 중 옳은 것은?

ㄱ. $\lim_{x \to 0}\frac{\ln(1+3x)}{x}=3$

ㄴ. $\lim_{x \to 0}\frac{\log_5(1+x)}{x}=1$

ㄷ. $\lim_{x \to 0}\frac{e^{3x}-1}{2x}=\frac{3}{2}$

ㄹ. $\lim_{x \to 0}\frac{5^x-1}{x}=\ln 5$

① ㄱ, ㄴ ② ㄱ, ㄹ ③ ㄴ, ㄷ ④ ㄱ, ㄷ, ㄹ ⑤ ㄱ, ㄴ, ㄷ, ㄹ

0255

밑이 e인 지수로그함수의 극한
내신빈출

다음 물음에 답하여라.

(1) $\lim_{x \to 0}\frac{e^{2x}-1}{x^2+ax}=\frac{1}{2}$을 만족시키는 상수 a의 값은?

① 1 ② 2 ③ 3 ④ 4 ⑤ 5

(2) 함수 $f(x)=2e^x+a$에 대하여 $\lim_{x \to 0}\frac{xf(x)}{\ln(1+2x)}=2$일 때, 상수 a의 값은?

① -2 ② -1 ③ 1 ④ 2 ⑤ 3

정답 0251 : (1) ① (2) ③ 0252 : (1) ④ (2) ⑤ 0253 : (1) ⑤ (2) ② 0254 : ④ 0255 : (1) ④ (2) ④

0256 다음 물음에 답하여라.

지수로그함수의 극한
내신빈출

(1) $\lim_{x\to1}\frac{\ln x}{x-1}$의 값은?

① 1 ② 2 ③ e ④ $2e$ ⑤ e^2

(2) $\lim_{x\to1}\frac{\log_2 x}{x-1}$의 값은?

① $\frac{1}{2}$ ② $\frac{1}{\ln 2}$ ③ $\ln 2$ ④ $\ln 4$ ⑤ e

2014학년도 사관기출

(3) $\lim_{x\to1}\frac{\ln x}{x^3-1}$의 값은?

① $\frac{1}{3}$ ② $\frac{1}{2}$ ③ 1 ④ $\frac{3}{2}$ ⑤ 2

0257 $\lim_{x\to0}\frac{\ln(1+x)(1+3x)(1+5x)(1+7x)}{e^{4x}-1}$의 값은?

지수함수
삼각함수의 극한
내신빈출

① 2 ② 3 ③ 4 ④ $\frac{1}{4}\ln(e+1)$ ⑤ $2\ln(e+16)$

0258 다음 물음에 답하여라.

지수로그함수의
미정계수 결정
내신빈출

(1) $\lim_{x\to0}\frac{\sqrt{ax+b}-2}{e^x-1}=3$을 만족시키는 두 상수 a, b에 대하여 ab의 값은?

① 6 ② 10 ③ 12 ④ 24 ⑤ 48

(2) $\lim_{x\to0}\frac{e^{3x}-1}{\ln(1+ax)+b}=1$을 만족시키는 상수 a, b에 대하여 $a+b$의 값은?

① 1 ② 2 ③ 3 ④ 4 ⑤ 5

0259 연속함수 $f(x)$에 대하여 다음 조건을 만족하는 극한값 a, b에 대하여 $a+b$의 값은?

함수의 극한의 성질
미정계수의 결정

(가) $\lim_{x\to0}\frac{f(x)}{x}=2$일 때, $\lim_{x\to0}\frac{e^{4x}-1}{f(x)}=a$

(나) $\lim_{x\to0}\frac{f(x)}{x}=2$일 때, $\lim_{x\to0}\frac{\ln(1+2x)}{f(x)}=b$

① -16 ② -8 ③ 1 ④ 2 ⑤ 3

0260 다음 물음에 답하여라.

함수의 극한의 성질

(1) 함수 $f(x)$에 대하여 $\lim_{x\to\infty}\left\{f(x)\ln\left(1+\frac{3}{x}\right)\right\}=6$일 때, 극한값 $\lim_{x\to\infty}\frac{f(x)}{x}$의 값은?

① 1 ② 2 ③ 3 ④ 4 ⑤ 5

2018학년도 사관기출

(2) 함수 $f(x)$가 $\lim_{x\to\infty}\left\{f(x)\ln\left(1+\frac{1}{2x}\right)\right\}=4$를 만족시킬 때, $\lim_{x\to\infty}\frac{f(x)}{x-3}$의 값은?

① 6 ② 8 ③ 10 ④ 12 ⑤ 14

정답 0256 : (1) ① (2) ② (3) ① 0257 : ③ 0258 : (1) ⑤ (2) ③ 0259 : ⑤ 0260 : (1) ② (2) ②

0261

함수의 연속과 미정계수의 결정 2012학년도 05월 평가원

다음 물음에 답하여라.

(1) 함수 $f(x)=\begin{cases} \dfrac{e^{2x}+a}{x} & (x\neq 0) \\ b & (x=0) \end{cases}$이 $x=0$에서 연속이 되도록 두 상수 a, b의 값을 정할 때, $a+b$의 값은?

① 1 ② $e-1$ ③ 2 ④ e ⑤ 3

2012학년도 09월 평가원

(2) 함수 $f(x)=\begin{cases} \dfrac{e^{3x}-1}{x(e^{x}+1)} & (x\neq 0) \\ a & (x=0) \end{cases}$이 $x=0$에서 연속일 때, 상수 a의 값은?

① 1 ② $\dfrac{3}{2}$ ③ 2 ④ $\dfrac{5}{2}$ ⑤ 3

0262

함수의 연속과 미정계수의 결정 내신빈출

다음 물음에 답하여라.

(1) 함수 $f(x)=\begin{cases} \dfrac{\ln(a+3x)}{x} & (x\neq 0) \\ b & (x=0) \end{cases}$가 $x=0$에서 연속일 때, $a+b$의 값은?

① 2 ② 3 ③ 4 ④ 5 ⑤ 6

2019학년도 사관기출

(2) 함수 $f(x)=\begin{cases} -14x+a & (x\leq 1) \\ \dfrac{5\ln x}{x-1} & (x>1) \end{cases}$이 실수 전체의 집합에서 연속일 때, 상수 a의 값은?

① -15 ② -14 ③ 14 ④ 15 ⑤ 19

0263

함수의 연속과 미정계수의 결정 내신빈출

다음 물음에 답하여라.

(1) 실수 전체의 집합에서 연속인 함수 $f(x)$에 대하여 $xf(x)=e^{2x}+10x-1$이 성립할 때, $f(0)$의 값을 구하여라.

(2) $x>-\dfrac{1}{5}$에서 연속인 함수 $f(x)$가 $\{\ln(1+5x)\}f(x)=x$를 만족할 때, $f(0)$의 값을 구하여라.

(3) 함수 $f(x)$가 모든 양의 실수에서 연속이고 $(x-1)f(x)=\ln x$를 만족할 때, $f(1)$의 값을 구하여라.

0264

지수함수의 미분법 2001학년도 수능기출

다음 물음에 답하여라.

(1) 함수 $f(x)=(x^2+1)e^x$에 대하여 $f'(0)$의 값은?

① 1 ② 2 ③ 3 ④ 4 ⑤ 5

2013년 04월 교육청

(2) 함수 $f(x)=e^x+x^2-3x$에 대하여 $f'(0)$의 값은?

① -5 ② -4 ③ -3 ④ -2 ⑤ -1

0265

로그함수의 미분법 2011년 10월 교육청

다음 물음에 답하여라.

(1) 함수 $f(x)=x\ln x$에 대하여 $f'(e)$의 값은?

① 1 ② 2 ③ 3 ④ 4 ⑤ 5

(2) 함수 $f(x)=x^2\ln 2x$에 대하여 $f'(2)$의 값은?

① $2+2\ln 2$ ② $1+4\ln 2$ ③ $2+4\ln 2$ ④ $1+8\ln 2$ ⑤ $2+8\ln 2$

2020학년도 수능기출

(3) 함수 $f(x)=x^3\ln x$에 대하여 $\dfrac{f'(e)}{e^2}$의 값은?

① 2 ② e ③ 4 ④ $2e$ ⑤ 8

정답 0261 : (1) ① (2) ② 0262 : (1) ③ (2) ⑤ 0263 : (1) 12 (2) $\dfrac{1}{5}$ (3) 1 0264 : (1) ① (2) ④ 0265 : (1) ② (2) ⑤ (3) ③

0266

미분계수의 활용
2019학년도 사관기출

다음 물음에 답하여라.

(1) 함수 $f(x)=\ln(2x+3)$에 대하여 $\lim_{h\to 0}\frac{f(2+h)-f(2)}{h}$의 값은?

① $\frac{2}{7}$ ② $\frac{5}{14}$ ③ $\frac{3}{7}$ ④ $\frac{1}{2}$ ⑤ $\frac{4}{7}$

2017학년도 09월 평가원

(2) 함수 $f(x)=\log_3 x$에 대하여 $\lim_{h\to 0}\frac{f(3+h)-f(3-h)}{h}$의 값은?

① $\frac{1}{2\ln 3}$ ② $\frac{2}{3\ln 3}$ ③ $\frac{5}{6\ln 3}$ ④ $\frac{1}{\ln 3}$ ⑤ $\frac{7}{6\ln 3}$

2012년 10월 교육청

(3) 함수 $f(x)=x^2+x\ln x$에 대하여 $\lim_{h\to 0}\frac{f(1+2h)-f(1-h)}{h}$의 값은?

① 6 ② 7 ③ 8 ④ 9 ⑤ 10

0267

평균변화율과 미분계수
내신빈출

함수 $f(x)=x\ln x$에 대하여 x의 값이 1에서 e까지 변할 때의 평균변화율과 $x=a$에서의 순간변화율이 같을 때, 실수 a의 값은?

① $\frac{1}{e}$ ② $e^{\frac{1}{e}}$ ③ $e^{\frac{1}{e-1}}$ ④ $e^{\frac{e}{e-1}}$ ⑤ $e^{\frac{e}{e+1}}$

0268

지수 로그함수의 극한의 활용
내신빈출

오른쪽 그림과 같이 두 함수 $y=2^x$, $y=3^x$과 x축 위의 한 점 P$(x, 0)$에서 y축과 평행한 직선을 그어 만난 교점을 Q, R이라고 할 때, $\lim_{x\to 0+}\frac{\overline{\mathrm{QR}}}{\overline{\mathrm{OP}}}$의 값은?

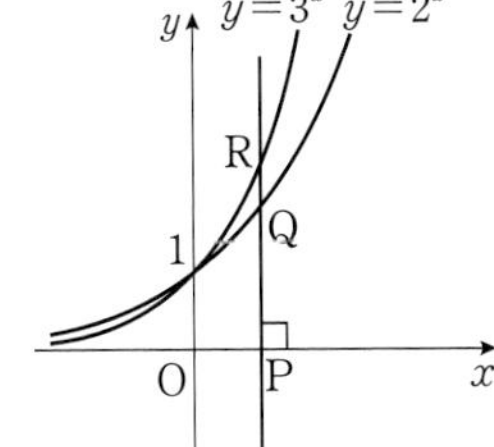

① $\ln\frac{3}{5}$ ② $\ln\frac{3}{2}$ ③ $\ln\frac{6}{7}$
④ $\ln 2$ ⑤ $\ln 5$

0269

지수 로그함수의 극한의 활용
내신빈출

오른쪽 그림과 같이 곡선 $y=\ln x$ 위를 움직이는 점 P$(t, \ln t)$와 두 점 A$(1, 0)$, B$(3, 0)$에 대하여 삼각형 PAB의 넓이를 $S(t)$라고 할 때, $\lim_{t\to 1+}\frac{S(t)}{t-1}$의 값은?

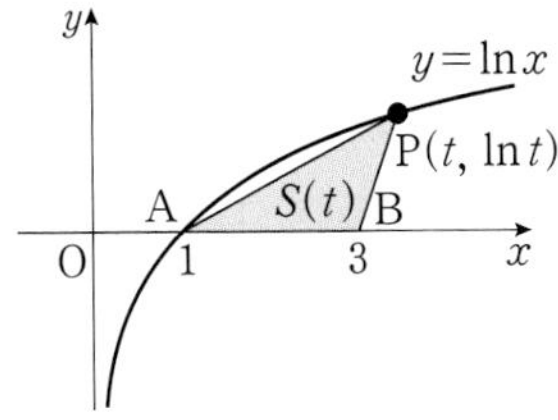

① -1 ② $\ln 2$ ③ 1
④ 2 ⑤ e

정답 0266 : (1) ① (2) ② (3) ④ 0267 : ③ 0268 : ② 0269 : ③

0270 역함수의 극한

다음 물음에 답하여라.

(1) 함수 $f(x)=\frac{\ln(x+1)}{4}$의 역함수를 $g(x)$라 할 때, $\lim_{x\to0}\frac{f(x)}{g(x)}$의 값은?

① $\frac{1}{16}$ ② $\frac{1}{8}$ ③ $\frac{1}{4}$ ④ 4 ⑤ 16

2013년 11월 교육청

(2) 함수 $f(x)=\log_2(x+3)$의 역함수를 $g(x)$라 할 때, $\lim_{x\to0}\frac{f(x-2)}{g(x)+2}$의 값은?

① $(\ln 2)^2$ ② $\ln 2$ ③ 1 ④ $\frac{1}{\ln 2}$ ⑤ $\frac{1}{(\ln 2)^2}$

2010년 10월 교육청

(3) 양의 실수 전체의 집합에서 정의된 함수 $f(x)=\ln\sqrt[3]{x}$의 역함수를 $g(x)$라 할 때, $\lim_{x\to0+}\frac{f(g(x))}{g(x)-1}$의 값은?

① $\frac{1}{6}$ ② $\frac{1}{4}$ ③ $\frac{1}{3}$ ④ $\frac{2}{3}$ ⑤ $\frac{3}{2}$

0271 지수함수의 극한의 활용 내신빈출

다음 물음에 답하여라.

(1) 자연수 n에 대하여 $f(n)=\lim_{x\to0}\frac{x}{e^x+e^{2x}+e^{3x}+\cdots+e^{nx}-n}$일 때, $\lim_{n\to\infty}n^2f(n)$의 값은?

① $\frac{1}{e}$ ② 1 ③ 2 ④ 4 ⑤ $2e$

(2) 자연수 n에 대하여 $f(n)=\lim_{x\to0}\frac{e^x+e^{2x}+e^{3x}+\cdots+e^{nx}-n}{x}$일 때, $\sum_{n=1}^{10}\frac{1}{f(n)}$의 값은?

① $\frac{12}{11}$ ② $\frac{11}{10}$ ③ $\frac{20}{11}$ ④ $\frac{6}{5}$ ⑤ $\frac{7}{5}$

0272 로그함수의 극한의 활용 내신빈출

다음 물음에 답하여라.

(1) 자연수 n에 대하여 $f(n)=\lim_{x\to0}\frac{x}{\ln(1+x)+\ln(1+2x)+\cdots+\ln(1+nx)}$일 때, $\sum_{n=1}^{\infty}f(n)$의 값은?

① 1 ② 2 ③ e ④ $2e$ ⑤ $3e$

(2) $f_n(x)=(1+x)(1+2x)(1+3x)\cdots(1+nx)$에 대하여 $a_n=\lim_{x\to0}\frac{\ln f_n(x)}{x}$일 때, $\lim_{n\to\infty}\frac{2a_n}{n^2}$의 값은?

(단, n은 자연수이다.)

① 1 ② 2 ③ 3 ④ 4 ⑤ 5

0273 로그함수의 미분법과 미분계수 내신빈출

다음 물음에 답하여라.

(1) 함수 $f(x)=e^x(2\ln x+a)$에 대하여 $\lim_{x\to1}\frac{f(x)-e}{x^3-1}=b$를 만족하는 상수 a, b에 대하여 $a+b$의 값은?

① 1 ② e ③ $1+e$ ④ $2e$ ⑤ $3e$

(2) 함수 $f(x)=x\log_3ax^2\,(x>0)$에 대하여 $\lim_{x\to1}\frac{f(x)-\log_3a}{x-1}=1$일 때, 상수 a의 값은?

① $\frac{1}{e}$ ② $\frac{2}{e}$ ③ $\frac{3}{e^2}$ ④ $\frac{4}{e^2}$ ⑤ $\frac{5}{e^3}$

정답 0270 : (1) ① (2) ⑤ (3) ③ 0271 : (1) ③ (2) ③ 0272 : (1) ② (2) ① 0273 : (1) ③ (2) ③

0274 함수의 미분가능일 조건 내신빈출

함수 $f(x)=\begin{cases} \ln x+b & (x \ge 1) \\ ax^2+1 & (x<1) \end{cases}$가 모든 실수 x에 대하여 미분가능할 때, 상수 a, b에 대하여 $a+b$의 값은?

① $\frac{1}{2}$ ② 1 ③ $\frac{3}{2}$ ④ 2 ⑤ 3

0275 지수함수의 극한의 활용

다음 물음에 답하여라.

(1) $\lim_{x\to 1}\frac{x^n-e^{x-1}}{x^2-1}=10$을 만족시키는 자연수 n의 값은?

① 11 ② 15 ③ 17 ④ 19 ⑤ 21

(2) $\lim_{x\to 1}\frac{x^n-e^{x-1}}{x^2+x-2}=5$를 만족시키는 자연수 n의 값은?

① 12 ② 14 ③ 16 ④ 18 ⑤ 20

0276 지수함수의 극한 2015학년도 수능기출

$a>3$인 상수 a에 대하여 두 곡선 $y=a^{x-1}$과 $y=3^x$이 점 P에서 만난다.

점 P의 x좌표를 k라 할 때, $\lim_{n\to\infty}\frac{\left(\frac{a}{3}\right)^{n+k}}{\left(\frac{a}{3}\right)^{n+1}+1}$의 값은?

① 1 ② 2 ③ 3 ④ 4 ⑤ 5

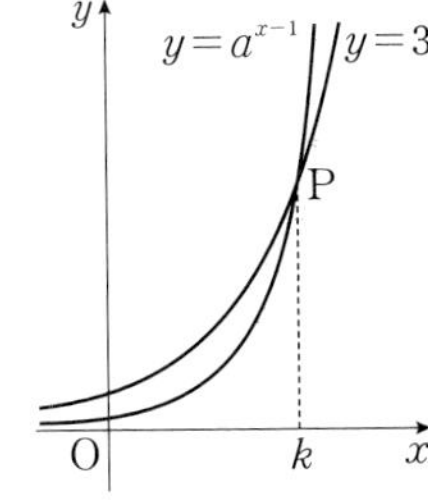

0277 지수함수의 극한의 활용 2016년 03월 교육청

좌표평면에 두 함수 $f(x)=2^x$의 그래프와 $g(x)=\left(\frac{1}{2}\right)^x$의 그래프가 있다. 두 곡선 $y=f(x)$, $y=g(x)$가 직선 $x=t\,(t>0)$와 만나는 점을 각각 A, B라 하자. 점 A에서 y축에 내린 수선의 발을 H라 할 때, $\lim_{t\to 0+}\frac{\overline{AB}}{\overline{AH}}$의 값은?

① $2\ln 2$ ② $\frac{7}{4}\ln 2$ ③ $\frac{3}{2}\ln 2$ ④ $\frac{5}{4}\ln 2$ ⑤ $\ln 2$

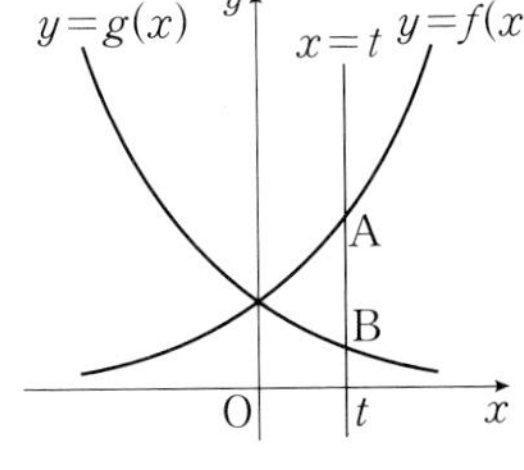

0278 지수함수의 극한의 활용 서술형

오른쪽 그림과 같이 곡선 $y=2^x-1$ 위의 점 $\mathrm{P}(t,\ 2^t-1)$을 지나고 직선 OP에 수직인 직선을 l이라 하자. 직선 l의 y절편을 $f(t)$라 할 때, $\lim_{t\to 0+}\frac{f(t)}{t}$의 값을 구하는 과정을 다음 단계로 서술하여라. (단, O는 원점, 점 P는 제 1사분면의 점)

[1단계] 직선 OP의 기울기를 구한다.

[2단계] 점 $\mathrm{P}(t,\ 2^t-1)$을 지나고 직선 OP에 수직인 직선 l의 방정식을 구한다.

[3단계] 직선 l의 y절편 $f(t)$를 구한다.

[4단계] $\lim_{t\to 0+}\frac{f(t)}{t}$를 구한다.

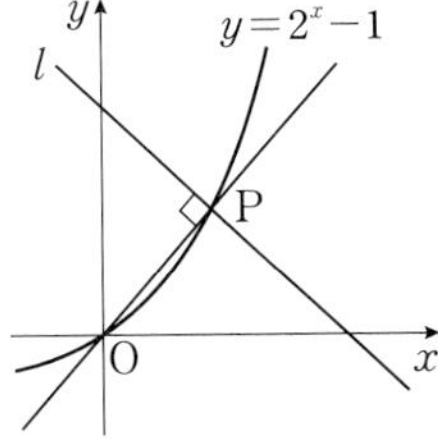

0279 로그함수의 극한의 활용 2011학년도 06월 평가원 서술형

세 양수 a, b, c에 대하여 $\lim_{x\to\infty}x^a\ln\left(b+\frac{c}{x^2}\right)=2$일 때, $a+b+c$의 값을 구하는 과정을 다음 단계로 서술하여라.

[1단계] $\frac{1}{x}=t$로 놓고 주어진 식을 t에 관한 식으로 정리한다.

[2단계] 극한값이 존재함을 이용하여 b의 값을 구한다.

[3단계] $\lim_{x\to 0}\frac{\ln(1+x)}{x}=1$을 이용하여 a, c의 값을 구한다.

[4단계] $a+b+c$의 값을 구한다.

정답 0274 : ④ 0275 : (1) ⑤ (2) ③ 0276 : ③ 0277 : ① 0278 : 해설참조 0279 : 해설참조

0280
무리수 e의 정의를 활용한 극한값
2018년 04월 교육청

$a>e$인 실수 a에 대하여 두 곡선 $y=e^{x-1}$과 $y=a^x$이 만나는 점의 x좌표를 $f(a)$라 할 때, $\lim_{a\to e+}\frac{1}{(e-a)f(a)}$의 값은?

① $\frac{1}{e^2}$ ② $\frac{1}{e}$ ③ 1 ④ e ⑤ e^2

0281
지수 로그함수의 그래프 활용
2014년 03월 교육청

2보다 큰 실수 a에 대하여 두 곡선 $y=2^x$, $y=-2^x+a$가 y축과 만나는 점을 각각 A, B라 하고, 두 곡선의 교점을 C라 하자. 직선 AC의 기울기를 $f(a)$, 직선 BC의 기울기를 $g(a)$라 할 때, $\lim_{a\to 2+}\{f(a)-g(a)\}$의 값은?

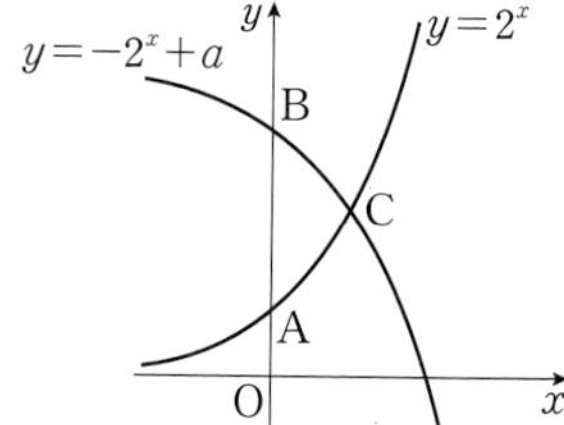

① $\frac{1}{\ln 2}$ ② $\frac{2}{\ln 2}$ ③ $\ln 2$
④ $2\ln 2$ ⑤ 2

0282
무리수 e의 정의
2009학년도 06월 평가원

함수 $f(x)=\left(\frac{x}{x-1}\right)^x (x>1)$에 대하여 [보기]에서 옳은 것을 모두 고른 것은?

ㄱ. $\lim_{x\to\infty}f(x)=e$
ㄴ. $\lim_{x\to\infty}f(x)f(x+1)=e^2$
ㄷ. $k\ge 2$일 때, $\lim_{x\to\infty}f(kx)=e^k$이다.

① ㄱ ② ㄷ ③ ㄱ, ㄴ ④ ㄴ, ㄷ ⑤ ㄱ, ㄴ, ㄷ

0283
여러 가지 극한의 응용
2010학년도 06월 평가원

함수 $f(x)$에 대하여 옳은 것만을 [보기]에서 있는 대로 고른 것은?

ㄱ. $f(x)=x^2$이면 $\lim_{x\to 0}\frac{e^{f(x)}-1}{x}=0$이다.
ㄴ. $\lim_{x\to 0}\frac{e^x-1}{f(x)}=1$이면 $\lim_{x\to 0}\frac{3^x-1}{f(x)}=\ln 3$이다.
ㄷ. $\lim_{x\to 0}f(x)=0$이면 $\lim_{x\to 0}\frac{e^{f(x)}-1}{x}$이 존재한다.

① ㄱ ② ㄷ ③ ㄱ, ㄴ ④ ㄴ, ㄷ ⑤ ㄱ, ㄴ, ㄷ

0284
로그함수의 극한의 활용
2009학년도 09월 평가원

$a>0$, $b>0$, $a\ne 1$, $b\ne 1$일 때, 함수 $f(x)=\frac{b^x+\log_a x}{a^x+\log_b x}$에 대하여 [보기]에서 옳은 것만을 있는 대로 고른 것은?

ㄱ. $1<a<b$이면 $x>1$인 모든 x에 대하여 $f(x)>1$이다.
ㄴ. $b<a<1$이면 $\lim_{x\to\infty}f(x)=0$이다.
ㄷ. $\lim_{x\to 0+}f(x)=\log_a b$

① ㄱ ② ㄴ ③ ㄱ, ㄷ ④ ㄴ, ㄷ ⑤ ㄱ, ㄴ, ㄷ

정답 0280 : ② 0281 : ④ 0282 : ③ 0283 : ③ 0284 : ③

수능과 내신의 수학개념서

mapl 마플 교과서

MAPL SERIES www.mapl.co.kr

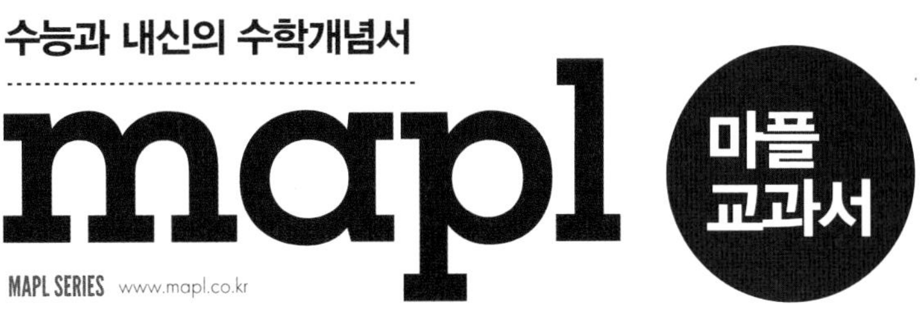

미적분

Ⅰ 수열의 극한 Ⅱ 미분법 Ⅲ 적분법

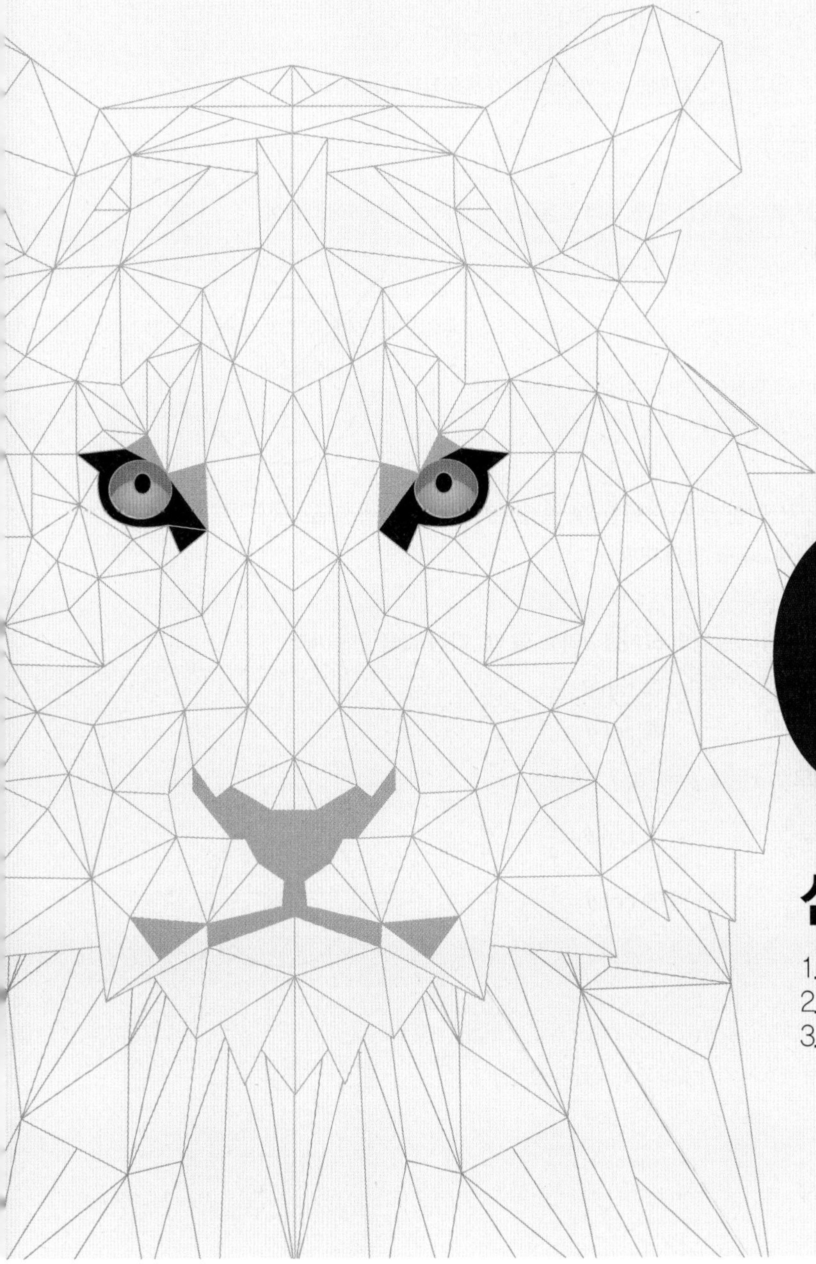

02

삼각함수의 미분

1. 삼각함수의 덧셈정리
2. 삼각함수의 극한
3. 삼각함수의 미분

01 삼각함수의 덧셈정리

MAPL; YOURMASTERPLAN

01 삼각함수 $\csc\theta$, $\sec\theta$, $\cot\theta$의 정의

오른쪽 그림과 같이 좌표평면에서 x축의 양의 부분을 시초선, 동경 OP가 나타내는 일반각의 크기를 θ(라디안)이라 할 때, 동경 OP와 반지름의 길이가 r인 원의 교점을 $\mathrm{P}(x,\ y)$라 하면 다음과 같이 정의한다.

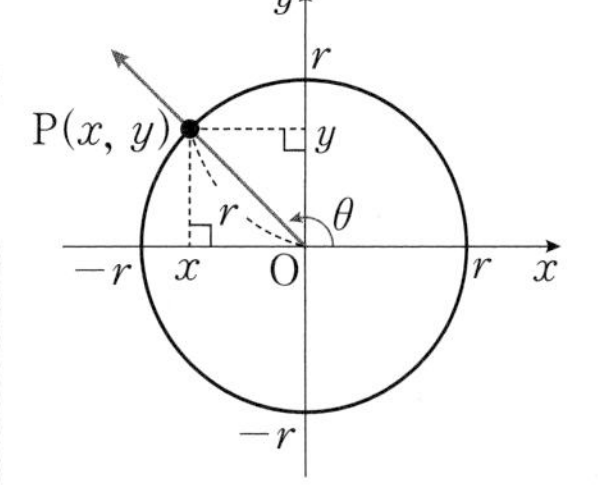

$$\csc\theta=\frac{1}{\sin\theta}=\frac{r}{y}\ (y\neq0) \quad \Leftarrow \sin\theta=\frac{y}{r}$$

$$\sec\theta=\frac{1}{\cos\theta}=\frac{r}{x}\ (x\neq0) \quad \Leftarrow \cos\theta=\frac{x}{r}$$

$$\cot\theta=\frac{1}{\tan\theta}=\frac{x}{y}\ (y\neq0) \quad \Leftarrow \tan\theta=\frac{y}{x}\ (x\neq0)$$

이와 같은 함수를 각각 차례대로 θ의 코시컨트함수, 시컨트함수, 코탄젠트함수라 한다.
예를 들면

① $\csc 30^\circ=\frac{1}{\sin 30^\circ}=2$ ② $\sec 45^\circ=\frac{1}{\cos 45^\circ}=\sqrt{2}$ ③ $\cot(-60^\circ)=\frac{1}{\tan(-60^\circ)}=-\frac{\sqrt{3}}{3}$

주의 ① $x=0$일 때는 $\tan\theta$와 $\sec\theta$가 정의되지 않고, $y=0$일 때는 $\csc\theta$와 $\cot\theta$가 정의되지 않는다.

② $\tan\theta=\frac{\sin\theta}{\cos\theta}$이므로 $\cot\theta=\frac{1}{\tan\theta}=\frac{\cos\theta}{\sin\theta}$

마플해설 x축의 양의 방향을 시초선, 일반각 θ의 동경과 반지름의 길이가 r인 원 O의 교점을 $\mathrm{P}(x,\ y)$라고 하면 θ에 대하여 $\sin\theta$, $\cos\theta$, $\tan\theta$의 역수의 값을 대응시킨 관계

$\theta\to\frac{r}{y}(y\neq0)$, $\theta\to\frac{r}{x}(x\neq0)$, $\theta\to\frac{x}{y}(y\neq0)$

는 각각 θ에 대한 함수이다.

이 함수를 각각 θ의 코시컨트함수, 시컨트함수, 코탄젠트함수라 하고, 이것을 기호로 각각

$\csc\theta=\frac{r}{y}(y\neq0)$, $\sec\theta=\frac{r}{x}(x\neq0)$, $\cot\theta=\frac{x}{y}(y\neq0)$

와 같이 나타낸다.

사인함수, 코사인함수, 탄젠트함수, 코시컨트함수, 시컨트함수, 코탄젠트함수를 통틀어 θ에 대한 삼각함수라고 한다.

참고 csc, sec, cot는 각각 cosecant, secant, cotangent의 약자이다.

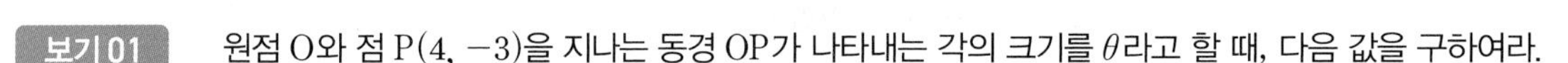

보기 01 원점 O와 점 $\mathrm{P}(4,\ -3)$을 지나는 동경 OP가 나타내는 각의 크기를 θ라고 할 때, 다음 값을 구하여라.

① $\sin\theta$ ② $\cos\theta$ ③ $\tan\theta$

④ $\csc\theta$ ⑤ $\sec\theta$ ⑥ $\cot\theta$

풀이 오른쪽 그림과 같이 $\overline{\mathrm{OP}}=\sqrt{4^2+(-3)^2}=5$이므로 $x=4,\ y=-3,\ r=5$

① $\sin\theta=\frac{y}{r}=-\frac{3}{5}$ ② $\cos\theta=\frac{x}{r}=\frac{4}{5}$ ③ $\tan\theta=\frac{y}{x}=-\frac{3}{4}$

④ $\csc\theta=\frac{r}{y}=-\frac{5}{3}$ ⑤ $\sec\theta=\frac{r}{x}=\frac{5}{4}$ ⑥ $\cot\theta=\frac{x}{y}=-\frac{4}{3}$

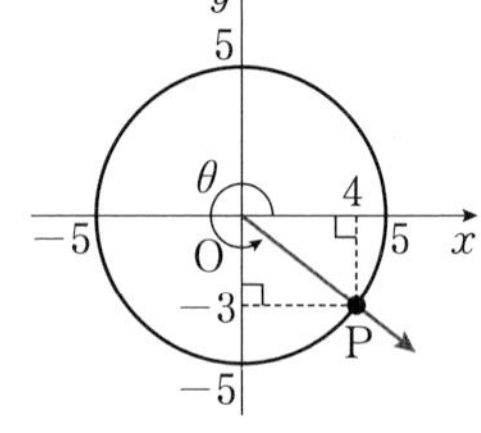

+α 더 알아보기

삼각함수의 값의 부호

$\csc\theta$와 $\sin\theta$, $\sec\theta$와 $\cos\theta$, $\cot\theta$와 $\tan\theta$는 부호가 각각 같으므로 다음이 성립한다.

사분면	$x,\ y$의 부호	$\csc\theta$	$\sec\theta$	$\cot\theta$
제 1사분면	$x>0,\ y>0$	$+$	$+$	$+$
제 2사분면	$x<0,\ y>0$	$+$	$-$	$-$
제 3사분면	$x<0,\ y<0$	$-$	$-$	$+$
제 4사분면	$x>0,\ y<0$	$-$	$+$	$-$

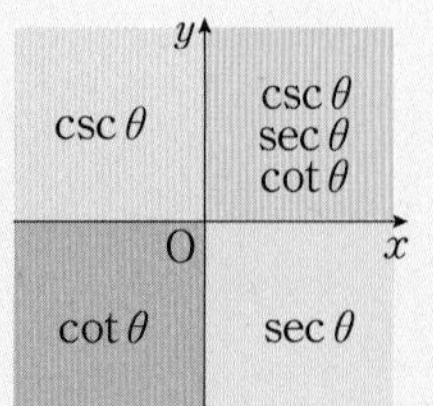

보기 02 $\theta=\frac{2}{3}\pi$일 때, $\csc\theta$, $\sec\theta$, $\cot\theta$의 값을 각각 구하여라.

풀이 오른쪽 그림과 같이 $\theta=\frac{2}{3}\pi$를 나타내는 동경과 반지름의 길이가 1인 원 O의 교점을 P라 하고, 점 P에서 x축에 내린 수선의 발을 P′이라고 하자.

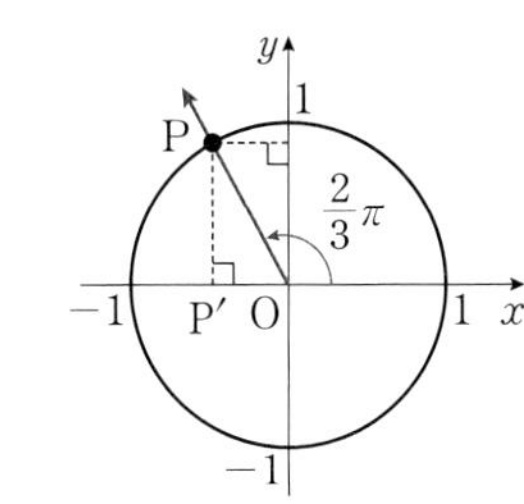

$\overline{OP}=1$, $\angle POP'=\frac{\pi}{3}$이므로 점 P의 좌표는 $\left(-\frac{1}{2}, \frac{\sqrt{3}}{2}\right)$

따라서 $\sin\theta=\frac{\sqrt{3}}{2}$, $\cos\theta=-\frac{1}{2}$, $\tan\theta=-\sqrt{3}$이므로

$\csc\theta=\frac{1}{\sin\theta}=\frac{1}{\frac{\sqrt{3}}{2}}=\frac{2}{\sqrt{3}}=\frac{2\sqrt{3}}{3}$, $\sec\theta=\frac{1}{\cos\theta}=\frac{1}{-\frac{1}{2}}=-2$

$\cot\theta=\frac{1}{\tan\theta}=\frac{1}{-\sqrt{3}}=-\frac{\sqrt{3}}{3}$

보기 03 $\theta=-\frac{3}{4}\pi$일 때, $\csc\theta$, $\sec\theta$, $\cot\theta$의 값을 각각 구하여라.

풀이 오른쪽 그림과 같이 $\theta=-\frac{3}{4}\pi$를 나타내는 동경과 반지름의 길이가 1인 원 O의 교점을 P라 하고, 점 P에서 x축에 내린 수선의 발을 P′이라고 하자.

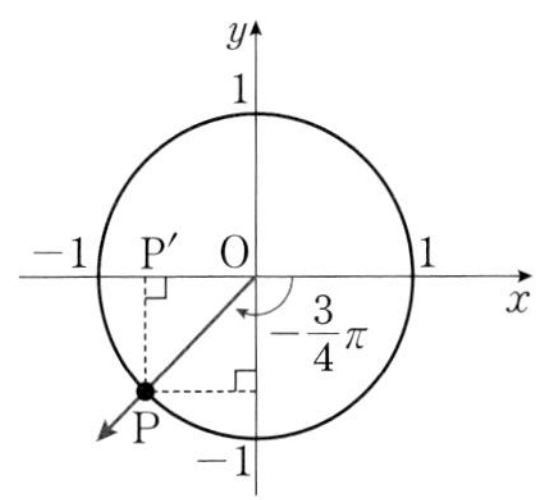

$\overline{OP}=1$, $\angle POP'=\frac{\pi}{4}$이므로 점 P의 좌표는 $\left(-\frac{1}{\sqrt{2}}, -\frac{1}{\sqrt{2}}\right)$

따라서 $\sin\theta=-\frac{1}{\sqrt{2}}$, $\cos\theta=-\frac{1}{\sqrt{2}}$, $\tan\theta=1$이므로

$\csc\theta=\frac{1}{\sin\theta}=-\sqrt{2}$, $\sec\theta=\frac{1}{\cos\theta}=-\sqrt{2}$, $\cot\theta=\frac{1}{\tan\theta}=1$

+α 더 알아보기

오른쪽 그림과 같이 중심이 원점 O이고 반지름의 길이가 1인 사분원에서 $\triangle OAB$, $\triangle OCD$, $\triangle FOE$가 닮은 도형임을 이용하여 다음을 설명하시오.

(1) $\overline{OC}=\sec\theta$

(2) $\overline{OF}=\csc\theta$

(3) $\overline{EF}=\cot\theta$

설명

(1) $\triangle OAB \backsim \triangle OCD$이므로 $\overline{OA}:\overline{OC}=\overline{OB}:\overline{OD}$

이때 $\overline{OA}=\overline{OD}=1$, $\overline{OB}=\cos\theta$이므로 $1:\overline{OC}=\cos\theta:1$

즉 $\overline{OC}=\frac{1}{\cos\theta}=\sec\theta$

(2) $\triangle OAB \backsim \triangle FOE$이므로 $\overline{OA}:\overline{OF}=\overline{AB}:\overline{OE}$

이때 $\overline{OA}=\overline{OE}=1$, $\overline{AB}=\sin\theta$이므로 $1:\overline{OF}=\sin\theta:1$

즉 $\overline{OF}=\frac{1}{\sin\theta}=\csc\theta$

(3) $\triangle OCD \backsim \triangle FOE$이므로 $\overline{OD}:\overline{FE}=\overline{CD}:\overline{OE}$

이때 $\overline{OD}=\overline{OE}=1$, $\overline{CD}=\tan\theta$이므로 $1:\overline{FE}=\tan\theta:1$

즉 $\overline{EF}=\frac{1}{\tan\theta}=\cot\theta$

02 삼각함수 사이의 관계

삼각함수 사이에는 다음과 같은 관계가 성립한다.

① $\tan^2\theta+1=\sec^2\theta$

② $1+\cot^2\theta=\csc^2\theta$

마플해설 삼각함수 사이에

$$\sin^2\theta+\cos^2\theta=1 \qquad \cdots\cdots ㉠$$

인 관계가 성립하므로 ㉠의 양변을 $\cos^2\theta(\cos\theta\neq0)$로 나누면 $\dfrac{\sin^2\theta}{\cos^2\theta}+1=\dfrac{1}{\cos^2\theta}$

이다. 이때 $\dfrac{\sin\theta}{\cos\theta}=\tan\theta$이고 $\dfrac{1}{\cos\theta}=\sec\theta$이므로 $\tan^2\theta+1=\sec^2\theta$

또한, ㉠의 양변을 $\sin^2\theta(\sin\theta\neq0)$로 나누면 $1+\dfrac{\cos^2\theta}{\sin^2\theta}=\dfrac{1}{\sin^2\theta}$

이다. 이때 $\dfrac{\cos\theta}{\sin\theta}=\dfrac{1}{\dfrac{\sin\theta}{\cos\theta}}=\dfrac{1}{\tan\theta}=\cot\theta$이고 $\dfrac{1}{\sin\theta}=\csc\theta$이므로 $1+\cot^2\theta=\csc^2\theta$

보기 04 $\tan\theta=\dfrac{\sin\theta}{\cos\theta}$, $\cot\theta=\dfrac{\cos\theta}{\sin\theta}$를 이용하여 다음 등식이 성립함을 보여라.

(1) $1+\tan^2\theta=\sec^2\theta$ (2) $1+\cot^2\theta=\csc^2\theta$ (3) $\tan\theta+\cot\theta=\csc\theta\sec\theta$

풀이 (1) $1+\tan^2\theta=1+\dfrac{\sin^2\theta}{\cos^2\theta}=\dfrac{\cos^2\theta+\sin^2\theta}{\cos^2\theta}=\dfrac{1}{\cos^2\theta}=\sec^2\theta$

(2) $1+\cot^2\theta=1+\dfrac{\cos^2\theta}{\sin^2\theta}=\dfrac{\sin^2\theta+\cos^2\theta}{\sin^2\theta}=\dfrac{1}{\sin^2\theta}=\csc^2\theta$

(3) $\tan\theta+\cot\theta=\dfrac{\sin\theta}{\cos\theta}+\dfrac{\cos\theta}{\sin\theta}=\dfrac{\sin^2\theta+\cos^2\theta}{\sin\theta\cos\theta}=\dfrac{1}{\sin\theta\cos\theta}=\dfrac{1}{\sin\theta}\times\dfrac{1}{\cos\theta}=\csc\theta\sec\theta$

보기 05 다음 물음에 답하여라.

(1) 크기가 θ인 각이 제 2사분면의 각이고 $\sec\theta=-\dfrac{5}{3}$일 때, $\tan\theta$의 값을 구하여라.

(2) 크기가 θ인 각이 제 3사분면의 각이고 $\tan\theta=2$일 때, $\sec\theta$의 값을 구하여라.

풀이 (1) $1+\tan^2\theta=\sec^2\theta$에서 $\tan^2\theta=\sec^2\theta-1=\left(-\dfrac{5}{3}\right)^2-1=\dfrac{16}{9}$

크기가 θ인 각이 제 2사분면의 각이므로 $\tan\theta<0$ $\quad\therefore\ \tan\theta=-\dfrac{4}{3}$

(2) $1+\tan^2\theta=\sec^2\theta$에서 $1+2^2=\sec^2\theta$

크기가 θ인 각이 제 3사분면의 각이므로 $\sec\theta<0$ $\quad\therefore\ \sec\theta=-\sqrt{5}$

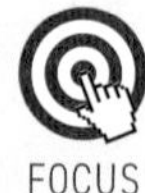

(1) 오른쪽 그림에서 대각선 방향은 서로 역수 관계이고 제곱의 합이 1이 되는 경우는 다음과 같다.

① $\sin^2\theta+\cos^2\theta=1$

② $\tan^2\theta+1=\sec^2\theta$

③ $1+\cot^2\theta=\csc^2\theta$

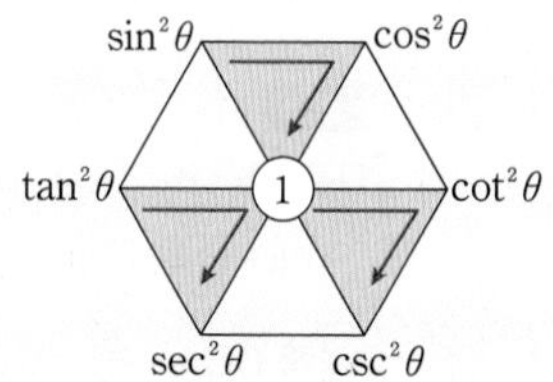

(2) 단위원에서 삼각함수의 사이의 관계

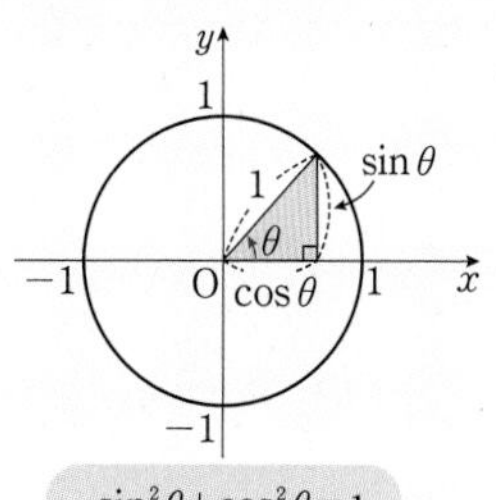

$\sin^2\theta+\cos^2\theta=1$

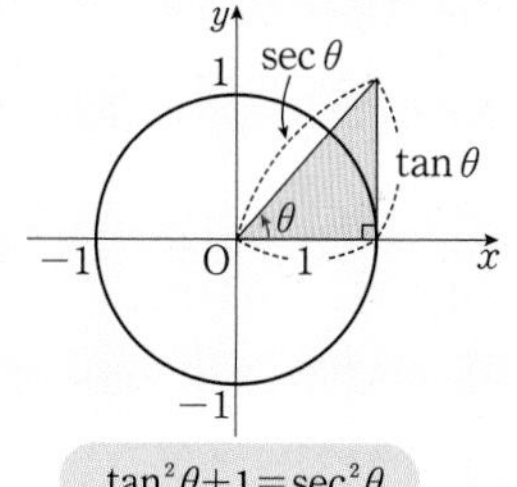

$\tan^2\theta+1=\sec^2\theta$

$1+\cot^2\theta=\csc^2\theta$

03 사인함수와 코사인함수의 덧셈정리

(1) 사인함수의 덧셈정리

① $\sin(\alpha+\beta)=\sin\alpha\cos\beta+\cos\alpha\sin\beta$

② $\sin(\alpha-\beta)=\sin\alpha\cos\beta-\cos\alpha\sin\beta$

(2) 코사인함수의 덧셈정리

① $\cos(\alpha+\beta)=\cos\alpha\cos\beta-\sin\alpha\sin\beta$

② $\cos(\alpha-\beta)=\cos\alpha\cos\beta+\sin\alpha\sin\beta$

마플해설 **사인함수와 코사인함수의 덧셈정리**

두 각 α, β에 대하여 $\alpha+\beta$, $\alpha-\beta$의 삼각함수를 α, β의 삼각함수로 나타내어 보자.

[1단계] 동경과 단위원의 교점의 좌표 나타내기

오른쪽 그림과 같이 두 각 α, β를 나타내는 동경이 단위원과 만나는 점을 각각 P, Q라 하면 $P(\cos\alpha,\ \sin\alpha)$, $Q(\cos\beta,\ \sin\beta)$

[2단계] 두 점 사이의 거리를 이용하여 $\overline{PQ}^2$ 구하기

두 점 P, Q 사이의 거리는

$\overline{PQ}=\sqrt{(\cos\alpha-\cos\beta)^2+(\sin\alpha-\sin\beta)^2}$이므로

$\overline{PQ}^2=(\cos\alpha-\cos\beta)^2+(\sin\alpha-\sin\beta)^2=2-2(\cos\alpha\cos\beta+\sin\alpha\sin\beta)$ …… ㉠

[3단계] 코사인법칙을 이용하여 $\overline{PQ}^2$ 구하기

삼각형 POQ에서 코사인법칙에 의하여

$\overline{PQ}^2=\overline{OP}^2+\overline{OQ}^2-2\times\overline{OP}\times\overline{OQ}\times\cos(\angle POQ)$

$=1^2+1^2-2\times1\times1\times\cos(\alpha-\beta)$ ⬅ $\overline{OP}=\overline{OQ}=1$, $\angle POQ=\alpha-\beta$

$=2-2\cos(\alpha-\beta)$ …… ㉡

[4단계] $\cos(\alpha+\beta)=\cos\alpha\cos\beta-\sin\alpha\sin\beta$, $\cos(\alpha-\beta)=\cos\alpha\cos\beta+\sin\alpha\sin\beta$의 증명

㉠, ㉡에서 $2-2(\cos\alpha\cos\beta+\sin\alpha\sin\beta)=2-2\cos(\alpha-\beta)$이므로

$\cos(\alpha-\beta)=\cos\alpha\cos\beta+\sin\alpha\sin\beta$ …… ㉢

㉢에 β대신 $-\beta$를 대입하면

$\cos\{\alpha-(-\beta)\}=\cos\alpha\cos(-\beta)+\sin\alpha\sin(-\beta)$ ⬅ $\sin(-\beta)=-\sin\beta$, $\cos(-\beta)=\cos\beta$

이므로

$\cos(\alpha+\beta)=\cos\alpha\cos\beta-\sin\alpha\sin\beta$

위의 식을 코사인의 덧셈정리라고 한다.

[5단계] $\sin(\alpha+\beta)=\sin\alpha\cos\beta+\cos\alpha\sin\beta$, $\sin(\alpha-\beta)=\sin\alpha\cos\beta-\cos\alpha\sin\beta$의 증명

㉢에서 α대신 $\frac{\pi}{2}-\alpha$를 대입하면

$\cos\left\{\left(\frac{\pi}{2}-\alpha\right)-\beta\right\}=\cos\left(\frac{\pi}{2}-\alpha\right)\cos\beta+\sin\left(\frac{\pi}{2}-\alpha\right)\sin\beta$

$=\sin\alpha\cos\beta+\cos\alpha\sin\beta$ ⬅ $\cos\left(\frac{\pi}{2}-\theta\right)=\sin\theta$, $\sin\left(\frac{\pi}{2}-\theta\right)=\cos\theta$

이므로 다음이 성립한다.

$\sin(\alpha+\beta)=\sin\alpha\cos\beta+\cos\alpha\sin\beta$ …… ㉣ ⬅ $\cos\left\{\frac{\pi}{2}-(\alpha+\beta)\right\}=\sin(\alpha+\beta)$

㉣에 β대신 $-\beta$를 대입하면 $\sin\{\alpha+(-\beta)\}=\sin\alpha\cos(-\beta)+\cos\alpha\sin(-\beta)$이므로 다음이 성립한다.

$\sin(\alpha-\beta)=\sin\alpha\cos\beta-\cos\alpha\sin\beta$

위의 식을 사인의 덧셈정리라고 한다.

코사인 법칙

두 변의 길이와 그 끼인각의 크기가 주어졌을 때, 나머지 한 변의 길이를 구하는 경우

① $a^2=b^2+c^2-2bc\cos A$

② $b^2=c^2+a^2-2ca\cos B$

③ $c^2=a^2+b^2-2ab\cos C$

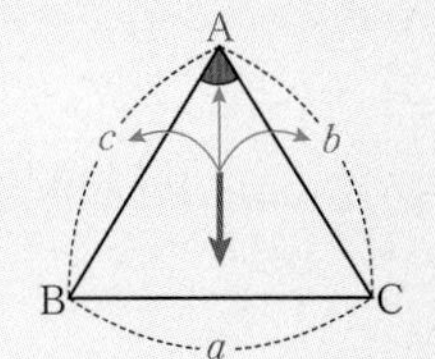

04 탄젠트함수의 덧셈정리

① $\tan(\alpha+\beta)=\dfrac{\tan\alpha+\tan\beta}{1-\tan\alpha\tan\beta}$

② $\tan(\alpha-\beta)=\dfrac{\tan\alpha-\tan\beta}{1+\tan\alpha\tan\beta}$

마플해설 **탄젠트함수의 덧셈정리**

$\tan(\alpha+\beta)=\dfrac{\tan\alpha+\tan\beta}{1-\tan\alpha\tan\beta}$, $\tan(\alpha-\beta)=\dfrac{\tan\alpha-\tan\beta}{1+\tan\alpha\tan\beta}$의 증명

$\tan(\alpha+\beta)=\dfrac{\sin(\alpha+\beta)}{\cos(\alpha+\beta)}=\dfrac{\sin\alpha\cos\beta+\cos\alpha\sin\beta}{\cos\alpha\cos\beta-\sin\alpha\sin\beta}$

이므로 우변의 분자, 분모를 각각 $\cos\alpha\cos\beta(\cos\alpha\cos\beta\neq0)$로 나누면

$\tan(\alpha+\beta)=\dfrac{\dfrac{\sin\alpha}{\cos\alpha}+\dfrac{\sin\beta}{\cos\beta}}{1-\dfrac{\sin\alpha}{\cos\alpha}\cdot\dfrac{\sin\beta}{\cos\beta}}=\dfrac{\tan\alpha+\tan\beta}{1-\tan\alpha\tan\beta}$ …… ㉠

㉠에서 β대신 $-\beta$를 대입하면

$\tan\{\alpha+(-\beta)\}=\dfrac{\tan\alpha+\tan(-\beta)}{1-\tan\alpha\tan(-\beta)}$ $\therefore \tan(\alpha-\beta)=\dfrac{\tan\alpha-\tan\beta}{1+\tan\alpha\tan\beta}$ ⬅ $\tan(-\beta)=-\tan\beta$

보기 06 다음 삼각함수의 값을 구하여라.

(1) $\sin75^\circ\left(=\sin\dfrac{5}{12}\pi\right)$ (2) $\cos75^\circ\left(=\cos\dfrac{5}{12}\pi\right)$ (3) $\tan75^\circ\left(=\tan\dfrac{5}{12}\pi\right)$

풀이

$75^\circ=\dfrac{5}{12}\pi=\dfrac{\pi}{4}+\dfrac{\pi}{6}$

(1) $\sin75^\circ=\sin(45^\circ+30^\circ)=\sin45^\circ\cos30^\circ+\cos45^\circ\sin30^\circ$

$=\dfrac{\sqrt{2}}{2}\times\dfrac{\sqrt{3}}{2}+\dfrac{\sqrt{2}}{2}\times\dfrac{1}{2}=\dfrac{\sqrt{6}+\sqrt{2}}{4}$

(2) $\cos75^\circ=\cos(45^\circ+30^\circ)=\cos45^\circ\cos30^\circ-\sin45^\circ\sin30^\circ$

$=\dfrac{\sqrt{2}}{2}\times\dfrac{\sqrt{3}}{2}-\dfrac{\sqrt{2}}{2}\times\dfrac{1}{2}=\dfrac{\sqrt{6}-\sqrt{2}}{4}$

(3) $\tan75^\circ=\tan(45^\circ+30^\circ)=\dfrac{\tan45^\circ+\tan30^\circ}{1-\tan45^\circ\tan30^\circ}=\dfrac{1+\dfrac{1}{\sqrt{3}}}{1-1\times\dfrac{1}{\sqrt{3}}}=\dfrac{\sqrt{3}+1}{\sqrt{3}-1}=2+\sqrt{3}$

보기 07 다음 삼각함수의 값을 구하여라.

(1) $\sin15^\circ\left(=\sin\dfrac{\pi}{12}\right)$ (2) $\cos15^\circ\left(=\cos\dfrac{\pi}{12}\right)$ (3) $\tan15^\circ\left(=\tan\dfrac{\pi}{12}\right)$

풀이

$15^\circ=\dfrac{\pi}{12}=\dfrac{\pi}{4}-\dfrac{\pi}{6}$

(1) $\sin15^\circ=\sin(45^\circ-30^\circ)=\sin45^\circ\cos30^\circ-\cos45^\circ\sin30^\circ$

$=\dfrac{\sqrt{2}}{2}\times\dfrac{\sqrt{3}}{2}-\dfrac{\sqrt{2}}{2}\times\dfrac{1}{2}=\dfrac{\sqrt{6}-\sqrt{2}}{4}$

(2) $\cos15^\circ=\cos(45^\circ-30^\circ)=\cos45^\circ\cos30^\circ+\sin45^\circ\sin30^\circ$

$=\dfrac{\sqrt{2}}{2}\times\dfrac{\sqrt{3}}{2}+\dfrac{\sqrt{2}}{2}\times\dfrac{1}{2}=\dfrac{\sqrt{6}+\sqrt{2}}{4}$

(3) $\tan15^\circ=\tan(45^\circ-30^\circ)=\dfrac{\tan45^\circ-\tan30^\circ}{1+\tan45^\circ\tan30^\circ}=\dfrac{1-\dfrac{1}{\sqrt{3}}}{1+1\times\dfrac{1}{\sqrt{3}}}=\dfrac{\sqrt{3}-1}{\sqrt{3}+1}=2-\sqrt{3}$

보기 08 다음 삼각함수의 값을 구하여라.

(1) $\sin 105°\left(=\sin\frac{7}{12}\pi\right)$ (2) $\cos 105°\left(=\cos\frac{7}{12}\pi\right)$ (3) $\tan 105°\left(=\tan\frac{7}{12}\pi\right)$

풀이 (1) $\sin 105° = \sin(60°+45°) = \sin 60° \cos 45° + \cos 60° \sin 45°$

$$=\frac{\sqrt{3}}{2}\times\frac{\sqrt{2}}{2}+\frac{1}{2}\times\frac{\sqrt{2}}{2}=\frac{\sqrt{6}+\sqrt{2}}{4}$$

$105°=\frac{7\pi}{12}=\frac{\pi}{3}+\frac{\pi}{4}$

(2) $\cos 105° = \cos(60°+45°) = \cos 60° \cos 45° - \sin 60° \sin 45°$

$$=\frac{1}{2}\times\frac{\sqrt{2}}{2}-\frac{\sqrt{3}}{2}\times\frac{\sqrt{2}}{2}=\frac{\sqrt{2}-\sqrt{6}}{4}$$

(3) $\tan 105° = \tan(60°+45°) = \dfrac{\tan 60° + \tan 45°}{1-\tan 60° \tan 45°} = \dfrac{\sqrt{3}+1}{1-\sqrt{3}\times 1} = -(2+\sqrt{3})$

보기 09 다음 식의 값을 구하여라.

(1) $\sin 100° \cos 40° - \cos 100° \sin 40°$

(2) $\cos 70° \cos 25° + \sin 70° \sin 25°$

(3) $\cos 105° \cos 30° - \sin 105° \sin 30°$

(4) $\dfrac{\tan 70° - \tan 10°}{1+\tan 70° \tan 10°}$

풀이 (1) $\sin 100° \cos 40° - \cos 100° \sin 40° = \sin(100°-40°) = \sin 60° = \dfrac{\sqrt{3}}{2}$

(2) $\cos 70° \cos 25° + \sin 70° \sin 25° = \cos(70°-25°) = \cos 45° = \dfrac{\sqrt{2}}{2}$

(3) $\cos 105° \cos 30° - \sin 105° \sin 30° = \cos(105°+30°) = \cos 135° = -\dfrac{\sqrt{2}}{2}$

(4) $\dfrac{\tan 70° - \tan 10°}{1+\tan 70° \tan 10°} = \tan(70°-10°) = \tan 60° = \sqrt{3}$

보기 10 $\frac{\pi}{2}<\alpha<\pi$, $\frac{3}{2}\pi<\beta<2\pi$이고 $\sin\alpha=\frac{12}{13}$, $\sin\beta=-\frac{3}{5}$일 때, 다음 값을 구하여라.

(1) $\sin(\alpha+\beta)$ (2) $\cos(\alpha-\beta)$ (3) $\tan(\alpha+\beta)$

풀이 $\frac{\pi}{2}<\alpha<\pi$이면 $\cos\alpha<0$이므로 $\cos\alpha=-\sqrt{1-\sin^2\alpha}=-\sqrt{1-\left(\frac{12}{13}\right)^2}=-\frac{5}{13}$

$\frac{3}{2}\pi<\beta<2\pi$이면 $\cos\beta>0$이므로 $\cos\beta=\sqrt{1-\sin^2\beta}=\sqrt{1-\left(-\frac{3}{5}\right)^2}=\frac{4}{5}$

또한, $\tan\alpha=\dfrac{\sin\alpha}{\cos\alpha}=-\dfrac{12}{5}$, $\tan\beta=\dfrac{\sin\beta}{\cos\beta}=-\dfrac{3}{4}$

(1) $\sin(\alpha+\beta)=\sin\alpha\cos\beta+\cos\alpha\sin\beta=\frac{12}{13}\times\frac{4}{5}+\left(-\frac{5}{13}\right)\times\left(-\frac{3}{5}\right)=\frac{63}{65}$

(2) $\cos(\alpha-\beta)=\cos\alpha\cos\beta+\sin\alpha\sin\beta=\left(-\frac{5}{13}\right)\times\frac{4}{5}+\frac{12}{13}\times\left(-\frac{3}{5}\right)=-\frac{56}{65}$

(3) $\tan(\alpha+\beta)=\dfrac{\tan\alpha+\tan\beta}{1-\tan\alpha\tan\beta}=\dfrac{\left(-\frac{12}{5}\right)+\left(-\frac{3}{4}\right)}{1-\left(-\frac{12}{5}\right)\times\left(-\frac{3}{4}\right)}=\dfrac{63}{16}$

보기 11 $\sin\alpha=\frac{\sqrt{3}}{3}$, $\cos\beta=-\frac{1}{3}$일 때, 다음 값을 구하여라. $\left(\text{단, } 0<\alpha<\frac{\pi}{2},\ \frac{\pi}{2}<\beta<\pi\right)$

(1) $\sin(\alpha+\beta)$ (2) $\cos(\alpha-\beta)$ (3) $\tan(\alpha-\beta)$

풀이 $0<\alpha<\frac{\pi}{2}$이면 $\cos\alpha>0$이므로 $\cos\alpha=\sqrt{1-\sin^2\alpha}=\sqrt{1-\left(\frac{\sqrt{3}}{3}\right)^2}=\frac{\sqrt{6}}{3}$

또, $\frac{\pi}{2}<\beta<\pi$이면 $\sin\beta>0$이므로 $\sin\beta=\sqrt{1-\cos^2\beta}=\sqrt{1-\left(-\frac{1}{3}\right)^2}=\frac{2\sqrt{2}}{3}$

(1) $\sin(\alpha+\beta)=\sin\alpha\cos\beta+\cos\alpha\sin\beta=\frac{\sqrt{3}}{3}\times\left(-\frac{1}{3}\right)+\frac{\sqrt{6}}{3}\times\frac{2\sqrt{2}}{3}=\frac{\sqrt{3}}{3}$

(2) $\cos(\alpha-\beta)=\cos\alpha\cos\beta+\sin\alpha\sin\beta=\frac{\sqrt{6}}{3}\times\left(-\frac{1}{3}\right)+\frac{\sqrt{3}}{3}\times\frac{2\sqrt{2}}{3}=\frac{\sqrt{6}}{9}$

(3) $0<\alpha<\frac{\pi}{2}$이면 $\tan\alpha>0$이므로 $\tan\alpha=\frac{\sin\alpha}{\cos\alpha}=\frac{\sqrt{2}}{2}$

또, $\frac{\pi}{2}<\beta<\pi$이면 $\tan\beta<0$이므로 $\tan\beta=\frac{\sin\beta}{\cos\beta}=-2\sqrt{2}$

$$\tan(\alpha-\beta)=\frac{\tan\alpha-\tan\beta}{1+\tan\alpha\tan\beta}=\frac{\frac{\sqrt{2}}{2}-(-2\sqrt{2})}{1+\frac{\sqrt{2}}{2}\times(-2\sqrt{2})}=-\frac{5\sqrt{2}}{2}$$

보기 12 다음 물음에 답하여라. $\left(\text{단, } 0<\alpha<\frac{\pi}{2}\right)$

(1) $\cos\alpha=\frac{2}{3}$일 때, $\sin\left(\frac{\pi}{4}-\alpha\right)$의 값을 구하여라.

(2) $\sin\alpha=\frac{1}{3}$일 때, $\cos\left(\frac{\pi}{3}+\alpha\right)$의 값을 구하여라.

풀이 (1) $\cos\alpha=\frac{2}{3}$이고 $0<\alpha<\frac{\pi}{2}$이므로 $\sin\alpha=\sqrt{1-\cos^2\alpha}=\sqrt{1-\frac{4}{9}}=\frac{\sqrt{5}}{3}$

$\therefore \sin\left(\frac{\pi}{4}-\alpha\right)=\sin\frac{\pi}{4}\cos\alpha-\cos\frac{\pi}{4}\sin\alpha=\frac{\sqrt{2}}{2}\times\frac{2}{3}-\frac{\sqrt{2}}{2}\times\frac{\sqrt{5}}{3}=\frac{2\sqrt{2}-\sqrt{10}}{6}$

(2) $\sin\alpha=\frac{1}{3}$이고 $0<\alpha<\frac{\pi}{2}$이므로 $\cos\alpha=\sqrt{1-\sin^2\alpha}=\sqrt{1-\frac{1}{9}}=\frac{2\sqrt{2}}{3}$

$\therefore \cos\left(\frac{\pi}{3}+\alpha\right)=\cos\frac{\pi}{3}\cos\alpha-\sin\frac{\pi}{3}\sin\alpha=\frac{1}{2}\times\frac{2\sqrt{2}}{3}-\frac{\sqrt{3}}{2}\times\frac{1}{3}=\frac{2\sqrt{2}-\sqrt{3}}{6}$

더 알아보기

(1) 도형에서 삼각함수의 값 구하기

오른쪽 그림에서 $\overline{AB}=1$로 놓으면 $\overline{AC}=\sqrt{3}$, $\overline{BC}=\overline{DC}=2$이므로

$\overline{BD}^2=1^2+(2+\sqrt{3})^2=6+4\sqrt{3}+2=(\sqrt{6}+\sqrt{2})^2$

$\therefore \overline{BD}=\sqrt{6}+\sqrt{2}$

따라서 다음을 얻는다.

① $\sin 15^\circ=\frac{\overline{AB}}{\overline{BD}}=\frac{1}{\sqrt{6}+\sqrt{2}}=\frac{\sqrt{6}-\sqrt{2}}{4}$

② $\cos 15^\circ=\frac{\overline{DA}}{\overline{BD}}=\frac{2+\sqrt{3}}{\sqrt{6}+\sqrt{2}}=\frac{\sqrt{6}+\sqrt{2}}{4}$

③ $\tan 15^\circ=\frac{\overline{AB}}{\overline{DA}}=\frac{1}{2+\sqrt{3}}=2-\sqrt{3}$

(2) 삼각함수의 성질

① $\sin 75^\circ=\sin(90^\circ-15^\circ)=\cos 15^\circ$

$\cos 75^\circ=\cos(90^\circ-15^\circ)=\sin 15^\circ$

$\tan 75^\circ=\tan(90^\circ-15^\circ)=\cot 15^\circ$

② $\sin 105^\circ=\sin(90^\circ+15^\circ)=\cos 15^\circ$

$\cos 105^\circ=\cos(90^\circ+15^\circ)=-\sin 15^\circ$

$\tan 105^\circ=\tan(90^\circ+15^\circ)=-\cot 15^\circ$

05 배각의 공식

삼각함수의 덧셈정리 $\sin(\alpha+\beta)$, $\cos(\alpha+\beta)$, $\tan(\alpha+\beta)$에서 β 대신 α를 대입하여 정리하면 다음과 같은 배각의 공식을 얻을 수 있다.

(1) $\mathbf{\sin 2\alpha = 2\sin\alpha\cos\alpha}$

(2) $\mathbf{\cos 2\alpha = \cos^2\alpha - \sin^2\alpha = 2\cos^2\alpha - 1 = 1 - 2\sin^2\alpha}$

(3) $\mathbf{\tan 2\alpha = \dfrac{2\tan\alpha}{1-\tan^2\alpha}}$

마플해설 (1) $\sin(\alpha+\beta)=\sin\alpha\cos\beta+\cos\alpha\sin\beta$이므로 $\sin 2\alpha=\sin(\alpha+\alpha)=\sin\alpha\cos\alpha+\cos\alpha\sin\alpha=2\sin\alpha\cos\alpha$

(2) $\cos(\alpha+\beta)=\cos\alpha\cos\beta-\sin\alpha\sin\beta$이므로 $\cos 2\alpha=\cos(\alpha+\alpha)=\cos\alpha\cos\alpha-\sin\alpha\sin\alpha=\cos^2\alpha-\sin^2\alpha$

$\sin^2\alpha=1-\cos^2\alpha$를 대입하면 $\cos 2\alpha=2\cos^2\alpha-1$

$\cos^2\alpha=1-\sin^2\alpha$를 대입하면 $\cos 2\alpha=1-2\sin^2\alpha$

(3) $\tan(\alpha+\beta)=\dfrac{\tan\alpha+\tan\beta}{1-\tan\alpha\tan\beta}$이므로 $\tan 2\alpha=\tan(\alpha+\alpha)=\dfrac{\tan\alpha+\tan\alpha}{1-\tan\alpha\tan\alpha}=\dfrac{2\tan\alpha}{1-\tan^2\alpha}$

참고 $\tan\alpha=\dfrac{\sin\alpha}{\cos\alpha}$인 관계를 이용하여 $\tan 2\alpha$의 공식을 다음과 같이 유도할 수 있다.

$$\tan 2\alpha=\frac{\sin 2\alpha}{\cos 2\alpha}=\frac{2\sin\alpha\cos\alpha}{\cos^2\alpha-\sin^2\alpha}$$

우변의 분모, 분자를 $\cos^2\alpha$로 나누면 $\tan 2\alpha=\dfrac{2\cdot\dfrac{\sin\alpha}{\cos\alpha}}{1-\dfrac{\sin^2\alpha}{\cos^2\alpha}}=\dfrac{2\tan\alpha}{1-\tan^2\alpha}$

보기 13 $\sin\alpha=\dfrac{3}{5}$일 때, 다음 삼각함수의 값을 구하여라. $\left(\text{단, } \dfrac{\pi}{2}<\alpha<\pi\right)$

(1) $\sin 2\alpha$ (2) $\cos 2\alpha$ (3) $\tan 2\alpha$

풀이 $\dfrac{\pi}{2}<\alpha<\pi$에서 $\cos\alpha<0$이므로 $\sin^2\alpha+\cos^2\alpha=1$에서 $\cos\alpha=-\sqrt{1-\sin^2\alpha}=-\sqrt{1-\left(\dfrac{3}{5}\right)^2}=-\dfrac{4}{5}$

또한, $\tan\alpha=\dfrac{\sin\alpha}{\cos\alpha}=\dfrac{\dfrac{3}{5}}{-\dfrac{4}{5}}=-\dfrac{3}{4}$

(1) $\sin 2\alpha=2\sin\alpha\cos\alpha=2\cdot\dfrac{3}{5}\cdot\left(-\dfrac{4}{5}\right)=-\dfrac{24}{25}$

(2) $\cos 2\alpha=1-2\sin^2\alpha=1-2\cdot\left(\dfrac{3}{5}\right)^2=\dfrac{7}{25}$

(3) $\tan 2\alpha=\dfrac{2\tan\alpha}{1-\tan^2\alpha}=\dfrac{2\cdot\left(-\dfrac{3}{4}\right)}{1-\left(-\dfrac{3}{4}\right)^2}=-\dfrac{24}{7}$

참고 $\tan 2\alpha=\dfrac{\sin 2\alpha}{\cos 2\alpha}=\dfrac{-\dfrac{24}{25}}{\dfrac{7}{25}}=-\dfrac{24}{7}$

더 알아보기

삼각함수의 합성

삼각함수의 덧셈정리를 이용하여 $a\sin\theta+b\cos\theta\,(a\neq 0,\ b\neq 0)$를 $r\sin(\theta+\alpha)\,(r>0)$꼴로 나타낸다.

$$a\sin\theta+b\cos\theta=\sqrt{a^2+b^2}\sin(\theta+\alpha)\ \left(\text{단, } \sin\alpha=\frac{b}{\sqrt{a^2+b^2}},\ \cos\alpha=\frac{a}{\sqrt{a^2+b^2}}\right)$$

함수 $y=a\sin x+b\cos x$의 최댓값과 최솟값을 구할 때는 삼각함수의 합성을 이용한다.

유도 좌표평면 위의 점 $\mathrm{P}(a, b)$에 대하여 동경 OP가 x축의 양의 방향과 이루는 각의 크기를 α라고 하면 $\sin\alpha=\dfrac{b}{\sqrt{a^2+b^2}}$, $\cos\alpha=\dfrac{a}{\sqrt{a^2+b^2}}$이므로

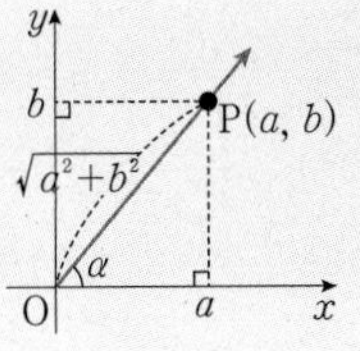

$$a\sin\theta+b\cos\theta=\sqrt{a^2+b^2}\left(\frac{a}{\sqrt{a^2+b^2}}\sin\theta+\frac{b}{\sqrt{a^2+b^2}}\cos\theta\right)$$
$$=\sqrt{a^2+b^2}(\cos\alpha\sin\theta+\sin\alpha\cos\theta)=\sqrt{a^2+b^2}\sin(\theta+\alpha)$$

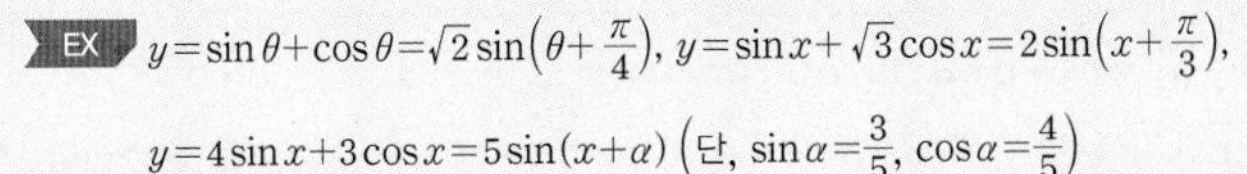

EX $y=\sin\theta+\cos\theta=\sqrt{2}\sin\left(\theta+\dfrac{\pi}{4}\right)$, $y=\sin x+\sqrt{3}\cos x=2\sin\left(x+\dfrac{\pi}{3}\right)$,

$y=4\sin x+3\cos x=5\sin(x+\alpha)$ $\left(\text{단, } \sin\alpha=\dfrac{3}{5},\ \cos\alpha=\dfrac{4}{5}\right)$

06 반각공식

배각의 공식 $\cos 2\alpha=2\cos^2\alpha-1=1-2\sin^2\alpha$에서 α대신 $\frac{\alpha}{2}$를 대입하여 다음과 같이 반각의 공식을 얻을 수 있다.

(1) $\sin^2\frac{\alpha}{2}=\frac{1-\cos\alpha}{2}$ ⬅ $\sin^2\alpha=\frac{1-\cos 2\alpha}{2}$

(2) $\cos^2\frac{\alpha}{2}=\frac{1+\cos\alpha}{2}$ ⬅ $\cos^2\alpha=\frac{1+\cos 2\alpha}{2}$

(3) $\tan^2\frac{\alpha}{2}=\frac{1-\cos\alpha}{1+\cos\alpha}$ ⬅ $\tan^2\alpha=\frac{1-\cos 2\alpha}{1+\cos 2\alpha}$

참고 반각 : 둘로 똑같이 나눈 것의 한 부분의 각이라는 뜻이다.

마플해설 삼각함수의 배각의 공식에 의하여

$\cos 2\alpha=1-2\sin^2\alpha$이므로 $\sin^2\alpha=\frac{1-\cos 2\alpha}{2}$

$\cos 2\alpha=2\cos^2\alpha-1$이므로 $\cos^2\alpha=\frac{1+\cos 2\alpha}{2}$

α대신 $\frac{\alpha}{2}$를 대입하여 정리하면 다음과 같은 공식이 성립한다.

$$\sin^2\frac{\alpha}{2}=\frac{1-\cos\alpha}{2},\ \cos^2\frac{\alpha}{2}=\frac{1+\cos\alpha}{2},\ \tan^2\frac{\alpha}{2}=\frac{\sin^2\frac{\alpha}{2}}{\cos^2\frac{\alpha}{2}}=\frac{1-\cos\alpha}{1+\cos\alpha}$$

참고 반각공식은 모두 $\cos\alpha$로 표현된다. 즉 $\cos\alpha$의 값만 알면 모든 반값을 알 수 있다.

보기 14 $\frac{\pi}{2}<\alpha<\pi$이고 $\cos\alpha=-\frac{1}{3}$일 때, 다음 값을 구하여라.

(1) $\sin\frac{\alpha}{2}$ (2) $\cos\frac{\alpha}{2}$

풀이 $\frac{\pi}{2}<\alpha<\pi$에서 $\frac{\pi}{4}<\frac{\alpha}{2}<\frac{\pi}{2}$이므로 $\sin\frac{\alpha}{2}>0,\ \cos\frac{\alpha}{2}>0$

(1) $\sin^2\frac{\alpha}{2}=\frac{1-\cos\alpha}{2}=\frac{1-\left(-\frac{1}{3}\right)}{2}=\frac{2}{3}$이므로 $\sin\frac{\alpha}{2}=\sqrt{\frac{2}{3}}=\frac{\sqrt{6}}{3}$

(2) $\cos^2\frac{\alpha}{2}=\frac{1+\cos\alpha}{2}=\frac{1+\left(-\frac{1}{3}\right)}{2}=\frac{1}{3}$이므로 $\cos\frac{\alpha}{2}=\sqrt{\frac{1}{3}}=\frac{\sqrt{3}}{3}$

더 알아보기

도형을 이용한 배각 공식의 증명

증명1 오른쪽 그림과 같은 단위원에서 $\overline{AB}=2$이고 $\angle BAC=\theta$라 하면

$\angle BOC=2\theta,\ \overline{BC}=2\sin\theta,\ \overline{AC}=2\cos\theta$

또, 점 C는 단위원 위의 점이므로 $\triangle ODC$에서 $C(\cos2\theta,\ \sin2\theta)$

이때 $\triangle ABC \backsim \triangle ACD$이므로 다음이 성립한다.

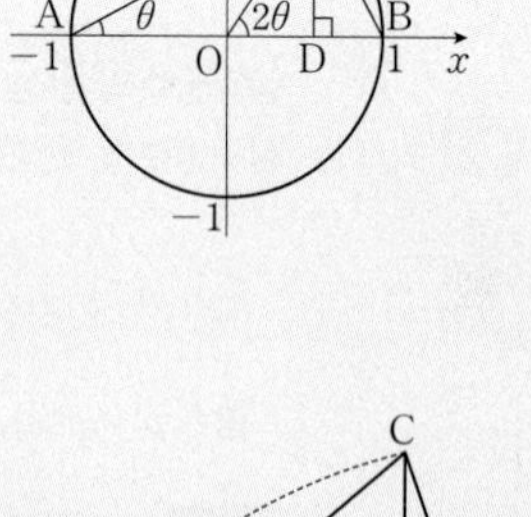

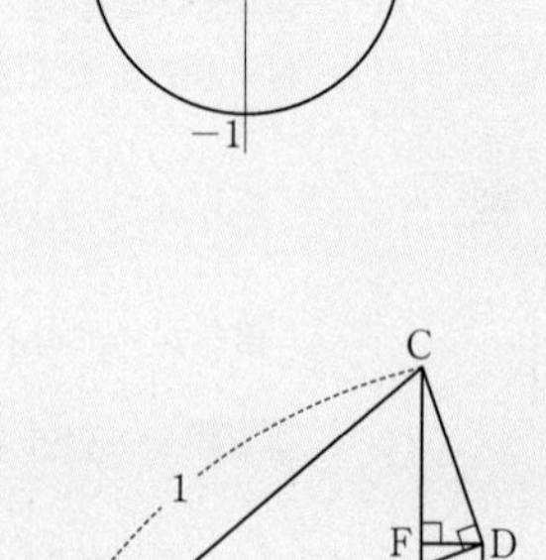

① $\frac{\overline{CD}}{\overline{AC}}=\frac{\overline{BC}}{\overline{AB}}$, 즉 $\frac{\sin 2\theta}{2\cos\theta}=\frac{2\sin\theta}{2}$ $\therefore \sin2\theta=2\sin\theta\cos\theta$

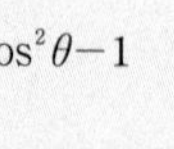

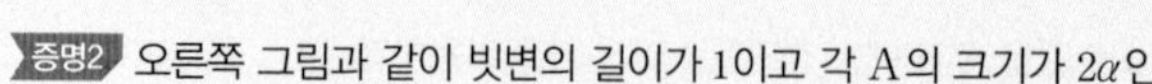

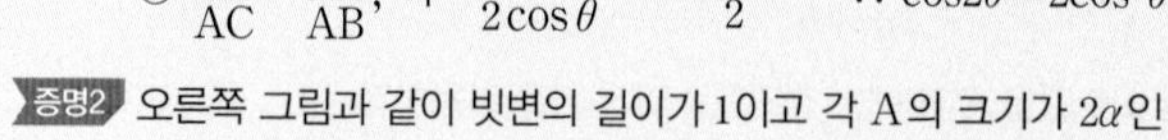

② $\frac{\overline{AD}}{\overline{AC}}=\frac{\overline{AC}}{\overline{AB}}$, 즉 $\frac{1+\cos 2\theta}{2\cos\theta}=\frac{2\cos\theta}{2}$ $\therefore \cos2\theta=2\cos^2\theta-1$

증명2 오른쪽 그림과 같이 빗변의 길이가 1이고 각 A의 크기가 2α인 직각삼각형 ABC가 있다. 점 C에서 각 A의 이등분선에 내린 수선의 발을 D, 점 D에서 선분 AB의 연장선과 선분 BC에 내린 수선의 발을 각각 E, F라 하자.

$\triangle ACD \backsim \triangle CDF$이므로 $\overline{AC}:\overline{AD}=\overline{CD}:\overline{CF}$

여기서 $\overline{CD}=\sin\alpha,\ \overline{AD}=\cos\alpha$이므로

$1:\cos\alpha=\sin\alpha:\overline{CF}$ $\therefore \overline{CF}=\sin\alpha\cos\alpha$

또, $\overline{FB}=\overline{DE}=\overline{AD}\sin\alpha=\cos\alpha\sin\alpha$

그런데 $\overline{CB}=\sin 2\alpha$이고 $\overline{CB}=\overline{CF}+\overline{FB}$이므로 $\sin 2\alpha=\sin\alpha\cos\alpha+\cos\alpha\sin\alpha$

또한, 위의 그림에서 $\overline{AB}=\overline{AE}-\overline{BE}$임을 이용하여 배각의 공식 $\cos 2\alpha=\cos^2\alpha-\sin^2\alpha$를 증명한다.

07 두 직선이 이루는 예각의 크기

오른쪽 그림에서 두 직선 $y=mx+n$, $y=m'x+n'$이 x축의 양의 방향과 이루는 각의 크기를 각각 α, β라고 하면 $\tan\alpha=m$, $\tan\beta=m'$

또, 두 직선이 이루는 예각의 크기를 θ라 하면 $\theta=\alpha-\beta$ 또는 $\theta=\pi-(\alpha-\beta)$ 이므로 다음과 같다.

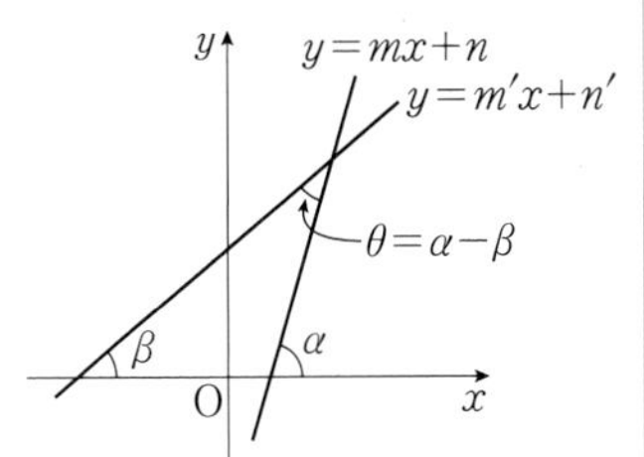

$$\tan\theta=|\tan(\alpha-\beta)|=\left|\frac{\tan\alpha-\tan\beta}{1+\tan\alpha\tan\beta}\right|=\left|\frac{m-m'}{1+mm'}\right|\ (\text{단, } mm'\neq-1)$$

참고 직선 $y=ax+b$가 x축의 양의 방향과 이루는 각의 크기를 θ이면 ⇨ 직선의 기울기는 $\tan\theta=a$이다.

마플해설 두 직선 $l_1: y=mx+n$, $l_2: y=m'x+n'$가 x축의 양의 방향과 이루는 각의 크기를 각각 α, β라 하고 두 직선 l_1, l_2가 이루는 예각의 크기를 θ라 하면

직선 l_1의 기울기 : $\tan\alpha=m$, 직선 l_2의 기울기 : $\tan\beta=m'$이다.

① $0<\alpha-\beta<\frac{\pi}{2}$일 때,	② $\frac{\pi}{2}<\alpha-\beta<\pi$일 때,
$\theta=\alpha-\beta$	$\theta=\pi-(\alpha-\beta)$
$\tan\theta=\tan(\alpha-\beta)=\frac{m-m'}{1+mm'}$	$\tan\theta=\tan\{\pi-(\alpha-\beta)\}=-\tan(\alpha-\beta)$ $=\lvert\tan(\alpha-\beta)\rvert=\left\lvert\frac{m-m'}{1+mm'}\right\rvert$

보기 15 두 직선 $y=3x-2$와 $y=\frac{1}{2}x+2$가 이루는 예각의 크기를 구하여라.

풀이 두 직선 $y=3x-2$와 $y=\frac{1}{2}x+2$가 x축의 양의 방향과 이루는 각의 크기를 각각 α, β라 하면 $\tan\alpha=3$, $\tan\beta=\frac{1}{2}$

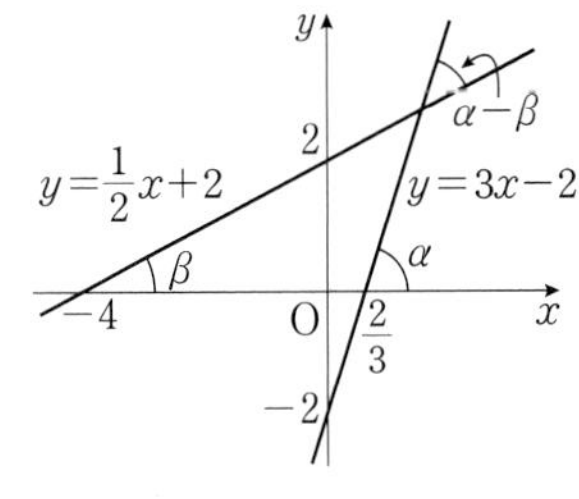

이때 두 직선이 이루는 예각의 크기를 θ라고 하면 $\theta=\alpha-\beta$

$$\tan\theta=\tan(\alpha-\beta)=\frac{\tan\alpha-\tan\beta}{1+\tan\alpha\tan\beta}=\frac{3-\frac{1}{2}}{1+3\cdot\frac{1}{2}}=1$$

즉, $\alpha-\beta=\frac{\pi}{4}$

따라서 두 직선이 이루는 예각의 크기는 $\frac{\pi}{4}$이다.

보기 16 두 직선 $x-y-1=0$, $2x-y+1=0$이 이루는 예각의 크기를 θ라고 할 때, $\cot\theta$의 값을 구하여라.

풀이 두 직선 $y=x-1$과 $y=2x+1$이 x축의 양의 방향과 이루는 각의 크기를 각각 α, β라 하면 $\tan\alpha=1$, $\tan\beta=2$

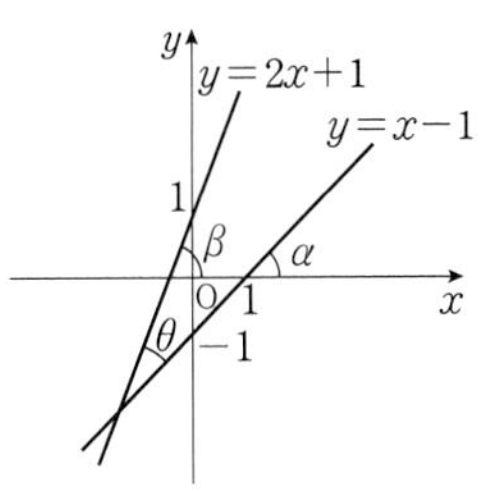

이때 두 직선이 이루는 예각의 크기를 θ라고 하면 $\theta=\beta-\alpha$

$$\tan\theta=\tan(\beta-\alpha)=\frac{\tan\beta-\tan\alpha}{1+\tan\beta\tan\alpha}=\frac{2-1}{1+2\cdot1}=\frac{1}{3}$$

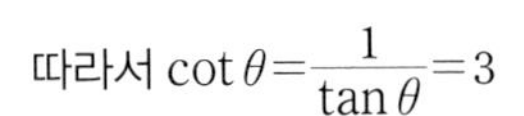

따라서 $\cot\theta=\frac{1}{\tan\theta}=3$

$\pi<\theta<\frac{3}{2}\pi$인 θ에 대하여

$$\cos\theta=-\frac{2}{3}$$

일 때, $\sec\left(\frac{\pi}{2}+\theta\right)+\csc(\pi+\theta)$의 값을 구하여라.

MAPL CORE (1) $\pi+\theta$의 삼각함수

① $\sin(\pi+\theta)=-\sin\theta$ ② $\cos(\pi+\theta)=-\cos\theta$ ③ $\tan(\pi+\theta)=\tan\theta$

(2) $\frac{\pi}{2}+\theta$의 삼각함수

① $\sin\left(\frac{\pi}{2}+\theta\right)=\cos\theta$ ② $\cos\left(\frac{\pi}{2}+\theta\right)=-\sin\theta$ ③ $\tan\left(\frac{\pi}{2}+\theta\right)=-\cot\theta$

개념익힘 | **풀이**

$$\sec\left(\frac{\pi}{2}+\theta\right)+\csc(\pi+\theta)=\frac{1}{\cos\left(\frac{\pi}{2}+\theta\right)}+\frac{1}{\sin(\pi+\theta)}=\frac{1}{-\sin\theta}+\frac{1}{-\sin\theta}=-\frac{2}{\sin\theta} \quad \cdots\cdots ㉠$$

한편 $\cos\theta=-\frac{2}{3}$에서 $\sin^2\theta=1-\cos^2\theta=1-\left(-\frac{2}{3}\right)^2=\frac{5}{9}$

이때 $\pi<\theta<\frac{3}{2}\pi$이므로 $\sin\theta=-\frac{\sqrt{5}}{3}$ $\cdots\cdots$ ㉡

따라서 ㉡을 ㉠에 대입하면 $\sec\left(\frac{\pi}{2}+\theta\right)+\csc(\pi+\theta)=-\frac{2}{\sin\theta}=\boldsymbol{\frac{6\sqrt{5}}{5}}$

확인유제 0285 다음 물음에 답하여라.

(1) $\frac{\pi}{2}<\theta<\pi$인 θ에 대하여 $\cot\theta=-\frac{3}{4}$일 때, $\sin\left(\frac{3\pi}{2}+\theta\right)$의 값은?

① $-\frac{4}{5}$ ② $-\frac{3}{5}$ ③ $\frac{3}{5}$ ④ $\frac{3}{4}$ ⑤ $\frac{4}{5}$

2020학년도 09월 평가원

(2) $\frac{\pi}{2}<\theta<\pi$인 θ에 대하여 $\cos\theta=-\frac{3}{5}$일 때, $\csc(\pi+\theta)$의 값은?

① $-\frac{5}{2}$ ② $-\frac{5}{3}$ ③ $-\frac{5}{4}$ ④ $\frac{5}{4}$ ⑤ $\frac{5}{3}$

변형문제 0286 이차방정식 $8x^2-4x-3=0$의 두 근이 $\sin\theta$, $\cos\theta$일 때, 다음의 식의 값을 구하여라.

(1) $\tan\theta+\cot\theta$

(2) $\sec\theta+\csc\theta$

(3) $(1+\tan^2\theta)(1+\cot^2\theta)$

발전문제 0287 실수 θ가 다음 조건을 만족시킬 때, $\csc\theta+\sec\theta$의 값을 구하여라.

(가) $\cos\theta\tan\theta<0$, $\sin\theta\cos\theta<0$

(나) $5\sin\theta=\csc\theta$

정답 0285 : (1) ③ (2) ③ 0286 : (1) $-\frac{8}{3}$ (2) $-\frac{4}{3}$ (3) $\frac{64}{9}$ 0287 : $-\frac{\sqrt{5}}{2}$

마플개념익힘 02 삼각함수의 덧셈정리

다음 물음에 답하여라.

(1) $\sin\alpha=\frac{3}{5}$, $\sin\left(\frac{\pi}{2}-\beta\right)=\frac{\sqrt{5}}{5}$일 때, $\sin(\alpha+\beta)$의 값을 구하여라. $\left(단, 0<\alpha<\frac{\pi}{2}, \frac{3}{2}\pi<\beta<2\pi\right)$

(2) $0<\alpha<\frac{\pi}{2}$인 α에 대하여 $\cos\alpha=\frac{\sqrt{3}}{3}$일 때, $\cos\left(\frac{7}{3}\pi+\alpha\right)$의 값을 구하여라.

MAPL CORE

① $\sin(\alpha+\beta)=\sin\alpha\cos\beta+\cos\alpha\sin\beta$

② $\cos(\alpha-\beta)=\cos\alpha\cos\beta+\sin\alpha\sin\beta$

③ $\tan(\alpha+\beta)=\frac{\tan\alpha+\tan\beta}{1-\tan\alpha\tan\beta}$

개념익힘 | **풀이** (1) $0<\alpha<\frac{\pi}{2}$이고 $\sin\alpha=\frac{3}{5}$이므로 $\cos\alpha=\sqrt{1-\sin^2\alpha}=\sqrt{1-\left(\frac{3}{5}\right)^2}=\frac{4}{5}$

또, $\sin\left(\frac{\pi}{2}-\beta\right)=\frac{\sqrt{5}}{5}$에서 $\cos\beta=\frac{\sqrt{5}}{5}$

이때 $\frac{3}{2}\pi<\beta<2\pi$이므로 $\sin\beta=-\sqrt{1-\cos^2\beta}=-\sqrt{1-\left(\frac{\sqrt{5}}{5}\right)^2}=-\frac{2\sqrt{5}}{5}$

따라서 $\sin(\alpha+\beta)=\sin\alpha\cos\beta+\cos\alpha\sin\beta=\frac{3}{5}\times\frac{\sqrt{5}}{5}+\frac{4}{5}\times\left(-\frac{2\sqrt{5}}{5}\right)=\boldsymbol{-\frac{\sqrt{5}}{5}}$

(2) $0<\alpha<\frac{\pi}{2}$이고 $\cos\alpha=\frac{\sqrt{3}}{3}$이므로 $\sin\alpha=\sqrt{1-\cos^2\alpha}=\sqrt{1-\left(\frac{\sqrt{3}}{3}\right)^2}=\frac{\sqrt{6}}{3}$

따라서 $\cos\left(\frac{7}{3}\pi+\alpha\right)=\cos\left(\frac{\pi}{3}+\alpha\right)=\cos\frac{\pi}{3}\cos\alpha-\sin\frac{\pi}{3}\sin\alpha$ ← $\frac{7}{3}\pi=2\pi+\frac{\pi}{3}$

$=\frac{1}{2}\times\frac{\sqrt{3}}{3}-\frac{\sqrt{3}}{2}\times\frac{\sqrt{6}}{3}=\boldsymbol{\frac{\sqrt{3}-3\sqrt{2}}{6}}$

확인유제 0288 두 실수 α, β에 대하여 다음 물음에 답하여라.

(1) $\sin\alpha+\cos\beta=\frac{1}{2}$, $\cos\alpha+\sin\beta=\frac{1}{4}$일 때, $\sin(\alpha+\beta)$의 값을 구하여라.

2008학년도 09월 평가원

(2) $\sin\alpha+\sin\beta=1$, $\cos\alpha+\cos\beta=\frac{1}{2}$일 때, $\cos(\alpha-\beta)$의 값을 구하여라.

변형문제 0289 다음 물음에 답하여라.

2019년 10월 교육청

(1) $0<\alpha<\beta<2\pi$이고 $\cos\alpha=\cos\beta=\frac{1}{3}$일 때, $\sin(\beta-\alpha)$의 값은?

① $-\frac{4\sqrt{2}}{9}$ ② $-\frac{4}{9}$ ③ 0 ④ $\frac{4}{9}$ ⑤ $\frac{4\sqrt{2}}{9}$

2012년 7월 교육청

(2) $0<\alpha<\frac{\pi}{2}$, $0<\beta<\frac{\pi}{2}$이고 $\sin\alpha=\frac{2}{3}$, $\cos\beta=\frac{1}{2}$일 때, $\sin(\alpha+\beta)$, $\sin(\alpha-\beta)$를 두 근으로 하는 이차방정식이 $x^2+\frac{a}{3}x+\frac{b}{36}=0$일 때, 상수 a, b의 곱 ab의 값은?

① 18 ② 19 ③ 20 ④ 21 ⑤ 22

발전문제 0290 다음 물음에 답하여라.

(1) $0\le x\le 2\pi$에서 함수 $f(x)=2\sin\left(x+\frac{4}{3}\pi\right)+\sqrt{3}\cos x-2$의 최댓값을 구하여라.

(2) $0\le x\le 2\pi$에서 함수 $f(x)=2\sin\left(x+\frac{\pi}{6}\right)-2\cos\left(x+\frac{\pi}{3}\right)+\sqrt{3}$의 최댓값을 구하여라.

정답 0288 : (1) $-\frac{27}{32}$ (2) $-\frac{3}{8}$ 0289 : (1) ① (2) ⑤ 0290 : (1) -1 (2) $3\sqrt{3}$

다음 물음에 답하여라.

(1) 이차방정식 $2x^2-3x-1=0$의 두 근이 $\tan\alpha$, $\tan\beta$일 때, $\tan(\alpha+\beta)$의 값을 구하여라.

2018학년도 사관기출

(2) 직선 $3x+4y-2=0$이 x축의 양의 방향과 이루는 각의 크기를 θ라 할 때, $\tan\left(\frac{\pi}{4}+\theta\right)$의 값을 구하여라.

MAPL CORE 이차방정식 $ax^2+bx+c=0$의 두 근이 α, β일 때, 두 근의 합 $\alpha+\beta=-\frac{b}{a}$, 두 근의 곱 $\alpha\beta=\frac{c}{a}$

① $\tan(\alpha+\beta)=\frac{\tan\alpha+\tan\beta}{1-\tan\alpha\tan\beta}$ ② $\tan(\alpha-\beta)=\frac{\tan\alpha-\tan\beta}{1+\tan\alpha\tan\beta}$

개념익힘 | 풀이 (1) 이차방정식 $2x^2-3x-1=0$의 두 근이 $\tan\alpha$, $\tan\beta$이므로 근과 계수의 관계에 의하여

$\tan\alpha+\tan\beta=\frac{3}{2}$, $\tan\alpha\tan\beta=-\frac{1}{2}$

$$\therefore \tan(\alpha+\beta)=\frac{\tan\alpha+\tan\beta}{1-\tan\alpha\tan\beta}=\frac{\frac{3}{2}}{1-\left(-\frac{1}{2}\right)}=\mathbf{1}$$

(2) $3x+4y-2=0$의 기울기가 $-\frac{3}{4}$이고 이 직선이 x축의 양의 방향과 이루는 각의 크기가 θ이므로 $\tan\theta=-\frac{3}{4}$

따라서 $\tan\left(\frac{\pi}{4}+\theta\right)=\frac{\tan\frac{\pi}{4}+\tan\theta}{1-\tan\frac{\pi}{4}\tan\theta}=\frac{1+\left(-\frac{3}{4}\right)}{1-1\cdot\left(-\frac{3}{4}\right)}=\frac{\frac{1}{4}}{\frac{7}{4}}=\mathbf{\frac{1}{7}}$

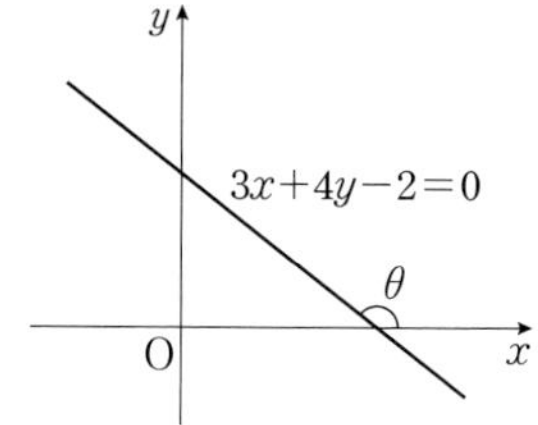

확인유제 0291 다음 물음에 답하여라.

(1) 방정식 $2x^2+3x+a=0$의 두 근이 $\tan\alpha$, $\tan\beta$일 때, $\tan(\alpha+\beta)=-3$을 만족하는 a의 값을 구하여라.

2017학년도 06월 평가원

(2) $\tan\left(\frac{\pi}{4}+\alpha\right)=2$일 때, $\tan\alpha$의 값을 구하여라.

변형문제 0292 다음 물음에 답하여라.

2018년 07월 교육청

(1) $\tan(\alpha-\beta)=\frac{7}{8}$, $\tan\beta=1$일 때, $\tan\alpha$의 값을 구하여라. $\left(\text{단, } 0<\alpha<\frac{\pi}{2},\ 0<\beta<\frac{\pi}{2}\right)$

① 11 ② 12 ③ 13 ④ 14 ⑤ 15

2020학년도 수능기출

(2) $\overline{AB}=\overline{AC}$인 이등변삼각형 ABC에서 $\angle A=\alpha$, $\angle B=\beta$라 하자. $\tan(\alpha+\beta)=-\frac{3}{2}$일 때, $\tan\alpha$의 값은?

① $\frac{21}{10}$ ② $\frac{11}{5}$ ③ $\frac{23}{10}$ ④ $\frac{12}{5}$ ⑤ $\frac{5}{2}$

발전문제 0293 다음 물음에 답하여라.

(1) $f(x)=\tan x\left(0<x<\frac{\pi}{2}\right)$의 역함수를 $g(x)$라 할 때, $g\left(\frac{1}{4}\right)+g\left(\frac{3}{5}\right)$의 값을 구하여라.

(2) 함수 $f(x)=\tan x\left(0<x<\frac{\pi}{2}\right)$의 역함수를 $g(x)$라 할 때, $12\left\{g\left(\frac{1}{2}\right)+g\left(\frac{1}{3}\right)\right\}$의 값을 구하여라.

정답 0291 : (1) 1 (2) $\frac{1}{3}$ 0292 : (1) ⑤ (2) ④ 0293 : (1) $\frac{\pi}{4}$ (2) 3π

마플개념익힘 04 두 직선이 이루는 각

다음 물음에 답하여라.

(1) 두 직선 $y=-x+3, y=2x+1$이 이루는 예각의 크기를 θ라 할 때, $\sec^2\theta$의 값을 구하여라.

(2) 두 직선 $x-3y+2=0$, $kx-2y-1=0$이 이루는 각의 크기가 $\frac{\pi}{4}$일 때, 양수 k의 값을 구하여라.

MAPL CORE 두 직선이 이루는 예각의 크기를 θ라 하면

$\tan\theta=|\tan(\alpha-\beta)|=\left|\frac{\tan\alpha-\tan\beta}{1+\tan\alpha\tan\beta}\right|=\left|\frac{m-m'}{1+mm'}\right|$ (단 $mm'\neq-1$)

개념익힘 | **풀이** (1) 두 직선 $y=-x+3$, $y=2x+1$이 x축의 양의 방향과 이루는 각의 크기를 각각 α, β라 하면 $\theta=\alpha-\beta$ 또는 $\pi-(\alpha-\beta)$이고,

$\tan\alpha=-1$, $\tan\beta=2$이므로

$$\tan\theta=|\tan(\alpha-\beta)|=\left|\frac{\tan\alpha-\tan\beta}{1+\tan\alpha\tan\beta}\right|=\left|\frac{-1-2}{1-2}\right|=3$$

따라서 $\sec^2\theta=1+\tan^2\theta=1+9=\mathbf{10}$

(2) 두 직선이 x축의 양의 방향과 이루는 각의 크기를 각각 α, β라고 하면

$\tan\alpha=\frac{1}{3}$, $\tan\beta=\frac{k}{2}$이고 두 직선이 이루는 예각의 크기가 $\frac{\pi}{4}$이므로 $\beta-\alpha=\frac{\pi}{4}$

$$\tan\frac{\pi}{4}=|\tan(\beta-\alpha)|=\left|\frac{\tan\beta-\tan\alpha}{1+\tan\beta\tan\alpha}\right|=\left|\frac{\frac{k}{2}-\frac{1}{3}}{1+\frac{k}{2}\cdot\frac{1}{3}}\right|=\left|\frac{3k-2}{6+k}\right|$$

즉, $\left|\frac{3k-2}{6+k}\right|=1$이므로 $3k-2=\pm(k+6)$ $\therefore k=4$ 또는 $k=-1$, 따라서 $k>0$이므로 $k=\mathbf{4}$

확인유제 0294 다음 물음에 답하여라.

2012학년도 09월 평가원 (1) 좌표평면에서 두 직선 $y=x$, $y=-2x$가 이루는 예각의 크기를 θ라 할 때, $\tan\theta$의 값은?

2016학년도 09월 평가원 (2) 좌표평면에서 두 직선 $x-y-1=0$, $ax-y+1=0$이 이루는 예각의 크기를 θ라 하자. $\tan\theta=\frac{1}{6}$일 때, 상수 a의 값은? (단, $a>1$)

변형문제 0295 오른쪽 그림과 같이 두 직각삼각형 △ABC와 △ADE가 있다. $\overline{AB}=\overline{DE}=3$, $\overline{BC}=\overline{AD}=4$, $\overline{BC}/\!/\overline{DE}$, $\angle CAE=\theta$일 때, $48\tan\theta$의 값은?

2005년 04월 교육청

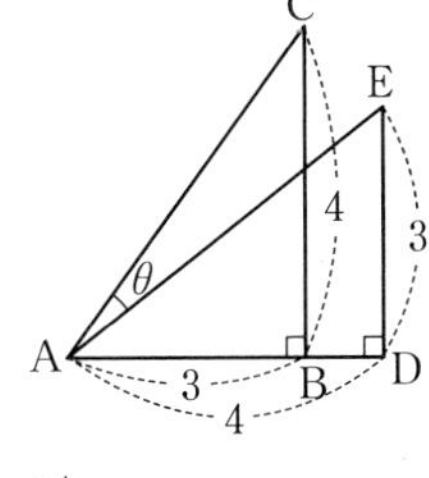

① 6 ② 8 ③ 10 ④ 14 ⑤ 16

발전문제 0296 (1) 오른쪽 그림과 같이 두 직선 $y=\frac{1}{2}x$, $y=3x$ 위의 두 점 A, B와 원 O를 꼭짓점으로 하고 $\angle OAB=90°$인 직각삼각형 OAB가 있다. $\overline{OA}=2$일 때, $\overline{OB}$의 길이를 구하여라.

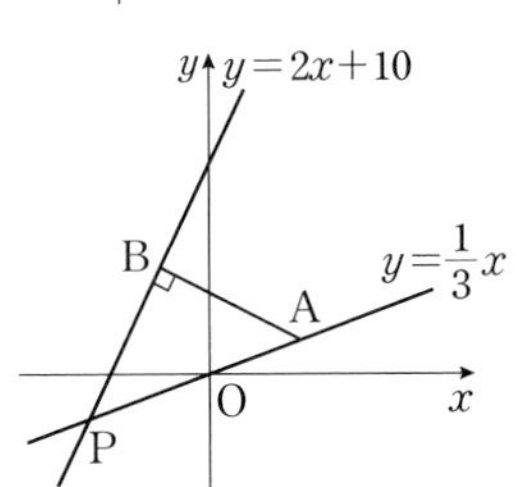

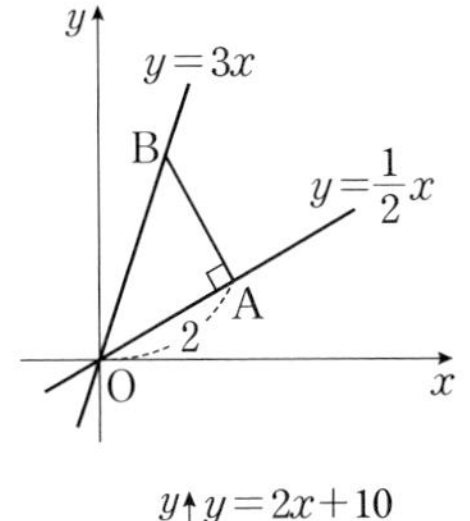

① $2\sqrt{2}$ ② $2\sqrt{3}$ ③ $4\sqrt{2}$ ④ $4\sqrt{3}$ ⑤ $6\sqrt{2}$

2012년 07월 교육청 (2) 오른쪽 그림과 같이 두 직선 $y=\frac{1}{3}x$, $y=2x+10$ 위의 두 점 A, B와 교점 P를 세 꼭짓점으로 하는 삼각형 PAB가 있다. $\angle B=90°$이고 $\overline{PB}=12$일 때, $\overline{PA}$의 값은?

① $12\sqrt{2}$ ② $12\sqrt{3}$ ③ 18 ④ $18\sqrt{2}$ ⑤ $18\sqrt{3}$

정답 0294 : (1) 3 (2) $a=\frac{7}{5}$ 0295 : ④ 0296 : (1) ① (2) ①

마플개념익힘 05 사인, 코사인 함수의 덧셈정리 활용

오른쪽 그림과 같이 직사각형 ABCD는 두 선분 EF, GH에 의하여 세 개의 정사각형으로 나누어진다. $\angle GBC=\alpha$, $\angle DBC=\beta$라 할 때, $\sin(\alpha+\beta)$의 값을 구하여라.

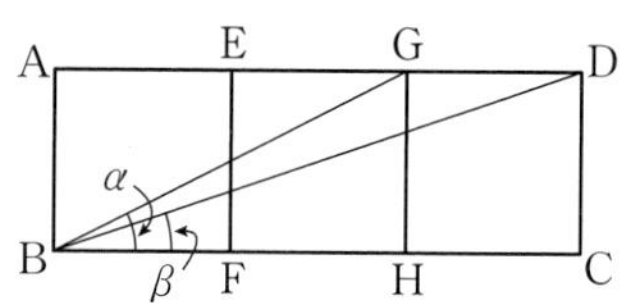

MAPL CORE

[1단계] 주어진 조건에서 각 α, β를 정하고 θ를 두 각 α, β의 합 또는 차로 나타낸다.
[2단계] 삼각함수의 덧셈정리를 이용한다.

개념익힘 | 풀이 두 선분 EF, GH에 의하여 나누어진 세 개의 정사각형의 한 변의 길이를 1이라 하자.

직각삼각형 GHB에서 $\angle GBH=\alpha$이므로

$\sin\alpha=\dfrac{\overline{GH}}{\overline{GB}}=\dfrac{1}{\sqrt{5}}=\dfrac{\sqrt{5}}{5}$, $\cos\alpha=\dfrac{\overline{BH}}{\overline{BG}}=\dfrac{2}{\sqrt{5}}=\dfrac{2\sqrt{5}}{5}$

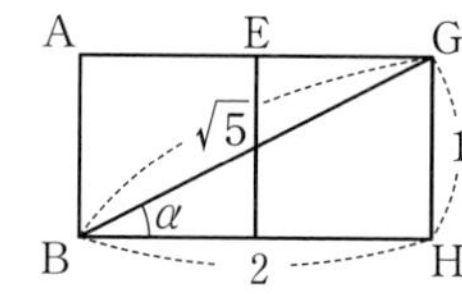

직각삼각형 BDC에서 $\angle DBC=\beta$이므로

$\sin\beta=\dfrac{\overline{DC}}{\overline{BD}}=\dfrac{1}{\sqrt{10}}=\dfrac{\sqrt{10}}{10}$, $\cos\beta=\dfrac{\overline{BC}}{\overline{BD}}=\dfrac{3}{\sqrt{10}}=\dfrac{3\sqrt{10}}{10}$

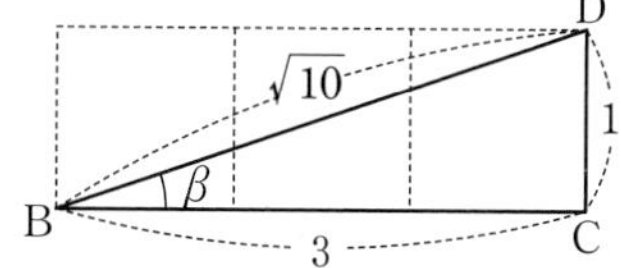

따라서 $\sin(\alpha+\beta)=\sin\alpha\cos\beta+\cos\alpha\sin\beta$

$=\dfrac{1}{\sqrt{5}}\times\dfrac{3}{\sqrt{10}}+\dfrac{2}{\sqrt{5}}\times\dfrac{1}{\sqrt{10}}$

$=\dfrac{5}{\sqrt{50}}=\dfrac{5}{5\sqrt{2}}=\dfrac{\sqrt{2}}{2}$

확인유제 0297
2017년 03월 교육청

오른쪽 그림과 같이 점 O를 중심으로 하고 반지름의 길이가 각각 1, $\sqrt{2}$인 두 원 C_1, C_2가 있다. 원 C_1 위의 두 점 P, Q와 원 C_2 위의 점 R에 대하여 $\angle QOP=\alpha$, $\angle ROQ=\beta$라 하자. $\overline{OQ}\perp\overline{QR}$이고 $\sin\alpha=\dfrac{4}{5}$일 때, $\cos(\alpha+\beta)$의 값을 구하여라. $\left(단,\ 0<\alpha<\dfrac{\pi}{2},\ 0<\beta<\dfrac{\pi}{2}\right)$

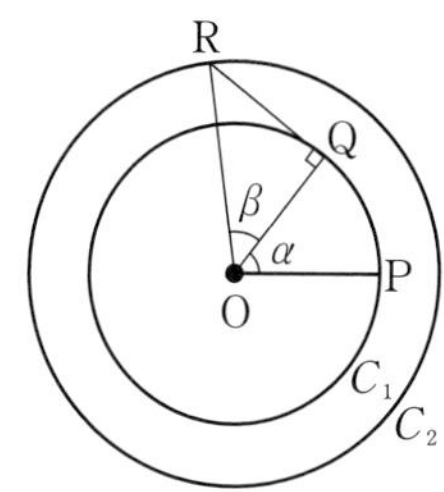

변형문제 0298

오른쪽 그림에서 $\overline{AB}\perp\overline{BC}$, $\overline{AC}\perp\overline{CD}$이고 $\overline{AB}=4$, $\overline{BC}=3$, $\overline{CD}=3$일 때, 점 D에서 선분 $\overline{AB}$에 내린 수선의 발을 H라 한다. 다음 물음에 답하여라.

(1) 선분 $\overline{DH}$의 길이를 구하여라.
(2) 선분 $\overline{AH}$의 길이를 구하여라.

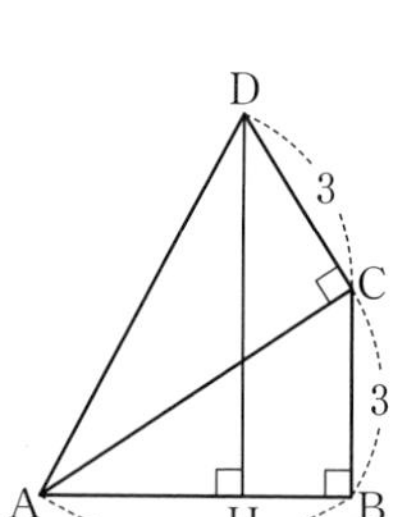

발전문제 0299
2018학년도 수능기출

오른쪽 그림과 같이 $\overline{AB}=5$, $\overline{AC}=2\sqrt{5}$인 삼각형 ABC의 꼭짓점 A에서 선분 BC에 내린 수선의 발을 D라 하자. 선분 AD를 3 : 1로 내분하는 점 E에 대하여 $\overline{EC}=\sqrt{5}$이다. $\angle ABD=\alpha$, $\angle DCE=\beta$라 할 때, $\cos(\alpha-\beta)$의 값은?

① $\dfrac{\sqrt{5}}{5}$　② $\dfrac{\sqrt{5}}{4}$　③ $\dfrac{3\sqrt{5}}{10}$
④ $\dfrac{7\sqrt{5}}{20}$　⑤ $\dfrac{2\sqrt{5}}{5}$

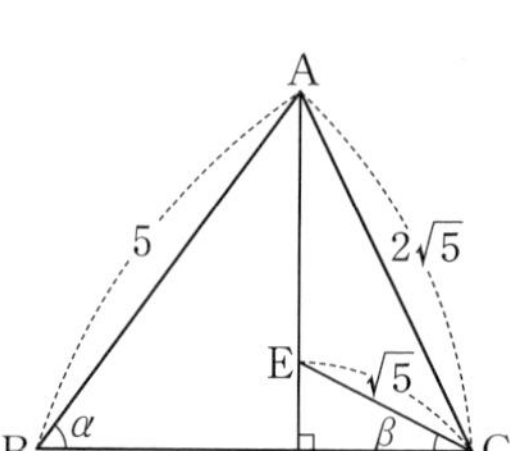

정답 0297 : $-\dfrac{\sqrt{2}}{10}$　0298 : (1) $\dfrac{27}{5}$ (2) $\dfrac{11}{5}$　0299 : ⑤

마플개념익힘 06 탄젠트 함수의 덧셈정리 활용

오른쪽 그림과 같이 벽에 세로의 길이가 hm인 액자가 걸려있다. 바닥에서 액자의 아래 끝까지의 높이는 2.5m이고, 바닥에서 승기의 눈까지의 높이는 1.5m이다. 승기가 벽에서 5m떨어진 지점에서 액자를 올려다 볼 때 액자의 아래 끝과 위 끝을 바라본 시선이 이루는 각의 크기를 θ라 하면 $\tan\theta=\frac{1}{7}$이다.

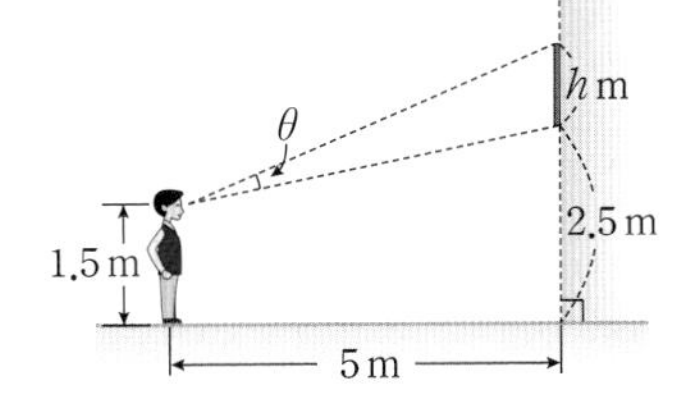

액자의 세로의 길이를 구하여라.

MAPL CORE [1단계] 주어진 조건에서 각 α, β를 정하고 θ를 두 각 α, β의 합 또는 차로 나타낸다.

[2단계] $\tan(\alpha-\beta)=\frac{\tan\alpha-\tan\beta}{1+\tan\alpha\tan\beta}$를 이용한다.

개념익힘 | **풀이** 오른쪽 그림과 같이 $\angle BAD=\alpha$, $\angle CAD=\beta$라 하면

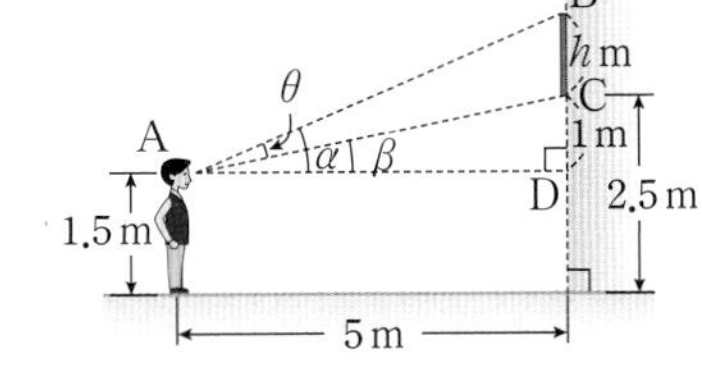

$\tan\alpha=\frac{h+1}{5}$, $\tan\beta=\frac{1}{5}$

$$\tan\theta=\tan(\alpha-\beta)=\frac{\tan\alpha-\tan\beta}{1+\tan\alpha\tan\beta}=\frac{\frac{h+1}{5}-\frac{1}{5}}{1+\frac{h+1}{5}\times\frac{1}{5}}=\frac{5h}{h+26}$$

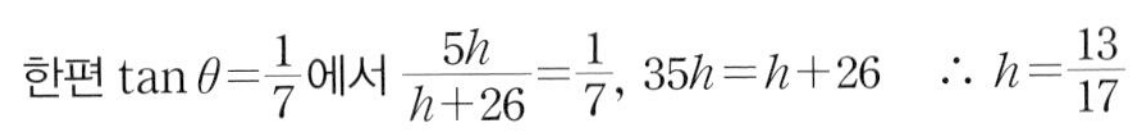

한편 $\tan\theta=\frac{1}{7}$에서 $\frac{5h}{h+26}=\frac{1}{7}$, $35h=h+26$ $\therefore h=\frac{13}{17}$

따라서 액자의 세로의 길이는 $\mathbf{\frac{13}{17}}$**m**

확인유제 0300

오른쪽 그림과 같이 탑으로부터 8m떨어진 지점에서 눈높이가 1.6m인 수지가 탑의 밑부분을 내려본 각의 크기가 θ이고, 탑의 꼭대기를 올려본 각의 크기가 $\theta+\frac{\pi}{4}$이다. 이때 탑의 높이를 구하여라.

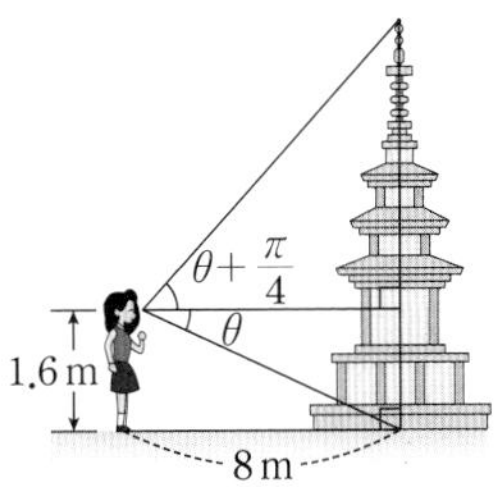

변형문제 0301

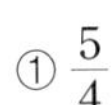
2007학년도 06월 평가원

오른쪽 그림과 같이 y축 위의 두 점 A$(0, 4)$, B$(0, 2)$와 x축 위의 점 C$(1, 0)$에 대하여 $\angle CAO=\alpha$, $\angle CBO=\beta$라고 하자.

y축 위의 점 P$(0, y)(y>0)$에 대하여 $\angle CPO=\gamma$라 할 때, $\alpha+\beta=\gamma$가 되는 점 P의 y좌표는?

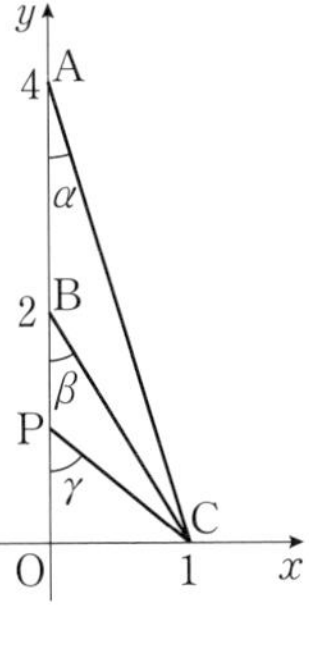

① $\frac{5}{4}$ ② $\frac{2}{3}$ ③ $\frac{7}{6}$

④ $\frac{8}{7}$ ⑤ $\frac{9}{8}$

발전문제 0302

2018학년도 09월 평가원

곡선 $y=1-x^2(0<x<1)$ 위의 점 P에서 y축에 내린 수선의 발을 H라 하고, 원점 O와 점 A$(0, 1)$에 대하여 $\angle APH=\theta_1$, $\angle HPO=\theta_2$라 하자.

$\tan\theta_1=\frac{1}{2}$일 때, $\tan(\theta_1+\theta_2)$의 값은?

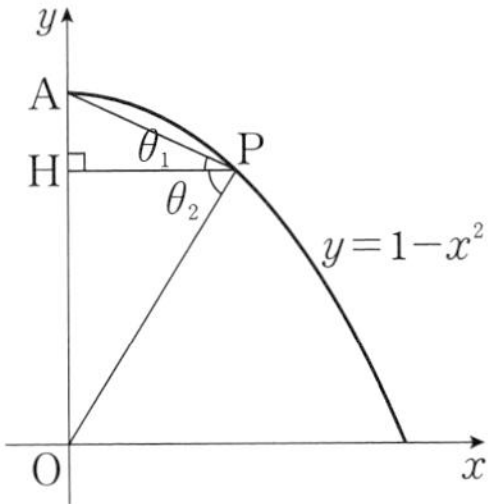

① 2 ② 4 ③ 6

④ 8 ⑤ 10

정답 0300 : 13.6m 0301 : ③ 0302 : ④

마플개념익힘 07 산술평균 기하평균을 이용한 최댓값 구하기

오른쪽 그림과 같이 x축 위에 두 정점 $\mathrm{A}(1,\ 0)$, $\mathrm{B}(2,\ 0)$과 y축 위에 동점 $\mathrm{P}(0,\ a)$에 대하여 $\angle\mathrm{APB}=\theta$일 때, 다음 물음에 답하여라.
(단, $a>0$)

(1) $\tan\theta$의 값을 a을 이용하여 나타내어라.

(2) θ의 값이 최대가 되도록 하는 a의 값과 $\tan\theta$의 값을 구하여라.

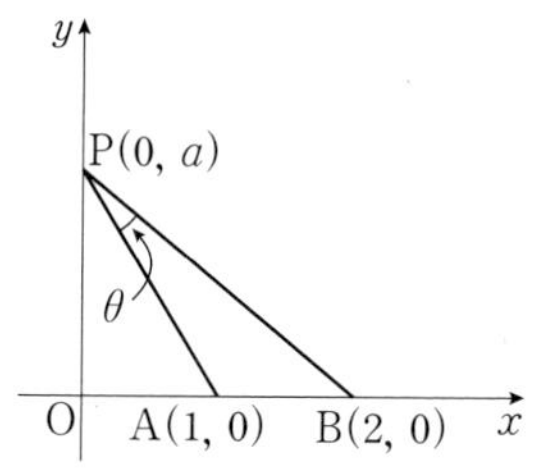

MAPL CORE

[1단계] $\tan(\alpha-\beta)=\dfrac{\tan\alpha-\tan\beta}{1+\tan\alpha\tan\beta}$을 이용하여 $\tan\theta$값을 구한다.

[2단계] 산술 · 기하 평균을 이용하여 최솟값을 구한다.

참고 $a>0,\ b>0,\ a+b\geq 2\sqrt{ab}$ (단, 등호는 $a=b$일 때 성립)

개념익힘 | 풀이

(1) $\angle\mathrm{APO}=\alpha$, $\angle\mathrm{BPO}=\beta$로 놓으면 오른쪽 그림에서

$\theta=\beta-\alpha$이고 $\tan\alpha=\dfrac{1}{a}$, $\tan\beta=\dfrac{2}{a}$

$$\therefore\ \tan\theta=\tan(\beta-\alpha)=\frac{\tan\beta-\tan\alpha}{1+\tan\beta\tan\alpha}=\frac{\frac{2}{a}-\frac{1}{a}}{1+\frac{2}{a}\cdot\frac{1}{a}}=\frac{\frac{1}{a}}{1+\frac{2}{a^2}}=\boldsymbol{\frac{a}{a^2+2}}$$

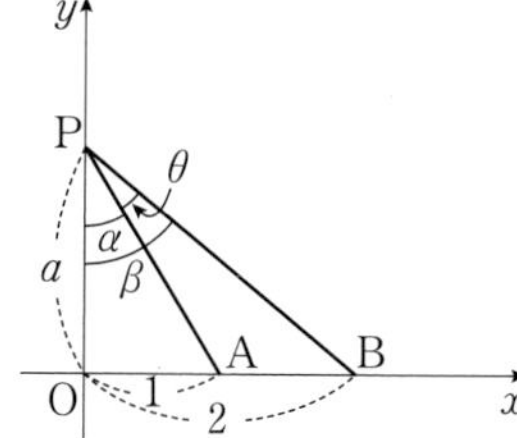

(2) θ가 예각이므로 θ의 값이 최대일 때, $\tan\theta$의 값도 최대이다.

$\dfrac{a}{a^2+2}=\dfrac{1}{a+\dfrac{2}{a}}$ ← 분자의 값이 1로 고정되어 있으므로 $\tan\theta$의 값이 최대가 되려면 (분모) $a+\dfrac{2}{a}$의 값이 최소가 되어야 한다.

이고 $a>0$이므로 산술평균과 기하평균의 관계에 의하여

$\dfrac{2}{a}+a\geq 2\sqrt{\dfrac{2}{a}\cdot a}=2\sqrt{2}$이고 등호는 $a=\dfrac{2}{a}$, 즉 $a=\sqrt{2}$일 때, 성립한다.

따라서 $a=\boldsymbol{\sqrt{2}}$일 때, $\tan\theta$의 최댓값은 $\dfrac{1}{2\sqrt{2}}=\boldsymbol{\dfrac{\sqrt{2}}{4}}$

확인유제 0303
2007학년도 09월 평가원

오른쪽 그림과 같이 x축 위의 두 점 $\mathrm{A}(20,\ 0)$, $\mathrm{B}(80,\ 0)$과 양의 y축 위의 점 $\mathrm{P}(0,\ y)$에 대하여 $\angle\mathrm{APB}=\theta$라고 할 때, $\tan\theta$의 값이 최대가 되는 점 P의 y좌표를 구하여라.

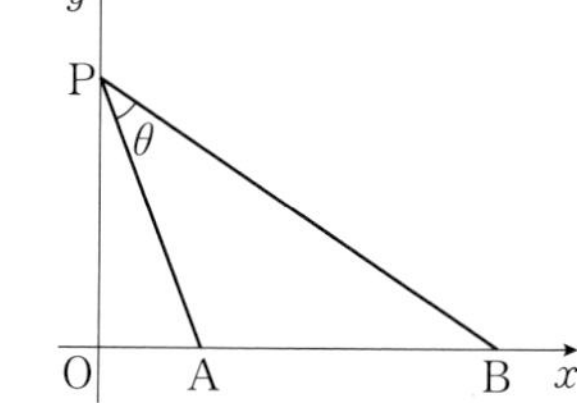

변형문제 0304

오른쪽 그림과 같이 점 P지점에서 높이가 36m인 건물을 올려다보니 다른 건물에 가려서 A지점에서 B지점까지 20m의 부분만 보였다. 두 지점 A, B를 올려다 본 사잇각의 크기를 θ라고 할 때, $\tan\theta$의 최댓값을 구하여라.

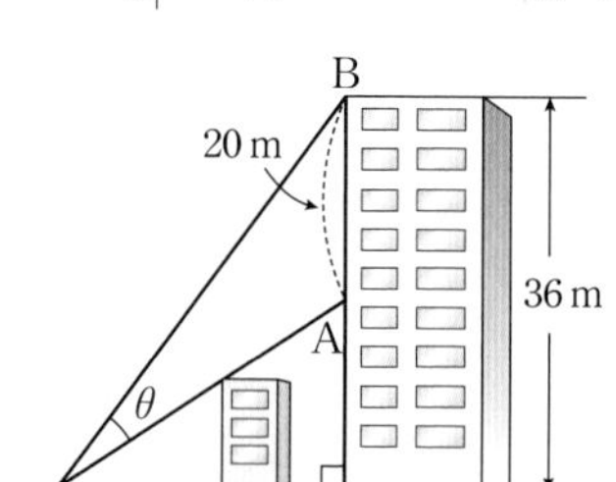

발전문제 0305

오른쪽 그림과 같이 P지점에서 높이가 18m인 건물을 올려다보니 나무에 가려서 A지점에서 B지점까지 10m의 부분만 보인다. 두 지점 A, B를 바라본 시선의 사잇각의 크기가 θ라고 할 때, θ가 최대가 되는 점 P와 H 사이의 거리를 구하여라. (단위는 m)

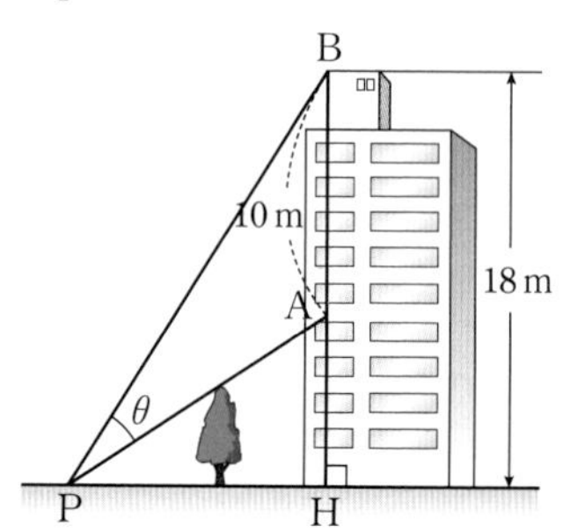

정답 0303 : 40 0304 : $\dfrac{5}{12}$ 0305 : 12

삼각함수의 덧셈정리의 증명

01 도형으로 설명하는 삼각함수의 덧셈정리

(1) 도형을 이용하여 $\sin(\alpha+\beta)$, $\cos(\alpha+\beta)$가 성립함을 보인다.

증명 오른쪽 그림과 같은 직사각형 ABCD에서 $\angle AEF=90°$일 때,

$\overline{AF}=1$, $\angle BAE=\alpha$, $\angle FAE=\beta$라 하면 직각삼각형 AEF에서

$\overline{AE}=\cos\beta$, $\overline{EF}=\sin\beta$이다. 또한, 직각삼각형 ABE에서

$\overline{AB}=\overline{AE}\cos\alpha=\cos\alpha\cos\beta$, $\overline{BE}=\overline{AE}\sin\alpha=\sin\alpha\cos\beta$이고

또한, $\angle FEC=90°-\angle AEB=\alpha$이므로 직각삼각형 ECF에서

$\overline{EC}=\overline{EF}\cos\alpha=\cos\alpha\sin\beta$, $\overline{CF}=\overline{EF}\sin\alpha=\sin\alpha\sin\beta$

이때 점 F에서 선분 AB에 내린 수선의 발을 G라 하고

위에서 구한 값들을 나타내면 오른쪽 그림과 같다.

따라서 직각삼각형 AGF에서 다음이 성립한다.

$\sin(\alpha+\beta)=\overline{FG}=\overline{BC}=\overline{BE}+\overline{EC}=\sin\alpha\cos\beta+\cos\alpha\sin\beta$

$\cos(\alpha+\beta)=\overline{AG}=\overline{AB}-\overline{BG}=\overline{AB}-\overline{CF}=\cos\alpha\cos\beta-\sin\alpha\sin\beta$

참고 $\tan(\alpha+\beta)=\dfrac{\overline{FG}}{\overline{AG}}=\dfrac{\sin\alpha\cos\beta+\cos\alpha\sin\beta}{\cos\alpha\cos\beta-\sin\alpha\sin\beta}=\dfrac{\tan\alpha+\tan\beta}{1-\tan\alpha\tan\beta}$

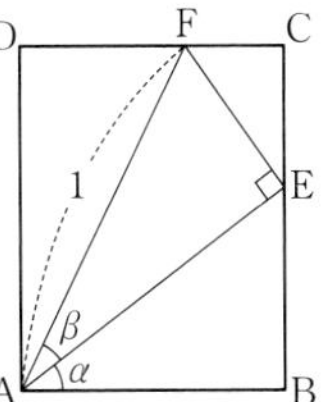

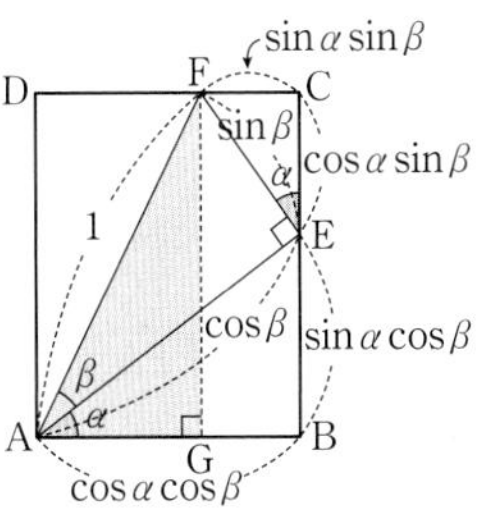

(2) 도형을 이용하여 $\sin(\alpha-\beta)$, $\cos(\alpha-\beta)$가 성립함을 보인다.

증명 오른쪽 그림과 같은 직사각형 ABCD의 $\overline{AD}$ 위의 점 F에서

$\angle FEB=\frac{\pi}{2}$가 되도록 $\overline{CD}$ 위의 점 E를 잡아 직각삼각형 BEF를 그린다.

이때 $\overline{BF}=1$, $\angle ABE=\alpha$, $\angle FBE=\beta$라고 하면 다음이 성립한다.

$\sin(\alpha-\beta)=\overline{AF}=\overline{AD}-\overline{DF}$

$=\overline{BC}-\overline{DF}$

$=\sin\alpha\cos\beta-\cos\alpha\sin\beta$

$\cos(\alpha-\beta)=\overline{AB}=\overline{CD}$

$=\overline{CE}+\overline{DE}$

$=\cos\alpha\cos\beta+\sin\alpha\sin\beta$

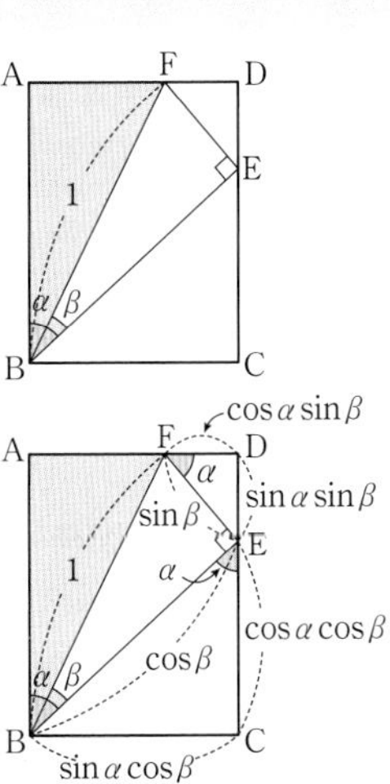

(3) 도형을 이용하여 $\tan(\alpha+\beta)$가 성립함을 보인다.

증명 오른쪽 그림과 같은 직사각형 ABCD에서 $\angle AEF=90°$일 때,

$\overline{AB}=1$, $\angle BAE=\alpha$, $\angle FAE=\beta$라 하면 직각삼각형 ABE에서

$\overline{BE}=\tan\alpha$, $\overline{AE}=\dfrac{1}{\cos\alpha}$

직각삼각형 AEF에서 $\overline{EF}=\overline{AE}\tan\beta=\dfrac{\tan\beta}{\cos\alpha}$

또, $\angle FEC=90°-\angle AEB=\alpha$이므로 직각삼각형 ECF에서

$\overline{EC}=\overline{EF}\cos\alpha=\tan\beta$, $\overline{CF}=\overline{EC}\tan\alpha=\tan\alpha\tan\beta$

이때 점 F에서 선분 AB에 내린 수선의 발을 G라 하면

직각삼각형 AGF에서 다음이 성립한다.

$\tan(\alpha+\beta)=\dfrac{\overline{GF}}{\overline{AG}}=\dfrac{\overline{BC}}{\overline{AG}}=\dfrac{\overline{BE}+\overline{EC}}{1-\overline{BG}}=\dfrac{\overline{BE}+\overline{EC}}{1-\overline{CF}}=\dfrac{\tan\alpha+\tan\beta}{1-\tan\alpha\tan\beta}$

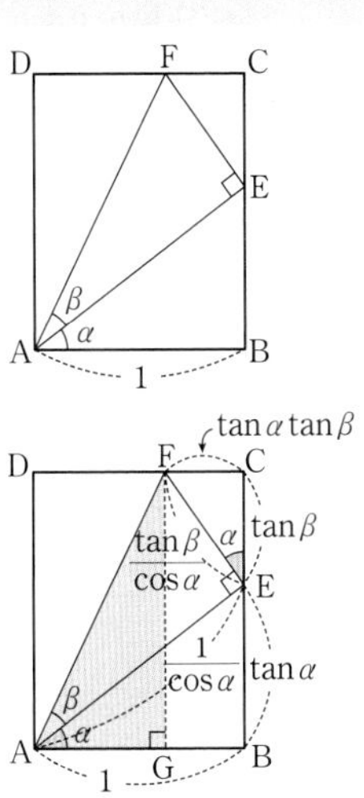

02 단위원을 회전하여 덧셈정리 증명

두 각 α, β에 대하여 $\alpha+\beta$, $\alpha-\beta$의 삼각함수를 α, β의 삼각함수로 나타내어 보자.
좌표평면 위에서 단위원 O 위의 점 $\mathrm{P}(1, 0)$을 $\alpha+\beta$만큼 회전한 점을 A라 하고, 두 점 P, A를 각각 $-\beta$만큼 회전한 점을 B, C라고 하자.

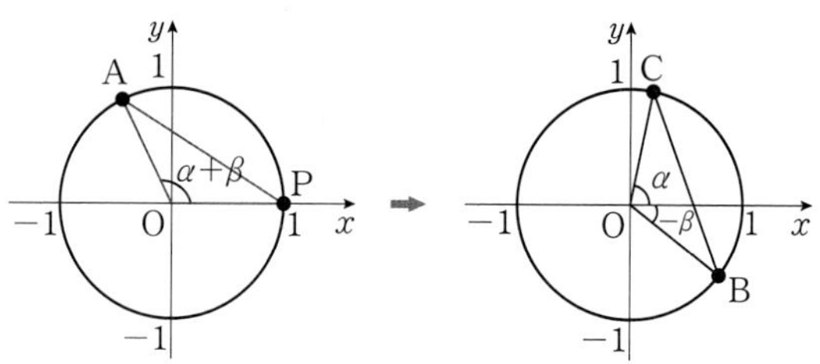

두 점 P, A의 좌표가 각각 $(1, 0)$, $(\cos(\alpha+\beta), \sin(\alpha+\beta))$이고, 두 점 B, C의 좌표가 각각 $(\cos(-\beta), \sin(-\beta))$, $(\cos\alpha, \sin\alpha)$이므로 두 점 사이의 거리 공식에 의하여

$\overline{\mathrm{PA}}^2=\{1-\cos(\alpha+\beta)\}^2+\{0-\sin(\alpha+\beta)\}^2=2-2\cos(\alpha+\beta)$ ⬅ $\sin^2(\alpha+\beta)+\cos^2(\alpha+\beta)=1$

$\overline{\mathrm{BC}}^2=\{\cos\alpha-\cos(-\beta)\}^2+\{\sin\alpha-\sin(-\beta)\}^2=\{\cos\alpha-\cos\beta\}^2+\{\sin\alpha+\sin\beta\}^2$
$=2-2\cos\alpha\cos\beta+2\sin\alpha\sin\beta$

(1) $\cos(\alpha+\beta)=\cos\alpha\cos\beta-\sin\alpha\sin\beta$, $\cos(\alpha-\beta)=\cos\alpha\cos\beta+\sin\alpha\sin\beta$의 증명

증명 $\overline{\mathrm{PA}}=\overline{\mathrm{BC}}$이므로 $\overline{\mathrm{PA}}^2=\overline{\mathrm{BC}}^2$

즉, $2-2\cos(\alpha+\beta)=2-2\cos\alpha\cos\beta+2\sin\alpha\sin\beta$가 성립하고 이 식을 정리하면

$\cos(\alpha+\beta)=\cos\alpha\cos\beta-\sin\alpha\sin\beta$ …… ㉠

또한, ㉠에서 β에 $-\beta$를 대입하면

$\cos\{\alpha+(-\beta)\}=\cos\alpha\cos(-\beta)-\sin\alpha\sin(-\beta)$이므로 다음이 성립한다.

$\cos(\alpha-\beta)=\cos\alpha\cos\beta+\sin\alpha\sin\beta$ …… ㉡ ⬅ $\sin(-\beta)=-\sin\beta$, $\cos(-\beta)=\cos\beta$

위의 ㉠, ㉡을 코사인의 덧셈정리라고 한다.

(2) $\sin(\alpha+\beta)=\sin\alpha\cos\beta+\cos\alpha\sin\beta$, $\sin(\alpha-\beta)=\sin\alpha\cos\beta-\cos\alpha\sin\beta$의 증명

증명 ㉡에서 α 대신 $\frac{\pi}{2}-\alpha$를 대입하면

$\cos\left\{\left(\frac{\pi}{2}-\alpha\right)-\beta\right\}=\cos\left(\frac{\pi}{2}-\alpha\right)\cos\beta+\sin\left(\frac{\pi}{2}-\alpha\right)\sin\beta$
$=\sin\alpha\cos\beta+\cos\alpha\sin\beta$ ⬅ $\cos\left(\frac{\pi}{2}-\theta\right)=\sin\theta$, $\sin\left(\frac{\pi}{2}-\theta\right)=\cos\theta$

이므로 다음이 성립한다.

$\sin(\alpha+\beta)=\sin\alpha\cos\beta+\cos\alpha\sin\beta$ …… ㉢ ⬅ $\cos\left\{\frac{\pi}{2}-(\alpha+\beta)\right\}=\sin(\alpha+\beta)$

또, ㉢에서 β 대신에 $-\beta$를 대입하면 $\sin\{\alpha+(-\beta)\}=\sin\alpha\cos(-\beta)+\cos\alpha\sin(-\beta)$이므로 다음이 성립한다.

$\sin(\alpha-\beta)=\sin\alpha\cos\beta-\cos\alpha\sin\beta$ …… ㉣

위의 ㉢, ㉣을 사인의 덧셈정리라고 한다.

(3) $\tan(\alpha+\beta)=\dfrac{\tan\alpha+\tan\beta}{1-\tan\alpha\tan\beta}$, $\tan(\alpha-\beta)=\dfrac{\tan\alpha-\tan\beta}{1+\tan\alpha\tan\beta}$의 증명

증명 $\tan(\alpha+\beta)=\dfrac{\sin(\alpha+\beta)}{\cos(\alpha+\beta)}=\dfrac{\sin\alpha\cos\beta+\cos\alpha\sin\beta}{\cos\alpha\cos\beta-\sin\alpha\sin\beta}$

이므로 우변의 분자, 분모를 각각 $\cos\alpha\cos\beta(\cos\alpha\cos\beta\neq0)$로 나누면

$\tan(\alpha+\beta)=\dfrac{\dfrac{\sin\alpha}{\cos\alpha}+\dfrac{\sin\beta}{\cos\beta}}{1-\dfrac{\sin\alpha}{\cos\alpha}\cdot\dfrac{\sin\beta}{\cos\beta}}=\dfrac{\tan\alpha+\tan\beta}{1-\tan\alpha\tan\beta}$ …… ㉤

㉤에서 β 대신 $-\beta$를 대입하면

$\tan\{\alpha+(-\beta)\}=\dfrac{\tan\alpha+\tan(-\beta)}{1-\tan\alpha\tan(-\beta)}$ …… ㉥

$\therefore \tan(\alpha-\beta)=\dfrac{\tan\alpha-\tan\beta}{1+\tan\alpha\tan\beta}$ ⬅ $\tan(-\beta)=-\tan\beta$

위의 ㉤, ㉥을 탄젠트의 덧셈정리라고 한다.

03 삼각함수의 넓이를 이용하여 덧셈정리 증명

(1) 두 변과 그 끼인각이 주어진 삼각형의 넓이를 이용하여 $\sin(\alpha+\beta)$가 성립함을 보인다.

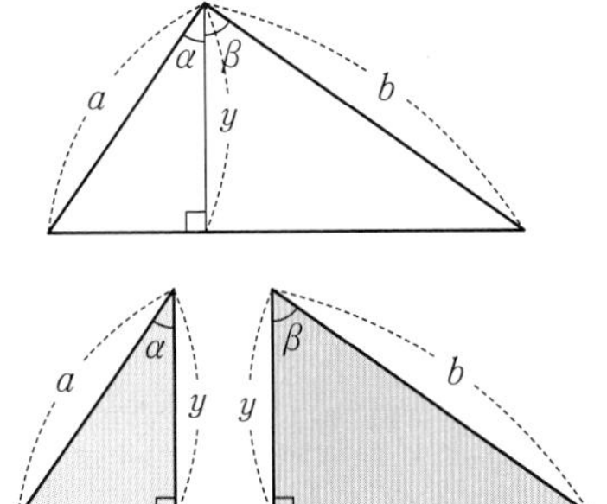

증명 오른쪽 그림과 같이 두 변의 길이가 a와 b이고 그 끼인각의 크기가 $\alpha+\beta$인 삼각형의 높이를 y라 할 때, 삼각형의 넓이를 이용하여 사인함수의 덧셈정리를 확인해 보자.

오른쪽 그림은 위의 삼각형을 두 개의 직각삼각형으로 나눈 것이다.

두 직각삼각형에서 $0<\alpha<\frac{\pi}{2}$, $0<\beta<\frac{\pi}{2}$에 대하여

$y=a\cos\alpha=b\cos\beta$

이다. 또, 처음 삼각형의 넓이는 두 직각삼각형의 넓이의 합과 같으므로 다음이 성립한다.

$\frac{1}{2}ab\sin(\alpha+\beta)=\frac{1}{2}ay\sin\alpha+\frac{1}{2}by\sin\beta$

$=\frac{1}{2}ab\cos\beta\sin\alpha+\frac{1}{2}ba\cos\alpha\sin\beta$ ⬅ $y=a\cos\alpha=b\cos\beta$

양변을 $\frac{1}{2}ab$로 나누면 다음을 얻는다.

$\sin(\alpha+\beta)=\sin\alpha\cos\beta+\cos\alpha\sin\beta$

(2) 두 변과 그 끼인각이 주어진 삼각형의 넓이를 이용하여 $\sin(\alpha-\beta)$가 성립함을 보인다.

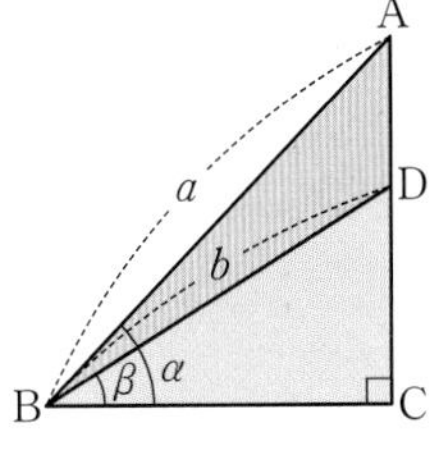

증명 오른쪽 그림과 같이 $\angle C=\frac{\pi}{2}$인 직각삼각형 ABC에서 점 D는 변 AC 위의 점이고, $\overline{AB}=a$, $\overline{BD}=b$, $\angle ABC=\alpha$, $\angle DBC=\beta$이다.

$\overline{BC}=b\cos\beta$, $\overline{AC}=a\sin\alpha$이므로 삼각형 ABC의 넓이는 $\frac{1}{2}ab\sin\alpha\cos\beta$

$\overline{BC}=a\cos\alpha$, $\overline{CD}=b\sin\beta$이므로 삼각형 DBC의 넓이는 $\frac{1}{2}ab\cos\alpha\sin\beta$

삼각형 ABD의 넓이는 $\frac{1}{2}ab\sin(\alpha-\beta)$

이때 삼각형 ABD의 넓이는 삼각형 ABC의 넓이에서 삼각형 DBC의 넓이를 뺀 것과 같으므로

$\frac{1}{2}ab\sin(\alpha-\beta)=\frac{1}{2}ab\sin\alpha\cos\beta-\frac{1}{2}ab\cos\alpha\sin\beta$

양변을 $\frac{1}{2}ab$로 나누면 다음을 얻는다.

$\sin(\alpha-\beta)=\sin\alpha\cos\beta-\cos\alpha\sin\beta$

(3) 두 변과 그 끼인각이 주어진 삼각형의 넓이를 이용하여 $\cos(\alpha+\beta)$가 성립함을 보인다.

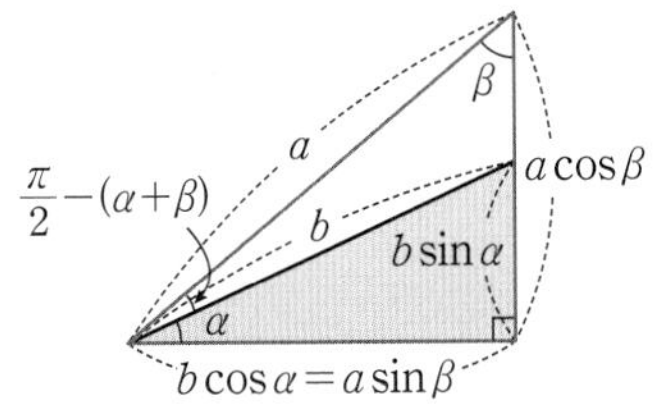

증명 오른쪽 그림과 같이 두 변의 길이가 a와 b이고 그 끼인각의 크기가 $\frac{\pi}{2}-(\alpha+\beta)$인 삼각형의 넓이는 두 직각삼각형의 넓이의 차와 같으므로 다음이 성립한다.

$\frac{1}{2}ab\sin\left\{\frac{\pi}{2}-(\alpha+\beta)\right\}=\frac{1}{2}b\cos\alpha\times a\cos\beta-\frac{1}{2}a\sin\beta\times b\sin\alpha$

$\frac{1}{2}ab\cos(\alpha+\beta)=\frac{1}{2}ab\cos\alpha\cos\beta-\frac{1}{2}ab\sin\alpha\sin\beta$

이므로 양변을 $\frac{1}{2}ab$로 나누면 다음을 얻는다.

$\cos(\alpha+\beta)=\cos\alpha\cos\beta-\sin\alpha\sin\beta$

02 삼각함수의 극한

01 삼각함수의 극한

삼각함수 $y=\sin x$, $y=\cos x$, $y=\tan x$는 정의역의 각 원소에서의 극한값과 함숫값이 같으므로 임의의 실수 a에 대하여 다음이 성립함을 직관적으로 알 수 있다.

(1) $\lim_{x\to a}\sin x=\sin a$

(2) $\lim_{x\to a}\cos x=\cos a$

(3) $\lim_{x\to a}\tan x=\tan a$ $\left(단,\ a\neq n\pi+\frac{\pi}{2},\ n은\ 정수\right)$

참고 $x\to\infty$ 또는 $x\to-\infty$일 때, 함수 $y=\sin x$, $y=\cos x$, $y=\tan x$의 값은 일정한 값에 가까워지지 않으므로 $\lim_{x\to\infty}\sin x$, $\lim_{x\to\infty}\cos x$, $\lim_{x\to\infty}\tan x$, $\lim_{x\to-\infty}\sin x$, $\lim_{x\to-\infty}\cos x$, $\lim_{x\to-\infty}\tan x$의 값은 존재하지 않는다.

 삼각함수의 극한  (극한값)=(함숫값)

마플해설 삼각함수 $y=\sin x$, $y=\cos x$, $y=\tan x$의 극한은 삼각함수의 그래프를 이용하여 쉽게 구할 수 있다.

(1) 사인함수와 코사인함수의 극한

삼각함수 $y=\sin x$, $y=\cos x$의 정의역인 실수 전체 집합에 속하는 임의의 실수 a에 대하여

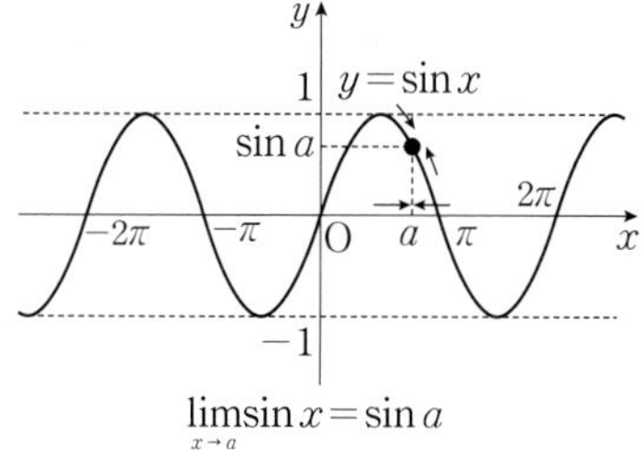

$\lim_{x\to a}\sin x=\sin a$

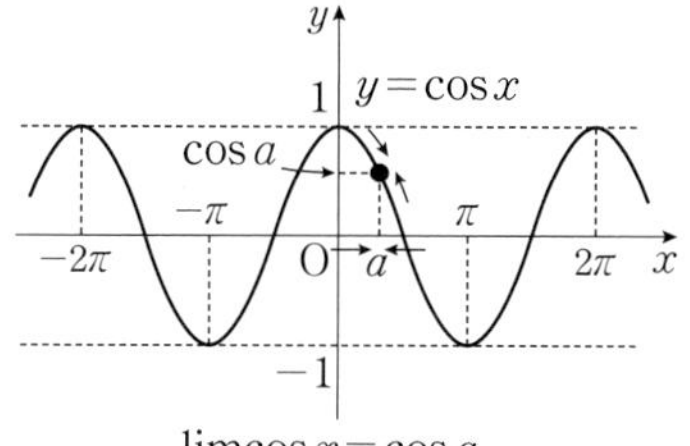

$\lim_{x\to a}\cos x=\cos a$

(2) 탄젠트함수의 극한

삼각함수 $y=\tan x$의 정의역인 $x=n\pi+\frac{\pi}{2}$ (n은 정수)를 제외한 실수 전체의 집합에 속하는 임의의 실수 a에 대하여

$\lim_{x\to a}\tan x=\tan a$ $\left(단,\ a\neq n\pi+\frac{\pi}{2}\right)$

참고 $\lim_{x\to n\pi+\frac{\pi}{2}+}\tan x=-\infty$, $\lim_{x\to n\pi+\frac{\pi}{2}-}\tan x=\infty$

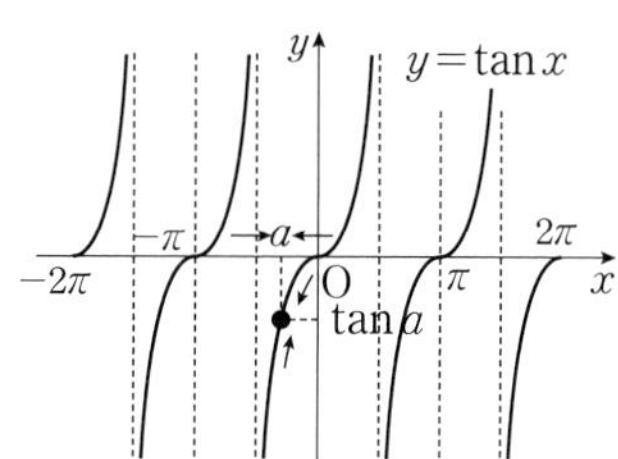

보기 01 다음 극한값을 구하여라.

(1) $\lim_{x\to\frac{\pi}{6}}\sin x$ (2) $\lim_{x\to\frac{\pi}{4}}\cos x$ (3) $\lim_{x\to\frac{\pi}{2}+}\tan x$

풀이 (1) $\lim_{x\to\frac{\pi}{6}}\sin x=\sin\frac{\pi}{6}=\frac{1}{2}$ (2) $\lim_{x\to\frac{\pi}{4}}\cos x=\cos\frac{\pi}{4}=\frac{\sqrt{2}}{2}$ (3) $\lim_{x\to\frac{\pi}{2}+}\tan x=-\infty$

+α 더 알아보기

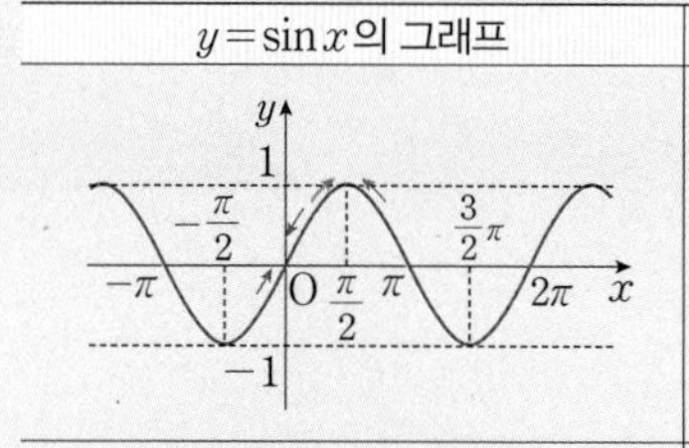

$y=\sin x$의 그래프	$y=\cos x$의 그래프	$y=\tan x$의 그래프
	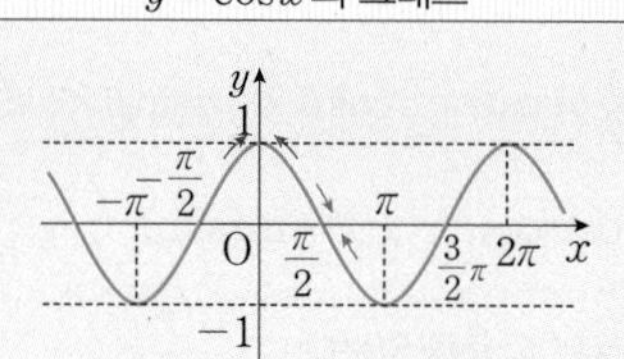	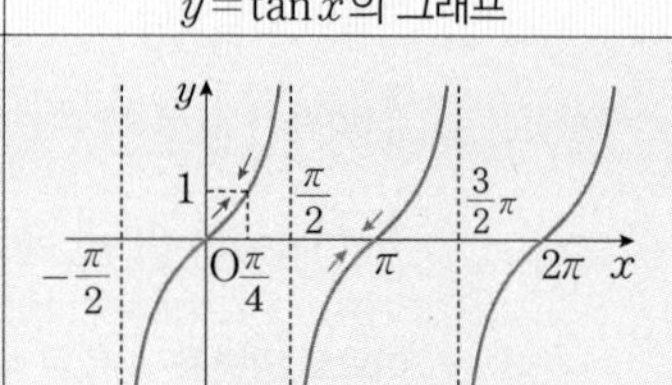
$\lim_{x\to0}\sin x=\sin0=0$	$\lim_{x\to0}\cos x=\cos0=1$	$\lim_{x\to\frac{\pi}{4}}\tan x=\tan\frac{\pi}{4}=1$
$\lim_{x\to\frac{\pi}{2}}\sin x=\sin\frac{\pi}{2}=1$	$\lim_{x\to\frac{\pi}{2}}\cos x=\cos\frac{\pi}{2}=0$	$\lim_{x\to\pi}\tan x=\tan\pi=0$

보기 02 다음 극한값을 구하여라.

(1) $\lim_{x\to0}\frac{\cos^2 x}{1-\sin x}$　　(2) $\lim_{x\to0}\frac{\sin^2 x}{1-\cos x}$

풀이 (1) $\cos^2 x=1-\sin^2 x$이므로

$$\lim_{x\to0}\frac{\cos^2 x}{1-\sin x}=\lim_{x\to0}\frac{1-\sin^2 x}{1-\sin x}=\lim_{x\to0}\frac{(1-\sin x)(1+\sin x)}{1-\sin x}=\lim_{x\to0}(1+\sin x)=1+0=1$$

(2) $\sin^2 x=1-\cos^2 x$이므로

$$\lim_{x\to0}\frac{\sin^2 x}{1-\cos x}=\lim_{x\to0}\frac{1-\cos^2 x}{1-\cos x}=\lim_{x\to0}\frac{(1-\cos x)(1+\cos x)}{1-\cos x}=\lim_{x\to0}(1+\cos x)=1+1=2$$

보기 03 다음 극한값을 구하여라.

(1) $\lim_{x\to\frac{\pi}{4}}\frac{\cos^2 x-\sin^2 x}{\cos x-\sin x}$　　(2) $\lim_{x\to\frac{\pi}{2}}\frac{\sin 2x}{\cos x}$　　(3) $\lim_{x\to\frac{\pi}{2}}\frac{\sec x-\tan x}{\cos x}$

풀이 (1) $\lim_{x\to\frac{\pi}{4}}\frac{\cos^2 x-\sin^2 x}{\cos x-\sin x}=\lim_{x\to\frac{\pi}{4}}\frac{(\cos x-\sin x)(\cos x+\sin x)}{\cos x-\sin x}=\lim_{x\to\frac{\pi}{4}}(\cos x+\sin x)=\frac{\sqrt{2}}{2}+\frac{\sqrt{2}}{2}=\sqrt{2}$

(2) $\lim_{x\to\frac{\pi}{2}}\frac{\sin 2x}{\cos x}=\lim_{x\to\frac{\pi}{2}}\frac{2\sin x\cos x}{\cos x}=\lim_{x\to\frac{\pi}{2}}2\sin x=2\sin\frac{\pi}{2}=2\cdot1=2$

(3) $\lim_{x\to\frac{\pi}{2}}\frac{\sec x-\tan x}{\cos x}=\lim_{x\to\frac{\pi}{2}}\frac{\frac{1}{\cos x}-\frac{\sin x}{\cos x}}{\cos x}=\lim_{x\to\frac{\pi}{2}}\frac{1-\sin x}{\cos^2 x}=\lim_{x\to\frac{\pi}{2}}\frac{1-\sin x}{1-\sin^2 x}$

$=\lim_{x\to\frac{\pi}{2}}\frac{1-\sin x}{(1-\sin x)(1+\sin x)}=\lim_{x\to\frac{\pi}{2}}\frac{1}{1+\sin x}=\frac{1}{1+1}=\frac{1}{2}$

보기 04 다음 극한값을 구하여라.

(1) $\lim_{x\to\frac{\pi}{4}}\frac{\tan x-1}{\sin x-\cos x}$　　(2) $\lim_{x\to\frac{\pi}{4}}\frac{\sin x-\cos x}{1-\tan^2 x}$　　(3) $\lim_{x\to\frac{\pi}{4}}\frac{1-\tan^2 x}{\cos x-\sin x}$

풀이 (1) $\lim_{x\to\frac{\pi}{4}}\frac{\tan x-1}{\sin x-\cos x}=\lim_{x\to\frac{\pi}{4}}\frac{\frac{\sin x}{\cos x}-1}{\sin x-\cos x}=\lim_{x\to\frac{\pi}{4}}\frac{\sin x-\cos x}{\cos x(\sin x-\cos x)}=\lim_{x\to\frac{\pi}{4}}\frac{1}{\cos x}=\sqrt{2}$

(2) $\lim_{x\to\frac{\pi}{4}}\frac{\sin x-\cos x}{1-\frac{\sin^2 x}{\cos^2 x}}=\lim_{x\to\frac{\pi}{4}}\frac{\cos^2 x(\sin x-\cos x)}{\cos^2 x-\sin^2 x}=\lim_{x\to\frac{\pi}{4}}\frac{\cos^2 x(\sin x-\cos x)}{(\cos x-\sin x)(\cos x+\sin x)}$

$=\lim_{x\to\frac{\pi}{4}}\frac{-\cos^2 x}{\cos x+\sin x}=\frac{-\left(\frac{\sqrt{2}}{2}\right)^2}{\frac{\sqrt{2}}{2}+\frac{\sqrt{2}}{2}}=-\frac{\sqrt{2}}{4}$

(3) $\lim_{x\to\frac{\pi}{4}}\frac{1-\tan^2 x}{\cos x-\sin x}=\lim_{x\to\frac{\pi}{4}}\frac{1-\frac{\sin^2 x}{\cos^2 x}}{\cos x-\sin x}=\lim_{x\to\frac{\pi}{4}}\frac{\cos^2 x-\sin^2 x}{\cos^2 x(\cos x-\sin x)}=\lim_{x\to\frac{\pi}{4}}\frac{(\cos x-\sin x)(\cos x+\sin x)}{\cos^2 x(\cos x-\sin x)}$

$=\lim_{x\to\frac{\pi}{4}}\frac{\cos x+\sin x}{\cos^2 x}=\frac{\frac{\sqrt{2}}{2}+\frac{\sqrt{2}}{2}}{\left(\frac{\sqrt{2}}{2}\right)^2}=2\sqrt{2}$

02 대소 관계를 이용한 삼각함수의 극한

(1) $\lim_{x \to 0} x\sin\frac{1}{x}=0$

(2) $\lim_{x \to 0} x\cos\frac{1}{x}=0$

마플해설 (1) $x \neq 0$일 때, $-1 \le \sin\frac{1}{x} \le 1$, 즉 $\left|\sin\frac{1}{x}\right| \le 1$이므로

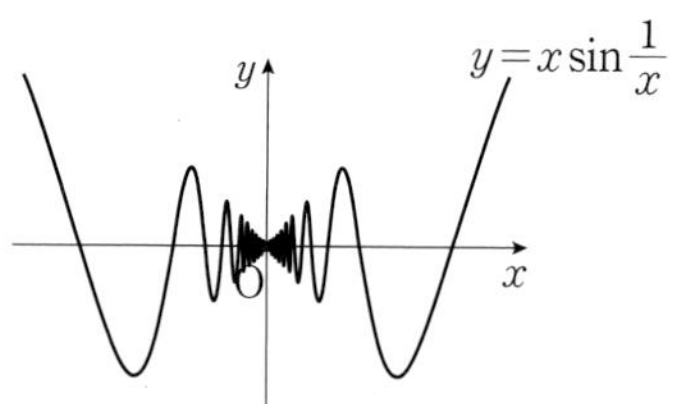

양변에 $|x|$를 곱하면 $\left|x\sin\frac{1}{x}\right| \le |x|$, $-|x| \le x\sin\frac{1}{x} \le |x|$

따라서 $\lim_{x \to 0}|x|=\lim_{x \to 0}(-|x|)=0$ 이므로 함수의 극한의 대소 관계에 의하여

$\lim_{x \to 0} x\sin\frac{1}{x}=0$

(2) $x \neq 0$일 때, $-1 \le \cos\frac{1}{x} \le 1$, 즉 $\left|\cos\frac{1}{x}\right| \le 1$이므로

양변에 $|x|$를 곱하면 $\left|x\cos\frac{1}{x}\right| \le |x|$, $-|x| \le x\cos\frac{1}{x} \le |x|$

따라서 $\lim_{x \to 0}|x|=\lim_{x \to 0}(-|x|)=0$ 이므로 함수의 극한의 대소 관계에 의하여

$\lim_{x \to 0} x\cos\frac{1}{x}=0$

참고 함수의 극한의 대소 관계

$f(x) \le g(x) \le h(x)$이고 $\lim_{x \to a} f(x)=\lim_{x \to a} h(x)=\alpha$이면 $\lim_{x \to a} g(x)=\alpha$임을 이용한다.

보기 05 다음 극한값을 구하여라.

(1) $\lim_{x \to 0} \sin x\cos\frac{1}{x}$

(2) $\lim_{x \to 0} x^2\cos\frac{1}{x}$

풀이 (1) $x \neq 0$일 때, $-1 \le \cos\frac{1}{x} \le 1$, 즉 $\left|\cos\frac{1}{x}\right| \le 1$이므로

양변에 $|\sin x|$를 곱하면 $\left|\sin x\cos\frac{1}{x}\right| \le |\sin x|$, $-|\sin x| \le \sin x\cos\frac{1}{x} \le |\sin x|$

따라서 $\lim_{x \to 0}(-|\sin x|)=\lim_{x \to 0}|\sin x|=0$이므로 함수의 극한의 대소 관계에 의하여 $\lim_{x \to 0} \sin x\cos\frac{1}{x}=0$

(2) $x \neq 0$일 때, $-1 \le \cos\frac{1}{x} \le 1$이므로

양변에 x^2를 곱하면 $-x^2 \le x^2\cos\frac{1}{x} \le x^2$

따라서 $\lim_{x \to 0} x^2=0$, $\lim_{x \to 0}(-x^2)=0$이므로 함수의 극한의 대소 관계에 의하여 $\lim_{x \to 0} x^2\cos\frac{1}{x}=0$

더 알아보기

$\lim_{x \to 0} \frac{\cos x}{x}$는 극한값이 없다.

증명 $\lim_{x \to 0+} \cos x=1$, $\lim_{x \to 0+} \frac{1}{x}=\infty$이므로 $\lim_{x \to 0+} \frac{\cos x}{x}=\infty$

$\lim_{x \to 0-} \cos x=1$, $\lim_{x \to 0-} \frac{1}{x}=-\infty$이므로 $\lim_{x \to 0-} \frac{\cos x}{x}=-\infty$

이므로 $\lim_{x \to 0} \frac{\cos x}{x}$은 우극한과 좌극한이 존재하지 않으므로 극한값이 존재하지 않는다.

03 함수 $\lim_{x\to 0}\frac{\sin x}{x}$의 극한

x의 단위가 라디안일 때, 다음이 성립한다.

(1) $\lim_{x\to 0}\frac{\sin x}{x}=1$　　　　(2) $\lim_{x\to 0}\frac{\tan x}{x}=1$

주의 ① $\lim_{x\to 0}\frac{\cos x}{x}$는 극한값이 없다.　　　② $\lim_{x\to 0}\frac{x}{\cos x}=\frac{0}{1}=0$

마플해설

(1) $\lim_{x\to 0}\frac{\sin x}{x}=1$은 함수의 극한의 대소 관계를 이용하여 증명

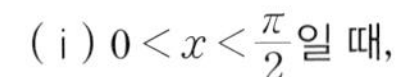

(ⅰ) $0<x<\frac{\pi}{2}$일 때,

오른쪽 그림과 같이 중심이 O이고 반지름의 길이가 1인 원에서 $\angle$AOB의 크기를 x라디안이라고 하고, 점 A에서의 접선과 선분 OB의 연장선의 교점을 T라 하자.

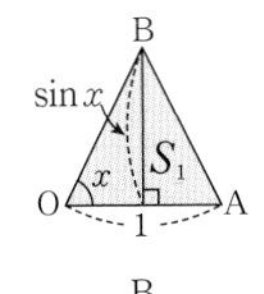

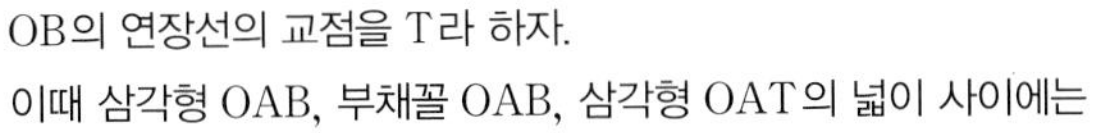

이때 삼각형 OAB, 부채꼴 OAB, 삼각형 OAT의 넓이 사이에는

($\triangle$OAB의 넓이)<(부채꼴 OAB의 넓이)<($\triangle$OAT의 넓이)

인 관계가 성립하고, $\overline{\text{AT}}=\tan x$이므로 다음을 알 수 있다.

$\frac{1}{2}\sin x<\frac{1}{2}x<\frac{1}{2}\tan x$, 즉 $\sin x<x<\tan x$　　…… ㉠

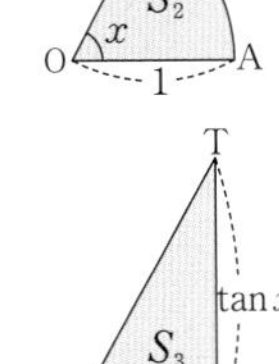

$0<x<\frac{\pi}{2}$일 때, $\sin x>0$이므로 ㉠의 각 변을 $\sin x$로 나누고 역수를 취하면

$1<\frac{x}{\sin x}<\frac{1}{\cos x}$에서 $\cos x<\frac{\sin x}{x}<1$

이때 $\lim_{x\to 0+}\cos x=1$이므로 함수의 극한의 대소 관계에 의하여

$\lim_{x\to 0+}\frac{\sin x}{x}=1$이 성립한다.

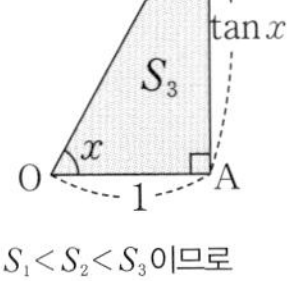

$S_1<S_2<S_3$이므로 $\frac{1}{2}\sin x<\frac{1}{2}x<\frac{1}{2}\tan x$

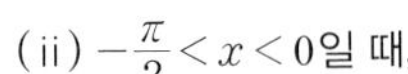

(ⅱ) $-\frac{\pi}{2}<x<0$일 때,

$-x=t$로 놓으면 $0<t<\frac{\pi}{2}$이고 $x\to 0-$일 때,

$t\to 0+$이므로 다음이 성립한다.

$\lim_{x\to 0-}\frac{\sin x}{x}=\lim_{t\to 0+}\frac{\sin(-t)}{-t}=\lim_{t\to 0+}\frac{\sin t}{t}=1$　⬅ $\sin(-t)=-\sin t$

(ⅰ), (ⅱ)에 의하여 $\lim_{x\to 0}\frac{\sin x}{x}=1$이다.

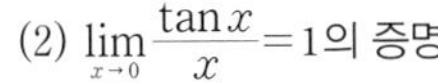

(2) $\lim_{x\to 0}\frac{\tan x}{x}=1$의 증명

$\tan x=\frac{\sin x}{\cos x}$이므로 $\lim_{x\to 0}\frac{\tan x}{x}=\lim_{x\to 0}\frac{\sin x}{x}\cdot\frac{1}{\cos x}=1\cdot 1=1$　$\therefore \lim_{x\to 0}\frac{\tan x}{x}=1$

+α 더 알아보기

(1) $\lim_{x\to 0}\frac{\sin x}{x}=1\left(\lim_{x\to 0}\frac{\tan x}{x}=1\right)$의 기하학적 의미

함수 $f(x)=\sin x$의 그래프 위의 점 (0, 0)에서의 접선의 기울기는 1이다.

즉, $\lim_{x\to 0}\frac{\sin x-\sin 0}{x-0}=\lim_{x\to 0}\frac{f(x)-f(0)}{x-0}=f'(0)=\cos 0=1$

참고 함수 $f(x)=\tan x$의 그래프 위의 점 (0, 0)에서의 접선의 기울기는 1이다.

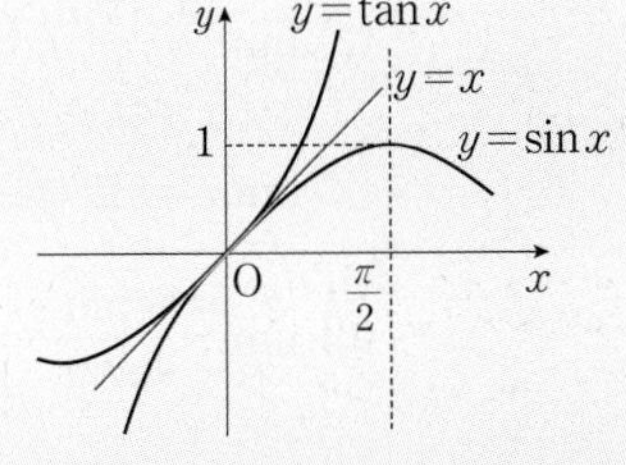

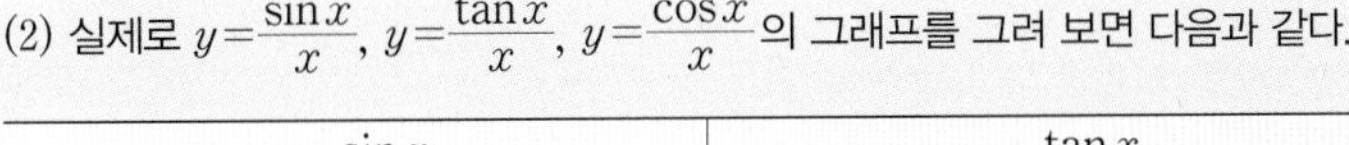

(2) 실제로 $y=\frac{\sin x}{x}$, $y=\frac{\tan x}{x}$, $y=\frac{\cos x}{x}$의 그래프를 그려 보면 다음과 같다.

$y=\frac{\sin x}{x}$	$y=\frac{\tan x}{x}$	$y=\frac{\cos x}{x}$

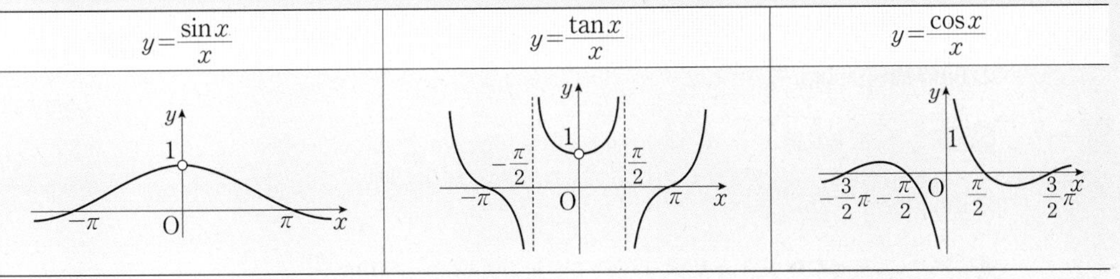

04 삼각함수의 극한값의 계산

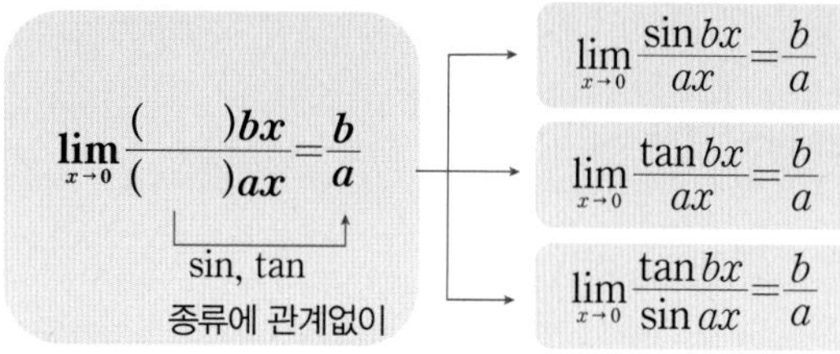

$\lim_{x\to0}\frac{\sin bx}{ax}=\frac{b}{a}$

$\lim_{x\to0}\frac{\tan bx}{ax}=\frac{b}{a}$

$\lim_{x\to0}\frac{\tan bx}{\sin ax}=\frac{b}{a}$

마플해설

① $\lim_{x\to0}\frac{\sin bx}{ax}=\lim_{x\to0}\frac{\sin bx}{bx}\cdot\frac{bx}{ax}=1\cdot\frac{b}{a}=\frac{b}{a}$

② $\lim_{x\to0}\frac{\tan bx}{ax}=\lim_{x\to0}\frac{\tan bx}{bx}\cdot\frac{bx}{ax}=1\cdot\frac{b}{a}=\frac{b}{a}$

③ $\lim_{x\to0}\frac{\tan bx}{\sin ax}=\lim_{x\to0}\frac{\tan bx}{bx}\cdot\lim_{x\to0}\frac{ax}{\sin ax}\cdot\frac{bx}{ax}=1\cdot1\cdot\frac{b}{a}=\frac{b}{a}$

참고 $\lim_{n\to\infty}\frac{\sin\frac{1}{n}}{\frac{1}{n}}=1$, $\lim_{n\to\infty}\frac{\sin\frac{b}{n}}{\frac{a}{n}}=\frac{b}{a}$

$\lim_{x\to0}\frac{x}{\sin x}=\lim_{x\to0}\frac{1}{\frac{\sin x}{x}}=1$

$\lim_{x\to0}\frac{x}{\tan x}=\lim_{x\to0}\frac{1}{\frac{\tan x}{x}}=1$

보기 06 다음 극한값을 구하여라.

(1) $\lim_{x\to0}\frac{\sin 2x}{x}$ (2) $\lim_{x\to0}\frac{\tan 4x}{3x}$ (3) $\lim_{x\to0}\frac{\tan 2x}{\sin 5x}$

풀이

(1) $\lim_{x\to0}\frac{\sin 2x}{x}=\lim_{x\to0}\frac{\sin 2x}{2x}\cdot2=1\cdot2=2$

(2) $\lim_{x\to0}\frac{\tan 4x}{3x}=\lim_{x\to0}\frac{\tan 4x}{4x}\cdot\frac{4}{3}=1\cdot\frac{4}{3}=\frac{4}{3}$

(3) $\lim_{x\to0}\frac{\tan 2x}{\sin 5x}=\lim_{x\to0}\frac{\tan 2x}{2x}\cdot\frac{5x}{\sin 5x}\cdot\frac{2x}{5x}=1\cdot1\cdot\frac{2}{5}=\frac{2}{5}$

$\lim_{\bullet\to0}\frac{\sin\bullet}{\bullet}=1$, $\lim_{\blacksquare\to0}\frac{\tan\blacksquare}{\blacksquare}=1$

보기 07 다음 극한값을 구하여라.

(1) $\lim_{x\to0}\frac{\sin(\sin x)}{x}$ (2) $\lim_{x\to0}\frac{\tan(\tan x)}{x}$ (3) $\lim_{x\to0}\frac{\sin(\tan x)}{\sin 2x}$

풀이

(1) $\lim_{x\to0}\frac{\sin(\sin x)}{x}=\lim_{x\to0}\left\{\frac{\sin(\sin x)}{\sin x}\cdot\frac{\sin x}{x}\right\}$

$\sin x=t$로 놓으면 $x\to0$일 때, $t\to0$이므로 $\lim_{x\to0}\frac{\sin(\sin x)}{\sin x}=\lim_{t\to0}\frac{\sin t}{t}=1$ $\therefore \lim_{x\to0}\frac{\sin(\sin x)}{x}=1$

(2) $\lim_{x\to0}\frac{\tan(\tan x)}{x}=\lim_{x\to0}\left\{\frac{\tan(\tan x)}{\tan x}\cdot\frac{\tan x}{x}\right\}$

$\tan x=z$로 놓으면 $x\to0$일 때, $z\to0$이므로 $\lim_{x\to0}\frac{\tan(\tan x)}{\tan x}=\lim_{z\to0}\frac{\tan z}{z}=1$ $\therefore \lim_{x\to0}\frac{\tan(\tan x)}{x}=1$

(3) $\lim_{x\to0}\frac{\sin(\tan x)}{\sin 2x}=\lim_{x\to0}\frac{\sin(\tan x)}{\tan x}\cdot\lim_{x\to0}\frac{\tan x}{x}\cdot\lim_{x\to0}\frac{2x}{\sin 2x}\cdot\frac{1}{2}=1\cdot1\cdot1\cdot\frac{1}{2}=\frac{1}{2}$

더 알아보기

$x\to\infty$일 때, 삼각함수의 극한

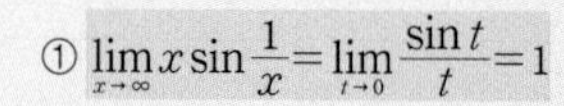

① $\lim_{x\to\infty}x\sin\frac{1}{x}=\lim_{t\to0}\frac{\sin t}{t}=1$

해설 $\frac{1}{x}=t$로 놓으면 $x\to\infty$일 때, $t\to0+$이므로 $\lim_{x\to\infty}x\sin\frac{1}{x}=\lim_{t\to0}\frac{\sin t}{t}=1$

② $\lim_{x\to\infty}x\tan\frac{1}{x}=\lim_{t\to0}\frac{\tan t}{t}=1$

해설 $\frac{1}{x}=t$로 놓으면 $x\to\infty$일 때, $t\to0+$이므로 $\lim_{x\to\infty}x\tan\frac{1}{x}=\lim_{t\to0}\frac{\tan t}{t}=1$

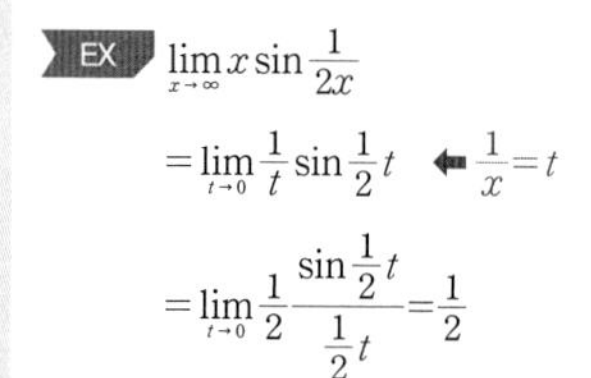

05 $\lim_{x\to0}(1-\cos kx)$꼴의 극한 계산

$1-\cos kx$꼴이 포함된 극한값을 구할 때는 분모, 분자에 $1+\cos kx$를 곱한 다음 $1-\cos^2 kx=\sin^2 kx$임을 이용한다.

(1) $\lim_{x\to0}\frac{1-\cos x}{x}=0$

(2) $\lim_{x\to0}\frac{1-\cos kx}{x^2}=\frac{k^2}{2}$

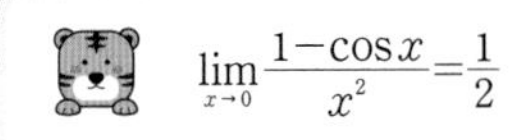

마플해설 분모 또는 분자에 $1-\cos kx$꼴을 포함하고 있는 삼각함수의 극한값을 계산하는 문제는 분모, 분자에 $1+\cos kx$를 곱하여 $1-\cos^2 kx=\sin^2 kx$로 변형하고 $\lim_{x\to0}\frac{\sin x}{x}=1$을 이용하여 계산한다.

(1) $\lim_{x\to0}\frac{1-\cos x}{x}=\lim_{x\to0}\frac{(1-\cos x)(1+\cos x)}{x(1+\cos x)}=\lim_{x\to0}\frac{1-\cos^2 x}{x(1+\cos x)}=\lim_{x\to0}\frac{\sin^2 x}{x(1+\cos x)}$

$=\lim_{x\to0}\left\{\left(\frac{\sin x}{x}\right)\cdot\sin x\cdot\frac{1}{1+\cos x}\right\}=1\cdot0\cdot\frac{1}{1+1}=0$

(2) $\lim_{x\to0}\frac{1-\cos kx}{x^2}=\lim_{x\to0}\frac{(1-\cos kx)(1+\cos kx)}{x^2(1+\cos kx)}=\lim_{x\to0}\frac{1-\cos^2 kx}{x^2(1+\cos kx)}=\lim_{x\to0}\frac{\sin^2 kx}{x^2(1+\cos kx)}$

$=\lim_{x\to0}\left\{\left(\frac{\sin kx}{x}\right)^2\cdot\frac{1}{1+\cos kx}\right\}=k^2\cdot\frac{1}{1+1}=\frac{k^2}{2}$

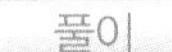
참고 $\lim_{x\to0}\frac{1-\cos kx}{x^2}=\lim_{x\to0}\frac{2\sin^2\frac{kx}{2}}{x^2}=\lim_{x\to0}2\left(\frac{\sin\frac{kx}{2}}{x}\right)^2=2\cdot\left(\frac{k}{2}\right)^2=\frac{k^2}{2}$ ⬅ 반각공식 $\sin^2\frac{x}{2}=\frac{1-\cos x}{2}$

보기 08 다음 극한값을 구하여라.

(1) $\lim_{x\to0}\frac{1-\cos 3x}{x^2}$ (2) $\lim_{x\to0}\frac{1-\cos x}{x\sin x}$ (3) $\lim_{x\to0}\frac{\cos 3x-\cos x}{x^2}$

풀이

(1) $\lim_{x\to0}\frac{1-\cos 3x}{x^2}=\lim_{x\to0}\frac{1-\cos^2 3x}{x^2(1+\cos 3x)}=\lim_{x\to0}\frac{\sin^2 3x}{x^2(1+\cos 3x)}=\lim_{x\to0}\left\{\left(\frac{\sin 3x}{3x}\right)^2\cdot9\cdot\frac{1}{1+\cos 3x}\right\}$

$=1^2\cdot9\cdot\frac{1}{2}=\frac{9}{2}$

(2) $\lim_{x\to0}\frac{1-\cos x}{x\sin x}=\lim_{x\to0}\frac{1-\cos^2 x}{x\sin x(1+\cos x)}=\lim_{x\to0}\frac{\sin^2 x}{x\sin x(1+\cos x)}=\lim_{x\to0}\frac{\sin x}{x}\cdot\lim_{x\to0}\frac{1}{1+\cos x}=1\cdot\frac{1}{2}=\frac{1}{2}$

(3) $\lim_{x\to0}\frac{\cos 3x-\cos x}{x^2}=\lim_{x\to0}\frac{1-\cos x-(1-\cos 3x)}{x^2}=\lim_{x\to0}\frac{1-\cos x}{x^2}-\lim_{x\to0}\frac{1-\cos 3x}{x^2}=\frac{1}{2}-\frac{9}{2}=-4$

FOCUS

다항함수, 지수함수, 로그함수, 삼각함수의 극한계산

두 함수 $f(x)$, $g(x)$가 각각 x, $\sin x$, $\tan x$, $\ln(1+x)$, e^x-1 중 하나일 때,

$$\lim_{x\to0}\frac{f(x)}{g(x)}=1,\ \lim_{x\to0}\frac{f(ax)}{g(bx)}=\frac{a}{b}\ (b\neq0)$$

EX ① $\lim_{x\to0}\frac{e^x-1}{\sin 2x}=\lim_{x\to0}\frac{e^x-1}{x}\times\frac{2x}{\sin 2x}\times\frac{1}{2}=1\times1\times\frac{1}{2}=\frac{1}{2}$

② $\lim_{x\to0}\frac{\tan 6x}{\ln(1+2x)}=\lim_{x\to0}\frac{\tan 6x}{6x}\times\frac{2x}{\ln(1+2x)}\times3=1\times1\times3=3$

③ $\lim_{x\to0}\frac{\ln(1+3x)}{\sin 2x}=\lim_{x\to0}\frac{\ln(1+3x)}{3x}\times\frac{2x}{\sin 2x}\times\frac{3}{2}=1\times1\times\frac{3}{2}=\frac{3}{2}$

다음 극한값을 구하여라.

(1) $\lim_{x\to0}\frac{\sin 2x\tan x}{x^2}$ (2) $\lim_{x\to0}\frac{\sin 5x-\sin x}{\sin 2x}$ (3) $\lim_{x\to0}\frac{\sin(x^3+5x^2+x)}{2x^3+3x}$

MAPL CORE 삼각함수를 포함한 함수의 극한 ⇨ $\lim_{●\to0}\frac{\sin ●}{●}=1$, $\lim_{■\to0}\frac{\tan ■}{■}=1$꼴로 변형한다.

개념익힘 | 풀이 (1) $\lim_{x\to0}\frac{\sin 2x\tan x}{x^2}=\lim_{x\to0}\left(2\cdot\frac{\sin 2x}{2x}\cdot\frac{\tan x}{x}\right)=2\cdot1\cdot1=\mathbf{2}$

(2) $\lim_{x\to0}\frac{\sin 5x-\sin x}{\sin 2x}=\lim_{x\to0}\left(\frac{\sin 5x}{\sin 2x}-\frac{\sin x}{\sin 2x}\right)$

$=\lim_{x\to0}\left(\frac{\sin 5x}{5x}\cdot\frac{2x}{\sin 2x}\cdot\frac{5}{2}-\frac{\sin x}{x}\cdot\frac{2x}{\sin 2x}\cdot\frac{1}{2}\right)$

$=1\cdot1\cdot\frac{5}{2}-1\cdot1\cdot\frac{1}{2}=\mathbf{2}$

(3) $\lim_{x\to0}\frac{\sin(x^3+5x^2+x)}{2x^3+3x}=\lim_{x\to0}\left\{\frac{\sin(x^3+5x^2+x)}{x^3+5x^2+x}\cdot\frac{x^3+5x^2+x}{2x^3+3x}\right\}$

$=\lim_{x\to0}\frac{\sin(x^3+5x^2+x)}{x^3+5x^2+x}\cdot\lim_{x\to0}\frac{x^3+5x^2+x}{2x^3+3x}$

$=1\cdot\lim_{x\to0}\frac{x^2+5x+1}{2x^2+3}=1\cdot\frac{1}{3}=\mathbf{\frac{1}{3}}$

확인유제 0306 다음 극한값을 구하여라.

2011년 10월 교육청

(1) $\lim_{x\to0}\frac{\sin 2x-\sin x}{x}$ (2) $\lim_{x\to0}\frac{\sin 2x}{x+\tan 3x}$ (3) $\lim_{x\to0}\frac{\tan(3x^3-x^2+4x)}{2x^3+x^2-2x}$

(4) $\lim_{x\to0}\frac{e^x-1}{\tan 3x}$ (5) $\lim_{x\to0}\frac{\ln(1+6x)}{\sin 2x}$ (6) $\lim_{x\to0}\frac{e^{2x}-1}{\sin 3x}$

변형문제 0307 다음 극한값을 구하여라.

2010년 07월 교육청
2011학년도 06월 평가원

(1) $\lim_{x\to0}\frac{e^{x\sin 2x}-1}{x\ln(1+x)}$ (2) $\lim_{x\to0}\frac{e^{2x^2}-1}{\tan x\sin 2x}$

(3) $\lim_{x\to0}\frac{3^{\sin x}-1}{3\sin x}$ (4) $\lim_{x\to0}\frac{e^{x\sin x}+e^{x\sin 2x}-2}{x\ln(1+x)}$

발전문제 0308 다음 물음에 답하여라.

(1) $\lim_{\theta\to0}\frac{\sin\theta\tan\theta+\sin 2\theta\tan 2\theta+\cdots+\sin 10\theta\tan 10\theta}{\theta^2}$의 값을 구하여라.

(2) 자연수 n에 대하여 $f(n)=\lim_{x\to0}\frac{x}{\sin x+\sin 2x+\cdots+\sin nx}$라고 할 때, $\sum_{n=1}^{\infty}f(n)$의 값을 구하여라.

(3) 자연수 n에 대하여 함수 $f(n)$이 $f(n)=\lim_{x\to0}\frac{\sum_{k=1}^{n}\sin kx}{x}$일 때, $\lim_{n\to\infty}\frac{f(2n)}{2n^2+3n}$의 값을 구하여라.

정답 0306 : (1) 1 (2) $\frac{1}{2}$ (3) -2 (4) $\frac{1}{3}$ (5) 3 (6) $\frac{2}{3}$ 0307 : (1) 2 (2) 1 (3) $\frac{\ln 3}{3}$ (4) 3 0308 : (1) 385 (2) 2 (3) 1

마플개념익힘 02 $\lim_{x\to0}(1-\cos kx)$꼴의 극한

다음 극한값을 구하여라.

(1) $\lim_{x\to0}\frac{1-\cos4x}{x^2}$　(2) $\lim_{x\to0}\frac{1-\cos3x}{x\sin2x}$　(3) $\lim_{x\to0}\frac{x\ln(2x+1)}{-1+\cos x}$

MAPL CORE $1-\cos kx$꼴이 포함된 극한값을 구할 때는 분모, 분자에 $1+\cos kx$를 곱한 다음 $1-\cos^2 kx=\sin^2 kx$임을 이용한다.

① $\lim_{x\to0}\frac{1-\cos x}{x}=0$　② $\lim_{x\to0}\frac{1-\cos x}{x^2}=\frac{1}{2}$　③ $\lim_{x\to0}\frac{1-\cos kx}{x^2}=\frac{k^2}{2}$

개념익힘 | **풀이** (1) 분모, 분자에 $1+\cos4x$를 곱하면

$$\lim_{x\to0}\frac{1-\cos4x}{x^2}=\lim_{x\to0}\frac{(1-\cos4x)(1+\cos4x)}{x^2(1+\cos4x)}=\lim_{x\to0}\frac{1-\cos^2 4x}{x^2(1+\cos4x)}$$

$$=\lim_{x\to0}\left(\frac{\sin^2 4x}{x^2}\times\frac{1}{1+\cos4x}\right)=\lim_{x\to0}\left\{4^2\times\left(\frac{\sin4x}{4x}\right)^2\times\frac{1}{1+\cos4x}\right\}$$

$$=16\times1^2\times\frac{1}{2}=\mathbf{8}$$

(2) 분모, 분자에 $1+\cos3x$를 곱하면

$$\lim_{x\to0}\frac{1-\cos3x}{x\sin2x}=\lim_{x\to0}\frac{(1-\cos3x)(1+\cos3x)}{x\sin2x(1+\cos3x)}=\lim_{x\to0}\frac{1-\cos^2 3x}{x\sin2x(1+\cos3x)}$$

$$=\lim_{x\to0}\left(\frac{\sin^2 3x}{x\sin2x}\times\frac{1}{1+\cos3x}\right)=\lim_{x\to0}\left\{\frac{\sin3x}{x}\times\frac{\sin3x}{\sin2x}\times\frac{1}{1+\cos3x}\right\}$$

$$=3\times\frac{3}{2}\times\frac{1}{2}=\mathbf{\frac{9}{4}}$$

(3) 분모, 분자에 $-1-\cos x$를 곱하면

$$\lim_{x\to0}\frac{x\ln(2x+1)}{-1+\cos x}=\lim_{x\to0}\frac{x\ln(2x+1)\cdot(-1-\cos x)}{(-1-\cos x)(-1+\cos x)}=\lim_{x\to0}\frac{x\ln(2x+1)\times(-1-\cos x)}{1-\cos^2 x}$$

$$=\lim_{x\to0}\left\{\frac{x\ln(2x+1)}{\sin^2 x}\times(-1-\cos x)\right\}$$

$$=\lim_{x\to0}\left\{\left(\frac{x}{\sin x}\right)^2\times\frac{\ln(1+2x)}{x}\times(-1-\cos x)\right\}$$

$$=1\times2\times(-2)=\mathbf{-4}$$

확인유제 0309 다음 극한값을 구하여라.

(1) $\lim_{x\to0}\frac{x^2}{1-\cos2x}$　(2) $\lim_{x\to0}\frac{x\tan x}{1-\cos x}$　(3) $\lim_{x\to0}\frac{1-\cos3x}{x\ln(1+x)}$

변형문제 0310 다음 물음에 답하여라.

(1) $\lim_{x\to0}\frac{1-\cos x}{\ln(1+3x^2)}$의 값은?

① $\frac{1}{12}$　② $\frac{1}{6}$　③ $\frac{1}{4}$　④ $\frac{1}{3}$　⑤ $\frac{5}{12}$

(2) $\lim_{x\to0}\frac{1-\cos3x}{x\tan2x}$의 값은?

① $\frac{3}{4}$　② $\frac{3}{2}$　③ $\frac{9}{4}$　④ 3　⑤ $\frac{15}{4}$

발전문제 0311 자연수 n에 대하여 $f(n)=\lim_{x\to0}\frac{1-\cos nx}{x^2}$일 때, $\sum_{n=1}^{8}f(n)$의 값은?

① 101　② 102　③ 103　④ 104　⑤ 105

정답　0309 : (1) $\frac{1}{2}$ (2) 2 (3) $\frac{9}{2}$　0310 : (1) ② (2) ③　0311 : ②

함수 $f(x)$에 대하여 [보기]에서 옳은 것을 모두 골라라.

ㄱ. $\lim_{x\to0}\frac{e^x-1}{f(x)}=1$이면 $\lim_{x\to0}\frac{3^x-1}{f(x)}=\ln 3$이다.

ㄴ. $\lim_{x\to0}\frac{f(x)}{\ln(1+x)}=1$이면 $\lim_{x\to0}\frac{\tan x}{f(x)}=0$이다.

ㄷ. $\lim_{x\to0}\frac{f(x)}{\ln(1+3x)}=6$이면 $\lim_{x\to0}\frac{\sin 2x}{f(x)}=\frac{1}{9}$이다.

MAPL CORE 함수의 극한의 성질을 이용하여 함수의 합 차 곱 실수배의 극한값 구하기

개념익힘 | 풀이

ㄱ. $\lim_{x\to0}\frac{3^x-1}{f(x)}=\lim_{x\to0}\left\{\frac{3^x-1}{x}\times\frac{x}{f(x)}\right\}=\lim_{x\to0}\left\{\frac{3^x-1}{x}\times\frac{e^x-1}{f(x)}\times\frac{x}{e^x-1}\right\}=\ln 3\cdot1\cdot1=\ln 3$ [참]

ㄴ. $\lim_{x\to0}\frac{f(x)}{\ln(1+x)}=\lim_{x\to0}\left\{\frac{f(x)}{x}\times\frac{x}{\ln(1+x)}\right\}=\lim_{x\to0}\left\{\frac{f(x)}{x}\times\frac{1}{\frac{\ln(1+x)}{x}}\right\}=\lim_{x\to0}\frac{f(x)}{x}\times1=1$

$\therefore \lim_{x\to0}\frac{f(x)}{x}=1$

즉, $\lim_{x\to0}\frac{\tan x}{f(x)}=\lim_{x\to0}\frac{\tan x}{x}\times\lim_{x\to0}\frac{x}{f(x)}=1\times\lim_{x\to0}\frac{1}{\frac{f(x)}{x}}=1$ [거짓]

ㄷ. $\lim_{x\to0}\frac{\sin 2x}{f(x)}=\lim_{x\to0}\left\{\frac{\sin 2x}{2x}\times\frac{\ln(1+3x)}{f(x)}\times\frac{3x}{\ln(1+3x)}\times\frac{2}{3}\right\}=1\times\frac{1}{6}\times1\times\frac{2}{3}=\frac{1}{9}$ [참]

따라서 옳은 것은 ㄱ, ㄷ이다.

확인유제 0312 함수 $f(x)$가 $\lim_{x\to0}\frac{f(x)}{\ln(1+x)}=1$을 만족시킬 때, [보기]에서 항상 옳은 것을 모두 고른 것은?

2007학년도 06월 평가원

ㄱ. $\lim_{x\to0}\frac{\sin x}{f(x)}=0$　　ㄴ. $\lim_{x\to0}\frac{f(x)+x}{\ln(1+x)}=2$　　ㄷ. $\lim_{x\to0}\frac{\{f(x)\}^2}{\ln(1+x)}=0$

① ㄱ　② ㄴ　③ ㄷ　④ ㄴ, ㄷ　⑤ ㄱ, ㄴ, ㄷ

변형문제 0313 함수 $f(x)$에 대하여 $\lim_{x\to0}\frac{f(x)}{3x+2\tan x}=4$일 때, $\lim_{x\to0}\frac{f(x)}{3x-2\tan x}$의 값은?

① 4　② 8　③ 12　④ 16　⑤ 20

발전문제 0314 다음 물음에 답하여라.

(1) 함수 $f(x)$에 대하여 $\lim_{x\to0}\frac{f(x)}{1-\cos x}=10$이 성립할 때, $\lim_{x\to0}\frac{f(x)}{x^2}$의 값은?

① 4　② 5　③ 6　④ 7　⑤ 8

2010학년도 06월 평가원

(2) 연속함수 $f(x)$가 $\lim_{x\to0}\frac{f(x)}{1-\cos(x^2)}=2$를 만족시킬 때, $\lim_{x\to0}\frac{f(x)}{x^p}=q$이다. $p+q$의 값은? (단, $p>0$, $q>0$이다.)

① 4　② 5　③ 6　④ 7　⑤ 8

정답 0312 : ④　0313 : ⑤　0314 : (1) ② (2) ②

마플개념익힘 04 치환을 이용한 삼각함수의 극한

다음 극한값을 구하여라.

(1) $\lim_{x\to\pi}\frac{\sin 2x}{x-\pi}$　　(2) $\lim_{x\to\frac{\pi}{2}}\frac{\cos x}{x-\frac{\pi}{2}}$　　(3) $\lim_{x\to\frac{\pi}{2}}\frac{\sin x-1}{x-\frac{\pi}{2}}$

MAPL CORE $x\to a(a\neq 0)$일 때, 삼각함수를 포함한 함수의 극한

⇨ $x-a=t$로 놓으면 $x\to a$일 때, $t\to 0$이 되도록 치환한다.

① $\lim_{x\to a}\frac{\sin(x-a)}{x-a}=\lim_{t\to 0}\frac{\sin t}{t}=1$　　② $\lim_{x\to a}\frac{\tan(x-a)}{x-a}=\lim_{t\to 0}\frac{\tan t}{t}=1$

개념익힘 | 풀이 (1) $x-\pi=t$로 놓으면 $x=\pi+t$이고 $x\to\pi$일 때, $t\to 0$이므로

$$\lim_{x\to\pi}\frac{\sin 2x}{x-\pi}=\lim_{t\to 0}\frac{\sin 2(\pi+t)}{t}=\lim_{t\to 0}\frac{\sin 2t}{t}=\lim_{t\to 0}2\cdot\frac{\sin 2t}{2t}=\mathbf{2}$$ ⬅ $\sin(2\pi+2t)=\sin 2t$

(2) $x-\frac{\pi}{2}=t$로 놓으면 $x=\frac{\pi}{2}+t$이고 $x\to\frac{\pi}{2}$일 때, $t\to 0$이므로

$$\lim_{x\to\frac{\pi}{2}}\frac{\cos x}{x-\frac{\pi}{2}}=\lim_{t\to 0}\frac{\cos\left(\frac{\pi}{2}+t\right)}{t}=\lim_{t\to 0}\frac{-\sin t}{t}=\mathbf{-1}$$ ⬅ $\cos\left(\frac{\pi}{2}+t\right)==-\sin t$

(3) $x-\frac{\pi}{2}=t$로 놓으면 $x=\frac{\pi}{2}+t$이고 $x\to\frac{\pi}{2}$일 때, $t\to 0$이므로

$$\lim_{x\to\frac{\pi}{2}}\frac{\sin x-1}{x-\frac{\pi}{2}}=\lim_{t\to 0}\frac{\sin\left(\frac{\pi}{2}+t\right)-1}{t}$$ ⬅ $\sin\left(\frac{\pi}{2}+t\right)==\sin t$

$$=\lim_{t\to 0}\frac{\cos t-1}{t}$$ ⬅ $\lim_{x\to 0}\frac{1-\cos x}{x}=0$

$$=\mathbf{0}$$

확인유제 0315 다음 극한값을 구하여라.

2007년 07월 교육청

(1) $\lim_{x\to 2}\frac{x-2}{\sin\pi x}$　　(2) $\lim_{x\to\pi}\frac{\tan 3x}{x-\pi}$　　(3) $\lim_{x\to -\pi}\frac{1+\cos x}{(x+\pi)\sin x}$

변형문제 0316 다음 물음에 답하여라.

(1) $\lim_{x\to a}\frac{b\cos x}{x-a}=1$이 성립하도록 하는 실수 a, b에 대하여 ab의 값은? (단, $0<a<\pi$, $b\neq 0$)

① $-\pi$　② -1　③ $-\frac{\pi}{2}$　④ $\frac{\pi}{2}$　⑤ π

(2) 등식 $\lim_{x\to\pi}\frac{a\tan x+b}{x-\pi}=2$를 만족하는 두 상수 a, b에 대하여 $a+b$의 값은?

① -2　② -1　③ 0　④ 1　⑤ 2

발전문제 0317 $f(n)=\lim_{x\to 1}\frac{\tan 2(x-1)+\tan 4(x-1)+\cdots+\tan 2n(x-1)}{x-1}$일 때, $\sum_{k=1}^{10}f(k)$의 값을 구하여라.

정답 0315 : (1) $\frac{1}{\pi}$ (2) 3 (3) $-\frac{1}{2}$　0316 : (1) ③ (2) ⑤　0317 : 440

마플개념익힘 05 삼각함수의 극한에서 미정계수의 결정

다음 등식을 만족하는 상수 a, b의 값을 구하여라.

(1) $\lim_{x\to0}\frac{a-\cos 2x}{x^2}=b$ (2) $\lim_{x\to0}\frac{x^2+ax+b}{\sin 2x}=3$

MAPL CORE

① $\lim_{x\to a}\frac{f(x)}{g(x)}=\alpha$일 때, $\lim_{x\to a}g(x)=0$이면 $\lim_{x\to a}f(x)=0$

② $\lim_{x\to a}\frac{f(x)}{g(x)}=\alpha(\alpha\neq0)$일 때, $\lim_{x\to a}f(x)=0$이면 $\lim_{x\to a}g(x)=0$

개념익힘 | 풀이

(1) $x\to0$일 때, (분모)$\to0$이고 극한값이 존재하므로 (분자) $\to0$이다.

$\lim_{x\to0}(a-\cos 2x)=0$이므로 $a-1=0$ $\therefore a=1$

$a=1$을 주어진 식에 대입하여 극한값을 구하면

$\lim_{x\to0}\frac{1-\cos 2x}{x^2}=\lim_{x\to0}\frac{1-(1-2\sin^2 x)}{x^2}=\lim_{x\to0}\frac{2\sin^2 x}{x^2}=2$ $\therefore b=2$

따라서 $\boldsymbol{a=1,\ b=2}$

(2) $x\to0$일 때, (분모)$\to0$이고 극한값이 존재하므로 (분자)$\to0$이다.

$\lim_{x\to0}(x^2+ax+b)=0$이므로 $b=0$ $\therefore b=0$

$b=0$을 주어진 식에 대입하여 극한값을 구하면

$\lim_{x\to0}\frac{x^2+ax}{\sin 2x}=\lim_{x\to0}\frac{x(x+a)}{\sin 2x}=\lim_{x\to0}\left(\frac{2x}{\sin 2x}\times\frac{x+a}{2}\right)=1\cdot\frac{a}{2}=\frac{a}{2}=3$ $\therefore a=6$

따라서 $\boldsymbol{a=6,\ b=0}$

확인유제 0318 다음 등식을 만족하는 상수 a, b의 값을 구하여라.

2009년 05월 교육청

(1) $\lim_{x\to0}\frac{\sin 3x}{ax+b}=3$ (2) $\lim_{x\to0}\frac{\sin 2x}{\sqrt{ax+b}-1}=2$ (3) $\lim_{x\to0}\frac{\sqrt{2x+a}+b}{\tan 2x}=\frac{1}{4}$

변형문제 0319 다음 물음에 답하여라.

(1) $\lim_{x\to0}\frac{a-b\cos x}{x^2}=3$일 때, 상수 a, b에 대하여 $a+b$의 값은?

① 4 ② 5 ③ 6 ④ 8 ⑤ 12

2004년 09월 평가원

(2) $\lim_{x\to0}\frac{x^2}{a\cos^2 x+b}=\frac{1}{2}$일 때, 상수 a, b에 대하여 ab의 값은?

① 4 ② 2 ③ 1 ④ -2 ⑤ -4

발전문제 0320 다음 물음에 답하여라.

(1) $\lim_{x\to0}\frac{1-\cos x}{ax\sin x+b}=\frac{1}{8}$일 때, 상수 a, b에 대하여 a^2+b^2의 값은?

① 9 ② 16 ③ 25 ④ 36 ⑤ 49

2004학년도 09월 평가원

(2) $\lim_{x\to0}\frac{a-3\cos x}{x\tan x}=b$일 때, 두 실수 a, b에 대하여 $a+b$의 값은?

① $\frac{1}{2}$ ② 1 ③ 2 ④ $\frac{9}{2}$ ⑤ 6

정답 0318 : (1) $a=1$, $b=0$ (2) $a=2$, $b=1$ (3) $a=4$, $b=-2$ 0319 : (1) ⑤ (2) ⑤ 0320 : (1) ② (2) ④

마플개념익힘 06 지수함수 로그함수와 삼각함수의 극한에서 미정계수의 결정

다음 등식을 만족하는 상수 a, b의 값을 구하여라.

(1) $\lim_{x \to 0} \frac{\ln(x+b)}{\sin ax}=5$　　(2) $\lim_{x \to 0} \frac{e^x+a}{\sin 3x}=b$

MAPL CORE

① $\lim_{x \to a} \frac{f(x)}{g(x)}=\alpha$일 때, $\lim_{x \to a} g(x)=0$이면 $\lim_{x \to a} f(x)=0$

② $\lim_{x \to a} \frac{f(x)}{g(x)}=\alpha(\alpha \neq 0)$일 때, $\lim_{x \to a} f(x)=0$이면 $\lim_{x \to a} g(x)=0$

개념익힘 | 풀이

(1) $x \to 0$일 때, (분모)$\to 0$이고 극한값이 존재하므로 (분자)$\to 0$이다.

$\lim_{x \to 0} \ln(x+b)=0$이므로 $\ln b=0$　$\therefore b=\mathbf{1}$

$\lim_{x \to 0} \frac{\ln(x+b)}{\sin ax}=\lim_{x \to 0} \frac{\ln(x+1)}{\sin ax}=\lim_{x \to 0}\left\{\frac{ax}{\sin ax} \times \frac{1}{a} \times \frac{\ln(x+1)}{x}\right\}=\frac{1}{a}=5$

$\therefore a=\mathbf{\frac{1}{5}}$

(2) $x \to 0$일 때, (분모)$\to 0$이고 극한값이 존재하므로 (분자)$\to 0$이다.

$\lim_{x \to 0}(e^x+a)=0$이므로 $e^0+a=0$　$\therefore a=\mathbf{-1}$

$\lim_{x \to 0} \frac{e^x+a}{\sin 3x}=\lim_{x \to 0} \frac{e^x-1}{\sin 3x}=\lim_{x \to 0}\left(\frac{3x}{\sin 3x} \times \frac{e^x-1}{x} \times \frac{1}{3}\right)=1 \times 1 \times \frac{1}{3}=\frac{1}{3}$

$\therefore b=\mathbf{\frac{1}{3}}$

확인유제 0321 다음 등식을 만족하는 상수 a, b의 값을 구하여라.

(1) $\lim_{x \to 0} \frac{\ln(a+x)}{\tan x}=b$　　(2) $\lim_{x \to 0} \frac{e^{ax}+b}{\sin 2x}=3$

변형문제 0322 다음 물음에 답하여라.

2007학년도 수능기출

(1) $\lim_{x \to a} \frac{2^x-1}{3\sin(x-a)}=b\ln 2$를 만족시키는 두 상수 a, b에 대하여 $a+b$의 값은?

① $\frac{1}{6}$　② $\frac{1}{5}$　③ $\frac{1}{4}$　④ $\frac{1}{3}$　⑤ $\frac{1}{2}$

2007학년도 06월 평가원

(2) 두 양수 a, b가 $\lim_{x \to 0} \frac{\sin 7x}{2^{x+1}-a}=\frac{b}{2\ln 2}$를 만족시킬 때, ab의 값은?

① 11　② 12　③ 13　④ 14　⑤ 15

발전문제 0323 다음 물음에 답하여라.

(1) $\lim_{x \to 0} \frac{x(3^x-1)}{2-a\cos x}=\ln b$가 성립하도록 하는 두 양수 a, b의 곱 ab값을 구하여라. (단, $b \neq 1$)

(2) $\lim_{x \to 0} \frac{x\ln(1+ax)}{1-\cos 3x}=\frac{1}{3}$을 만족시키는 상수 a의 값을 구하여라.

(3) $\lim_{x \to 0} \frac{x(e^{\sin 3x}-a)}{1-\cos x}=b$일 때, 두 상수 a, b에 대하여 $a+b$의 값을 구하여라.

정답 0321 : (1) $a=1, b=1$ (2) $a=6, b=-1$　0322 : (1) ④ (2) ④　0323 : (1) 6 (2) $\frac{3}{2}$ (3) 7

마플개념익힘 07 함수의 연속과 미정계수의 결정

다음 각 함수가 $x=0$에서 연속일 때, 실수 a의 값을 구하여라.

(1) $f(x)=\begin{cases} \dfrac{\tan ax}{\ln(x+1)} & (x \neq 0) \\ 1 & (x=0) \end{cases}$　　(2) $f(x)=\begin{cases} \dfrac{\sin x}{e^x-1} & (x \neq 0) \\ a & (x=0) \end{cases}$

MAPL CORE 함수 $f(x)$가 $x=a$에서 연속일 조건 $\lim\limits_{x \to a} f(x)=f(a)$

개념익힘 | 풀이 (1) 함수 $f(x)$가 $x=0$에서 연속이면 $\lim\limits_{x \to 0} f(x)=f(0)$이다.

즉, $\lim\limits_{x \to 0} f(x)=\lim\limits_{x \to 0} \dfrac{\tan ax}{\ln(x+1)}=\lim\limits_{x \to 0}\left\{\dfrac{\tan ax}{ax} \times \dfrac{x}{\ln(x+1)} \times a\right\}=1 \cdot 1 \cdot a=a$

따라서 $f(0)=1$이므로 $a=\mathbf{1}$

(2) 함수 $f(x)$가 $x=0$에서 연속이므로 $\lim\limits_{x \to 0} f(x)=f(0)$이다.

즉, $\lim\limits_{x \to 0} f(x)=\lim\limits_{x \to 0} \dfrac{\sin x}{e^x-1}=\lim\limits_{x \to 0}\left(\dfrac{\sin x}{x} \times \dfrac{x}{e^x-1}\right)=1 \cdot 1=1$

따라서 $f(0)=a$이므로 $a=\mathbf{1}$

확인유제 0324 함수 $f(x)=\begin{cases} \dfrac{1-\cos x}{\ln(1+2x^2)} & (x \neq 0) \\ a & (x=0) \end{cases}$이 $x=0$에서 연속일 때, 상수 a의 값은?

① $\dfrac{1}{6}$　② $\dfrac{1}{4}$　③ $\dfrac{1}{3}$　④ 1　⑤ 3

변형문제 0325 다음 물음에 답하여라.

2013년 04월 교육청

(1) 함수 $f(x)=\begin{cases} \dfrac{e^x-\sin 2x-a}{3x} & (x \neq 0) \\ b & (x=0) \end{cases}$가 $x=0$에서 연속일 때, 두 상수 a, b에 대하여 $a+b$의 값은?

① $\dfrac{1}{3}$　② $\dfrac{2}{3}$　③ 1　④ $\dfrac{4}{3}$　⑤ $\dfrac{5}{3}$

(2) 함수 $f(x)=\begin{cases} \dfrac{e^{ax}+b}{\tan 2x} & (x \neq 0) \\ 5 & (x=0) \end{cases}$ $\left(단, -\dfrac{\pi}{2}<x<\dfrac{\pi}{2}\right)$가 모든 실수 x에서 연속일 때, 두 상수 a, b에 대하여 $a+b$의 값은?

① 5　② 6　③ 8　④ 9　⑤ 11

발전문제 0326 다음 각 함수가 $x=1$에서 연속일 때, 실수 a의 값을 구하여라.

2005학년도 06월 평가원
2012년 11월 교육청

(1) $f(x)=\begin{cases} \dfrac{\sin 2(x-1)}{x-1} & (x \neq 1) \\ a & (x=1) \end{cases}$　(2) $f(x)=\begin{cases} \dfrac{\tan(x-1)}{\ln x} & (x \neq 1) \\ a & (x=1) \end{cases}$　(3) $f(x)=\begin{cases} \dfrac{e^{2x-2}-1}{x-1} & (x \neq 1) \\ a & (x=1) \end{cases}$

정답 0324 : ②　0325 : (1) ② (2) ④　0326 : (1) 2 (2) 1 (3) 2

마플개념익힘 08 $(x-a)f(x)$꼴 함수의 연속과 미정계수의 결정

모든 실수 x에서 연속인 함수 $f(x)$에 대하여

$$(1-\cos x)f(x)=x\sin x$$

$f(0)$의 값을 구하여라.

MAPL CORE 연속함수 $g(x)$에 대하여 함수 $f(x)$가 $(x-a)f(x)=g(x)$를 만족할 때, $f(x)=\frac{g(x)}{x-a}(x\neq a)$

이때 $f(x)$가 $x=a$에서 연속이면 $f(a)=\lim_{x\to a}\frac{g(x)}{x-a}$

개념익힘 | **풀이** $x\neq 0$일 때, $f(x)=\frac{x\sin x}{1-\cos x}$

함수 $f(x)$가 모든 실수에서 연속이므로 $x=0$에서도 연속이다.

즉, $\lim_{x\to 0}f(x)=f(0)$

$$\lim_{x\to 0}\frac{x\sin x}{1-\cos x}=\lim_{x\to 0}\frac{x\sin x(1+\cos x)}{1-\cos^2 x}=\lim_{x\to 0}\frac{x\sin x(1+\cos x)}{\sin^2 x}$$

$$=\lim_{x\to 0}\left\{\frac{x}{\sin x}\times(1+\cos x)\right\}=1\times 2=2$$

$\therefore$ $f(0)=\mathbf{2}$

확인유제 0327 다음 물음에 답하여라. (단, e는 자연로그의 밑이다.)

(1) 함수 $f(x)$가 모든 양의 실수에서 연속이고 $(x-1)f(x)=\ln x$를 만족할 때, $f(1)$의 값을 구하여라.

(2) 함수 $f(x)$가 모든 실수 x에서 연속이고 $\sin 2xf(x)=e^{3x}-1$을 만족할 때, $f(0)$의 값을 구하여라.

변형문제 0328 모든 실수 x에서 연속인 함수 $f(x)$에 대하여

$$(x-1)f(x)=\tan(x-1)\pi$$

를 만족할 때, $f(1)$의 값은?

① $-\pi$ ② π ③ $\frac{3}{2}\pi$ ④ 2 ⑤ 5

발전문제 0329 다음 물음에 답하여라. (단, e는 자연로그의 밑이다.)

2013학년도 05월 평가원

(1) 함수 $f(x)$가 모든 실수에서 연속이고

$$(1-\cos x)f(x)=x(e^x-1)$$

을 만족할 때, $f(0)$의 값을 구하여라.

(2) 함수 $f(x)$가 모든 실수에서 연속이고

$$\sin 2xf(x)=3x(1+x)^{\frac{1}{2x}}$$

을 만족할 때, $f(0)$의 값을 구하여라.

정답 0327 : (1) 1 (2) $\frac{3}{2}$ 0328 : ② 0329 : (1) 2 (2) $\frac{3\sqrt{e}}{2}$

곡선 $y=e^x-1\ (0<x<\pi)$ 위를 움직이는 점 $\mathrm{P}(t,\ e^t-1)(t>0)$에서 x축에 내린 수선의 발을 R이라 하고, 선분 PR이 곡선 $y=\sin x$와 만나는 점을 Q라고 하자. $\lim\limits_{t\to0}\dfrac{\overline{\mathrm{PQ}}}{\overline{\mathrm{QR}}}$의 값을 구하여라. (단, O는 원점이다.)

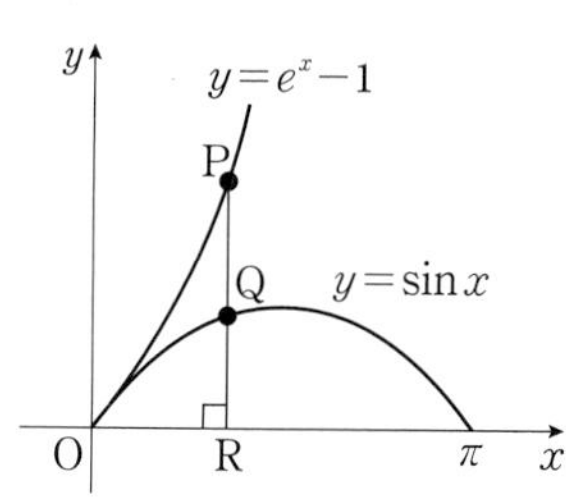

MAPL CORE 주어진 도형에서 길이 또는 넓이를 변수에 대한 식으로 나타낸 후 극한의 성질을 이용하여 극한값을 구한다.

개념익힘 | **풀이** 점 P의 좌표를 $(t,\ e^t-1)$이라고 하면 $\mathrm{R}(t,\ 0)$, $\mathrm{Q}(t,\ \sin t)$

$$\frac{\overline{\mathrm{PQ}}}{\overline{\mathrm{QR}}}=\frac{e^t-1-\sin t}{\sin t}=\frac{e^t-1}{\sin t}-1$$

$$\lim_{t\to0}\frac{\overline{\mathrm{PQ}}}{\overline{\mathrm{QR}}}=\lim_{t\to0}\left(\frac{e^t-1}{\sin t}-1\right)=\lim_{t\to0}\left(\frac{e^t-1}{t}\times\frac{t}{\sin t}-1\right)$$

$$=1\cdot1-1=\mathbf{0}$$

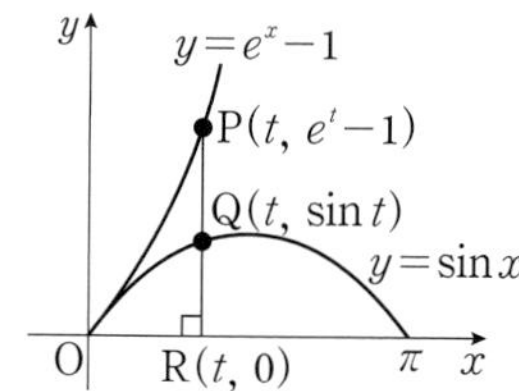

확인유제 0330 오른쪽 그림과 같이 좌표평면에서 곡선 $y=\ln(1+3x)$ 위의 한 점 $\mathrm{P}(t,\ \ln(1+3t))(t>0)$에서 x축에 내린 수선의 발을 H라 하고, 선분 PH가 곡선 $y=\sin\dfrac{x}{2}$와 만나는 점을 Q라 하자.

$\lim\limits_{t\to0+}\dfrac{\overline{\mathrm{PH}}+\overline{\mathrm{QH}}}{\overline{\mathrm{OH}}}$의 값을 구하여라. (단, O는 원점이다.)

변형문제 0331 오른쪽 그림과 같이 곡선 $y=\ln(1+10x)$ 위의 한 점 $\mathrm{P}(x,\ \ln(1+10x))$에서 x축에 내린 수선의 발을 H라고 하자.

삼각형 OHP의 넓이를 $S(x)$라고 할 때, $\lim\limits_{x\to0+}\dfrac{S(x)}{\sin^2x}$의 값은?

① 1　　② 2　　③ 3
④ 4　　⑤ 5

발전문제 0332 다음 물음에 답하여라.

2011학년도 수능기출

(1) 좌표평면에서 오른쪽 그림과 같이 원 $x^2+y^2=1$ 위의 점 P에 대하여 선분 OP가 x축의 양의 방향과 이루는 각의 크기를 $\theta\left(0<\theta<\dfrac{\pi}{4}\right)$라 하자. 점 P를 지나고 x축에 평행한 직선이 곡선 $y=e^x-1$과 만나는 점을 Q라 하고, 점 Q에서 x축에 내린 수선의 발을 R이라 하자. 선분 OP와 선분 QR의 교점을 T라 할 때, 삼각형 ORT의 넓이를 $S(\theta)$라 하자. $\lim\limits_{\theta\to0+}\dfrac{S(\theta)}{\theta^3}=a$일 때, $60a$의 값을 구하여라.

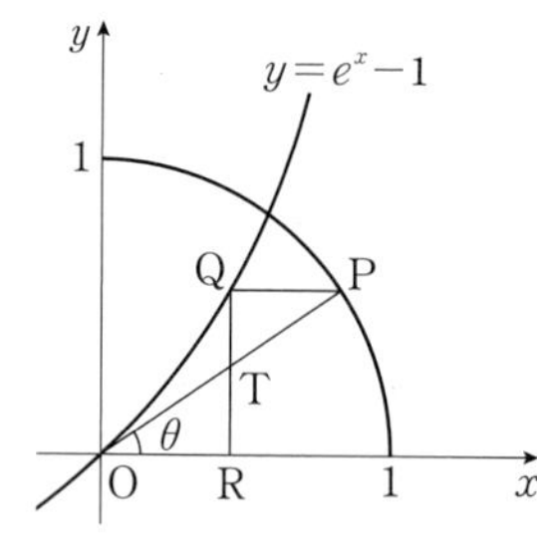

2016학년도 수능기출

(2) 오른쪽 그림과 같이 좌표평면에서 원 $x^2+y^2=1$과 곡선 $y=\ln(x+1)$이 제1사분면에서 만나는 점을 A라 하자. 점 $\mathrm{B}(1,\ 0)$에 대하여 호 AB 위의 점 P에서 y축에 내린 수선의 발을 H, 선분 PH와 곡선 $y=\ln(x+1)$이 만나는 점을 Q라 하자. $\angle\mathrm{POB}=\theta$라 할 때, 삼각형 OPQ의 넓이를 $S(\theta)$, 선분 HQ의 길이를 $L(\theta)$라 하자. $\lim\limits_{\theta\to0+}\dfrac{S(\theta)}{L(\theta)}=k$일 때, $60k$의 값을 구하여라. $\left(\text{단, } 0<\theta<\dfrac{\pi}{6}\text{이고 O는 원점이다.}\right)$

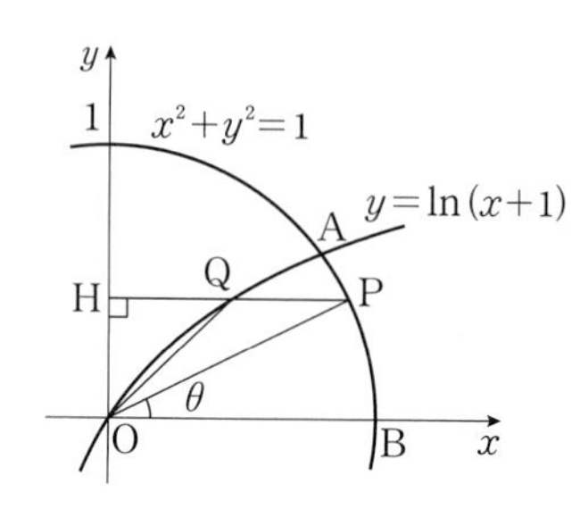

정답 0330 : $\dfrac{7}{2}$　0331 : ⑤　0332 : (1) 30 (2) 30

마플개념익힘 10 도형에서 삼각함수의 극한

지름 BC의 길이가 1인 반원의 호 $\overset{\frown}{BC}$ 위의 점 A에서 선분 BC에 내린 수선의 발을 H, $\angle ABC=\theta$라 하고 삼각형 ABC의 넓이를 $S(\theta)$라 할 때,

$\lim\limits_{\theta \to 0+} \dfrac{\overline{AC}-\overline{AH}}{\theta^2 \times S(\theta)}$의 값을 구하여라.

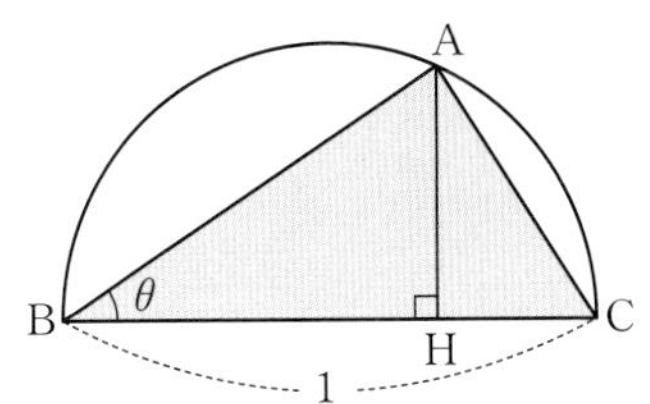

MAPL CORE 도형의 여러 가지 성질 및 삼각비의 정의를 이용하여 구하려는 길이를 삼각함수로 나타내고, $\lim\limits_{\theta \to 0} \dfrac{\sin\theta}{\theta}=1$, $\lim\limits_{\theta \to 0} \dfrac{1-\cos\theta}{\theta^2}=\dfrac{1}{2}$ 등을 이용한다.

개념익힘 | 풀이 점 A가 반원의 호 $\overset{\frown}{BC}$ 위의 점이므로 중심각과 원주각의 관계에 의하여 $\angle BAC=\dfrac{\pi}{2}$이다. 직각삼각형 ABC에서

$\overline{AB}=1\times\cos\theta=\cos\theta$, $\overline{AC}=1\times\sin\theta=\sin\theta$ …… ㉠

또한, 직각삼각형 AHB에서 $\overline{AH}=\cos\theta\sin\theta$ …… ㉡

삼각형 ABC의 넓이 $S(\theta)$는

$S(\theta)=\dfrac{1}{2}\times\overline{BC}\times\overline{AH}=\dfrac{1}{2}\sin\theta\cos\theta$ …… ㉢

㉠, ㉡, ㉢에서

$$\lim_{\theta \to 0+} \frac{\overline{AC}-\overline{AH}}{\theta^2 \times S(\theta)}=\lim_{\theta \to 0+}\frac{\sin\theta-\sin\theta\cos\theta}{\theta^2\times\frac{1}{2}\sin\theta\cos\theta}=\lim_{\theta \to 0+}\frac{1-\cos\theta}{\theta^2\times\frac{1}{2}\cos\theta}=\lim_{\theta \to 0+}\left(\frac{1-\cos\theta}{\theta^2}\times\frac{2}{\cos\theta}\right)=\frac{1}{2}\times\frac{2}{1}=\mathbf{1}$$

확인유제 0333 오른쪽 그림과 같이 반지름의 길이가 1인 사분원 위의 점 A에서 반지름 OB에 내린 수선의 발을 H라 하자. $\angle AOB=\theta$라 할 때, $\lim\limits_{\theta \to 0+} \dfrac{\overline{BH}}{\theta^2}$의 값을 구하여라.

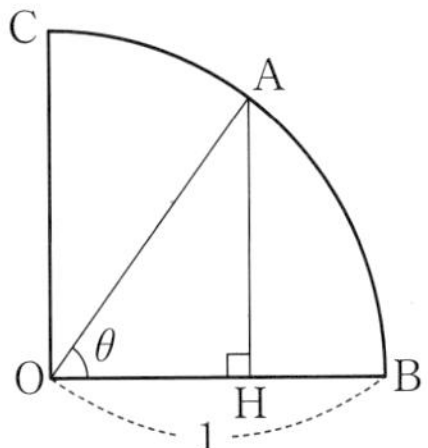

변형문제 0334 다음 물음에 답하여라.

(1) 오른쪽 그림과 같이 $\angle B=\dfrac{\pi}{2}$, $\angle C=\theta$, $\overline{BC}=a$인 직각삼각형 ABC가 있다. 꼭짓점 B에서 변 AC에 내린 수선의 발을 H라고 할 때,

$\lim\limits_{\theta \to 0+} \dfrac{\overline{AH}}{a\theta(e^\theta-1)}$의 값은?

① 1 ② 2 ③ e ④ $2e$ ⑤ e^2

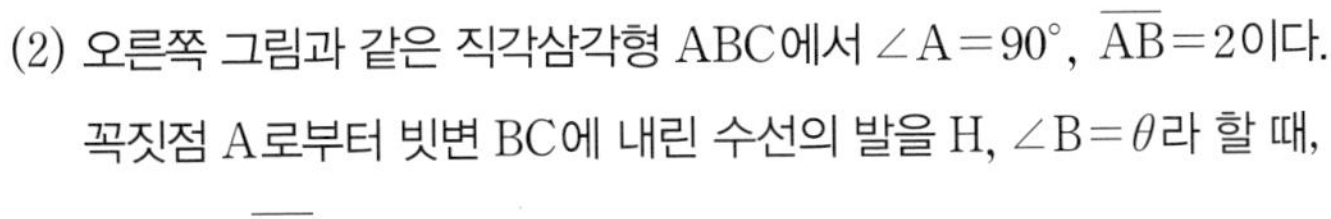

(2) 오른쪽 그림과 같은 직각삼각형 ABC에서 $\angle A=90°$, $\overline{AB}=2$이다. 꼭짓점 A로부터 빗변 BC에 내린 수선의 발을 H, $\angle B=\theta$라 할 때,

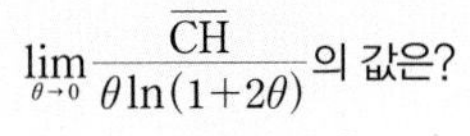

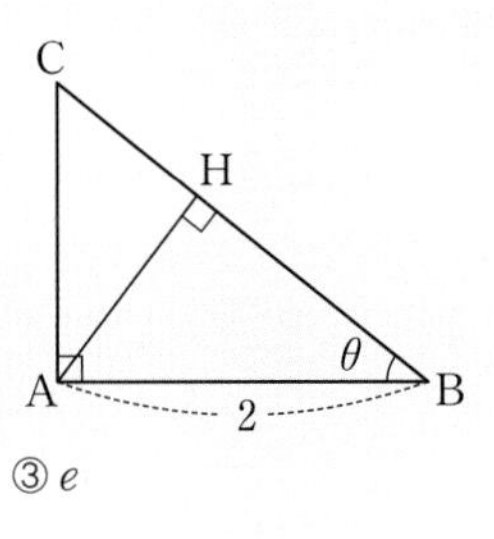

$\lim\limits_{\theta \to 0} \dfrac{\overline{CH}}{\theta\ln(1+2\theta)}$의 값은?

① 1 ② 2 ③ e ④ $2e$ ⑤ e^2

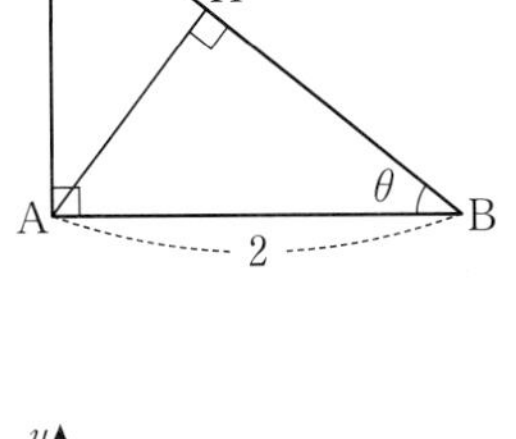

발전문제 0335 2020학년도 수능기출

좌표평면에서 곡선 $y=\sin x$ 위의 점 $P(t, \sin t)$ $(0<t<\pi)$를 중심으로 하고, x축에 접하는 원을 C라 하자. 원 C가 x축에 접하는 점을 Q, 선분 OP와 만나는 점을 R라 하자. $\lim\limits_{t \to 0+} \dfrac{\overline{OQ}}{\overline{OR}}=a+b\sqrt{2}$일 때, $a+b$의 값을 구하여라. (단, O는 원점이고, a, b는 정수이다.)

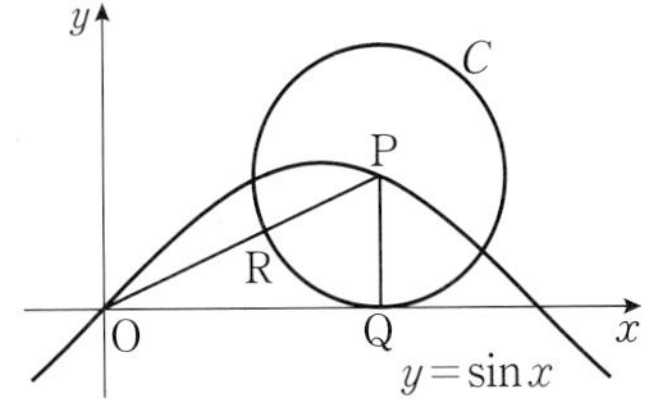

정답 0333 : $\dfrac{1}{2}$ 0334 : (1) ① (2) ① 0335 : 2

마플개념익힘 11 도형의 넓이에 대한 삼각함수의 극한

2014년 03월 교육청

오른쪽 그림과 같이 반지름의 길이가 1이고 중심각의 크기가 $\frac{\pi}{2}$인 부채꼴 OAB와 선분 OA를 지름으로 하는 반원이 있다.
호 AB 위의 점 P에 대하여 점 P에서 선분 OA에 내린 수선의 발을 Q, 선분 OP와 반원의 교점 중 O가 아닌 점을 R이라 하고, $\angle POA=\theta$라 하자. 삼각형 PRQ의 넓이를 $S(\theta)$라 할 때, $\lim_{\theta \to 0+}\frac{S(\theta)}{\theta^3}$의 값을 구하여라.

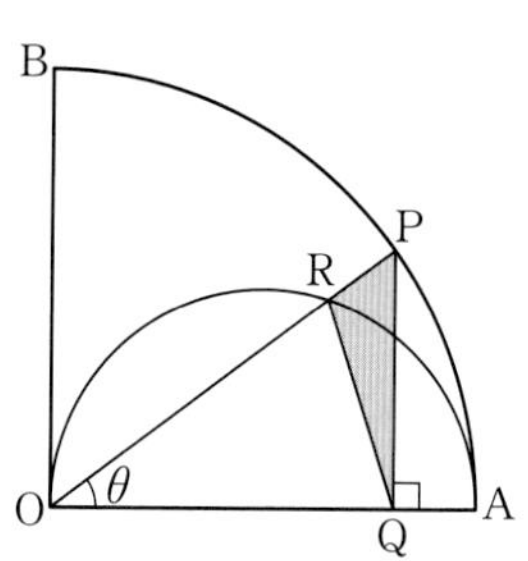

MAPL CORE 도형의 여러 가지 성질 및 삼각비의 정의를 이용하여 구하려는 도형의 넓이를 삼각함수로 나타내고, $\lim_{\theta \to 0}\frac{\sin\theta}{\theta}=1$등을 이용한다.

참고 직각삼각형의 여러 가지 삼각함수

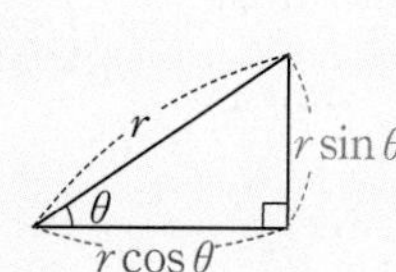

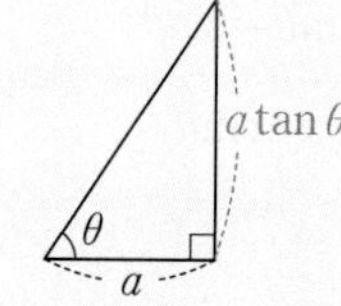

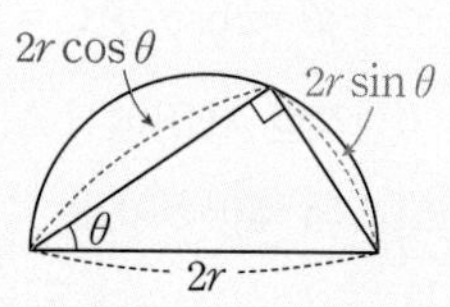

개념익힘 | **풀이** 선분 OA가 반 원의 지름이므로 원 위의 점 R에 대하여 $\angle ORA=\frac{\pi}{2}$

직각삼각형 ORA에서 $\overline{OR}=\cos\theta$, $\overline{RA}=\sin\theta$이므로

$\overline{PR}=\overline{OP}-\overline{OR}=1-\cos\theta$, $\overline{PQ}=\sin\theta$, $\angle QPR=\frac{\pi}{2}-\theta$이므로

$$S(\theta)=\frac{1}{2}\cdot(1-\cos\theta)\cdot\sin\theta\cdot\sin\left(\frac{\pi}{2}-\theta\right)=\frac{(1-\cos\theta)\sin\theta\cos\theta}{2}$$

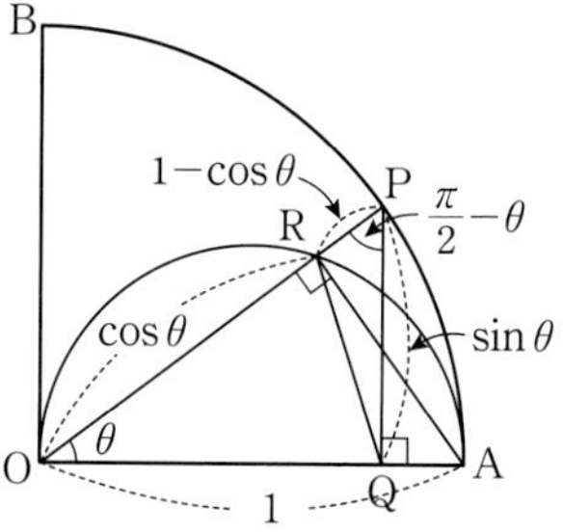

따라서 $$\lim_{\theta \to 0+}\frac{S(\theta)}{\theta^3}=\lim_{\theta \to 0+}\frac{\cos\theta\sin\theta(1-\cos\theta)}{2\theta^3}$$

$$=\lim_{\theta \to 0+}\frac{\cos\theta\sin\theta(1-\cos\theta)(1+\cos\theta)}{2\theta^3(1+\cos\theta)}$$

$$=\lim_{\theta \to 0+}\frac{\cos\theta\sin^3\theta}{2\theta^3(1+\cos\theta)}$$

$$=\frac{1}{2}\lim_{\theta \to 0+}\left(\frac{\sin^3\theta}{\theta^3}\cdot\frac{\cos\theta}{1+\cos\theta}\right)$$

$$=\frac{1}{2}\cdot 1\cdot\frac{1}{2}=\mathbf{\frac{1}{4}}$$

다른풀이 (삼각형 PRQ의 넓이)=(삼각형 POQ의 넓이)−(삼각형 ROQ의 넓이)를 이용하기

$$S(\theta)=\frac{1}{2}\sin\theta\cos\theta-\frac{1}{2}\cos^2\theta\sin\theta=\frac{1}{2}\sin\theta\cos\theta(1-\cos\theta)$$

$$\therefore \lim_{\theta \to 0+}\frac{S(\theta)}{\theta^3}=\lim_{\theta \to 0+}\frac{(1-\cos\theta)\sin\theta\cos\theta}{2\theta^3}=\lim_{\theta \to 0+}\frac{\sin^3\theta\cos\theta}{2\theta^3(1+\cos\theta)}=\frac{1}{4}$$

확인유제 0336

오른쪽 그림과 같이 반지름의 길이가 1이고 중심각의 크기가 $\frac{\pi}{2}$인 부채꼴 OAB가 있다. 호 AB 위의 점 P에 대하여 직선 OA에 수직이고 점 A를 지나는 직선이 직선 OP와 만나는 점을 Q라 하자. $\angle AOP=\theta\left(0<\theta<\frac{\pi}{2}\right)$일 때, 삼각형 AQP의 넓이를 $S(\theta)$라 하자. $\lim_{\theta \to 0+}\frac{S(\theta)}{\theta^3}$의 값은?

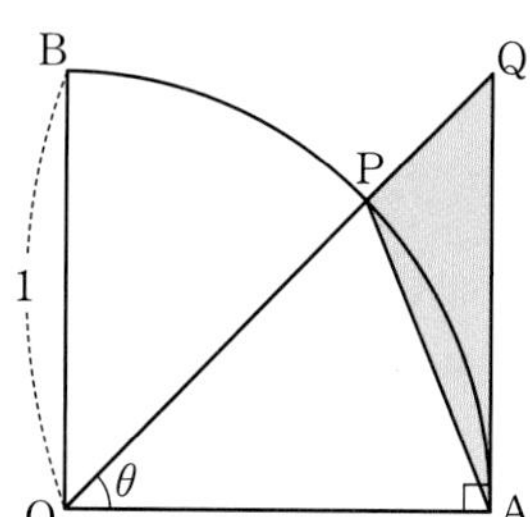

① $\frac{1}{5}$ ② $\frac{1}{4}$ ③ $\frac{1}{2}$
④ 4 ⑤ 5

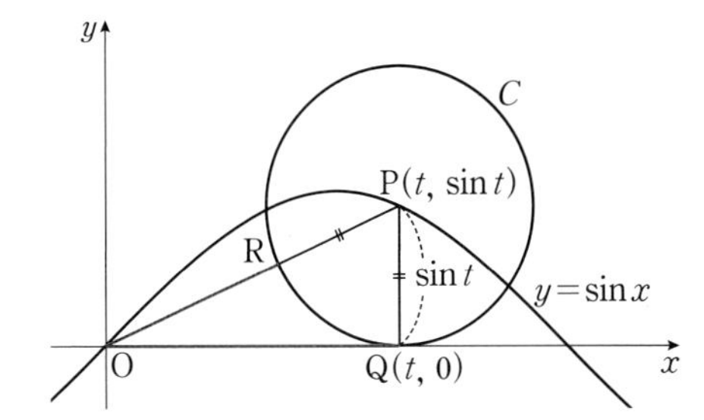

정답 0336 : ②

변형문제 0337 다음 물음에 답하여라.

(1) 오른쪽 그림과 같이 중심이 O이고 반지름의 길이가 1인 사분원 OAC 위의 한 점 B에서 선분 OA에 내린 수선의 발을 H라 하고, $\angle AOB=\theta$라 하자. 직선 OB와 점 A에서 접선과 만나는 점을 D라 하고, 사각형 BHAD의 넓이를 $S(\theta)$라 할 때, $\lim_{\theta\to 0+}\frac{S(\theta)}{\theta^3}$의 값은? $\left(\text{단, } 0<\theta<\frac{\pi}{2}\right)$

① $\frac{1}{4}$ ② $\frac{1}{2}$ ③ $\frac{3}{4}$

④ 1 ⑤ $\frac{5}{4}$

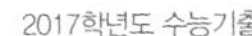

2017학년도 수능기출

(2) 오른쪽 그림과 같이 반지름의 길이가 1이고 중심각의 크기가 $\frac{\pi}{2}$인 부채꼴 OAB가 있다. 호 AB 위의 점 P에서 선분 OA에 내린 수선의 발을 H, 선분 PH와 선분 AB의 교점을 Q라 하자. $\angle POH=\theta$일 때, 삼각형 AQH의 넓이를 $S(\theta)$라 하자.

$\lim_{\theta\to 0+}\frac{S(\theta)}{\theta^4}$의 값은? $\left(\text{단, } 0<\theta<\frac{\pi}{2}\right)$

① $\frac{1}{8}$ ② $\frac{1}{4}$ ③ $\frac{3}{8}$

④ $\frac{1}{2}$ ⑤ $\frac{5}{8}$

2019학년도 06월 평가원

(3) 오른쪽 그림과 같이 반지름의 길이가 1이고 중심각의 크기가 $\frac{\pi}{2}$인 부채꼴 OAB가 있다. 호 AB 위의 점 P에서 선분 OA에 내린 수선의 발을 H라 하고, 호 BP 위에 점 Q를 $\angle POH=\angle PHQ$가 되도록 잡는다. $\angle POH=\theta$일 때, 삼각형 OHQ의 넓이를 $S(\theta)$라 하자.

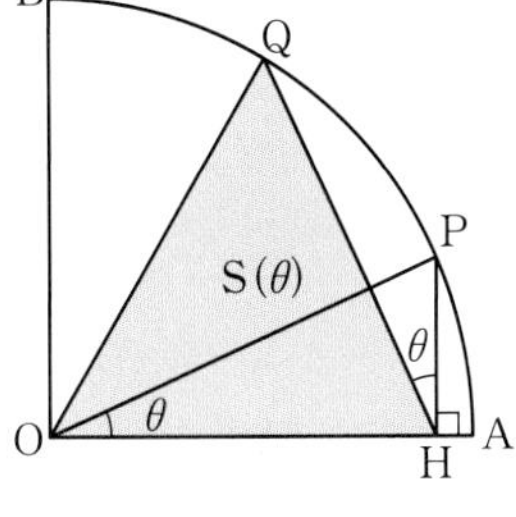

$\lim_{\theta\to 0+}\frac{S(\theta)}{\theta}$의 값은? $\left(\text{단, } 0<\theta<\frac{\pi}{6}\right)$

① $\frac{1+\sqrt{2}}{2}$ ② $\frac{2+\sqrt{2}}{2}$ ③ $\frac{3+\sqrt{2}}{2}$

④ $\frac{4+\sqrt{2}}{2}$ ⑤ $\frac{5+\sqrt{2}}{2}$

발전문제 0338

2012학년도 수능기출

오른쪽 그림과 같이 중심이 O이고 길이가 2인 선분 AB를 지름으로 하는 원 위의 점 P에서 선분 AB에 내린 수선의 발을 Q, 점 Q에서 선분 OP에 내린 수선의 발을 R, 점 O에서 선분 AP에 내린 수선의 발을 S라 하자.

$\angle PAQ=\theta\left(0<\theta<\frac{\pi}{4}\right)$일 때, 삼각형 AOS의 넓이를 $f(\theta)$, 삼각형 PRQ의 넓이를 $g(\theta)$라 하자. $\lim_{\theta\to 0+}\frac{\theta^2 f(\theta)}{g(\theta)}=\frac{q}{p}$일 때, p^2+q^2의 값을 구하여라. (단, p와 q는 서로소인 자연수이다.)

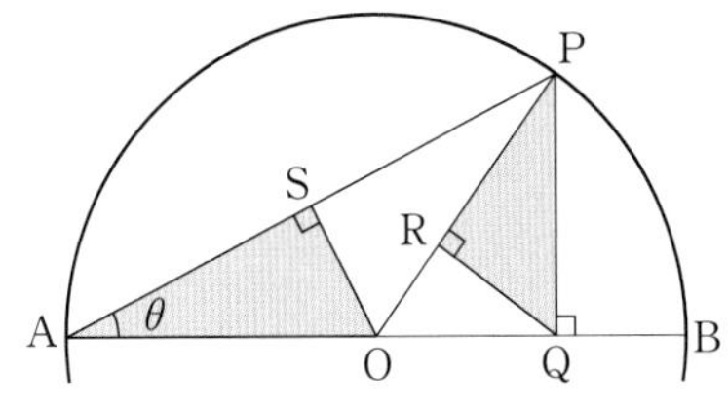

정답 0337 : (1) ② (2) ① (3) ① 0338 : 65

마플개념익힘 12 삼각형에 내접하는 원의 반지름의 극한

오른쪽 그림과 같이 길이가 2인 선분 AB를 지름으로 하는 원 O 위의 한 점 P에 대하여 $\angle PAB=\theta$, 삼각형 ABP에 내접하는 원의 반지름의 길이를 $f(\theta)$라 할 때, $\lim_{\theta\to0+}\frac{f(\theta)}{\theta}$의 값을 구하여라.

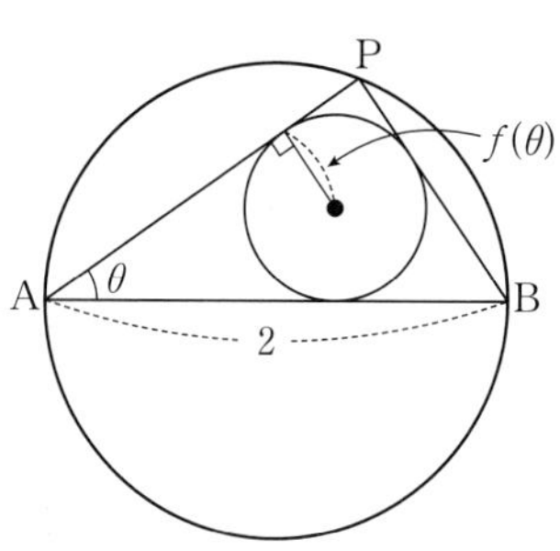

MAPL CORE 직각삼각형 ABC의 세 변의 길이 a, b, c와 내접원의 반지름의 길이 r을 구하는 방법

① 직각삼각형 ABC의 넓이를 이용하면

$\frac{1}{2}ab=\frac{1}{2}ar+\frac{1}{2}br+\frac{1}{2}cr$

$\therefore r=\frac{ab}{a+b+c}$

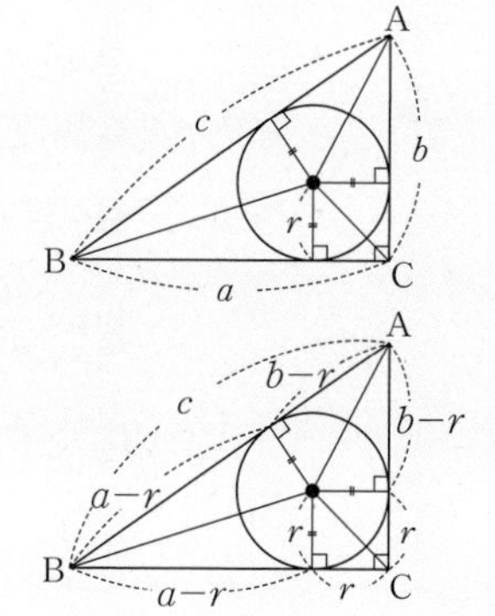

② 원 밖의 점에서 원에 그은 접선의 길이가 같음을 이용하면

$(b-r)+(a-r)=c$

$\therefore r=\frac{1}{2}(a+b-c)$

개념익힘 | 풀이 $\angle APB=\frac{\pi}{2}$이므로 삼각형 ABP에서

$\overline{AP}=2\cos\theta$, $\overline{BP}=2\sin\theta$

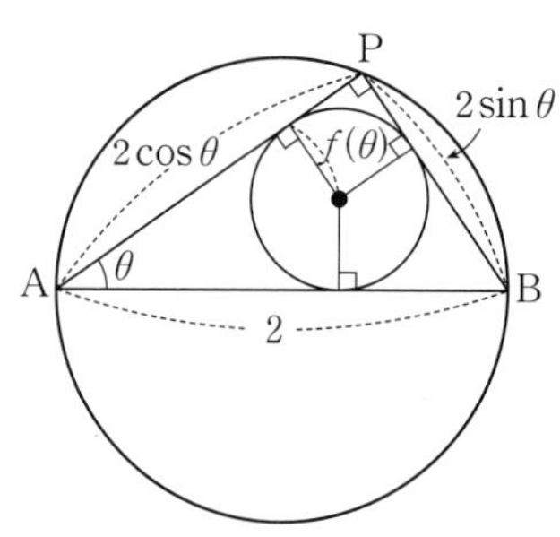

삼각형 ABP의 넓이를 $S(\theta)$라고 하면

$S(\theta)=\frac{1}{2}\times\overline{AP}\times\overline{BP}=\frac{1}{2}\times2\cos\theta\times2\sin\theta$

$=2\cos\theta\sin\theta$ …… ㉠

한편

$S(\theta)=\frac{1}{2}\times f(\theta)\times(\overline{AB}+\overline{AP}+\overline{BP})$

$=\frac{1}{2}\times f(\theta)\times(2+2\cos\theta+2\sin\theta)$

$=f(\theta)\times(1+\cos\theta+\sin\theta)$ …… ㉡

㉠, ㉡에서 $2\cos\theta\sin\theta=f(\theta)\times(1+\cos\theta+\sin\theta)$이므로 $f(\theta)=\frac{2\cos\theta\sin\theta}{1+\cos\theta+\sin\theta}$

따라서 $\lim_{\theta\to0+}\frac{f(\theta)}{\theta}=\lim_{\theta\to0+}\frac{2\cos\theta\sin\theta}{\theta(1+\cos\theta+\sin\theta)}=\lim_{\theta\to0+}\left(\frac{\sin\theta}{\theta}\times\frac{2\cos\theta}{1+\cos\theta+\sin\theta}\right)=1\times\frac{2\times1}{1+1+0}=\mathbf{1}$

확인유제 0339
2013년 04월 교육청

오른쪽 그림과 같이 좌표평면에서 점 P가 원점 O를 출발하여 x축을 따라 양의 방향으로 이동할 때, 점 Q는 점 $(0, 30)$을 출발하여 $\overline{PQ}=30$을 만족시키며 y축을 따라 음의 방향으로 이동한다. $\angle OPQ=\theta\left(0<\theta<\frac{\pi}{2}\right)$일 때, 삼각형 OPQ의 내접원의 반지름의 길이를 $r(\theta)$라 하자. 이때 $\lim_{\theta\to0+}\frac{r(\theta)}{\theta}$의 값을 구하여라.

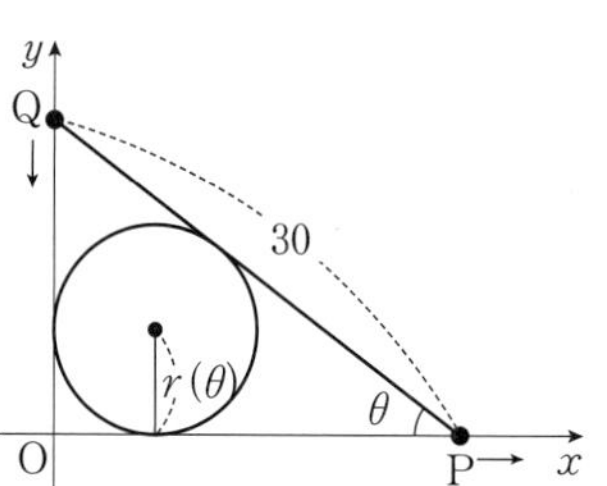

정답 0339 : 15

변형문제 0340 다음 물음에 답하여라.

2017학년도 03월 교육청

(1) 오른쪽 그림과 같이 반지름의 길이가 1이고 중심각의 크기가 $\frac{\pi}{2}$인 부채꼴 OAB가 있다. 호 AB 위의 점 P에 대하여 점 B에서 선분 OP에 내린 수선의 발을 Q, 점 Q에서 선분 OB에 내린 수선의 발을 R라 하자. $\angle BOP=\theta$일 때, 삼각형 RQB에 내접하는 원의 반지름의 길이를 $r(\theta)$라 하자. $\lim_{\theta \to 0+} \frac{r(\theta)}{\theta^2}$의 값은? $\left(\text{단, } 0<\theta<\frac{\pi}{2}\right)$

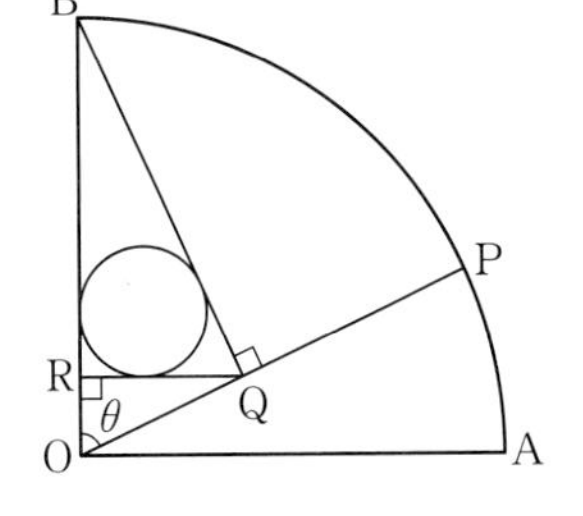

① $\frac{1}{2}$ ② 1 ③ $\frac{3}{2}$

④ 2 ⑤ $\frac{5}{2}$

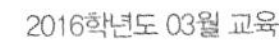
2016학년도 03월 교육청

(2) 오른쪽 그림과 같이 중심이 원점 O이고 반지름의 길이가 1인 원 C가 있다. 원 C가 x축의 양의 방향과 만나는 점을 A, 원 C 위에 있고 제1사분면에 있는 점 P에서 x축에 내린 수선의 발을 H, $\angle POA=\theta$라 하자. 삼각형 APH에 내접하는 원의 반지름의 길이를 $r(\theta)$라 할 때, $\lim_{\theta \to 0+} \frac{r(\theta)}{\theta^2}$의 값은?

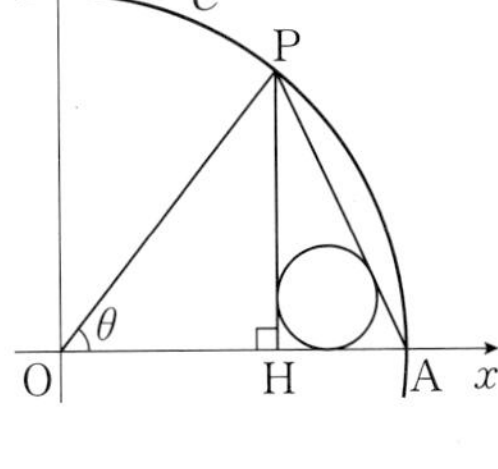

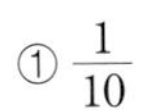

① $\frac{1}{10}$ ② $\frac{1}{8}$ ③ $\frac{1}{6}$

④ $\frac{1}{4}$ ⑤ $\frac{1}{2}$

발전문제 0341 오른쪽 그림과 같이 길이가 2인 선분 AB를 지름으로 하는 반원이 있다. 호 AB 위의 한 점 P에 대하여 $\angle PAB=\theta$, 점 P에서 선분 AB에 내린 수선의 발을 H라 할 때, 삼각형 AHP에 내접하는 원의 넓이를 $S(\theta)$, 호 PB의 길이를 $l(\theta)$라 하자.

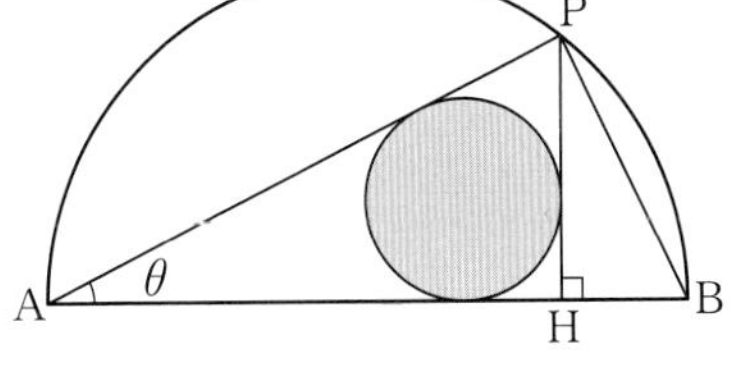

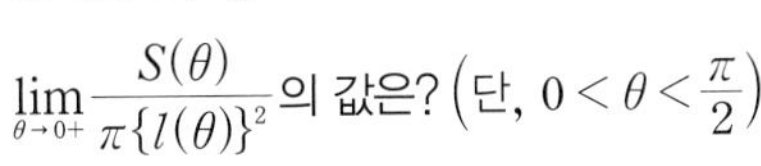

$\lim_{\theta \to 0+} \frac{S(\theta)}{\pi\{l(\theta)\}^2}$의 값은? $\left(\text{단, } 0<\theta<\frac{\pi}{2}\right)$

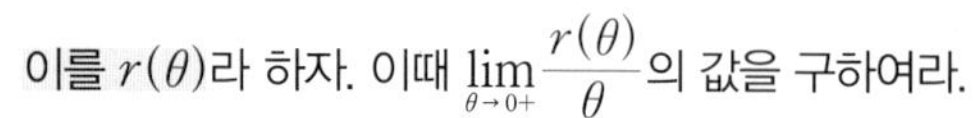

① 1 ② $\frac{1}{2}$ ③ $\frac{1}{3}$

④ $\frac{1}{4}$ ⑤ $\frac{1}{5}$

정답 0340 : (1) ① (2) ④ 0341 : ④

오른쪽 그림과 같이 중심이 O이고 길이가 2인 선분 AB를 지름으로 하는 반원 위의 점 P에 대하여 삼각형 AOP에 내접하는 원을 O_1, 부채꼴 OBP에 내접하는 원을 O_2라 하자.

$\angle PAB=\theta\left(0<\theta<\frac{\pi}{4}\right)$일 때, 원 O_1의 넓이를 $f(\theta)$, 원 O_2의 넓이를 $g(\theta)$라 하자. 이때 $\lim_{\theta \to 0+}\frac{g(\theta)}{f(\theta)}$의 값을 구하여라.

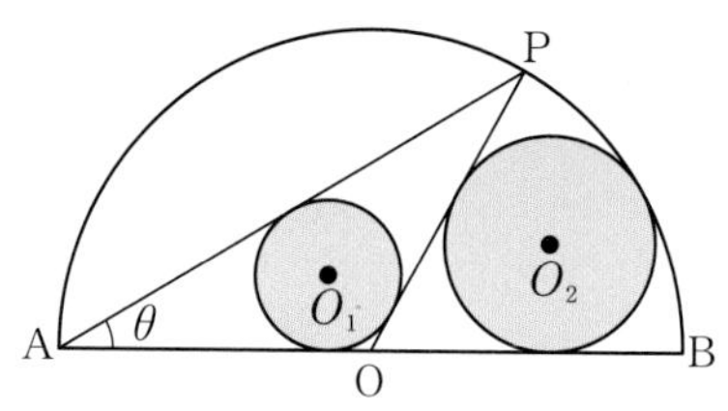

MAPL CORE 도형의 여러 가지 성질 및 삼각비의 정의를 이용하여 원의 반지름 길이와 원의 넓이를 삼각함수로 나타내고, $\lim_{\theta \to 0}\frac{\sin\theta}{\theta}=1$ 등을 이용한다.

개념익힘 | **풀이** 원 O_1과 직선 AP와의 접점을 점 Q, 원 O_2와 직선 AB와의 접점을 점 R이라 하고 원 O_1의 반지름을 r_1, 원 O_2의 반지름을 r_2라 하자.

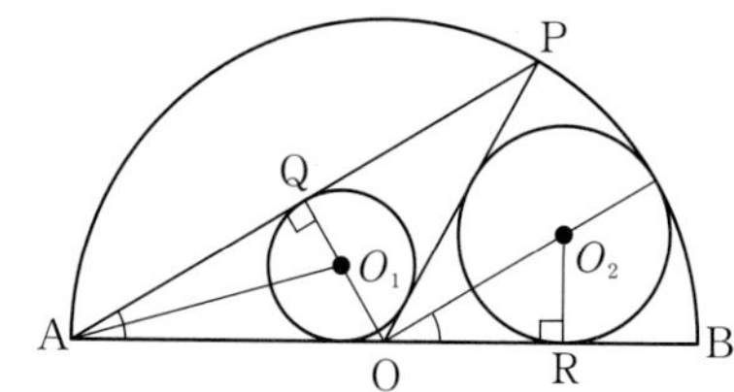

삼각형 QAO에서 $\overline{AQ}=\cos\theta$, $\angle QAO_1=\frac{\theta}{2}$이므로

$r_1=\cos\theta\tan\frac{\theta}{2}$

$\therefore\ f(\theta)=\pi\cos^2\theta\tan^2\frac{\theta}{2}$

부채꼴 OBP에서 $\angle POB=2\theta$이므로 $\angle O_2OR=\theta$

이때 $\overline{OO_2}=\frac{r_2}{\sin\theta}$이므로 $\frac{r_2}{\sin\theta}+r_2=1$ $\quad\therefore\ r_2=\frac{\sin\theta}{1+\sin\theta}$

$\therefore\ g(\theta)=\frac{\pi\sin^2\theta}{(1+\sin\theta)^2}$

따라서 $\lim_{\theta \to 0+}\frac{g(\theta)}{f(\theta)}=\lim_{\theta \to 0+}\frac{\pi\sin^2\theta}{\pi\cos^2\theta\tan^2\frac{\theta}{2}(1+\sin\theta)^2}$

$$=\lim_{\theta \to 0+}\left\{\frac{\sin^2\theta}{\theta^2}\cdot\frac{\frac{\theta^2}{4}}{\tan^2\frac{\theta}{2}}\cdot\frac{4}{\cos^2\theta(1+\sin\theta)^2}\right\}$$

$=1^2\cdot1^2\cdot4=\mathbf{4}$

확인유제 **0342** $\overline{AB}=8$, $\overline{AC}=\overline{BC}$, $\angle ABC=\theta$인 이등변삼각형 ABC가 있다. 그림과 같이 선분 BC의 연장선 위에 $\overline{AC}=\overline{AD}$인 점 D를 잡는다. 삼각형 ABC에 내접하는 원의 반지름의 길이를 r_1, 삼각형 ACD에 내접하는 원의 반지름의 길이를 r_2라 할 때, $\lim_{\theta \to 0+}\frac{r_1r_2}{\theta^2}$의 값은?

2014년 07월 교육청

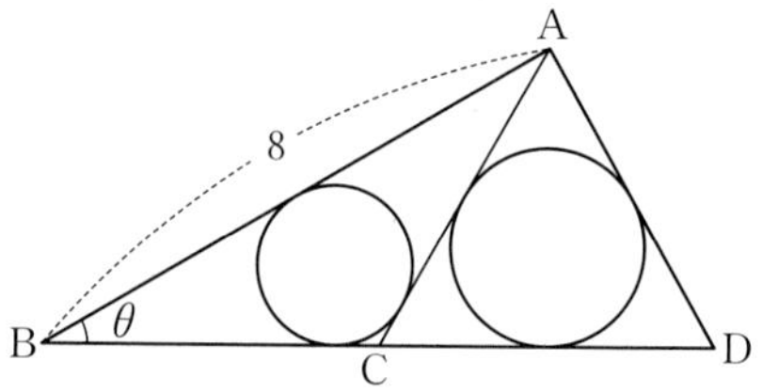

① 6 ② 7 ③ 8
④ 9 ⑤ 10

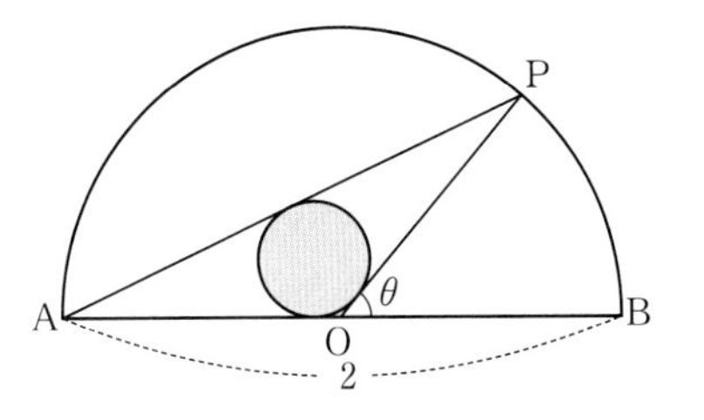

정답 0342 : ③

변형문제 0343 다음 물음에 답하여라.

2012년 03월 교육청

(1) 오른쪽 그림과 같이 길이가 2인 선분 AB를 지름으로 하고 중심이 O인 반원이 있다. 호 AB 위를 움직이는 점 P에 대하여 $\angle \mathrm{POB}=\theta$일 때, 삼각형 PAO에 내접하는 원의 넓이를 $f(\theta)$라 하자. $\lim_{\theta \to 0+} \frac{f(\theta)}{\theta^2}$의 값은?

(단, $0<\theta<\pi$이다.)

① $\frac{\pi}{2}$ ② $\frac{\pi}{4}$ ③ $\frac{\pi}{8}$ ④ $\frac{\pi}{16}$ ⑤ $\frac{\pi}{32}$

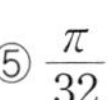

2015학년도 수능기출

(2) 오른쪽 그림과 같이 반지름의 길이가 1인 원에 외접하고 $\angle \mathrm{CAB}=\angle \mathrm{BCA}=\theta$인 이등변삼각형 ABC가 있다. 선분 AB의 연장선 위에 점 A가 아닌 점 D를 $\angle \mathrm{DCB}=\theta$가 되도록 잡는다. 삼각형 BDC의 넓이를 $S(\theta)$라 할 때, $\lim_{\theta \to 0+}\{\theta \times S(\theta)\}$의 값은?

$\left(단,\ 0<\theta<\frac{\pi}{4}\right)$

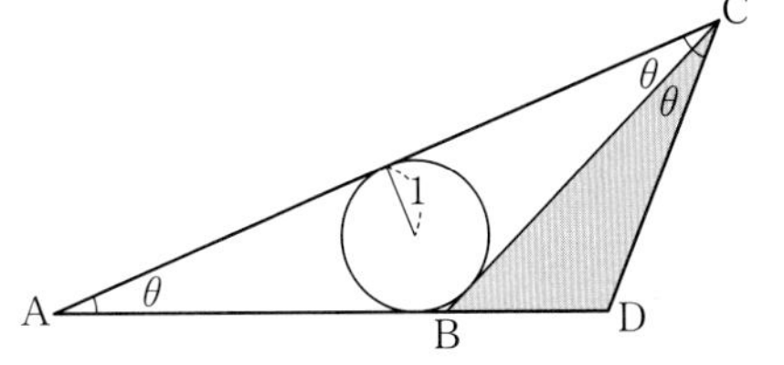

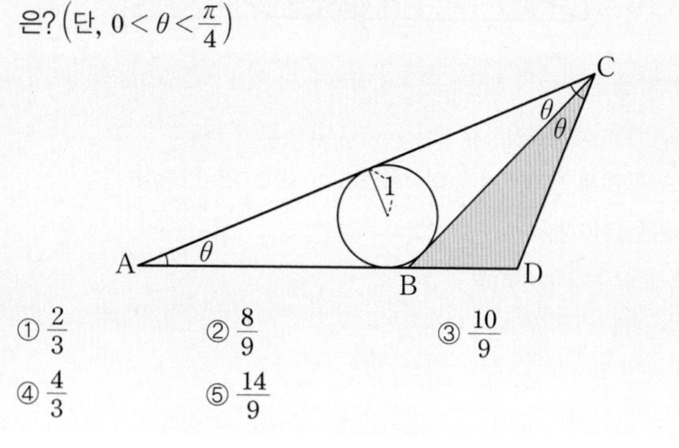

① $\frac{2}{3}$ ② $\frac{8}{9}$ ③ $\frac{10}{9}$ ④ $\frac{4}{3}$ ⑤ $\frac{14}{9}$

발전문제 0344 다음 물음에 답하여라.

2012학년도 06월 평가원

(1) 중심이 O이고, 두 점 A, B를 지름의 양 끝으로 하며 반지름의 길이가 1인 원 C가 있다. 그림과 같이 원 C 위의 점 P에 대하여 점 O를 지나고 직선 AP와 평행한 직선이 선분 PB와 만나는 점을 Q, 호 PB와 만나는 점을 R이라 하자. $\angle \mathrm{PAB}=\theta\left(0<\theta<\frac{\pi}{2}\right)$라 하고, 점 Q와 점 R를 지름의 양 끝으로 하는 원의 넓이를 $S(\theta)$라 할 때, $\lim_{\theta \to 0+} \frac{S(\theta)}{\theta^4}=\frac{q}{p}\pi$이다. $p+q$의 값을 구하여라.

(단, $\overline{\mathrm{QR}}<1$이고, p와 q는 서로소인 정수이다.)

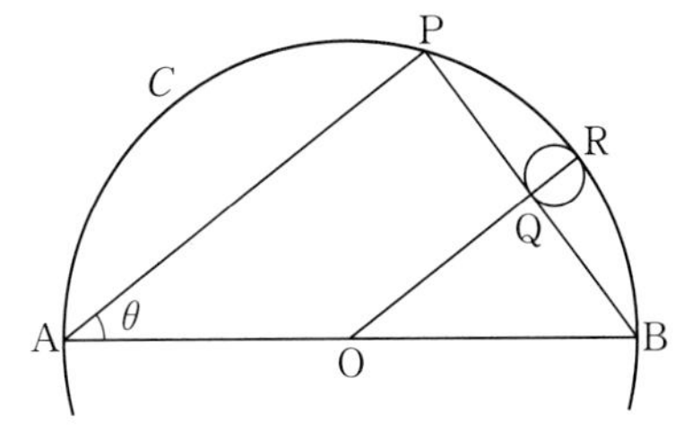

2016학년도 09월 평가원

(2) 오른쪽 그림과 같이 원에 내접하고 한 변의 길이가 $2\sqrt{3}$인 정삼각형 ABC가 있다. 점 B를 포함하지 않는 호 AC 위의 점 P에 대하여 $\angle \mathrm{PBC}=\theta$라 하고, 선분 PC를 한 변으로 하는 정삼각형에 내접하는 원의 넓이를 $S(\theta)$라 하자. $\lim_{\theta \to 0+} \frac{S(\theta)}{\theta^2}=a\pi$일 때, $60a$의 값을 구하여라.

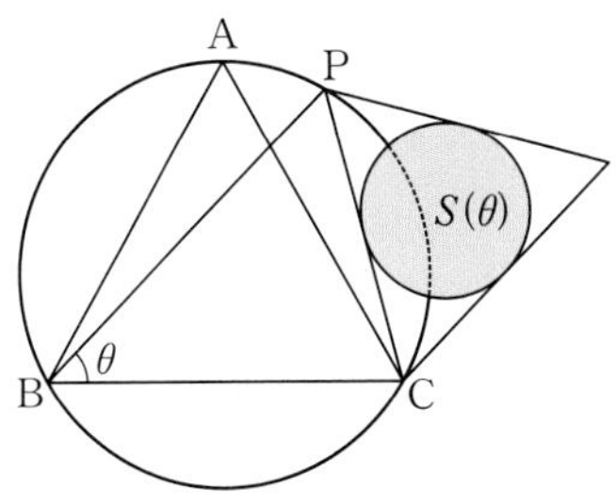

정답 0343 : (1) ④ (2) ④ 0344 : (1) 17 (2) 80

마플개념익힘 14 부채꼴의 호의 길이와 넓이의 삼각함수의 극한

중심이 O이고 반지름의 길이가 1인 원 위의 서로 다른 두 점 P, Q에 대하여 $\angle POQ=2\theta$를 이등분하는 직선이 호 PQ와 만나는 점을 R라 하자. 삼각형 POQ의 넓이를 $f(\theta)$, 부채꼴 ROQ의 넓이를 $g(\theta)$라 할 때, $\lim_{\theta\to 0+}\frac{f(\theta)}{g(\theta)}$의 값을 구하여라. $\left(\text{단, } 0<\theta<\frac{\pi}{2}\right)$

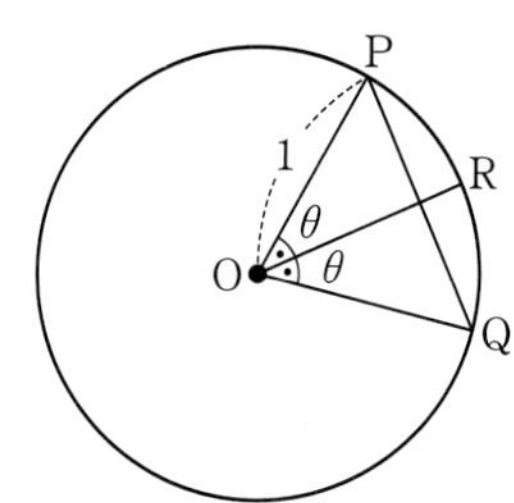

MAPL CORE

(1) 두 변의 길이와 그 끼인각의 크기가 주어진 경우 삼각형의 넓이

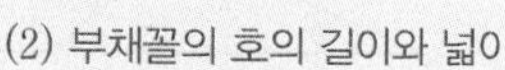

$S=\frac{1}{2}ab\sin C=\frac{1}{2}bc\sin A=\frac{1}{2}ca\sin B$

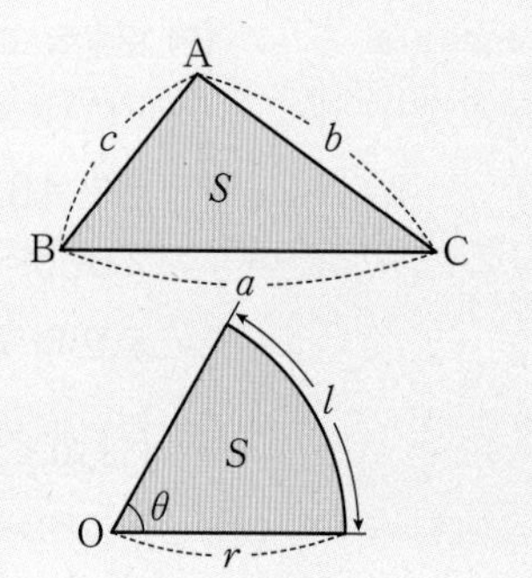

(2) 부채꼴의 호의 길이와 넓이

① 호의 길이 : $l=r\theta$

② 부채꼴의 넓이 : $S=\frac{1}{2}r^2\theta=\frac{1}{2}rl$

③ 부채꼴의 둘레의 길이 : $2r+l$

개념익힘 | 풀이 $\angle POQ=2\theta$를 이등분하는 직선이 호 PQ와 만나는 점 R이므로

$\angle ROQ=\angle POR$

이때 $\angle ROQ=\theta$이므로

삼각형 POQ의 넓이 $f(\theta)$는 $f(\theta)=\frac{1}{2}\times 1^2\times\sin 2\theta=\frac{1}{2}\sin 2\theta$

부채꼴 ROQ의 넓이 $g(\theta)$는 $g(\theta)=\frac{1}{2}\times 1^2\times\theta=\frac{1}{2}\theta$

이므로

$$\lim_{\theta\to 0+}\frac{f(\theta)}{g(\theta)}=\lim_{\theta\to 0+}\frac{\frac{1}{2}\sin 2\theta}{\frac{1}{2}\theta}=\lim_{\theta\to 0+}\frac{\sin 2\theta}{\theta}=\mathbf{2}$$

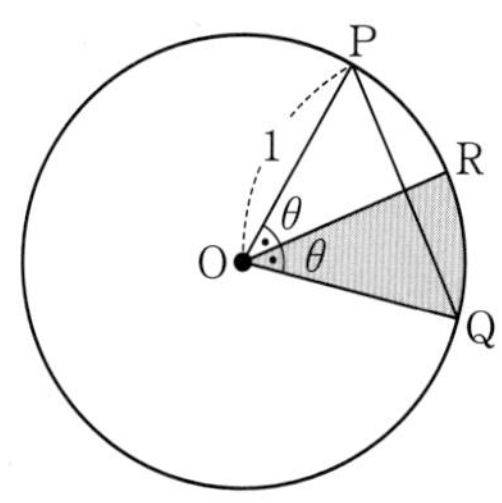

확인유제 **0345** 오른쪽 그림과 같이 반지름의 길이가 1이고 중심각의 크기가 $\frac{\pi}{2}$인 부채꼴 OAB가 있다. 호 AB 위의 점 P에서 선분 OB에 내린 수선의 발을 Q라 하고 $\angle POA=\theta$라 하자.

부채꼴 OAP의 넓이를 $f(\theta)$, 삼각형 OPQ에 내접하는 원의 넓이를 $g(\theta)$라 할 때, $\lim_{\theta\to 0+}\frac{g(\theta)}{\theta\cdot f(\theta)}$의 값을 구하여라. $\left(\text{단, } 0<\theta<\frac{\pi}{2}\right)$

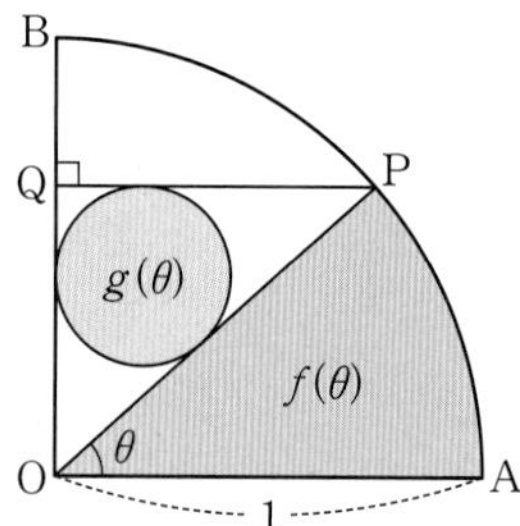

정답 0345 : $\frac{\pi}{2}$

변형문제 0346 다음 물음에 답하여라.

2008학년도 06월 평가원

(1) 오른쪽 그림과 같이 지름의 길이가 2이고, 두 점A, B를 지름의 양 끝점으로 하는 반원 위에 점 C가 있다.
삼각형 ABC의 내접원의 중심을 O, 중심 O에서 선분 AB와 선분 BC에 내린 수선의 발을 각각 D, E라 하자.
$\angle ABC=\theta$이고, 호 AC의 길이를 l_1, 호 DE의 길이를 l_2라 할 때, $\lim_{\theta\to 0}\frac{l_1}{l_2}$의 값을 구하여라. $\left(\text{단, } 0<\theta<\frac{\pi}{2}\right)$

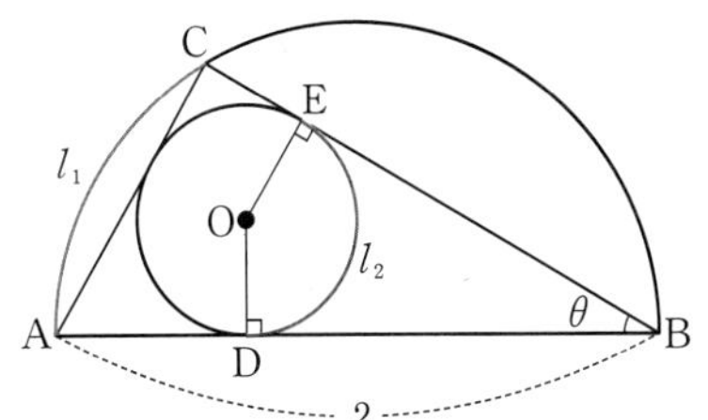

2019학년도 09월 평가원

(2) 자연수 n에 대하여 중심이 원점 O이고 점 $P(2^n,\ 0)$을 지나는 원 C가 있다. 원 C 위에 점 Q를 호 PQ의 길이가 π가 되도록 잡는다. 점 Q에서 x축에 내린 수선의 발을 H라 할 때, $\lim_{n\to\infty}(\overline{OQ}\times\overline{HP})$의 값은?

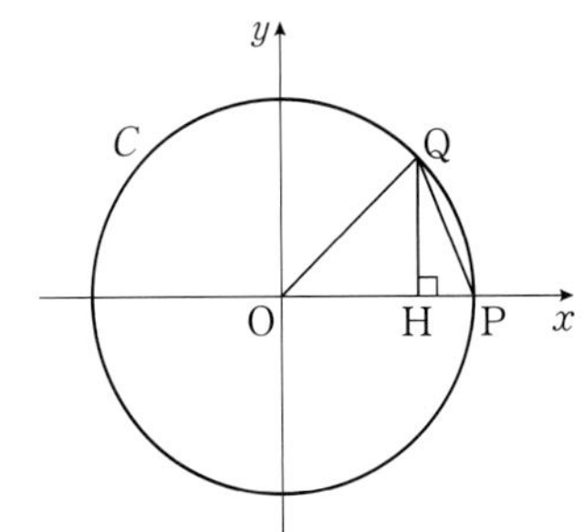

① $\frac{\pi^2}{2}$　② $\frac{3}{4}\pi^2$　③ π^2
④ $\frac{5}{4}\pi^2$　⑤ $\frac{3}{2}\pi^2$

발전문제 0347 다음 물음에 답하여라.

2020학년도 09월 평가원

(1) 오른쪽 그림과 같이 반지름의 길이가 1이고 중심각의 크기가 $\frac{\pi}{2}$인 부채꼴 OAB가 있다. 호 AB 위의 점 P에서 선분 OA에 내린 수선의 발을 H, 점 P에서 호 AB에 접하는 직선과 직선 OA의 교점을 Q라 하자. 점 Q를 중심으로 하고 반지름의 길이가 $\overline{QA}$인 원과 선분 PQ의 교점을 R라 하자.
$\angle POA=\theta$일 때, 삼각형 OHP의 넓이를 $f(\theta)$, 부채꼴 QRA의 넓이를 $g(\theta)$라 하자. $\lim_{\theta\to 0+}\frac{\sqrt{g(\theta)}}{\theta\times f(\theta)}$의 값은?
$\left(\text{단, } 0<\theta<\frac{\pi}{2}\right)$

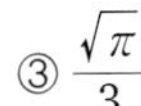

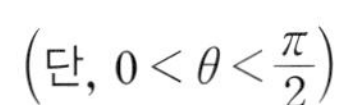

① $\frac{\sqrt{\pi}}{5}$　② $\frac{\sqrt{\pi}}{4}$　③ $\frac{\sqrt{\pi}}{3}$　④ $\frac{\sqrt{\pi}}{2}$　⑤ $\sqrt{\pi}$

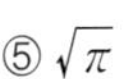

2019학년도 수능기출

(2) 오른쪽 그림과 같이 $\overline{AB}=1$, $\angle B=\frac{\pi}{2}$인 직각삼각형 ABC에서 $\angle C$를 이등분하는 직선과 선분 AB의 교점을 D, 중심이 A이고 반지름의 길이가 $\overline{AD}$인 원과 선분 AC의 교점을 E라 하자.
$\angle A=\theta$일 때, 부채꼴 ADE의 넓이를 $S(\theta)$, 삼각형 BCE의 넓이를 $T(\theta)$라 하자. $\lim_{\theta\to 0+}\frac{\{S(\theta)\}^2}{T(\theta)}$의 값은?

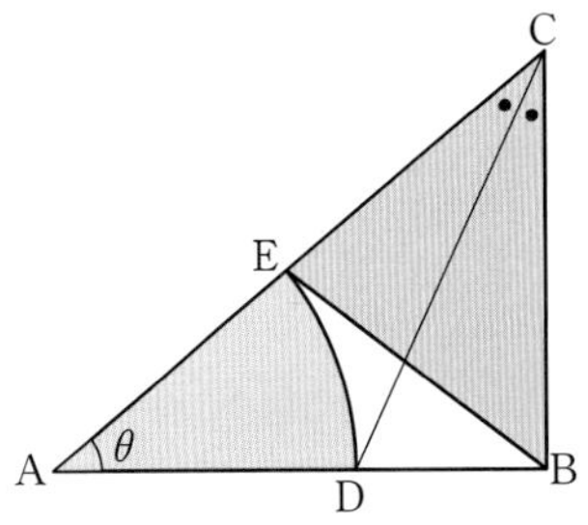

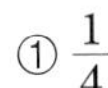

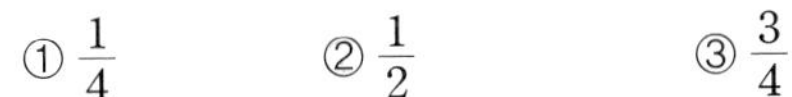

① $\frac{1}{4}$　② $\frac{1}{2}$　③ $\frac{3}{4}$　④ 1　⑤ $\frac{5}{4}$

정답 0346 : (1) $\frac{2}{\pi}$ (2) ①　0347 : (1) ④ (2) ②

사인법칙과 코사인법칙의 극한

01 사인법칙과 코사인법칙

(1) 사인법칙 (한 내각의 크기와 그 대변의 길이, 외접원의 반지름의 정리)

삼각형 ABC의 외접원의 반지름의 길이를 R라 하면 삼각형의 세 각의 크기와 세 변의 길이 사이에는 다음과 같은 관계가 성립하고 이를 사인법칙이라 한다.

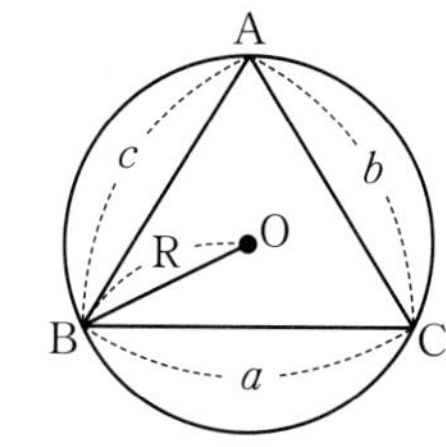

$$\frac{a}{\sin A}=\frac{b}{\sin B}=\frac{c}{\sin C}=2\mathrm{R}$$

(2) 코사인법칙

두 변의 길이와 그 끼인각의 크기가 주어졌을 때, 나머지 한 변의 길이를 구하는 경우

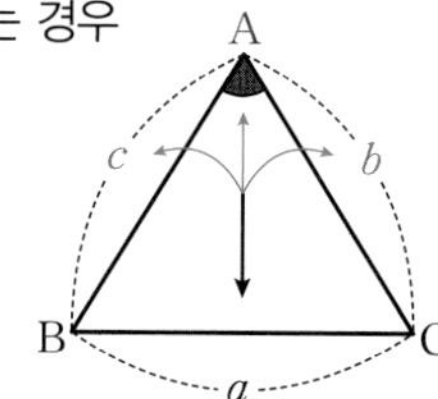

① $a^2=b^2+c^2-2bc\cos A$

② $b^2=c^2+a^2-2ca\cos B$

③ $c^2=a^2+b^2-2ab\cos C$

(3) 코사인법칙의 각의 크기

세 변의 길이가 주어진 경우 한 각을 구하는 경우

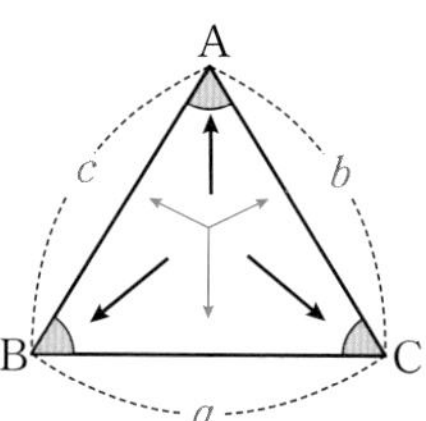

① $\cos A=\dfrac{b^2+c^2-a^2}{2bc}$

② $\cos B=\dfrac{c^2+a^2-b^2}{2ca}$

③ $\cos C=\dfrac{a^2+b^2-c^2}{2ab}$

(4) 코사인법칙의 변형

두 각의 크기와 각각의 대변의 길이가 주어진 삼각형 ABC에서 나머지 한 변의 길이를 구할 때 이용한다.

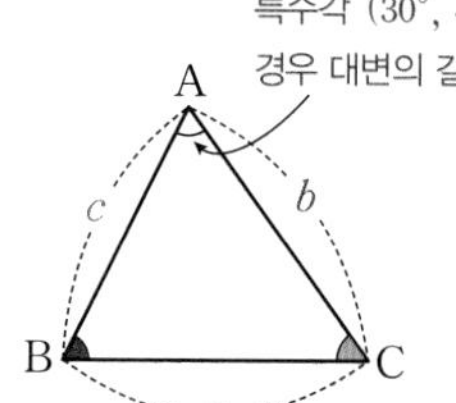

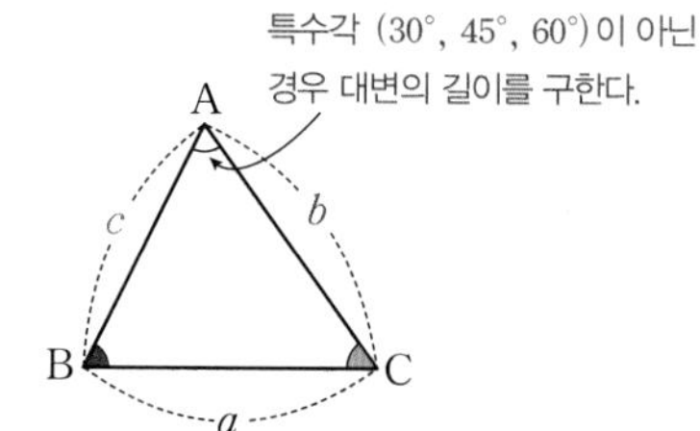

① $a=b\cos C+c\cos B$

② $b=c\cos A+a\cos C$

③ $c=a\cos B+b\cos A$

(5) 삼각형의 넓이

① 두 변의 길이와 그 끼인각의 크기가 주어진 경우

$S=\frac{1}{2}ab\sin C=\frac{1}{2}bc\sin A=\frac{1}{2}ca\sin B$

② 삼각형 ABC의 외접원의 반지름의 길이 R가 주어진 경우

$S=\dfrac{abc}{4\mathrm{R}}=2\mathrm{R}^2\sin A\sin B\sin C$

③ 삼각형 ABC의 내접원의 반지름의 길이 r가 주어진 경우

$S=\frac{1}{2}r(a+b+c)$

(6) 삼각함수, 지수함수, 로그함수의 극한값을 구한다.

① $\displaystyle\lim_{x\to0}\frac{\sin x}{x}=1,\ \lim_{x\to0}\frac{\tan x}{x}=1$

② $\displaystyle\lim_{x\to0}\frac{e^x-1}{x}=1,\ \lim_{x\to0}\frac{a^x-1}{x}=\ln a$

③ $\displaystyle\lim_{x\to0}\frac{\ln(1+x)}{x}=1,\ \lim_{x\to0}\frac{\log_a(1+x)}{x}=\frac{1}{\ln a}$

마플특강문제 01

오른쪽 그림과 같이 반지름의 길이가 1인 반원에서

$\angle APO=\angle OPQ=\theta$

일 때, $\lim_{P\to B}\overline{OQ}$의 값을 구하여라.

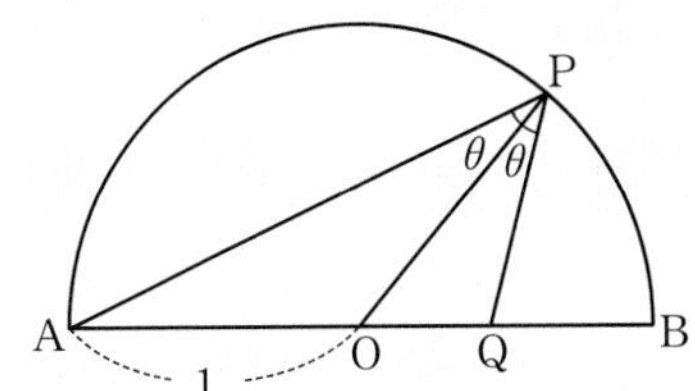

수능특강 풀이

STEP Ⓐ 사인법칙을 이용하여 $\overline{OQ}$의 길이 구하여 극한값 구하기

삼각형 AOP는 $\overline{OA}=\overline{OP}=1$인 이등변삼각형이므로 $\angle PAO=\theta$

삼각형 AQP에서

$\angle POQ=\angle PAO+\angle APO=2\theta$

$\angle PQB=\angle PAQ+\angle APQ=3\theta$

또한, 삼각형 POQ에서 사인법칙에 의하여

$\dfrac{\overline{OQ}}{\sin\theta}=\dfrac{\overline{OP}}{\sin(\pi-3\theta)},\ \dfrac{\overline{OQ}}{\sin\theta}=\dfrac{1}{\sin 3\theta}\quad\therefore\ \overline{OQ}=\dfrac{\sin\theta}{\sin 3\theta}$

점 P가 호를 따라 점 B에 한없이 가까워지면 Q는 0에 한없이 가까워진다.

$\lim_{P\to B}\overline{OQ}=\lim_{\theta\to 0}\dfrac{\sin\theta}{\sin 3\theta}=\lim_{\theta\to 0}\left(\dfrac{\sin\theta}{\theta}\times\dfrac{3\theta}{\sin 3\theta}\times\dfrac{1}{3}\right)=1\times1\times\dfrac{1}{3}=\dfrac{1}{3}$

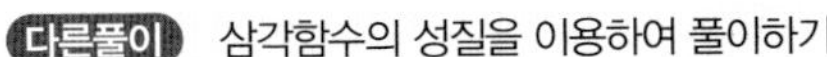

다른풀이 삼각함수의 성질을 이용하여 풀이하기

삼각형 AQP에서 점 P에서 선분 AB에 내린 수선의 발을 H라 하면

$\triangle POQ$에서 $\angle POQ=\angle PAO+\angle APO=2\theta$

$\overline{PH}=\overline{OP}\sin 2\theta=1\cdot\sin 2\theta,\ \overline{OH}=\overline{OP}\cos 2\theta=1\cdot\cos 2\theta$

또한, $\angle PQH=\angle PAQ+\angle APQ=3\theta$이므로

직각삼각형 PQH에서 $\overline{QP}=\dfrac{\overline{PH}}{\sin 3\theta}=\dfrac{\sin 2\theta}{\sin 3\theta}$

즉 $\overline{QH}=\overline{QP}\cos 3\theta=\dfrac{\sin 2\theta\cos 3\theta}{\sin 3\theta}\quad\therefore\ \overline{OQ}=\overline{OH}-\overline{QH}=\cos 2\theta-\dfrac{\sin 2\theta\cos 3\theta}{\sin 3\theta}$

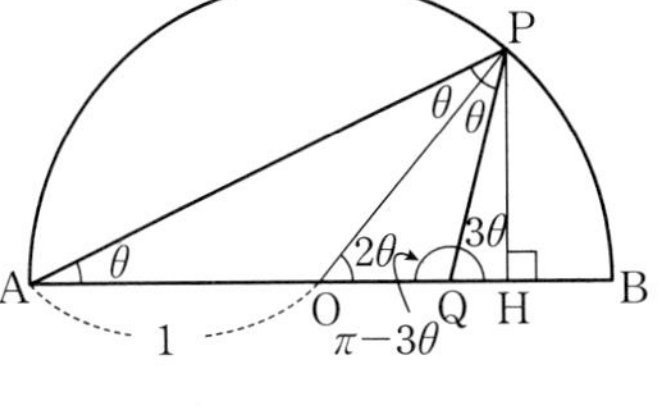

따라서 $\lim_{P\to B}\overline{OQ}=\lim_{\theta\to 0}\left(\cos 2\theta-\dfrac{\sin 2\theta\cos 3\theta}{\sin 3\theta}\right)=\lim_{\theta\to 0}\left(\cos 2\theta-\dfrac{\sin 2\theta}{2\theta}\times\dfrac{3\theta}{\sin 3\theta}\times\dfrac{2}{3}\times\cos 3\theta\right)=1-\dfrac{2}{3}=\dfrac{1}{3}$

정답 $\dfrac{1}{3}$

마플특강문제 02

2000학년도 수능기출

반지름의 길이가 1인 원 O 위에 점 A가 있다. 그림과 같이 양수 θ에 대하여 원 O 위의 두 점 B, C를

$\angle BAC=\theta,\ \overline{AB}=\overline{AC}$

가 되도록 잡는다. 삼각형 ABC의 내접원의 반지름의 길이를 $r(\theta)$라 할 때,

$\lim_{\theta\to\pi-}\dfrac{r(\theta)}{(\pi-\theta)^2}$의 값을 구하여라.

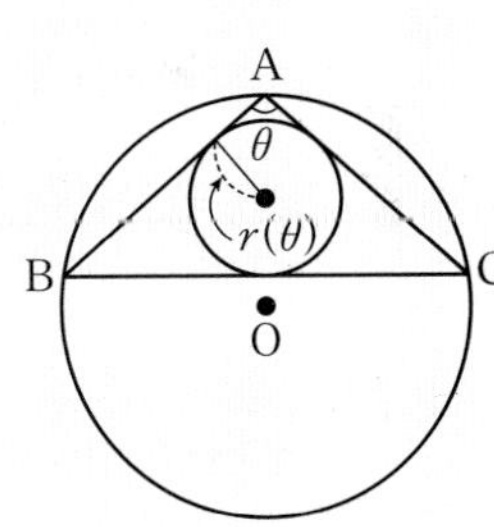

수능특강 풀이

STEP Ⓐ 사인법칙을 이용하여 $\overline{BC}$의 길이 구하기

삼각형 ABC에서 외접원의 반지름이 1이므로 사인법칙에 의하여

$\dfrac{\overline{BC}}{\sin\theta}=2\times1\quad\therefore\ \overline{BC}=2\sin\theta$

선분 BC의 중점을 M이라 하면 $\overline{BM}=\sin\theta$이다.

STEP Ⓑ 내접원의 반지름의 길이 $r(\theta)$ 구하여 극한값 구하기

또, 내접원의 중심을 D라 하면 그림의 직각삼각형 BMD에서

$\tan\left(\dfrac{\pi-\theta}{4}\right)=\dfrac{r(\theta)}{\sin\theta}\quad\therefore\ r(\theta)=\sin\theta\times\tan\left(\dfrac{\pi-\theta}{4}\right)$

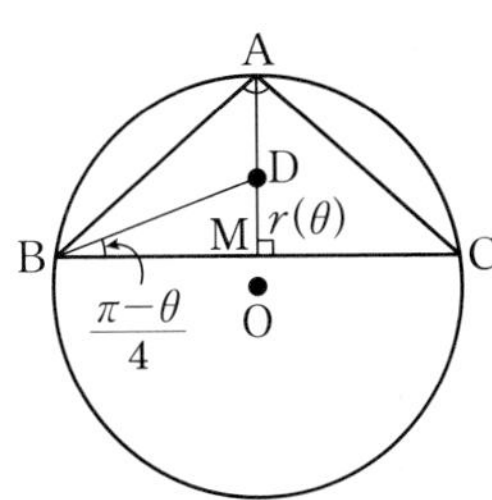

이때 $\pi-\theta=t$로 놓으면 $\theta\to\pi-$일 때, $t\to 0+$이고 $\sin\theta=\sin(\pi-t)=\sin t,\ \tan\left(\dfrac{\pi-\theta}{4}\right)=\tan\dfrac{t}{4}$

따라서 $\lim_{\theta\to\pi-}\dfrac{r(\theta)}{(\pi-\theta)^2}=\lim_{t\to 0+}\dfrac{\sin t\times\tan\frac{t}{4}}{t^2}=\dfrac{1}{4}\lim_{t\to 0+}\dfrac{\sin t}{t}\times\lim_{t\to 0+}\dfrac{\tan\frac{t}{4}}{\frac{t}{4}}=\dfrac{1}{4}\times1\times1=\dfrac{1}{4}$

정답 $\dfrac{1}{4}$

02 삼각함수의 미분

마플특강문제 03 2014학년도 09월 평가원

오른쪽 그림과 같이 길이가 1인 선분 AB를 빗변으로 하고 $\angle BAC=\theta$ $\left(0<\theta<\frac{\pi}{6}\right)$인 직각삼각형 ABC에 대하여 점 D를 $\angle ACD=\frac{2}{3}\pi$, $\angle CAD=2\theta$가 되도록 잡는다. 삼각형 BCD의 넓이를 $S(\theta)$라 할 때, $\lim_{\theta\to 0+}\frac{S(\theta)}{\theta^2}=p$이다. $300p^2$의 값을 구하여라.

(단, 네 점 A, B, C, D는 한 평면 위에 있다.)

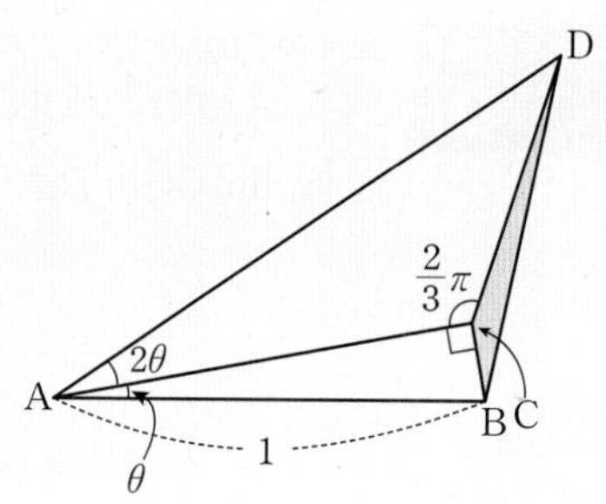

수능특강 풀이

STEP Ⓐ 사인법칙을 이용하여 $\overline{CD}$의 길이 구하기

직각삼각형 ABC에서 $\overline{AB}=1$이고 $\angle BAC=\theta$이므로 $\overline{AC}=\cos\theta$, $\overline{BC}=\sin\theta$

삼각형 ACD에서 $\angle ACD=\frac{2}{3}\pi$, $\angle CAD=2\theta$이므로 $\angle ADC=\pi-\left(2\theta+\frac{2}{3}\pi\right)=\frac{\pi}{3}-2\theta$

삼각형 ACD에서 사인법칙에 의하여 $\frac{\overline{AC}}{\sin\angle ADC}=\frac{\overline{CD}}{\sin\angle DAC}$, $\frac{\cos\theta}{\sin\left(\frac{\pi}{3}-2\theta\right)}=\frac{\overline{CD}}{\sin 2\theta}$ $\quad\therefore \overline{CD}=\frac{\cos\theta\sin 2\theta}{\sin\left(\frac{\pi}{3}-2\theta\right)}$

STEP Ⓑ 삼각형 BCD의 넓이 $S(\theta)$ 구하기

또, $\angle BCD=2\pi-\left(\frac{2}{3}\pi+\frac{\pi}{2}\right)=\frac{5}{6}\pi$이므로 두 변과 끼인각의 크기가 주어진 삼각형의 넓이는

$$S(\theta)=\frac{1}{2}\times\overline{CD}\times\overline{CB}\times\sin(\angle BCD)$$
$$=\frac{1}{2}\times\frac{\cos\theta\sin 2\theta}{\sin\left(\frac{\pi}{3}-2\theta\right)}\times\sin\theta\times\sin\frac{5}{6}\pi$$
$$=\frac{1}{4}\times\frac{\cos\theta\sin 2\theta\sin\theta}{\sin\left(\frac{\pi}{3}-2\theta\right)} \quad \Leftarrow \sin\frac{5}{6}\pi=\frac{1}{2}$$

STEP Ⓒ $\lim_{\theta\to 0+}\frac{S(\theta)}{\theta^2}$의 값 구하기

$$\lim_{\theta\to 0+}\frac{S(\theta)}{\theta^2}=\lim_{\theta\to 0+}\frac{\cos\theta\sin 2\theta\sin\theta}{4\theta^2\sin\left(\frac{\pi}{3}-2\theta\right)}=\frac{1}{2}\lim_{\theta\to 0+}\left\{\frac{\sin 2\theta}{2\theta}\times\frac{\sin\theta}{\theta}\times\frac{\cos\theta}{\sin\left(\frac{\pi}{3}-2\theta\right)}\right\}=\frac{1}{2}\cdot 1\cdot 1\cdot\frac{1}{\frac{\sqrt{3}}{2}}=\frac{1}{\sqrt{3}}$$

따라서 $300p^2=300\times\frac{1}{3}=100$

다른풀이 삼각함수의 성질을 이용하여 풀이하기

오른쪽 그림과 같이 직각삼각형 ABC에서 $\angle C=\frac{\pi}{2}$, $\angle A=\theta$이므로

$\overline{BC}=\overline{AB}\sin\theta=\sin\theta$, $\overline{AC}=\overline{AB}\cos\theta=\cos\theta$

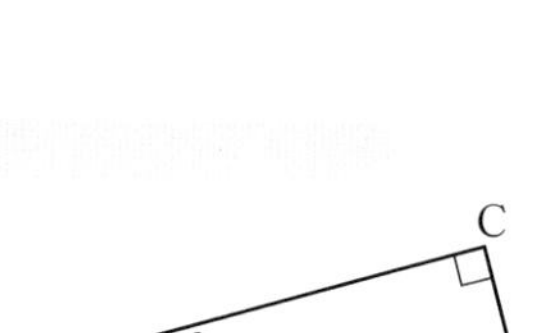

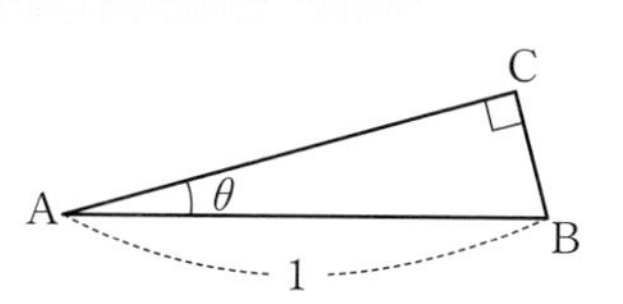

오른쪽 그림과 같이 점 C에서 선분 AD에 내린 수선의 발을 H라 하면

$\angle HCA=\frac{\pi}{2}-2\theta$, $\angle DCH=\frac{2}{3}\pi-\left(\frac{\pi}{2}-2\theta\right)=2\theta+\frac{\pi}{6}$

삼각형 ACH에서 $\overline{CH}=\overline{AC}\sin 2\theta=\cos\theta\sin 2\theta$

삼각형 DCH에서 $\cos\left(2\theta+\frac{\pi}{6}\right)=\frac{\overline{CH}}{\overline{CD}}=\frac{\sin 2\theta\cos\theta}{\overline{CD}}$ $\quad\therefore \overline{CD}=\frac{\sin 2\theta\cos\theta}{\cos\left(2\theta+\frac{\pi}{6}\right)}$

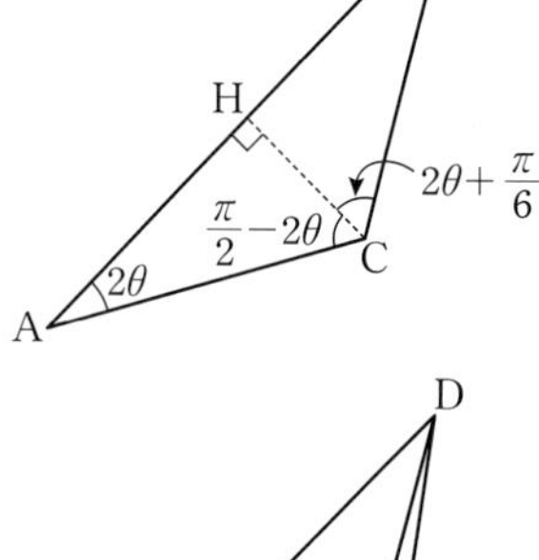

$\angle BCD=2\pi-\frac{\pi}{2}-\frac{2}{3}\pi=\frac{5}{6}\pi$이므로

$$\triangle BCD=\frac{1}{2}\cdot\overline{BC}\cdot\overline{CD}\cdot\sin(\angle BCD)$$
$$=\frac{1}{2}\cdot\sin\theta\cdot\frac{\sin 2\theta\cos\theta}{\cos\left(2\theta+\frac{\pi}{6}\right)}\cdot\sin\frac{5}{6}\pi=\frac{1}{4}\sin\theta\cdot\frac{\sin 2\theta\cos\theta}{\cos\left(2\theta+\frac{\pi}{6}\right)}$$

$$\lim_{\theta\to 0+}\frac{S(\theta)}{\theta^2}=\lim_{\theta\to 0+}\frac{\frac{1}{4}\sin\theta\cdot\frac{\sin 2\theta\cos\theta}{\cos\left(2\theta+\frac{\pi}{6}\right)}}{\theta^2}=\frac{1}{4}\lim_{\theta\to 0+}\frac{\sin\theta\sin 2\theta}{\theta^2}\cdot\frac{\cos\theta}{\cos\left(2\theta+\frac{\pi}{6}\right)}$$
$$=\frac{1}{4}\lim_{\theta\to 0+}\frac{\sin\theta}{\theta}\cdot\frac{\sin 2\theta}{2\theta}\cdot 2\cdot\frac{\cos\theta}{\cos\left(2\theta+\frac{\pi}{6}\right)}$$
$$=\frac{1}{4}\cdot 1\cdot 1\cdot 2\cdot\frac{1}{\cos\frac{\pi}{6}}=\frac{1}{2}\cdot\frac{2}{\sqrt{3}}=\frac{1}{\sqrt{3}}$$

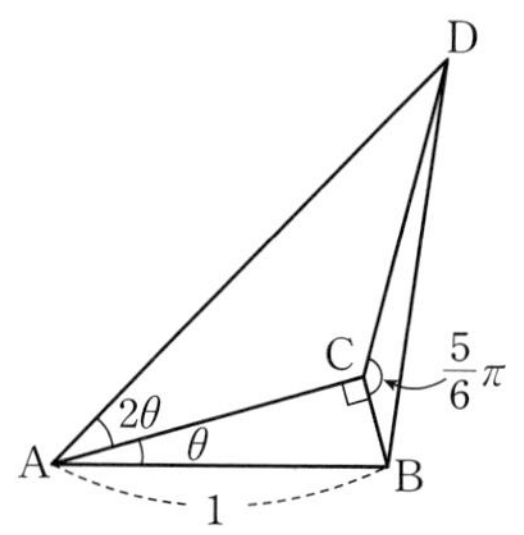

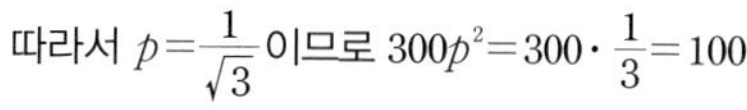
따라서 $p=\frac{1}{\sqrt{3}}$이므로 $300p^2=300\cdot\frac{1}{3}=100$

정답 100

2015학년도 09월 평가원

오른쪽 그림과 같이 서로 평행한 두 직선 l_1과 l_2 사이의 거리가 1이다.
직선 l_1 위의 점 A에 대하여 직선 l_2 위에 점 B를 선분 AB와 직선 l_1이 이루는 각의 크기가 θ가 되도록 잡고, 직선 l_1 위에 점 C를 $\angle \mathrm{ABC}=4\theta$가 되도록 잡는다. 직선 l_2 위에 점 D를 $\angle \mathrm{BCD}=2\theta$이고 선분 CD가 선분 AB와 만나지 않도록 잡는다.

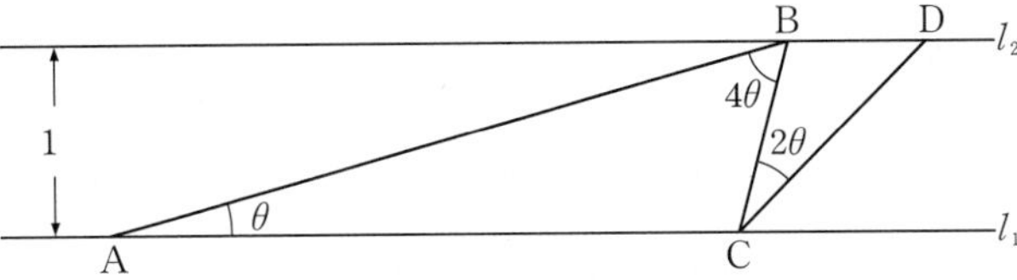

삼각형 ABC의 넓이를 T_1, 삼각형 BCD의 넓이를 T_2라 할 때, $\lim_{\theta \to 0+} \frac{T_1}{T_2}$의 값을 구하여라. $\left(단\ 0<\theta<\frac{\pi}{10}\right)$

수능특강 풀이

STEP A 사인법칙을 이용하여 T_1, T_2의 넓이 구하기

점 B에서 직선 l_1에 내린 수선의 발을 H라 하면 삼각형 ABH에서 $\overline{\mathrm{AB}}=\frac{1}{\sin\theta}$

삼각형 ABC에서 $\angle \mathrm{ACB}=\pi-5\theta$이므로 삼각형 ABC에서 사인법칙에 의하여

$$\frac{\overline{\mathrm{BC}}}{\sin\theta}=\frac{\overline{\mathrm{AB}}}{\sin(\pi-5\theta)},\ \frac{\overline{\mathrm{BC}}}{\sin\theta}=\frac{\frac{1}{\sin\theta}}{\sin(\pi-5\theta)} \qquad \therefore \overline{\mathrm{BC}}=\frac{1}{\sin5\theta}$$

$$T_1=\frac{1}{2}\times\overline{\mathrm{BA}}\times\overline{\mathrm{BC}}\times\sin4\theta=\frac{1}{2}\times\frac{1}{\sin\theta}\times\frac{1}{\sin5\theta}\times\sin4\theta=\frac{\sin4\theta}{2\sin\theta\sin5\theta}$$

또, 삼각형 BCD에서 $\angle \mathrm{CBD}=\pi-5\theta$, $\angle \mathrm{CDB}=3\theta$이므로
삼각형 BCD에서 사인법칙에 의하여

$$\frac{\overline{\mathrm{BC}}}{\sin3\theta}=\frac{\overline{\mathrm{BD}}}{\sin2\theta},\ \frac{\frac{1}{\sin5\theta}}{\sin3\theta}=\frac{\overline{\mathrm{BD}}}{\sin2\theta}$$

$$\therefore \overline{\mathrm{BD}}=\frac{\sin2\theta}{\sin3\theta\sin5\theta}$$

$$T_2=\frac{1}{2}\times\overline{\mathrm{BD}}\times\overline{\mathrm{BC}}\times\sin(\pi-5\theta)=\frac{1}{2}\times\frac{\sin2\theta}{\sin3\theta\sin5\theta}\times\frac{1}{\sin5\theta}\times\sin5\theta=\frac{\sin2\theta}{2\sin3\theta\sin5\theta}$$

STEP B $\lim_{\theta \to 0+}\frac{T_1}{T_2}$의 값 구하기

$$\lim_{\theta \to 0+}\frac{T_1}{T_2}=\lim_{\theta \to 0+}\frac{\frac{\sin4\theta}{2\sin\theta\sin5\theta}}{\frac{\sin2\theta}{2\sin3\theta\sin5\theta}}=\lim_{\theta \to 0+}\frac{\sin4\theta\sin3\theta}{\sin\theta\sin2\theta}=6\lim_{\theta \to 0+}\frac{\frac{\sin4\theta}{4\theta}\cdot\frac{\sin3\theta}{3\theta}}{\frac{\sin\theta}{\theta}\cdot\frac{\sin2\theta}{2\theta}}=6\times\frac{1\times1}{1\times1}=6$$

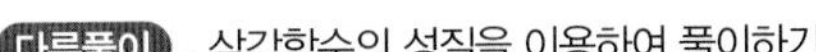

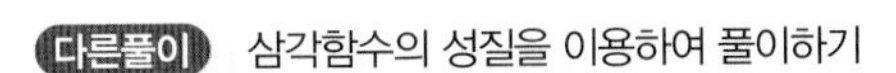

다른풀이 삼각함수의 성질을 이용하여 풀이하기

삼각형 ABC와 삼각형 BCD는 높이가 모두 1이므로 두 삼각형의 넓이는 밑변 AC와 BD의 길이에 비례한다.

$$\therefore \frac{T_1}{T_2}=\frac{\overline{\mathrm{AC}}}{\overline{\mathrm{BD}}}$$

점 B에서 직선 l_1에 내린 수선의 발을 H라 하면

$\angle \mathrm{BCH}=\angle \mathrm{BAC}+\angle \mathrm{ABC}=\theta+4\theta=5\theta$

직각삼각형 BAH에서 $\tan\theta=\frac{1}{\overline{\mathrm{AH}}}$ $\quad\therefore \overline{\mathrm{AH}}=\frac{1}{\tan\theta}$

직각삼각형 BCH에서 $\tan5\theta=\frac{1}{\overline{\mathrm{CH}}}$ $\quad\therefore \overline{\mathrm{CH}}=\frac{1}{\tan5\theta}$

$\therefore \overline{\mathrm{AC}}=\overline{\mathrm{AH}}-\overline{\mathrm{CH}}=\frac{1}{\tan\theta}-\frac{1}{\tan5\theta}$

점 D에서 직선 l_1에 내린 수선의 발을 H′이라 하면

$\angle \mathrm{DCH'}=\angle \mathrm{BCH'}-\angle \mathrm{BCD}=5\theta-2\theta=3\theta$

직각삼각형 DCH′에서 $\tan3\theta=\frac{1}{\overline{\mathrm{CH'}}}$ $\quad\therefore \overline{\mathrm{CH'}}=\frac{1}{\tan3\theta}$

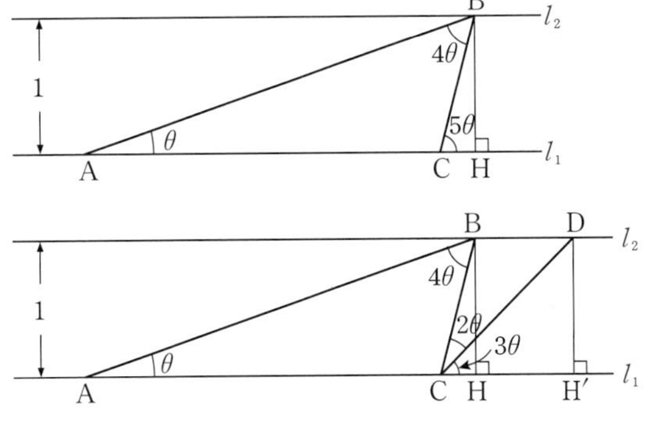

$\therefore \overline{\mathrm{BD}}=\overline{\mathrm{HH'}}=\overline{\mathrm{CH'}}-\overline{\mathrm{CH}}=\frac{1}{\tan3\theta}-\frac{1}{\tan5\theta}$

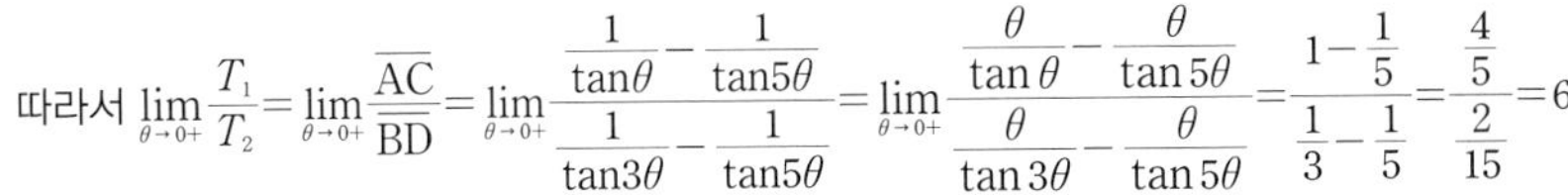

따라서 $\lim_{\theta \to 0+}\frac{T_1}{T_2}=\lim_{\theta \to 0+}\frac{\overline{\mathrm{AC}}}{\overline{\mathrm{BD}}}=\lim_{\theta \to 0+}\frac{\frac{1}{\tan\theta}-\frac{1}{\tan5\theta}}{\frac{1}{\tan3\theta}-\frac{1}{\tan5\theta}}=\lim_{\theta \to 0+}\frac{\frac{\theta}{\tan\theta}-\frac{\theta}{\tan5\theta}}{\frac{\theta}{\tan3\theta}-\frac{\theta}{\tan5\theta}}=\frac{1-\frac{1}{5}}{\frac{1}{3}-\frac{1}{5}}=\frac{\frac{4}{5}}{\frac{2}{15}}=6$

정답 6

2013학년도 09월 평가원

오른쪽 그림과 같이 점 A$(-2,\ 0)$을 지나는 직선 원 $x^2+y^2=4$ 위의 점 P에 대하여 직선 AP가 원 $(x-1)^2+y^2=1$과 두 점에서 만날 때 두 점 중에서 점 P에 가까운 점을 Q라 하자. $\angle \mathrm{OAP}=\theta$이라 할 때, $\lim\limits_{\theta\to0+}\dfrac{\overline{\mathrm{PQ}}}{\theta^2}$의 값을 구하여라.

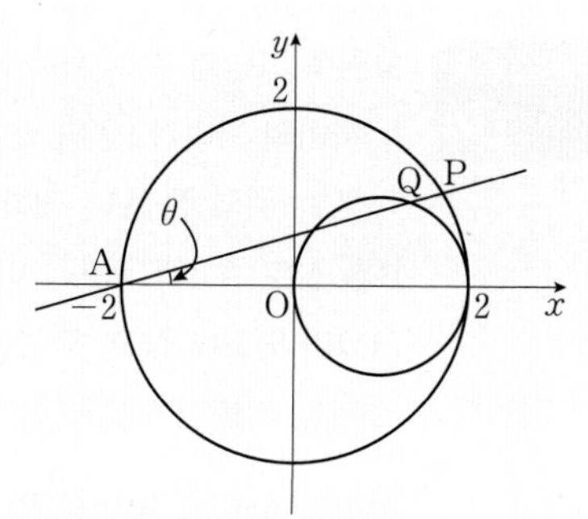

수능특강 풀이

STEP Ⓐ 코사인법칙을 이용하여 $\overline{\mathrm{AQ}}$의 길이 구하기

작은 원의 중심을 C라 하고 두 원의 접점을 B라 하면 $\angle \mathrm{APB}=90°$이고

$\overline{\mathrm{AB}}=4$이므로 $\overline{\mathrm{AP}}=4\cos\theta$, $\overline{\mathrm{PB}}=4\sin\theta$

또한, 삼각형ACQ에서 $\overline{\mathrm{AC}}=3$, $\overline{\mathrm{CQ}}=1$이므로 $\overline{\mathrm{AQ}}=x$라 하면

코사인법칙에 의하여

$1^2=x^2+3^2-2\cdot x\cdot 3\cos\theta$

$x^2-6\cos\theta x+8=0$

이차방정식의 근의 공식에 의해

$x=3\cos\theta+\sqrt{9\cos^2\theta-8}$ ($\because$ Q는 P에 가까운 점)

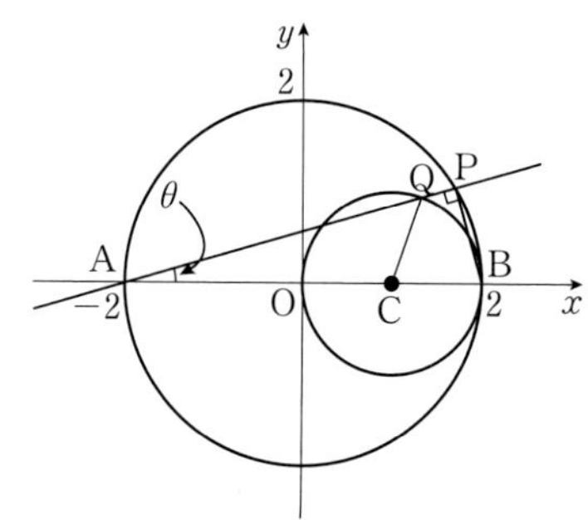

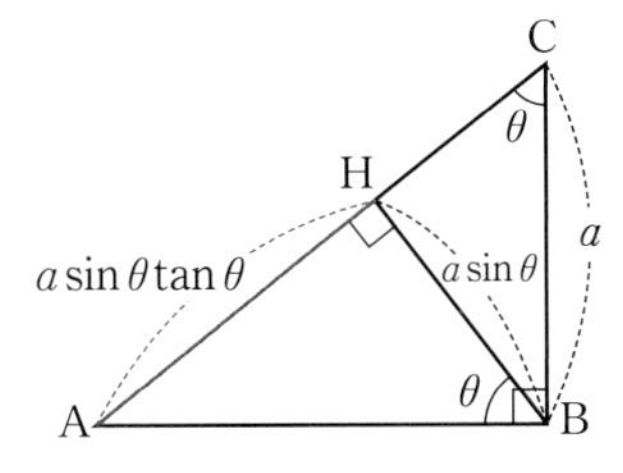

STEP Ⓑ $\lim\limits_{\theta\to0+}\dfrac{\overline{\mathrm{PQ}}}{\theta^2}$의 값 구하기

$$\begin{aligned}\lim_{\theta\to0+}\frac{\overline{\mathrm{PQ}}}{\theta^2}&=\lim_{\theta\to0+}\frac{\overline{\mathrm{AP}}-\overline{\mathrm{AQ}}}{\theta^2}\\&=\lim_{\theta\to0+}\frac{\cos\theta-\sqrt{9\cos^2\theta-8}}{\theta^2}\\&=\lim_{\theta\to0+}\frac{8(1-\cos^2\theta)}{\theta^2(\cos\theta+\sqrt{9\cos^2\theta-8})}\\&=\lim_{\theta\to0+}\frac{8\sin^2\theta}{\theta^2(\cos\theta+\sqrt{9\cos^2\theta-8})}\\&=\lim_{\theta\to0+}\left\{8\times\left(\frac{\sin\theta}{\theta}\right)^2\times\frac{1}{\cos\theta+\sqrt{9\cos^2\theta-8}}\right\}\\&=8\times1^2\times\frac{1}{2}=4\end{aligned}$$

정답 4

참고 삼각함수의 성질을 이용하여 $\overline{\mathrm{PQ}}$의 길이 구하기

작은 원의 중심을 C$(1,\ 0)$, B$(2,\ 0)$이라 하고 점 C에서 선분 AQ에 내린 수선의 발을 H라 하면

$\angle \mathrm{APB}=\angle \mathrm{AHC}=\dfrac{\pi}{2}$이고 $\overline{\mathrm{AB}}=4$이므로

$\overline{\mathrm{AP}}=4\cos\theta$, $\overline{\mathrm{AH}}=3\cos\theta$, $\overline{\mathrm{CH}}=3\sin\theta$

삼각형 CQH에서

$\overline{\mathrm{QH}}=\sqrt{\overline{\mathrm{CQ}}^2-\overline{\mathrm{CH}}^2}=\sqrt{1-9\sin^2\theta}$

$$\begin{aligned}\therefore\ \overline{\mathrm{PQ}}=\overline{\mathrm{AP}}-\overline{\mathrm{QH}}-\overline{\mathrm{AH}}&=4\cos\theta-\sqrt{1-9\sin^2\theta}-3\cos\theta\\&=\cos\theta-\sqrt{1-9\sin^2\theta}\\&=\cos\theta-\sqrt{1-9(1-\cos^2\theta)}\\&=\cos\theta-\sqrt{9\cos^2\theta-8}\end{aligned}$$

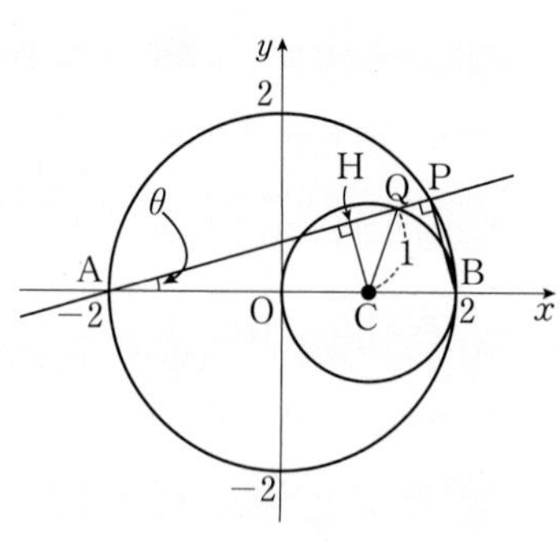

원주율과 삼각함수의 극한

01 삼각함수 극한을 이용한 원의 둘레의 길이와 원주율 π의 계산

그리스의 수학자 아르키메데스는 원에 내접하는 정다각형과 외접하는 정다각형의 둘레의 길이를 이용하여 원의 둘레의 길이와 원주율 π의 값을 계산하였다.

(1) 삼각함수의 극한을 이용한 원의 둘레의 길이 2π 구하기

반지름의 길이가 1인 원에 내접하는 정다각형과 외접하는 정다각형의 둘레의 길이를 이용하여 원의 둘레의 길이를 계산하면 다음과 같다.

(원에 내접하는 정 n각형의 둘레의 길이)<(원의 둘레의 길이)<(원에 외접하는 정 n각형의 둘레의 길이)

증명 반지름의 길이가 1인 원에 내접하는 정 n각형의 둘레의 길이는

$n\times$(원에 내접하는 정 n각형의 한 변의 길이)

$=n\times\left(2\times\sin\frac{\pi}{n}\right)=2n\sin\frac{\pi}{n}$ …… ㉠

원에 외접하는 정 n각형의 둘레의 길이는

$n\times$(원에 외접하는 정 n각형의 한 변의 길이)

$=n\times\left(2\times\tan\frac{\pi}{n}\right)=2n\tan\frac{\pi}{n}$ …… ㉡

이므로 ㉠, ㉡에서 반지름의 길이가 1인 원의 둘레의 길이를 l이라 하면

$2n\sin\frac{\pi}{n}<l<2n\tan\frac{\pi}{n}$

이때 $\frac{\pi}{n}=t$로 놓으면 $n\to\infty$일 때, $t\to 0$이므로

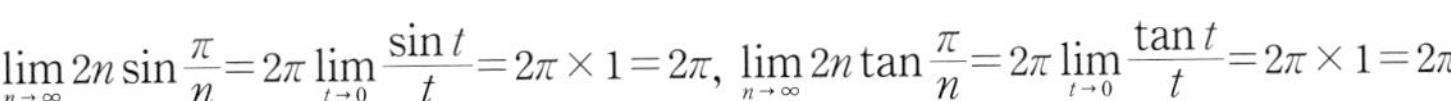

$\lim_{n\to\infty}2n\sin\frac{\pi}{n}=2\pi\lim_{t\to 0}\frac{\sin t}{t}=2\pi\times 1=2\pi,\ \lim_{n\to\infty}2n\tan\frac{\pi}{n}=2\pi\lim_{t\to 0}\frac{\tan t}{t}=2\pi\times 1=2\pi$

따라서 수열의 극한의 대소 관계에 의하여 $l=2\pi$이므로 구하는 둘레의 길이는 2π임을 알 수 있다.

(2) 삼각함수의 극한을 이용한 원주율 π 구하기

(원에 내접하는 정 n각형의 둘레의 길이)<(지름의 길이가 1인 원의 둘레의 길이)<(원에 외접하는 정 n각형의 둘레의 길이)

증명 지름의 길이가 1인 원에 내접하는 정 n각형의 둘레의 길이는

$n\times$(원에 내접하는 정 n각형의 한 변의 길이)

$=n\times\left(2\times\frac{1}{2}\times\sin\frac{\pi}{n}\right)=n\sin\frac{\pi}{n}$ …… ㉠

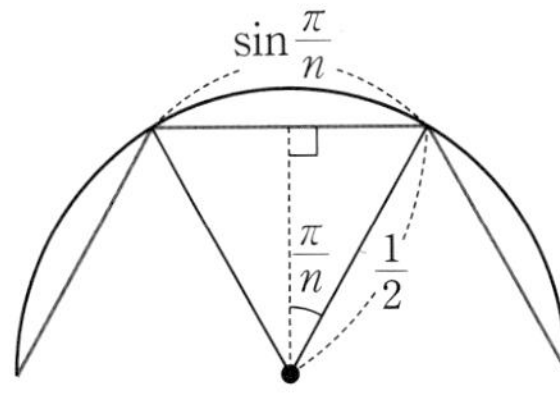

원에 외접하는 정 n각형의 둘레의 길이는

$n\times$(원에 외접하는 정 n각형의 한 변의 길이)

$=n\times\left(2\times\frac{1}{2}\times\tan\frac{\pi}{n}\right)=n\tan\frac{\pi}{n}$ …… ㉡

이므로 ㉠, ㉡에서 지름의 길이가 1인 원의 둘레의 길이가 π이므로

$n\sin\frac{\pi}{n}<\pi<n\tan\frac{\pi}{n}$ …… ㉢

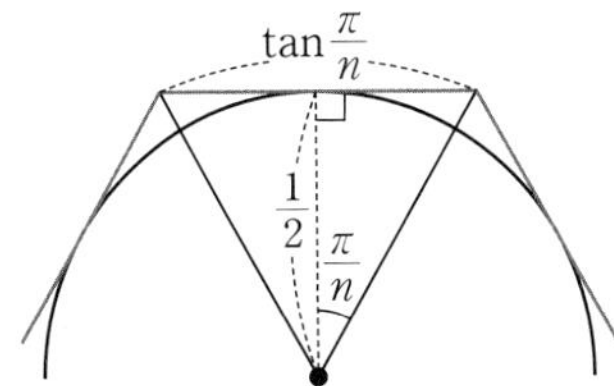

여기서 n의 값을 늘려가면서 원주율 π의 값을 좁혀나간다.

아르키메데스는 $n=96$인 경우까지 계산하여

$3.1408\cdots<\pi<3.1428\cdots$ 얻었다고 한다.

02 $\lim_{x\to0+}\frac{\sin x}{x}=1$의 세 가지 다른 증명 방법 $\left(단, 0<x<\frac{\pi}{2}\right)$

함수 $\frac{\sin x}{x}$의 극한 (단, x의 단위는 라디안이다.)

$\lim_{x\to0}\frac{\sin x}{x}=1$

[증명 1] (부채꼴 OPQ의 넓이)<(삼각형 OPB의 넓이)<(부채꼴 OAB의 넓이)임을 이용한다.

증명 오른쪽 그림에서

(부채꼴 OPQ의 넓이)$=\frac{1}{2}\overline{OP}^2\cdot x=\frac{1}{2}x\cos^2 x$ ⬅ $\overline{OP}=1\cdot\cos x=\cos x$

(삼각형 OPB의 넓이)$=\frac{1}{2}\cdot\overline{OP}\cdot\overline{BP}=\frac{1}{2}\cos x\sin x$ ⬅ $\overline{BP}=1\cdot\sin x=\sin x$

(부채꼴 OAB의 넓이)$=\frac{1}{2}\cdot\overline{OA}^2\cdot x=\frac{1}{2}x$

즉, $\frac{1}{2}x\cos^2 x<\frac{1}{2}\cos x\sin x<\frac{1}{2}x$이므로 $0<x<\frac{\pi}{2}$에서 $\frac{1}{2}x\cos x$로 양변을 나누면

$$\cos x<\frac{\sin x}{x}<\frac{1}{\cos x}$$

따라서 $\lim_{x\to0+}\cos x=1$, $\lim_{x\to0+}\frac{1}{\cos x}=1$이므로 수열의 극한의 대소 관계에 의하여 $\lim_{x\to0+}\frac{\sin x}{x}=1$

[증명 2] $\overset{\frown}{PQ}<\overline{BP}<\overset{\frown}{AB}$임을 이용한다.

증명 오른쪽 그림에서

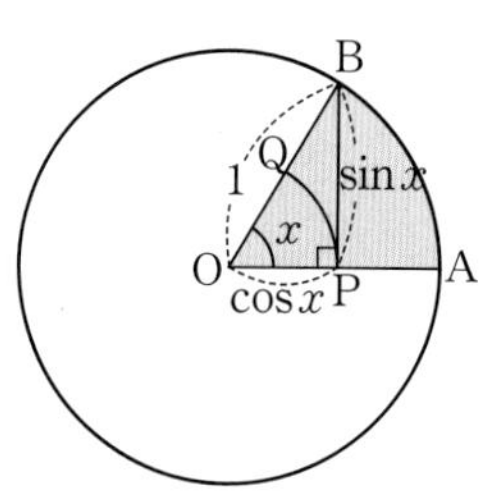

$\overset{\frown}{PQ}=\overline{OP}\cdot x=x\cos x$, $\overline{BP}=\sin x$, $\overset{\frown}{AB}=\overline{OA}\cdot x=x$

즉, $x\cos x<\sin x<x$이므로 양변을 x로 나누면

$$\cos x<\frac{\sin x}{x}<1$$

따라서 $\lim_{x\to0+}\cos x=1$이므로 수열의 극한의 대소 관계에 의하여 $\lim_{x\to0+}\frac{\sin x}{x}=1$

[증명 3] 단위원 O′ 위의 두 점 C, D에서의 접선이 만나는 점을 R라고 할 때, $\overline{CD}<\overset{\frown}{CD}<2\overline{CR}$임을 이용

증명 $\overline{CD}\perp\overline{O'R}$이므로 $\overline{CD}=2\sin\frac{x}{2}$, $\overset{\frown}{CD}=\overline{O'C}\cdot x=x$

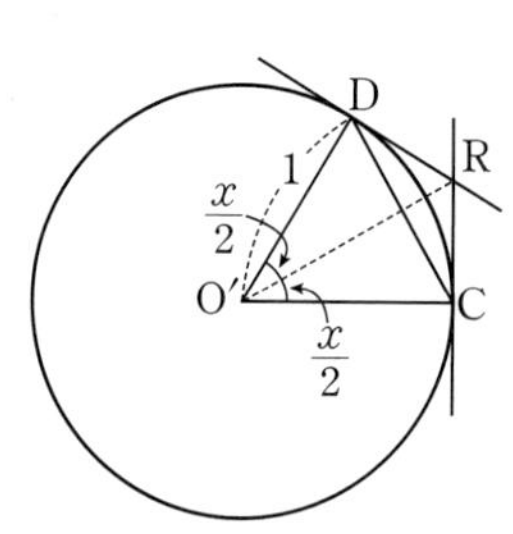

직선 CR은 원 O′의 접선이므로 $2\overline{CR}=2\tan\frac{x}{2}$

즉, $2\sin\frac{x}{2}<x<2\tan\frac{x}{2}$

이때 $\frac{x}{2}=\theta$로 놓으면 $2\sin\theta<2\theta<2\tan\theta$에서 $\sin\theta<\theta<\tan\theta$이므로

$$1<\frac{\theta}{\sin\theta}<\frac{1}{\cos\theta}$$

$x\to0+$일 때, $\theta\to0+$이고 $\lim_{\theta\to0+}\frac{1}{\cos\theta}=1$이므로 $\lim_{\theta\to0+}\frac{\theta}{\sin\theta}=1$

따라서 $\lim_{x\to0+}\frac{\sin x}{x}=\lim_{\theta\to0+}\frac{\sin\theta}{\theta}=\lim_{\theta\to0+}\frac{1}{\frac{\theta}{\sin\theta}}=1$

03 삼각함수의 미분

MAPL; YOURMASTERPLAN

01 삼각함수의 도함수

삼각함수 $y=\sin x$, $y=\cos x$의 도함수는 각각 다음과 같다.

(1) $\boldsymbol{y=\sin x}$ ⇨ $y'=\cos x$

(2) $\boldsymbol{y=\cos x}$ ⇨ $y'=-\sin x$

마플해설 삼각함수의 덧셈정리와 삼각함수의 극한을 이용하여 $y=\sin x$와 $y=\cos x$의 도함수를 구해 보자.

(1) $y=\sin x$의 도함수 ⇨ $y'=\cos x$

$$y'=(\sin x)'=\lim_{h\to 0}\frac{\sin(x+h)-\sin x}{h}$$
$$=\lim_{h\to 0}\frac{\sin x\cos h+\cos x\sin h-\sin x}{h} \quad \Leftarrow \sin(\alpha+\beta)=\sin\alpha\cos\beta+\cos\alpha\sin\beta$$
$$=\lim_{h\to 0}\frac{\cos x\sin h-\sin x(1-\cos h)}{h}$$
$$=\lim_{h\to 0}\frac{\cos x\sin h}{h}-\lim_{h\to 0}\frac{\sin x(1-\cos h)}{h}$$
$$=\cos x\times\lim_{h\to 0}\frac{\sin h}{h}-\sin x\times\lim_{h\to 0}\frac{1-\cos h}{h} \quad \Leftarrow \lim_{h\to 0}\frac{\sin h}{h}=1,\ \lim_{h\to 0}\frac{1-\cos h}{h}=0$$
$$=\cos x\times 1-\sin x\times 0=\cos x$$

(2) $y=\cos x$의 도함수 ⇨ $y'=-\sin x$

$$y'=(\cos x)'=\lim_{h\to 0}\frac{\cos(x+h)-\cos x}{h}$$
$$=\lim_{h\to 0}\frac{\cos x\cos h-\sin x\sin h-\cos x}{h} \quad \Leftarrow \cos(\alpha+\beta)=\cos\alpha\cos\beta-\sin\alpha\sin\beta$$
$$=\lim_{h\to 0}\frac{-\sin x\sin h-\cos x(1-\cos h)}{h}$$
$$=-\sin x\times\lim_{h\to 0}\frac{\sin h}{h}-\cos x\times\lim_{h\to 0}\frac{1-\cos h}{h} \quad \Leftarrow \lim_{h\to 0}\frac{\sin h}{h}=1,\ \lim_{h\to 0}\frac{1-\cos h}{h}=0$$
$$=-\sin x\times 1-\cos x\times 0=-\sin x$$

참고 $y=\tan x$의 도함수는 $y'=\sec^2 x$ ⇦ [Ⅲ단원] 여러 가지 미분법의 함수의 몫의 미분법 참고

$$y=\tan x=\frac{\sin x}{\cos x}\text{이므로 } y'=\frac{(\sin x)'\cos x-\sin x(\cos x)'}{\cos^2 x}=\frac{\cos^2 x+\sin^2 x}{\cos^2 x}=\frac{1}{\cos^2 x}=\sec^2 x$$

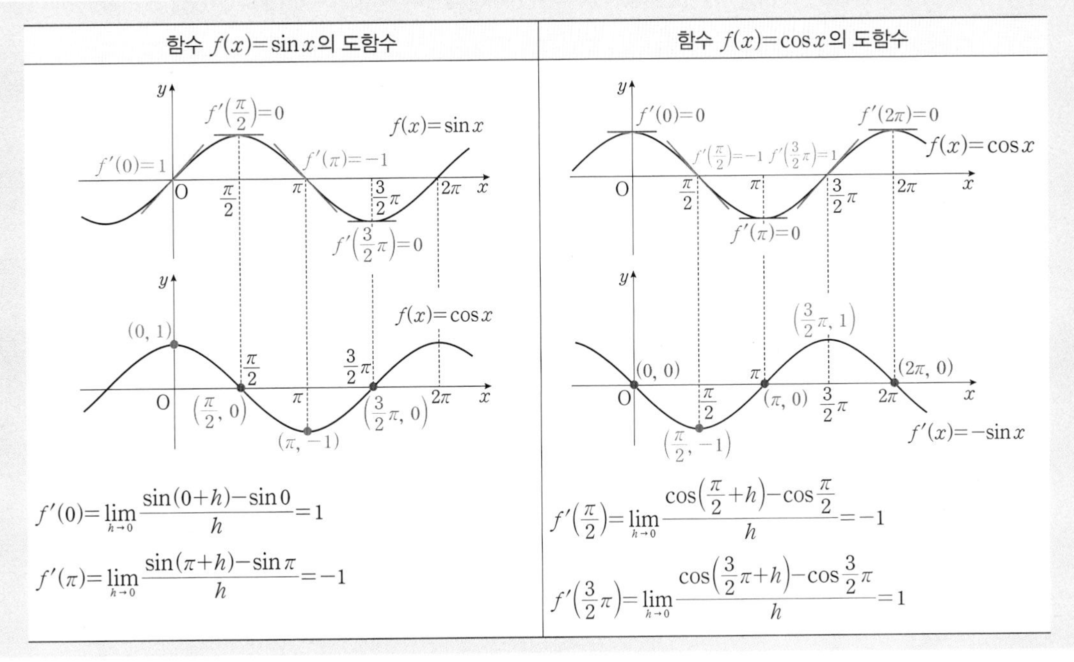

$$f'(0)=\lim_{h\to 0}\frac{\sin(0+h)-\sin 0}{h}=1$$
$$f'(\pi)=\lim_{h\to 0}\frac{\sin(\pi+h)-\sin\pi}{h}=-1$$
$$f'\left(\frac{\pi}{2}\right)=\lim_{h\to 0}\frac{\cos\left(\frac{\pi}{2}+h\right)-\cos\frac{\pi}{2}}{h}=-1$$
$$f'\left(\frac{3}{2}\pi\right)=\lim_{h\to 0}\frac{\cos\left(\frac{3}{2}\pi+h\right)-\cos\frac{3}{2}\pi}{h}=1$$

보기 01 다음 함수를 미분하여라.

(1) $y=\sin x-\cos x$　　(2) $y=3x^2+\cos x$　　(3) $y=\sin x-\ln x$

풀이

(1) $y'=(\sin x)'-(\cos x)'=\cos x-(-\sin x)=\cos x+\sin x$

(2) $y'=(3x^2)'+(\cos x)'=6x-\sin x$

(3) $y'=(\sin x)'-(\ln x)'=\cos x-\dfrac{1}{x}$

보기 02 다음 함수를 미분하여라.

(1) $y=x\sin x$　　(2) $y=\sin x\cos x$　　(3) $y=(2x-1)\sin x$

(4) $y=e^x\sin x$　　(5) $y=(\sin x)(1+\cos x)$

풀이

(1) $y'=(x)'\sin x+x(\sin x)'=\sin x+x\cos x$

(2) $y'=(\sin x)'\cos x+\sin x(\cos x)'=\cos x\cos x+\sin x(-\sin x)=\cos^2 x-\sin^2 x=\cos 2x$

(3) $y'=(2x-1)'\sin x+(2x-1)(\sin x)'=2\sin x+(2x-1)\cos x$

(4) $y'=(e^x)'\sin x+e^x(\sin x)'=e^x\sin x+e^x\cos x=e^x(\sin x+\cos x)$

(5) $y'=(\sin x)'(1+\cos x)+(\sin x)(1+\cos x)'$

$=(\cos x)(1+\cos x)+(\sin x)(-\sin x)=\cos x+\cos^2 x-\sin^2 x$

보기 03 다음 함수를 미분하여라.

(1) $y=\sin^2 x$　　(2) $y=\cos^2 x$　　(3) $y=\sin 2x$

풀이

(1) $y=\sin^2 x=\sin x\sin x$이므로

$y'=(\sin x)'\sin x+\sin x(\sin x)'=\cos x\sin x+\sin x\cos x=2\sin x\cos x$

(2) $y=\cos^2 x=\cos x\cos x$이므로

$y'=(\cos x)'\cos x+\cos x(\cos x)'=-\sin x\cos x+\cos x(-\sin x)=-2\sin x\cos x$

(3) $y=\sin 2x=2\sin x\cos x$이므로

$y'=2(\sin x)'\cos x+2\sin x(\cos x)'=2\cos x\cos x+2\sin x(-\sin x)=2(\cos^2 x-\sin^2 x)=2\cos 2x$

더 알아보기

세 함수 $y=x$, $y=\sin x$, $y=\tan x$를 이용하여 세 수 $\sin 1$, 1, $\tan 1$의 대소 관계를 나타내면 다음과 같다.

$$\sin 1<1<\tan 1$$

설명 원점 (0, 0)에서 $y=\sin x$의 접선의 기울기는

$f'(x)=\cos x$에서 $f'(0)=\cos 0=1$

접선의 방정식이 $y=x$

또한, $y=\tan x$의 접선의 기울기는 $f'(x)=\sec^2 x$에서 $f'(0)=\sec^2 0=1$

접선의 방정식이 $y=x$

$0\le x\le\frac{\pi}{2}$에서 $y=\sin x$, $y=x$, $y=\tan x$의 그래프를 그려 보면

오른쪽 그림과 같다.

$\therefore \sin 1<1<\tan 1$

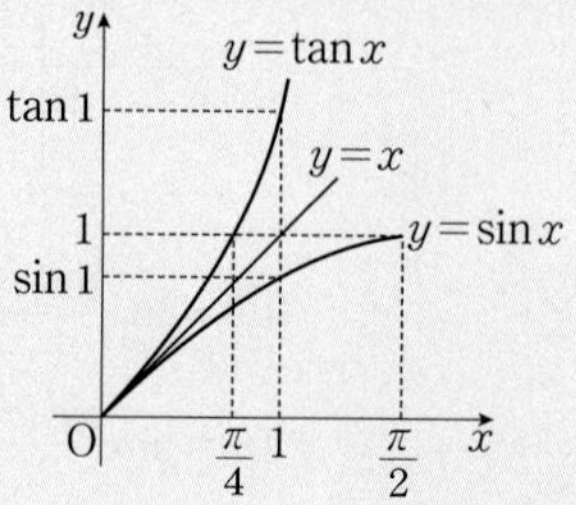

마플개념익힘 01 삼각함수의 미분

다음 함수를 미분하여라.

(1) $y=e^x\cos x$

(2) $y=(\ln x)(\sin x)$

(3) $y=3^x\cos x+x^3$

(4) $y=(\log_2 x)(\sin x)+4$

MAPL CORE
① $y=e^x \Rightarrow y'=e^x$, $y=a^x \Rightarrow y'=a^x\ln a$
② $y=\ln x \Rightarrow y'=\frac{1}{x}$, $y=\log_a x \Rightarrow y'=\frac{1}{x}\cdot\frac{1}{\ln a}$
③ $y=\sin x \Rightarrow y'=\cos x$, $y=\cos x \Rightarrow y'=-\sin x$

개념익힘 | 풀이

(1) $y'=(e^x)'\cos x+e^x(\cos x)'=e^x\cos x-e^x\sin x=\mathbf{e^x(\cos x-\sin x)}$

(2) $y'=(\ln x)'\sin x+\ln x(\sin x)'=\mathbf{\frac{\sin x}{x}+(\ln x)(\cos x)}$

(3) $y'=(3^x)'\cos x+3^x(\cos x)'+3x^2=\mathbf{3^x(\ln 3)(\cos x)-3^x\sin x+3x^2}$

(4) $y'=(\log_2 x)'\sin x+(\log_2 x)(\sin x)'=\mathbf{\frac{\sin x}{x\ln 2}+(\log_2 x)(\cos x)}$

확인유제 0348 다음 함수를 미분하여라.

(1) $y=e^{2x}-\cos x$

(2) $y=e^{3x}(3\cos x+1)$

(3) $y=e^{-x}(\cos x+1)$

(4) $y=\sin^2 x-\cos^2 x$

변형문제 0349 다음 물음에 답하여라.

(1) 곡선 $y=3-2\sin x$ 위의 점 $\left(\frac{\pi}{6},\ 2\right)$에서의 접선의 기울기를 구하여라.

(2) 곡선 $y=e^x\sin x$ 위의 점 $(0,\ 0)$에서의 접선의 기울기를 구하여라.

(3) 곡선 $f(x)=e^x-x\sin x$ 위의 점 $(0,\ f(0))$에서의 접선의 기울기를 구하여라.

발전문제 0350 다음 물음에 답하여라.

(1) 함수 $f(x)=2\sin x$에 대하여 x의 값이 0에서 π까지 변할 때의 평균변화율과 $x=a$에서의 미분계수가 같을 때, 상수 a의 값을 구하여라. (단, $0<a<\pi$)

(2) 닫힌구간 $[0,\ 2\pi]$에서 정의된 함수 $f(x)=e^x\cos x$에 대하여 $f'(x)=0$을 만족시키는 모든 실수 x의 값의 합을 구하여라.

정답

0348 : (1) $2e^{2x}+\sin x$ (2) $3e^{3x}(3\cos x-\sin x+1)$ (3) $-e^{-x}(\sin x+\cos x+1)$ (4) $4\sin x\cos x$ 0349 : (1) $-\sqrt{3}$ (2) 1 (3) 1

0350 : (1) $\frac{\pi}{2}$ (2) $\frac{3}{2}\pi$

마플개념익힘 02 삼각함수의 미분계수

다음 물음에 답하여라.

(1) 함수 $f(x)=x\sin x$에 대하여 $\lim_{h\to 0}\frac{f\left(\frac{\pi}{2}+3h\right)-f\left(\frac{\pi}{2}\right)}{h}$의 값을 구하여라.

(2) 함수 $f(x)=e^x\cos x$에 대하여 $\lim_{h\to 0}\frac{f(\pi+h)-f(\pi-h)}{h}$의 값을 구하여라.

MAPL CORE 함수 $f(x)$가 $x=a$에서 미분가능할 때, 미분계수를 이용한 극한값 계산

① $\lim_{h\to 0}\frac{f(a+h)-f(a)}{h}=f'(a)$　② $\lim_{h\to 0}\frac{f(a+nh)-f(a)}{mh}=\frac{n}{m}f'(a)$

③ $\lim_{h\to 0}\frac{f(a+mh)-f(a+nh)}{h}=(m-n)f'(a)$

개념익힘 | **풀이** (1) $\lim_{h\to 0}\frac{f\left(\frac{\pi}{2}+3h\right)-f\left(\frac{\pi}{2}\right)}{h}=\lim_{h\to 0}\frac{f\left(\frac{\pi}{2}+3h\right)-f\left(\frac{\pi}{2}\right)}{3h}\cdot 3=3f'\left(\frac{\pi}{2}\right)$

$f(x)=x\sin x$에서 $f'(x)=\sin x+x\cos x$이므로 $f'\left(\frac{\pi}{2}\right)=1$

따라서 구하는 극한값은 $3f'\left(\frac{\pi}{2}\right)=3\cdot 1=\mathbf{3}$

(2) $\lim_{h\to 0}\frac{f(\pi+h)-f(\pi-h)}{h}=\lim_{h\to 0}\frac{f(\pi+h)-f(\pi)-f(\pi-h)+f(\pi)}{h}$

$=\lim_{h\to 0}\left\{\frac{f(\pi+h)-f(\pi)}{h}+\frac{f(\pi-h)-f(\pi)}{-h}\right\}$

$=f'(\pi)+f'(\pi)=2f'(\pi)$

$f(x)=e^x\cos x$에서 $f'(x)=e^x\cos x-e^x\sin x=e^x(\cos x-\sin x)$

따라서 구하는 극한값은 $2f'(\pi)=2e^\pi(\cos\pi-\sin\pi)=\boldsymbol{-2e^\pi}$

확인유제 0351 다음 물음에 답하여라.

(1) 함수 $f(x)=2x\cos x$일 때, $\lim_{h\to 0}\frac{f(\pi+h)-f(\pi-h)}{h}$의 값을 구하여라.

(2) 함수 $f(x)=x\sin x+\cos x$에 대하여 $\lim_{h\to 0}\frac{f(\pi+2h)-f(\pi+h)}{2h}$의 값을 구하여라.

변형문제 0352 다음 물음에 답하여라.

(1) 함수 $f(x)=(1-\cos x)\sin x$에 대하여 $\lim_{h\to 0}\frac{f(\pi+2h)-f(\pi-h)}{3h}$의 값은?

① -2　② -1　③ 0　④ 1　⑤ 2

(2) 함수 $f(x)=(\sin x+2\cos x)\sin x$에 대하여 $\lim_{h\to 0}\frac{f\left(\frac{\pi}{4}+3h\right)-f\left(\frac{\pi}{4}-2h\right)}{h}$의 값은?

① 1　② 2　③ 3　④ 4　⑤ 5

발전문제 0353 함수 $f(x)=\lim_{h\to 0}\frac{x\cos(x+h)-x\cos x}{h}$에 대하여 $f'(\pi)$의 값은?

① 2　② π　③ 2π　④ 3π　⑤ 4π

정답 0351 : (1) -4 (2) $-\frac{\pi}{2}$　0352 : (1) ① (2) ⑤　0353 : ②

함수

$$f(x)=\begin{cases} ax+b & (-1<x<0) \\ \sin x & (\ 0\le x<1) \end{cases}$$

가 $x=0$에서 미분가능하도록 하는 상수 a, b의 값에 대하여 $a+b$의 값을 구하여라.

MAPL CORE $f(x)=\begin{cases} g(x) & (x\ge a) \\ h(x) & (x<a) \end{cases}$가 $x=a$에서 미분가능하면 함수 $f(x)$는 $x=a$에서 연속이고, $f'(a)$가 존재한다.

[1단계] $x=a$에서 함수 $f(x)$가 연속 ⇨ $\lim_{x\to a+}f(x)=\lim_{x\to a-}f(x)=f(a)$

[2단계] $x=a$에서 미분계수 $f'(a)$가 존재 ⇨ $\lim_{x\to a+}\dfrac{f(x)-f(a)}{x-a}=\lim_{x\to a-}\dfrac{f(x)-f(a)}{x-a}$

개념익힘 | **풀이** $f(x)$가 $x=0$에서 미분가능하면 $x=0$에서 연속이고

$\lim_{x\to 0-}f(x)=\lim_{x\to 0+}f(x)=f(0)$에서 $\lim_{x\to 0-}(ax+b)=\lim_{x\to 0+}\sin x=f(0)=0$

$\therefore\ b=0$ ...... ㉠

한편, 함수 $f(x)$가 $x=0$에서 미분가능하므로 $\lim_{x\to 0-}\dfrac{f(x)-f(0)}{x-0}=\lim_{x\to 0+}\dfrac{f(x)-f(0)}{x-0}$이다.

$$\lim_{x\to 0-}\frac{f(x)-f(0)}{x}=\lim_{x\to 0-}\frac{ax+b-b}{x}=\lim_{x\to 0-}\frac{ax}{x}=a$$

$$\lim_{x\to 0+}\frac{f(x)-f(0)}{x}=\lim_{x\to 0+}\frac{\sin x}{x}=1$$

$\therefore\ a=1$ ...... ㉡

따라서 $a=1$, $b=0$이므로 $a+b=$ **1**

참고 $f(x)$가 $x=0$에서 미분가능하려면 $x=0$에서 연속이어야 하므로 $\lim_{x\to 0-}(ax+b)=\lim_{x\to 0+}\sin x$ $\therefore\ b=0$

또, $x=0$에서 미분계수가 존재해야 하므로 $f'(x)=\begin{cases} a & (-1<x<0) \\ \cos x & (0<x<1) \end{cases}$에서 $\lim_{x\to 0+}\cos x=\lim_{x\to 0-}a$ $\therefore\ a=1$

따라서 $a=1$, $b=0$이므로 $a+b=1$

확인유제 0354 두 상수 a, b에 대하여 함수

$$f(x)=\begin{cases} 3\sin x+2 & (x\le 0) \\ ax+b & (x>0) \end{cases}$$

가 $x=0$에서 미분가능할 때, a^2+b^2의 값을 구하여라.

변형문제 0355 다음 물음에 답하여라.

(1) 함수 $f(x)=\begin{cases} \sin x+a\cos x & (x\ge 0) \\ be^{x-1} & (x<0) \end{cases}$이 $x=0$에서 미분가능할 때, 상수 a, b에 대하여 $a+b$의 값은?

① 1 ② e ③ $1+e$ ④ $2e$ ⑤ $2e+1$

(2) 함수 $f(x)=\begin{cases} \pi\cos x & (x<0) \\ e^x+ax+b & (x\ge 0) \end{cases}$이 $x=0$에서 미분가능할 때, 상수 a, b에 대하여 $a-b$의 값은?

① $-\pi$ ② -1 ③ 1 ④ π ⑤ $\pi+1$

발전문제 0356 함수 $f(x)=\begin{cases} x^2+ax+b & (x\ge 0) \\ c\sin x+2\cos x & (x<0) \end{cases}$이 $f(1)=4$이고 $x=0$에서 미분가능할 때, 세 상수 a, b, c의 합 $a+b+c$의 값은?

① 1 ② 2 ③ 3 ④ 4 ⑤ 5

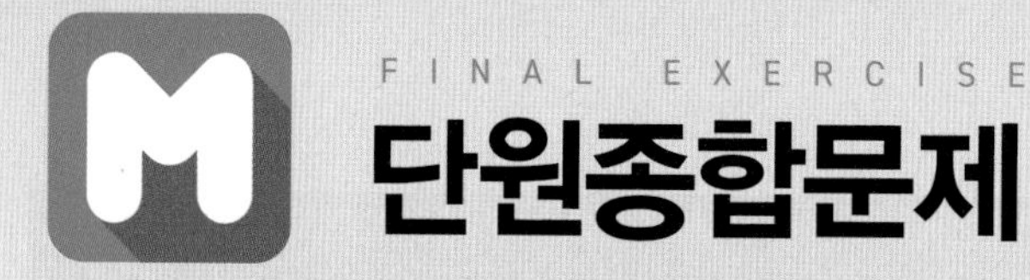

정답 0354 : 13 0355: (1) ③ (2) ① 0356 : ④

BASIC

내신 수능 기본 대표 기출문제

0357

삼각함수 사이의 관계
2019학년도 06월 평가원
2018년 03월 교육청

다음 물음에 답하여라.

(1) $\cos\theta=\frac{1}{7}$일 때, $\sec^2\theta$의 값을 구하여라.

(2) $\tan\theta=-3$일 때, $\sec^2\theta$의 값을 구하여라.

0358

삼각함수 사이의 관계
2008년 03월 교육청

다음 물음에 답하여라.

(1) $\sin\theta-\cos\theta=\frac{1}{2}$일 때, $\sec\theta\csc\theta$의 값은?

① $\frac{8}{5}$　② 2　③ $\frac{8}{3}$　④ 4　⑤ 8

2016년 07월 교육청

(2) $\sin\theta-\cos\theta=\frac{\sqrt{3}}{2}$일 때, $\tan\theta+\cot\theta$의 값은?

① 6　② 7　③ 8　④ 9　⑤ 10

0359

삼각함수의 덧셈정리
2017학년도 09월 평가원

$\cos(\alpha+\beta)=\frac{5}{7}$, $\cos\alpha\cos\beta=\frac{4}{7}$일 때, $\sin\alpha\sin\beta$의 값은?

① $-\frac{1}{7}$　② $-\frac{2}{7}$　③ $-\frac{3}{7}$　④ $-\frac{4}{7}$　⑤ $-\frac{5}{7}$

0360

삼각함수의 덧셈정리

다음 물음에 답하여라.

(1) $\sin\alpha=\frac{3}{5}$일 때, $\cos\left(\alpha+\frac{\pi}{4}\right)$의 값은? $\left(\text{단, } 0<\alpha<\frac{\pi}{2}\right)$

① $\frac{\sqrt{2}}{10}$　② $\frac{\sqrt{2}}{5}$　③ $\frac{3\sqrt{2}}{10}$　④ $\frac{2\sqrt{2}}{5}$　⑤ $\frac{\sqrt{2}}{2}$

2017학년도 사관기출

(2) $\sin^2\theta=\frac{4}{5}\left(0<\theta<\frac{\pi}{2}\right)$일 때, $\cos\left(\theta+\frac{\pi}{4}\right)=p$이다. $\frac{1}{p^2}$의 값은?

① 5　② 10　③ 15　④ 20　⑤ 25

0361

삼각함수의 덧셈정리

다음 물음에 답하여라.

(1) $(\sin 75°-\cos 75°)(\sin 105°+\cos 105°)$의 값은?

① -1　② $-\frac{1}{2}$　③ $\frac{1}{2}$　④ 1　⑤ $\frac{\sqrt{2}}{2}$

2012년 10월 교육청

(2) $(\sin 165°-\cos 165°)(\sin 105°+\cos 105°)$의 값은?

① $-\frac{\sqrt{3}}{2}$　② -1　③ $\frac{1}{2}$　④ 1　⑤ $\frac{\sqrt{3}}{2}$

(3) 좌표평면 위의 두 점 $\mathrm{P}(\cos\alpha, \sin\alpha)$, $\mathrm{Q}(\cos\beta, \sin\beta)$ 사이의 거리가 $\sqrt{2}$일 때, $|\alpha-\beta|$의 값은? (단, $0<\alpha<\pi$, $0<\beta<\pi$)

① $\frac{\pi}{6}$　② $\frac{\pi}{3}$　③ $\frac{\pi}{2}$　④ $\frac{3}{4}\pi$　⑤ $\frac{2}{3}\pi$

정답 0357 : (1) 49 (2) 10　0358 : (1) ③ (2) ③　0359 : ①　0360 : (1) ① (2) ②　0361 : (1) ③ (2) ⑤ (3) ③

0362 다음 물음에 답하여라.

배각공식의 활용 2013학년도 수능기출

(1) $\sin\theta=\frac{1}{3}$일 때, $\sin 2\theta$의 값은? $\left(\text{단, } 0<\theta<\frac{\pi}{2}\right)$

① $\frac{7\sqrt{2}}{18}$ ② $\frac{4\sqrt{2}}{9}$ ③ $\frac{\sqrt{2}}{2}$ ④ $\frac{5\sqrt{2}}{9}$ ⑤ $\frac{11\sqrt{2}}{18}$

2015학년도 06월 평가원

(2) $\sin\theta=\frac{2}{3}$일 때, $\cos 2\theta$의 값은? $\left(\text{단, } 0<\theta<\frac{\pi}{2}\right)$

① $\frac{1}{9}$ ② $\frac{2}{9}$ ③ $\frac{1}{3}$ ④ $\frac{4}{9}$ ⑤ $\frac{5}{9}$

2014년 수능기출

(3) $\tan\theta=\frac{\sqrt{5}}{5}$일 때, $\cos 2\theta$의 값은?

① $\frac{\sqrt{6}}{3}$ ② $\frac{\sqrt{5}}{3}$ ③ $\frac{2}{3}$ ④ $\frac{\sqrt{3}}{3}$ ⑤ $\frac{\sqrt{2}}{3}$

2016학년도 06월 평가원

(4) $\tan\theta=\frac{1}{7}$일 때, $\sin 2\theta$의 값은?

① $\frac{1}{5}$ ② $\frac{11}{50}$ ③ $\frac{6}{25}$ ④ $\frac{13}{50}$ ⑤ $\frac{7}{25}$

0363 함수 $f(x)=\cos x\left(0<x<\frac{\pi}{2}\right)$의 역함수 $y=g(x)$에 대하여 $g\left(\frac{3}{5}\right)=\alpha$, $g\left(\frac{4}{5}\right)=\beta$일 때, $f(\alpha+\beta)$의 값은?

삼각함수의 덧셈정리 내신빈출

① 0 ② 1 ③ 2 ④ 4 ⑤ 6

0364 x에 대한 이차방정식 $x^2-4x-2=0$의 두 근을 $\tan\alpha$, $\tan\beta$라고 할 때, $\sec^2(\alpha+\beta)$의 값을 구하여라.

탄젠트함수의 덧셈정리 내신빈출

$\left(\text{단, } -\frac{\pi}{2}<\alpha<\frac{\pi}{2},\ -\frac{\pi}{2}<\beta<\frac{\pi}{2}\right)$

0365 두 각 α, β에 대해 $\alpha+\beta=\frac{\pi}{6}$를 만족할 때, $(\sqrt{3}+\tan\alpha)(\sqrt{3}+\tan\beta)$의 값은?

탄젠트함수의 덧셈정리 내신빈출

① $\sqrt{3}$ ② 3 ③ $2\sqrt{3}$ ④ 4 ⑤ $4\sqrt{3}$

0366 다음 물음에 답하여라.

두 직선이 이루는 각의 크기 내신빈출

(1) 두 직선 $2x-y+3=0$, $mx-y+6=0$이 이루는 예각의 크기가 $\frac{\pi}{4}$가 되도록 하는 모든 상수 m의 값의 곱은?

① -3 ② -1 ③ $-\frac{1}{3}$ ④ 1 ⑤ 3

(2) 좌표평면 위의 두 점 $(-1, 2)$, $(2, 1)$을 지나는 직선과 직선 $y=2x$가 이루는 예각의 크기를 θ라 할 때, $\tan\left(\theta+\frac{\pi}{4}\right)$의 값은?

① $-\frac{5}{3}$ ② $-\frac{4}{3}$ ③ -1 ④ $-\frac{2}{3}$ ⑤ $-\frac{1}{3}$

정답 0362 : (1) ② (2) ① (3) ③ (4) ⑤ 0363 : ① 0364 : $\frac{25}{9}$ 0365 : ④ 0366 : (1) ② (2) ②

0367

삼각함수의 극한의 증명
내신기출

다음은 $\lim_{\theta \to 0} \frac{\sin\theta}{\theta}=1$임을 증명하는 과정이다.

(i) $\theta > 0$일 때, 오른쪽 그림과 같이 반지름의 길이가 1이고, 중심이 O인 원 위에 $\angle AOB=\theta$인 두 점 A, B와 A에서 원 O에 그은 접선 이 반지름 OB의 연장선과 만나는 점을 C라고 하면

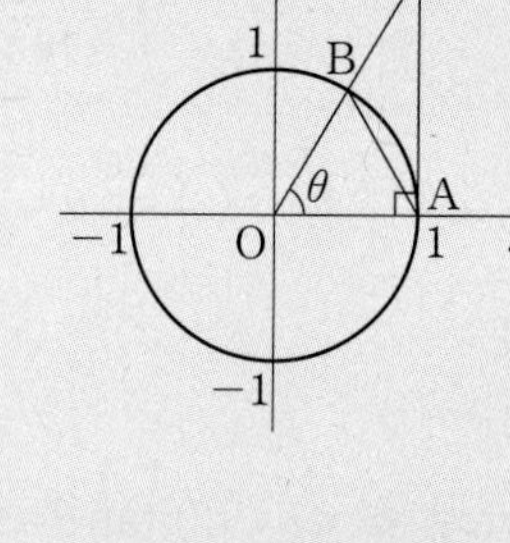

$(\triangle OAB)<(\text{부채꼴 } OAB)<(\triangle OAC)$

각각의 넓이를 구하여 위 부등식에 대입하면

$\frac{1}{2}$ (가) $<\frac{1}{2}\theta<\frac{1}{2}$ (나) …… ㉠

㉠을 정리하면 (다) $<\frac{\sin\theta}{\theta}<1$ …… ㉡

㉡의 각 변에 극한을 취하면 함수의 극한값의 대소에 의하여

$\lim_{\theta \to 0+} \frac{\sin\theta}{\theta}=1$

(ii) $\theta<0$일 때, $\theta=-t$로 놓으면 $\lim_{\theta \to 0-} \frac{\sin\theta}{\theta}=\lim_{t \to 0+} \frac{\sin(-t)}{(-t)}=1$

(i), (ii)에서 $\lim_{\theta \to 0} \frac{\sin\theta}{\theta}=1$

위의 증명 과정에서 (가), (나), (다)에 알맞은 것을 순서대로 적으면?

① $\sin\theta$, $\cos\theta$, $\tan\theta$ ② $\cos\theta$, $\sin\theta$, $\cos\theta$ ③ $\sin\theta$, $\tan\theta$, $\cos\theta$
④ $\cos\theta$, $\tan\theta$, $\cos\theta$ ⑤ $\cos\theta$, $\tan\theta$, $\sin\theta$

0368

삼각함수의 극한
2016학년도 09월 평가원

$\lim_{x \to 0} \frac{\tan x}{xe^x}$의 값은?

① 1 ② 2 ③ 3 ④ 4 ⑤ 5

0369

삼각함수의 극한

다음 물음에 답하여라.

(1) $\lim_{x \to 0} \frac{\ln(1+3x)}{\sin 2x}$의 값은?

① $\frac{1}{2}$ ② 1 ③ $\frac{3}{2}$ ④ 2 ⑤ $\frac{5}{2}$

2016학년도 수능기출

(2) $\lim_{x \to 0} \frac{\ln(1+5x)}{\sin 3x}$의 값은?

① 1 ② $\frac{4}{3}$ ③ $\frac{5}{3}$ ④ 2 ⑤ $\frac{7}{3}$

0370

삼각함수의 극한
2020학년도 사관기출

다음 물음에 답하여라.

(1) $\lim_{x \to 0} \frac{2x\sin x}{1-\cos x}$의 값은?

① 1 ② 2 ③ 3 ④ 4 ⑤ 5

2006학년도 수능기출

(2) $\lim_{\theta \to 0} \frac{\sec 2\theta-1}{\sec\theta-1}$의 값은?

① 1 ② 2 ③ 3 ④ 4 ⑤ 5

정답 0367 : ③ 0368 : ① 0369 : (1) ③ (2) ③ 0370 : (1) ④ (2) ④

0371
삼각함수의 극한
2006학년도 수능기출

다음 물음에 답하여라.

(1) $\lim_{x\to 0}\frac{e^{2x}-1}{\tan x}$의 값은?

① 4 ② 2 ③ 1 ④ -1 ⑤ -2

(2) $\lim_{x\to 0}\frac{e^{\sin x}-1}{\tan x}+\lim_{x\to\infty}\left(1+\frac{\sin x}{x}\right)^{\frac{3x}{\sin x}}$의 값은?

① $1+e$ ② $1+e^2$ ③ $1+e^3$ ④ $2+e^3$ ⑤ $3+e^3$

0372
극한값 e의 정의
내신빈출

다음 물음에 답하여라.

(1) $\lim_{x\to 0}(1+2\tan x)^{\cot x}$의 값은?

① $\frac{1}{2}e$ ② e ③ e^2 ④ $3e^2$ ⑤ e^3

(2) $\lim_{x\to 0}(1+\sin x)^{\frac{1}{2x}}$의 값은?

① $\frac{1}{2}$ ② 1 ③ $\sqrt{e}$ ④ 2 ⑤ e

0373
삼각함수의 극한
내신빈출

$\lim_{x\to 1}\frac{a\sin(x^3-1)}{x^2-1}=6$일 때, 상수 a의 값은?

① 1 ② 2 ③ 3 ④ 4 ⑤ 9

0374
치환을 이용한 삼각함수의 극한
2013학년도 사관기출

다음 물음에 답하여라.

(1) $\lim_{x\to\frac{\pi}{2}}\frac{\cos^2 x}{(2x-\pi)^2}$의 값은?

① $\frac{1}{4}$ ② $\frac{1}{2}$ ③ 1 ④ 2 ⑤ 4

(2) $\lim_{x\to\frac{\pi}{4}}\frac{\tan(4x-\pi)}{\cos 2x}$의 값은?

① -2 ② -1 ③ 0 ④ 1 ⑤ 2

0375
삼각함수의 미정계수의 결정
내신빈출

다음 물음에 답하여라.

(1) $\lim_{x\to 0}\frac{ax+b}{\sin 3x}=4$가 성립하도록 하는 두 상수 a, b에 대하여 $\lim_{x\to 0}\frac{\tan(a+4)x}{(a+b)x}$의 값은?

① $\frac{1}{2}$ ② $\frac{2}{3}$ ③ 1 ④ $\frac{4}{3}$ ⑤ 2

(2) $\lim_{x\to 0}\frac{\ln(x+b)}{\sin ax}=\frac{1}{5}$을 만족하는 상수 a, b에 대하여 $a+b$의 값은?

① 2 ② 3 ③ 4 ④ 5 ⑤ 6

0376
지수로그함수와 삼각함수의 미정계수의 결정
내신빈출

다음 물음에 답하여라.

(1) $\lim_{x\to 0}\frac{x\ln(1+ax)}{1-\cos 3x}=\frac{1}{3}$이 성립하도록 하는 상수 a의 값은?

① $\frac{1}{2}$ ② $\frac{2}{3}$ ③ 1 ④ $\frac{3}{2}$ ⑤ 2

(2) 두 상수 a, b에 대하여 $\lim_{x\to 0}\frac{(e^x-1)\ln(1+x)}{a+b\cos^2 x}=3$일 때, ab의 값은?

① -1 ② $-\frac{1}{3}$ ③ $-\frac{1}{9}$ ④ $\frac{1}{9}$ ⑤ $\frac{1}{3}$

정답 0371 : (1) ② (2) ③ 0372 : (1) ③ (2) ③ 0373 : ④ 0374 : (1) ① (2) ① 0375 : (1) ④ (2) ⑤ 0376 : (1) ④ (2) ③

0377

삼각함수의 극한 $\lim_{x \to 0}(1-\cos kx)$
내신빈출

다음 물음에 답하여라.

(1) $\lim_{x \to 0} \frac{1-\cos kx}{2\sin^2 x}=1$을 만족하는 양수 k의 값은?

① 1 ② 2 ③ 3 ④ 4 ⑤ 5

(2) $\lim_{x \to 0} \frac{ax\sin x+b}{1-\cos x}=1$이 성립할 때, 상수 a, b에 대하여 $a+b$의 값은?

① -1 ② $-\frac{1}{2}$ ③ 0 ④ $\frac{1}{2}$ ⑤ 1

0378

삼각함수의 미정계수의 결정
내신빈출

다음 물음에 답하여라.

(1) $\lim_{x \to 0} \frac{a-3\cos x}{x\tan x}=b$일 때, 두 실수 a, b에 대하여 $a+b$의 값은?

① $\frac{5}{2}$ ② $\frac{10}{3}$ ③ $\frac{7}{2}$ ④ $\frac{9}{2}$ ⑤ $\frac{13}{3}$

(2) 등식 $\lim_{x \to \pi} \frac{a\tan x+b}{x-\pi}=2$를 만족하는 두 상수 a, b에 대하여 $a+b$의 값은?

① -2 ② -1 ③ 0 ④ 1 ⑤ 2

0379

삼각함수의 미분
2015학년도 09월 평가원

다음 물음에 답하여라.

(1) 함수 $f(x)=\sin x-4x$에 대하여 $f'(0)$의 값은?

① -5 ② -4 ③ -3 ④ -2 ⑤ -1

(2) 함수 $f(x)=x^2\cos x-2x\sin x$에 대하여 $f'(\pi)$의 값은?

① -1 ② 0 ③ 1 ④ $\frac{\pi}{2}$ ⑤ $\frac{\pi^2}{4}$

0380

삼각함수의 미분
내신빈출

함수 $f(x)=a\sin x+b\cos x$일 때, $f\left(\frac{\pi}{6}\right)=1$, $f'\left(\frac{\pi}{6}\right)=\sqrt{3}$을 만족하는 실수 a, b에 대하여 $a-b$의 값은?

① 1 ② 2 ③ 3 ④ 4 ⑤ 6

0381

삼각함수의 미분계수
내신빈출

함수 $f(x)=\sin x+\cos x$에 대하여

$$\lim_{h \to 0} \frac{f(a+h)-f(a)}{h}=0$$

을 만족시키는 상수 a의 값은? (단, $0<a<\pi$)

① $\frac{\pi}{6}$ ② $\frac{\pi}{4}$ ③ $\frac{\pi}{3}$ ④ $\frac{\pi}{2}$ ⑤ $\frac{2}{3}\pi$

0382

삼각함수의 미분법
내신빈출

다음 물음에 답하여라.

(1) 함수 $f(x)=x^3\sin x$에 대하여 $\lim_{h \to 0} \frac{f\left(\frac{\pi}{2}+2h\right)-f\left(\frac{\pi}{2}-2h\right)}{h}$의 값은?

① 0 ② π ③ $2\pi^2$ ④ $3\pi^2$ ⑤ $4\pi^2$

(2) 함수 $f(x)=x\cos x$일 때, $\lim_{h \to 0} \frac{f(\pi+h)-f(\pi-h)}{h}$의 값은?

① -3 ② -2 ③ -1 ④ 0 ⑤ 1

정답 0377 : (1) ② (2) ④ 0378 : (1) ④ (2) ⑤ 0379 : (1) ③ (2) ② 0380 : ② 0381 : ② 0382 : (1) ④ (2) ②

0383
삼각함수의 덧셈정리
내신빈출

다음 물음에 답하여라.

(1) 삼각형 ABC의 세 내각의 크기를 A, B, C라 하자.

$$\cos A=\frac{\sqrt{3}}{3},\ \sin B=\frac{2\sqrt{2}}{3}$$

일 때, $\sin C$의 값은? $\left(\text{단, } 0<B<\frac{\pi}{2}\right)$

① $\frac{1}{3}$ ② $\frac{\sqrt{2}}{3}$ ③ $\frac{\sqrt{3}}{3}$ ④ $\frac{2}{3}$ ⑤ $\frac{\sqrt{6}}{3}$

(2) 삼각형 ABC의 세 내각의 크기 A, B, C에 대하여

$$\tan A=\frac{4}{3},\ \tan B=3$$

일 때, $\tan C$의 값은?

① $\frac{10}{9}$ ② $\frac{11}{9}$ ③ $\frac{4}{3}$ ④ $\frac{13}{9}$ ⑤ $\frac{14}{9}$

0384
삼각함수의 덧셈정리
2014학년도 사관기출

$0<\alpha<\beta<\frac{\pi}{2}$인 두 수 α, β가 $\sin\alpha\sin\beta=\frac{\sqrt{3}+1}{4}$, $\cos\alpha\cos\beta=\frac{\sqrt{3}-1}{4}$을 만족시킬 때, $\cos(3\alpha+\beta)$의 값은?

① -1 ② $-\frac{\sqrt{3}}{2}$ ③ $-\frac{\sqrt{2}}{2}$ ④ $-\frac{1}{2}$ ⑤ 0

0385
삼각함수의 덧셈정리
2019년 07월 교육청

$\tan\alpha=-\frac{5}{12}\left(\frac{3}{2}\pi<\alpha<2\pi\right)$이고 $0\le x<\frac{\pi}{2}$일 때, 부등식

$$\cos x\le\sin(x+\alpha)\le 2\cos x$$

를 만족시키는 x에 대하여 $\tan x$의 최댓값과 최솟값의 합은?

① $\frac{31}{12}$ ② $\frac{37}{12}$ ③ $\frac{43}{12}$ ④ $\frac{49}{12}$ ⑤ $\frac{55}{12}$

0386
탄젠트 덧셈정리의 활용
2007학년도 수능기출

오른쪽 그림과 같이 원 $x^2+y^2=1$ 위의 점 P_1에서의 접선이 x축과 만나는 점을 Q_1이라 할 때, 삼각형 P_1OQ_1의 넓이는 $\frac{1}{4}$이다.
점 P_1을 원점 O를 중심으로 $\frac{\pi}{4}$만큼 회전시킨 점을 P_2라 하고, 점 P_2에서의 접선이 x축과 만나는 점을 Q_2라 하자.
삼각형 P_2OQ_2의 넓이는? (단, 점 P_1은 제1사분면 위의 점이다.)

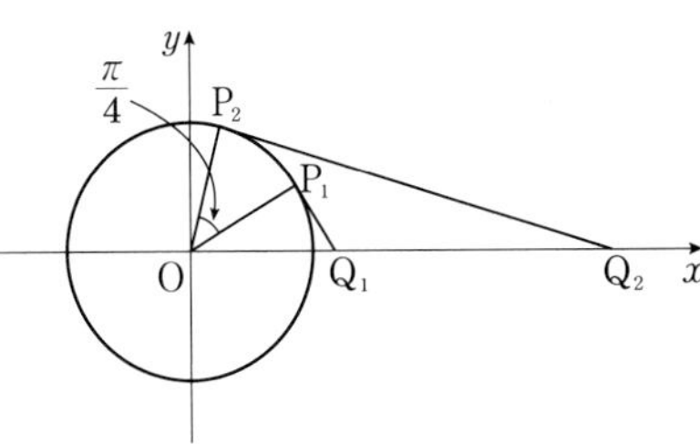

① 1 ② $\frac{5}{4}$ ③ $\frac{3}{2}$
④ $\frac{7}{4}$ ⑤ 2

정답 0383 : (1) ⑤ (2) ④ 0384 : ② 0385 : ④ 0386 : ③

0387

탄젠트 덧셈정리의 활용
2016년 교육청

오른쪽 그림과 같이 평면에 정삼각형 ABC와 $\overline{CD}=1$이고 $\angle ACD=\frac{\pi}{4}$인 점 D가 있다. 점 D와 직선 BC 사이의 거리는?
(단, 선분 CD는 삼각형 ABC의 내부를 지나지 않는다.)

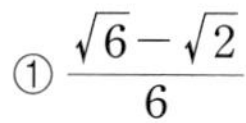

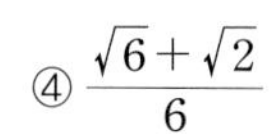

① $\frac{\sqrt{6}-\sqrt{2}}{6}$　② $\frac{\sqrt{6}-\sqrt{2}}{4}$　③ $\frac{\sqrt{6}-\sqrt{2}}{3}$
④ $\frac{\sqrt{6}+\sqrt{2}}{6}$　⑤ $\frac{\sqrt{6}+\sqrt{2}}{4}$

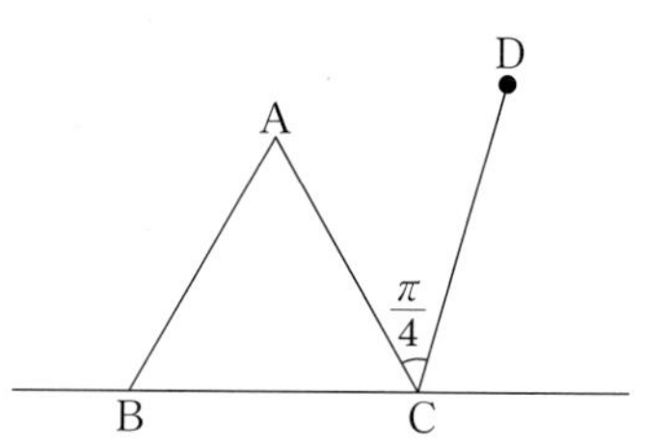

0388

탄젠트 덧셈정리의 활용
2017년 4월 교육청

오른쪽 그림과 같이 선분 AB의 길이가 8, 선분 AD의 길이가 6인 직사각형 ABCD가 있다. 선분 AB를 1 : 3으로 내분하는 점을 E, 선분 AD의 중점을 F라 하자. $\angle EFC=\theta$라 할 때, $\tan\theta$의 값은?

① $\frac{22}{7}$　② $\frac{26}{7}$　③ $\frac{30}{7}$
④ $\frac{34}{7}$　⑤ $\frac{38}{7}$

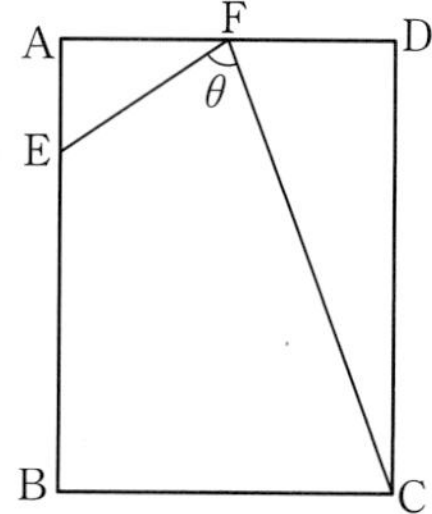

0389

삼각함수

오른쪽 그림과 같이 $\angle CAB=\frac{\pi}{2}$이고 $\overline{AB}=8$인 직각삼각형 ABC와 변 BC를 한 변으로 하고 $\overline{BD}=\overline{DC}=13$인 이등변삼각형 BDC가 있다. $\angle ABC=\alpha$, $\angle DCB=\beta$라 하자. $\cos\alpha=\frac{4}{5}$일 때, $\tan(\alpha+\beta)$의 값은?
(단, 선분 AD는 선분 BC와 만난다.)

① $-\frac{63}{16}$　② $-\frac{61}{16}$　③ $-\frac{59}{16}$
④ $-\frac{57}{16}$　⑤ $-\frac{55}{16}$

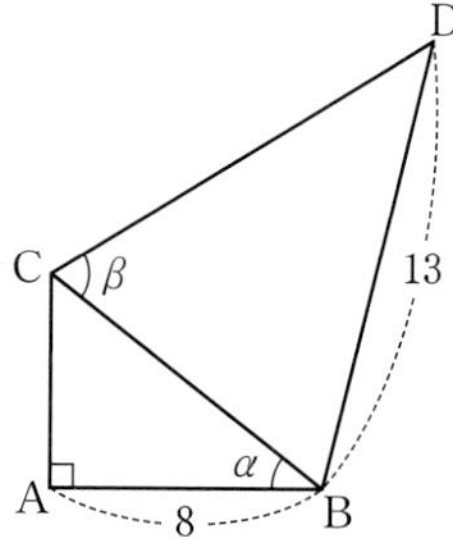

0390

도형에서 이배각 공식의 활용
1999학년도 수능기출

다음 물음에 답하여라.

(1) 지름 AB의 길이가 10인 원이 있다. 원 위의 점 P, Q에 대하여 $\overline{AP}=8$이고 $\angle QAB=2\angle PAB$이다. 선분 $\overline{AQ}$의 길이는?

① $\frac{10}{5}$　② $\frac{11}{5}$　③ $\frac{12}{5}$
④ $\frac{13}{5}$　⑤ $\frac{14}{5}$

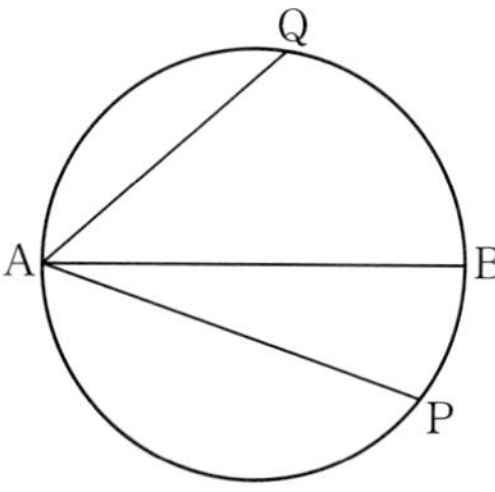

2001학년도 수능기출

(2) 오른쪽 그림에서 선분 AB는 원 O의 지름이고

$$\angle AOC=\frac{\pi}{4},\ \overline{OC}\perp\overline{AD}$$

이다. $\angle ABD=\theta$일 때, $\sin2\theta$의 값은?

① $\frac{1}{3}$　② $\frac{2}{3}$　③ $\frac{3}{4}$
④ $\frac{3}{5}$　⑤ $\frac{4}{5}$

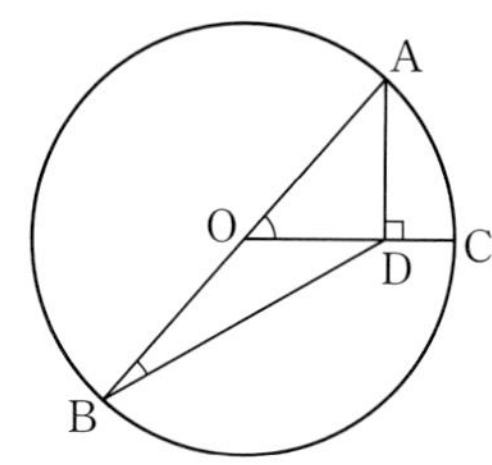

정답　0387 : ⑤　0388 : ③　0389 : ①　0390 : (1) ⑤ (2) ④

0391

지수함수와 삼각함수의 극한

$\lim_{x\to0}\frac{6^x-3^x-2^x+1}{a-\cos 3x}=b\times(\ln 2)\times(\ln 3)$을 만족시키는 두 상수 a, b에 대하여 $a+b$의 값은? (단, $b\neq0$)

① $\frac{2}{9}$ ② $\frac{5}{9}$ ③ $\frac{8}{9}$ ④ $\frac{11}{9}$ ⑤ $\frac{14}{9}$

0392

여러 가지 함수의 극한 2010학년도 06월 평가원

$\lim_{x\to0}\frac{e^{1-\sin x}-e^{1-\tan x}}{\tan x-\sin x}$의 값은?

① $\frac{1}{e}$ ② $\frac{2}{e}$ ③ 1 ④ e ⑤ $2e$

0393

함수의 연속과 미정계수의 결정 내신빈출

함수 $f(x)=\begin{cases}\frac{\ln(1+x)}{\sin(ax+b)} & (x\neq0)\\ \frac{1}{2} & (x=0)\end{cases}$가 $x=0$에서 연속일 때, $a+b$의 값을 구하여라. $\left(단, 0\le b<\frac{\pi}{2}\right)$

① 1 ② 2 ③ 3 ④ 4 ⑤ 5

0394

함수의 연속과 미정계수의 결정 2008년 07월 교육청

다음 물음에 답하여라.

(1) $0\le x\le\pi$에서 정의된 함수 $f(x)=\begin{cases}2\cos x\tan x+a & \left(x\neq\frac{\pi}{2}\right)\\ 3a & \left(x=\frac{\pi}{2}\right)\end{cases}$가 $x=\frac{\pi}{2}$에서 연속일 때,

함수 $f(x)$의 최댓값과 최솟값의 합은? (단, a는 상수이다)

① $\frac{5}{2}$ ② 3 ③ $\frac{7}{2}$ ④ 4 ⑤ $\frac{9}{2}$

(2) 함수 $f(x)=\begin{cases}\frac{\sin x-a}{x-\frac{\pi}{2}} & \left(x\neq\frac{\pi}{2}\right)\\ b & \left(x=\frac{\pi}{2}\right)\end{cases}$가 $x=\frac{\pi}{2}$에서 연속일 때, 상수 a, b의 합 $a+b$를 구하여라.

0395

여러 가지 극한의 응용

함수 $f(x)=\sin x$, $g(x)=e^x$에 대하여 [보기]에서 옳은 것만을 있는 대로 고른 것은? (단, e는 자연로그의 밑이다.)

ㄱ. $\lim_{x\to0}\frac{f(f(x))}{x}=1$

ㄴ. $\lim_{x\to0}\frac{g(x)-f\left(\frac{\pi}{2}\right)}{f(x)}=1$

ㄷ. $\lim_{x\to0}\frac{g(0)-f'(x)}{x^2}=1$

① ㄱ ② ㄷ ③ ㄱ, ㄴ ④ ㄴ, ㄷ ⑤ ㄱ, ㄴ, ㄷ

0396

삼각함수의 미정계수의 결정 내신빈출

다음 물음에 답하여라.

(1) 함수 $f(x)=\sin^2 x$일 때, $\lim_{x\to\pi}\frac{f'(x)}{x-\pi}$의 값은?

① 1 ② 2 ③ 3 ④ 4 ⑤ 5

(2) 함수 $f(x)=x^2e^{-x}\sin x$일 때, $\lim_{x\to0}\frac{f'(x)}{x^2}$의 값은?

① 1 ② 2 ③ 3 ④ 4 ⑤ 5

정답 0391 : ④ 0392 : ④ 0393 : ② 0394 : (1) ④ (2) 1 0395 : ③ 0396 : (1) ② (2) ③

0397

삼각함수의 극한의 활용
내신빈출

$0<x<\pi$일 때, $\frac{1}{3}x\sin^2\frac{x}{2}<\frac{1}{2}(x-\sin x)<\frac{2}{3}\sin^2\frac{x}{2}\tan\frac{x}{2}$이 성립한다.

이때 $\lim_{x\to 0+}\frac{x-\sin x}{x^3}$의 값은?

① $\frac{1}{2}$ ② $\frac{1}{3}$ ③ $\frac{1}{4}$ ④ $\frac{1}{5}$ ⑤ $\frac{1}{6}$

0398

삼각함수의 미분가능
내신빈출

함수 $f(x)=\begin{cases}\sin x+\cos x & (x<0)\\ e^x+ax+b & (x\ge 0)\end{cases}$이 $x=0$에서 미분가능할 때, 상수 a, b에 대하여 $a-b$의 값은?

① $-\pi$ ② -1 ③ 0 ④ 1 ⑤ π

0399

삼각함수의 미분법
내신빈출

오른쪽 그림과 같이 삼각형 ABC에서 $\overline{AB}=4$, $\overline{AC}=5$이고 $\angle BAC=\theta$이다. $\angle BAC$의 이등분선이 변 BC와 만나는 점을 D라 할 때, $\lim_{\theta\to 0+}\overline{AD}$의 값은?

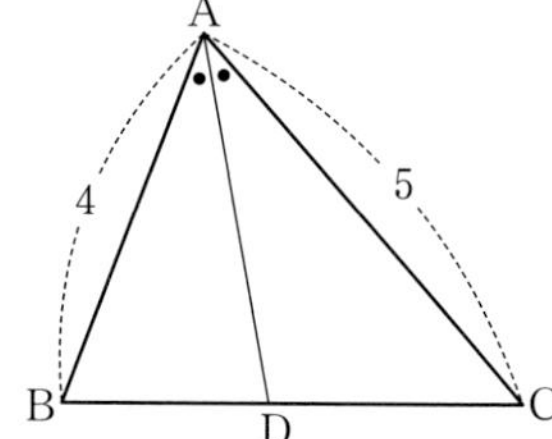

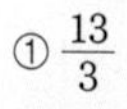

① $\frac{13}{3}$ ② $\frac{79}{18}$ ③ $\frac{40}{9}$ ④ $\frac{9}{2}$ ⑤ $\frac{41}{9}$

0400

삼각함수와 지수함수의 극한의 활용
2008학년도 06월 평가원

다항함수 $g(x)$에 대하여 함수 $f(x)=e^{-x}\sin x+g(x)$가

$$\lim_{x\to 0}\frac{f(x)}{x}=1,\ \lim_{x\to\infty}\frac{f(x)}{x^2}=1$$

을 만족시킬 때, [보기]에서 옳은 것을 모두 고른 것은?

ㄱ. $g(0)=0$　　ㄴ. $\lim_{x\to\infty}\frac{g(x)}{x^2}=1$　　ㄷ. $\lim_{x\to 0}\frac{f(x)}{g(x)}=1$

① ㄱ ② ㄴ ③ ㄱ, ㄴ ④ ㄴ, ㄷ ⑤ ㄱ, ㄴ, ㄷ

0401

도형에서 삼각함수의 극한
2019년 10월 교육청

오른쪽 그림과 같이 길이가 2인 선분 AB를 지름으로 하는 원 C_1과 점 B를 중심으로 하고 원 C_1 위의 점 P를 지나는 원 C_2가 있다. 원 C_1의 중심 O에서 원 C_2에 그은 두 접선의 접점을 각각 Q, R이라 하자. $\angle PAB=\theta$일 때, 사각형 ORBQ의 넓이를 $S(\theta)$라 하자. $\lim_{\theta\to 0+}\frac{S(\theta)}{\theta}$의 값은? $\left(단,\ 0<\theta<\frac{\pi}{6}\right)$

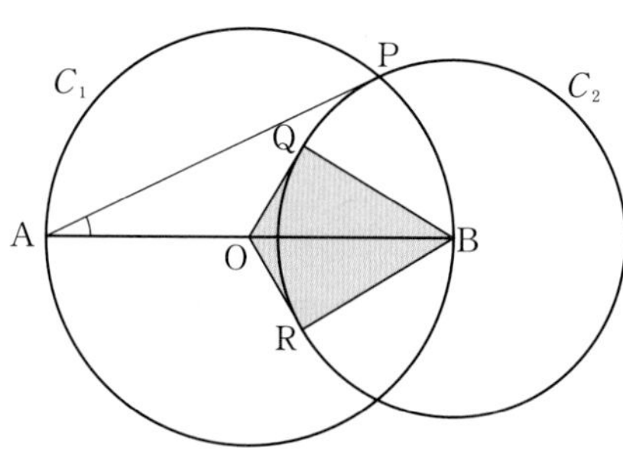

① 2 ② $\sqrt{3}$ ③ 1 ④ $\frac{\sqrt{3}}{2}$ ⑤ $\frac{1}{2}$

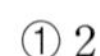

정답 0397 : ⑤ 0398 : ③ 0399 : ③ 0400 : ③ 0401 : ①

0402

도형에서 삼각함수의 극한의 활용
2008학년도 수능기출

오른쪽 그림과 같이 양수 θ에 대하여 $\angle ABC = \angle ACB = \theta$이고 $\overline{BC} = 2$인 이등변삼각형 ABC가 있다. 삼각형 ABC의 내접원의 중심을 O, 선분 AB와 내접원이 만나는 점을 D, 선분 AC와 내접원이 만나는 점을 E라 하자. 삼각형 OED의 넓이를 $S(\theta)$라 할 때, $\lim_{\theta \to 0+} \frac{S(\theta)}{\theta^3}$의 값은?

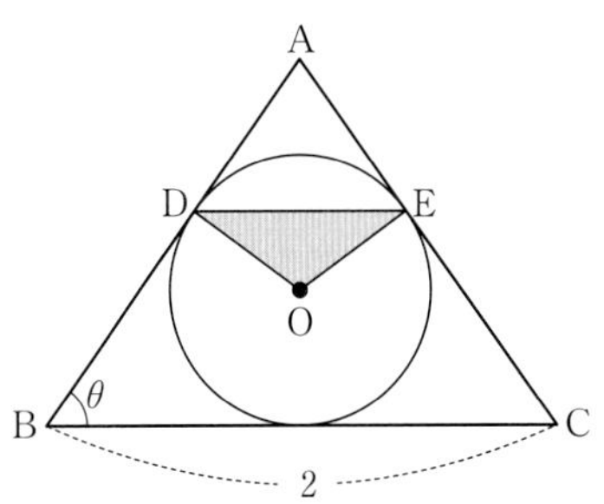

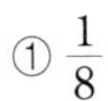

① $\frac{1}{8}$　② $\frac{1}{4}$　③ $\frac{3}{8}$　④ $\frac{1}{2}$　⑤ $\frac{5}{8}$

0403

도형에서 삼각함수의 극한의 활용
2011학년도 06월 평가원

좌표평면에서 중심이 원점 O이고 반지름의 길이가 1인 원 위의 점 P에서의 접선이 x축과 만나는 점을 Q, 점 A(0, 1)과 점 P를 지나는 직선이 x축과 만나는 점을 R이라 하자. $\angle QOP = \theta$라 하고, 삼각형 PQR의 넓이를 $S(\theta)$라고 하자. $\lim_{\theta \to 0+} \frac{S(\theta)}{\theta^2} = \alpha$일 때, 100α의 값을 구하여라. (단, 점 P는 제1사분면 위의 점이다.)

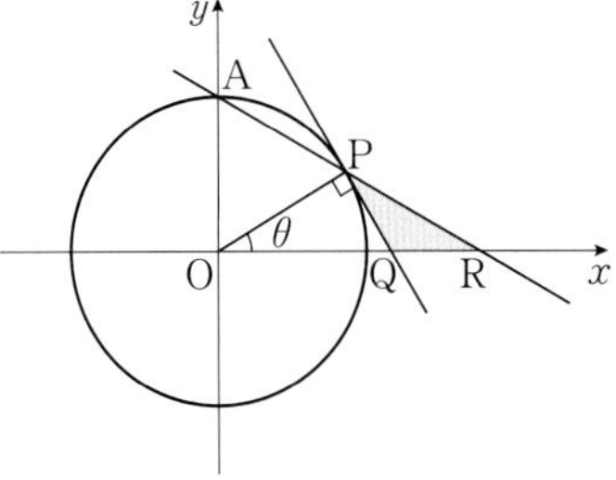

0404

도형에서 삼각함수의 극한의 활용
서술형

오른쪽 그림과 같이 둘레의 길이가 8이고, 중심각의 크기가 θ인 부채꼴 OAB의 점 B에서 선분 OA에 내린 수선의 발을 H라 하고 삼각형 BHA의 넓이를 $S(\theta)$라 하자. $\lim_{\theta \to 0+} \frac{S(\theta)}{\theta^3}$의 값을 구하는 과정을 다음 단계로 서술하여라. $\left(단, 0 < \theta < \frac{\pi}{2}\right)$

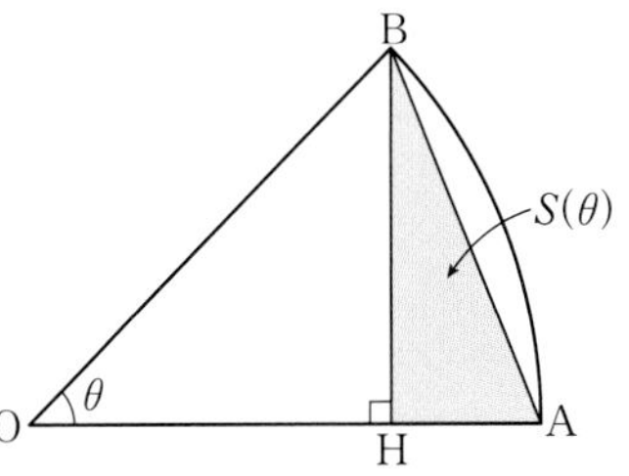

[1단계] 부채꼴의 반지름의 길이를 r이라 놓고 부채꼴의 둘레의 길이가 8임을 이용하여 r을 θ로 나타낸다.

[2단계] 직각삼각형 OHB에서 선분 BH, OH의 길이를 θ로 나타낸다.

[3단계] 선분 HA의 길이를 구하여 삼각형 BHA의 넓이 $S(\theta)$를 구한다.

[4단계] $\lim_{\theta \to 0}(1-\cos\theta) = \lim_{\theta \to 0} \frac{(1-\cos\theta)(1+\cos\theta)}{1+\cos\theta} = \lim_{\theta \to 0} \frac{\sin^2\theta}{1+\cos\theta}$을 이용하여 $\lim_{\theta \to 0+} \frac{S(\theta)}{\theta^3}$의 값을 구한다.

0405

도형에서 삼각함수의 극한의 활용
서술형

오른쪽 그림과 같이 길이가 2인 선분 AB를 지름으로 하고 중심이 O인 반원 위의 점 P에서 선분 AB에 내린 수선의 발을 Q라 하자. $\angle PAB = \theta$라 할 때, 선분 AP와 호 AP에 동시에 접하는 가장 큰 원의 넓이를 $S(\theta)$, 삼각형 POQ의 내접원의 넓이를 $T(\theta)$라 하자. $\lim_{\theta \to 0+} \frac{\theta^2 \times T(\theta)}{S\left(\frac{\pi}{2} - \theta\right)}$의 값을 구하는 과정을 다음 단계로 서술하여라.

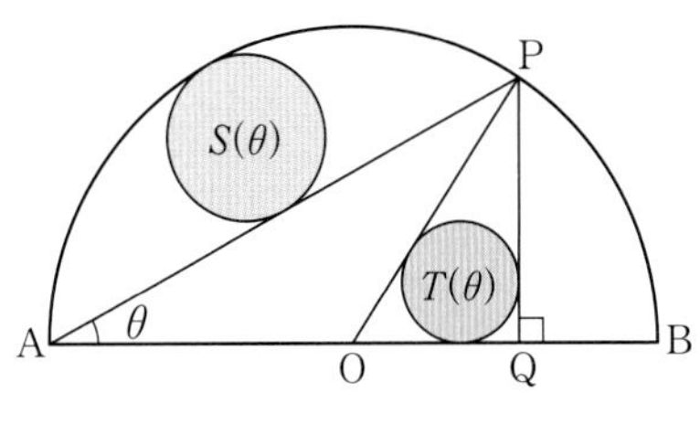

[1단계] 선분 AP와 호 AP에 동시에 접하는 가장 큰 원의 넓이 $S(\theta)$를 구한다. $\left(단, 0 < \theta < \frac{\pi}{4}\right)$

[2단계] 삼각형 POQ의 내접원의 넓이 $T(\theta)$를 구한다.

[3단계] $\lim_{\theta \to 0} \frac{1}{(1-\cos\theta)} = \lim_{\theta \to 0} \frac{1+\cos\theta}{(1-\cos\theta)(1+\cos\theta)} = \lim_{\theta \to 0} \frac{1+\cos\theta}{\sin^2\theta}$을 이용하여 $\lim_{\theta \to 0+} \frac{\theta^2 \times T(\theta)}{S\left(\frac{\pi}{2} - \theta\right)}$의 값을 구한다.

정답 0402 : ②　0403 : 50　0404 : 해설참조　0405 : 해설참조

0406

도형에서 삼각함수의 극한의 활용
2019년 04월 교육청 가형 19번

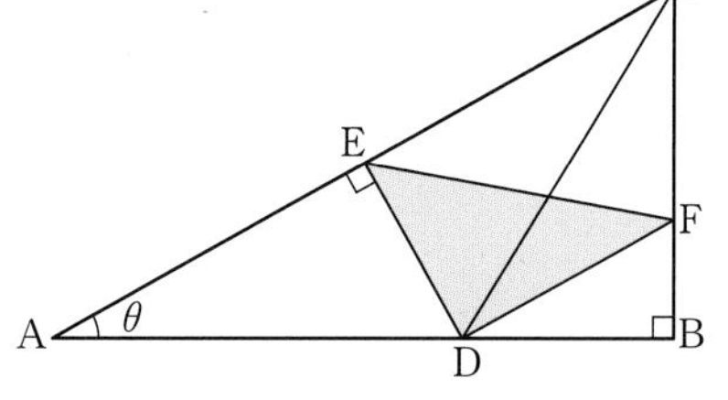

오른쪽 그림과 같이 $\overline{AB}=1$, $\angle B=\frac{\pi}{2}$인 직각삼각형 ABC에서 선분 AB 위에 $\overline{AD}=\overline{CD}$가 되도록 점 D를 잡는다.
점 D에서 선분 AC에 내린 수선의 발을 E, 점 D를 지나고 직선 AC에 평행한 직선이 선분 BC와 만나는 점을 F라 하자.
$\angle BAC=\theta$일 때, 삼각형 DEF의 넓이를 $S(\theta)$라 하자.

$\lim_{\theta \to 0+} \frac{S(\theta)}{\theta}$의 값은? $\left(단,\ 0<\theta<\frac{\pi}{4}\right)$

① $\frac{1}{32}$ ② $\frac{1}{16}$ ③ $\frac{3}{32}$ ④ $\frac{1}{8}$ ⑤ $\frac{5}{32}$

0407

도형에서 삼각함수의 극한
2014학년도 수능기출

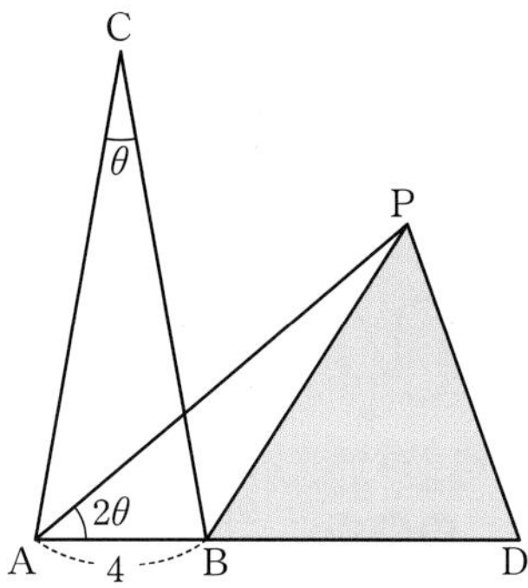

오른쪽 그림과 같이 길이가 4인 선분 AB를 한 변으로 하고, $\overline{AC}=\overline{BC}$, $\angle ACB=\theta$인 이등변삼각형 ABC가 있다.
선분 AB의 연장선 위에 $\overline{AC}=\overline{AD}$인 점 D를 잡고, $\overline{AC}=\overline{AP}$이고, $\angle PAB=2\theta$인 점 P를 잡는다. 삼각형 BDP의 넓이를 $S(\theta)$라 할 때, $\lim_{\theta \to 0+}(\theta \cdot S(\theta))$의 값을 구하여라. $\left(단\ 0<\theta<\frac{\pi}{6}\right)$

0408

도형에서 삼각함수의 극한의 활용
2018학년도 수능기출

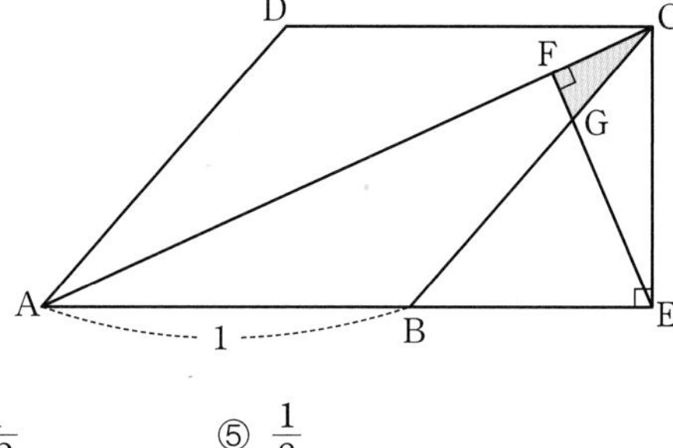

오른쪽 그림과 같이 한 변의 길이가 1인 마름모 ABCD가 있다. 점 C에서 선분 AB의 연장선에 내린 수선의 발을 E, 점 E에서 선분 AC에 내린 수선의 발을 F, 선분 EF와 선분 BC의 교점을 G라 하자. $\angle DAB=\theta$일 때, 삼각형 CFG의 넓이를 $S(\theta)$라 하자.

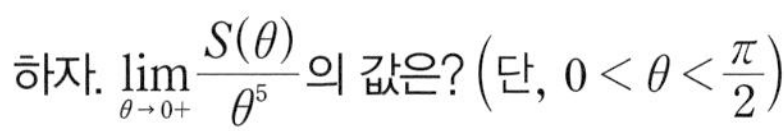

$\lim_{\theta \to 0+} \frac{S(\theta)}{\theta^5}$의 값은? $\left(단,\ 0<\theta<\frac{\pi}{2}\right)$

① $\frac{1}{24}$ ② $\frac{1}{20}$ ③ $\frac{1}{16}$ ④ $\frac{1}{12}$ ⑤ $\frac{1}{8}$

0409

도형에서 삼각함수의 극한의 활용
2020학년도 6월 평가원

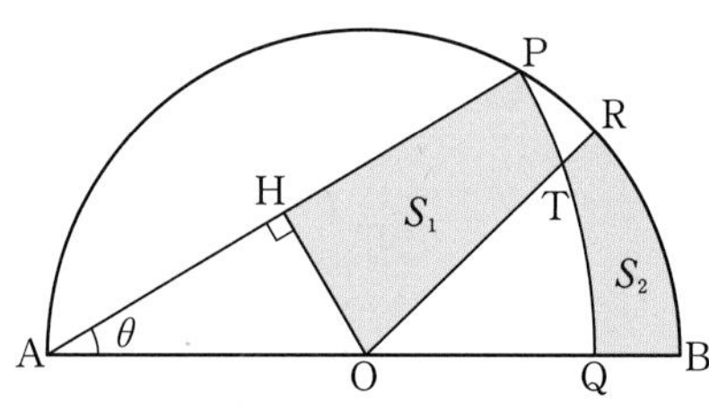

오른쪽 그림과 같이 길이가 2인 선분 AB를 지름으로 하는 반원의 호 AB 위에 점 P가 있다. 중심이 A이고 반지름의 길이가 $\overline{AP}$인 원과 선분 AB의 교점을 Q라 하자.
호 PB 위에 점 R을 호 PR과 호 RB의 길이의 비가 3 : 7이 되도록 잡는다. 선분 AB의 중점을 O라 할 때, 선분 OR과 호 PQ의 교점을 T, 점 O에서 선분 AP에 내린 수선의 발을 H라 하자. 세 선분 PH, HO, OT와 호 TP로 둘러싸인 부분의 넓이를 S_1, 두 선분 RT, QB와 두 호 TQ, BR로 둘러싸인 부분의 넓이를 S_2라 하자. $\angle PAB=\theta$라 할 때, $\lim_{\theta \to 0+}\frac{S_1-S_2}{\overline{OH}}=a$이다. $50a$의 값을 구하여라. $\left(단,\ 0<\theta<\frac{\pi}{4}\right)$

정답 0406 : ④ 0407 : 16 0408 : ③ 0409 : 40

수능과 내신의 수학개념서

mapl 마플 교과서

MAPL SERIES www.mapl.co.kr

미적분

Ⅰ 수열의 극한 Ⅱ 미분법 Ⅲ 적분법

03 여러 가지 미분법

MAPL; YOURMASTERPLAN

01 함수의 몫의 미분법

01 함수의 몫의 미분법

두 함수 $f(x)$, $g(x)(g(x)\neq 0)$가 미분가능할 때, 몫의 도함수는 다음과 같다.

(1) $y=\dfrac{1}{g(x)}$의 도함수 $y'=-\dfrac{g'(x)}{\{g(x)\}^2}$

(2) $y=\dfrac{f(x)}{g(x)}$의 도함수 $y'=\dfrac{f'(x)g(x)-f(x)g'(x)}{\{g(x)\}^2}$

마플해설

(1) 함수 $g(x)$가 미분가능할 때, 함수 $y=\dfrac{1}{g(x)}(g(x)\neq 0)$의 도함수는 다음과 같이 구할 수 있다.

$$y'=\left\{\frac{1}{g(x)}\right\}'=\lim_{h\to 0}\frac{\frac{1}{g(x+h)}-\frac{1}{g(x)}}{h}=\lim_{h\to 0}\frac{-\frac{g(x+h)-g(x)}{g(x+h)g(x)}}{h}$$

$$=-\lim_{h\to 0}\left\{\frac{g(x+h)-g(x)}{h}\times\frac{1}{g(x+h)g(x)}\right\}$$

$$=-\lim_{h\to 0}\frac{g(x+h)-g(x)}{h}\times\lim_{h\to 0}\frac{1}{g(x+h)g(x)}$$

$$=-\frac{g'(x)}{\{g(x)\}^2}$$

(2) 두 함수 $f(x)$, $g(x)$가 미분가능할 때, 함수 $y=\dfrac{f(x)}{g(x)}(g(x)\neq 0)$의 도함수는 함수의 곱의 미분법을 이용하여 다음과 같이 구할 수 있다.

$$y'=\left\{\frac{f(x)}{g(x)}\right\}'=\left\{f(x)\times\frac{1}{g(x)}\right\}'=f'(x)\times\frac{1}{g(x)}+f(x)\times\left\{\frac{1}{g(x)}\right\}'$$

$$=\frac{f'(x)}{g(x)}-f(x)\times\frac{g'(x)}{\{g(x)\}^2}=\frac{f'(x)g(x)-f(x)g'(x)}{\{g(x)\}^2}$$

참고 함수 $y'=\left\{\dfrac{f(x)}{g(x)}\right\}'$를 도함수의 정의를 이용하여 증명한다.

$$\Delta y=\frac{f(x+\Delta x)}{g(x+\Delta x)}-\frac{f(x)}{g(x)}=\frac{f(x+\Delta x)g(x)-f(x)g(x+\Delta x)}{g(x+\Delta x)g(x)}$$

$$=\frac{\{f(x+\Delta x)-f(x)\}g(x)-f(x)\{g(x+\Delta x)-g(x)\}}{g(x+\Delta x)g(x)}$$ ← 분자에 $f(x)g(x)$를 더하고 뺀다.

$$\therefore\ y'=\lim_{\Delta x\to 0}\frac{\Delta y}{\Delta x}=\lim_{\Delta x\to 0}\frac{\frac{f(x+\Delta x)-f(x)}{\Delta x}\cdot g(x)-f(x)\cdot\frac{g(x+\Delta x)-g(x)}{\Delta x}}{g(x+\Delta x)g(x)}$$

그런데 함수 $g(x)$는 미분가능하므로 연속이다.

즉, $\lim\limits_{\Delta x\to 0}g(x+\Delta x)=g(x)$이므로 $y'=\dfrac{f'(x)g(x)-f(x)g'(x)}{\{g(x)\}^2}$

보기 01 다음 함수를 미분하여라.

(1) $y=\dfrac{1}{2x-1}$　　(2) $y=\dfrac{x}{2x+1}$　　(3) $y=\dfrac{x+1}{x^2+1}$

풀이

(1) $y'=\left(\dfrac{1}{2x-1}\right)'=-\dfrac{(2x-1)'}{(2x-1)^2}=-\dfrac{2}{(2x-1)^2}$

(2) $y'=\left(\dfrac{x}{2x+1}\right)'=\dfrac{x'(2x+1)-x(2x+1)'}{(2x+1)^2}=\dfrac{1\cdot(2x+1)-x\cdot 2}{(2x+1)^2}=\dfrac{2x+1-2x}{(2x+1)^2}=\dfrac{1}{(2x+1)^2}$

(3) $y'=\left(\dfrac{x+1}{x^2+1}\right)'=\dfrac{(x+1)'(x^2+1)-(x+1)(x^2+1)'}{(x^2+1)^2}=\dfrac{1\cdot(x^2+1)-(x+1)\cdot 2x}{(x^2+1)^2}=-\dfrac{x^2+2x-1}{(x^2+1)^2}$

보기 02 다음 함수를 미분하여라.

(1) $y=\frac{1}{e^x+1}$ (2) $y=\frac{1}{\ln x}$ (3) $y=\frac{x}{e^x}$

(4) $y=\frac{\ln x}{x}$ (5) $y=\frac{x}{\sin x}$ (6) $y=\frac{e^x-e^{-x}}{e^x+e^{-x}}$

풀이 (1) $y'=-\frac{(e^x+1)'}{(e^x+1)^2}=-\frac{e^x}{(e^x+1)^2}$

(2) $y'=-\frac{(\ln x)'}{(\ln x)^2}=-\frac{\frac{1}{x}}{(\ln x)^2}=-\frac{1}{x(\ln x)^2}$

(3) $y'=\frac{(x)'e^x-x(e^x)'}{(e^x)^2}=\frac{e^x-xe^x}{e^{2x}}=\frac{1-x}{e^x}$

(4) $y'=\frac{(\ln x)'x-\ln x(x)'}{x^2}=\frac{\frac{1}{x}\cdot x-\ln x}{x^2}=\frac{1-\ln x}{x^2}$

(5) $y'=\frac{(x)'\sin x-x(\sin x)'}{(\sin x)^2}=\frac{\sin x-x\cos x}{(\sin x)^2}=\frac{1}{\sin x}\left(1-x\cdot\frac{\cos x}{\sin x}\right)=\csc x(1-x\cot x)$

(6) $y'=\frac{(e^x-e^{-x})'(e^x+e^{-x})-(e^x-e^{-x})(e^x+e^{-x})'}{(e^x+e^{-x})^2}=\frac{(e^x+e^{-x})(e^x+e^{-x})-(e^x-e^{-x})(e^x-e^{-x})}{(e^x+e^{-x})^2}=\frac{4}{(e^x+e^{-x})^2}$

02 $y=x^n$(n은 정수)의 도함수

n이 정수일 때, $y=x^n$의 도함수는

$$y'=nx^{n-1}$$

마플해설 n이 0 또는 양의 정수일 때, 함수 $y=x^n$의 도함수는 $y'=nx^{n-1}$이다.
이제 함수의 몫의 미분법을 이용하여 n이 음의 정수일 때,
함수 $y=x^n$의 도함수를 구하여 보자.

$n=-m$(m은 양의 정수)이라고 하면 $x^n=x^{-m}=\frac{1}{x^m}$이므로

$(x^n)'=\left(\frac{1}{x^m}\right)'=-\frac{(x^m)'}{(x^m)^2}=-\frac{mx^{m-1}}{x^{2m}}=-mx^{-m-1}=nx^{n-1}$이다.

예를 들면 $y=x^{-3}$에서 $y'=-3x^{-3-1}=-3x^{-4}$

참고 $y=x^0=1$로 정의하면 $y'=0$이다.
즉, $y=x^n$에서 $n=0$일 때에도
$y'=nx^{n-1}$이 성립한다.

보기 03 다음 함수를 미분하여라.

(1) $y=\frac{1}{x}$ (2) $y=-\frac{1}{x^3}$ (3) $y=3x^3+\frac{2}{x^5}$ (4) $y=\frac{x^2+1}{x^4}$

풀이 (1) $y=\frac{1}{x}=x^{-1}$이므로 $y'=(-1)x^{-1-1}=-x^{-2}=-\frac{1}{x^2}$

(2) $y=-\frac{1}{x^3}=-x^{-3}$이므로 $y'=-(-3)x^{-3-1}=3x^{-4}=\frac{3}{x^4}$

(3) $y=3x^3+\frac{2}{x^5}=3x^3+2x^{-5}$이므로

$y'=3\cdot 3x^2+2\cdot(-5)x^{-5-1}=9x^2-10x^{-6}=9x^2-\frac{10}{x^6}$

(4) $y=\frac{x^2+1}{x^4}=\frac{1}{x^2}+\frac{1}{x^4}=x^{-2}+x^{-4}$이므로

$y'=(-2)x^{-2-1}+(-4)x^{-4-1}=-2x^{-3}-4x^{-5}=-\frac{2}{x^3}-\frac{4}{x^5}$

참고 몫의 미분법을 이용하여 미분해도 된다.

03 삼각함수의 미분법

삼각함수 $y=\tan x$, $y=\csc x$, $y=\sec x$, $y=\cot x$의 도함수는 각각 다음과 같다.

(1) $y=\tan x$ ⇨ $y'=\sec^2 x$

(2) $y=\cot x$ ⇨ $y'=-\csc^2 x$

(3) $y=\csc x$ ⇨ $y'=-\csc x\cot x$

(4) $y=\sec x$ ⇨ $y'=\sec x\tan x$

참고 ① $y=\sin x$ ⇨ $y'=\cos x$
② $y=\cos x$ ⇨ $y'=-\sin x$

마플해설 함수의 몫의 미분법을 이용하여 여러 가지 삼각함수의 도함수를 구할 수 있다.

(1) $y=\tan x$의 도함수

$y=\tan x=\dfrac{\sin x}{\cos x}$이므로 $y'=\dfrac{(\sin x)'\cos x-\sin x(\cos x)'}{\cos^2 x}=\dfrac{\cos^2 x+\sin^2 x}{\cos^2 x}=\dfrac{1}{\cos^2 x}=\sec^2 x$

(2) $y=\cot x$의 도함수

$y=\cot x=\dfrac{\cos x}{\sin x}$이므로 $y'=\dfrac{(\cos x)'\sin x-\cos x(\sin x)'}{\sin^2 x}=\dfrac{-\sin^2 x-\cos^2 x}{\sin^2 x}=\dfrac{-1}{\sin^2 x}=-\csc^2 x$

(3) $y=\csc x$의 도함수

$y=\csc x=\dfrac{1}{\sin x}$이므로 $y'=\left(\dfrac{1}{\sin x}\right)'=\dfrac{-(\sin x)'}{\sin^2 x}=-\dfrac{\cos x}{\sin^2 x}=-\dfrac{1}{\sin x}\cdot\dfrac{\cos x}{\sin x}=-\csc x\cot x$

(4) $y=\sec x$의 도함수

$y=\sec x=\dfrac{1}{\cos x}$이므로 $y'=\left(\dfrac{1}{\cos x}\right)'=\dfrac{-(\cos x)'}{\cos^2 x}=\dfrac{\sin x}{\cos^2 x}=\dfrac{1}{\cos x}\cdot\dfrac{\sin x}{\cos x}=\sec x\tan x$

보기 04 다음 함수를 미분하여라.

(1) $y=\sec x-\csc x$ (2) $y=2\tan x+\cos x$ (3) $y=\sec x\tan x$

(4) $y=x\cot x$ (5) $y=e^x\tan x$ (6) $y=3^x\tan x$

풀이

(1) $y'=(\sec x)'-(\csc x)'=\sec x\tan x+\csc x\cot x$

(2) $y'=(2\tan x)'+(\cos x)'=2\sec^2 x-\sin x$

(3) $y'=(\sec x)'\tan x+\sec x(\tan x)'=\sec x\tan^2 x+\sec^3 x$

(4) $y'=(x)'\cot x+x(\cot x)'=\cot x-x\csc^2 x$

(5) $y'=(e^x)'\tan x+e^x(\tan x)'=e^x(\tan x+\sec^2 x)$

(6) $y'=(3^x)'\tan x+3^x(\tan x)'=3^x\ln 3\tan x+3^x\sec^2 x=3^x(\ln 3\tan x+\sec^2 x)$

보기 05 다음 함수를 미분하여라.

(1) $y=\dfrac{\tan x}{x}$ (2) $y=\dfrac{\cot x}{x}$ (3) $y=\dfrac{\sec x}{1+\sec x}$ (4) $y=\dfrac{\sin x+\cos x}{\cos x}$

풀이

(1) $y'=\dfrac{(\tan x)'x-(\tan x)(x)'}{x^2}=\dfrac{x\sec^2 x-\tan x}{x^2}$

(2) $y'=\dfrac{(\cot x)'x-\cot x(x)'}{x^2}=\dfrac{-x\csc^2 x-\cot x}{x^2}$

(3) $y'=\dfrac{(\sec x)'(1+\sec x)-\sec x(1+\sec x)'}{(1+\sec x)^2}=\dfrac{\sec x\tan x(1+\sec x)-\sec x\cdot\sec x\tan x}{(1+\sec x)^2}$

$=\dfrac{\sec x\tan x}{(1+\sec x)^2}$

(4) $y'=\dfrac{(\sin x+\cos x)'\cos x-(\sin x+\cos x)(\cos x)'}{(\cos x)^2}=\dfrac{(\cos x-\sin x)\cos x+(\sin x+\cos x)\sin x}{(\cos x)^2}$

$=\dfrac{\cos^2 x+\sin^2 x}{(\cos x)^2}=\dfrac{1}{\cos^2 x}=\sec^2 x$

마플개념익힘 01 함수의 몫의 미분법

다음 물음에 답하여라.

(1) 함수 $f(x)=\dfrac{2x+a}{x^2+x-1}$에 대하여 $f'(1)=2$일 때, 상수 a를 구하여라.

(2) 함수 $f(x)=\dfrac{ax}{x+2}$에 대하여 $\lim\limits_{x\to1}\dfrac{f(x^2)-f(1)}{x-1}=4$일 때, 상수 a를 구하여라.

MAPL CORE 함수의 몫의 미분법

① $y=\dfrac{1}{g(x)}(g(x)\neq0) \Rightarrow y'=\dfrac{-g'(x)}{\{g(x)\}^2}$ ② $y=\dfrac{f(x)}{g(x)}(g(x)\neq0) \Rightarrow y'=\dfrac{f'(x)g(x)-f(x)g'(x)}{\{g(x)\}^2}$

개념익힘 | 풀이 (1) $f(x)=\dfrac{2x+a}{x^2+x-1}$에서 함수의 몫의 미분법을 이용하여 미분하면

$$f'(x)=\frac{(2x+a)'(x^2+x-1)-(2x+a)(x^2+x-1)'}{(x^2+x-1)^2}$$

$$=\frac{2\cdot(x^2+x-1)-(2x+a)(2x+1)}{(x^2+x-1)^2}=-\frac{2x^2+2ax+a+2}{(x^2+x-1)^2}$$

$f'(1)=2$이므로 $f'(1)=-3a-4=2$ $\therefore a=\mathbf{-2}$

(2) $\lim\limits_{x\to1}\dfrac{f(x^2)-f(1)}{x-1}=\lim\limits_{x\to1}\dfrac{f(x^2)-f(1)}{x^2-1}\cdot(x+1)=f'(1)\cdot2=4$ $\therefore f'(1)=2$

$f(x)=\dfrac{ax}{x+2}$에서 함수의 몫의 미분법을 이용하여 미분하면

$$f'(x)=\frac{(ax)'(x+2)-ax(x+2)'}{(x+2)^2}=\frac{2a}{(x+2)^2}$$

$f'(1)=\dfrac{2a}{9}=2$ $\therefore a=\mathbf{9}$

확인유제 0410 다음 물음에 답하여라.

(1) 함수 $f(x)=\dfrac{ax^2+bx+3}{x+3}$에 대하여 $f'(0)=2$, $f'(-2)=2$일 때, $a+b$의 값을 구하여라.

(2) 한수 $f(x)=-\dfrac{x+1}{x^2+1}$에 대하여 $\lim\limits_{h\to0}\dfrac{f(1+h)-f(1-h)}{h}$의 값을 구하어라.

변형문제 0411
2020학년도 09월 평가원

다음 물음에 답하여라.

(1) 함수 $f(x)=\dfrac{\ln x}{x^2}$에 대하여 $\lim\limits_{h\to0}\dfrac{f(e+h)-f(e-2h)}{h}$의 값은?

① $-\dfrac{2}{e}$ ② $-\dfrac{3}{e^2}$ ③ $-\dfrac{1}{e}$ ④ $-\dfrac{2}{e^2}$ ⑤ $-\dfrac{3}{e^3}$

(2) 함수 $f(x)=\dfrac{\log_2 x}{x}$에 대하여 $\lim\limits_{h\to0}\dfrac{f(1+2h)-f(1-2h)}{h}$의 값은?

① $\dfrac{2}{\ln2}$ ② $\dfrac{3}{\ln2}$ ③ $\dfrac{4}{\ln2}$ ④ $\ln2$ ⑤ $4\ln2$

발전문제 0412
2018학년도 수능기출

실수 전체의 집합에서 미분가능한 함수 $f(x)$에 대하여 함수 $g(x)$를

$$g(x)=\frac{f(x)}{e^{x-2}}$$

라 하자. $\lim\limits_{x\to2}\dfrac{f(x)-3}{x-2}=5$일 때, $g'(2)$의 값은?

① 1 ② 2 ③ 3 ④ 4 ⑤ 5

정답 0410 : (1) 9 (2) 1 0411 : (1) ⑤ (2) ③ 0412 : ②

마플개념익힘 02 삼각함수의 미분법

다음 물음에 답하여라.

(1) 함수 $f(x)=\dfrac{2x}{\sec x+\cos x}$에 대하여 $f'(\pi)$의 값을 구하여라.

(2) 함수 $f(x)=6\tan x\sec x$에 대하여 $f'\left(\dfrac{\pi}{3}\right)$의 값을 구하여라.

MAPL CORE 삼각함수의 도함수를 이용한다.

① $y=\tan x \Rightarrow y'=\sec^2 x$　　② $y=\cot x \Rightarrow y'=-\csc^2 x$

③ $y=\sec x \Rightarrow y'=\sec x\tan x$　　④ $y=\csc x \Rightarrow y'=-\csc x\cot x$

개념익힘 | **풀이** (1) $f(x)=\dfrac{2x}{\sec x+\cos x}$에서

$$f'(x)=\frac{(2x)'(\sec x+\cos x)-2x(\sec x+\cos x)'}{(\sec x+\cos x)^2}$$

$$=\frac{2(\sec x+\cos x)-2x(\sec x\tan x-\sin x)}{(\sec x+\cos x)^2}$$

따라서 $f'(\pi)=\dfrac{2\{-1+(-1)\}-2\times\pi\times(-1\times 0-0)}{\{-1+(-1)\}^2}=\mathbf{-1}$ ⬅ $\sin\pi=0,\ \cos\pi=-1,\ \tan\pi=0,\ \sec\pi=-1$

(2) $f(x)=6\tan x\sec x$에서

$$f'(x)=6\{(\tan x)'\times\sec x+\tan x\times(\sec x)'\}$$

$$=6(\sec^2 x\times\sec x+\tan x\times\sec x\tan x)$$

$$=6(\sec^3 x+\tan^2 x\sec x)$$

따라서 $f'\left(\dfrac{\pi}{3}\right)=6\left(\sec^3\dfrac{\pi}{3}+\tan^2\dfrac{\pi}{3}\sec\dfrac{\pi}{3}\right)=6\{2^3+(\sqrt{3})^2\times 2\}=6\times 14=\mathbf{84}$

확인유제 0413 다음 물음에 답하여라.

(1) 함수 $f(x)=\dfrac{1+\sec x}{\tan x}$에 대하여 $f'\left(\dfrac{\pi}{4}\right)$의 값을 구하여라.

(2) 함수 $f(x)=a\tan x+\sec x$에 대하여 $f'\left(\dfrac{\pi}{3}\right)=-2\sqrt{3}$일 때, 상수 a의 값을 구하여라.

변형문제 0414 다음 물음에 답하여라.

(1) 함수 $f(x)=2\sec x-\tan x$에 대하여 방정식 $f'(x)=0$을 만족시키는 실수 x의 값은? $\left(단,\ -\dfrac{\pi}{2}<x<\dfrac{\pi}{2}\right)$

① $-\dfrac{\pi}{3}$　② $-\dfrac{\pi}{6}$　③ 0　④ $\dfrac{\pi}{6}$　⑤ $\dfrac{\pi}{3}$

(2) 함수 $f(x)=\tan x+\cot x$에 대하여 방정식 $f'(x)=0$을 만족시키는 실수 x의 값은? $\left(단,\ 0<x<\dfrac{\pi}{2}\right)$

① $\dfrac{\pi}{12}$　② $\dfrac{\pi}{6}$　③ $\dfrac{\pi}{4}$　④ $\dfrac{\pi}{3}$　⑤ $\dfrac{5}{12}\pi$

발전문제 0415 정의역이 $\left\{x\,\middle|\,0<x<\dfrac{\pi}{2}\right\}$인 함수 $f(x)$가 정의역에 속하는 모든 실수 x에 대하여

$$(\sec^2 x+\tan x)f(x)=\tan^3 x-1$$

을 만족시킬 때, $f'\left(\dfrac{\pi}{6}\right)$의 값은?

① $\dfrac{4}{3}$　② $\dfrac{3}{2}$　③ $\dfrac{5}{3}$　④ $\dfrac{11}{6}$　⑤ 2

정답 0413 : (1) $-2-\sqrt{2}$ (2) $-\sqrt{3}$　0414 : (1) ④ (2) ③　0415 : ①

02 합성함수의 미분법

01 합성함수의 미분법

두 함수 $y=f(u)$, $u=g(x)$가 미분가능할 때, 합성함수 $y=f(g(x))$의 도함수는 다음과 같다.

$$\frac{dy}{dx}=\frac{dy}{du}\times\frac{du}{dx}\text{ 또는 }y=\{f(g(x))\}'=f'(g(x))g'(x)$$

마플해설 합성함수 $y=f(g(x))$의 미분법의 증명

x의 증분 Δx에 대한 u의 증분을 Δu라 하고, u의 증분 Δu에 대한 y의 증분을 Δy라 하면

$\frac{\Delta y}{\Delta x}=\frac{\Delta y}{\Delta u}\cdot\frac{\Delta u}{\Delta x}(\Delta u\neq 0)$

이때 두 함수 $y=f(u)$, $u=g(x)$는 미분가능하므로 다음이 성립한다.

$\lim_{\Delta u\to 0}\frac{\Delta y}{\Delta u}=\frac{dy}{du}=f'(u)$, $\lim_{\Delta x\to 0}\frac{\Delta u}{\Delta x}=\frac{du}{dx}=g'(x)$

한편 함수 $u=g(x)$는 연속이므로 $\Delta x\to 0$일 때, $\Delta u\to 0$이다. 따라서

$\frac{dy}{dx}=\lim_{\Delta x\to 0}\frac{\Delta y}{\Delta x}=\lim_{\Delta x\to 0}\left(\frac{\Delta y}{\Delta u}\cdot\frac{\Delta u}{\Delta x}\right)=\lim_{\Delta u\to 0}\frac{\Delta y}{\Delta u}\cdot\lim_{\Delta x\to 0}\frac{\Delta u}{\Delta x}=\frac{dy}{du}\cdot\frac{du}{dx}$, 즉 $\frac{dy}{dx}=\frac{dy}{du}\cdot\frac{du}{dx}$

또, $\frac{dy}{dx}=\{f(g(x))\}'$이고 $\frac{dy}{du}=f'(u)$, $\frac{du}{dx}=g'(x)$이므로 $\{f(g(x))\}'=f'(g(x))g'(x)$

참고

함수 $u=g(x)$가 연속이면

$\lim_{\Delta x\to 0}g(x+\Delta x)=g(x)$이므로

$\lim_{\Delta x\to 0}\Delta u=\lim_{\Delta x\to 0}\{g(x+\Delta u)-g(x)\}$

$=0$

보기 01 다음 함수를 미분하여라.

(1) $y=(3x+2)^4$ (2) $y=\frac{1}{(x^2-4)^3}$

풀이 (1) $u=3x+2$로 놓으면 $y=u^4$이므로 $\frac{dy}{du}=4u^3$, $\frac{du}{dx}=3$

$\therefore \frac{dy}{dx}=\frac{dy}{du}\cdot\frac{du}{dx}=4u^3\cdot 3=12(3x+2)^3$

(2) $u=x^2-4$로 놓으면 $y=\frac{1}{u^3}=u^{-3}$이므로 $\frac{dy}{du}=-3u^{-4}$, $\frac{du}{dx}=2x$

$\therefore \frac{dy}{dx}=\frac{dy}{du}\cdot\frac{du}{dx}=-3u^{-4}\cdot 2x=-6x(x^2-4)^{-4}=-\frac{6x}{(x^2-4)^4}$

보기 02 실수 전체에서 미분가능한 함수 $f(x)$, $g(x)$에 대하여 $f(1)=3$, $f'(1)=4$, $g'(3)=6$일 때, 합성함수 $y=(g\circ f)(x)$의 $x=1$에서 미분계수를 구하여라.

풀이 합성함수의 미분법에 의하여

$y=(g\circ f)(x)=g(f(x))$에서 $y'=g'(f(x))\cdot f'(x)$

$x=1$에서 미분계수는 $g'(f(1))\cdot f'(1)=g'(3)\cdot 4=6\cdot 4=24$

보기 03 두 함수 $f(x)=x^2-3$, $g(x)=\frac{1}{x^2+1}$의 합성함수 $h(x)=(g\circ f)(x)$에 대하여 $h'(2)$의 값을 구하여라.

풀이 $f'(x)=2x$, $g'(x)=-\frac{2x}{(x^2+1)^2}$이고 합성함수의 미분법에 의하여

$h(x)=(g\circ f)(x)=g(f(x))$에서 $h'(x)=g'(f(x))\cdot f'(x)$이므로

$h'(2)=g'(f(2))\cdot f'(2)=g'(1)\cdot 4=-\frac{1}{2}\cdot 4=-2$

02 합성함수의 미분법의 활용

미분가능한 함수 $f(x)$에 대하여 다음이 성립한다.

(1) $y=f(ax+b)$의 도함수 ⇨ $y'=af'(ax+b)$

(2) $y=\{f(x)\}^n$ 의 도함수 ⇨ $y'=n\{f(x)\}^{n-1}f'(x)$ (단, n은 정수)

마플해설 (1) 합성함수 $y=f(ax+b)$의 미분법의 증명

$y=f(ax+b)$에서 $u=ax+b$라 하면 $y=f(u)$

$\frac{dy}{du}=f'(u)$, $\frac{du}{dx}=a$ $\quad\therefore \frac{dy}{dx}=\frac{dy}{du}\cdot\frac{du}{dx}=f'(u)\cdot a=af'(ax+b)$

(2) 합성함수 $y=\{f(x)\}^n$의 미분법의 증명

$y=\{f(x)\}^n$에서 $u=f(x)$라 하면 $y=u^n$

$\frac{du}{dx}=f'(x)$, $\frac{dy}{du}=nu^{n-1}$ $\quad\therefore \frac{dy}{dx}=\frac{dy}{du}\cdot\frac{du}{dx}=nu^{n-1}\cdot f'(x)=n\{f(x)\}^{n-1}f'(x)$

보기 04 다음 함수를 미분하여라.

(1) $y=(2x+1)^5$ (2) $y=\frac{4}{(2x+1)^2}$

(3) $y=\sin(3x-5)$ (4) $y=\cos 5x$

풀이 (1) $y'=5(2x+1)^4\cdot(2x+1)'=5(2x+1)^4\cdot 2=10(2x+1)^4$

(2) $y=4(2x+1)^{-2}$이므로 $y'=-8(2x+1)^{-3}\cdot(2x+1)'=-\frac{16}{(2x+1)^3}$

(3) $y=\sin(3x-5)$이므로 $y'=\cos(3x-5)\cdot(3x-5)'=3\cos(3x-5)$

(4) $y=\cos 5x$이므로 $y'=(\cos 5x)'=-\sin 5x(5x)'=-5\sin 5x$

보기 05 다음 함수를 미분하여라.

(1) $y=\left(x+\frac{1}{x}\right)^2$ (2) $y=(x+1)^3(x^2-1)^2$ (3) $y=\left(\frac{x}{x^2-1}\right)^3$

풀이 (1) $y'=2\left(x+\frac{1}{x}\right)\left(x+\frac{1}{x}\right)'=2\left(x+\frac{1}{x}\right)\left(1-\frac{1}{x^2}\right)$

(2) $y'=\{(x+1)^3\}'(x^2-1)^2+(x+1)^3\{(x^2-1)^2\}'$

$=3(x+1)^2(x^2-1)^2+(x+1)^3\cdot 2(x^2-1)\cdot 2x$

$=(x+1)^2(x^2-1)\{3(x^2-1)+(x+1)\cdot 4x\}$

$=(x+1)^3(x^2-1)(7x-3)$

(3) $y'=3\left(\frac{x}{x^2-1}\right)^2\left(\frac{x}{x^2-1}\right)'=3\left(\frac{x}{x^2-1}\right)^2\cdot\frac{(x)'(x^2-1)-x(x^2-1)'}{(x^2-1)^2}$

$=3\left(\frac{x}{x^2-1}\right)^2\cdot\frac{1\cdot(x^2-1)-x\cdot 2x}{(x^2-1)^2}$

$=3\left(\frac{x}{x^2-1}\right)^2\cdot\frac{-x^2-1}{(x^2-1)^2}=\frac{-3x^2(x^2+1)}{(x^2-1)^4}$

더 알아보기

속미분

합성함수 $y=f(g(x))$의 도함수는 $y'=f'(g(x))g'(x)$이다.

이는 바깥에 있는 함수 $f(x)$를 미분한 후에 안에 있는 함수 $g(x)$의 도함수를 곱한 것이다.

이때 안에 있는 $g(x)$의 도함수 $g'(x)$를 속미분이라 한다.

03 $y=x^r$ (r은 유리수)의 도함수

r이 유리수일 때, $y=x^r$의 도함수는

$$y'=rx^{r-1}$$ ⬅ 형태는 이전에 배웠던 n이 정수인 경우와 같다.

마플해설 합성함수의 미분법을 이용하여 r이 유리수일 때, 함수 $y=x^r$의 도함수를 구하여 보자.

$r=\frac{q}{p}$ (p는 양의 정수, q는 정수)라고 하면 $y=x^{\frac{q}{p}}$이므로 양변을 각각 p제곱하면 $y^p=x^q$이다.

이때 $z=y^p$이라고 하면 z는 y에 대한 함수이고, y는 x에 대한 함수이므로 z를 x에 대하여 미분하면 합성함수의 미분법에 의하여

$$\frac{dz}{dx}=\frac{dz}{dy}\cdot\frac{dy}{dx} \quad \cdots\cdots ㉠$$ ⬅ $z=y^p=x^q$

이다. 그런데 $z=y^p$, $z=x^q$이므로 $\frac{dz}{dy}=py^{p-1}$, $\frac{dz}{dx}=qx^{q-1}$

이고, 이를 ㉠에 대입하면 $qx^{q-1}=py^{p-1}\cdot\frac{dy}{dx}$

이다. 따라서 다음이 성립한다.

$$\frac{dy}{dx}=\frac{qx^{q-1}}{py^{p-1}}=\frac{q}{p}x^{q-1}y^{1-p}=\frac{q}{p}x^{q-1}\left(x^{\frac{q}{p}}\right)^{1-p}=\frac{q}{p}x^{q-1}x^{\frac{q}{p}-q}=\frac{q}{p}x^{\frac{q}{p}-1}=rx^{r-1}$$

보기 06 다음 각 함수를 미분하여라.

(1) $y=\sqrt{x}$ (2) $y=x^{-\frac{3}{4}}$ (3) $y=x\sqrt{x}$

풀이 (1) $y=\sqrt{x}=x^{\frac{1}{2}}$에서 $y'=\frac{1}{2}x^{\frac{1}{2}-1}=\frac{1}{2}x^{-\frac{1}{2}}=\frac{1}{2}\cdot\frac{1}{\sqrt{x}}=\frac{1}{2\sqrt{x}}$

(2) $y=x^{-\frac{3}{4}}$에서 $y'=-\frac{3}{4}x^{-\frac{3}{4}-1}=-\frac{3}{4}x^{-\frac{7}{4}}=-\frac{3}{4\sqrt[4]{x^7}}$

(3) $y=x\sqrt{x}=x^{1+\frac{1}{2}}=x^{\frac{3}{2}}$에서 $y'=\frac{3}{2}x^{\frac{3}{2}-1}=\frac{3}{2}x^{\frac{1}{2}}=\frac{3}{2}\sqrt{x}$

보기 07 다음 각 함수를 미분하여라.

(1) $y=\sqrt{1-x^2}$ (2) $y=\sqrt{1+\sin x}$ (3) $y=\sqrt{1+2\tan x}$

(4) $y=\sqrt[3]{2x-5}$ (5) $y=\frac{1}{\sqrt{x^2+1}}$

풀이 (1) $y=\sqrt{1-x^2}=(1-x^2)^{\frac{1}{2}}$이므로 합성함수의 미분법에 의하여

$$y'=\frac{1}{2}(1-x^2)^{\frac{1}{2}-1}(1-x^2)'=\frac{1}{2}(1-x^2)^{-\frac{1}{2}}\cdot(-2x)=-\frac{x}{\sqrt{1-x^2}}$$

(2) $y=\sqrt{1+\sin x}=(1+\sin x)^{\frac{1}{2}}$이므로 합성함수의 미분법에 의하여

$$y'=\frac{1}{2}(1+\sin x)^{\frac{1}{2}-1}(1+\sin x)'=\frac{1}{2}(1+\sin x)^{-\frac{1}{2}}\cdot\cos x=\frac{\cos x}{2\sqrt{1+\sin x}}$$

(3) $y=\sqrt{1+2\tan x}=(1+2\tan x)^{\frac{1}{2}}$이므로 합성함수의 미분법에 의하여

$$y'=\frac{1}{2}(1+2\tan x)^{\frac{1}{2}-1}(1+2\tan x)'=\frac{1}{2}(1+2\tan x)^{-\frac{1}{2}}\cdot 2\sec^2 x=\frac{\sec^2 x}{\sqrt{1+2\tan x}}$$

(4) $y=\sqrt[3]{2x-5}=(2x-5)^{\frac{1}{3}}$이므로 합성함수의 미분법에 의하여

$$y'=\frac{1}{3}(2x-5)^{\frac{1}{3}-1}(2x-5)'=\frac{1}{3}(2x-5)^{-\frac{2}{3}}\cdot 2=\frac{2}{3\sqrt[3]{(2x-5)^2}}$$

(5) $y=\frac{1}{\sqrt{x^2+1}}=(x^2+1)^{-\frac{1}{2}}$이므로 합성함수의 미분법에 의하여

$$y'=-\frac{1}{2}(x^2+1)^{-\frac{1}{2}-1}(x^2+1)'=-\frac{1}{2}(x^2+1)^{-\frac{3}{2}}\cdot 2x=-\frac{x}{(x^2+1)\sqrt{x^2+1}}$$

04 삼각함수의 합성함수 미분법

(1) 삼각함수의 도함수는 다음과 같다.

① $y=\sin x$ ⇨ $y'=\cos x$

② $y=\cos x$ ⇨ $y'=-\sin x$

③ $y=\tan x$ ⇨ $y'=\sec^2 x$

④ $y=\csc x$ ⇨ $y'=-\csc x\cot x$

⑤ $y=\sec x$ ⇨ $y'=\sec x\tan x$

⑥ $y=\cot x$ ⇨ $y'=-\csc^2 x$

(2) 미분가능한 함수 $f(x)$에 대하여 $y=\sin f(x)$꼴 삼각함수의 도함수는 합성함수의 미분법을 이용하면 다음이 성립한다.

① $\{\sin f(x)\}'=\{\cos f(x)\}\cdot f'(x)$

② $\{\cos f(x)\}'=\{-\sin f(x)\}\cdot f'(x)$

③ $\{\tan f(x)\}'=\{\sec^2 f(x)\}\cdot f'(x)$

(3) 미분가능한 함수 $f(x)$에 대하여 $y=\sin^n f(x)$꼴 삼각함수의 도함수는 합성함수의 미분법을 이용하면 다음이 성립한다.

① $\{\sin^n f(x)\}'=n\sin^{n-1}f(x)\{\sin f(x)\}'=n\sin^{n-1}f(x)\cos f(x)\cdot f'(x)$

② $\{\cos^n f(x)\}'=n\cos^{n-1}f(x)\{\cos f(x)\}'=-n\cos^{n-1}f(x)\sin f(x)\cdot f'(x)$

③ $\{\tan^n f(x)\}'=n\tan^{n-1}f(x)\{\tan f(x)\}'=n\tan^{n-1}f(x)\sec^2 f(x)\cdot f'(x)$

마플해설

(2) $y=\sin f(x)$의 도함수

$f(x)=u$로 놓으면 $y=\sin u$이므로 $\dfrac{dy}{du}=\cos u$, $\dfrac{du}{dx}=f'(x)$

합성함수의 미분법에 의해

$y'=\{\sin f(x)\}'=\dfrac{dy}{dx}=\dfrac{dy}{du}\cdot\dfrac{du}{dx}=\cos u\cdot f'(x)=f'(x)\cos f(x)$

(3) $y=\sin^n f(x)$의 도함수

합성함수의 미분법에 의해

$g(x)=\sin f(x)$로 놓으면 $y=\{g(x)\}^n$일 때, $y'=ng(x)^{n-1}g'(x)$이므로

$\{\sin^n f(x)\}'=n\sin^{n-1}f(x)\{\sin f(x)\}'=n\sin^{n-1}f(x)\cdot\cos f(x)\cdot f'(x)$

보기 08 다음 함수를 미분하여라.

(1) $y=\sin(3-x^2)$ (2) $y=\cos\sqrt{1-x^2}$ (3) $y=\tan(1+x^2)$

(4) $y=\sin(\cos x)$ (5) $y=\cos(\tan x)$ (6) $y=\csc(\sin x)$

풀이

(1) $y'=(3-x^2)'\cos(3-x^2)=-2x\cos(3-x^2)$

(2) $y'=-\sin\sqrt{1-x^2}\cdot(\sqrt{1-x^2})'=-\sin\sqrt{1-x^2}\cdot\dfrac{-2x}{2\sqrt{1-x^2}}=\dfrac{x\sin\sqrt{1-x^2}}{\sqrt{1-x^2}}$

(3) $y'=\sec^2(1+x^2)\cdot(1+x^2)'=2x\sec^2(1+x^2)$

(4) $y'=\cos(\cos x)\cdot(\cos x)'=-\sin x\cos(\cos x)$

(5) $y'=-\sin(\tan x)\cdot(\tan x)'=-\sec^2 x\sin(\tan x)$

(6) $y'=-\{\csc(\sin x)\cot(\sin x)\}(\sin x)'=-\csc(\sin x)\cot(\sin x)\cos x$

보기 09 다음 함수를 미분하여라.

(1) $y=\sin^2 x$ (2) $y=\tan^3 x$

(3) $y=\sec^2 x$ (4) $y=\sin 2x\cos^2 x$

풀이

(1) $y'=2(\sin x)(\sin x)'=2\sin x\cos x$

(2) $y'=3(\tan^2 x)(\tan x)'=3\tan^2 x\sec^2 x$

(3) $y'=2(\sec x)(\sec x)'=2(\sec x)(\sec x\cdot\tan x)=2\sec^2 x\tan x$

(4) $y'=(\sin 2x)'\cos^2 x+\sin 2x(\cos^2 x)'$

$=\cos 2x\cdot(2x)'\cos^2 x+\sin 2x\cdot 2\cos x\cdot(\cos x)'$

$=2\cos x(\cos 2x\cos x-\sin 2x\sin x)$

$=2\cos x\cos(2x+x)=2\cos x\cos 3x$

보기 10 다음 함수를 미분하여라.

(1) $y=\sin(\tan 3x)$ (2) $y=\sin^3(2x+1)$ (3) $y=\cos^3(2x+1)$

(4) $y=\tan^3(2x+7)$ (5) $y=\sqrt{\tan 3x+2}$ (6) $y=\cos^2(\sin x)$

풀이

(1) $y'=\cos(\tan 3x)\cdot(\tan 3x)'=\cos(\tan 3x)\cdot\sec^2 3x\cdot 3=3\cos(\tan 3x)\sec^2 3x$

(2) $y'=3\sin^2(2x+1)\cdot\{\sin(2x+1)\}'=3\sin^2(2x+1)\cdot\cos(2x+1)\cdot(2x+1)'$

$=6\sin^2(2x+1)\cos(2x+1)$

(3) $y'=3\cos^2(2x+1)\cdot\{\cos(2x+1)\}'=3\cos^2(2x+1)\cdot\{-\sin(2x+1)\}\cdot(2x+1)'$

$=-6\cos^2(2x+1)\cdot\sin(2x+1)$

(4) $y'=3\tan^2(2x+7)\cdot\{\tan(2x+7)\}'=3\tan^2 x(2x+7)\cdot\sec^2(2x+7)\cdot(2x+7)'$

$=6\tan^2(2x+7)\cdot\sec^2(2x+7)$

(5) $y=(\tan 3x+2)^{\frac{1}{2}}$이므로

$$y'=\frac{1}{2}(\tan 3x+2)^{-\frac{1}{2}}\cdot(\tan 3x+2)'=\frac{\sec^2 3x\cdot(3x)'}{2\sqrt{\tan 3x+2}}=\frac{3\sec^2 3x}{2\sqrt{\tan 3x+2}}=\frac{3}{2\cos^2 3x\sqrt{\tan 3x+2}}$$

(6) $y'=2\cos(\sin x)\cdot\{\cos(\sin x)\}'=-2\cos(\sin x)\cdot\sin(\sin x)\cdot(\sin x)'$

$=-2\cos(\sin x)\cdot\sin(\sin x)\cdot\cos x$

더 알아보기

(1) 함수 $y=\ln\sqrt{\frac{1+\sin x}{1-\sin x}}$의 도함수는 $y'=\sec x$이다.

증명 $y=\ln\sqrt{\frac{1+\sin x}{1-\sin x}}=\frac{1}{2}\ln\frac{1+\sin x}{1-\sin x}=\frac{1}{2}\{\ln(1+\sin x)-\ln(1-\sin x)\}$이므로

$$y'=\frac{1}{2}\left(\frac{\cos x}{1+\sin x}+\frac{\cos x}{1-\sin x}\right)=\frac{1}{2}\,\frac{\cos x(1-\sin x)+(1+\sin x)\cos x}{1-\sin^2 x}$$

$$=\frac{1}{2}\cdot\frac{2\cos x}{1-\sin^2 x}=\frac{\cos x}{1-\sin^2 x}=\frac{\cos x}{\cos^2 x}=\frac{1}{\cos x}=\sec x$$

(2) 함수 $y=\ln\sqrt{\frac{1+\cos x}{1-\cos x}}$의 도함수는 $y'=-\csc x$이다.

증명 $y=\ln\sqrt{\frac{1+\cos x}{1-\cos x}}=\frac{1}{2}\ln\frac{1+\cos x}{1-\cos x}=\frac{1}{2}\{\ln(1+\cos x)-\ln(1-\cos x)\}$이므로

$$y'=\frac{1}{2}\left(\frac{-\sin x}{1+\cos x}-\frac{\sin x}{1-\cos x}\right)=\frac{1}{2}\cdot\frac{-\sin x(1-\cos x)-\sin x(1+\cos x)}{1-\cos^2 x}$$

$$=\frac{1}{2}\cdot\frac{-2\sin x}{1-\cos^2 x}=\frac{-2\sin x}{2\sin^2 x}=-\frac{1}{\sin x}=-\csc x$$

05 지수함수의 합성함수 미분법

(1) 지수함수 $y=e^x$, $y=a^x$의 도함수는 다음과 같다.

① $y=e^x \Rightarrow y'=e^x$

② $y=a^x \Rightarrow y'=a^x\ln a$ (단, $a\neq1$, $a>0$)

(2) 미분가능한 함수 $f(x)$에 대하여 합성함수의 미분법을 이용하면 다음이 성립한다.

① $y=e^{f(x)} \Rightarrow y'=e^{f(x)}f'(x)$

② $y=a^{f(x)} \Rightarrow y'=a^{f(x)}\ln a\cdot f'(x)$ (단, $a\neq1$, $a>0$)

마플해설

(1) 지수함수 $y=e^x$, $y=a^x$의 도함수는 $\lim_{x\to0}\frac{e^x-1}{x}=1$, $\lim_{x\to0}\frac{a^x-1}{x}=\ln a$임과 도함수의 정의를 이용하여 증명한다.

← $a^x=(e^{\ln a})^x=e^{x\ln a}$이므로 $(a^x)'=(e^{x\ln a})'=e^{x\ln a}\cdot(x\ln a)'=a^x\ln a$

(2) $y=e^{f(x)}$에서 $f(x)$가 미분가능하고 $f(x)\neq0$일 때, 합성함수의 미분법을 이용한다.

① $y=e^{f(x)}$의 도함수

$u=f(x)$로 놓으면 $y=e^u$이므로 $\frac{dy}{du}=e^u$, $\frac{du}{dx}=f'(x)$

$\therefore y'=\frac{dy}{dx}=\frac{dy}{du}\cdot\frac{du}{dx}=e^u\cdot f'(x)=e^{f(x)}f'(x)$

② $y=a^{f(x)}$의 도함수

$u=f(x)$로 놓으면 $y=a^u$이므로 $\frac{dy}{du}=a^u\ln a$, $\frac{du}{dx}=f'(x)$

$\therefore y'=\frac{dy}{dx}=\frac{dy}{du}\cdot\frac{du}{dx}=a^u\ln a\cdot f'(x)=a^{f(x)}\ln a\cdot f'(x)$

$y=a^{f(x)}$ —도함수→ $y'=a^{f(x)}\cdot f'(x)\ln a$ (미분)

보기 11 다음 함수를 미분하여라.

(1) $y=3^{\ln x}$ (2) $y=e^{\cos x}$ (3) $y=a^{\sin x}$

(4) $y=\sin(e^x-e^{-x})$ (5) $y=\sin 2^x$ (6) $y=5^{\sin x-\cos x}$

풀이

(1) $y'=(3^{\ln x})\ln3\cdot(\ln x)'=\frac{3^{\ln x}\ln3}{x}$

(2) $y'=e^{\cos x}\cdot(\cos x)'=-e^{\cos x}\sin x$

(3) $y'=a^{\sin x}(\ln a)\cdot(\sin x)'=(\ln a)a^{\sin x}\cos x$

(4) $y'=\cos(e^x-e^{-x})\cdot(e^x-e^{-x})'=(e^x+e^{-x})\cos(e^x-e^{-x})$

(5) $y'=(\cos2^x)(2^x)'=\cos2^x\cdot2^x\ln2=2^x(\ln2)\cos2^x$

(6) $y'=(5^{\sin x-\cos x})\ln5\cdot(\sin x-\cos x)'=(\cos x+\sin x)\cdot5^{\sin x-\cos x}\ln5$

보기 12 다음 함수를 미분하여라.

(1) $y=x^2e^{\sin x}$ (2) $y=e^x\tan x$ (3) $y=e^{x^2}\sin x$

풀이

(1) $y'=(x^2)'e^{\sin x}+x^2(e^{\sin x})'=2xe^{\sin x}+x^2e^{\sin x}(\sin x)'$

$=2xe^{\sin x}+x^2e^{\sin x}\cos x=(2x+x^2\cos x)e^{\sin x}$

(2) $y'=(e^x)'\tan x+e^x(\tan x)'=e^x\tan x+e^x\sec^2x=(\tan x+\sec^2x)e^x$

(3) $y'=(e^{x^2})'\sin x+e^{x^2}(\sin x)'=e^{x^2}(x^2)'\sin x+e^{x^2}\cos x=e^{x^2}(2x\sin x+\cos x)$

06 로그함수의 합성함수 미분법

(1) 로그함수 $y=\ln x$, $y=\log_a x$의 도함수는 다음과 같다.

① $y=\ln|x|$ ⇨ $y'=\dfrac{1}{x}$ (단, $x\neq0$)

② $y=\log_a|x|$ ⇨ $y'=\dfrac{1}{x\ln a}$ (단, $a>0$, $a\neq1$)

(2) 미분가능한 함수 $f(x)$에 대하여 합성함수의 미분법을 이용하면 다음이 성립한다.

① $y=\ln|f(x)|$ ⇨ $y'=\dfrac{f'(x)}{f(x)}$ (단, $f(x)\neq0$)

② $y=\log_a|f(x)|$ ⇨ $y'=\dfrac{f'(x)}{f(x)}\cdot\dfrac{1}{\ln a}$ (단, $a>0$, $a\neq1$, $f(x)\neq0$)

마플해설 (1) 로그함수 $y=\ln x$, $y=\log_a x$의 도함수는 $\lim_{x\to0}(1+x)^{\frac{1}{x}}=e$임과 도함수의 정의를 이용하여 증명한다.

⬅ $(\log_a x)'=\left(\dfrac{\ln x}{\ln a}\right)'=\dfrac{1}{\ln a}(\ln x)'=\dfrac{1}{\ln a}\cdot\dfrac{1}{x}=\dfrac{1}{x\ln a}$

(2) $y=\ln|f(x)|$에서 $f(x)$가 미분가능하고 $f(x)\neq0$일 때 합성함수의 미분법을 이용한다.

① $y=\ln|f(x)|$의 도함수

(i) $f(x)>0$일 때, $y=\ln f(x)$이고, $u=f(x)$로 놓으면 $y=\ln u$이므로 $\dfrac{du}{dx}=f'(x)$, $\dfrac{dy}{du}=\dfrac{1}{u}$

$\therefore y'=\dfrac{dy}{dx}=\dfrac{dy}{du}\cdot\dfrac{du}{dx}=\dfrac{1}{u}\cdot f'(x)=\dfrac{f'(x)}{f(x)}$

(ii) $f(x)<0$일 때, $y=\ln\{-f(x)\}$이고, $u=-f(x)$로 놓으면 $y=\ln u$이므로 $\dfrac{du}{dx}=-f'(x)$, $\dfrac{dy}{du}=\dfrac{1}{u}$

$\therefore y'=\dfrac{dy}{dx}=\dfrac{dy}{du}\cdot\dfrac{du}{dx}=\dfrac{1}{u}\cdot\{-f'(x)\}=\dfrac{f'(x)}{f(x)}$

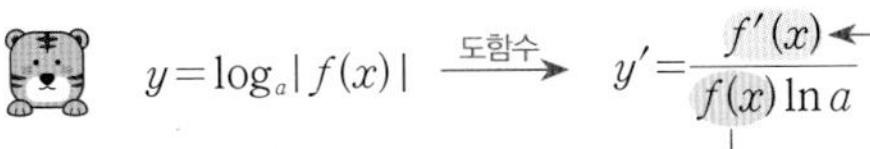

따라서 (i), (ii)에 의하여 $y'=\dfrac{f'(x)}{f(x)}$

② $y=\log_a|f(x)|$의 도함수

$y=\log_a|f(x)|=\dfrac{\ln|f(x)|}{\ln a}$이므로 $y'=(\log_a|f(x)|)'=\left(\dfrac{\ln|f(x)|}{\ln a}\right)'=\dfrac{1}{\ln a}\cdot(\ln|f(x)|)'=\dfrac{f'(x)}{f(x)}\cdot\dfrac{1}{\ln a}$

참고 $y=\ln|f(x)|$에서 $f(x)>0$일 때와 $f(x)<0$일 때, 도함수가 같으므로 로그함수를 미분할 때에는 절댓값 기호를 무시해도 된다.

보기 13 다음 함수를 미분하여라.

(1) $y=\ln(x^2+1)$ (2) $y=\ln(\ln x)$ (3) $y=\ln(\tan x)$

(4) $y=\log_3|2^x-1|$ (5) $y=\log_2|\cos x|$ (6) $y=\ln(x\sin x)$

풀이

(1) $y'=\dfrac{(x^2+1)'}{x^2+1}=\dfrac{2x}{x^2+1}$

(2) $y'=\dfrac{(\ln x)'}{\ln x}=\dfrac{\frac{1}{x}}{\ln x}=\dfrac{1}{x\ln x}$

(3) $y'=\dfrac{(\tan x)'}{\tan x}=\dfrac{\sec^2 x}{\tan x}=\dfrac{\frac{1}{\cos^2 x}}{\frac{\sin x}{\cos x}}=\dfrac{1}{\sin x\cos x}$

(4) $y'=\dfrac{(2^x-1)'}{(2^x-1)\ln3}=\dfrac{2^x\ln2}{(2^x-1)\ln3}$

(5) $y'=\dfrac{(\cos x)'}{\cos x\ln2}=\dfrac{-\sin x}{\cos x\ln2}=\dfrac{-\tan x}{\ln2}$

(6) $y'=\dfrac{(x\sin x)'}{x\sin x}=\dfrac{(x)'\sin x+x(\sin x)'}{x\sin x}=\dfrac{\sin x+x\cos x}{x\sin x}$

마플개념익힘 01 합성함수의 미분법 (1)

실수 전체의 집합에서 미분가능한 두 함수 $f(x)$, $g(x)$가 다음 조건을 만족시킨다.

(가) $f(1)=3$, $f'(1)=2$

(나) 모든 실수 x에 대하여 $g(f(x))=6x-1$이다.

$g(3)+g'(3)$의 값을 구하여라.

MAPL CORE 두 함수 $f(x)$, $g(x)$가 미분가능할 때, 합성함수 $y=f(g(x))$의 도함수는 $y'=f'(g(x))g'(x)$이다.

① $y=f(ax+b)$일 때, $y'=af'(ax+b)$

② $y=\{f(x)\}^n$ (n은 정수)일 때, $y'=n\{f(x)\}^{n-1}\times f'(x)$

개념익힘 | **풀이** $g(f(x))=6x-1$ …… ㉠

㉠의 양변에 $x=1$을 대입하면 $g(f(1))=6\times1-1=5$

$f(1)=3$이므로 $g(3)=5$

㉠의 양변을 x에 대하여 미분하면 $g'(f(x))f'(x)=6$ …… ㉡

㉡의 양변에 $x=1$을 대입하면 $g'(f(1))f'(1)=6$

$f(1)=3$, $f'(1)=2$이므로 $g'(3)\times2=6$에서 $g'(3)=3$

따라서 $g(3)+g'(3)=5+3=\mathbf{8}$

확인유제 0416

실수 전체의 집합에서 미분가능한 두 함수 $f(x)$, $g(x)$가 다음 조건을 만족시킨다.

(가) $g(1)=2$, $g'(1)=2$

(나) 모든 실수 x에 대하여 $f(g(x))=2x+3$이다.

$f(2)+f'(2)$의 값을 구하여라.

변형문제 0417

다음 물음에 답하여라.

2017학년도 09월 평가원

(1) 실수 전체의 집합에서 미분가능한 함수 $f(x)$가 모든 실수 x에 대하여

$$f(2x+1)=(x^2+1)^2$$

을 만족시킬 때, $f'(3)$의 값은?

① 1 ② 2 ③ 3 ④ 4 ⑤ 5

2013학년도 09월 평가원

(2) 양의 실수 전체의 집합에서 정의된 미분가능한 함수 $f(x)$가

$$f(x^3)=2x^3-x^2+32x$$

를 만족시킬 때, $f'(1)$의 값은?

① 11 ② 12 ③ 13 ④ 14 ⑤ 15

발전문제 0418

다음 물음에 답하여라.

(1) 두 함수 $f(x)=\dfrac{x}{x^2-2}$, $g(x)=x^2+2x-2$의 합성함수 $h(x)=(f\circ g)(x)$에 대하여 $h'(1)$의 값을 구하여라.

(2) 함수 $f(x)$가 미분가능하고 함수 $g(x)=\dfrac{x+2}{x^2+2}$일 때, 합성함수 $h(x)=(f\circ g)(x)$는 $h'(0)=12$를 만족한다. 이때 $f'(1)$의 값을 구하여라.

정답 0416 : 6 0417 : (1) ④ (2) ② 0418 : (1) -12 (2) 24

마플개념익힘 02 합성함수의 미분법 (2)

미분가능한 두 함수 $f(x)$, $g(x)$가

$$\lim_{x\to 2}\frac{f(x)+1}{x-2}=3,\ \lim_{x\to -1}\frac{g(x)-2}{x+1}=2$$

를 만족시킬 때, 함수 $y=(g\circ f)(x)$의 $x=2$에서의 미분계수를 구하여라.

MAPL CORE ① $y=f(g(x))$에서 $y'=f'(g(x))\cdot g'(x)$

② 함수 $f(x)$가 미분가능할 때, $\lim_{x\to a}\frac{f(x)-b}{x-a}=\alpha$($\alpha$는 상수)이면 $f(a)=b$이고 $f'(a)=\alpha$

개념익힘 | 풀이 $\lim_{x\to 2}\frac{f(x)+1}{x-2}=3$에서 $x\to 2$일 때, (분모)$\to 0$이고 극한값이 존재하므로 (분자)$\to 0$이다.

즉, $\lim_{x\to 2}\{f(x)+1\}=0$이므로 $f(2)=-1$

$\therefore \lim_{x\to 2}\frac{f(x)+1}{x-2}=\lim_{x\to 2}\frac{f(x)-f(2)}{x-2}=f'(2)=3$

또, $\lim_{x\to -1}\frac{g(x)-2}{x+1}=2$에서 $x\to -1$일 때, (분모)$\to 0$이고 극한값이 존재하므로 (분자)$\to 0$이다.

즉, $\lim_{x\to -1}\{g(x)-2\}=0$이므로 $g(-1)=2$

$\therefore \lim_{x\to -1}\frac{g(x)-2}{x+1}=\lim_{x\to -1}\frac{g(x)-g(-1)}{x-(-1)}=g'(-1)=2$

이때 $y=(g\circ f)(x)$에서 $y'=g'(f(x))f'(x)$

따라서 $x=2$에서의 미분계수는 $g'(f(2))f'(2)=g'(-1)\cdot f'(2)=2\cdot 3=\mathbf{6}$

확인유제 0419 다음 물음에 답하여라.

(1) 미분가능한 두 함수 $f(x)$, $g(x)$가 $\lim_{x\to -3}\frac{f(x)+3}{x+3}=4$, $\lim_{x\to -3}\frac{g(x)+3}{x+3}=1$을 만족시킬 때, 함수 $y=(f\circ g)(x)$의 $x=-3$에서의 미분계수를 구하여라.

(2) 실수 전체의 집합에서 미분가능한 두 함수 $f(x)$, $g(x)$가 $\lim_{x\to 3}\frac{f(x)-6}{x-3}=4$, $(g\circ f)(x)=12x-3$을 만족시킬 때, $g'(6)$값을 구하여라.

변형문제 0420 다음 물음에 답하여라.

(1) 곡선 $y=f(x)$ 위의 점 $(1, 2)$에서의 접선의 기울기가 2이고, 곡선 $y=g(x)$ 위의 점 $(1, 1)$에서의 접선의 기울기가 4일 때, $\lim_{x\to 1}\frac{f(g(x))-2}{x-1}$의 값은?

① 2 ② 4 ③ 6 ④ 8 ⑤ 10

(2) 두 함수 $f(x)=(x^2-3)^2$, $g(x)=\frac{1}{x}$에 대하여 $\lim_{x\to 1}\frac{f(g(x))-4}{x-1}$의 값은?

① 2 ② 4 ③ 6 ④ 8 ⑤ 10

발전문제 0421 열린구간 $(0, 5)$에서 미분가능한 두 함수 $f(x)$, $g(x)$의 그래프가 오른쪽 그림과 같다. 합성함수

$$h(x)=(f\circ g)(x)$$

에 대하여 $h'(3)$의 값을 구하여라.

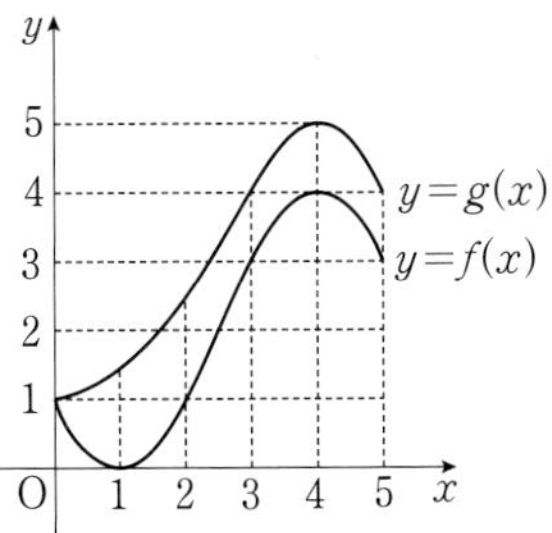

정답 0419 : (1) 4 (2) 3 0420 : (1) ④ (2) ④ 0421 : 0

마플개념익힘 03 삼각함수의 합성함수 미분법

다음 물음에 답하여라.

(1) 곡선 $y=\sin(\cos x)$ 위의 점 $\left(\frac{\pi}{2},\ 0\right)$에서의 접선의 기울기를 구하여라.

(2) 두 함수 $f(x)=\cos x$, $g(x)=\frac{x}{x^2+1}$에 대하여 함수 $h(x)$를 $h(x)=(g\circ f)(x)$라 할 때, $h'\left(\frac{\pi}{2}\right)$의 값을 구하여라.

MAPL CORE

(1) $y=\frac{f(x)}{g(x)} \Rightarrow y'=\frac{f'(x)g(x)-f(x)g'(x)}{\{g(x)\}^2}$

(2) $\{\sin^n f(x)\}'=n\sin^{n-1}f(x)\{\sin f(x)\}'=n\sin^{n-1}f(x)\cos f(x)f'(x)$

개념익힘 | 풀이 (1) $f(x)=\sin(\cos x)$로 놓고 x에 대하여 미분하면

$f'(x)=\cos(\cos x)\times(-\sin x)$

따라서 점 $\left(\frac{\pi}{2},\ 0\right)$에서의 접선의 기울기는

$f'\left(\frac{\pi}{2}\right)=\cos\left(\cos\frac{\pi}{2}\right)\times\left(-\sin\frac{\pi}{2}\right)=\cos 0\times(-1)=1\times(-1)=\mathbf{-1}$

(2) $h(x)=(g\circ f)(x)=g(f(x))$를 x에 대하여 미분하면 $h'(x)=g'(f(x))f'(x)$

이때 $f'(x)=-\sin x$, $g'(x)=\frac{1\cdot(x^2+1)-x\cdot 2x}{(x^2+1)^2}=\frac{-x^2+1}{(x^2+1)^2}$

따라서 $h'\left(\frac{\pi}{2}\right)=g'\left(f\left(\frac{\pi}{2}\right)\right)f'\left(\frac{\pi}{2}\right)=g'(0)\cdot(-1)=1\cdot(-1)=\mathbf{-1}$

확인유제 0422 다음 물음에 답하여라.

(1) 곡선 $y=\tan(\sin x)$ 위의 점 $(\pi,\ 0)$에서의 접선의 기울기를 구하여라.

2018년 04월 교육청

(2) 함수 $f(x)=\frac{x}{2}+2\sin x$에 대하여 함수 $g(x)$를 $g(x)=(f\circ f)(x)$라 할 때, $g'(\pi)$의 값을 구하여라.

변형문제 0423 다음 물음에 답하여라.

(1) 미분가능한 함수 $f(x)$가 $f(\sin x)=\cos 2x+\tan x\left(0<x<\frac{\pi}{2}\right)$를 만족시킬 때, $f'\left(\frac{\sqrt{3}}{2}\right)$의 값은?

① $8-2\sqrt{3}$ ② $6-2\sqrt{3}$ ③ $2+2\sqrt{3}$
④ $3+3\sqrt{3}$ ⑤ $3+4\sqrt{3}$

2013년 07월 교육청

(2) 함수 $f(x)$가 $f(\cos x)=\sin 2x+\tan x\left(0<x<\frac{\pi}{2}\right)$를 만족시킬 때, $f'\left(\frac{1}{2}\right)$의 값은?

① $-2\sqrt{3}$ ② $-\sqrt{3}$ ③ 0 ④ $\sqrt{3}$ ⑤ $2\sqrt{3}$

발전문제 0424 두 함수 $f(x)=\sin^2 x$, $g(x)=e^x$에 대하여 $\lim_{x\to\frac{\pi}{4}}\frac{g(f(x))-\sqrt{e}}{x-\frac{\pi}{4}}$의 값은?

2017학년도 06월 평가원

① $\frac{1}{e}$ ② $\frac{1}{\sqrt{e}}$ ③ 1 ④ $\sqrt{e}$ ⑤ e

정답 0422 : (1) -1 (2) $-\frac{3}{4}$ 0423 : (1) ① (2) ① 0424 : ④

마플개념익힘 04 지수함수의 합성함수 미분법

다음 물음에 답하여라.

(1) 함수 $f(x)=e^{\sin x}$에 대하여 $f'(2\pi)$의 값을 구하여라.

(2) 함수 $f(x)=5^{\cos x}$ 위의 점 $\left(\frac{\pi}{2},\ 1\right)$에서의 접선의 기울기를 구하여라.

MAPL CORE

① $y=e^x \Rightarrow y'=e^x$

② $y=a^x \Rightarrow y'=a^x \ln a\,(a\neq 1,\ a>0)$

③ $y=e^{f(x)} \Rightarrow y'=e^{f(x)}f'(x)$

④ $y=a^{f(x)} \Rightarrow y'=a^{f(x)}f'(x)\ln a\,(a\neq 1,\ a>0)$

개념익힘 | **풀이** (1) $f'(x)=e^{\sin x}(\sin x)'=e^{\sin x}\cos x$

$\therefore\ f'(2\pi)=e^{\sin 2\pi}\cos 2\pi=\mathbf{1}$

(2) $f'(x)=5^{\cos x}\cdot\ln 5\cdot(\cos x)'$

$=5^{\cos x}\cdot\ln 5\cdot(-\sin x)$

$=-5^{\cos x}\cdot\ln 5\cdot\sin x$

따라서 점 $\left(\frac{\pi}{2},\ 1\right)$에서의 접선의 기울기는 $f'\left(\frac{\pi}{2}\right)=-5^{\cos\frac{\pi}{2}}\cdot\ln 5\cdot\sin\frac{\pi}{2}=\mathbf{-\ln 5}$

확인유제 0425

다음 물음에 답하여라.

(1) 함수 $f(x)=e^{-3x}\sin\frac{\pi}{4}x$에 대하여 $f'(-2)$의 값을 구하여라.

(2) 함수 $f(x)=e^{-x}$, $g(x)=\cos x$의 합성함수 $h(x)=(f\circ g)(x)$에 대하여 $h'\left(\frac{3}{2}\pi\right)$의 값을 구하여라.

변형문제 0426

다음 물음에 답하여라.

(1) $f(x)=\sin 3x-e^{5x}$에 대하여 $\lim_{x\to 0}\frac{f(x)+1}{x}$의 값은?

① -2　② 0　③ 2　④ 4　⑤ 6

(2) 함수 $f(x)=e^{3x}\cos 2x$에 대하여 $\lim_{x\to\pi}\frac{f(x)-f(\pi)}{x^2-\pi^2}$의 값은?

① $\frac{e^{3\pi}}{2\pi}$　② $\frac{e^{3\pi}}{\pi}$　③ $\frac{3e^{3\pi}}{2\pi}$　④ $\frac{2e^{3\pi}}{\pi}$　⑤ $\frac{3e^{3\pi}}{\pi}$

발전문제 0427

2020학년도 06월 평가원

다음 물음에 답하여라.

(1) 함수 $f(x)=\frac{2^x}{\ln 2}$과 실수 전체의 집합에서 미분가능한 함수 $g(x)$가 다음 조건을 만족시킬 때, $g(2)$의 값은?

(가) $\lim_{h\to 0}\frac{g(2+4h)-g(2)}{h}=8$

(나) 함수 $(f\circ g)(x)$의 $x=2$에서의 미분계수는 10이다.

① 1　② $\log_2 3$　③ 2　④ $\log_2 5$　⑤ $\log_2 6$

(2) 실수 전체의 집합에서 미분가능한 함수 $f(x)$와 함수 $g(x)=2^{2x}$이 모든 실수 x에 대하여

$$f(g(x))=2^{3x}$$

을 만족시킬 때, $f'(4)$의 값은?

① 2　② 3　③ 4　④ 5　⑤ 6

정답 0425 : (1) $3e^6$ (2) -1　0426 : (1) ① (2) ③　0427 : (1) ④ (2) ②

다음 물음에 답하여라.

(1) 함수 $f(x)=\ln(\sqrt{3+x^2}-x)$에 대하여 $f'(1)$의 값을 구하여라.

(2) 함수 $f(x)=\ln|\cos x|$에 대하여 $f'\left(\frac{\pi}{4}\right)$의 값을 구하여라.

MAPL CORE $a>0,\ a\neq 1,\ x>0$일 때,

① $y=\ln x \Rightarrow y'=\frac{1}{x}$ ② $y=\log_a x \Rightarrow y'=\frac{1}{x\ln a}$

③ $y=\ln|f(x)| \Rightarrow y'=\frac{f'(x)}{f(x)}$ ④ $y=\log_a|f(x)| \Rightarrow y'=\frac{f'(x)}{f(x)}\cdot\frac{1}{\ln a}$

개념익힘 | 풀이 (1) $f(x)=\ln(\sqrt{3+x^2}-x)$에서

$$f'(x)=\frac{(\sqrt{3+x^2}-x)'}{\sqrt{3+x^2}-x}=\frac{\frac{x}{\sqrt{3+x^2}}-1}{\sqrt{3+x^2}-x}=\frac{x-\sqrt{3+x^2}}{(3+x^2)-x\sqrt{3+x^2}}$$

$$\therefore f'(1)=\frac{1-2}{4-2}=\mathbf{-\frac{1}{2}}$$

(2) $f(x)=\ln|\cos x|$에서 $f'(x)=\frac{(\cos x)'}{\cos x}=\frac{-\sin x}{\cos x}=-\tan x$

$$\therefore f'\left(\frac{\pi}{4}\right)=-\tan\frac{\pi}{4}=\mathbf{-1}$$

확인유제 0428 다음 물음에 답하여라.

(1) 함수 $f(x)=\ln|\log_3 x|$일 때, $f'(e)$의 값을 구하여라.

(2) 함수 $f(x)=\ln|\sin^2 3x|$에 대하여 $f'\left(\frac{\pi}{9}\right)$의 값을 구하여라.

(3) 함수 $f(x)=\ln|\tan x+\cot x|$에 대하여 $f'\left(\frac{\pi}{3}\right)$의 값을 구하여라.

변형문제 0429 오른쪽 그림과 같이 미분가능한 함수 $y=f(x)$의 그래프 위의 점 $\mathrm{A}(2,\ f(2))$에서의 접선이 원점을 지난다. 곡선 $y=\ln f(x)$ 위의 점 $\mathrm{B}(2,\ \ln f(2))$에서의 접선의 기울기는? (단, $f(x)>0$)

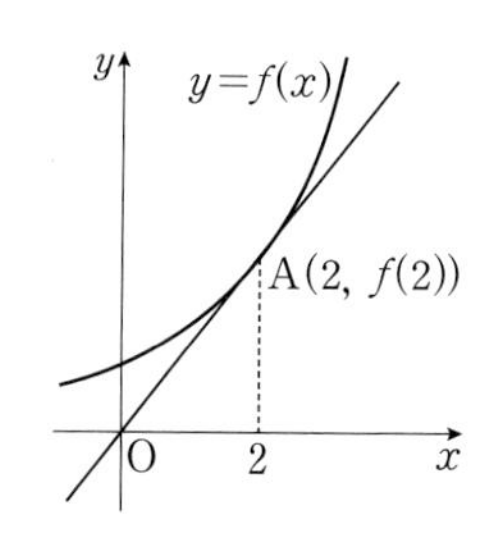

① $\frac{1}{4}$ ② $\frac{1}{2}$ ③ 1

④ 2 ⑤ 4

발전문제 0430 열린구간 $\left(0,\ \frac{\pi}{2}\right)$에서 정의된 미분가능한 함수 $f(x)$는 다음 조건을 만족시킨다.

2012년 03월 교육청

(가) $f'(x)=1+\{f(x)\}^2$

(나) $f\left(\frac{\pi}{4}\right)=1$

함수 $g(x)=\ln f'(x)$에 대하여 $g'\left(\frac{\pi}{4}\right)$의 값을 구하여라. ⬅ 이계도함수를 참고한다.

정답 0428 : (1) $\frac{1}{e}$ (2) $2\sqrt{3}$ (3) $\frac{2\sqrt{3}}{3}$ 0429 : ② 0430 : 2

마플개념익힘 06 미분계수를 이용한 극한값 계산 (1)

다음 물음에 답하여라.

(1) 함수 $f(x)=\frac{x-1}{x^2+1}$에 대하여 $\lim_{h\to0}\frac{f(1+3h)-f(1-h)}{h}$의 값을 구하여라.

(2) 함수 $f(x)=\ln(\cos x)$에 대하여 $\lim_{h\to0}\frac{f\left(\frac{\pi}{4}+h\right)-f\left(\frac{\pi}{4}-h\right)}{h}$의 값을 구하여라. $\left(\text{단, } 0<x<\frac{\pi}{2}\right)$

MAPL CORE ① $\lim_{h\to0}\frac{f(a+nh)-f(a)}{mh}=\frac{n}{m}f'(a)$ ② $\lim_{h\to0}\frac{f(a+mh)-f(a+nh)}{h}=(m-n)f'(a)$

개념익힘 | 풀이 (1) $\lim_{h\to0}\frac{f(1+3h)-f(1-h)}{h}=\lim_{h\to0}\frac{f(1+3h)-f(1)}{3h}\cdot3-\lim_{h\to0}\frac{f(1-h)-f(1)}{-h}\cdot(-1)$

$=3f'(1)+f'(1)=4f'(1)$

이때 $f(x)=\frac{x-1}{x^2+1}$에서 $f'(x)=\frac{1\cdot(x^2+1)-(x-1)\cdot2x}{(x^2+1)^2}=\frac{-x^2+2x+1}{(x^2+1)^2}$

$\therefore\ 4f'(1)=4\cdot\frac{-1+2+1}{(1+1)^2}=\mathbf{2}$

(2) $\lim_{h\to0}\frac{f\left(\frac{\pi}{4}+h\right)-f\left(\frac{\pi}{4}-h\right)}{h}=\lim_{h\to0}\frac{f\left(\frac{\pi}{4}+h\right)-f\left(\frac{\pi}{4}\right)}{h}+\lim_{h\to0}\frac{f\left(\frac{\pi}{4}-h\right)-f\left(\frac{\pi}{4}\right)}{-h}$

$=f'\left(\frac{\pi}{4}\right)+f'\left(\frac{\pi}{4}\right)=2f'\left(\frac{\pi}{4}\right)$

이때 $f(x)=\ln(\cos x)$에서 $f'(x)=\frac{(\cos x)'}{\cos x}=\frac{-\sin x}{\cos x}=-\tan x$

$\therefore\ 2f'\left(\frac{\pi}{4}\right)=2\left(-\tan\frac{\pi}{4}\right)=\mathbf{-2}$

확인유제 0431 다음 물음에 답하여라.

(1) 함수 $f(x)=\ln(\ln x)(x>1)$에 대하여 $\lim_{h\to0}\frac{f(e+h)-f(e-h)}{h}$의 값을 구하여라.

(2) 함수 $f(x)=\ln(\tan x)\left(0<x<\frac{\pi}{2}\right)$에 대하여 $\lim_{h\to0}\frac{f\left(\frac{\pi}{4}+2h\right)-f\left(\frac{\pi}{4}\right)}{h}$의 값을 구하여라.

변형문제 0432 함수 $f(x)=\tan2x+3\sin x$에 대하여 $\lim_{h\to0}\frac{f(\pi+h)-f(\pi-h)}{h}$의 값은?

2019학년도 06월 평가원

① -2 ② -4 ③ -6 ④ -8 ⑤ -10

발전문제 0433 다음 물음에 답하여라.

(1) 함수 $f(x)=2^{1-x}$에 대하여 $\lim_{h\to0}\frac{f(1+3h)-f(1-2h)}{h}$의 값을 구하여라.

(2) 함수 $f(x)=2^{\sin x}$에 대하여 $\lim_{h\to0}\frac{f(\pi+h)-f(\pi-h)}{h}$의 값을 구하여라.

정답 0431 : (1) $\frac{2}{e}$ (2) 4 0432 : ① 0433 : (1) $-5\ln2$ (2) $-2\ln2$

마플개념익힘 07 미분계수를 이용한 극한값 계산 (2)

다음 극한값을 구하여라. (단, a, b, c는 양의 상수)

(1) $\lim_{x\to 0}\frac{2}{x}\ln\frac{e^x+e^{2x}+e^{3x}+\cdots+e^{nx}}{n}$ (2) $\lim_{x\to 0}\frac{1}{x}\ln\frac{a^x+b^x+c^x}{3}$

MAPL CORE

① $\lim_{x\to a}\frac{f(x)-f(a)}{x-a}=c$ (c는 상수) ⇨ $f'(a)=c$

② $\lim_{x\to a}\frac{f(x)}{x-a}=c$ (c는 상수) ⇨ $f(a)=0$, $f'(a)=c$

개념익힘 | 풀이 (1) $f(x)=\ln(e^x+e^{2x}+\cdots+e^{nx})$로 놓으면 $f(0)=\ln n$이므로

$$\lim_{x\to 0}\frac{2}{x}\ln\frac{e^x+e^{2x}+e^{3x}+\cdots+e^{nx}}{n}=2\lim_{x\to 0}\frac{\ln(e^x+e^{2x}+\cdots+e^{nx})-\ln n}{x}$$ ← $\ln\frac{B}{A}=\ln B-\ln A$

$$=2\lim_{x\to 0}\frac{f(x)-f(0)}{x}=2f'(0)$$

이때 $f(x)$를 x에 대하여 미분하면 $f'(x)=\frac{e^x+2e^{2x}+\cdots+ne^{nx}}{e^x+e^{2x}+\cdots+e^{nx}}$

$$\therefore 2f'(0)=2\cdot\frac{1+2+\cdots+n}{n}=2\cdot\frac{n(n+1)}{2}\cdot\frac{1}{n}=\boldsymbol{n+1}$$

(2) $f(x)=\ln\frac{a^x+b^x+c^x}{3}$로 놓으면 $f(0)=\ln\frac{3}{3}=\ln 1=0$이므로

$$\lim_{x\to 0}\frac{1}{x}\ln\frac{a^x+b^x+c^x}{3}=\lim_{x\to 0}\frac{f(x)}{x}=\lim_{x\to 0}\frac{f(x)-f(0)}{x}=f'(0)$$

이때 $f(x)$를 x에 대하여 미분하면 $f'(x)=\frac{a^x\ln a+b^x\ln b+c^x\ln c}{a^x+b^x+c^x}$

$$\therefore f'(0)=\frac{\ln a+\ln b+\ln c}{1+1+1}=\boldsymbol{\frac{1}{3}\ln abc}$$

확인유제 0434 다음 극한값을 구하여라.

(1) $\lim_{x\to 0}\frac{1}{x}\ln\frac{e^x+e^{2x}+e^{3x}+\cdots+e^{10x}}{10}$ (2) $\lim_{x\to 0}\frac{1}{x}\ln\frac{2^x+3^x+5^x}{3}$

변형문제 0435 $\lim_{x\to 1}\frac{1}{x-1}\ln\frac{x^2+x^4+x^6+\cdots+x^{2n}}{n}=15$를 만족하는 자연수 n의 값은?

① 10 ② 12 ③ 14 ④ 16 ⑤ 20

발전문제 0436 함수 $f(x)=\ln\left(\sum_{k=1}^{9}2^{kx}\right)-2\ln 3$에 대하여 $\lim_{x\to 0}\frac{f(x)}{x}$를 구하여라.

정답 0434 : (1) $\frac{11}{2}$ (2) $\frac{\ln 30}{3}$ 0435 : ③ 0436 : $5\ln 2$

마플개념익힘 08 여러 가지 함수의 미분가능

함수

$$f(x)=\begin{cases} ae^{2x} & (x\geq 0) \\ \sin\pi x+b & (x<0) \end{cases}$$

가 $x=0$에서 미분가능 하도록 상수 a, b의 값을 구하여라.

MAPL CORE $f(x)=\begin{cases} g(x) & (x\geq a) \\ h(x) & (x<a) \end{cases}$가 $x=a$에서 미분가능할 조건

[1단계] $x=a$에서 함수 $f(x)$가 연속 ⇨ $g(a)=h(a)$

[2단계] $x=a$에서 미분계수가 존재 ⇨ $g'(a)=h'(a)$

개념익힘 | 풀이 $f(x)$가 $x=0$에서 미분가능하려면 $x=0$에서 연속이고 미분계수가 존재해야 한다.

(i) $x=0$에서 연속이므로

$\lim_{x\to0+}ae^{2x}=\lim_{x\to0-}(\sin\pi x+b)=f(0)$ $\therefore a=b$ …… ㉠

(ii) $x=0$에서 미분계수가 존재하므로

$$f'(x)=\begin{cases} 2ae^{2x} & (x>0) \\ \pi\cos\pi x & (x<0) \end{cases}$$

$\lim_{x\to0+}2ae^{2x}=\lim_{x\to0-}\pi\cos\pi x$ $\therefore 2a=\pi$ …… ㉡

따라서 ㉠, ㉡에서 $a=\frac{\pi}{2}$, $b=\frac{\pi}{2}$

확인유제 0437 함수

$$f(x)=\begin{cases} \ln x & (x\geq 1) \\ a\tan\pi x+b & (x<1) \end{cases}$$

가 $x=1$에서 미분가능 하도록 상수 a, b를 구하여라.

변형문제 0438 함수

$$f(x)=\begin{cases} b\cos\frac{\pi}{2}x+2 & (x>1) \\ e^{x-1}+a & (x\leq 1) \end{cases}$$

가 $x=1$에서 미분가능 하도록 상수 a, b에 대하여 ab의 값을 구하여라.

발전문제 0439 다음 물음에 답하여라.

(1) 함수 $f(x)=\begin{cases} ax^2+1 & (x\leq 1) \\ \frac{bx-2}{x+1} & (x>1) \end{cases}$가 $x=1$에서 미분가능 하도록 상수 a, b의 값을 정할 때, $a+b$의 값은?

① -4 ② 2 ③ 3 ④ 5 ⑤ 7

(2) 함수 $f(x)=\begin{cases} ae^{x}+b & (x<0) \\ \sin(\tan x) & (x\geq 0) \end{cases}$가 $x=0$에서 미분가능 하도록 하는 상수 a, b에 대하여 ab의 값은?

① -2 ② -1 ③ 0 ④ 1 ⑤ 2

정답 0437 : $a=\frac{1}{\pi}$, $b=0$ 0438 : $-\frac{2}{\pi}$ 0439 : (1) ⑤ (2) ②

MAPL; YOURMASTERPLAN

03 매개변수로 표현된 함수의 미분

01 매개변수로 나타내는 함수

일반적으로 두 변수 x와 y 사이의 관계를 변수 t를 매개로 하여

$$x=f(t),\ y=g(t) \qquad \cdots\cdots ㉠$$

의 꼴로 나타낼 때, 변수 t를 매개변수라 하며

㉠을 매개변수로 나타낸 함수라고 한다.

매개변수로 나타낸 함수 ㉠에 대하여 점 (x, y)를 좌표평면 위에 나타내면 곡선이 된다.

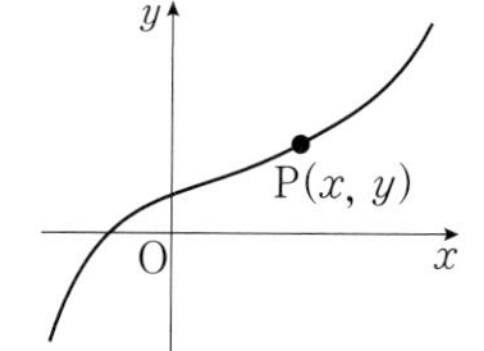

참고 매개변수를 영어로 parameter라고 한다.

(2) 원을 매개변수를 이용하여 나타내면 다음과 같다.

원의 방정식 $x^2+y^2=r^2$ ⇨ $\begin{cases} x=r\cos\theta \\ y=r\sin\theta \end{cases}$ (단, $0\le\theta<2\pi$)

EX $x^2+y^2=r^2$에서 $\left(\frac{x}{r}\right)^2+\left(\frac{y}{r}\right)^2=1$이므로 $\frac{x}{r}=\cos\theta$, $\frac{y}{r}=\sin\theta$ (단, $0\le\theta<2\pi$)로 놓으면 $\begin{cases} x=r\cos\theta \\ y=r\sin\theta \end{cases}$

마플해설 이를테면 함수 $\begin{cases} x=\cos t \\ y=\sin t \end{cases}$ $(0\le t<2\pi)$는 원 $x^2+y^2=1$을 매개변수 t로 나타낸 함수이다.

한편 매개변수로 나타낸 함수에서 매개변수를 소거하여 x, y 사이의 관계식으로 나타낼 수 있는 경우도 있다.

이를테면 $\cos^2 t+\sin^2 t=1$이므로

매개변수로 나타낸 함수 $\begin{cases} x=3\cos t \\ y=2\sin t \end{cases}$는 $\left(\frac{x}{3}\right)^2+\left(\frac{y}{2}\right)^2=1$, 즉 $\frac{x^2}{9}+\frac{y^2}{4}=1$인 타원의 방정식이다.

보기 01 다음 물음에 답하여라.

(1) 매개변수로 나타낸 함수 $x=\cos t$, $y=\sin t(0\le t\le\pi)$에서 x와 y 사이의 관계식을 구하여라.

(2) 원 $x^2+y^2=4$를 매개변수 θ를 사용하여 나타내어라.

(1) $0\le t\le\pi$이므로 $\sin t\ge 0$, 즉 $y\ge 0$

또, $\cos t=x$와 $\sin t=y$를 $\cos^2 t+\sin^2 t=1$에 대입하면

$x^2+y^2=1(y\ge 0)$

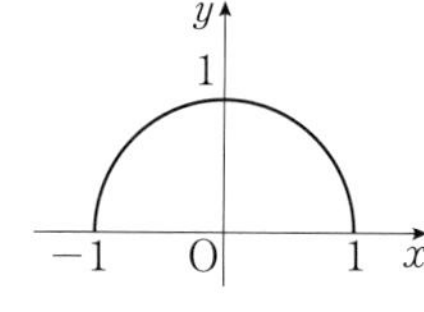

(2) $x^2+y^2=4$를 변형하면 $\left(\frac{x}{2}\right)^2+\left(\frac{y}{2}\right)^2=1$이므로

$\frac{x}{2}=\cos\theta$, $\frac{y}{2}=\sin\theta$로 나타낼 수 있다.

따라서 원 $x^2+y^2=4$를 매개변수 θ를 사용하여 나타내면 $\begin{cases} x=2\cos\theta \\ y=2\sin\theta \end{cases}$이다.

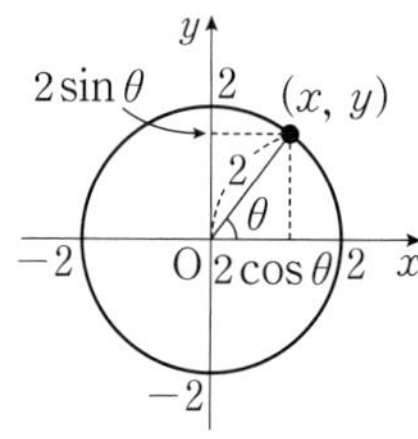

보기 02 다음 매개변수로 나타낸 함수에서 x와 y 사이의 관계식을 구하여라.

(1) $x=t+1$, $y=2t-1$ (2) $x=t+2$, $y=-3t^2$ (3) $x=t-1$, $y=e^{2t}$

풀이

(1) $t=x-1$이므로 이를 $y=2t-1$에 대입하면 $y=2t-1=2(x-1)-1=2x-3$

(2) $t=x-2$이므로 이를 $y=-3t^2$에 대입하면 $y=-3(x-2)^2$

(3) $t=x+1$이므로 이를 $y=e^{2t}$에 대입하면 $y=e^{2(x+1)}=e^{2x+2}$

02 매개변수로 나타내어진 함수의 미분법

$x=f(t)$, $y=g(t)$가 t에 대하여 미분가능하고 $f'(t)\neq 0$일 때, $\dfrac{dy}{dx}$는 다음과 같다.

$$\frac{dy}{dx}=\frac{\frac{dy}{dt}}{\frac{dx}{dt}}=\frac{g'(t)}{f'(t)}$$

마플해설 두 함수 $f(t)$, $g(t)$가 미분가능하고 $f'(t)\neq 0$일 때,

매개변수로 나타낸 함수 $\begin{cases}x=f(t)\\y=g(t)\end{cases}$의 도함수 $\dfrac{dy}{dx}$를 구하여 보자.

매개변수 t의 증분 Δt에 대하여 x의 증분을 Δx, y의 증분을 Δy라 하면 $x=f(t)$, $y=g(t)$가 미분가능하므로

$\displaystyle\lim_{\Delta t\to 0}\frac{\Delta x}{\Delta t}=\frac{dx}{dt}$, $\displaystyle\lim_{\Delta t\to 0}\frac{\Delta y}{\Delta t}=\frac{dy}{dt}$

이다. 여기서 함수 $x=f(t)$는 미분가능하고 $f'(t)\neq 0$이므로

$\Delta x\to 0$일 때, $\Delta t\to 0$이다.

따라서 $\displaystyle\frac{dy}{dx}=\lim_{\Delta x\to 0}\frac{\Delta y}{\Delta x}=\lim_{\Delta t\to 0}\frac{\frac{\Delta y}{\Delta t}}{\frac{\Delta x}{\Delta t}}=\frac{\lim_{\Delta t\to 0}\frac{\Delta y}{\Delta t}}{\lim_{\Delta t\to 0}\frac{\Delta x}{\Delta t}}=\frac{\frac{dy}{dt}}{\frac{dx}{dt}}=\frac{g'(t)}{f'(t)}$이다.

참고 함수 $x=f(t)$가 미분가능하고 $f'(t)\neq 0$일 때, 역함수가 존재하며 역함수는 연속임이 알려져 있다. 따라서 $\Delta x\to 0$일 때, $\Delta t\to 0$이다.

참고 $\begin{cases}x=f(t)\\y=g(t)\end{cases}$**의 도함수** $\dfrac{dy}{dx}$**를 구하여 보자.**

함수 $x=f(t)$의 역함수 $t=f^{-1}(x)$가 존재하면 $y=g(f^{-1}(x))$이다. 위 식의 양변을 x에 대하여 미분하면 $f'(t)\neq 0$일 때, 다음을 얻는다.

$\dfrac{dy}{dx}=g'(f^{-1}(x))\cdot(f^{-1})'(x)=g'(t)\cdot\dfrac{1}{f'(t)}$ ⬅ $(f^{-1})'(x)=\dfrac{1}{f'(t)}$

보기 03 매개변수로 나타내어진 다음 함수에서 $\dfrac{dy}{dx}$를 t로 나타내어라.

(1) $x=2t-1$, $y=3-4t^2$ (2) $\begin{cases}x=\cos t+1\\y=\sin t-1\end{cases}$

풀이 (1) $x=2t-1$에서 $\dfrac{dx}{dt}=2$, $y=3-4t^2$에서 $\dfrac{dy}{dt}=-8t$이므로

$$\frac{dy}{dx}=\frac{\frac{dy}{dt}}{\frac{dx}{dt}}=\frac{-8t}{2}=-4t$$

(2) $x=\cos t+1$에서 $\dfrac{dx}{dt}=-\sin t$, $y=\sin t-1$에서 $\dfrac{dy}{dt}=\cos t$이므로

$$\frac{dy}{dx}=\frac{\frac{dy}{dt}}{\frac{dx}{dt}}=\frac{\cos t}{-\sin t}=-\cot t$$

보기 04 다음 물음에 답하여라.

(1) 매개변수로 나타낸 함수 $\begin{cases}x=t^2-1\\y=t^3\end{cases}$에 대하여 $t=2$일 때, $\dfrac{dy}{dx}$의 값을 구하여라.

(2) 매개변수로 나타낸 함수 $\begin{cases}x=t-\sin t\\y=1-\cos t\end{cases}$에 대하여 $t=\dfrac{\pi}{3}$일 때, $\dfrac{dy}{dx}$의 값을 구하여라.

풀이 (1) $\dfrac{dx}{dt}=2t$, $\dfrac{dy}{dt}=3t^2$이므로 $\dfrac{dy}{dx}=\dfrac{3t^2}{2t}=\dfrac{3}{2}t$

따라서 $t=2$일 때, $\dfrac{dy}{dx}$의 값은 $\dfrac{3}{2}\cdot 2=3$

(2) $\dfrac{dx}{dt}=1-\cos t$, $\dfrac{dy}{dt}=\sin t$이므로 $\dfrac{dy}{dx}=\dfrac{\sin t}{1-\cos t}$

따라서 $t=\dfrac{\pi}{3}$일 때, $\dfrac{dy}{dx}$의 값은 $\dfrac{\sin\frac{\pi}{3}}{1-\cos\frac{\pi}{3}}=\sqrt{3}$

03 매개변수로 나타낸 곡선의 접선의 방정식

매개변수로 나타낸 곡선 $\begin{cases} x=f(t) \\ y=g(t) \end{cases}$에 대하여 $t=a$에 대응하는 곡선 위의 점 $(f(a),\ g(a))$에서의 접선의 방정식은 다음과 같다.

$$y-g(a)=\frac{g'(a)}{f'(a)}\{x-f(a)\}$$

마플해설 매개변수로 나타낸 곡선 $\begin{cases} x=f(t) \\ y=g(t) \end{cases}$에서 두 함수 $f(t),\ g(t)$가 미분가능하고

$f'(t)\neq 0$일 때, $\dfrac{dy}{dx}=\dfrac{g'(t)}{f'(t)}$이므로

$t=a$에 대응하는 이 곡선 위의 점 $(f(a),\ g(a))$에서의 접선의 기울기는 $\dfrac{g'(a)}{f'(a)}$이다.

따라서 구하는 접선의 방정식은 $y-g(a)=\dfrac{g'(a)}{f'(a)}\{x-f(a)\}$이다.

보기 05 다음 물음에 답하여라.

(1) 매개변수로 나타낸 곡선 $\begin{cases} x=t^2+2t \\ y=t^3+1 \end{cases}$에서 $t=2$일 때, 곡선의 접선의 방정식을 구하여라.

(2) 평면곡선 $x=\dfrac{2}{t},\ y=t^2-1$ 위의 점 $(2,\ 0)$에서의 접선의 방정식을 구하여라.

(3) 매개변수로 나타낸 곡선 $\begin{cases} x=1+2\cos t \\ y=1-2\sin t \end{cases}$에서 $t=\dfrac{\pi}{4}$일 때, 곡선의 접선의 방정식을 구하여라.

(4) 평면곡선 $x=\sin t,\ y=\cos t-1\,(0\le t\le 2\pi)$ 위의 점 $\left(\dfrac{\sqrt{3}}{2},\ -\dfrac{1}{2}\right)$에서의 접선의 방정식을 구하여라.

풀이 (1) $\dfrac{dx}{dt}=2t+2,\ \dfrac{dy}{dt}=3t^2$이므로 $\dfrac{dy}{dx}=\dfrac{3t^2}{2t+2}$

$t=2$일 때의 접선의 기울기를 구하면 $\dfrac{12}{6}=2$

$\begin{cases} x=t^2+2t \\ y=t^3+1 \end{cases}$에 $t=2$를 대입하면 $x=8,\ y=9$

따라서 구하는 접선의 방정식은 $y-9=2(x-8)$ $\quad\therefore\ y=2x-7$

(2) $\dfrac{dx}{dt}=-\dfrac{2}{t^2},\ \dfrac{dy}{dt}=2t$이므로 $\dfrac{dy}{dx}=-t^3$

이때 $\dfrac{2}{t}=2,\ t^2-1=0$에서 $t=1$이므로 접선의 기울기가 -1이다.

따라서 구하는 접선의 방정식은 $y=-(x-2)$ $\quad\therefore\ y=-x+2$

(3) $\dfrac{dx}{dt}=-2\sin t,\ \dfrac{dy}{dt}=-2\cos t$이므로 $\dfrac{dy}{dx}=\dfrac{-2\cos t}{-2\sin t}=\cot t$

$t=\dfrac{\pi}{4}$일 때의 접선의 기울기를 구하면 $\cot\dfrac{\pi}{4}=1$

$\begin{cases} x=1+2\cos t \\ y=1-2\sin t \end{cases}$에 $t=\dfrac{\pi}{4}$를 대입하면 $x=1+\sqrt{2},\ y=1-\sqrt{2}$

따라서 구하는 접선의 방정식은 $y-(1-\sqrt{2})=x-(1+\sqrt{2})$ $\quad\therefore\ y=x-2\sqrt{2}$

(4) $\dfrac{dx}{dt}=\cos t,\ \dfrac{dy}{dt}=-\sin t$이므로 $\dfrac{dy}{dx}=-\dfrac{\sin t}{\cos t}\,(\cos t\neq 0)$

이때 $\sin t=\dfrac{\sqrt{3}}{2},\ \cos t-1=-\dfrac{1}{2}$이므로 접선의 기울기는 $-\sqrt{3}$이다.

따라서 구하는 접선의 방정식은 $y-\left(-\dfrac{1}{2}\right)=-\sqrt{3}\left(x-\dfrac{\sqrt{3}}{2}\right)$ $\quad\therefore\ y=-\sqrt{3}x+1$

마플개념익힘 01 매개변수로 나타낸 함수의 접선의 기울기

매개변수로 나타낸 곡선 $\begin{cases} x=t^3+t+2 \\ y=-3t^2+at \end{cases}$ 에 대하여 $t=1$에 대응하는 곡선 위의 점에서의 접선의 기울기가 $\frac{1}{2}$일 때, 상수 a의 값을 구하여라.

MAPL CORE 두 함수 $x=f(t)$, $y=g(t)$가 미분가능하고 $f'(t)\neq 0$일 때, $x=t$에서 접선의 기울기 $\frac{dy}{dx}=\frac{g'(t)}{f'(t)}$

개념익힘 | **풀이** $x=t^3+t+2$에서 $\frac{dx}{dt}=3t^2+1$이고 $y=-3t^2+at$에서 $\frac{dy}{dt}=-6t+a$

이므로 $\frac{dy}{dx}=\frac{\frac{dy}{dt}}{\frac{dx}{dt}}=\frac{-6t+a}{3t^2+1}$

이때 $t=1$에 대응하는 점에서의 접선의 기울기가 $\frac{1}{2}$이므로 $\frac{-6+a}{3+1}=\frac{1}{2}$

따라서 $a=\mathbf{8}$

확인유제 0440 다음 물음에 답하여라.

(1) 매개변수 t로 나타내어진 곡선 $x=t^3$, $y=t^2-at-2a^2$ 위의 $t=1$에 대응하는 점에서의 접선의 기울기가 -1일 때, 상수 a의 값을 구하여라.

(2) 매개변수 t로 나타내어진 곡선 $x=t^2-at+2$, $y=t^3+at^2-at$에 대하여 $t=1$일 때의 점을 P라 하면 점 P에서의 접선의 x축의 양의 방향과 이루는 각의 크기가 $\frac{\pi}{4}$일 때, 상수 a의 값을 구하여라.

변형문제 0441 다음 물음에 답하여라.

2019년 04월 교육청

(1) 매개변수 $t(t>0)$으로 나타내어진 함수 $x=t^2+\ln t$, $y=t^3+6t$ 에서 $t-1$일 때, $\frac{dy}{dx}$의 값은?

① 1 ② $\frac{3}{2}$ ③ 2 ④ $\frac{5}{2}$ ⑤ 3

2017학년도 09월 평가원

(2) 매개변수 $t(t>0)$으로 나타내어진 함수 $x=t-\frac{2}{t}$, $y=t^2+\frac{2}{t^2}$에서 $t=1$일 때, $\frac{dy}{dx}$의 값은?

① $-\frac{2}{3}$ ② -1 ③ $-\frac{4}{3}$ ④ $-\frac{5}{3}$ ⑤ -2

2018년 07월 교육청

(3) 매개변수 t로 나타내어진 곡선 $x=e^{2t-6}$, $y=t^2-t+5$에서 $t=3$일 때, $\frac{dy}{dx}$의 값을 구하여라.

① $\frac{1}{2}$ ② 1 ③ $\frac{3}{2}$ ④ 2 ⑤ $\frac{5}{2}$

발전문제 0442 매개변수 $t(t>0)$으로 나타내어진 함수

2018년 10월 교육청

$$x=\ln t,\ y=\ln(t^2+1)$$

에 대하여 $\lim_{t\to\infty}\frac{dy}{dx}$의 값을 구하여라.

정답 0440 : (1) 5 (2) $-\frac{1}{2}$ 0441 : (1) ⑤ (2) ① (3) ⑤ 0442 : 2

매개변수로 나타낸 곡선 $x=\frac{e^t+e^{-t}}{2}$, $y=\frac{e^t-e^{-t}}{2}$에서 $t=\ln 2$일 때, 접선과 x축, y축으로 둘러싸인 부분의 넓이를 구하여라.

MAPL CORE 매개변수로 나타낸 곡선 $\begin{cases} x=f(t) \\ y=g(t) \end{cases}$에 대하여 $t=a$에 대응하는 곡선 위의 점 $(f(a),\ g(a))$에서의 접선의 방정식은 다음과 같다.

$$y-g(a)=\frac{g'(a)}{f'(a)}\{x-f(a)\}$$

개념익힘 | **풀이** 매개변수로 나타낸 함수의 미분법을 이용하여 미분하면

$\frac{dx}{dt}=\frac{e^t-e^{-t}}{2}$, $\frac{dy}{dt}=\frac{e^t+e^{-t}}{2}$이므로 $\frac{dy}{dx}=\frac{e^t+e^{-t}}{e^t-e^{-t}}$

$t=\ln 2$일 때, $x=\frac{5}{4}$, $y=\frac{3}{4}$이므로 접점의 좌표는 $\left(\frac{5}{4},\ \frac{3}{4}\right)$이고

이때 $t=\ln 2$에 대응하는 점에서의 접선의 기울기는 $\frac{2+\frac{1}{2}}{2-\frac{1}{2}}=\frac{5}{3}$이므로

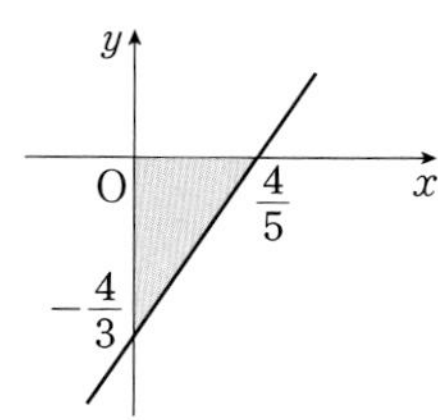

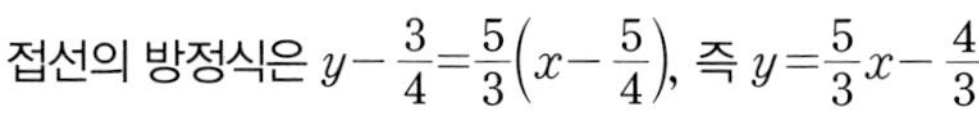

접선의 방정식은 $y-\frac{3}{4}=\frac{5}{3}\left(x-\frac{5}{4}\right)$, 즉 $y=\frac{5}{3}x-\frac{4}{3}$

따라서 접선과 x축, y축으로 둘러싸인 부분의 넓이는 $\frac{1}{2}\cdot\frac{4}{3}\cdot\frac{4}{5}=\mathbf{\frac{8}{15}}$

확인유제 0443 다음 물음에 답하여라.

(1) 매개변수로 나타낸 곡선 $\begin{cases} x=2t^2+3 \\ y=t^4 \end{cases}$에 대하여 $t=-1$에 대응하는 곡선 위의 점에서의 접선이 $(a,\ 2)$를 지날 때, a의 값은?

① 2 ② 3 ③ 4 ④ 6 ⑤ 8

(2) 매개변수로 나타낸 곡선 $\begin{cases} x=t \\ y=\sqrt{t}+1 \end{cases}$에 접하고 기울기가 $\frac{1}{2}$인 접선을 l이라 하자.

이 직선 l이 점 $(a,\ 0)$을 지날 때, a의 값은?

① -4 ② -3 ③ 0 ④ 4 ⑤ 8

변형문제 0444 매개변수로 나타낸 곡선 $\begin{cases} x=2-\sin\theta \\ y=1+\cos\theta \end{cases}$에 대하여 $\theta=\alpha$에 대응하는 곡선 위의 점에서의 접선이 직선 $y=-3x+1$과 수직일 때, $\csc^2\alpha$의 값은?

① 8 ② 9 ③ 10 ④ 12 ⑤ 15

발전문제 0445 다음 물음에 답하여라.

(1) 매개변수로 나타낸 곡선 $\begin{cases} x=e^t\sin t \\ y=e^t\cos t \end{cases}$에 대하여 $t=\frac{\pi}{2}$에 대응하는 곡선 위의 점에서의 접선과 x축, y축으로 둘러싸인 부분의 넓이를 구하여라.

(2) 매개변수로 나타낸 곡선 $\begin{cases} x=t-\frac{1}{t} \\ y=t+\frac{1}{t} \end{cases}$에 대하여 $t=2$에 대응하는 곡선 위의 점에서의 접선과 x축, y축으로 둘러싸인 부분의 넓이를 구하여라.

정답 0443 : (1) ④ (2) ② 0444 : ③ 0445 : (1) $\frac{e^\pi}{2}$ (2) $\frac{32}{15}$

마플개념익힘 03 삼각함수를 매개변수로 나타내어 접선의 방정식 구하기

매개변수로 나타낸 함수

$$x=2\cos t,\ y=4\sin t$$

에 대하여 $t=\frac{\pi}{3}$에 대응하는 곡선 위의 점에서의 접선의 방정식을 구하여라.

MAPL CORE 매개변수로 나타낸 곡선 $\begin{cases}x=f(t)\\y=g(t)\end{cases}$에 대하여 $t=a$에 대응하는 곡선 위의 점 $(f(a),\ g(a))$에서의 접선의 방정식은 다음과 같다.

$$y-g(a)=\frac{g'(a)}{f'(a)}\{x-f(a)\}$$

개념익힘 | **풀이** $\frac{dx}{dt}=-2\sin t,\ \frac{dy}{dt}=4\cos t$이므로 $\frac{dy}{dx}=\frac{4\cos t}{-2\sin t}=-2\cot t$

$t=\frac{\pi}{3}$일 때의 접선의 기울기를 구하면 $-2\cot\frac{\pi}{3}=-\frac{2\sqrt{3}}{3}$

$x=2\cos t,\ y=4\sin t$에 $t=\frac{\pi}{3}$를 대입하면

$x=1,\ y=2\sqrt{3}$

따라서 구하는 접선의 방정식은 $y-2\sqrt{3}=-\frac{2\sqrt{3}}{3}(x-1)$ $\quad\therefore\ \mathbf{2x+\sqrt{3}y-8=0}$

확인유제 0446 다음 물음에 답하여라.

(1) 매개변수로 나타낸 함수

$$x=2\cos t,\ y=2\sin t$$

에 대하여 $t=\frac{\pi}{3}$에 대응하는 곡선 위의 점에서의 접선의 방정식을 구하여라.

2020학년도 사관기출

(2) 매개변수 t로 나타내어진 곡선

$$x=2\sqrt{2}\sin t+\sqrt{2}\cos t,\ y=\sqrt{2}\sin t+2\sqrt{2}\cos t$$

가 있다. 이 곡선 위의 $t=\frac{\pi}{4}$에 대응하는 점에서의 접선의 y절편을 구하여라.

변형문제 0447 매개변수로 나타낸 곡선 $\begin{cases}x=a\cos t\\y=b\sin t\end{cases}$에 대하여 $t=\frac{\pi}{4}$에 대응하는 곡선 위의 점에서의 접선의 방정식이 $y=2x+\sqrt{2}$이다. 두 상수 $a,\ b$의 합 $a+b$의 값은?

① $-\frac{1}{2}$ ② $\frac{1}{2}$ ③ 1 ④ 2 ⑤ $\frac{3}{2}$

발전문제 0448 매개변수 t로 나타낸 곡선

$$x=\ln(t+1)+2,\ y=\frac{1}{3}t^3-\frac{1}{2}t^2+t+1$$

위의 점 $(2,\ 1)$에서의 접선이 x축, y축과 만나는 점을 각각 A, B라 하자. $\overline{\mathrm{OA}}+\overline{\mathrm{OB}}$의 값은? (단, O는 원점)

① $\frac{3}{2}$ ② 2 ③ $\frac{5}{2}$ ④ 3 ⑤ $\frac{7}{2}$

정답 0446 : (1) $x+\sqrt{3}y-4=0$ (2) 6 0447 : ② 0448 : ②

07 여러 가지 미분을 이용한 접선

01 접선의 방정식

원 $x^2+y^2=25$ 위의 점 $\mathrm{P}(3,\ 4)$에서 접하는 접선의 방정식을 다음 네 가지 방법으로 구할 수 있다.

(1) 음함수 미분법을 이용하여 접선의 방정식 구하기

해설 음함수의 미분법을 이용하여 미분하면

$x^2+y^2=25$를 x로 미분하면

$2x+2y\dfrac{dy}{dx}=0,\ \dfrac{dy}{dx}=-\dfrac{x}{y}(y\neq0)$이므로

점 $\mathrm{P}(3,\ 4)$에서의 접선의 기울기는 $-\dfrac{3}{4}$

따라서 점 $\mathrm{P}(3,\ 4)$에서 접선의 방정식은 $y-4=-\dfrac{3}{4}(x-3)\quad\therefore\ y=-\dfrac{3}{4}x+\dfrac{25}{4}$

(2) 합성함수의 미분법을 이용하여 접선의 방정식 구하기

해설 원 $x^2+y^2=25$에서 $y=\sqrt{25-x^2}$이므로

$u=25-x^2$으로 놓으면 $y=\sqrt{u}$

$\dfrac{dy}{du}=\dfrac{1}{2\sqrt{u}},\ \dfrac{du}{dx}=-2x$

즉, $\dfrac{dy}{dx}=\dfrac{dy}{du}\times\dfrac{du}{dx}=\dfrac{1}{2\sqrt{u}}\times(-2x)=-\dfrac{x}{\sqrt{25-x^2}}$

점 $\mathrm{P}(3,4)$에서의 접선의 기울기는 $-\dfrac{3}{\sqrt{25-3^2}}=-\dfrac{3}{4}$

따라서 점 $\mathrm{P}(3,\ 4)$에서 접선의 방정식은 $y-4=-\dfrac{3}{4}(x-3)\quad\therefore\ y=-\dfrac{3}{4}x+\dfrac{25}{4}$

(3) 매개변수로 나타낸 함수의 미분법을 이용하여 접선의 방정식 구하기

해설 원 $x^2+y^2=25$를 매개변수 θ를 사용하여 나타내면

$x=5\cos\theta,\ y=5\sin\theta\left(0<\theta<\dfrac{\pi}{2}\right)$이므로

매개변수로 나타낸 함수의 미분법을 이용하여 미분하면

$\dfrac{dx}{d\theta}=-5\sin\theta,\ \dfrac{dy}{d\theta}=5\cos\theta$이므로 $\dfrac{dy}{dx}=-\dfrac{\cos\theta}{\sin\theta}(\sin\theta\neq0)$

점 $\mathrm{P}(3,\ 4)$는 $\cos\theta=\dfrac{3}{5},\ \sin\theta=\dfrac{4}{5}$일 때의 점이므로

점 P에서의 접선의 기울기는 $-\dfrac{\frac{3}{5}}{\frac{4}{5}}=-\dfrac{3}{4}$

따라서 구하는 접선의 방정식은 $y-4=-\dfrac{3}{4}(x-3)\quad\therefore\ y=-\dfrac{3}{4}x+\dfrac{25}{4}$

(4) 접점이 주어질 때의 공식을 이용하여 접선의 방정식 구하기

해설 접점이 주어질 때의 공식을 이용하여 접선의 방정식을 구하면

원 $x^2+y^2=25$에서 $x_1=3,\ y_1=4$를 $x_1x+y_1y=25$에 대입하면 $3x+4y=25$

$\therefore\ y=-\dfrac{3}{4}x+\dfrac{25}{4}$

MAPL ; YOUR MASTER PLAN

04 음함수의 미분법

01 음함수의 미분법

(1) 음함수

일반적으로 방정식 $f(x, y)=0$에서 x와 y가 정의되는 구간을 적당히 정하면 y는 x에 대한 함수가 되므로 이와 같은 의미에서 방정식 $f(x, y)=0$을 y의 x에 대한 음함수 표현이라 한다.

예를 들어 $xy-2x+y=0$은 함수 $y=\dfrac{2x}{x+1}$를 음함수의 꼴로 표현한 것이다.

또, 음함수 표현 $f(x, y)=0$을 만족시키는 점 (x, y)를 좌표평면 위에 나타내면 곡선이 된다.

참고 음함수의 꼴로 나타내기

$y=f(x)$		$y(x, y)=0$
$y=\dfrac{1}{x}$	➡	$xy-1=0$
$y=\dfrac{x}{2x+1}$	➡	$2xy-x+y=0$
$y=x^2+x+3$	➡	$x^2+x-y+3=0$

(2) 음함수의 미분법

음함수 $f(x, y)=0$에서 y를 x의 함수로 보고, 각 항을 x에 대하여 미분하여 $\dfrac{dy}{dx}$를 구한다.

설명 음함수 $x^2+y^2-3=0$의 도함수 $\dfrac{dy}{dx}$를 구하여 보자.

y를 x에 대한 함수로 보고, 각 항을 x에 대하여 미분하면 $\dfrac{d}{dx}(x^2)+\dfrac{d}{dx}(y^2)-\dfrac{d}{dx}(3)=0$이고

합성함수의 미분법에 의하여 $\dfrac{d}{dx}(y^2)=\dfrac{d}{dy}(y^2)\dfrac{dy}{dx}=2y\dfrac{dy}{dx}$, $2x+2y\dfrac{dy}{dx}=0$이다.

따라서 다음을 얻을 수 있다. $\dfrac{dy}{dx}=-\dfrac{x}{y}$ (단, $y\neq 0$)

(3) 음함수 미분법의 활용

함수 $y=g(x)$의 도함수를 구하기 복잡할 때, $y=g(x)$를 $f(x, y)=0$ 꼴로 고쳐서 음함수의 미분법을 이용할 수도 있다.

설명 이를테면 함수 $y=\sqrt{x^2-1}$의 도함수 $\dfrac{dy}{dx}$를 음함수의 미분법을 이용하여 구하여 보자.

$y=\sqrt{x^2-1}$의 양변을 제곱하여 정리하면 $x^2-y^2=1$이다. 이때 이 식의 양변을 x에 대하여 미분하면

$2x-2y\dfrac{dy}{dx}=0$, $\dfrac{dy}{dx}=\dfrac{x}{y}$이므로 함수 $y=\sqrt{x^2-1}$의 도함수 $\dfrac{dy}{dx}$는 $\dfrac{dy}{dx}=\dfrac{x}{\sqrt{x^2-1}}$ (단, $x\neq\pm1$)

마플해설 **음함수와 양함수**

원의 방정식 $x^2+y^2=1$에서 y는 x의 함수가 아니다.
그러나 y값의 범위를 $y\geq 0$ 또는 $y\leq 0$으로 정하면
즉 $y=\sqrt{1-x^2}$ 또는 $y=-\sqrt{1-x^2}$으로 놓으면
y는 x에 대한 함수가 된다.
일반적으로 방정식 $f(x, y)=0$이 주어졌을 때,
x와 y의 값의 범위를 적당히 정하면 y는 x에 대한 함수가 된다.

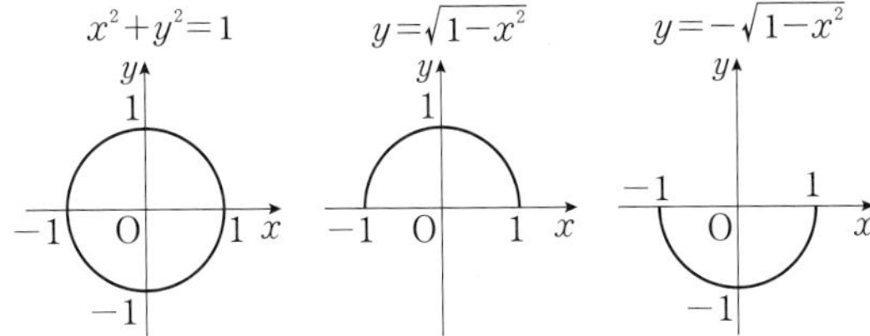

이와 같은 의미에서 x에 대한 함수 y가 $f(x, y)=0$꼴로 주어질 때, y를 x의 음함수(Implicit function)표현이라고 한다.
x의 함수 y가 $y=f(x)$인 꼴로 주어졌을 때, y를 x의 양함수(Explicit function)라고 한다.
음함수는 곡선을 표현하는 한 방법이며 음함수의 미분법은 $f(x, y)=0$에서 $y=g(x)$꼴로 고치기 어려운 함수를 미분할 때 편리하다.

더 알아보기

음함수는 영어 'implicit function' 을 번역한 단어로 'implicit' 은 '암시된, 내포된' 이라는 뜻을 가지고 있다. 반대되는 단어는 'explicit' 으로, 이것은 '분명한, 명쾌한' 이라는 뜻이다. 음함수와 반대되는 'explicit function' 은 양함수로 번역되는데, 일본의 수학자들이 두 용어를 번역하면서 대조되는 단어로 음과 양을 고른 것은 재치 있지만 그 뜻이 명확하다고 하기는 조금 어렵다. 중국에서는 $f(x, y)=0$의 꼴로 주어지는 함수를 은함수(隱函數), $y=f(x)$의 꼴로 주어지는 함수를 현함수(顯函數)라고 부르는데, 한자 은(隱)이 '숨어 있다'는 뜻이고 현(顯)이 '드러나 있다'는 뜻이어서 중국인에게는 비교적 이해하기 쉬운 용어라고 할 수 있다.

보기 01 다음 음함수에서 $\frac{dy}{dx}$를 구하여라.

(1) $x^2-3y^2-4=0$　　(2) $y^2=4x$　　(3) $xy=1$

풀이 (1) y를 x의 함수로 보고, 각 항을 x에 대하여 미분하면

$$\frac{d}{dx}(x^2)-\frac{d}{dx}(3y^2)-\frac{d}{dx}(4)=0,\ 2x-6y\frac{dy}{dx}=0 \quad \therefore \frac{dy}{dx}=\frac{x}{3y}\ (\text{단, } y\neq 0)$$

(2) y를 x의 함수로 보고, 각 항을 x에 대하여 미분하면

$$\frac{d}{dx}(y^2)=\frac{d}{dx}(4x),\ 2y\frac{dy}{dx}=4 \quad \therefore \frac{dy}{dx}=\frac{2}{y}\ (\text{단, } y\neq 0)$$

(3) y를 x의 함수로 보고, 각 항을 x에 대하여 미분하면 ⬅ 곱의 미분 $\{f(x)g(x)\}'=f'(x)g(x)+f(x)g'(x)$

$$\frac{d}{dx}(xy)=\frac{d}{dx}(1),\ \left(\frac{d}{dx}x\right)y+x\left(\frac{d}{dx}y\right)=0,\ y+x\frac{dy}{dx}=0 \quad \therefore \frac{dy}{dx}=-\frac{y}{x}\ (\text{단, } x\neq 0)$$

보기 02 다음 음함수에서 $\frac{dy}{dx}$의 값을 구하여라.

(1) $x^2-xy+y^2=5$　　(2) $x^2+\sin y-xy=0$　　(3) $\ln|y|=x^2$

풀이 (1) y를 x의 함수로 보고 각 항을 x에 대하여 미분하면

$$\frac{d}{dx}(x^2)-\frac{d}{dx}(xy)+\frac{d}{dx}(y^2)=0,\ 2x-\left(\frac{d}{dx}(x)\cdot y+x\cdot\frac{d}{dx}(y)\right)+2y\frac{dy}{dx}=0$$

$$2x-\left(y+x\cdot\frac{dy}{dx}\right)+2y\frac{dy}{dx}=0,\ (x-2y)\frac{dy}{dx}=2x-y \quad \therefore \frac{dy}{dx}=\frac{2x-y}{x-2y}\ (\text{단, } x-2y\neq 0)$$

(2) y를 x의 함수로 보고, 각 항을 x에 대하여 미분하면

$$\frac{d}{dx}(x^2)+\frac{d}{dx}(\sin y)-\frac{d}{dx}(xy)=0, 2x+\cos y\frac{dy}{dx}-\left(y+x\frac{dy}{dx}\right)=0 \quad \therefore \frac{dy}{dx}=\frac{y-2x}{\cos y-x}\ (\text{단, } \cos y\neq x)$$

(3) y를 x의 함수로 보고, 각 항을 x에 대하여 미분하면 $\frac{d}{dx}(\ln|y|)=\frac{d}{dx}(x^2),\ \frac{1}{y}\cdot\frac{dy}{dx}=2x \quad \therefore \frac{dy}{dx}=2xy$

보기 03 음함수의 미분법을 이용하여 다음 함수의 도함수를 구하여라.

(1) $y=\sqrt{9-x^2}$　　(2) $y=\sqrt[3]{x^5}$

풀이 (1) $y=\sqrt{9-x^2}$의 양변을 제곱하여 정리하면 $x^2+y^2=9$이다.

이때 이 식의 양변을 x에 대하여 미분하면 $2x+2y\frac{dy}{dx}=0,\ \frac{dy}{dx}=-\frac{x}{y}$이므로

함수 $y=\sqrt{9-x^2}$의 도함수 $\frac{dy}{dx}$는 다음과 같다. $\frac{dy}{dx}=-\frac{x}{\sqrt{9-x^2}}$ (단, $x\neq\pm 3$)

(2) $y=\sqrt[3]{x^5}$의 양변을 세제곱하여 정리하면 $y^3=x^5$이다.

이때 이 식의 양변을 x에 대하여 미분하면 $3y^2\cdot\frac{dy}{dx}=5x^4,\ \frac{dy}{dx}=\frac{5x^4}{3y^2}$이므로

함수 $y=\sqrt[3]{x^5}$의 도함수 $\frac{dy}{dx}$는 다음과 같다. $\frac{dy}{dx}=\frac{5\sqrt[3]{x^2}}{3}$

더 알아보기

여러 가지 음함수 미분법

① 같은 변수일 때, $\frac{d}{dx}x^n=nx^{n-1}$

② y가 x의 함수일 때, $\frac{d}{dx}y^n=ny^{n-1}\cdot\frac{dy}{dx}$

③ y가 t의 함수일 때, $\frac{d}{dt}y^n=ny^{n-1}\cdot\frac{dy}{dt}$

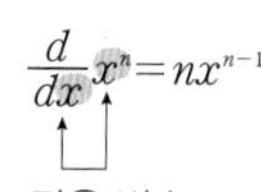

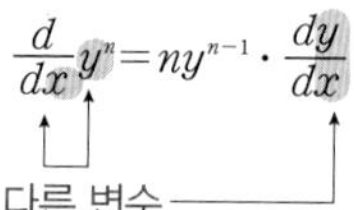

02 음함수로 나타낸 곡선의 접선의 방정식

음함수 $f(x, y)=0$이 나타내는 곡선 위의 점 $\mathrm{Q}(a, b)$에서의 접선의 방정식 구하는 방법

[1단계] 음함수의 미분법을 이용하여 $\dfrac{dy}{dx}$를 구한다.

[2단계] 접선의 기울기 m은 음함수의 미분법을 이용하여 구한 $\dfrac{dy}{dx}$에 $x=a$, $y=b$를 대입하여 구한 값과 같다.

[3단계] 곡선 $f(x, y)=0$ 위의 점 $\mathrm{Q}(a, b)$에서의 접선의 방정식은 $y-b=m(x-a)$이다.

마플해설 곡선 $y=g(x)$ 위의 점 $\mathrm{P}(\alpha, g(\alpha))$에서의 접선의 기울기는 $x=\alpha$에서의 미분계수 $g'(\alpha)$와 같다.
마찬가지로 음함수 $f(x, y)=0$이 나타내는 곡선 위의 점 $\mathrm{Q}(a, b)$에서의 접선의 기울기는
음함수의 미분법을 이용하여 구한 $\dfrac{dy}{dx}$에 $x=a$, $y=b$를 대입하여 구한 값과 같다.
따라서 $\dfrac{dy}{dx}$에 $x=a$, $y=b$를 대입하여 구한 접선의 기울기를 m이라고 하면
곡선 $f(x, y)=0$ 위의 점 $\mathrm{Q}(a, b)$에서의 접선의 방정식 $y-b=m(x-a)$이다.

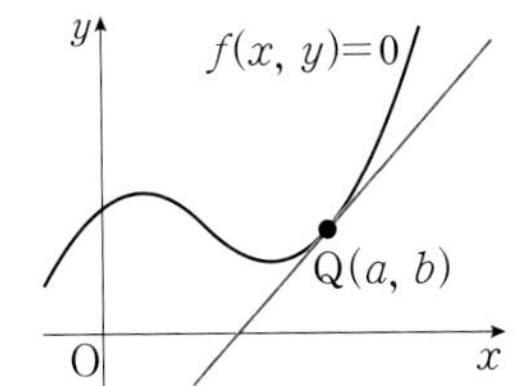

보기 04 다음 물음에 답하여라.

(1) 곡선 $x+y+y^2=3$ 위의 점 $(1, -2)$에서의 접선의 기울기를 구하여라.

(2) 곡선 $\sqrt{x}+\sqrt{y}=1$ 위의 점 $\left(\dfrac{1}{9}, \dfrac{4}{9}\right)$에서의 접선의 기울기를 구하여라.

풀이 (1) $x+y+y^2=3$의 양변을 x에 대하여 미분하면 $1+\dfrac{dy}{dx}+2y\dfrac{dy}{dx}=0 \quad \therefore \dfrac{dy}{dx}=-\dfrac{1}{1+2y}$

따라서 $x=1$, $y=-2$에서 접선의 기울기는 $\dfrac{1}{3}$

(2) $\sqrt{x}+\sqrt{y}=1$의 양변을 x에 대하여 미분하면 $\dfrac{1}{2\sqrt{x}}+\dfrac{1}{2\sqrt{y}}\dfrac{dy}{dx}=0 \quad \therefore \dfrac{dy}{dx}=-\dfrac{\sqrt{y}}{\sqrt{x}}$

따라서 점 $\left(\dfrac{1}{9}, \dfrac{4}{9}\right)$에서의 접선의 기울기는 $-\dfrac{\frac{2}{3}}{\frac{1}{3}}=-2$

보기 05 다음 물음에 답하여라.

(1) 곡선 $x^2+y^2=4$ 위의 점 $(\sqrt{3}, 1)$에서의 접선을 구하여라.

(2) 곡선 $x^2-3y^2+2=0$ 위의 점 $(1, 1)$에서의 접선을 구하여라.

풀이 (1) $x^2+y^2=4$의 양변을 x에 대하여 미분하면 $2x+2y\dfrac{dy}{dx}=0$, $\dfrac{dy}{dx}=-\dfrac{x}{y}$ (단, $y\neq0$)

점 $(\sqrt{3}, 1)$에서 접선의 기울기는 $-\dfrac{\sqrt{3}}{1}=-\sqrt{3}$

따라서 구하는 접선의 방정식은 $y-1=-\sqrt{3}(x-\sqrt{3}) \quad \therefore y=-\sqrt{3}x+4$

(2) $x^2-3y^2+2=0$의 양변을 x에 대하여 미분하면 $2x-6y\dfrac{dy}{dx}=0$, $\dfrac{dy}{dx}=\dfrac{x}{3y}$ (단, $y\neq0$)

점 $(1, 1)$에서 접선의 기울기는 위의 식에 $x=1$, $y=1$을 대입한 값인 $\dfrac{1}{3}$

따라서 구하는 접선의 방정식은 $y-1=\dfrac{1}{3}(x-1) \quad \therefore x-3y+2=0$

더 알아보기

원 $x^2+y^2=r^2$ 위의 점 $\mathrm{P}(x_1, y_1)$에서의 접선의 방정식 $x_1x+y_1y=r^2$ 유도

[1단계] $x^2+y^2=r^2$에서 양변을 x에 대하여 미분하면 $2x+2y\dfrac{dy}{dx}=0 \quad \therefore \dfrac{dy}{dx}=-\dfrac{x}{y}(y\neq0)$

[2단계] $y_1\neq0$일 때, $\mathrm{P}(x_1, y_1)$에서의 접선의 기울기는 $\dfrac{dy}{dx}=-\dfrac{x_1}{y_1}$

[3단계] 접선의 방정식은 $y-y_1=-\dfrac{x_1}{y_1}(x-x_1)$, 즉 $y_1y-y_1^2=-x_1x+x_1^2$

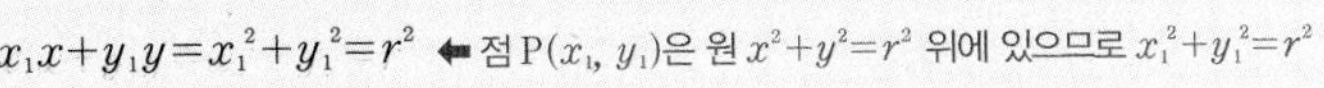
$x_1x+y_1y=x_1^2+y_1^2=r^2$ ⬅ 점 $\mathrm{P}(x_1, y_1)$은 원 $x^2+y^2=r^2$ 위에 있으므로 $x_1^2+y_1^2=r^2$

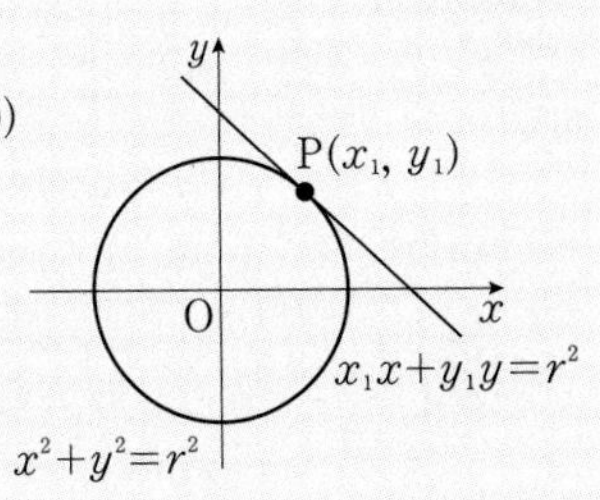

03 $y=x^n$ (n는 실수)의 도함수

(1) $y=x^n$의 도함수

n이 실수일 때, $y=x^n$의 도함수는

$$y'=nx^{n-1}$$ ⬅ 지수가 정수일 때와 도함수를 구하는 방법이 같다.

(2) $y=\sqrt{f(x)}$의 도함수

미분가능한 함수 $f(x)$에 대하여

$y=\sqrt{f(x)}$의 도함수 ⇨ $y'=\dfrac{f'(x)}{2\sqrt{f(x)}}$ (단, $f(x)\neq 0$)

마플해설 (1) r이 유리수일 때, 함수 $y=x^r$의 도함수는 $y'=rx^{r-1}$이다.

이제 로그함수의 도함수와 음함수 미분법을 이용하여 n이 실수일 때, 함수 $y=x^n$의 도함수를 구하여 보자.

$y=x^n$의 양변의 절댓값에 자연로그를 취하면

$$\ln|y|=\ln|x^n|=n\ln|x|$$

이때 y는 x의 함수이므로 음함수 미분법을 이용하여 양변을 x에 대하여 미분하면 $\dfrac{1}{y}\times\dfrac{dy}{dx}=\dfrac{n}{x}$

따라서 $\dfrac{dy}{dx}=y\times\dfrac{n}{x}=x^n\times\dfrac{n}{x}=nx^{n-1}$

(2) 미분가능한 함수 $f(x)$에 대하여 함수 $y=\sqrt{f(x)}$의 도함수를 구해 보자.

$y'=\left[\{f(x)\}^{\frac{1}{2}}\right]'=\dfrac{1}{2}\cdot\{f(x)\}^{-\frac{1}{2}}\cdot f'(x)=\dfrac{f'(x)}{2\sqrt{f(x)}}$ (단, $f(x)\neq 0$)

보기 06 다음 함수를 미분하여라.

(1) $y=x^{\sqrt{2}}$　(2) $y=x^{\pi}$　(3) $y=\dfrac{x^{-e}}{2}$　(4) $y=x^{\sqrt{2}}\ln x$

풀이 (1) $y=x^{\sqrt{2}}$에서 $y'=\sqrt{2}x^{\sqrt{2}-1}$

(2) $y=x^{\pi}$에서 $y'=\pi x^{\pi-1}$

(3) $y=\dfrac{x^{-e}}{2}$에서 $y'=-\dfrac{e}{2}x^{-e-1}$

(4) $y=x^{\sqrt{2}}\ln x$에서 $y'=(x^{\sqrt{2}})'\ln x+x^{\sqrt{2}}(\ln x)'=\sqrt{2}x^{\sqrt{2}-1}\ln x+x^{\sqrt{2}}\cdot\dfrac{1}{x}=x^{\sqrt{2}-1}(\sqrt{2}\ln x+1)$

보기 07 다음 함수를 미분하여라.

(1) $y=\sqrt{x}$　(2) $y=\sqrt{3x+5}$　(3) $y=\sqrt{\sin 2x+1}$

풀이 (1) $y=\sqrt{x}$에서 $y'=\dfrac{(x)'}{2\sqrt{x}}=\dfrac{1}{2\sqrt{x}}$

(2) $y=\sqrt{3x+5}$에서 $y'=\dfrac{(3x+5)'}{2\sqrt{3x+5}}=\dfrac{3}{2\sqrt{3x+5}}$

(3) $y=\sqrt{\sin 2x+1}$에서 $y'=\dfrac{(\sin 2x+1)'}{2\sqrt{\sin 2x+1}}=\dfrac{2\cos 2x}{2\sqrt{\sin 2x+1}}=\dfrac{\cos 2x}{\sqrt{\sin 2x+1}}$

더 알아보기

$y=x^n$의 도함수가 $y'=nx^{n-1}$임을 증명하는 방법

① n이 자연수일 때　➡ 도함수의 정의 이용

② n이 정수일 때　➡ 몫의 미분법 이용

③ n이 유리수일 때　➡ 합성함수의 미분법 이용

④ n이 실수일 때　➡ 로그함수의 미분법과 음함수 미분법 이용

08 자연로그를 취한 후 음함수 미분법

01 로그함수의 미분법의 활용

(1) 밑과 지수에 모두 변수를 포함하는 지수형태의 함수나 복잡한 유리함수를 미분할 때, 곱의 미분법이나 몫의 미분법을 이용하여 직접 미분하는 것보다 로그의 성질과 음함수의 미분법을 이용하는 것이 편리하다.

① $y=x^x$와 같이 밑, 지수가 변수일 때

② $y=\dfrac{x^4(x+1)^2}{(x+1)^3}$과 같이 복잡한 유리함수일 때

⇨ 양변에 자연로그를 취한 다음 음함수 미분법을 이용한다.

(2) $y=f(x)$를 문제 푸는 방법

[1단계] 양변에 절댓값을 취한다. ⇨ $|y|=|f(x)|$

[2단계] 준식의 양변에 자연로그를 취한다. ⇨ $\ln|y|=\ln|f(x)|$

[3단계] 양변을 x에 관하여 미분한다. ⇨ $\dfrac{y'}{y}=\dfrac{f'(x)}{f(x)}$

[4단계] y'에 대하여 정리하여 도함수를 구한다. ⇨ $y'=y\cdot\dfrac{f'(x)}{f(x)}$

보기 01 함수 $f(x)=\dfrac{(x-3)(x+1)}{x+2}$의 도함수를 구하여라.

풀이 [방법1] 몫의 미분법을 이용하여 도함수 구하기

$f(x)=\dfrac{x^2-2x-3}{x+2}$이므로 몫의 미분법을 이용하면

$$f'(x)=\frac{(x^2-2x-3)'(x+2)-(x^2-2x-3)(x+2)'}{(x+2)^2}=\frac{(2x-2)(x+2)-(x^2-2x-3)}{(x+2)^2}=\frac{x^2+4x-1}{(x+2)^2}$$

[방법2] 음함수의 미분법을 이용하여 도함수 구하기

양변의 절댓값에 자연로그를 취하면 $\ln|f(x)|=\ln\left|\dfrac{(x-3)(x+1)}{x+2}\right|=\ln|x-3|+\ln|x+1|-\ln|x+2|$

음함수의 미분법을 이용하여 양변을 x에 대하여 미분하면

$$\frac{f'(x)}{f(x)}=\frac{1}{x-3}+\frac{1}{x+1}-\frac{1}{x+2}=\frac{x^2+4x-1}{(x-3)(x+1)(x+2)}$$

따라서 $f'(x)=f(x)\times\dfrac{x^2+4x-1}{(x-3)(x+1)(x+2)}=\dfrac{(x-3)(x+1)}{x+2}\times\dfrac{x^2+4x-1}{(x-3)(x+1)(x+2)}=\dfrac{x^2+4x-1}{(x+2)^2}$

보기 02 함수 $f(x)=\dfrac{x-1}{(x-2)(x+1)}$에서 $f'(0)$의 값을 다음 미분법에 따라 구하여라.

(1) 몫의 미분법 (2) 음함수의 미분법

풀이 (1) $f(x)=\dfrac{x-1}{x^2-x-2}$이므로 몫의 미분법을 이용하면

$$f'(x)=\frac{(x-1)'(x^2-x-2)-(x-1)(x^2-x-2)'}{(x^2-x-2)^2}=\frac{(x^2-x-2)-(x-1)(2x-1)}{(x^2-x-2)^2}=\frac{-x^2+2x-3}{(x^2-x-2)^2}$$

따라서 $f'(0)=-\dfrac{3}{4}$

(2) 양변의 절댓값에 자연로그를 취하면 $\ln|f(x)|=\ln\left|\dfrac{x-1}{(x-2)(x+1)}\right|=\ln|x-1|-\ln|x-2|-\ln|x+1|$

음함수의 미분법을 이용하여 양변을 x에 대하여 미분하면 $\dfrac{f'(x)}{f(x)}=\dfrac{1}{x-1}-\dfrac{1}{x-2}-\dfrac{1}{x+1}$

즉 $f'(x)=f(x)\times\left(\dfrac{1}{x-1}-\dfrac{1}{x-2}-\dfrac{1}{x+1}\right)$

따라서 $f(0)=\dfrac{1}{2}$이므로 $f'(0)=\left(-1+\dfrac{1}{2}-1\right)\times\dfrac{1}{2}=-\dfrac{3}{4}$

보기 03 다음 함수를 미분하여라.

(1) $y=x^{\sin x}(x>0)$ (2) $y=(\ln x)^x(x>1)$ (3) $y=(\sin x)^{\tan x}$

풀이 (1) 양변에 자연로그를 취하면

$\ln y=\ln x^{\sin x}=\sin x\ln x$

양변을 x에 관하여 미분하면

$$\frac{y'}{y}=(\sin x)'\ln x+\sin x(\ln x)'=\cos x\ln x+(\sin x)\frac{1}{x}$$

$$\therefore\ y'=y\left(\cos x\ln x+\frac{1}{x}\sin x\right)=x^{\sin x}\left(\cos x\ln x+\frac{1}{x}\sin x\right)$$

(2) 양변에 자연로그를 취하면

$\ln y=\ln(\ln x)^x=x\ln(\ln x)$

양변을 x에 관하여 미분하면

$$\frac{y'}{y}=\ln(\ln x)+x\cdot\frac{(\ln x)'}{\ln x}=\ln(\ln x)+\frac{1}{\ln x}$$

$$\therefore\ y'=y\left\{\ln(\ln x)+\frac{1}{\ln x}\right\}=(\ln x)^x\ln(\ln x)+(\ln x)^{x-1}$$

(3) 양변의 절댓값에 자연로그를 취하면

$\ln|y|=\ln|(\sin x)^{\tan x}|=\tan x\ln|\sin x|$

양변을 x에 대하여 미분하면

$$\frac{y'}{y}=(\tan x)'\ln|\sin x|+\tan x(\ln|\sin x|)'=\sec^2 x\ln|\sin x|+\tan x\cdot\frac{\cos x}{\sin x}=\sec^2 x\ln|\sin x|+1$$

$$\therefore\ y'=y(\sec^2 x\ln|\sin x|+1)=(\sin x)^{\tan x}(\sec^2 x\ln|\sin x|+1)$$

보기 04 $e^{2f(x)}=\sqrt{\dfrac{1+\sin x}{1-\sin x}}$를 만족시키는 함수 $f(x)$에 대하여 $f'(x)$를 구하여라.

풀이 $e^{2f(x)}=\sqrt{\dfrac{1+\sin x}{1-\sin x}}$의 양변에 자연로그를 취하면

$$\ln e^{2f(x)}=\ln\sqrt{\frac{1+\sin x}{1-\sin x}}$$

$$2f(x)=\frac{1}{2}\{\ln(1+\sin x)-\ln(1-\sin x)\}$$

$$f(x)=\frac{1}{4}\{\ln(1+\sin x)-\ln(1-\sin x)\}$$

$$\therefore\ f'(x)=\frac{1}{4}\left(\frac{\cos x}{1+\sin x}+\frac{\cos x}{1-\sin x}\right)=\frac{1}{4}\cdot\frac{\cos x(1-\sin x)+\cos x(1+\sin x)}{1-\sin^2 x}$$

$$=\frac{2\cos x}{4\cos^2 x}=\frac{1}{2\cos x}=\frac{\sec x}{2}$$

02 함수 $f(x)^{g(x)}$ 꼴의 미분법

[방법1] 음함수의 미분법을 이용

함수 $h(x)=f(x)^{g(x)}$의 양변에 자연로그를 취하면

$\ln h(x)=\ln f(x)^{g(x)}=g(x)\ln f(x)$

음함수의 미분법을 이용하여 x에 대하여 미분하면

$\dfrac{h'(x)}{h(x)}=g'(x)\ln f(x)+g(x)\dfrac{f'(x)}{f(x)}$이므로

$$h'(x)=h(x)\left\{g'(x)\ln f(x)+g(x)\frac{f'(x)}{f(x)}\right\}=f(x)^{g(x)}\left\{g'(x)\ln f(x)+g(x)\frac{f'(x)}{f(x)}\right\}$$

[방법2] 합성함수의 미분법을 이용

$x=e^{\ln x}$임을 이용하면 $f(x)^{g(x)}=(e^{\ln f(x)})^{g(x)}=e^{g(x)\ln f(x)}$

합성함수의 미분법을 이용하여 x에 대하여 미분하면

$$\begin{aligned}(f(x)^{g(x)})'&=(e^{g(x)\ln f(x)})'=(e^{g(x)\ln f(x)})\cdot(g(x)\ln f(x))'\\&=f(x)^{g(x)}\left\{g'(x)\ln f(x)+g(x)\frac{f'(x)}{f(x)}\right\}\end{aligned}$$

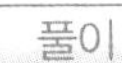

보기 05 다음 함수의 도함수를 구하여라.

(1) $f(x)=x^x\,(x>0)$ (2) $f(x)=x^{\ln x}\,(x>0)$

풀이 (1) [방법1] 음함수의 미분법을 이용

$f(x)=x^x$의 양변에 자연로그를 취하면 $\ln f(x)=x\ln x$

음함수의 미분법을 이용하면 $\dfrac{f'(x)}{f(x)}=\ln x+x\times\dfrac{1}{x}$

이므로 $f'(x)=x^x(\ln x+1)$

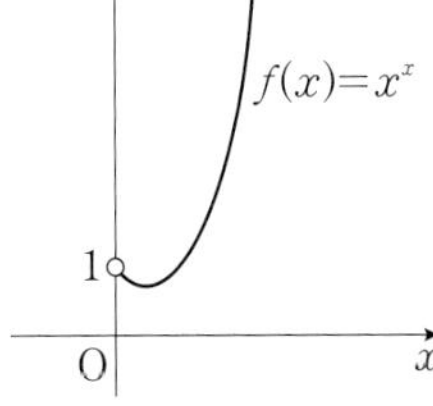

[방법2] 합성함수의 미분법을 이용

$x=e^{\ln x}$에서 $f(x)=(e^{\ln x})^x=e^{x\ln x}$이므로

양변을 x에 관하여 미분하면

$$\begin{aligned}f'(x)&=e^{x\ln x}(x\ln x)'=e^{x\ln x}\left(\ln x+x\times\frac{1}{x}\right)\\&=e^{x\ln x}(\ln x+1)=x^x(\ln x+1)\end{aligned}$$

(2) [방법1] 음함수의 미분법을 이용

$f(x)=x^{\ln x}\,(x>0)$의 양변에 자연로그를 취하면 $\ln f(x)=(\ln x)^2$

음함수의 미분법을 이용하면 $\dfrac{f'(x)}{f(x)}=2\ln x\times\dfrac{1}{x}$

이므로 $f'(x)=2\cdot\dfrac{\ln x}{x}\cdot x^{\ln x}=2x^{\ln x-1}\times\ln x$

[방법2] 합성함수의 미분법을 이용

$x=e^{\ln x}$에서 $f(x)=(e^{\ln x})^{\ln x}=e^{(\ln x)^2}$

양변을 x에 관하여 미분하면

$$\begin{aligned}f'(x)&=e^{(\ln x)^2}\{(\ln x)^2\}'=e^{(\ln x)^2}\times 2\ln x\times\frac{1}{x}\\&=x^{\ln x}\times 2\ln x\times x^{-1}=2x^{\ln x-1}\times\ln x\end{aligned}$$

마플개념익힘 01 음함수의 미분법을 이용한 접선의 기울기

2013학년도 사관기출

다음 물음에 답하여라.

(1) 곡선 $x^3-xy^2=10$ 위의 점 $(-2, 3)$에서의 접선의 기울기를 구하여라.

(2) 곡선 $x^2+xy+y^2=7$ 위의 점 $(1, 2)$에서의 접선의 기울기를 구하여라.

MAPL CORE 음함수 $f(x, y)=0$에서 $\dfrac{dy}{dx}$를 구할 때 ⇨ 음함수의 미분법을 이용한다.

음함수 중 $y=f(x)$의 꼴로 변명하기 어려울 때의 미분 —(음함수의 미분법 이용)→ y를 x의 함수로 보고 양변을 x에 대하여 미분한다

개념익힘 | **풀이** (1) 양변을 x에 대하여 미분하면 $3x^2-\left(y^2+x\cdot 2y\cdot \dfrac{dy}{dx}\right)=0$

$2xy\dfrac{dy}{dx}=3x^2-y^2$ $\quad\therefore \dfrac{dy}{dx}=\dfrac{3x^2-y^2}{2xy}$ (단, $xy\neq 0$)

따라서 점 $(-2, 3)$에서의 접선의 기울기는 $x=-2$, $y=3$을 대입한 값이므로 $-\dfrac{1}{4}$

(2) 양변을 x에 대하여 미분하면 $2x+y+x\dfrac{dy}{dx}+2y\dfrac{dy}{dx}=0$

$\therefore \dfrac{dy}{dx}=-\dfrac{2x+y}{x+2y}$ (단, $x+2y\neq 0$)

따라서 점 $(1, 2)$에서의 접선의 기울기는 $x=1$, $y=2$를 대입한 값이므로 $-\dfrac{4}{5}$

확인유제 0449

다음 물음에 답하여라.

2020학년도 수능기출 (1) 곡선 $x^2-3xy+y^2=x$ 위의 점 $(1, 0)$에서의 접선의 기울기를 구하여라.

2018학년도 09월 평가원 (2) 곡선 $5x+xy+y^2=5$ 위의 점 $(1, -1)$에서의 접선의 기울기를 구하여라.

변형문제 0450

다음 물음에 답하여라.

2018학년도 수능기출 (1) 곡선 $2x+x^2y-y^3=2$ 위의 점 $(1, 1)$에서의 접선의 기울기를 구하여라.

2019학년도 사관기출 (2) 곡선 $x^2+y^3-2xy+9x=19$ 위의 점 $(2, 1)$에서의 접선의 기울기를 구하여라.

발전문제 0451

다음 물음에 답하여라.

(1) 원 $x^2+y^2-ax+by=0$ 위의 점 $(1, 1)$에서의 접선의 기울기가 2일 때, 상수 a, b에 대하여 ab의 값은?

① -4 ② -2 ③ 4 ④ 8 ⑤ 12

(2) 곡선 $x^3+y^3+axy+b=0$ 위의 점 $(1, 2)$에서의 접선의 기울기가 $\dfrac{5}{8}$일 때, 상수 a, b에 대하여 ab의 값은?

① 2 ② 4 ③ 5 ④ 6 ⑤ 8

정답 0449 : (1) $\dfrac{1}{3}$ (2) 4 0450 : (1) 2 (2) 11 0451 : (1) ④ (2) ②

마플개념익힘 02 음함수로 나타낸 곡선의 접선의 방정식

다음 물음에 답하여라.

(1) 곡선 $x^2-3y^2+2=0$ 위의 점 $(1,\ 1)$에서의 접선의 방정식을 구하여라.

(2) 곡선 $x^2+xy-y=3$ 위의 점 $(2,\ -1)$에서 접선의 방정식을 구하여라.

MAPL CORE 음함수 $f(x,\ y)=0$이 나타내는 곡선 위의 점 $\mathrm{Q}(a,\ b)$에서의 접선의 방정식 구하는 방법

[1단계] 접선의 기울기 m은 음함수의 미분법을 이용하여 구한 $\frac{dy}{dx}$에 $x=a,\ y=b$를 대입하여 구한 값과 같다.

[2단계] 곡선 $f(x,\ y)=0$ 위의 점 $\mathrm{Q}(a,\ b)$에서의 접선의 방정식은 $y-b=m(x-a)$이다.

개념익힘 | **풀이** (1) $x^2-3y^2+2=0$의 양변을 x에 대하여 미분하면 $2x-6y\frac{dy}{dx}=0,\ \frac{dy}{dx}=\frac{x}{3y}$ (단, $y\neq0$)

점 $(1,\ 1)$에서 접선의 기울기는 $\frac{1}{3}$

따라서 구하는 접선의 방정식은 $y-1=\frac{1}{3}(x-1)$ $\quad\therefore\ \boldsymbol{y=\frac{1}{3}x+\frac{2}{3}}$

(2) $x^2+xy-y=3$의 양변을 x에 대하여 미분하면 $2x+\left(y+x\frac{dy}{dx}\right)-\frac{dy}{dx}=0,\ \frac{dy}{dx}=\frac{2x+y}{1-x}$ (단, $1-x\neq0$)

점 $(2,\ -1)$에서 접선의 기울기는 $\frac{2\cdot2-1}{1-2}=-3$

따라서 구하는 접선의 방정식은 $y+1=-3(x-2)$ $\quad\therefore\ \boldsymbol{y=-3x+5}$

확인유제 0452 오른쪽 그림과 같이 곡선 $\sqrt{x}+\sqrt{y}=2$ 위의 점 $(1,\ 1)$에서의 접선이 x축, y축과 만나는 점을 각각 A, B라고 하자. 이때 삼각형 OAB의 넓이는?

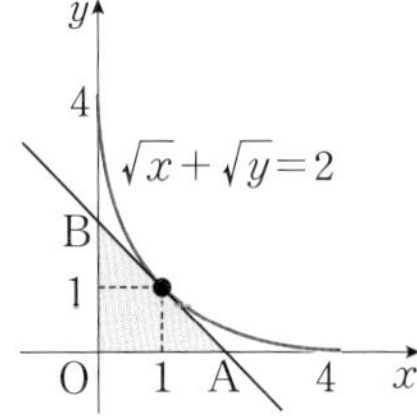

① 2 ② 3 ③ 4 ④ 5 ⑤ 6

변형문제 0453 다음 물음에 답하여라.

(1) 곡선 $x^2-xy+y^2=1$ 위의 점 $\mathrm{P}(1,\ 1)$에서의 접선과 x축, y축으로 둘러싸인 부분의 넓이는?

① $\frac{3}{4}$ ② $\frac{3}{2}$ ③ 1 ④ 2 ⑤ 4

(2) 곡선 $2x^2+y^2-4xy-1=0$ 위의 점 $(2,\ 1)$에서의 접선과 x축, y축으로 둘러싸인 부분의 넓이는?

① $\frac{1}{12}$ ② $\frac{1}{6}$ ③ $\frac{1}{3}$ ④ $\frac{1}{2}$ ⑤ 6

발전문제 0454 곡선 $x^2+5xy-2y^2+11=0$ 위의 점 $(1,\ 4)$에서의 접선과 x축 및 y축으로 둘러싸인 부분의 넓이는?

2016년 10월 교육청

① 1 ② 2 ③ 3 ④ 4 ⑤ 5

정답 0452 : ① 0453 : (1) ④ (2) ① 0454 : ①

다음 물음에 답하여라.

(1) 곡선 $\pi x=y+x\sin y$ 위의 점 $(2, 2\pi)$에서의 접선의 기울기를 구하여라.

(2) 곡선 $e^x-e^y=y$ 위의 점 $(0, 0)$에서의 접선의 기울기를 구하여라.

MAPL CORE 음함수 $f(x, y)=0$이 나타내는 곡선 위의 점 $Q(a, b)$에서의 접선의 방정식 구하는 방법

[1단계] 접선의 기울기 m은 음함수의 미분법을 이용하여 구한 $\frac{dy}{dx}$에 $x=a$, $y=b$를 대입하여 구한 값과 같다.

[2단계] 곡선 $f(x, y)=0$ 위의 점 $Q(a, b)$에서의 접선의 방정식은 $y-b=m(x-a)$이다.

개념익힘 | **풀이** (1) $\pi x=y+x\sin y$의 양변을 x에 대하여 미분하면

$$\pi=\frac{dy}{dx}+\sin y+x\cos y\times\frac{dy}{dx}$$

즉, $\frac{dy}{dx}=\frac{\pi-\sin y}{x\cos y+1}$ (단, $x\cos y+1\neq0$) …… ㉠

따라서 점 $(2, 2\pi)$에서의 접선의 기울기는 ㉠에 $x=2$, $y=2\pi$를 대입한 값과 같으므로 $\frac{\pi-\sin 2\pi}{2\cos 2\pi+1}=\boldsymbol{\frac{\pi}{3}}$

(2) $e^x-e^y=y$의 양변을 x에 대하여 미분하면 $e^x-e^y\frac{dy}{dx}=\frac{dy}{dx}$

즉, $\frac{dy}{dx}=\frac{e^x}{1+e^y}$ …… ㉠

따라서 점 $(0, 0)$에서의 접선의 기울기는 ㉠에 $x=0$, $y=0$을 대입한 값과 같으므로 $\frac{e^0}{1+e^0}=\frac{1}{1+1}=\boldsymbol{\frac{1}{2}}$

확인유제 0455 다음 물음에 답하여라.

2019학년도 수능기출

(1) 곡선 $e^x-xe^y=y$ 위의 점 $(0, 1)$에서의 접선의 기울기는?

① $3-e$ ② $2-e$ ③ $1-e$ ④ $-e$ ⑤ $-1-e$

2020학년도 09월 평가원

(2) 곡선 $\pi x=\cos y+x\sin y$ 위의 점 $\left(0, \frac{\pi}{2}\right)$에서의 접선의 기울기는?

① $1-\frac{5}{2}\pi$ ② $1-2\pi$ ③ $1-\frac{3}{2}\pi$ ④ $1-\pi$ ⑤ $1-\frac{\pi}{2}$

변형문제 0456 다음 물음에 답하여라.

2011학년도 수능기출

(1) 좌표평면에서 곡선 $y^3=\ln(5-x^2)+xy+4$ 위의 점 $(2, 2)$에서의 접선의 기울기는?

① $-\frac{3}{5}$ ② $-\frac{1}{2}$ ③ $-\frac{2}{5}$ ④ $-\frac{3}{10}$ ⑤ $-\frac{1}{5}$

2019학년도 09월 평가원

(2) 곡선 $e^y\ln x=2y+1$ 위의 점 $(e, 0)$에서의 접선의 방정식을 $y=ax+b$라 할 때, ab의 값은? (단, a, b는 상수이다.)

① $-2e$ ② $-e$ ③ -1 ④ $-\frac{2}{e}$ ⑤ $-\frac{1}{e}$

발전문제 0457 곡선 $e^x+e^y=e+1$ 위의 점 $P(1, 0)$에서의 접선을 l_1이라 하고 점 P를 지나고 직선 l_1에 수직인 직선을 l_2라고 하자. 이때 두 직선 l_1과 l_2 및 y축으로 둘러싸인 부분의 넓이는?

① $\frac{1}{2}\left(e+\frac{1}{e}\right)$ ② $\frac{e}{2}$ ③ $e+\frac{1}{e}$ ④ e ⑤ $2e$

정답 0455 : (1) ③ (2) ④ 0456 : (1) ⑤ (2) ⑤ 0457 : ①

마플개념익힘 04 로그미분법

다음 물음에 답하여라.

(1) 함수 $y=x^{x}\ (x>0)$에 대하여 $x=e$에서 미분계수를 구하여라.

(2) 함수 $y=x^{\ln x}$에 대하여 $x=\dfrac{1}{e}$에서 미분계수를 구하여라.

MAPL CORE 밑, 지수가 변수 $y=\{f(x)\}^{g(x)}$일 때와 복잡한 분수꼴일 때, 도함수는 다음과 같이 구한다.

① $y=\{f(x)\}^{g(x)}$꼴 ⇨ 양변에 자연로그를 취한 후 미분한다.

② $y=\dfrac{g(x)}{f(x)}$꼴 ⇨ 양변의 절댓값에 자연로그를 취한 후 미분한다.

개념익힘 | **풀이** (1) $y=x^{x}$의 양변에 자연로그를 취하면 $\ln y=x\ln x$

양변을 x에 대하여 미분하면 $\dfrac{y'}{y}=\ln x+x\cdot\dfrac{1}{x}$

$\therefore\ y'=y(\ln x+1)=x^{x}(\ln x+1)$

따라서 $x=e$에서의 미분계수는 $e^{e}(\ln e+1)=\mathbf{2e^{e}}$

(2) $y=x^{\ln x}$의 양변에 자연로그를 취하면 $\ln y=\ln x^{\ln x}=(\ln x)^{2}$

양변을 x에 대하여 미분하면 $\dfrac{y'}{y}=2\ln x\cdot\dfrac{1}{x}=\dfrac{2}{x}\ln x$

$\therefore\ y'=y\cdot\dfrac{2}{x}\ln x=x^{\ln x}\cdot\dfrac{2}{x}\ln x=2x^{\ln x-1}\ln x$

따라서 $x=\dfrac{1}{e}$에서의 미분계수는 $2(e^{-1})^{\ln e^{-1}-1}\cdot\ln\left(\dfrac{1}{e}\right)=2(e^{-1})^{-2}\cdot(-1)=\mathbf{-2e^{2}}$

확인유제 0458 다음 물음에 답하여라.

(1) 함수 $y=x^{\cos x}\ (x>0)$에 대하여 $x=\pi$에서 미분계수를 구하여라.

(2) 함수 $f(x)=x^{\sin x}\ (x>0)$에 대하여 $\displaystyle\lim_{x\to\pi}\frac{f(x)-1}{x-\pi}$의 값을 구하여라.

변형문제 0459 다음 물음에 답하여라.

(1) 함수 $f(x)=\dfrac{(x-1)^{2}\sqrt{x+1}}{x+2}$에 대하여 $f'(0)$의 값은?

① -3 ② -2 ③ -1 ④ 1 ⑤ 2

(2) 함수 $f(x)=\dfrac{e^{x}\cos x}{1+\sin x}$에 대하여 $\displaystyle\lim_{x\to\pi}\frac{f(x)+e^{\pi}}{x-\pi}$의 값은?

① $-3e^{\pi}$ ② $-2e^{\pi}$ ③ 1 ④ π ⑤ e^{π}

(3) $e^{f(x)}=\sqrt{\dfrac{1+\cos x}{1-\cos x}}$를 만족하는 함수 $f(x)$에 대하여 $f'\left(\dfrac{\pi}{6}\right)$의 값은?

① -4 ② -2 ③ 0 ④ 2 ⑤ 4

발전문제 0460 함수 $f(x)=(\ln x)^{x}\ (x>1)$일 때, $\displaystyle\lim_{h\to0}\frac{f(e+2h)-f(e-2h)}{h}$의 값을 구하여라.

정답 0458 : (1) $-\dfrac{1}{\pi^{2}}$ (2) $-\ln\pi$ 0459 : (1) ③ (2) ② (3) ② 0460 : 4

05 역함수의 미분법

M A P L ; Y O U R M A S T E R P L A N

01 두 직선이 역함수 관계이면 두 직선의 기울기는 역수 관계

역함수에서의 미분계수

$y=f(x)$ 위의 점 (a, b)에서의 접선의 기울기는 $f'(a)$

$y=f^{-1}(x)$ 위의 점 (b, a)에서의 접선의 기울기는 $(f^{-1})'(b)$이므로 $f'(a)\times(f^{-1})'(b)=1$

⬅ 두 함수 $y=f(x)$, $y=f^{-1}(x)$는 $y=x$에 대하여 대칭이므로 기울기의 곱이 1이다.

즉, $y=f(x)$가 미분가능하고 미분가능한 역함수 $f^{-1}(x)$가 존재하면 $f(a)=b$에 대하여

$$(f^{-1})'(b)=\frac{1}{f'(a)}\ (\text{단, } f'(a)\neq 0)$$

두 직선이 역함수 관계이면 두 직선의 기울기는 역수 관계이다.

$y=mx$	$y=x$에 대하여 대칭 ⟷	$y=\frac{1}{m}x$
기울기 m	$m\times\frac{1}{m}=1$	기울기 $\frac{1}{m}$

마플해설 역함수의 도함수에 대한 기하학적 의미

함수 $y=f(x)$의 그래프와 이 함수의 역함수 $y=f^{-1}(x)$의 그래프를 같은 좌표평면 위에 그리면 두 그래프는 직선 $y=x$에 대하여 대칭이다.
오른쪽 그림의 점 $\mathrm{P}(a, b)$에서 곡선 $y=f(x)$에 접하는 접선의 기울기는 $f'(a)$이고 점 $\mathrm{Q}(b, a)$에서 곡선 $y=f^{-1}(x)$에 접하는 접선의 기울기는 $(f^{-1})'(b)$이다.

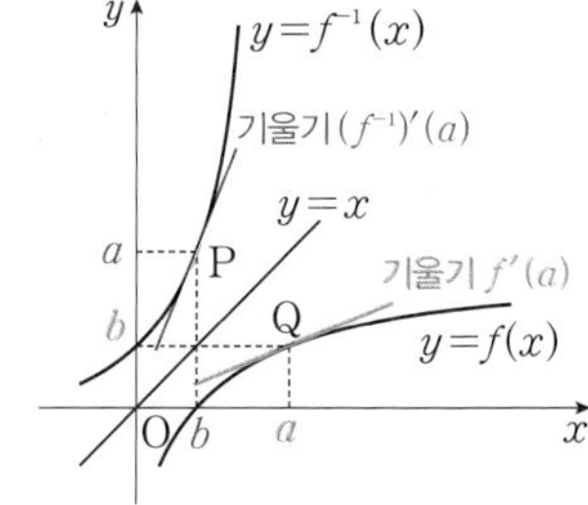

한편 $f(a)=b$에서 $f^{-1}(b)=a$이므로 $(f^{-1})'(b)=\frac{1}{f'(a)}$이 성립한다.

따라서 두 직선의 기울기는 서로 역수인 관계가 있다.

보기 01

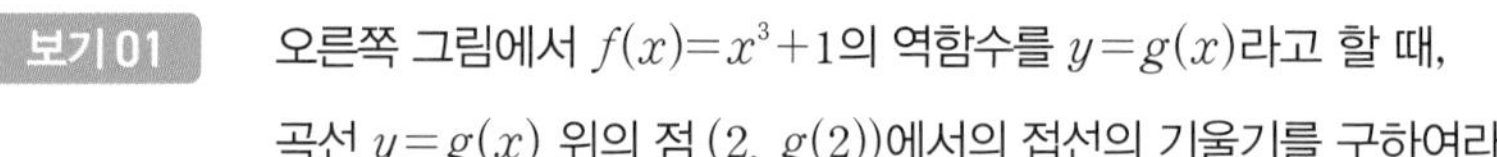

오른쪽 그림에서 $f(x)=x^3+1$의 역함수를 $y=g(x)$라고 할 때, 곡선 $y=g(x)$ 위의 점 $(2, g(2))$에서의 접선의 기울기를 구하여라.

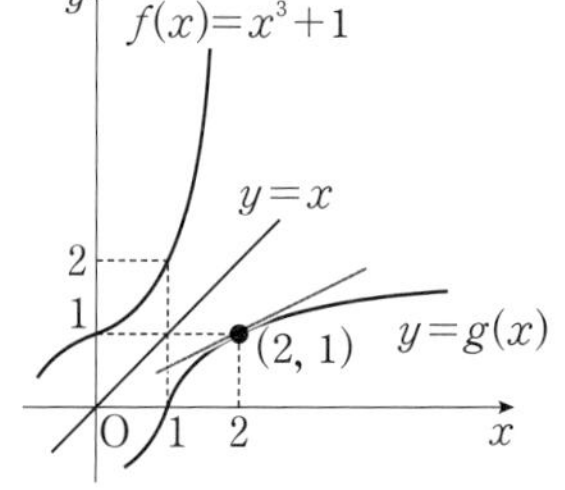

풀이

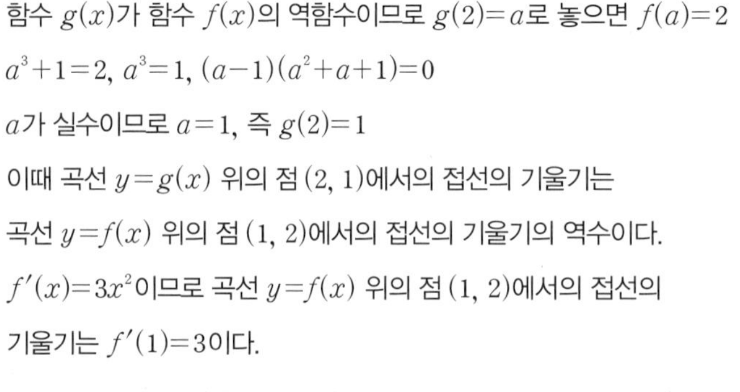

함수 $g(x)$가 함수 $f(x)$의 역함수이므로 $g(2)=a$로 놓으면 $f(a)=2$

$a^3+1=2$, $a^3=1$, $(a-1)(a^2+a+1)=0$

a가 실수이므로 $a=1$, 즉 $g(2)=1$

이때 곡선 $y=g(x)$ 위의 점 $(2, 1)$에서의 접선의 기울기는 곡선 $y=f(x)$ 위의 점 $(1, 2)$에서의 접선의 기울기의 역수이다.

$f'(x)=3x^2$이므로 곡선 $y=f(x)$ 위의 점 $(1, 2)$에서의 접선의 기울기는 $f'(1)=3$이다.

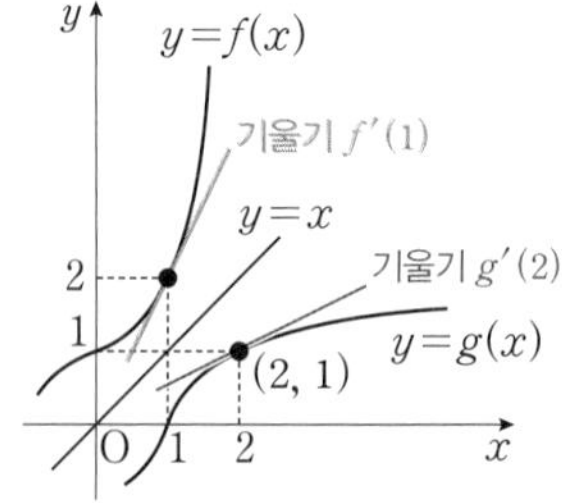

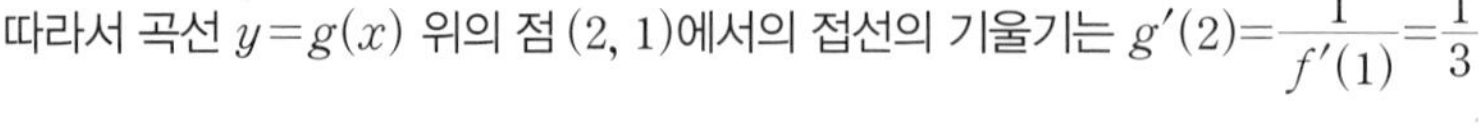

따라서 곡선 $y=g(x)$ 위의 점 $(2, 1)$에서의 접선의 기울기는 $g'(2)=\frac{1}{f'(1)}=\frac{1}{3}$

FOCUS

역함수의 미분계수 관계

점 $\mathrm{P}(a, b)$에서 곡선 $y=f(x)$에 접하는 접선 l의 기울기는 $f'(a)$

점 $\mathrm{Q}(b, a)$에서 곡선 $y=f^{-1}(x)$에 접하는 접선 m의 기울기는 $(f^{-1})'(b)$

$\Longleftrightarrow$ 두 직선 l, m의 기울기는 서로 역수인 관계이다.

$\Longleftrightarrow (f^{-1})'(b)=\frac{1}{f'(a)}$, 즉 $f'(a)\times(f^{-1})'(b)=1$

참고 $\tan\theta_1\cdot\tan\theta_2=1$이면

$\theta_1+\theta_2=2n\pi+\frac{\pi}{2}$ 또는 $\theta_1+\theta_2=2n\pi+\frac{3}{2}\pi$

(단, n은 정수)

02 역함수의 미분법

역함수의 미분법 이용

미분가능한 함수 $y=f(x)$의 역함수 $f^{-1}(x)$가 존재하고 미분가능할 때, 역함수 $y=f^{-1}(x)$의 도함수는 다음과 같다.

$$\frac{dy}{dx}=\frac{1}{\frac{dx}{dy}}\left(\text{단, } \frac{dx}{dy}\neq 0\right) \text{ 또는 } (f^{-1})'(x)=\frac{1}{f'(f^{-1}(x))}$$

마플해설 역함수의 미분법 $\frac{dy}{dx}=\frac{1}{\frac{dx}{dy}}$의 증명

미분가능한 함수 $f(x)$의 역함수 $f^{-1}(x)$가 존재하고 미분가능할 때, $y=f^{-1}(x)$의 도함수를 구해보자.

역함수의 성질에 의하여 $f(f^{-1}(x))=x$이므로 양변을 각각 x에 대하여 미분하면 ⬅ $f\circ f^{-1}=\mathrm{I}$ (I는 항등함수)

$$f'(f^{-1}(x))(f^{-1})'(x)=1$$

이다. 즉 $(f^{-1})'(x)=\frac{1}{f'(f^{-1}(x))}=\frac{1}{f'(y)}(f'(y)\neq 0)$ …… ㉠

한편 $y=f^{-1}(x)$에서 $x=f(y)$이므로 $\frac{dy}{dx}=(f^{-1})'(x)$, $\frac{dx}{dy}=f'(y)$이다.

따라서 ㉠을 이용하여 다음을 얻을 수 있다.

$$\frac{dy}{dx}=(f^{-1})'(x)=\frac{1}{f'(f^{-1}(x))}=\frac{1}{f'(y)}=\frac{1}{\frac{dx}{dy}}\left(\text{단, } \frac{dx}{dy}\neq 0\right)$$

보기 02 역함수의 미분법을 이용하여 다음 함수에서 $\frac{dy}{dx}$를 구하여라.

(1) $y=\sqrt[3]{x+1}\,(x\neq -1)$ (2) $y=\sqrt[5]{3x-1}$

풀이 (1) $y=\sqrt[3]{x+1}$의 양변을 3제곱하여 x에 대하여 정리하면 $x=y^3-1$, 양변을 y에 대하여 미분하면 $\frac{dx}{dy}=3y^2$

$$\therefore \frac{dy}{dx}=\frac{1}{\frac{dx}{dy}}=\frac{1}{3y^2}=\frac{1}{3(\sqrt[3]{x+1})^2}=\frac{1}{3\sqrt[3]{(x+1)^2}}$$

(2) $y=\sqrt[5]{3x-1}$의 양변을 5제곱하여 x에 대하여 정리하면 $x=\frac{1}{3}(y^5+1)$, 양변을 y에 대하여 미분하면 $\frac{dx}{dy}=\frac{1}{3}(5y^4)$

$$\therefore \frac{dy}{dx}=\frac{1}{\frac{dx}{dy}}=\frac{3}{5y^4}=\frac{3}{5(\sqrt[5]{3x-1})^4}=\frac{3}{5\sqrt[5]{(3x-1)^4}}$$

보기 03 다음 물음에 답하여라.

(1) 곡선 $x=\frac{3y}{y^2-1}$에 대하여 $y=0$에서의 $\frac{dy}{dx}$의 값을 구하여라.

(2) 곡선 $x=\sin y\left(-\frac{\pi}{2}<y<\frac{\pi}{2}\right)$에 대하여 $x=\frac{\sqrt{3}}{2}$에서의 $\frac{dy}{dx}$의 값을 구하여라.

풀이 (1) 양변을 y에 대하여 미분하면

$$\frac{dx}{dy}=\frac{3(y^2-1)-3y\cdot 2y}{(y^2-1)^2}=\frac{-3(y^2+1)}{(y^2-1)^2} \quad \therefore \frac{dy}{dx}=\frac{(y^2-1)^2}{-3(y^2+1)}$$

따라서 $y=0$에서의 $\frac{dy}{dx}$의 값은 $\frac{(-1)^2}{-3\cdot 1}=-\frac{1}{3}$

(2) $x=\sin y$의 양변을 y에 대하여 미분하면 $\frac{dx}{dy}=\cos y$ $\quad\therefore \frac{dy}{dx}=\frac{1}{\frac{dx}{dy}}=\frac{1}{\cos y}$

$x=\sin y$에서 $x=\frac{\sqrt{3}}{2}$일 때, $y=\frac{\pi}{3}\left(\because -\frac{\pi}{2}<y<\frac{\pi}{2}\right)$

따라서 $x=\frac{\sqrt{3}}{2}$일 때, $\frac{dy}{dx}$의 값은 $\frac{1}{\cos\frac{\pi}{3}}=\frac{1}{\frac{1}{2}}=2$

03 역함수와 미분계수

역함수의 미분법을 이용하면 역함수를 직접 구하지 않고도 역함수의 미분계수를 구할 수 있다.

미분가능한 함수 $y=f(x)$의 역함수 $y=f^{-1}(x)$가 존재하고 미분가능하면

$(f^{-1})'(a)=\dfrac{1}{f'(f^{-1}(a))}$이므로 $f^{-1}(a)=b$, 즉 $f(b)=a$를 만족시키는 b의 값을 구하면

역함수를 직접 구하지 않고도 역함수의 미분계수를 구할 수 있다.

마플해설 미분가능한 함수 $y=f(x)$의 역함수를 $y=f^{-1}(x)$라 하면 역함수의 성질에 의하여

$$(f\circ f^{-1})(x)=x \Longleftrightarrow f(f^{-1}(x))=x$$

이다. 합성함수의 미분법을 이용하여 양변을 x에 대하여 미분하면 $f'(f^{-1}(x))(f^{-1})'(x)=1$

$$(f^{-1})'(x)=\frac{1}{f'(f^{-1}(x))}=\frac{1}{f'(y)}\ (\text{단, } f'(y)\neq 0)$$

보기 04 미분가능한 함수 $f(x)$의 역함수 $g(x)$에 대하여 $g(a)=b$일 때, 다음 중 $g'(a)$의 값과 같은 것은? (단, $f'(a)f'(b)\neq 0$)

① $\dfrac{1}{f'(a)}$ ② $-\dfrac{1}{f'(a)}$ ③ $\dfrac{1}{f'(b)}$ ④ $-\dfrac{1}{f'(b)}$ ⑤ $f'(b)$

풀이 함수 $f(x)$의 역함수가 $g(x)$이므로 $(f\circ g)(x)=x$

즉, $f(g(x))=x$의 양변을 x에 대하여 미분하면 $f'(g(x))g'(x)=1$

$\therefore f'(g(a))g'(a)=1$

따라서 $g(a)=b$이므로 $g'(a)=\dfrac{1}{f'(g(a))}=\dfrac{1}{f'(b)}$

보기 05 함수 $f(x)=x^3+x$의 역함수를 $f^{-1}(x)$라 할 때, $(f^{-1})'(2)$의 값을 구하여라.

풀이 함수 $f^{-1}(x)$가 함수 $f(x)$의 역함수이므로 $f^{-1}(2)=a$로 놓으면 $f(a)=2$

$f(x)=x^3+x$이므로 $f(a)=2$에서 $a^3+a=2$

$a^3+a-2=0$, $(a-1)(a^2+a+2)=0$

그런데 $a^2+a+2>0$이므로 $a=1$, 즉 $f^{-1}(2)=1$

$f'(x)=3x^2+1$이므로 $f'(1)=4$

따라서 $(f^{-1})'(x)=\dfrac{1}{f'(f^{-1}(x))}$이므로 $(f^{-1})'(2)=\dfrac{1}{f'(f^{-1}(2))}=\dfrac{1}{f'(1)}=\dfrac{1}{4}$

더 알아보기

함수 $y=\sqrt[3]{4x+5}$의 도함수 $\dfrac{dy}{dx}$를 다음 세 가지 방법으로 구하면 다음과 같다.

(1) 합성함수의 미분법 $y=\sqrt[3]{u}$, $u=4x+5$로 놓는다.

설명 $y=\sqrt[3]{u}$, $u=4x+5$로 놓으면 $\dfrac{dy}{dx}=\dfrac{dy}{du}\times\dfrac{du}{dx}=\dfrac{1}{3\sqrt[3]{u^2}}\times 4=\dfrac{4}{3\sqrt[3]{(4x+5)^2}}$ $\left(\text{단, } x\neq-\dfrac{5}{4}\right)$

(2) 음함수의 미분법 $y^3-4x-5=0$으로 놓는다.

설명 $y^3-4x-5=0$의 양변을 x에 대하여 미분하면 ⬅ $y=\sqrt[3]{4x+5}$에서 $y^3=4x+5$

$3y^2\times\dfrac{dy}{dx}-4=0$ $\therefore \dfrac{dy}{dx}=\dfrac{4}{3y^2}=\dfrac{4}{3\sqrt[3]{(4x+5)^2}}$ $\left(\text{단, } x\neq-\dfrac{5}{4}\right)$

(3) 역함수의 미분법 $x=\dfrac{1}{4}y^3-\dfrac{5}{4}$로 놓는다.

설명 $x=\dfrac{1}{4}y^3-\dfrac{5}{4}$에서 $\dfrac{dx}{dy}=\dfrac{3}{4}y^2$ ⬅ $y=\sqrt[3]{4x+5}$에서 $y^3=4x+5$이므로 $x=\dfrac{1}{4}y^3-\dfrac{5}{4}$

$\therefore \dfrac{dy}{dx}=\dfrac{1}{\frac{dx}{dy}}=\dfrac{1}{\frac{3}{4}y^2}=\dfrac{4}{3y^2}=\dfrac{4}{3\sqrt[3]{(4x+5)^2}}$ $\left(\text{단, } x\neq-\dfrac{5}{4}\right)$

마플개념익힘 01 역함수의 미분법

다음 물음에 답하여라.

(1) 함수 $f(x)=x^3+3x+2$의 역함수를 $g(x)$라고 할 때, $g'(2)$의 값을 구하여라.

(2) 미분가능한 함수 $f(x)$의 역함수를 $g(x)$라 하고 $\lim_{x\to 9}\frac{f(x)-3}{x-9}=\frac{1}{2}$을 만족할 때,

$g(3)+g'(3)$의 값을 구하여라.

MAPL CORE 미분가능한 함수 $y=f(x)$의 역함수 $y=f^{-1}(x)$가 존재하고 미분가능하면

$(f^{-1})'(a)=\frac{1}{f'(f^{-1}(a))}$이므로 $f^{-1}(a)=b$, 즉 $f(b)=a$를 만족시키는 b의 값을 구하면

역함수를 직접 구하지 않고도 역함수의 미분계수를 구할 수 있다.

개념익힘 | 풀이 (1) $f(x)$의 역함수 $g(x)$이므로 역함수의 미분법에 의하여 $g'(x)=\frac{1}{f'(g(x))}$이다.

$g'(2)=\frac{1}{f'(g(2))}$이므로 $g(2)$의 값을 구해야 하므로

$g(2)=a$라고 하면 $f(a)=2$에서 $a^3+3a+2=2$, $a(a^2+3)=0$

그런데 $a^2+3>0$이므로 $a=0$, 즉 $g(2)=0$

또한, $f'(x)=3x^2+3$에서 $f'(0)=3$이므로 $g'(2)=\frac{1}{f'(g(2))}=\frac{1}{f'(0)}=\mathbf{\frac{1}{3}}$

(2) $\lim_{x\to 9}\frac{f(x)-3}{x-9}=\frac{1}{2}$에서 $x\to 9$일 때, (분모)$\to 0$이고 극한값이 존재하므로 (분자)$\to 0$이어야 한다.

즉, $\lim_{x\to 9}f(x)=3$에서 $f(9)=3$이고 또한, $f(9)=3$이므로 $g(3)=9$

함수 $f(x)$가 실수 전체에서 미분가능하므로 $\lim_{x\to 9}\frac{f(x)-3}{x-9}=\lim_{x\to 9}\frac{f(x)-f(9)}{x-9}=f'(9)=\frac{1}{2}$

$f(x)$의 역함수가 $g(x)$이므로 $f(g(x))=x$의 양변을 x에 대하여 미분하면

$f'(g(x))g'(x)=1 \quad \therefore g'(x)=\frac{1}{f'(g(x))}$

따라서 $g'(3)=\frac{1}{f'(g(3))}=\frac{1}{f'(9)}=\frac{1}{\frac{1}{2}}=2$이므로 $g(3)+g'(3)=9+2=\mathbf{11}$

확인유제 0461 다음 물음에 답하여라.

2018년 04월 교육청

(1) 함수 $f(x)=x^3+x$의 역함수를 $g(x)$라고 할 때, $f'(-1)\times g'(2)$의 값을 구하여라.

(2) 실수 전체의 집합에서 증가하고 미분가능한 함수 $f(x)$가 $\lim_{x\to 1}\frac{f(x)-2}{x-1}=\frac{1}{3}$을 만족시킨다.

$f(x)$의 역함수를 $g(x)$라 할 때, $g(2)+g'(2)$의 값을 구하여라.

변형문제 0462 미분가능한 함수 $f(x)$의 역함수 $g(x)$가 $\lim_{x\to 1}\frac{g(x)-2}{x-1}=3$을 만족시킬 때, 미분계수 $f'(2)$의 값은?

2004학년도 수능기출

① 1 ② $\frac{1}{2}$ ③ $\frac{1}{3}$ ④ $\frac{1}{4}$ ⑤ $\frac{1}{6}$

발전문제 0463 다음 물음에 답하여라.

(1) 모든 실수 x에 대하여 미분가능한 함수 $f(x)$의 역함수를 $g(x)$라 할 때, $g(x)$가

$\lim_{n\to\infty}n\left\{g\left(2+\frac{2}{n}\right)-g\left(2-\frac{1}{n}\right)\right\}=\frac{1}{2}$를 만족하고 $f(5)=2$일 때, 미분계수 $f'(5)$의 값을 구하여라.

2012년 04월 교육청

(2) 함수 $f(x)=x^3+3x^2+4x+5$의 역함수 $g(x)$에 대하여 $\lim_{n\to\infty}n\left\{g\left(1+\frac{1}{n}\right)-g\left(1-\frac{2}{n}\right)\right\}$의 값을 p라 할 때,

$4p$의 값을 구하여라.

정답 0461 : (1) 1 (2) 4 0462 : ③ 0463 : (1) 6 (2) 3

다음 물음에 답하여라.

(1) 함수 $f(x)=x\ln x\,(x>0)$의 역함수 $g(x)$라 할 때, $g'(0)$의 값을 구하여라.

(2) 함수 $f(x)=2^{x^2+2x}+3\,(x\geq -1)$의 역함수를 $g(x)$라 할 때, $g'(4)$의 값을 구하여라.

MAPL CORE 미분가능한 함수 $f(x)$의 역함수를 $g(x)$라 할 때, $f(g(x))=x$이므로 양변을 x에 대하여 미분하면 $f'(g(x))g'(x)=1$이므로 $g'(x)=\dfrac{1}{f'(g(x))}$

개념익힘 | **풀이**

(1) $g(0)=a$라 하면 $f(a)=0$이므로 $a\ln a=0 \quad \therefore a=1$

즉, $f(1)=0$이고 $f'(x)=\ln x+x\cdot\dfrac{1}{x}=\ln x+1$에서

$f'(g(0))=f'(1)=\ln 1+1=1$이므로 $g'(0)=\dfrac{1}{f'(g(0))}=\dfrac{1}{f'(1)}=\mathbf{1}$

(2) $g(4)=a$라 하면 $f(a)=4$ (단, $a\geq -1$)이므로

$2^{a^2+2a}+3=4,\ 2^{a^2+2a}=1 \quad \therefore a^2+2a=0$

$a(a+2)=0$에서 $a=0\,(\because a\geq -1)$

즉, $g(4)=0$이고 $f'(x)=2^{x^2+2x}\cdot\ln 2(2x+2)$에서

$f'(g(4))=f'(0)=2\ln 2$이므로 $g'(4)=\dfrac{1}{f'(g(4))}=\mathbf{\dfrac{1}{2\ln 2}}$

확인유제 0464 다음 물음에 답하여라. (단, e는 자연로그의 밑이다.)

2011년 03월 교육청

(1) 함수 $f(x)=(x-1)e^x\,(x>0)$의 역함수를 $g(x)$라 할 때, 곡선 $y=g(x)$ 위의 점 $(e^2,\ 2)$에서의 접선의 기울기를 구하여라.

2017년 03월 교육청

(2) 구간 $(-1,\ \infty)$에서 정의된 함수 $f(x)=xe^x+e$의 역함수를 $g(x)$라 할 때, $60g'(e)$의 값을 구하여라.

변형문제 0465 다음 물음에 답하여라. (단, e는 자연로그의 밑이다.)

2019년 07월 교육청

(1) 함수 $f(x)=e^{x^3+2x-2}$의 역함수를 $g(x)$라 할 때, $g'(e)$의 값은?

① $\dfrac{1}{e}$ ② $\dfrac{1}{3e}$ ③ $\dfrac{1}{5e}$ ④ $\dfrac{1}{7e}$ ⑤ $\dfrac{1}{9e}$

2019학년도 수능기출

(2) 함수 $f(x)=\dfrac{1}{1+e^{-x}}$의 역함수를 $g(x)$라 할 때, $g'(f(-1))$의 값은?

① $\dfrac{1}{(1+e)^2}$ ② $\dfrac{e}{1+e}$ ③ $\left(\dfrac{1+e}{e}\right)^2$ ④ $\dfrac{e^2}{1+e}$ ⑤ $\dfrac{(1+e)^2}{e}$

발전문제 0466 다음 물음에 답하여라. (단, e는 자연로그의 밑이다.)

(1) 함수 $f(x)=e^{x-1}$의 역함수 $g(x)$에 대하여 $\lim\limits_{h\to 0}\dfrac{g(1+h)-g(1-2h)}{h}$의 값은?

① $\dfrac{1}{3}$ ② $\dfrac{1}{e}$ ③ 1 ④ e ⑤ 3

2016년 10월 교육청

(2) 함수 $f(x)=3e^{2x}+1$의 역함수 $g(x)$에 대하여 $\lim\limits_{h\to 0}\dfrac{g(4+3h)-g(4-3h)}{h}$의 값은?

① $\dfrac{1}{2}$ ② $\dfrac{1}{e}$ ③ 1 ④ e ⑤ 3

정답 0464 : (1) $\dfrac{1}{2e^2}$ (2) 60 0465 : (1) ③ (2) ⑤ 0466 : (1) ⑤ (2) ③

마플개념익힘 03 삼각함수의 역함수 미분법

다음 물음에 답하여라.

(1) 함수 $f(x)=\sin x\left(-\frac{\pi}{2}<x<\frac{\pi}{2}\right)$의 역함수를 $g(x)$라고 할 때, $g'\left(\frac{\sqrt{2}}{2}\right)$의 값을 구하여라.

(2) 함수 $f(x)=\tan x\left(-\frac{\pi}{2}<x<\frac{\pi}{2}\right)$의 역함수를 $g(x)$라 할 때, $g'(1)$의 값을 구하여라.

MAPL CORE 미분가능한 함수 $f(x)$의 역함수를 $g(x)$라 할 때, $f(g(x))=x$이므로 양변을 x에 대하여 미분하면 $f'(g(x))g'(x)=1$이므로 $g'(x)=\frac{1}{f'(g(x))}$

개념익힘 | 풀이 (1) $f(x)$의 역함수가 $g(x)$이므로 $f(g(x))=x$

양변을 x에 대하여 미분하면 $f'(g(x))g'(x)=1$ $\quad\therefore g'(x)=\frac{1}{f'(g(x))}$

한편 $f'(x)=\cos x$이고 $g\left(\frac{\sqrt{2}}{2}\right)=\theta$라 하면 $f(\theta)=\frac{\sqrt{2}}{2}$

$f(\theta)=\sin\theta=\frac{\sqrt{2}}{2}$ $\quad\therefore \theta=\frac{\pi}{4}\left(-\frac{\pi}{2}<\theta<\frac{\pi}{2}\right)$

$\therefore g'\left(\frac{\sqrt{2}}{2}\right)=\frac{1}{f'\left(g\left(\frac{\sqrt{2}}{2}\right)\right)}=\frac{1}{f'\left(\frac{\pi}{4}\right)}=\frac{1}{\cos\frac{\pi}{4}}=\boldsymbol{\sqrt{2}}$

(2) $f(x)$의 역함수가 $g(x)$이므로 $f(g(x))=x$

양변을 x에 대하여 미분하면 $f'(g(x))g'(x)=1$ $\quad\therefore g'(x)=\frac{1}{f'(g(x))}$

한편 $f'(x)=\sec^2 x$이고 $g(1)=\theta$라 하면 $f(\theta)=1$

$f(\theta)=\tan\theta=1$ $\quad\therefore \theta=\frac{\pi}{4}\left(-\frac{\pi}{2}<\theta<\frac{\pi}{2}\right)$

$\therefore g'(1)=\frac{1}{f'(g(1))}=\frac{1}{f'\left(\frac{\pi}{4}\right)}=\frac{1}{\sec^2\frac{\pi}{4}}=\frac{1}{(\sqrt{2})^2}=\boldsymbol{\frac{1}{2}}$

확인유제 0467 다음 물음에 답하여라.

2011년 07월 교육청

(1) $-\frac{\pi}{4}<x<\frac{\pi}{4}$에서 정의된 함수 $f(x)=\sin 2x$의 역함수를 $g(x)$라 할 때, $g'\left(\frac{1}{2}\right)$의 값은?

① $\frac{\sqrt{3}}{3}$ ② $\frac{\sqrt{2}}{2}$ ③ 1 ④ $\sqrt{2}$ ⑤ $\sqrt{3}$

2020학년 09월 평가원

(2) $-\frac{\pi}{4}<x<\frac{\pi}{4}$에서 정의된 함수 $f(x)=\tan 2x$의 역함수를 $g(x)$라 할 때, $100\times g'(1)$의 값은?

① 10 ② 15 ③ 20 ④ 25 ⑤ 30

변형문제 0468 함수 $f(x)=2x+\sin x$의 역함수를 $g(x)$라 할 때, 곡선 $y=g(x)$ 위의 점 $(4\pi, 2\pi)$에서의 접선의 기울기는 $\frac{q}{p}$이다. $p+q$의 값을 구하여라. (단, p와 q는 서로소인 자연수이다.)

2017학년도 09월 평가원

발전문제 0469 다음 물음에 답하여라.

2019학년도 06월 평가원

(1) 함수 $f(x)=3e^{5x}+x+\sin x$의 역함수를 $g(x)$라 할 때, 곡선 $y=g(x)$는 점 $(3, 0)$을 지난다.

$\lim_{x\to 3}\frac{x-3}{g(x)-g(3)}$의 값을 구하여라.

2019학년도 09월 평가원

(2) $x\geq\frac{1}{e}$에서 정의된 함수 $f(x)=3x\ln x$의 그래프가 점 $(e, 3e)$를 지난다. 함수 $f(x)$의 역함수를 $g(x)$라고 할 때, $\lim_{h\to 0}\frac{g(3e+h)-g(3e-h)}{h}$의 값을 구하여라.

정답 0467 : (1) ① (2) ④ 0468 : 4 0469 : (1) 17 (2) $\frac{1}{3}$

마플개념익힘 04 역함수 미분법의 활용

실수 전체의 집합에서 증가하고 미분가능한 함수 $f(x)$의 그래프가 오른쪽 그림과 같고, 곡선 $y=f(x)$의 그래프 위의 점 $(2, 3)$에서의 접선이 x축과 만나는 점의 x좌표가 1이다. 함수 $y=f(2x)$의 역함수를 $g(x)$라고 할 때, $g'(3)$의 값을 구하여라.

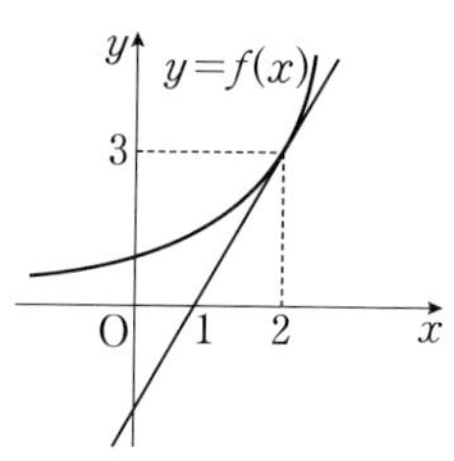

MAPL CORE $f(x)$의 역함수가 $g(x)$ ⇨ $f(g(x))=x$에서 양변을 미분하면 $f'(g(x))g'(x)=1$ $\therefore g'(x)=\dfrac{1}{f'(g(x))}$

개념익힘 | 풀이 곡선 $y=f(x)$ 위의 점 $(2, 3)$에서의 접선이 점 $(1, 0)$을 지나므로 접선의 기울기는 $\dfrac{3-0}{2-1}=3$

즉, $f'(2)=3$이고 $f(2)=3$

$f(2x)=h(x)$라고 하면 $g(3)=a$에서 $h(a)=3$이다. $h(1)=f(2)=3$이므로 $a=1$

한편 $h'(x)=2f'(2x)$에서 $h'(1)=2f'(2)=6$이고 $g(3)=1$이므로 $g'(3)=\dfrac{1}{h'(g(3))}=\dfrac{1}{h'(1)}=\mathbf{\dfrac{1}{6}}$

다른풀이 역함수의 미분법을 이용하여 풀이하기

$f(2x)$의 역함수가 $g(x)$이므로 $g(f(2x))=x$ …… ㉠

㉠의 양변을 x에 대하여 미분하면 $g'(f(2x))f'(2x)(2x)'=1$

즉, $g'(f(2x))f'(2x)\cdot 2=1$ …… ㉡

㉡의 양변에 $x=1$을 대입하면 $2g'(f(2))f'(2)=1$

이때 $f(2)=3$이므로 $2g'(3)f'(2)=1$

따라서 $g'(3)=\dfrac{1}{2f'(2)}=\dfrac{1}{6}$

확인유제 0470 미분가능한 함수 $f(x)$의 역함수를 $g(x)$라 하자. 두 함수 $y=f(x)$, $y=g(x)$의 그래프가 기울기가 -1인 직선 l과 각각 $x=1$, $x=2$인 점에서 만나고 있다. $f'(1)=2$일 때, 함수 $g(2x)$의 $x=1$에서의 미분계수를 구하여라.

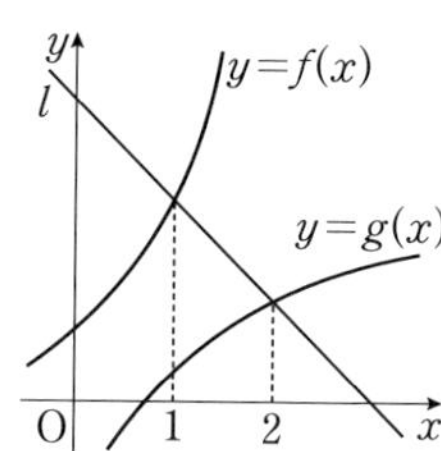

변형문제 0471 2013학년도 06월 평가원

실수 전체의 집합에서 증가하고 미분가능한 함수 $f(x)$가 있다. 곡선 $y=f(x)$ 위의 점 $(2, 1)$에서의 접선의 기울기는 1이다. 함수 $f(2x)$의 역함수를 $g(x)$라 할 때, 곡선 $y=g(x)$ 위의 점 $(1, a)$에서의 접선의 기울기는 b이다. $10(a+b)$의 값을 구하여라.

발전문제 0472 다음 물음에 답하여라.

(1) 함수 $f(x)=x^3-3x^2+4x-2$에 대하여 $f(x)$의 역함수가 $g(x)$일 때, $\lim\limits_{x\to 2}\dfrac{f(x)-g(x)}{(x-2)g(x)}$의 값은? (단, $g(x)\neq 0$)

① $\dfrac{1}{4}$ ② $\dfrac{3}{4}$ ③ $\dfrac{11}{4}$ ④ $\dfrac{15}{8}$ ⑤ $\dfrac{17}{8}$

(2) 최고차항의 계수가 1인 삼차함수 $f(x)$의 역함수를 $g(x)$라 할 때, $g(x)$는 실수 전체의 집합에서 미분가능하고 $\lim\limits_{x\to 2}\dfrac{f(x)-g(x)}{(x-2)g(x)}=\dfrac{3}{4}$을 만족시킨다. $f(2)+g'(2)$의 값은?

① $-\dfrac{1}{2}$ ② 0 ③ $\dfrac{1}{2}$ ④ $\dfrac{3}{2}$ ⑤ $\dfrac{5}{2}$

정답 0470 : 1 0471 : 15 0472 : (1) ④ (2) ⑤

06 이계도함수

01 이계도함수

함수 $y=f(x)$의 도함수 $f'(x)$가 미분가능할 때, 함수 $f'(x)$의 도함수는

$$\lim_{\Delta x \to 0}\frac{f'(x+\Delta x)-f'(x)}{\Delta x}$$

와 같이 구할 수 있다. 이를 함수 $y=f(x)$의 이계도함수라 하고, 기호로

$$f''(x),\ y'',\ \frac{d^2y}{dx^2},\ \frac{d^2}{dx^2}f(x)$$

와 같이 나타낸다.

참고 ① f'', y''을 f double prime, y double prime이라고 읽는다.

② $\frac{dy}{dx}$를 x에 대하여 미분하면 $\frac{d}{dx}\left(\frac{dy}{dx}\right)$인데 이것을 $\frac{d^2y}{dx^2}=\frac{d}{dx}\left(\frac{dy}{dx}\right)$과 같이 나타낸다.

마플해설 함수 $y=f(x)$의 도함수 $f'(x)$가 미분가능하면

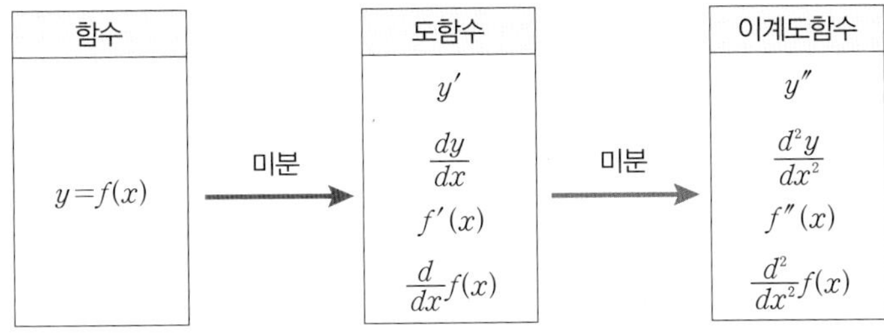

보기 01 다음 함수의 이계도함수를 구하여라.

(1) $y=x^4-5x^2$　　(2) $y=\sin x$　　(3) $y=\ln x$

풀이 (1) $y'=4x^3-10x$이므로 $y''=12x^2-10$

(2) $y'=\cos x$이므로 $y''=-\sin x$

(3) $y'-\frac{1}{x}$이므로 $y''=-\frac{1}{x^2}$

보기 02 다음 함수의 이계도함수를 구하여라.

(1) $y=\cos 3x$　　(2) $y=\ln 5x$　　(3) $y=\frac{e^x+e^{-x}}{2}$

풀이 (1) $y'=-3\sin 3x$이므로 $y''=-9\cos 3x$

(2) $y'=\frac{5}{5x}=\frac{1}{x}$이므로 $y''=-\frac{1}{x^2}$

(3) $y'=\frac{e^x-e^{-x}}{2}$이므로 $y''=\frac{e^x+e^{-x}}{2}$

보기 03 다음 함수의 이계도함수를 구하여라.

(1) $y=xe^x$　　(2) $y=x^2e^{-x}$　　(3) $y=x\ln x$

풀이 (1) $y'=(x)'e^x+x(e^x)'=e^x+xe^x=(x+1)e^x$이므로 $y''=e^x+(x+1)e^x=(x+2)e^x$

(2) $y'=(x^2)'e^{-x}+x^2(e^{-x})'=2xe^{-x}-x^2e^{-x}=(2x-x^2)e^{-x}$이므로

$y''=(2x-x^2)'e^{-x}+(2x-x^2)(e^{-x})'=(2-2x)e^{-x}-(2x-x^2)e^{-x}=(x^2-4x+2)e^{-x}$

(3) $y'=(x)'\ln x+x(\ln x)'=\ln x+x\cdot\frac{1}{x}=\ln x+1$이므로 $y''=\frac{1}{x}$

보기 04 다음 함수의 이계도함수를 구하여라.

(1) $y=x^2\ln x$ (2) $y=x^2\sin x$ (3) $y=e^x\sin x$

풀이 (1) $y'=2x\cdot\ln x+x^2\cdot\frac{1}{x}=2x\ln x+x$이므로

$y''=2\left(\ln x+x\cdot\frac{1}{x}\right)+1=2\ln x+3$

(2) $y'=2x\sin x+x^2\cos x$이므로

$y''=2\{(x)'\sin x+x(\sin x)'\}+(x^2)'\cos x+x^2(\cos x)'$

$=2(\sin x+x\cos x)+2x\cos x-x^2\sin x=(2-x^2)\sin x+4x\cos x$

(3) $y'=e^x\sin x+e^x\cos x=e^x(\sin x+\cos x)$이므로

$y''=e^x(\sin x+\cos x)+e^x(\cos x-\sin x)=2e^x\cos x$

보기 05 함수 $y=e^{-x}\sin x$에 대하여 $y''+2y'+2y=0$이 성립함을 보여라.

풀이 $y=e^{-x}\sin x$에서 $y'=-e^{-x}\sin x+e^{-x}\cos x=e^{-x}(-\sin x+\cos x)$

$y''=-e^{-x}(-\sin x+\cos x)+e^{-x}(-\cos x-\sin x)=-2e^{-x}\cos x$

따라서 $y''+2y'+2y=-2e^{-x}\cos x+2e^{-x}(-\sin x+\cos x)+2e^{-x}\sin x=0$

보기 06 다음 함수에서 $f''(0)$의 값을 구하여라.

(1) $f(x)=e^x\cos 2x$ (2) $f(x)=e^x\ln(x+1)$

풀이 (1) $f'(x)=(e^x)'\cos 2x+e^x(\cos 2x)'=e^x\cos 2x+e^x(-2\sin 2x)=e^x(\cos 2x-2\sin 2x)$

$f''(x)=(e^x)'(\cos 2x-2\sin 2x)+e^x(\cos 2x-2\sin 2x)'$

$=e^x(\cos 2x-2\sin 2x)+e^x(-2\sin 2x-4\cos 2x)$

$=e^x(-3\cos 2x-4\sin 2x)$

$\therefore f''(0)=1\cdot(-3)=-3$

(2) $f'(x)=(e^x)'\ln(x+1)+e^x\{\ln(x+1)\}'=e^x\ln(x+1)+\frac{e^x}{x+1}$

$f''(x)=(e^x)'\ln(x+1)+e^x\{\ln(x+1)\}'+\frac{(e^x)'(x+1)-e^x(x+1)'}{(x+1)^2}$

$=e^x\ln(x+1)+\frac{e^x}{x+1}+\frac{e^x(x+1)-e^x}{(x+1)^2}$

$=e^x\left\{\ln(x+1)+\frac{1}{x+1}+\frac{x}{(x+1)^2}\right\}$

$\therefore f''(0)=1\cdot(0+1+0)=1$

더 알아보기

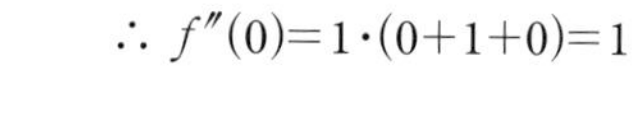

함수 $f(x)$가 미분가능 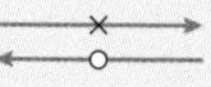 함수 $f'(x)$도 미분가능

반례 $f(x)=\begin{cases}x^2 & (x\geq 0)\\ 0 & (x<0)\end{cases}$에서 함수 $f(x)$는 모든 실수에서 미분가능하고 도함수는 $f'(x)=\begin{cases}2x & (x>0)\\ 0 & (x<0)\end{cases}$이다.

그러나 도함수 $f'(x)$는 $x=0$을 기준으로 우극한에서의 미분계수 $\lim_{x\to 0+}\frac{f'(x)-f'(0)}{x-0}=2$와

좌극한에서의 미분계수 $\lim_{x\to 0-}\frac{f'(x)-f'(0)}{x-0}=0$이 다르기 때문에 $x=0$에서 미분가능하지 않다.

마플개념익힘 01 이계도함수

함수 $f(x)=xe^{ax+b}$에 대하여

$$f'(0)=1,\ f''(0)=2$$

일 때, 상수 a, b의 값을 구하여라.

MAPL CORE 주어진 함수의 이계도함수를 구한 후 주어진 조건을 이용하여 미지수의 값을 구한다.

개념익힘 | **풀이** $f'(x)=(x)'\cdot e^{ax+b}+x\cdot(e^{ax+b})'$

$=e^{ax+b}+axe^{ax+b}$

$=e^{ax+b}(ax+1)$

이므로 $f'(0)=1$에서 $f'(0)=e^b=1$ $\quad\therefore\ \boldsymbol{b=0}$

또한, $f''(x)=(e^{ax+b})'(ax+1)+e^{ax+b}(ax+1)'$

$=ae^{ax+b}(ax+1)+ae^{ax+b}$

$=ae^{ax+b}(ax+2)$

이므로 $f''(0)=2$에서 $f''(0)=2ae^b=2$

따라서 $b=0$을 위의 식에 대입하면 $2a=2$ $\quad\therefore\ \boldsymbol{a=1}$

확인유제 0473 함수 $f(x)=xe^{ax+b}$이

$$f'(0)=e,\ f''(0)=4e$$

를 만족시킬 때, $f(1)$의 값은? (단, a, b는 상수)

① $\frac{1}{e}$ ② 1 ③ e ④ e^2 ⑤ e^3

변형문제 0474 다음 물음에 답하여라.

(1) 함수 $f(x)=e^{ax+b}\sin x$에 대하여 $f'(0)=1$, $f''(0)=2$일 때, 상수 a, b의 값을 구하여라.

(2) 함수 $f(x)=x\ln(ax+b)$에 대하여 $f'(0)=2$, $f''(0)=4$일 때, 상수 a, b의 값을 구하여라.

발전문제 0475 다음 물음에 답하여라.

(1) 함수 $y=e^{-x}\cos x$에 대하여 등식 $y''+2y'+ay=0$이 모든 실수 x에 대해 성립할 때, 상수 a의 값은?

① -2 ② -1 ③ 1 ④ 2 ⑤ e

(2) 함수 $f(x)=e^x\cos 2x$에 대하여 등식 $f''(x)+af'(x)+5f(x)=0$이 모든 실수 x에 대해 성립할 때, 상수 a의 값은?

① -2 ② -1 ③ 1 ④ 2 ⑤ e

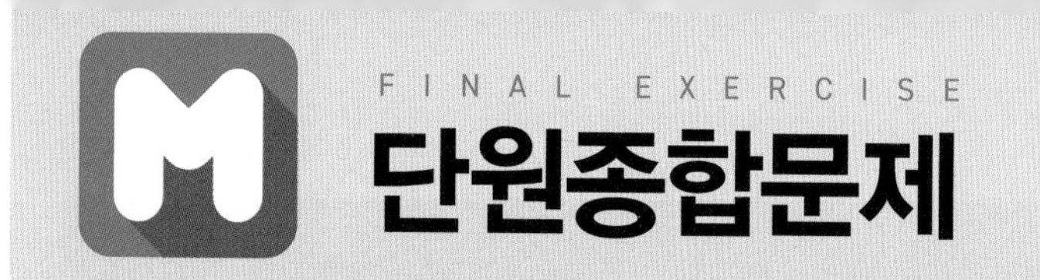

정답 0473 : ⑤ 0474 : (1) $a=1$, $b=0$ (2) $a=2e^2$, $b=e^2$ 0475 : (1) ④ (2) ①

BASIC

내신 수능 기본 대표 기출문제

0476
지수함수의 미분법
2014학년도 수능기출
2015학년도 수능기출

다음 물음에 답하여라.

(1) 함수 $f(x)=5e^{3x-3}$에 대하여 $f'(1)$의 값을 구하여라.

(2) 함수 $f(x)=\cos x+4e^{2x}$에 대하여 $f'(0)$의 값을 구하여라.

(3) 함수 $f(x)=\sin 3x-e^{5x}$에 대하여 $f'(0)$의 값을 구하여라.

0477
지수함수의 미분법
내신빈출

다음 물음에 답하여라.

(1) 함수 $f(x)=(2x^2-3)e^{-2x-4}$에 대하여 $f'(-2)$의 값은?

① -18 ② -16 ③ -14 ④ -12 ⑤ -10

2020학년도 사관기출

(2) 함수 $f(x)=(3x+e^x)^3$에 대하여 $f'(0)$의 값은?

① 10 ② 12 ③ 14 ④ 16 ⑤ 18

0478
로그함수의 미분법
2016학년도 수능기출

다음 물음에 답하여라.

(1) 함수 $f(x)=4\sin 7x$에 대하여 $f'(2\pi)$의 값을 구하여라.

2018학년도 수능기출

(2) 함수 $f(x)=\ln(x^2+1)$에 대하여 $f'(1)$의 값을 구하여라.

2012학년도 09월 평가원

(3) 함수 $f(x)=\ln(2x-1)$에 대하여 $f'(10)$의 값을 구하여라.

0479
로그함수의 미분법
내신빈출

다음 물음에 답하여라. $\left(\text{단, } 0<x<\frac{\pi}{2}\right)$

(1) 함수 $f(x)=\ln(\tan x)$에 대하여 $f'\left(\frac{\pi}{12}\right)$의 값을 구하여라.

(2) 함수 $f(x)=\ln(\cos^2 x)$에 대하여 $f'\left(\frac{\pi}{4}\right)$의 값을 구하여라.

(3) 함수 $f(x)=\ln(\sin^2 x)$에 대하여 $f'\left(\frac{\pi}{4}\right)$의 값을 구하여라.

(4) 함수 $f(x)=\log_2(\ln x^2)$에 대하여 $f'(e)$의 값을 구하여라.

0480
함수의 몫의 미분법
내신빈출

다음 물음에 답하여라.

(1) 함수 $f(x)=\frac{x^2+2x+3}{2x}$의 $x=1$에서의 미분계수 $f'(1)$의 값을 구하면?

① -3 ② -2 ③ -1 ④ 2 ⑤ 3

(2) 함수 $f(x)=\frac{ax}{x+2}$에 대하여 $\lim_{x\to 1}\frac{f(x)-f(1)}{x^2-1}=3$일 때, 상수 a의 값은?

① 12 ② 18 ③ 24 ④ 27 ⑤ 32

정답 0476 : (1) 15 (2) 8 (3) -2 0477 : (1) ① (2) ② 0478 : (1) 28 (2) 1 (3) $\frac{2}{19}$ 0479 : (1) 4 (2) -2 (3) 2 (4) $\frac{1}{e\ln 2}$
0480 : (1) ③ (2) ④

0481
여러 가지 함수의 미분법
내신빈출

다음 물음에 답하여라.

(1) 함수 $f(x)=\frac{x^2+5}{x+1}$에 대하여 $\lim_{h\to0}\frac{f(3+3h)-f(3-h)}{h}$의 값은?

① 1 ② $\frac{3}{2}$ ③ 2 ④ $\frac{5}{2}$ ⑤ 3

(2) 함수 $f(x)=\ln(2x+7)$에 대하여 $\lim_{h\to0}\frac{f(1+h)-f(1-h)}{h}$의 값은?

① $\frac{2}{9}$ ② $\frac{1}{3}$ ③ $\frac{4}{9}$ ④ $\frac{5}{9}$ ⑤ $\frac{2}{3}$

(3) 함수 $f(x)=x\tan x$에 대하여 $\lim_{h\to0}\frac{f\left(\frac{\pi}{4}+h\right)-f\left(\frac{\pi}{4}-h\right)}{h}$의 값은?

① $\pi-2$ ② $\pi-1$ ③ π ④ $\pi+1$ ⑤ $\pi+2$

0482
합성함수의 미분법
내신빈출

다음 물음에 답하여라.

(1) 모든 실수 x에 대하여 미분가능한 함수 $f(x)$가 $f(2x+1)=4x^2+2$를 만족할 때, $f'(5)$의 값은?

① 2 ② 4 ③ 6 ④ 8 ⑤ 10

(2) 모든 실수 x에 대하여 미분가능한 함수 $f(x)$가 $f(2x+3)=x^2+2x-4$를 만족할 때, $f'(-1)$의 값은?

① -3 ② -2 ③ -1 ④ 2 ⑤ 3

0483
합성함수의 미분법
2019년04월교육청

다음 물음에 답하여라.

(1) 실수 전체의 집합에서 미분가능한 함수 $f(x)$가 모든 실수 x에 대하여 $f(5x-1)=e^{x^2-1}$을 만족시킬 때, $f'(4)$의 값은?

① $\frac{1}{10}$ ② $\frac{1}{5}$ ③ $\frac{3}{10}$ ④ $\frac{2}{5}$ ⑤ $\frac{1}{2}$

(2) 실수 전체에서 미분가능한 함수 $f(x)$에 대하여 $f(3x-2)=\sin\pi x$일 때, $f'(4)$의 값은?

① $\frac{\pi}{6}$ ② $\frac{\pi}{5}$ ③ $\frac{\pi}{4}$ ④ $\frac{\pi}{3}$ ⑤ $\frac{\pi}{2}$

0484
미분가능을 이용한 미정계수 결정
내신빈출

다음 물음에 답하여라.

(1) 함수 $f(x)=\begin{cases} ax+4 & (x\ge1) \\ \frac{2x-b}{x+1} & (x<1) \end{cases}$가 $x=1$에서 미분가능할 때, $a+b$의 값은?

① $-\frac{16}{3}$ ② -5 ③ $-\frac{14}{3}$ ④ $\frac{14}{3}$ ⑤ $\frac{16}{3}$

(2) 함수 $f(x)=\begin{cases} ae^{-x}+1 & (x>0) \\ b\sin\frac{\pi}{2}x-x & (x\le0) \end{cases}$이 모든 실수 x에서 미분가능할 때, 상수 a, b에 대하여 ab의 값은?

① $-\frac{4}{\pi}$ ② $\frac{4}{\pi}$ ③ 2 ④ π ⑤ 2π

0485
매개변수로 나타낸 함수의 미분법
2016학년도 06월 평가원

다음 물음에 답하여라.

(1) 매개변수 $t\,(t>0)$으로 나타내어진 함수 $x=t^2+1$, $y=\frac{2}{3}t^3+10t-1$에서 $t=1$일 때, $\frac{dy}{dx}$의 값은?

① 3 ② 4 ③ 5 ④ 6 ⑤ 8

2018학년도 06월 평가원

(2) 매개변수 t로 나타내어진 곡선 $x=t^2+2$, $y=t^3+t-1$에서 $t=1$일 때, $\frac{dy}{dx}$의 값은?

① $\frac{1}{2}$ ② 1 ③ $\frac{3}{2}$ ④ 2 ⑤ $\frac{5}{2}$

정답 0481 : (1) ④ (2) ③ (3) ⑤ 0482 : (1) ④ (2) ③ 0483 : (1) ④ (2) ④ 0484 : (1) ① (2) ① 0485 : (1) ④ (2) ④

0486

매개변수로 나타낸 함수의 미분법
2017년 04월 교육청

다음 물음에 답하여라.

(1) 매개변수 $t(t>0)$로 나타내어진 함수 $x=t+2\sqrt{t}$, $y=4t^3$에 대하여 $t=1$일 때, $\frac{dy}{dx}$의 값은?

① 2 ② 4 ③ 6 ④ 8 ⑤ 10

2017년 07월 교육청

(2) 매개변수 $t(t>0)$으로 나타내어진 함수 $x=t+\sqrt{t}$, $y=t^3+\frac{1}{t}$에서 $t=1$일 때, $\frac{dy}{dx}$의 값은?

① $\frac{2}{3}$ ② 1 ③ $\frac{4}{3}$ ④ $\frac{5}{3}$ ⑤ 2

0487

매개변수로 나타낸 함수의 미분법
내신빈출

다음 물음에 답하여라.

(1) 매개변수 t로 나타내어진 함수 $x=\frac{1}{3}t^3+\frac{1}{2}t^2-2t$, $y=\frac{1}{4}t^4-t$에 대하여 $\lim_{t\to1}\frac{dy}{dx}$의 값은?

① -2 ② -1 ③ 1 ④ 2 ⑤ 3

(2) 매개변수 t로 나타낸 함수 $x=t^3-3t^2$, $y=2t^3-9t^2+12t$에 대하여 $\lim_{t\to\infty}\frac{dy}{dx}$의 값은?

① 1 ② 2 ③ 3 ④ 4 ⑤ 5

0488

매개변수로 나타낸 미분법과 접선의 기울기
2011년 04월 교육청

다음 물음에 답하여라.

(1) 매개변수 θ로 나타내어진 함수 $x=\tan\theta$, $y=\cos^2\theta$ $\left(단, -\frac{\pi}{2}<\theta<\frac{\pi}{2}\right)$에 대하여 이 곡선 위의 점 $\left(1, \frac{1}{2}\right)$에서의 접선의 기울기는?

① -1 ② $-\frac{1}{2}$ ③ $\frac{1}{2}$ ④ 1 ⑤ 2

(2) 매개변수 θ로 나타내어진 함수 $x=5\cos^3\theta$, $y=5\sin^3\theta$에 대하여 $\theta=\frac{\pi}{3}$일 때의 $\frac{dy}{dx}$의 값은?

① $-\sqrt{3}$ ② $-\frac{\sqrt{3}}{2}$ ③ 1 ④ $\frac{\sqrt{3}}{2}$ ⑤ $\sqrt{3}$

0489

매개변수로 나타낸 미분법과 접선의 기울기

다음 물음에 답하여라.

(1) 매개변수 $t(0\le t\le 2\pi)$로 나타낸 곡선 $x=\sin t$, $y=\sin 2t$에 대하여 $t=\frac{\pi}{3}$에 대응하는 점에서의 접선의 기울기는?

① -2 ② $-\frac{5}{3}$ ③ $-\frac{4}{3}$ ④ -1 ⑤ $-\frac{2}{3}$

(2) 매개변수 $t\left(\frac{\pi}{4}<t<\frac{3\pi}{4}\right)$로 나타낸 곡선 $x=e^t\cos t$, $y=e^t\sin t$에 대하여 $t=\frac{\pi}{2}$에 대응하는 점에서의 접선의 기울기는?

① -2 ② -1 ③ 0 ④ 1 ⑤ 2

0490

음함수 미분법
2014년 03월 교육청

다음 물음에 답하여라.

(1) 좌표평면에서 곡선 $3x^3-xy^2=6$ 위의 점 $(2, 3)$에서의 접선의 기울기를 m이라 할 때, $40m$의 값은?

① 60 ② 70 ③ 80 ④ 90 ⑤ 100

(2) 곡선 $x^2+2ye^x+y^3=3$ 위의 점 $(0, 1)$에서의 접선의 기울기는?

① $-\frac{2}{5}$ ② $-\frac{1}{5}$ ③ 0 ④ $\frac{1}{5}$ ⑤ $\frac{2}{5}$

정답 0486 : (1) ③ (2) ③ 0487 : (1) ③ (2) ② 0488 : (1) ② (2) ① 0489 : (1) ① (2) ② 0490 : (1) ④ (2) ①

0491 음함수의 미분법과 접선의 기울기

다음 물음에 답하여라. (단, e는 자연로그의 밑이다.)

(1) 곡선 $e^x \sin y = \frac{\sqrt{2}}{2}\left(0 < y < \frac{\pi}{2}\right)$에 대하여 $x=0$인 점에서의 접선의 기울기는?

① $-2e$ ② $-e$ ③ -2 ④ -1 ⑤ $-\frac{1}{e}$

2007학년도 09월 평가원

(2) y가 x의 함수일 때, 곡선 $e^x \ln y = 1$ 위의 점 $(0, e)$에서의 접선의 기울기는?

① $-e$ ② $-\frac{1}{e}$ ③ $\frac{1}{e}$ ④ e ⑤ $2e$

2012년 04월 교육청

(3) 곡선 $e^{3x} \ln y = 2$ 위의 점 $(0, e^2)$에서의 접선의 기울기는?

① $-6e^2$ ② $-5e^2$ ③ $-4e^2$ ④ $-3e^2$ ⑤ $-2e^2$

2019년 07월 교육청

(4) 곡선 $xy - y^3 \ln x = 2$에 대하여 $x=1$일 때, $\frac{dy}{dx}$의 값은?

① 0 ② 2 ③ 4 ④ 6 ⑤ 8

0492 음함수의 미분법과 접선의 기울기 내신빈출

다음 물음에 답하여라.

(1) 곡선 $2x^3 + 3y^3 - axy^2 + b = 0$ 위의 점 $(0, 1)$에서의 $\frac{dy}{dx}$의 값이 1일 때, 상수 a, b의 곱 ab의 값은?

① -27 ② -18 ③ 12 ④ 18 ⑤ 27

(2) 곡선 $x^2 + axy + y^2 + b = 0$ 위의 점 $(-3, 0)$에서의 $\frac{dy}{dx}$의 값이 3일 때, 상수 a, b의 곱 ab의 값은?

① 4 ② 6 ③ 8 ④ 10 ⑤ 16

0493 역함수의 미분법 2017학년도 수능기출

다음 물음에 답하여라.

(1) 함수 $f(x) = x^3 + x + 1$의 역함수를 $g(x)$라 할 때, $g'(1)$의 값은?

① $\frac{1}{3}$ ② $\frac{2}{5}$ ③ $\frac{2}{3}$ ④ $\frac{4}{5}$ ⑤ 1

(2) 함수 $f(x) = x^3 - 5x^2 + 9x - 5$의 역함수를 $g(x)$라 할 때,
곡선 $y = g(x)$ 위의 점 $(4, g(4))$에서의 접선의 기울기는?

① $\frac{1}{18}$ ② $\frac{1}{12}$ ③ $\frac{1}{9}$ ④ $\frac{5}{36}$ ⑤ $\frac{1}{6}$

0494 역함수의 미분법 2018년 07월 교육청

다음 물음에 답하여라.

(1) 함수 $f(x) = \frac{x^2-1}{x}(x > 0)$의 역함수 $g(x)$에 대하여 $g'(0)$의 값은?

① $\frac{1}{4}$ ② $\frac{1}{2}$ ③ $\frac{3}{4}$ ④ 1 ⑤ $\frac{5}{4}$

2004학년도사관기출

(2) 함수 $f(x) = e^x + \ln x$의 역함수를 $g(x)$라 할 때, $g'(e)$의 값은?

① $\frac{1}{e}$ ② $\frac{1}{e+1}$ ③ $\frac{e}{e+1}$ ④ e ⑤ $e+1$

0495 역함수의 미분법과 미분계수 2017년 04월 교육청

다음 물음에 답하여라.

(1) 함수 $f(x) = x^3 + 3x$의 역함수를 $g(x)$라 할 때, $\lim_{x \to 4} \frac{g(x) - g(4)}{x-4}$의 값은?

① $\frac{1}{6}$ ② $\frac{1}{5}$ ③ $\frac{1}{4}$ ④ $\frac{1}{3}$ ⑤ $\frac{1}{2}$

(2) 함수 $f(x) = x^3 - x^2 + 3x - 1$의 역함수를 $g(x)$라고 할 때, $\lim_{h \to 0} \frac{g(2+3h) - g(2-h)}{h}$의 값은?

① $\frac{1}{4}$ ② $\frac{1}{3}$ ③ $\frac{1}{2}$ ④ 1 ⑤ 2

정답 0491 : (1) ④ (2) ① (3) ① (4) ④ 0492 : (1) ① (2) ② 0493 : (1) ⑤ (2) ⑤ 0494 : (1) ② (2) ② 0495 : (1) ① (2) ④

0496 역함수를 이용한 미분법 2010학년도 09월 평가원

함수 $f(x)=\ln(e^x-1)$의 역함수를 $g(x)$라 할 때, 양수 a에 대하여 $\frac{1}{f'(a)}+\frac{1}{g'(a)}$의 값은?

① 2 ② 4 ③ 6 ④ 8 ⑤ 10

0497 역함수의 미분법

함수 $f(x)=xe^x\ (x>0)$의 역함수를 $g(x)$라 할 때, 곡선 $y=g(x)$는 점 $(e,\ 1)$을 지난다.
$\lim_{h\to 0}\frac{g(e+h)-g(e)}{h}$의 값은?

① $\frac{1}{2e}$ ② $\frac{1}{e}$ ③ 1 ④ e ⑤ $2e$

0498 역함수의 미분법 2017년 07월 교육청

다음 물음에 답하여라.

(1) 함수 $f(x)=\tan^3 x\left(-\frac{\pi}{2}<x<\frac{\pi}{2}\right)$의 역함수를 $g(x)$라 할 때, 곡선 $y=g(x)$ 위의 점 $(1,\ g(1))$에서의 접선의 기울기는?

① $\frac{1}{6}$ ② $\frac{1}{3}$ ③ $\frac{1}{2}$ ④ $\frac{2}{3}$ ⑤ $\frac{5}{6}$

2014년 07월 교육청

(2) $0\le x\le\frac{\pi}{2}$에서 정의된 함수 $f(x)=2\sin x+1$의 역함수를 $g(x)$라 할 때, $g'(2)$의 값은?

① $\frac{\sqrt{2}}{3}$ ② $\frac{1}{2}$ ③ $\frac{\sqrt{3}}{3}$ ④ $\frac{\sqrt{2}}{2}$ ⑤ $\frac{\sqrt{3}}{2}$

0499 역함수의 미분법 2020학년도 수능기출

다음 물음에 답하여라.

(1) 함수 $f(x)=(x^2+2)e^{-x}$에 대하여 함수 $g(x)$가 미분가능하고

$$g\left(\frac{x+8}{10}\right)=f^{-1}(x),\ g(1)=0$$

을 만족시킬 때, $|g'(1)|$의 값을 구하여라.

(2) 함수 $f(x)=(x^2-2x+4)e^x$의 역함수를 $g(3x-10)$이라 할 때, $g'(2)$의 값을 구하여라.

0500 이계도함수 내신빈출

다음 물음에 답하여라.

(1) 함수 $f(x)=(ax+b)\sin x$에 대하여 $f'(0)=1,\ f''(0)=4$일 때, 상수 $a,\ b$에 대하여 $a+b$의 값은?

① 1 ② 2 ③ 3 ④ 4 ⑤ 5

(2) 함수 $f(x)=(x-1)e^{ax+b}$에 대하여 $f'(1)=e,\ f''(1)=4e$일 때, 상수 $a,\ b$에 대하여 $a-b$의 값은?

① 1 ② 2 ③ 3 ④ 4 ⑤ 5

0501 이계도함수

다음 물음에 답하여라.

(1) $f(x)=(x^2+2)e^{3x}$에 대하여 $\lim_{x\to 0}\frac{f'(x)-f'(0)}{x}$의 값은?

① 18 ② 20 ③ 22 ④ 24 ⑤ 32

(2) $f(x)=\frac{\ln x}{x}$에 대하여 $\lim_{h\to 0}\frac{f'(e+h)-f'(e)}{h}$의 값은?

① $-\frac{1}{e}$ ② $-\frac{1}{e^2}$ ③ $-\frac{1}{e^3}$ ④ $-e^3$ ⑤ e^{-2}

정답 0496 : ① 0497 : ① 0498 : (1) ① (2) ③ 0499 : (1) 5 (2) $\frac{1}{6}$ 0500 : (1) ③ (2) ③ 0501 : (1) ② (2) ③

0502

몫의 미분법과 합성함수의 미분 내신빈출

다음 물음에 답하여라.

(1) 미분가능한 두 함수 $f(x)$, $g(x)$가 $\lim_{x\to -1}\frac{f(x)-2}{x+1}=1$, $\lim_{x\to -1}\frac{g(x)+3}{x+1}=2$를 만족시킬 때,

함수 $h(x)=\frac{f(x)}{g(x)}$에 대하여 $h'(-1)$의 값은?

① $-\frac{7}{9}$ ② $-\frac{3}{4}$ ③ $-\frac{1}{2}$ ④ $\frac{1}{2}$ ⑤ $\frac{3}{4}$

(2) 미분가능한 두 함수 $f(x)$, $g(x)$가 $\lim_{x\to 1}\frac{f(x)-5}{x-1}=3$, $\lim_{h\to 0}\frac{g(5+h)-g(5)}{h}=2$를 만족시킬 때,

함수 $y=(g\circ f)(x)$의 $x=1$에서의 미분계수는?

① 3 ② 4 ③ 5 ④ 6 ⑤ 7

0503

몫의 미분법과 합성함수의 미분 2019년 10월 교육청

다음 물음에 답하여라.

(1) 실수 전체의 집합에서 미분가능한 두 함수 $f(x)$, $g(x)$에 대하여 함수 $h(x)$를 $h(x)=(f\circ g)(x)$라 하자.

$$\lim_{x\to 1}\frac{g(x)+1}{x-1}=2,\ \lim_{x\to 1}\frac{h(x)-2}{x-1}=12$$

일 때, $f(-1)+f'(-1)$의 값은?

① 4 ② 5 ③ 6 ④ 7 ⑤ 8

2019년 07월 교육청

(2) 실수 전체의 집합에서 미분가능한 두 함수 $f(x)$, $g(x)$에 대하여 함수 $h(x)$를

$$h(x)=(g\circ f)(x)$$

라 할 때, 두 함수 $f(x)$, $h(x)$가 다음 조건을 만족시킨다.

(가) $f(1)=2,\ f'(1)=3$

(나) $\lim_{x\to 1}\frac{h(x)-5}{x-1}=12$

$g(2)+g'(2)$의 값은?

① 5 ② 7 ③ 9 ④ 11 ⑤ 13

0504

미분계수와 함수의 몫의 미분법 내신빈출

미분가능한 함수 $f(x)$에 대하여 $\lim_{x\to 2}\frac{f(x)-4}{x-2}=6$이고 함수 $g(x)=x^2f(x)+\frac{f(x)}{x}$를 만족할 때,

$\lim_{h\to 0}\frac{g(2+2h)-g(2)}{h}$의 값을 구하여라.

0505

함수의 몫의 미분법 2019년 04월 교육청

다음 물음에 답하여라.

(1) 함수 $f(x)=\frac{1}{x-2}$에 대하여 $\lim_{h\to 0}\frac{f(a+h)-f(a)}{h}=-\frac{1}{4}$을 만족시키는 양수 a의 값은?

① 4 ② $\frac{9}{2}$ ③ 5 ④ $\frac{11}{2}$ ⑤ 6

2018학년도 06월 평가원

(2) 함수 $f(x)=\frac{1}{x+3}$에 대하여 $\lim_{h\to 0}\frac{f'(a+h)-f'(a)}{h}=2$를 만족시키는 실수 a의 값은?

① -2 ② -1 ③ 0 ④ 1 ⑤ 2

정답 0502 : (1) ① (2) ④ 0503 : (1) ⑤ (2) ③ 0504 : 84 0505 : (1) ① (2) ①

0506 미분가능한 함수 $y=f(x)$에 대하여 $f(1)=2$, $f(2)=2$, $f'(1)=3$, $f'(2)=4$일 때,

합성함수의 미분법
내신빈출

$\lim_{x\to1}\frac{f(f(x))-2}{x-1}$의 값은?

① 4　② 6　③ 8　④ 10　⑤ 12

0507 다항함수 $f(x)$가 $\lim_{x\to0}\frac{x}{f(x)}=1$, $\lim_{x\to1}\frac{x-1}{f(x)}=2$를 만족시킬 때, $\lim_{x\to1}\frac{f(f(x))}{2x^2-x-1}$의 값은?

합성함수의 미분법
2014학년도 06월
평가원

① $\frac{1}{6}$　② $\frac{1}{3}$　③ $\frac{1}{2}$　④ $\frac{2}{3}$　⑤ $\frac{5}{6}$

0508 다음 물음에 답하여라.

로그함수의 미분법

(1) 함수 $f(x)=\ln(x^2-1)$에 대하여 $\sum_{n=2}^{\infty}\frac{f'(n)}{n}$의 값을 구하여라.

(2) 함수 $f(x)=\ln(x^2+2x)$에 대하여 급수 $\sum_{n=1}^{\infty}\frac{f'(n)}{n+1}$의 합을 구하여라.

0509 미분가능한 두 함수 $f(x)$, $g(x)$에 대하여 함수 $y=f(x)$의 그래프 위의 점 $(3, 1)$에서의 접선의 기울기가 5이고,

합성함수의 미분법
내신빈출

함수 $y=g(x)$ 위의 점 $(1, 3)$에서의 접선의 기울기가 3일 때, $\lim_{x\to1}\frac{f(g(x))-1}{x-1}$의 값은?

① 12　② 13　③ 14　④ 15　⑤ 16

0510 함수 $f(x)=\frac{x^3}{x^2+1}$에 대하여 $\lim_{h\to0}\frac{1}{h}\sum_{k=1}^{n}\{f(1+kh)-f(1)\}=210$을 만족할 때, 자연수 n의 값은?

미분계수를 이용한
몫의 미분법
내신빈출

① 16　② 17　③ 18　④ 19　⑤ 20

0511 다음 물음에 답하여라.

로그함수와 합성함수의
미분법

(1) 두 함수 $f(x)=\ln\frac{1}{x^2}$, $g(x)=\left(\ln\frac{1}{x}\right)^2$에 대하여 $h(x)=(f\circ g)(x)$라 할 때, $h'(e^2)$의 값은?

① $-\frac{2}{e^2}$　② $-\frac{2}{e^3}$　③ 0　④ $\frac{2}{e^3}$　⑤ $\frac{2}{e^2}$

2008년 10월 교육청

(2) 함수 $f(x)=\frac{\ln x}{x}$와 미분가능한 함수 $g(x)$에 대하여 함수 $h(x)$를

$$h(x)=(g\circ f)(x),\ h'\left(\frac{1}{e}\right)=\frac{e^2}{4}$$

일 때, $g'(-e)$의 값은?

① $\frac{1}{8}$　② $\frac{1}{4}$　③ $\frac{1}{2}$　④ e　⑤ $2e$

0512 다음 물음에 답하여라.

음함수 미분법
2019학년도 06월
평가원

(1) 곡선 $e^x-e^y=y$ 위의 점 (a, b)에서의 접선의 기울기가 1일 때, $a+b$의 값은?

① $1+\ln(e+1)$　② $2+\ln(e^2+2)$　③ $3+\ln(e^3+3)$
④ $4+\ln(e^4+4)$　⑤ $5+\ln(e^5+5)$

2017년 10월 교육청

(2) 곡선 $x^3+x+y+y^3=4$ 위의 점 $\mathrm{P}(a, b)$에서의 접선의 기울기가 -1일 때, $a+b$의 값은?

① -2　② -1　③ 0　④ 1　⑤ 2

정답　0506 : ⑤　0507 : ①　0508 : (1) $\frac{3}{2}$ (2) $\frac{3}{2}$　0509 : ④　0510 : ⑤　0511 : (1) ① (2) ①　0512 : (1) ① (2) ⑤

0513

음함수 미분법
내신빈출

다음 물음에 답하여라.

(1) 곡선 $e^{x}+e^{-y}=e+\frac{1}{3}$ 위의 점 $(1, k)$에서의 접선의 기울기는 m이다. mk의 값은?

① $e\ln 3$ ② $2e\ln 3$ ③ $3e\ln 3$ ④ $4e\ln 3$ ⑤ $5e\ln 3$

(2) 자연수 n에 대하여 곡선 $e^{x}y+x^{2}-xy^{2}=n$ 위의 점 $(0, n)$에서의 접선의 기울기를 $f(n)$이라 할 때, $\sum_{n=1}^{10} f(n)$의 값은?

① 310 ② 320 ③ 330 ④ 340 ⑤ 350

0514

역함수의 미분법
2018학년도 수능기출

다음 물음에 답하여라.

(1) 실수 전체의 집합에서 미분가능한 함수 두 함수 $f(x)$, $g(x)$가 있다.

$f(x)$가 $g(x)$의 역함수이고 $f(1)=2$, $f'(1)=3$이다. 함수 $h(x)=xg(x)$라 할 때, $h'(2)$의 값은?

① 1 ② $\frac{4}{3}$ ③ $\frac{5}{3}$ ④ 2 ⑤ $\frac{7}{3}$

(2) 실수 전체의 집합에서 미분가능한 함수 $f(x)$가 다음 조건을 만족시킨다.

(가) 모든 실수 x에 대하여 $f'(x)>0$이다.

(나) $\lim_{x\to 4}\frac{f(x)-4}{x^{2}-16}=2$

함수 $f(x)$의 역함수를 $g(x)$라 할 때, 함수 $x^{2}g(x)$의 $x=4$에서의 미분계수의 값은?

① 16 ② 24 ③ 30 ④ 33 ⑤ 38

0515

역함수의 미분법

다음 물음에 답하여라.

(1) 미분가능한 함수 $f(x)$가 다음 조건을 모두 만족시킨다.

(가) 모든 실수 x에 대하여 $f(-x)=-f(x)$이다.

(나) $\lim_{x\to 1}\frac{f(x)-2}{x-1}=3$

함수 $f(x)$의 역함수를 $g(x)$라고 할 때, $g'(-2)$의 값은?

① $\frac{1}{5}$ ② $\frac{1}{4}$ ③ $\frac{1}{3}$ ④ 2 ⑤ 4

(2) 실수 전체의 집합에서 미분가능하고 일대일 대응인 함수 $f(x)$에 대하여 곡선 $y=f(x)$를 직선 $y=x$에 대하여 대칭이동한 곡선 $y=g(x)$가 다음 조건을 만족시킨다.

(가) 모든 실수 x에 대하여 $g(x)=-g(-x)$이다.

(나) $\lim_{x\to 1}\frac{2g(x)+4}{x-1}=1$

$\lim_{x\to 2}\frac{f(x)+1}{x-2}$의 값은? (단, 모든 실수 x에 대하여 $f'(x)\neq 0$이다.)

① $\frac{1}{4}$ ② $\frac{1}{2}$ ③ 1 ④ 2 ⑤ 4

정답 0513 : (1) ③ (2) ③ 0514 : (1) ③ (2) ④ 0515 : (1) ③ (2) ④

0516
역함수의 미분법
2014학년도 사관기출

모든 실수 x에서 미분가능하고 역함수가 존재하는 함수 $f(x)$에 대하여

$$\lim_{x\to1}\frac{f(x)-2}{x-1}=\frac{1}{2},\ \lim_{x\to2}\frac{f(x)-3}{x-2}=4$$

가 성립한다. 함수 $f(x)$의 역함수를 $g(x)$라 할 때, $\lim_{x\to3}\frac{g(g(x))-1}{x-3}$의 값은?

① $\frac{1}{4}$ ② $\frac{1}{2}$ ③ 1 ④ 2 ⑤ 4

0517
역함수의 미분법
내신빈출

$f(x)=x^3-x^2+x$로 정의된 함수 $f(x)$의 역함수 $g(x)$에 대하여 $\lim_{h\to0}\frac{\sum_{k=1}^{n}g(1+kh)-ng(1)}{h}=18$일 때, 자연수 n의 값을 구하여라.

0518
역함수의 미분법과 미분계수
2014학년도 09월 평가원

다음 물음에 답하여라.

(1) 함수 $f(x)=\ln(\tan x)\left(0<x<\frac{\pi}{2}\right)$의 역함수 $g(x)$에 대하여 $\lim_{h\to0}\frac{4g(8h)-\pi}{h}$의 값을 구하여라.

(2) 함수 $f(x)=\ln(\tan x)\left(0<x<\frac{\pi}{2}\right)$의 역함수 $g(x)$에 대하여 $\lim_{h\to0}\frac{\sum_{k=1}^{n}\{4g(kh)-\pi\}}{h}=72$일 때, 자연수 n의 값을 구하여라.

0519
이계도함수의 미분법
2008년 10월 교육청

실수 전체의 집합에서 이계도함수를 갖는 함수 $f(x)$가 다음 조건을 만족시킨다.

(가) $f(1)=2,\ f'(1)=3$

(나) $\lim_{x\to1}\frac{f'(f(x))-1}{x-1}=3$

$f''(2)$의 값은?

① 1 ② 2 ③ 3 ④ 4 ⑤ 5

0520
로그함수의 미분법의 응용
내신빈출

$x>1$인 모든 실수에서 정의된 두 함수

$$f(x)=x^{\ln x},\ g(x)=(\ln x)^x$$

에 대하여 $f'(e)-g'(e)$의 값은?

① 1 ② 2 ③ 3 ④ 4 ⑤ 5

0521
음함수의 미분법
서술형
서술형

오른쪽 그림과 같이 길이가 5m인 막대가 지면에 수직인 벽에 걸쳐 있다. 지면과 닿아 있는 막대의 한쪽 끝과 벽으로부터의 거리가 xm일 때, 벽에 닿아 있는 다른 한 쪽 끝의 높이를 ym라 하자. 이 막대가 지면과 벽을 따라 미끄러질 때, 다음 단계로 서술하여라.
(단, 막대의 두께는 고려하지 않는다.)

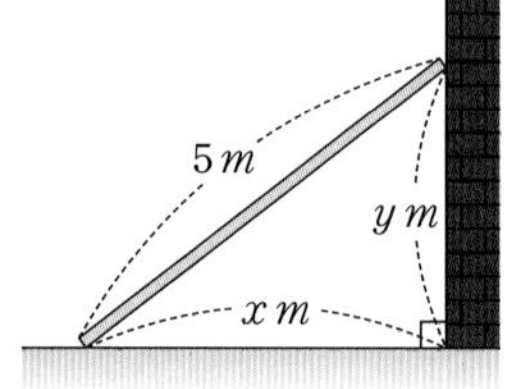

[1단계] $x,\ y$ 사이의 관계식을 구하여라.

[2단계] $x=4$일 때, $\frac{dy}{dx}$의 값을 구하여라.

정답	0516 : ②	0517 : 8	0518 : (1) 16 (2) 8	0519 : ①	0520 : ①	0521 : 해설참조

0522
매개변수의 미분법
서술형

매개변수로 나타낸 함수

$$x=t+t^3+t^5+\cdots+t^{199},\ y=t^2+t^4+t^6+\cdots t^{200}$$

에 대하여 $\lim_{t\to1}\frac{dy}{dx}$의 값을 구하는 과정을 다음 단계로 서술하여라.

[1단계] $\frac{dy}{dt}$, $\frac{dx}{dt}$의 값을 구한다.

[2단계] $\frac{dy}{dx}$의 값을 구한다.

[3단계] 시그마의 성질을 이용하여 $\lim_{t\to1}\frac{dy}{dx}$의 값을 구한다.

0523
역함수의 미분법
서술형

모든 실수 x에 대하여 미분가능한 함수 $f(x)$의 역함수를 $g(x)$라 하자.

$\lim_{x\to1}\frac{f(x)-2}{x-1}=3$일 때, $\lim_{x\to2}\frac{g(x)-1}{x-2}$의 값을 구하는 과정을 다음 단계로 서술하여라.

[1단계] $\lim_{x\to1}\frac{f(x)-2}{x-1}=3$에서 $f(1)$, $f'(1)$의 값을 구한다.

[2단계] $f(x)$의 역함수가 $g(x)$임을 이용하여 $g'(x)$를 구한다.

[3단계] $\lim_{x\to2}\frac{g(x)-1}{x-2}$의 값을 구한다.

0524
역함수의 미분법
서술형

실수 전체의 집합에서 증가하고 미분가능한 함수 $f(x)$가 다음 조건을 만족시킨다.

(가) $\lim_{x\to1}\frac{f(x)-2}{x-1}=3$

(나) $\lim_{x\to2}\frac{f(x)-4}{x-2}=5$

함수 $f(x)$의 역함수 $g(x)$에 대하여 함수 $h(x)$를 $h(x)=(g\circ g)(x)$라 할 때, $h'(4)$의 값을 구하는 과정을 다음 단계로 서술하여라.

[1단계] 조건 (가) $\lim_{x\to1}\frac{f(x)-2}{x-1}=3$에서 $f(1)$, $f'(1)$의 값을 구한다.

[2단계] 조건 (나) $\lim_{x\to2}\frac{f(x)-4}{x-2}=5$에서 $f(2)$, $f'(2)$의 값을 구한다.

[3단계] $f(x)$의 역함수가 $g(x)$임을 이용하여 $g'(x)$를 구한다.

[4단계] $h'(4)$의 값을 구한다.

0525
역함수의 미분법
서술형

양의 실수 전체의 집합에서 정의된 함수 $f(x)=x^3+3x^2+1$의 역함수를 $g(x)$라 할 때,

$\sum_{n=1}^{\infty}g'(n^3+3n^2+1)$의 값을 구하는 과정을 다음 단계로 서술하여라.

[1단계] $f(x)$의 역함수가 $g(x)$임을 이용하여 $g'(x)$를 구한다.

[2단계] $g'(n^3+3n^2+1)$을 구한다.

[3단계] $\sum_{n=1}^{\infty}g'(n^3+3n^2+1)$의 값을 구한다.

정답 0522 : 해설참조 0523 : 해설참조 0524 : 해설참조 0525 : 해설참조

0526
합성함수의 미분법

실수 전체의 집합에서 미분가능한 두 함수 $f(x)$와 $g(x)$가 다음 조건을 만족시킨다.

(가) $\lim_{h\to 0}\frac{f(g(1+h))-f(g(1-h))}{h}=16$

(나) $g'(1)=2$, $g(1)=2$

$f'(2)$의 값을 구하여라.

0527
합성함수의 미분법과 다항식의 나눗셈

다음 물음에 답하여라.

(1) 이차 이상의 다항함수 $f(x)$와 함수 $g(x)=e^{\sin x}$에 대하여 $(f\circ g)(0)=2$, $(f\circ g)'(0)=1$이 성립한다.
다항식 $f(x)$를 $(x-1)^2$으로 나누었을 때의 나머지를 $\mathrm{R}(x)$라 할 때, $\mathrm{R}(3)$의 값을 구하여라.

(2) 이차 이상의 다항함수 $f(x)$와 함수 $g(x)=e^{x^3+x+1}$이 $(f\circ g)(0)=3$, $(f\circ g)'(0)=e$를 만족시킨다.
다항식 $f(x)$를 $(x-e)^2$으로 나누었을 때의 나머지를 $\mathrm{R}(x)$라 할 때, $\mathrm{R}(-3)$의 값을 구하여라.

0528
이계도함수

$f(x)=e^{ax}\cos bx$에 대하여

$$f''(x)-6f'(x)+25f(x)=0$$

이 성립하도록 실수 a, b의 값을 정할 때, $a+b$의 값은? (단, $b>0$)

① 5 ② 6 ③ 7 ④ 8 ⑤ 9

0529
역함수의 미분법
2013학년도 09월 평가원

최고차항의 계수가 1인 삼차함수 $f(x)$의 역함수를 $g(x)$라 할 때, $g(x)$가 다음 조건을 만족시킨다.

(가) $g(x)$는 실수 전체의 집합에서 미분가능하고 $g'(x)\le\frac{1}{3}$이다.

(나) $\lim_{x\to 3}\frac{f(x)-g(x)}{(x-3)g(x)}=\frac{8}{9}$

$f(1)$의 값은?

① -11 ② -9 ③ -7 ④ -5 ⑤ -3

0530
2016학년도 수능기출

$0<t<41$인 실수 t에 대하여 곡선 $y=x^3+2x^2-15x+5$와 직선 $y=t$가 만나는 세 점 중에서 x좌표가 가장 큰 점의 좌표를 $(f(t), t)$, x좌표가 가장 작은 점의 좌표를 $(g(t), t)$라 하자. $h(t)=t\times\{f(t)-g(t)\}$라 할 때, $h'(5)$의 값은?

① $\frac{79}{12}$ ② $\frac{85}{12}$ ③ $\frac{91}{12}$ ④ $\frac{97}{12}$ ⑤ $\frac{103}{12}$

0531
2018년 03월 교육청

함수 $f(x)=(x^2+ax+b)e^x$과 함수 $g(x)$가 다음 조건을 만족시킨다.

(가) $f(1)=e$, $f'(1)=e$

(나) 모든 실수 x에 대하여 $g(f(x))=f'(x)$이다.

함수 $h(x)=f^{-1}(x)g(x)$에 대하여 $h'(e)$의 값은? (단, a, b는 상수이다.)

① 1 ② 2 ③ 3 ④ 4 ⑤ 5

정답 0526 : 4 0527 : (1) 4 (2) $-e$ 0528 : ③ 0529 : ① 0530 : ④ 0531 : ④

수능과 내신의 수학개념서

미적분

Ⅰ 수열의 극한　Ⅱ 미분법　Ⅲ 적분법

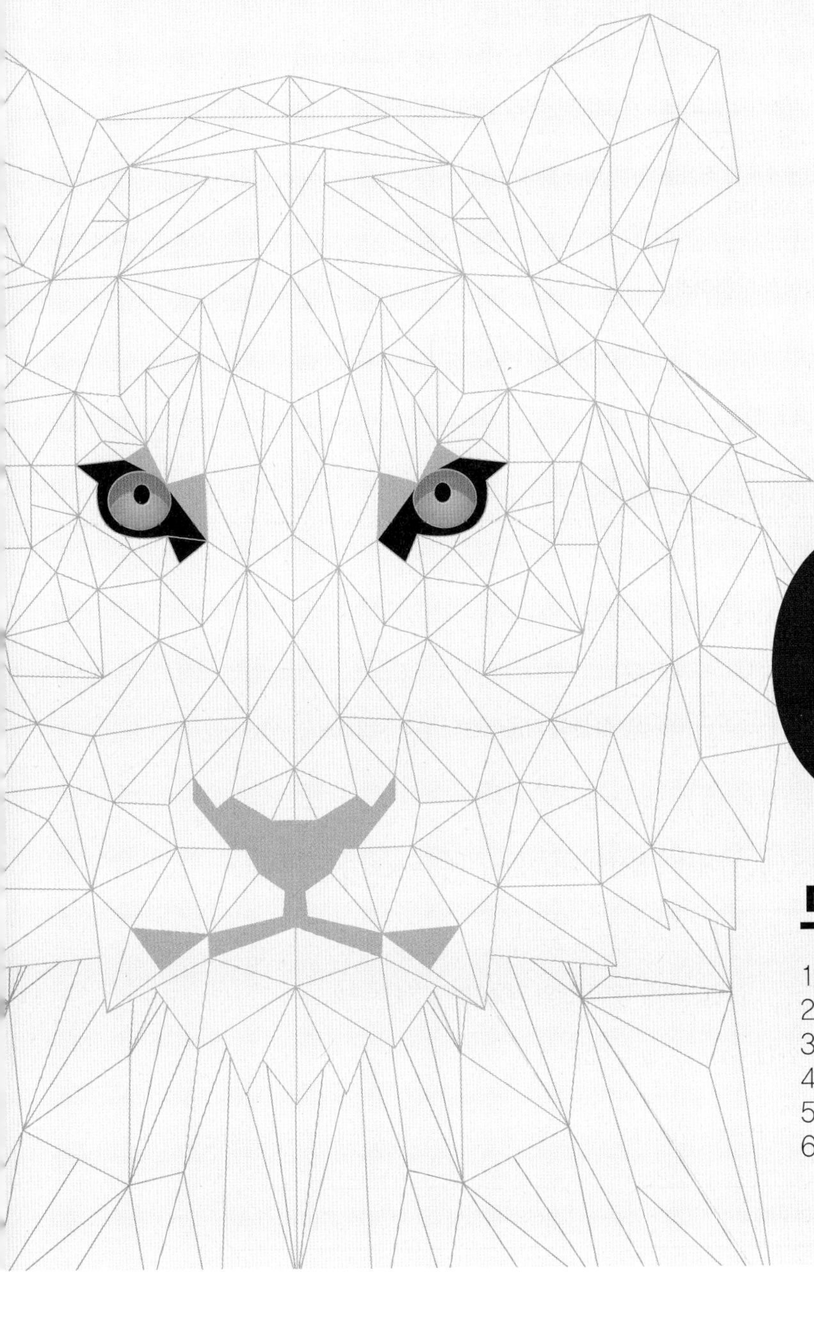

04

도함수의 활용

01 접선의 방정식

MAPL; YOURMASTERPLAN

01 곡선 $y=f(x)$ 위의 점 $(a,\ f(a))$에서의 접선의 방정식

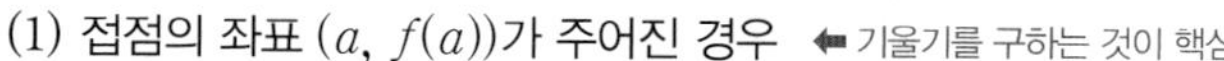

(1) 접점의 좌표 $(a,\ f(a))$가 주어진 경우 ⬅ 기울기를 구하는 것이 핵심

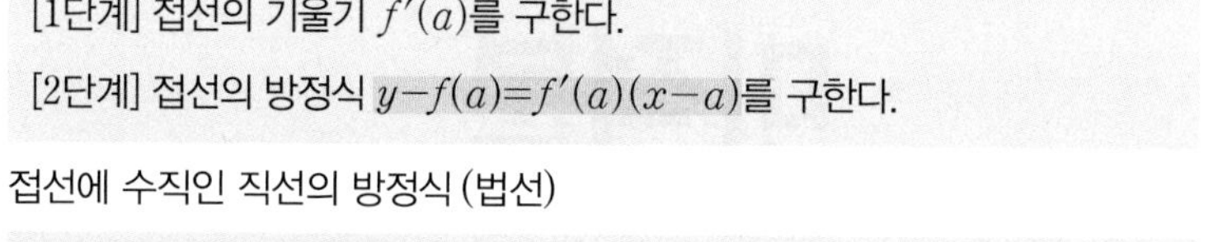

함수 $f(x)$가 $x=a$에서 미분가능할 때,

[1단계] 접선의 기울기 $f'(a)$를 구한다.

[2단계] 접선의 방정식 $y-f(a)=f'(a)(x-a)$를 구한다.

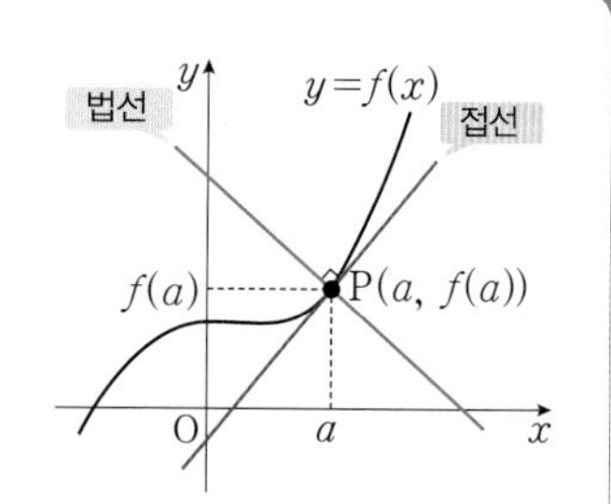

(2) 접선에 수직인 직선의 방정식 (법선)

곡선 $y=f(x)$ 위의 점 $\mathrm{P}(a,\ f(a))$에서

[1단계] 접선의 기울기가 $f'(a)$이므로 이에 수직인 직선의 기울기

$-\dfrac{1}{f'(a)}$를 구한다. ⬅ 두 직선이 수직이면 두 직선의 기울기의 곱이 -1이다.

[2단계] 접선에 수직인 직선의 방정식 $y-f(a)=-\dfrac{1}{f'(a)}(x-a)$를 구한다.

마플해설 접선의 방정식을 구하기 위해서는 접점의 좌표와 기울기가 필요하다. 즉 접점의 좌표가 주어진 경우에는 기울기만 구하면 된다.
이때 접선의 기울기는 접점에서의 미분계수임을 이용하여 구한다.
또한, 곡선 위의 한 점을 지나고 그 점에서의 접선에 수직인 직선을 '법선' 이라 한다.
⇨ 서로 수직인 두 직선의 기울기의 곱이 -1임을 이용한다.

보기 01 다음 곡선 위의 주어진 점에서의 접선의 방정식을 구하여라.

(1) $y=\ln x\,(e,\ 1)$ (2) $y=e^x\,(1,\ e)$ (3) $y=\sin 2x\left(\dfrac{\pi}{6},\ \dfrac{\sqrt{3}}{2}\right)$

(4) $y=\tan x\left(\dfrac{\pi}{4},\ 1\right)$ (5) $y=\dfrac{1}{2x-1}\,(1,\ 1)$

풀이

(1) $f(x)=\ln x$라 하면 $f'(x)=\dfrac{1}{x}$, 점 $(e,\ 1)$에서의 접선의 기울기는 $f'(e)=\dfrac{1}{e}$

따라서 구하는 접선의 방정식은 $y-1=\dfrac{1}{e}(x-e)\quad \therefore\ y=\dfrac{1}{e}x$

(2) $f(x)=e^x$이라 하면 $f'(x)=e^x$, 점 $(1,\ e)$에서의 접선의 기울기는 $f'(1)=e$

따라서 구하는 접선의 방정식은 $y-e=e(x-1)\quad \therefore\ y=ex$

(3) $f(x)=\sin 2x$라 하면 $f'(x)=2\cos 2x$, 점 $\left(\dfrac{\pi}{6},\ \dfrac{\sqrt{3}}{2}\right)$에서의 접선의 기울기는 $f'\left(\dfrac{\pi}{6}\right)=2\cos\dfrac{\pi}{3}=1$

따라서 구하는 접선의 방정식은 $y-\dfrac{\sqrt{3}}{2}=1\cdot\left(x-\dfrac{\pi}{6}\right)\quad \therefore\ y=x-\dfrac{\pi}{6}+\dfrac{\sqrt{3}}{2}$

(4) $f(x)=\tan x$이라 하면 $f'(x)=\sec^2 x$, 점 $\left(\dfrac{\pi}{4},\ 1\right)$에서의 접선의 기울기는 $f'\left(\dfrac{\pi}{4}\right)=\sec^2\dfrac{\pi}{4}=(\sqrt{2})^2=2$

따라서 구하는 접선의 방정식은 $y-1=2\cdot\left(x-\dfrac{\pi}{4}\right)\quad \therefore\ y=2x-\dfrac{\pi}{2}+1$

(5) $f(x)=\dfrac{1}{2x-1}$이라 하면 $f'(x)=-\dfrac{2}{(2x-1)^2}$, 점 $(1,\ 1)$에서의 접선의 기울기는 $f'(1)=-2$

따라서 구하는 접선의 방정식은 $y-1=-2\cdot(x-1)\quad \therefore\ y=-2x+3$

FOCUS

접점의 좌표가 주어진 경우 접선의 방정식

접점 : $(a,\ f(a))$ → 접선의 기울기 : $f'(a)$ → 접선의 방정식 : $y-f(a)=f'(a)(x-a)$

02 곡선 $y=f(x)$에 접하고 기울기가 m인 접선의 방정식

곡선 $y=f(x)$의 접선의 기울기 m인 접선의 방정식 ⬅ 접점을 구하는 것이 핵심

[1단계] 접점의 좌표를 $(a,\ f(a))$로 놓는다.

[2단계] $f'(a)=m$임을 이용하여 a값과 접점의 좌표 $(a,\ f(a))$를 구한다.

[3단계] 접선의 방정식 $y-f(a)=m(x-a)$를 구한다.

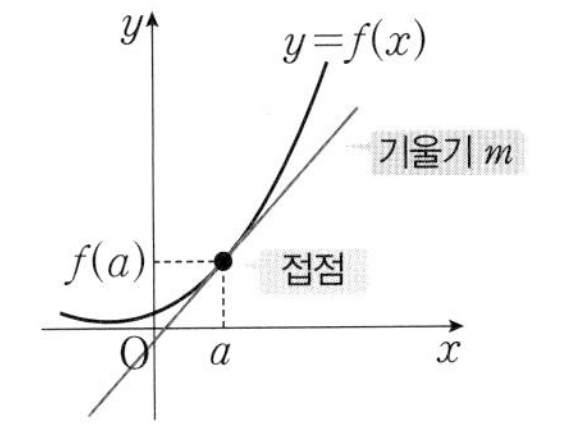

마플해설 접선의 기울기가 주어진 경우에는 접점의 좌표만 구하면 그 방정식을 구할 수 있다.
이때 접점의 좌표는 접선의 기울기가 접점에서의 미분계수와 같음을 이용하여 구한다.

보기 02 다음 물음에 구하여라.

(1) 곡선 $y=\sqrt{2x+1}$에 접하고 기울기가 1인 접선의 방정식을 구하여라.

(2) 곡선 $y=\ln(2x-1)$에 접하고 기울기가 2인 접선의 방정식을 구하여라.

(3) 곡선 $y=\cos 2x\left(0<x<\frac{\pi}{4}\right)$에 접하고 기울기가 -1인 접선의 방정식을 구하여라.

(4) 곡선 $y=\frac{x-1}{x+1}(x>0)$에 대하여 기울기가 $\frac{1}{2}$인 접선의 방정식을 구하여라.

풀이 (1) $f(x)=\sqrt{2x+1}$이라 하면 $f'(x)=\frac{1}{\sqrt{2x+1}}$

접점의 좌표를 $(a,\ \sqrt{2a+1})$이라 하면 접선의 기울기가 1이므로 $f'(a)=\frac{1}{\sqrt{2a+1}}=1$, $\sqrt{2a+1}=1$

$\therefore\ a=0$

따라서 접점의 좌표는 $(0,\ 1)$이므로 구하는 접선의 방정식은 $y-1=1\cdot(x-0)$ $\quad\therefore\ y=x+1$

(2) $f(x)=\ln(2x-1)$이라 하면 $f'(x)=\frac{(2x-1)'}{2x-1}=\frac{2}{2x-1}$

접점의 좌표를 $(a,\ \ln(2a-1))$이라 하면 접선의 기울기가 2이므로 $f'(a)=\frac{2}{2a-1}=2$, $2a-1=1$

$\therefore\ a=1$

따라서 접점의 좌표는 $(1,\ 0)$이므로 구하는 접선의 방정식은 $y-0=2(x-1)$ $\quad\therefore\ y=2x-2$

(3) $f(x)=\cos 2x$이라 하면 $f'(x)=-2\sin 2x$

접점의 좌표를 $(a,\ \cos 2a)$라 하면 접선의 기울기가 -1이므로 $f'(a)=-2\sin 2a=-1$, $\sin 2a=\frac{1}{2}$

$\therefore\ a=\frac{\pi}{12}$

따라서 접점의 좌표는 $\left(\frac{\pi}{12},\ \frac{\sqrt{3}}{2}\right)$이므로 구하는 접선의 방정식은 $y-\frac{\sqrt{3}}{2}=-1\cdot\left(x-\frac{\pi}{12}\right)$ $\quad\therefore\ y=-x+\frac{\pi+6\sqrt{3}}{12}$

(4) $f(x)=\frac{x-1}{x+1}$이라 하면 $f'(x)=\frac{(x+1)-(x-1)}{(x+1)^2}=\frac{2}{(x+1)^2}$

접점의 좌표를 $\left(a,\ \frac{a-1}{a+1}\right)$이라 하면 접선의 기울기가 $\frac{1}{2}$이므로 $f'(a)=\frac{2}{(a+1)^2}=\frac{1}{2}$, $(a+1)^2=4$

$\therefore\ a=1(\because a>0)$

따라서 접점의 좌표가 $(1,\ 0)$이므로 구하는 접선의 방정식은 $y-0=\frac{1}{2}(x-1)$ $\quad\therefore\ y=\frac{1}{2}x-\frac{1}{2}$

FOCUS

접선의 기울기가 주어진 경우 접선의 방정식

접점을 $(a,\ f(a))$로 놓는다. → $f'(a)=m$에서 a의 값을 구한다. → 접선의 방정식 : $y-f(a)=m(x-a)$

03 곡선 $y=f(x)$ 밖의 한 점 $(x_1,\ y_1)$에서 곡선에 그은 접선의 방정식

곡선 $y=f(x)$ 밖의 한 점 $(x_1,\ y_1)$이 주어진 경우 ⬅ 접점의 좌표를 $(a,\ f(a))$로 놓고 a의 값을 구하는 것이 핵심

[1단계] 접점의 좌표를 $(a,\ f(a))$로 놓는다.

[2단계] 접선의 기울기가 $f'(a)$이므로 접선의 방정식

$y-f(a)=f'(a)(x-a)$ ...... ㉠

[3단계] 곡선 밖의 한 점 $(x_1,\ y_1)$을 ㉠에 대입하여 a의 값을 구한다.

[4단계] 구한 a의 값을 ㉠에 대입하여 접선의 방정식을 구한다.

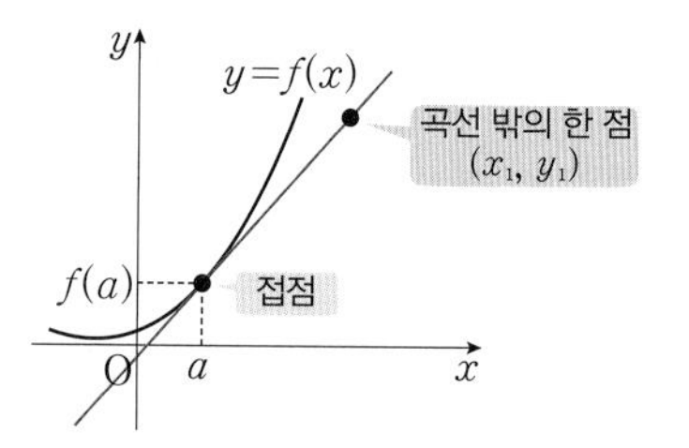

마플해설 곡선 밖의 한 점에서 그은 접선의 방정식은 접점의 좌표와 기울기가 모두 주어지지 않은 경우이다.
이때 접선의 방정식은 임의로 정한 접점의 좌표를 이용하여 접선의 방정식을 세우고 그 접선이 주어진 곡선 밖의 한 점을 지나므로 그 점을 대입하여 실수인 접점의 좌표를 구하여 접선을 유도한다.

보기 03 다음 물음에 답하여라.

(1) 점 $\left(\frac{1}{2},\ 0\right)$에서 곡선 $y=e^{2x-1}$에 그은 접선의 방정식을 구하여라.

(2) 원점에서 곡선 $y=2e^x$에 그은 접선의 방정식을 구하여라.

(3) 점 $(0,\ 1)$에서 곡선 $y=\ln x$에 그은 접선의 방정식을 구하여라.

풀이 (1) $f(x)=e^{2x-1}$으로 놓으면 $f'(x)=2e^{2x-1}$

접점의 좌표를 $(a,\ e^{2a-1})$라고 하면 이 점에서의 접선의 기울기는 $f'(a)=2e^{2a-1}$

점 $(a,\ e^{2a-1})$에서 접선의 방정식은 $y-e^{2a-1}=2e^{2a-1}(x-a)$ ...... ㉠

이 접선이 점 $\left(\frac{1}{2},\ 0\right)$을 지나므로 $-e^{2a-1}=2e^{2a-1}\left(\frac{1}{2}-a\right)$ $\therefore a=1$

$a=1$을 ㉠에 대입하면 구하는 접선의 방정식은 $y-e=2e(x-1)$

$\therefore y=2ex-e$

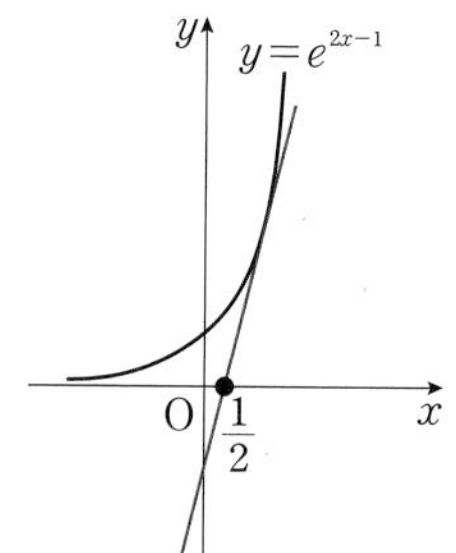

(2) $f(x)=2e^x$으로 놓으면 $f'(x)=2e^x$

접점의 좌표를 $(a,\ 2e^a)$이라 하면 이 점에서의 접선의 기울기는 $f'(a)=2e^a$

점 $(a,\ 2e^a)$에서 접선의 방정식은 $y-2e^a=2e^a(x-a)$ ...... ㉠

이 접선이 점 $(0,\ 0)$을 지나므로 $-2e^a=2e^a\cdot(-a)$, $-2=-2a$ $\therefore a=1$

이것을 ㉠에 대입하면 구하는 접선의 방정식은 $y-2e=2e(x-1)$

$\therefore y=2ex$

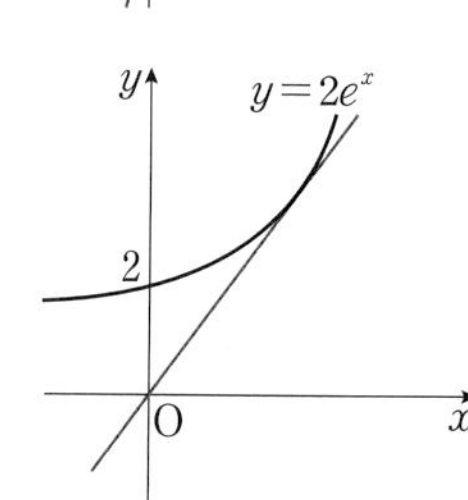

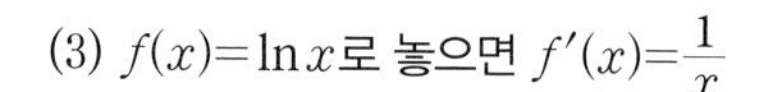

(3) $f(x)=\ln x$로 놓으면 $f'(x)=\frac{1}{x}$

접점의 좌표를 $(a,\ \ln a)$라 하면 이 점에서의 접선의 기울기는 $f'(a)=\frac{1}{a}$

점 $(a,\ \ln a)$에서 접선의 방정식은 $y-\ln a=\frac{1}{a}(x-a)$ ...... ㉠

이 접선이 점 $(0,\ 1)$을 지나므로 $1-\ln a=\frac{1}{a}\cdot(-a)=-1$, $\ln a=2$ $\therefore a=e^2$

이것을 ㉠에 대입하면 구하는 접선의 방정식은 $y-2=\frac{1}{e^2}(x-e^2)$

$\therefore y=\frac{1}{e^2}x+1$

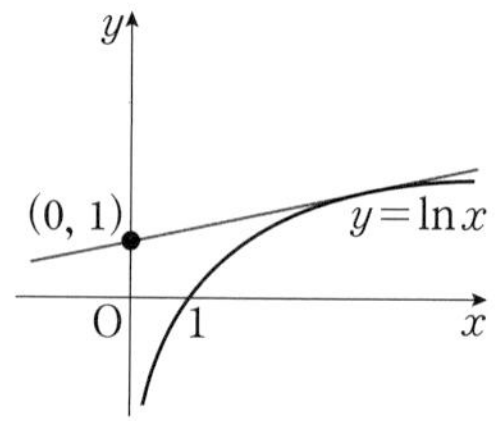
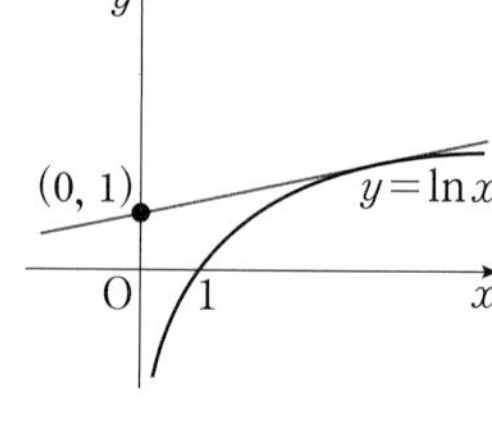

FOCUS

곡선 밖의 한 점에서 곡선에 그은 접선의 방정식

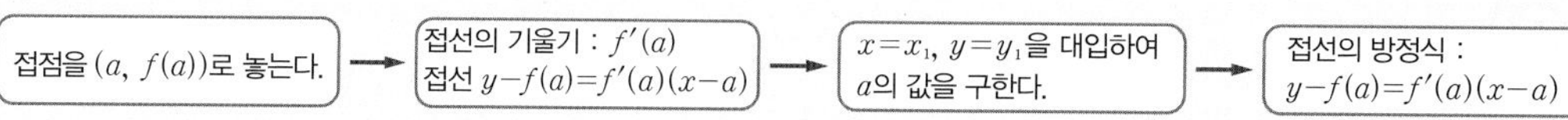

09 함수 $y=e^x$, $y=\ln x$의 접선의 방정식

01 기울기가 1인 로그함수 $y=\ln x$와 지수함수 $y=e^x$의 접선

(1) 곡선 $y=\ln x$에 접하고 기울기가 1인 접선의 방정식은 $y=x-1$이다.

해설 $f(x)=\ln x$로 놓으면 $f'(x)=\dfrac{1}{x}$

접점의 좌표를 $(a,\ \ln a)$라 하면 접선의 기울기가 1이므로

$f'(a)=\dfrac{1}{a}=1 \quad \therefore a=1$

따라서 접점의 좌표는 $(1,\ 0)$이므로 구하는 접선의 방정식은

$y-0=1\cdot(x-1) \quad \therefore y=x-1$

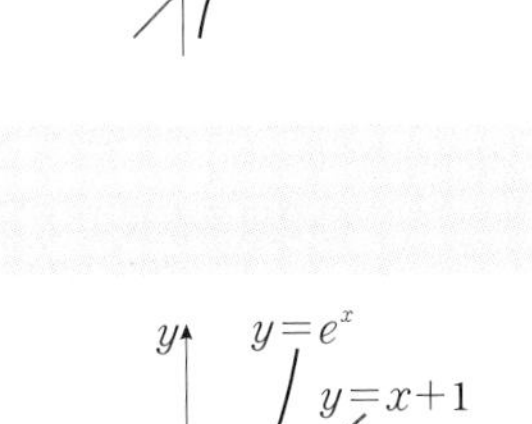

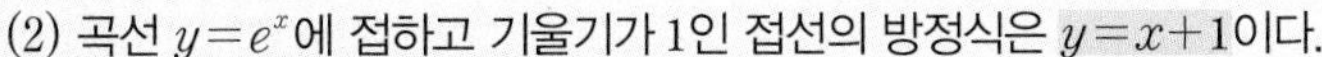

(2) 곡선 $y=e^x$에 접하고 기울기가 1인 접선의 방정식은 $y=x+1$이다.

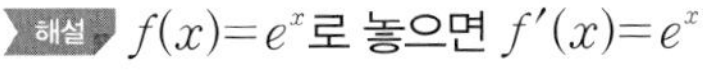

해설 $f(x)=e^x$로 놓으면 $f'(x)=e^x$

접점의 좌표를 $(a,\ e^a)$이라 하면 접선의 기울기가 1이므로

$f'(a)=e^a=1 \quad \therefore a=0$

따라서 접점의 좌표가 $(0,\ 1)$이므로 구하는 접선의 방정식은

$y-1=1\cdot(x-0) \quad \therefore y=x+1$

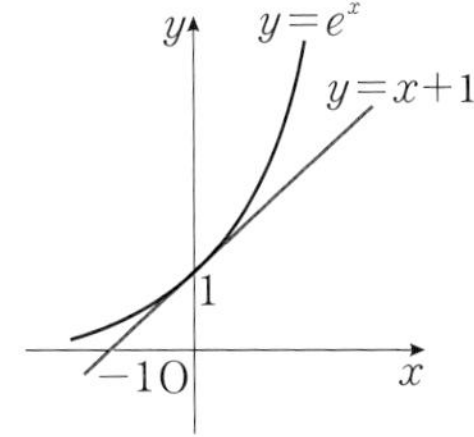

02 원점에서 로그함수 $y=\ln x$와 지수함수 $y=e^x$에 그은 접선

(1) 원점에서 곡선 $y=\ln x$에 그은 접선의 방정식은 $y=\dfrac{1}{e}x$이다.

해설 $f(x)=\ln x$로 놓으면 $f'(x)=\dfrac{1}{x}$

접점의 좌표를 $(a,\ \ln a)$라고 하면 접선의 기울기는 $f'(a)=\dfrac{1}{a}$

점 $(a,\ \ln a)$에서 접선의 방정식은 $y-\ln a=\dfrac{1}{a}(x-a)$

$y=\dfrac{1}{a}x-1+\ln a \qquad \cdots\cdots$ ㉠

이 접선이 원점을 지나므로 $0=-1+\ln a \quad \therefore a=e$

$a=e$를 ㉠에 대입하면 구하는 접선의 방정식은 $y=\dfrac{1}{e}x$ ⬅ 접점의 좌표 $(e,\ 1)$

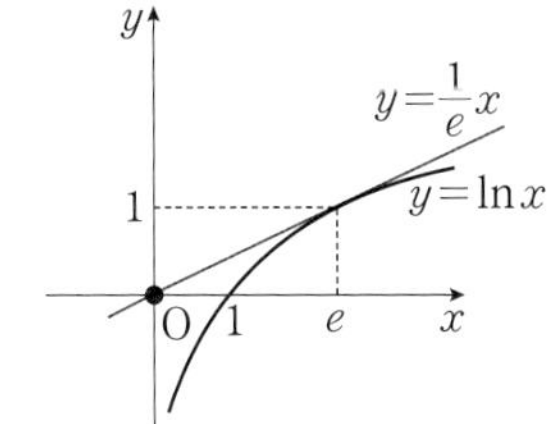

(2) 원점에서 곡선 $y=e^x$에 그은 접선의 방정식은 $y=ex$이다.

해설 $f(x)=e^x$로 놓으면 $f'(x)=e^x$

접점의 좌표를 $(a,\ e^a)$라고 하면 접선의 기울기는 $f'(a)=e^a$

점 $(a,\ e^a)$에서 접선의 방정식은 $y-e^a=e^a(x-a)$

$y=e^ax-ae^a+e^a \qquad \cdots\cdots$ ㉠

이 접선이 원점을 지나므로 $0=-ae^a+e^a \quad \therefore a=1$

$a=1$을 ㉠에 대입하면 구하는 접선의 방정식은 $y=ex$ ⬅ 접점의 좌표 $(1,\ e)$

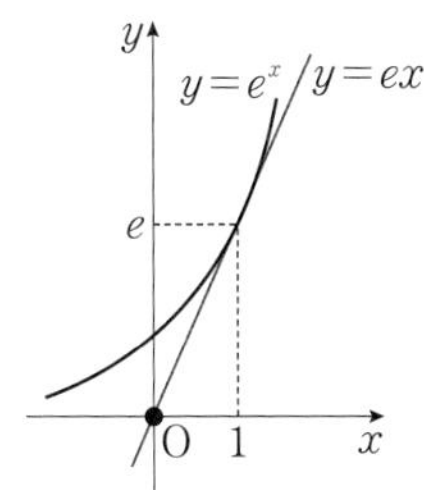

교과서특강문제 01 두 곡선 $y=e^x$과 $y=\ln x$ 위의 각각 점 P, Q가 있다. 선분 PQ가 직선 $y=x$에 수직일 때, 선분 PQ의 길이의 최솟값을 구하여라.

교과서특강 풀이

STEP A 곡선 $y=e^x$, $y=\ln x$에 접하고 기울기가 1인 접선의 접점의 좌표 구하기

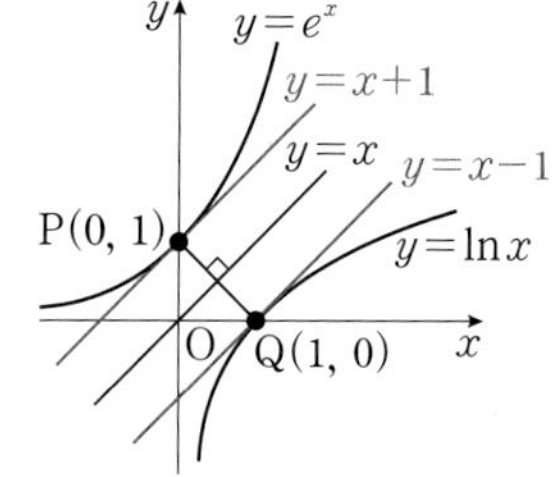

곡선 $y=e^x$에 접하고 기울기가 1인 접선의 방정식은 $y=x+1$이고 접점의 좌표는 $\mathrm{P}(0, 1)$

곡선 $y=\ln x$에 접하고 기울기가 1인 접선의 방정식은 $y=x-1$이고 접점의 좌표는 $\mathrm{Q}(1, 0)$

STEP B 선분 PQ의 길이의 최솟값 구하기

따라서 두 점 $(0, 1)$, $(1, 0)$ 사이의 거리가 구하는 선분 PQ의 길이의 최솟값이므로

$\sqrt{(1-0)^2+(0-1)^2}=\sqrt{2}$

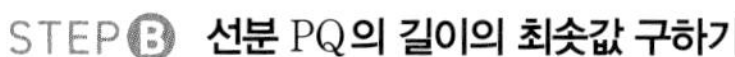

다른풀이 증감표를 이용하여 풀이하기

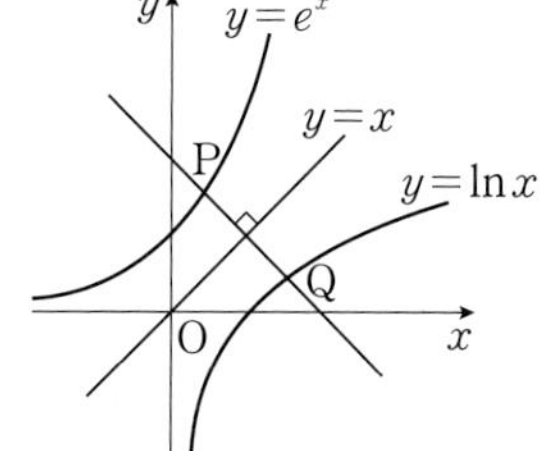

두 곡선 $y=e^x$과 $y=\ln x$는 직선 $y=x$에 대하여 대칭이고 선분 PQ가 직선 $y=x$에 수직이므로 점 P와 점 Q는 직선 $y=x$에 대하여 대칭이다.

점 P의 좌표를 $\mathrm{P}(t, e^t)$이라 하면 $\mathrm{Q}(e^t, t)$이다.

$\overline{\mathrm{PQ}}=\sqrt{(e^t-t)^2+(t-e^t)^2}=\sqrt{2(e^t-t)^2}=\sqrt{2}(e^t-t)(\because e^t>t)$

$f(t)=\sqrt{2}(e^t-t)$로 놓으면 $f'(t)=\sqrt{2}(e^t-1)$

$f'(t)=0$에서 $e^t=1 \quad \therefore t=0$

함수 $f(t)$의 증가와 감소를 표로 나타내면 오른쪽과 같다.

t	$\cdots$	0	$\cdots$
$f'(t)$	$-$	0	$+$
$f(t)$	↘	$\sqrt{2}$	↗

따라서 $f(t)$는 $t=0$에서 극소이면서 최소이므로 최솟값은 $f(0)=\sqrt{2}$

교과서특강문제 02 오른쪽 그림과 같이 원점에서 두 곡선 $y=e^x$, $y=\ln x$에 접선을 그어 두 접선이 이루는 예각의 크기를 θ라 할 때, $\tan\theta$의 값을 구하여라.

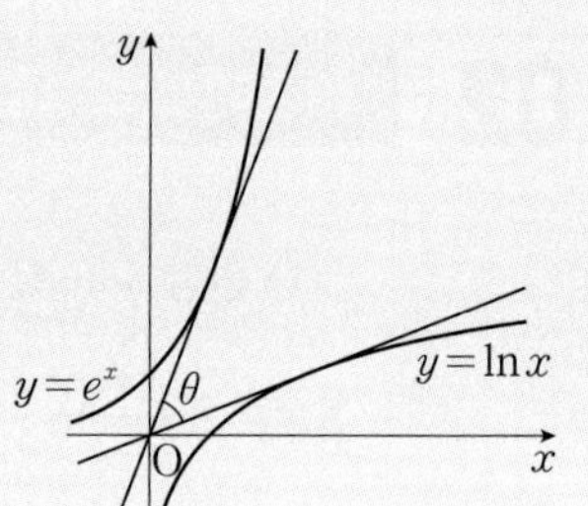

교과서특강 풀이

STEP A 원점에서 곡선 $y=e^x$, $y=\ln x$에 그은 접선의 방정식 구하기

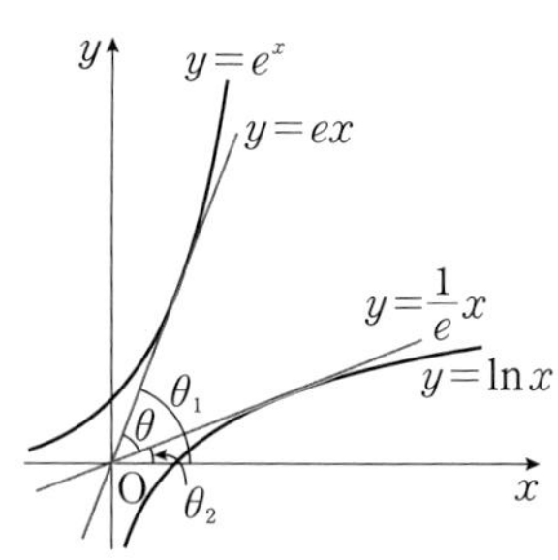

원점에서 곡선 $y=e^x$에 그은 접선의 방정식은 $y=ex$이다.

원점에서 곡선 $y=\ln x$에 그은 접선의 방정식은 $y=\frac{1}{e}x$이다.

STEP B $\tan(\theta_1-\theta_2)$의 덧셈정리를 이용하여 구하기

두 접선의 방정식 $y=ex$, $y=\frac{1}{e}x$가 x축의 양의 방향과 이루는 각의 크기를 각각 θ_1, θ_2라 하면 $\tan\theta_1=e$, $\tan\theta_2=\frac{1}{e}$, $\theta=\theta_1-\theta_2$이므로

$$\tan\theta=\tan(\theta_1-\theta_2)=\frac{\tan\theta_1-\tan\theta_2}{1+\tan\theta_1\tan\theta_2}=\frac{e-\frac{1}{e}}{1+e\cdot\frac{1}{e}}=\frac{1}{2}\left(e-\frac{1}{e}\right)$$

+α 더 알아보기

원점에서 두 곡선 $y=e^x$, $y=\ln x$에 접선을 그었을 때, 삼각형 OAB의 넓이를 구하여라. (단, A, B는 두 곡선의 접점이다.)

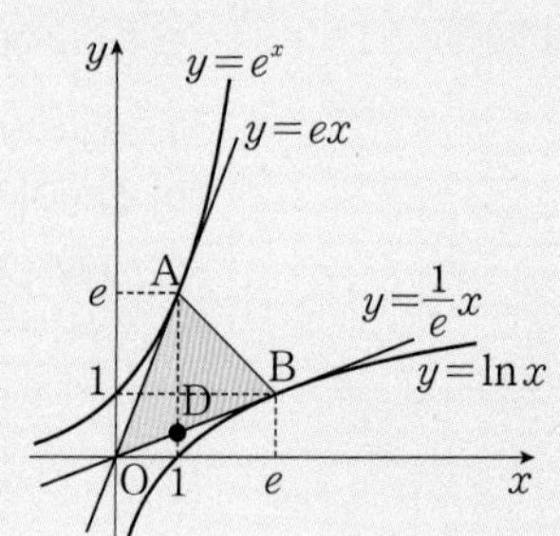

해설 원점에서 곡선 $y=e^x$에 그은 접선의 접점의 좌표가 $\mathrm{A}(1, e)$이다.

원점에서 곡선 $y=\ln x$에 그은 접선의 접점의 좌표가 $\mathrm{B}(e, 1)$이다.

따라서 $\triangle\mathrm{OAB}=\triangle\mathrm{AOD}+\triangle\mathrm{ADB}$

$$=\frac{1}{2}\cdot1\cdot\left(e-\frac{1}{e}\right)+\frac{1}{2}(e-1)\left(e-\frac{1}{e}\right)=\frac{e^2-1}{2}$$

마플개념익힘 01 접점의 주어진 경우의 접선의 방정식

다음 각 곡선 위의 주어진 점에서의 접선과 접선에 수직인 직선의 방정식을 각각 구하여라.

(1) $y=\sin^2 x$ $\left(\frac{\pi}{4}, \frac{1}{2}\right)$　　(2) $y=x\ln x+4x$ $(1, 4)$

MAPL CORE 접점의 좌표 $(a, f(a))$가 주어진 경우
① 접선의 방정식 $y-f(a)=f'(a)(x-a)$를 구한다.　← 접선의 기울기 : $f'(a)$
② 접선에 수직인 직선의 방정식 $y-f(a)=-\frac{1}{f'(a)}(x-a)$　← 접선에 수직인 직선의 기울기 : $-\frac{1}{f'(a)}$

개념익힘 | 풀이 (1) $f(x)=\sin^2 x$로 놓으면 $f'(x)=2\sin x\cos x$이므로 접선의 기울기는

$f'\left(\frac{\pi}{4}\right)=2\sin\frac{\pi}{4}\cos\frac{\pi}{4}=2\cdot\frac{1}{\sqrt{2}}\cdot\frac{1}{\sqrt{2}}=1$

접선의 방정식은 $y-\frac{1}{2}=1\cdot\left(x-\frac{\pi}{4}\right)$에서 $y=x-\frac{\pi}{4}+\frac{1}{2}$

접선에 수직인 직선의 방정식은 $y-\frac{1}{2}=-1\cdot\left(x-\frac{\pi}{4}\right)$에서 $\boldsymbol{y=-x+\frac{\pi}{4}+\frac{1}{2}}$

(2) $f(x)=x\ln x+4x$로 놓으면 $f'(x)=\ln x+x\cdot\frac{1}{x}+4=\ln x+5$이므로 접선의 기울기는 $f'(1)=5$

접선의 방정식은 $y-4=5(x-1)$에서 $y=5x-1$

접선에 수직인 직선의 방정식은 $y-4=-\frac{1}{5}(x-1)$에서 $\boldsymbol{y=-\frac{1}{5}x+\frac{21}{5}}$

확인유제 0532 다음 물음에 답하여라.

2017학년도 06월 평가원
(1) 곡선 $y=\ln(x-3)+1$ 위의 점 $(4, 1)$에서의 접선의 방정식이 $y=ax+b$일 때, 상수 a, b에 대하여 $a+b$의 값은?

① -2　② -1　③ 0　④ 1　⑤ 2

2018년 03월 교육청
(2) $0<x<\frac{\pi}{2}$에서 정의된 함수 $f(x)=\ln(\tan x)$의 그래프와 x축이 만나는 점을 P라 하자. 곡선 $y=f(x)$ 위의 점 P에서의 접선의 y절편은?

① $-\pi$　② $-\frac{5}{6}\pi$　③ $-\frac{2}{3}\pi$　④ $-\frac{\pi}{2}$　⑤ $-\frac{\pi}{3}$

변형문제 0533 다음 물음에 답하여라.

2017년 04월 교육청
(1) 좌표평면에서 곡선 $y=e^{x-2}$ 위의 점 $(3, e)$에서의 접선이 x축, y축과 만나는 점을 각각 A, B라 하자. 삼각형 OAB의 넓이는? (단, O는 원점이다.)

① e　② $\frac{3}{2}e$　③ $2e$　④ $\frac{5}{2}e$　⑤ $3e$

2019년 03월 교육청
(2) 좌표평면에서 곡선 $y=\frac{1}{x-1}$ 위의 점 $\left(\frac{3}{2}, 2\right)$에서의 접선과 x축 및 y축으로 둘러싸인 부분의 넓이는?

① 8　② $\frac{17}{2}$　③ 9　④ $\frac{19}{2}$　⑤ 10

발전문제 0534

2015학년도 06월 평가원
양의 실수 전체의 집합에서 미분가능한 함수 $f(x)$에 대하여 함수 $g(x)$를 $g(x)=f(x)\ln x^4$이라 하자. 곡선 $y=f(x)$ 위의 점 $(e, -e)$에서의 접선과 곡선 $y=g(x)$ 위의 점 $(e, -4e)$에서의 접선이 서로 수직일 때, $100f'(e)$의 값을 구하여라.

정답 0532 : (1) ① (2) ④　0533 : (1) ③ (2) ①　0534 : 50

마플개념익힘 02 역함수의 미분법을 이용한 접선의 방정식

함수 $f(x)=x^3+x^2+x+1$의 역함수를 $g(x)$라 하고 $y=g(x)$의 그래프 위의 점 $(4, 1)$에서의 접선의 방정식을 구하여라.

MAPL CORE 함수 $f(x)$의 역함수를 $g(x)$라 할 때, 곡선 $y=g(x)$ 위의 $x=a$에서의 접선의 방정식 구하는 방법

[1단계] $g(a)=b$라 놓으면 $f(b)=a$

[2단계] $g'(a)=\dfrac{1}{f'(g(a))}=\dfrac{1}{f'(b)}$

[3단계] $y-b=\dfrac{1}{f'(b)}(x-a)$

개념익힘 | **풀이** 함수 $f(x)=x^3+x^2+x+1$에서 $f'(x)=3x^2+2x+1$이고 역함수는 $g(x)$이므로

$f(g(x))=x$에서 $f'(g(x))\cdot g'(x)=1$

$\therefore\ g'(x)=\dfrac{1}{f'(g(x))}$

$y=g(x)$의 그래프 위의 점 $(4, 1)$에서의 접선의 기울기 ⬅ $y=g(x)$의 그래프 위의 점 $(4, 1)$이므로 $g(4)=1$

$g'(4)=\dfrac{1}{f'(g(4))}=\dfrac{1}{f'(1)}=\dfrac{1}{6}$

따라서 $y=g(x)$의 점 $(4, 1)$에서 접선의 방정식은 $y-1=\dfrac{1}{6}(x-4)$ $\quad\therefore\ \boldsymbol{y=\frac{1}{6}x+\frac{1}{3}}$

확인유제 0535 함수 $f(x)=e^x+x$의 역함수를 $g(x)$라고 할 때, 곡선 $y=g(x)$ 위의 점 $(1, 0)$에서의 접선과 x축 및 y축으로 둘러싸인 도형의 넓이를 구하여라.

변형문제 0536 다음 물음에 답하여라. (단, a, k는 상수)

(1) 함수 $f(x)=-x^2+2x-3(x\geq 1)$의 역함수를 $g(x)$라 할 때, 곡선 $y=g(x)$ 위의 점 $(-6, 3)$에서의 접선이 점 $(2, k)$를 지날 때, k의 값은?

① $\dfrac{1}{2}$ ② 1 ③ $\dfrac{3}{2}$ ④ 2 ⑤ $\dfrac{5}{2}$

(2) 함수 $f(x)=x^3+1$의 역함수를 $g(x)$라 할 때, 곡선 $y=g(x)$ 위의 한 점 $(2, a)$에서의 접선이 점 $(5, k)$를 지날 때, k의 값은?

① 1 ② 2 ③ 3 ④ 4 ⑤ 5

발전문제 0537 다음 물음에 답하여라.

(1) 열린구간 $\left(0, \dfrac{\pi}{2}\right)$에서 정의된 함수 $f(x)=2\sin x$의 역함수를 $g(x)$라 할 때, 곡선 $y=g(x)$ 위의 점 $(\sqrt{3}, g(\sqrt{3}))$에서의 접선이 점 $\left(\dfrac{2}{3}\pi, a\right)$를 지난다. a의 값은?

① $\pi-\sqrt{3}$ ② $\dfrac{\pi}{2}-\sqrt{3}$ ③ $1-\dfrac{\pi}{6}$ ④ $\sqrt{2}-\dfrac{\pi}{6}$ ⑤ $\sqrt{3}-\dfrac{\pi}{6}$

(2) 함수 $f(x)=\ln(3x+1)$의 역함수를 $g(x)$라고 할 때, 곡선 $y=g(x)$ 위의 점 $(0, 0)$에서의 접선의 방정식이 $(3, a)$을 지날 때, a의 값은?

① -3 ② -2 ③ -1 ④ 1 ⑤ 2

정답 0535 : $\dfrac{1}{4}$ 0536 : (1) ② (2) ② 0537 : (1) ① (2) ④

마플개념익힘 03 탄젠트함수의 덧셈정리를 이용한 접선의 방정식

오른쪽 그림과 같이 곡선 $y=\ln x$ 위의 두 점 $\mathrm{A}(1,\ 0)$, $\mathrm{B}(2,\ \ln 2)$에서의 접선은 각각 l_1, l_2이다. 이때 두 직선 l_1, l_2가 이루는 예각의 크기를 θ라 할 때, $\tan\theta$의 값을 구하여라.

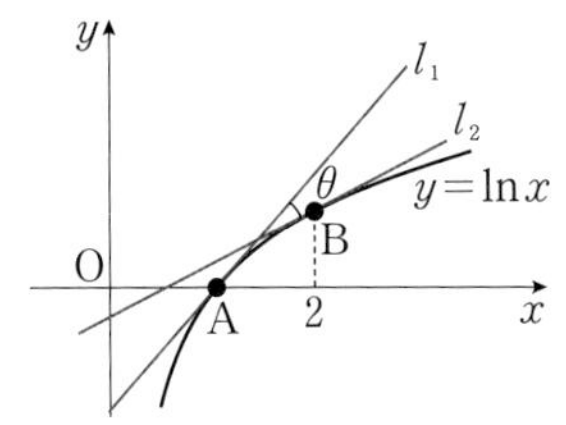

MAPL CORE 두 직선이 이루는 예각의 크기

탄젠트함수의 덧셈정리 $\tan(\alpha-\beta)=\dfrac{\tan\alpha-\tan\beta}{1+\tan\alpha\tan\beta}$

개념익힘 | 풀이 $f(x)=\ln x$로 놓으면 $f'(x)=\dfrac{1}{x}$이므로

두 점 $\mathrm{A}(1,\ 0)$, $\mathrm{B}(2,\ \ln 2)$에서의 접선의 기울기는

$f'(1)=1,\ f'(2)=\dfrac{1}{2}$

오른쪽 그림과 같이 두 직선 l_1, l_2이 x축의 양의 방향과 이루는 예각의 크기를 각각 α, β라 하면 $\tan\alpha=1$, $\tan\beta=\dfrac{1}{2}$이고

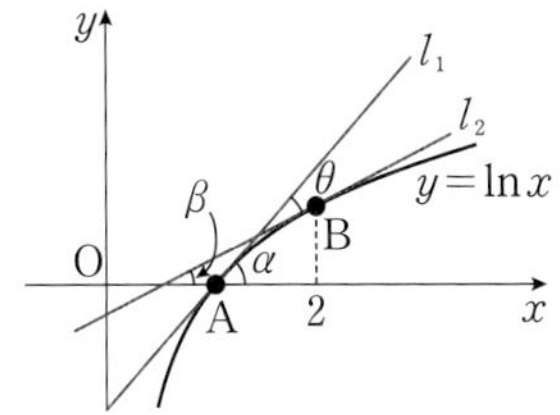

두 직선이 이루는 각은 $\theta=\alpha-\beta$

따라서 $\tan\theta=\tan(\alpha-\beta)=\dfrac{\tan\alpha-\tan\beta}{1+\tan\alpha\tan\beta}=\dfrac{1-\frac{1}{2}}{1+1\cdot\frac{1}{2}}=\dfrac{\frac{1}{2}}{1+\frac{1}{2}}=\mathbf{\dfrac{1}{3}}$

확인유제 0538
2019학년도 사관기출

함수 $f(x)=\dfrac{2x}{x+1}$의 그래프 위의 두 점 $(0,\ 0)$, $(1,\ 1)$에서의 접선을 각각 l, m이라 하자. 두 직선 l, m이 이루는 예각의 크기를 θ라 할 때, $12\tan\theta$의 값을 구하여라.

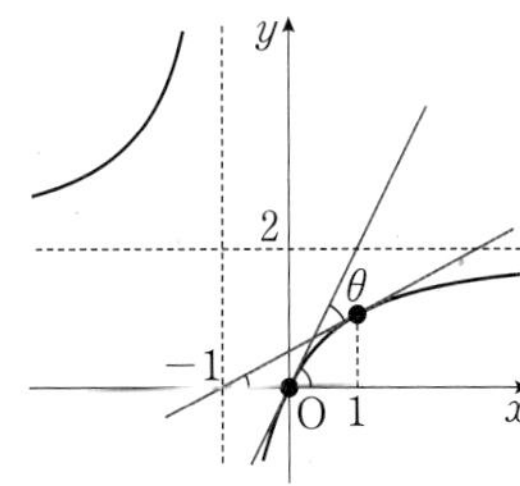

변형문제 0539
2005학년도 06월 평가원

오른쪽 그림과 같이 곡선 $y=\dfrac{1}{4}x^2$ 위의 두 점 $\mathrm{P}\left(\sqrt{2},\ \dfrac{1}{2}\right)$, $\mathrm{Q}\left(a,\ \dfrac{a^2}{4}\right)$에서의 두 접선과 x축으로 둘러싸인 **삼각형이 이등변삼각형**일 때, a^2의 값을 구하여라. (단, $a>\sqrt{2}$)

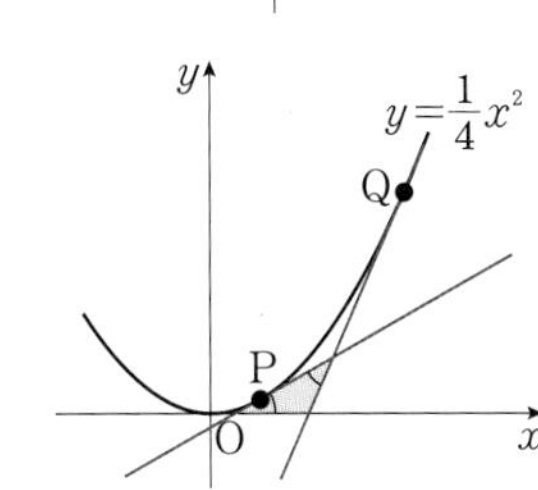

발전문제 0540
2018년 04월 교육청

오른쪽 그림과 같이 곡선 $y=e^x$ 위의 두 점 $\mathrm{A}(t,\ e^t)$, $\mathrm{B}(-t,\ e^{-t})$에서의 접선을 각각 l, m이라 하자. 두 직선 l과 m이 이루는 예각의 크기가 $\dfrac{\pi}{4}$일 때, 두 점 A, B를 지나는 직선의 기울기는? (단, $t>0$)

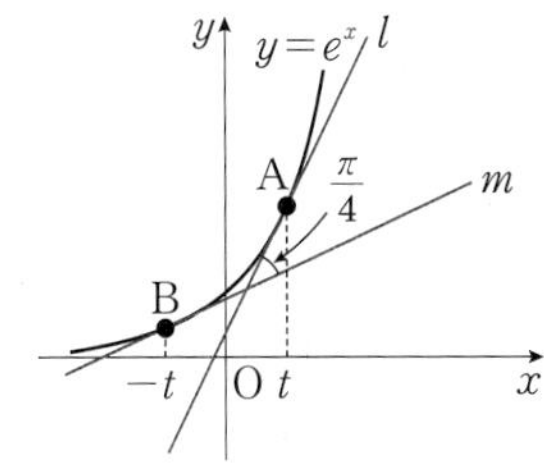

① 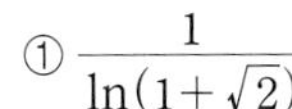 $\dfrac{1}{\ln(1+\sqrt{2})}$　② $\dfrac{1}{\ln 2}$　③ $\dfrac{4}{3\ln(1+\sqrt{2})}$

④ $\dfrac{7}{6\ln 2}$　⑤ $\dfrac{3}{2\ln(1+\sqrt{2})}$

정답 0538 : 9　0539 : 32　0540 : ①

마플개념익힘 04 기울기가 주어질 때의 접선의 방정식

다음 물음에 답하여라.

(1) 곡선 $y=x-x\ln x$에 접하고 직선 $x-y+2=0$과 평행한 직선의 방정식을 구하여라.

(2) 곡선 $y=xe^x$에 접하고 직선 $x+2ey-2=0$과 수직인 직선의 방정식을 구하여라.

MAPL CORE 곡선 $y=f(x)$의 접선의 기울기 m이 주어지면 접점의 좌표를 $(a,\ f(a))$로 놓고 $f'(x)=m$임을 이용하여 a의 값과 접점의 좌표 $(a,\ f(a))$를 구한 후, 이 점에서의 접선의 방정식이 $y-f(a)=m(x-a)$임을 이용한다.

개념익힘 | **풀이** (1) 직선 $x-y+2=0$, 즉 $y=x+2$에 평행하므로 접선의 기울기가 1이다.

$f(x)=x-x\ln x$라 하고 접점의 좌표를 $(a,\ a-a\ln a)$로 놓으면

$f'(x)=1-\left(\ln x+x\cdot\frac{1}{x}\right)=-\ln x$에서 $f'(a)=-\ln a$이므로

$-\ln a=1 \quad \therefore a=\frac{1}{e}$

따라서 $f\left(\frac{1}{e}\right)=\frac{2}{e}$에서 접점의 좌표는 $\left(\frac{1}{e},\ \frac{2}{e}\right)$이므로 구하는 접선은 $y-\frac{2}{e}=1\cdot\left(x-\frac{1}{e}\right)$

$\therefore \boldsymbol{y=x+\frac{1}{e}}$

(2) 직선 $x+2ey-2=0$, 즉 $y=-\frac{1}{2e}x+\frac{1}{e}$에 수직이므로 직선의 기울기가 $2e$이다.

$f(x)=xe^x$라 하고 접점의 좌표를 $(a,\ ae^a)$로 놓으면

$f'(x)=(x)'e^x+x(e^x)'=e^x+xe^x=(x+1)e^x$에서 $f'(a)=(a+1)e^a$

$(a+1)e^a=2e \quad \therefore a=1$

따라서 $f(1)=e$에서 접점의 좌표는 $(1,\ e)$이므로 구하는 접선은 $y-e=2e(x-1)$

$\therefore \boldsymbol{y=2ex-e}$

확인유제 0541

다음 물음에 답하여라.

(1) 곡선 $y=\ln(x-1)$에 접하고 직선 $y=x-1$에 평행한 직선의 방정식을 구하여라.

(2) 곡선 $y=\sin 2x\,(0\le x\le\pi)$에 접하고 직선 $x-2y+2=0$에 수직인 직선의 방정식을 구하여라.

변형문제 0542

직선 $y=-x+b$가 곡선 $y=x\ln x+ax$에 접하고 그 접점의 x좌표가 e일 때, 두 상수 a, b에 대하여 $a+b$의 값은?

① $-3-e$ ② e ③ $3+e$ ④ $2+3e$ ⑤ $5+e$

발전문제 0543

2018학년도 시관기출

다음 물음에 답하여라.

(1) 직선 $y=-4x$가 곡선 $y=\frac{1}{x-2}-a$에 접하도록 하는 모든 실수 a의 값의 합은?

① 10 ② 12 ③ 14 ④ 16 ⑤ 18

(2) 직선 $y=x+a$가 곡선 $y=x+\cos x$에 접할 때, 상수 a의 값은? $\left(\text{단, } -\frac{\pi}{2}<x<\frac{\pi}{2}\right)$

① 1 ② 2 ③ 3 ④ 4 ⑤ 5

정답 0541 : (1) $y=x-2$ (2) $y=-2x+\pi$ 0542 : ① 0543 : (1) ④ (2) ①

오른쪽 그림과 같이 곡선 $y=\ln x$ 위를 움직이는 점 P와 직선 $y=x+2$ 위의 두 점 A$(-2, 0)$, B$(0, 2)$를 꼭짓점으로 하는 삼각형 PAB의 넓이의 최솟값을 구하여라.

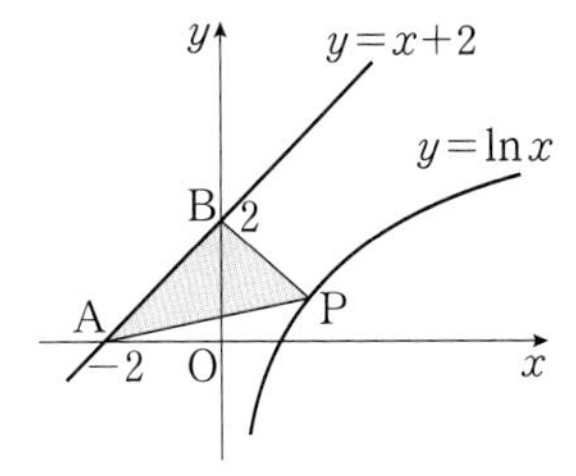

MAPL CORE $\overline{\text{AB}}$의 길이는 일정하므로 삼각형 ABP의 넓이를 결정하는 것은 점 P에서 직선 AB까지의 거리이다.
점 P에서 직선 AB까지의 거리(또는 높이)가 최소일 때, 삼각형의 넓이도 최소이다.

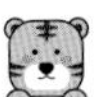

곡선 위를 움직이는 점 P와 직선 l 사이의 거리의 최대 또는 최소는 (점 P에서의 접선의 기울기)=(직선 l의 기울기)임을 이용한다.

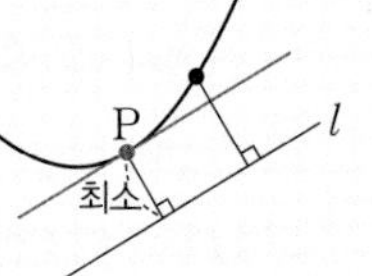

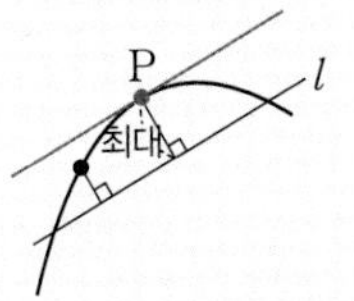

개념익힘 | 풀이 삼각형 PAB의 넓이가 최소가 되려면 삼각형의 밑변 AB가 고정되어 있으므로 높이가 최소가 되어야 한다. 이때 삼각형의 높이는 곡선 위 점 P에서 밑변 AB까지의 거리이므로 곡선 $y=\ln x$의 접선 중에서 두 점 A, B를 지나는 직선 $y=x+2$과의 거리를 구하면 된다. 이때 곡선 $y=\ln x$ 위의 점 P에서의 접선의 기울기가 1일 때, 높이가 최소이다.

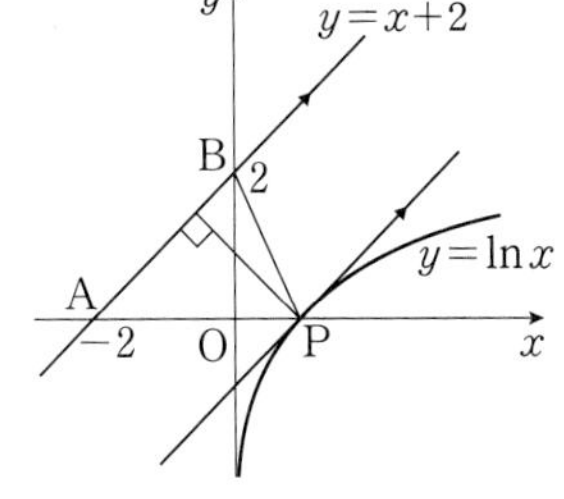

$f(x)=\ln x$라 하면 $f'(x)=\dfrac{1}{x}$

점 P의 좌표를 $(a, \ln a)$로 놓으면 이 점에서의 접선의 기울기가 1이므로 $f'(a)=\dfrac{1}{a}=1$에서 $a=1$ $\quad\therefore$ P$(1, 0)$

이때 점 P$(1, 0)$에서 직선 $x-y+2=0$ 사이의 거리는 $\dfrac{|1+2|}{\sqrt{1^2+(-1)^2}}=\dfrac{3}{\sqrt{2}}$

또, $\overline{\text{AB}}=2\sqrt{2}$이므로 삼각형 PAB의 넓이의 최솟값은 $\dfrac{1}{2}\cdot 2\sqrt{2}\cdot\dfrac{3}{\sqrt{2}}=\mathbf{3}$

확인유제 0544 오른쪽 그림과 같이 곡선 $y=x+\ln x$의 위를 움직이는 점 P와 직선 $y=2x+1$ 위의 두 점 A$\left(-\dfrac{1}{2}, 0\right)$, B$(0, 1)$를 꼭짓점으로 하는 삼각형 PAB의 넓이의 최솟값을 구하여라.

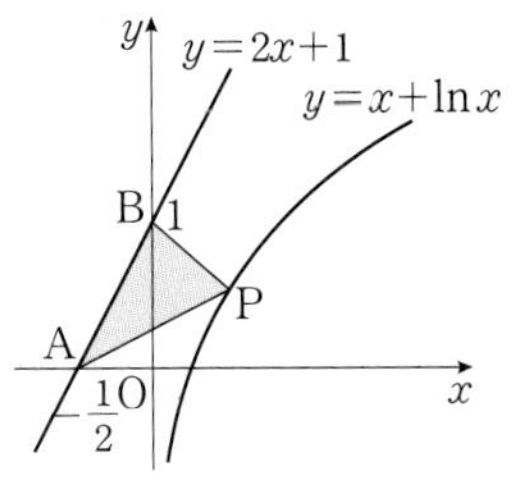

변형문제 0545 오른쪽 그림과 같이 곡선 $y=e^x+e^{-x}$ 위를 움직이는 점 P(a, b)가 있다. 점 P와 두 점 A$(0, -3)$, B$(2, 0)$에 대하여 삼각형 PAB의 넓이가 최소가 되게 하는 상수 a의 값은?

① $\dfrac{1}{e}$ ② $\ln 2$ ③ 1
④ $\ln 3$ ⑤ $2\ln 2$

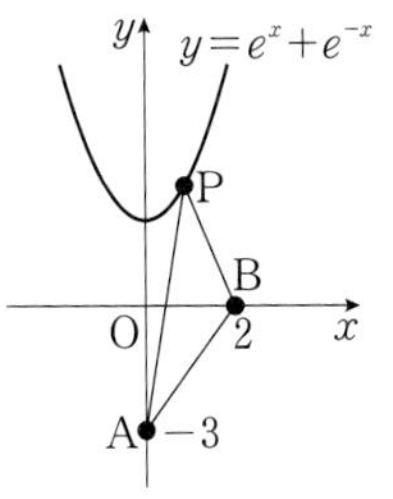

발전문제 0546 오른쪽 그림과 같이 함수 $y=\ln x+4$, $y=e^{x-4}$의 그래프의 두 교점의 x좌표를 각각 a, b라 하자.
일차함수 $y=-x+k$의 그래프가 $a\le x\le b$에서 두 함수의 그래프와 만나는 두 점 사이의 거리가 최대가 될 때, 상수 k의 값을 구하여라.

2009년 07월 교육청

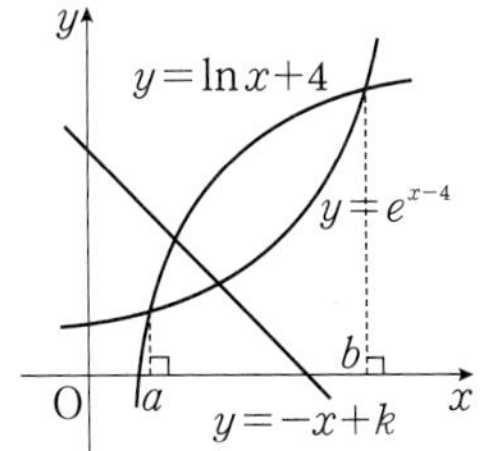

정답 0544 : $\dfrac{1}{2}$ 0545 : ② 0546 : 5

마플개념익힘 06 곡선 밖의 점이 주어진 경우의 접선의 방정식 (1)

다음 물음에 답하여라.

(1) 점 $(0, -1)$에서 곡선 $y=x\ln x$에 그은 접선이 $(5, a)$를 지날 때, a의 값을 구하여라.

(2) 점 $(0, 0)$에서 곡선 $y=\frac{e^x}{x}$에 그은 접선이 $(4, a)$를 지날 때, a의 값을 구하여라.

MAPL CORE 곡선 $y=f(x)$ 밖의 한 점 (x_1, y_1)에서 곡선에 그은 접선의 방정식을 구할 때는 접점의 좌표를 $(t, f(t))$로 놓고 접선 $y-f(t)=f'(t)(x-t)$가 점 (x_1, y_1)을 지남을 이용하여 접점을 구한다.

개념익힘 | 풀이 (1) $y=x\ln x$에서 $y'=\ln x+1$이므로 접점 $(t, t\ln t)$로 놓으면

이 점에서 접선의 방정식은 $y-t\ln t=(\ln t+1)(x-t)$ …… ㉠

이 직선이 점 $(0, -1)$을 지나므로 $-1=-t$ $\therefore t=1$

이 값을 ㉠에 대입하면 접선의 방정식은 $y-0=x-1$, 즉 $y=x-1$

따라서 이 직선이 $(5, a)$를 지나므로 $a=5-1=\mathbf{4}$

(2) $y=\frac{e^x}{x}$에서 $y'=\frac{e^x(x-1)}{x^2}$이므로 접점 $\left(t, \frac{e^t}{t}\right)$로 놓으면

이 점에서 접선의 방정식은 $y-\frac{e^t}{t}=\frac{e^t(t-1)}{t^2}(x-t)$ …… ㉠

이 직선이 점 $(0, 0)$을 지나므로 $-\frac{e^t}{t}=-\frac{e^t(t-1)}{t}$ $\therefore t=2$

이 값을 ㉠에 대입하면 $y-\frac{e^2}{2}=\frac{e^2}{4}(x-2)$, 즉 $y=\frac{e^2}{4}x$

따라서 이 직선이 $(4, a)$를 지나므로 $a=\frac{e^2}{4}\cdot 4=\mathbf{e^2}$

확인유제 0547 다음 물음에 답하여라.

2013학년도 09월 평가원

(1) 점 $(0, -1)$에서 곡선 $y=\ln x+x$에 그은 접선이 점 $(a, 1)$을 지난다. 이때 a의 값을 구하여라.

(2) 점 $(0, 0)$에서 곡선 $y=\frac{\ln x}{x}\ (x>0)$에 그은 접선이 점 $\left(a, \frac{1}{2}\right)$을 지난다. 이때 a의 값을 구하여라.

변형문제 0548 곡선 $y=3e^{x-1}$ 위의 점 A에서의 접선이 원점 O를 지날 때, 선분 OA의 길이는?

2016학년도 수능기출

① $\sqrt{6}$ ② $\sqrt{7}$ ③ $2\sqrt{2}$ ④ 3 ⑤ $\sqrt{10}$

발전문제 0549 다음 물음에 답하여라.

(1) 점 $(1, 0)$에서 곡선 $y=xe^x$에 그은 두 접선의 기울기를 m_1, m_2라고 할 때, m_1m_2의 값은?

① $\frac{1}{e}$ ② 1 ③ e ④ e^2 ⑤ e^3

(2) 원점에서 곡선 $y=(x+1)e^x$에 그은 서로 다른 두 접선의 기울기를 각각 m_1, m_2라고 할 때, m_1m_2의 값은?

① e^{-2} ② e^{-1} ③ 1 ④ e ⑤ e^2

정답 0547 : (1) 1 (2) e 0548 : ⑤ 0549 : (1) ③ (2) ②

마플개념익힘 07 곡선 밖의 점이 주어진 경우의 접선의 방정식 (2)

점 $(k,\ 0)$에서 곡선 $y=(x-1)e^x$에 서로 다른 두 개의 접선을 그을 수 있을 때, k의 값의 범위를 구하여라.

MAPL CORE 곡선 밖의 한 점에서 그은 접선의 개수
[1단계] 접점의 좌표를 $(t,\ f(t))$로 놓고 접선의 방정식을 세운다.
[2단계] 곡선 밖의 점의 좌표를 접선의 방정식에 대입하여 t에 대한 방정식을 만든다.
[3단계] 실근 t의 개수 = 접점의 개수 = 접선의 개수

개념익힘 | 풀이 $f(x)=(x-1)e^x$로 놓으면 $f'(x)=xe^x$

접점의 좌표를 $(t,\ (t-1)e^t)$이라 하면 접선의 기울기는

$f'(t)=te^t$

접선의 방정식은 $y-(t-1)e^t=te^t(x-t)$

이 접선이 점 $(k,\ 0)$을 지나므로 $-(t-1)e^t=te^t(k-t)$

$t^2-(k+1)t+1=0\ (\because e^t>0)$ …… ㉠

점 $(k,\ 0)$에서 곡선에 서로 다른 두 개의 접선을 그으려면 두 개의 접점이 존재해야 하므로

방정식 ㉠이 서로 다른 두 실근을 가져야 한다.

즉 이차방정식 ㉠의 판별식을 D라 하면 $D=(k+1)^2-4>0,\ (k+3)(k-1)>0$

$\therefore$ $\boldsymbol{k<-3}$ **또는** $\boldsymbol{k>1}$

확인유제 **0550** 점 $(a,\ 0)$에서 곡선 $y=xe^{x-1}$에 서로 다른 두 개의 접선을 그을 수 있을 때, 실수 a의 값의 범위를 구하여라.

변형문제 **0551** 다음 물음에 답하여라.

(1) 점 $(a,\ 0)$에서 곡선 $y=xe^{-x}$에 오직 하나의 접선을 그을 수 있을 때, 실수 a값의 합은?

① 2 ② 4 ③ 5 ④ 6 ⑤ 8

(2) 점 $(0,\ 0)$에서 곡선 $y=(x-a)e^{-x}\ (a\neq 0)$에 단 하나의 접선을 그을 수 있을 때, 상수 a의 값은?

① -6 ② -5 ③ -4 ④ 3 ⑤ 6

발전문제 **0552** 점 $(a,\ 0)$에서 곡선 $y=x^2e^x$에 서로 다른 세 개의 접선을 그을 수 있을 때, a의 값의 범위를 구하여라.

정답 0550 : $a<-4$ 또는 $a>0$ 0551 : (1) ② (2) ③ 0552 : $a<-3-2\sqrt{2}$ 또는 $-3+2\sqrt{2}<a<0$ 또는 $a>0$

마플개념익힘 08 곡선과 직선이 접할 때, 미정계수 결정

2010학년도 수능기출

곡선 $y=e^x$ 위의 점 $(1,\ e)$에서의 접선이 곡선 $y=2\sqrt{x-k}$에 접할 때, 실수 k의 값을 구하여라.

MAPL CORE 두 곡선 $y=f(x)$, $y=g(x)$가 공통인 접선을 가지는 경우

(1) 접점이 서로 같은 경우

두 곡선 점 $(a,\ b)$에서 서로 접하면 $f(a)=g(a)=b$, $f'(a)=g'(a)$

(2) 접점이 서로 다른 경우

곡선 $y=f(x)$ 위의 점 $\mathrm{P}(a,\ f(a))$과 곡선 $y=g(x)$ 위의 점 $\mathrm{Q}(b,\ g(b))$에서의 접선이 서로 일치할 때, 두 접선의 기울기가 같고 y절편끼리 서로 같다.

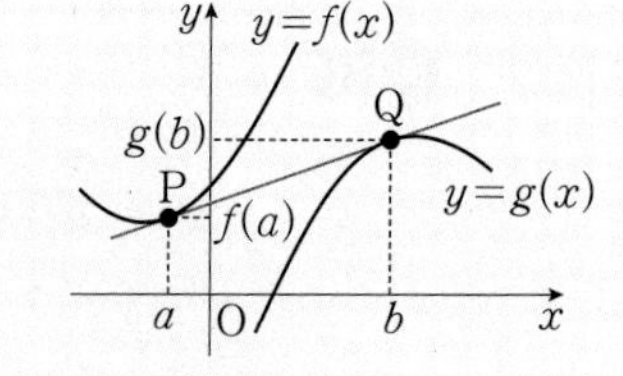

개념익힘 | 풀이 [방법1] 판별식을 이용

$f(x)=e^x$이라 놓으면 $f'(x)=e^x$이고 점 $(1,\ e)$에서의 접선의 기울기는 $f'(1)=e$이므로 접선의 방정식은 $y-e=e(x-1)$ $\quad\therefore y=ex$

직선 $y=ex$가 곡선 $y=2\sqrt{x-k}$에 접하므로 방정식 $ex=2\sqrt{x-k}$가 중근을 가진다.

즉, $e^2x^2=4(x-k)$, $e^2x^2-4x+4k=0$ $\quad\cdots\cdots$ ㉠

이차방정식 ㉠의 판별식을 D라 하면 $\dfrac{D}{4}=4-e^2\cdot 4k=0$ $\quad\therefore k=\mathbf{\dfrac{1}{e^2}}$

[방법2] 두 접선의 방정식이 서로 일치함을 이용

$f(x)=2\sqrt{x-k}$로 놓으면 $f'(x)=\dfrac{1}{\sqrt{x-k}}$이고 접점의 좌표를 $(t,\ 2\sqrt{t-k})$라 하면 이 점에서의 접선의 기울기는 $f'(t)=\dfrac{1}{\sqrt{t-k}}$이므로 접선의 방정식은 $y-2\sqrt{t-k}=\dfrac{1}{\sqrt{t-k}}(x-t)$

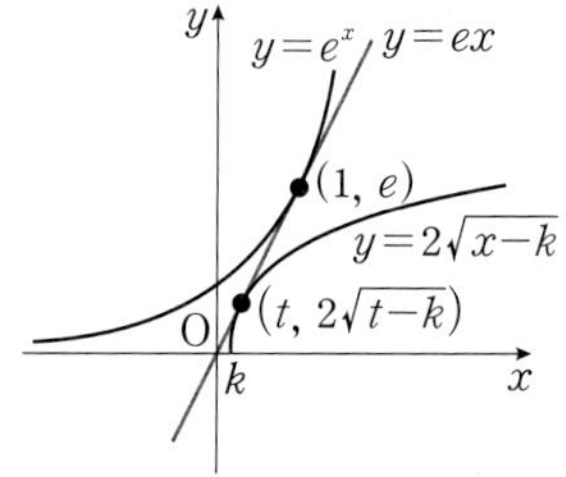

$\therefore y=\dfrac{1}{\sqrt{t-k}}x-\dfrac{t}{\sqrt{t-k}}+2\sqrt{t-k}$ $\quad\cdots\cdots$ ㉡

㉡이 직선 $y=ex$와 일치해야 하므로 $\dfrac{1}{\sqrt{t-k}}=e$ $\quad\cdots\cdots$ ㉢

$-\dfrac{t}{\sqrt{t-k}}+2\sqrt{t-k}=0$ $\quad\cdots\cdots$ ㉣

따라서 ㉣에서 $t=2(t-k)$, $t=2k$이고 ㉢에 대입하면 $\dfrac{1}{\sqrt{2k-k}}=e$ $\quad\therefore k=\mathbf{\dfrac{1}{e^2}}$

확인유제 0553 다음 물음에 답하여라.

(1) 곡선 $y=\tan x$ 위의 점 $\left(\dfrac{\pi}{4},\ 1\right)$에서의 접선이 곡선 $y=-x^2+a$에 접할 때, 상수 a의 값을 구하여라.

(2) 곡선 $y=\ln x$ 위의 점 $(e,\ 1)$에서의 접선이 곡선 $y=x^2+a$에 접할 때, 상수 a의 값을 구하여라.

변형문제 0554 곡선 $y=e^x-1$ 위의 점 $(0,\ 0)$에서의 접선이 곡선 $y=\ln x+a$에 접할 때, 상수 a의 값은?

① $\dfrac{1}{e}$ ② $\dfrac{1}{2}$ ③ 1 ④ e ⑤ $2e$

발전문제 0555 다음 물음에 답하여라.

2020학년도 09월 평가원

(1) 양수 k에 대하여 두 곡선 $y=ke^x+1$, $y=x^2-3x+4$가 점 P에서 만나고, 점 P에서 두 곡선에 접하는 두 직선이 서로 수직일 때, k의 값을 구하여라.

(2) 두 함수 $f(x)=ke^x$, $g(x)=x^3+5x^2+9x+7$에 대하여 두 곡선 $y=f(x)$, $y=g(x)$가 점 P에서 만나고, 점 P에서의 접선이 일치할 때, 모든 실수 k의 값의 곱의 값을 구하여라.

정답 0553 : (1) $-\dfrac{\pi}{2}$ (2) $\dfrac{1}{4e^2}$ 0554 : ③ 0555 : (1) $\dfrac{1}{e}$ (2) $44e^2$

평균값 정리

01 롤의 정리

일반적으로 다음 정리가 성립하는데, 이를 롤의 정리라고 한다.

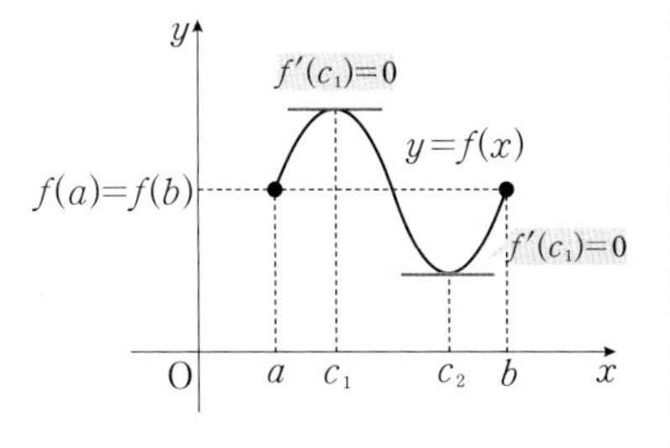

함수 $f(x)$가 닫힌구간 $[a, b]$에서 연속이고 열린구간 (a, b)에서 미분가능할 때,

$f(a)=f(b)$이면 $f'(c)=0$

인 c가 a와 b 사이에 적어도 하나 존재한다.

참고 롤의 정리는 열린구간 (a, b)에서 곡선 $y=f(x)$의 접선이 x축과 평행하게 되는 곳이 적어도 하나 존재함을 뜻한다.

보기 01 다음 함수에 대하여 주어진 구간에서 롤의 정리를 만족하는 c의 값을 구하여라.

(1) $f(x)=\sin x \quad [0, \pi]$ (2) $f(x)=\cos x \quad [0, 2\pi]$

풀이 (1) 함수 $f(x)=\sin x$는 닫힌구간 $[0, \pi]$에서 연속이고 열린구간 $(0, \pi)$에서 미분가능하다.

$f(0)=f(\pi)$이므로 롤의 정리에 의하여 $f'(c)=0$인 c가 구간 $(0, \pi)$에 적어도 하나 존재한다.

$f'(x)=\cos x$이므로 $f'(c)=\cos c=0 \quad \therefore c=\frac{\pi}{2} (\because 0<c<\pi)$

(2) 함수 $f(x)=\cos x$는 닫힌구간 $[0, 2\pi]$에서 연속이고 열린구간 $(0, 2\pi)$에서 미분가능하다.

$f(0)=f(2\pi)=1$이므로 롤의 정리에 의하여 $f'(c)=0$인 c가 열린구간 $(0, 2\pi)$에 존재한다.

$f'(x)=-\sin x$이므로 $f'(c)=-\sin c=0 \quad \therefore c=\pi (\because 0<c<2\pi)$

02 평균값 정리

롤의 정리를 일반화하면 다음이 성립하는데 이를 평균값 정리라고 한다.

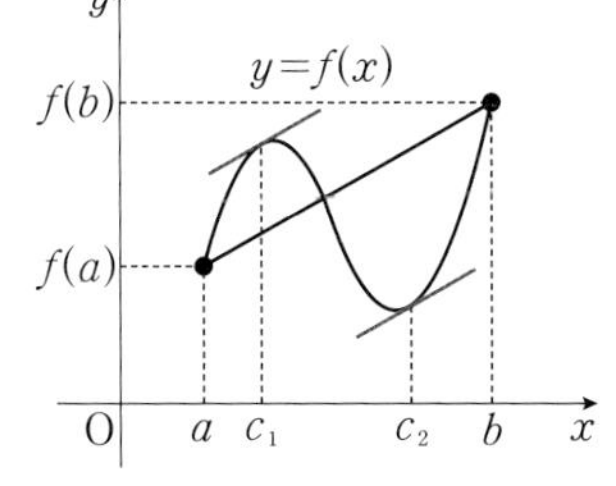

함수 $f(x)$가 닫힌구간 $[a, b]$에서 연속이고, 열린구간 (a, b)에서 미분가능할 때,

$$\frac{f(b)-f(a)}{b-a}=f'(c)$$

인 c가 a와 b 사이에 적어도 하나 존재한다.

참고 평균값 정리는 곡선 $y=f(x)$의 두 점 $\mathrm{A}(a, f(a))$, $\mathrm{B}(b, f(b))$에 대하여 열린구간 (a, b)에서 직선 AB와 평행한 접선을 갖는 접점이 곡선 위에 적어도 하나 존재함을 뜻한다.

보기 02 다음 함수에 대하여 주어진 구간에서 평균값 정리를 만족시키는 상수 c의 값을 구하여라.

(1) $f(x)=e^x \quad [0, 2]$ (2) $f(x)=\ln x \quad [1, e]$

풀이 (1) 함수 $f(x)=e^x$은 닫힌구간 $[0, 2]$에서 연속이고 열린구간 $(0, 2)$에서 미분가능하므로

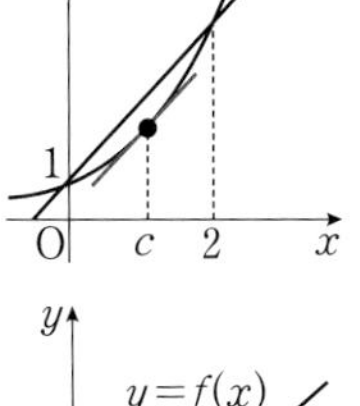

$\frac{f(2)-f(0)}{2-0}=f'(c)$인 c가 구간 $(0, 2)$에 적어도 하나 존재한다.

$f'(x)=e^x$이므로 $\frac{e^2-e^0}{2-0}=e^c$, $e^c=\frac{e^2-1}{2} \quad \therefore c=\ln\frac{e^2-1}{2}$

(2) 함수 $f(x)=\ln x$는 닫힌구간 $[1, e]$에서 연속이고 열린구간 $(1, e)$에서 미분가능하므로

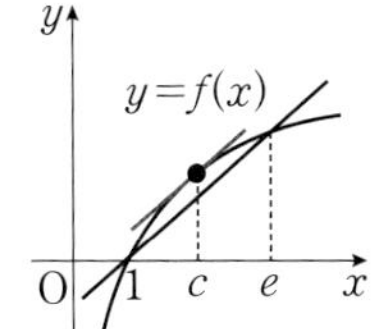

$\frac{f(e)-f(1)}{e-1}=f'(c)$인 c가 열린구간 $(1, e)$에 적어도 하나 존재한다.

$f'(x)=\frac{1}{x}$이므로 $\frac{1-0}{e-1}=\frac{1}{c}$, $\frac{1}{e-1}=\frac{1}{c} \quad \therefore c=e-1$

03 로피탈 정리

함수 $f(x)$, $g(x)$가 $x=a$를 포함하는 구간에서 미분가능하고 $f(a)=0$, $g(a)=0$, $g'(x)\neq 0$일 때,

극한값 $\lim_{x\to a}\frac{f'(x)}{g'(x)}$가 존재하면 다음 등식이 성립한다.

$$\lim_{x\to a}\frac{f(x)}{g(x)}=\lim_{x\to a}\frac{f'(x)}{g'(x)}$$

특강해설 **로피탈 정리의 증명**

$$\lim_{x\to a}\frac{f(x)}{g(x)}=\lim_{x\to a}\frac{f(x)-f(a)}{g(x)-g(a)}=\lim_{x\to a}\frac{\frac{f(x)-f(a)}{x-a}}{\frac{g(x)-g(a)}{x-a}}=\frac{f'(a)}{g'(a)}$$

참고 로피탈 정리는 $f(a)=0$, $g(a)=0$인 경우 외에 다음의 경우에도 성립한다.

① $\lim_{x\to a}f(x)=\lim_{x\to a}g(x)=\infty$ ② $\lim_{x\to \infty}f(x)=\lim_{x\to \infty}g(x)=0$ ③ $\lim_{x\to \infty}f(x)=\lim_{x\to \infty}g(x)=\infty$

이 정리를 이용하면 $\frac{0}{0}$, $\frac{\infty}{\infty}$꼴의 극한값을 쉽게 구할 수 있다.

예를 들면 $\lim_{x\to 1}\frac{\ln x}{x-1}=\lim_{x\to 1}\frac{(\ln x)'}{(x-1)'}=\lim_{x\to 1}\frac{\frac{1}{x}}{1}=\frac{1}{1}=1$

앗! 로피탈 정리는 $\lim_{x\to a}\frac{f'(x)}{g'(x)}$의 값이 존재하는 경우에만 성립함을 주의한다.

예를 들면 $\lim_{x\to \infty}\frac{\sin x-x}{x}$의 값은 $\lim_{x\to \infty}\frac{(\sin x-x)'}{(x)'}=\lim_{x\to \infty}\frac{\cos x-1}{1}$의 값이 존재하지 않으므로 로피탈 정리를 이용하여 구할 수 없다.

보기 03 로피탈 정리를 이용하여 다음 극한값을 구하여라.

(1) $\lim_{x\to 0}\frac{1-\cos x}{x^2}$ (2) $\lim_{x\to 0+}\frac{\ln(\sin x)}{\ln x}$ (3) $\lim_{x\to \infty}\frac{x^2}{e^x}$

풀이

(1) $\lim_{x\to 0}\frac{1-\cos x}{x^2}=\lim_{x\to 0}\frac{(1-\cos x)'}{(x^2)'}=\lim_{x\to 0}\frac{\sin x}{2x}=\frac{1}{2}\lim_{x\to 0}\frac{\sin x}{x}=\frac{1}{2}$

(2) $\lim_{x\to 0+}\frac{\ln(\sin x)}{\ln x}=\lim_{x\to 0+}\frac{\{\ln(\sin x)\}'}{(\ln x)'}=\lim_{x\to 0+}\frac{\frac{\cos x}{\sin x}}{\frac{1}{x}}=\lim_{x\to 0+}\left(\frac{x}{\sin x}\cdot\cos x\right)=1$

(3) $\lim_{x\to \infty}\frac{x^2}{e^x}=\lim_{x\to \infty}\frac{(x^2)'}{(e^x)'}=\lim_{x\to \infty}\frac{2x}{e^x}=\lim_{x\to \infty}\frac{(2x)'}{(e^x)'}=\lim_{x\to \infty}\frac{2}{e^x}=0$

보기 04 로피탈 정리를 이용하여 다음 극한값을 구하여라.

(1) $\lim_{x\to 2}\frac{3^x-3^2}{x-2}$ (2) $\lim_{x\to 0}\frac{\sin x-x}{x^3}$ (3) $\lim_{x\to 0}\frac{e^x-e^{-x}-2x}{x-\sin x}$

풀이

(1) $\lim_{x\to 2}\frac{3^x-3^2}{x-2}=\lim_{x\to 2}\frac{(3^x-3^2)'}{(x-2)'}=\lim_{x\to 2}3^x\ln 3=9\ln 3$

(2) $\lim_{x\to 0}\frac{\sin x-x}{x^3}=\lim_{x\to 0}\frac{(\sin x-x)'}{(x^3)'}=\lim_{x\to 0}\frac{\cos x-1}{3x^2}=\lim_{x\to 0}\frac{(\cos x-1)'}{(3x^2)'}=\lim_{x\to 0}\frac{-\sin x}{6x}$

$=\lim_{x\to 0}\frac{(-\sin x)'}{(6x)'}=\lim_{x\to 0}\frac{-\cos x}{6}$

$=\frac{-\cos 0}{6}=-\frac{1}{6}$

(3) $\lim_{x\to 0}\frac{e^x-e^{-x}-2x}{x-\sin x}=\lim_{x\to 0}\frac{(e^x-e^{-x}-2x)'}{(x-\sin x)'}=\lim_{x\to 0}\frac{e^x+e^{-x}-2}{1-\cos x}=\lim_{x\to 0}\frac{(e^x+e^{-x}-2)'}{(1-\cos x)'}$

$=\lim_{x\to 0}\frac{e^x-e^{-x}}{\sin x}=\lim_{x\to 0}\frac{(e^x-e^{-x})'}{(\sin x)'}=\lim_{x\to 0}\frac{e^x+e^{-x}}{\cos x}=\frac{1+1}{1}=2$

마플개념익힘 01 롤의 정리와 평균값 정리

다음 물음에 답하여라.

(1) 함수 $f(x)=\sin x+\cos x$에 대하여 닫힌구간 $[0, 2\pi]$에서 롤의 정리를 만족하는 모든 상수 c의 값을 구하여라.

(2) 함수 $f(x)=\sqrt{x-1}$에 대하여 닫힌구간 $[2, 10]$에서 평균값의 정리를 만족시키는 상수 c의 값을 구하여라.

MAPL CORE (1) 롤의 정리 : 함수 $f(x)$가 닫힌구간 $[a, b]$에서 연속이고 열린구간 (a, b)에서 미분가능할 때, $f(a)=f(b)$이면 $f'(c)=0$인 c가 열린구간 (a, b)에 적어도 하나 존재한다.

(2) 평균값 정리 : 함수 $f(x)$가 닫힌구간 $[a, b]$에서 연속이고 열린구간 (a, b)에서 미분가능할 때, $\dfrac{f(b)-f(a)}{b-a}=f'(c)$인 c가 열린구간 (a, b)에 적어도 하나 존재한다.

개념익힘 | 풀이 (1) 함수 $f(x)=\sin x+\cos x$는 닫힌구간 $[0, 2\pi]$에서 연속이고 열린구간 $(0, 2\pi)$에서 미분가능하며 $f(0)=f(2\pi)=1$이므로 롤의 정리에 의하여 $f'(c)=0$인 c가 구간 $(0, 2\pi)$에 적어도 하나 존재한다.

$f'(x)=\cos x-\sin x$이므로 $f'(c)=\cos c-\sin c=0$

$\therefore \sin c=\cos c$

따라서 $0<c<2\pi$이므로 $c=\dfrac{\pi}{4}$ 또는 $c=\dfrac{5}{4}\pi$

(2) 함수 $f(x)=\sqrt{x-1}$은 닫힌구간 $[2, 10]$에서 연속이고 열린구간 $(2, 10)$에서 미분가능하므로

$\dfrac{f(10)-f(2)}{10-2}=f'(c)$인 c가 구간 $(2, 10)$에 적어도 하나 존재한다.

$f'(x)=\dfrac{1}{2\sqrt{x-1}}$이므로 $\dfrac{3-1}{10-2}=\dfrac{1}{2\sqrt{c-1}}$, $\sqrt{c-1}=2$, $c-1=4$

$\therefore c=5$

확인유제 0556 다음 물음에 답하여라.

(1) 함수 $f(x)=\dfrac{e^x+e^{-x}}{2}$에 대하여 닫힌구간 $[-e, e]$에서 롤의 정리를 만족하는 상수 c의 값을 구하여라.

(2) 함수 $f(x)=\dfrac{1}{x}$에 대하여 닫힌구간 $[1, 3]$에서 평균값 정리를 만족시키는 상수 c의 값을 구하여라.

변형문제 0557 함수 $f(x)=\ln x^2$에 대하여 닫힌구간 $[1, e]$에서

$$\frac{f(e)-f(1)}{e-1}=f'(c)$$

를 만족시키는 상수 c의 값은? (단, e는 자연로그의 밑이다.)

① $\dfrac{e}{2}$　② $e-1$　③ $\dfrac{e^2}{4}$　④ $\dfrac{e+1}{2}$　⑤ $\dfrac{e+2}{2}$

발전문제 0558 다음 [보기]의 함수 중

$$\frac{f(1)-f(-1)}{2}=f'(c)$$

인 c가 열린구간 $(-1, 1)$에 존재하는 것만을 있는 대로 골라라.

ㄱ. $f(x)=x|x|$　ㄴ. $f(x)=e^{|x|}$　ㄷ. $f(x)=|\sin x|$　ㄹ. $f(x)=\sqrt{x+2}$

정답 0556 : (1) 0 (2) $\sqrt{3}$　0557 : ②　0558 : ㄱ, ㄹ

마플개념익힘 02 평균값 정리의 활용

평균값 정리를 이용하여 다음 극한값을 구하여라.

(1) $\lim\limits_{x \to 0+} \dfrac{e^x - e^{\sin x}}{x - \sin x}$ (2) $\lim\limits_{x \to 0+} \dfrac{\sin x - \sin(\sin x)}{x - \sin x}$

MAPL CORE 미분가능한 함수 $f(x)$를 잡고 적당한 구간 $[a, b]$를 정하여 평균값 정리에 의해 $\dfrac{f(b)-f(a)}{b-a} = f'(c)$가 $a < c < b$를 만족시킴을 이용하여 증명한다.

개념익힘 | **풀이** (1) $x > 0$일 때, $\sin x < x$이므로 $f(x) = e^x$로 놓으면 $f(x)$는 닫힌구간 $[\sin x, x]$에서 연속이고 열린구간 $(\sin x, x)$에서 미분가능하다.

$f'(x) = e^x$이므로 평균값 정리에 의해

$\dfrac{f(x) - f(\sin x)}{x - \sin x} = f'(c) = e^c$인 c가 구간 $(\sin x, x)$에 적어도 하나 존재한다.

이때 $\sin x < c < x$에서 $x \to 0+$이면 $\sin x \to 0+$이므로 $c \to 0+$

$\therefore \lim\limits_{x \to 0+} \dfrac{e^x - e^{\sin x}}{x - \sin x} = \lim\limits_{c \to 0+} e^c = \mathbf{1}$

(2) $x > 0$일 때, $\sin x < x$이므로 $f(x) = \sin x$로 놓으면 $f(x)$는 닫힌구간 $[\sin x, x]$에서 연속이고 열린구간 $(\sin x, x)$에서 미분가능하다.

$f'(x) = \cos x$이므로 평균값 정리에 의해

$\dfrac{f(x) - f(\sin x)}{x - \sin x} = \dfrac{\sin x - \sin(\sin x)}{x - \sin x} = f'(c) = \cos c$인 c가 구간 $(\sin x, x)$에 적어도 하나 존재한다.

이때 $x \to 0+$이면 $\sin x \to 0$, $c \to 0+$

$\therefore \lim\limits_{x \to 0+} \dfrac{\sin x - \sin(\sin x)}{x - \sin x} = \lim\limits_{c \to 0+} \cos c = \mathbf{1}$

확인유제 0559 평균값 정리를 이용하여 다음 극한값을 구하여라.

(1) $\lim\limits_{x \to 2} \dfrac{3^x - 3^2}{x - 2}$ (2) $\lim\limits_{x \to 2+} \dfrac{\sin x - \sin 2}{x - 2}$

변형문제 0560 함수 $f(x) = x + \sin x$에 대하여 함수 $g(x)$를 $g(x) = (f \circ f)(x)$로 정의할 때, $g'(x) = 1$인 x가 구간 $(0, \pi)$에 존재함을 증명하여라.

발전문제 0561 $x > 0$일 때, 부등식

$$\frac{1}{x+1} < \ln(x+1) - \ln x < \frac{1}{x}$$

이 성립함을 평균값 정리를 이용하여 증명하여라.

정답 0559 : (1) $9\ln 3$ (2) $\cos 2$ 0560 : 해설참조 0561 : 해설참조

02 함수의 극대 극소

MAPL ; YOUR MASTER PLAN

01 함수의 증가와 감소

(1) 함수의 증가와 감소

함수 $f(x)$가 어떤 구간에 속하는 임의의 두 수 x_1, x_2에 대하여 다음과 같이 정의한다.

① $x_1 < x_2$일 때, $f(x_1) < f(x_2)$이면 함수 $f(x)$는 이 구간에서 증가한다고 한다.
② $x_1 < x_2$일 때, $f(x_1) > f(x_2)$이면 함수 $f(x)$는 이 구간에서 감소한다고 한다.

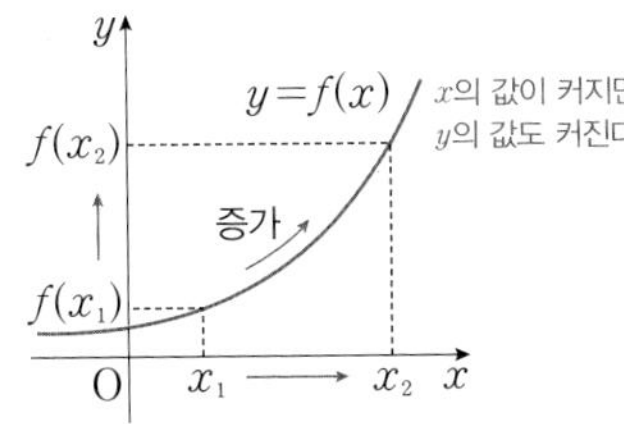

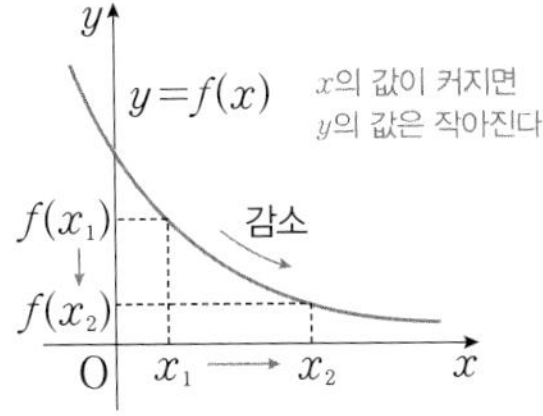

(2) 함수의 증가와 감소의 판정

함수 $y=f(x)$가 어떤 구간에서 미분가능하고, 이 구간의 모든 x에 대하여

① $f'(x) > 0$이면 $f(x)$는 이 구간에서 증가한다.
② $f'(x) < 0$이면 $f(x)$는 이 구간에서 감소한다.
③ $f'(x) = 0$이면 $f(x)$는 이 구간에서 상수함수이다.

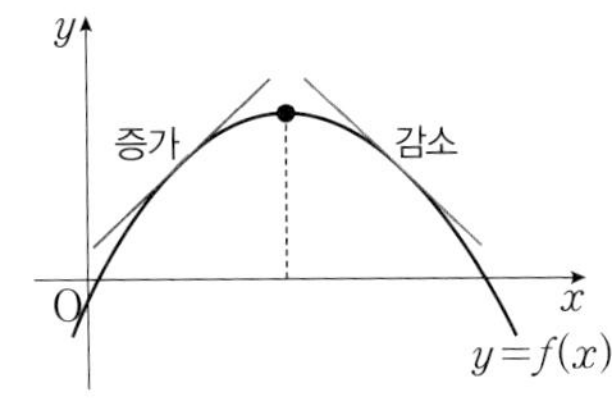

앗! 일반적으로 위의 성질의 역은 성립하지 않는다.
$f(x)=x^3$은 구간 $(-\infty, \infty)$에서 증가이지만 $f'(x)=3x^2$에서 $f'(0)=0$이고
$f(x)=-x^3$은 구간 $(-\infty, \infty)$에서 감소이지만 $f'(x)=-3x^2$에서 $f'(0)=0$이다.
즉, $f'(x)=0$이 되는 x의 값은 증가하는 구간이나 감소하는 구간에 포함될 수 있다.

(3) 함수의 증가 또는 감소하기 위한 조건

함수 $f(x)$가 어떤 열린구간에서 미분가능하고 이 구간의 모든 x에 대하여

① $f(x)$가 증가하면 이 구간의 모든 x에 대하여 $f'(x) \ge 0$이다.
② $f(x)$가 감소하면 이 구간의 모든 x에 대하여 $f'(x) \le 0$이다.

보기 01 다음 함수의 증가, 감소를 조사하여라.

(1) $f(x)=x-\ln x$　　　(2) $f(x)=2xe^{-x}$

풀이 (1) $f'(x)=1-\dfrac{1}{x}=\dfrac{x-1}{x}$이므로 $f'(x)=0$에서 $x=1$

$f'(x)$의 부호를 조사하여 함수 $f(x)$의 증가와 감소를 표로 나타내면 오른쪽과 같다.

x	(0)	$\cdots$	1	$\cdots$
$f'(x)$		$-$	0	$+$
$f(x)$		↘	1	↗

따라서 함수 $f(x)$는 $(0, 1]$에서 감소하고 $[1, \infty)$에서 증가한다.

(2) $f'(x)=2e^{-x}-2xe^{-x}=2e^{-x}(1-x)$이므로

$f'(x)=0$에서 $x=1$

$f'(x)$의 부호를 조사하여 함수 $f(x)$의 증가와 감소를 표로 나타내면 오른쪽과 같다.

x	$\cdots$	1	$\cdots$
$f'(x)$	$+$	0	$-$
$f(x)$	↗	$2e^{-1}$	↘

따라서 함수 $f(x)$는 구간 $(-\infty, 1]$에서 증가하고 구간 $[1, \infty)$에서 감소한다.

02 함수의 극대와 극소

(1) 함수의 극대와 극소

함수 $f(x)$가 $x=a$를 포함하는 어떤 열린구간에 속하는 모든 x에 대하여

① $f(x)\le f(a)$이면 함수 $f(x)$는 $x=a$에서 극대라 하고, $f(a)$를 극댓값이라 한다.

② $f(x)\ge f(b)$이면 함수 $f(x)$는 $x=b$에서 극소라 하고, $f(b)$를 극솟값이라 한다.

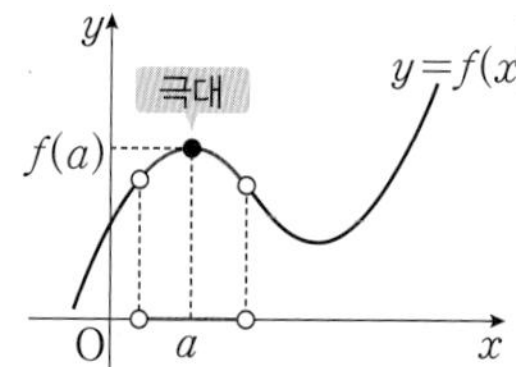

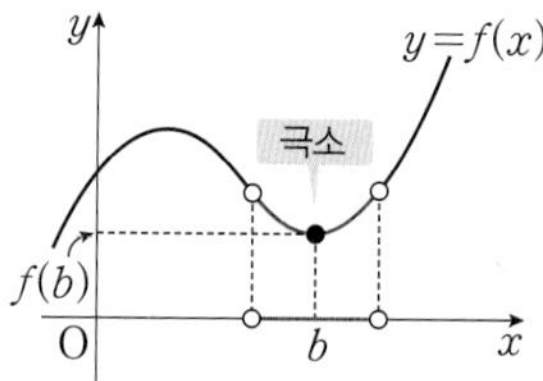

(2) 도함수를 이용한 함수의 극대와 극소의 판정 (도함수의 부호를 이용하여 판정)

함수 $f(x)$가 미분가능하고 $f'(a)=0$일 때, $x=a$의 좌우에서 $f'(x)$의 부호가

① 양 $(+)$에서 음 $(-)$으로 바뀌면 $f(x)$는 $x=a$에서 극대이고, 극댓값은 $f(a)$이다.

② 음 $(-)$에서 양 $(+)$으로 바뀌면 $f(x)$는 $x=a$에서 극소이고, 극솟값은 $f(a)$이다.

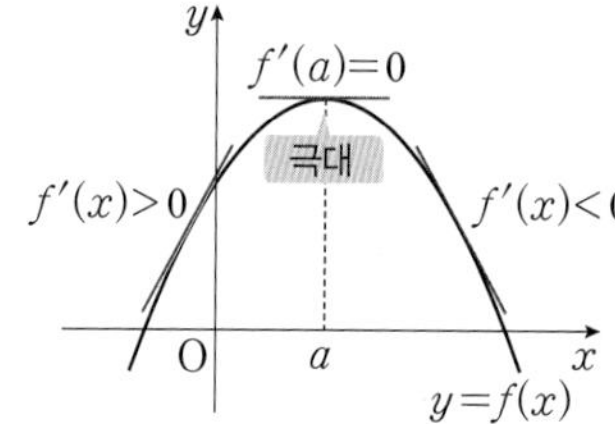

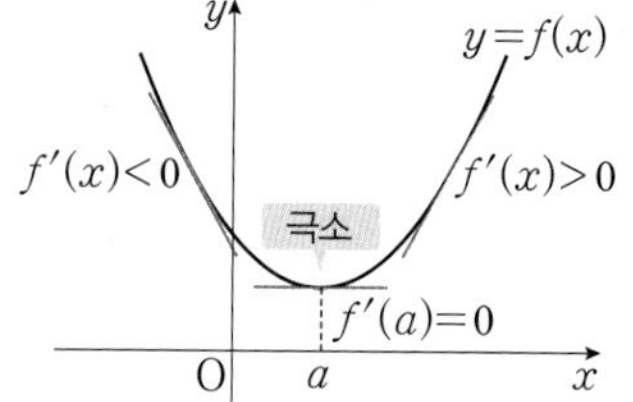

참고 함수 $f(x)$가 미분가능하고 $x=a$에서 극값을 가지면 $f'(a)=0$이다.

마플해설 (1) 함수 $f(x)$가 $x=a$에서 극대이면 $x=a$의 충분히 가까운 근방에서 $f(a)$가 최댓값이고

함수 $f(x)$가 $x=a$에서 극소이면 $x=a$의 충분히 가까운 근방에서 $f(a)$가 최솟값임을 뜻한다.

(2) 함수 $f(x)$가 $x=a$에서 연속이면

$x=a$의 좌우에서 $f(x)$가 증가하다가 감소하면 함수 $f(x)$는 $x=a$에서 극대이고

$x=a$의 좌우에서 $f(x)$가 감소하다가 증가하면 함수 $f(x)$는 $x=a$에서 극소이다.

보기 02 다음 함수의 극값을 구하여라.

(1) $f(x)=x\ln x$ (2) $f(x)=x-e^x$ (3) $f(x)=\dfrac{2x}{x^2+1}$

풀이 (1) $f'(x)=\ln x+x\cdot\dfrac{1}{x}=\ln x+1$이므로 $f'(x)=0$에서 $x=\dfrac{1}{e}$

함수 $f(x)$의 증가와 감소를 표로 나타내면 오른쪽과 같다.

따라서 함수 $f(x)$는 $x=\dfrac{1}{e}$에서 극소이고, 극솟값은 $f\left(\dfrac{1}{e}\right)=-\dfrac{1}{e}$

x	0	$\cdots$	$\dfrac{1}{e}$	$\cdots$
$f'(x)$		$-$	0	$+$
$f(x)$		↘	극소	↗

(2) $f'(x)=1-e^x$이므로 $f'(x)=0$에서 $x=0$

함수 $f(x)$의 증가와 감소를 표로 나타내면 오른쪽과 같다.

따라서 함수 $f(x)$는 $x=0$에서 극댓값 $f(0)=-1$

x	$\cdots$	0	$\cdots$
$f'(x)$	$+$	0	$-$
$f(x)$	↗	극대	↘

(3) $f'(x)=\dfrac{2(x^2+1)-2x\cdot 2x}{(x^2+1)^2}=\dfrac{-2x^2+2}{(x^2+1)^2}$

$f'(x)=0$에서 $x=-1$ 또는 $x=1$

함수 $f(x)$의 증가와 감소를 표로 나타내면 오른쪽과 같다.

따라서 함수 $f(x)$는 $x=-1$에서 극솟값 $f(-1)=-1$

$x=1$에서 극댓값 $f(1)=1$

x	$\cdots$	-1	$\cdots$	1	$\cdots$
$f'(x)$	$-$	0	$+$	0	$-$
$f(x)$	↘	극소	↗	극대	↘

03 이계도함수를 이용한 극대와 극소의 판정

이계도함수를 갖는 함수 $f(x)$에 대하여 $f'(a)=0$일 때,

(1) $f''(a)<0$이면 $f(x)$는 $x=a$에서 극대이고, 극댓값은 $f(a)$이다.

(2) $f''(a)>0$이면 $f(x)$는 $x=a$에서 극소이고, 극솟값은 $f(a)$이다.

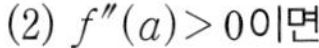

앗! 일반적으로 위의 역은 성립하지 않는다.
예를 들면 $f(x)=x^4$은 $x=0$에서 극소이지만 $f'(x)=4x^3$, $f''(x)=12x^2$에서 $f'(0)=0$, $f''(x)=0$이다.

마플해설 함수 $f(x)$의 이계도함수 $f''(x)$가 존재하고 $f'(a)=0$일 때,
$f''(a)$의 부호를 조사하여 함수 $f(x)$의 극대와 극소를 판정한다.

(1) $f''(a)<0$이면
$f'(x)$는 $x=a$를 포함하는 작은 열린구간에서 감소하고
$f'(a)=0$이므로 $x=a$의 좌우에서 $f'(x)$의 부호는 양에서 음으로 바뀐다.
따라서 $f(x)$는 $x=a$에서 극대가 된다.

(2) $f''(a)>0$이면
$f'(x)$는 $x=a$를 포함하는 작은 열린구간에서 증가하고
$f'(a)=0$이므로 $x=a$의 좌우에서 $f'(x)$의 부호는 음에서 양으로 바뀐다.
따라서 $f(x)$는 $x=a$에서 극소가 된다.

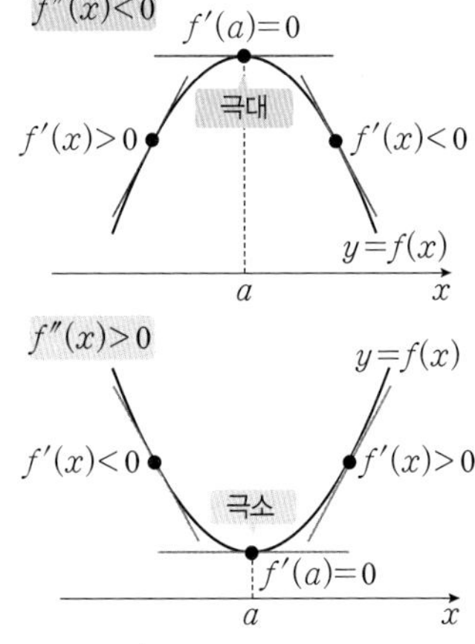

① $f'(a)=0$, $f''(a)<0$ ⇨ $f(x)$는 $x=a$에서 극대
② $f'(a)=0$, $f''(a)>0$ ⇨ $f(x)$는 $x=a$에서 극소

보기 03 이계도함수를 이용하여 다음 함수의 극값을 구하여라.

(1) $f(x)=x^3-3x+2$ (2) $f(x)=x+\dfrac{1}{x}$

풀이 (1) $f(x)=x^3-3x+2$에서 $f'(x)=3x^2-3=3(x-1)(x+1)$이므로 $f'(x)=0$에서 $x=-1$ 또는 $x=1$
$f''(x)=6x$이므로 $f''(-1)=-6<0$, $f''(1)=6>0$
따라서 함수 $f(x)$는 $x=-1$에서 극댓값 $f(-1)=4$, $x=1$에서 극솟값 $f(1)=0$을 갖는다.

(2) $f(x)=x+\dfrac{1}{x}$에서 $f'(x)=1-\dfrac{1}{x^2}$이므로 $f'(x)=0$에서 $x=-1$ 또는 $x=1$
$f''(x)=\dfrac{2}{x^3}$이므로 $f''(-1)=-2<0$, $f''(1)=2>0$
따라서 함수 $f(x)$는 $x=-1$에서 극대이고 극댓값 $f(-1)=-2$이며 $x=1$에서 극소이고 극솟값은 $f(1)=2$

+α 더 알아보기

이계도함수의 정의에 의하여 극대 극소를 판정하는 방법

함수 $f(x)$에 대하여 $f'(x)$, $f''(x)$가 존재할 때, $x=a$에서 $f'(a)=0$, $f''(a)<0$이라고 하자.

$f'(a)=0$이므로 이계도함수의 정의에 의하여 $f''(a)=\lim\limits_{x\to a}\dfrac{f'(x)-f'(a)}{x-a}=\lim\limits_{x\to a}\dfrac{f'(x)}{x-a}$이다.

$f''(a)<0$이므로 a에 충분히 가까운 x에 대하여 다음이 성립한다.

$x<a$일 때, $f''(a)=\lim\limits_{x\to a-}\dfrac{f'(x)}{x-a}<0$이므로 $f'(x)>0$ …… ㉠

$x>a$일 때, $f''(a)=\lim\limits_{x\to a+}\dfrac{f'(x)}{x-a}<0$이므로 $f'(x)<0$ …… ㉡

㉠, ㉡에서 함수 $f(x)$는 $x=a$의 좌우에서 $f'(x)$의 부호가 양에서 음으로 바뀌므로 함수 $f(x)$는 $x=a$에서 극대이다.
마찬가지 방법으로 $f'(a)=0$, $f''(a)>0$이면 함수 $f(x)$는 $x=a$에서 극소임을 알 수 있다.

보기 04 도함수를 이용하여 하거나 이계도함수를 이용하여 다음 함수의 극값을 구하여라.

(1) $f(x)=xe^x$

(2) $f(x)=x+2\cos x(0\le x\le 2\pi)$

풀이 (1) [방법1] 도함수를 이용하여 함수의 극값 구하기

$f(x)=xe^x$에서 $f'(x)=e^x+xe^x=(1+x)e^x$이므로

$f'(x)=0$에서 $1+x=0 \quad \therefore x=-1$

함수 $f(x)$의 증가와 감소를 표로 나타내면 오른쪽과 같다.

x	$\cdots$	-1	$\cdots$
$f'(x)$	$-$	0	$+$
$f(x)$	↘	극소	↗

따라서 $x=-1$에서 극소이고 극솟값은 $f(-1)=-\frac{1}{e}$

[방법2] 이계도함수를 이용하여 함수의 극값 구하기

$f(x)=xe^x$에서 $f'(x)=e^x+xe^x=(1+x)e^x$이므로

$f'(x)=0$에서 $1+x=0 \quad \therefore x=-1$

$f''(x)=e^x+(1+x)e^x=(2+x)e^x$이므로 $f''(-1)=e^{-1}>0$

따라서 $x=-1$에서 극소이고 극솟값은 $f(-1)=-\frac{1}{e}$

(2) [방법1] 도함수를 이용하여 함수의 극값 구하기

$f(x)=x+2\cos x$에서 $f'(x)=1-2\sin x$이므로

$f'(x)=0$에서 $\sin x=\frac{1}{2} \quad \therefore x=\frac{\pi}{6}$ 또는 $x=\frac{5}{6}\pi$

함수 $f(x)$의 증가와 감소를 표로 나타내면 오른쪽과 같다.

x	$\cdots$	$\frac{\pi}{6}$	$\cdots$	$\frac{5}{6}\pi$	$\cdots$
$f'(x)$	$+$	0	$-$	0	$+$
$f(x)$	↗	극대	↘	극소	↗

따라서 함수 $f(x)$는 $x=\frac{\pi}{6}$에서 극대이고 극댓값 $f\left(\frac{\pi}{6}\right)=\frac{\pi}{6}+\sqrt{3}$,

$x=\frac{5}{6}\pi$에서 극소이고 극솟값 $f\left(\frac{5}{6}\pi\right)=\frac{5}{6}\pi-\sqrt{3}$

[방법2] 이계도함수를 이용하여 함수의 극값 구하기

$f(x)=x+2\cos x$에서 $f'(x)=1-2\sin x$이므로

$f'(x)=0$에서 $\sin x=\frac{1}{2} \quad \therefore x=\frac{\pi}{6}$ 또는 $x=\frac{5}{6}\pi$ ⬅ $0\le x\le 2\pi$

$f''(x)=-2\cos x$이므로 $f''\left(\frac{\pi}{6}\right)=-\sqrt{3}<0$, $f''\left(\frac{5}{6}\pi\right)=\sqrt{3}>0$

따라서 함수 $f(x)$는 $x=\frac{\pi}{6}$에서 극대이고 극댓값 $f\left(\frac{\pi}{6}\right)=\frac{\pi}{6}+\sqrt{3}$,

$x=\frac{5}{6}\pi$에서 극소이고 극솟값 $f\left(\frac{5}{6}\pi\right)=\frac{5}{6}\pi-\sqrt{3}$

FOCUS

(1) 미분가능한 함수 $f(x)$가 극값을 가질 조건

⇨ 함수 $f(x)$에서 $f'(x)=0$의 실근이 존재하고 그 실근의 좌우에서 $f'(x)$의 부호가 바뀌어야 한다.

(2) 미분가능한 함수 $f(x)$가 극값을 갖지 않을 조건

⇨ $f'(x)=0$의 해가 존재하지 않거나 $f'(x)$의 부호가 바뀌지 않는다.

참고 $f'(x)$의 부호가 바뀌지 않는 경우

① $f'(x)=0$이 중근을 가질 때,

예를 들면 $f'(x)=p(x-\alpha)^2$($p>0$인 상수일 때), $f'(x)=p(x-\alpha)^2\ge 0$이므로 $f'(x)$의 부호는 바뀌지 않는다.

같은 방법으로 $p<0$인 상수일 때, $f'(x)=p(x-\alpha)^2\le 0$이므로 $f'(x)$의 부호는 바뀌지 않는다.

② $f'(x)=0$인 $\sin x=\pm1$, $\cos x=\pm1$을 가질 때,

예를 들면 $f'(x)=1\pm\sin x$이면 $f'(x)=1\pm\sin x\ge 0$이므로 $f'(x)$의 부호는 바뀌지 않는다.

$f'(x)=1\pm\cos x$이면 $f'(x)=1\pm\cos x\ge 0$이므로 $f'(x)$의 부호는 바뀌지 않는다.

마플개념익힘 01 함수의 증가와 감소

함수 $f(x)=(x^2+ax+2)e^{-x}$가 구간 $(-\infty, \infty)$에서 감소하도록 하는 실수 a의 값의 범위를 구하여라.

MAPL CORE 함수 $f(x)$가 어떤 구간에서 미분가능할 때,
① $f(x)$가 주어진 구간에서 증가하면 $f'(x)\geq 0$이다.
② $f(x)$가 주어진 구간에서 감소하면 $f'(x)\leq 0$이다.

참고 모든 실수 x에 대하여 $ax^2+bx+c\geq 0$일 조건은
⇨ $a>0$, $D\leq 0$

개념익힘 | 풀이 $f(x)=(x^2+ax+2)e^{-x}$에서

$f'(x)=(2x+a)e^{-x}-(x^2+ax+2)e^{-x}$
$=\{-x^2+(2-a)x+a-2\}e^{-x}$

역함수 존재
↔ 일대일 대응
↔ 증가 또는 감소함수

주어진 함수가 실수 전체의 집합에서 감소하려면 모든 실수 x에 대하여
$f'(x)=\{-x^2+(2-a)x+a-2\}e^{-x}\leq 0$이어야 한다.
이때 $e^{-x}>0$이므로 모든 실수 x에 대하여 $-x^2+(2-a)x+a-2\leq 0$이어야 한다.
이차방정식 $-x^2+(2-a)x+a-2=0$의 판별식을 D라 하면
$D=(2-a)^2+4(a-2)\leq 0$, $a^2-4\leq 0$
$\therefore\ \mathbf{-2\leq a\leq 2}$

확인유제 0562 다음 물음에 답하여라.
2016년 03월 교육청

(1) 실수 전체의 집합에서 함수 $f(x)=(x^2+2ax+11)e^x$이 증가하도록 하는 자연수 a의 최댓값은?
① 3　② 4　③ 5　④ 6　⑤ 7

(2) 함수 $f(x)=(x^2+1)e^{ax}$이 모든 실수 x에 대하여 감소할 때, 실수 a의 최댓값은?
① -2　② -1　③ 1　④ 2　⑤ 3

변형문제 0563 다음 물음에 답하여라.

(1) 함수 $f(x)=x-\ln(x^2+a)$가 실수 전체의 구간에서 증가할 때, 양수 a의 최솟값은?
① 1　② 2　③ 3　④ 4　⑤ 5

(2) 함수 $f(x)=ax+3\ln(x^2+1)$이 실수 전체의 집합에서 증가하도록 하는 양수 a의 최솟값은?
① 1　② 2　③ 3　④ 4　⑤ 5

발전문제 0564 정의역이 실수 전체의 집합인 함수 $f(x)=\left(x^2-ax+\frac{5}{4}a\right)e^x$이 역함수를 가지도록 하는 실수 a의 범위를 구하여라. (단, e는 자연로그의 밑이다.)

정답 0562 : (1) ① (2) ②　0563 : (1) ① (2) ③　0564 : $1\leq a\leq 4$

함수 $f(x)=(ax^2-1)e^x$가 구간 $(-3,\ -1)$에서 감소하기 위한 상수 a의 값의 범위를 구하여라. (단, $a>0$)

MAPL CORE 삼차함수 $y=f(x)$가 특정한 구간 $(a,\ b)$에서 증가하거나 특정한 구간 $(c,\ d)$에서 감소하는 조건으로부터 미정계수를 구하는 경우, $y=f'(x)$의 그래프를 이용한다.

① 함수 $f(x)$가 증가 구간에서 $f'(x)\geq 0$이다. ⇨ $f'(a)\geq 0,\ f'(b)\geq 0$

② 함수 $f(x)$가 감소 구간에서 $f'(x)\leq 0$이다. ⇨ $f'(c)\leq 0,\ f'(d)\leq 0$

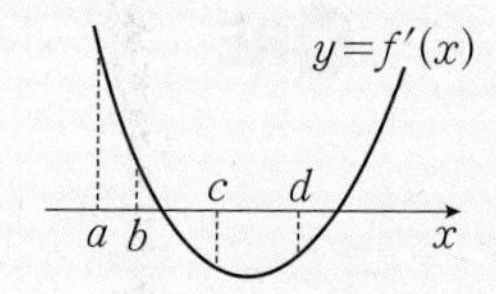

개념익힘 | **풀이** $f(x)=(ax^2-1)e^x$에서

$f'(x)=2axe^x+(ax^2-1)e^x=(ax^2+2ax-1)e^x$

함수 $f(x)$가 구간 $-3<x<-1$에서 감소하려면 이 구간에서 $f'(x)\leq 0$이어야 한다.

이때 $e^x>0$이므로 $g(x)=ax^2+2ax-1\leq 0$로 놓으면

$g(-3)\leq 0,\ g(-1)\leq 0$이어야 한다.

$g(-3)=9a-6a-1\leq 0 \quad \therefore a\leq\frac{1}{3}$

$g(-1)=a-2a-1\leq 0 \quad \therefore a\geq -1$

따라서 $a>0$이므로 공통범위는 $\mathbf{0<a\leq\frac{1}{3}}$이다.

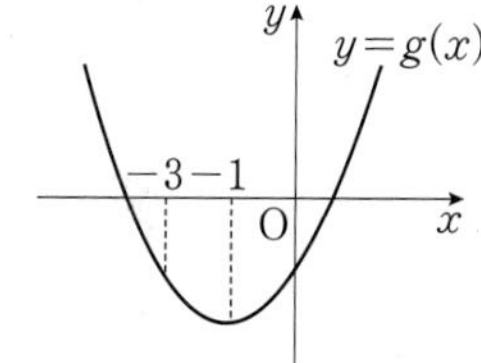

확인유제 0565 함수 $f(x)=(x^2+kx)e^x$이 구간 $(-3,\ -2)$에서 감소하기 위한 상수 k값의 범위를 구하여라.

변형문제 0566 $f(0)=2,\ f(1)=3,\ f(2)=2,\ f(3)=1,\ f'(1)=0,\ f'(3)=0$인 미분가능한 함수 $y=f(x)$의 그래프가 오른쪽 그림과 같다.
함수 $g(x)=(f\circ f)(x)$에 대하여 옳은 것만을 [보기]에서 있는 대로 고른 것은?

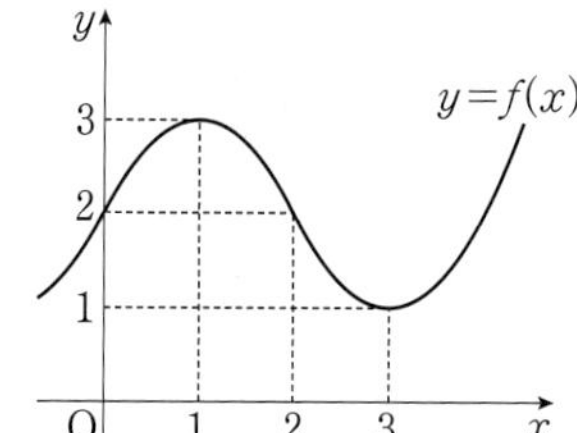

ㄱ. $g'(1)=0$ ㄴ. 함수 $g(x)$는 열린구간 $(0,\ 1)$에서 감소한다. ㄷ. 함수 $g(x)$는 열린구간 $(1,\ 3)$에서 증가한다.

① ㄱ ② ㄷ ③ ㄱ, ㄴ
④ ㄴ, ㄷ ⑤ ㄱ, ㄴ, ㄷ

발전문제 0567 2014학년도 05월 평가원

열린구간 $(0,\ 5)$에서 미분가능한 두 함수 $f(x),\ g(x)$의 그래프가 오른쪽 그림과 같다. 합성함수 $h(x)=(f\circ g)(x)$에 대하여 옳은 것만을 [보기]에서 있는 대로 고른 것은?

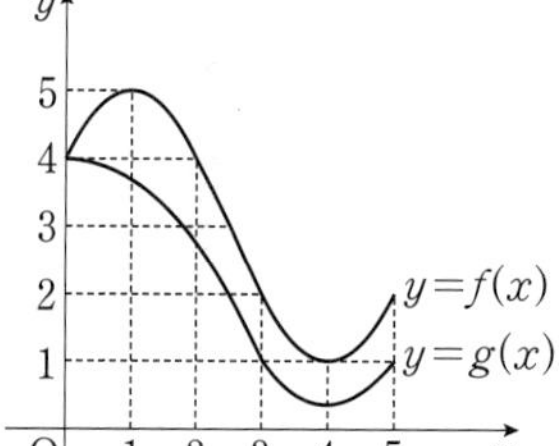

ㄱ. $h(3)=4$ ㄴ. $h'(2)\geq 0$ ㄷ. 함수 $h(x)$는 구간 $(3,\ 4)$에서 감소한다.

① ㄱ ② ㄴ ③ ㄷ
④ ㄱ, ㄴ ⑤ ㄴ, ㄷ

정답 0565 : $k\geq\frac{3}{2}$ 0566 : ⑤ 0567 : ⑤

마플개념익힘 03 지수함수와 로그함수의 극대 극소

다음 함수의 극값을 구하여라.

(1) $f(x)=x^2e^x$　　　　(2) $f(x)=\ln x-x$

MAPL CORE

(1) 지수함수의 미분법을 이용하여 $f'(x)=0$인 x의 값을 찾아 증감표를 만들거나 이계도함수를 이용하여 구한다.

(2) 로그함수 $f(x)=\ln g(x)$의 극대 극소는 진수 $g(x)>0$을 만족하는 x의 값의 범위를 구하고 이 범위에서 $f'(x)$의 부호를 조사하여 증감표를 만들어 극값을 구한다.

참고 로그함수의 극대 극소는 이계도함수를 구하는 것이 번거로운 경우가 많으므로 증감표를 이용하여 극값을 구한다.

개념익힘 | 풀이

(1) $f(x)=x^2e^x$에서 $f'(x)=2xe^x+x^2e^x=x(x+2)e^x$

$f'(x)=0$에서 항상 $e^x>0$이므로 $x=-2$ 또는 $x=0$

함수 $f(x)$의 증가와 감소를 표로 나타내면 오른쪽과 같다.

x	$\cdots$	-2	$\cdots$	0	$\cdots$
$f'(x)$	$+$	0	$-$	0	$+$
$f(x)$	↗	극대	↘	극소	↗

따라서 함수 $f(x)$는 $x=-2$에서 극댓값 $f(-2)=\mathbf{\frac{4}{e^2}}$, $x=0$에서 극솟값 $f(0)=\mathbf{0}$을 가진다.

(2) $f(x)=\ln x-x$에서 $f'(x)=\frac{1}{x}-1=\frac{1-x}{x}$

$f'(x)=0$에서 $x=1$

함수 $f(x)$는 $x>0$에서의 증가와 감소를 표로 나타내면 오른쪽과 같다.

x	(0)	$\cdots$	1	$\cdots$
$f'(x)$		$+$	0	$-$
$f(x)$		↗	극대	↘

따라서 함수 $f(x)$는 $x=1$에서 극대이고 극댓값 $f(1)=\mathbf{-1}$

다른풀이 이계도함수를 이용하여 극값을 구한다.

(1) $f'(x)=2x\cdot e^x+x^2\cdot e^x=(2x+x^2)e^x$에서 $f''(x)=(2+2x)e^x+(2x+x^2)e^x=(x^2+4x+2)e^x$

즉, $f''(-2)=-2e^2<0$, $f''(0)=2>0$이므로 함수 $f(x)$는 $x=-2$에서 극댓값 $f(-2)=\frac{4}{e^2}$

극솟값 $f(0)=0$을 갖는다.

(2) $f'(x)=\frac{1}{x}-1=\frac{1-x}{x}$에서 $f''(x)=\frac{-1}{x^2}$

즉, $f''(1)=-1<0$이므로 함수 $f(x)$는 $x=1$에서 극댓값 $f(1)=-1$을 갖는다.

확인유제 0568

다음 물음에 답하여라.

2020학년도 09월 평가원

(1) 함수 $f(x)=(x^2-3)e^{-x}$의 극댓값과 극솟값을 각각 a, b라 할 때, ab의 값은?

① $-12e^2$　② $-12e$　③ $-\frac{12}{e}$　④ $-\frac{12}{e^2}$　⑤ $-\frac{12}{e^3}$

2017학년도 06월 평가원

(2) 함수 $f(x)=(x^2-8)e^{-x+1}$의 극솟값 a와 극댓값 b를 갖는다. 두 수 a, b의 곱 ab의 값은?

① -34　② -32　③ -30　④ -28　⑤ -26

변형문제 0569

다음 물음에 답하여라.

(1) 함수 $f(x)=\frac{\ln x}{2x}$가 $x=a$에서 극댓값 b를 가질 때, ab의 값은? (단, e는 자연로그의 밑이다.)

① $\frac{1}{2}$　② 1　③ e　④ $2e$　⑤ e^2

(2) 함수 $f(x)=x(\ln x)^3$은 $x=a$에서 극솟값 b를 가질 때, $a-b$의 값은?

① $20e^{-3}$　② $22e^{-3}$　③ $24e^{-3}$　④ $26e^{-3}$　⑤ $28e^{-3}$

발전문제 0570

다음 물음에 답하여라.

(1) 함수 $f(x)=\frac{1}{2}x^2-6x+8\ln x$의 극댓값을 M, 극솟값을 m이라 할 때, $2M-m$의 값을 구하여라.

(2) 함수 $f(x)=\frac{e^x}{x^2-x+1}$의 극댓값을 M, 극솟값을 m이라 할 때, mM의 값을 구하여라.

정답 0568 : (1) ④ (2) ②　0569 : (1) ① (2) ⑤　0570 : (1) -4 (2) $\frac{e^3}{3}$

$0<x<2\pi$에서 다음 함수 $f(x)$의 극값을 구하여라.

(1) $f(x)=\sin x-x\cos x$ (2) $f(x)=e^{-x}\sin x$

MAPL CORE [1단계] 삼각함수의 미분법과 삼각함수의 여러 가지 공식을 이용하여 $f'(x)$를 구한다.

[2단계] 주어진 x의 값의 범위에서 삼각방정식의 풀이를 이용하여 $f'(x)=0$의 해를 구한다.

[3단계] $f'(x)$의 부호를 조사하여 증감표를 만든다.

참고 삼각함수의 극대 극소는 이계도함수를 구하는 것이 번거로운 경우가 많으므로 증감표를 이용하여 극값을 구한다.

개념익힘 | 풀이 (1) $f(x)=\sin x-x\cos x$에서

$f'(x)=\cos x-(\cos x-x\sin x)=x\sin x$

$f'(x)=0$에서 $x\sin x=0$, $x=\pi$ ($\because 0<x<2\pi$)

x	(0)	$\cdots$	π	$\cdots$	(2π)
$f'(x)$		$+$	0	$-$	
$f(x)$	(0)	↗	π	↘	(-2π)

이때 $0<x<2\pi$에서 함수 $f(x)$의 증가와 감소를 표로 나타내면 오른쪽과 같다.

따라서 $f(x)$는 $x=\pi$에서 극댓값 $f(\pi)=\boldsymbol{\pi}$

(2) $f(x)=e^{-x}\sin x$에서

$f'(x)=-e^{-x}\sin x+e^{-x}\cos x=-e^{-x}(\sin x-\cos x)$

$f'(x)=0$에서

$-e^{-x}\sin x+e^{-x}\cos x=0$, $\cos x=\sin x$ ($\because e^{-x}>0$)

$x=\frac{\pi}{4}$ 또는 $\frac{5}{4}\pi$

x	(0)	$\cdots$	$\frac{\pi}{4}$	$\cdots$	$\frac{5}{4}\pi$	$\cdots$	(2π)
$f'(x)$		$+$	0	$-$	0	$+$	
$f(x)$	(0)	↗	극대	↘	극소	↗	(0)

이때 $0<x<2\pi$에서 함수 $f(x)$의 증가와 감소를 표로 나타내면 오른쪽과 같다.

함수 $f(x)$는 $x=\frac{\pi}{4}$에서 극댓값 $f\left(\frac{\pi}{4}\right)=\boldsymbol{\frac{\sqrt{2}}{2}e^{-\frac{\pi}{4}}}$이고 $x=\frac{5}{4}\pi$에서 극솟값 $f\left(\frac{5}{4}\pi\right)=\boldsymbol{-\frac{\sqrt{2}}{2}e^{-\frac{5}{4}\pi}}$

다른풀이 이계도함수를 이용하여 극값을 구한다.

(1) $f'(x)=x\sin x$에서 $f''(x)=\sin x+x\cos x$

즉, $f''(\pi)=-\pi<0$이므로 $x=\pi$에서 극댓값 $f(\pi)=\pi$를 갖는다.

(2) $f'(x)=-e^{-x}(\sin x-\cos x)$에서 $f''(x)=e^{-x}(\sin x-\cos x)-e^{-x}(\cos x+\sin x)=-2e^{-x}\cos x$

즉, $f''\left(\frac{\pi}{4}\right)=-\sqrt{2}e^{-\frac{\pi}{4}}<0$이므로 $x=\frac{\pi}{4}$에서 극댓값 $f\left(\frac{\pi}{4}\right)=\frac{\sqrt{2}}{2}e^{-\frac{\pi}{4}}$

$f''\left(\frac{5}{4}\pi\right)=\sqrt{2}e^{-\frac{5}{4}\pi}>0$이므로 $x=\frac{5}{4}\pi$에서 극솟값 $f\left(\frac{5}{4}\pi\right)=-\frac{\sqrt{2}}{2}e^{-\frac{5}{4}\pi}$

확인유제 0571 주어진 범위에서 다음 함수 $f(x)$의 극값을 구하여라.

(1) $f(x)=e^{x}\sin x\,(0\le x\le 2\pi)$ (2) $f(x)=\tan x-2x\left(-\frac{\pi}{2}<x<\frac{\pi}{2}\right)$

변형문제 0572 열린구간 $(0, 2\pi)$에서 정의된 함수 $f(x)=e^{x}(\sin x+\cos x)$의 극댓값을 M, 극솟값을 m이라 할 때, Mm의 값은?

2013년 04월 교육청

① $-e^{2\pi}$ ② $-e^{\pi}$ ③ $\frac{1}{e^{3\pi}}$ ④ $\frac{1}{e^{2\pi}}$ ⑤ $\frac{1}{e^{\pi}}$

발전문제 0573 열린구간 $(0, 2\pi)$에서 정의된 함수 $f(x)=\frac{\sin x}{e^{2x}}$가 $x=a$에서 극솟값을 가질 때, $\cos a$의 값은?

2013년 03월 교육청

① $-\frac{2\sqrt{5}}{5}$ ② $-\frac{\sqrt{5}}{5}$ ③ 0 ④ $\frac{\sqrt{5}}{5}$ ⑤ $\frac{2\sqrt{5}}{5}$

정답 0571 : (1) 극댓값 $\frac{\sqrt{2}}{2}e^{\frac{3}{4}\pi}$ 극솟값 $-\frac{\sqrt{2}}{2}e^{\frac{7}{4}\pi}$ (2) 극댓값 $-1+\frac{\pi}{2}$ 극솟값 $1-\frac{\pi}{2}$ 0572 : ① 0573 : ①

마플개념익힘 05 극대 극소를 이용한 미정계수의 결정

다음 물음에 답하여라.

(1) 함수 $f(x)=\frac{x^2+ax+b}{x+1}$가 $x=-4$에서 극댓값 -9를 가질 때, 이 함수의 극솟값을 구하여라.

(2) 함수 $f(x)=\ln x^3+\frac{a}{x}+bx$가 $x=1$에서 극솟값 1을 가질 때, 상수 a, b의 값과 함수 $f(x)$의 극댓값을 구하여라.

MAPL CORE 미분가능한 함수 $y=f(x)$가 $x=a$에서 극값 b를 가지면 ⇨ $f(a)=b$, $f'(a)=0$

개념익힘 | 풀이

(1) $f(x)=\frac{x^2+ax+b}{x+1}$에서 $f'(x)=\frac{x^2+2x+a-b}{(x+1)^2}$

함수 $f(x)$가 $x=-4$에서 극댓값 -9를 가지므로 $f(-4)=-9$, $f'(-4)=0$

$f(-4)=\frac{16-4a+b}{-3}=-9$에서 $-4a+b=11$ …… ㉠

$f'(-4)=\frac{a-b+8}{9}=0$에서 $a-b=-8$ …… ㉡

㉠, ㉡을 연립하여 풀면 $a=-1$, $b=7$ $\therefore f(x)=\frac{x^2-x+7}{x+1}$

$f'(x)=\frac{x^2+2x-8}{(x+1)^2}=\frac{(x+4)(x-2)}{(x+1)^2}$

$f'(x)=0$에서 $x=-4$ 또는 $x=2$

함수 $f(x)$의 증가와 감소를 표로 나타내면 오른쪽과 같다.

x	…	-4	…	(-1)	…	2	…
$f'(x)$	+	0	−		−	0	+
$f(x)$	↗	극대	↘		↘	극소	↗

따라서 함수 $f(x)$는 $x=2$일 때, 극솟값은 $f(2)=\mathbf{3}$

(2) $f(x)=\ln x^3+\frac{a}{x}+bx$에서 $x>0$이고 $f'(x)=\frac{3}{x}-\frac{a}{x^2}+b=\frac{bx^2+3x-a}{x^2}$

이때 함수 $f(x)$는 $x=1$에서 극솟값 1을 가지므로 $f(1)=1$, $f'(1)=0$

$f(1)=a+b=1$, $f'(1)=b+3-a=0$ 두 식을 연립하면 풀면 $a=2$, $b=-1$

이때 $f(x)=\ln x^3+\frac{2}{x}-x$, $f'(x)=\frac{-(x-1)(x-2)}{x^2}$

$f'(x)=0$에서 $x=1$ 또는 $x=2$

함수 $f(x)$의 증가와 감소를 표로 나타내면 오른쪽과 같다.

x	(0)	…	1	…	2	…
$f'(x)$		−	0	+	0	−
$f(x)$		↘	극소	↗	극대	↘

따라서 함수 $f(x)$는 $x=2$에서 극댓값은 $f(2)=\ln 2^3+1-2=\mathbf{3\ln 2-1}$

확인유제 0574 다음 물음에 답하여라.

(1) 함수 $f(x)=\frac{x+k}{x^2-x+1}$가 $x=0$에서 극솟값을 가질 때, 극댓값을 구하여라. (단, k는 상수이다.)

(2) 함수 $f(x)=x^2+ax+b+4\ln(x+1)$이 $x=0$에서 극댓값 5를 가질 때, 함수 $f(x)$의 극솟값을 구하여라.

변형문제 0575 다음 물음에 답하여라.

2019년 03월 교육청

(1) 함수 $f(x)=\tan(\pi x^2+ax)$가 $x=\frac{1}{2}$에서 극솟값 k를 가질 때, k의 값은? (단, a는 상수이다.)

① $-\sqrt{3}$ ② -1 ③ $-\frac{\sqrt{3}}{3}$ ④ 0 ⑤ $\frac{\sqrt{3}}{3}$

2012학년도 06월 평가원

(2) 함수 $f(x)=\frac{1}{2}x^2-a\ln x\,(a>0)$의 극솟값이 0일 때, 상수 a의 값은?

① $\frac{1}{e}$ ② $\frac{2}{e}$ ③ $\sqrt{e}$ ④ e ⑤ $2e$

발전문제 0576 두 함수 $f(x)=e^x(x^2+ax+b)$, $g(x)=e^{-x}(x^2+ax+b)$는 각각 $x=-3$, $x=2$에서 극댓값을 갖는다. 두 함수 $f(x)$, $g(x)$의 극솟값을 각각 m_1, m_2라 할 때, m_1+m_2의 값을 구하여라. (단, a, b는 상수이다.)

2014학년도 사관기출

정답 0574 : (1) $\frac{1}{3}$ (2) $2+4\ln 2$ 0575 : (1) ② (2) ④ 0576 : $-1-e$

마플개념익힘 06 극값을 가질 조건 (극값을 갖지 않을 조건)

다음 물음에 답하여라.

(1) 함수 $f(x)=-\ln x^2+\frac{a}{x}+2x$가 극값을 갖지 않을 때, a의 값의 범위를 구하여라.

(2) 함수 $f(x)=(x^2+2x-k)e^x$이 극댓값과 극솟값을 모두 가지도록 하는 상수 k값의 범위를 구하여라.

MAPL CORE 함수 $f(x)$가 극값을 가질 조건 ⇨ $f'(x)=0$의 실근을 조사한다.

① 함수 $f(x)$가 극값을 갖지 않으려면 $f'(x)=0$은 중근 또는 허근을 가져야 한다.

② 함수 $f(x)$에 대하여 역함수 존재 $\Longleftrightarrow$ 일대일 대응 $\Longleftrightarrow$ 증가함수 또는 감소함수 $\Longleftrightarrow$ 극값을 갖지 않는다.

개념익힘 | **풀이** (1) $f(x)=-\ln x^2+\frac{a}{x}+2x$에서 $f'(x)=-\frac{2x}{x^2}-\frac{a}{x^2}+2=\frac{2x^2-2x-a}{x^2}$

$f(x)=0$에서 $x^2>0$이므로 $2x^2-2x-a=0$ …… ㉠

함수 $f(x)$가 극값을 갖지 않으려면 이차방정식 ㉠이 중근 또는 허근을 가져야 한다.

이때 이차방정식 ㉠의 판별식을 D라 하면

$\frac{D}{4}=1+2a\leq 0$ $\therefore$ $\boldsymbol{a\leq -\frac{1}{2}}$

(2) $f(x)=(x^2+2x-k)e^x$에서 $f'(x)=(2x+2)e^x+(x^2+2x-k)e^x=(x^2+4x+2-k)e^x$

$f'(x)=0$에서 $e^x>0$이므로 $x^2+4x+2-k=0$ …… ㉠

함수 $f(x)$가 극댓값과 극솟값을 모두 가지려면 이차방정식 ㉠이 서로 다른 두 실근을 가져야 한다.

이때 이차방정식 ㉠의 판별식을 D라 하면

$\frac{D}{4}=4-(2-k)>0$ $\therefore$ $\boldsymbol{k>-2}$

확인유제 0577 다음 물음에 답하여라.

(1) 함수 $f(x)=\ln x+\frac{k}{x}-x$가 극댓값과 극솟값을 모두 갖기 위한 실수 k값의 범위를 구하여라.

(2) 함수 $f(x)=(x^2-6x+k)e^x$이 극값을 갖지 않을 때, 상수 k값의 범위를 구하여라.

변형문제 0578 다음 물음에 답하여라.

(1) 함수 $f(x)=\ln(2x+4)+kx^2$의 역함수가 존재할 때, k의 범위는?

① $0\leq k\leq\frac{1}{4}$ ② $0\leq k\leq\frac{1}{2}$ ③ $-1\leq k\leq\frac{1}{4}$ ④ $k\geq\frac{1}{4}$ ⑤ $k\geq\frac{1}{2}$

2007년 10월 교육청

(2) 함수 $f(x)=\sin x+ax+1$이 극값을 가질 때, 상수 a의 범위는?

① $a>-1$ ② $a<1$ ③ $-1<a<1$ ④ $a\leq -1$ ⑤ $a\geq 1$

(3) 함수 $f(x)=ax-2\cos x$가 극값을 갖지 않기 위한 a의 값의 범위는?

① $a>-2$ ② $a<2$ ③ $-2<a<2$
④ $a\leq -2$ 또는 $a\geq 2$ ⑤ $a\geq 2$

발전문제 0579 함수 $f(x)=e^{-x}(\ln x-2)$가 $x=a$에서 극값을 가질 때, 다음 중 a가 속하는 구간은?

2014년 03월 교육청

① $(1, e)$ ② (e, e^2) ③ (e^2, e^3) ④ (e^3, e^4) ⑤ (e^4, e^5)

정답 0577 : (1) $0<k<\frac{1}{4}$ (2) $k\geq 10$ 0578 : (1) ② (2) ③ (3) ④ 0579 : ③

03 함수의 그래프

MAPL; YOUR MASTER PLAN

01 곡선의 오목과 볼록

(1) 곡선의 오목과 볼록

① 어떤 구간에서 곡선 $y=f(x)$ 위의 임의의 두 점 P, Q에 대하여 P, Q 사이에 있는 곡선 부분이 선분 PQ보다 아래쪽에 있으면 곡선 $y=f(x)$는 이 구간에서 아래로 볼록 (또는 위로 오목)하다고 한다.

② 어떤 구간에서 곡선 $y=f(x)$ 위의 임의의 두 점 P, Q에 대하여 P, Q 사이에 있는 곡선 부분이 선분 PQ보다 위쪽에 있으면 곡선 $y=f(x)$는 이 구간에서 위로 볼록 (또는 아래로 오목)하다고 한다.

(2) 곡선의 오목과 볼록의 판정

함수 $f(x)$가 어떤 구간에서

① $f''(x)>0$이면 곡선 $y=f(x)$는 이 구간에서 아래로 볼록하다. ⇐ 접선의 기울기가 증가한다.

② $f''(x)<0$이면 곡선 $y=f(x)$는 이 구간에서 위로 볼록하다. ⇐ 접선의 기울기가 감소한다.

마플해설 **이계도함수를 이용하여 곡선의 오목, 볼록을 조사하여 보자.**

① 어떤 구간에서 $f'(x)>0$이면 $f(x)$는 증가하므로 x가 커짐에 따라 $f(x)$는 커진다.
마찬가지로 $f''(x)>0$이면 $f'(x)$는 증가하므로 x가 커짐에 따라 $f'(x)$는 커진다.
그런데 $f'(x)$는 $y=f(x)$의 접선의 기울기를 나타내므로 $f'(x)$가 증가인 범위에서는 접점이 오른쪽으로 이동함에 따라 기울기는 증가한다.
따라서 $f''(x)>0$인 구간에서는 곡선 $y=f(x)$는 이 구간에서 아래로 볼록 (또는 위로 오목)하다.

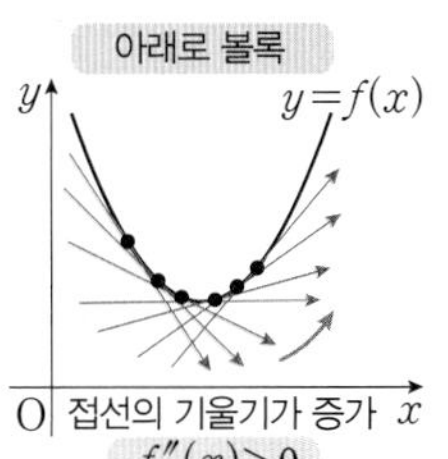

② 어떤 구간에서 $f'(x)<0$이면 $f(x)$는 감소하므로 x가 커짐에 따라 $f(x)$는 작아진다.
마찬가지로 $f''(x)<0$이면 $f'(x)$는 감소하므로 x가 커짐에 따라 $f'(x)$는 작아진다.
그런데 $f'(x)$는 $y=f(x)$의 접선의 기울기를 나타내므로 $f'(x)$가 감소인 범위에서는 접점이 오른쪽으로 이동함에 따라 기울기는 감소한다.
따라서 $f''(x)<0$인 구간에서는 곡선 $y=f(x)$는 이 구간에서 위로 볼록 (또는 아래로 오목)하다.

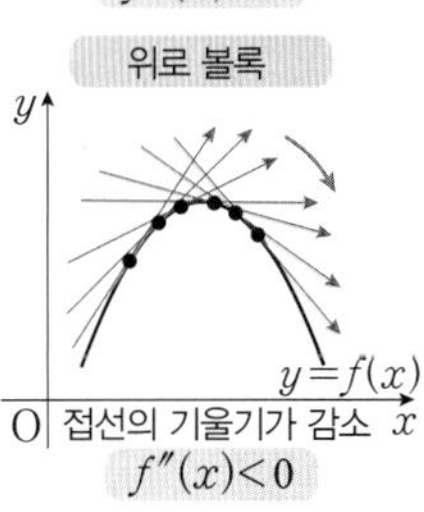

$f''(x)>0$ → $f'(x)$는 증가, 즉 $y=f(x)$의 접선의 기울기가 증가 → 곡선 $y=f(x)$는 아래로 볼록
$f''(x)<0$ → $f'(x)$는 감소, 즉 $y=f(x)$의 접선의 기울기가 감소 → 곡선 $y=f(x)$는 위로 볼록

보기 01 다음 곡선의 오목, 볼록을 조사하여라.

(1) $y=x^3-3x^2$ (2) $y=\cos x\left(0<x<\frac{\pi}{2}\right)$

풀이 (1) $f(x)=x^3-3x^2$라 하면 $f'(x)=3x^2-6x$, $f''(x)=6x-6=6(x-1)$이므로
이때 $f''(x)$의 부호를 조사하면 $x<1$일 때, $f''(x)<0$, $x>1$일 때, $f(x)''>0$
따라서 함수 $y=x^3-3x^2$의 그래프는 $(-\infty, 1)$에서 위로 볼록하고, $(1, \infty)$에서 아래로 볼록하다.

(2) $f(x)=\cos x$라 하면 $f'(x)=-\sin x$, $f''(x)=-\cos x$이므로
이때 열린구간 $\left(0, \frac{\pi}{2}\right)$에서 $f''(x)$의 부호를 조사하면 $f''(x)=-\cos x<0$
따라서 함수 $y=\cos x$의 그래프는 열린구간 $\left(0, \frac{\pi}{2}\right)$에서 위로 볼록하다.

02 변곡점

(1) 변곡점

곡선 $y=f(x)$ 위에 있는 점 $P(a, f(a))$에 대하여 $x=a$의 좌우에서 곡선의 모양이 위로 볼록에서 아래로 볼록으로 바뀌거나 아래로 볼록에서 위로 볼록으로 바뀔 때, 점 P를 곡선 $y=f(x)$의 변곡점이라 한다.

즉, 이계도함수 $f''(x)$의 부호가 바뀌는 점이 이 곡선의 변곡점이다.

이때 $f''(a)$가 존재하면 $f''(a)=0$이다.

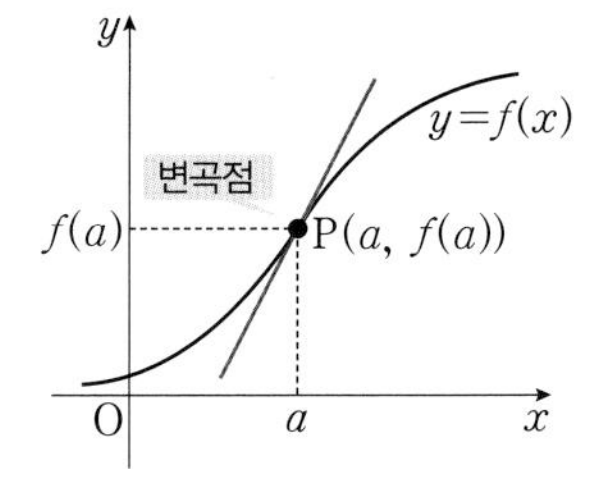

참고 변곡점 : 굴곡의 방향이 바뀌는 자리를 나타내는 곡선 위의 점으로 point of inflection이라 한다.

(2) 변곡점의 판정

함수 $f(x)$가 이계도함수 $f''(x)$를 가질 때, 곡선의 변곡점은 다음과 같이 판정한다.

[1단계] $f''(a)=0$으로 하는 $x=a$를 구한다.

[2단계] $x=a$의 좌우에서 $f''(x)$의 부호가 바뀌면 점 $(a, f(a))$가 곡선 $y=f(x)$의 변곡점이다.

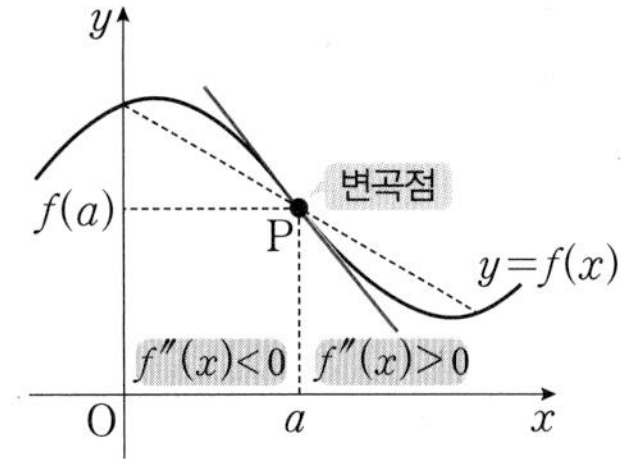

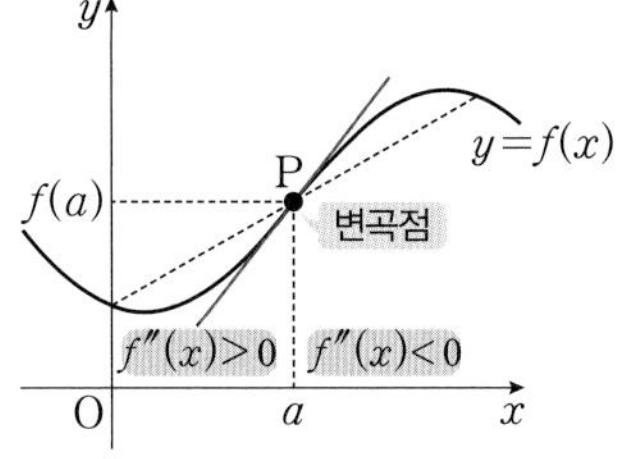

$f''(a)=0$이 되는 $y=f(x)$ 위의 $x=a$인 점에서 접선을 그을 때
곡선이 접선보다 아래에 있으면 위로 볼록하고, 곡선이 접선보다 위에 있으면 아래로 볼록하다.

참고 삼차함수의 그래프는 변곡점을 중심으로 대칭이다.

마플해설 점 $(a, f(a))$가 곡선 $y=f(x)$의 변곡점이면 $f''(a)=0$이다. 그러나 이 역은 성립하지 않는다.
즉, $f''(a)=0$이라고 해서 점 $(a, f(a))$가 항상 변곡점은 아니다.
이를테면 곡선 $f(x)=x^4$ 에서 $f'(x)=4x^3$, $f''(x)=12x^2$이므로
$f''(0)=0$이지만 $x=0$의 좌우에서 $f''(x)>0$이므로 점 $(0, 0)$은 곡선 $y=f(x)$의 변곡점이 아니다.

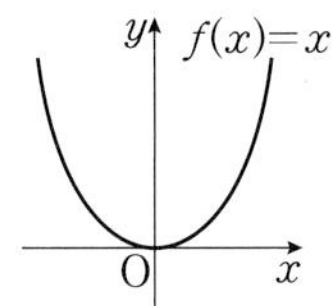

보기 02 다음 곡선의 변곡점의 좌표를 구하여라.

(1) $y=x^3-3x^2$　　　(2) $y=xe^x$

풀이 (1) $f(x)=x^3-3x^2$이라 하면 $f'(x)=3x^2-6x$, $f''(x)=6x-6=6(x-1)$

$f''(x)=0$에서 $x=1$이고 $x<1$일 때, $f''(x)<0$이고 $x>1$일 때, $f''(x)>0$

따라서 변곡점의 좌표는 $(1, -2)$

(2) $f(x)=xe^x$이라 하면 $f'(x)=(1+x)e^x$, $f''(x)=(2+x)e^x$

$f''(x)=0$에서 $x=-2$이고 $x<-2$일 때, $f''(x)<0$이고 $x>-2$일 때, $f''(x)>0$

따라서 변곡점의 좌표는 $(-2, -2e^{-2})$

더 알아보기

변곡점에서의 접선은 곡선을 뚫고 지나가게 된다. 기하적으로 좌우에서 오는 접선이 하나로 합쳐지는 것이고 산술적으로 접선의 기울기가 최댓값 또는 최솟값을 가지게 된다.

① $f''(a)=0$인 a를 포함한 어떤 구간에서 $f''(x)$의 부호가 음에서 양으로 바뀌면 이 구간에서 접선의 기울기의 최솟값은 변곡점에서의 접선의 기울기 $f'(a)$이다.

x	$\cdots$	a	$\cdots$
$f''(x)$	$-$	0	$+$
$f'(x)$		최소	

② $f''(a)=0$인 a를 포함한 어떤 구간에서 $f''(x)$의 부호가 양에서 음으로 바뀌면 이 구간에서 접선의 기울기의 최댓값은 변곡점에서의 접선의 기울기 $f'(a)$이다.

x	$\cdots$	a	$\cdots$
$f''(x)$	$+$	0	$-$
$f'(x)$		최대	

03 함수의 그래프

함수 $y=f(x)$의 그래프의 개형은 다음을 조사하여 그릴 수 있다.

(1) 함수의 정의역과 치역 구한다.

① 유리함수의 정의역 : 분모가 0이 되지 않도록 하는 실수 전체의 집합

② 무리함수의 정의역 : (근호 안의 식의 값)≥ 0이 되도록 하는 실수 전체의 집합

③ 로그함수의 정의역 : (로그의 진수)>0이 되도록 하는 실수 전체의 집합

(2) 곡선의 대칭성이나 주기를 조사한다.

① $f(-x)=f(x)$이면 $y=f(x)$의 그래프는 y축에 대하여 대칭이다.

② $f(-x)=-f(x)$이면 $y=f(x)$의 그래프는 원점에 대하여 대칭이다.

(3) 좌표축과 교점을 구한다.

(4) $f'(x)$의 부호를 이용하여 함수의 증가와 감소, 극대와 극소를 조사한다.

(5) $f''(x)$의 부호를 이용하여 오목과 볼록, 변곡점을 조사한다.

(6) $\lim_{x\to\infty}f(x)$, $\lim_{x\to-\infty}f(x)$를 이용하여 점근선을 구한다.

마플해설 **함수 $y=f(x)$의 그래프를 그리는 방법**

[1단계] $f'(x)=0$을 만족하는 x의 값을 구하고, 그 값의 좌우에서 $f'(x)$의 부호를 조사한다.

[2단계] $f''(x)=0$을 만족하는 x의 값을 구하고, 그 값의 좌우에서 $f''(x)$의 부호를 조사한다.

[3단계] 함수 $f(x)$의 증가와 감소 및 극대와 극소, 오목과 볼록을 조사하여 증감표를 작성하고, 극값 및 변곡점을 구한다.

[4단계] 증감표를 만족시키는 그래프의 개형을 그린다.

보기 03 함수 $y=e^{-x^2}$의 그래프의 개형을 그려라.

풀이 $f(x)=e^{-x^2}$으로 놓고 다음과 같은 사항을 조사해 본다.

(1) 함수 $f(x)=e^{-x^2}$의 정의역은 실수 전체의 집합이다.

(2) $f(-x)=f(x)$이므로 y축에 대하여 대칭이다.

(3) $f(0)=1$이므로 이 함수의 그래프는 y축과 점 $(0,\ 1)$에서 만나고 $e^{-x^2}>0$이므로 x축과는 만나지 않는다.

(4), (5) $f'(x)=-2xe^{-x^2}$이므로 $f'(x)=0$에서 $x=0$

$f''(x)=-2e^{-x^2}-2xe^{-x^2}\cdot(-2x)=2e^{-x^2}(2x^2-1)$

$f''(x)=0$에서 $2x^2-1=(\sqrt{2}x-1)(\sqrt{2}x+1)=0\quad \therefore x=-\frac{1}{\sqrt{2}}$ 또는 $x=\frac{1}{\sqrt{2}}$

함수 $f(x)$의 증가와 감소 및 오목과 볼록을 표로 나타내면 다음과 같다.

x	$\cdots$	$-\frac{1}{\sqrt{2}}$	$\cdots$	0	$\cdots$	$\frac{1}{\sqrt{2}}$	$\cdots$
$f'(x)$	$+$	$+$	$+$	0	$-$	$-$	$-$
$f''(x)$	$+$	0	$-$	$-$	$-$	0	$+$
$f(x)$	↗(아래로 볼록)	$\frac{1}{\sqrt{e}}$ 변곡점	↗(위로 볼록)	1 극대	↘(위로 볼록)	$\frac{1}{\sqrt{e}}$ 변곡점	↘(아래로 볼록)

따라서 함수 $f(x)$는 $x=0$에서 극댓값 1을 갖고, 극솟값은 갖지 않는다.

또, 변곡점의 좌표는 $\left(-\frac{1}{\sqrt{2}},\ \frac{1}{\sqrt{e}}\right)$, $\left(\frac{1}{\sqrt{2}},\ \frac{1}{\sqrt{e}}\right)$

(6) $\lim_{x\to\infty}e^{-x^2}=\lim_{x\to\infty}\frac{1}{e^{x^2}}=0$, $\lim_{x\to-\infty}e^{-x^2}=\lim_{x\to-\infty}\frac{1}{e^{x^2}}=0$

이므로 점근선은 x축이다.

따라서 함수 $y=e^{-x^2}$의 그래프의 개형은 오른쪽 그림과 같다.

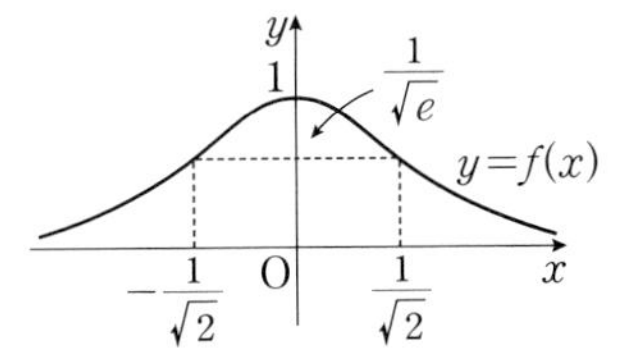

참고 증감표에서 ↗(위로 볼록)는 위로 볼록하고 증가, ↗(아래로 볼록)는 아래로 볼록하고 증가, ↘(위로 볼록)는 위로 볼록하고 감소, ↘(아래로 볼록)는 아래로 볼록하고 감소

보기 04 함수 $y=\frac{e^x+e^{-x}}{2}$의 그래프의 개형을 그려라.

풀이 $f(x)=\frac{e^x+e^{-x}}{2}$으로 놓고 다음과 같은 사항을 조사해 본다.

(1) 함수 $f(x)=\frac{e^x+e^{-x}}{2}$의 정의역은 실수 전체의 집합이다.

(2) $f(-x)=f(x)$이므로 y축에 대하여 대칭이다.

(3) $f(0)=1$이므로 이 함수의 그래프는 y축과 점 $(0, 1)$에서 만나고

$\frac{e^x+e^{-x}}{2}>0$이므로 x축과는 만나지 않는다.

(4), (5) $f'(x)=\frac{e^x-e^{-x}}{2}$이므로 $f'(x)=0$에서 $e^x=e^{-x}$이므로 $x=0$

$f''(x)=\frac{e^x+e^{-x}}{2}>0$이므로 $y=f(x)$는 아래로 볼록하다.

함수 $f(x)$의 증가, 감소 및 오목, 볼록을 표로 나타내면 오른쪽과 같다.

따라서 함수 $f(x)$는 $x=0$에서 극솟값 1을 갖고, 극댓값은 갖지 않는다.

x	$\cdots$	0	$\cdots$
$f'(x)$	$-$	0	$+$
$f''(x)$	$+$	$+$	$+$
$f(x)$	↘	1	↗

(6) $\lim_{x\to\infty}\frac{e^x+e^{-x}}{2}=\infty$, $\lim_{x\to-\infty}\frac{e^x+e^{-x}}{2}=\infty$

따라서 함수 $y=\frac{e^x+e^{-x}}{2}$의 그래프의 개형은 오른쪽 그림과 같다.

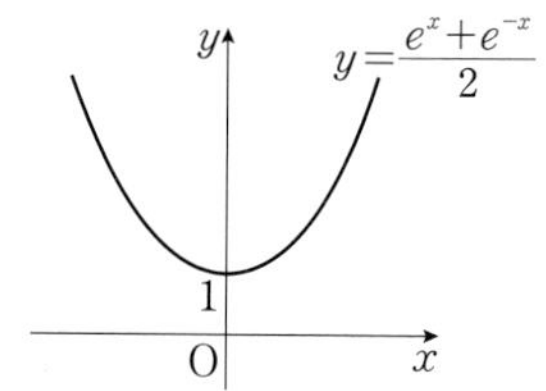

+α 더 알아보기

점근선을 조사하는 방법

곡선 위의 점이 특정한 방향으로 진행하면서 일정한 직선에 한 없이 가까워질 때, 이 직선을 그 곡선의 점근선이라 한다.
점근선은 크게 수직점근선, 수평점근선, 사선점근선으로 나눌 수 있다.

(1) 수직점근선은 y축에 평행한 점근선 (y축에 평행한 점근선)

함수 $f(x)$의 그래프에서

$\lim_{x\to a+}f(x)=\pm\infty$이고 $\lim_{x\to a-}f(x)=\pm\infty$이면 $f(x)$의 그래프는 수직점근선 $x=a$를 가진다.

⇨ 분모가 0이 되는 값에 의해 결정

EX 함수 $y=\frac{1}{x-1}$은 $x=1$이 수직점근선이고 $y=\frac{1}{x^2+2}$은 분모가 0이 될수 없으므로 수직점근선은 없다.

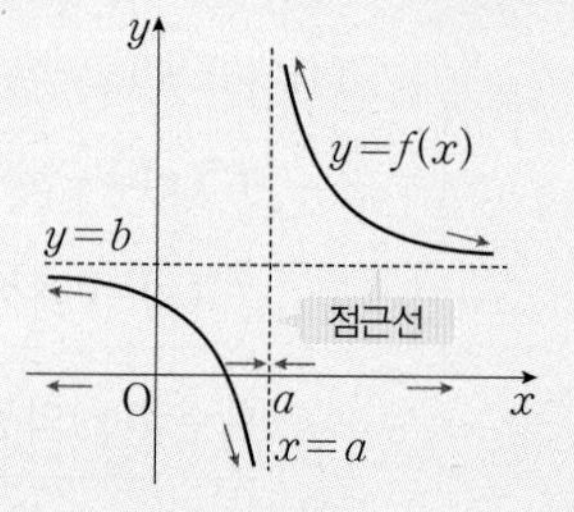

(2) 수평점근선은 x축에 평행한 점근선 (x축에 평행한 점근선)

함수 $f(x)$의 그래프에서

$\lim_{x\to+\infty}f(x)=b$ 또는 $\lim_{x\to-\infty}f(x)=b$이면 $f(x)$의 그래프는 수평점근선 $y=b$를 가진다.

⇨ $x\to\pm\infty$일 때의 함수의 극한값이 상수에 의해 결정, 즉 분모의 차수가 분자의 차수보다 크거나 같으면 수평점근선이 있다. 그러나 $x\to\pm\infty$일 때, $f(x)\to\pm\infty$이면 점근선은 없다.

EX 함수 $y=\frac{x+2}{2x+3}$에서 $\lim_{x\to\infty}\frac{x+2}{2x+3}=\frac{1}{2}$이므로 수평점근선은 $y=\frac{1}{2}$

(3) 사선점근선 (수평도 수직도 아닌 비스듬한 점근선)

오른쪽 그림과 같이 함수 $f(x)$에 대하여

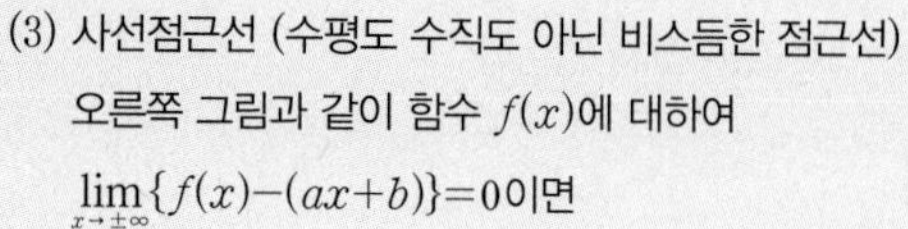

$\lim_{x\to\pm\infty}\{f(x)-(ax+b)\}=0$이면

곡선 $y=f(x)$와 직선 $y=ax+b$ 사이의 수직거리가 0에 가까워진다.

이때 $y=ax+b$는 사선점근선이다.

⇨ 보통 분자의 차수가 분모의 차수보다 하나 더 높을 때, 결정

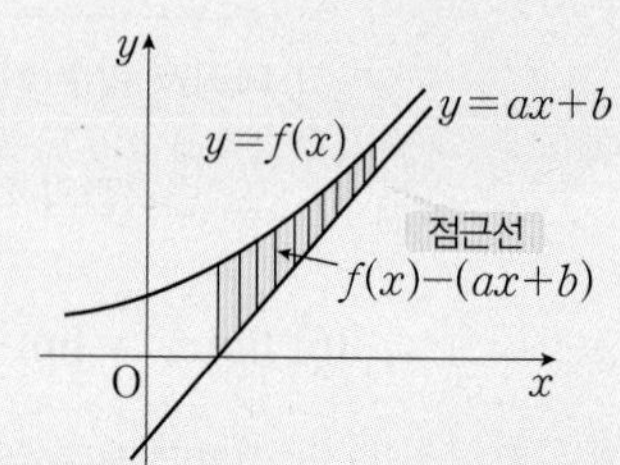

EX 함수 $f(x)=\frac{x^2}{x+1}$일 때, $f(x)=\frac{(x^2-1)+1}{x+1}=x-1+\frac{1}{x+1}$이므로

$x\to\pm\infty$에서 사선점근선은 $f(x)=x-1$이다.

곡선의 그래프 모양

01 곡선 $y=f(x)$의 오목과 볼록을 판정하는 여러 가지 방법

(1) 이계도함수 또는 도함수의 증가, 감소를 이용한 방법

아래로 볼록

함수 $f(x)$에 대하여 어떤 구간에서 $f''(x)>0$이면 $f'(x)$는 증가

즉 곡선 $y=f(x)$의 접선의 기울기인 $f'(x)$는 증가하므로 곡선 $y=f(x)$는 이 구간에서 아래로 볼록하다.

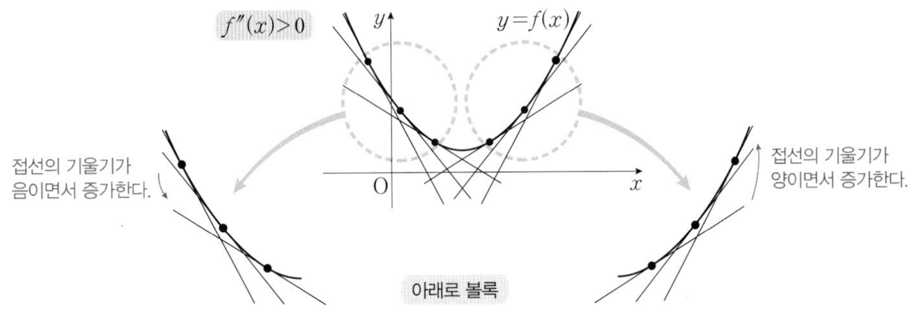

위로 볼록

함수 $f(x)$에 대하여 어떤 구간에서 $f''(x)<0$이면 $f'(x)$는 감소

즉 곡선 $y=f(x)$의 접선의 기울기인 $f'(x)$는 감소하므로 곡선 $y=f(x)$는 이 구간에서 위로 볼록하다.

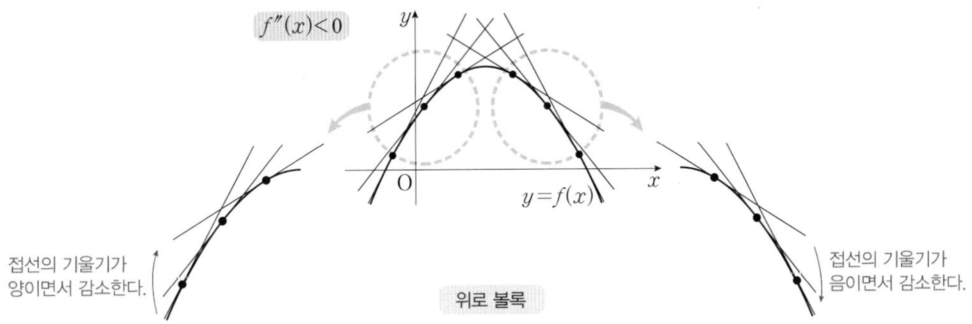

(2) 중점의 함숫값과 함숫값의 중점을 비교하여 판정하는 방법

아래로 볼록	위로 볼록
곡선 $y=f(x)$ 위의 두 점 $\mathrm{A}(a,\ f(a))$, $\mathrm{B}(b,\ f(b))$ (단, $a<b$)에 대하여 $\dfrac{f(a)+f(b)}{2}>f\left(\dfrac{a+b}{2}\right)$ 가 성립하면 곡선 $y=f(x)$는 **아래로 볼록**하다.	곡선 $y=f(x)$ 위의 두 점 $\mathrm{A}(a,\ f(a))$, $\mathrm{B}(b,\ f(b))$ (단, $a<b$)에 대하여 $\dfrac{f(a)+f(b)}{2}<f\left(\dfrac{a+b}{2}\right)$ 가 성립하면 곡선 $y=f(x)$는 **위로 볼록**하다.

(3) 두 평균변화율 비교하여 판정하는 방법

아래로 볼록	위로 볼록
곡선 $y=f(x)$ 위의 세 점 $\mathrm{A}(a,\ f(a))$, $\mathrm{B}(b,\ f(b))$, $\mathrm{C}(c,\ f(c))$ (단, $a<b<c$)에 대하여 $\dfrac{f(b)-f(a)}{b-a}<\dfrac{f(c)-f(b)}{c-b}$ 가 성립하면 곡선 $y=f(x)$는 **아래로 볼록**하다.	곡선 $y=f(x)$ 위의 세 점 $\mathrm{A}(a,\ f(a))$, $\mathrm{B}(b,\ f(b))$, $\mathrm{C}(c,\ f(c))$ (단, $a<b<c$)에 대하여 $\dfrac{f(b)-f(a)}{b-a}>\dfrac{f(c)-f(b)}{c-b}$ 가 성립하면 곡선 $y=f(x)$는 **위로 볼록**하다.
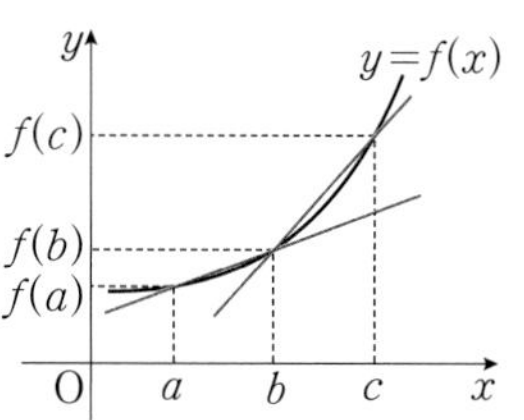	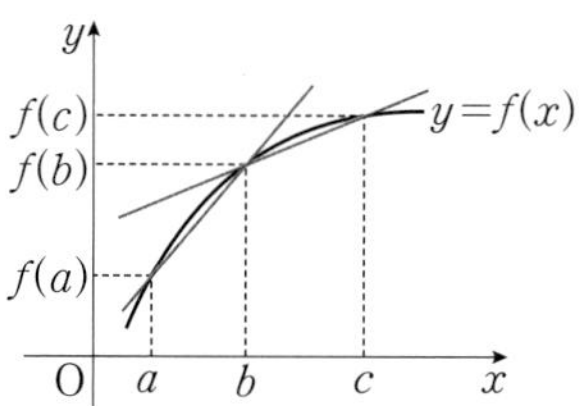

(4) 원점과 곡선 위의 점을 지나는 직선의 기울기를 이용한 방법

아래로 볼록	위로 볼록
원점을 지나는 다항함수 $y=f(x)$ 위의 두 점 $\mathrm{A}(a,\ f(a))$, $\mathrm{B}(b,\ f(b))$ (단, $0<a<b$)에 대하여 $0<\dfrac{f(a)}{a}<\dfrac{f(b)}{b}$, 즉 $0<bf(a)<af(b)$ 이면 함수 $y=f(x)$는 $(0,\ \infty)$에서 **아래로 볼록**하다.	원점을 지나는 다항함수 $y=f(x)$ 위의 두 점 $\mathrm{A}(a,\ f(a))$, $\mathrm{B}(b,\ f(b))$ (단, $0<a<b$)에 대하여 $\dfrac{f(a)}{a}>\dfrac{f(b)}{b}>0$, 즉 $bf(a)>af(b)>0$ 이면 함수 $y=f(x)$는 $(0,\ \infty)$에서 **위로 볼록**하다.
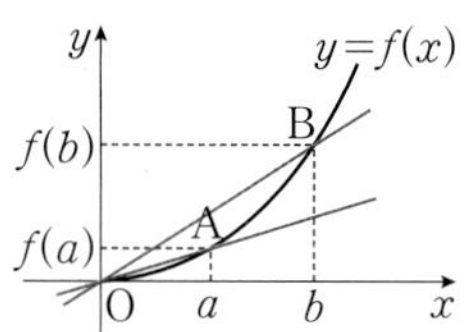	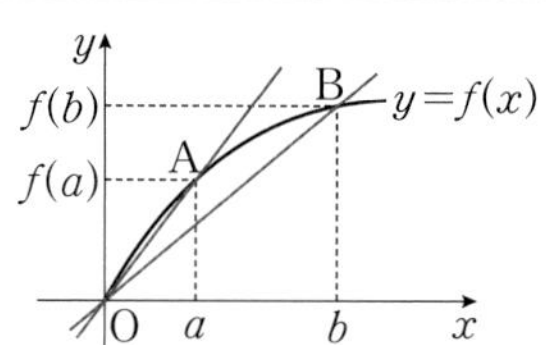

$\dfrac{f(b)}{b}=\dfrac{f(b)-f(0)}{b-0}$ ⇨ 원점과 점 $(b,\ f(b))$를 지나는 기울기, $\dfrac{f(a)}{a}=\dfrac{f(a)-f(0)}{a-0}$ ⇨ 원점과 점 $(a,\ f(a))$를 지나는 기울기

(5) 접선의 방정식과 함수의 그래프를 이용한 방법

아래로 볼록	위로 볼록
$x=a$에서의 접선이 곡선 $y=f(x)$의 아래쪽에 있고 $f(x)\geq f'(a)(x-a)+f(a)$ 가 성립하면 곡선 $y=f(x)$는 아래로 볼록하다.	$x=a$에서의 접선이 곡선 $y=f(x)$의 위쪽에 있고 $f(x)\leq f'(a)(x-a)+f(a)$ 가 성립하면 곡선 $y=f(x)$는 위로 볼록하다.

(6) 정적분과 사다리꼴의 넓이를 비교하여 판정하는 방법

아래로 볼록	위로 볼록
곡선 $f(x)\geq 0$ 위의 두 점 $\mathrm{A}(a,\ f(a))$, $\mathrm{B}(b,\ f(b))$ (단, $a<b$)에 대하여 $\frac{1}{2}\{f(a)+f(b)\}(b-a)>\int_a^b f(x)dx$ 가 성립하면 곡선 $y=f(x)$는 아래로 볼록하다.	곡선 $f(x)\geq 0$ 위의 두 점 $\mathrm{A}(a,\ f(a))$, $\mathrm{B}(b,\ f(b))$ (단, $a<b$)에 대하여 $\frac{1}{2}\{f(a)+f(b)\}(b-a)<\int_a^b f(x)dx$ 가 성립하면 곡선 $y=f(x)$는 위로 볼록하다.

$\frac{1}{2}\{f(a)+f(b)\}(b-a)$ ⇨ 사다리꼴 ABCD의 넓이

$\int_a^b f(x)dx$ ⇨ 곡선 $y=f(x)$의 그래프와 x축 및 두 직선 $x=a$, $x=b$로 둘러싸인 부분의 넓이

(7) 정적분과 삼각형의 넓이를 비교하여 판정하는 방법

아래로 볼록	위로 볼록
곡선 $f(x)\geq 0$ 위의 두 점 $\mathrm{A}(a,\ f(a))$, $\mathrm{B}(b,\ f(b))$ (단, $a<b$)에 대하여 $\frac{1}{2}(b-a)\{f(b)-f(a)\}>\int_a^b \{f(x)-f(a)\}dx$ 가 성립하면 곡선 $y=f(x)$는 아래로 볼록하다.	곡선 $f(x)\geq 0$ 위의 두 점 $\mathrm{A}(a,\ f(a))$, $\mathrm{B}(b,\ f(b))$ (단, $a<b$)에 대하여 $\frac{1}{2}(b-a)\{f(b)-f(a)\}<\int_a^b \{f(x)-f(a)\}dx$ 가 성립하면 곡선 $y=f(x)$는 위로 볼록하다.
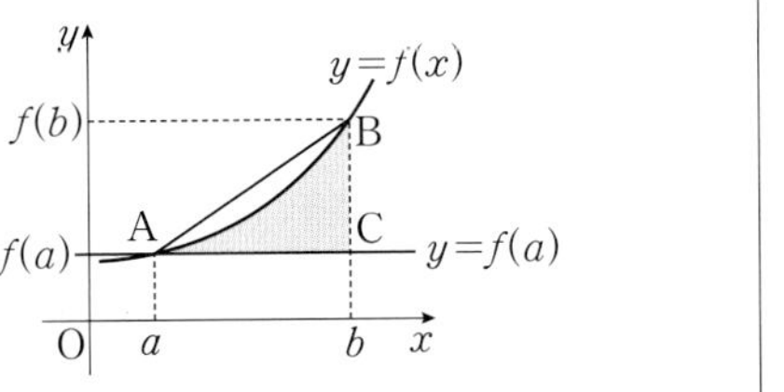	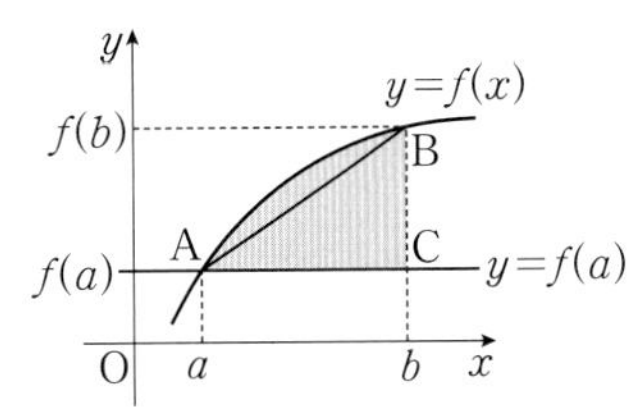

$\frac{1}{2}(b-a)\{f(b)-f(a)\}$ ⇨ 삼각형 ABC의 넓이

$\int_a^b \{f(x)-f(a)\}dx$ ⇨ 곡선 $y=f(x)$와 직선 $y=f(a)$의 그래프 및 두 직선 $x=a$, $x=b$로 둘러싸인 부분의 넓이

보기 01 함수 $f(x)=\ln x$와 상수 a, b $(1<a<b)$에 대하여 항상 옳은 것만을 [보기]에서 있는 대로 골라라.

> ㄱ. $\dfrac{f(a)}{a}>\dfrac{f(b)}{b}$　　ㄴ. $\dfrac{f(b)-f(a)}{b-a}<\dfrac{1}{a}$　　ㄷ. $\dfrac{1}{b-a}\displaystyle\int_a^b f(x)dx>\dfrac{f(a)+f(b)}{2}$

풀이 x좌표가 a, b인 곡선 $y=\ln x$ 위의 점을 각각 P, Q라 하면 $\mathrm{P}(a, \ln a)$, $\mathrm{Q}(b, \ln b)$

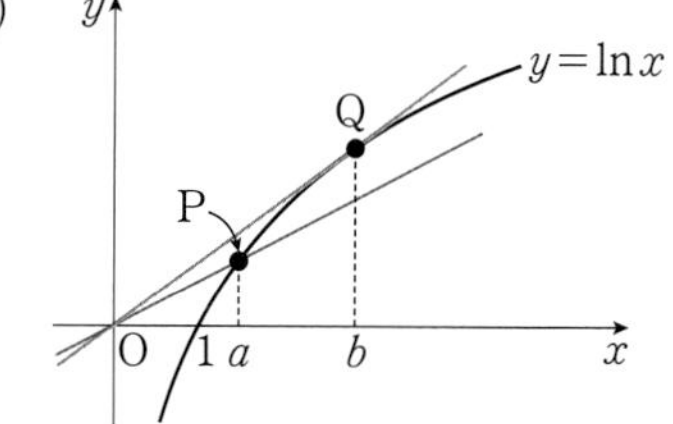

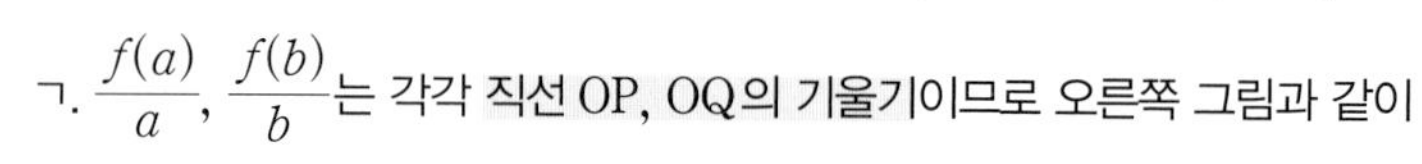

ㄱ. $\dfrac{f(a)}{a}$, $\dfrac{f(b)}{b}$는 각각 직선 OP, OQ의 기울기이므로 오른쪽 그림과 같이 $\dfrac{f(a)}{a}<\dfrac{f(b)}{b}$인 경우도 있다. [거짓]

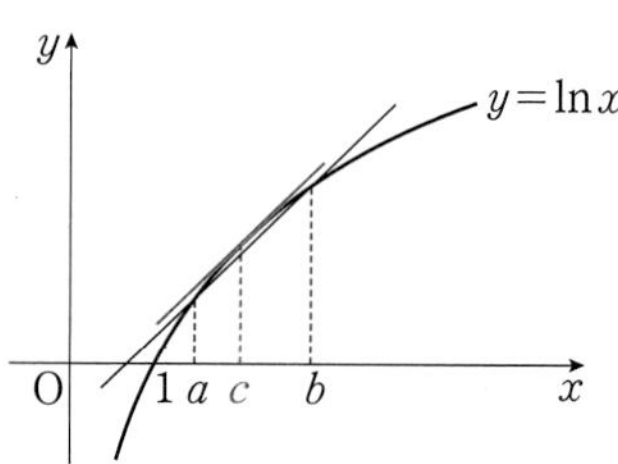

ㄴ. 함수 $f(x)=\ln x$는 닫힌구간 $[a, b]$에서 연속이고
열린구간 (a, b)에서 미분가능하므로 평균값의 정리에 의하여
$\dfrac{f(b)-f(a)}{b-a}=f'(c)=\dfrac{1}{c}$을 만족하는 c가 a와 b 사이에 적어도 하나 존재한다.
$\therefore \dfrac{f(b)-f(a)}{b-a}=\dfrac{1}{c}<\dfrac{1}{a}$ [참]

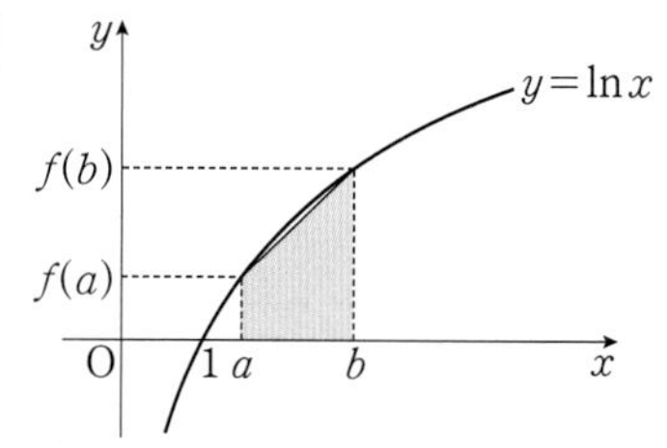

ㄷ. 오른쪽 그림에서 $\displaystyle\int_a^b f(x)dx$는 윗변과 밑변이 각각 $f(a)$, $f(b)$인 사다리꼴의 넓이보다 크므로 $\displaystyle\int_a^b f(x)dx>\dfrac{1}{2}\{f(a)+f(b)\}\times(b-a)$
$\therefore \dfrac{1}{b-a}\displaystyle\int_a^b f(x)dx>\dfrac{f(a)+f(b)}{2}$ [참]

따라서 옳은 것은 ㄴ, ㄷ이다.

보기 02 미분가능한 함수 $y=f(x)$의 도함수 $y=f'(x)$의 그래프가 오른쪽 그림과 같을 때, 다음 중 함수 $y=f(x)$의 그래프의 모양이 위로 볼록한 구간은?

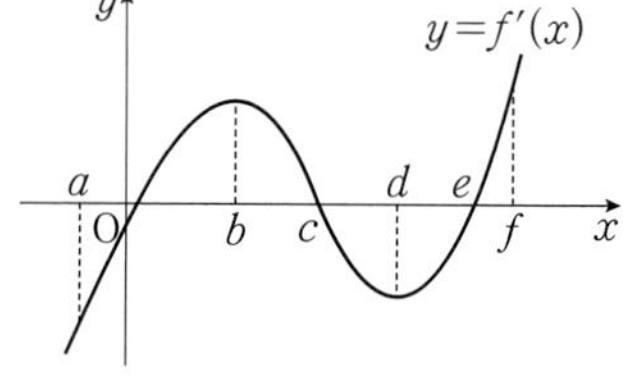

① (a, b)　　② $(0, c)$　　③ (b, d)
④ (c, e)　　⑤ (e, f)

풀이 구간 $[a, f]$에서 $f''(x)$의 부호를 조사하면 다음과 같다.

x	a	$\cdots$	b	$\cdots$	c	$\cdots$	d	$\cdots$	e	$\cdots$	f
$f''(x)$	$+$	$+$	0	$-$	$-$	$-$	0	$+$	$+$	$+$	$+$

그래프의 모양이 위로 볼록하려면 $f''(x)<0$이어야 하므로 구하는 구간은 (b, d)이다.

보기 03 다음 함수 중에서 임의의 두 실수 a, b에 대하여 $f\left(\dfrac{a+b}{2}\right)>\dfrac{1}{2}\{f(a)+f(b)\}$를 만족하는 것을 모두 골라라.

> ㄱ. $f(x)=\ln(x+1)$　　ㄴ. $f(x)=e^x$
> ㄷ. $f(x)=2x^2+1$　　ㄹ. $f(x)=\sin x\,(0\le x\le\pi)$

풀이 $f\left(\dfrac{a+b}{2}\right)>\dfrac{1}{2}\{f(a)+f(b)\}$를 만족하는 함수 $y=f(x)$의 그래프의 모양은 위로 볼록이다.
따라서 [보기]의 함수 중에서 그래프가 위로 볼록한 것은 ㄱ, ㄹ이다.

보기 04 $a<b<c$인 세 실수 a, b, c에 대하여 항상 $\frac{f(b)-f(a)}{b-a}<\frac{f(c)-f(b)}{c-b}$를 만족하는 함수 $f(x)$를 다음 [보기] 중에서 있는 대로 골라라.

ㄱ. $f(x)=x+\cos x$　　ㄴ. $f(x)=e^x-x$　　ㄷ. $f(x)=\ln\frac{1}{x}$

풀이 $a<b<c$일 때, $\frac{f(b)-f(a)}{b-a}<\frac{f(c)-f(b)}{c-b}$를 만족하려면 함수 $y=f(x)$의 그래프가 아래로 볼록이어야 한다.

ㄱ. $f'(x)=1-\sin x$, $f''(x)=-\cos x$이므로 항상 아래로 볼록한 것은 아니다.

ㄴ. $f'(x)=e^x-1$, $f''(x)=e^x>0$이므로 아래로 볼록하다.

ㄷ. $f'(x)=\frac{-\frac{1}{x^2}}{\frac{1}{x}}=-\frac{1}{x}$, $f''(x)=\frac{1}{x^2}>0$이므로 아래로 볼록하다.

따라서 주어진 조건을 만족하는 함수는 ㄴ, ㄷ이다.

보기 05 삼차함수 $y=f(x)$의 그래프가 오른쪽 그림과 같다.
$f'(a)=f'(c)=0$이고 $f''(b)=0$일 때, 다음 두 조건을 동시에 만족하는 x의 값의 범위를 구하여라.

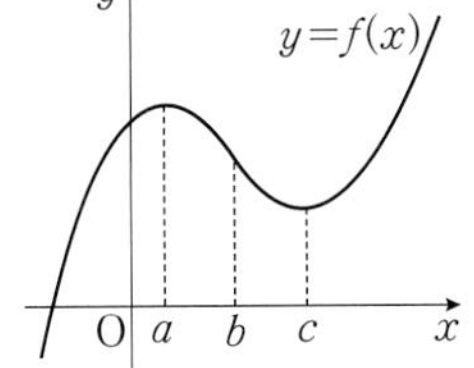

(가) $f'(x)>0$　　(나) $f''(x)>0$

풀이 $f'(x)>0$이면 $f(x)$는 증가하고, $f''(x)>0$이면 그래프는 아래로 볼록하므로 두 조건을 동시에 만족하는 x의 범위는 $x>c$이다.

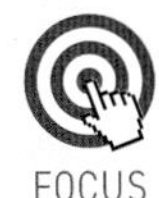

도함수와 이계도함수의 그래프 관계

	$f'(x)>0$ $f(x)$가 증가	$f'(x)<0$ $f(x)$가 감소
$f''(x)>0$ $f(x)$가 아래로 볼록	↗	↘
$f''(x)<0$ $f(x)$가 위로 볼록	↗	↘

마플개념익힘 01 $y=f'(x)$의 그래프

연속함수 $y=f(x)$에 대하여 오른쪽 그림과 같이 $y=f'(x)$의 그래프가 주어져 있을 때, 함수 $y=f(x)$의 그래프의 극점, 변곡점은 각각 몇 개인지 구하여라.

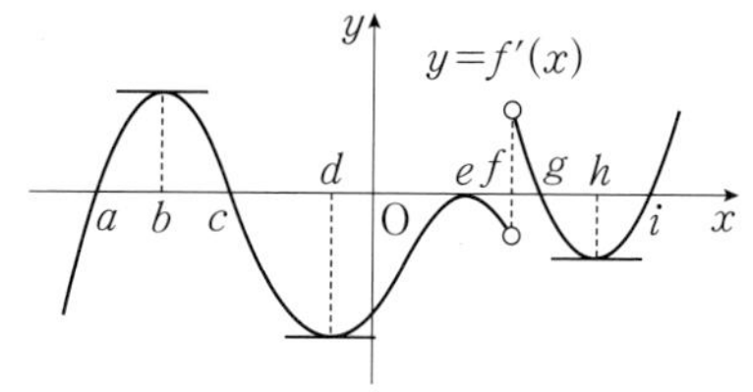

MAPL CORE 함수 $y=f(x)$에 대하여 $y=f'(x)$의 그래프가 주어질 때, 이 그래프를 이용하여 변곡점을 찾는 문제는 다음 사실을 이용한다.
① 극점은 $y=f'(x)$의 그래프에서 $f'(x)=0$인 교점의 x좌표에서 부호가 바뀌는 점
② 변곡점은 $y=f'(x)$의 그래프에서 극값을 갖는 점의 x좌표

개념익힘 | **풀이** $y=f'(x)$의 그래프에서 $f'(x)$의 값의 부호가 바뀌는 점이 극점이므로 주어진 $y=f'(x)$의 그래프에서 극점은 x좌표가 a, c, f, g, i인 5개의 점이다.

또, $y=f'(x)$의 그래프에서 증가와 감소가 바뀌는 점이 변곡점이므로 주어진 $y=f'(x)$의 그래프에서 변곡점은 x좌표가 b, d, e, h인 4개의 점이다.

따라서 극점의 개수는 **5**개, 변곡점의 개수는 **4**개이다.

확인유제 0580

함수 $y=f(x)$의 도함수 $y=f'(x)$의 그래프가 오른쪽과 같을 때, 함수 $y=f(x)$의 그래프에 대한 설명으로 옳은 것은?

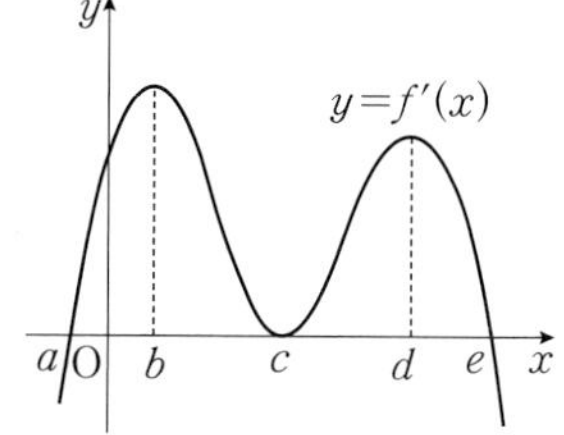

① $y=f(x)$의 그래프는 $x=b$에서 극댓값을 갖는다.
② $y=f(x)$의 그래프는 극값을 3개 갖는다.
③ $y=f(x)$의 그래프는 $x=e$에서 극솟값을 갖는다.
④ $y=f(x)$의 그래프는 $x=c$에서 변곡점을 갖는다.
⑤ $y=f(x)$의 그래프는 $d<x<e$에서 감소한다.

변형문제 0581

오른쪽 그림은 열린구간 $(-3,\ 3)$에서 연속인 함수 $f(x)$의 도함수 $y=f'(x)$의 그래프일 때, [보기]에서 옳은 것만을 있는 대로 고른 것은?

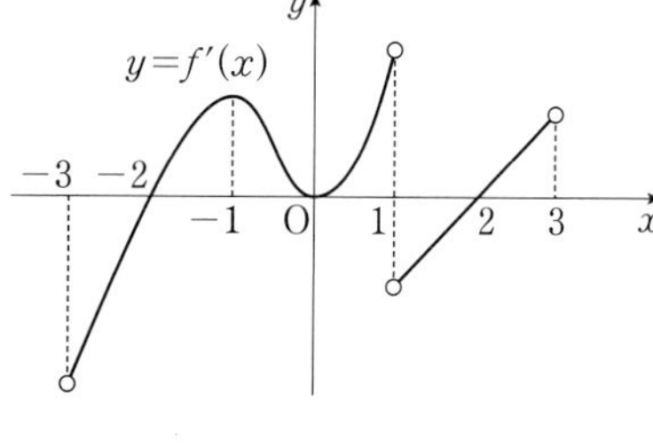

ㄱ. 함수 $f(x)$는 열린구간 $(-3,\ -1)$에서 증가한다.
ㄴ. 함수 $f(x)$가 극값을 가지는 점은 3개이다.
ㄷ. 곡선 $y=f(x)$는 열린구간 $(-3,\ 1)$에서 2개의 변곡점을 갖는다.

① ㄱ ② ㄴ ③ ㄱ, ㄷ ④ ㄴ, ㄷ ⑤ ㄱ, ㄴ, ㄷ

발전문제 0582

2006학년도 09월 평가원

오른쪽 그림은 5차 다항함수 $f(x)$의 도함수 $f'(x)$의 그래프이다. 다음 중 옳은 것을 모두 고른 것은?
(단, $f'(4)=0$이고 $f''(1)=f''(4)=f''(6)=0$이다.)

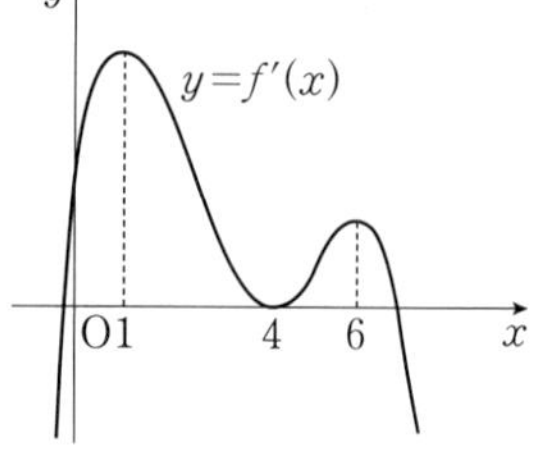

ㄱ. $f(x)$는 서로 다른 세 점에서 극값을 갖는다.
ㄴ. $4<x_1<x_2<6$인 x_1, x_2에 대하여 $f\left(\frac{x_1+x_2}{2}\right)<\frac{f(x_1)+f(x_2)}{2}$이다.
ㄷ. $f(0)=0$일 때, 양의 실수 a에 대하여 $y=f(x)$의 그래프와 $y=a$의 그래프가 서로 다른 두 점에서 만나면 $f(x)$의 극댓값은 a이다.

① ㄱ ② ㄴ ③ ㄷ ④ ㄱ, ㄴ ⑤ ㄴ, ㄷ

정답 0580 : ④ 0581 : ④ 0582 : ⑤

마플개념익힘 02 곡선의 오목과 볼록, 변곡점

다음 곡선의 오목과 볼록을 조사하고 변곡점을 구하여라.

(1) $y=xe^x$ (2) $y=\ln(x^2+1)$

MAPL CORE 함수 $f(x)$가 어떤 구간에서

(1) $f''(x)>0$이면 곡선 $y=f(x)$는 이 구간에서 아래로 볼록 (또는 위로 오목)하다.

(2) $f''(x)<0$이면 곡선 $y=f(x)$는 이 구간에서 위로 볼록 (또는 아래로 오목)하다.

(3) 함수 $f(x)$에서 $f''(a)=0$이고 $x=a$의 좌우에서 $f''(x)$의 부호가 바뀌면 점 $(a, f(a))$는 곡선 $y=f(x)$의 변곡점이다.

개념익힘 | 풀이 (1) $f(x)=xe^x$로 놓으면 $f'(x)=(x+1)e^x$, $f''(x)=(x+2)e^x$

$f''(x)=0$에서 $x=-2$

따라서 곡선 $y=f(x)$은 오른쪽 표와 같이

$x<-2$일 때, $f''(x)<0$이므로 위로 볼록하고

$x>-2$일 때, $f''(x)>0$이므로 아래로 볼록하다.

x	$\cdots$	-2	$\cdots$
$f''(x)$	$-$	0	$+$
$f(x)$	⌒	변곡점	⌣

또, $x=-2$의 좌우에서 $f''(x)$의 부호가 바뀌므로 변곡점의 좌표는 $\boldsymbol{(-2, -2e^{-2})}$이다.

(2) $f(x)=\ln(x^2+1)$로 놓으면 $f'(x)=\dfrac{2x}{x^2+1}$, $f''(x)=\dfrac{2(x^2+1)-2x\cdot 2x}{(x^2+1)^2}=\dfrac{2-2x^2}{(x^2+1)^2}$

$f''(x)=0$에서 $x=-1$ 또는 $x=1$

따라서 곡선 $y=f(x)$은 오른쪽 표와 같이

$x<-1$일 때, $f''(x)<0$이므로 위로 볼록하고

$-1<x<1$일 때, $f''(x)>0$이므로 아래로 볼록하고

$x>1$일 때, $f''(x)>0$이므로 위로 볼록하다.

x	$\cdots$	-1	$\cdots$	1	$\cdots$
$f''(x)$	$-$	0	$+$	0	$-$
$f(x)$	⌒	변곡점	⌣	변곡점	⌒

또, $x=-1$과 $x=1$의 좌우에서 $f''(x)$의 부호가 바뀌므로 변곡점의 좌표는 $\boldsymbol{(-1, \ln 2), (1, \ln 2)}$이다.

참고 이때 $f'(1)=1$, $f'(-1)=-1$이므로 두 변곡점에서의 접선의 기울기의 곱이 $f'(1)\cdot f'(-1)=1\cdot(-1)=-1$
이므로 두 변곡점에서의 접선의 기울기는 서로 수직이다.

확인유제 0583 다음 곡선의 오목, 볼록을 조사하고 변곡점을 구하여라.

(1) $y=x^2(\ln x-2)$ (2) $y=x+2\sin x\,(0<x<2\pi)$ (3) $y=\dfrac{1}{x^2+1}$

변형문제 0584 함수 $f(x)=x^2-4\sin x$가 서로 다른 임의의 두 실수 x_1, x_2에 대하여

$$f\left(\frac{x_1+x_2}{2}\right)>\frac{f(x_1)+f(x_2)}{2}$$

를 만족시키기 위한 x값의 범위는? (단, $0<x<2\pi$)

① $\left(\frac{7}{6}\pi, \frac{11}{6}\pi\right)$ ② $\left(\frac{\pi}{6}, \frac{5}{6}\pi\right)$ ③ $\left(\frac{\pi}{3}, \frac{2}{3}\pi\right)$ ④ $\left(0, \frac{2}{3}\pi\right)$ ⑤ $\left(\frac{\pi}{2}, \frac{5}{6}\pi\right)$

발전문제 0585 함수 $f(x)$의 이계도함수가 존재하고 곡선 $y=f(x)$가 아래로 볼록할 때, 다음 [보기] 중 옳은 것은?

ㄱ. $f(x)>0$이면 곡선 $y=\{f(x)\}^2$도 아래로 볼록하다.

ㄴ. 곡선 $y=e^{f(x)}$은 위로 볼록하다.

ㄷ. $f(x)\neq 0$이면 곡선 $y=\dfrac{1}{f(x)}$도 아래로 볼록하다.

① ㄱ ② ㄴ ③ ㄷ ④ ㄱ, ㄴ ⑤ ㄴ, ㄷ

정답 0583 : (1) $\left(\sqrt{e}, -\frac{3}{2}e\right)$ (2) (π, π) (3) $\left(-\frac{\sqrt{3}}{3}, \frac{3}{4}\right), \left(\frac{\sqrt{3}}{3}, \frac{3}{4}\right)$ 0584 : ① 0585 : ①

마플개념익힘 03 변곡점의 활용

다음 물음에 답하여라.

(1) 곡선 $y=x-2\sin x$ (단, $0<x<2\pi$)의 변곡점에서 접선의 방정식을 구하여라.

(2) 곡선 $y=ax^3+bx^2+cx$의 $x=2$에서의 접선의 기울기가 4이고 점 $(1, 2)$가 변곡점일 때, 상수 a, b, c의 값을 정하여라.

MAPL CORE

[1단계] $f''(x)=0$으로 하는 $x=a$를 구한다.

[2단계] $x=a$의 좌우에서 $f''(x)$의 부호가 바뀌면 점 $(a, f(a))$가 곡선 $y=f(x)$의 변곡점이다.

참고 삼차함수의 그래프는 변곡점을 중심으로 대칭이다.

개념익힘 | 풀이

(1) $f(x)=x-2\sin x$로 놓으면 $f'(x)=1-2\cos x$, $f''(x)=2\sin x$

$f''(x)=0$에서 $x=\pi$

또, $x=\pi$의 좌우에서 $f''(x)$의 부호가 바뀌므로 변곡점의 좌표는 (π, π)이다.

$x=\pi$에서 $f'(\pi)=3$이므로 변곡점 (π, π)에서의 접선의 방정식은 $y-\pi=3(x-\pi)$

$\therefore$ $\boldsymbol{y=3x-2\pi}$

(2) $f(x)=ax^3+bx^2+cx$로 놓으면 $f'(x)=3ax^2+2bx+c$, $f''(x)=6ax+2b$

$x=2$에서의 접선의 기울기가 4이므로

$f'(2)=12a+4b+c=4$ …… ㉠

또한, 점 $(1, 2)$가 변곡점이므로 $f(1)=2$, $f''(1)=0$

$a+b+c=2$ …… ㉡

$6a+2b=0$ …… ㉢

㉠, ㉡, ㉢을 연립하여 풀면 $\boldsymbol{a=1,\ b=-3,\ c=4}$

확인유제 0586 다음 물음에 답하여라.

(1) 곡선 $y=e^x-e^{-x}+1$의 변곡점에서 접선의 방정식을 구하여라.

(2) 함수 $f(x)=ax^2+bx-\ln x$가 $x=1$에서 극대이고 변곡점의 x좌표가 $\frac{1}{2}$일 때, 함수 $f(x)$의 극솟값을 구하여라.

변형문제 0587 다음 물음에 답하여라.

2019학년도 06월 평가원

(1) 좌표평면에서 점 $(2, a)$가 곡선 $y=\frac{2}{x^2+b}$ $(b>0)$의 변곡점일 때, $\frac{b}{a}$의 값은? (단, a, b는 상수이다.)

① 12 ② 24 ③ 36 ④ 72 ⑤ 96

2011학년도 09월 평가원

(2) 곡선 $y=\left(\ln\frac{1}{ax}\right)^2$의 변곡점이 직선 $y=2x$ 위에 있을 때, 양수 a의 값은?

① e ② $\frac{5}{4}e$ ③ $\frac{3}{2}e$ ④ $\frac{7}{4}e$ ⑤ $2e$

발전문제 0588 좌표평면에서 곡선 $y=\cos^n x\left(0<x<\frac{\pi}{2},\ n=2, 3, 4, \cdots\right)$의 변곡점의 y좌표를 a_n이라 할 때, $\lim_{n\to\infty} a_n$의 값은?

2009학년도 09월 평가원

① $\frac{1}{e^2}$ ② $\frac{1}{e}$ ③ $\frac{1}{\sqrt{e}}$ ④ $\frac{1}{2e}$ ⑤ $\frac{1}{\sqrt{2e}}$

정답 0586 : (1) $y=2x+1$ (2) $\frac{9}{8}+\ln 4$ 0587 : (1) ⑤ (2) ⑤ 0588 : ③

2015년 사관기출

함수 $f(x)=-xe^{2-x}$과 상수 a가 다음 조건을 만족시킬 때, 접선 $y=g(x)$와 a의 값을 구하여라.

> 곡선 $y=f(x)$ 위의 점 $(a,\ f(a))$에서의 접선의 방정식을 $y=g(x)$라 할 때,
> $x<a$이면 $f(x)>g(x)$이고, $x>a$이면 $f(x)<g(x)$이다.

MAPL CORE $x=a$의 좌우에서 $f''(x)$의 부호가 바뀌면 점 $(a,\ f(a))$가 곡선 $y=f(x)$의 변곡점이다.

개념익힘 | **풀이** 곡선 $y=f(x)$ 위의 점 $(a,\ f(a))$에서의 접선의 방정식을 $y=g(x)$라 할 때,

$x<a$이면 $f(x)>g(x)$이고 $x>a$이면 $f(x)<g(x)$를 만족하는 점 $(a,\ f(a))$는 변곡점이다.

$f(x)=-xe^{2-x}$에서 $f'(x)=-e^{2-x}+(-x)e^{2-x}\cdot(-1)=(x-1)e^{2-x}$

$f''(x)=e^{2-x}-(x-1)e^{2-x}=(2-x)e^{2-x}$

$f'(x)=0$에서 $x=1$

$f''(x)=0$에서 $x=2$

함수 $f(x)$의 증가와 감소를 표로 나타내면 다음과 같다.

x	$\cdots$	1	$\cdots$	2	$\cdots$
$f'(x)$	$-$	0	$+$	$+$	$+$
$f''(x)$	$+$	$+$	$+$	0	$-$
$f(x)$	↘	$-e$	↗	-2	↗

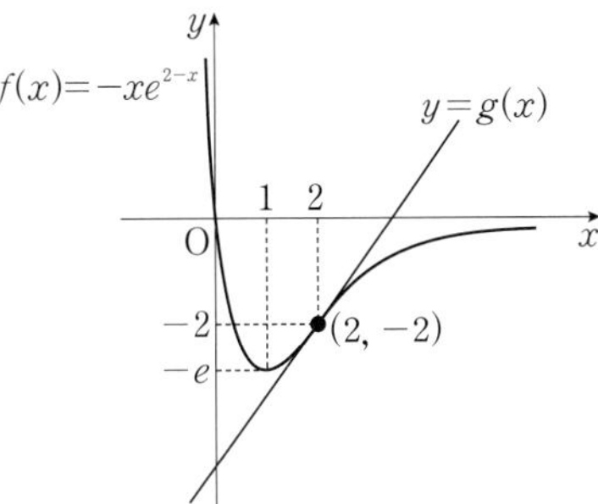

이때 $\lim_{x\to\infty}f(x)=0$, $\lim_{x\to-\infty}f(x)=\infty$이므로 x축이 점근선이다.

또한, $f(0)=0$, $x=1$에서 극소이고 극솟값은 $f(1)=-e$, 변곡점 $(2,\ -2)$

이때 $x=2$에서 변곡점이 생기므로 주어진 조건을 만족하는 $\boldsymbol{a=2}$이다.

점 $(2,\ -2)$에서 접선의 기울기는 $f'(2)=1$이므로 접선의 방정식은 $y+2=1\cdot(x-2)$

$\therefore\ \boldsymbol{g(x)=x-4}$

확인유제 0589 곡선 $y=\sin^2 x\,(0\le x\le\pi)$의 두 변곡점을 각각 A, B라 할 때, 점 A에서의 접선과 점 B에서의 접선이 만나는 점의 y좌표는 $p+q\pi$이다. $40(p+q)$의 값을 구하여라. (단, p, q는 유리수이다.)

2017학년도 사관기출

변형문제 0590 함수 $f(x)=x^2+ax+b\left(0<b<\frac{\pi}{2}\right)$에 대하여 함수 $g(x)=\sin(f(x))$가 다음 조건을 만족시킨다.

2019년 03월 교육청

> (가) 모든 실수 x에 대하여 $g'(-x)=-g'(x)$이다.
> (나) 점 $(k,\ g(k))$는 곡선 $y=g(x)$의 변곡점이고, $2kg(k)=\sqrt{3}g'(k)$이다.

두 상수 a, b에 대하여 $a+b$의 값은?

① $\frac{\pi}{3}-\frac{\sqrt{3}}{2}$ ② $\frac{\pi}{3}-\frac{\sqrt{3}}{3}$ ③ $\frac{\pi}{3}-\frac{\sqrt{3}}{6}$ ④ $\frac{\pi}{2}-\frac{\sqrt{3}}{3}$ ⑤ $\frac{\pi}{2}-\frac{\sqrt{3}}{6}$

발전문제 0591 이차함수 $f(x)$에 대하여 함수 $g(x)=f(x)e^{-x}$이 다음 조건을 만족한다.

2013학년도 수능기출

> (가) 점 $(1,\ g(1))$과 점 $(4,\ g(4))$는 곡선 $y=g(x)$의 변곡점이다.
> (나) 점 $(0,\ k)$에서 곡선 $y=g(x)$에 그은 접선의 개수가 3인 k의 값의 범위는 $-1<k<0$이다.

$g(-2)\times g(4)$의 값을 구하여라.

정답 0589 : 30 0590 : ③ 0591 : 72

함수 $f(x)=\dfrac{2x}{x^2+1}$의 그래프의 개형을 그려라.

MAPL CORE 함수 $f(x)$에 대하여 다음과 같은 사항을 조사하여 그래프의 개형을 그릴 수 있다.

① 함수의 정의역과 치역 ② 곡선과 좌표축의 교점
③ 곡선의 대칭성과 주기 ④ 함수의 증가와 감소, 극대와 극소
⑤ 곡선의 오목과 볼록, 변곡점 ⑥ $\lim_{x\to\infty}f(x)$, $\lim_{x\to-\infty}f(x)$, 점근선

개념익힘 | **풀이** ① $x^2+1\neq0$이므로 정의역은 실수 전체의 집합이다.

② $f(0)=0$이므로 점 $(0, 0)$을 지난다.

③ $f(-x)=\dfrac{-2x}{x^2+1}=-f(x)$이므로 주어진 함수의 그래프는 원점에 대하여 대칭이다.

④, ⑤

$$f'(x)=\frac{2(x^2+1)-2x\cdot2x}{(x^2+1)^2}=\frac{-2(x+1)(x-1)}{(x^2+1)^2}=0\text{에서 } x=1 \text{ 또는 } x=-1$$

$$f''(x)=\frac{-2\cdot2x\cdot(x^2+1)^2+2(x^2-1)\cdot2(x^2+1)2x}{(x^2+1)^4}=\frac{4x(x^2+1)\{-(x^2+1)+2(x^2-1)\}}{(x^2+1)^4}$$

$$=\frac{4x(x^2-3)}{(x^2+1)^3}=\frac{4x(x+\sqrt{3})(x-\sqrt{3})}{(x^2+1)^3}=0\text{에서 } x=-\sqrt{3} \text{ 또는 } x=0 \text{ 또는 } x=\sqrt{3}$$

함수 $f(x)$의 증가, 감소 및 오목, 볼록을 표로 정리하면 다음과 같다.

x	$\cdots$	$-\sqrt{3}$	$\cdots$	-1	$\cdots$	0	$\cdots$	1	$\cdots$	$\sqrt{3}$	$\cdots$
$f'(x)$	$-$	$-$	$-$	0	$+$	$+$	$+$	0	$-$	$-$	$-$
$f''(x)$	$-$	0	$+$	$+$	$+$	0	$-$	$-$	$-$	0	$+$
$f(x)$	↘	$-\dfrac{\sqrt{3}}{2}$ (변곡점)	↘	-1 (극소)	↗	0 (변곡점)	↗	1 (극대)	↘	$\dfrac{\sqrt{3}}{2}$ (변곡점)	↘

⑥ $\lim_{x\to\infty}f(x)=0$, $\lim_{x\to-\infty}f(x)=0$이므로 x축이 점근선이다.

따라서 그래프를 그리면 다음 그림과 같다.

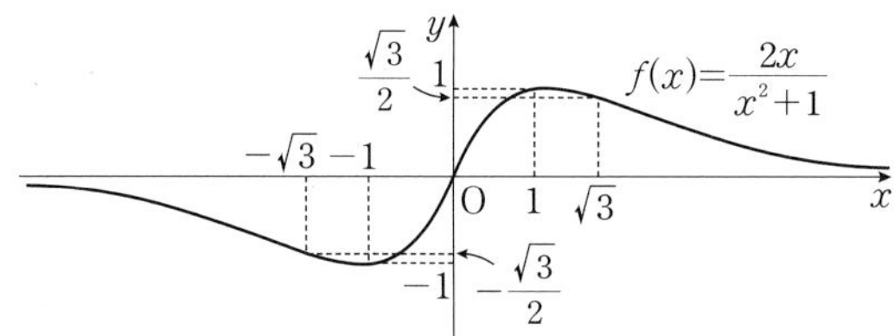

확인유제 0592 다음 함수의 그래프의 개형을 그려라.

(1) $f(x)=\dfrac{x}{x^2+1}$ (2) $f(x)=\dfrac{x-1}{x^2}$ (3) $f(x)=4\sqrt{x}-x$

정답 0592 : 해설참조

마플개념익힘 06 지수함수 로그함수의 그래프

다음 함수의 그래프의 개형을 그려라.

(1) $y=\ln(x^2+1)$　　　(2) $f(x)=x^2(1+2\ln x)$

개념익힘 | 풀이 (1) $f(x)=\ln(x^2+1)$에서 $x^2+1>0$이므로 함수 $f(x)$의 정의역은 실수 전체의 집합이다.

$f(-x)=f(x)$이므로 함수 $f(x)$의 그래프는 y축에 대하여 대칭이다.

$f(0)=0$이므로 점 $(0,\ 0)$을 지난다.

$f'(x)=\dfrac{2x}{x^2+1}$이므로 $f'(x)=0$에서 $x=0$

$f''(x)=\dfrac{-2x^2+2}{(x^2+1)^2}$이므로 $f''(x)=0$에서 $x=-1$ 또는 $x=1$

함수 $f(x)$의 증가와 감소, 곡선 $y=f(x)$의 오목과 볼록을 표로 나타내면 다음과 같다.

x	$\cdots$	-1	$\cdots$	0	$\cdots$	1	$\cdots$
$f'(x)$	$-$	$-$	$-$	0	$+$	$+$	$+$
$f''(x)$	$-$	0	$+$	$+$	$+$	0	$-$
$f(x)$	↘	$\ln 2$	↘	0 (극소)	↗	$\ln 2$	↗

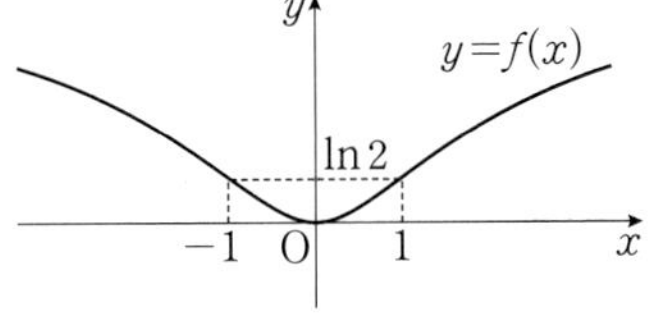

한편 $\lim_{x\to\infty}f(x)=\infty$, $\lim_{x\to-\infty}f(x)=\infty$이므로

함수 $y=f(x)$의 그래프의 개형은 오른쪽 그림과 같다.

(2) $f(x)=x^2(1+2\ln x)$에서 $f'(x)=2x(1+2\ln x)+x^2\cdot\dfrac{2}{x}=4x+4x\ln x=4x(1+\ln x)$

$f'(x)=0$에서 $x=\dfrac{1}{e}\ (\because x>0)$

$f''(x)=4(1+\ln x)+4x\cdot\dfrac{1}{x}=4(2+\ln x)$에서 $f''(x)=0$이므로 $x=\dfrac{1}{e^2}$

함수 $f(x)$의 증가, 감소 및 오목, 볼록을 표로 정리하면 다음과 같다.

x	(0)	$\cdots$	$\frac{1}{e^2}$	$\cdots$	$\frac{1}{e}$	$\cdots$
$f'(x)$		$-$	$-$	$-$	0	$+$
$f''(x)$		$-$	0	$+$	$+$	$+$
$f(x)$		↘	$-\frac{3}{e^4}$	↘	$-\frac{1}{e^2}$	↗

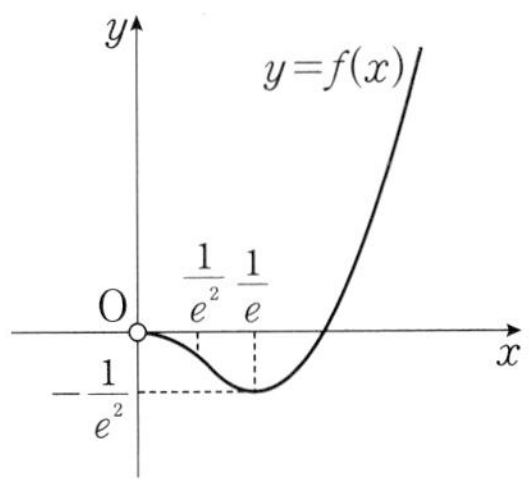

이때 $\lim_{x\to\infty}x^2(1+2\ln x)=\infty$

따라서 극솟점 $\left(\dfrac{1}{e},\ -\dfrac{1}{e^2}\right)$, 변곡점 $\left(\dfrac{1}{e^2},\ -\dfrac{3}{e^4}\right)$이고 그래프의 개형은 위의 그림과 같다.

확인유제 0593

다음 함수의 그래프의 개형을 그려라.

(1) $f(x)=xe^x$　　(2) $f(x)=x\ln x$　　(3) $f(x)=(\ln x)^2$

(4) $y=\ln(x^2+2)$　　(5) $f(x)=x-\ln x$　　(6) $f(x)=\dfrac{e^x}{x}$

(7) $f(x)=x+2\sin x\ (0<x<2\pi)$

정답 0593 : 해설참조

마플수능특강 03 $f(x)$가 극값을 가질 조건

01 유리함수, 지수함수, 로그함수가 극값을 가질 조건

(1) $f'(x)=\dfrac{h(x)}{g(x)}$에서 $h(x)$가 이차함수이고 모든 실수 x에 대하여 $g(x)>0$이면

① 함수 $f(x)$가 극값을 가진다. ⇨ $h(x)=0$이 서로 다른 두 실근을 가진다.

② 함수 $f(x)$가 극값을 가지지 않는다. ⇨ $h(x)=0$이 중근 또는 허근을 가진다.

(2) $f'(x)=a\sin x+b$이면

① 함수 $f(x)$가 극값을 가진다. ⇨ ($f'(x)$의 최댓값)$\times$($f'(x)$의 최솟값)<0

② 함수 $f(x)$가 극값을 가지지 않는다. ⇨ ($f'(x)$의 최댓값)≤ 0 또는 ($f'(x)$의 최솟값)≥ 0

참고 $f'(x)$의 부호가 바뀌지 않는 경우

① $f'(x)=0$이 중근을 가질 때,

예를 들면 $f'(x)=p(x-\alpha)^2$($p>0$인 상수일 때) $f'(x)=p(x-\alpha)^2\ge 0$이므로 $f'(x)$의 부호는 바뀌지 않는다.

같은 방법으로 $p<0$인 상수일 때, $f'(x)=p(x-\alpha)^2\le 0$이므로 $f'(x)$의 부호는 바뀌지 않는다.

② $f'(x)=0$인 $\sin x=\pm1$, $\cos x=\pm1$을 가질 때,

예를 들면 $f'(x)=1\pm\sin x$이면 $f'(x)=1\pm\sin x\ge 0$이므로 $f'(x)$의 부호는 바뀌지 않는다.

$f'(x)=1\pm\cos x$이면 $f'(x)=1\pm\cos x\ge 0$이므로 $f'(x)$의 부호는 바뀌지 않는다.

수능특강문제 01

함수 $f(x)=e^x(x^2+2x+a)$가 극값을 갖지 않을 때, 상수 a의 범위를 구하여라.

수능특강 풀이

$f'(x)=e^x(x^2+2x+a)+e^x(2x+2)=e^x(x^2+4x+a+2)$

함수 $f(x)$가 극값을 갖지 않으려면 모든 실수 x에 대하여 $f'(x)\ge 0$이어야 한다.

$e^x>0$이므로 이차방정식 $x^2+4x+a+2=0$의 판별식을 D라 하면

$\dfrac{D}{4}=2^2-(a+2)\le 0 \quad \therefore a\ge 2$

정답 $a\ge 2$

수능특강문제 02

함수 $f(x)=\dfrac{1}{x}+\ln x+kx$가 극댓값과 극솟값을 모두 가질 때, 상수 k의 값의 범위를 구하여라.

수능특강 풀이

$f(x)=\dfrac{1}{x}+\ln x+kx$에서 $f'(x)=-\dfrac{1}{x^2}+\dfrac{1}{x}+k=\dfrac{-1+x+kx^2}{x^2}=\dfrac{kx^2+x-1}{x^2}$

이때 함수 $f(x)$가 극댓값과 극솟값을 모두 가질 때, $f'(x)=0$

즉, $kx^2+x-1=0$이 $x>0$에서 서로 다른 두 양의 실근을 가지려면

(ⅰ) 판별식 $D=1+4k>0 \quad \therefore k>-\dfrac{1}{4}$

(ⅱ) 두 근의 합 $\alpha+\beta=-\dfrac{1}{k}>0 \quad \therefore k<0$

(ⅲ) 두 근의 곱 $\alpha\beta=-\dfrac{1}{k}>0 \quad \therefore k<0$

(ⅰ)~(ⅲ)에서 k의 값의 범위는 $-\dfrac{1}{4}<k<0$

정답 $-\dfrac{1}{4}<k<0$

수능특강문제 03 함수

$$f(x)=x+k\sin x$$

가 극값을 갖기 위한 실수 k의 값의 범위를 구하여라.

수능특강 풀이

STEP A $f'(x)=0$**인** x**의 값 구하기**

$f(x)=x+k\sin x$에서 $f'(x)=1+k\cos x$

그런데 $k=0$이면 $f'(x)=1$이므로 $f'(x)=0$을 만족하는 x가 존재하지 않는다. 즉 $k\neq 0$

$f'(x)=0$에서 $1+k\cos x=0$, $\cos x=-\dfrac{1}{k}$

STEP B 극값을 갖기 위한 실수 k**의 값의 범위 구하기**

함수 $f(x)$가 극값을 가지려면 방정식 $f'(x)=0$의 실근이 존재하고, 그 실근의 좌우에서 $f'(x)$의 부호가 바뀌어야 한다.

$|\cos x|=\left|-\dfrac{1}{k}\right|\leq 1$이므로 $|k|\geq 1$

이때 $k=1$이면 $f'(x)=1+\cos x\geq 0$에서 $f(x)$가 증가하므로 극값을 갖지 않는다.

또, $k=-1$이면 $f'(x)=1-\cos x\geq 0$에서 $f(x)$가 증가하므로 극값을 갖지 않는다.

한편 $|k|>1$이면 $f'(x)=0$을 만족하는 x의 값의 좌우에서 $f'(x)$의 부호가 바뀐다.

$\therefore$ $k>1$ 또는 $k<-1$

정답 $k>1$ 또는 $k<-1$

수능특강문제 04 0이 아닌 정수 k에 대하여 함수

$$f(x)=\frac{x}{3}-\frac{\sin x}{k}$$

가 극값을 갖도록 하는 k의 개수는?

① 1 ② 2 ③ 3 ④ 4 ⑤ 5

수능특강 풀이

STEP A $f'(x)=0$**인** x**의 값 구하기**

$f(x)=\dfrac{x}{3}-\dfrac{\sin x}{k}$에서 $f'(x)=\dfrac{1}{3}-\dfrac{\cos x}{k}$

$f'(x)=0$에서 $\cos x=\dfrac{k}{3}$

STEP B 극값을 갖기 위한 실수 k**의 값의 범위 구하기**

함수 $f(x)$가 극값을 가져야 하므로

곡선 $y=\cos x$와 직선 $y=\dfrac{k}{3}$가 만나는 점이 존재해야 하고

직선 $y=\dfrac{k}{3}$가 곡선 $y=\cos x$의 접선이 아니어야 한다.

즉 $-1<\dfrac{k}{3}<1$

따라서 $-3<k<3$, $k\neq 0$이므로 정수 k의 값은 -2, -1, 1, 2이고 그 개수는 4이다.

정답 ④

02 변곡점이 존재하기 위한 조건

(1) 함수 $f(x)$가 변곡점이 존재하기 위한 조건

⇨ 함수 $f(x)$에서 $f''(x)=0$의 실근이 존재하고 그 실근의 좌우에서 $f''(x)$의 부호가 바뀌어야 한다.

(2) 함수 $f(x)$가 변곡점을 갖지 않을 조건

⇨ $f''(x)=0$의 해가 존재하지 않거나 $f''(x)$의 부호가 바뀌지 않는다.

참고 $f''(x)$의 부호가 바뀌지 않는 경우

① $f''(x)=0$이 중근을 가질 때,

예를 들면 $f''(x)=p(x-a)^2(p>0$인 상수)일 때, $f''(x)=p(x-a)^2\geq 0$이므로 $f''(x)$의 부호는 바뀌지 않는다.

같은 방법으로 $p<0$인 상수일 때, $f''(x)=p(x-a)^2\leq 0$이므로 $f''(x)$의 부호는 바뀌지 않는다.

② $f''(x)=0$인 $\sin x=\pm 1$, $\cos=\pm 1$을 가질 때,

예를 들면 $f''(x)=1\pm\sin x$이면 $f''(x)=1\pm\sin x\geq 0$이므로 $f''(x)$의 부호는 바뀌지 않는다.

$f''(x)=1\pm\cos x$이면 $f''(x)=1\pm\cos x\geq 0$이므로 $f''(x)$의 부호는 바뀌지 않는다.

수능특강문제 05 곡선 $f(x)=x^4+ax^3+4x^2+5$가 변곡점을 갖지 않도록 하는 a의 범위를 구하여라.

수능특강 풀이

STEP A 미분법을 이용하여 곡선이 변곡점을 갖지 않을 조건 구하기

$f(x)=x^4+ax^3+4x^2+5$에서 $f'(x)=4x^3+3ax^2+8x$

$f''(x)=12x^2+6ax+8=2(6x^2+3ax+4)$

$f(x)$가 변곡점을 갖지 않으므로 $f''(x)=0$의 해가 존재하지 않을 때, $f''(x)$의 부호가 바뀌지 않는다.

STEP B 판별식을 이용하여 a의 범위 구하기

즉, 이차방정식 $6x^2+3ax+4=0$이 허근과 중근을 가지므로 판별식을 D라 하면

$D=9a^2-96\leq 0$에서 $-\frac{4\sqrt{6}}{3}\leq a\leq\frac{4\sqrt{6}}{3}$

정답 $-\frac{4\sqrt{6}}{3}\leq a\leq\frac{4\sqrt{6}}{3}$

수능특강문제 06 함수 $f(x)=2x^2+a\sin x$에 대하여 곡선 $y=f(x)$가 변곡점을 갖지 않도록 하는 정수 a의 개수는?

① 7 ② 8 ③ 9 ④ 10 ⑤ 11

수능특강 풀이

STEP A 미분법을 이용하여 곡선이 변곡점을 갖지 않을 조건 구하기

$f(x)=2x^2+a\sin x$에서 $f'(x)=4x+a\cos x$, $f''(x)=4-a\sin x$

(ⅰ) $a=0$인 경우

$f''(x)=4>0$이므로 곡선 $y=f(x)$는 변곡점을 갖지 않는다.

(ⅱ) $a\neq 0$인 경우

$f''(x)=0$에서 $\sin x=\frac{4}{a}$

곡선 $y=f(x)$가 변곡점을 갖지 않아야 하므로

곡선 $y=\sin x$와 직선 $y=\frac{4}{a}$가 만나지 않거나

직선 $y=\frac{4}{a}$가 곡선 $y=\sin x$의 접선이어야 하므로 $\left|\frac{4}{a}\right|\geq 1$이어야 한다.

즉 $\left|\frac{a}{4}\right|\leq 1$이므로 $-4\leq a\leq 4$

$\therefore -4\leq a\leq 4,\ a\neq 0$

STEP B 정수 a의 개수 구하기

(ⅰ), (ⅱ)에서 정수 a의 값은 $-4, -3, -2, -1, 0, 1, 2, 3, 4$이므로 개수는 9이다.

정답 ③

수능특강문제 07

2020학년도 수능기출

곡선

$$y=ax^2-2\sin 2x$$

가 변곡점을 갖도록 하는 정수 a의 개수는?

① 4　　② 5　　③ 6　　④ 7　　⑤ 8

수능특강 풀이

STEP Ⓐ 미분법을 이용하여 곡선이 변곡점을 갖도록 하는 조건 구하기

곡선 $y=ax^2-2\sin 2x$가 변곡점을 가지려면

$y''=0$인 근의 좌우에서 부호가 바뀌어야 한다.

$y'=2ax-4\cos 2x$에서

$y''=2a+8\sin 2x$

$y''=0$에서 $\sin 2x=-\dfrac{a}{4}$

곡선 $y=ax^2-2\sin 2x$가 변곡점을 가져야 하므로 곡선 $y=\sin 2x$와 직선 $y=-\dfrac{a}{4}$가 두 점에서 만나야 한다.

즉, $-1<-\dfrac{a}{4}<1$에서 $-4<a<4$

STEP Ⓑ 정수 a의 개수 구하기

따라서 정수 a의 값은 $-3, -2, -1, 0, 1, 2, 3$이고, 그 개수는 7이다.

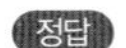

④

2020학년도 09월 평가원

함수

$$f(x)=3\sin kx+4x^3$$

의 그래프가 오직 하나의 변곡점을 가지도록 하는 실수 k의 최댓값을 구하여라.

수능특강 풀이

STEP Ⓐ 함수의 그래프가 한 개의 변곡점을 갖도록 하는 조건 구하기

함수 $f(x)=3\sin kx+4x^3$의 그래프가 오직 하나의 변곡점을 가지려면 $f''(x)=0$의 근이 오직 하나이어야 한다.

$f(x)=3\sin kx+4x^3$에서 $f'(x)=3k\cos kx+12x^2$

$f''(x)=-3k^2\sin kx+24x$

$f''(x)=0$에서 $3k^2\sin kx=24x$

즉, $k^2\sin kx=8x$를 만족하는 실수 x의 값이 오직 하나이어야 한다.

STEP Ⓑ 두 곡선의 교점이 하나이기 위한 k의 범위 구하기

$g(x)=k^2\sin kx$라 하면 곡선 $y=g(x)$는 원점에 대하여 대칭이고,

곡선 $y=g(x)$와 직선 $y=8x$가 원점에서만 만나야 하므로

곡선 $y=g(x)$ 위의 점 $(0, 0)$에서의 접선의 기울기가 8 이하이어야 한다.

$g'(x)=k^3\cos kx$이므로 $g'(0)=k^3$

따라서 $k^3\le 8$에서 $k\le 2$이므로 실수 k의 최댓값은 2이다.

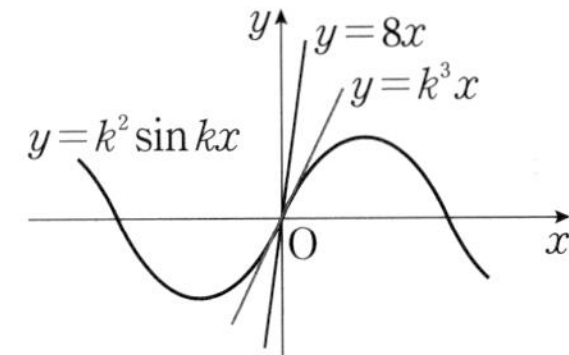

정답 2

04 곡선 $f(x)=\frac{\ln x}{x}$, $f(x)=x^n e^{-x}$의 개형

01 $f(x)=\frac{\ln x}{x}$의 그래프 개형

$f(x)=\frac{\ln x}{x}$의 그래프 개형

$f(x)=\frac{\ln x}{x}$에서 $x>0$이고 $f'(x)=\frac{\frac{1}{x}\cdot x-\ln x}{x^2}=\frac{1-\ln x}{x^2}$

$f''(x)=\frac{-\frac{1}{x}\cdot x^2-(1-\ln x)\cdot 2x}{x^4}=\frac{2\ln x-3}{x^3}$

$f'(x)=0$에서 $1-\ln x=0$에서 $x=e$

$f''(x)=0$에서 $2\ln x-3=0$에서 $x=e^{\frac{3}{2}}$

함수 $f(x)$의 증가와 감소 및 오목과 볼록을 표로 정리하면 다음과 같다.

x	(0)	$\cdots$	e	$\cdots$	$e^{\frac{3}{2}}$	$\cdots$
$f'(x)$		$+$	0	$-$	$-$	$-$
$f''(x)$		$-$	$-$	$-$	0	$+$
$f(x)$		↗	$\frac{1}{e}$	↘	$\frac{3}{2}e^{-\frac{3}{2}}$	↘

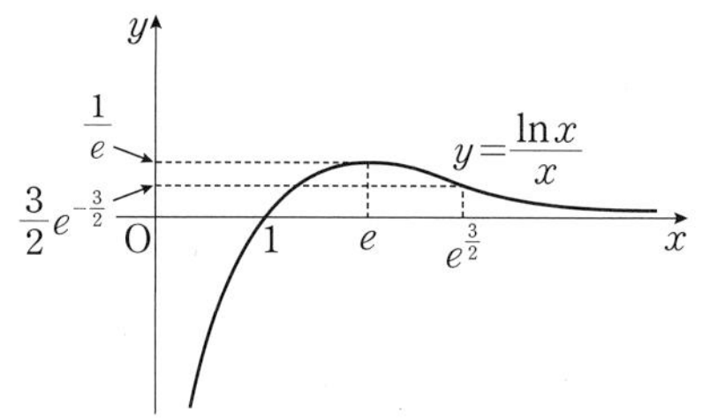

이때 $\lim_{x\to\infty}\frac{\ln x}{x}=0$, $\lim_{x\to0+}\frac{\ln x}{x}=-\infty$이므로 x축이 점근선이다.

따라서 극댓점 $\left(e, \frac{1}{e}\right)$, 변곡점 $\left(e^{\frac{3}{2}}, \frac{3}{2}e^{-\frac{3}{2}}\right)$이고 그래프의 개형은 위의 그림과 같다.

수능특강문제 01

함수 $y=\frac{\ln x}{x}$가 $x=a$에서 극댓값 b를 가질 때, 두 실수 a, b에 대하여 ab의 값은?

① 0 ② 1 ③ 2 ④ 3 ⑤ 4

수능특강 풀이

$f(x)=\frac{\ln x}{x}$로 놓으면 $f'(x)=\frac{\frac{1}{x}\cdot x-\ln x\cdot 1}{x^2}=\frac{1-\ln x}{x^2}$

$f'(x)=0$에서 $x=e$

함수 $f(x)$의 증가와 감소를 표로 나타내면 다음과 같다.

x	(0)	$\cdots$	e	$\cdots$
$f'(x)$		$+$	0	$-$
$f(x)$		↗	$\frac{1}{e}$	↘

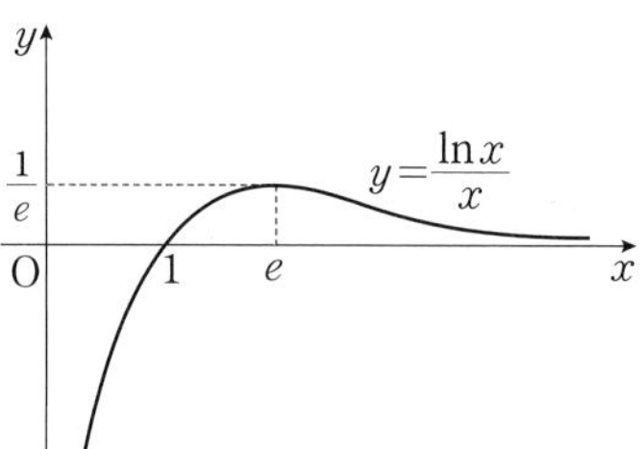

$x=e$에서 극대이고 극댓값 $f(e)=\frac{1}{e}$

$\therefore ab=e\cdot\frac{1}{e}=1$

정답 ②

수능특강문제 02

함수 $y=\frac{\ln x}{x}$가 최댓값을 가질 때의 x의 값은?

1998학년도 수능기출

① 1 ② $\frac{1}{e}$ ③ e ④ $2e$ ⑤ e^2

수능특강 풀이

$f(x)=\frac{\ln x}{x}$로 놓으면

$f'(x)=\frac{\frac{1}{x}\cdot x-\ln x}{x^2}=\frac{1-\ln x}{x^2}$이므로

$f'(x)=0$에서 $x=e$

$x>0$에서 함수 $f(x)$의 증가와 감소를 표로 나타내면 다음과 같다.

x	(0)	$\cdots$	e	$\cdots$
$f'(x)$		$+$	0	$-$
$f(x)$		↗	$\frac{1}{e}$	↘

따라서 함수 $f(x)$는 $x=e$에서 극대이면서 최대이다.

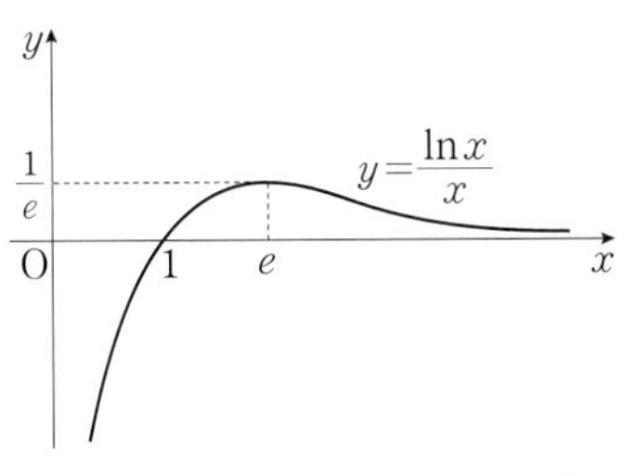

정답 ③

수능특강문제 03

곡선 $f(x)=\frac{\ln x}{x}$의 변곡점에서의 접선의 방정식을 구하여라.

수능특강 풀이

$f'(x)=\frac{\frac{1}{x}\cdot x-\ln x\cdot 1}{x^2}=\frac{1-\ln x}{x^2}$

$f''(x)=\frac{-\frac{1}{x}\cdot x^2-(1-\ln x)2x}{x^4}=\frac{-3+2\ln x}{x^3}$

$f''(x)=0$에서 $\ln x=\frac{3}{2}$이므로 $x=e^{\frac{3}{2}}$

$x=e^{\frac{3}{2}}$의 좌우에서 $f''(x)$의 부호가 바뀌므로 변곡점의 좌표는 $\left(e^{\frac{3}{2}},\ \frac{3}{2}e^{-\frac{3}{2}}\right)$

이때 변곡점에서의 접선의 기울기는 $f'\left(e^{\frac{3}{2}}\right)=-\frac{1}{2}e^{-3}$이므로

접선의 방정식은 $y=-\frac{1}{2}e^{-3}x+2e^{-\frac{3}{2}}$

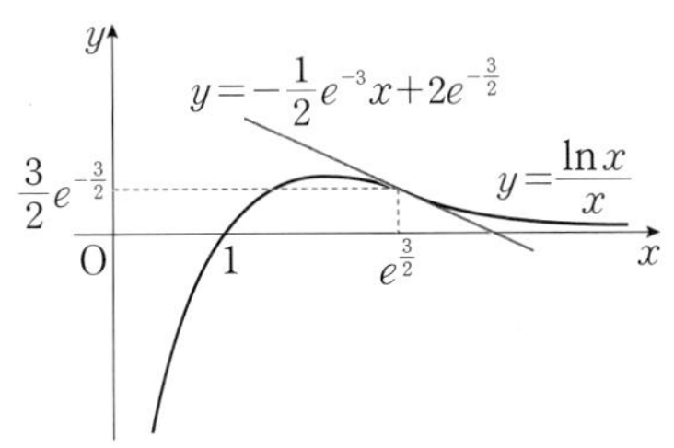

정답 $y=-\frac{1}{2}e^{-3}x+2e^{-\frac{3}{2}}$

수능특강문제 04

x에 대한 방정식 $\frac{\ln x}{x}=a$가 오직 하나의 실근을 갖도록 하는 양수 a의 값은?

① $\frac{1}{e}$ ② $\frac{2}{e}$ ③ 1 ④ e ⑤ $2e$

수능특강 풀이

방정식 $\frac{\ln x}{x}=a$가 오직 하나의 실근을 가지려면 곡선 $y=\frac{\ln x}{x}$와 상수함수 $y=a$가 한 점에서 만나야 한다.

$f(x)=\frac{\ln x}{x}$로 놓으면 $f'(x)=\frac{\frac{1}{x}\cdot x-\ln x\cdot 1}{x^2}=\frac{1-\ln x}{x^2}$

$f'(x)=0$에서 $x=e$

함수 $f(x)$의 증가와 감소를 표로 나타내면 다음과 같다.

x	(0)	$\cdots$	e	$\cdots$
$f'(x)$		$+$	0	$-$
$f(x)$		↗	$\frac{1}{e}$	↘

$x=e$에서 극대이고 극댓값 $f(e)=\frac{1}{e}$

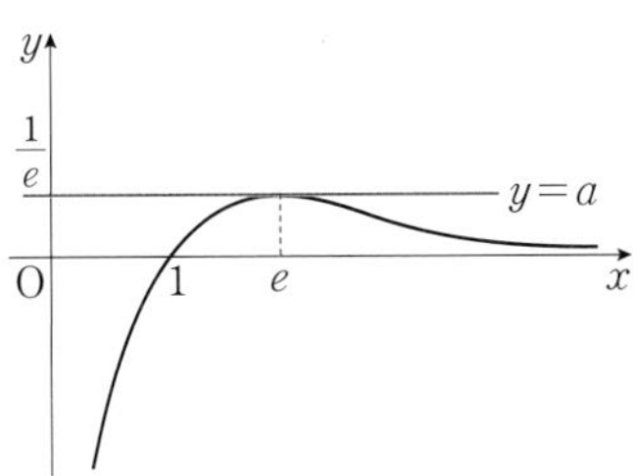

따라서 곡선 $y=\frac{\ln x}{x}$와 상수함수 $y=a$가 한 점에서 만나기 위해서는 양수 $a=\frac{1}{e}$이어야 한다.

정답 ①

수능특강문제 05 함수 $f(x)=\frac{\ln x}{x}$에 대한 다음 [보기]의 설명 중 옳은 것만을 있는 대로 고른 것은?
(단, $\lim_{x\to 0+}f(x)=-\infty$, $\lim_{x\to\infty}f(x)=0$이고 e는 자연로그의 밑이다.)

ㄱ. $x=e$에서 극댓값을 갖는다.

ㄴ. 변곡점의 좌표는 $\left(e^{\frac{3}{2}}, \frac{3}{2}e^{-\frac{3}{2}}\right)$이다.

ㄷ. 함수 $y=f(x)$의 그래프는 x축과 서로 다른 두 점에서 만난다.

① ㄱ ② ㄷ ③ ㄱ, ㄴ ④ ㄴ, ㄷ ⑤ ㄱ, ㄴ, ㄷ

수능특강 풀이 $f(x)=\frac{\ln x}{x}$에서 $x>0$이고 $f'(x)=\frac{\frac{1}{x}\cdot x-\ln x}{x^2}=\frac{1-\ln x}{x^2}$

$f'(x)=0$에서 $1-\ln x=0$ $\therefore x=e$

함수 $f(x)$의 증가와 감소를 표로 나타내면 다음과 같다.

x	(0)	$\cdots$	e	$\cdots$
$f'(x)$		$+$	0	$-$
$f(x)$		↗	$\frac{1}{e}$	↘

ㄱ. 함수 $f(x)$는 $x=e$에서 극댓값 $\frac{1}{e}$을 갖는다. [참]

ㄴ. $f''(x)=\frac{-\frac{1}{x}\cdot x^2-(1-\ln x)\cdot 2x}{x^4}=\frac{2\ln x-3}{x^3}$

$f''(x)=0$에서 $2\ln x-3=0$이므로 $x=e^{\frac{3}{2}}$

$f''(e^{\frac{3}{2}})=0$이고 $x=e^{\frac{3}{2}}$의 좌우에서 $f''(x)$의 부호가 바뀌므로

$x=e^{\frac{3}{2}}$에서 변곡점을 갖는다.

이때 변곡점의 좌표는 $\left(e^{\frac{3}{2}}, \frac{3}{2}e^{-\frac{3}{2}}\right)$이다. [참]

ㄷ. $y=f(x)$의 그래프의 개형을 그리면 오른쪽 그림과 같다.

즉, 함수 $y=f(x)$의 그래프는 x축과 한 점에서 만난다. [거짓]

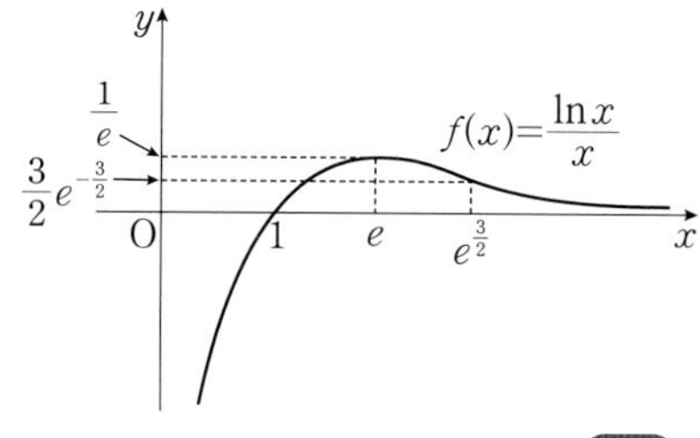

따라서 옳은 것은 ㄱ, ㄴ이다.

정답 ③

수능특강문제 06 직선 $y=5x$가 곡선 $y=a\ln x$에 접할 때, 양수 a의 값은?

① $3e$ ② $\frac{7}{2}e$ ③ $4e$ ④ $\frac{9}{2}e$ ⑤ $5e$

수능특강 풀이 곡선 $y=a\ln x$와 직선 $y=5x$가 접하므로

$a\ln x=5x$에서 $\frac{\ln x}{x}=\frac{5}{a}$

즉 곡선 $y=\frac{\ln x}{x}$와 직선 $y=\frac{5}{a}$가 접해야 한다.

$f(x)=\frac{\ln x}{x}$라 하면 $f'(x)=\frac{\frac{1}{x}\cdot x-\ln x\cdot 1}{x^2}=\frac{1-\ln x}{x^2}$

$f'(x)=0$에서 $x=e$

$x>0$에서 함수 $f(x)$의 증가와 감소를 표로 나타내면 다음과 같다.

x	(0)	$\cdots$	e	$\cdots$
$f'(x)$		$+$	0	$-$
$f(x)$		↗	극대	↘

함수 $y=f(x)$의 그래프는 오른쪽 그림과 같다.

따라서 $\frac{5}{a}=\frac{1}{e}$이므로 $a=5e$

다른풀이 접점을 $\mathrm{T}(t, a\ln t)$라 하자.

$y'=\frac{a}{x}$에서 접선의 기울기는 $\frac{a}{t}$이므로 접선의 방정식은

$y-a\ln t=\frac{a}{t}(x-t)$

이 직선이 원점을 지나므로 $0-a\ln t=\frac{a}{t}(0-t)$에서 $\ln t=1$, $t=e$

따라서 점 (e, a)에서의 접선의 방정식이 $y=\frac{a}{e}x$이므로 $\frac{a}{e}=5$에서

$a=5e$

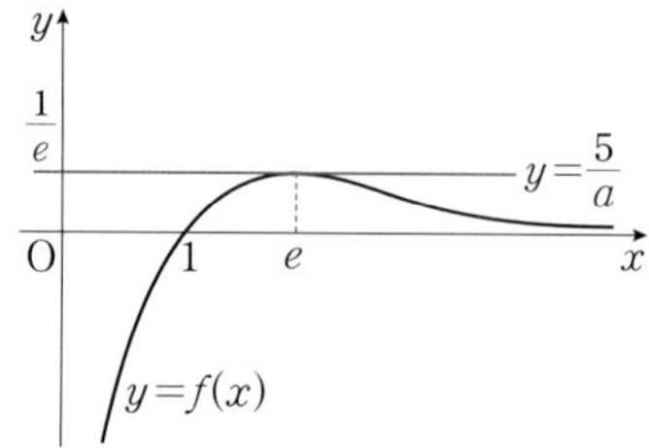

정답 ⑤

02 $f(x)=x^n e^{-x}$ (단, $n=1, 2, 3$)의 그래프 개형

(1) $f(x)=xe^{-x}$의 그래프 개형

$f(x)=xe^{-x}$에서 $f'(x)=-(x-1)e^{-x}$, $f''(x)=(x-2)e^{-x}$

$f'(x)=0$에서 $x=1$, $f''(x)=0$에서 $x=2$

함수 $f(x)$의 증가, 감소 및 오목, 볼록을 표로 정리하면 다음과 같다.

x	$\cdots$	1	$\cdots$	2	$\cdots$
$f'(x)$	+	0	−	−	−
$f''(x)$	−	−	−	0	+
$f(x)$	↗	극대	↘	변곡점	↘

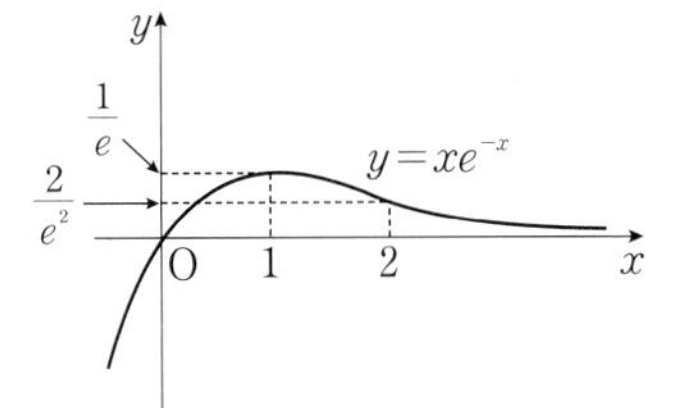

이때 $\lim_{x\to\infty}f(x)=\lim_{x\to\infty}xe^{-x}=\lim_{x\to\infty}\frac{x}{e^x}=\lim_{x\to\infty}\frac{1}{e^x}=0$이므로 x축이 점근선이고 $\lim_{x\to-\infty}f(x)=\lim_{x\to-\infty}xe^{-x}=-\infty$

따라서 극댓점 $\left(1, \frac{1}{e}\right)$, 변곡점 $(2, 2e^{-2})$이고 그래프의 개형은 위의 그림과 같다.

(2) $f(x)=x^2e^{-x}$의 그래프 개형

$f(x)=x^2e^{-x}$에서 $f'(x)=2xe^{-x}-x^2e^{-x}=(2x-x^2)e^{-x}$

$f'(x)=0$에서 $x=0$ 또는 $x=2$

$f''(x)=(2-2x)e^{-x}-(2x-x^2)e^{-x}=(x^2-4x+2)e^{-x}$

$f''(x)=0$에서 $x=2-\sqrt{2}$ 또는 $x=2+\sqrt{2}$

함수 $f(x)$의 증가, 감소 및 오목, 볼록을 표로 정리하면 다음과 같다.

x	$\cdots$	0	$\cdots$	$2-\sqrt{2}$	$\cdots$	2	$\cdots$	$2+\sqrt{2}$	$\cdots$
$f'(x)$	−	0	+		+	0	−		−
$f''(x)$	+	+	+	0	−	−	−	0	+
$f(x)$	↘	극소	↗	변곡점	↗	극대	↘	변곡점	↘

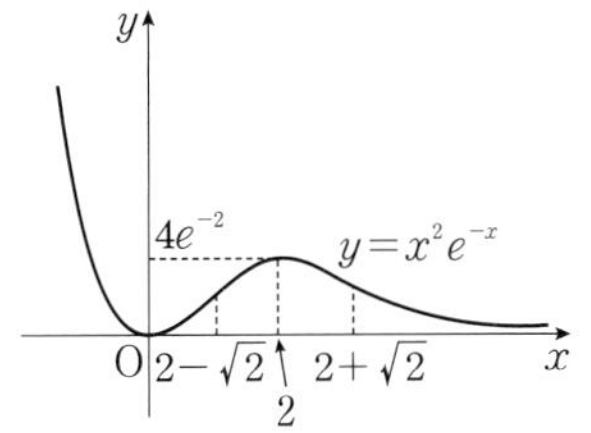

이때 $\lim_{x\to\infty}f(x)=\lim_{x\to\infty}x^2e^{-x}=\lim_{x\to\infty}\frac{x^2}{e^x}=0$이므로 x축이 점근선이고 $\lim_{x\to-\infty}f(x)=\lim_{x\to-\infty}x^2e^{-x}=\infty$

따라서 극솟점 $(0, 0)$, 극댓값 $(2, 4e^{-2})$, 변곡점 $(2-\sqrt{2}, (6-4\sqrt{2})e^{-(2-\sqrt{2})})$, $(2+\sqrt{2}, (6+4\sqrt{2})e^{-(2+\sqrt{2})})$이고 그래프의 개형은 위의 그림과 같다.

(3) $f(x)=x^3e^{-x}$의 그래프 개형

$f(x)=x^3e^{-x}$에서 $f'(x)=3x^2e^{-x}-x^3e^{-x}=(3x^2-x^3)e^{-x}$

$f'(x)=0$에서 $x=0$ 또는 $x=3$

$f''(x)=(6x-3x^2)e^{-x}-(3x^2-x^3)e^{-x}=(x^3-6x^2+6x)e^{-x}$

$f''(x)=0$에서 $x=0$ 또는 $x=3-\sqrt{3}$ 또는 $x=3+\sqrt{3}$

함수 $f(x)$의 증가, 감소 및 오목, 볼록을 표로 정리하면 다음과 같다.

x	$\cdots$	0	$\cdots$	$3-\sqrt{3}$	$\cdots$	3	$\cdots$	$3+\sqrt{3}$	$\cdots$
$f'(x)$	+	0	+		+	0	−		−
$f''(x)$	−	0	+	0	−		−	0	+
$f(x)$	↗	변곡점	↗	변곡점	↗	극대	↘	변곡점	↘

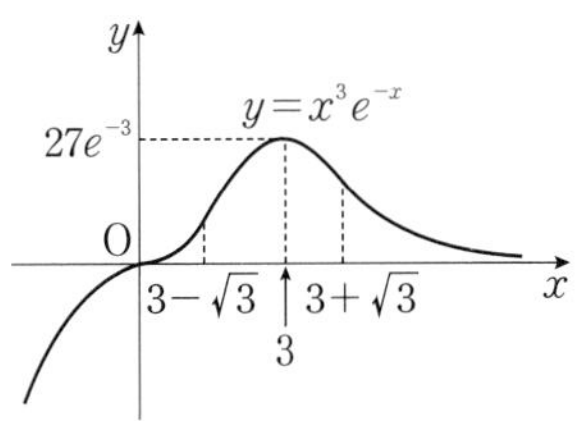

이때 $\lim_{x\to\infty}f(x)=\lim_{x\to\infty}x^3e^{-x}=\lim_{x\to\infty}\frac{x^3}{e^x}=0$이므로 x축이 점근선이고 $\lim_{x\to-\infty}f(x)=\lim_{x\to-\infty}x^3e^{-x}=-\infty$

따라서 극댓값 $(3, 27e^{-3})$, 변곡점 $(0, 0)$, $(3-\sqrt{3}, (3-\sqrt{3})^3e^{-(3-\sqrt{3})})$, $(3+\sqrt{3}, (3+\sqrt{3})^3e^{-(3+\sqrt{3})})$이고 그래프의 개형은 위의 그림과 같다.

수능특강문제 07

함수 $f(x)=x^n e^{-x}$에 대한 다음 설명 중 옳은 것을 모두 고르면? (단, n은 자연수)

> ㄱ. n이 짝수일 때, $f(x)$의 최솟값은 0이다.
> ㄴ. n이 짝수일 때, $f(x)$는 $x=0$에서 극솟값을 갖고 $x=n$에서 극댓값을 갖는다.
> ㄷ. n이 홀수일 때, $f(x)$는 $x=0$에서 극댓값을 갖고 $x=n$에서 극솟값을 갖는다.

① ㄱ ② ㄴ ③ ㄱ, ㄴ ④ ㄴ, ㄷ ⑤ ㄱ, ㄴ, ㄷ

수능특강 풀이

함수 $f(x)=x^n e^{-x}$을 x에 대해 미분하면

$f'(x)=nx^{n-1}\cdot e^{-x}+x^n\cdot(-e^{-x})=x^{n-1}e^{-x}(n-x)$

$f'(x)=0$에서 $x=0$ 또는 $x=n$

$y=f(x)$의 증가와 감소를 표로 나타내면 다음과 같다.

x		$\cdots$	0	$\cdots$	n	$\cdots$
n이 짝수	$f'(x)$	$-$	0	$+$	0	$-$
	$f(x)$	↘	0	↗	$\left(\frac{n}{e}\right)^n$	↘
n이 홀수	$f'(x)$	$+$	0	$+$	0	$-$
	$f(x)$	↗	0	↗	$\left(\frac{n}{e}\right)^n$	↘

또, $\lim_{x\to\infty}f(x)=\lim_{x\to\infty}x^n e^{-x}=\lim_{x\to\infty}\frac{x^n}{e^x}=0$이므로

n이 짝수일 때, $y=f(x)$는 $x=0$에서

최솟(극소)값 0을 갖고 $x=n$에서 극댓값을 갖는다.

한편 n이 홀수일 때, $x=n$에서 극댓값을 갖고 극솟값은 갖지 않는다.

따라서 옳은 것은 ㄱ, ㄴ이다.

참고 n이 짝수일 때, $f(x)$는 최솟값을 가지고, n이 홀수일 때, $f(x)$는 최댓값을 가진다.

정답 ③

수능특강문제 08

2015학년도 09월 평가원

3 이상의 자연수 n에 대하여 함수 $f(x)$가 $f(x)=x^n e^{-x}$일 때, [보기]에서 옳은 것만을 있는 대로 고른 것은?

> ㄱ. $f\left(\frac{n}{2}\right)=f'\left(\frac{n}{2}\right)$
> ㄴ. 함수 $f(x)$는 $x=n$에서 극댓값을 갖는다.
> ㄷ. 점 $(0, 0)$은 곡선 $y=f(x)$의 변곡점이다.

① ㄴ ② ㄷ ③ ㄱ, ㄴ ④ ㄱ, ㄷ ⑤ ㄱ, ㄴ, ㄷ

수능특강 풀이

ㄱ. $f(x)=x^n e^{-x}$에서 $f\left(\frac{n}{2}\right)=\left(\frac{n}{2}\right)^n e^{-\frac{n}{2}}$ …… ㉠

또, $f'(x)=nx^{n-1}e^{-x}-x^n e^{-x}=x^{n-1}e^{-x}(n-x)$이므로

$f'\left(\frac{n}{2}\right)=\left(\frac{n}{2}\right)^{n-1}\cdot e^{-\frac{n}{2}}\cdot\frac{n}{2}=\left(\frac{n}{2}\right)^n e^{-\frac{n}{2}}$ …… ㉡

㉠과 ㉡에서 $f\left(\frac{n}{2}\right)=f'\left(\frac{n}{2}\right)$ [참]

ㄴ. $f'(x)=x^{n-1}e^{-x}(n-x)$이므로 $f'(x)=0$에서

$x=0$ 또는 $x=n$

함수 $f(x)$의 증가와 감소를 표로 나타내면 오른쪽과 같다.

따라서 함수 $f(x)$는 $x=n$에서 극댓값을 갖는다. [참]

x	$\cdots$	0	$\cdots$	n	$\cdots$
$f'(x)$		0	$+$	0	$-$
$f(x)$			↗	극대	↘

ㄷ. $f'(x)=x^{n-1}e^{-x}(n-x)$에서

$f''(x)=(n-1)x^{n-2}e^{-x}(n-x)+x^{n-1}(-e^{-x})(n-x)+x^{n-1}e^{-x}(-1)$

$=x^{n-2}e^{-x}(x^2-2nx+n^2-n)$

$n=4$일 때, $f''(x)=x^2e^{-x}(x^2-8x+12)$

이므로 $f''(0)=0$이지만 x의 값이 0보다 작은 값에서 0보다

큰 값으로 변할 때, $f''(x)$의 부호가 변하지 않는다.

즉, n이 4 이상의 짝수인 경우 $x=0$의 좌우에서 $f''(x)$의 부호가

변하지 않는다.

그러므로 점 $(0, 0)$이 곡선 $y=f(x)$의 변곡점이라 할 수 없다. [거짓]

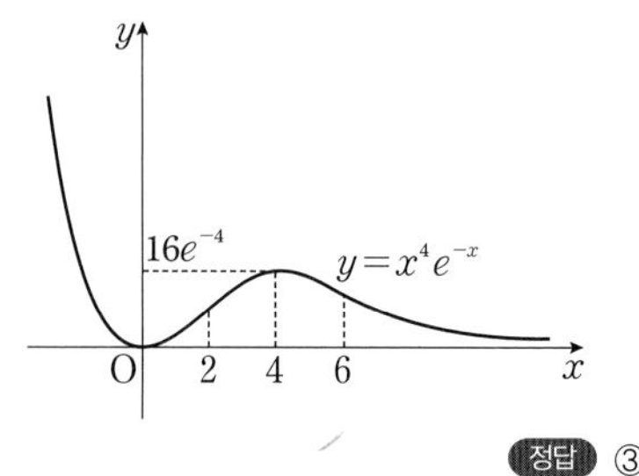

따라서 옳은 것은 ㄱ, ㄴ이다.

정답 ③

수능특강문제 09

함수 $f(x)=xe^{-x}$의 변곡점에서의 접선의 방정식이 $y=ax+b$일 때, 상수 a, b에 대하여 $a+b$의 값은?

① $-e^2$ ② $-3e^{-2}$ ③ -1 ④ e^{-2} ⑤ $3e^{-2}$

수능특강 풀이

$f(x)=xe^{-x}$에서 $f'(x)=e^{-x}-xe^{-x}=(1-x)e^{-x}$, $f''(x)=-e^{-x}-(1-x)e^{-x}=(x-2)e^{-x}$

$f''(x)=0$에서 $x=2$

$x=2$의 좌우에서 $f''(x)$의 부호가 바뀌고, $f(2)=2e^{-2}$이므로 곡선 $y=f(x)$의 변곡점의 좌표는 $(2,\ 2e^{-2})$

곡선 $y=f(x)$의 변곡점 $(2,\ 2e^{-2})$에서의 접선의 기울기는 $f'(2)=(1-2)\times e^{-2}=-\frac{1}{e^2}$

이므로 접선의 방정식은 $y-2e^{-2}=-e^{-2}(x-2)$ $\therefore y=-e^{-2}x+4e^{-2}$

따라서 $a=-e^{-2}$, $b=4e^{-2}$이므로 $a+b=-e^{-2}+4e^{-2}=3e^{-2}$

정답 ⑤

수능특강문제 10

함수 $f(x)=x^2e^{-x}$의 그래프에서 극대, 극소가 되는 점을 각각 A, B라 할 때 선분 AB의 중점의 y좌표는?

① e^{-2} ② $2e^{-2}$ ③ $4e^{-2}$ ④ $6e^{-2}$ ⑤ $8e^{-2}$

수능특강 풀이

$f(x)=x^2e^{-x}$에서 $f'(x)=2xe^{-x}-x^2e^{-x}=x(2-x)e^{-x}$

모든 실수 x에 대하여 $e^{-x}>0$이므로 $f'(x)=0$에서 $x=0$ 또는 $x=2$

함수 $f(x)$의 증가와 감소를 표로 나타내면 다음과 같다.

x	$\cdots$	0	$\cdots$	2	$\cdots$
$f'(x)$	$-$	0	$+$	0	$-$
$f(x)$	↘	극소	↗	극대	↘

함수 $f(x)$는 $x=0$에서 극대이고 극댓값은 $f(0)=0$, $x=2$에서 극소이고 극솟값은 $f(2)=4e^{-2}$

이므로 $\mathrm{A}(0,\ 0)$, $\mathrm{B}(2,\ 4e^{-2})$이다.

따라서 선분 AB의 중점의 y좌표는 $\frac{0+4e^{-2}}{2}=2e^{-2}$

정답 ②

수능특강문제 11

함수 $f(x)=\frac{x^2}{e^x}$의 그래프에 대하여 [보기]에서 옳은 것만을 있는 대로 골라라.

ㄱ. $x=0$일 때, 극솟값을 갖는다.
ㄴ. $x=2$일 때, 극댓값을 갖는다.
ㄷ. 변곡점의 x좌표의 합은 $2\sqrt{2}$이다.

① ㄱ ② ㄴ ③ ㄱ, ㄴ ④ ㄱ, ㄷ ⑤ ㄱ, ㄴ, ㄷ

수능특강 풀이

$f(x)=\frac{x^2}{e^x}$에서 $f'(x)=\frac{2xe^x-x^2e^x}{e^{2x}}=\frac{2x-x^2}{e^x}=\frac{x(2-x)}{e^x}$

$f''(x)=\frac{(2-2x)e^x-(2x-x^2)e^x}{e^{2x}}=\frac{x^2-4x+2}{e^x}$

$f'(x)=0$에서 $x(2-x)=0$ $\therefore x=0$ 또는 $x=2$

또한, $f''(x)=0$인 x의 값은 $x^2-4x+2=0$

$\therefore x=2-\sqrt{2}$ 또는 $x=2+\sqrt{2}$

함수 $f(x)$의 증가와 감소, 오목과 볼록을 표로 나타내면 다음과 같다.

x	$\cdots$	0	$\cdots$	$2-\sqrt{2}$	$\cdots$	2	$\cdots$	$2+\sqrt{2}$	$\cdots$
$f'(x)$	$-$	0	$+$	$+$	$+$	0	$-$	$-$	$-$
$f''(x)$	$+$	$+$	$+$	0	$-$	$-$	$-$	0	$+$
$f(x)$	↘	극소	↗	변곡점	↗	극대	↘	변곡점	↘

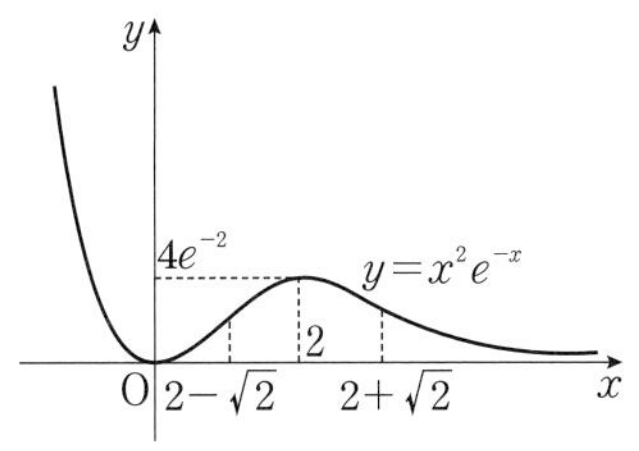

ㄱ. $x=0$일 때, 극솟값을 갖는다. [참]

ㄴ. $x=2$일 때, 극댓값을 갖는다. [참]

ㄷ. 변곡점의 x좌표는 $x=2-\sqrt{2}$, $x=2+\sqrt{2}$이므로 그 합은 4이다. [거짓]

따라서 옳은 것은 ㄱ, ㄴ이다.

정답 ③

수능특강문제 12 x에 대한 방정식 $x^n e^{-x}=1$ (n은 자연수)의 서로 다른 실근의 개수를 $f(n)$이라 할 때, $\sum_{n=1}^{10} f(n)$의 값은?

(단, 모든 자연수 n에 대하여 $\lim_{x\to\infty} x^n e^{-x}=0$이다.)

① 13　② 15　③ 17　④ 19　⑤ 21

수능특강 풀이 $g_n(x)=x^n e^{-x}$이라 하면

$n=1$일 때, $g_1'(x)=e^{-x}+x(-e^{-x})=-e^{-x}(x-1)$이므로 $g_1'(x)=0$에서 $x=1$

$n\geq 2$일 때, $g_n'(x)=nx^{n-1}e^{-x}+x^n(-e^{-x})=-x^{n-1}e^{-x}(x-n)$이므로 $g_n'(x)=0$에서 $x=0$ 또는 $x=n$

(ⅰ) $n=1$일 때, 함수 $g_1(x)$의 증가와 감소를 표로 나타내면 다음과 같다.

x	$\cdots$	1	$\cdots$
$g_1'(x)$	$+$	0	$-$
$g_1(x)$	↗	극대	↘

(ⅱ) n이 1이 아닌 홀수일 때, 함수 $g_n(x)$의 증가와 감소를 표로 나타내면 다음과 같다.

x	$\cdots$	0	$\cdots$	n	$\cdots$
$g_n'(x)$	$+$	0	$+$	0	$-$
$g_n(x)$	↗		↗	극대	↘

(ⅲ) n이 짝수일 때, 함수 $g_n(x)$의 증가와 감소를 표로 나타내면 다음과 같다.

x	$\cdots$	0	$\cdots$	n	$\cdots$
$g_n'(x)$	$-$	0	$+$	0	$-$
$g_n(x)$	↘	극소	↗	극대	↘

따라서 함수 $g_n(x)$는 n의 값에 관계없이 $x=n$에서 극댓값 $g_n(x)$을 갖는다.

이때 $\lim_{x\to\infty} g_n(x)=\lim_{x\to\infty} x^n e^{-x}=0$이고, $\lim_{x\to-\infty} g_n(x)=\lim_{x\to-\infty} x^n e^{-x}$에서 $x=-t$라 하면

$x\to-\infty$일 때, $t\to\infty$이므로 $\lim_{x\to-\infty} x^n e^{-x}=\lim_{t\to\infty}(-t)^n e^t$

따라서 n이 홀수이면 $\lim_{x\to-\infty} g_n(x)=-\infty$이고, n이 짝수이면 $\lim_{x\to-\infty} g_n(x)=\infty$이므로 함수 $y=g_n(x)$의 그래프의 개형은 다음 그림과 같다.

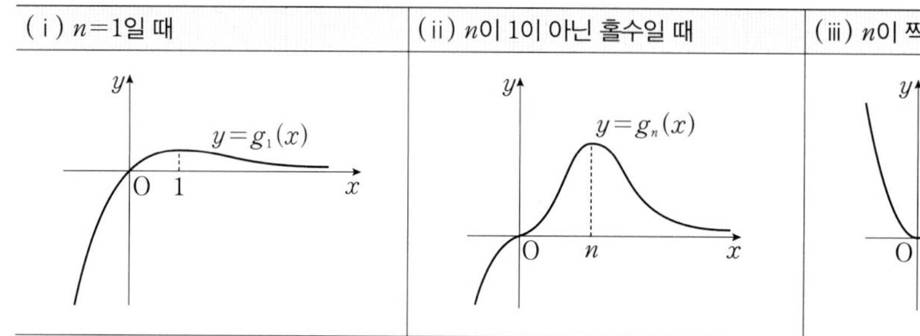

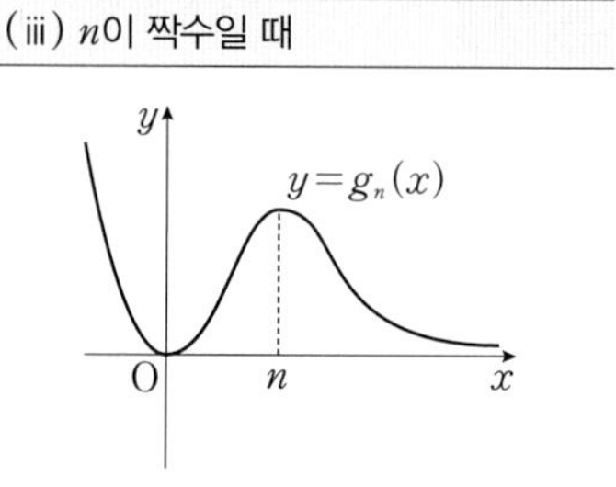

주어진 방정식의 서로 다른 실근의 개수는 n의 값에 따라 다음과 같다.

$n=1$일 때, $g_1(1)=1^1e^{-1}=\dfrac{1}{e}$이고 $2<e<3$이므로 $g_1(1)<1$이다. 즉 $f(1)=0$이다.

$n=2$일 때, $g_2(2)=2^2e^{-2}=\dfrac{4}{e^2}$이고 $4<e^2<9$이므로 $g_2(2)<1$이다. 즉 $f(2)=1$이다.

$n=3$일 때, $g_3(3)=3^3e^{-3}=\dfrac{27}{e^3}$이고 $8<e^3<27$이므로 $g_3(3)>1$이다. 즉 $f(3)=2$이다.

$n=4$일 때, $g_4(4)=4^4e^{-4}=\dfrac{256}{e^4}$이고 $16<e^4<81$이므로 $g_4(4)>1$이다. 즉 $f(4)=3$이다.

마찬가지 방법으로 $f(5)=f(7)=f(9)=2$, $f(6)=f(8)=f(10)=3$이므로

$\sum_{n=1}^{10} f(n)=0+1+2+3+2+3+2+3+2+3=21$

정답 ⑤

접선과 역함수의 미분법의 활용

직접적으로 역함수라는 표현을 하지 않았지만 역함수의 미분계수를 구하는 것과 같은 방법으로 문제 해결하기

수능특강문제 01

2019년 07월 교육청

$0<t<1$인 실수 t에 대하여 직선 $y=t$와 함수 $f(x)=\sin x\left(0<x<\frac{\pi}{2}\right)$의 그래프가 만나는 점을 P라 할 때,

곡선 $y=f(x)$ 위의 점 P에서 그은 접선의 x절편을 $g(t)$라 하자. $g'\left(\frac{2\sqrt{2}}{3}\right)$의 값은?

① -28 ② -24 ③ -20 ④ -16 ⑤ -12

수능특강 풀이

▶ 점 P를 $\mathrm{P}(\alpha(t),\ t)$라 하면 $f(\alpha(t))=t$ ⬅ α는 t의 함수이다.

즉, $\sin\alpha(t)=t$

점 $\mathrm{P}(\alpha(t),\ t)$에서 접선의 방정식은

$y-t=f'(\alpha(t))\{x-\alpha(t)\}$이고

$y-t=\cos\alpha(t)\{x-\alpha(t)\}$에서 x절편은 $g(t)=\frac{-t}{\cos\alpha(t)}+\alpha(t)$

이때 $\sin\alpha(t)=t$에서 $\cos\alpha(t)\alpha'(t)=1$

$\alpha'(t)=\frac{1}{\cos\alpha(t)}$ ⬅ $f(\alpha(t))=t$에서 $\alpha'(t)=\frac{1}{f'(\alpha(t))}$

이므로

$$g'(t)=\frac{-\cos\alpha(t)-t\sin\alpha(t)\alpha'(t)}{\cos^2\alpha(t)}+\alpha'(t)$$

$$=\frac{-\cos\alpha(t)-t\sin\alpha(t)\cdot\frac{1}{\cos\alpha(t)}}{\cos^2\alpha(t)}+\frac{1}{\cos\alpha(t)}$$

$$=-\frac{1}{\cos\alpha(t)}-\frac{t\sin\alpha(t)}{\cos^3\alpha(t)}+\frac{1}{\cos\alpha(t)}$$

$$=-\frac{t\sin\alpha(t)}{\cos^3\alpha(t)}$$ ⬅ $\sin\alpha(t)=t$

$$=-\frac{t^2}{\cos^3\alpha(t)}$$

$\sin\alpha\left(\frac{2\sqrt{2}}{3}\right)=\frac{2\sqrt{2}}{3}$이므로 $\cos\alpha\left(\frac{2\sqrt{2}}{3}\right)=\sqrt{1-\sin^2\alpha\left(\frac{2\sqrt{2}}{3}\right)}=\sqrt{1-\left(\frac{2\sqrt{2}}{3}\right)^2}=\frac{1}{3}$

따라서 $g'\left(\frac{2\sqrt{2}}{3}\right)=-\frac{\left(\frac{2\sqrt{2}}{3}\right)^2}{\cos^3\alpha\left(\frac{2\sqrt{2}}{3}\right)}=-\frac{\frac{8}{9}}{\frac{1}{27}}=-24$

 정답 ②

참고 점 P를 $\mathrm{P}(\alpha,\ t)$라 하면 $f(\alpha)=t$

$\sin\alpha=t$이므로 $\cos\alpha=\sqrt{1-\sin^2\alpha}=\sqrt{1-t^2}$이다.

접선의 방정식은 $y-f(\alpha)=f'(\alpha)(x-\alpha)$이고

$y-\sin\alpha=\cos\alpha(x-\alpha)$에서 $-\sin\alpha=\cos\alpha(g(t)-\alpha)$

$g(t)=\alpha-\tan\alpha$이다.

$\sin\alpha=t$의 양변을 t에 대하여 미분하면 $\cos\alpha\frac{d\alpha}{dt}=1$이므로 $\frac{d\alpha}{dt}=\frac{1}{\cos\alpha}$

$$g'(t)=\frac{d\alpha}{dt}-\sec^2\alpha\frac{d\alpha}{dt}=\frac{1}{\cos\alpha}-\frac{1}{\cos^3\alpha}=\frac{\cos^2\alpha-1}{\cos^3\alpha}=\frac{-t^2}{(1-t^2)^{\frac{3}{2}}}$$

따라서 $g'\left(\frac{2\sqrt{2}}{3}\right)=-24$

수능특강문제 **02**

2020학년도 06월 평가원

함수 $f(x)=\dfrac{\ln x}{x}$와 양의 실수 t에 대하여 기울기가 t인 직선이 곡선 $y=f(x)$에 접할 때, 접점의 x좌표를 $g(t)$라 하자. 원점에서 곡선 $y=f(x)$에 그은 접선의 기울기가 a일 때, 미분가능한 함수 $g(t)$에 대하여 $a\times g'(a)$의 값은?

① $-\dfrac{\sqrt{e}}{3}$　② $-\dfrac{\sqrt{e}}{4}$　③ $-\dfrac{\sqrt{e}}{5}$　④ $-\dfrac{\sqrt{e}}{6}$　⑤ $-\dfrac{\sqrt{e}}{7}$

수능특강 풀이

$f(x)=\dfrac{\ln x}{x}$에서 $f'(x)=\dfrac{1-\ln x}{x^2}$이다.

$f'(x)=0$에서 $1-\ln x=0$　$\therefore x=e$

$x>0$이므로 $x=e$에서 극대이고 그래프는 다음과 같다. ⬅ $\lim_{x\to\infty}f(x)=0$이므로 점근선 $y=0$

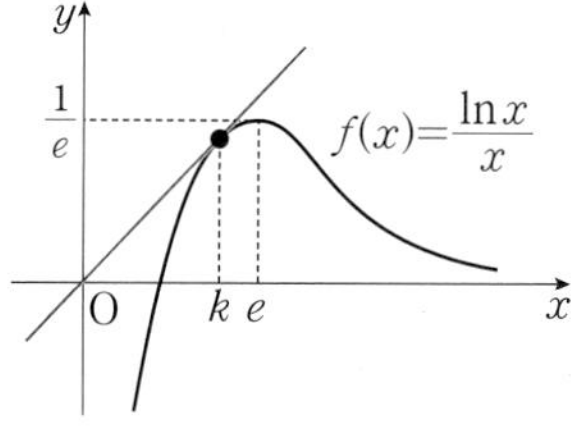

원점에서 $y=f(x)$의 그래프에 그은 접선의 접점의 좌표를 $\left(k,\ \dfrac{\ln k}{k}\right)$라고 하면

접선의 방정식은 $y-\dfrac{\ln k}{k}=\dfrac{1-\ln k}{k^2}(x-k)$

이 접선은 점 $(0,\ 0)$을 지나므로 $-\dfrac{\ln k}{k}=\dfrac{1-\ln k}{k^2}\times(-k)$, $\ln k=\dfrac{1}{2}$이므로

$k=\sqrt{e}$이다.

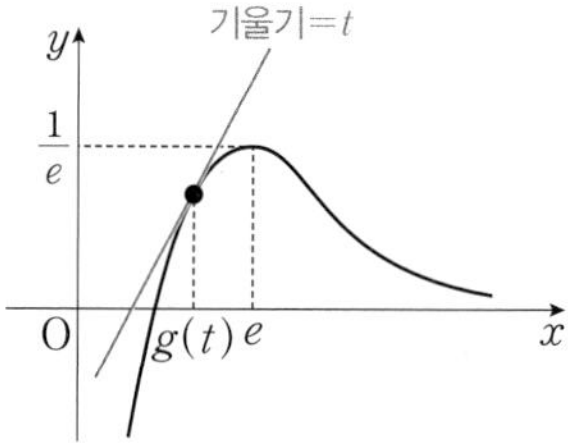

즉, $g(a)=\sqrt{e}$이고 $a=f'(k)=f'(\sqrt{e})=\dfrac{1-\ln\sqrt{e}}{(\sqrt{e})^2}=\dfrac{1}{2e}$

기울기가 t인 직선이 곡선 $y=f(x)$에 접할 때 접점의 x좌표를 $g(t)$이므로

$f'(g(t))=t$

즉, $f'(g(t))=\dfrac{1-\ln g(t)}{\{g(t)\}^2}=t$ ⬅ $f'(x)=\dfrac{1-\ln x}{x^2}$

$1-\ln g(t)=t\cdot\{g(t)\}^2$

양변을 t에 대하여 미분하면 $-\dfrac{g'(t)}{g(t)}=\{g(t)\}^2+2tg(t)g'(t)$

t에 a를 대입하면$-\dfrac{g'(a)}{g(a)}=\{g(a)\}^2+2ag(a)g'(a)$　…… ㉠

㉠의 식에 $g(a)=\sqrt{e}$와 $a=\dfrac{1}{2e}$을 대입하면 $-\dfrac{g'(a)}{\sqrt{e}}=e+2\times\dfrac{1}{2e}\times\sqrt{e}\times g'(a)$

$\therefore g'(a)=-\dfrac{e\sqrt{e}}{2}$

따라서 $a\times g'(a)=\dfrac{1}{2e}\times\left(-\dfrac{e\sqrt{e}}{2}\right)=-\dfrac{\sqrt{e}}{4}$

다른풀이 곡선의 접선 및 합성함수의 미분법을 이용하여 풀이하기

$f'(x)=\dfrac{1-\ln x}{x^2}$에서 $f'(g(t))=t$이므로 $\dfrac{1-\ln(g(t))}{\{g(t)\}^2}=t$　…… ㉠

한편 원점 $(0,\ 0)$에서 함수 $f(x)=\dfrac{\ln x}{x}$에 그은 접선의 방정식을 $\mathrm{S}(s,\ f(s))$라 하면

선분 OS의 기울기와 S에서 그은 접선의 기울기가 같으므로

$\dfrac{\frac{\ln s}{s}-0}{s-0}=\dfrac{1-\ln s}{s^2}$　…… ㉡

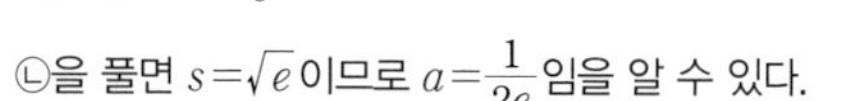

㉡을 풀면 $s=\sqrt{e}$이므로 $a=\dfrac{1}{2e}$임을 알 수 있다.

㉠의 식에서 양변에 $\{g(t)\}^2$을 곱하여 정리하면

$1-\ln(g(t))=t\{g(t)\}^2$이고 양변을 t로 미분하면

$-\dfrac{g'(t)}{g(t)}=\{g(t)\}^2+2tg(t)g'(t)$　…… ㉢

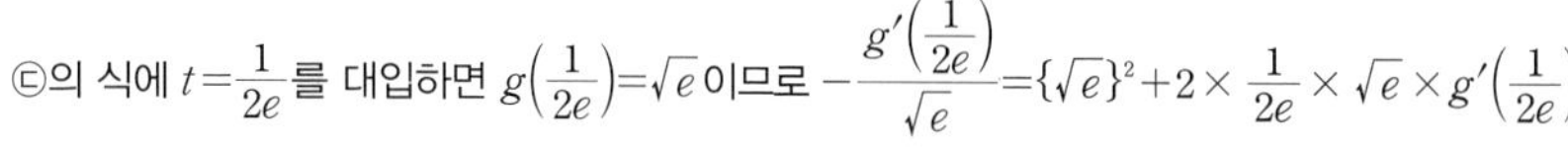

㉢의 식에 $t=\dfrac{1}{2e}$를 대입하면 $g\left(\dfrac{1}{2e}\right)=\sqrt{e}$이므로 $-\dfrac{g'\left(\frac{1}{2e}\right)}{\sqrt{e}}=\{\sqrt{e}\}^2+2\times\dfrac{1}{2e}\times\sqrt{e}\times g'\left(\dfrac{1}{2e}\right)$

정리하면 $g'\left(\dfrac{1}{2e}\right)=-\dfrac{e\sqrt{e}}{2}$이다.

따라서 $a\times g'(a)=\dfrac{1}{2e}\times\left\{-\dfrac{e\sqrt{e}}{2}\right\}=-\dfrac{\sqrt{e}}{4}$

정답 ②

2016학년도 수능기출

$0 < t < 41$인 실수 t에 대하여 곡선 $y=x^3+2x^2-15x+5$와 직선 $y=t$가 만나는 세 점 중에서 x좌표가 가장 큰 점의 좌표를 $(f(t),\ t)$, x좌표가 가장 작은 점의 좌표를 $(g(t),\ t)$라 하자. $h(t)=t\times\{f(t)-g(t)\}$라 할 때, $h'(5)$의 값은?

① $\frac{79}{12}$ ② $\frac{85}{12}$ ③ $\frac{91}{12}$ ④ $\frac{97}{12}$ ⑤ $\frac{103}{12}$

수능특강 풀이

$h(t)=t\times\{f(t)-g(t)\}$이므로

$h'(t)=\{f(t)-g(t)\}+t\times\{f'(t)-g'(t)\}$

$t=5$를 대입하면 $h'(5)=\{f(5)-g(5)\}+5\{f'(5)-g'(5)\}$ …… ㉠

$y=x^3+2x^2-15x+5$에서 $y'=3x^2+4x-15=(3x-5)(x+3)$

$y'=0$에서 $x=-3$ 또는 $x=\frac{5}{3}$

y의 증가와 감소를 표로 나타내면 다음과 같다.

x	$\cdots$	-3	$\cdots$	$\frac{5}{3}$	$\cdots$
y'	$+$	0	$-$	0	$+$
y	↗	극대	↘	극소	↗

$x=-3$일 때, 극댓값은 41이고 $x=\frac{5}{3}$에서 극솟값 $-\frac{265}{27}$

한편 $y=x^3+2x^2-15x+5$와 직선 $y=5$가 만나는 점의 x좌표는

$x^3+2x^2-15x+5=5,\ x(x^2+2x-15)=0$

$x(x+5)(x-3)=0$

$\therefore\ x=-5$ 또는 $x=0$ 또는 $x=3$

즉 $f(5)=3,\ g(5)=-5$ …… ㉡

곡선 $y=x^3+2x^2-15x+5$와 직선 $y=t$가 만나는 교점의 x좌표는

$x^3+2x^2-15x+5=t$에서 $x^3+2x^2-15x+5-t=0$

이 방정식의 근이 $f(t),\ g(t)$이므로

(ⅰ) 근이 $f(t)$일 때, $\{f(t)\}^3+2\{f(t)\}^2-15\{f(t)\}+5-t=0$

양변을 t에 대하여 미분하면 $3\{f(t)\}^2f'(t)+4\{f(t)\}f'(t)-15f'(t)-1=0$

$t=5$를 대입하면 $3\{f(5)\}^2f'(5)+4\{f(5)\}f'(5)-15f'(5)-1=0$

㉡에서 $f(5)=3$이므로 $27f'(5)+12f'(5)-15f'(5)-1=0$ $\therefore\ f'(5)=\frac{1}{24}$

(ⅱ) 근이 $g(t)$일 때, $\{g(t)\}^3+2\{g(t)\}^2-15\{g(t)\}+5-t=0$

양변을 t에 대하여 미분하면 $3\{g(t)\}^2g'(t)+4\{g(t)\}g'(t)-15g'(t)-1=0$

$t=5$를 대입하면 $3\{g(5)\}^2g'(5)+4\{g(5)\}g'(5)-15g'(5)-1=0$

㉡에서 $g(5)=-5$이므로 $75g'(5)-20f'(5)-15f'(5)-1=0$ $\therefore\ g'(5)=\frac{1}{40}$

따라서 ㉠에서 $h'(5)=\{3-(-5)\}+5\left(\frac{1}{24}-\frac{1}{40}\right)=8+\frac{1}{12}=\frac{97}{12}$

다른풀이 역함수의 미분법으로 풀이하기

$h(t)=t\cdot\{f(t)-g(t)\}$에서 $h'(t)=\{f(t)-g(t)\}+t\{f'(t)-g'(t)\}$

위 식에 $t=5$를 대입하면 $h'(5)=\{f(5)-g(5)\}+5\{f'(5)-g'(5)\}$

$x^3+2x^2-15x+5=5,\ x(x^2+2x-15)=0,\ x(x+5)(x-3)=0$

$\therefore\ x=-5$ 또는 $x=0$ 또는 $x=3$

즉 $f(5)=3,\ g(5)=-5$ …… ㉠

한편 $p(x)=x^3+2x^2-15x+5$라 하면 $p'(x)=3x^2+4x-15$

이때 두 점 $(f(t),\ t),\ (g(t),\ t)$는 함수 $y=p(x)$ 위의 점이므로 $p(f(t))=t,\ p(g(t))=t$

이때 함수 $p(t)$와 $f(t)$, 함수 $p(t)$와 $g(t)$는 각각 서로 역함수 관계이고 ㉠에서 $f(5)=3,\ g(5)=-5$이므로

$f'(5)=\frac{1}{p'(3)}=\frac{1}{3\cdot3^2+4\cdot3-15}=\frac{1}{24},\ g'(5)=\frac{1}{p'(-5)}=\frac{1}{3\cdot(-5)^2+4\cdot(-5)-15}=\frac{1}{40}$ …… ㉡

따라서 $h'(5)=\{f(5)-g(5)\}+5\{f'(5)-g'(5)\}$

$=\{3-(-5)\}+5\left(\frac{1}{24}-\frac{1}{40}\right)=8+\frac{1}{12}=\frac{97}{12}$ ($\because$ ㉠, ㉡)

정답 ④

MAPL; YOURMASTERPLAN

04 함수의 최대 최소

01 함수의 최대와 최소

함수 $f(x)$가 닫힌구간 $[a, b]$에서 연속이면 최대 · 최소 정리에 의하여 $f(x)$는 이 구간에서 반드시 최댓값과 최솟값을 가진다. 이때 닫힌구간 $[a, b]$에서 함수 $f(x)$의 최댓값과 최솟값은 다음과 같은 순서로 구한다.

[1단계] 양 끝값인 함숫값 $f(a)$와 $f(b)$를 구한다.
[2단계] 닫힌구간 $[a, b]$에서 함수 $f(x)$의 극댓값과 극솟값을 구한다.
[3단계] 함숫값 $f(a)$, $f(b)$와 모든 극값 중 가장 큰 값이 $f(x)$의 최댓값이고, 가장 작은 값이 $f(x)$의 최솟값이다.

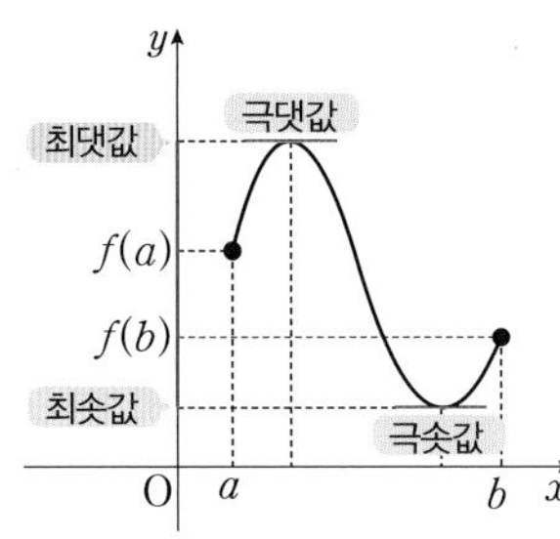

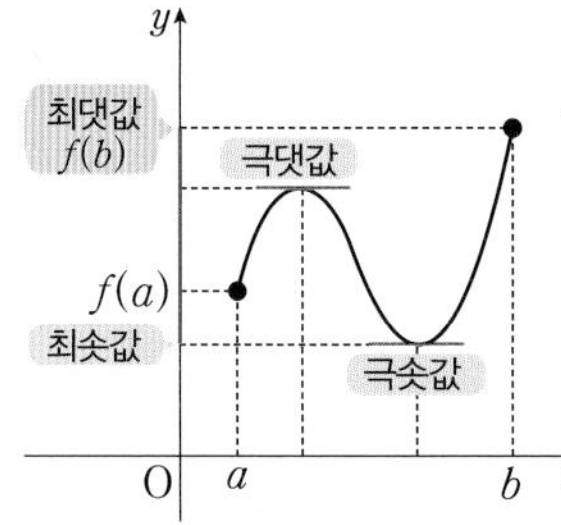

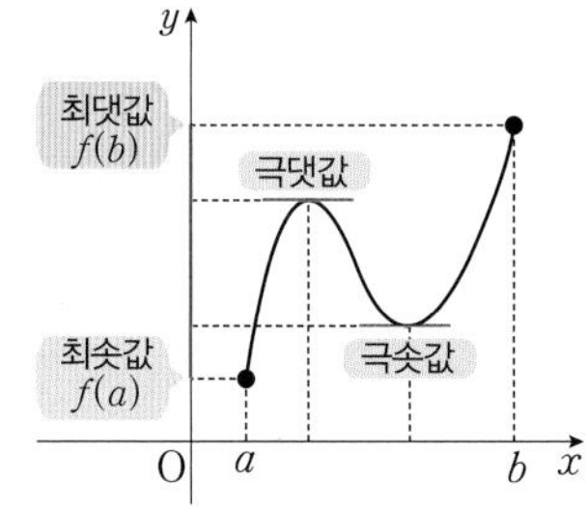

주의 ! 극댓값과 극솟값이 반드시 최댓값과 최솟값이 되지 않는다.
또한, 함수 $f(x)$가 닫힌구간 $[a, b]$에서 극값을 갖지 않으면 $f(a)$와 $f(b)$ 중에서 최댓값과 최솟값을 갖는다.

보기 01 다음 함수의 주어진 구간에서의 최댓값과 최솟값을 각각 구하여라.
(1) $f(x)=xe^{-x}$ $[0, 2]$　　　(2) $f(x)=x+2\cos x$ $[0, \pi]$

풀이 (1) $f'(x)=e^{-x}-xe^{-x}=(1-x)e^{-x}$
$f'(x)=0$에서 $x=1$
구간 $[0, 2]$에서 함수 $f(x)$의 증가와 감소를 표로 나타내면 오른쪽과 같다.

x	0	$\cdots$	1	$\cdots$	2
$f'(x)$		$+$	0	$-$	
$f(x)$	0	↗	$\frac{1}{e}$	↘	$\frac{2}{e^2}$

따라서 함수 $f(x)$는 $x=1$에서 최댓값 $\frac{1}{e}$, $x=0$에서 최솟값 0을 가진다.

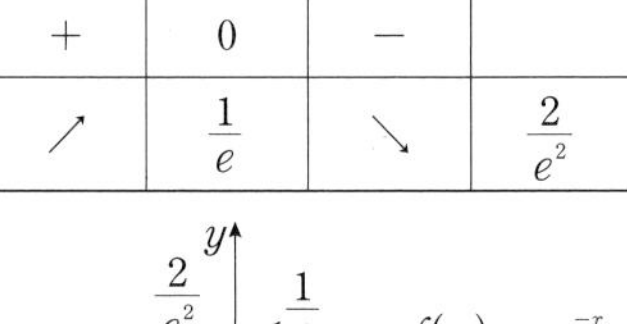

(2) $f(x)=x+2\cos x$에서 $f'(x)=1-2\sin x$이므로
$f'(x)=0$, 즉 $\sin x=\frac{1}{2}$에서 $x=\frac{\pi}{6}$ 또는 $x=\frac{5}{6}\pi$
닫힌구간 $[0, \pi]$에서 함수 $f(x)$의 증가와 감소를 표로 나타내면 다음과 같다.

x	0	$\cdots$	$\frac{\pi}{6}$	$\cdots$	$\frac{5}{6}\pi$	$\cdots$	π
$f'(x)$		$+$	0	$-$	0	$+$	
$f(x)$	2	↗	$\frac{\pi}{6}+\sqrt{3}$	↘	$\frac{5}{6}\pi-\sqrt{3}$	↗	$\pi-2$

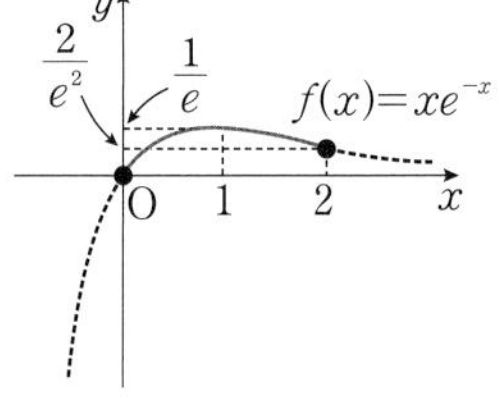

따라서 함수 $f(x)$는 $x=\frac{\pi}{6}$에서 최댓값 $\frac{\pi}{6}+\sqrt{3}$, $x=\frac{5}{6}\pi$에서 최솟값 $\frac{5}{6}\pi-\sqrt{3}$

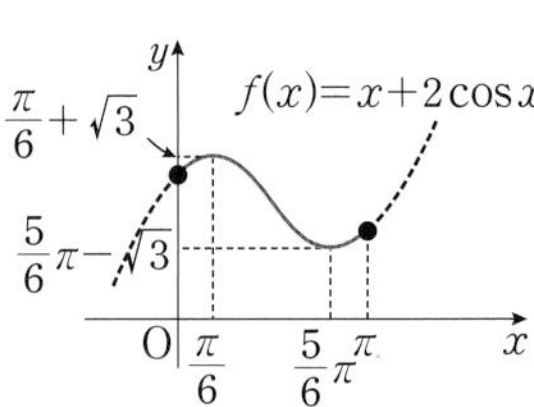

더 알아보기

극값이 하나만 존재하는 함수의 최대 · 최소
함수가 주어진 구간에서 연속이고 닫힌구간 $[a, b]$에서 극값이 오직 하나 존재할 때,
① 주어진 극값이 극댓값이면 ⇨ (극댓값)=(최댓값)
② 주어진 극값이 극솟값이면 ⇨ (극솟값)=(최솟값)

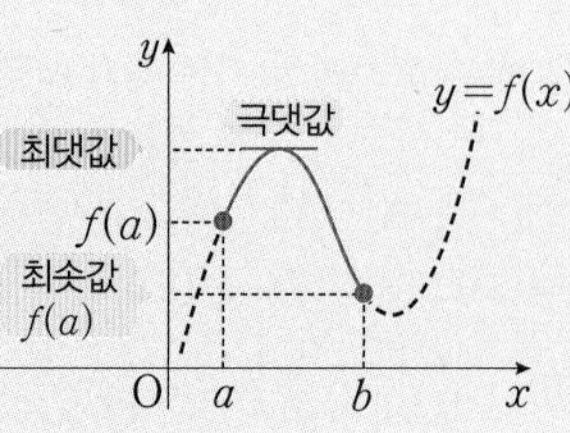

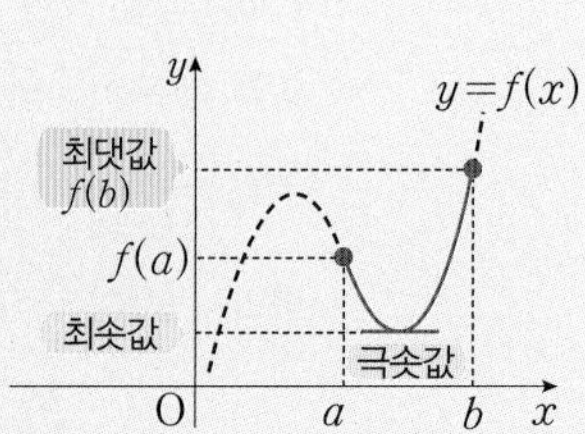

02 함수의 최대 · 최소의 활용

함수의 최대 · 최소의 활용 문제는 도형의 길이, 넓이나 부피와 관련된 것들이 대부분이다.
이러한 문제들을 해결하는 방법은 다음과 같다.

[1단계] 주어진 조건에 적합한 변수를 정하여 미지수 x로 놓고 그 값의 범위를 구한다.

[2단계] 도형의 길이, 넓이, 부피 등을 함수 $f(x)$로 나타낸다. ⬅ 한 변수에 관한 식으로 정리

[3단계] 함수의 그래프를 이용하여 함수 $f(x)$의 증감과 극대 · 극소를 이용하여 최댓값 또는 최솟값을 구한다.

보기 02 오른쪽 그림은 반지름의 길이가 1인 반원에서 지름 AB를 한 변으로 하고 반원에 내접하는 등변사다리꼴 ABCD를 나타낸 것이다.

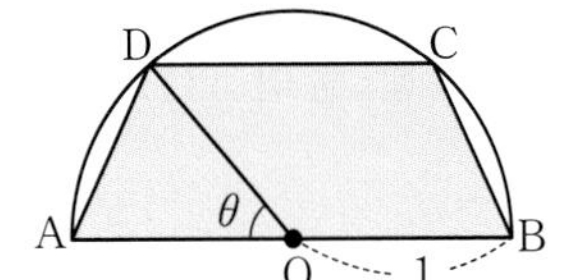

(1) $\angle AOD=\theta$라고 할 때, 등변사다리꼴 ABCD의 넓이 $S(\theta)$를 구하여라.

(2) $S(\theta)$의 최댓값을 구하여라.

풀이 (1) 지름 AB의 중점을 O, $\angle AOD=\theta\left(0<\theta<\frac{\pi}{2}\right)$

점 D에서 $\overline{OA}$에 내린 수선의 발을 E라 하자.

이때 $\overline{DE}=\sin\theta$, $\overline{OE}=\cos\theta$, $\overline{CD}=2\cos\theta$

사다리꼴 ABCD의 넓이를

$S(\theta)=\frac{1}{2}(\overline{AB}+\overline{DC})\cdot\overline{DE}=\frac{1}{2}(2+2\cos\theta)\cdot\sin\theta=(1+\cos\theta)\sin\theta\left(0<\theta<\frac{\pi}{2}\right)$

(2) $S'(\theta)$를 구하면

$S'(\theta)=\{-\sin^2\theta+(1+\cos\theta)\cos\theta\}=2\cos^2\theta+\cos\theta-1=(\cos\theta+1)(2\cos\theta-1)$

$S'(\theta)=0$에서 $\cos\theta+1>0$이므로 $\cos\theta=\frac{1}{2}$ $\quad\therefore\ \theta=\frac{\pi}{3}$

$0<\theta<\frac{\pi}{2}$에서 함수 $S(\theta)$의 증가와 감소를 표로 나타내면 오른쪽과 같다.

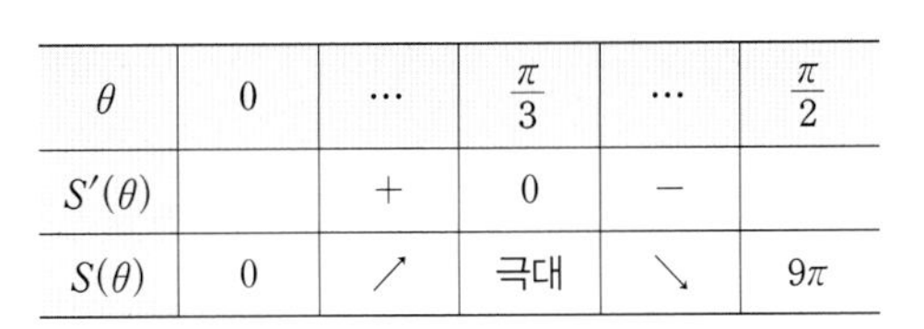

θ	(0)	$\cdots$	$\frac{\pi}{3}$	$\cdots$	$\left(\frac{\pi}{2}\right)$
$S'(\theta)$		$+$	0	$-$	
$S(\theta)$		↗	극대	↘	

따라서 함수 $S(\theta)$는 $\theta=\frac{\pi}{3}$일 때, 극대이면서 최대이므로 최댓값은 $S\left(\frac{\pi}{3}\right)=\frac{3\sqrt{3}}{4}$

보기 03 오른쪽 그림과 같이 지름 AB의 길이가 12인 반원에서 지름에 평행한 현 CD를 그을 때, 생기는 도형 OBDC가 있다. (단, 점 O는 반원의 중심)

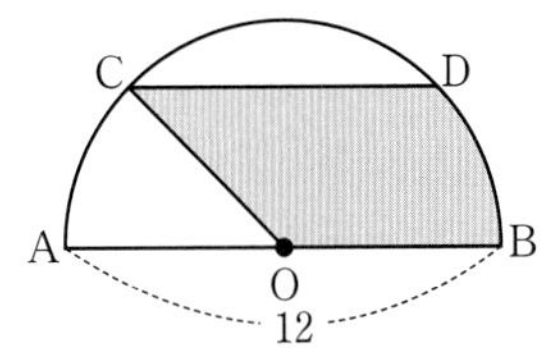

(1) $\angle BOD=\theta$라고 할 때, 도형 OBDC의 넓이 $S(\theta)$를 구하여라.

(2) $S(\theta)$의 최댓값을 구하여라.

풀이 (1) $\angle BOD=\theta\left(0<\theta<\frac{\pi}{2}\right)$이므로 도형 OBDC의 넓이 $S(\theta)$는

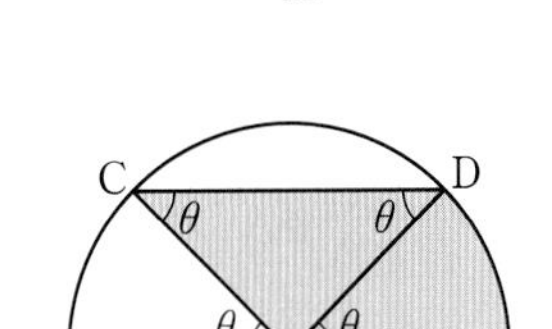

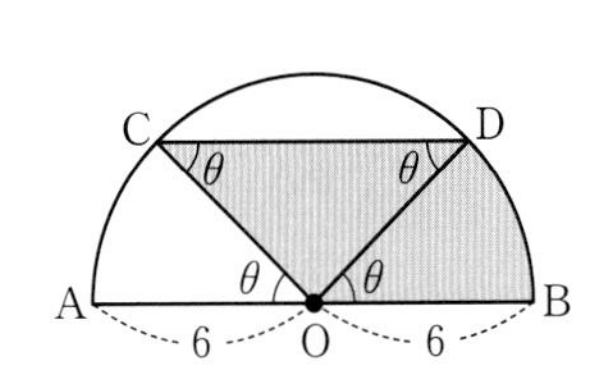

$S(\theta)=$(부채꼴 BOD의 넓이)$+$($\triangle$COD의 넓이)

$=\frac{1}{2}\cdot 6^2\cdot\theta+\frac{1}{2}\cdot 6^2\cdot\sin(\pi-2\theta)$

$=18(\theta+\sin 2\theta)\left(0<\theta<\frac{\pi}{2}\right)$

(2) $S'(\theta)=18(1+2\cos 2\theta)$이므로

$S'(\theta)=0$에서 $\cos 2\theta=-\frac{1}{2}$이므로 $2\theta=\frac{2}{3}\pi$에서 $\theta=\frac{\pi}{3}$

함수 $S(\theta)$의 증가와 감소를 표로 나타내면 오른쪽과 같다.

θ	0	$\cdots$	$\frac{\pi}{3}$	$\cdots$	$\frac{\pi}{2}$
$S'(\theta)$		$+$	0	$-$	
$S(\theta)$	0	↗	극대	↘	9π

따라서 $S(\theta)$는 $\theta=\frac{\pi}{3}$일 때, 극대이면서 최대이므로

도형 OBDC의 넓이의 최댓값은 $S\left(\frac{\pi}{3}\right)=6\pi+9\sqrt{3}$

다음 함수에 대하여 최댓값과 최솟값을 구하여라.

(1) $f(x)=\dfrac{-x}{x^2+x+1}$　　　　(2) $f(x)=x+\sqrt{4-x^2}$

MAPL CORE 유리함수, 무리함수의 최대 · 최소
⇨ 정의역에서 극값과 구간의 양끝값에서 함숫값을 구하여 비교한다.

개념익힘 | 풀이 (1) $f(x)=\dfrac{-x}{x^2+x+1}$에서 $f'(x)=\dfrac{-(x^2+x+1)+x(2x+1)}{(x^2+x+1)^2}=\dfrac{(x+1)(x-1)}{(x^2+x+1)^2}$

$f'(x)=0$에서 $x=-1$ 또는 $x=1$

이때 $\lim_{x\to-\infty}\dfrac{-x}{x^2+x+1}=0$, $\lim_{x\to\infty}\dfrac{-x}{x^2+x+1}=0$이므로

함수 $f(x)$의 증가와 감소를 표로 나타내면 다음과 같다.

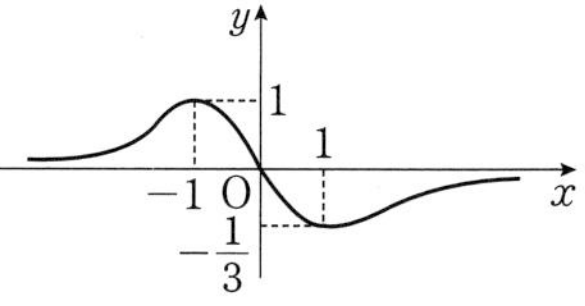

x	$-\infty$	$\cdots$	-1	$\cdots$	1	$\cdots$	∞
$f'(x)$		$+$	0	$-$	0	$+$	
$f(x)$	0	↗	1	↘	$-\frac{1}{3}$	↗	0

따라서 함수 $f(x)$는 $x=-1$일 때, 최댓값 **1**을 갖고, $x=1$일 때, 최솟값 $\boldsymbol{-\frac{1}{3}}$을 가진다.

(2) $f(x)=x+\sqrt{4-x^2}$에서 $f'(x)=1-\dfrac{x}{\sqrt{4-x^2}}=\dfrac{\sqrt{4-x^2}-x}{\sqrt{4-x^2}}$

$f'(x)=0$, 즉 $\sqrt{4-x^2}-x=0$에서 $\sqrt{4-x^2}=x$, $4-x^2=x^2$

$\therefore\ x=\sqrt{2}\ (\because\ 0\le x\le 2)$ ⬅ $\sqrt{4-x^2}=x\ge 0$이고 $4-x^2\ge 0$

구간 $[-2, 2]$에서 함수 $f(x)$의 증가와 감소를 표로 나타내면 다음과 같다.

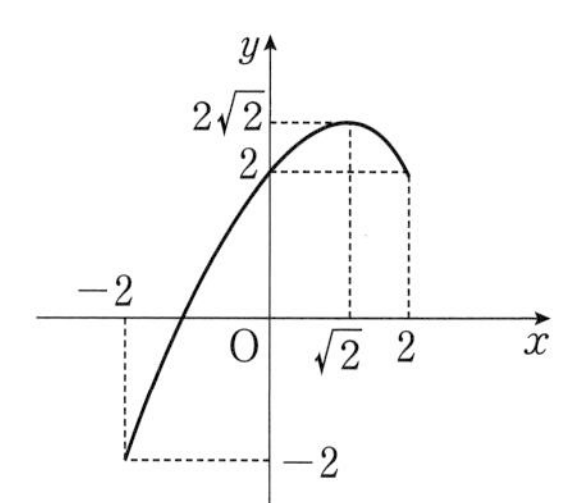

x	-2	$\cdots$	$\sqrt{2}$	$\cdots$	2
$f'(x)$		$+$	0	$-$	
$f(x)$	-2	↗	$2\sqrt{2}$	↘	2

함수 $f(x)$는 $x=\sqrt{2}$일 때 최댓값 $\boldsymbol{2\sqrt{2}}$, $x=-2$일 때 최솟값 $\boldsymbol{-2}$를 가진다.

확인유제 0594 다음 함수의 주어진 구간에서 최댓값과 최솟값을 구하여라.

(1) $f(x)=\dfrac{x}{x^2-x+1}$ $[-2, 2]$　　　　(2) $f(x)=x\sqrt{4-x^2}$ $[-2, 2]$

변형문제 0595 함수 $f(x)=x+\sqrt{1-x^2}$의 최댓값을 M, 최솟값을 m이라 할 때, $M+m$의 값은?

① $\sqrt{2}-1$　② $\sqrt{2}+1$　③ $\sqrt{3}-1$　④ $\sqrt{3}+1$　⑤ $\sqrt{3}+2$

발전문제 0596 양수 a에 대하여 닫힌구간 $[-a, a]$에서 함수 $f(x)=\dfrac{x-5}{(x-5)^2+36}$의 최댓값을 M, 최솟값을 m이라 할 때, $M+m=0$이 되도록 하는 a의 최솟값을 구하여라.

2005학년도 수능기출

정답 0594 : 최댓값 1, 최솟값 $-\frac{1}{3}$ (2) 최댓값 2, 최솟값 -2　0595 : ①　0596 : 11

마플개념익힘 02 지수함수 로그함수의 최대 최소

다음 함수의 주어진 구간에서 최댓값과 최솟값을 구하여라.

(1) $f(x)=e^x-x$ $[-1, 2]$ (2) $f(x)=2\ln x-x$ $[1, e]$

MAPL CORE [1단계] 증감표를 작성하여 $f(x)$의 극값을 구한다.
[2단계] 구간의 경계에서의 함숫값 $f(a)$, $f(b)$를 구한다.
[3단계] 구한 값 중에서 최댓값, 최솟값을 구한다.

개념익힘 | 풀이 (1) $f(x)=e^x-x$에서 $f'(x)=e^x-1$

$f'(x)=0$에서 $x=0$

닫힌구간 $[-1, 2]$에서 함수 $f(x)$의 증가와 감소를 표로 나타내면 다음과 같다.

x	-1	$\cdots$	0	$\cdots$	2
$f'(x)$		$-$	0	$+$	
$f(x)$	$e^{-1}+1$	↘	1	↗	e^2-2

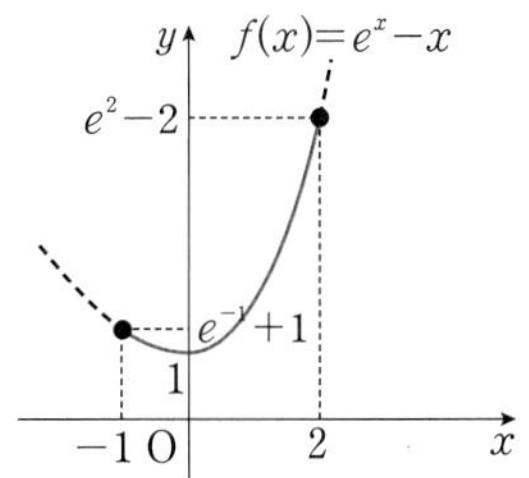

함수 $f(x)$는 $x=2$일 때 최댓값 $\boldsymbol{e^2-2}$, $x=0$일 때 최솟값 **1**을 가진다.

(2) $f(x)=2\ln x-x$에서 $f'(x)=\dfrac{2}{x}-1$

$f'(x)=0$에서 $x=2$

닫힌구간 $[1, e]$에서 함수 $f(x)$의 증가와 감소를 표로 나타내면 다음과 같다.

x	1	$\cdots$	2	$\cdots$	e
$f'(x)$		$+$	0	$-$	
$f(x)$	-1	↗	$2\ln 2-2$	↘	$2-e$

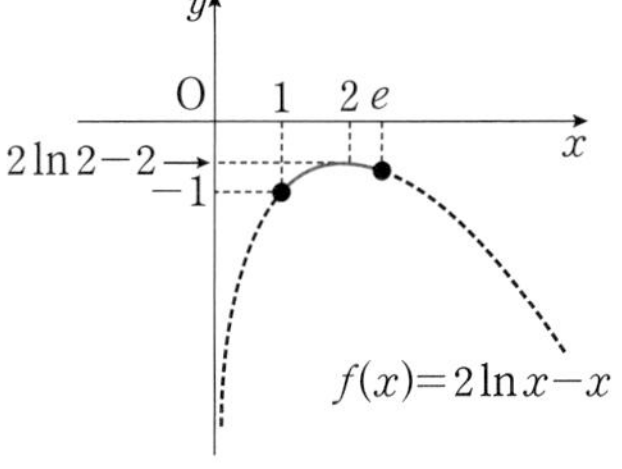

따라서 함수 $f(x)$는 $x=2$일 때 최댓값 $f(2)=\boldsymbol{2\ln 2-2}$, $x=1$일 때 최솟값 $\boldsymbol{-1}$을 가진다.

확인유제 0597 다음 함수의 주어진 구간에서 최댓값과 최솟값을 구하여라.

(1) $f(x)=(x^2-2)e^{-2x}$ $[0, 3]$ (2) $f(x)=3x-x\ln x$ $[1, e^3]$ (3) $f(x)=x^2e^{-x}$ $[-1, 3]$

변형문제 0598 어떤 사건이 일어날 확률이 p일 때, 이 사건에 대한 불확실 정도를 나타내는 값, 즉 엔트로피 S를 다음과 같이 정의한다.

2004학년도 12월 평가원

$$S=-k\{p\ln p+(1-p)\ln(1-p)\}\ (k\text{는 양의 상수})$$

이때 엔트로피 S가 최대가 되는 p의 값은?

① $\dfrac{1}{4}$ ② $\dfrac{1}{3}$ ③ $\dfrac{1}{2}$ ④ $\dfrac{3}{5}$ ⑤ $\dfrac{5}{6}$

발전문제 0599 자연수 n에 대하여 함수 $f(x)=x^n\ln x$의 최솟값을 $g(n)$이라 하자. $g(n)\le -\dfrac{1}{6e}$을 만족시키는 모든 n의 값의 합을 구하여라.

2015학년도 사관기출

정답 0597 : (1) 최댓값 $\dfrac{2}{e^4}$, 최솟값 -2 (2) 최댓값 e^2, 최솟값 0 (3) 최댓값 e, 최솟값 0 0598 : ③ 0599 : 21

2013년 04월 교육청

다음 함수의 주어진 구간에서 최댓값과 최솟값을 구하여라.

(1) $f(x)=\sin x(1-\cos x)$ $[0, \pi]$ (2) $f(x)=e^{x}(\sin x+\cos x)$ $[0, 2\pi]$

MAPL CORE

① 삼각함수의 미분법과 삼각방정식을 이용하여 주어진 정의역에서 증감표를 만든 다음 최댓값 또는 최솟값을 구한다.

② $f'(x)=0$을 만족하는 x의 값을 구하기 어려운 경우에는 치환을 이용한다. 이때 치환한 문자의 값의 범위에 주의한다.

개념익힘 | **풀이**

(1) $f(x)=\sin x(1-\cos x)$에서

$f'(x)=\cos x(1-\cos x)+\sin x\cdot\sin x$

$=\cos x-\cos^2 x+\sin^2 x=-2\cos^2 x+\cos x+1=-(2\cos x+1)(\cos x-1)$

$f'(x)=0$에서 $\cos x=-\frac{1}{2}$ 또는 $\cos x=1$ $\therefore$ $x=0$ 또는 $x=\frac{2}{3}\pi$

닫힌구간 $[0, \pi]$에서 함수 $f(x)$의 증가와 감소를 표로 나타내면 다음과 같다.

x	0	$\cdots$	$\frac{2}{3}\pi$	$\cdots$	π
$f'(x)$	0	+	0	−	
$f(x)$	0	↗	$\frac{3\sqrt{3}}{4}$	↘	0

따라서 함수 $f(x)$는 $x=\frac{2}{3}\pi$에서 최댓값 $\mathbf{\frac{3\sqrt{3}}{4}}$, $x=0$, $x=\pi$에서 최솟값 **0**을 가진다.

(2) $f(x)=e^{x}(\sin x+\cos x)$에서

$f'(x)=e^{x}(\sin x+\cos x)+e^{x}(\cos x-\sin x)=2e^{x}\cos x$

$f'(x)=0$에서 $\cos x=0$이므로 $x=\frac{\pi}{2}$ 또는 $x=\frac{3}{2}\pi$

닫힌구간 $[0, 2\pi]$에서 함수 $f(x)$의 증가와 감소를 표로 나타내면 다음과 같다.

x	0	$\cdots$	$\frac{\pi}{2}$	$\cdots$	$\frac{3}{2}\pi$	$\cdots$	2π
$f'(x)$		+	0	−	0	+	
$f(x)$	1	↗	$e^{\frac{\pi}{2}}$	↘	$-e^{\frac{3}{2}\pi}$	↗	$e^{2\pi}$

따라서 함수 $f(x)$는 $x=2\pi$일 때 최댓값 $\mathbf{e^{2\pi}}$, $x=\frac{3}{2}\pi$일 때 최솟값 $\mathbf{-e^{\frac{3}{2}\pi}}$을 가진다.

확인유제 **0600** 다음 함수의 주어진 구간에서 최댓값과 최솟값을 구하여라.

(1) $f(x)=x-2\sin x$ $[0, \pi]$ (2) $f(x)=(1-\cos x)\cos x$ $[0, \pi]$

변형문제 **0601** 열린구간 $(0, \pi)$에서 함수 $f(x)=\frac{e^{x}}{\sin x}$의 최솟값을 구하면?

① $e^{\frac{\pi}{4}}$ ② $\sqrt{2}e^{\frac{\pi}{4}}$ ③ $e^{\frac{\pi}{6}}$ ④ $\sqrt{2}e^{\frac{\pi}{6}}$ ⑤ $e^{\frac{\pi}{2}}$

발전문제 **0602** $0\le x\le 2\pi$에서 함수 $f(x)=\sin x(1+\cos x)$의 최댓값을 M, 최솟값을 m이라 할 때, $M+m$의 값은?

① −2 ② −1 ③ 0 ④ 1 ⑤ 3

정답 0600 : (1) 최댓값 π, 최솟값 $\frac{\pi}{3}-\sqrt{3}$ (2) 최댓값 $\frac{1}{4}$, 최솟값 −2 0601 : ② 0602 : ③

마플개념익힘 04 미정계수를 포함한 함수의 최댓값과 최솟값

다음 물음에 답하여라.

(1) 닫힌구간 $\left[\frac{1}{e},\ e^2\right]$에서 함수 $f(x)=\frac{a\ln x}{x}$의 최댓값을 M, 최솟값을 m이라 할 때, $Mm=-3$이다. 양수 a의 값을 구하여라.

(2) 함수 $f(x)=\frac{1}{4}x^2-\frac{1}{2}\ln ax\,(a>0)$의 최솟값이 0일 때, 상수 a의 값을 구하여라.

MAPL CORE [1단계] 닫힌구간 $[a,\ b]$에서 함수 $f(x)$의 극값과 양 끝값에서의 함숫값을 비교하여 최댓값과 최솟값을 구한다.
[2단계] [1단계]에서 구한 최댓값과 최솟값을 비교하여 미정계수를 구한다.
참고 함수 $f(x)$가 열린구간 $(a,\ b)$에서 정의된 경우, 최댓값이나 최솟값이 존재하지 않을 수 있다.

개념익힘 | **풀이** (1) $f'(x)=\frac{\frac{a}{x}\cdot x-a\ln x}{x^2}=\frac{a(1-\ln x)}{x^2}$

$f'(x)=0$에서 $\ln x=1\quad \therefore x=e$

함수 $f(x)$의 증가와 감소를 표로 나타내면 오른쪽과 같다.

x	$\frac{1}{e}$	$\cdots$	e	$\cdots$	e^2
$f'(x)$	$+$	$+$	0	$-$	$-$
$f(x)$	$-ae$	↗	$\frac{a}{e}$	↘	$\frac{2a}{e^2}$

함수 $f(x)$는 구간 $\left[\frac{1}{e},\ e^2\right]$에서 양 끝에서의 함숫값

$f\left(\frac{1}{e}\right)=-ae,\ f(e^2)=\frac{2a}{e^2}$이고 극댓값 $f(e)=\frac{a}{e}$이다.

따라서 $a>0$이므로 최댓값 $M=\frac{a}{e}$, 최솟값 $m=-ae$이다.

$Mm=\frac{a}{e}\cdot(-ae)=-a^2=-3,\ a^2=3\quad \therefore a=\sqrt{3}\,(\because a>0)$

(2) $f'(x)=\frac{1}{2}x-\frac{1}{2x}=\frac{(x+1)(x-1)}{2x}$

$f'(x)=0$에서 $x=1\,(\because x>0)$

함수 $f(x)$의 증가와 감소를 표로 나타내면 오른쪽과 같다.

x	(0)	$\cdots$	1	$\cdots$
$f'(x)$		$-$	0	$+$
$f(x)$		↘	$\frac{1}{4}-\frac{1}{2}\ln a$	↗

함수 $f(x)$는 $x=1$일 때, 최솟값 $\frac{1}{4}-\frac{1}{2}\ln a$를 갖고,

함수 $f(x)$의 최솟값이 0이므로 $\frac{1}{4}-\frac{1}{2}\ln a=0,\ \ln a=\frac{1}{2}$

$\therefore a=\sqrt{e}$

확인유제 0603 다음 물음에 답하여라.

(1) 닫힌구간 $[1,\ 3]$에서 함수 $y=ax^2e^{-x}$의 최댓값이 $8e^{-2}$일 때, 상수 a의 값을 구하여라.

(2) 함수 $f(x)=x\ln x-2x+a$의 최솟값이 0일 때, 상수 a의 값을 구하여라.

변형문제 0604 닫힌구간 $[-2,\ 2]$에서의 함수 $f(x)=\frac{2x}{x^2+x+1}+a$의 최댓값과 최솟값의 합이 $\frac{26}{3}$일 때, 상수 a의 값은?

① 1　② 2　③ 3　④ 4　⑤ 5

발전문제 0605 다음 물음에 답하여라.

(1) $0\le x\le\pi$에서 함수 $f(x)=\sin 2x+x+a$의 최댓값을 M, 최솟값을 m이라 할 때, $M+m=3\pi$가 되도록 하는 상수 a의 값을 구하여라.

(2) $0\le x\le\frac{\pi}{4}$에서 함수 $f(x)=ax+a\cos 2x\,(a>0)$의 최솟값이 $\frac{\pi}{2}$일 때, 최댓값을 구하여라.

정답 0603 : (1) 2 (2) e　0604 : ⑤　0605 : (1) π (2) $\frac{\pi}{6}+\sqrt{3}$

마플개념익힘 05 최대 최소의 활용 – 넓이 (1)

곡선 $f(x)=e^x$ 위의 점 $\mathrm{P}(a, e^a)$에서 그은 접선이 x축, y축과 만나는 점을 각각 A, B라 할 때, 삼각형 AOB의 넓이의 최댓값을 구하여라. (단, $a<0$)

MAPL CORE

[1단계] 점 $\mathrm{P}(a, f(a))$에서의 접선의 기울기는 $f'(a)$이고, 접선의 방정식은 $y-f(a)=f'(a)(x-a)$이다.
[2단계] 점 P에서의 접선의 방정식을 구한 후, x절편과 y절편을 구하여 넓이에 관한 식 $S(a)$을 세운다.
[3단계] $S(a)$의 증감표를 만든 다음 최댓값 또는 최솟값을 구한다.

개념익힘 | 풀이

$\mathrm{P}(a, f(a))$에서의 접선의 기울기는 $f'(a)=e^a$이므로 접선의 방정식은

$y-e^a=e^a(x-a)$ $\quad\therefore y=e^a x+(1-a)e^a$

이 접선이 x축과 만나는 점은 $\mathrm{A}(a-1, 0)$, y축과 만나는 점은 $\mathrm{B}(0, (1-a)e^a)$이다.

한편 △AOB의 넓이를 $S(a)$라 하면 오른쪽 그림에서 $S(a)=\frac{1}{2}(1-a)^2e^a$

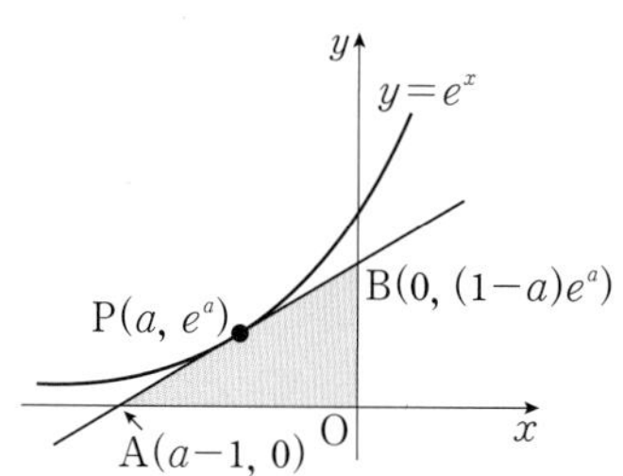

$S'(a)=-(1-a)e^a+\frac{1}{2}(1-a)^2e^a=\frac{1}{2}e^a(a-1)(a+1)$

$S'(a)=0$에서 $a=-1(\because a<0)$

S의 증가와 감소를 표로 나타내면 다음과 같다.

x	$\cdots$	-1	$\cdots$	(0)
$S'(a)$	$+$	0	$-$	
$S(a)$	↗	$\frac{2}{e}$	↘	

따라서 △AOB의 넓이 $S(a)$는 $a=-1$일 때, 극대이고 최대이므로 최댓값은 $S(-1)=\mathbf{\frac{2}{e}}$이다.

확인유제 0606 다음 물음에 답하여라.

(1) 곡선 $y=e^{-x}$ 위의 제1사분면에 있는 점 A에서의 접선이 x축, y축과 만나는 점을 각각 B, C라 하자. 삼각형 OBC의 넓이의 최댓값을 구하여라. (단, O는 원점이다.)

(2) 곡선 $y=\ln x$ 위의 점 $(a, \ln a)$에서의 접선과 x축, y축으로 둘러싸인 삼각형의 넓이의 최댓값을 구하여라. (단, $0<a<e$이다.)

변형문제 0607
2017학년도 수능기출

곡선 $y=2e^{-x}$ 위의 점 $\mathrm{P}(t, 2e^{-t})(t>0)$에서 y축에 내린 수선의 발을 A라 하고, 점 P에서의 접선이 y축과 만나는 점을 B라 하자. 삼각형 APB의 넓이가 최대가 되도록 하는 t의 값은?

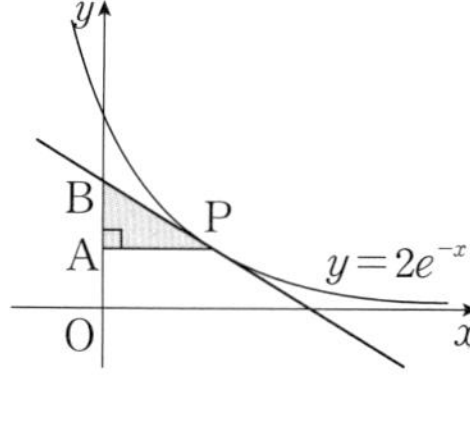

① 1 ② $\frac{e}{2}$ ③ $\sqrt{2}$
④ 2 ⑤ e

발전문제 0608 다음 물음에 답하여라.

(1) 오른쪽 그림과 같이 두 곡선 $y=e^x(x<0)$, $y=e^{-x}(x\ge0)$ 위에 두 꼭짓점이 각각 놓여 있고, 나머지 두 꼭짓점은 x축 위에 놓여있는 직사각형의 넓이의 최댓값은?

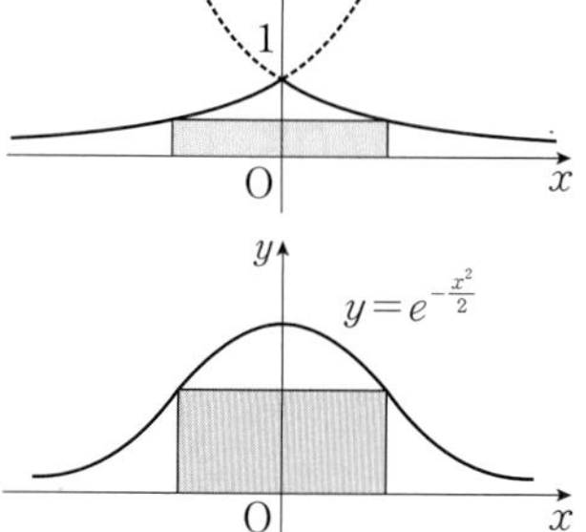

① $\frac{2}{e}$ ② e ③ $\frac{1}{e}$ ④ $\frac{e}{2}$ ⑤ 1

(2) 오른쪽 그림과 같이 두 꼭짓점은 x축 위에 있고, 다른 두 꼭짓점은 곡선 $y=e^{-\frac{x^2}{2}}$ 위에 있는 직사각형의 넓이의 최댓값은?

y
$y=e^{-\frac{x^2}{2}}$
O
x

① $\frac{1}{e}$ ② $\frac{2}{\sqrt{e}}$ ③ $\frac{2}{e}$ ④ 1 ⑤ $\frac{e}{2}$

정답 0606 : (1) $\frac{2}{e}$ (2) $\frac{2}{e}$ 0607 : ④ 0608 : (1) ① (2) ②

마플개념익힘 06 최대 최소의 활용 – 넓이 (2)

오른쪽 그림과 같이 지름의 길이가 4인 반원에 내접하고 선분 AB를 원의 지름으로 하는 등변사다리꼴 ABCD의 넓이의 최댓값을 구하여라.

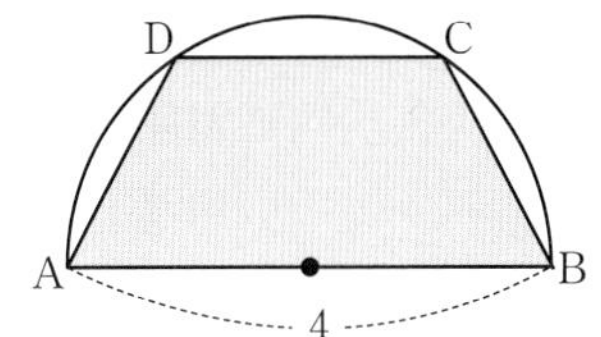

MAPL CORE
[1단계] 곡선 $y=f(x)$ 위의 한 점을 $(a,\ f(a))$로 놓는다.
[2단계] 도형의 넓이를 a에 대한 식으로 나타내고 이를 $S(a)$로 놓는다.
[3단계] $S(a)$의 증감표를 만든 다음 최댓값 또는 최솟값을 구한다.

개념익힘 | 풀이 길이를 이용하여 넓이 유도

오른쪽 그림과 같이 AB의 중점을 O, $\angle \mathrm{AOD}=\theta\left(0<\theta<\frac{\pi}{2}\right)$

라 하고, 점 D에서 $\overline{\mathrm{OA}}$에 내린 수선의 발을 E라 하자.

이때 $\overline{\mathrm{DE}}=2\sin\theta$, $\overline{\mathrm{OE}}=2\cos\theta$, $\overline{\mathrm{CD}}=4\cos\theta$

사다리꼴 ABCD의 넓이를

$S(\theta)=\frac{1}{2}(\overline{\mathrm{AB}}+\overline{\mathrm{DC}})\cdot\overline{\mathrm{DE}}=\frac{1}{2}(4+4\cos\theta)\cdot 2\sin\theta=4(1+\cos\theta)\sin\theta$

$S'(\theta)=4\{-\sin^2\theta+(1+\cos\theta)\cos\theta\}$

$=4(2\cos^2\theta+\cos\theta-1)=4(\cos\theta+1)(2\cos\theta-1)$

$S'(\theta)=0$에서 $\cos\theta+1>0$이므로 $\cos\theta=\frac{1}{2}$ $\quad\therefore\ \theta=\frac{\pi}{3}$

θ	(0)	$\cdots$	$\frac{\pi}{3}$	$\cdots$	$\left(\frac{\pi}{2}\right)$
$S'(\theta)$		$+$	0	$-$	
$S(\theta)$		↗	$3\sqrt{3}$	↘	

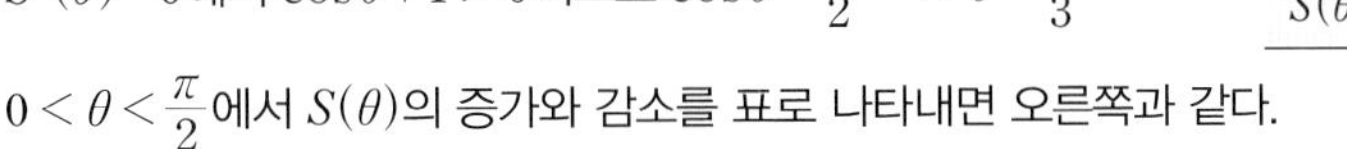
$0<\theta<\frac{\pi}{2}$에서 $S(\theta)$의 증가와 감소를 표로 나타내면 오른쪽과 같다.

따라서 함수 $S(\theta)$는 $\theta=\frac{\pi}{3}$일 때, 최댓값은 $S\left(\frac{\pi}{3}\right)=\mathbf{3\sqrt{3}}$

참고 삼각함수의 넓이를 이용하여 넓이 유도

$\angle \mathrm{AOD}=\angle \mathrm{BOC}=\theta$, $\angle \mathrm{DOC}=\pi-2\theta$, $\overline{\mathrm{OA}}=\overline{\mathrm{OB}}=\overline{\mathrm{OC}}=\overline{\mathrm{OD}}=2$

이므로 □ABCD의 넓이를 $S(\theta)$라고 하면

$S(\theta)=\triangle\mathrm{AOD}+\triangle\mathrm{BOC}+\triangle\mathrm{DOC}$

$=\frac{1}{2}\cdot 2^2\sin\theta+\frac{1}{2}\cdot 2^2\sin\theta+\frac{1}{2}\cdot 2^2\sin(\pi-2\theta)=4\sin\theta+2\sin2\theta=4(1+\cos\theta)\sin\theta$

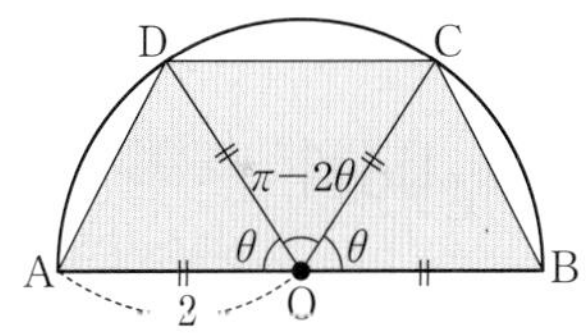

확인유제 0609 어느 공장에서 필요한 물을 끌어오기 위해 수로를 설치하려고 한다. 수로의 단면은 오른쪽 그림과 같이 각 변의 길이가 1m이고, 바닥면과 옆면이 이루는 각을 θ라고 할 때, 단면의 넓이의 최댓값을 구하여라.

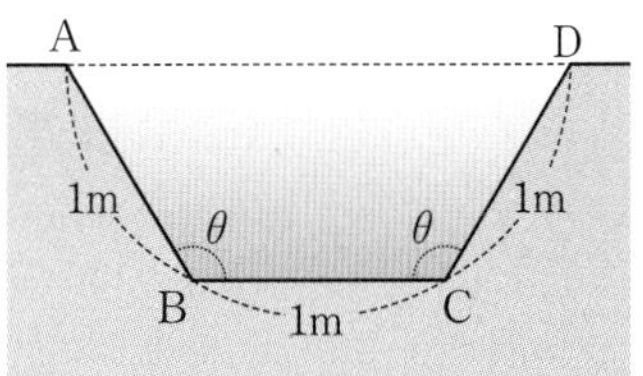

변형문제 0610 2007년 07월 교육청

오른쪽 그림과 같은 사각기둥의 물통에서 등변사다리꼴 ABCD에 대하여, $\overline{\mathrm{AB}}=\overline{\mathrm{BC}}=\overline{\mathrm{CD}}=1$, $\overline{\mathrm{AE}}=8$이고, 꼭짓점 B, C에서 선분 AD에 내린 수선의 발을 각각 M, N이라 할 때, $\angle\mathrm{ABM}=\angle\mathrm{DCN}=\theta$이다. 물통의 부피의 최댓값이 V일 때, V^2의 값을 구하여라.

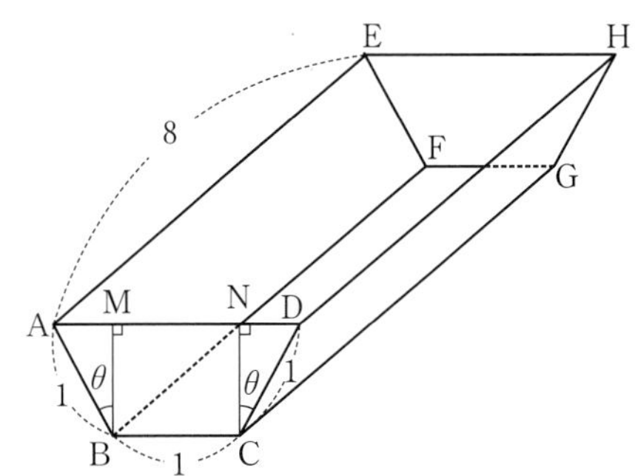

정답 0609 : $\frac{3\sqrt{3}}{4}\mathrm{m}^2$ 0610 : 108

철판을 사용하여 부피가 2π인 뚜껑이 있는 원기둥 모양의 물탱크를 만들려고 한다. 사용되는 철판의 넓이가 최소가 되도록 하는 밑면의 반지름의 길이와 높이를 구하여라. (단, 철판의 두께는 고려하지 않는다.)

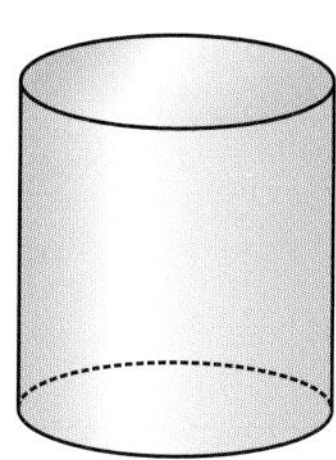

MAPL CORE

[1단계] 여러 가지 도형의 부피를 구하는 공식을 이용하여 부피 V를 구한다.

[2단계] V'의 증감표를 만든 다음 최댓값 또는 최솟값을 구한다.

개념익힘 | 풀이 밑면의 반지름의 길이를 x, 높이를 h라고 하면 부피 V가

$V=\pi x^2 h=2\pi$에서 $h=\dfrac{2}{x^2}$

원기둥의 겉넓이를 $S(x)$라고 하면

$S(x)=2\times\pi x^2+2\pi xh=2\pi\left(x^2+\dfrac{2}{x}\right)$

$S'(x)=2\pi\left(2x-\dfrac{2}{x^2}\right)=4\pi\cdot\dfrac{x^3-1}{x^2}$

즉, $S'(x)=0$인 x의 값은 $x=1$

함수 $S(x)$의 증가와 감소를 표로 나타내면 다음과 같다.

x	(0)	$\cdots$	1	$\cdots$
$S'(x)$		$-$	0	$+$
$S(x)$		↘	6π	↗

따라서 함수 $S(x)$는 $x=1$에서 최솟값을 가지므로 구하는 밑면의 반지름의 길이가 1, 높이가 2일 때, 사용되는 철판의 넓이가 6π로 최소가 된다.

확인유제 0611 철판을 이용하여 부피가 $128\pi\text{cm}^3$인 원기둥 모양의 통조림 한 통을 만들려고 한다. 사용되는 철판의 넓이가 최소가 되도록 하는 밑면의 반지름의 길이와 높이를 구하여라. (단, 철판의 두께는 고려하지 않는다.)

변형문제 0612 플라스틱을 사용하여 오른쪽 그림과 같이 뚜껑이 없고 부피가 32인 직육면체 모양의 상자를 만들려고 한다. 사용되는 플라스틱의 넓이가 최소가 되도록 하는 x의 값은? (단, 플라스틱의 두께는 무시한다.)

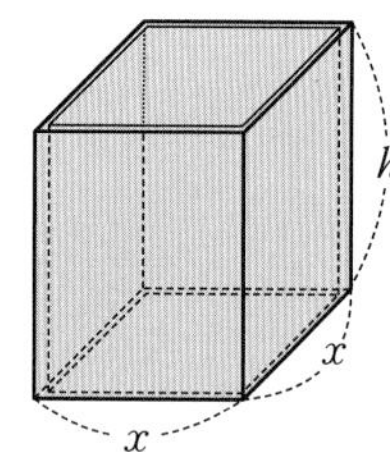

① 1　② 2　③ 3　④ 4　⑤ 6

발전문제 0613 1995학년도 수능기출

사각형 모양의 철판 세 장을 구입하여, 두 장은 원 모양으로 오려 아랫면과 윗면으로, 나머지 한 장은 몸통으로 하여 오른쪽 그림과 같은 원기둥 모양의 보일러를 제작하려 한다. 철판은 사각형의 가로와 세로의 길이를 임의로 정해서 구입할 수 있고, 철판의 가격은 1m^2당 1만 원이다. 보일러의 부피가 64m^3가 되도록 만들기 위해 필요한 철판을 구입하는데 드는 최소 비용은? (단위는 만 원)

① 69　② 78　③ 86　④ 96　⑤ 98

정답 0611 : 4, 8　0612 : ④　0613 : ④

BASIC

내신 수능 기본 대표 기출문제

0614

접점이 주어진 접선의 방정식
2012년 03월 교육청

다음 물음에 답하여라. (단, e는 자연로그의 밑이다.)

(1) 곡선 $y=e^{3-x}$ 위의 점 $(3, 1)$에서의 접선 및 x축, y축으로 둘러싸인 도형의 넓이는?

① 1 ② 2 ③ 4 ④ 8 ⑤ $3e$

(2) 곡선 $y=e^{x^3}$ 위의 점 $(1, e)$에서의 접선과 x축 및 y축으로 둘러싸인 부분의 넓이는?

① $\frac{1}{3}e$ ② $\frac{1}{2}e$ ③ $\frac{2}{3}e$ ④ e ⑤ $2e$

0615

접점이 주어진 접선의 방정식

다음 물음에 답하여라. (단, e는 자연로그의 밑이다.)

(1) 곡선 $y=x\ln x$ 위의 점 (e, e)에서의 접선, x축과 y축으로 둘러싸인 도형의 넓이는?

① $\frac{e}{4}$ ② $\frac{e^2}{4}$ ③ $\frac{e^2}{2}$ ④ e^2 ⑤ $4e^2$

(2) 곡선 $y=\sqrt{7x}$ 위의 점 $(7, 7)$에서의 접선이 x축과 만나는 점을 A, y축과 만나는 점을 B라 하자. 삼각형 OBA의 넓이는? (단, O는 원점이다.)

① $\frac{23}{2}$ ② $\frac{47}{4}$ ③ 12 ④ $\frac{49}{4}$ ⑤ $\frac{25}{2}$

0616

접점이 주어진 접선의 방정식

다음 물음에 답하여라. (단, e는 자연로그의 밑이다.)

(1) 곡선 $y=2e^{x-3}+1$ 위의 점 $(3, 3)$에서의 접선이 점 $(a, 1)$을 지날 때, 상수 a의 값은?

① -2 ② -1 ③ 0 ④ 1 ⑤ 2

(2) 곡선 $f(x)=\frac{\sin x}{x}$ 위의 점 $(\pi, 0)$에서의 접선이 점 $(3\pi, k)$를 지날 때, 상수 k의 값은?

① -2 ② -1 ③ 0 ④ 1 ⑤ 2

(3) 곡선 $y=xe^{2x}+\sin 3x-4$ 위의 점 $(0, -4)$에서의 접선과 x축과의 교점의 좌표가 $(a, 0)$일 때, 상수 a의 값은?

① -2 ② -1 ③ 0 ④ 1 ⑤ 2

0617

접점이 주어진 접선의 방정식
내신빈출

다음 물음에 답하여라.

(1) 곡선 $f(x)=e^{x+a}$의 그래프 위의 점 $(-1, b)$에서의 접선의 기울기가 e일 때, 상수 a, b의 곱 ab값은?

① $-2e$ ② e ③ $2e$ ④ $3e$ ⑤ $5e$

(2) 곡선 $y=(x^2+a)e^{-x}$ 위의 점 $(0, 4)$에서의 접선의 기울기가 b일 때, ab의 값은? (단, a, b는 상수이다.)

① -24 ② -20 ③ -16 ④ -12 ⑤ -8

0618

접점이 주어진 접선의 방정식
내신빈출

곡선 $y=\ln x$ 위의 점 $(a, \ln a)$에서의 접선이 원 $x^2+y^2-2y-3=0$의 넓이를 이등분할 때, a의 값은?

① e ② $2e$ ③ $4e$ ④ e^2 ⑤ e^3

정답 0614 : (1) ④ (2) ③ 0615 : (1) ② (2) ④ 0616 : (1) ⑤ (2) ① (3) ④ 0617 : (1) ③ (2) ③ 0618 : ④

0619

기울기가 주어진 접선의 방정식
내신빈출

곡선 $y=\cos 2x\,(0\le x\le \pi)$에 접하고 직선 $x+2y+2=0$에 수직인 직선의 방정식은?

① $y=2x-\frac{3}{2}\pi$ ② $y=2x-\frac{\pi}{2}$ ③ $y=2x$ ④ $y=2x+\frac{\pi}{2}$ ⑤ $y=2x+\frac{3}{2}\pi$

0620

기울기가 주어진 접선의 방정식
내신빈출

다음 물음에 답하여라.

(1) 곡선 $y=e^x+1$ 위의 점 $(0,\ 2)$를 지나고 이 점에서의 접선과 수직인 직선과 x축 및 y축으로 둘러싸인 도형의 넓이는?

① $\frac{1}{2}$ ② $\frac{3}{2}$ ③ 2 ④ $\frac{5}{2}$ ⑤ 4

(2) 곡선 $y=x-x\ln x$ 위의 점 $(e,\ 0)$을 지나고, 이 점에서의 접선에 수직인 직선의 방정식이 $(e-1,\ a)$를 지날 때, a의 값은?

① $-e$ ② -1 ③ 0 ④ 1 ⑤ e

0621

기울기가 주어진 접선의 방정식
2016년 03월 교육청

곡선 $y=\ln(x-7)$에 접하고 기울기가 1인 직선이 x축, y축과 만나는 점을 각각 A, B라 할 때, 삼각형 AOB의 넓이를 구하여라. (단, O는 원점이다.)

0622

기울기가 주어진 접선의 방정식
내신빈출

다음 물음에 답하여라.

(1) 직선 $y=2x$가 곡선 $y=a\ln x$에 접할 때, a의 값은?

① e ② $2e$ ③ $3e$ ④ $4e$ ⑤ $5e$

(2) 직선 $y=2x+a$가 곡선 $y=x-\cos x$에 접할 때, 상수 a의 값은? (단, $0\le x\le \pi$)

① $-\pi$ ② $-\frac{\pi}{2}$ ③ -1 ④ $\frac{\pi}{2}$ ⑤ π

0623

두 곡선이 접할 때, 미지수 결정
내신빈출

다음 물음에 답하여라.

(1) 두 곡선 $y=ax^2$, $y=e^x$이 서로 접할 때, 상수 a의 값은?

① $\frac{e^2}{4}$ ② $\frac{e^2}{2}$ ③ e^2 ④ $\frac{1}{2e^2}$ ⑤ $\frac{1}{2e^3}$

(2) 두 곡선 $y=ax^2$, $y=\ln x$가 서로 접할 때, 상수 a의 값은?

① e^2 ② e ③ 1 ④ $\frac{1}{2e}$ ⑤ $\frac{1}{2e^3}$

0624

접점이 주어진 접선의 방정식
내신빈출

두 곡선 $y=a+\cos x$, $y=\sin^2 x$가 $x=t\,(0<t<\pi)$에서 공통인 접선을 가질 때, 상수 a의 값은?

① $-\frac{5}{4}$ ② -1 ③ 0 ④ 1 ⑤ $\frac{5}{4}$

정답 0619 : ① 0620 : (1) ③ (2) ② 0621 : 32 0622 : (1) ② (2) ② 0623 : (1) ① (2) ④ 0624 : ⑤

0625 함수의 증가와 감소 2016년 10월 교육청

다음 물음에 답하여라.

(1) 함수 $f(x)=e^{x+1}(x^2+3x+1)$이 구간 (a, b)에서 감소할 때, $b-a$의 최댓값은?

① 1 ② 2 ③ 3 ④ 4 ⑤ 5

(2) 함수 $f(x)=8x-26\ln x-\frac{15}{x}$가 감소하는 구간에 속하는 자연수 x의 개수는?

① 1 ② 2 ③ 3 ④ 4 ⑤ 5

(3) 열린구간 $(0, 2\pi)$에서 정의된 함수 $f(x)=e^{-x}\sin x$가 열린구간 (a, b)에서 감소할 때, $b-a$의 최댓값은?

① $\frac{\pi}{4}$ ② $\frac{\pi}{2}$ ③ $\frac{3}{4}\pi$ ④ π ⑤ $\frac{5}{4}\pi$

0626 함수의 증가와 감소 내신빈출

다음 물음에 답하여라.

(1) 함수 $f(x)=ax+\ln(x^2+9)$가 실수 전체의 집합에서 증가할 때, 상수 a의 최솟값은?

① 1 ② $\frac{1}{2}$ ③ $\frac{1}{3}$ ④ $\frac{1}{4}$ ⑤ $\frac{1}{5}$

(2) 함수 $f(x)=(x^2-ax+3a-4)e^{-x}$이 실수 전체의 집합에서 감소하도록 하는 정수 a의 개수는?

① 6 ② 7 ③ 8 ④ 9 ⑤ 10

(3) 함수 $f(x)=\frac{-x^2+kx+2}{x-1}$가 실수 전체의 집합에서 감소하기 위한 상수 k의 최솟값은?

① $-\frac{1}{5}$ ② $-\frac{1}{4}$ ③ $-\frac{1}{3}$ ④ $-\frac{1}{2}$ ⑤ -1

0627 유리함수의 극대 극소 내신빈출

함수 $f(x)=\frac{2x}{x^2+1}$는 $x=a$에서 극솟값 b를 갖고 $x=c$에서 극댓값 d를 갖는다. 이때 $abcd$의 값을 구하면?

① 1 ② 2 ③ 3 ④ 4 ⑤ 5

0628 로그함수의 최대 최소 내신빈출

함수 $f(x)=\frac{\ln x-1}{x}$의 최댓값은?

① 0 ② $\frac{1}{e^2}$ ③ $\frac{1}{e}$ ④ 1 ⑤ e

0629 지수함수의 극대 극소 내신빈출

함수 $f(x)=|x|e^x$의 극댓값과 극솟값의 합은?

① $\frac{1}{2e}$ ② $\frac{1}{e}$ ③ 1 ④ e ⑤ $2e$

0630 로그함수의 극대 극소 내신빈출

함수 $f(x)=x^2-3x+\ln x$가 $x=a$에서 극솟값 b를 가질 때, ab의 값은?

① -2 ② -1 ③ 0 ④ 1 ⑤ 2

정답 0625 : (1) ③ (2) ② (3) ④ 0626 : (1) ③ (2) ④ (3) ⑤ 0627 : ① 0628 : ② 0629 : ② 0630 : ①

0631
삼각함수의 극대 극소
내신빈출

다음 물음에 답하여라.

(1) 함수 $f(x)=\cos x+x\sin x(0<x<2\pi)$는 $x=\alpha$에서 극솟값 β를 갖는다. 이때 $\alpha\beta$의 값은?

① $-\frac{9}{4}\pi^2$ ② $-\frac{3}{4}\pi^2$ ③ $-\frac{1}{4}\pi^2$ ④ π^2 ⑤ $\frac{3}{4}\pi^2$

(2) 함수 $f(x)=x-2\sin x(0\le x\le 2\pi)$의 모든 극값의 합은?

① 0 ② π ③ $\frac{3}{2}\pi$ ④ 2π ⑤ $\frac{5}{2}\pi$

(3) 함수 $f(x)=e^{\sin x}(0\le x\le 2\pi)$의 극댓값은?

① $\frac{1}{e}$ ② $\frac{1}{\sqrt{e}}$ ③ 1 ④ $\sqrt{e}$ ⑤ e

0632
극대 극소를 이용한 미정계수의 결정
내신빈출

다음 물음에 답하여라.

(1) 함수 $f(x)=\frac{x^2+ax+b}{x+1}$가 $x=2$에서 극솟값 1을 가질 때, 함수 $f(x)$의 극댓값은?

① -13 ② -11 ③ -9 ④ -7 ⑤ -5

(2) 함수 $f(x)=3\ln x+ax-\frac{b}{x}$가 $x=1$에서 극솟값 -1을 가질 때, 상수 a, b에 대하여 ab의 값은?

① -4 ② -3 ③ -2 ④ 2 ⑤ 3

0633
극대 극소를 이용한 미정계수의 결정
내신빈출

다음 물음에 답하여라.

(1) 함수 $f(x)=(x^2+ax+a)e^{-x}$ (단, $a>2$)의 극솟값이 0일 때, 상수 a의 값은?

① 2 ② 3 ③ 4 ④ 5 ⑤ 6

(2) 함수 $f(x)=x^2-2\ln x+a$가 극솟값 3을 가질 때, 상수 a의 값은?

① 1 ② 2 ③ 3 ④ 4 ⑤ 5

0634
미분가능한 함수의 진위판단
내신빈출

미분가능한 함수 $y=f(x)$에 대한 설명이다. [보기] 중 옳은 것을 모두 고르면?

ㄱ. 함수 $f'(x)\ge 0$이면 함수 $f(x)$는 증가한다.
ㄴ. 함수 $f(x)$가 $x=a$에서 극값을 가지면 $f'(a)=0$이다.
ㄷ. $f''(x)<0$이면 곡선 $y=f(x)$는 이 구간에서 위로 볼록이다.
ㄹ. $f'(a)=0$이면 점 $(a,\ f(a))$는 곡선 $y=f(x)$의 변곡점이다.

① ㄱ ② ㄴ ③ ㄴ, ㄷ ④ ㄱ, ㄷ, ㄹ ⑤ ㄴ, ㄷ, ㄹ

0635
$y=f'(x)$의 그래프를 이용한 $y=f(x)$의 이해
내신빈출

다항함수 $y=f(x)$에 대하여 $y=f'(x)$의 그래프가 오른쪽 그림과 같을 때, [보기]에서 옳은 것만을 모두 고르면?

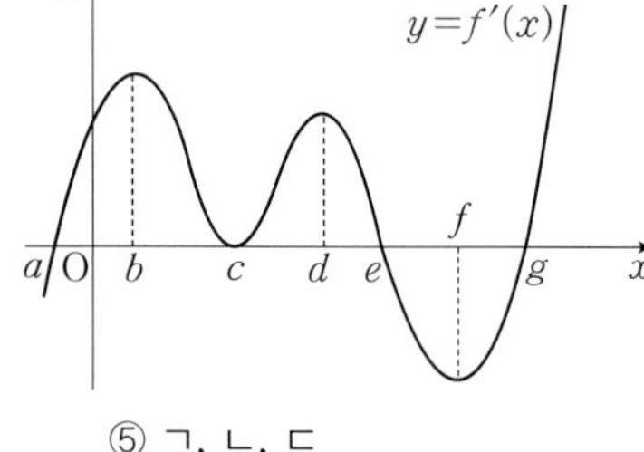

ㄱ. $b<x<d$에서 $f(x)$는 증가한다.
ㄴ. 극값을 가지는 점은 2개이다.
ㄷ. 변곡점의 개수는 4이다.

① ㄱ ② ㄱ, ㄴ ③ ㄱ, ㄷ ④ ㄴ, ㄷ ⑤ ㄱ, ㄴ, ㄷ

0636
변곡점에서 접선의 기울기
2020학년도 06월 평가원

다음 물음에 답하여라.

(1) 함수 $f(x)=xe^x$에 대하여 곡선 $y=f(x)$의 변곡점의 좌표가 $(a,\ b)$일 때, 두 수 a, b의 곱 ab의 값은?

① $4e^2$ ② e ③ $\frac{1}{e}$ ④ $\frac{4}{e^2}$ ⑤ $\frac{9}{e^3}$

(2) 함수 $f(x)=x(\ln x)^2$은 $x=a$에서 극소이고, 곡선 $y=f(x)$의 변곡점의 좌표가 $(b,\ c)$일 때, $a+b-c$의 값은?

① 1 ② 2 ③ 3 ④ 4 ⑤ 5

정답 0631 : (1) ① (2) ④ (3) ⑤ 0632 : (1) ② (2) ④ 0633 : (1) ③ (2) ② 0634 : ③ 0635 : ③ 0636 : (1) ④ (2) ①

0637 변곡점에서 접선의 기울기

다음 물음에 답하여라.

(1) 함수 $f(x)=xe^{-x}$에 대하여 곡선 $y=f(x)$의 변곡점에서의 접선의 기울기는?

① $-e^2$ ② $-e$ ③ -1 ④ $-\frac{1}{e}$ ⑤ $-\frac{1}{e^2}$

2019년 04월 교육청

(2) 곡선 $y=\frac{1}{3}x^3+2\ln x$의 변곡점에서의 접선의 기울기는?

① 1 ② $\sqrt{2}$ ③ -2 ④ $2\sqrt{2}$ ⑤ 3

(3) 곡선 $y=2\ln(x^2+1)$의 두 변곡점에서의 접선의 기울기의 곱은?

① -12 ② -10 ③ -8 ④ -6 ⑤ -4

(4) 곡선 $y=4\sin x+x^2\ (0<x<\pi)$의 서로 다른 두 변곡점에서의 접선의 기울기의 합은?

① π ② $\frac{4}{3}\pi$ ③ $\frac{5}{3}\pi$ ④ 2π ⑤ $\frac{7}{3}\pi$

0638 변곡점의 활용 내신빈출

다음 물음에 답하여라.

(1) 곡선 $y=\ln(4x^2+2)$의 두 변곡점을 A, B라 할 때, 삼각형 OAB의 넓이는? (단, O는 원점이다.)

① $\ln 2$ ② $\sqrt{2}\ln 2$ ③ $\sqrt{3}\ln 2$ ④ $2\ln 2$ ⑤ $\sqrt{5}\ln 2$

(2) 곡선 $f(x)=2\ln x+\frac{2}{x}$의 변곡점에서의 접선이 x축, y축과 만나는 점을 각각 A, B라 할 때, 삼각형 OAB의 넓이는? (단, O는 원점이다.)

① $(\ln 2)^2$ ② $2(\ln 2)^2$ ③ $3(\ln 2)^2$ ④ $4(\ln 2)^2$ ⑤ $5(\ln 2)^2$

0639 극대 극소와 변곡점을 이용한 미정계수 결정 내신빈출

함수 $f(x)=ax^2+b\cos x+c$에 대하여 점 $\left(\frac{\pi}{2},\ 1\right)$은 곡선 $y=f(x)$의 변곡점이고, 점 $\left(\frac{\pi}{2},\ 1\right)$에서의 곡선 $y=f(x)$의 접선은 직선 $y=2x$에 평행하다. 이때 $a+b+c$의 값은?

① -2 ② -1 ③ 0 ④ 1 ⑤ 2

0640 곡선의 오목과 볼록 내신빈출

다음 물음에 답하여라.

(1) 곡선 $y=x^2(\ln x-1)$이 위로 볼록한 x의 값의 범위는?

① $0<x<\sqrt{e}$ ② $0<x<e$ ③ $0<x<e^2$ ④ $0<x<\frac{1}{\sqrt{e}}$ ⑤ $0<x<\frac{1}{e}$

(2) 열린구간 $(0,\ \pi)$에서 곡선 $y=3x-\cos 2x$가 위로 볼록한 구간을 $(a,\ b)$라 할 때, $b-a$의 최댓값은?

① $\frac{\pi}{3}$ ② $\frac{5}{12}\pi$ ③ $\frac{\pi}{2}$ ④ $\frac{7}{12}\pi$ ⑤ $\frac{2}{3}\pi$

0641 지수함수 로그함수의 최대 최소 내신빈출

다음 물음에 답하여라.

(1) 닫힌구간 $[-2,\ 4]$에서 함수 $f(x)=2xe^{-\frac{1}{2}x}$의 최댓값을 M, 최솟값을 m이라 할 때, Mm의 값은?

① -18 ② -16 ③ -14 ④ -12 ⑤ -10

(2) 닫힌구간 $[1,\ e^2]$에서 $f(x)=x\ln x-2x$의 최댓값을 M, 최솟값을 m이라 할 때, $M+m$의 값은?

① $-2e$ ② $-e$ ③ 0 ④ e ⑤ $2e$

정답 0637 : (1) ⑤ (2) ⑤ (3) ⑤ (4) ④ 0638 : (1) ② (2) ④ 0639 : ② 0640 : (1) ④ (2) ③ 0641 : (1) ② (2) ②

0642 접점이 주어질 때 접선의 방정식 2019학년도 09월 평가원

미분가능한 함수 $f(x)$와 함수 $g(x)=\sin x$에 대하여 합성함수 $y=(g\circ f)(x)$의 그래프 위의 점 $(1, (g\circ f)(1))$에서의 접선이 원점을 지난다.

$$\lim_{x\to 1}\frac{f(x)-\frac{\pi}{6}}{x-1}=k$$

일 때, 상수 k에 대하여 $30k^2$의 값을 구하여라.

0643 접점이 주어질 때 접선의 방정식

실수 전체의 집합에서 미분가능한 두 함수 $f(x)$, $g(x)$에 대하여

$$\lim_{x\to 1}\frac{f(x)-7}{x-1}=3,\ \lim_{x\to 7}\frac{g(x)-5}{x-7}=6$$

일 때, 합성함수 $y=(g\circ f)(x)$의 그래프 위의 $x=1$에서의 접선의 방정식은 $y=ax+b$이다. 상수 a, b에 대하여 $a+b$의 값은?

① 5 ② 6 ③ 7 ④ 8 ⑤ 9

0644 접점이 주어질 때 접선의 방정식 내신빈출

미분가능한 함수 $f(x)$에 대하여 $\lim_{x\to 0}\frac{f(x)-3}{x}=1$일 때, 곡선 $g(x)=e^{-x}f(x)$ 위의 점 $(0, g(0))$에서의 접선의 방정식은?

① $y=-2x$ ② $y=-2x+1$ ③ $y=-2x+2$ ④ $y=-2x+3$ ⑤ $y=-2x+4$

0645 접점이 주어질 때 접선의 방정식 내신빈출

실수 전체의 집합에서 미분가능한 함수 $f(x)$에 대하여 곡선 $y=f(x)$ 위의 점 $(4, f(4))$에서의 접선 l이 다음 조건을 만족시킨다.

(가) 직선 l은 제 2사분면을 지나지 않는다.
(나) 직선 l과 x축 및 y축으로 둘러싸인 도형은 넓이가 2인 직각이등변삼각형이다.

함수 $g(x)=xf(2x)$에 대하여 $g'(2)$의 값은?

① 3 ② 4 ③ 5 ④ 6 ⑤ 7

0646 접점이 주어질 때 접선의 방정식

함수 $f(x)=x^3+7$의 역함수를 $g(x)$라 할 때, 곡선 $y=g(x)$ 위의 점 $(8, g(8))$을 지나고, 곡선 $y=g(x)$ 위의 점 $(8, g(8))$에서의 접선과 수직인 직선의 방정식은 $y=ax+b$이다. 상수 a, b에 대하여 $a+b$의 값은?

① 20 ② 22 ③ 24 ④ 26 ⑤ 28

0647 접선에 수직인 직선의 방정식과 극한 내신빈출

오른쪽 그림과 같이 곡선 $y=\ln(1+x)$ 위의 원점이 아닌 점 $\mathrm{P}(t, \ln(1+t))$를 지나고 직선 OP에 수직인 직선 l이 x축과 만나는 점의 좌표를 $(f(t), 0)$이라 할 때, $\lim_{t\to 0}\frac{f(t)}{t}$의 값은? (단, O는 원점이다.)

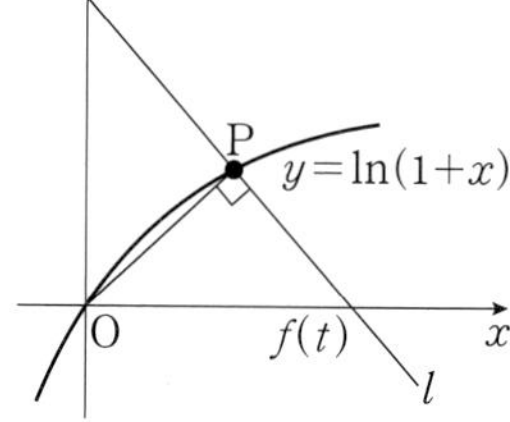

① 1 ② 2 ③ e ④ $2e$ ⑤ e^2

정답 0642 : 10 0643 : ① 0644 : ④ 0645 : ④ 0646 : ② 0647 : ②

0648
접선에 수직인 직선의 방정식과 극한
내신빈출

오른쪽 그림과 같이 곡선 $y=\sin x(0<x<\pi)$ 위의 점 $\mathrm{A}(t,\ \sin t)$를 지나고 점 A에서의 접선에 수직인 직선이 x축과 만나는 점을 B라 할 때,

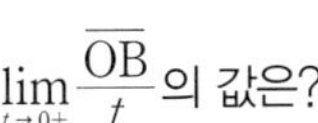

$\lim_{t\to 0+}\frac{\overline{\mathrm{OB}}}{t}$의 값은?

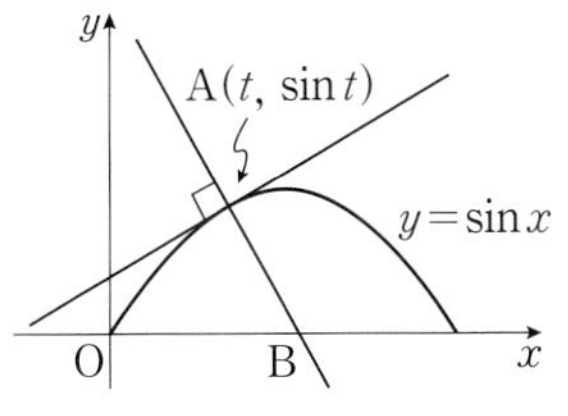

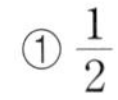

① $\frac{1}{2}$ ② 1 ③ $\frac{3}{2}$
④ 2 ⑤ e

0649
접선의 방정식과 극한
내신빈출

다음 물음에 답하여라.

(1) 0이 아닌 실수 a에 대하여 점 $(0,\ a)$를 지나는 직선 l이 곡선 $y=\ln x$에 접할 때, 직선 l의 x절편을 $f(a)$라 하자.

$\lim_{a\to 0}\frac{f(a)+ae}{2ea^2}$의 값을 구하여라.

(2) 양수 a에 대하여 점 $(\ln a,\ 0)$에서 곡선 $y=e^x$에 그은 접선의 접점을 $(f(a),\ g(a))$라 할 때, $\lim_{a\to 0+}\frac{f(a+1)-1}{g(a)}$의 값을 구하여라.

0650
곡선과 직선이 접할 때, 미정계수의 결정
내신빈출

곡선 $y=\frac{1}{x+2}$ 위의 점 $(-3,\ -1)$에서의 접선이 곡선 $y=-\sqrt{2x+k}$에 접할 때, 상수 k의 값은?

① -7 ② $-\frac{13}{2}$ ③ $-\frac{11}{4}$ ④ 7 ⑤ 11

0651
접점이 주어질 때 접선의 활용
2013학년도 05월 평가원

$x>0$에서 함수 $f(x)$가 미분가능하고 $\sqrt{x}\le f(x)\le e^x$이다. $f(1)=1$이고 $f(2)=e^2$일 때, $f'(1)+f'(2)$의 값은?

① $\frac{1}{2}+e$ ② $\frac{1}{2}+e^2$ ③ $1+e$ ④ $1+e^2$ ⑤ $2+e^2$

0652
곡선 밖의 점에서 접선의 방정식의 활용
내신빈출

원점에서 곡선 $y=\frac{x-a}{e^x}$에 접선을 하나도 그을 수 없도록 하는 모든 정수 a의 값의 합은?

① -10 ② -6 ③ -3 ④ -1 ⑤ 6

0653
접선의 방정식과 삼각함수의 활용
내신빈출

오른쪽 그림과 같이 곡선 $y=e^{\frac{x}{2}}$ 위의 점 $\mathrm{A}(0,\ 1)$에서의 접선과 x축의 양의 방향이 이루는 각의 크기를 θ라 할 때, 점 $\mathrm{B}\left(a,\ e^{\frac{a}{2}}\right)$에서의 접선과 x축의 양의 방향이 이루는 각의 크기가 2θ가 되기 위한 a의 값은? (단, $a>0$)

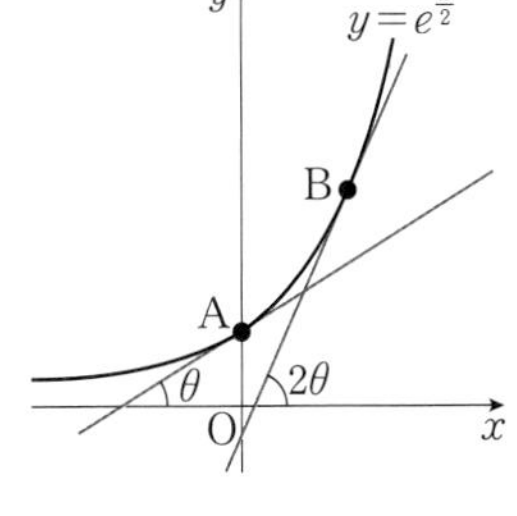

① $\ln\frac{3}{2}$ ② $\ln\frac{8}{3}$ ③ $\ln 2$
④ $3\ln\frac{3}{2}$ ⑤ $2\ln\frac{8}{3}$

0654
접선의 방정식과 삼각함수의 활용
2015학년도 사관기출

두 함수 $f(x)=\frac{1}{x},\ g(x)=\frac{k}{x}(k>1)$에 대하여 좌표평면에서 직선 $x=2$가 두 곡선 $y=f(x),\ y=g(x)$와 만나는 점을 각각 P, Q라 하자. 곡선 $y=f(x)$에 대하여 점 P에서의 접선을 l, 곡선 $y=g(x)$에 대하여 점 Q에서의 접선을 m이라고 하자. 두 직선 $l,\ m$이 이루는 예각의 크기가 $\frac{\pi}{4}$일 때, 상수 k에 대하여 $3k$의 값을 구하여라.

정답 0648 : ④ 0649 : (1) $-\frac{1}{2}$ (2) $\frac{1}{e}$ 0650 : ④ 0651 : ② 0652 : ② 0653 : ⑤ 0654 : 20

0655

극대 극소의 미정계수의 결정
내신빈출

함수 $f(x)=x+a\cos x\,(a>1)$가 $0<x<2\pi$에서 극솟값이 0일 때, 함수 $f(x)$의 극댓값은?

① 1 ② $\frac{\pi}{2}$ ③ π ④ $\frac{3}{2}\pi$ ⑤ $\pi+1$

0656

극대 극소의 미정계수의 결정
내신빈출

함수 $f(x)=\frac{3x+a}{x^2+1}$가 $x=3$에서 극값을 가질 때, 함수 $f(x)$의 극댓값을 M, 극솟값을 m이라 하자. $M+m$의 값은? (단, a는 상수이다.)

① -1 ② -2 ③ -3 ④ -4 ⑤ -5

0657

극대 극소의 미정계수의 결정
2020학년도 사관기출

함수 $f(x)=xe^{2x}-(4x+a)e^x$이 $x=-\frac{1}{2}$에서 극댓값을 가질 때, $f(x)$의 극솟값은? (단, a는 상수이다.)

① $1-\ln 2$ ② $2-2\ln 2$ ③ $3-3\ln 2$ ④ $4-4\ln 2$ ⑤ $5-5\ln 2$

0658

최대 최소의 활용
내신빈출

함수 $f(x)=(x^2-ax+a)e^{-x}$의 극솟값을 $g(a)$라 할 때, $g(a)$의 최댓값은? (단, $a<2$)

① $-e$ ② -1 ③ $\frac{1}{e}$ ④ e ⑤ $\frac{e}{2}$

0659

최대 최소의 활용
내신빈출

다음 [보기]의 함수 중 최솟값을 갖는 함수를 모두 고른 것은?

ㄱ. $y=\frac{e^x}{\sin x}\,(0<x<\pi)$ ㄴ. $y=x\ln x-2x\,(x>0)$ ㄷ. $y=e^x+e^{-x}$

① ㄱ ② ㄴ ③ ㄷ ④ ㄴ, ㄷ ⑤ ㄱ, ㄴ, ㄷ

0660

극대 극소의 판정
내신빈출

다항함수 $y=f(x)$의 그래프가 오른쪽 그림과 같을 때,
함수 $y=\{f(x)\}^2$이 극대 또는 극소가 되는 점은 모두 몇 개인가?
(단, $f(x)$는 $x=b$, $x=c$, $x=d$에서 극값을 가진다.)

① 1 ② 2 ③ 3
④ 4 ⑤ 5

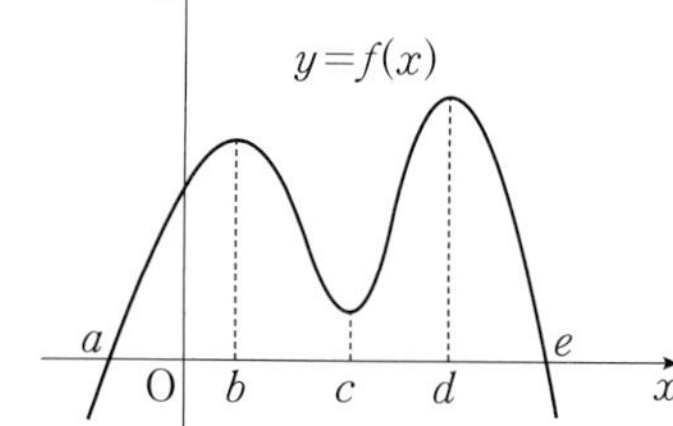

0661

곡선의 오목 볼록의 활용

함수 $f(x)=x+\sin x$에 대하여 함수 $g(x)$를

$$g(x)=(f\circ f)(x)$$

로 정의할 때, [보기]에서 옳은 것을 모두 고른 것은?

ㄱ. 함수 $f(x)$의 그래프는 열린구간 $(0,\ \pi)$에서 위로 볼록하다.
ㄴ. 함수 $g(x)$는 열린구간 $(0,\ \pi)$에서 증가한다.
ㄷ. $g'(x)=1$인 실수 x가 열린구간 $(0,\ \pi)$에 존재한다.

① ㄱ ② ㄷ ③ ㄱ, ㄴ ④ ㄴ, ㄷ ⑤ ㄱ, ㄴ, ㄷ

정답 0655 : ③ 0656 : ④ 0657 : ④ 0658 : ③ 0659 : ⑤ 0660 : ⑤ 0661 : ⑤

0662 함수의 그래프의 활용 내신빈출

함수 $f(x)=xe^x$에 대한 다음 설명 중 옳은 것을 모두 고르면?

ㄱ. $f(x)$는 $x=-1$에서 극솟값을 갖는다.
ㄴ. $\lim_{x \to -\infty} f(x)=0$
ㄷ. $x<-2$인 범위에서 $y=f(x)$의 그래프는 아래로 볼록하다.

① ㄱ ② ㄴ ③ ㄷ ④ ㄱ, ㄴ ⑤ ㄴ, ㄷ

0663 함수의 그래프의 활용 내신빈출

함수 $f(x)=e^{-2x^2}$에 대한 다음 [보기]의 설명 중 옳은 것을 모두 골라라.

ㄱ. $y=f(x)$의 그래프는 y축에 대하여 대칭이다.
ㄴ. 치역은 $\{y|y \le 1\}$이다.
ㄷ. $y=f(x)$의 그래프는 구간 $\left(-\frac{1}{4}, \frac{1}{4}\right)$에서 아래로 볼록이다.
ㄹ. $y=f(x)$의 그래프의 변곡점은 2개이다.

① ㄱ, ㄴ ② ㄱ, ㄷ ③ ㄱ, ㄹ ④ ㄴ, ㄷ ⑤ ㄱ, ㄴ, ㄷ, ㄹ

0664 함수의 그래프의 활용 내신빈출

함수 $f(x)=x\ln x$에 대한 설명으로 옳은 것만을 [보기]에서 있는 대로 고른 것은? (단, $\lim_{x \to 0+} x\ln x=0$)

ㄱ. 곡선 $y=f(x)$는 구간 $(0, \infty)$에서 아래로 볼록하다.
ㄴ. 함수 $f(x)$는 $x=e$에서 최솟값을 갖는다.
ㄷ. 방정식 $f(x)=k$가 서로 다른 두 실근을 갖도록 하는 정수 k가 존재한다.

① ㄱ ② ㄱ, ㄴ ③ ㄱ, ㄷ ④ ㄴ, ㄷ ⑤ ㄱ, ㄴ, ㄷ

0665 함수의 그래프의 활용 내신빈출

함수 $f(x)=x^2(1+2\ln x)$의 그래프에 대한 설명으로 옳은 것만을 [보기]에서 있는 대로 고른 것은? (단, e는 자연로그의 밑이다.)

ㄱ. 치역은 $\left\{y \middle| y \ge -\frac{1}{e^2}\right\}$이다.
ㄴ. 곡선 $y=f(x)$는 x축과 서로 다른 두 점에서 만난다.
ㄷ. 곡선 $y=f(x)$는 x가 증가하면 $x=\frac{1}{e^2}$의 좌우에서 곡선의 모양이 위로 볼록에서 아래로 볼록으로 바뀐다.

① ㄱ ② ㄷ ③ ㄱ, ㄷ ④ ㄴ, ㄷ ⑤ ㄱ, ㄴ, ㄷ

0666 함수의 그래프의 활용 내신빈출

함수 $f(x)=\ln(1+x^2)$에 대하여 [보기]에서 옳은 것만을 있는 대로 고른 것은?

ㄱ. $f'(-n)+f'(n)=0$
ㄴ. 곡선 $y=f(x)$는 열린구간 $(-1, 1)$에서 위로 볼록하다.
ㄷ. 곡선 $y=f(x)$의 두 변곡점에서의 접선은 서로 수직이다.

① ㄱ ② ㄷ ③ ㄱ, ㄷ ④ ㄴ, ㄷ ⑤ ㄱ, ㄴ, ㄷ

정답 0662 : ④ 0663 : ③ 0664 : ① 0665 : ③ 0666 : ③

0667

함수의 그래프의 활용
내신빈출

함수 $f(x)=3x+k\ln(x^2+1)$에 대하여 [보기]에서 옳은 것만을 있는 대로 고른 것은? (단, k는 상수이다.)

ㄱ. $f'(0)=3$

ㄴ. 함수 $f(x)$가 실수 전체의 집합에서 증가하도록 하는 정수 k의 개수는 7이다.

ㄷ. $k\neq 0$일 때, 곡선 $y=f(x)$의 두 변곡점 사이의 거리는 $2\sqrt{10}$이다.

① ㄱ ② ㄷ ③ ㄱ, ㄴ ④ ㄴ, ㄷ ⑤ ㄱ, ㄴ, ㄷ

0668

함수의 그래프의 활용
내신빈출

함수 $f(x)=(x^2+ax)e^{-x}$의 그래프에 대하여 [보기]에서 옳은 것만을 있는 대로 고른 것은? (단, a는 실수이다.)

ㄱ. $2f'(0)+f''(0)=2$

ㄴ. $a>1$이면 $0<x<2$에서 함수 $y=f(x)$의 그래프는 위로 볼록하다.

ㄷ. 함수 $y=f(x)$의 그래프의 변곡점은 2개이다.

① ㄱ ② ㄴ ③ ㄱ, ㄴ ④ ㄱ, ㄷ ⑤ ㄱ, ㄴ, ㄷ

0669

최대 최소의 활용
(넓이)
내신빈출

곡선 $y=\ln x^2$ 위의 점 $(a, \ln a^2)$에서 그은 접선이 x축, y축과 만나는 점을 각각 P, Q라 할 때, △POQ의 넓이의 최댓값은? (단, $0<a<e$)

① $\frac{1}{e}$ ② $\frac{2}{e}$ ③ 1 ④ $\frac{4}{e}$ ⑤ e

0670

최대 최소의 활용
(넓이)

오른쪽 그림과 같이 두 꼭짓점은 x축 위에 있고 다른 두 꼭짓점은 곡선 $y=\frac{3}{x^2+4}$ 위에 있는 직사각형의 넓이의 최댓값은?

① $\frac{1}{2}$ ② 1 ③ $\frac{3}{2}$ ④ 2 ⑤ $\frac{5}{2}$

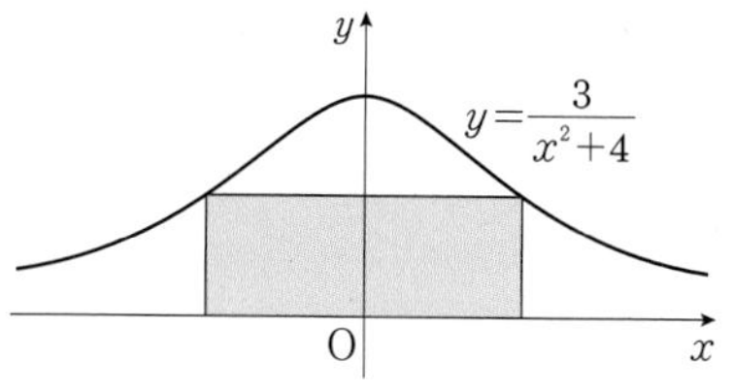

0671

최대 최소의 활용
내신빈출

오른쪽 그림과 같이 x축 위를 움직이는 동점 P와 y축 위에 두 점 A(0, 1), B(0, 3)이 있다. $\angle APB=\theta$라 할 때, θ가 최대일 때의 x의 값은? (단, $x>0$)

① 1 ② $\sqrt{2}$ ③ $\sqrt{3}$ ④ 2 ⑤ $\sqrt{5}$

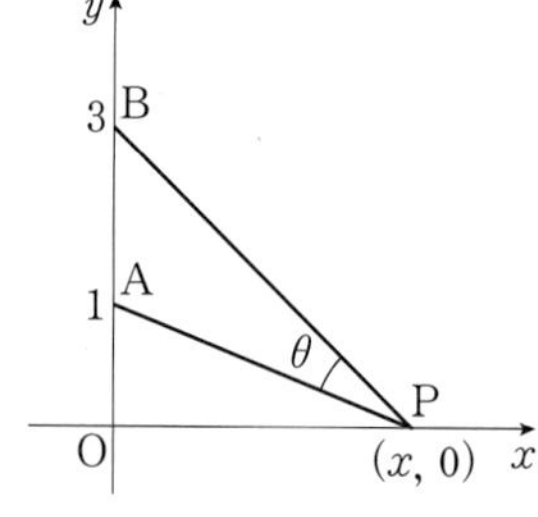

0672

최대 최소의 활용
(넓이)
내신빈출

오른쪽 그림에서 부채꼴 OPQ는 반지름의 길이가 1인 사분원이고 선분 AB는 반지름 OP에 평행하며, □ABCD는 정사각형이다. $\angle AOB=\theta\left(0<\theta<\frac{\pi}{2}\right)$라고 할 때, 색칠한 부분의 넓이 S가 최대가 되도록 하는 선분 AB의 길이를 구하여라.

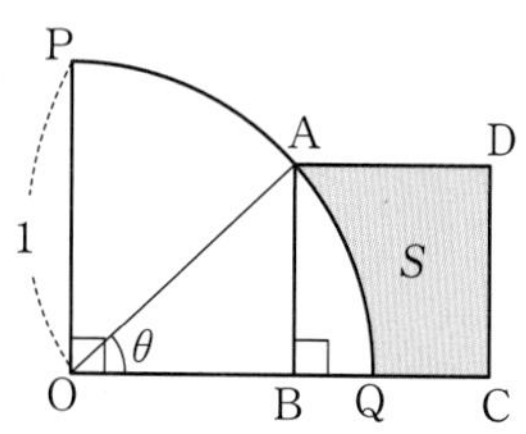

정답 0667 : ⑤ 0668 : ⑤ 0669 : ④ 0670 : ③ 0671 : ③ 0672 : $\frac{2\sqrt{5}}{5}$

0673 곡선 밖의 점에서 접선의 방정식 서술형

오른쪽 그림과 같이 곡선 $y=\ln x$ 위의 점 $\mathrm{P}(t,\ \ln t)$에서의 접선이 x축과 만나는 점을 Q라 하고, 점 P에서 x축에 내린 수선의 발을 R라고 할 때, $\lim_{t\to\infty}\frac{\overline{\mathrm{PQ}}}{\overline{\mathrm{QR}}}$의 값을 구하는 과정을 다음 단계로 서술하여라. (단, $t>1$)

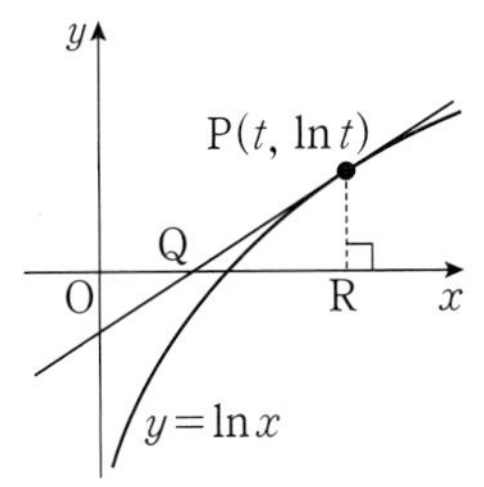

[1단계] 점 $\mathrm{P}(t,\ \ln t)$에서의 접선의 방정식을 구한다.

[2단계] 두 선분 PQ, QR의 길이를 각각 t에 대한 식으로 나타내기

[3단계] $\lim_{t\to\infty}\frac{\overline{\mathrm{PQ}}}{\overline{\mathrm{QR}}}$의 값을 구한다.

0674 접선이 주어진 접선의 방정식 서술형

곡선 $y=\ln(x+1)$ 위의 점 $\mathrm{P}(1, \ln 2)$에서의 접선을 l_1이라 하고, 점 $\mathrm{P}(1,\ \ln 2)$를 지나면서 접선 l_1에 수직인 직선을 l_2라 하자. 두 직선 l_1, l_2가 y축과 만나는 점을 각각 A, B라 할 때, 삼각형 APB의 넓이를 구하는 과정을 다음 단계로 서술하여라.

[1단계] 곡선 $y=\ln(x+1)$ 위의 점 $\mathrm{P}(1,\ \ln 2)$에서의 접선의 방정식 l_1을 구한다.

[2단계] 곡선 $y=\ln(x+1)$ 위의 점 $\mathrm{P}(1,\ \ln 2)$를 지나면서 접선 l_1에 수직인 직선 l_2을 구한다.

[3단계] 두 직선 l_1, l_2가 y축과 만나는 점 A, B의 좌표를 구하여 삼각형 APB의 넓이를 구한다.

0675 곡선 밖의 점에서 접선의 방정식 서술형

x축 위의 점 $(a,\ 0)$에서 곡선 $y=e^{-x^2}$에 그을 수 있는 접선의 개수를 실수 a의 범위에 따라 구하는 과정을 다음 단계로 서술하여라.

[1단계] 접선의 접점의 x좌표를 t라고 할 때, 접선의 방정식을 구한다.

[2단계] 점 $(a,\ 0)$을 접선의 방정식에 대입하여 t에 대한 이차방정식을 구한다.

[3단계] 점 $(a,\ 0)$에서 곡선 $y=e^{-x^2}$에 서로 다른 두 개의 접선, 한 개의 접선, 접선을 그을 수 없도록 하는 a의 범위를 각각 구하여라.

0676 함수가 극값을 갖지 않을 조건 서술형

함수 $f(x)=\frac{1}{3}x-\ln(2x^2+n)$이 극값을 갖지 않도록 하는 자연수 n의 최솟값 구하는 과정을 다음 단계로 서술하여라.

[1단계] 합성함수의 미분법을 이용하여 $f'(x)$를 구한다.

[2단계] 극값을 갖지 않을 조건을 구한다.

[3단계] 자연수 n의 최솟값을 구한다.

0677 함수가 극값을 갖지 않을 조건 서술형

$-2\le x\le 2$에 대하여 함수 $f(x)=(2x^2-3x)e^x$의 최댓값과 최솟값을 구하는 과정을 다음 단계로 서술하여라.

[1단계] 곱의 미분법을 이용하여 $f'(x)=0$를 만족하는 x의 값을 구한다.

[2단계] 닫힌구간 $[-2,\ 2]$에서 함수 $f(x)$의 증가와 감소를 표로 나타낸다.

[3단계] 함수 $f(x)$의 최댓값과 최솟값을 구한다.

0678 함수의 최대 최소 서술형

곡선 $y=e^{-x}$의 제 1사분면위의 점 $(t,\ e^{-t})$에서의 접선이 x축, y축과 만나는 점을 각각 P, Q라 하자. 삼각형 OPQ의 넓이의 최댓값을 구하는 과정을 다음 단계로 서술하여라. (단, O는 원점)

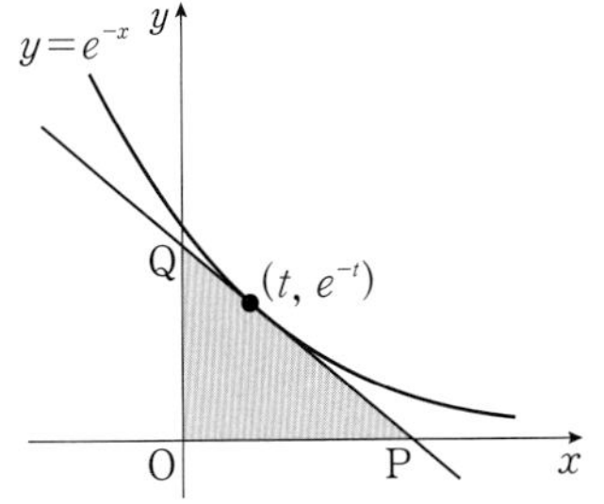

[1단계] 곡선 위의 점 $(t,\ e^{-t})$에서의 접선의 방정식을 구한다.

[2단계] 삼각형 OPQ의 넓이를 t에 대한 함수로 나타낸다.

[3단계] 삼각형 OPQ의 넓이의 최댓값을 구한다.

정답 0673 : 해설참조　0674 : 해설참조　0675 : 해설참조　0676 : 해설참조　0677 : 해설참조　0678 : 해설참조

0679
접선의 방정식의 활용 2018학년도 06월 평가원

실수 k에 대하여 함수 $f(x)$는

$$f(x)=\begin{cases} x^2+k & (x\le 2) \\ \ln(x-2) & (x>2) \end{cases}$$

이다. 실수 t에 대하여 직선 $y=x+t$와 함수 $y=f(x)$의 그래프가 만나는 점의 개수를 $g(t)$라 하자. 함수 $g(t)$가 $t=a$에서 불연속인 a의 값이 한 개일 때, k의 값은?

① -2　② $-\frac{9}{4}$　③ $-\frac{5}{2}$　④ $-\frac{11}{4}$　⑤ -3

0680
역함수 존재조건 2016학년도 06월 평가원

2 이상의 자연수 n에 대하여 실수 전체의 집합에서 정의된 함수

$$f(x)=e^{x+1}\{x^2+(n-2)x-n+3\}+ax$$

가 역함수를 갖도록 하는 실수 a의 최솟값을 $g(n)$이라 하자. $1\le g(n)\le 8$을 만족시키는 모든 n의 값의 합은?

① 43　② 46　③ 49　④ 52　⑤ 55

0681
변곡점을 갖는 조건 2018학년도 06월 평가원

양수 a와 실수 b에 대하여 함수 $f(x)=ae^{3x}+be^{x}$이 다음 조건을 만족시킬 때, $f(0)$의 값은?

(가) $x_1<\ln\frac{2}{3}<x_2$를 만족시키는 모든 실수 x_1, x_2에 대하여 $f''(x_1)f''(x_2)<0$이다.

(나) 구간 $[k, \infty)$에서 함수 $f(x)$의 역함수가 존재하도록 하는 실수 k의 최솟값을 m이라 할 때, $f(2m)=-\frac{80}{9}$이다.

① -15　② -12　③ -9　④ -6　⑤ -3

0682
최대 최소의 활용 2018학년도 06월 평가원

오른쪽 그림과 같이 좌표평면에 점 $\mathrm{A}(1, 0)$을 중심으로 하고 반지름의 길이가 1인 원이 있다. 원 위의 점 Q에 대하여 $\angle\mathrm{AOQ}=\theta\left(0<\theta<\frac{\pi}{3}\right)$라 할 때, 선분 OQ 위에 $\overline{\mathrm{PQ}}=1$인 점 P를 정한다.
점 P의 y좌표가 최대가 될 때, $\cos\theta=\frac{a+\sqrt{b}}{8}$이다.
$a+b$의 값을 구하여라. (단, O는 원점이고, a와 b는 자연수이다.)

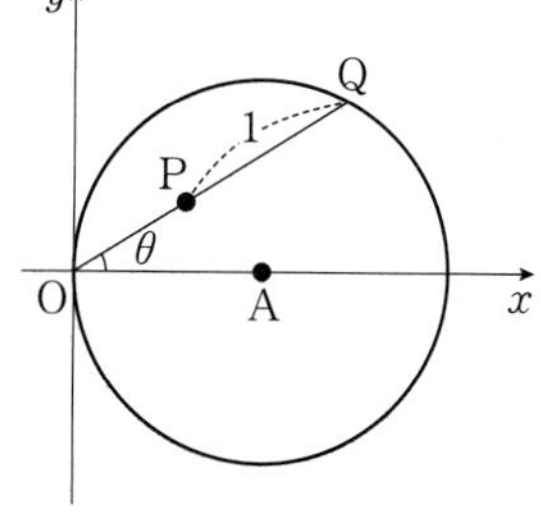

0683
최대 최소의 활용 2014년 04월 교육청

오른쪽 그림과 같이 좌표평면 위에 네 점 $\mathrm{A}(1, 0)$, $\mathrm{B}(3, 0)$, $\mathrm{C}(3, 2)$, $\mathrm{D}(1, 2)$를 꼭짓점으로 하는 정사각형 ABCD가 있다. 한 변의 길이가 2인 정사각형 EFGH의 두 대각선의 교점이 원 $x^2+y^2=1$ 위에 있을 때, 두 정사각형의 내부의 공통부분의 넓이의 최댓값은?
(단, 정사각형의 모든 변은 x축 또는 y축에 수직이다.)

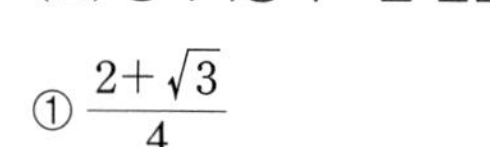

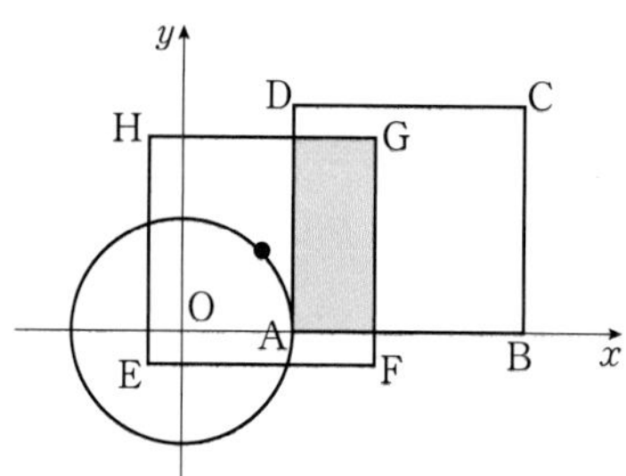

① $\frac{2+\sqrt{3}}{4}$　② $\frac{1+\sqrt{2}}{2}$　③ $\frac{2+\sqrt{2}}{2}$

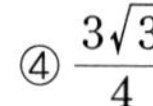
④ $\frac{3\sqrt{3}}{4}$　⑤ $\frac{5\sqrt{2}}{4}$

정답 0679 : ④　0680 : ④　0681 : ③　0682 : 34　0683 : ④

0684

함수의 그래프의 개형
2011학년도 09월
평가원

다항함수 $f(x)$에 대하여 다음 표는 x의 값에 따른 $f(x)$, $f'(x)$, $f''(x)$의 변화 중 일부를 나타낸 것이다.

x	$x<1$	$x=1$	$1<x<3$	$x=3$
$f'(x)$		0		1
$f''(x)$	$+$		$+$	0
$f(x)$		$\frac{\pi}{2}$		π

함수 $g(x)=\sin(f(x))$에 대하여 옳은 것만을 [보기]에서 있는 대로 고른 것은?

ㄱ. $g'(3)=-1$

ㄴ. $1<a<b<3$이면 $-1<\frac{g(b)-g(a)}{b-a}<0$이다.

ㄷ. 점 $\mathrm{P}(1, 1)$은 곡선 $y=g(x)$의 변곡점이다.

① ㄱ ② ㄷ ③ ㄱ, ㄴ ④ ㄴ, ㄷ ⑤ ㄱ, ㄴ, ㄷ

0685

공통접선과
미분계수의 활용
2020학년도 수능기출

양의 실수 t에 대하여 곡선 $y=t^3\ln(x-t)$가 곡선 $y=2e^{x-a}$와 오직 한 점에서 만나도록 하는 실수 a의 값을 $f(t)$라 하자. $\left\{f'\left(\frac{1}{3}\right)\right\}^2$의 값을 구하여라.

0686

미분가능의 활용
2013학년도 수능기출

함수 $f(x)=kx^2e^{-x}\,(k>0)$과 실수 t에 대하여 곡선 $y=f(x)$ 위의 점 $(t, f(t))$에서 x축까지의 거리와 y축까지의 거리 중 크지 않은 값을 $g(t)$라 하자. 함수 $g(t)$가 한 점에서만 미분가능하지 않도록 하는 k의 최댓값은?

① $\frac{1}{e}$ ② $\frac{1}{\sqrt{e}}$ ③ $\frac{e}{2}$ ④ $\sqrt{e}$ ⑤ e

0687

최대 최소의 활용
2018학년도 수능기출

양수 t에 대하여 구간 $[1, \infty)$에서 정의된 함수 $f(x)$가

$$f(x)=\begin{cases} \ln x & (1\le x<e) \\ -t+\ln x & (x\ge e) \end{cases}$$

일 때, 다음 조건을 만족시키는 일차함수 $g(x)$ 중에서 직선 $y=g(x)$의 기울기의 최솟값을 $h(t)$라 하자.

1 이상의 모든 실수 x에 대하여 $(x-e)\{g(x)-f(x)\}\ge 0$이다.

미분가능한 함수 $h(t)$에 대하여 양수 a가 $h(a)=\frac{1}{e+2}$을 만족시킨다. $h'\left(\frac{1}{2e}\right)\times h'(a)$의 값은?

① $\frac{1}{(e+1)^2}$ ② $\frac{1}{e(e+1)}$ ③ $\frac{1}{e^2}$ ④ $\frac{1}{(e-1)(e+1)}$ ⑤ $\frac{1}{e(e-1)}$

정답 0684 : ③ 0685 : 64 0686 : ⑤ 0687 : ④

05 방정식과 부등식에의 활용

MAPL; YOURMASTERPLAN

01 방정식과 실근과 함수의 그래프

(1) 방정식 $f(x)=0$의 실근

⇨ 함수 $y=f(x)$의 그래프와 x축과의 교점의 x좌표이다

예를 들면 오른쪽 그래프에서 방정식 $f(x)=0$의 실근은 $x=x_1,\ x_2,\ x_3$이다.

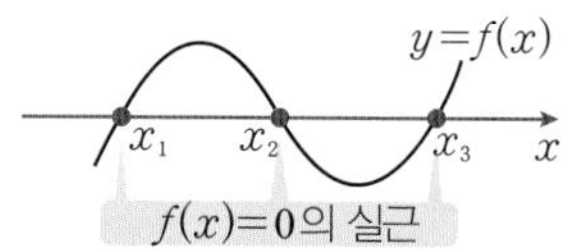

(2) 방정식 $f(x)=k$의 실근

⇨ 함수 $y=f(x)$의 그래프와 직선 $y=k$의 교점의 x좌표이다.

예를 들면 오른쪽 그래프에서 방정식 $f(x)=k$의 실근은 $x=x_1,\ x_2,\ x_3$이다.

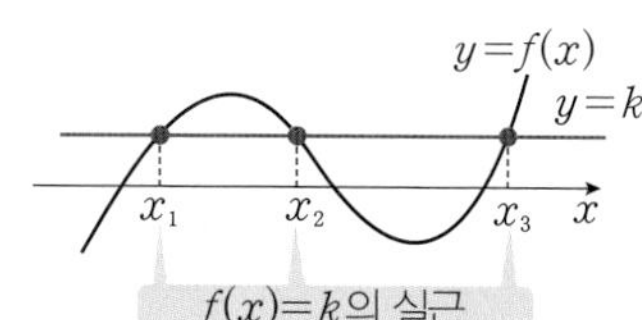

(3) 방정식 $f(x)=g(x)$의 실근

⇨ 두 함수 $y=f(x), y=g(x)$의 그래프의 교점의 x좌표이다.

예를 들면 오른쪽 그래프에서 방정식 $f(x)=g(x)$의 실근은 $x=x_1,\ x_2,\ x_3$이다.

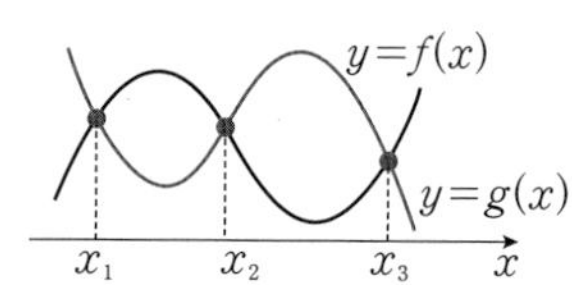

마플해설 이차방정식에서 판별식을 이용하여 쉽게 근의 종류를 판별할 수 있지만 지수방정식, 로그방정식, 삼각방정식 등 여러 가지 방정식의 실근의 개수는 도함수를 이용하여 함수의 그래프를 그려 실근의 개수를 구한다.

방정식 $f(x)=g(x)$에서 $f(x)-g(x)=0$이므로 방정식 $f(x)=g(x)$의 실근의 개수는 함수 $y=f(x)-g(x)$의 그래프와 x축과의 교점의 x좌표이다.

보기 01 다음 방정식의 서로 다른 실근의 개수를 구하여라.

(1) $x-4\ln x=0$ (2) $e^x=3x$

풀이 (1) $f(x)=x-4\ln x$로 놓으면 $f'(x)=1-\dfrac{4}{x}$

$f'(x)=0$에서 $x=4$

함수 $f(x)$의 증가와 감소를 표로 나타내고 그래프를 그리면 오른쪽 그림과 같다.

x	(0)	$\cdots$	4	$\cdots$
$f'(x)$		$-$	0	$+$
$f(x)$		↘	$4-4\ln 4$	↗

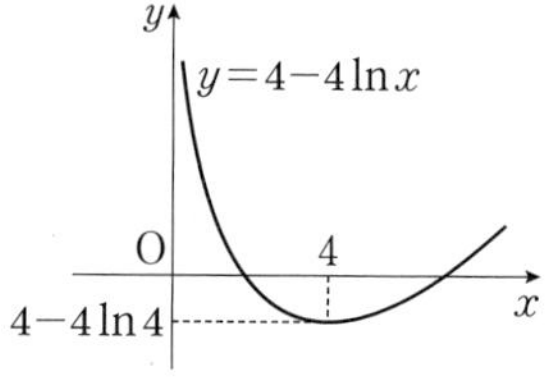

따라서 함수 $f(x)=x-4\ln x$의 그래프는 x축과 두 점에서 만나므로 방정식 $x-4\ln x=0$은 서로 다른 두 실근을 갖는다.

방정식 $x-4\ln x=0$의 실근의 개수 ↔ 곡선 $y=x-4\ln x$과 x축$(y=0)$의 교점의 개수

(2) $f(x)=e^x-3x$로 놓으면 $f'(x)=e^x-3=0$

$f'(x)=0$에서 $e^x=3$ $\quad \therefore x=\ln 3$

함수 $f(x)$의 증가와 감소를 표로 나타내고 그래프를 그리면 오른쪽 그림과 같다.

x	$\cdots$	$\ln 3$	$\cdots$
$f'(x)$	$-$	0	$+$
$f(x)$	↘	$3-3\ln 3$	↗

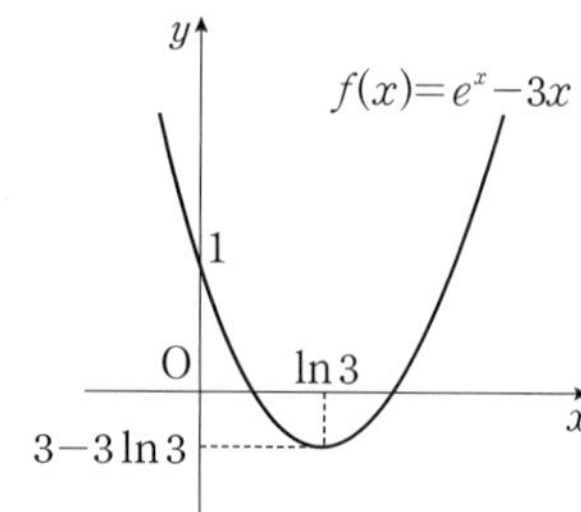

$3>e$이므로 $\ln 3>\ln e=1$이다.

$\therefore f(\ln 3)=3-3\ln 3=3(1-\ln 3)<0$

함수 $f(x)$의 그래프가 y축과 만나는 점은 $f(0)=1$이다.

따라서 함수 $f(x)=e^x-3x$의 그래프는 x축과 두 점에서 만나므로 방정식 $e^x=3x$은 서로 다른 두 실근을 갖는다.

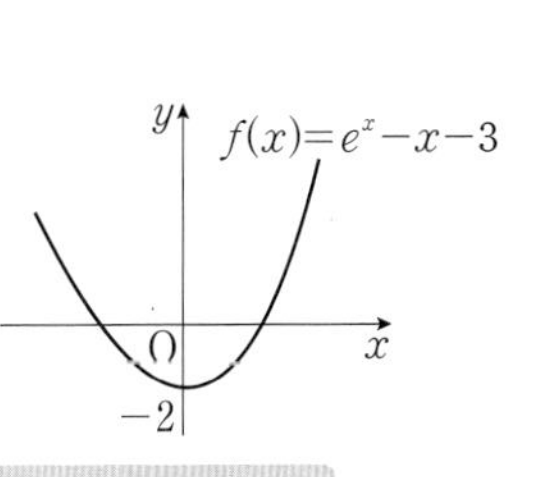

방정식 $e^x=3x$의 실근의 개수 ↔ 곡선 $y=e^x$과 곡선 $y=3x$의 교점의 개수 ↔ 곡선 $y=e^x-3x$와 x축$(y=0)$의 교점의 개수

보기 02 다음 방정식의 서로 다른 실근의 개수를 구하여라.

(1) $\ln x=x-1$ (2) $e^x=x+3$ (3) $x-\cos x=\frac{1}{2}$

풀이 (1) $f(x)=\ln x-x+1$이라 하면

$f'(x)=\frac{1}{x}-1=0$에서 $x=1$

$x>0$일 때, 함수 $f(x)$의 증가와 감소를 표로 나타내면 다음과 같다.

x	0	$\cdots$	1	$\cdots$
$f'(x)$		$+$	0	$-$
$f(x)$		↗	0	↘

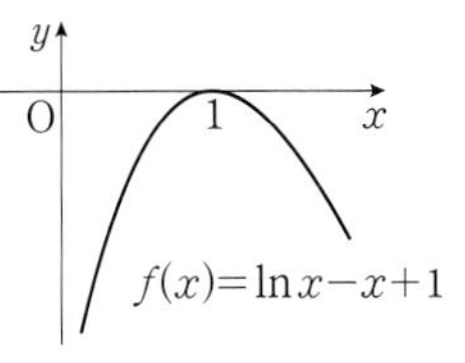

또, $\lim_{x\to 0+}f(x)=-\infty$, $\lim_{x\to\infty}f(x)=-\infty$이므로

함수 $y=f(x)$의 그래프는 오른쪽 그림과 같다.

따라서 함수 $f(x)=\ln x-x+1$의 그래프와 x축의 교점은 1개이므로

방정식 $\ln x-x+1=0$은 단 하나의 실근을 갖는다.

방정식 $\ln x=x-1$의 실근의 개수 ↔ 곡선 $y=\ln x-x+1$과 x축$(y=0)$의 교점의 개수

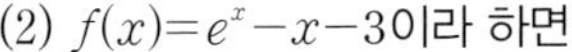

(2) $f(x)=e^x-x-3$이라 하면

$f'(x)=e^x-1=0$에서 $x=0$

함수 $f(x)$의 증가와 감소를 표로 나타내면 다음과 같다.

x	$\cdots$	0	$\cdots$
$f'(x)$	$-$	0	$+$
$f(x)$	↘	-2	↗

또, $\lim_{x\to\infty}f(x)=\infty$, $\lim_{x\to-\infty}f(x)=\infty$이므로

함수 $y=f(x)$의 그래프는 오른쪽 그림과 같다.

따라서 함수 $f(x)=e^x-x-3$의 그래프와 x축의 교점은 2개이므로

방정식 $e^x=x+3$은 서로 다른 두 실근을 갖는다.

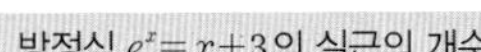 

방정식 $e^x=x+3$의 실근의 개수 ↔ 곡선 $y=e^x-x-3$과 x축$(y=0)$의 교점의 개수

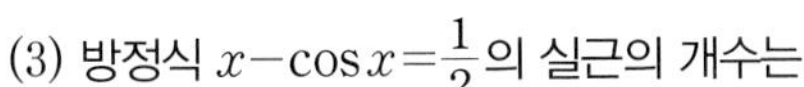

(3) 방정식 $x-\cos x=\frac{1}{2}$의 실근의 개수는

곡선 $y=x-\cos x$와 직선 $y=\frac{1}{2}$의 교점의 개수와 같다.

$f(x)=x-\cos x$로 놓으면 $f'(x)=1+\sin x$

$f'(x)\geq 0$이므로 함수 $f(x)$는 실수 전체의 구간에서 증가한다.

이때 $f(0)=-1$, $f\left(\frac{\pi}{2}\right)=\frac{\pi}{2}$이므로

함수 $y=f(x)$의 그래프는 오른쪽 그림과 같다.

따라서 방정식 $x-\cos x=\frac{1}{2}$의 실근의 개수는 1개이다.

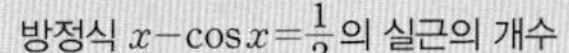 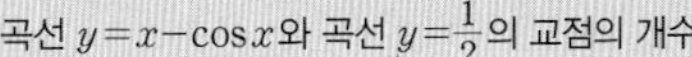

방정식 $x-\cos x=\frac{1}{2}$의 실근의 개수 ↔ 곡선 $y=x-\cos x$와 곡선 $y=\frac{1}{2}$의 교점의 개수

02 함수의 최대, 최소를 이용한 부등식의 증명

주어진 구간에서 최댓값과 최솟값이 주어진 경우

(1) 모든 실수에서 성립하는 부등식의 증명

부등식 $f(x)>0$ 또는 $f(x)<0$을 증명할 때에는 다음 성질을 이용한다.

① 모든 실수 x에 대하여 $f(x)>0$이면 ⇨ $y=f(x)$의 최솟값 >0임을 보인다.

② 모든 실수 x에 대하여 $f(x)<0$이면 ⇨ $y=f(x)$의 최댓값 <0임을 보인다.

③ 모든 실수 x에 대하여 $f(x)>g(x)$이면 ⇨ $F(x)=f(x)-g(x)$로 놓고 ($F(x)$의 최솟값) >0을 보인다.

(2) $x>a$에서 성립하는 부등식의 증명

$x>a$에서 함수 $f(x)$의 극값이 존재하면 부등식을 다음과 같이 증명한다.

① $x>a$에서 부등식 $f(x)>0$이 성립한다. ⇨ $x>a$에서 함수 $f(x)$에 대하여 최솟값 >0	② $x>a$에서 부등식 $f(x)<0$이 성립한다. ⇨ $x>a$에서 함수 $f(x)$에 대하여 최댓값 <0
$y=f(x)$, 최솟값, a, x	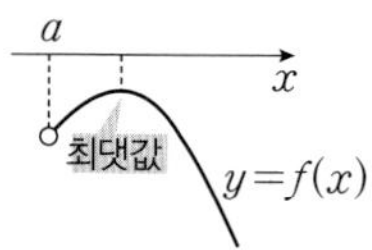

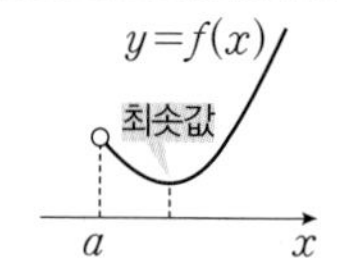

참고 x의 모든 실수값에 대하여 $f(x)\geq 0$이면 ⇨ $y=f(x)$의 최솟값 ≥ 0임을 보인다.

보기 03 다음 물음에 답하여라.

(1) 모든 실수 x에 대하여 부등식 $e^x \geq x+1$이 성립함을 보여라.

(2) $x>0$일 때, 부등식 $\ln x - x + 1 \leq 0$이 성립함을 보여라.

풀이 (1) $f(x)=e^x-x-1$이라고 하면 $f'(x)=e^x-1$

$f'(x)=0$을 만족시키는 x의 값은 $x=0$

함수 $f(x)$의 증가와 감소를 표로 나타내고 이를 이용하여 그래프를 그리면 다음과 같다.

x	$\cdots$	0	$\cdots$
$f'(x)$	$-$	0	$+$
$f(x)$	↘	0	↗

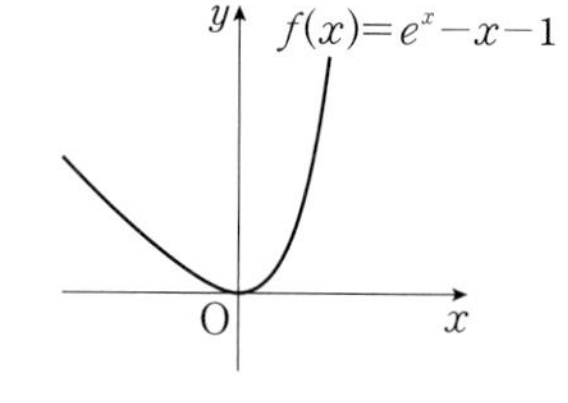

함수 $f(x)$는 $x=0$에서 최소이고 최솟값은 0이므로

모든 실수 x에 대하여 $e^x-x-1\geq 0$

따라서 모든 실수 x에 대하여 부등식 $e^x\geq x+1$이 성립한다.

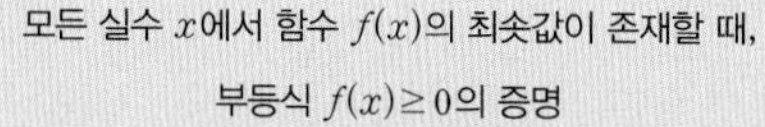

모든 실수 x에서 함수 $f(x)$의 최솟값이 존재할 때, 부등식 $f(x)\geq 0$의 증명 ⟶ 모든 실수 x에 대하여 $f(x)\geq$(최솟값) 임을 보인다.

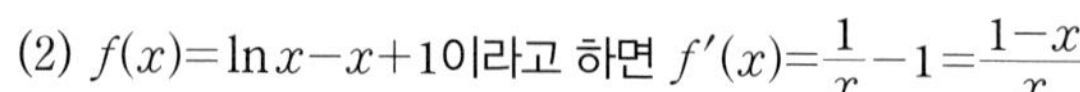

(2) $f(x)=\ln x-x+1$이라고 하면 $f'(x)=\frac{1}{x}-1=\frac{1-x}{x}$

$f'(x)=0$에서 $x=1$

또, $\lim_{x\to 0+}f(x)=-\infty$, $\lim_{x\to\infty}f(x)=-\infty$이다.

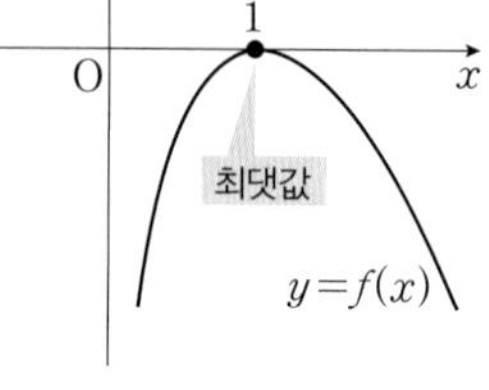

$x>0$에서 함수 $f(x)$의 증가와 감소를 표로 나타내면 다음과 같다.

x	(0)	$\cdots$	1	$\cdots$
$f'(x)$		$+$	0	$-$
$f(x)$		↗	0	↘

$x>0$일 때, 함수 $f(x)$의 최댓값이 $f(1)=0$이고, $f(1)=0\leq 0$

따라서 $x>0$일 때, 부등식 $\ln x-x+1\leq 0$이 성립한다.

주어진 구간에서 함수 $f(x)$의 최댓값이 존재할 때, 부등식 $f(x)\leq 0$의 증명 ⟶ 주어진 구간에서 $f(x)\leq$(최댓값) 임을 보인다.

03 함수의 증가와 감소를 이용한 부등식의 증명

주어진 구간에서 최댓값과 최솟값이 주어지지 않은 경우

어떤 구간에서 부등식 $f(x)>0$ $(f(x)<0)$인 것을 보일 때, 주어진 구간에서 함수 $f(x)$의 최솟값(최댓값)이 존재하는 경우에는 최솟값 >0 (최댓값 <0)인 것을 보이면 되었다. 그런데 함수 $f(x)$의 극값이 주어진 구간에 속하지 않아 최댓값 또는 최솟값을 구할 수 없는 경우가 있다. 이럴 때는 주어진 함수가 그 구간에서 증가하는지 감소하는지를 확인하여 부등식을 증명할 수 있다.

(1) $x>a$에서 부등식 $f(x)>0$ 증명

$x>a$에서 함수 $f(x)$의 최솟값이 존재하지 않는 경우

⇨ $x>a$에서 함수 $f(x)$가 증가하고, $f(a)\ge 0$임을 보인다.

⇨ $f'(x)>0$, $f(a)\ge 0$임을 보여서 증명한다.

(2) $x>a$에서 부등식 $f(x)<0$ 증명

$x>a$에서 함수 $f(x)$의 최댓값이 존재하지 않는 경우

⇨ $x>a$에서 함수 $f(x)$가 감소하고, $f(a)\le 0$임을 보인다.

⇨ $f'(x)<0$, $f(a)\le 0$임을 보여서 증명한다.

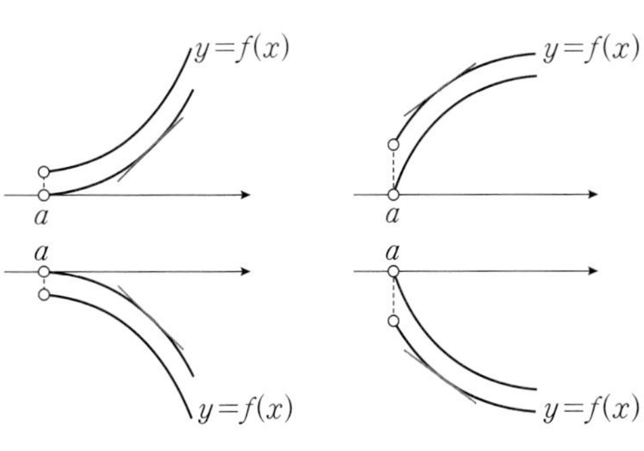

보기 04 $x>0$일 때, 다음 부등식이 성립함을 증명하여라.

(1) $x>\ln(1+x)$ (2) $2x>\sin x$

풀이 (1) $f(x)=x-\ln(1+x)$로 놓으면 $f'(x)=1-\dfrac{1}{1+x}=\dfrac{x}{1+x}$

$x>0$에서 $f'(x)>0$이므로 $f(x)$는 구간 $(0, \infty)$에서 증가한다.

이때 $f(0)=\ln(1+0)=0$이므로 $f(x)>0$이다.

따라서 $x>0$일 때, $x>\ln(1+x)$이 성립한다.

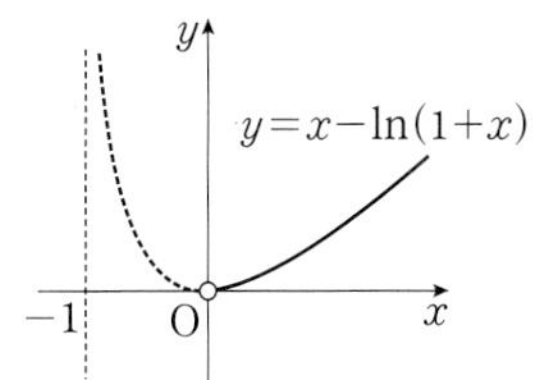

$x>0$에서 함수 $f(x)$의 최솟값이 없을 때, 부등식 $f(x)>0$의 증명 ➡ $x>0$에서 함수 $f(x)$가 증가하고, $f(0)\ge 0$임을 보인다.

(2) $f(x)=2x-\sin x$로 놓으면 $f'(x)=2-\cos x$

$x>0$일 때, $-1\le\cos x\le 1$이므로 $1\le 2-\cos x\le 3$

$f'(x)>0$이므로 $f(x)$는 구간 $(0, \infty)$에서 증가한다.

이때 $f(0)=0$이므로 $f(x)>0$이다.

따라서 $x>0$일 때, $2x>\sin x$가 성립한다.

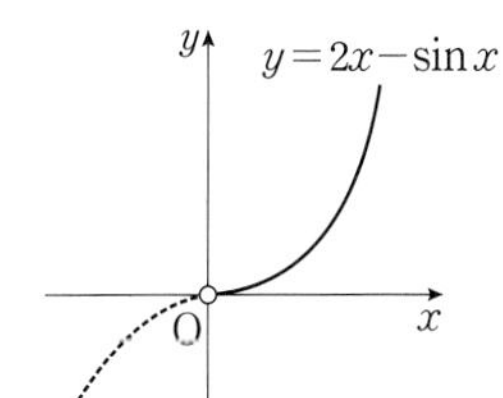

보기 05 $x>0$일 때, 다음 부등식이 성립함을 증명하여라.

(1) $\ln(1+x)>x-\dfrac{1}{2}x^2$ (2) $e^x>1+x+\dfrac{1}{2}x^2$

풀이 (1) $f(x)=\ln(1+x)-\left(x-\dfrac{1}{2}x^2\right)$으로 놓으면

$f'(x)=\dfrac{1}{1+x}-(1-x)=\dfrac{x^2}{1+x}>0\,(\because x>0)$

$f(x)$는 $x>0$에서 증가이고 $f(0)=\ln 1-0=0$이므로 $f(x)>0$

$f(x)=\ln(1+x)-\left(x-\dfrac{1}{2}x^2\right)>0$

따라서 $x>0$일 때, 부등식 $\ln(1+x)>x-\dfrac{1}{2}x^2$이 성립한다.

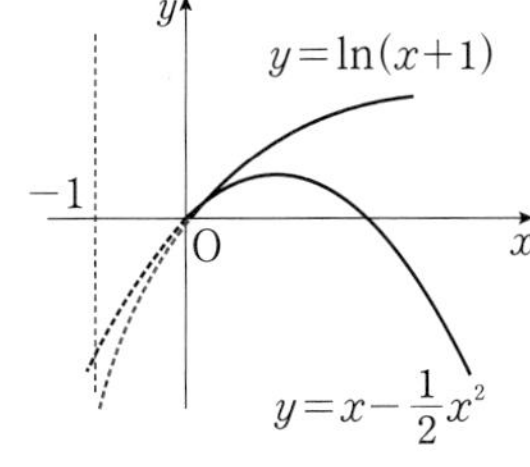

$x>0$에서 함수 $f(x)$의 최솟값이 없을 때, 부등식 $f(x)>0$의 증명 ➡ $x>0$에서 함수 $f(x)$가 증가하고, $f(0)\ge 0$임을 보인다.

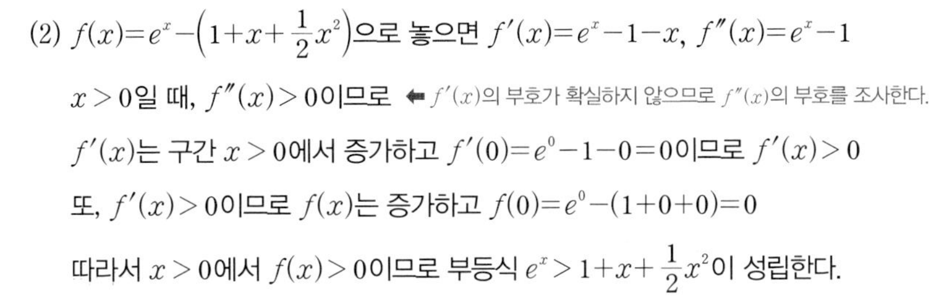

(2) $f(x)=e^x-\left(1+x+\dfrac{1}{2}x^2\right)$으로 놓으면 $f'(x)=e^x-1-x$, $f''(x)=e^x-1$

$x>0$일 때, $f''(x)>0$이므로 ⬅ $f'(x)$의 부호가 확실하지 않으므로 $f''(x)$의 부호를 조사한다.

$f'(x)$는 구간 $x>0$에서 증가하고 $f'(0)=e^0-1-0=0$이므로 $f'(x)>0$

또, $f'(x)>0$이므로 $f(x)$는 증가하고 $f(0)=e^0-(1+0+0)=0$

따라서 $x>0$에서 $f(x)>0$이므로 부등식 $e^x>1+x+\dfrac{1}{2}x^2$이 성립한다.

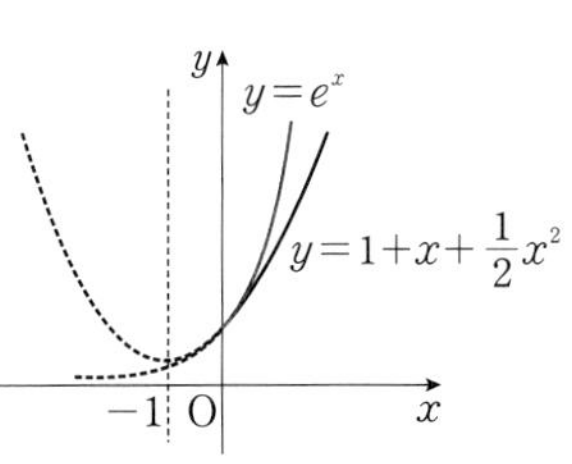

마플개념익힘 01 방정식 $f(x)=k$의 실근

다음 방정식의 서로 다른 실근의 개수를 k의 값에 따라 조사하여라. (단, k는 상수)

(1) $\ln x-x=k$ (2) $e^x-x=k$

MAPL CORE 미지수 k를 포함하는 방정식의 실근의 개수는 $k=f(x)$꼴로 변형하여 함수 $y=f(x)$의 그래프와 직선 $y=k$의 교점의 개수를 조사한다.

개념익힘 | **풀이** (1) 방정식 $\ln x-x=k$의 실근의 개수는 $y=\ln x-x$의 그래프와 직선 $y=k$의 교점의 개수와 같다.

$y=\ln x-x$를 미분하면 $y'=\dfrac{1}{x}-1$

$y'=0$에서 $\dfrac{1}{x}-1=0 \quad \therefore x=1$

함수의 증가와 감소를 표로 나타내면 오른쪽과 같다.

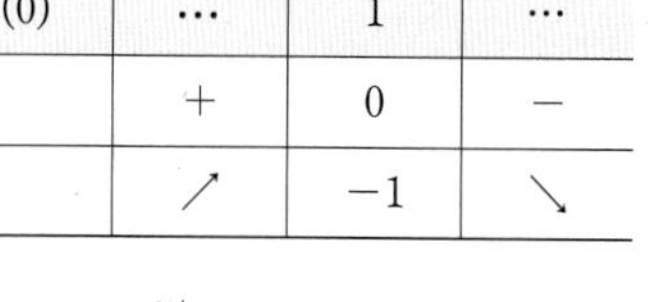

x	(0)	$\cdots$	1	$\cdots$
y'		+	0	−
y		↗	−1	↘

$\lim\limits_{x\to\infty} y=-\infty$, $\lim\limits_{x\to 0+} y=-\infty$

이므로 $y=\ln x-x$의 그래프는 오른쪽 그림과 같다.

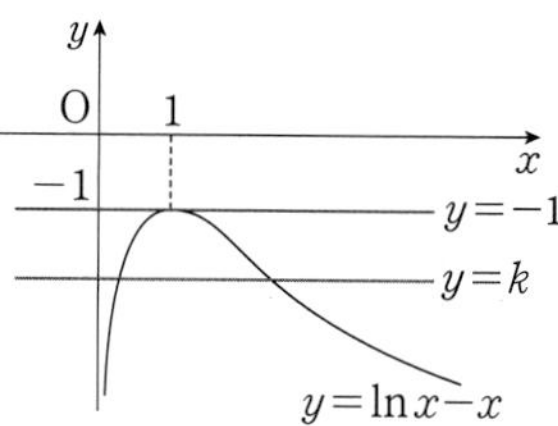

따라서 k의 값에 따른 실근의 개수는

$k>-1$일 때 실근의 개수는 0개, $k=-1$일 때 실근의 개수는 1개,

$k<-1$일 때 실근의 개수는 2개이다.

(2) 방정식 $e^x-x=k$의 실근의 개수는 $y=e^x-x$의 그래프와 직선 $y=k$의 교점의 개수와 같다.

$y=e^x-x$를 미분하면 $y'=e^x-1$

$y'=0$에서 $e^x-1=0 \quad \therefore x=0$

함수의 증가와 감소를 표로 나타내면 오른쪽과 같다.

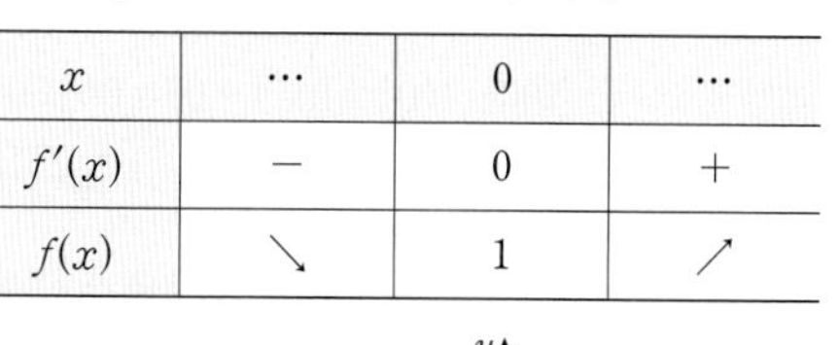

x	$\cdots$	0	$\cdots$
$f'(x)$	−	0	+
$f(x)$	↘	1	↗

$\lim\limits_{x\to\infty} f(x)=\infty$, $\lim\limits_{x\to-\infty} f(x)=\infty$이므로

$y=e^x-x$의 그래프는 오른쪽 그림과 같다.

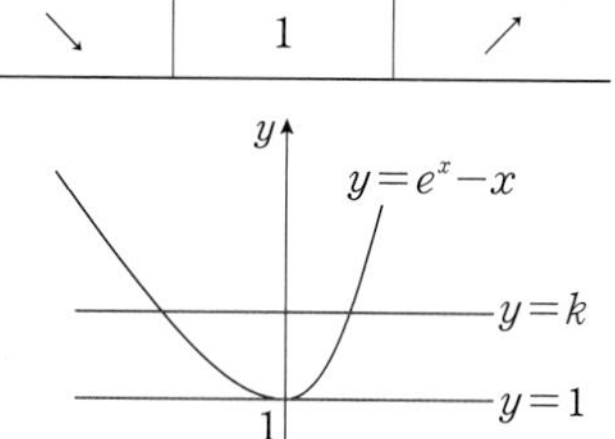

따라서 k의 값에 따른 실근의 개수는

$k<1$일 때 실근의 개수는 0개, $k=1$일 때 실근의 개수는 1개,

$k>1$일 때 실근의 개수는 2개이다.

확인유제 0688 다음 방정식이 서로 다른 두 실근을 갖도록 하는 실수 k의 값의 범위를 구하여라.

(1) $x-\sqrt{2x+1}+k=0$ (2) $e^x+e^{-x}=k$

변형문제 0689 x에 관한 방정식

$$2\sin x=x+k \ (0\le x\le \pi)$$

이 서로 다른 두 개의 실근을 가질 때, 실수 k의 값의 범위를 구하여라.

발전문제 0690 닫힌구간 $[0, 2\pi]$에서 x에 대한 방정식

2016년 07월 교육청

$$\sin x-x\cos x-k=0$$

의 서로 다른 실근의 개수가 2가 되도록 하는 모든 정수 k의 값의 합은?

① −6 ② −3 ③ 0 ④ 3 ⑤ 6

정답 0688 : (1) $\frac{1}{2}\le k<1$ (2) $k>2$ 0689 : $0\le k<\sqrt{3}-\frac{\pi}{3}$ 0690 : ⑤

마플개념익힘 02 방정식 $e^x=kx$의 실근

방정식 $e^x=kx$의 서로 다른 실근의 개수를 k의 값에 따라 조사하여라. (단, k는 상수)

MAPL CORE 방정식 $f(x)=g(x)$의 실근의 개수
⇨ 두 함수 $y=f(x)$, $y=g(x)$의 그래프의 교점의 개수

개념익힘 | 풀이 [방법1] 주어진 방정식의 양변을 x로 나누면 $\frac{e^x}{x}=k$이므로 주어진 방정식의 실근은

두 함수 $y=\frac{e^x}{x}$, $y=k$의 그래프의 교점의 x좌표와 같다.

⬅ $x=0$은 방정식 $e^x=kx$의 근이 아니므로 양변을 x로 나누면 $\frac{e^x}{x}=k$

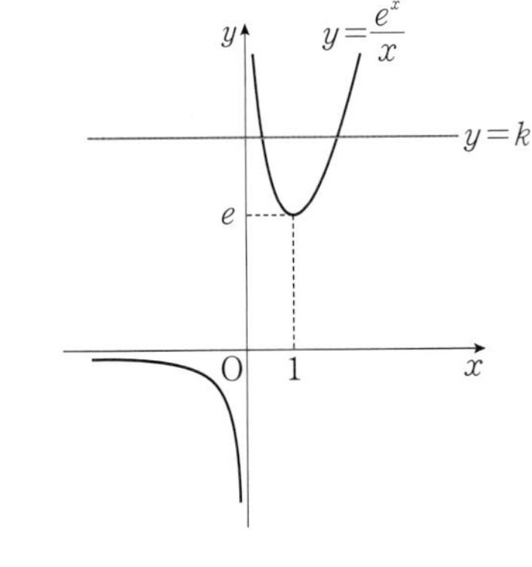

$f(x)=\frac{e^x}{x}$로 놓으면 $f'(x)=\frac{e^x(x-1)}{x^2}$

$f'(x)=0$에서 $x=1$

함수 $f(x)$의 증가와 감소를 나타내는 표는 다음과 같다.

x	$\cdots$	(0)	$\cdots$	1	$\cdots$
$f'(x)$	$-$		$-$	0	$+$
$f(x)$	↘		↘	e	↗

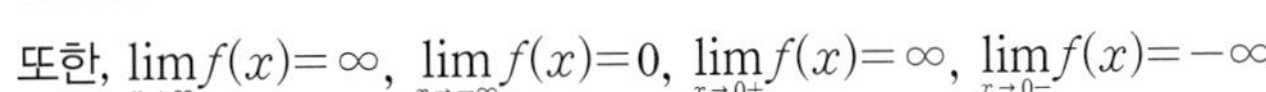

또한, $\lim_{x\to\infty}f(x)=\infty$, $\lim_{x\to-\infty}f(x)=0$, $\lim_{x\to0+}f(x)=\infty$, $\lim_{x\to0-}f(x)=-\infty$

이므로 $y=f(x)$의 그래프는 오른쪽 그림과 같다.

따라서 방정식 $e^x=kx$의 서로 다른 실근의 개수는

$k>e$일 때 2개, $k=e$일 때 1개, $0\le k<e$일 때 0개, $k<0$일 때 1개

[방법2] 방정식 $e^x=kx$의 실근을 두 함수 $y=e^x$, $y=kx$의 교점이다.

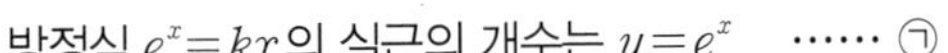

방정식 $e^x=kx$의 실근의 개수는 $y=e^x$ …… ㉠

$y=kx$ …… ㉡

의 그래프의 교점의 개수와 같다.

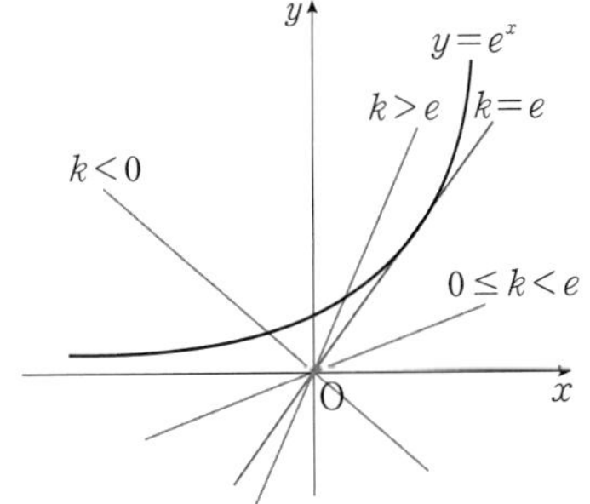

곡선 ㉠ 위의 점 $(a,\ e^a)$에서의 접선의 방정식은

$y-e^a=e^a(x-a)$

이 직선이 원점을 지나려면 $0-e^a=e^a(0-a)$ $\therefore a=1$

따라서 원점을 지나는 접선의 방정식은 $y=ex$이므로

오른쪽 그림에서 실근의 개수는 다음과 같다.

$k>e$일 때 2개, $k=e$일 때 1개, $0\le k<e$일 때 0개, $k<0$일 때 1개

확인유제 0691 방정식 $e^x=x+a$가 서로 다른 두 실근을 가지도록 하는 실수 a의 값의 범위는?

① $a=1$ ② $a>1$ ③ $a<1$ ④ $a>2$ ⑤ $a<2$

변형문제 0692 실수 x에 대한 방정식 $e^x=kx$의 서로 다른 실근의 개수를 $f(k)$라 하자. 실수 k에 대한 방정식 $f(k)=a^k$이 실근을 갖게 하는 양의 실수 a의 범위는? (단, $a\neq1$)

① $0<a<e^2$ ② $1<a<2^{\frac{1}{e}}$ ③ $a>2^{\frac{1}{e}}$ ④ $a>e^2$ ⑤ $2^{\frac{1}{e}}<a<2^e$

발전문제 0693 $-\pi<x<\pi$일 때, 방정식 $\sin x=kx$가 서로 다른 세 실근을 갖도록 하는 상수 k의 값의 범위는?

① $0<k<\frac{1}{2}$ ② $0<k<1$ ③ $0<k<2$ ④ $\frac{1}{2}<k<1$ ⑤ $1<k<2$

정답 0691 : ② 0692 : ② 0693 : ②

마플개념익힘 03 방정식 $\ln x = kx$의 실근

방정식 $\ln x = kx$의 서로 다른 실근의 개수를 k의 값에 따라 조사하여라. (단, k는 상수)

개념익힘 | 풀이 [방법1] $x>0$이므로 주어진 방정식을 변형하면 $\frac{\ln x}{x}=k$이므로 주어진 방정식의 서로 다른 실근의 개수는

함수 $y=\frac{\ln x}{x}$의 그래프와 직선 $y=k$의 교점의 개수와 같다.

$f(x)=\frac{\ln x}{x}$로 놓으면 $f(x)$는 $x>0$에서 정의된다.

$f'(x)=\frac{(\ln x)'(x)-(\ln x)(x)'}{x^2}=\frac{1-\ln x}{x^2}$

$f'(x)=0$에서 $1-\ln x=0$ $\therefore x=e$

함수 $f(x)$의 증가와 감소를 나타내는 표는 다음과 같다.

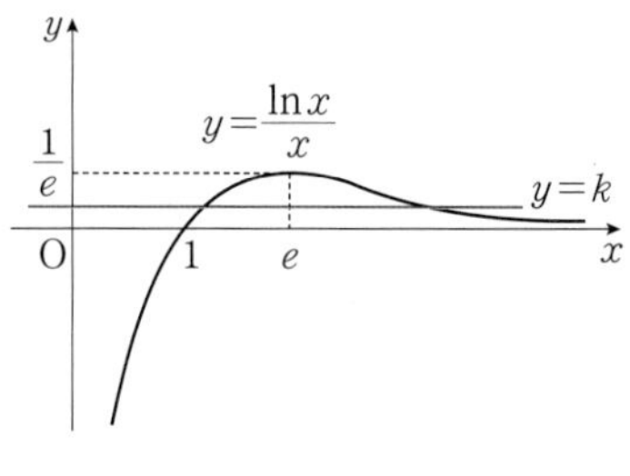

x	(0)	$\cdots$	e	$\cdots$
$f'(x)$		$+$	0	$-$
$f(x)$		↗	$\frac{1}{e}$	↘

$x=e$일 때, 극댓값은 $f(e)=\frac{\ln e}{e}=\frac{1}{e}$이고 $\lim_{x\to 0+}f(x)=-\infty$, $\lim_{x\to\infty}f(x)=0$이므로 점근선은 x축이다.

따라서 방정식 $\frac{\ln x}{x}=k$의 서로 다른 실근의 개수는

$k>\frac{1}{e}$일 때 0개, $k=\frac{1}{e}$일 때 1개, $0<k<\frac{1}{e}$일 때 2개, $k\le 0$일 때 1개이다.

[방법2] 방정식 $\ln x = kx$의 실근을 두 함수 $y=\ln x$, $y=kx$의 교점으로 본다.

방정식 $\ln x=kx$의 실근의 개수는

$y=\ln x$ …… ㉠, $y=kx$ …… ㉡

의 그래프의 교점의 개수와 같다.

곡선 ㉠ 위의 점 $(a, \ln a)$에서의 접선의 방정식은

$y-\ln a=\frac{1}{a}(x-a)$

이 직선이 원점을 지나려면 $0-\ln a=\frac{1}{a}(0-a)$ $\therefore a=e$

따라서 원점을 지나는 ㉠의 접선의 방정식은 $y=\frac{1}{e}x$이다.

그래프를 통해 알 수 있는 기울기 k와 실근과 개수의 관계는 다음과 같다.

$k>\frac{1}{e}$일 때 0개, $k=\frac{1}{e}$일 때 1개, $0<k<\frac{1}{e}$일 때 2개, $k\le 0$일 때 1개

확인유제 0694 x에 대한 방정식 $\frac{\ln x}{x}=a$가 오직 하나의 실근을 갖도록 하는 양수 a의 값을 구하여라.

변형문제 0695 다음 물음에 답하여라.

(1) 방정식 $\ln x = x+a$가 서로 다른 두 실근을 가지도록 하는 실수 a의 값의 범위는?

① $a=-1$ ② $a>1$ ③ $a<-1$ ④ $a>-1$ ⑤ $a<1$

(2) 방정식 $\ln x = ax+1$가 서로 다른 두 실근을 가지도록 하는 실수 a의 값의 범위는?

① $0<a<\frac{1}{e}$ ② $a>1$ ③ $0<a<\frac{1}{e^2}$ ④ $a>e^2$ ⑤ $1<a<e$

발전문제 0696 x에 대한 두 방정식 $\ln x = kx$와 $e^x=kx$가 모두 실근을 갖지 않을 때, 상수 k값의 범위를 구하여라.

정답 0694 : $\frac{1}{e}$ 0695 : (1) ③ (2) ③ 0696 : $\frac{1}{e}<k<e$

마플개념익힘 04 주어진 범위에서 부등식이 항상 성립하는 경우 (1)

다음 물음에 답하여라.

(1) $x>0$일 때, 부등식 $x\ln x \ge x+a$가 성립하도록 하는 실수 a값의 범위를 구하여라.

(2) $1 \le x \le e^2$인 모든 실수 x에 대하여 부등식 $2x-x\ln x+k \le 0$이 성립할 때, 상수 k의 값의 범위를 구하여라.

MAPL CORE
① 어떤 구간에서 부등식 $f(x)>0$이 성립 ⇨ 그 구간에서 함수 $f(x)$의 최솟값이 m일 때, $m>0$을 보인다.
② 어떤 구간에서 부등식 $f(x)<0$이 성립 ⇨ 그 구간에서 함수 $f(x)$의 최댓값이 m일 때, $m<0$을 보인다.

개념익힘 | **풀이** (1) $x\ln x \ge x+a$에서 $x\ln x-x-a \ge 0$

$f(x)=x\ln x-x-a$로 놓으면 $f'(x)=\ln x+x\cdot\frac{1}{x}-1=\ln x$

$f'(x)=0$에서 $\ln x=0$ $\therefore x=1$

$x>0$에서 함수 $f(x)$의 증가와 감소를 나타내는 표는 다음과 같다.

x	(0)	$\cdots$	1	$\cdots$
$f'(x)$		$-$	0	$+$
$f(x)$		↘	극소	↗

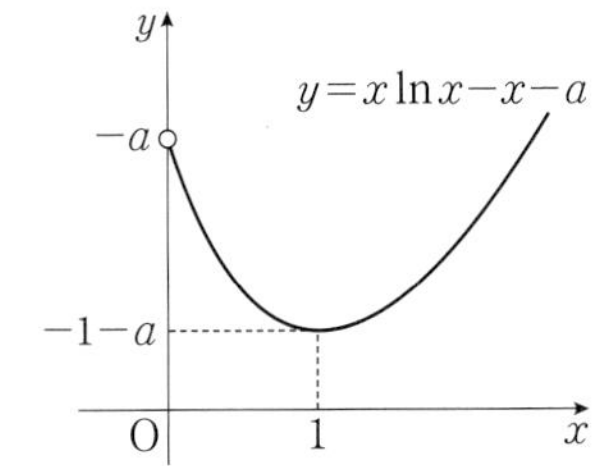

$x>0$일 때, 함수 $f(x)$는 $x=1$에서 극소인 동시에 최소이므로

함수 $f(x)$의 최솟값은 $f(1)=0-1-a$이므로 $-1-a \ge 0$ $\therefore$ $\boldsymbol{a \le -1}$

(2) $2x-x\ln x+k \le 0$에서 $x\ln x-2x-k \ge 0$

$f(x)=x\ln x-2x-k$로 놓으면 $f'(x)=\left(\ln x+x\cdot\frac{1}{x}\right)-2=\ln x-1$

$f'(x)=0$에서 $\ln x=1$ $\therefore x=e$

함수 $f(x)$의 증가, 감소를 나타내는 표는 다음과 같다.

x	1	$\cdots$	e	$\cdots$	e^2
$f'(x)$		$-$	0	$+$	
$f(x)$	$-2-k$	↘	$-e-k$	↗	$-k$

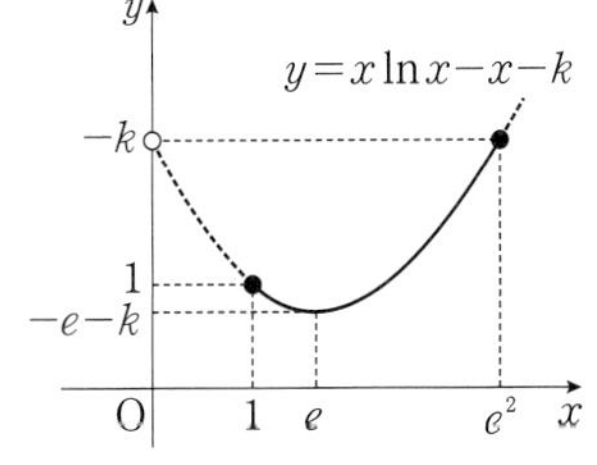

즉, $1 \le x \le e^2$에서 $f(x)$는 $x=e$일 때, 극소이면서 동시에 최소이다.

함수 $f(x)$의 최솟값은 $f(e)=-e-k$이므로 $-e-k \ge 0$ $\therefore$ $\boldsymbol{k \le -e}$

확인유제 0697 $x>0$일 때, 부등식 $x-\ln ax \ge 0$이 성립하도록 양수 a의 값의 범위를 구하여라.

변형문제 0698 다음 물음에 답하여라.

(1) 모든 실수 x에 대하여 부등식 $e^{2x} \ge ax$이기 위한 상수 a의 최댓값은? (단, $a>0$)

① 1 ② 2 ③ e ④ $2e$ ⑤ e^2

(2) 모든 실수 x에 대하여 부등식 $\frac{x}{e^{2x}} \le k$가 성립하도록 하는 실수 k의 최솟값은?

① $\frac{4}{e^4}$ ② $\frac{1}{8e^{\frac{1}{4}}}$ ③ $\frac{1}{4e^{\frac{1}{2}}}$ ④ $\frac{1}{2e}$ ⑤ $\frac{2}{e^2}$

발전문제 0699 모든 양의 실수 x에 대하여 부등식 $(\ln x)^2-4\ln x \ge k$가 성립하도록 하는 실수 k의 최댓값은?

① -1 ② -2 ③ -3 ④ -4 ⑤ -5

정답 0697 : $0<a \le e$ 0698 : (1) ④ (2) ④ 0699 : ④

마플개념익힘 05 주어진 범위에서 부등식이 항상 성립하는 경우 (2)

2002학년도 수능기출

$1 \le x \le 2$인 모든 실수 x에 대하여 부등식

$$\alpha x \le e^x \le \beta x$$

가 성립하도록 상수 α, β를 정할 때, $\beta-\alpha$의 최솟값을 구하여라.

MAPL CORE $1 \le x \le 2$에서 부등식 $\alpha x \le e^x \le \beta x$의 그래프의 위치 관계

⇨ 구간 $1 \le x \le 2$에서 두 직선 $y=\alpha x$, $y=\beta x$ 사이에 곡선 $y=e^x$의 그래프가 존재한다.

개념익힘 | **풀이** $1 \le x \le 2$인 모든 실수 x에 대하여 부등식 $\alpha x \le e^x \le \beta x$가 성립하려면

$1 \le x \le 2$에서 직선 $y=\alpha x$보다 곡선 $y=e^x$이 위에 있고,

곡선 $y=e^x$보다 직선 $y=\beta x$가 위에 있도록 하면 된다.

곡선 $y=e^x$과 직선 $y=\alpha x$가 점 $(1, e)$에서 접하므로 $\alpha \le e$ …… ㉠

원점과 점 $(2, e^2)$을 지나는 직선은 $y=\frac{e^2}{2}x$이므로 $\beta \ge \frac{e^2}{2}$ …… ㉡

따라서 ㉠, ㉡에서 $\beta-\alpha$의 최솟값은 $\frac{e^2}{2}-e=\boldsymbol{e\left(\frac{e}{2}-1\right)}$

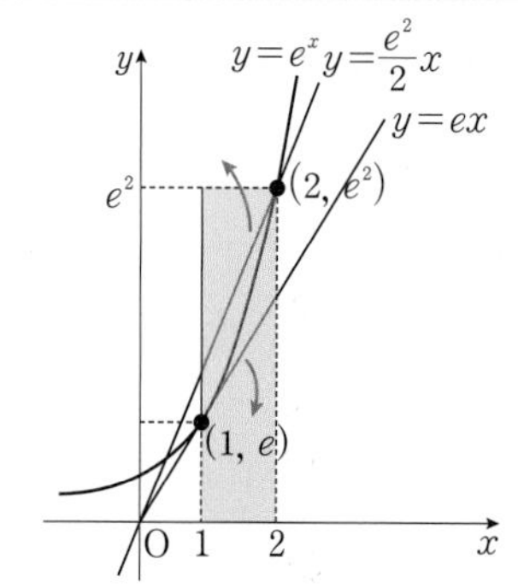

다른풀이 $f(x)=\frac{e^x}{x}$의 그래프를 이용하여 풀이하기

$\alpha x \le e^x \le \beta x$에서 $\alpha \le \frac{e^x}{x} \le \beta$ ($\because 1 \le x \le 2$)

이때 $f(x)=\frac{e^x}{x}$이라 하면 $f'(x)=\frac{(x-1)e^x}{x^2}$

$f'(x)=0$에서 $x=1$

함수 $g(x)$의 증가와 감소를 표로 나타내고 함수 $y=f(x)$의 그래프를 그리면 다음과 같다.

x	$\cdots$	1	$\cdots$	2
$f'(x)$	$-$	0	$+$	
$f(x)$	↘	e	↗	$\frac{e^2}{2}$

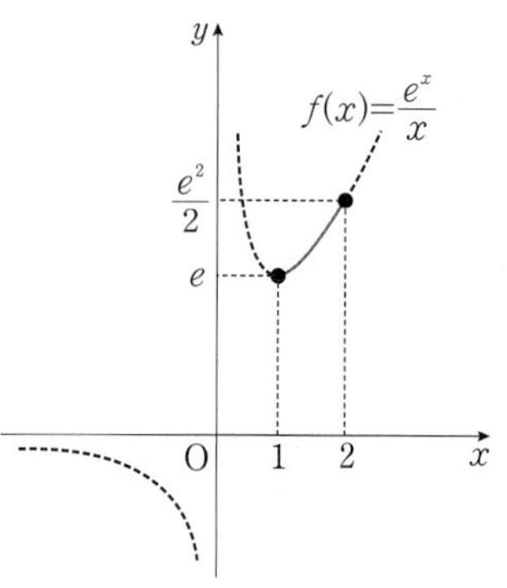

$f(x)$는 $x=1$일 때, 극소이므로 $1 \le x \le 2$에서 $f(x)$의 최솟값은 $x=1$일 때, $f(1)=e$

$f(x)$의 최댓값은 $x=2$일 때, $f(2)=\frac{e^2}{2}$

따라서 $\beta-\alpha$의 최솟값은 $\frac{e^2}{2}-e=e\left(\frac{e}{2}-1\right)$

확인유제 0700 $1 \le x \le 3$인 모든 실수 x에 대하여 부등식

$$\alpha x \le \ln x \le \beta x$$

가 성립하도록 실수 α, β를 정할 때, $\beta-\alpha$의 최솟값을 구하여라.

변형문제 0701 모든 실수 x에 대하여 부등식 $x^2-\cos x \ge k$ 을 만족시키는 실수 k의 최댓값은?

① -2 ② -1 ③ 0 ④ 1 ⑤ 2

발전문제 0702 $x>0$인 모든 실수 x에 대하여 부등식 $\cos x+\frac{1}{2}x^2>k$가 항상 성립할 때, 실수 k의 최댓값은?

① -2 ② -1 ③ 0 ④ 1 ⑤ 2

정답 0700 : $\frac{1}{e}$ 0701 : ② 0702 : ④

06 속도와 가속도

MAPL; YOURMASTERPLAN

01 직선 운동에서의 속도와 가속도

수직선 위를 움직이는 점 P의 위치 x가 시각 t의 함수 $x=f(t)$일 때, 시각 t에서 점 P의 속도 v와 가속도 a는 각각 다음과 같이 정의한다.

(1) 속도 : $v=\dfrac{dx}{dt}=f'(t)$ (2) 가속도 : $a=\dfrac{dv}{dt}=f''(t)$

위치 $x=f(t)$ → 시각 t로 미분 → 속도 $v=\dfrac{dx}{dt}=f'(t)$ → 시각 t로 미분 → 가속도 $a=\dfrac{dv}{dt}$

참고 속도의 절댓값 $|v|$를 시각 t에서의 점 P의 속도의 크기 또는 속력이라 하고 가속도의 절댓값 $|a|$를 가속도의 크기라 한다.

마플해설 움직이는 물체의 위치는 시각에 대한 함수이므로 속도는 시각에 대한 위치의 변화율, 가속도는 시간에 대한 속도의 변화율을 의미하므로 위치와 속도의 함수를 시각에 대하여 각각 미분하여 물체의 속도와 가속도를 구할 수 있다.

$v=f'(t)$의 부호는 점 P의 운동 방향을 나타낸다.

① $v>0$이면 $x=f(t)$는 증가하므로 점 P의 운동 방향은 양의 방향이다.

② $v<0$이면 $x=f(t)$는 감소하므로 점 P의 운동 방향은 음의 방향이다.

③ $v=f'(a)=0$이고 $t=a$의 전후에서 $f'(t)$의 부호가 바뀌면 $t=a$에서 점 P의 운동 방향이 바뀐다.

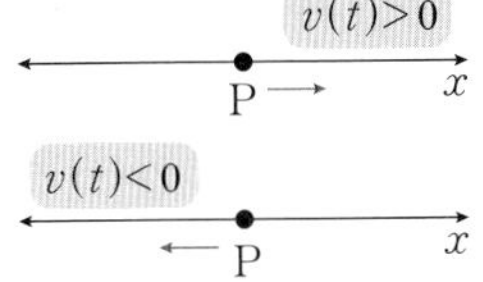

보기 01 수직선 위를 움직이는 점 P의 시각 t에서의 위치 $x=f(t)$가

$$f(t)=e^t-t$$

일 때, $t=1$일 때, 점 P의 속도와 가속도를 구하여라.

풀이 점 P의 시각 t에서의 속도와 가속도를 각각 $v(t)$, $a(t)$라고 하면

$v(t)=f'(t)=e^t-1$

$a(t)=f''(t)=e^t$

따라서 $t=1$일 때, 점 P의 속도와 가속도는 $v(1)=e-1$, $a(1)=e$

보기 02 수직선 위를 움직이는 점 P의 시각 t에서의 위치 $x=f(t)$가

$$f(t)=e^t\sin t$$

일 때, $t=\dfrac{\pi}{2}$에서의 점 P의 속도와 가속도를 구하여라.

풀이 점 P의 시각 t에서의 속도와 가속도를 각각 $v(t)$, $a(t)$라 하면

$v(t)=f'(t)=e^t\sin t+e^t\cos t$

$a(t)=f''(t)=e^t\sin t+e^t\cos t+(e^t\cos t-e^t\sin t)=2e^t\cos t$

따라서 $t=\dfrac{\pi}{2}$일 때, 점 P의 속도와 가속도는

$v\left(\dfrac{\pi}{2}\right)=e^{\frac{\pi}{2}}\sin\dfrac{\pi}{2}+e^{\frac{\pi}{2}}\cos\dfrac{\pi}{2}=e^{\frac{\pi}{2}}$

$a\left(\dfrac{\pi}{2}\right)=2e^{\frac{\pi}{2}}\cos\dfrac{\pi}{2}=0$

02 평면 운동에서의 속도와 가속도

좌표평면 위를 움직이는 점 P의 시각 t에서의 위치가 $(x,\ y)$가 $x=f(t),\ y=g(t)$로 나타내어질 때,

(1) 점 P의 시각 t에서의 속도 : $(v_x,\ v_y)=\left(\dfrac{dx}{dt},\ \dfrac{dy}{dt}\right)=(f'(t),\ g'(t))$

(2) 점 P의 시각 t에서의 속도의 크기 또는 속력 : $\sqrt{{v_x}^2+{v_y}^2}=\sqrt{\left(\dfrac{dx}{dt}\right)^2+\left(\dfrac{dy}{dt}\right)^2}=\sqrt{\{f'(t)\}^2+\{g'(t)\}^2}$

(3) 점 P의 시각 t에서의 가속도 : $(a_x,\ a_y)=\left(\dfrac{d^2x}{dt^2},\ \dfrac{d^2y}{dt^2}\right)=(f''(t),\ g''(t))$

(4) 점 P의 시각 t에서의 가속도의 크기 : $\sqrt{{a_x}^2+{a_y}^2}=\sqrt{\left(\dfrac{d^2x}{dt^2}\right)^2+\left(\dfrac{d^2y}{dt^2}\right)^2}=\sqrt{\{f''(t)\}^2+\{g''(t)\}^2}$

마플해설 평면 운동에서 속도의 크기와 가속도의 크기

좌표평면 위를 움직이는 점 P의 시각 t에서의 위치를 $(x,\ y)$라 하면

$x,\ y$는 모두 t에 대한 함수이므로 $x=f(t),\ y=g(t)$와 같이 나타낼 수 있다.

이때 점 P에서 x축과 y축에 내린 수선의 발을 각각 Q, R라 하면 점 P가 움직일 때

점 Q는 x축에서 시각 t에서의 위치가 $x=f(t)$로 나타나는 직선 운동을 하고,

점 R는 y축에서 시각 t에서의 위치가 $y=g(t)$로 나타나는 직선 운동을 한다.

따라서 시각 t에서의 점 Q의 속도를 v_x, 점 R의 속도를 v_y라 하면

$$v_x=\frac{dx}{dt}=f'(t),\ v_y=\frac{dy}{dt}=g'(t)$$

가 된다.

이때 평면 위를 움직이는 점 P에 대하여 순서쌍 $(v_x,\ v_y)$ 또는 $\left(\dfrac{dx}{dt},\ \dfrac{dy}{dt}\right)$를 시각 t에서 점 P의 속도라 하고,

$$\sqrt{{v_x}^2+{v_y}^2}=\sqrt{\left(\frac{dx}{dt}\right)^2+\left(\frac{dy}{dt}\right)^2}=\sqrt{\{f'(t)\}^2+\{g'(t)\}^2}$$

을 시각 t에서의 점 P의 속도의 크기 또는 속력이라 한다.

한편 시각 t에서 점 Q의 가속도를 a_x, 점 R의 가속도를 a_y라 하면

$$a_x=\frac{dv_x}{dt}=\frac{d^2x}{dt^2}=f''(t),\ a_y=\frac{dv_y}{dt}=\frac{d^2y}{dt^2}=g''(t)$$

가 된다.

이때 평면 위를 움직이는 점 P에 대하여 순서쌍 $(a_x,\ a_y)$ 또는 $\left(\dfrac{d^2x}{dt^2},\ \dfrac{d^2y}{dt^2}\right)$를 시각 t에서 점 P의 가속도라 하고,

$$\sqrt{{a_x}^2+{a_y}^2}=\sqrt{\left(\frac{d^2x}{dt^2}\right)^2+\left(\frac{d^2y}{dt^2}\right)^2}=\sqrt{\{f''(t)\}^2+\{g''(t)\}^2}$$

을 시각 t에서 점 P의 가속도의 크기라 한다.

이상을 정리하면 다음과 같다.

위치 $(f(t),\ g(t))$ —시각 t로 미분→ 속도 $(f'(t),\ g'(t))$ —시각 t로 미분→ 가속도 $(f''(t),\ g''(t))$

더 알아보기

벡터의 성분으로 속도 가속도 표현하기 ⬅ 기하와 벡터

좌표평면 위를 움직이는 점 P의 시각 t에서의 좌표 $(x,\ y)$가 $x=f(t),\ y=g(t)$로 나타내어질 때,

(1) 점 P의 시각 t에서의 속도는

$\vec{v}=(v_x,\ v_y)=\left(\dfrac{dx}{dt},\ \dfrac{dy}{dt}\right)=(f'(t),\ g'(t))$ ⬅ 점의 좌표가 아니고 벡터의 성분표시

(2) 점 P의 시각 t에서의 속력은

$|\vec{v}|=\sqrt{{v_x}^2+{v_y}^2}=\sqrt{\left(\dfrac{dx}{dt}\right)^2+\left(\dfrac{dy}{dt}\right)^2}=\sqrt{\{f'(t)\}^2+\{g'(t)\}^2}$

(3) 점 P의 시각 t에서의 가속도는

$\vec{a}=(a_x,\ a_y)=\left(\dfrac{d^2x}{dt^2},\ \dfrac{d^2y}{dt^2}\right)=(f''(t),\ g''(t))$ ⬅ 점의 좌표가 아니고 벡터의 성분표시

(4) 점 P의 시각 t에서의 가속도의 크기는

$|\vec{a}|=\sqrt{{a_x}^2+{a_y}^2}=\sqrt{\left(\dfrac{d^2x}{dt^2}\right)^2+\left(\dfrac{d^2y}{dt^2}\right)^2}=\sqrt{\{f''(t)\}^2+\{g''(t)\}^2}$

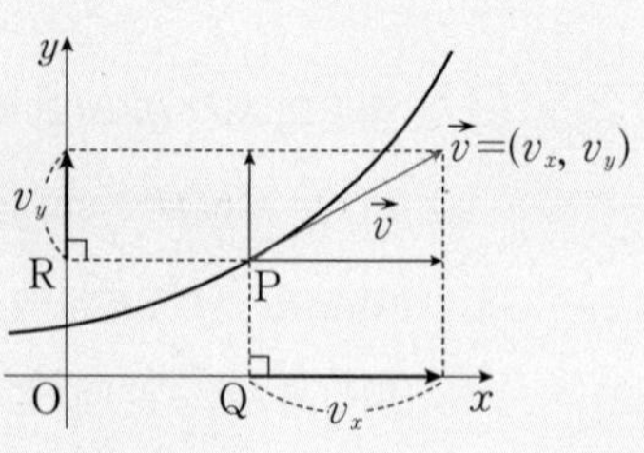

보기 03 좌표평면 위를 움직이는 점 P의 시각 t에서의 위치 (x, y)가 다음과 같을 때, 점 P의 시각 t에서의 속도와 가속도를 구하여라.

(1) $x=t^2+t,\ y=t^3$ (2) $x=\cos\pi t,\ y=\sin\pi t$

풀이 (1) $\frac{dx}{dt}=2t+1,\ \frac{dy}{dt}=3t^2$이므로 점 P의 시각 t에서의 속도는 $(2t+1,\ 3t^2)$

$\frac{d^2x}{dt^2}=2,\ \frac{d^2y}{dt^2}=6t$이므로 점 P의 시각 t에서의 가속도는 $(2,\ 6t)$

(2) $\frac{dx}{dt}=-\pi\sin\pi t,\ \frac{dy}{dt}=\pi\cos\pi t$이므로 점 P의 시각 t에서의 속도는 $(-\pi\sin\pi t,\ \pi\cos\pi t)$

$\frac{d^2x}{dt^2}=-\pi^2\cos\pi t,\ \frac{d^2y}{dt^2}=-\pi^2\sin\pi t$이므로 점 P의 시각 t에서의 가속도는 $(-\pi^2\cos\pi t,\ -\pi^2\sin\pi t)$

보기 04 좌표평면 위를 움직이는 점 P의 시각 t에서의 위치 (x, y)가 다음과 같을 때, 시각 t에서 점 P의 속도의 크기와 가속도의 크기를 구하여라.

(1) $x=t+e^t,\ y=t-e^t$ (2) $x=\cos 2t,\ y=\sin 2t$

풀이 (1) $\frac{dx}{dt}=1+e^t,\ \frac{dy}{dt}=1-e^t$이므로 속도의 크기는 $\sqrt{\left(\frac{dx}{dt}\right)^2+\left(\frac{dy}{dt}\right)^2}=\sqrt{(1+e^t)^2+(1-e^t)^2}=\sqrt{2+2e^{2t}}$

또, $\frac{d^2x}{dt^2}=e^t,\ \frac{d^2y}{dt^2}=-e^t$이므로 가속도의 크기는 $\sqrt{\left(\frac{d^2x}{dt^2}\right)^2+\left(\frac{d^2y}{dt^2}\right)^2}=\sqrt{e^{2t}+e^{2t}}=\sqrt{2}e^t$

(2) $\frac{dx}{dt}=-2\sin 2t,\ \frac{dy}{dt}=2\cos 2t$이므로 속도의 크기는 $\sqrt{\left(\frac{dx}{dt}\right)^2+\left(\frac{dy}{dt}\right)^2}=\sqrt{(-2\sin 2t)^2+(2\cos 2t)^2}=2$

또, $\frac{d^2x}{dt^2}=-4\cos 2t,\ \frac{d^2y}{dt^2}=-4\sin 2t$이므로 가속도의 크기는

$\sqrt{\left(\frac{d^2x}{dt^2}\right)^2+\left(\frac{d^2y}{dt^2}\right)^2}=\sqrt{(-4\cos 2t)^2+(-4\sin 2t)^2}=4$

보기 05 좌표평면 위를 움직이는 점 P의 시각 t에서의 좌표가 $x=2t,\ y=t^2-t$일 때, 다음을 구하여라.

(1) 점 P의 시각 $t=2$에서의 속도와 속도의 크기를 각각 구하여라.

(2) 점 P의 시각 $t=2$에서의 가속도와 가속도의 크기를 각각 구하여라.

풀이 (1) $\frac{dx}{dt}=2,\ \frac{dy}{dt}=2t-1$이므로 점 P의 시각 t에서의 속도는 $(2,\ 2t-1)$

$t=2$에서의 속도는 $(2,\ 3)$

$t=2$에서의 속도의 크기는 $\sqrt{2^2+3^2}=\sqrt{13}$

(2) $\frac{dx}{dt}=2,\ \frac{dy}{dt}=2t-1$을 각각 t에 대하여 미분하면 $\frac{d^2x}{dt^2}=0,\ \frac{d^2y}{dt^2}=2$이므로 점 P의 시각 t에서의 가속도는 $(0,\ 2)$

$t=2$에서의 가속도는 $(0,\ 2)$

$t=2$에서의 가속도의 크기는 $\sqrt{0^2+2^2}=2$

FOCUS

위치를 미분하면 속도, 속도를 미분하면 가속도

	직선운동	평면운동
위치	$x=f(t)$	$x=f(t),\ y=g(t)$
속도	$v(t)=\frac{dx}{dt}=f'(t)$	$\left(\frac{dx}{dt}, \frac{dy}{dt}\right)=(f'(t),\ g'(t))$
속력	$\lvert v(t)\rvert=\lvert f'(t)\rvert$	$\sqrt{\{f'(t)\}^2+\{g'(t)\}^2}$
가속도	$a(t)=\frac{dv}{dt}=f''(t)$	$\left(\frac{d^2x}{dt^2}, \frac{d^2y}{dt^2}\right)=(f''(t),\ g''(t))$
가속도의 크기	$\lvert a(t)\rvert=\lvert v'(t)\rvert=\lvert f''(t)\rvert$	$\sqrt{\{f''(t)\}^2+\{g''(t)\}^2}$

마플개념익힘 01 평면 위를 움직이는 점의 속도와 가속도

좌표평면 위를 움직이는 점 P의 시각 t에서의 위치 (x, y)가

$$x=2t-\cos t,\ y=4-\sin t$$

일 때, $t=\frac{\pi}{2}$에서 점 P의 속도의 크기와 가속도의 크기를 구하여라.

MAPL CORE 좌표평면 위를 움직이는 점 $P(x, y)$의 시각 t에서의 위치가 $x=f(t),\ y=g(t)$일 때,

① 점 P의 시각 t에서의 속도는 $(v_x, v_y)=\left(\frac{dx}{dt}, \frac{dy}{dt}\right)$, 속도의 크기는 $\sqrt{\left(\frac{dx}{dt}\right)^2+\left(\frac{dy}{dt}\right)^2}$

② 점 P의 시각 t에서의 가속도는 $(a_x, a_y)=\left(\frac{d^2x}{dt^2}, \frac{d^2y}{dt^2}\right)$, 가속도의 크기는 $\sqrt{\left(\frac{d^2x}{dt^2}\right)^2+\left(\frac{d^2y}{dt^2}\right)^2}$

개념익힘 | 풀이 $x=2t-\cos t,\ y=4-\sin t$에서 $\frac{dx}{dt}=2+\sin t,\ \frac{dy}{dt}=-\cos t$이므로

점 P의 시각 t에서의 속도는 $(2+\sin t,\ -\cos t)$

점 P의 시각 $t=\frac{\pi}{2}$에서의 속도는 $\left(2+\sin\frac{\pi}{2},\ -\cos\frac{\pi}{2}\right)$, 즉 $(3, 0)$

이므로 속도의 크기는 $\sqrt{3^2+0^2}=\mathbf{3}$

$\frac{d^2x}{dt^2}=\cos t,\ \frac{d^2y}{dt^2}=\sin t$이므로 점 P의 시각 t에서의 가속도는 $(\cos t,\ \sin t)$

점 P의 시각 $t=\frac{\pi}{2}$에서의 가속도 $\left(\cos\frac{\pi}{2},\ \sin\frac{\pi}{2}\right)$, 즉 $(0, 1)$

이므로 가속도의 크기는 $\sqrt{0^2+1^2}=\mathbf{1}$

확인유제 0703 좌표평면 위를 움직이는 점 $P(x, y)$의 시각 t에서의 위치가 $x=2t-2\sin t,\ y=-2\cos t$일 때, 다음을 구하여라.

(1) 점 P의 시각 $t=\frac{\pi}{2}$에서 속도의 크기를 구하여라.

(2) 점 P의 시각 $t=\frac{\pi}{2}$에서 가속도의 크기를 구하여라.

변형문제 0704 좌표평면 위를 움직이는 점 P의 시각 $t\,(t>0)$에서의 위치 (x, y)가

2017학년도 수능기출

$$x=t-\frac{2}{t},\ y=2t+\frac{1}{t}$$

이다. 시각 $t=1$에서 점 P의 속도의 크기는?

① $2\sqrt{2}$　② 3　③ $\sqrt{10}$　④ $\sqrt{11}$　⑤ $2\sqrt{3}$

발전문제 0705 다음 물음에 답하여라.

(1) 좌표평면 위를 움직이는 점 $P(x, y)$의 시각 t에서의 위치가 $x=2t+1,\ y=t-\frac{1}{3}t^3$일 때, 점 P의 속도의 크기가 2일 때의 가속도의 크기는?

① 1　② 2　③ 3　④ 4　⑤ 5

(2) 좌표평면 위를 움직이는 점 $P(x, y)$에서 시각 t에서의 위치가 $x=e^t\cos t,\ y=e^t\sin t$일 때, 점 P의 속도의 크기가 $\sqrt{2}e$일 때, 가속도의 크기는?

① e　② $e+1$　③ $2e$　④ $2(e+1)$　⑤ $3e$

정답 0703 : (1) $2\sqrt{2}$ (2) 2　0704 : ③　0705 : (1) ② (2) ③

마플개념익힘 02 속력이 최대인 경우 위치와 가속도의 크기

좌표평면 위를 움직이는 점 P에 대하여 시각 $t(t>0)$에서의 위치 (x, y)가

$$x=t^2,\ y=\frac{1}{3}t^3-5t$$

이다. 점 P의 속도의 크기가 최소인 시각 t에서의 점 P에서의 가속도의 크기를 구하여라.

MAPL CORE 좌표평면 위를 움직이는 점 $P(x, y)$의 시각 t에서의 위치가 $x=f(t)$, $y=g(t)$일 때,

① 점 P의 시각 t에서의 속도는 $(v_x, v_y)=\left(\frac{dx}{dt}, \frac{dy}{dt}\right)$, 속도의 크기는 $\sqrt{\left(\frac{dx}{dt}\right)^2+\left(\frac{dy}{dt}\right)^2}$

② 점 P의 시각 t에서의 가속도는 $(a_x, a_y)=\left(\frac{d^2x}{dt^2}, \frac{d^2y}{dt^2}\right)$, 가속도의 크기는 $\sqrt{\left(\frac{d^2x}{dt^2}\right)^2+\left(\frac{d^2y}{dt^2}\right)^2}$

개념익힘 | **풀이** $x=t^2$, $y=\frac{1}{3}t^3-5t$에서 $\frac{dx}{dt}=2t$, $\frac{dy}{dt}=t^2-5$이므로

점 P의 속도의 크기는

$$\sqrt{\left(\frac{dx}{dt}\right)^2+\left(\frac{dy}{dt}\right)^2}=\sqrt{(2t)^2+(t^2-5)^2}=\sqrt{t^4-6t^2+25}=\sqrt{(t^2-3)^2+16}$$

이므로 점 P의 속도의 크기가 최소인 시각은 $t^2=3$ $\quad\therefore t=\sqrt{3}\,(\because t>0)$

$\frac{d^2x}{dt^2}=2$, $\frac{d^2y}{dt^2}=2t$에서 가속도의 크기는

$$\sqrt{\left(\frac{d^2x}{dt^2}\right)^2+\left(\frac{d^2y}{dt^2}\right)^2}=\sqrt{2^2+(2t)^2}=2\sqrt{1+t^2}$$

따라서 시각 $t=\sqrt{3}$에서의 점 P의 가속도의 크기는 $2\sqrt{1+(\sqrt{3})^2}=\mathbf{4}$

확인유제 0706 다음 물음에 답하여라.

(1) 좌표평면 위를 움직이는 점 P의 시각 t에서의 위치 (x, y)가

$$x=\sqrt{3}t,\ y=t^2-t$$

이다. 점 P의 속도의 크기가 최소일 때, 점 P의 위치를 구하여라.

(2) 좌표평면 위를 움직이는 점 P의 시각 $t(t>0)$에서의 위치 (x, y)가

$$x=\sin 2t,\ y=\cos 2t-t$$

이다. 점 P의 속력의 최댓값을 구하여라.

변형문제 0707 다음 물음에 답하여라.

(1) 좌표평면 위를 움직이는 점 $P(x, y)$의 시각 t에서의 위치는

$$x=t-2\cos t,\ y=2-\sqrt{3}\sin t$$

이다. 점 P의 속도의 크기가 최대일 때, 점 P의 가속도의 크기는?

① 1 ② $\sqrt{2}$ ③ $\sqrt{3}$ ④ 2 ⑤ $\sqrt{5}$

2019학년도 수능기출

(2) 좌표평면 위를 움직이는 점 P의 시각 $t(t\ge 0)$에서의 위치 (x, y)가

$$x=1-\cos 4t,\ y=\frac{1}{4}\sin 4t$$

이다. 점 P의 속력이 최대일 때, 점 P의 가속도의 크기는?

① 1 ② 2 ③ 3 ④ 4 ⑤ 5

정답 0706 : (1) $\left(\frac{\sqrt{3}}{2}, -\frac{1}{4}\right)$ (2) 3 0707 : (1) ③ (2) ④

발전문제 0708 다음 물음에 답하여라.

(1) 좌표평면 위를 움직이는 점 P의 시각 t에서의 위치 $(x,\ y)$가

$$x=t^3+t,\ y=t\ln t-t$$

이다. 점 P의 시각 t에서의 가속도의 크기의 최솟값은?

① $2\sqrt{2}$　② 3　③ $2\sqrt{3}$　④ 4　⑤ $2\sqrt{5}$

2020학년도 수능기출

(2) 좌표평면 위를 움직이는 점 P의 시각 $t\left(0<t<\frac{\pi}{2}\right)$에서의 위치 $(x,\ y)$가

$$x=t+\sin t\cos t,\ y=\tan t$$

이다. $0<t<\frac{\pi}{2}$에서의 점 P의 속력의 최솟값은?

① 1　② $\sqrt{3}$　③ 2　④ $2\sqrt{2}$　⑤ $2\sqrt{3}$

2020학년도 06월 평가원

(3) 좌표평면 위를 움직이는 점 P의 시각 $t\,(t>0)$에서의 위치 $(x,\ y)$가

$$x=2\sqrt{t+1},\ y=t-\ln(t+1)$$

이다. 점 P의 속력의 최솟값은?

① $\frac{\sqrt{3}}{8}$　② $\frac{\sqrt{6}}{8}$　③ $\frac{\sqrt{3}}{4}$　④ $\frac{\sqrt{6}}{4}$　⑤ $\frac{\sqrt{3}}{2}$

정답　0708 : (1) ③ (2) ③ (3) ⑤

마플개념익힘 03 등속 원운동에서의 속도와 가속도

원점 O를 중심으로 하고 반지름의 길이가 1인 원 위를 움직이는 점 P가 있다. 시각 t에 대하여 동경 OP가 나타내는 각의 크기가 $3t$일 때, 시각 t에서의 점 P의 속도의 크기와 가속도의 크기를 구하여라.

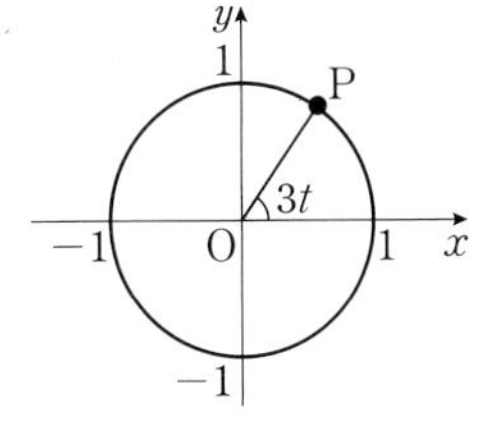

MAPL CORE 점 P가 원점 O를 중심으로 하고 반지름의 길이가 r인 원주 위를 점 $(r, 0)$에서 출발하여 매초 ω라디안의 일정한 비율로 회전한다고 하면 점 P의 위치는

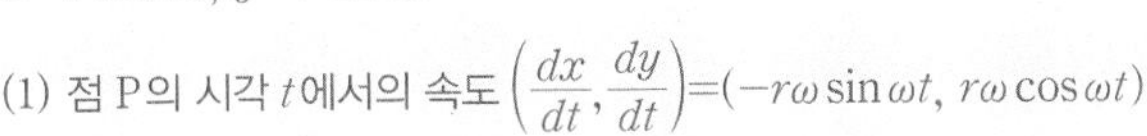

$x=r\cos\omega t,\ y=r\sin\omega t$

(1) 점 P의 시각 t에서의 속도 $\left(\dfrac{dx}{dt}, \dfrac{dy}{dt}\right)=(-r\omega\sin\omega t,\ r\omega\cos\omega t)$

(2) 점 P의 시각 t에서의 가속도 $\left(\dfrac{d^2x}{dt^2}, \dfrac{d^2y}{dt^2}\right)=(-r\omega^2\cos\omega t,\ -r\omega^2\sin\omega t)$

(3) 점 P의 시각 t에서의 속도의 크기와 가속도의 크기는 ⬅ r반지름, 매초 ω라디안

① $\sqrt{\left(\dfrac{dx}{dt}\right)^2+\left(\dfrac{dy}{dt}\right)^2}=\sqrt{(-r\omega\sin\omega t)^2+(r\omega\cos\omega t)^2}=r\omega$

② $\sqrt{\left(\dfrac{d^2x}{dt^2}\right)^2+\left(\dfrac{d^2y}{dt^2}\right)^2}=\sqrt{(-r\omega^2\cos\omega t)^2+(-r\omega^2\sin\omega t)^2}=r\omega^2$

y
r
P($r\cos wt$, $r\sin wt$)
r
wt
−r
O
r
x
−r

개념익힘 | 풀이 점 P의 위치 (x, y)는 동경 OP의 길이가 1이고, OP가 나타내는 각의 크기가 $3t$이므로

$x=\cos 3t,\ y=\sin 3t$에서 $\dfrac{dx}{dt}=-3\sin 3t,\ \dfrac{dy}{dt}=3\cos 3t$이므로

점 P의 속도는 $(-3\sin 3t,\ 3\cos 3t)$이고 속도의 크기는

$\sqrt{\left(\dfrac{dx}{dt}\right)^2+\left(\dfrac{dy}{dt}\right)^2}=\sqrt{(-3\sin 3t)^2+(3\cos 3t)^2}=\mathbf{3}$

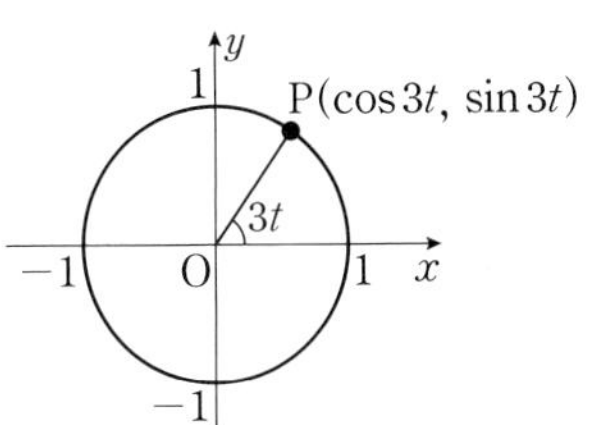

또, $\dfrac{d^2x}{dt^2}=-9\cos 3t,\ \dfrac{d^2y}{dt^2}=-9\sin 3t$이므로

점 P의 가속도는 $(-9\cos 3t,\ -9\sin 3t)$이고 가속도의 크기는

$\sqrt{\left(\dfrac{d^2x}{dt^2}\right)^2+\left(\dfrac{d^2y}{dt^2}\right)^2}=\sqrt{(-9\cos 3t)^2+(-9\sin 3t)^2}=\mathbf{9}$

확인유제 0709 원점 O를 중심으로 하고 반지름의 길이가 2인 원 위를 움직이는 점 P가 있다. 시각 t에 대하여 동경 OP가 나타내는 각의 크기가 t일 때, 시각 t에서의 점 P의 속도의 크기와 가속도의 크기를 구하여라.

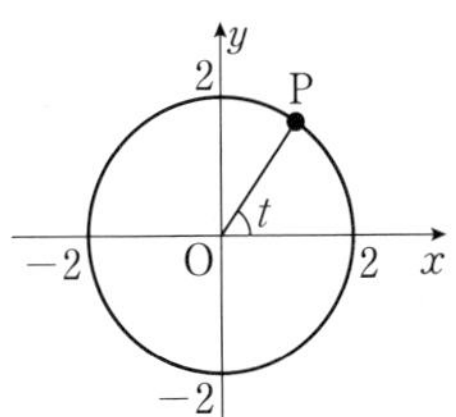

변형문제 0710 원점 O를 중심으로 하고 반지름의 길이가 3인 원 위를 움직이는 점 P가 있다. 시각 t에 대하여 동경 OP가 나타내는 각의 크기가 $-2t$일 때, $t=\dfrac{\pi}{2}$에서의 점 P의 가속도는?

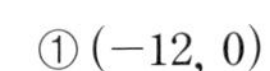

① $(-12, 0)$ ② $(-6, 0)$ ③ $(-3, 0)$
④ $(6, 0)$ ⑤ $(12, 0)$

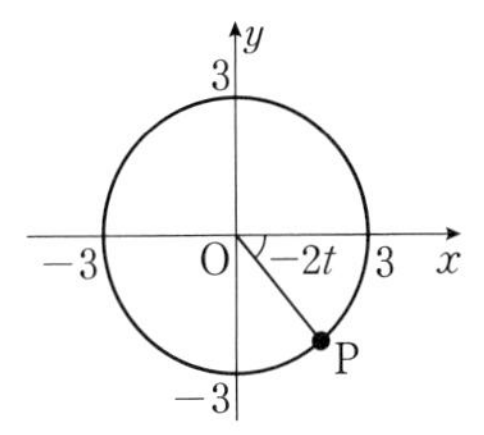

정답 0709 : 2 0710 : ⑤

사이클로이드

01 사이클로이드

자전거 바퀴의 둘레 위의 한 점 P를 표시하여 평평한 지면 위를 달릴 때, 자전거 바퀴가 굴러감에 따라 점 P는 아래와 같은 곡선을 그리게 된다. 이와 같이 한 원이 직선 위를 굴러갈 때, 그 원 위에 있는 한 점 P가 그리는 곡선을 사이클로이드(cycloid)라고 한다.

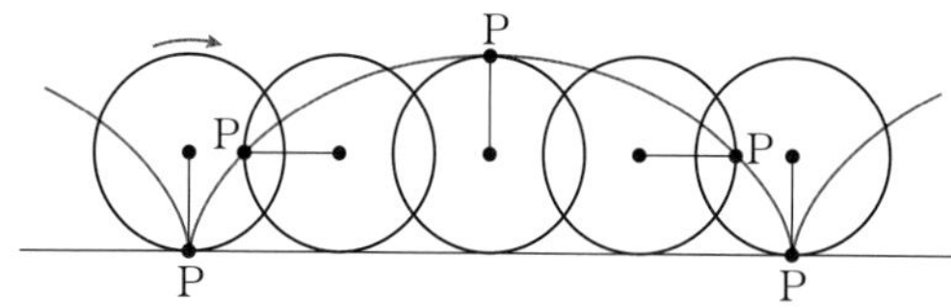

좌표평면 x축 위를 구르는 원의 반지름의 길이를 a라고 할 때, 사이클로이드 곡선 위의 점 P의 x좌표와 y좌표는 매개변수 $\theta\,(0<\theta<2\pi)$로 나타낸 함수 $\boldsymbol{x=a(\theta-\sin\theta)}$, $\boldsymbol{y=a(1-\cos\theta)}$로 나타낼 수 있다.

여기서 a는 원의 반지름의 길이, θ는 점이 회전한 각의 크기이다.

특히 사이클로이드 곡선의 접선의 기울기는 $\dfrac{dy}{dx}=\dfrac{\sin\theta}{1-\cos\theta}$이다.

특강해설

반지름의 길이가 a인 원이 x축 위를 매초 θ라디안의 속력으로 회전하며 굴러갈 때, 원 위의 한 점 P가 그리는 곡선에서 원의 중심이 이동한 거리는 원이 구른 거리와 같으므로 $a\theta$이고 점 P의 x좌표는 $a\theta-a\sin\theta$로, y좌표는 $a-a\cos\theta$로 나타내어진다.

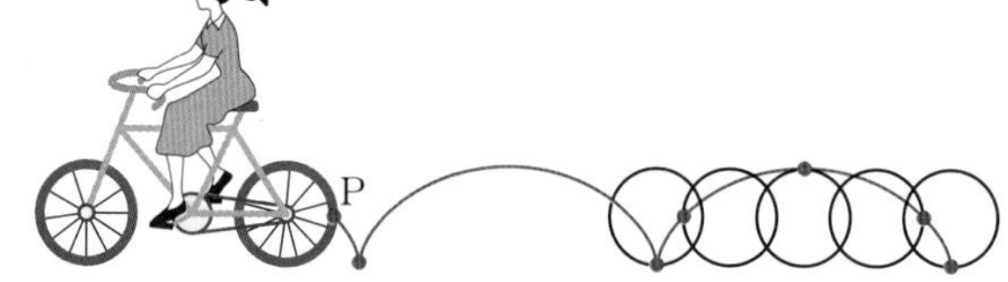

즉 점 P의 좌표는 $(a\theta-a\sin\theta,\ a-a\cos\theta)$

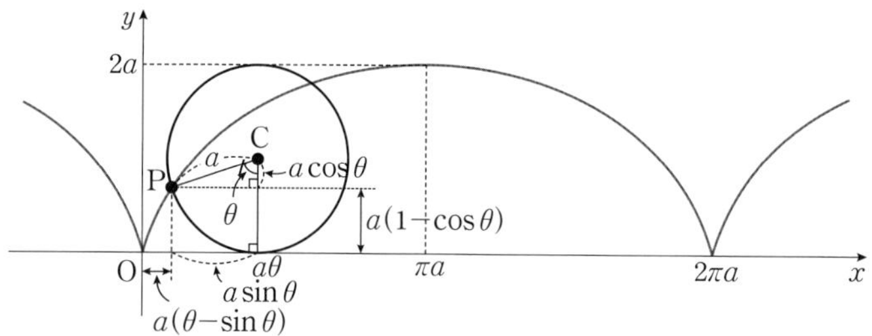

따라서 점 P가 그리는 곡선을 매개변수 θ로 나타내면 $x=a(\theta-\sin\theta)$, $y=a(1-\cos\theta)$이므로

$\dfrac{dx}{d\theta}=a(1-\cos\theta)$, $\dfrac{dy}{d\theta}=a\sin\theta$이므로 $\dfrac{dy}{dx}=\dfrac{\sin\theta}{1-\cos\theta}$ (단, $0<\theta<2\pi$)

수능특강문제 01

매개변수로 나타낸 곡선

$$x=a(\theta-\sin\theta),\ y=a(1-\cos\theta)$$

에 대하여 $\theta=\dfrac{\pi}{3}$에 대응하는 곡선 위의 점에서의 접선의 방정식을 구하여라.

수능특강 풀이

$\dfrac{dx}{d\theta}=a(1-\cos\theta)$, $\dfrac{dy}{d\theta}=a\sin\theta$이므로 $\dfrac{dy}{dx}=\dfrac{\sin\theta}{1-\cos\theta}$

$\theta=\dfrac{\pi}{3}$일 때, 접선의 기울기는 $\dfrac{dy}{dx}=\sqrt{3}$이고

$x=a\left(\dfrac{\pi}{3}-\dfrac{\sqrt{3}}{2}\right)$, $y=\dfrac{a}{2}$이므로 구하는 접선의 방정식은

$y=\sqrt{3}x-\dfrac{\sqrt{3}}{3}\pi a+2a$

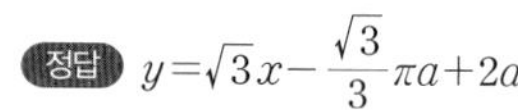
정답 $y=\sqrt{3}x-\dfrac{\sqrt{3}}{3}\pi a+2a$

더 알아보기

① 사이클로이드(cycloid) : 일직선 위에서 원이 굴렀을 때, 그 원 위에 있는 정점이 그리는 곡선

② 에피사이클로이드(epicycloid) : 사이클로이드와는 달리 일직선이 아니라 원 밖에서 원을 굴렸을 때, 그 원의 정점이 그리는 곡선

③ 하이포 사이클로이드(hypocycloid) : 에피사이클로이드와 반대로 원 안에서 더 작은 원을 굴렸을 때, 그 원의 정점이 그리는 곡선

02 가장 빠른 길 사이클로이드

(1) 최단강하곡선

⬅ 1696년 스위스의 수학자 베르누이가 물체가 사선방향으로 위에서 아래로 떨어질 때 어떤 경로를 따라 내려가는 것이 가장 빠른지를 찾는 것

직선 경로가 최단거리이기 때문에 가장 빠르다고 생각할 수 있지만, 실제로는 사이클로이드라는 곡선을 따라 내려가는 것이 가장 빠르다.

설명

직선, 포물선, 사이클로이드의 모양으로 미끄럼틀을 만들고 같은 높이에서 공 3개를 동시에 굴리면 사이클로이드를 뒤집은 모양의 경사로에서 가장 빠르게 바닥에 도착한다.
이는 사이클로이드 곡선에서는 중력 가속도가 줄어드는 정도가 직선보다 더 작기 때문에 가속도에 의하여 속도가 점점 더 빨라지므로 사이클로이드 곡선을 따라 내려오는 것이 더 빠르다.

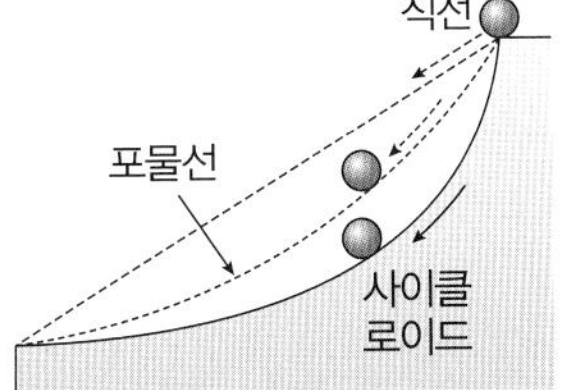

(2) 사이클로이드 모양의 예

사이클로이드 모양인 우리나라의 전통 기와는 빗물을 기왓골로 빠르게 흘려보내 지붕 내부의 목재에 빗물이 스미는 것을 방지한다고 한다. 또, 하늘의 맹수인 매는 땅 위의 먹이를 잡을 때, 사이클로이드와 유사한 곡선 비행을 하며 재빠르게 내려온다고 한다.

수능특강문제 02

반지름의 길이가 1인 원이 만드는 사이클로이드에서 점 P의 시각 t에서의 위치 (x, y)가

$$x=t-\sin t,\ y=1-\cos t$$

일 때, 다음을 구하여라.

(1) $t=\frac{\pi}{3}$에서 점 P의 속도와 속도의 크기를 구하여라.

(2) $t=\frac{\pi}{3}$에서 점 P의 가속도와 가속도의 크기를 구하여라.

수능특강 풀이

(1) $x=t-\sin t,\ y=1-\cos t$를 t에 대하여 미분하면 $\frac{dx}{dt}=1-\cos t,\ \frac{dy}{dt}=\sin t$

점 P의 시각 t에서의 속도 $(1-\cos t, \sin t)$

$t=\frac{\pi}{3}$에서의 속도 $\left(\frac{1}{2}, \frac{\sqrt{3}}{2}\right)$

$t=\frac{\pi}{3}$에서의 속도의 크기 $\sqrt{\left(\frac{1}{2}\right)^2+\left(\frac{\sqrt{3}}{2}\right)^2}=1$ ⬅ $\sqrt{\left(\frac{dx}{dt}\right)^2+\left(\frac{dy}{dt}\right)^2}=\sqrt{(1-\cos t)^2+\sin^2 t}=\sqrt{2-2\cos t}$

(2) $\frac{dx}{dt}=1-\cos t,\ \frac{dy}{dt}=\sin t$를 각각 t에 대하여 미분하면 $\frac{d^2x}{dt^2}=\sin t,\ \frac{d^2y}{dt^2}=\cos t$

점 P의 시각 t에서의 가속도 $(\sin t, \cos t)$

$t=\frac{\pi}{3}$에서의 가속도 $\left(\frac{\sqrt{3}}{2}, \frac{1}{2}\right)$

$t=\frac{\pi}{3}$에서의 가속도의 크기 $\sqrt{\left(\frac{\sqrt{3}}{2}\right)^2+\left(\frac{1}{2}\right)^2}=1$ ⬅ $\sqrt{\left(\frac{d^2x}{dt^2}\right)^2+\left(\frac{d^2y}{dt^2}\right)^2}=\sqrt{(\sin t)^2+(\cos t)^2}=1$

정답 (1) 1 (2) 1

수능특강문제 03 그림과 같이 반지름의 길이가 10cm인 원이 좌표평면에서 x축을 따라 매초 1라디안씩 회전하며 굴러간다. 원 위의 한 점 P가 원점에서 x축과 접한 상태로 출발할 때, $t=\pi$일 때, 점 P의 속도의 크기를 구하여라.

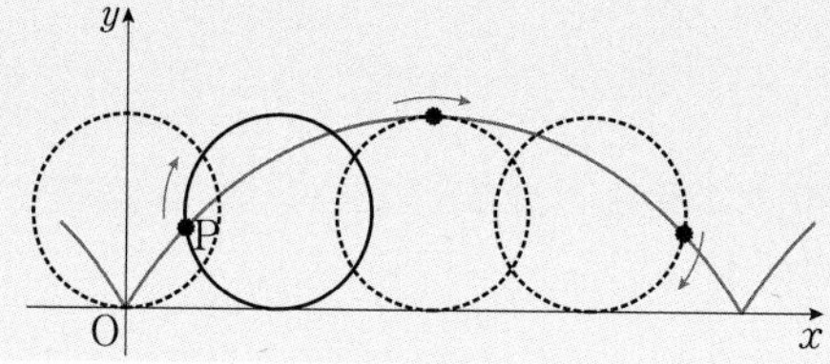

수능특강 풀이 원 위의 한 점 P가 원점 O에 있다가 t초 후에 t라디안 만큼 회전하므로

점 P의 좌표는 $x=10t-10\sin t$, $y=10-10\cos t$

이므로 $\frac{dx}{dt}=10-10\cos t$, $\frac{dy}{dt}=10\sin t$

점 P의 속도는 $(10-10\cos t,\ 10\sin t)$이므로 속도의 크기는

$$\sqrt{\left(\frac{dx}{dt}\right)^2+\left(\frac{dy}{dt}\right)^2}=\sqrt{(10-10\cos t)^2+(10\sin t)^2}$$
$$=\sqrt{100-200\cos t+100(\cos^2 t+\sin^2 t)}$$
$$=10\sqrt{2(1-\cos t)}\text{(cm/s)}$$

따라서 $t=\pi$일 때, 점 P의 속력은 $10\sqrt{4}=20$

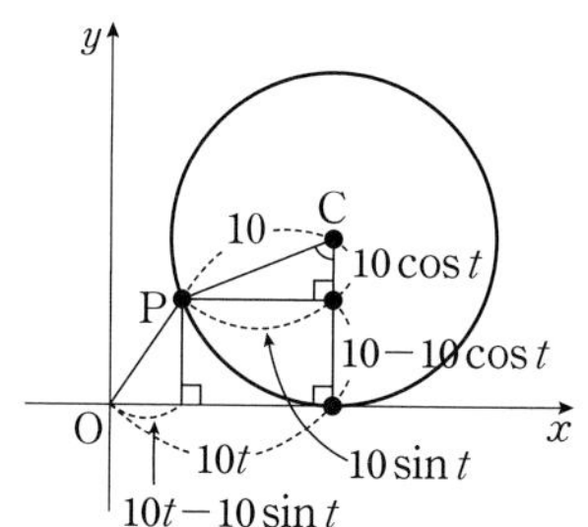

정답 20

수능특강문제 04 좌표평면 위를 움직이는 점 P의 시각 t에서 위치가 $(x,\ y)$이고

$$x=a(t-\sin t),\ y=a(1-\cos t)(a>0,\ 0\le t\le 2\pi)$$

로 나타내어진다. 점 P의 속도의 크기가 최대가 될 때, 점 P의 속도는 $(10,\ 0)$이다. a의 값은?

① 2 ② 3 ③ 4 ④ 5 ⑤ 6

수능특강 풀이 $x=a(t-\sin t)$, $y=a(1-\cos t)$에서 $\frac{dx}{dt}=a(1-\cos t)$, $\frac{dy}{dt}=a\sin t$

시각 t에서 점 P의 속도는 $(a(1-\cos t),\ a\sin t)$이므로

속도의 크기는 $\sqrt{\left(\frac{dx}{dt}\right)^2+\left(\frac{dy}{dt}\right)^2}=\sqrt{\{a(1-\cos t)\}^2+(a\sin t)^2}=a\sqrt{2-2\cos t}$

점 P의 속력의 최댓값은 $\cos t=-1$, 즉 $t=\pi$일 때, 최대이므로 $t=\pi$일 때, 점 P의 속도는 $(2a,\ 0)$

따라서 $2a=10$이므로 $a=5$

정답 ④

수능특강문제 05 좌표평면 위를 움직이는 점 P의 시각 $t(0\le t\le 2\pi)$에서의 위치 $(x,\ y)$가

$$x=t-\sin t,\ y=1-\cos t$$

일 때, 다음 [보기]에서 옳은 것만을 있는 대로 고른 것은?

ㄱ. $t=\pi$일 때, 점 P의 위치는 $(\pi,\ 2)$이다.
ㄴ. 점 P의 속도의 크기의 최댓값은 4이다.
ㄷ. 점 P의 가속도의 크기는 항상 1이다.

① ㄱ ② ㄱ, ㄴ ③ ㄱ, ㄷ ④ ㄴ, ㄷ ⑤ ㄱ, ㄴ, ㄷ

수능특강 풀이 ㄱ. 좌표평면 위를 움직이는 점 $\mathrm{P}(x,\ y)$에 대하여

$x=t-\sin t$, $y=1-\cos t$에서 $t=\pi$를 대입하면 $x=\pi-\sin\pi=\pi-0=\pi$, $y=1-\cos\pi=1-(-1)=2$

이므로 시각 $t=\pi$일 때, 점 P의 위치는 $(\pi,\ 2)$이다. [참]

ㄴ. x, y를 각각 t에 대하여 미분하면 $\frac{dx}{dt}=1-\cos t$, $\frac{dy}{dt}=\sin t$ …… ㉠

이므로 점 P의 시각 t에서 속도의 크기는

$$\sqrt{\left(\frac{dx}{dt}\right)^2+\left(\frac{dy}{dt}\right)^2}=\sqrt{(1-\cos t)^2+\sin^2 t}=\sqrt{(1-2\cos t+\cos^2 t)+\sin^2 t}=\sqrt{1-2\cos t+(\sin^2 t+\cos^2 t)}=\sqrt{2-2\cos t}$$

$-1\le\cos t\le 1$에서 $0\le\sqrt{2-2\cos t}\le 2$이므로 속력은 $t=\pi$일 때 최대이고, 최댓값은 2이다. [거짓]

ㄷ. ㉠에서 $\frac{d^2x}{dt^2}=\sin t$, $\frac{d^2y}{dt^2}=\cos t$이므로 점 P의 시각 t에서 가속도의 크기는 $\sqrt{\left(\frac{d^2x}{dt^2}\right)^2+\left(\frac{d^2y}{dt^2}\right)^2}=\sqrt{\sin^2 t+\cos^2 t}=1$

즉, 점 P의 가속도의 크기는 항상 1이다. [참]

따라서 옳은 것은 ㄱ, ㄷ이다.

정답 ③

BASIC

내신 수능 기본 대표 기출문제

0711
$f(x)=g(x)$의 실근의 개수
내신빈출

방정식 $e^x=kx$에 대한 [보기]의 설명에서 옳은 것만을 있는 대로 고른 것은? (단, k는 상수)

ㄱ. $k>e$이면 서로 다른 실근의 개수는 2이다.
ㄴ. $0\le k<e$이면 서로 다른 실근의 개수는 2이다.
ㄷ. $k<0$ 또는 $k=e$이면 서로 다른 실근의 개수는 1이다.

① ㄱ ② ㄱ, ㄴ ③ ㄱ, ㄷ ④ ㄴ, ㄷ ⑤ ㄱ, ㄴ, ㄷ

0712
$f(x)=g(x)$의 실근의 개수
내신빈출

방정식 $xe^x-k=0$이 서로 다른 두 개의 실근을 갖도록 하는 상수 k의 값의 범위를 구하여라.

① $-e<k<-\frac{1}{e}$ ② $-\frac{1}{e}<k<0$ ③ $0<k<\frac{1}{e}$ ④ $\frac{1}{e}<k<e$ ⑤ $k>e$

0713
$f(x)=k$의 실근의 개수
내신빈출

x에 대한 방정식 $\ln x=x+k$가 오직 한 개의 실근을 가질 때, 실수 k의 값은?

① -3 ② -2 ③ -1 ④ 0 ⑤ 1

0714
부등식 $f(x)\ge g(x)$의 활용
내신빈출

$x>0$인 모든 실수 x에 대하여 $\ln x<ax$가 성립하도록 하는 상수 a의 값의 범위는?

① $a>1$ ② $a\ge 1$ ③ $a>\frac{1}{e}$ ④ $a\ge\frac{1}{e}$ ⑤ $a>e$

0715
부등식 $f(x)\ge g(x)$의 활용
2005학년도 09월 평가원

$0<x<\frac{\pi}{4}$인 모든 x에 대하여 부등식 $\tan 2x\ge ax$를 만족하는 a의 최댓값은?

① $\frac{1}{2}$ ② 1 ③ $\frac{3}{2}$ ④ 2 ⑤ $\frac{5}{2}$

0716
직선 운동에서 속도와 가속도
내신빈출

수직선 위를 움직이는 점 P의 시각 t에서의 위치 $x=f(t)$가

$$f(t)=a\sin\frac{\pi}{2}t+b\cos\frac{\pi}{2}t$$

이다. $t=3$에서의 속도가 $-\pi$이고 가속도가 $\frac{\pi^2}{2}$일 때, 상수 a, b에 대하여 $a+b$의 값은?

① $-\pi$ ② -1 ③ 0 ④ 1 ⑤ π

정답 0711 : ③ 0712 : ② 0713 : ③ 0714 : ③ 0715 : ④ 0716 : ③

0717
직선 운동에서 속도와 가속도
내신빈출

수직선 위를 움직이는 점 P의 좌표 x가 시각 t의 함수

$$x=\ln(t^2+4)$$

로 나타난다. 점 P의 가속도가 0일 때의 속도는?

① -1　② $-\frac{1}{2}$　③ 0　④ $\frac{1}{2}$　⑤ 1

0718
직선운동에서 속도와 가속도
2015년 07월 교육청

수직선 위를 움직이는 점 P의 시각 t에서의 위치 $x(t)$가

$$x(t)=t+\frac{20}{\pi^2}\cos(2\pi t)$$

이다. 점 P의 시각 $t=\frac{1}{3}$에서의 가속도의 크기를 구하여라.

0719
평면운동에서 속도와 가속도
내신빈출

다음 물음에 답하여라.

(1) 좌표평면 위를 움직이는 점 P의 시각 t에서 위치 $(x,\ y)$가

$$x=2t,\ y=2t-\frac{1}{2}t^2$$

이다. 속도의 크기가 2일 때, 점 P의 속도를 $(a,\ b)$라 할 때, $a+b$의 값은?

① 1　② 2　③ 3　④ 4　⑤ 5

(2) 좌표평면 위를 움직이는 점 P의 시각 $t\,(0<t<\pi)$에서의 위치 $(x,\ y)$가

$$x=2t+\sin t,\ y=\cos t$$

이다. 점 P의 속도의 크기가 $\sqrt{3}$인 순간의 점 P의 가속도가 $(a,\ b)$일 때, ab의 값은?

① $-\frac{\sqrt{3}}{4}$　② $-\frac{1}{4}$　③ 0　④ $\frac{1}{4}$　⑤ $\frac{\sqrt{3}}{4}$

0720
평면운동에서 속도와 가속도

좌표평면 위를 움직이는 점 P의 시각 t에서의 위치 $(x,\ y)$가

$$x=t^3-t^2+at,\ y=t^2+bt$$

이다. 시각 $t=2$에서의 점 P의 속도가 $(10,\ 2)$일 때, ab의 값은? (단, a, b는 상수이다.)

① -4　② -2　③ 0　④ 2　⑤ 4

0721
평면운동에서 속도와 가속도
내신빈출

다음 물음에 답하여라.

(1) 좌표평면 위를 움직이는 점 $\mathrm{P}(x,\ y)$의 시각 t에서의 위치가

$$x=t+\sin t,\ y=3+\cos t$$

일 때, 점 P의 시각 $t=\frac{\pi}{3}$에서의 속도의 크기는?

① $\sqrt{2}$　② $\sqrt{3}$　③ 2　④ $2\sqrt{2}$　⑤ $2\sqrt{3}$

(2) 좌표평면 위를 움직이는 점 P의 시각 t에서의 위치 $(x,\ y)$가

$$x=t+2\cos t,\ y=\sin 2t$$

이다. 점 P의 시각 $t=\frac{\pi}{3}$에서의 가속도의 크기는?

① $2\sqrt{2}$　② 3　③ $2\sqrt{3}$　④ $\sqrt{13}$　⑤ $3\sqrt{2}$

0722
평면운동에서 속도와 가속도

좌표평면 위를 움직이는 점 P의 시각 $t\,(t>0)$에서의 위치 $(x,\ y)$가

$$x=4\ln(t+1),\ y=t^2+at$$

이다. 점 P의 시각 $t=1$에서의 속도의 크기가 $2\sqrt{5}$일 때, 양수 a의 값은?

① 1　② 2　③ 3　④ 4　⑤ 5

정답 0717 : ④　0718 : 40　0719 : (1) ② (2) ①　0720 : ①　0721 : (1) ② (2) ④　0722 : ②

0723
평면 운동에서 속도와 가속도
2019학년도 사관기출

좌표평면 위를 움직이는 점 P의 시각 $t(0<t<\pi)$에서의 위치 $\mathrm{P}(x, y)$가

$$x=\cos t+2,\ y=3\sin t+1$$

이다. 시각 $t=\frac{\pi}{6}$에서 점 P의 속력은?

① $\sqrt{5}$ ② $\sqrt{6}$ ③ $\sqrt{7}$ ④ $2\sqrt{2}$ ⑤ 3

0724
평면 운동에서 속도와 가속도의 크기
내신빈출

다음 물음에 답하여라.

(1) 좌표평면 위를 움직이는 점 P의 시각 t에서의 위치 (x, y)가

$$x=e^t\cos t,\ y=e^t\sin t$$

이다. 점 P의 속도의 크기가 $\sqrt{2}e^3$일 때의 시각은?

① 1 ② 2 ③ 3 ④ 4 ⑤ 5

(2) 좌표평면 위를 움직이는 점 $\mathrm{P}(x, y)$의 시각 t에서의 위치가

$$x=e^t\cos t,\ y=e^t\sin t(0\le t\le 2\pi)$$

이다. 점 P의 시각 $t=2$에서의 속도의 크기, 가속도의 크기를 각각 a, b라 할 때, $\frac{b}{a}$의 값은?

① $\sqrt{2}$ ② $\sqrt{3}$ ③ 2 ④ $2\sqrt{2}$ ⑤ 3

0725
미분법을 이용한 속력
내신빈출

다음 물음에 답하여라.

(1) 좌표평면 위를 움직이는 점 P의 시각 t에서의 위치 (x, y)가

$$x=e^{-t}\cos t,\ y=e^{-t}\sin t$$

이다. 시각 $t=2$에서 점 P의 속도의 크기는?

① $\frac{1}{e}$ ② $\frac{\sqrt{2}}{e}$ ③ $\frac{\sqrt{3}}{e}$ ④ $\frac{\sqrt{2}}{e^2}$ ⑤ $\frac{\sqrt{3}}{e^2}$

(2) 좌표평면 위를 움직이는 점 P의 시각 t에서의 위치 (x, y)가

$$x=e^{2t}\cos t,\ y=e^{2t}\sin t$$

이다. 점 P의 시각 t에서의 가속도의 크기가 me^{2t}일 때, 상수 m의 값은?

① 2 ② 3 ③ 4 ④ 5 ⑤ 6

0726
평면 운동에서의 속력의 최댓값
2019학년도 09월 평가원

좌표평면 위를 움직이는 점 P의 시각 $t(t\ge 0)$에서의 위치 (x, y)가

$$x=3t-\sin t,\ y=4-\cos t$$

이다. 점 P의 속력의 최댓값을 M, 최솟값을 m이라 할 때, $M+m$의 값은?

① 3 ② 4 ③ 5 ④ 6 ⑤ 7

0727
속도와 속력의 활용
내신빈출

다음 물음에 답하여라.

(1) 수평면과 $60°$의 각을 이루는 방향으로 초속 20m로 차 올린 축구공의 t초 후의 위치를 (x, y)로 나타낼 때,

$$x=10t,\ y=10\sqrt{3}t-5t^2$$

이라고 한다. 축구공이 지면에 떨어질 때의 속력은? (단위는 m/s)

① 10 ② 15 ③ 20 ④ 25 ⑤ 30

(2) 지면으로부터 $45°$의 각을 이루는 방향으로 비스듬하게 던진 야구공의 시각 t에서의 위치를 (x, y)로 나타낼 때,

$$x=10t,\ y=10t-5t^2$$

이라고 한다. 야구공이 지면으로부터 가장 높은 위치에 있는 순간의 속력은? (단위는 m/s)

① 10 ② 15 ③ 20 ④ 25 ⑤ 30

정답 0723 : ③ 0724 : (1) ③ (2) ① 0725 : (1) ④ (2) ④ 0726 : ④ 0727 : (1) ③ (2) ①

0728

방정식 $f(x)=g(x)$의 실근
2003학년도수능기출

x에 관한 방정식

$$\ln x-x+20-n=0$$

이 서로 다른 두 개의 실근을 갖도록 하는 자연수 n의 개수는?

① 12 ② 14 ③ 16 ④ 18 ⑤ 20

0729

방정식 $f(x)=k$의 실근

x에 대한 방정식

$$(x^2-3)e^x=k$$

가 서로 다른 세 실근을 갖도록 하는 모든 실수 k의 값의 범위는 $\alpha<k<\beta$이다. $\alpha+\beta$의 값은?
(단, $\lim_{x\to-\infty}x^2e^x=0$)

① $\frac{6}{e^3}$ ② $\frac{4}{e^3}$ ③ $\frac{6}{e^2}$ ④ $\frac{4}{e^2}$ ⑤ $\frac{6}{e}$

0730

방정식 $f(x)=k$의 실근

방정식 $(e^x-x-3)^2=k$이 서로 다른 세 실근을 갖도록 하는 상수 k의 값은?

① 2 ② 4 ③ 6 ④ 8 ⑤ 9

0731

부등식 $f(x)\geq g(x)$의 활용
내신빈출

다음 물음에 답하여라.

(1) $x>0$일 때, 부등식 $2x\geq\ln x+k$가 성립하도록 하는 상수 k의 최댓값은?

① $1-\ln 2$ ② $1+\ln 2$ ③ $\ln 3$ ④ $2+\ln 3$ ⑤ $4+2\ln 2$

(2) $x>1$인 모든 실수 x에 대하여 부등식 $2x+k\geq\ln(x-1)$이 성립하도록 하는 실수 k의 최솟값은?

① $-4-2\ln 2$ ② $-1-\ln 2$ ③ $-1-\ln 3$ ④ $-2-\ln 3$ ⑤ $-3-\ln 2$

0732

평면 운동에서의 속도
2012년 03월 교육청

원점을 동시에 출발하여 수직선 위를 움직이는 두 점 P, Q의 시각 t에서의 위치 x_{P}, x_{Q}는 다음과 같다.

$$x_{\mathrm{P}}=t^2-at,\ x_{\mathrm{Q}}=\ln(t^2-t+1)$$

두 점 P, Q가 서로 반대 방향으로 움직이는 시각 t의 범위가 $\frac{1}{2}<t<2$일 때, 실수 a의 값은?

① 2 ② $\frac{5}{2}$ ③ 3 ④ $\frac{7}{2}$ ⑤ 4

0733

방정식의 활용
내신빈출

정의역이 $\{x|x>0\}$인 미분가능한 함수 $y=f(x)$의 도함수 $y=f'(x)$의 그래프가 오른쪽 그림과 같고 다음 조건을 만족시킨다.

(가) $\lim_{x\to0+}f(x)=2$, $f(e)=0$
(나) $x>e$에서 $f'(x)>0$이다.

x에 대한 방정식 $f(x)=k$가 서로 다른 두 실근을 갖도록 하는 모든 자연수 k의 값의 합이 14일 때, x에 대한 방정식 $f(x)=m$이 서로 다른 세 실근을 갖도록 하는 모든 자연수 m의 값의 합은?

① 28 ② 32 ③ 38 ④ 42 ⑤ 52

정답 0728 : ④ 0729 : ① 0730 : ② 0731 : (1) ② (2) ⑤ 0732 : ⑤ 0733 : ⑤

0734
방정식의 활용
서술형

방정식 $x-2=\ln x$의 서로 다른 실근의 개수를 다음과 같은 방법으로 서술하여라.

[방법1] 곡선 $y=x-2-\ln x$과 x축 $(y=0)$의 교점의 개수를 구한다.

[방법2] 곡선 $y=x-\ln x$과 상수함수 $y=2$의 교점의 개수를 구한다.

0735
방정식의 활용
서술형

방정식 $e^x-\frac{e}{x}=0$의 실근에 대하여 다음 단계로 서술하여라.

[1단계] 주어진 방정식은 $x=1$을 근으로 가짐을 보인다.

[2단계] 함수 $y=e^x-\frac{e}{x}$의 그래프와 x축이 만나는 점의 개수를 조사한다.

[3단계] 1, 2단계에서 방정식 $e^x-\frac{e}{x}=0$의 실근이 1뿐임을 서술하여라.

0736
방정식의 활용
서술형

모든 실수 x에 대하여 부등식 $e^{-x}\geq -x+1$이 성립함을 다음 방법으로 서술하여라.

[방법1] $f(x)=e^{-x}+x-1$의 최솟값을 구하여 서술하여라.

[방법2] 곡선 $y=e^{-x}-1$과 직선 $y=-x$을 그려 서술하여라.

0737
부등식과 미분
서술형

$x\geq 0$에서 부등식 $x^2-3+ke^{-x}\geq 0$이 성립하도록 하는 실수 k의 최솟값을 구하는 과정을 다음 단계로 서술하여라.

[1단계] $x^2-3+ke^{-x}\geq 0$의 양변에 e^x을 곱하여 $(x^2-3)e^x\geq -k$로 정리하여 $f(x)=(x^2-3)e^x$로 놓고 함수 $f(x)$의 증가와 감소를 표로 나타낸다.

[2단계] $x\geq 0$에서 함수 $f(x)$의 최솟값을 구한다.

[3단계] 실수 k의 최솟값을 구한다.

0738
직선 운동의 속도 가속도
서술형

수직선 위를 움직이는 점 P의 시각 t에서의 위치 $x=f(t)$가 $f(t)=\sin t+3\cos t$일 때, 다음 단계로 서술하여라.

[1단계] $t=\frac{3}{4}\pi$에서의 점 P의 속도를 구한다.

[2단계] $t=\frac{3}{4}\pi$에서의 점 P의 가속도를 구하여라.

[3단계] 점 P가 운동 방향을 바꾸는 시각을 α라 할 때, $\tan\alpha$의 값을 구한다. (단, $0<\alpha<\pi$)

0739
평면 운동의 속도와 가속도
서술형

좌표평면 위를 움직이는 점 P의 시각 t에서의 위치 (x, y)가

$$x=1-\cos 3t,\ y=\frac{1}{3}\sin 3t$$

이다. 점 P에 대하여 다음 단계로 서술하여라.

[1단계] 점 P의 속도를 구한다.

[2단계] 점 P의 속도의 크기의 최댓값을 구한다.

[3단계] 점 P의 가속도를 구한다.

[4단계] 점 P의 가속도의 크기의 최댓값을 구한다.

정답 0734 : 해설참조 0735 : 해설참조 0736 : 해설참조 0737 : 해설참조 0738 : 해설참조 0739 : 해설참조

0740

부등식의 빈칸추론
2016년 04월 교육청

다음은 모든 실수 x에 대하여 $2x-1 \ge ke^{x^2}$을 성립시키는 실수 k의 최댓값을 구하는 과정이다.

$f(x)=(2x-1)e^{-x^2}$이라 하자.

$f'(x)=($ (가) $)\times e^{-x^2}$

$f'(x)=0$에서 $x=-\frac{1}{2}$ 또는 $x=1$

함수 $f(x)$의 증가와 감소를 조사하면 함수 $f(x)$의 극솟값은 (나) 이다.

또한, $\lim_{x\to\infty}f(x)=0$, $\lim_{x\to-\infty}f(x)=0$이므로

함수 $y=f(x)$의 그래프의 개형을 그리면 함수 $f(x)$의 최솟값은 (나) 이다.

따라서 $2x-1 \ge ke^{x^2}$을 성립시키는 실수 k의 최댓값은 (나) 이다.

위의 (가)에 알맞은 식을 $g(x)$, (나)에 알맞은 수를 p라 할 때, $g(2)\times p$의 값은?

① $\frac{10}{e}$ ② $\frac{15}{e}$ ③ $\frac{20}{\sqrt[4]{e}}$ ④ $\frac{25}{\sqrt[4]{e}}$ ⑤ $\frac{30}{\sqrt[4]{e}}$

0741

부등식에의 활용
내신빈출

$x>0$인 모든 실수 x에 대하여 부등식

$$e^x > k+x+\frac{x^2}{2}$$

이 성립하도록 하는 상수 k의 최댓값을 구하여라.

0742

방정식의 활용
2014년 04월 교육청

함수 $f(x)=\frac{\ln x^2}{x}$의 극댓값을 α라 하자. 함수 $f(x)$와 자연수 n에 대하여 x에 대한 방정식 $f(x)-\frac{\alpha}{n}x=0$의 서로 다른 실근의 개수를 a_n이라 할 때, $\sum_{n=1}^{10}a_n$의 값을 구하여라.

0743

평면 운동의 속도와 가속도

좌표평면 위를 움직이는 점 $\mathrm{P}(x, y)$의 시각 t에서의 위치가

$$x=t+\sin t,\ y=2\cos t$$

일 때, 점 P의 속도의 크기가 최대가 되는 시각에서의 가속도의 크기는?

① $\frac{\sqrt{3}}{3}$ ② 1 ③ $\frac{2\sqrt{3}}{3}$ ④ $\sqrt{3}$ ⑤ $\frac{4\sqrt{3}}{3}$

0744

평면 운동의 속도와 가속도
내신빈출

좌표평면 위를 움직이는 점 P의 시각 t에서의 좌표 (x, y)가

$$x=e^{-t}\cos t,\ y=e^{-t}\sin t$$

로 나타내어질 때, [보기]에서 옳은 것만을 있는 대로 고른 것은? (단, O는 원점이다.)

ㄱ. 시각 $t=\pi$일 때, 점 P는 x축 위에 있다.

ㄴ. $\sum_{t=1}^{\infty}\overline{\mathrm{OP}}=\frac{1}{e-1}$

ㄷ. 점 P의 가속도의 크기는 속력의 $\sqrt{2}$배이다.

① ㄱ ② ㄴ ③ ㄷ ④ ㄱ, ㄷ ⑤ ㄱ, ㄴ, ㄷ

정답 0740 : ③ 0741 : 1 0742 : 34 0743 : ③ 0744 : ⑤

미적분

Ⅰ 수열의 극한　Ⅱ 미분법　Ⅲ 적분법

01 부정적분

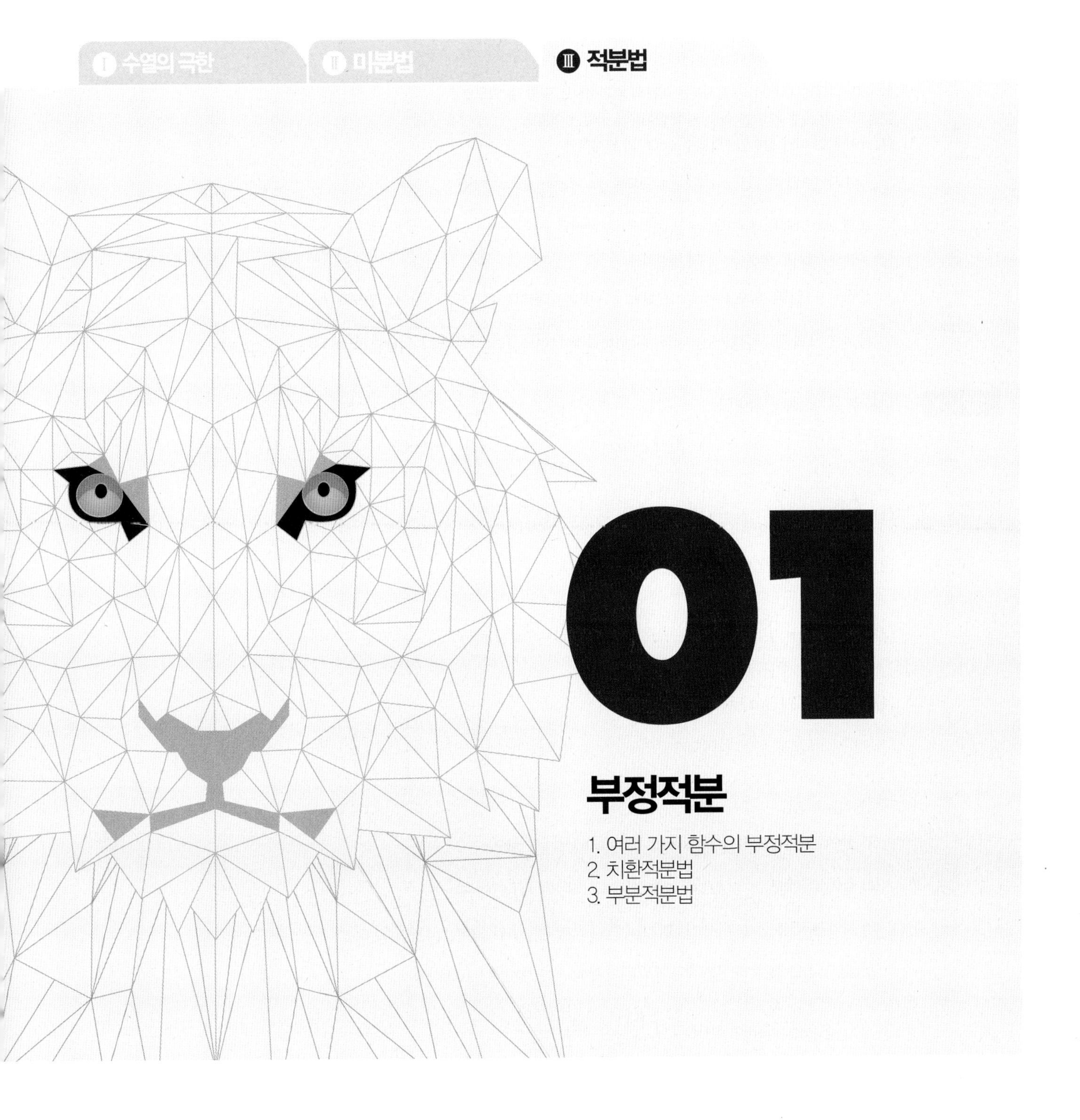

1. 여러 가지 함수의 부정적분
2. 치환적분법
3. 부분적분법

MAPL; YOURMASTERPLAN

01 여러가지 함수의 부정적분

01 함수 $y=x^n$ (n은 실수)의 부정적분

n은 실수이고 C는 적분상수일 때, x^n의 부정적분은 다음과 같다.

(1) $n \neq -1$일 때, $\displaystyle\int x^n dx=\frac{1}{n+1}x^{n+1}+C$

(2) $n=-1$일 때, $\displaystyle\int \frac{1}{x}dx=\ln|x|+C$

마플해설

일반적으로 $f(x)$를 도함수로 갖는 함수 $F(x)$, 즉 $F'(x)=f(x)$가 되는 함수 $F(x)$를 $f(x)$의 부정적분이라고 한다. 이때 $f(x)$의 모든 부정적분은

$$\int f(x)dx=F(x)+C \text{ (}C\text{는 적분상수)}$$

와 같이 나타낸다. 한편, 부정적분은 미분의 역과정으로 구할 수 있으므로 다음과 같이 함수 x^n(n은 실수)의 부정적분을 구할 수 있다.

적분
$\int f(x)dx=F(x)+C$
미분 적분상수

(1) n이 음이 아닌 정수일 때, 함수 $y=x^n$의 부정적분

n이 자연수일 때, $\left(\frac{1}{n+1}x^{n+1}\right)'=x^n$이므로 $\displaystyle\int x^n dx=\frac{1}{n+1}x^{n+1}+C$

또한, $n=0$일 때, $\displaystyle\int x^0 dx=\frac{1}{0+1}x^{0+1}+C=x+C$

(2) n이 실수일 때, 함수 $y=x^n$의 부정적분

① $n \neq -1$일 때, 함수 $y=x^n$(n은 실수, $x>0$)의 미분법에서 $\left(\frac{1}{n+1}x^{n+1}\right)'=x^n$이므로 $\displaystyle\int x^n dx=\frac{1}{n+1}x^{n+1}+C$

② $n=-1$일 때, 로그함수 $y=\ln|x|$의 미분법에서 $(\ln|x|)'=\frac{1}{x}$이므로 $\displaystyle\int \frac{1}{x}dx=\ln|x|+C$

보기 01 다음 부정적분을 구하여라.

(1) $\displaystyle\int \frac{1}{x^3}dx$ (2) $\displaystyle\int \sqrt{x}\,dx$ (3) $\displaystyle\int x\sqrt{x}\,dx$ (4) $\displaystyle\int \frac{2}{x}dx$

풀이

(1) $\displaystyle\int \frac{1}{x^3}dx=\int x^{-3}dx=\frac{1}{-3+1}x^{-3+1}=-\frac{1}{2x^2}+C$

(2) $\displaystyle\int \sqrt{x}\,dx=\int x^{\frac{1}{2}}dx=\frac{1}{\frac{1}{2}+1}x^{\frac{1}{2}+1}=\frac{2}{3}x\sqrt{x}+C$

(3) $\displaystyle\int x\sqrt{x}\,dx=\int x^{\frac{3}{2}}dx=\frac{1}{\frac{3}{2}+1}x^{\frac{3}{2}+1}=\frac{2}{5}x^{\frac{5}{2}}+C=\frac{2}{5}x^2\sqrt{x}+C$

(4) $\displaystyle\int \frac{2}{x}dx=2\int \frac{1}{x}dx=2\ln|x|+C$

더 알아보기

부정적분의 성질

(1) 상수배의 부정적분 $\displaystyle\int cf(x)dx=c\int f(x)dx$ (단, c는 실수)

(2) 합의 부정적분 $\displaystyle\int \{f(x)+g(x)\}dx=\int f(x)dx+\int g(x)dx$

(3) 차의 부정적분 $\displaystyle\int \{f(x)-g(x)\}dx=\int f(x)dx-\int g(x)dx$

주의! ① 곱은 전개하여 적분한다. $\displaystyle\int f(x)g(x)dx \neq \int f(x)dx\cdot\int g(x)dx$

② 몫은 약분하여 적분한다. $\displaystyle\int \frac{f(x)}{g(x)}dx \neq \frac{\int f(x)dx}{\int g(x)dx}$

보기 02 다음 부정적분을 구하여라. (단, C는 적분상수)

(1) $\int \frac{x^2+3}{x}dx$ (2) $\int \frac{3x^2-2x+1}{x}dx$ (3) $\int \frac{(\sqrt{x}-1)^2}{x}dx$

풀이 (1) $\int \frac{x^2+3}{x}dx=\int\left(x+\frac{3}{x}\right)dx=\int xdx+3\int\frac{1}{x}dx=\frac{1}{2}x^2+3\ln|x|+C$

(2) $\int \frac{3x^2-2x+1}{x}dx=\int\left(3x-2+\frac{1}{x}\right)dx=3\int xdx-\int 2dx+\int\frac{1}{x}dx=\frac{3}{2}x^2-2x+\ln|x|+C$

(3) $\int \frac{(\sqrt{x}-1)^2}{x}dx=\int\frac{x-2\sqrt{x}+1}{x}dx=\int\left(1-2x^{-\frac{1}{2}}+\frac{1}{x}\right)dx=\int 1dx-2\int x^{-\frac{1}{2}}dx+\int\frac{1}{x}dx$

$=x-4x^{\frac{1}{2}}+\ln|x|+C$

$=x-4\sqrt{x}+\ln|x|+C$

01 부정적분

02 합성함수의 부정적분

$(ax+b)^n$의 부정적분은 다음과 같다. (단, $a\neq0$, n은 자연수)

$$\int(ax+b)^n dx=\frac{1}{a}\cdot\frac{1}{n+1}(ax+b)^{n+1}+C \text{ (단, } C\text{는 적분상수)}$$

마플해설 $(ax+b)^n$의 부정적분

$y=(ax+b)^{n+1}$일 때, $y'=(n+1)(ax+b)^n\cdot a$이므로 $\int a(n+1)(ax+b)^n dx=(ax+b)^{n+1}+C_1$

$\therefore \int(ax+b)^n dx=\frac{1}{a(n+1)}(ax+b)^{n+1}+C\left(a\neq0,\ \frac{C_1}{a(n+1)}=C\right)$가 성립한다. ⬅ $\frac{d}{dx}\left\{\frac{1}{a(n+1)}(ax+b)^{n+1}+C\right\}=(ax+b)^n$

보기 03 다음 부정적분을 구하여라.

(1) $\int(3x+2)^4dx$ (2) $\int(2x-1)^5dx$

풀이 (1) $\int(3x+2)^4dx=\frac{1}{3}\cdot\frac{1}{(4+1)}(3x+2)^{4+1}+C=\frac{1}{15}(3x+2)^5+C$ (단, C는 적분상수)

(2) $\int(2x-1)^5dx=\frac{1}{2}\cdot\frac{1}{(5+1)}(2x-1)^{5+1}+C=\frac{1}{12}(2x-1)^6+C$ (단, C는 적분상수)

더 알아보기

부정적분을 구할 때 '적분변수' 에 주의한다.
적분되는 미지수가 무엇인지 판단해서 적분이 되는 식 내에서 상수와 변수를 구별하는 능력을 갖추는 것을 말한다.
예를 통해 변수를 판단하는 것이 중요하다는 것을 알아보자. (단, C는 적분상수)

① $\int(2x+2t+3)dx=x^2+2tx+3x+C$ ② $\int(2x+2t+3)dt=2xt+t^2+3t+C$

같은 식 $2x+2t+3$을 적분하였지만 첫 번째 경우 적분변수가 x, 두 번째 경우 적분변수가 t이므로 적분한 결과는 전혀 다른 식이 된다. 흔히, '상수' 라 하면 문자가 아닌 숫자만을 떠올리는 경향이 있지만 위의 첫 번째 식에서는 $2t$와 3도 상수 취급을 받는다.

03 지수함수의 부정적분

지수함수의 부정적분은 다음과 같다. (단, C는 적분상수)

(1) $\boldsymbol{\int e^x dx = e^x + C}$

(2) $\boldsymbol{\int a^x dx = \frac{a^x}{\ln a} + C}$ (단, $a>0$, $a \neq 1$)

마플해설 지수함수의 미분법으로부터 다음이 성립함을 알 수 있다.

(1) $(e^x)' = e^x$이므로 $\int e^x dx = e^x + C$

(2) $(a^x)' = a^x \ln a$ $(a>0,\ a\neq 1)$에서 $\left(\frac{a^x}{\ln a}\right)' = \frac{1}{\ln a}(a^x \ln a) = a^x$이므로 $\int a^x dx = \frac{a^x}{\ln a} + C$ (단, $a>0$, $a\neq 1$)

참고 $\int a^{mx+n} dx = \int (a^m)^x \cdot a^n dx = a^n \int (a^m)^x dx = a^n \cdot \frac{(a^m)^x}{\ln a^m} + C = \frac{a^{mx+n}}{\ln a^m} + C$ (단, m, n은 실수)

보기 04 다음 부정적분을 구하여라.

(1) $\int e^{x+2} dx$ (2) $\int 10^{x+2} dx$ (3) $\int (2e^x - 3^{2x}) dx$

풀이

(1) $\int e^{x+2} dx = \int e^x \cdot e^2 dx = e^2 \int e^x dx = e^2 e^x + C = e^{x+2} + C$

(2) $\int 10^{x+2} dx = \int 10^2 \cdot 10^x dx = 10^2 \cdot \frac{10^x}{\ln 10} + C = \frac{10^{x+2}}{\ln 10} + C$

(3) $\int (2e^x - 3^{2x}) dx = \int (2e^x - 9^x) dx = 2e^x - \frac{9^x}{\ln 9} + C = 2e^x - \frac{3^{2x}}{2\ln 3} + C$

보기 05 다음 부정적분을 구하여라.

(1) $\int \frac{3^{2x}-1}{3^x+1} dx$ (2) $\int \frac{e^{2x}-4^x}{e^x-2^x} dx$

(3) $\int \frac{e^{3x}-1}{e^x-1} dx$ (4) $\int \frac{8^x+1}{2^x+1} dx$

풀이

(1) $\int \frac{3^{2x}-1}{3^x+1} dx = \int \frac{(3^x+1)(3^x-1)}{3^x+1} dx = \int (3^x-1) dx = \frac{3^x}{\ln 3} - x + C$

(2) $\int \frac{e^{2x}-4^x}{e^x-2^x} dx = \int \frac{(e^x-2^x)(e^x+2^x)}{e^x-2^x} dx = \int (e^x+2^x) dx = e^x + \frac{2^x}{\ln 2} + C$

(3) $\int \frac{e^{3x}-1}{e^x-1} dx = \int \frac{(e^x-1)(e^{2x}+e^x+1)}{e^x-1} dx = \int (e^{2x}+e^x+1) dx = \frac{1}{2}e^{2x} + e^x + x + C$

(4) $\int \frac{8^x+1}{2^x+1} dx = \int \frac{(2^x)^3+1}{2^x+1} dx = \int \frac{(2^x+1)\{(2^x)^2-2^x+1\}}{2^x+1} dx = \int (4^x - 2^x + 1) dx = \frac{4^x}{\ln 4} - \frac{2^x}{\ln 2} + x + C$

+α 더 알아보기

지수함수의 합성함수 미분법

① $y = e^x$ ⇨ $\boldsymbol{y' = e^x}$

② $y = a^x$ ⇨ $\boldsymbol{y' = a^x \ln a}$ (단, $a \neq 1$, $a>0$)

③ $y = e^{f(x)}$ ⇨ $\boldsymbol{y' = e^{f(x)} f'(x)}$

④ $y = a^{f(x)}$ ⇨ $\boldsymbol{y' = a^{f(x)} \ln a \cdot f'(x)}$ (단, $a \neq 1$, $a>0$)

04 삼각함수의 부정적분

삼각함수의 부정적분은 다음과 같다. (단, C는 적분상수)

(1) $\int \sin x dx = -\cos x + C$　　(2) $\int \cos x dx = \sin x + C$

(3) $\int \sec^2 x dx = \tan x + C$　　(4) $\int \csc^2 x dx = -\cot x + C$

(5) $\int \sec x \tan x dx = \sec x + C$　　(6) $\int \csc x \cot x dx = -\csc x + C$

마플해설 삼각함수의 미분법으로부터 다음이 성립함을 알 수 있다. (단, C는 적분상수)

(1) $(\cos x)' = -\sin x$이므로 $\int \sin x dx = -\cos x + C$

(2) $(\sin x)' = \cos x$이므로 $\int \cos x dx = \sin x + C$

(3) $(\tan x)' = \sec^2 x$이므로 $\int \sec^2 x dx = \tan x + C$

(4) $(\cot x)' = -\csc^2 x$이므로 $\int \csc^2 x dx = -\cot x + C$

(5) $(\sec x)' = \sec x \tan x$이므로 $\int \sec x \tan x dx = \sec x + C$

(6) $(\csc x)' = -\csc x \cot x$이므로 $\int \csc x \cot x dx = -\csc x + C$

참고 $\sec^2 x = 1 + \tan^2 x$,

$\sec^2 x = \frac{1}{\cos^2 x} = \frac{1}{1-\sin^2 x}$

이므로

$$\int \sec^2 x dx = \int (1+\tan^2 x) dx = \int \frac{1}{1-\sin^2 x} dx = \tan x + C$$

보기 06 다음 부정적분을 구하여라.

(1) $\int (\sin x + 3\cos x) dx$　　(2) $\int \frac{\cos^2 x}{1+\sin x} dx$　　(3) $\int \frac{\sin^2 x}{1-\cos x} dx$

풀이

(1) $\int (\sin x + 3\cos x) dx = \int \sin x dx + 3\int \cos x dx = -\cos x + 3\sin x + C$

(2) $\int \frac{\cos^2 x}{1+\sin x} dx = \int \frac{1-\sin^2 x}{1+\sin x} dx = \int \frac{(1+\sin x)(1-\sin x)}{1+\sin x} dx = \int (1-\sin x) dx = x + \cos x + C$

(3) $\int \frac{\sin^2 x}{1-\cos x} dx = \int \frac{1-\cos^2 x}{1-\cos x} dx = \int \frac{(1+\cos x)(1-\cos x)}{1-\cos x} dx = \int (1+\cos x) dx = x + \sin x + C$

보기 07 다음 부정적분을 구하여라.

(1) $\int \tan^2 x dx$　　(2) $\int \cot^2 x dx$　　(3) $\int \frac{\cos x}{1-\cos^2 x} dx$

풀이

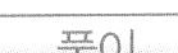

(1) $\int \tan^2 x dx = \int (\sec^2 x - 1) dx = \tan x - x + C$　← $1+\tan^2 x = \sec^2 x$

(2) $\int \cot^2 x dx = \int (\csc^2 x - 1) dx = -\cot x - x + C$　← $1+\cot^2 x = \csc^2 x$

(3) $\int \frac{\cos x}{1-\cos^2 x} dx = \int \frac{\cos x}{\sin^2 x} dx = \int \frac{1}{\sin x} \cdot \frac{\cos x}{\sin x} dx = \int \csc x \cot x dx = -\csc x + C$

보기 08 다음 부정적분을 구하여라.

(1) $\int \frac{1+\cos^2 x}{1-\sin^2 x} dx$　　(2) $\int \frac{1+\sin^2 x}{1-\cos^2 x} dx$　　(3) $\int \frac{1+\sin x}{1-\sin^2 x} dx$

풀이

(1) $\int \frac{1+\cos^2 x}{1-\sin^2 x} dx = \int \frac{1+\cos^2 x}{\cos^2 x} dx = \int \left(\frac{1}{\cos^2 x} + 1\right) dx = \int (\sec^2 x + 1) dx = \tan x + x + C$

(2) $\int \frac{1+\sin^2 x}{1-\cos^2 x} dx = \int \frac{1+\sin^2 x}{\sin^2 x} dx = \int \left(\frac{1}{\sin^2 x} + 1\right) dx = \int (\csc^2 x + 1) dx = -\cot x + x + C$

(3) $\int \frac{1+\sin x}{1-\sin^2 x} dx = \int \frac{1+\sin x}{\cos^2 x} dx = \int \left(\frac{1}{\cos^2 x} + \frac{1}{\cos x} \cdot \frac{\sin x}{\cos x}\right) dx$

$= \int (\sec^2 x + \sec x \tan x) dx = \tan x + \sec x + C$

삼각함수의 부정적분

01 여러 가지 삼각함수의 부정적분

(1) $\int \sin^2\frac{x}{2}dx=\int\frac{1}{2}(1-\cos x)dx=\int\frac{1}{2}dx-\int\frac{1}{2}\cos xdx=\frac{1}{2}x-\frac{1}{2}\sin x+C$

(2) $\int \cos^2\frac{x}{2}dx=\int\frac{1}{2}(1+\cos x)dx=\int\frac{1}{2}dx+\int\frac{1}{2}\cos xdx=\frac{1}{2}x+\frac{1}{2}\sin x+C$

(3) $\sin\frac{x}{2}\cos\frac{x}{2}=\frac{1}{2}\sin x$이므로 $\int\sin\frac{x}{2}\cos\frac{x}{2}dx=\int\frac{1}{2}\sin xdx=-\frac{1}{2}\cos x+C$

(4) $1+\tan^2 x=\sec^2 x$이므로 $\int(1+\tan^2 x)dx=\int\sec^2 xdx=\tan x+C$

(5) $1+\cot^2 x=\csc^2 x$이므로 $\int(1+\cot^2 x)dx=\int\csc^2 xdx=-\cot x+C$

삼각함수의 부정적분을 구할 때, 다음을 이용하면 편리하다.

① $\sin 2x=2\sin x\cos x$ ⇨ $\sin x\cos x=\frac{1}{2}\sin 2x$

② $\cos 2x=1-2\sin^2 x$ ⇨ $\sin^2 x=\frac{1}{2}(1-\cos 2x)$에서 $\sin^2\frac{x}{2}=\frac{1-\cos x}{2}$

$=2\cos^2 x-1$ ⇨ $\cos^2 x=\frac{1}{2}(1+\cos 2x)$에서 $\cos^2\frac{x}{2}=\frac{1+\cos x}{2}$

보기 01 다음 부정적분을 구하여라.

(1) $\int\frac{1}{1-\sin^2 x}dx$ (2) $\int\frac{1}{1+\cos 2x}dx$

풀이

(1) $\int\frac{1}{1-\sin^2 x}dx=\int\frac{1}{\cos^2 x}dx=\int\sec^2 dx=\tan x+C$

(2) $\int\frac{1}{1+\cos 2x}dx=\int\frac{1}{2\cos^2 x}dx=\int\frac{1}{2}\sec^2 xdx=\frac{1}{2}\tan x+C$ ← $\cos 2x=2\cos^2 x-1$

보기 02 다음 부정적분을 구하여라.

(1) $\int 2\sin^2\frac{x}{2}dx$ (2) $\int 2\cos^2\frac{x}{2}dx$ (3) $\int\left(\sin\frac{x}{2}-\cos\frac{x}{2}\right)^2 dx$

풀이

(1) $\cos x=1-2\sin^2\frac{x}{2}$에서 $\sin^2\frac{x}{2}=\frac{1-\cos x}{2}$이므로

$\int 2\sin^2\frac{x}{2}dx=2\int\frac{1-\cos x}{2}dx=\int(1-\cos x)dx=x-\sin x+C$

(2) $\cos x=2\cos^2\frac{x}{2}-1$에서 $\cos^2\frac{x}{2}=\frac{1+\cos x}{2}$이므로

$\int 2\cos^2\frac{x}{2}dx=2\int\frac{1+\cos x}{2}dx=\int(1+\cos x)dx=x+\sin x+C$

(3) $\int\left(\sin\frac{x}{2}-\cos\frac{x}{2}\right)^2 dx=\int\left(1-2\sin\frac{x}{2}\cos\frac{x}{2}\right)dx=\int(1-\sin x)dx=x+\cos x+C$

더 알아보기

복잡한 삼각함수의 부정적분

(1) $\int\frac{1}{1-\sin x}dx=\int\frac{1+\sin x}{(1-\sin x)(1+\sin x)}dx=\int\frac{1+\sin x}{1-\sin^2 x}dx=\int\frac{1+\sin x}{\cos^2 x}dx=\int\left(\frac{1}{\cos^2 x}+\frac{1}{\cos x}\cdot\frac{\sin x}{\cos x}\right)dx$

$=\int(\sec^2 x+\sec x\tan x)dx=\tan x+\sec x+C$

(2) $\int\frac{1}{1+\cos x}dx=\int\frac{1-\cos x}{(1+\cos x)(1-\cos x)}dx=\int\frac{1-\cos x}{1-\cos^2 x}dx=\int\frac{1-\cos x}{\sin^2 x}dx=\int\left(\frac{1}{\sin^2 x}-\frac{1}{\sin x}\cdot\frac{\cos x}{\sin x}\right)dx$

$=\int(\csc^2 x-\csc x\cot x)dx=-\cot x+\csc x+C$

마플개념익힘 01 함수 x^n(n은 실수)의 부정적분

다음 물음에 답하여라.

(1) 함수 $f(x)=\int \frac{(\sqrt{x}-1)^2}{\sqrt{x}}dx$에 대하여 $f(1)=\frac{2}{3}$일 때, $f(9)$의 값을 구하여라.

(2) 미분가능한 함수 $f(x)$의 한 부정적분 $F(x)$가 $F(x)=xf(x)-\frac{1}{x}$이고 $f\left(\frac{1}{\sqrt{2}}\right)=2$를 만족할 때, $f(\sqrt{2})$의 값을 구하여라.

MAPL CORE n은 실수이고 C는 적분상수일 때, x^n의 부정적분은 다음과 같다.
① $n\neq-1$일 때, $\int x^n dx=\frac{1}{n+1}x^{n+1}+C$　② $n=-1$일 때, $\int \frac{1}{x}dx=\ln|x|+C$

개념익힘 | 풀이 (1) $f(x)=\int \frac{(\sqrt{x}-1)^2}{\sqrt{x}}dx=\int \frac{x-2\sqrt{x}+1}{\sqrt{x}}dx=\int\left(\sqrt{x}+\frac{1}{\sqrt{x}}-2\right)dx$

$=\int\left(x^{\frac{1}{2}}+x^{-\frac{1}{2}}-2\right)dx=\frac{2}{3}x^{\frac{3}{2}}+2x^{\frac{1}{2}}-2x+C=\frac{2}{3}x\sqrt{x}+2\sqrt{x}-2x+C$

이때 $f(1)=\frac{2}{3}$이므로 $f(1)=\frac{2}{3}+2-2+C=\frac{2}{3}$ $\therefore C=0$

따라서 $f(x)=\frac{2}{3}x\sqrt{x}+2\sqrt{x}-2x$에서 $f(9)=18+6-18=\mathbf{6}$

(2) $F(x)=xf(x)-\frac{1}{x}$의 양변을 x에 대하여 미분하면

$f(x)=f(x)+xf'(x)+\frac{1}{x^2}$이므로 $f'(x)=-\frac{1}{x^3}$

$\therefore f(x)=\int\left(-\frac{1}{x^3}\right)dx=\frac{1}{2x^2}+C$

이때 $f\left(\frac{1}{\sqrt{2}}\right)=2$이므로 $f\left(\frac{1}{\sqrt{2}}\right)=1+C=2$ $\therefore C=1$

따라서 $f(x)=\frac{1}{2x^2}+1$이므로 $f(\sqrt{2})=\frac{1}{4}+1=\mathbf{\frac{5}{4}}$

확인유제 0745 다음 물음에 답하여라.

(1) 점 $(1, 2)$를 지나는 곡선 $y=f(x)$ 위의 임의의 점 (x, y)에서의 접선의 기울기가 $\frac{1}{x}+\sqrt{x}$일 때, 함수 $f(e)$를 구하여라.

(2) 곡선 $y=f(x)$ 위의 임의의 점 (x, y)에서의 접선의 기울기가 $1-\frac{1}{x}$이고 이 곡선이 점 $(1, 0)$을 지날 때, $f(e)$의 값을 구하여라.

변형문제 0746 미분가능한 함수 $f(x)$의 한 부정적분 $F(x)$에 대하여

$$F(x)=xf(x)-x^2+2x,\ f(1)=0$$

일 때, $f\left(\frac{1}{e}\right)$의 값은? (단, $x\neq0$)

① $\frac{2}{e}$　② $\frac{2}{e^2}$　③ $\frac{3}{e^3}$　④ $2e^2$　⑤ $3e^2$

발전문제 0747 연속함수 $f(x)$의 도함수 $f'(x)$가 $f'(x)=\begin{cases}\frac{1}{x^2} & (x<-1)\\ 3x^2+1 & (x>-1)\end{cases}$이고 $f(-2)=\frac{1}{2}$일 때, $f(0)$의 값은?

2016년 07월 교육청

① 1　② 2　③ 3　④ 4　⑤ 5

정답 0745 : (1) $\frac{2}{3}e\sqrt{e}+\frac{7}{3}$ (2) $e-2$　0746 : ①　0747 : ③

마플개념익힘 02 지수함수의 부정적분

다음 물음에 답하여라.

(1) 함수 $f(x)$에 대하여 $f'(x)=e^x-\sin x$에 대하여 $f(0)=2$일 때, $f(\pi)$의 값을 구하여라.

(2) 실수 전체의 집합에서 미분가능한 함수 $f(x)$의 도함수 $f'(x)=\dfrac{e^{2x}-1}{e^x+1}$이고, $f(0)=3$일 때, $f(\ln 2)$의 값을 구하여라.

MAPL CORE 지수함수를 포함한 함수의 부정적분을 지수법칙과 인수분해를 이용하여 피적함수를 적분하기 쉬운 꼴로 변형한다.

① $\int e^x dx=e^x+C$　② $\int a^x dx=\dfrac{a^x}{\ln a}+C$ (단, $a>0$, $a\neq 1$)

개념익힘 | **풀이** (1) $f'(x)=e^x-\sin x$이므로 $f(x)=\int(e^x-\sin x)dx=e^x+\cos x+C$

이때 $f(0)=e^0+\cos 0+C=2$　$\therefore C=0$

따라서 $f(x)=e^x+\cos x$이므로 $f(\pi)=\mathbf{e^{\pi}-1}$

(2) $f(x)=\int\dfrac{e^{2x}-1}{e^x+1}dx=\int\dfrac{(e^x+1)(e^x-1)}{e^x+1}dx=\int(e^x-1)dx=e^x-x+C$

이때 $f(0)=1-0+C=3$　$\therefore C=2$

따라서 $f(x)=e^x-x+2$이므로 $f(\ln 2)=e^{\ln 2}-\ln 2+2=2-\ln 2+2=\mathbf{4-\ln 2}$

확인유제 0748 다음 물음에 답하여라.

(1) 곡선 $y=f(x)$ 위의 점 (x, y)에서의 접선의 기울기가 e^x-2x이고 이 곡선이 점 $(0, 5)$를 지날 때, 함수 $f(1)$을 구하여라.

(2) 곡선 $y=f(x)$ 위의 점 (x, y)에서의 접선의 기울기가 $\dfrac{xe^x-1}{x}$이고 이 곡선이 점 $(1, e)$를 지날 때, 함수 $f(-1)$을 구하여라.

변형문제 0749 미분가능한 함수 $f(x)$에 대하여

$$\int f(x)dx=xf(x)+(x-1)e^x-5x^2,\ f(0)=5$$

를 만족할 때, $f(1)$의 값은?

① $10-e$　② $14-e$　③ $16-e$　④ $12+e$　⑤ $15+e$

발전문제 0750 함수 $f(x)$가 모든 실수에서 연속일 때, 도함수 $f'(x)$가

2016년 03월 교육청

$$f'(x)=\begin{cases} e^{x-1} & (x\le 1) \\ \dfrac{1}{x} & (x>1)\end{cases}$$

이다. $f(-1)=e+\dfrac{1}{e^2}$일 때, $f(e)$의 값은?

① $e-2$　② $e-1$　③ e　④ $e+1$　⑤ $e+2$

정답 0748 : (1) $e+3$ (2) $\dfrac{1}{e}$　0749 : ③　0750 : ⑤

마플개념익힘 03 삼각함수의 부정적분

다음 물음에 답하여라.

(1) 함수 $f(x)=\int \frac{\sin^2 x}{1+\cos x}dx$에 대하여 $f(0)=1$일 때, $f\left(\frac{\pi}{2}\right)$의 값을 구하여라.

(2) 함수 $f(x)$의 도함수 $f'(x)$가 $f'(x)=\frac{1+\sin x}{1-\sin^2 x}$이고, $f(0)=0$을 만족할 때 $f\left(\frac{\pi}{4}\right)$의 값을 구하여라.

MAPL CORE 삼각함수를 포함한 부정적분은 삼각함수 사이의 관계와 여러가지 공식을 이용하여 피적함수를 적분하기 쉬운 꼴로 변형한다.

① $\int \sin x dx=-\cos x+C$ ② $\int \cos x dx=\sin x+C$

③ $\int \sec^2 x dx=\tan x+C$ ④ $\int \csc^2 x dx=-\cot x+C$

⑤ $\int \sec x \tan x dx=\sec x+C$ ⑥ $\int \csc x \cot x dx=-\csc x+C$

참고 $\int \sec^2 x dx=\int(1+\tan^2 x)dx=\int \frac{1}{\cos^2 x}dx=\int \frac{1}{1-\sin^2 x}dx=\tan x+C$

개념익힘 | **풀이** (1) $f(x)=\int \frac{1-\cos^2 x}{1+\cos x}dx=\int(1-\cos x)dx=x-\sin x+C$

이때 $f(0)=1$이므로 $C=1$

따라서 $f(x)=x-\sin x+1$이므로 $f\left(\frac{\pi}{2}\right)=\frac{\pi}{2}-\sin\frac{\pi}{2}+1=\boldsymbol{\frac{\pi}{2}}$

(2) $f(x)=\int \frac{1+\sin x}{1-\sin^2 x}dx=\int \frac{1+\sin x}{\cos^2 x}dx=\int\left(\frac{1}{\cos^2 x}+\frac{1}{\cos x}\cdot\frac{\sin x}{\cos x}\right)dx$

$=\int(\sec^2 x+\sec x\tan x)dx=\tan x+\sec x+C$

이때 $f(0)=0$이므로 $\tan 0+\sec 0+C=0$ $\therefore C=-1$

따라서 $f(x)=\tan x+\sec x-1$이므로 $f\left(\frac{\pi}{4}\right)=\tan\frac{\pi}{4}+\sec\frac{\pi}{4}-1=1+\sqrt{2}-1=\boldsymbol{\sqrt{2}}$

확인유제 0751 다음 물음에 답하여라.

(1) 함수 $f(x)=\int \frac{\cos^2 x}{1-\sin x}dx$에 대하여 $f(0)=1$일 때, $f(\pi)$의 값을 구하여라.

(2) 함수 $f(x)$의 도함수 $f'(x)$가 $f'(x)=\frac{1-\cos^2 x}{1-\sin^2 x}$이고, $f(0)=0$을 만족할 때, $f\left(\frac{\pi}{4}\right)$의 값을 구하여라.

변형문제 0752 점 $\left(\frac{\pi}{4}, \sqrt{2}\right)$을 지나는 함수 $y=f(x)$의 그래프가 있다. 이 그래프 위의 점 $(x, f(x))$에서의 접선의 기울기가 $f'(x)=\frac{1}{1+\cos x}$일 때, $f\left(\frac{\pi}{6}\right)$의 값은?

① $-\sqrt{2}+3$ ② $-\sqrt{3}+1$ ③ $-\sqrt{3}+3$ ④ $\sqrt{3}+1$ ⑤ $\sqrt{3}+3$

발전문제 0753 모든 실수에서 미분가능한 함수 $f(x)$와 그 부정적분 중의 하나인 $F(x)$에 대하여

$$F(x)=xf(x)+x\cos x-\sin x,\ f(\pi)=1$$

일 때, $f(0)$의 값은?

① -3 ② -2 ③ -1 ④ 0 ⑤ 1

정답 0751 : (1) $\pi+3$ (2) $1-\frac{\pi}{4}$ 0752 : ③ 0753 : ③

02 치환적분법

MAPL; YOUR MASTER PLAN

01 치환적분의 뜻

다음과 같이 한 변수를 다른 변수로 바꾸어 넣고 적분하는 방법을 치환적분법이라고 한다.

미분가능한 함수 $g(t)$에 대하여 $x=g(t)$로 놓으면 다음이 성립한다.

$$\int f(x)dx=\int f(g(t))g'(t)dt$$

마플해설 어떤 함수 $f(x)$의 부정적분을 직접 구하기 어려울 때, 식의 일부를 새로운 변수로 바꿔 적분하면 편리한 경우가 있다.
부정적분을 구할 때 변수를 바꿔 적분하는 방법에 대하여 알아보자.
함수 $f(x)$의 한 부정적분을 $F(x)$라 하면

$$\int f(x)dx=F(x)+C \quad \cdots\cdots ㉠$$

이다. 이때 $F(x)$에서 x를 다른 변수 t의 미분가능한 함수 $x=g(t)$로 놓으면 $F(x)=F(g(t))$이므로
합성함수의 미분법에 의하여 $F(g(t))$를 t에 대하여 미분하면

$$\frac{d}{dt}F(x)=\frac{d}{dt}F(g(t))=F'(g(t))g'(t)=f(g(t))g'(t)$$

이므로 다음을 얻는다.

$$\int f(g(t))g'(t)dt=F(x)+C \quad \cdots\cdots ㉡$$

따라서 ㉠과 ㉡에서 다음 등식이 성립한다.

$$\int f(x)dx=\int f(g(t))g'(t)dt$$

이와 같이 변수 x를 다른 변수로 바꾸어 적분하는 방법을 치환적분법이라고 한다.

보기 01 다음 부정적분을 구하여라.

(1) $\int(3x-2)^4dx$ (2) $\int\sin(2x-1)dx$

풀이 (1) $3x-2=t$로 놓으면 $x=\frac{t+2}{3}$에서 양변을 t에 관해 미분하면 $\frac{dx}{dt}=\frac{1}{3}$이므로 $dx=\frac{1}{3}dt$

$$\int(3x-2)^4dx=\int t^4\cdot\frac{1}{3}dt=\frac{1}{3}\int t^4dt$$

← x에 대한 식을 t로 치환하면 dx도 dt를 써서 표현

$$=\frac{1}{15}t^5+C=\frac{1}{15}(3x-2)^5+C$$

← 치환적분법으로 구한 부정적분은 그 결과를 처음의 변수로 바꾸어 나타내야 한다.

(2) $2x-1=t$로 놓으면 $x=\frac{t+1}{2}$에서 양변을 t에 관해 미분하면 $\frac{dx}{dt}=\frac{1}{2}$이므로 $dx=\frac{1}{2}dt$

$$\int\sin(2x-1)dx=\int\sin t\cdot\frac{1}{2}dt=\frac{1}{2}\int\sin t dt$$

← x에 대한 식을 t로 치환하면 dx도 dt를 써서 표현

$$=-\frac{1}{2}\cos t+C=-\frac{1}{2}\cos(2x-1)+C$$

← 치환적분법으로 구한 부정적분은 그 결과를 처음의 변수로 바꾸어 나타내야 한다.

주의 치환적분을 한 후 바로 얻은 결과는 원래 변수 x가 아닌 t에 대한 함수이고, 변수 t가 원래의 변수 x와 어떤 관계를 가지고 있는지 알 수 없기 때문에 치환적분법을 이용한 후에는 부정적분을 처음의 변수 x에 대한 식으로 바꾸어 주어야 한다.

02 $\int f(ax+b)\,dx$ 꼴의 부정적분

(1) $\int f(ax+b)dx$ 꼴의 부정적분

함수 $f(x)$의 한 부정적분을 $F(x)$라 할 때, 다음이 성립한다.

$$\int \boldsymbol{f(ax+b)dx=\frac{1}{a}}F(\boldsymbol{ax+b})+\boldsymbol{C}$$ (단, a, b는 상수 $a\neq0$) ⬅ 치환하는 식이 일차식인 경우

미분의 역수

설명 $ax+b=t$로 놓으면 $a=\frac{dt}{dx}$이므로 $dx=\frac{1}{a}dt$

$\int f(ax+b)dx=\int f(t)\cdot\frac{1}{a}dt=\frac{1}{a}F(t)+C=\frac{1}{a}F(ax+b)+C$

(2) 치환하는 식이 일차식인 경우의 여러 가지 부정적분 공식

① 다항함수 : $\int(ax+b)^n dx=\frac{1}{a}\cdot\frac{1}{(n+1)}(ax+b)^{n+1}+C\,(n\neq-1)$

② 유리함수 : $\int\frac{1}{ax+b}dx=\frac{1}{a}\ln|ax+b|+C$

③ 삼각함수 : $\int\sin(ax+b)dx=-\frac{1}{a}\cos(ax+b)+C$, $\int\cos(ax+b)dx=\frac{1}{a}\sin(ax+b)+C$

④ 지수함수 : $\int e^{ax+b}dx=\frac{1}{a}e^{ax+b}+C$, $\int a^{bx+c}dx=\frac{1}{b\ln a}a^{bx+c}+C$

마플해설 $ax+b=t$로 놓으면 $a=\frac{dt}{dx}$이므로 $dx=\frac{1}{a}dt$

① $\int(ax+b)^n dx=\int t^n\cdot\frac{1}{a}dt=\frac{1}{a}\int t^n dt=\frac{1}{a}\cdot\frac{1}{n+1}t^{n+1}+C=\frac{1}{a(n+1)}(ax+b)^{n+1}+C$

② $\int\frac{1}{ax+b}dx=\int\frac{1}{t}\cdot\frac{1}{a}dt=\frac{1}{a}\int\frac{1}{t}dt=\frac{1}{a}\ln t+C=\frac{1}{a}\ln|ax+b|+C$

③ $\int\sin(ax+b)dx=\int\sin t\cdot\frac{1}{a}dt=\frac{1}{a}\int\sin t\,dt=-\frac{1}{a}\cos t+C=-\frac{1}{a}\cos(ax+b)+C$

$\int\cos(ax+b)dx=\int\cos t\cdot\frac{1}{a}dt=\frac{1}{a}\int\cos t\,dt=\frac{1}{a}\sin t+C=\frac{1}{a}\sin(ax+b)+C$

④ $\int e^{ax+b}dx=\int e^t\cdot\frac{1}{a}dt=\frac{1}{a}\int e^t dt=\frac{1}{a}e^t+C=\frac{1}{a}e^{ax+b}+C$

$\int a^{bx+c}dx=\int a^t\cdot\frac{1}{b}dt=\frac{1}{b}\int a^t dt=\frac{1}{b\ln a}a^t+C=\frac{1}{b\ln a}a^{bx+c}+C$ ⬅ $bx+c=t$로 놓고 $b=\frac{dt}{dx}$이므로 $dx=\frac{1}{b}dt$

보기 02 다음 부정적분을 구하여라.

(1) $\int\sin(5x+2)dx$

(2) $\int e^{2x+1}dx$

풀이 (1) $5x+2=t$로 놓으면 $5=\frac{dt}{dx}$이므로 $dx=\frac{1}{5}dt$

$\int\sin(5x+2)dx=\int\sin t\cdot\frac{1}{5}dt=-\frac{1}{5}\cos t+C=-\frac{1}{5}\cos(5x+2)+C$

(2) $2x+1=t$로 놓으면 $2=\frac{dt}{dx}$이므로 $dx=\frac{1}{2}dt$

$\int e^{2x+1}dx=\int e^t\cdot\frac{1}{2}dt=\frac{1}{2}e^t+C=\frac{1}{2}e^{2x+1}+C$

03 $\int f(g(x))g'(x)dx$의 꼴의 부정적분

(1) $\int f(g(x))g'(x)dx$꼴의 부정적분

$g(x)=t$라 하고 양변을 x로 미분하면 $g'(x)=\frac{dt}{dx}$이므로 치환적분법에 의하여 다음이 성립한다.

$$\int f(g(x))g'(x)dx=\int f(t)dt$$

← 피적분함수에 $g(x)$, $g'(x)$가 모두 포함되 경우

미분

(2) $\int f(g(x))g'(x)dx$를 부정적분 하는 순서

[1단계] $g(x)=t$로 놓는다.

[2단계] 양변을 x에 대하여 미분하면 $g'(x)=\frac{dt}{dx}$에서 $g'(x)dx=dt$

[3단계] $\int f(g(x))g'(x)dx=\int f(t)dt$로 바꾼다.

[4단계] 변수 t에 대하여 적분한다.

[5단계] $t=g(x)$를 대입하여 x에 대한 식으로 나타낸다. ← 처음의 변수로 다시 바꿔야 한다.

보기 03 다음 부정적분을 구하여라.

(1) $\int 3x^2(x^3+1)^2dx$ (2) $\int e^x(e^x+1)^3dx$ (3) $\int \frac{x}{\sqrt{x^2+1}}dx$

풀이 (1) $x^3+1=t$로 놓으면 양변을 x에 관하여 미분하면 $(x^3+1)'=\frac{dt}{dx}$이므로 $(x^3+1)'dx=dt$

$$\int 3x^2(x^3+1)^2dx=\int (x^3+1)^2\cdot 3x^2dx=\int (x^3+1)^2\cdot(x^3+1)'dx$$
$$=\int t^2dt=\frac{1}{3}t^3+C=\frac{1}{3}(x^3+1)^3+C$$

(2) $e^x+1=t$로 놓고 양변을 x에 관하여 미분하면 $(e^x)'=\frac{dt}{dx}$이므로 $(e^x)'dx=dt$

$$\int e^x(e^x+1)^3dx=\int (e^x+1)^3\cdot e^xdx=\int (e^x+1)^3\cdot(e^x)'dx$$
$$=\int t^3dt=\frac{1}{4}t^4+C=\frac{1}{4}(e^x+1)^4+C$$

(3) $x^2+1=t$로 놓고 양변을 x에 관하여 미분하면 $(x^2+1)'=\frac{dt}{dx}$이므로 $(x^2+1)'dx=dt$

$$\int \frac{x}{\sqrt{x^2+1}}dx=\frac{1}{2}\int \frac{1}{\sqrt{x^2+1}}\cdot 2xdx=\frac{1}{2}\int \frac{1}{\sqrt{x^2+1}}\cdot(x^2+1)'dx$$
$$=\frac{1}{2}\int \frac{1}{\sqrt{t}}dt=\sqrt{t}+C=\sqrt{x^2+1}+C$$

더 알아보기

$\sin^2x$, $\cos^2x$, $(\sin x+\cos x)^2$의 부정적분

① $\int \sin^2xdx=\int \frac{1}{2}(1-\cos 2x)dx=\int \frac{1}{2}dx-\int \frac{1}{2}\cos 2xdx=\frac{1}{2}x-\frac{1}{4}\sin 2x+C$

② $\int \cos^2xdx=\int \frac{1}{2}(1+\cos 2x)dx=\int \frac{1}{2}dx+\int \frac{1}{2}\cos 2xdx=\frac{1}{2}x+\frac{1}{4}\sin 2x+C$

③ $(\sin x+\cos x)^2=\sin^2x+2\sin x\cdot\cos x+\cos^2x=1+\sin 2x$이므로

$\int (\sin x+\cos x)^2dx=\int (1+\sin 2x)dx=x-\frac{1}{2}\cos 2x+C$

주의! $\sin^2x$, $\cos^2x$과 같이 삼각함수가 이차식인 경우 적분을 할 수 없으므로 차수를 일차식으로 낮추어야 한다.

보기 04 다음 부정적분을 구하여라.

(1) $\int xe^{x^2}dx$ (2) $\int \frac{(\ln x)^2}{x}dx$ (3) $\int \tan x\sec^2 xdx$

(4) $\int x\cos x^2 dx$ (5) $\int \sin^3 x\cos xdx$ (6) $\int \cos^2 x\sin xdx$

풀이 (1) $x^2=t$로 놓고 양변을 x에 관하여 미분하면 $2x=\frac{dt}{dx}$이므로 $xdx=\frac{1}{2}dt$

$$\int xe^{x^2}dx=\int e^t\cdot\frac{1}{2}dt=\frac{1}{2}e^t+C=\frac{1}{2}e^{x^2}+C$$

(2) $\ln x=t$로 놓고 양변을 x에 관하여 미분하면 $\frac{1}{x}=\frac{dt}{dx}$이므로 $\frac{1}{x}dx=dt$

$$\int\frac{(\ln x)^2}{x}dx=\int t^2dt=\frac{1}{3}t^3+C=\frac{1}{3}(\ln x)^3+C$$

(3) $\tan x=t$로 놓고 양변을 x에 관하여 미분하면 $\sec^2 x=\frac{dt}{dx}$이므로 $\sec^2 xdx=dt$

$$\int\tan x\sec^2 xdx=\int tdt=\frac{1}{2}t^2+C=\frac{1}{2}\tan^2 x+C$$

(4) $x^2=t$로 놓고 양변을 x에 관하여 미분하면 $2x=\frac{dt}{dx}$이므로 $xdx=\frac{1}{2}dt$

$$\int x\cos x^2dx=\int\cos t\cdot\frac{1}{2}dt=\frac{1}{2}\sin t+C=\frac{1}{2}\sin x^2+C$$

(5) $\sin x=t$로 놓고 양변을 x에 관하여 미분하면 $\cos x=\frac{dt}{dx}$이므로 $\cos xdx=dt$

$$\int\sin^3 x\cos xdx=\int t^3dt=\frac{1}{4}t^4+C=\frac{1}{4}\sin^4 x+C$$

(6) $\cos x=t$로 놓고 양변을 x에 관하여 미분하면 $-\sin x=\frac{dt}{dx}$이므로 $-\sin xdx=dt$

$$\int\cos^2 x\sin xdx=-\int t^2dt=-\frac{1}{3}t^3+C=-\frac{1}{3}\cos^3 x+C$$

보기 05 다음 부정적분을 구하여라.

(1) $\int\sin^3 xdx$ (2) $\int\cos^3 xdx$

풀이 (1) $\int\sin^3 xdx=\int\sin^2 x\cdot\sin xdx=\int(1-\cos^2 x)\sin xdx$

$\cos x=t$로 놓고 양변을 x에 관하여 미분하면 $-\sin x=\frac{dt}{dx}$이므로 $\sin xdx=-dt$

$$\int(1-\cos^2 x)\cdot\sin xdx=-\int(1-t^2)dt=-t+\frac{1}{3}t^3+C=-\cos x+\frac{1}{3}\cos^3 x+C$$

(2) $\int\cos^3 xdx=\int\cos^2 x\cdot\cos xdx=\int(1-\sin^2 x)\cos xdx$

$\sin x=t$로 놓고 양변을 x에 관하여 미분하면 $\cos x=\frac{dt}{dx}$이므로 $\cos xdx=dt$

$$\int(1-\sin^2 x)\cdot\cos xdx=\int(1-t^2)dt=t-\frac{1}{3}t^3+C=\sin x-\frac{1}{3}\sin^3 x+C$$

04 $\int \frac{f'(x)}{f(x)}dx$ 꼴의 부정적분

$f(x)=t$로 놓고 양변을 x로 미분하면 $f'(x)=\frac{dt}{dx}$이므로 다음이 성립한다. (C는 적분상수)

$$\int \frac{f'(x)}{f(x)}dx=\ln|f(x)|+C$$

마플해설 부정적분 $\int \frac{f'(x)}{f(x)}dx$에 대하여 $f(x)=t$로 놓고 양변을 x에 대하여 미분하면 $f'(x)=\frac{dt}{dx}$

즉 $f'(x)dx=dt$이므로 치환적분법에 의하여

$\int \frac{f'(x)}{f(x)}dx=\int \frac{1}{f(x)}\cdot f'(x)dx=\int \frac{1}{t}dt=\ln|t|+C=\ln|f(x)|+C$

보기 06 다음 부정적분을 구하여라.

(1) $\int \frac{2x}{x^2+1}dx$　　(2) $\int \frac{e^x}{e^x+1}dx$　　(3) $\int \frac{e^x-e^{-x}}{e^x+e^{-x}}dx$

풀이 (1) $x^2+1=t$로 놓고 양변을 x에 관하여 미분하면 $2x=\frac{dt}{dx}$이므로 $2xdx=dt$

$\int \frac{2x}{x^2+1}dx=\int \frac{1}{t}dt=\ln|t|+C=\ln|x^2+1|+C=\ln(x^2+1)+C$

(2) $e^x+1=t$로 놓고 양변을 x에 관하여 미분하면 $e^x=\frac{dt}{dx}$이므로 $e^xdx=dt$

$\int \frac{e^x}{e^x+1}dx=\int \frac{1}{t}dt=\ln|t|+C=\ln|e^x+1|+C=\ln(e^x+1)+C$

(3) $e^x+e^{-x}=t$로 놓고 양변을 x에 관하여 미분하면 $e^x-e^{-x}=\frac{dt}{dx}$이므로 $(e^x-e^{-x})dx=dt$

$\int \frac{e^x-e^{-x}}{e^x+e^{-x}}dx=\int \frac{1}{t}dt=\ln|t|+C=\ln(e^x+e^{-x})+C$

보기 07 다음 부정적분을 구하여라.

(1) $\int \frac{1}{x\ln x}dx$　　(2) $\int \frac{2^x\ln 2}{2^x+3}dx$　　(3) $\int \frac{1}{\cos^2 x(1+\tan x)}dx$　　(4) $\int \frac{\cos(\ln x)}{x}dx$

풀이 (1) $\ln x=t$라 놓고 양변을 x에 관하여 미분하면 $\frac{1}{x}=\frac{dt}{dx}$이므로 $\frac{1}{x}dx=dt$

$\int \frac{1}{x\ln x}dx=\int \frac{1}{t}dt=\ln|t|+C=\ln|\ln x|+C$

(2) $2^x+3=t$라 놓고 양변을 x에 관하여 미분하면 $2^x\ln 2=\frac{dt}{dx}$이므로 $2^x\ln 2dx=dt$

$\int \frac{2^x\ln 2}{2^x+3}dx=\int \frac{1}{t}dt=\ln|t|+C=\ln(2^x+3)+C$

(3) $1+\tan x=t$라 놓고 양변을 x에 관하여 미분하면 $\sec^2 x=\frac{dt}{dx}$이므로 $\sec^2 xdx=dt$

$\int \frac{1}{\cos^2 x(1+\tan x)}dx=\int \frac{\sec^2 x}{1+\tan x}dx=\int \frac{1}{t}dt=\ln|t|+C=\ln|1+\tan x|+C$ ⬅ $\frac{1}{\cos^2 x}=\sec^2 x$

(4) $\ln x=t$라 놓고 양변을 x에 관하여 미분하면 $\frac{1}{x}=\frac{dt}{dx}$이므로 $\frac{1}{x}dx=dt$

$\int \frac{\cos(\ln x)}{x}dx=\int \cos t dt=\sin t+C=\sin(\ln x)+C$

+α 더 알아보기

① $\int \tan x dx=\int \frac{\sin x}{\cos x}dx=-\int \frac{-\sin x}{\cos x}dx=-\int \frac{(\cos x)'}{\cos x}dx=-\ln|\cos x|+C$ ⬅ $\tan x=\frac{\sin x}{\cos x}$이고 $(\cos x)'=-\sin x$

② $\int \cot x dx=\int \frac{\cos x}{\sin x}dx=\int \frac{(\sin x)'}{\sin x}dx=\ln|\sin x|+C$ ⬅ $\cot x=\frac{\cos x}{\sin x}$이고 $(\sin x)'=\cos x$

05 유리함수 꼴의 부정적분

$\dfrac{f'(x)}{f(x)}$꼴이 아닌 유리함수의 부정적분은 다음과 같은 방법으로 구한다.

(1) (분자의 차수)≥(분모의 차수)인 유리함수의 부정적분

➡ 분자를 분모로 나누어 몫과 나머지로 나눈 후, $\int \dfrac{f'(x)}{f(x)}dx=\ln|f(x)|+C$를 이용하여 적분한다.

예를 들면 $\int \dfrac{x+2}{x-1}dx=\int\left(\dfrac{x-1+3}{x-1}\right)dx=\int\left(1+\dfrac{3}{x-1}\right)dx=x+3\ln|x-1|+C$

(2) (분자의 차수)<(분모의 차수)이고 분모가 인수분해 되는 유리함수의 부정적분

➡ 주어진 유리함수를 부분분수로 분해한 후, $\int \dfrac{f'(x)}{f(x)}dx=\ln|f(x)|+C$를 이용하여 적분한다.

예를 들면 $\int \dfrac{1}{x(x+1)}dx=\int\left(\dfrac{1}{x}-\dfrac{1}{x+1}\right)dx=\ln|x|-\ln|x+1|+C=\ln\left|\dfrac{x}{x+1}\right|+C$

마플해설 분모가 인수분해 되고 (분자의 차수)<(분모의 차수)인 유리함수의 부정적분의 피적분함수를 변형할 때, 부분분수로 분해하여 적분한다.

① 부분분수로의 분해 : $\dfrac{1}{x(x+1)}=\dfrac{1}{x}-\dfrac{1}{x+1}$과 같이 하나의 분수식을 더 이상 간단히 할 수 없는 두 개 이상의 분수식의 합 또는 차로 나타내는 것을 뜻하며, 이때 우변에 나타난 각 분수식을 부분분수라 한다.

② 부분분수로 분해하는 방법

일반적으로 다음과 같이 식을 변형한 후 항등식임을 이용하여 미정계수를 구한다.

분모가 일차식의 곱으로 표현되는 경우, 즉 계수가 실수인 일차식의 곱으로 표현될 때,

(i) $\dfrac{1}{(x+p)(x+q)}$의 꼴 ➡ $\dfrac{1}{(x+p)(x+q)}=\dfrac{1}{q-p}\left(\dfrac{1}{x+p}-\dfrac{1}{x+q}\right)$

(ii) $\dfrac{ax+b}{(x+p)(x+q)}$의 꼴 ➡ $\dfrac{ax+b}{(x+p)(x+q)}=\dfrac{\mathrm{A}}{x+p}+\dfrac{\mathrm{B}}{x+q}$로 변형하여 항등식임을 이용하여 A, B를 구한다.

보기 08 다음 부정적분을 구하여라.

(1) $\int \dfrac{x^2+3}{x+1}dx$ (2) $\int \dfrac{2}{x(x+2)}dx$ (3) $\int \dfrac{2}{x^2-4x+3}dx$ (4) $\int \dfrac{3x}{x^2+x-2}dx$

풀이

(1) $\dfrac{x^2+3}{x+1}=\dfrac{x^2-1+4}{x+1}=x-1+\dfrac{4}{x+1}$이므로 ⬅ (분자의 차수)≥(분모의 차수)인 경우

$\int \dfrac{x^2+3}{x+1}dx=\int(x-1)dx+4\int\dfrac{1}{x+1}dx=\dfrac{1}{2}x^2-x+4\ln|x+1|+C$

(2) $\int \dfrac{2}{x(x+2)}dx=\int\left(\dfrac{1}{x}-\dfrac{1}{x+2}\right)=\ln|x|-\ln|x+2|+C=\ln\left|\dfrac{x}{x+2}\right|+C$ ⬅ (분자의 차수)<(분모의 차수)인 경우

(3) $\int \dfrac{2}{x^2-4x+3}dx=\int\dfrac{2}{(x-3)(x-1)}dx=\int\left(\dfrac{1}{x-3}-\dfrac{1}{x-1}\right)dx$ ⬅ (분자의 차수)<(분모의 차수)인 경우

$=\ln|x-3|-\ln|x-1|+C=\ln\left|\dfrac{x-3}{x-1}\right|+C$

(4) $\dfrac{3x}{x^2+x-2}=\dfrac{a}{x+2}+\dfrac{b}{x-1}$로 놓으면 $\dfrac{3x}{x^2+x-2}=\dfrac{(a+b)x+(-a+2b)}{x^2+x-2}$

항등식에서 분자의 계수를 비교하면 $a+b=3$, $-a+2b=0$이므로

연립하면 $a=2$, $b=1$

따라서 $\dfrac{3x}{x^2+x-2}=\dfrac{2}{x+2}+\dfrac{1}{x-1}$이므로

$\int \dfrac{3x}{x^2+x-2}dx=\int\left(\dfrac{2}{x+2}+\dfrac{1}{x-1}\right)dx=2\ln|x+2|+\ln|x-1|+C=\ln|(x+2)^2(x-1)|+C$

다음 물음에 답하여라.

(1) 실수 전체의 집합에서 정의된 함수 $f(x)$에 대하여 $f(0)=\frac{1}{2}$, $f'(x)=\frac{x}{x^2+1}$일 때, $f(\sqrt{e-1})$의 값을 구하여라.

(2) 함수 $f(x)$가 $f(4)=1$이고, 도함수가 $f'(x)=\frac{14}{x^2+x-12}$일 때, $f(-5)$의 값을 구하여라.

MAPL CORE 피적함수가 분수함수의 꼴이면 먼저 분자가 분모의 도함수인지 확인하여 $\int \frac{f'(x)}{f(x)}dx=\ln|f(x)|+C$임을 이용하고 $\frac{f'(x)}{f(x)}$꼴이 아니면 부분분수로 변형하여 부정적분을 구한다.

개념익힘 | **풀이** (1) $f(x)=\int f'(x)dx=\int \frac{x}{x^2+1}dx=\frac{1}{2}\int \frac{2x}{x^2+1}dx=\frac{1}{2}\int \frac{(x^2+1)'}{x^2+1}dx=\frac{1}{2}\ln(x^2+1)+C$

$f(0)=\frac{1}{2}$이므로 $C=\frac{1}{2}$

따라서 $f(x)=\frac{1}{2}\ln(x^2+1)+\frac{1}{2}$이므로 $f(\sqrt{e-1})=\frac{1}{2}\ln(e-1+1)+\frac{1}{2}=\mathbf{1}$

(2) $f(x)=\int f'(x)dx=\int \frac{14}{x^2+x-12}dx$

$f(x)=\int\left(\frac{2}{x-3}-\frac{2}{x+4}\right)dx=2\ln|x-3|-2\ln|x+4|+C$

$f(4)=1$이므로 $f(4)=0-2\ln 8+C=-6\ln 2+C=1$

$\therefore C=6\ln 2+1$

$f(x)=2\ln|x-3|-2\ln|x+4|+6\ln 2+1$

$\therefore f(-5)=2\ln 8+6\ln 2+1=\mathbf{12\ln 2+1}$

[부분분수로 분해하는 방법]

$x^2+x-12=(x-3)(x+4)$이므로

$\frac{14}{x^2+x-12}=\frac{a}{x-3}+\frac{b}{x+4}$로 놓고

양변을 $(x-3)(x+4)$를 곱하여 정리하면

$14=(a+b)x+4a-3b$

위 식은 x에 대한 항등식이므로

$a+b=0$, $4a-3b=14$ $\therefore a=2, b=-2$

$\frac{14}{x^2+x-12}=\frac{2}{x-3}-\frac{2}{x+4}$

확인유제 0754 다음 물음에 답하여라. (단, C는 적분상수)

(1) 함수 $f(x)$에 대하여 $f'(x)=\frac{2x-1}{x^2-x+1}$, $f(-1)=\ln 3$일 때, $f(1)$의 값을 구하여라.

(2) $\int \frac{5}{x^2+x-6}dx=\ln\left|\frac{x+a}{x+b}\right|+C$를 만족하는 상수 a, b에 대하여 $b-a$의 값을 구하여라.

변형문제 0755 다음 물음에 답하여라.

(1) 함수 $f'(x)$가 $(2+\cos x)f'(x)=\sin x$를 만족시킨다. $f(0)=0$일 때, 함수 $f(\pi)$의 값은?

① 1 ② $\ln 2$ ③ $\ln 3$ ④ $\ln(e+1)$ ⑤ 3

(2) $f(0)=\ln 2$를 만족하는 함수 $f(x)$의 도함수 $f'(x)$가 $f'(x)=\frac{3^x\ln 3}{3^x+1}$일 때, 함수 $f(1)$의 값은?

① $\ln 2$ ② $2\ln 2$ ③ $3\ln 2$ ④ $2\ln 3$ ⑤ $2\ln 5$

발전문제 0756 연속함수 $f(x)$가 다음 조건을 만족시킨다.

2017년 10월 교육청

(가) $x\neq 0$인 실수 x에 대하여 $\{f(x)\}^2 f'(x)=\frac{2x}{x^2+1}$

(나) $f(0)=0$

$\{f(1)\}^3$의 값은?

① $2\ln 2$ ② $3\ln 2$ ③ $1+2\ln 2$ ④ $4\ln 2$ ⑤ $1+3\ln 2$

정답 0754 : (1) 0 (2) 5 0755 : (1) ③ (2) ② 0756 : ②

마플개념익힘 02 무리함수의 치환적분법

다음 물음에 답하여라.

(1) 함수 $f(x)=\int(2x+1)\sqrt{x^2+x+3}\,dx$에 대하여 $f(-1)=2\sqrt{3}$일 때, 함수 $f(2)$를 구하여라.

(2) 함수 $f(x)=\int\frac{x}{\sqrt{1-x^2}}dx$에 대하여 $f(1)=0$일 때, 함수 $f\left(\frac{4}{5}\right)$를 구하여라.

MAPL CORE $\int f'(x)\sqrt{f(x)}dx$ 또는 $\int\frac{f'(x)}{\sqrt{f(x)}}dx$와 같이 피적분함수가 무리함수를 포함한 경우에는 $f(x)=t$로 치환하여 부정적분을 구한다. 이때 $\sqrt{f(t)}=t$로 치환하여도 결과는 같다.

① $\int f'(x)\sqrt{f(x)}dx=\int\sqrt{t}\,dt=\frac{2}{3}t\sqrt{t}+C$

② $\int\frac{f'(x)}{\sqrt{f(x)}}dx=\int\frac{1}{\sqrt{t}}dt=\int t^{-\frac{1}{2}}dt=2\sqrt{t}+C$

개념익힘 | 풀이 (1) $x^2+x+3=t$로 놓고 양변을 x에 관하여 미분하면 $2x+1=\frac{dt}{dx}$, 즉 $(2x+1)dx=dt$

$f(x)=\int(2x+1)\sqrt{x^2+x+3}\,dx=\int\sqrt{t}\,dt=\frac{2}{3}t\sqrt{t}+C=\frac{2}{3}(x^2+x+3)\sqrt{x^2+x+3}+C$

이때 $f(-1)=\frac{2}{3}\cdot3\sqrt{3}+C=2\sqrt{3}$ $\quad\therefore C=0$

따라서 $f(x)=\frac{2}{3}(x^2+x+3)\sqrt{x^2+x+3}$이므로 $f(2)=\frac{2}{3}\cdot9\cdot\sqrt{9}=\mathbf{18}$

(2) $1-x^2=t$로 놓고 양변을 x에 관하여 미분하면 $-2x=\frac{dt}{dx}$, 즉 $xdx=-\frac{1}{2}dt$

$f(x)=\int\frac{x}{\sqrt{1-x^2}}dx=\int\frac{1}{\sqrt{t}}\cdot\left(-\frac{1}{2}\right)dt=-\frac{1}{2}\int t^{-\frac{1}{2}}dt=-\frac{1}{2}\cdot2t^{\frac{1}{2}}+C$

$=-\sqrt{t}+C=-\sqrt{1-x^2}+C$

이때 $f(1)=0+C=0$에서 $C=0$

따라서 $f(x)=-\sqrt{1-x^2}$이므로 $f\left(\frac{4}{5}\right)=-\frac{\mathbf{3}}{\mathbf{5}}$

확인유제 0757 다음 물음에 답하여라.

(1) 함수 $f(x)=\int(x-1)\sqrt{x^2-2x+4}\,dx$, $f(0)=-\frac{1}{3}$을 만족시킬 때, $f(4)$의 값을 구하여라.

(2) 함수 $f(x)=\int\frac{x}{\sqrt{x^2+5}}dx$에 대하여 $f(2)=-1$일 때, $f(\sqrt{11})$의 값을 구하여라.

변형문제 0758 함수 $f(x)=\int\frac{x+1}{\sqrt{x^2+2x+3}}dx$에 대하여 $f(3)=3\sqrt{2}$일 때, $f(1)$의 값은?

① $\sqrt{2}$ ② $\sqrt{3}$ ③ 2 ④ $\sqrt{5}$ ⑤ $\sqrt{6}$

발전문제 0759 미분가능한 함수 $f(x)$가

$$\lim_{h\to0}\frac{f(x+h)-f(x)}{h}=x\sqrt{x^2+1},\ f(0)=\frac{1}{3}$$

을 만족시킬 때, $f(2\sqrt{2})$의 값은?

① 3 ② 4 ③ 6 ④ 9 ⑤ 12

정답 0757 : (1) $8\sqrt{3}-3$ (2) 0 0758 : ⑤ 0759 : ④

마플개념익힘 03 삼각함수의 치환적분법 (1)

다음 물음에 답하여라.

(1) $f(x)=\int(1-\sin x)^5\cos x dx$에 대하여 $f\left(\frac{\pi}{2}\right)=0$일 때, $f(\pi)$의 값을 구하여라.

(2) $f(x)=\int\cos^3 x dx$에 대하여 $f(0)=2$일 때, $f\left(\frac{\pi}{2}\right)$의 값을 구하여라.

MAPL CORE

피적분함수가 $\int f(\sin x)\cos x dx$꼴이면 $(\sin x)'=\cos x$이므로 $\sin x=t$로 치환하여

$\int f(\sin x)\cos x dx=\int f(\sin x)(\sin x)'dx=\int f(t)dt$임을 이용하여 부정적분을 구한다.

① $\int f(\sin x)\cos x dx$ ⇨ $\sin x=t$로 치환한다. $\int f(\sin x)\cos x dx=\int f(t)dt$ ⬅ $\cos x dx=dt$

② $\int f(\cos x)\sin x dx$ ⇨ $\cos x=t$로 치환한다. $\int f(\cos x)\sin x dx=\int\{-f(t)\}dt$ ⬅ $-\sin x dx=dt$

개념익힘 | 풀이

(1) $1-\sin x=t$로 놓고 양변을 x에 관하여 미분하면 $-\cos x=\frac{dt}{dx}$, 즉 $-\cos x dx=dt$

$f(x)=\int(1-\sin x)^5\cos x dx=\int t^5(-dt)=-\frac{1}{6}t^6+C=-\frac{1}{6}(1-\sin x)^6+C$

$f\left(\frac{\pi}{2}\right)=0$에서 $C=0$이므로 $f(x)=-\frac{1}{6}(1-\sin x)^6$ $\quad\therefore f(\pi)=-\frac{1}{6}$

(2) $f(x)=\int\cos^3 x dx=\int\cos^2 x\cos x dx=\int(1-\sin^2 x)\cos x dx$

$\sin x=t$로 놓고 양변을 x에 관하여 미분하면 $\cos x=\frac{dt}{dx}$, 즉 $\cos x dx=dt$

$f(x)=\int(1-t^2)dt=t-\frac{1}{3}t^3+C=\sin x-\frac{1}{3}\sin^3 x+C$

$f(0)=2$에서 $C=2$이므로 $f(x)=\sin x-\frac{1}{3}\sin^3 x+2$ $\quad\therefore f\left(\frac{\pi}{2}\right)=\frac{8}{3}$

확인유제 0760 다음 물음에 답하여라.

(1) $f(x)=\int(\sin^3 x+1)\cos x dx$에 대하여 $f(\pi)=1$일 때, $f\left(\frac{\pi}{2}\right)$의 값을 구하여라.

(2) $f(x)=\int\frac{\cos^3 x}{1-\sin x}dx$에 대하여 $f(\pi)=\frac{1}{2}$일 때, $f\left(\frac{\pi}{2}\right)$의 값을 구하여라.

변형문제 0761 함수 $f(x)$에 대하여

$\sin 2x=2\sin x\cos x$

$$f(x)=\int(1-\sin^2 x)\sin 2x dx,\ f(\pi)=0$$

일 때, $f\left(\frac{\pi}{2}\right)$의 값은?

① $\frac{1}{3}$ ② $\frac{1}{2}$ ③ $\frac{3}{5}$ ④ $\frac{4}{5}$ ⑤ $\frac{5}{6}$

발전문제 0762 $-\frac{\pi}{2}\le x\le\frac{\pi}{2}$에서 정의된 미분가능한 함수

$$f'(x)=\frac{\sec^2 x}{1+\tan x},\ f(0)=0$$

일 때, $f\left(\frac{\pi}{4}\right)$의 값을 구하여라.

정답 0760 : (1) $\frac{9}{4}$ (2) 2 0761 : ② 0762 : $\ln 2$

구간 $\left[0, \frac{\pi}{4}\right]$에서 정의된 함수 $f(x)$의 도함수 $f'(x)$가

$$f'(x)=\tan x+\tan^2 x+\tan^3 x+\tan^4 x$$

이고 $f(0)=0$일 때, $f\left(\frac{\pi}{4}\right)$의 값을 구하여라.

MAPL CORE 피적분함수가 $\int f(\tan x)\sec^2 x dx$꼴이면 $(\tan x)'=\sec^2 x$이므로 $\tan x=t$로 치환하여

$\int f(\tan x)\sec^2 x dx=\int f(\tan x)(\tan x)' dx=\int f(t)dt$임을 이용하여 부정적분을 구한다.

즉, $\int f(\tan x)\sec^2 x dx$ ⇨ $\tan x=t$로 치환한다. $\int f(\tan x)\sec^2 x dx=\int f(t)dt$ ⬅ $\sec^2 x dx=dt$

개념익힘 | **풀이** $f(x)=\int(\tan x+\tan^2 x+\tan^3 x+\tan^4 x)dx$

$=\int\{\tan x(1+\tan^2 x)+\tan^2 x(1+\tan^2 x)\}dx$ ⬅ $1+\tan^2 x=\sec^2 x$

$=\int(\tan x\sec^2 x+\tan^2 x\sec^2 x)dx$

$=\int\{(\tan x+\tan^2 x)\sec^2 x\}dx$

이때 $\tan x=t$로 놓으면 $\frac{dt}{dx}=\sec^2 x$, 즉 $\sec^2 x dx=dt$이므로

$\int(\tan x+\tan^2 x)\sec^2 x dx=\int(t+t^2)dt=\frac{1}{3}t^3+\frac{1}{2}t^2+C=\frac{1}{3}\tan^3 x+\frac{1}{2}\tan^2 x+C$

$f(0)=0$에서 $C=0$

따라서 $f(x)=\frac{1}{3}\tan^3 x+\frac{1}{2}\tan^2 x$이므로 $f\left(\frac{\pi}{4}\right)=\frac{1}{3}+\frac{1}{2}=\mathbf{\frac{5}{6}}$

확인유제 **0763** 구간 $\left[-\frac{\pi}{2}, \frac{\pi}{2}\right]$에서 정의된 함수 $f(x)$의 도함수 $f'(x)$가

$$f'(x)=\tan x+\tan^2 x+\tan^3 x$$

이다. $f(0)=\frac{\pi}{4}$일 때, $f\left(\frac{\pi}{4}\right)$의 값은?

① $\frac{1}{2}$ ② $\frac{2}{3}$ ③ 1 ④ $\frac{3}{2}$ ⑤ 2

변형문제 **0764** 구간 $[0, \pi]$에서 정의된 함수 $f(x)$의 도함수 $f'(x)$가

$$f'(x)=\cot^2 x+\cot^4 x$$

이다. $f\left(\frac{\pi}{4}\right)=-\frac{1}{3}$일 때, $f\left(\frac{\pi}{6}\right)$의 값은?

① $-\frac{\sqrt{3}}{3}$ ② -1 ③ $\frac{\sqrt{3}}{3}$ ④ 1 ⑤ $-\sqrt{3}$

발전문제 **0765** 곡선 $y=f(x)$ 위의 점 (x, y)에서의 접선의 기울기가 $\tan x+\tan^3 x$라 하고 이 곡선이 점 $(0, 0)$을 지날 때, $f\left(\frac{\pi}{3}\right)$의 값을 구하여라. $\left(\text{단, } -\frac{\pi}{2}<x<\frac{\pi}{2}\right)$

정답 0763 : ④ 0764 : ⑤ 0765 : $\frac{3}{2}$

다음 물음에 답하여라.

(1) $f(x)=\int xe^{x^2}dx$에서 대하여 $f(0)=1$일 때, $f(1)$의 값을 구하여라.

(2) $f(x)=\int \frac{4(\ln x)^3}{x}dx$에 대하여 $f(e)=2$일 때, $f(e^3)$의 값을 구하여라.

MAPL CORE

지수함수의 치환적분	로그함수의 치환적분
$\int f'(x)e^{f(x)}dx$꼴의 적분	$\int \frac{\ln x}{ax}dx\,(a\neq 0)$꼴의 적분
[1단계] $f(x)=t$로 놓으면 $f'(x)dx=dt$	[1단계] $\ln x=t$로 놓으면 $\frac{1}{x}dx=dt$
[2단계] $\int f'(x)e^{f(x)}dx=\int e^t dt=e^t+C$	[2단계] $\int \frac{\ln x}{ax}dx=\frac{1}{a}\int tdt=\frac{1}{2a}t^2+C$
[3단계] 그 결과는 처음의 변수로 바꾸어 나타내어야 한다. $\int f'(x)e^{f(x)}dx=e^{f(x)}+C$	[3단계] 그 결과는 처음의 변수로 바꾸어 나타내어야 한다. $\int \frac{\ln x}{ax}dx=\frac{1}{2a}(\ln x)^2+C$

개념익힘 | 풀이 (1) $x^2=t$로 놓고 양변을 x에 관하여 미분하면 $2x=\frac{dt}{dx}$, 즉 $2xdx=dt$

$f(x)=\int xe^{x^2}dx=\frac{1}{2}\int e^t dt=\frac{1}{2}e^t+C=\frac{1}{2}e^{x^2}+C$

이때 $f(0)=\frac{1}{2}+C=1 \quad \therefore C=\frac{1}{2}$

따라서 $f(x)=\frac{1}{2}e^{x^2}+\frac{1}{2}$이므로 $f(1)=\mathbf{\frac{1}{2}(e+1)}$

(2) $\ln x=t$로 놓고 양변을 x에 관하여 미분하면 $\frac{1}{x}=\frac{dt}{dx}$, 즉 $\frac{1}{x}dx=dt$

$f(x)=\int \frac{4(\ln x)^3}{x}dx=\int 4t^3dt=t^4+C=(\ln x)^4+C$

이때 $f(e)=2$이므로 $C=1$

따라서 $f(x)=(\ln x)^4+1$이므로 $f(e^3)=(\ln e^3)^4+1=\mathbf{82}$

확인유제 0766 다음 물음에 답하여라.

(1) 함수 $f(x)=\int 6xe^{x^2+1}dx$에 대하여 $f(0)=3e$일 때, $f(1)$의 값을 구하여라.

(2) 함수 $f(x)=\int \frac{\sin(\ln x)}{x}dx$에 대하여 $f(e^{\pi})=1$일 때, $f(e^{2\pi})$의 값을 구하여라.

변형문제 0767 다음 물음에 답하여라.

(1) 함수 $f(x)=\int \frac{1}{x\sqrt{\ln x+7}}dx$에 대하여 $f(e^2)=8$일 때, $f(e^{18})$의 값은?

① 12 ② 10 ③ 9 ④ 8 ⑤ 7

(2) 함수 $f(x)=\int \frac{2x\ln(1+x^2)}{1+x^2}dx$에 대하여 $f(0)=3$일 때, $f(\sqrt{e^2-1})$의 값은?

① 1 ② 2 ③ 3 ④ 4 ⑤ 5

발전문제 0768 실수 전체의 집합에서 미분 가능한 함수 $f(x)$에 대하여

$$\lim_{h\to 0}\frac{f(x+h)-f(x-h)}{h}=4xe^{x^2},\ f(0)=2$$

일 때, $f(\sqrt{2})$의 값은?

① e^2-2 ② e^2-1 ③ e^2 ④ e^2+1 ⑤ e^2+2

정답 0766 : (1) $3e^2$ (2) -1 0767 : (1) ① (2) ⑤ 0768 : ④

03 부분적분법

01 부분적분법

두 함수 $f(x)$, $g(x)$가 미분가능할 때, 다음 공식을 이용한 적분법을 부분적분법이라 한다.

$$\int f(x)g'(x)dx = f(x)g(x) - \int f'(x)g(x)dx$$

(적분 / 그대로 / 그대로 / 미분)

마플해설 함수의 곱의 미분법을 이용하여 곱의 꼴로 된 함수의 부정적분을 구하여 보자.

두 함수 $f(x)$, $g(x)$가 미분가능할 때, 두 함수의 곱 $f(x)g(x)$를 미분하면 $\{f(x)g(x)\}' = f'(x)g(x) + f(x)g'(x)$이므로

양변을 x에 대하여 적분하면 $f(x)g(x) = \int f'(x)g(x)dx + \int f(x)g'(x)dx$

이다. 따라서 다음 공식이 성립한다.

$$\int f(x)g'(x)dx = f(x)g(x) - \int f'(x)g(x)dx$$

이와 같은 공식을 이용한 적분법을 부분적분법이라고 한다.

참고 미분가능한 함수 $f(x)$, $g(x)$에 대하여 $u=f(x)$, $v=g(x)$라 하면 $\int uv'dx = uv - \int u'vdx$

02 부분적분법을 적용하는 요령 (로 다 삼 지)

부분적분법을 이용할 때 미분하면 더 간단해지는 함수를 $f(x)$로, 적분하기 쉬운 함수를 $g'(x)$로 놓으면 편리하다.

즉, 서로 다른 두 종류의 함수를 다음과 같은 요령으로 $f(x)$, $g'(x)$를 결정하면 된다.

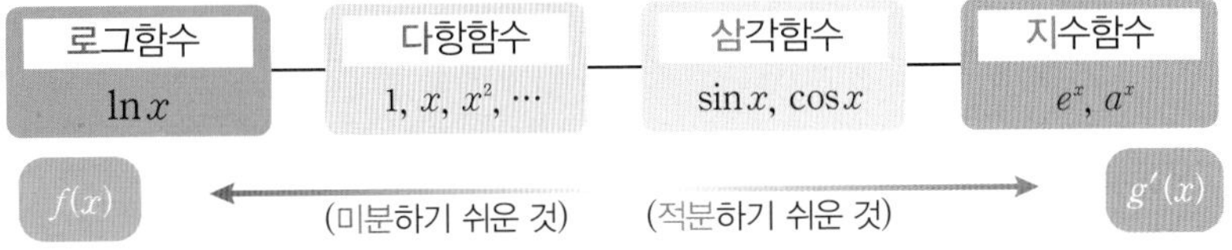

마플해설 어떤 함수를 $f(x)$, $g'(x)$로 놓아야 적분을 간단히 할 수 있는 방법은 일반적으로 적분하기 어려운 함수 또는 미분하면 간단해지는 함수를 $f(x)$로 놓고, 상대적으로 적분하기 쉬운 함수를 $g'(x)$로 놓는다.

다음 표는 간단한 로그함수, 다항함수, 삼각함수, 지수함수의 미분과 적분을 나타낸 것이다.

	로그함수 $\ln x$	다항함수 x	삼각함수 $\sin x$	지수함수 e^x
미분	$\frac{1}{x}$	1	$\cos x$	e^x
적분	$x\ln x - x + C$	$\frac{1}{2}x^2 + C$	$-\cos x + C$	$e^x + C$

위의 표에서 살펴보면 4종류의 함수 모두 미분하기는 쉬우나 적분하기에는 지수함수, 삼각함수, 다항함수, 로그함수 순으로 쉽다는 사실을 알 수 있다.

따라서 $g'(x)$는 지수함수, 삼각함수, 다항함수, 로그함수 순으로 택하고, 나머지는 $f(x)$로 한다.

EX $\int x\sin x dx$에서는 ⇨ $f(x)=x$, $g'(x)=\sin x$

$\int x\ln x dx$에서는 ⇨ $f(x)=\ln x$, $g'(x)=x$

$\int xe^x dx$에서는 ⇨ $f(x)=x$, $g'(x)=e^x$

보기 01 다음 부정적분을 구하여라.

(1) $\int xe^x dx$ (2) $\int x\sin x dx$

풀이 (1) $f(x)=x$, $g'(x)=e^x$으로 놓으면 $f'(x)=1$, $g(x)=e^x$이므로 $\int xe^x dx = xe^x - \int 1\cdot e^x dx = xe^x - e^x + C$

(2) $f(x)=x$, $g'(x)=\sin x$로 놓으면 $f'(x)=1$, $g(x)=-\cos x$이므로

$\int x\sin x dx = -x\cos x + \int 1\cdot\cos x dx = -x\cos x + \sin x + C$

보기 02 다음 부정적분을 구하여라.

(1) $\int xe^{3x}dx$　　　　(2) $\int x\cos 2xdx$

풀이 (1) $f(x)=x,\ g'(x)=e^{3x}$로 놓으면 $f'(x)=1,\ g(x)=\frac{1}{3}e^{3x}$

$$\int xe^{3x}dx=\frac{1}{3}e^{3x}x-\int\frac{1}{3}e^{3x}\cdot 1dx=\frac{1}{3}xe^{3x}-\frac{1}{9}e^{3x}+C$$

(2) $f(x)=x,\ g'(x)=\cos 2x$로 놓으면 $f'(x)=1,\ g(x)=\frac{1}{2}\sin 2x$

$$\int x\cos 2xdx=\frac{1}{2}(\sin 2x)\cdot x-\int\frac{1}{2}(\sin 2x)\cdot 1dx=\frac{1}{2}x\sin 2x+\frac{1}{4}\cos 2x+C$$

보기 03 다음 부정적분을 구하여라.

(1) $\int x^2\sin xdx$　　　　(2) $\int x^2\cos xdx$

풀이 (1) $f(x)=x^2,\ g'(x)=\sin x$로 놓으면 $f'(x)=2x,\ g(x)=-\cos x$

$$\int x^2\sin xdx=x^2\cdot(-\cos x)+2\int x\cos xdx$$

같은 방법으로 $\int x\cos xdx$에서 $u(x)=x,\ v'(x)=\cos x$로 놓으면 $u'(x)=1,\ v(x)=\sin x$

$$\int x^2\sin xdx=-x^2\cos x+2\left\{x\sin x-\int 1\cdot\sin xdx\right\}=-x^2\cos x+2x\sin x-2\int\sin xdx$$

$$=-x^2\cos x+2x\sin x+2\cos x+C=(2-x^2)\cos x+2x\sin x+C$$

(2) $f(x)=x^2,\ g'(x)=\cos x$로 놓으면 $f'(x)=2x,\ g(x)=\sin x$

$$\int x^2\cos xdx=x^2\sin x-\int 2x\sin xdx=x^2\sin x-2\int x\sin xdx$$

같은 방법으로 $\int x\sin xdx$에서 $u(x)=x,\ v'(x)=\sin x$로 놓으면 $u'(x)=1,\ v(x)=-\cos x$

$$\int x^2\cos xdx=x^2\sin x-2\left\{x(-\cos x)-\int 1\cdot(-\cos x)dx\right\}=x^2\sin x+2x\cos x-2\int\cos xdx$$

$$=x^2\sin x+2x\cos x-2\sin x+C=(x^2-2)\sin x+2x\cos x+C$$

보기 04 다음 부정적분을 구하여라.

(1) $\int x^2e^xdx$　　　　(2) $\int x^2e^{-x}dx$

풀이 (1) $f(x)=x^2,\ g'(x)=e^x$으로 놓으면 $f'(x)=2x,\ g(x)=e^x$이므로

$$\int x^2e^xdx=e^x\cdot x^2-\int e^x\cdot 2xdx=x^2e^x-2\int xe^xdx$$

같은 방법으로 $\int xe^xdx$에서 $u(x)=x,\ v'(x)=e^x$으로 놓으면 $u'(x)=1,\ v(x)=e^x$

$$\int x^2e^xdx=x^2e^x-2\left\{xe^x-\int 1\cdot e^xdx\right\}=x^2e^x-2xe^x+2\int e^xdx$$

$$=x^2e^x-2xe^x+2e^x+C=(x^2-2x+2)e^x+C$$

(2) $f(x)=x^2,\ g'(x)=e^{-x}$로 놓으면 $f'(x)=2x,\ g(x)=-e^{-x}$이므로

$$\int x^2e^{-x}dx=-e^{-x}x^2-\int(-e^{-x})2xdx=-x^2e^{-x}+2\int xe^{-x}dx$$

같은 방법으로 $\int xe^{-x}dx$에서 $u(x)=x,\ v'(x)=e^{-x}$로 놓으면 $u'(x)=1,\ v(x)=-e^{-x}$

$$\int x^2e^{-x}dx=-x^2e^{-x}+2\left\{-xe^{-x}-\int 1\cdot(-e^{-x})dx\right\}=-x^2e^{-x}-2xe^{-x}+2\int e^{-x}dx$$

$$=-x^2e^{-x}-2xe^{-x}-2e^{-x}+C=-(x^2+2x+2)e^{-x}+C$$

보기 05 다음 부정적분을 구하여라.

(1) $\int e^x \sin x dx$ (2) $\int e^x \cos x dx$

풀이 (1) $f(x)=\sin x$, $g'(x)=e^x$으로 놓으면 $f'(x)=\cos x$, $g(x)=e^x$이므로

$\int e^x \sin x dx = e^x \sin x - \int e^x \cos x dx$ …… ㉠

$\int e^x \cos x dx$를 구하기 위하여 부분적분법을 한 번 더 적용하면

$\int e^x \cos x dx = e^x \cos x + \int e^x \sin x dx$ …… ㉡ ⬅ $u(x)=e^x$, $v'(x)=\cos x$

㉡을 ㉠에 대입하여 정리하면 $\int e^x \sin x dx = e^x \sin x - \left(e^x \cos x + \int e^x \sin x dx\right)$

따라서 $2\int e^x \sin x dx = e^x(\sin x - \cos x)$이므로 $\int e^x \sin x dx = \frac{1}{2}e^x(\sin x - \cos x)+C$

다른풀이 $f(x)=e^x$, $g'(x)=\sin x$로 놓고 부분적분법하기

$f(x)=e^x$, $g'(x)=\sin x$로 놓으면 $f'(x)=e^x$, $g(x)=-\cos x$이므로

$\int e^x \sin x dx = -e^x \cos x + \int e^x \cos x dx$ …… ㉠

$\int e^x \cos x dx$에 부분적분법을 다시 적용하면 $\int e^x \cos x dx = e^x \sin x - \int e^x \sin x dx$ …… ㉡

㉡을 ㉠에 대입하여 정리하면 $\int e^x \sin x dx = -e^x \cos x + \left(e^x \sin x - \int e^x \sin x dx\right)$

따라서 $2\int e^x \sin x dx = e^x(\sin x - \cos x)$이므로 $\int e^x \sin x dx = \frac{1}{2}e^x(\sin x - \cos x)+C$

(2) $f(x)=\cos x$, $g'(x)=e^x$으로 놓으면 $f'(x)=-\sin x$, $g(x)=e^x$이므로

$\int e^x \cos x dx = e^x \cos x + \int e^x \sin x dx$ …… ㉠

$\int e^x \sin x dx$를 구하기 위하여 부분적분법을 한 번 더 적용하면

$\int e^x \sin x dx = e^x \sin x - \int e^x \cos x dx$ …… ㉡ ⬅ $u(x)=e^x$, $v'(x)=\sin x$

㉡를 ㉠에 대입하여 정리하면 $\int e^x \cos x dx = e^x \cos x + \left(e^x \sin x - \int e^x \cos x dx\right)$

따라서 $2\int e^x \cos x dx = e^x(\sin x + \cos x)$이므로 $\int e^x \cos x dx = \frac{1}{2}e^x(\sin x + \cos x)+C$

다른풀이 $f(x)=e^x$, $g'(x)=\cos x$로 놓고 부분적분법하기

$\int e^x \cos x dx = e^x \sin x - \int e^x \sin x dx$ …… ㉠

$\int e^x \sin x dx$에 부분적분법을 다시 적용하면 $\int e^x \sin x dx = -e^x \cos x + \int e^x \cos x dx$ …… ㉡

㉡을 ㉠에 대입하여 정리하면 $\int e^x \cos x dx = e^x \sin x - \left(-e^x \cos x + \int e^x \cos x dx\right)$

따라서 $2\int e^x \cos x dx = e^x(\sin x + \cos x)$이므로 $\int e^x \cos x dx = \frac{1}{2}e^x(\sin x + \cos x)+C$

더 알아보기

부분적분법 쉽게 기억하기 (로 다 삼 지)

어떤 함수를 $f(x)$, $g(x)'$로 놓을지 애매한 경우가 있으며, 때로는 적분이 되지 않는 경우도 간혹 만나게 된다.
이와 같은 걱정을 덜어주기 위해 1983년 미국의 한 수학 교수가 오른쪽과 같은 도표를 만들었다.
위의 표에서 적분하려는 함수를 L, A, T, E의 순서로 놓고 먼저 나오는 함수를 $f(x)$, 나중에 나오는 함수를 $g'(x)$로 놓으면 편리하다.

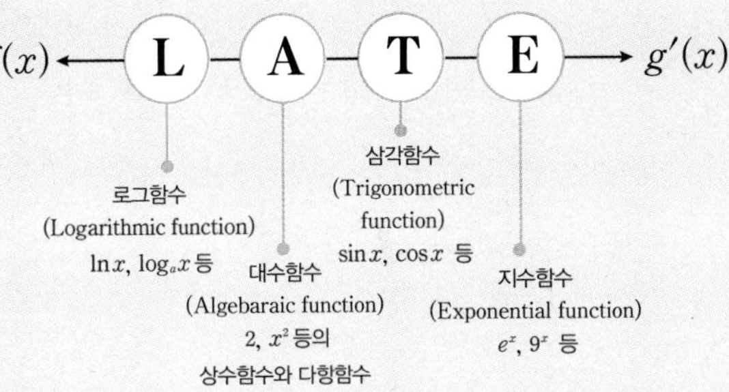

03 로그함수의 부분적분법

(1) $\ln x$, $\log_a x$의 부정적분

① $\int \ln x dx = x\ln x - x + C$

② $\int \log_a x dx = \frac{1}{\ln a}(x\ln x - x) + C$

설명 ① $f(x)=\ln x$, $g'(x)=1$로 놓으면 $f'(x)=\frac{1}{x}$, $g(x)=x$이므로 부분적분법에 의하여

$\int \ln x dx = x\ln x - \int \frac{1}{x}\cdot x dx = x\ln x - \int dx = x\ln x - x + C$ (단, C는 적분상수)

② $\int \log_a x dx = \int \frac{\ln x}{\ln a} dx = \frac{1}{\ln a}\int \ln x dx = \frac{1}{\ln a}(x\ln x - x) + C$

(2) 기타 로그함수의 부정적분

① $\int x\ln x dx = \frac{1}{2}x^2\ln x - \frac{x^2}{4} + C$

② $\int (\ln x)^2 dx = x(\ln x)^2 - 2x\ln x + 2x + C$

③ $\int \ln(x+a) dx = (x+a)\ln(x+a) - x + C$

설명 ① $f(x)=\ln x$, $g'(x)=x$로 놓으면 $f'(x)=\frac{1}{x}$, $g(x)=\frac{1}{2}x^2$이므로

$\int x\ln x dx = \frac{1}{2}x^2\ln x - \int \frac{1}{2}x^2\cdot\frac{1}{x}dx = \frac{1}{2}x^2\ln x - \frac{1}{4}x^2 + C$

② $f(x)=(\ln x)^2$, $g'(x)=1$로 놓으면 $f'(x)=2(\ln x)\cdot\frac{1}{x}$, $g(x)=x$이므로

$\int (\ln x)^2 dx = x(\ln x)^2 - \int x\cdot 2(\ln x)\frac{1}{x}dx = x(\ln x)^2 - 2\int \ln x dx$

$= x(\ln x)^2 - 2x\ln x + 2x + C$

③ $f(x)=\ln(x+a)$, $g'(x)=1$로 놓으면 $f'(x)=\frac{1}{x+a}$, $g(x)=x$이므로

$\int 1\cdot\ln(x+a)dx = x\ln(x+a) - \int x\cdot\frac{1}{x+a}dx = x\ln(x+a) - \int\left(1-\frac{a}{x+a}\right)dx$

$= x\ln(x+a) - x + a\ln(x+a) + C$

$= (x+a)\ln(x+a) - x + C$

보기 06 다음 부정적분을 구하여라.

(1) $\int x^2\ln x dx$ (2) $\int \ln(x+1)dx$

풀이 (1) $f(x)=\ln x$, $g'(x)=x^2$으로 놓으면 $f'(x)=\frac{1}{x}$, $g(x)=\frac{1}{3}x^3$이므로

$\int x^2\ln x dx = \frac{1}{3}x^3\cdot\ln x - \int \frac{1}{3}x^3\cdot\frac{1}{x}dx = \frac{1}{3}x^3\ln x - \frac{1}{9}x^3 + C$

(2) $f(x)=\ln(x+1)$, $g'(x)=1$로 놓으면 $f'(x)=\frac{1}{x+1}$, $g(x)=x$

$\int 1\cdot\ln(x+1)dx = x\ln(x+1) - \int x\cdot\frac{1}{x+1}dx = x\ln(x+1) - \int\left(1-\frac{1}{x+1}\right)dx$

$= x\ln(x+1) - x + \ln(x+1) + C$

$= (x+1)\ln(x+1) - x + C$

마플개념익힘 01 (다항함수 × 지수함수), (다항함수 × 삼각함수)의 부분적분법

다음 물음에 답하여라.

(1) $h(x)=\int(x+2)e^x dx$에 대하여 $h(1)=2e$일 때, $h(2)$의 값을 구하여라.

(2) $h(x)=\int x\cos 2x dx$에 대하여 $h(0)=\frac{1}{4}$일 때, $h\left(\frac{\pi}{2}\right)$의 값을 구하여라.

MAPL CORE 곱해져 있는 두 함수 중에서 미분한 결과가 간단해지는 함수를 $f(x)$로, 적분하기 쉬운 함수를 $g'(x)$로 놓고 부분적분법을 이용한다.

① (다항함수)×(지수함수)꼴 ⇨ 다항함수를 $f(x)$로, 지수함수를 $g'(x)$로 놓는다.

② (다항함수)×(삼각함수)꼴 ⇨ 다항함수를 $f(x)$로, 삼각함수를 $g'(x)$로 놓는다.

개념익힘 | **풀이** (1) $f(x)=x+2,\ g'(x)=e^x$로 놓으면 $f'(x)=1,\ g(x)=e^x$

$h(x)=\int(x+2)e^x dx=(x+2)e^x-\int 1\cdot e^x dx=(x+1)e^x+C$

이때 $h(1)=2e$이므로 $h(1)=2e+C=2e$ $\quad\therefore C=0$

따라서 $h(x)=(x+1)e^x$이므로 $h(2)=\mathbf{3e^2}$

(2) $f(x)=x,\ g'(x)=\cos 2x$로 놓으면 $f'(x)=1,\ g(x)=\frac{1}{2}\sin 2x$

$h(x)=\int x\cos 2x dx=x\cdot\frac{1}{2}\sin 2x-\int 1\cdot\frac{1}{2}\sin 2x dx=\frac{1}{2}x\sin 2x+\frac{1}{4}\cos 2x+C$

이때 $h(0)=\frac{1}{4}$이므로 $h(0)=\frac{1}{4}+C$ $\quad\therefore C=0$

따라서 $h(x)=\frac{1}{2}x\sin 2x+\frac{1}{4}\cos 2x$이므로 $h\left(\frac{\pi}{2}\right)=\frac{1}{2}\cdot\frac{\pi}{2}\cdot 0+\frac{1}{4}\cdot(-1)=\mathbf{-\frac{1}{4}}$

확인유제 0769 다음 물음에 답하여라.

(1) 함수 $h(x)=\int xe^{-x}dx$에 대하여 $h(0)=-1$일 때, $h(1)$의 값을 구하여라.

(2) 함수 $h(x)=\int x\sin 2x dx$에 대하여 $h(0)=\frac{1}{4}$일 때, $h\left(\frac{\pi}{4}\right)$의 값을 구하여라.

변형문제 0770 미분가능한 함수 $f(x)$의 부정적분 중 하나를 $F(x)$라 할 때,

$$F(x)=xf(x)-x^2e^{-x},\ f(1)=0$$

을 만족한다. $f(-1)$의 값은? $\left(\text{단, } F(x)=\int f(x)dx\right)$

① $-2e$ ② $-3e^{-2}$ ③ e ④ $2e$ ⑤ $3e^2$

발전문제 0771 미분가능한 함수 $f(x)$가

$$\int f(x)dx=xf(x)-x^2\sin x,\ f(0)=0$$

일 때, 함수 $f(\pi)$의 값을 구하여라.

정답 0769 : (1) $-2e^{-1}$ (2) $\frac{1}{2}$ 0770 : ① 0771 : 2

마플개념익힘 02 (다항함수 × 로그함수)의 부분적분법

다음 물음에 답하여라.

(1) 곡선 $y=f(x)$ 위의 점 $(x,\ y)$에서의 접선의 기울기가 $x\ln x$이다. 이 곡선이 점 $(1,\ 2)$를 지날 때, $f(e)$를 구하여라.

(2) 함수 $h(x)=\int x^2\ln x dx$에 대하여 $h(1)=\frac{8}{9}$일 때, $h(e)$의 값을 구하여라.

MAPL CORE (다항함수)×(로그함수)꼴 ⇨ 로그함수를 $f(x)$로, 다항함수를 $g'(x)$로 놓는다.

① $\int \ln x dx = x\ln x - x + C$

② $\int \ln(x+a)dx=(x+a)\ln(x+a)-x+C$

개념익힘 | 풀이 (1) 접선의 기울기가 $f'(x)=x\ln x$이므로 $f(x)=\int f'(x)dx=\int x\ln x dx$

$u(x)=\ln x,\ v'(x)=x$로 놓으면 $u'(x)=\frac{1}{x},\ v(x)=\frac{1}{2}x^2$이므로

$f(x)=\frac{1}{2}x^2\ln x-\int \frac{1}{2}x^2\cdot\frac{1}{x}dx=\frac{1}{2}x^2\ln x-\frac{1}{4}x^2+C$

이때 곡선 $y=f(x)$는 점 $(1,\ 2)$를 지나므로 $f(1)=-\frac{1}{4}+C=2 \quad \therefore C=\frac{9}{4}$

따라서 $f(x)=\frac{1}{2}x^2\ln x-\frac{1}{4}x^2+\frac{9}{4}$이므로 $f(e)=\mathbf{\frac{1}{4}e^2+\frac{9}{4}}$

(2) $f(x)=\ln x,\ g'(x)=x^2$로 놓으면 $f'(x)=\frac{1}{x},\ g(x)=\frac{1}{3}x^3$이므로

$h(x)=\int x^2\ln x dx=\frac{1}{3}x^3\ln x-\int\frac{1}{3}x^3\cdot\frac{1}{x}dx=\frac{1}{3}x^3\ln x-\frac{1}{9}x^3+C$

이때 $h(1)=\frac{8}{9}$이므로 $-\frac{1}{9}+C=\frac{8}{9} \quad \therefore C=1$

따라서 $h(x)=\frac{1}{3}x^3\ln x-\frac{1}{9}x^3+1$이므로 $h(e)=\frac{1}{3}e^3-\frac{1}{9}e^3+1=\mathbf{\frac{2}{9}e^3+1}$

확인유제 0772 함수 $h(x)$가 $h(x)=\int(x+1)\ln x dx$이고 $h(1)=-\frac{5}{4}$일 때, $h(e)$의 값을 구하여라.

변형문제 0773 다음 물음에 답하여라.

(1) 함수 $f(x)$의 도함수가 $f'(x)=(\ln x)^2$이고 $f(1)=2$일 때, $f(e)$의 값은?

① $\frac{1}{e}$ ② 1 ③ e ④ $2e$ ⑤ $e+2$

(2) 점 $(1,\ 0)$을 지나는 곡선 $y=f(x)(x>0)$ 위의 임의의 점 $(x,\ y)$에서의 접선의 기울기가 $\frac{\ln x}{x^2}$일 때, $f(e)$의 값은?

① $\frac{e-2}{e}$ ② $\frac{e-1}{e}$ ③ 1 ④ $\frac{e+1}{e}$ ⑤ $\frac{e+2}{e}$

발전문제 0774 양의 실수를 정의역으로 하는 두 함수 $f(x)=x,\ h(x)=\ln x$에 대하여 다음 두 조건을 모두 만족하는 함수 $g(x)$가 있다. 이때 $g(e)$의 값은?

2012년 07월 교육청

(가) $f'(x)g(x)+f(x)g'(x)=h(x)$

(나) $g(1)=-1$

① -2 ② -1 ③ 0 ④ 1 ⑤ 2

정답 0772 : $\frac{e^2}{4}$ 0773 : (1) ③ (2) ① 0774 : ③

함수 $h(x)$에 대하여

$$h(x)=\int e^x \cos x dx,\ h(0)=\frac{1}{2}$$

일 때, 함수 $h(\pi)$를 구하여라.

MAPL CORE (지수함수)×(삼각함수)꼴은 부분적분법을 한 번 적용하여 부정적분을 구할 수 없으므로 부분적분법을 반복 적용하여 같은 꼴로 나타날 때까지 부분적분법을 반복한다.

개념익힘 | 풀이 $f(x)=\cos x$, $g'(x)=e^x$으로 놓으면 $f'(x)=-\sin x$, $g(x)=e^x$이므로

$$\int e^x \cos x dx=e^x \cos x+\int e^x \sin x dx \quad \cdots\cdots ㉠$$

$\int e^x \sin x dx$를 구하기 위하여 부분적분법을 한 번 더 적용하면

$$\int e^x \sin x dx=e^x \sin x-\int e^x \cos x dx \quad \cdots\cdots ㉡$$ ⬅ $u(x)=e^x$, $v'(x)=\sin x$

㉡을 ㉠에 대입하여 정리하면

$$\int e^x \cos x dx=e^x \cos x+\left(e^x \sin x-\int e^x \cos x dx\right)$$

따라서 $2\int e^x \cos x dx=e^x(\cos x+\sin x)$이므로 $\int e^x \cos x dx=\frac{1}{2}e^x(\cos x+\sin x)+C$

이때 $h(0)=\frac{1}{2}$에서 $C=0$이므로 $h(x)=\frac{1}{2}e^x(\cos x+\sin x)$

따라서 $h(\pi)=\boldsymbol{-\frac{1}{2}e^{\pi}}$

확인유제 **0775** $\int e^{2x} \sin x dx=e^{2x}(a\sin x+b\cos x)+C$가 성립할 때, 상수 a, b에 대하여 $a+b$의 값을 구하여라.
(단, C는 적분상수)

변형문제 **0776** 함수 $f(x)=\int e^{-x} \sin x dx$에 대하여 $f(0)=-\frac{1}{2}$일 때, 함수 $f(\pi)$의 값은?

① $\frac{1}{2}$ ② $\frac{1}{e}$ ③ $\frac{1}{2}e^{-\pi}$ ④ e^{π} ⑤ $2e^{\pi}$

발전문제 **0777** 미분가능한 함수 $f(x)$에 대하여

$$\lim_{h\to 0}\frac{f(x+h)-f(x-h)}{h}=2e^x \cos x,\ f(0)=\frac{1}{2}$$

일 때, $f(\pi)$의 값은?

① $-\frac{1}{2}$ ② $-\frac{1}{e}$ ③ $-\frac{1}{2}e^{\pi}$ ④ e^{π} ⑤ $2e^{\pi}$

정답 0775 : $\frac{1}{5}$ 0776 : ③ 0777 : ③

미분가능한 함수 $f(x)$에 대하여

$$f(x)+xf'(x)=(2x+1)e^x,\ f(1)=3e$$

를 만족할 때, $f(2)$의 값을 구하여라. (단, e는 자연로그의 밑이다.)

MAPL CORE

① $\dfrac{d}{dx}\{xf(x)\}=f(x)+xf'(x)$를 x에 대하여 적분하면 $xf(x)=\displaystyle\int\{f(x)+xf'(x)\}dx$

② $\dfrac{d}{dx}\left\{\dfrac{f(x)}{x}\right\}=\dfrac{xf'(x)-f(x)}{x^2}$를 x대하여 적분하면 $\dfrac{f(x)}{x}=\displaystyle\int\left\{\dfrac{xf'(x)-f(x)}{x^2}\right\}dx$

개념익힘 | 풀이 $f(x)+xf'(x)=(2x+1)e^x$에서 $\dfrac{d}{dx}\{xf(x)\}=(2x+1)e^x$

$\therefore\ xf(x)=\displaystyle\int(2x+1)e^x dx$

$xf(x)=\displaystyle\int(2x+1)e^x dx=(2x+1)e^x-\int 2e^x dx=(2x-1)e^x+C$

이때 $f(1)=3e$이므로 $1\cdot f(1)=e+C=3e$ $\quad\therefore\ C=2e$

즉, $xf(x)=(2x-1)e^x+2e$이므로 $x=2$를 대입하면 $2f(2)=3e^2+2e$

$\therefore\ f(2)=\boldsymbol{\dfrac{3}{2}e^2+e}$

확인유제 0778 다음 물음에 답하여라.

2019년 05월 교육청

(1) 실수 전체의 집합에서 미분가능한 함수 $f(x)$가 0이 아닌 모든 실수 x에 대하여

$$f(x)+xf'(x)=x^2e^x$$

을 만족시킨다. $f(1)=e$일 때, $f(2)$의 값은?

① $\dfrac{e}{2}$ ② e ③ $2e$ ④ e^2 ⑤ $2e^2$

2014년 07월 교육청

(2) $x>0$에서 미분가능한 함수 $f(x)$에 대하여

$$f(x)+xf'(x)=x\cos x$$

을 만족시킨다. $f\left(\dfrac{\pi}{2}\right)=1$일 때, $f(\pi)$의 값은?

① $-\dfrac{2}{\pi}$ ② $-\dfrac{1}{\pi}$ ③ 0 ④ $\dfrac{1}{\pi}$ ⑤ $\dfrac{2}{\pi}$

변형문제 0779 $x>1$에서 정의된 함수 $f(x)$에 대하여

$$f(x)+xf'(x)=\frac{1}{x\ln x},\ f(e)=1$$

을 만족할 때, $f(e^2)$값을 구하여라. (단, e는 자연로그의 밑이다.)

발전문제 0780 실수 전체의 집합에서 미분가능한 함수 $f(x)$가 다음 조건을 만족시킨다.

2019년 07월 교육청

(가) $f(1)=0$

(나) 0이 아닌 모든 실수 x에 대하여 $\dfrac{xf'(x)-f(x)}{x^2}=xe^x$이다.

$f(3)\times f(-3)$의 값을 구하여라.

정답 0778 : (1) ④ (2) ② 0779 : $\dfrac{\ln 2+e}{e^2}$ 0780 : 72

마플개념익힘 05 연속함수와 부정적분

모든 실수 x에 대하여 연속인 함수 $f(x)$가 다음 두 조건을 만족한다.

$$f'(x)=\begin{cases}\sin x & (x>0)\\ e^x & (x<0)\end{cases},\ f(-1)=\frac{1}{e}$$

이때 $f\left(\frac{\pi}{3}\right)$의 값을 구하여라. (단, e는 자연로그의 밑이다.)

MAPL CORE 연속조건을 만족하는 적분상수 구하기

함수 $f(x)$가 $x=a$에서 연속이면 $f(a)=\lim\limits_{x\to a}f(x)$

개념익힘 | 풀이 $f'(x)=\begin{cases}\sin x & (x>0)\\ e^x & (x<0)\end{cases}$에서 $f(x)=\begin{cases}-\cos x+C_1 & (x\geq 0)\\ e^x+C_2 & (x<0)\end{cases}$ (단, C_1, C_2는 적분상수)

$f(-1)=\frac{1}{e}$에서 $e^{-1}+C_2=\frac{1}{e}$ $\quad\therefore C_2=0$

또, 함수 $f(x)$가 실수 전체의 집합에서 연속이므로 $x=0$에서 연속이므로

$\lim\limits_{x\to 0+}(-\cos x+C_1)=\lim\limits_{x\to 0-}(e^x+C_2)=f(0)$을 만족시킨다.

$-1+C_1=1+C_2$ $\quad\therefore C_1=2$

따라서 $f(x)=\begin{cases}-\cos x+2 & (x\geq 0)\\ e^x & (x<0)\end{cases}$이므로 $f\left(\frac{\pi}{3}\right)=-\cos\frac{\pi}{3}+2=\mathbf{\frac{3}{2}}$

확인유제 0781 실수 전체의 집합에서 연속인 함수 $f(x)$에 대하여

$$f'(x)=\begin{cases}2\cos x & (x>0)\\ \sin x+a & (x<0)\end{cases}$$

이다. $f(\pi)=\pi$, $f(-\pi)=2$일 때, $f(-2\pi)$의 값은? (단, a는 상수이다.)

① -5π ② -4π ③ -3π ④ -2π ⑤ $-\pi$

변형문제 0782 함수 $f(x)$가 $x=0$에서 연속이고,

$$f'(x)=\begin{cases}2xe^x & (x>0)\\ \cos x & (x<0)\end{cases},\ f(1)=1$$

을 만족시킬 때, $f(0)+f\left(-\frac{\pi}{6}\right)$의 값은?

① -3 ② $-\frac{5}{2}$ ③ -2 ④ $-\frac{3}{2}$ ⑤ -1

발전문제 0783 실수 전체의 집합에서 연속인 함수 $f(x)$의 도함수 $f'(x)$가

2018년 04월 교육청

$$f'(x)=\begin{cases}2x+3 & (x<1)\\ \ln x & (x>1)\end{cases}$$

이다. $f(e)=2$일 때, $f(-6)$의 값은?

① 9 ② 11 ③ 13 ④ 15 ⑤ 17

정답 0781 : ⑤ 0782 : ② 0783 : ④

부분적분법의 속해법

01 (다항함수 × 삼각함수), (다항함수 × 지수함수)의 부분적분법

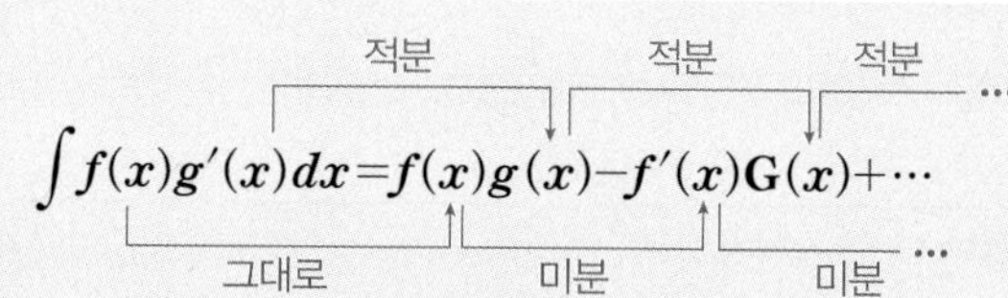

요령 적분할 함수(지수함수, 삼각함수)는 처음부터 계속 적분을 하고
미분할 함수(다항함수)는 처음에 그대로 그 다음부터는 미분을 반복하고, 부호는 +와 −가 반복된다.

(1) $\int$ (다항함수)×(삼각함수)dx ⇨ 삼각함수 : 적분할 함수 : 다항함수 : 미분할 함수

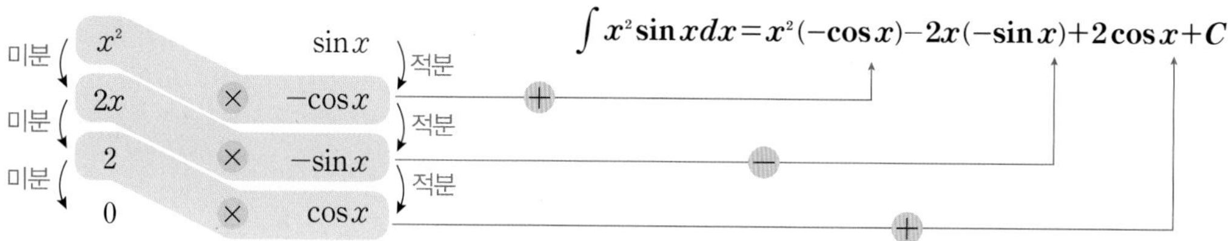

(2) $\int$ (다항함수)×(지수함수)dx ⇨ 지수함수 : 적분할 함수, 다항함수 : 미분할 함수

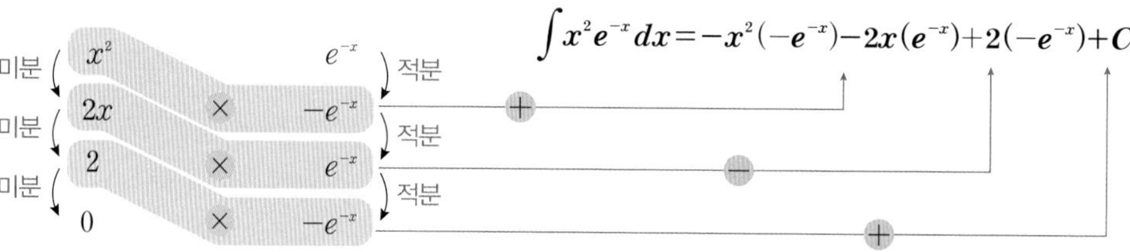

보기 01 다음 부정적분을 속해법으로 구하여라.

(1) $\int x\cos x dx$　　　(2) $\int x^2 \sin 3x dx$

풀이
(1) $\int x\cos x dx = x\cdot\sin x - 1\cdot(-\cos x) + C = x\sin x + \cos x + C$

(2) $\int x^2\sin 3x dx = x^2\cdot\left(-\frac{\cos 3x}{3}\right) - 2x\cdot\left(-\frac{\sin 3x}{9}\right) + 2\cdot\left(\frac{\cos 3x}{27}\right) + C$

$= -\frac{x^2}{3}\cos 3x + \frac{2x}{9}\sin 3x + \frac{2}{27}\cos 3x + C$

보기 02 다음 부정적분을 속해법으로 구하여라.

(1) $\int xe^{2x} dx$　　　(2) $\int x^3 e^{-x} dx$

풀이
(1) $\int xe^{2x} dx = x\cdot\left(\frac{e^{2x}}{2}\right) - 1\cdot\left(\frac{e^{2x}}{4}\right) + C = \frac{e^{2x}}{4}(2x-1) + C$

(2) $\int x^3 e^{-x} dx = x^3\cdot(-e^{-x}) - 3x^2\cdot e^{-x} + 6x\cdot(-e^{-x}) - 6\cdot(e^{-x}) + C = -e^{-x}(x^3+3x^2+6x+6) + C$

02 (지수함수 × 삼각함수)의 부분적분법

적분할 함수(지수함수)는 처음부터 적분을 하고 미분할 함수(삼각함수)는 처음에 그대로 그 다음은 미분을 반복하고, 부호는 − 까지만 정리한다.

또한, 계수는 지수의 계수 (e^{ax})와 삼각함수의 계수 $(\cos bx)$를 $\frac{a^2}{a^2+b^2}$와 같이 정리한다.

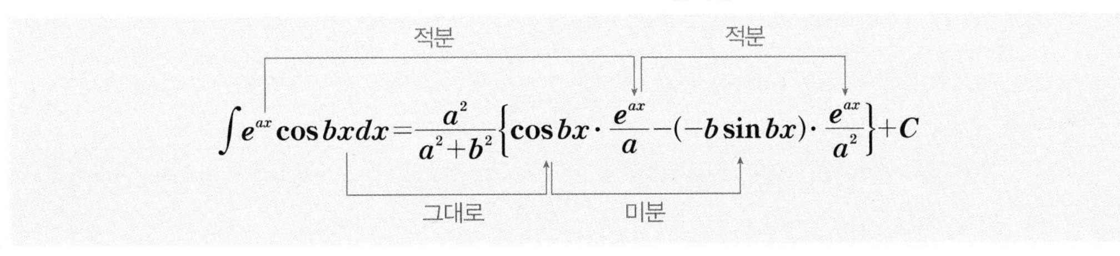

$$\int e^{ax}\cos bx\,dx=\frac{a^2}{a^2+b^2}\left\{\cos bx\cdot\frac{e^{ax}}{a}-(-b\sin bx)\cdot\frac{e^{ax}}{a^2}\right\}+C$$

보기 03 다음 부정적분을 속해법으로 구하여라.

(1) $\int e^{3x}\sin x\,dx$ (2) $\int e^{x}\cos 2x\,dx$ (3) $\int e^{2x}\cos 3x\,dx$

풀이

(1) $\int e^{3x}\sin x\,dx=\frac{3^2}{3^2+1^2}\left(\sin x\cdot\frac{e^{3x}}{3}-\cos x\cdot\frac{e^{3x}}{9}\right)+C$

$=\frac{e^{3x}}{10}(3\sin x-\cos x)+C$

(2) $\int e^{x}\cos 2x\,dx=\frac{1^2}{1^2+2^2}\{\cos 2x\cdot e^{x}-(-2\sin 2x)e^{x}\}+C$

$=\frac{e^{x}}{5}(\cos 2x+2\sin 2x)+C$

(3) $\int e^{2x}\cos 3x\,dx=\frac{2^2}{2^2+3^2}\left\{\cos 3x\cdot\frac{e^{2x}}{2}-(-3\sin 3x)\frac{e^{2x}}{4}\right\}+C$

$=\frac{e^{2x}}{13}(2\cos 3x+3\sin 3x)+C$

더 알아보기

치환적분과 부분적분 적용하는 방법

적분이 막막할 때는 우선 치환적분법을 사용할지, 부분적분법을 사용할지부터 판단해 보는 연습을 하면 좋다.

① 치환적분법 : 적분해야 할 식 내에서 $f(x)$가 되는 부분과 $f'(x)$가 되는 부분만을 찾으면 된다.

$f(x)=t$로 치환하면 $f'(x)dx=dt$가 되어 t에 대한 적분이 가능하다.

$\int\frac{\ln x}{x}dx$에서 $f(x)$가 되는 부분은 $\ln x$, $f'(x)$가 되는 부분은 $\frac{1}{x}$임을 쉽게 찾을 수 있다.

또한, $\int 2xe^{x^2}dx$는 $\int 2xe^{x}dx$와 유사한 형태로 보이지만 이 식은 치환적분법에 의하여 푼다.

② 부분적분법 : 치환적분법이 아니라면 부분적분이다.

$\int\frac{\ln x}{x^2}dx$는 $\int\frac{\ln x}{x}dx$와 유사한 형태로 보이지만 이 식은 부분적분법에 의하여 푼다.

$\int\frac{\ln x}{x^2}dx=\int\ln x\cdot x^{-2}dx=-\frac{\ln x}{x}-\int\frac{1}{x}\cdot\left(-\frac{1}{x}\right)dx=-\frac{\ln x}{x}-\frac{1}{x}+C$ (단, C는 적분상수)

03 여러 가지 방법으로 부정적분 구하기

부정적분을 구할 때, 적분할 함수의 형태에 따라 여러 가지 방법으로 구할 수 있는 경우가 있다.

(1) 부정적분 $\int \frac{\ln x}{x}dx$는 다음 두 가지 방법을 이용할 수 있다.

[방법1] $\ln x=t$로 놓고 치환적분법을 이용하기

해설 $\ln x=t$로 놓으면 $\frac{1}{x}dx=dt$이므로 $\int \frac{\ln x}{x}dx=\int tdt=\frac{1}{2}t^2+C=\frac{1}{2}(\ln x)^2+C$

[방법2] 부분적분법을 이용하기

해설 $f(x)=\ln x$, $g'(x)=\frac{1}{x}$로 놓으면 $f'(x)=\frac{1}{x}$, $g(x)=\ln x$이므로 $\int \frac{\ln x}{x}dx=(\ln x)^2-\int \frac{\ln x}{x}dx$

$\therefore \int \frac{\ln x}{x}dx=\frac{1}{2}(\ln x)^2+C$

(2) 부정적분 $\int \frac{(\ln x)^3}{x}dx$는 다음 세 가지 방법을 이용할 수 있다.

[방법1] $\ln x=t$로 놓고 치환적분법을 이용하기

해설 $\ln x=t$로 놓으면 $\frac{1}{x}dx=dt$이므로 $\int \frac{(\ln x)^3}{x}dx=\int t^3dt=\frac{1}{4}t^4+C=\frac{1}{4}(\ln x)^4+C$

[방법2] $(\ln x)^2=t$로 놓고 치환적분법을 이용하기

해설 $(\ln x)^2=t$로 놓으면 $\frac{2\ln x}{x}dx=dt$이므로 $\int \frac{(\ln x)^3}{x}dx=\int \frac{1}{2}tdt=\frac{1}{4}t^2+C=\frac{1}{4}(\ln x)^4+C$

[방법3] 부분적분법을 이용하기

해설 $f(x)=(\ln x)^3$, $g'(x)=\frac{1}{x}$로 놓으면 $f'(x)=\frac{3(\ln x)^2}{x}$, $g(x)=\ln x$이므로

$\int \frac{(\ln x)^3}{x}dx=(\ln x)^4-\int \frac{3(\ln x)^3}{x}dx \quad \therefore \int \frac{(\ln x)^3}{x}dx=\frac{1}{4}(\ln x)^4+C$

(3) 부정적분 $\int \frac{x}{1-x^2}dx$는 다음 세 가지 방법을 이용할 수 있다.

[방법1] $f(x)=1-x^2$으로 놓고 $\int \frac{f'(x)}{f(x)}dx=\ln|f(x)|+C$임을 이용한다.

해설 $f(x)=1-x^2$으로 놓으면 $f'(x)=-2x$이므로

$\int \frac{x}{1-x^2}dx=-\frac{1}{2}\int \frac{f'(x)}{f(x)}dx=-\frac{1}{2}\ln|f(x)|+C=-\frac{1}{2}\ln|1-x^2|+C$

[방법2] $\frac{x}{1-x^2}$를 $\frac{a}{1+x}+\frac{b}{1-x}$의 꼴로 변형한 후 적분한다.

해설 $\frac{x}{1-x^2}=\frac{a}{1+x}+\frac{b}{1-x}$라고 하면 $\frac{a}{1+x}+\frac{b}{1-x}=\frac{(-a+b)x+a+b}{(1+x)(1-x)}=\frac{x}{1-x^2}$에서

$-a+b=1$, $a+b=0$이므로 $a=-\frac{1}{2}$, $b=\frac{1}{2}$

$\int \frac{x}{1-x^2}dx=-\frac{1}{2}\int \frac{1}{1+x}dx+\frac{1}{2}\int \frac{1}{1-x}dx=-\frac{1}{2}\ln|1+x|-\frac{1}{2}\ln|1-x|+C=-\frac{1}{2}\ln|1-x^2|+C$

[방법3] $x=\sin\theta$로 놓고 치환적분법을 이용한다. ⬅ 삼각치환

해설 $x=\sin\theta$로 놓으면 $dx=\cos\theta d\theta$이므로

$\int \frac{x}{1-x^2}dx=\int \frac{\sin\theta}{1-\sin^2\theta}\cdot\cos\theta d\theta=\int \frac{\sin\theta}{\cos\theta}d\theta=-\int \frac{(\cos\theta)'}{\cos\theta}d\theta=-\ln|\cos\theta|+C$

$=-\ln\sqrt{1-\sin^2\theta}+C=-\frac{1}{2}\ln|1-x^2|+C$

(4) 부정적분 $\int \sin x \cos x dx$는 다음 세 가지 방법을 이용할 수 있다.

[방법1] 치환적분법을 이용하기

① $\sin x = t$로 놓고 치환적분법을 이용한다.

해설 $\sin x = t$로 놓으면 $\cos x dx = dt$이므로

$$\int \sin x \cos x dx = \int \sin x (\sin x)' dx = \int t dt = \frac{1}{2}t^2 + C = \frac{1}{2}\sin^2 x + C$$

② $\cos x = t$로 놓고 치환적분법을 이용한다.

해설 $\cos x = t$로 놓으면 $-\sin x dx = dt$이므로

$$\int \sin x \cos x dx = \int \{-\cos x (\cos x)'\} dx = \int (-t) dt = -\frac{1}{2}t^2 + C_1$$

$$= -\frac{1}{2}\cos^2 x + C_1 = -\frac{1}{2}(1 - \sin^2 x) + C_1$$

$$= \frac{1}{2}\sin^2 x + C \left(\text{단, } C = -\frac{1}{2} + C_1\right)$$

[방법2] 부분적분법을 이용하기

① $f(x) = \sin x$, $g'(x) = \cos x$로 놓고 부분적분법을 이용한다.

해설 $f(x) = \sin x$, $g'(x) = \cos x$로 놓으면 $f'(x) = \cos x$, $g(x) = \sin x$이므로

$$\int \sin x \cos x dx = \sin^2 x - \int \cos x \sin x dx$$

$$\therefore \int \sin x \cos x dx = \frac{1}{2}\sin^2 x + C$$

② $f(x) = \cos x$, $g'(x) = \sin x$로 놓고 부분적분법을 이용한다.

해설 $\int \sin x \cos x dx = -\cos^2 x - \int \sin x \cos x dx$

$$\int \sin x \cos x dx = -\frac{1}{2}\cos^2 x + C_1 = -\frac{1}{2}(1 - \sin^2 x) + C_1 = \frac{1}{2}\sin^2 x + C \left(\text{단, } C = -\frac{1}{2} + C_1\right)$$

[방법3] 삼각함수의 덧셈정리 이용하기

$\sin x \cos x = \frac{1}{2}\sin 2x$임을 이용하여 적분한다.

해설 $\int \sin x \cos x dx = \frac{1}{2}\int \sin 2x dx$

$2x = t$로 놓으면 $x = \frac{t}{2}$, $2dx = dt$이므로

$$\frac{1}{2}\int \sin 2x dx = \int \frac{1}{4}\sin t dt = -\frac{1}{4}\cos t + C = -\frac{1}{4}\cos 2x + C$$ ⇐ $\cos 2x = 1 - 2\sin^2 x$

$$= -\frac{1}{4}(1 - 2\sin^2 x) + C = \frac{1}{2}\sin^2 x + C$$

01 부정적분

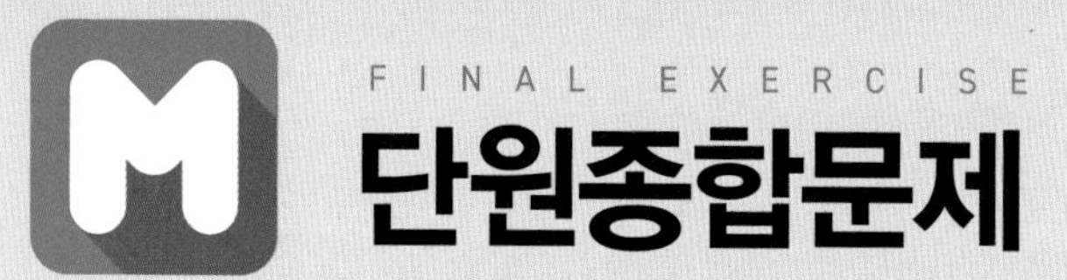

F I N A L E X E R C I S E

단원종합문제

BASIC

내신 수능 기본 대표 기출문제

0784

로그함수의 부정적분
2019년 03월 교육청

함수 $f(x)$의 도함수가 $f'(x)=\frac{1}{x}$이고 $f(1)=10$일 때, $f(e^3)$의 값은?

① 10 ② 11 ③ 12 ④ 13 ⑤ 14

0785

삼각함수의 부정적분
내신빈출

함수 $f(x)$가

$$f(x)=\int \frac{1}{1+\tan^2 x}dx+\int \frac{1}{1+\cot^2 x}dx$$

일 때, $f(3)-f(2)$의 값을 구하여라.

0786

미정계수와 부정적분 관계
내신빈출

다음 물음에 답하여라.

(1) 함수 $f(x)$에 대하여 $f(x)=\int (xe^x+\ln x)dx$일 때, $\lim_{h\to 0}\frac{f(1+2h)-f(1)}{h}$의 값은?

① 2 ② e ③ $2e$ ④ $3e$ ⑤ $5e$

(2) 함수 $f(x)=\int \sin 2x \sin x dx$에 대하여 $\lim_{h\to 0}\frac{f\left(\frac{\pi}{6}+h\right)-f\left(\frac{\pi}{6}-h\right)}{h}$의 값은?

① $\frac{1}{2}$ ② $\sqrt{2}$ ③ $\frac{\sqrt{3}}{2}$ ④ 2 ⑤ $2\sqrt{2}$

0787

지수함수의 부정적분
내신빈출

함수 $f(x)=\ln 4\int (2^x-4^x)dx$에 대하여 $f(0)=1$일 때, $\sum_{n=1}^{\infty} f(-n)$의 값은?

① $\frac{3}{2}$ ② $\frac{4}{3}$ ③ $\frac{5}{4}$ ④ 1 ⑤ $\frac{5}{3}$

0788

삼각함수와 부정적분
내신빈출

함수 $f(x)$에 대하여

$$f'(x)=2\tan^2 x-2,\ f(0)=\pi$$

일 때, $f\left(\frac{\pi}{4}\right)$의 값은?

① 1 ② 2 ③ 3 ④ 4 ⑤ 5

0789

접선의 기울기와 부정적분
내신빈출

다음 물음에 답하여라.

(1) 곡선 $y=f(x)$ 위의 점 (x, y)에서의 접선의 기울기가 $\tan^2 x$이고 이 곡선이 점 $(0, 1)$을 지날 때, $f\left(\frac{\pi}{4}\right)$의 값은?

① $2+\pi$ ② $2-\frac{\pi}{4}$ ③ $2+\frac{\pi}{4}$ ④ $3-\frac{\pi}{4}$ ⑤ $3+\frac{\pi}{4}$

(2) 원점을 지나는 곡선 $y=f(x)$ 위의 임의의 점 (x, y)에서의 접선의 기울기가 $\frac{2x}{1+x^2}$일 때, $f(2)$의 값은?

① $\ln 2$ ② $\ln 3$ ③ $2\ln 2$ ④ $\ln 5$ ⑤ $\ln 6$

정답 0784 : ④ 0785 : 1 0786 : (1) ③ (2) ③ 0787 : ⑤ 0788 : ② 0789 : (1) ② (2) ④

0790 다음 물음에 답하여라.

$\int \frac{f'(x)}{f(x)}dx$의 꼴의 부정적분
내신빈출

(1) 함수 $f(x)$에 대하여 $f(x)=\int \frac{2x+3}{x^2+3x+1}dx$, $f(0)=0$일 때, $f(2)$의 값은?

① $\ln 2$ ② $\ln 4$ ③ $\ln 8$ ④ $\ln 10$ ⑤ $\ln 11$

(2) 함수 $f(x)$의 도함수 $f'(x)$가 $(e^x+1)f'(x)=e^x$, $f(0)=\ln 2$일 때, $f(2)$의 값은?
(단, e는 자연로그의 밑이다.)

① 1 ② $\ln(e+1)$ ③ $\ln(e^2-1)$ ④ 2 ⑤ $\ln(e^2+1)$

0791 곡선 $y=f(x)$ 위의 점 (x, y)에서의 접선의 기울기가 $e^{\sin x}\cos x$라고 한다. 이 곡선이 점 $(0, 1)$을 지날 때, $f\left(\frac{\pi}{2}\right)$의 값은?

삼각함수의 치환적분법
내신빈출

① $e-1$ ② e ③ $2e$ ④ $2e-1$ ⑤ $3e$

0792 다음 물음에 답하여라.

삼각함수의 치환적분법
내신빈출

(1) 함수 $f(x)$에 대하여 $f(x)=\int(1-\sin^3 x)\sin 2x dx$이고 $f(0)=\frac{7}{5}$일 때, $f\left(\frac{\pi}{2}\right)$의 값은?

① $\frac{1}{5}$ ② $\frac{2}{5}$ ③ $\frac{7}{5}$ ④ $\frac{9}{5}$ ⑤ 2

$\sin 2x=2\sin x\cos x$

(2) $0\le x\le 2\pi$에서 정의된 함수 $f(x)=\int \sin 2x\cos x dx$에 대하여 $f(\pi)=\frac{2}{3}$일 때, $f\left(\frac{\pi}{3}\right)$의 값은?

① $-\frac{1}{6}$ ② $-\frac{1}{12}$ ③ $-\frac{1}{10}$ ④ $\frac{1}{3}$ ⑤ $\frac{1}{2}$

0793 다음 물음에 답하여라.

로그함수의 치환적분
내신빈출

(1) 함수 $f(x)$에 대하여 $f(x)=\int \frac{\sqrt{\ln x}}{x}dx$, $f(1)=0$일 때, $f(e^9)$의 값은?

① 12 ② 14 ③ 16 ④ 18 ⑤ 20

(2) 함수 $f(x)$에 대하여 $xf'(x)=2\ln x$, $f(1)=3$을 만족시킬 때, $f(e^5)$의 값은?

① 18 ② 25 ③ 28 ④ 32 ⑤ 64

0794 다음 물음에 답하여라.

지수함수의 치환적분
내신빈출

(1) 함수 $f(x)$에 대하여 $f(x)=\int \frac{e^x}{\sqrt{e^x+3}}dx$이고 $f(0)=2$일 때, $f(\ln 6)$의 값은?

① 2 ② 3 ③ 4 ④ 5 ⑤ 6

(2) 실수 전체의 집합에서 미분가능한 함수 $f(x)$에 대하여 $f'(x)=2xe^{-x^2}$이고 $f(0)=1$일 때, $f(1)$의 값은?

① $2-\frac{1}{e}$ ② $2-\frac{1}{e^2}$ ③ 2 ④ $2+\frac{1}{e^2}$ ⑤ $2+\frac{1}{e}$

0795 함수 $f(x)$에 대하여

로그함수의 부분적분
내신빈출

$$xf'(x)+f(x)=\ln x+1,\ f(1)=0$$

일 때, $f(e^2)$의 값은?

① 1 ② 2 ③ 3 ④ 4 ⑤ 5

정답 0790 : (1) ⑤ (2) ⑤ 0791 : ② 0792 : (1) ⑤ (2) ② 0793 : (1) ④ (2) ③ 0794 : (1) ③ (2) ① 0795 : ②

0796
치환적분법의 활용
내신빈출

실수 전체의 집합에서 미분가능한 함수 $f(x)$가

$$f(x)>0,\ f(x)=f'(x)$$

를 만족시킨다. $f(1)=1$일 때, $f(2)$의 값은?

① $\frac{1}{e^2}$ ② $\frac{1}{e}$ ③ 1 ④ e ⑤ e^2

0797
로그함수의 부정적분
내신빈출

함수 $f(x)$의 한 부정적분 $F(x)$에 대하여

$$F(x)=xf(x)-x-\ln x,\ f(1)=3$$

일 때, $f(e^{-4})$의 값은?

① $-3e^3$ ② $-e^4$ ③ $-e^3$ ④ e ⑤ e^2

0798
도함수와 부정적분
내신빈출

미분가능한 두 함수 $f(x)$, $g(x)$에 대하여 다음 조건을 만족할 때, $g(\ln 2)$의 값은?

(가) $\frac{d}{dx}\{f(x)+g(x)\}=e^x$, $\frac{d}{dx}\{f(x)-g(x)\}=e^{-x}$

(나) $f(0)=0$, $g(0)=0$

① $\frac{1}{4}$ ② $\frac{1}{2}$ ③ 1 ④ $e-1$ ⑤ e

0799
미분계수와 부정적분
내신빈출

다음 물음에 답하여라.

(1) 미분가능한 함수 $f(x)$에 대하여 $f'(x)=3^x+a\cos x$, $\lim_{x\to 0}\frac{f(x)}{x}=4$일 때, $f(\pi)$의 값은? (단, a는 상수)

① $3^\pi+1$ ② $\ln 3(3^\pi-1)$ ③ $\ln 3(3^\pi+1)$ ④ $\frac{1}{\ln 3}(3^\pi-1)$ ⑤ $\frac{1}{\ln 3}(3^\pi+1)$

(2) 미분가능한 함수 $f(x)$에 대하여 $f'(x)=\frac{kx}{x^2+1}$, $\lim_{x\to 1}\frac{f(x)}{x-1}=k+2$일 때, $f(\sqrt{e-1})$의 값은? (단, k는 상수)

① $\ln 2-2$ ② $2\ln 2-1$ ③ $2\ln 2-2$ ④ $\ln 2+1$ ⑤ $2\ln 2+2$

0800
무리함수의 치환적분법
내신빈출

다음 물음에 답하여라.

(1) 실수 전체의 집합에서 미분가능한 함수 $f(x)$가 다음 조건을 만족시킬 때, 실수 a의 값은?

(가) $f'(x)=(2x+1)\sqrt{x^2+x+4}$

(나) 함수 $y=f(x)$의 그래프는 두 점 $(0,\ 0)$, $(3,\ a)$를 지난다.

① $\frac{16}{3}$ ② $\frac{32}{3}$ ③ $\frac{64}{3}$ ④ $\frac{112}{3}$ ⑤ $\frac{128}{3}$

(2) 실수 전체의 집합에서 미분가능한 함수 $f(x)$가 다음 조건을 만족 시킬 때, $f(\sqrt{a})$의 값은?

(가) $\lim_{x\to 0}\frac{f(x)}{x}=3$

(나) $f'(x)=(x+1)\sqrt{x^2+2x+a}$ (단, a는 상수이다.)

① $10\sqrt{6}-9$ ② $12\sqrt{6}-3$ ③ $14\sqrt{6}-9$ ④ $16\sqrt{6}-9$ ⑤ $18\sqrt{6}-3$

정답 0796 : ④ 0797 : ② 0798 : ① 0799 : (1) ④ (2) ③ 0800 : (1) ④ (2) ④

0801

미분계수와 치환적분법
내신빈출

다음 물음에 답하여라.

(1) 미분가능한 함수 $f(x)$가 다음 조건을 만족시킬 때, $f(0)$의 값은?

(가) $\lim_{h\to 0}\frac{f(x+h)-f(x-h)}{h}=2xe^{x^2}$

(나) $\lim_{x\to 1}f(x)=e$

① $\frac{1}{2}e-1$ ② $\frac{1}{2}e-\frac{1}{2}$ ③ $\frac{1}{2}e$ ④ $\frac{1}{2}e+\frac{1}{2}$ ⑤ $\frac{1}{2}e+1$

(2) 함수 $f(x)$가 다음 조건을 만족시킬 때, $f(1)$의 값은? (단, e는 자연로그의 밑이다.)

(가) $\lim_{h\to 0}\frac{f(x+h)-f(x)}{h}=x^2e^{-x}$

(나) $f(-1)=-e$

① $-5e^{-1}$ ② $-2e^{-1}$ ③ $-e^{-1}$ ④ 0 ⑤ $5e^{-1}$

0802

미분계수와 부분적분법
내신빈출

$0<x<2\pi$에서 정의된 미분가능한 함수 $f(x)$가

$$\lim_{h\to 0}\frac{f(x+h)-f(x-h)}{h}=2x\sin x,\ f(\pi)=\pi$$

를 만족시킬 때, $f\left(\frac{\pi}{2}\right)$의 값은?

① $\frac{1}{2}$ ② 1 ③ $\frac{3}{2}$ ④ 2 ⑤ $\frac{5}{2}$

0803

미분계수와 부분적분법
내신빈출

$x>0$에서 정의된 미분가능한 함수 $f(x)$가 다음 조건을 만족시킬 때, $f(1)$의 값은?

(가) $\lim_{h\to 0}\frac{f(x+2h)-f(x-h)}{h}=3x^2\ln x$

(나) $f(e)=\frac{2}{9}e^3$

① $\frac{1}{9}e^3$ ② $-\frac{2}{9}$ ③ $-\frac{1}{9}$ ④ $\frac{2}{9}(e^3-1)$ ⑤ $\frac{1}{3}(e^3-1)$

0804

부분적분법의 활용
내신빈출

다음 물음에 답하여라.

(1) 미분가능한 함수 $f(x)$의 한 부정적분 $F(x)$가

$$F(x)=xf(x)-x^2e^{2x},\ f(0)=\frac{1}{4}$$

을 만족할 때, $f(2)$의 값은?

① $\frac{5}{2}e^4-\frac{1}{4}$ ② $\frac{5}{2}e^4-\frac{1}{2}$ ③ $\frac{5}{2}e^4$ ④ $\frac{5}{2}e^4+\frac{1}{4}$ ⑤ $\frac{5}{2}e^4+\frac{1}{2}$

(2) 집합 $\{x\mid x>0\}$에서 정의된 미분가능한 함수 $f(x)$의 한 부정적분 $F(x)$가

$$F(x)=xf(x)+x^2\ln x,\ f(e)=-e$$

를 만족할 때, $f(1)$의 값은?

① $\frac{1}{e}$ ② $\frac{2}{e}$ ③ 1 ④ e ⑤ $2e$

0805

삼각함수의 부정적분의 활용

$0<x<2\pi$에서 정의된 함수 $f(x)$에 대하여

$$f'(x)=\sin 2x-\sin x$$

이고, $f(x)$의 극솟값이 -1일 때, $f(x)$의 극댓값은?

① $\frac{2}{3}$ ② 1 ③ $\frac{5}{4}$ ④ $\frac{4}{3}$ ⑤ $\frac{5}{2}$

정답 0801 : (1) ④ (2) ① 0802 : ② 0803 : ③ 0804 : (1) ① (2) ③ 0805 : ③

0806
로그함수의 부분적분의 활용
내신빈출

다음 물음에 답하여라.

(1) 양의 실수 전체의 집합에서 정의된 미분가능한 함수 $f(x)$에 대하여 $f'(x)=x\ln x$이고 $f(x)$의 극솟값이 0일 때, $f(e)$의 값은?

① $\frac{e^2}{4}$ ② $\frac{e^2+1}{4}$ ③ $\frac{e^2+2}{4}$ ④ $\frac{e^2+3}{4}$ ⑤ $\frac{e^2+4}{4}$

(2) 미분가능한 함수 $f(x)$에 대하여 $f'(x)=(x-2)\ln x$이고 극댓값이 $\frac{3}{4}$일 때, $f(x)$의 극솟값은?

① $-\ln 2$ ② $1-2\ln 2$ ③ $2-2\ln 2$ ④ $2-\ln 2$ ⑤ $1-\ln 2$

0807
치환적분법의 활용
서술형

다항함수 $f(x)$가 다음 두 조건을 만족시킨다.

(가) $\lim_{x\to\infty}\frac{f(x)}{x^2+3x-4}=1$ (나) $\lim_{x\to 3}\frac{f(x)}{x-3}=4$

이때 $F(x)=\int(x-1)\{f(x)\}^3dx$라 할 때, $F(1)-F(-1)$의 값을 구하는 과정을 다음 단계로 서술하여라.

[1단계] 조건 (가), (나)를 만족하는 다항함수 $f(x)$를 구한다.

[2단계] $f(x)=t$로 치환하여 함수 $F(x)$를 구한다.

[3단계] $F(1)-F(-1)$의 값을 구한다.

0808
치환적분법의 활용

함수 $f(x)$에 대하여

$$f'(x)=(1-\cos x)^2\sin x\text{이고, } f\left(\frac{\pi}{2}\right)=0\text{일 때,}$$

$f(\pi)$의 값을 구하는 과정을 다음 단계로 서술하여라.

[1단계] $1-\cos x=t$로 치환하여 함수 $f(x)$를 적분상수 C에 대하여 나타낸다.

[2단계] $f\left(\frac{\pi}{2}\right)=0$을 만족하는 C의 값을 구한다.

[3단계] 함수 $f(x)$를 구한 후 $f(\pi)$의 값을 구한다.

0809
부분적분법의 활용
서술형

미분가능한 함수 $f(x)$에 대하여

$$\int f(x)dx=xf(x)-x^2e^{-x}\text{이고, } f(1)=0$$

일 때, $f(4)$의 값을 구하는 과정을 다음 단계로 서술하여라.

[1단계] 양변을 미분하여 함수 $f(x)$를 적분상수 C에 대하여 나타낸다.

[2단계] $f(1)=0$을 만족하는 C의 값을 구한다.

[3단계] 함수 $f(x)$를 구한 후 $f(4)$의 값을 구한다.

0810
부분적분법의 활용

함수 $f(x)$에 대하여 $f'(x)=e^{-x}\cos x$이고 $f(x)$의 극댓값이 $\frac{1}{2}e^{-\frac{\pi}{2}}$일 때, 방정식 $f(x)=0$의 해를 구하는 과정을 다음 단계로 서술하여라. (단, $0\le x<\pi$)

[1단계] $0\le x<\pi$에서 함수 $f(x)$의 증감표를 작성하여 극대가 되는 x의 값을 구한다.

[2단계] 지수함수와 삼각함수의 곱인 부분적분을 이용하여 $f(x)$를 적분상수 C에 대하여 나타낸다.

[3단계] $f(x)$의 극댓값이 $\frac{1}{2}e^{-\frac{\pi}{2}}$임을 이용하여 C의 값을 구한다.

[4단계] $0\le x<\pi$에서 방정식 $f(x)=0$의 해를 구한다.

정답 0806 : (1) ② (2) ③ 0807 : 해설참조 0808 : 해설참조 0809 : 해설참조 0810 : 해설참조

0811
치환적분의 활용

$-\frac{\pi}{2}<x<\frac{\pi}{2}$에서 정의된 미분가능한 함수 $f(x)$는

$$\lim_{h\to 0}\frac{f(x+2h)-f(x)}{h}=\tan x+\tan^3 x$$

를 만족시킨다. 다음은 $f\left(\frac{\pi}{4}\right)=\frac{1}{4}$일 때, 함수 $f(x)$를 구하는 과정이다.

$\lim_{h\to 0}\frac{f(x+2h)-f(x)}{h}=$ (가) $\times f'(x)$이므로 $f'(x)=\frac{1}{2}(\tan x+\tan^3 x)$

$f(x)=\frac{1}{2}\int \tan x(1+\tan^2 x)dx=\frac{1}{2}\int(\tan x\times$ (나) $)dx$

$=$ (다) $\times\tan^2 x+C$

이때 $f\left(\frac{\pi}{4}\right)=\frac{1}{4}$이므로 $C=$ (라)

따라서 $f(x)=$ (마)

이때 (가), (나), (다), (라), (마)에 들어갈 수와 식을 a, $g(x)$, b, c, $h(x)$라 할 때,

$a+b+c+g\left(\frac{\pi}{3}\right)h\left(\frac{\pi}{4}\right)$의 값을 구하여라.

0812
부정적분과 미분의 관계

양의 실수 전체의 집합에서 정의되고 미분가능한 함수 $f(x)$가

$$\int\{xf'(x)+f(x)+\ln x\}dx=(x+1)f(x),\ f(1)=-1$$

을 만족시킬 때, $f(e)$의 값은?

① $-e$ ② -1 ③ 0 ④ 1 ⑤ e

0813
부정적분과 미분의 관계

다음 물음에 답하여라.

(1) $x>0$에서 정의된 함수 $f(x)$가 $f(x)+xf'(x)=(\ln x)^2$, $f(1)=2$를 만족할 때, $f(e)$의 값은?

① $\frac{1}{e}$ ② 1 ③ e ④ e^2 ⑤ e^3

(2) $x>0$에서 정의된 미분가능한 함수 $f(x)$가 모든 양의 실수 x에 대하여

$$f(x)+xf'(x)=\frac{1}{x}+3\sqrt{x},\ f(1)=2$$

를 만족할 때, $f(e)$의 값은? (단, e는 자연로그의 밑이다.)

① $\frac{1}{e}$ ② $\frac{1}{e}+\sqrt{e}$ ③ $\frac{1}{e}+2\sqrt{e}$ ④ $\frac{1}{e}+3\sqrt{e}$ ⑤ $e+3\sqrt{e}$

0814
치환적분의 활용
2019학년도 수능기출

실수 전체의 집합에서 미분가능한 함수 $f(x)$가 다음 조건을 만족시킬 때, $f(-1)$의 값은?

(가) 모든 실수 x에 대하여 $2\{f(x)\}^2f'(x)=\{f(2x+1)\}^2f'(2x+1)$이다.

(나) $f\left(-\frac{1}{8}\right)=1$, $f(6)=2$

① $\frac{\sqrt[3]{3}}{6}$ ② $\frac{\sqrt[3]{3}}{3}$ ③ $\frac{\sqrt[3]{3}}{2}$ ④ $\frac{2\sqrt[3]{3}}{3}$ ⑤ $\frac{5\sqrt[3]{3}}{6}$

정답 0811 : $\frac{13}{4}$ 0812 : ③ 0813 : (1) ② (2) ③ 0814 : ④

동짓달 기나긴 밤 한허리를 버혀내여

한국의 절기 ㉒ '동지'

자료출처 : 한국민속대백과사전 http://folkency.nfm.go.kr

24절후의 스물두 번째 절기. 일년 중에서 밤이 가장 길고 낮이 가장 짧은 날이다. 민간에서는 동지를 흔히 아세(亞歲) 또는 작은설이라 하였다. 태양의 부활이라는 큰 의미를 지니고 있어서 설 다음가는 작은설로 대접 하는 것이다. 이 관념은 오늘날에도 여전해서 "동지를 지나야 한 살 더 먹는다." 또는 "동지팥죽을 먹어야 진짜 나이를 한살 더 먹는다."라는 말처럼 동지첨치(冬至添齒)의 풍속으로 전하고 있다. 또 동지는 날씨가 춥고 밤이 길어 호랑이가 교미한다고 하여 '호랑이장가가는날'이라고도 부른다.

예부터 동짓날이 되면 백성들은 모든 빚을 청산하고 새로운 기분으로 하루를 즐겼다. 또 일가친척이나 이웃간에는 서로 화합하고 어려운 일은 서로 마음을 열고 풀어 해결하였다. 오늘날 연말이면 불우이웃 돕기를 펼치는 것도 동짓날의 전통이 이어 내려온 것으로 보인다.

동지에는 동지팥죽을 먹는다. 팥을 고아 죽을 만들고 여기에 찹쌀로 단자를 만들어 넣어 끓이는데, 단자는 새알만한 크기로 하기 때문에 새알심이라 부른다. 우리 조상들은 경사스러운 일이 있을 때나 재앙이 있을 때에는 팥죽, 팥밥, 팥떡을 해서 먹는 풍습이 있었다. 요즈음도 이러한 풍습이 이어져 고사를 지낼 때에는 팥떡을 해서 고사를 지내고 있다. 고사의 목적은 사업하는 사람은 사업이 번성하기를 기원하고, 공사를 하는 사람은 공사가 아무런 사고 없이 완공되기를 기원하는 것이다. 이처럼 팥이 들어가는 음식은 소원을 이루어준다고 믿었지만, 그 사실 여부를 떠나 팥이 지닌 여러 가지 효능으로 보아 건강식품임에는 틀림없다. 팥은 피부가 붉게 붓고 열이 나고 쑤시고 아픈 단독에 특효가 있으며, 젖을 잘 나오게 하고 설사, 해열, 유종, 각기, 종기, 임질, 산전산후통, 수종, 진통에도 효과가 큰 것으로 알려져 있다.

수능과 내신의 수학개념서

미적분

Ⅰ 수열의 극한 Ⅱ 미분법 Ⅲ 적분법

02

정적분

1. 여러 가지 함수의 정적분
2. 정적분의 치환적분법
3. 정적분의 부분적분법
4. 정적분으로 정의된 함수

M A P L ; Y O U R M A S T E R P L A N

01 여러 가지 함수의 정적분

01 정적분의 기본정리

함수 $y=f(x)$가 구간 $[a, b]$에서 연속이고 함수 $f(x)$의 부정적분 중 하나를 $F(x)$라 하면

함수 $f(x)$의 a에서 b까지의 정적분은

$$\int_a^b f(x)dx=\Big[F(x)\Big]_a^b=F(b)-F(a)$$

마플해설

① $\Big[F(x)+C\Big]_a^b=\{F(b)+C\}-\{F(a)+C\}=F(b)-F(a)=\Big[F(x)\Big]_a^b$

이므로 정적분의 계산에서 적분상수는 고려하지 않는다.

$$\int_a^b f(x)dx=\Big[F(x)\Big]_a^b=F(b)-F(a)$$

② 정적분 $\int_a^b f(x)dx$의 값은 함수 $f(x)$의 아래끝 a, 위끝 b에 의해서만 결정되는 상수이므로 적분변수와는 관계가 없다.

즉, 적분변수를 x대신 다른 문자를 사용하여 나타내어도 관계가 없다.

$$\int_a^b f(x)dx=\int_a^b f(t)dt=\int_a^b f(y)dy$$

주의 부정적분은 함수를 나타내므로 $\int f(x)dx \neq \int f(t)dt \neq \int f(y)dy$

보기01 다음 정적분을 구하여라.

(1) $\int_1^2 \frac{1}{x}dx$ (2) $\int_0^\pi \sin x dx$

(3) $\int_1^2 \frac{1}{x+1}dx$ (4) $\int_0^2 2^x dx$

풀이

(1) $\int \frac{1}{x}dx=\ln|x|+C$이므로 $\int_1^2 \frac{1}{x}dx=\Big[\ln|x|\Big]_1^2=\ln 2-\ln 1=\ln 2$

(2) $\int \sin x dx=-\cos x+C$이므로 $\int_0^\pi \sin x dx=\Big[-\cos x\Big]_0^\pi=1+1=2$

(3) $\int \frac{1}{x+1}dx=\ln|x+1|+C$이므로 $\int_1^2 \frac{1}{x+1}dx=\Big[\ln|x+1|\Big]_1^2=\ln 3-\ln 2=\ln\frac{3}{2}$

(4) $\int 2^x dx=\frac{2^x}{\ln 2}+C$이므로 $\int_0^2 2^x dx=\left[\frac{2^x}{\ln 2}\right]_0^2=\frac{4}{\ln 2}-\frac{1}{\ln 2}=\frac{3}{\ln 2}$

보기02 다음 정적분을 구하여라.

(1) $\int_0^1 e^{2x}dx$ (2) $\int_0^{\frac{\pi}{2}} \sin 2x dx$ (3) $\int_0^{\frac{\pi}{4}} \sec^2 x dx$

풀이

(1) $\int_0^1 e^{2x}dx=\left[\frac{1}{2}e^{2x}\right]_0^1=\frac{1}{2}(e^2-1)$

(2) $\int_0^{\frac{\pi}{2}} \sin 2x dx=\left[-\frac{1}{2}\cos 2x\right]_0^{\frac{\pi}{2}}=-\frac{1}{2}(-1-1)=1$

(3) $\int_0^{\frac{\pi}{4}} \sec^2 x dx=\Big[\tan x\Big]_0^{\frac{\pi}{4}}=1$

02 정적분의 계산

(1) 정적분의 기본 성질

$a \geq b$인 경우, 정적분 $\int_a^b f(x)dx$는 다음과 같이 정의한다

① $a=b$일 때, $\int_a^a f(x)dx=0$ ⬅ 아래끝과 위끝이 같을 때

② $a>b$일 때, $\int_a^b f(x)dx=-\int_b^a f(x)dx$ ⬅ 아래끝과 위끝이 서로 바뀔 때

(2) 정적분의 계산

함수 $f(x)$, $g(x)$가 닫힌구간 $[a, b]$에서 연속일 때,

① $\int_a^b kf(x)dx=k\int_a^b f(x)dx$ (단, k는 상수) ⬅ 실수배의 정적분

② $\int_a^b \{f(x)+g(x)\}dx=\int_a^b f(x)dx+\int_a^b g(x)dx$ ⬅ 합의 정적분

③ $\int_a^b \{f(x)-g(x)\}dx=\int_a^b f(x)dx-\int_a^b g(x)dx$ ⬅ 차의 정적분

④ $\int_a^c f(x)dx+\int_c^b f(x)dx=\int_a^b f(x)dx$ ⬅ 분할된 구간에서 정적분

참고 정적분의 계산 ①, ②는 적분구간이 같으면 정적분 기호를 묶어 쓸 수도 있고, 떼어 쓸 수도 있다.

보기 03 다음 정적분을 구하여라. ⇦ 함수 $y=x^n$의 정적분

(1) $\int_1^2 \frac{2x-1}{x^2}dx$ (2) $\int_1^4 \left(\sqrt{x}+\frac{1}{\sqrt{x}}\right)dx$ (3) $\int_0^4 (\sqrt{x}+1)^2 dx$

풀이

(1) $\int_1^2 \frac{2x-1}{x^2}dx=\int_1^2 \left(\frac{2}{x}-\frac{1}{x^2}\right)dx=\left[2\ln x+\frac{1}{x}\right]_1^2=\left(2\ln 2+\frac{1}{2}\right)-(0+1)=2\ln 2-\frac{1}{2}$

(2) $\int_1^4 \left(\sqrt{x}+\frac{1}{\sqrt{x}}\right)dx=\left[\frac{2}{3}x\sqrt{x}+2\sqrt{x}\right]_1^4=\left(\frac{16}{3}+4\right)-\left(\frac{2}{3}+2\right)=\frac{20}{3}$

(3) $\int_0^4 (\sqrt{x}+1)^2 dx=\int_0^4 (x+2\sqrt{x}+1)dx=\left[\frac{1}{2}x^2+\frac{4}{3}x^{\frac{3}{2}}+x\right]_0^4=8+\frac{32}{3}+4=\frac{68}{3}$

보기 04 다음 정적분을 구하여라. ⇦ 지수함수 $y=e^x$의 정적분

(1) $\int_0^1 (2^x+e^x)dx$ (2) $\int_0^1 (e^x+e^{-x})^2 dx$ (3) $\int_{-1}^2 \frac{9^x-1}{3^x+1}dx$

풀이

(1) $\int_0^1 (2^x+e^x)dx=\left[\frac{2^x}{\ln 2}+e^x\right]_0^1=\left(\frac{2}{\ln 2}+e\right)-\left(\frac{1}{\ln 2}+1\right)=\frac{1}{\ln 2}+e-1$

(2) $\int_0^1 (e^x+e^{-x})^2 dx=\int_0^1 (e^{2x}+2+e^{-2x})dx=\left[\frac{1}{2}e^{2x}+2x-\frac{1}{2}e^{-2x}\right]_0^1$

$=\left(\frac{1}{2}e^2+2-\frac{1}{2}e^{-2}\right)-\left(\frac{1}{2}-\frac{1}{2}\right)=\frac{1}{2}e^2+2-\frac{1}{2}e^{-2}$

(3) $\int_{-1}^2 \frac{9^x-1}{3^x+1}dx=\int_{-1}^2 \frac{(3^x+1)(3^x-1)}{3^x+1}dx=\int_{-1}^2 (3^x-1)dx=\left[\frac{3^x}{\ln 3}-x\right]_{-1}^2$

$=\left(\frac{9}{\ln 3}-2\right)-\left(\frac{1}{3\ln 3}+1\right)=\frac{26}{3\ln 3}-3$

보기 05 다음 정적분을 구하여라. ⇦ 삼각함수의 정적분

(1) $\int_0^{\pi}\frac{\cos^2 x}{1+\sin x}dx$ (2) $\int_0^{\frac{\pi}{2}}\frac{\sin^2 x}{1+\cos x}dx$ (3) $\int_0^{\frac{\pi}{4}}\frac{2\cos^3 x-1}{\cos^2 x}dx$

풀이 (1) $\int_0^{\pi}\frac{\cos^2 x}{1+\sin x}dx=\int_0^{\pi}\frac{1-\sin^2 x}{1+\sin x}dx=\int_0^{\pi}\frac{(1+\sin x)(1-\sin x)}{1+\sin x}dx$

$=\int_0^{\pi}(1-\sin x)dx=\Big[x+\cos x\Big]_0^{\pi}=\pi-2$

(2) $\int_0^{\frac{\pi}{2}}\frac{\sin^2 x}{1+\cos x}dx=\int_0^{\frac{\pi}{2}}\frac{1-\cos^2 x}{1+\cos x}dx=\int_0^{\frac{\pi}{2}}\frac{(1-\cos x)(1+\cos x)}{1+\cos x}dx$

$=\int_0^{\frac{\pi}{2}}(1-\cos x)dx=\Big[x-\sin x\Big]_0^{\frac{\pi}{2}}=\frac{\pi}{2}-1$

(3) $\int_0^{\frac{\pi}{4}}\frac{2\cos^3 x-1}{\cos^2 x}dx=\int_0^{\frac{\pi}{4}}(2\cos x-\sec^2 x)dx=\Big[2\sin x-\tan x\Big]_0^{\frac{\pi}{4}}=\sqrt{2}-1$

보기 06 다음 정적분을 구하여라. ⬅ $\int_a^b f(x)dx\pm\int_a^b g(x)dx=\int_a^b\{f(x)\pm g(x)\}dx$

(1) $\int_0^1(e^x+1)^2dx-\int_0^1(e^x-1)^2dx$

(2) $\int_1^2(2^x+1)^2dx+\int_2^1(2^x-1)^2dx$

(3) $\int_0^{\frac{\pi}{2}}(1+\sin x)^2dx+\int_0^{\frac{\pi}{2}}(1+\cos x)^2dx$

풀이 (1) $\int_0^1(e^x+1)^2dx-\int_0^1(e^x-1)^2dx=\int_0^1\{(e^x+1)^2-(e^x-1)^2\}dx$

$=\int_0^1 4e^x dx=4\Big[e^x\Big]_0^1=4(e-1)$

(2) $\int_1^2(2^x+1)^2dx+\int_2^1(2^x-1)^2dx=\int_1^2(2^x+1)^2dx-\int_1^2(2^x-1)^2dx$

$=\int_1^2 4\cdot 2^x dx=4\Big[\frac{2^x}{\ln 2}\Big]_1^2=\frac{8}{\ln 2}$

(3) $\int_0^{\frac{\pi}{2}}(1+\sin x)^2dx+\int_0^{\frac{\pi}{2}}(1+\cos x)^2dx=\int_0^{\frac{\pi}{2}}\{(1+\sin x)^2+(1+\cos x)^2\}dx$

$=\int_0^{\frac{\pi}{2}}\{3+2(\sin x+\cos x)\}dx$

$=\Big[3x+2(-\cos x+\sin x)\Big]_0^{\frac{\pi}{2}}=\frac{3}{2}\pi+4$

보기 07 다음 정적분을 구하여라.

(1) $\int_4^9\frac{x-1}{\sqrt{x}-1}dx+\int_4^9\frac{x-1}{\sqrt{x}+1}dx$ (2) $\int_0^1\frac{e^{2x}}{e^x+1}dx-\int_0^1\frac{1}{e^x+1}dx$

풀이 (1) $\int_4^9\frac{x-1}{\sqrt{x}-1}dx+\int_4^9\frac{x-1}{\sqrt{x}+1}dx=\int_4^9\frac{(\sqrt{x}-1)(\sqrt{x}+1)}{\sqrt{x}-1}dx+\int_4^9\frac{(\sqrt{x}-1)(\sqrt{x}+1)}{\sqrt{x}+1}dx$

$=\int_4^9(\sqrt{x}+1)dx+\int_4^9(\sqrt{x}-1)dx$

$=\int_4^9\{(\sqrt{x}+1)+(\sqrt{x}-1)\}dx=\int_4^9 2\sqrt{x}\,dx=2\Big[\frac{2}{3}x\sqrt{x}\Big]_4^9=\frac{76}{3}$

(2) $\int_0^1\frac{e^{2x}}{e^x+1}dx-\int_0^1\frac{1}{e^x+1}dx=\int_0^1\frac{e^{2x}-1}{e^x+1}dx=\int_0^1\frac{(e^x-1)(e^x+1)}{e^x+1}dx$

$=\int_0^1(e^x-1)dx=\Big[e^x-x\Big]_0^1=e-2$

삼각함수의 정적분

01 삼각함수의 정적분

(1) 이배각공식과 반각공식을 이용하여 정적분 구하기

① $\int_0^{\pi}\sin^2 x dx=\int_0^{\pi}\frac{1-\cos 2x}{2}dx=\frac{1}{2}\left[x-\frac{1}{2}\sin 2x\right]_0^{\pi}=\frac{\pi}{2}$

② $\int_0^{\pi}\cos^2 x dx=\int_0^{\pi}\frac{1+\cos 2x}{2}dx=\frac{1}{2}\left[x+\frac{1}{2}\sin 2x\right]_0^{\pi}=\frac{\pi}{2}$

③ $\int_0^{\frac{\pi}{4}}\tan^2 x dx=\int_0^{\frac{\pi}{4}}(\sec^2 x-1)x dx=\left[\tan x-x\right]_0^{\frac{\pi}{4}}=1-\frac{\pi}{4}$

④ $\int_0^{\frac{\pi}{2}}\sin^2\frac{x}{2}dx=\int_0^{\frac{\pi}{2}}\frac{1-\cos x}{2}dx=\left[\frac{1}{2}x-\frac{1}{2}\sin x\right]_0^{\frac{\pi}{2}}=\frac{\pi}{4}-\frac{1}{2}$

⑤ $\int_0^{\frac{\pi}{2}}\cos^2\frac{x}{2}dx=\int_0^{\frac{\pi}{2}}\frac{1+\cos x}{2}dx=\left[\frac{1}{2}x+\frac{1}{2}\sin x\right]_0^{\frac{\pi}{2}}=\frac{\pi}{4}+\frac{1}{2}$

참고 이배각공식과 반각공식

- $\cos 2x=1-2\sin^2 x$ ⇨ $\sin^2 x=\frac{1}{2}(1-\cos 2x)$에서 $\sin^2\frac{x}{2}=\frac{1-\cos x}{2}$
- $\cos 2x=2\cos^2 x-1$ ⇨ $\cos^2 x=\frac{1}{2}(1+\cos 2x)$에서 $\cos^2\frac{x}{2}=\frac{1+\cos x}{2}$

(2) 정적분 $\int_0^{\frac{\pi}{2}}\sin^2 x dx=\int_0^{\frac{\pi}{2}}\cos^2 x dx$가 성립하는 여러 가지 방법

① 치환적분법을 이용하여 등식 $\int_0^{\frac{\pi}{2}}\sin^2 x dx=\int_0^{\frac{\pi}{2}}\cos^2 x dx$가 성립함을 보이기

해설 $x=\frac{\pi}{2}-t$, 즉 $t=\frac{\pi}{2}-x$로 놓으면 $\frac{dt}{dx}=-1$이고

$x=0$일 때 $t=\frac{\pi}{2}$, $x=\frac{\pi}{2}$일 때 $t=0$이므로

$\int_0^{\frac{\pi}{2}}\sin^2 x dx=-\int_{\frac{\pi}{2}}^{0}\sin^2\left(\frac{\pi}{2}-t\right)dt=\int_0^{\frac{\pi}{2}}\cos x^2 t dt=\int_0^{\frac{\pi}{2}}\cos^2 x dx$

② $\int_0^{\frac{\pi}{2}}\sin^2 x dx=\int_0^{\frac{\pi}{2}}\cos^2 x dx$과 $\sin^2 x+\cos^2 x=1$을 이용하여 정적분 $\int_0^{\frac{\pi}{2}}\sin^2 x dx$의 값을 구한다.

해설 $\int_0^{\frac{\pi}{2}}\sin^2 x dx=\int_0^{\frac{\pi}{2}}(1-\cos^2 x)dx=\int_0^{\frac{\pi}{2}}1dx-\int_0^{\frac{\pi}{2}}\cos^2 x dx$ ⬅ $\int_0^{\frac{\pi}{2}}\sin^2 x dx=\int_0^{\frac{\pi}{2}}\cos^2 x dx$

$2\int_0^{\frac{\pi}{2}}\sin^2 x dx=\frac{\pi}{2}$ $\therefore \int_0^{\frac{\pi}{2}}\sin^2 x dx=\frac{\pi}{4}$

③ $\sin^2 x=\frac{1-\cos 2x}{2}$, $\cos^2 x=\frac{1+\cos 2x}{2}$임을 이용하여

정적분 $\int_0^{\frac{\pi}{2}}\sin^2 x dx=\int_0^{\frac{\pi}{2}}\cos^2 x dx$의 값을 구한다.

해설 $\int_0^{\frac{\pi}{2}}\sin^2 x dx=\int_0^{\frac{\pi}{2}}\frac{1-\cos 2x}{2}dx=\frac{1}{2}\left[x-\frac{1}{2}\sin 2x\right]_0^{\frac{\pi}{2}}=\frac{\pi}{4}$

$\int_0^{\frac{\pi}{2}}\cos^2 x dx=\int_0^{\frac{\pi}{2}}\frac{1+\cos 2x}{2}dx=\frac{1}{2}\left[x+\frac{1}{2}\sin 2x\right]_0^{\frac{\pi}{2}}=\frac{\pi}{4}$

(3) 그래프에서 삼각함수의 정적분

정적분	$\int_0^{\frac{\pi}{2}}\sin dx=1$	$\int_0^{\frac{\pi}{2}}\cos dx=1$	$\int_0^{\frac{\pi}{2}}\sin^2 xdx=\frac{\pi}{4}$	$\int_0^{\frac{\pi}{2}}\cos^2 xdx=\frac{\pi}{4}$
그래프	$y=\sin x$	$y=\cos x$	$y=\sin^2 x$	$y=\cos^2 x$
확장	$\int_0^{\pi}\sin xdx=2,$	$\int_0^{\pi}\lvert\cos x\rvert dx=2,$	$\int_0^{\pi}\lvert\sin 2x\rvert dx=2$	

참고 $\int_0^{\frac{\pi}{2}}\sin^2 xdx=\frac{\pi}{4}$, $\int_0^{\frac{\pi}{2}}\cos^2 xdx=\frac{\pi}{4}$의 그래프에서 설명

해설 $y=\sin^2 x$, $y=\cos^2 x$의 그래프와 x축 및 직선 $x=\frac{\pi}{2}$로 둘러싸인 도형의 넓이는 그림과 같이

가로의 길이가 $\frac{\pi}{2}$, 세로의 길이가 1인 직각삼각형의 넓이 $\frac{1}{2}\cdot\frac{\pi}{2}\cdot 1=\frac{\pi}{4}$와 같다.

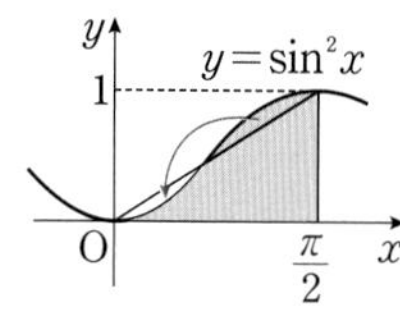

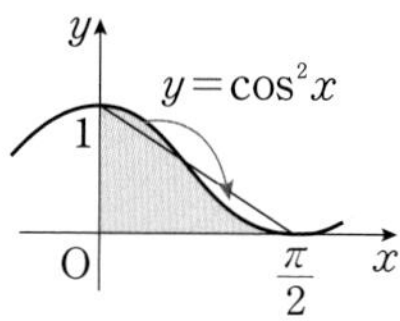

자주 사용되는 삼각함수 정적분의 값

① $\int_0^{\pi}\sin^2 xdx=\int_0^{\pi}\cos^2 dx=\frac{\pi}{2}$

② $\int_0^{\frac{\pi}{2}}\sin^2 xdx=\int_0^{\frac{\pi}{2}}\cos^2 dx=\frac{\pi}{4}$

+α 더 알아보기

① $\mathrm{I}_1=\int_0^1 xe^x dx=1$

해설 $\mathrm{I}_1=\int_0^1 xe^x dx$에서 $f(x)=x$, $g'(x)=e^x$으로 놓으면 $f'(x)=1$, $g(x)=e^x$

부분적분법에 의하여 $\mathrm{I}_1=\int_0^1 xe^x dx=\left[xe^x\right]_0^1-\int_0^1 e^x dx=e-\left[e^x\right]_0^1=e-(e-1)=1$

② $\mathrm{I}_2=\int_0^1 x^2e^x dx=e-2$

해설 $\mathrm{I}_2=\int_0^1 x^2e^x dx$에서 $f(x)=x^2$, $g'(x)=e^x$으로 놓으면 $f'(x)=2x$, $g(x)=e^x$

부분적분법에 의하여 $\mathrm{I}_2=\int_0^1 x^2e^x dx=\left[x^2e^x\right]_0^1-\int_0^1 2xe^x dx=e-2\int_0^1 xe^x dx=e-2$

③ 자연수 n에 대하여 $\mathrm{I}_n=\int_0^1 x^ne^x dx$이면 $\mathrm{I}_n=e-n\mathrm{I}_{n-1}$ (단, $n=2, 3, 4, \cdots$)이다.

해설 $\mathrm{I}_n=\int_0^1 x^ne^x dx$에서 $f(x)=x^n$, $g'(x)=e^x$으로 놓으면 $f'(x)=nx^{n-1}$, $g(x)=e^x$

부분적분법에 의하여 $\mathrm{I}_n=\left[x^ne^x\right]_0^1-\int_0^1 nx^{n-1}e^x dx=e-n\int_0^1 x^{n-1}e^x dx=e-n\mathrm{I}_{n-1}(n=2, 3, 4, \cdots)$

마플개념익힘 01 정적분의 기본정리

다음 정적분의 값을 구하여라.

(1) $\displaystyle\int_1^2 \frac{1}{x^2+x}dx$ (2) $\displaystyle\int_0^1 \frac{e^{2x}-x^2}{e^x-x}dx$ (3) $\displaystyle\int_{\frac{\pi}{6}}^{\frac{\pi}{3}} \frac{3+2\sin^2 x}{1-\cos^2 x}dx$

MAPL CORE 피적분함수가 분수함수, 지수함수, 삼각함수를 포함한 경우 이항분리, 지수법칙, 삼각함수의 여러 가지 공식을 이용하여 피적분 함수를 간단히 변경한 후 정적분의 값을 구한다.

개념익힘 | **풀이**

(1) $\displaystyle\int_1^2 \frac{1}{x^2+x}dx=\int_1^2 \frac{1}{x(x+1)}dx=\int_1^2\left(\frac{1}{x}-\frac{1}{x+1}\right)dx$

$\displaystyle=\Big[\ln|x|-\ln|x+1|\Big]_1^2=(\ln 2-\ln 3)-(\ln 1-\ln 2)=\mathbf{2\ln 2-\ln 3}$

(2) $\displaystyle\int_0^1 \frac{e^{2x}-x^2}{e^x-x}dx=\int_0^1 \frac{(e^x+x)(e^x-x)}{e^x-x}dx=\int_0^1 (e^x+x)dx$

$\displaystyle=\left[e^x+\frac{x^2}{2}\right]_0^1=\left(e+\frac{1}{2}\right)-(1-0)=\boldsymbol{e-\frac{1}{2}}$

(3) $\displaystyle\int_{\frac{\pi}{6}}^{\frac{\pi}{3}} \frac{3+2\sin^2 x}{1-\cos^2 x}dx=\int_{\frac{\pi}{6}}^{\frac{\pi}{3}} \frac{3+2\sin^2 x}{\sin^2 x}dx=\int_{\frac{\pi}{6}}^{\frac{\pi}{3}}(3\csc^2 x+2)dx$

$\displaystyle=\Big[-3\cot x+2x\Big]_{\frac{\pi}{6}}^{\frac{\pi}{3}}=\left(-\sqrt{3}+\frac{2}{3}\pi\right)-\left(-3\sqrt{3}+\frac{\pi}{3}\right)=\boldsymbol{2\sqrt{3}+\frac{\pi}{3}}$

확인유제 0815

다음 정적분의 값을 구하여라.

(1) $\displaystyle\int_2^3 \frac{1}{x(x-1)}dx$ (2) $\displaystyle\int_0^{\frac{\pi}{4}} \frac{1}{1-\sin^2 x}dx$ (3) $\displaystyle\int_0^{\frac{\pi}{4}}(\sin x\cos 2x+\cos x\sin 2x)dx$

변형문제 0816

다음 물음에 답하어라.

2018학년도 06월 평가원

(1) $\displaystyle\int_2^4 2e^{2x-4}dx=k$일 때, $\ln(k+1)$의 값은?

① 1 ② 2 ③ 3 ④ 4 ⑤ 5

2017년 07월 교육청

(2) $\displaystyle\int_0^4 (5x-3)\sqrt{x}\,dx$의 값은?

① 47 ② 48 ③ 49 ④ 50 ⑤ 51

발전문제 0817

함수 $f(x)=e^{2x}-e^x$에 대하여

$$\int_{\ln 2}^{\ln 5} f(x)dx-\int_{\ln 3}^{\ln 5} f(x)dx+\int_0^{\ln 2} f(x)dx$$

의 값을 구하여라.

정답 0815 : (1) $\ln\frac{4}{3}$ (2) 1 (3) $\frac{\sqrt{2}}{6}+\frac{1}{3}$ 0816 : (1) ④ (2) ② 0817 : 2

마플개념익힘 02 절댓값 기호를 포함하고 있는 함수의 정적분

다음 정적분의 값을 구하여라.

(1) $\int_{-1}^{4}|e^x-1|dx$ (2) $\int_{0}^{\pi}|\cos x|dx$ (3) $\int_{0}^{\pi}|\sin 2x|dx$

MAPL CORE 절댓값 기호를 포함하고 있는 함수의 정적분 ⇨ 적분구간을 나누어 절댓값 기호를 없앤다.
절댓값 기호를 포함한 정적분의 값을 구할 때는 절댓값 기호 안의 식을 0으로 하는 x의 값을 경계로 구간을 나누어 절댓값 기호를 없앤 후 각 정적분의 값의 합을 구한다.

개념익힘 | **풀이** (1) $f(x)=|e^x-1|$라고 하면 $f(x)=\begin{cases} e^x-1 & (x\ge 0) \\ -e^x+1 & (x<0) \end{cases}$이므로

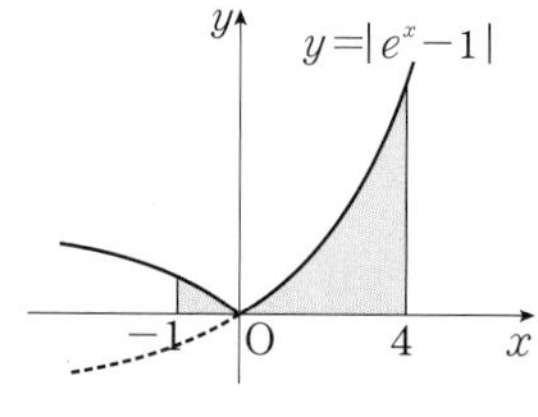

$$\int_{-1}^{4}|e^x-1|dx=\int_{-1}^{0}\{-(e^x-1)\}dx+\int_{0}^{4}(e^x-1)dx$$
$$=\Big[-e^x+x\Big]_{-1}^{0}+\Big[e^x-x\Big]_{0}^{4}$$
$$=\boldsymbol{\frac{1}{e}+e^4-5}$$

(2) $f(x)=|\cos x|$이라 하면 $f(x)=\begin{cases} \cos x & \left(0\le x\le \frac{\pi}{2}\right) \\ -\cos x & \left(\frac{\pi}{2}<x\le \pi\right) \end{cases}$

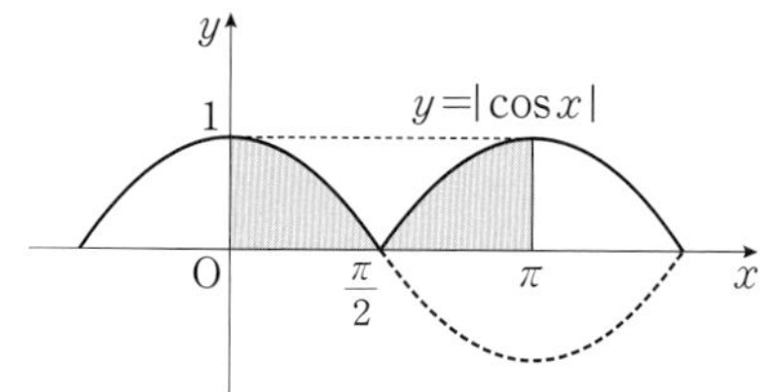

$$\int_{0}^{\pi}|\cos x|dx=\int_{0}^{\frac{\pi}{2}}\cos x dx+\int_{\frac{\pi}{2}}^{\pi}(-\cos x)dx$$
$$=\Big[\sin x\Big]_{0}^{\frac{\pi}{2}}+\Big[-\sin x\Big]_{\frac{\pi}{2}}^{\pi}=1+1=\mathbf{2}$$

(3) $f(x)=|\sin 2x|$라고 하면 $f(x)=\begin{cases} \sin 2x & \left(0\le x\le \frac{\pi}{2}\right) \\ -\sin 2x & \left(\frac{\pi}{2}\le x\le \pi\right) \end{cases}$

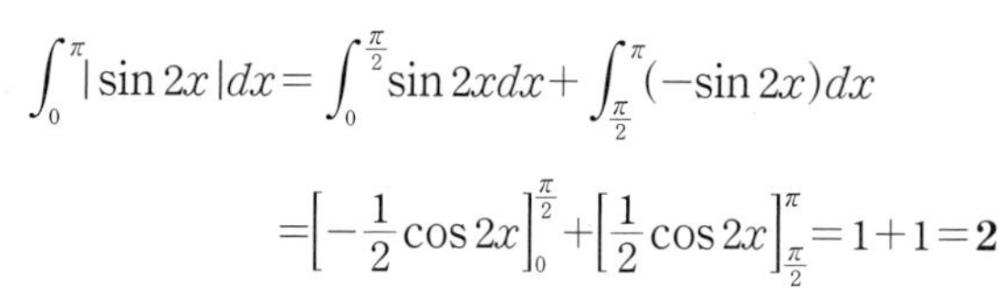

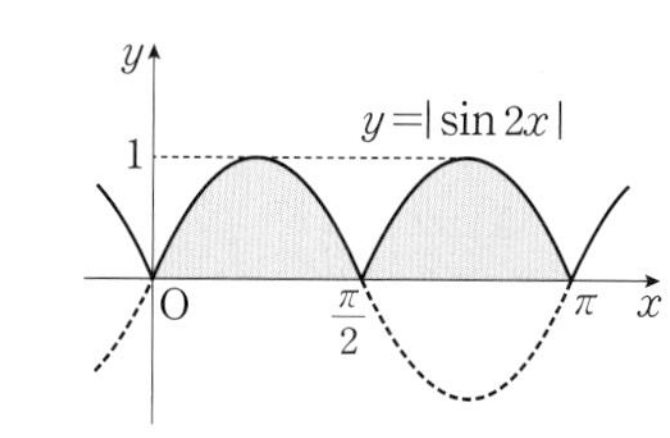

$$\int_{0}^{\pi}|\sin 2x|dx=\int_{0}^{\frac{\pi}{2}}\sin 2x dx+\int_{\frac{\pi}{2}}^{\pi}(-\sin 2x)dx$$
$$=\Big[-\frac{1}{2}\cos 2x\Big]_{0}^{\frac{\pi}{2}}+\Big[\frac{1}{2}\cos 2x\Big]_{\frac{\pi}{2}}^{\pi}=1+1=\mathbf{2}$$

참고 위의 정적분의 값들은 그림에서 색칠된 부분의 넓이와 같다.

확인유제 0818 다음 정적분의 값을 구하여라.

(1) $\int_{-1}^{1}|2^x-1|dx$ (2) $\int_{0}^{\frac{\pi}{2}}|\cos 2x|dx$ (3) $\int_{\frac{1}{e}}^{e}|\ln x|dx$

변형문제 0819 다음 정적분의 값을 구하여라.

(1) $\int_{0}^{\frac{\pi}{2}}|\cos x-\sin x|dx$ (2) $\int_{0}^{\pi}|\sin x+\cos x|dx$

발전문제 0820 오른쪽 그림은 함수 $y=e^x$의 그래프를 x축 방향으로 a만큼, y축으로 b만큼 평행이동한 함수 $y=f(x)$의 그래프와 점근선을 나타낸 것이다.
다음 물음에 답하여라.

(1) $a+b$의 값을 구하여라.

(2) 정적분 $\int_{0}^{1}|f(x)|dx$의 값을 구하여라.

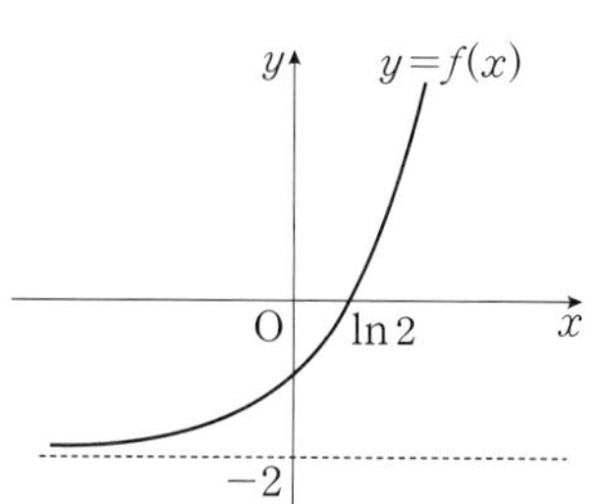

정답 0818 : (1) $\frac{1}{2\ln 2}$ (2) 1 (3) $2-\frac{2}{e}$ 0819 : (1) $2\sqrt{2}-2$ (2) $2\sqrt{2}$ 0820 : (1) -2 (2) $4\ln 2+e-5$

02 정적분의 치환적분법

MAPL; YOURMASTERPLAN

01 치환적분을 이용한 정적분

닫힌구간 $[a, b]$에서 연속인 함수 $f(x)$에 대하여 미분가능한 함수 $x=g(t)$의 도함수 $g'(t)$가 닫힌구간 $[\alpha, \beta]$에서 연속이고 $a=g(\alpha)$, $b=g(\beta)$이면 다음이 성립한다.

$$\int_a^b f(x)dx = \int_\alpha^\beta f(\underbrace{g(t))g'(t)}_{\text{미분}}dt$$

주의 정적분의 치환적분을 이용할 때에는 적분구간이 바뀜에 주의하고
정적분의 치환적분법에서는 함수가 아닌 상수의 값을 구하는 것이므로 부정적분과 달리 치환한 식을 원래의 식에 대입할 필요 없이 바로 정적분의 값을 계산한다.

마플해설 치환적분을 이용하여 정적분을 구해 보자.
닫힌구간 $[a, b]$에서 연속인 함수 $f(x)$의 한 부정적분을 $F(x)$라고 하면

$$\int_a^b f(x)dx = \Big[F(x)\Big]_a^b = F(b)-F(a) \quad \cdots\cdots ㉠$$

이다. 여기서 $\int f(x)dx$에서 미분가능한 함수 $g(t)$에 대하여 $x=g(t)$로 놓고 치환적분법을 이용하면

$$\int f(x)dx = \int f(g(t))g'(t)dt = F(g(t))+C$$

이다. 이때 도함수 $g'(t)$가 구간 $[\alpha, \beta]$에서 연속이고 $a=g(\alpha)$, $b=g(\beta)$라고 하면

$$\int_\alpha^\beta f(g(t))g'(t)dt = \Big[F(g(t))\Big]_\alpha^\beta$$

$$= F(g(\beta))-F(g(\alpha)) = F(b)-F(a) \quad \cdots\cdots ㉡$$

이다. 즉 ㉠, ㉡으로부터 $\int_a^b f(x)dx = \int_\alpha^\beta f(g(t))g'(t)dt$가 성립한다.

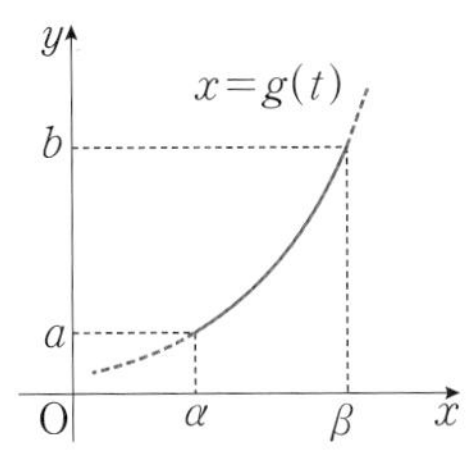

함수 $x=g(t)$는 닫힌구간 $[\alpha, \beta]$에서 증가하는 또는 감소하는 함수로 일대일 대응이어야 한다.

보기 01 다음 정적분을 구하여라.

(1) $\int_0^1 (2x+1)^3 dx$ (2) $\int_0^\pi \sin(2x-\pi)dx$ (3) $\int_0^1 e^{-2x+1}dx$

풀이

(1) $2x+1=t$로 놓으면 $x=\frac{t-1}{2}$이므로 $\frac{dx}{dt}=\frac{1}{2}$ ← $2=\frac{dt}{dx}$에서 $dx=\frac{1}{2}dt$로 할 수 있다.

$x=0$일 때 $t=1$, $x=1$일 때 $t=3$이므로

$$\int_0^1 (2x+1)^3 dx = \int_1^3 \frac{1}{2}t^3 dt = \left[\frac{1}{8}t^4\right]_1^3 = 10$$

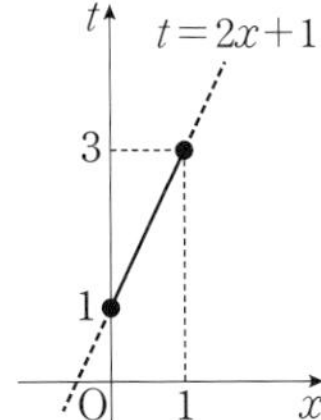

(2) $2x-\pi=t$로 놓으면 $x=\frac{t+\pi}{2}$이므로 $\frac{dx}{dt}=\frac{1}{2}$ ← $2=\frac{dt}{dx}$에서 $dx=\frac{1}{2}dt$로 할 수 있다.

$x=0$일 때 $t=-\pi$, $x=\pi$일 때 $t=\pi$이므로

$$\int_0^\pi \sin(2x-\pi)dx = \int_{-\pi}^\pi \frac{1}{2}\sin t dt = \left[-\frac{1}{2}\cos t\right]_{-\pi}^\pi = 0$$

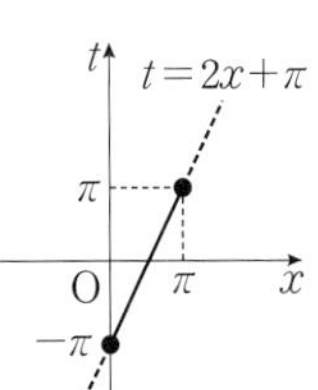

(3) $-2x+1=t$로 놓으면 $x=\frac{-t+1}{2}$이므로 $\frac{dx}{dt}=-\frac{1}{2}$ ← $-2=\frac{dt}{dx}$에서 $dx=-\frac{1}{2}dt$로 할 수 있다.

$x=0$일 때 $t=1$, $x=1$일 때 $t=-1$이므로

$$\int_0^1 e^{-2x+1}dx = \int_1^{-1} -\frac{1}{2}e^t dt = \frac{1}{2}\int_{-1}^1 e^t dt = \frac{1}{2}\Big[e^t\Big]_{-1}^1 = \frac{1}{2}\left(e-\frac{1}{e}\right)$$

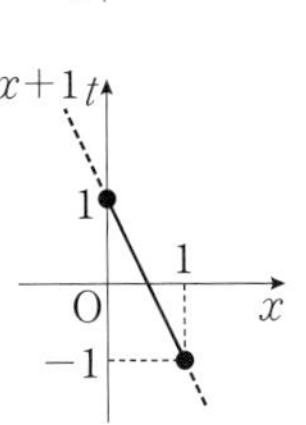

보기 02 다음 정적분을 구하여라.

(1) $\int_0^1 2x(x^2+1)^3 dx$ (2) $\int_0^1 4xe^{2x^2+1} dx$

풀이 (1) $x^2+1=t$로 놓으면 $2x=\frac{dt}{dx}$, 즉 $2xdx=dt$이고

$x=0$일 때 $t=0^2+1=1$, $x=1$일 때 $t=1^2+1=2$이므로

$$\int_0^1 2x(x^2+1)^3 dx=\int_1^2 t^3 dt=\left[\frac{1}{4}t^4\right]_1^2=4-\frac{1}{4}=\frac{15}{4}$$

$$\int_0^1 \boxed{2x}(\underbrace{x^2+1}_{=t})^3\boxed{dx}=\int_1^2 t^3\boxed{dt}$$

(2) $2x^2+1=t$로 놓으면 $4x=\frac{dt}{dx}$, 즉 $4xdx=dt$이고

$x=0$일 때 $t=2\cdot0^2+1=1$, $x=1$일 때 $t=2\cdot1^2+1=3$이므로

$$\int_0^1 4xe^{2x^2+1}dx=\int_1^3 e^t dt=\left[e^t\right]_1^3=e^3-e$$

$$\int_0^1 \boxed{4x}e^{\underbrace{2x^2+1}_{=t}}\boxed{dx}=\int_1^3 e^t\boxed{dt}$$

보기 03 다음 정적분을 구하여라.

(1) $\int_0^{\sqrt{2}} x\sqrt{x^2+1}\,dx$ (2) $\int_1^{\sqrt{5}} 2x\sqrt{x^2-1}\,dx$

풀이 (1) $x^2+1=t$로 놓으면 $2x=\frac{dt}{dx}$, 즉 $2xdx=dt$이고

$x=0$일 때 $t=1$, $x=\sqrt{2}$일 때 $t=3$이므로

$$\int_0^{\sqrt{2}} x\sqrt{x^2+1}\,dx=\int_1^3 \frac{1}{2}\sqrt{t}\,dt=\left[\frac{1}{3}t\sqrt{t}\right]_1^3=\sqrt{3}-\frac{1}{3}$$

$$\int_0^{\sqrt{2}} \boxed{x}\sqrt{\underbrace{x^2+1}_{=t}}\boxed{dx}=\int_1^3 \sqrt{t}\boxed{\frac{1}{2}dt}$$

참고 $\sqrt{x^2+1}=t$로 치환하여 정적분해도 같다.

(2) $x^2-1=t$로 놓으면 $2x=\frac{dt}{dx}$, 즉 $2xdx=dt$이고

$x=1$일 때 $t=0$, $x=\sqrt{5}$일 때 $t=4$이므로

$$\int_1^{\sqrt{5}} 2x\sqrt{x^2-1}\,dx=\int_0^4 \sqrt{t}\,dt=\left[\frac{2}{3}t^{\frac{3}{2}}\right]_0^4=\frac{16}{3}$$

$$\int_0^{\sqrt{2}} \boxed{2x}\sqrt{\underbrace{x^2-1}_{=t}}\boxed{dx}=\int_0^4 \sqrt{t}\boxed{dt}$$

참고 $\sqrt{x^2-1}=t$로 치환하여 정적분해도 같다.

보기 04 다음 정적분을 구하여라.

(1) $\int_0^{\frac{\pi}{2}} \sin^2 x\cos x dx$ (2) $\int_0^{\frac{\pi}{2}} \cos^2 x\sin x dx$

풀이 (1) $\sin x=t$로 놓으면 $\cos x=\frac{dt}{dx}$, 즉 $\cos xdx=dt$이고

$x=0$일 때 $t=\sin 0=0$, $x=\frac{\pi}{2}$일 때 $t=\sin\frac{\pi}{2}=1$이므로

$$\int_0^{\frac{\pi}{2}} \sin^2 x\cos x dx=\int_0^1 t^2 dt=\left[\frac{1}{3}t^3\right]_0^1=\frac{1}{3}$$

$$\int_0^{\frac{\pi}{2}} \underbrace{\sin}_{=t}{}^2 x\boxed{\cos x dx}=\int_0^1 t^2\boxed{dt}$$

(2) $\cos x=t$로 놓으면 $-\sin x=\frac{dt}{dx}$, 즉 $-\sin xdx=dt$이고

$x=0$일 때 $t=\cos 0=1$, $x=\frac{\pi}{2}$일 때 $t=\cos\frac{\pi}{2}=0$이므로

$$\int_0^{\frac{\pi}{2}} \cos^2 x\sin x dx=\int_1^0 (-t^2)dt=\int_0^1 t^2 dt=\left[\frac{1}{3}t^3\right]_0^1=\frac{1}{3}$$

$$\int_0^{\frac{\pi}{2}} \underbrace{\cos}_{=t}{}^2 x\boxed{\sin x dx}=\int_1^0 t^2\boxed{(-dt)}$$

보기 05 다음 정적분을 구하여라.

(1) $\int_0^{\frac{\pi}{2}} \sin^3 x dx$　　　(2) $\int_0^{\frac{\pi}{2}} \cos^5 dx$

풀이 (1) $\int_0^{\frac{\pi}{2}} \sin^3 x dx = \int_0^{\frac{\pi}{2}} \sin^2 x \sin x dx = \int_0^{\frac{\pi}{2}} (1-\cos^2 x)\sin x dx$

$\cos x = t$로 놓으면 $-\sin x = \frac{dt}{dx}$, 즉 $-\sin x dx = dt$이고

$x=0$일 때, $t=1$, $x=\frac{\pi}{2}$일 때 $t=0$이므로

$\int_0^{\frac{\pi}{2}} (1-\cos^2 x)\sin x dx = -\int_1^0 (1-t^2)dt = \int_0^1 (1-t^2)dt = \left[t-\frac{1}{3}t^3\right]_0^1 = \frac{2}{3}$

$\int_0^{\frac{\pi}{2}} (1-\underset{=t}{\cos^2 x})\boxed{\sin x dx} = \int_1^0 (1-t^2)\boxed{(-dt)}$

(2) $\int_0^{\frac{\pi}{2}} \cos^5 x dx = \int_0^{\frac{\pi}{2}} (\cos^2 x)^2 \cos x dx = \int_0^{\frac{\pi}{2}} (1-\sin^2 x)^2 \cos x dx$

$\sin x = t$로 놓으면 $\cos x = \frac{dt}{dx}$, 즉 $\cos x dx = dt$이고

$x=0$일 때 $t=\sin 0=0$, $x=\frac{\pi}{2}$일 때 $t=\sin\frac{\pi}{2}=1$이므로

$\int_0^{\frac{\pi}{2}} (1-\sin^2 x)^2 \cos x dx = \int_0^1 (1-t^2)^2 dt = \int_0^1 (1-2t^2+t^4)dt = \left[t-\frac{2}{3}t^3+\frac{1}{5}t^5\right]_0^1 = \frac{8}{15}$

$\int_0^{\frac{\pi}{2}} (1-\underset{=t}{\sin^2 x})\boxed{\cos x dx} = \int_0^1 (1-t^2)^2 \boxed{dt}$

보기 06 다음 정적분을 구하여라.

(1) $\int_0^1 \frac{x}{2x^2+1}dx$　　　(2) $\int_0^1 \frac{e^x}{1+e^x}dx$　　　(3) $\int_0^{\frac{\pi}{6}} \frac{\cos x}{1+\sin x}dx$

풀이 (1) $2x^2+1=t$로 놓으면 $4x=\frac{dt}{dx}$, 즉 $4xdx=dt$이고

$x=0$일 때 $t=1$, $x=1$일 때 $t=3$이므로

$\int_0^1 \frac{x}{2x^2+1}dx = \int_1^3 \frac{1}{t}\cdot\frac{1}{4}dt = \left[\frac{1}{4}\ln t\right]_1^3 = \frac{1}{4}\ln 3$

$\int_0^1 \frac{\boxed{x}}{\underset{=t}{2x^2+1}}\boxed{dx} = \int_1^3 \frac{1}{t}\cdot\boxed{\frac{1}{4}dt}$

(2) $1+e^x=t$로 놓으면 $e^x=\frac{dt}{dx}$, 즉 $e^x dx = dt$이고

$x=0$일 때 $t=2$, $x=1$일 때 $t=e+1$이므로

$\int_0^1 \frac{e^x}{1+e^x}dx = \int_2^{e+1}\frac{1}{t}dt = \left[\ln t\right]_2^{e+1} = \ln\frac{e+1}{2}$

$\int_0^1 \frac{\boxed{e^x}}{\underset{=t}{1+e^x}}\boxed{dx} = \int_2^{e+1}\frac{1}{t}\boxed{dt}$

(3) $1+\sin x=t$로 놓으면 $\cos x=\frac{dt}{dx}$, 즉 $\cos x dx = dt$이고

$x=0$일 때 $t=1+\sin 0=1$, $x=\frac{\pi}{6}$일 때 $t=1+\sin\frac{\pi}{6}=\frac{3}{2}$이므로

$\int_0^{\frac{\pi}{6}} \frac{\cos x}{1+\sin x}dx = \int_1^{\frac{3}{2}}\frac{1}{t}dt = \left[\ln|t|\right]_1^{\frac{3}{2}} = \ln\frac{3}{2}$

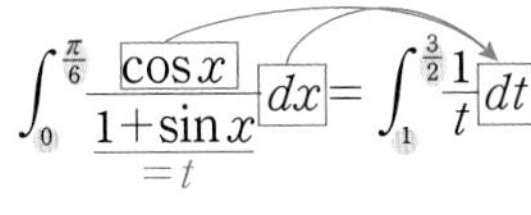

자주 출제되는 치환적분법

① $\int_a^b f'(x)e^{f(x)}dx = \int_{f(a)}^{f(b)} e^t dt$　← $f(x)=t$로 놓으면

② $\int_a^b \frac{\ln x}{x}dx = \int_{f(a)}^{f(b)} t dt$　← $\ln x = t$로 놓으면

③ $\int_a^b g(\sin x)\cos x dx = \int_{f(a)}^{f(b)} g(t)dt$　← $\sin x = t$로 놓으면

④ $\int_a^b \frac{f'(x)}{f(x)}dx = \int_{f(a)}^{f(b)} \frac{1}{t}dt$　← $f(x)=t$로 놓으면

02 삼각치환법을 이용한 정적분

$f(x)$가 x^2+a^2, x^2-a^2, a^2-x^2(a는 상수)꼴의 식이 포함된 복잡한 형태의 함수를 적분할 때, x를 삼각함수로 치환하면 보다 간단한 적분으로 바뀌어 쉽게 정적분을 구할 수 있다.

$\int\sqrt{f(x)}\,dx$에서 근호를 제거하는 방법

(1) $\int\sqrt{a^2-x^2}\,dx$, $\int\frac{1}{\sqrt{a^2-x^2}}dx\,(a>0)$꼴이 포함된 적분 ⇨ $x=a\sin\theta\left(-\frac{\pi}{2}\le\theta\le\frac{\pi}{2}\right)$로 치환

[1단계] $x=a\sin\theta\left(-\frac{\pi}{2}\le\theta\le\frac{\pi}{2}\right)$로 치환하고 $1-\sin^2\theta=\cos^2\theta$을 이용한다.

[2단계] 양변을 θ로 미분하면 $dx=a\cos\theta d\theta$

(2) $\int\sqrt{a^2+x^2}\,dx$, $\int\frac{1}{x^2+a^2}dx\,(a>0)$꼴이 포함된 적분 ⇨ $x=a\tan\theta\left(-\frac{\pi}{2}<\theta<\frac{\pi}{2}\right)$로 치환

[1단계] $x=a\tan\theta\left(-\frac{\pi}{2}<\theta<\frac{\pi}{2}\right)$로 치환하고 $1+\tan^2\theta=\sec^2\theta$을 이용한다.

[2단계] 양변을 θ로 미분하면 $dx=a\sec^2\theta d\theta$

마플해설 $a>0$일 때, 정적분 $\int_0^a\sqrt{a^2-x^2}\,dx$를 구하는 방법

① 치환을 이용하는 방법

$x=a\sin\theta\left(-\frac{\pi}{2}\le\theta\le\frac{\pi}{2}\right)$로 놓으면 $\frac{dx}{d\theta}=a\cos\theta$, 즉 $dx=a\cos\theta d\theta$이고

$x=0$일 때 $\theta=0$, $x=a$일 때 $\theta=\frac{\pi}{2}$이고,

$\sqrt{a^2-x^2}=\sqrt{a^2-a^2\sin^2\theta}=\sqrt{a^2(1-\sin^2\theta)}=a\cos\theta$이므로

$$\int_0^a\sqrt{a^2-x^2}\,dx=\int_0^{\frac{\pi}{2}}a\cos\theta\cdot a\cos\theta d\theta=a^2\int_0^{\frac{\pi}{2}}\cos^2\theta d\theta$$

$$=a^2\int_0^{\frac{\pi}{2}}\frac{1+\cos2\theta}{2}d\theta=\frac{a^2}{2}\left[\theta+\frac{1}{2}\sin2\theta\right]_0^{\frac{\pi}{2}}=\frac{\pi}{4}a^2$$

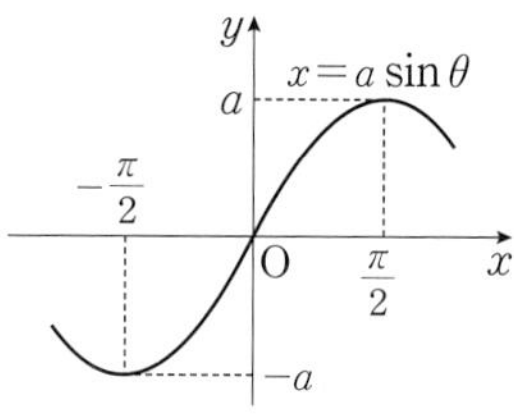

② 그래프를 이용하는 방법

$y=\sqrt{a^2-x^2}$이라 놓으면 $x^2+y^2=a^2$이고 $y>0$이며 적분구간이 0에서 a까지이므로 오른쪽 그림과 같이

$\int_0^a\sqrt{a^2-x^2}\,dx$는 반지름의 길이가 a인 원의 넓이의 $\frac{1}{4}$이다.

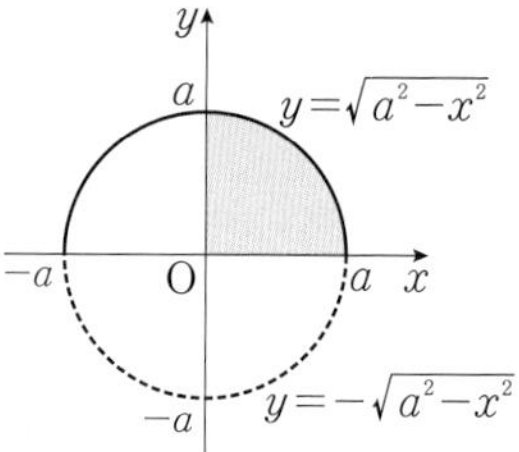

보기 07 다음 정적분의 값을 구하여라.

(1) $\int_{-1}^{1}\sqrt{1-x^2}\,dx$ (2) $\int_0^1\frac{1}{x^2+1}dx$

풀이 (1) $x=\sin\theta\left(-\frac{\pi}{2}\le\theta\le\frac{\pi}{2}\right)$로 놓으면 $\frac{dx}{d\theta}=\cos\theta$, 즉 $dx=\cos\theta d\theta$이고

$x=-1$일 때 $\theta=-\frac{\pi}{2}$, $x=1$일 때 $\theta=\frac{\pi}{2}$이므로

$$\int_{-1}^{1}\sqrt{1-x^2}\,dx=\int_{-\frac{\pi}{2}}^{\frac{\pi}{2}}\sqrt{1-\sin^2\theta}\cdot\cos\theta d\theta=\int_{-\frac{\pi}{2}}^{\frac{\pi}{2}}\cos^2\theta d\theta=\int_{-\frac{\pi}{2}}^{\frac{\pi}{2}}\frac{1+\cos2\theta}{2}d\theta$$

$$=\left[\frac{1}{2}\theta+\frac{1}{4}\sin2\theta\right]_{-\frac{\pi}{2}}^{\frac{\pi}{2}}=\frac{\pi}{2}$$

(2) $x=\tan\theta\left(-\frac{\pi}{2}<\theta<\frac{\pi}{2}\right)$로 놓으면 $\frac{dx}{d\theta}=\sec^2\theta$, 즉 $dx=\sec^2\theta d\theta$이고

$x=0$일 때 $\theta=0$, $x=1$일 때 $\theta=\frac{\pi}{4}$이므로

$$\int_0^1\frac{1}{x^2+1}dx=\int_0^{\frac{\pi}{4}}\frac{\sec^2\theta}{\tan^2\theta+1}d\theta=\int_0^{\frac{\pi}{4}}\frac{\sec^2\theta}{\sec^2\theta}d\theta=\int_0^{\frac{\pi}{4}}1d\theta=\left[\theta\right]_0^{\frac{\pi}{4}}=\frac{\pi}{4}$$

보기 08 다음 정적분의 값을 구하여라.

(1) $\int_0^2 \sqrt{4-x^2}\,dx$ (2) $\int_0^{\frac{1}{2}} \frac{1}{\sqrt{1-x^2}}\,dx$ (3) $\int_0^2 \frac{1}{x^2+4}\,dx$

풀이 (1) $x=2\sin\theta\left(-\frac{\pi}{2}\le\theta\le\frac{\pi}{2}\right)$로 놓으면 $\frac{dx}{d\theta}=2\cos\theta$, 즉 $dx=2\cos\theta d\theta$이고

$x=0$일 때 $\theta=0$, $x=2$일 때 $\theta=\frac{\pi}{2}$이므로

$$\int_0^2\sqrt{4-x^2}\,dx=\int_0^{\frac{\pi}{2}}\sqrt{4-4\sin^2\theta}\cdot 2\cos\theta d\theta=4\int_0^{\frac{\pi}{2}}\cos^2\theta d\theta$$

$$=4\int_0^{\frac{\pi}{2}}\frac{1+\cos 2\theta}{2}d\theta=2\left[\theta+\frac{1}{2}\sin 2\theta\right]_0^{\frac{\pi}{2}}=\pi \quad \Leftarrow \cos^2\theta=\frac{1+\cos 2\theta}{2}$$

(2) $x=\sin\theta\left(-\frac{\pi}{2}\le\theta\le\frac{\pi}{2}\right)$로 놓으면 $\frac{dx}{d\theta}=\cos\theta$, 즉 $dx=\cos\theta d\theta$이고

$x=0$일 때 $\theta=0$, $x=\frac{1}{2}$일 때 $\theta=\frac{\pi}{6}$이므로

$$\int_0^{\frac{1}{2}}\frac{1}{\sqrt{1-x^2}}dx=\int_0^{\frac{\pi}{6}}\frac{1}{\sqrt{1-\sin^2\theta}}\cdot\cos\theta d\theta=\int_0^{\frac{\pi}{6}}\frac{\cos\theta}{\cos\theta}d\theta$$

$$=\int_0^{\frac{\pi}{6}}d\theta=\Big[\theta\Big]_0^{\frac{\pi}{6}}=\frac{\pi}{6}$$

(3) $x=2\tan\theta\left(-\frac{\pi}{2}<\theta<\frac{\pi}{2}\right)$로 놓으면 $\frac{dx}{d\theta}=2\sec^2\theta$, 즉 $dx=2\sec^2\theta d\theta$이고

$x=0$일 때 $\theta=0$, $x=2$일 때 $\theta=\frac{\pi}{4}$이므로

$$\int_0^2\frac{1}{x^2+2^2}dx=\int_0^{\frac{\pi}{4}}\frac{1}{2^2\tan^2\theta+2^2}\cdot 2\sec^2\theta d\theta=\int_0^{\frac{\pi}{4}}\frac{2\sec^2\theta}{4\sec^2\theta}d\theta$$

$$=\int_0^{\frac{\pi}{4}}\frac{1}{2}d\theta=\left[\frac{1}{2}\theta\right]_0^{\frac{\pi}{4}}=\frac{\pi}{8}$$

더 알아보기

일반적으로 삼각치환 적분법은 삼각함수의 역함수를 이용하여 유도한 것이기 때문에 치환하는 함수식은 반드시 역함수가 존재해야 한다.

(1) 피적분함수가 $\sqrt{a^2-x^2}$, $\frac{1}{\sqrt{a^2-x^2}}(a>0)$인 경우

➡ $x=a\sin\theta\left(-\frac{\pi}{2}\le\theta\le\frac{\pi}{2}\right)$로 치환

역함수가 존재하려면 일대일 대응이어야 하므로 $x=a\sin\theta$로 치환할 때, 오른쪽 그림과 같이 정의역이 정해진다.

$x=a\sin\theta \Rightarrow -\frac{\pi}{2}\le\theta\le\frac{\pi}{2}$

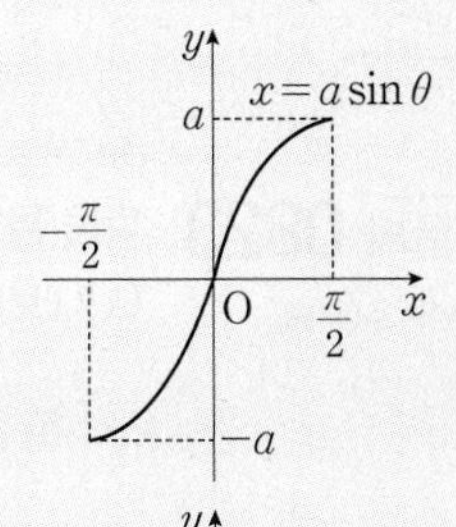

(2) 피적분함수가 $\sqrt{a^2+x^2}$, $\frac{1}{a^2+x^2}$, $\frac{1}{\sqrt{a^2+x^2}}(a>0)$인 경우

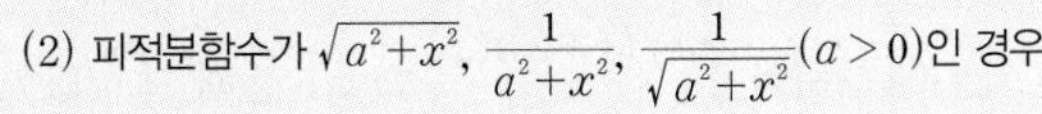

➡ $x=a\tan\theta\left(-\frac{\pi}{2}<\theta<\frac{\pi}{2}\right)$로 치환

$x=a\tan\theta$로 치환할 때, 오른쪽 그림과 같이 정의역이 정해진다.

$x=a\tan\theta \Rightarrow -\frac{\pi}{2}<\theta<\frac{\pi}{2}$

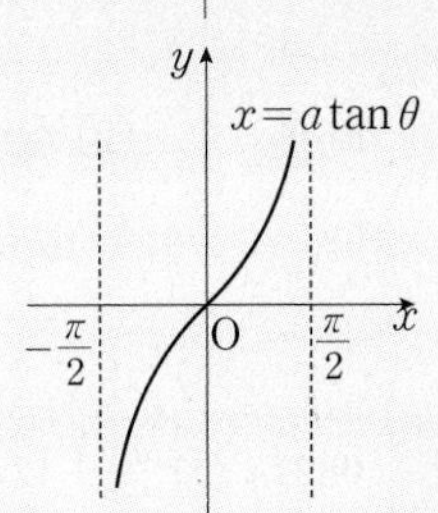

02 정적분

마플개념익힘 01 지수함수 · 로그함수 · 무리함수의 치환적분법

다음 정적분의 값을 구하여라.

(1) $\int_{0}^{1} xe^{x^2}dx$ (2) $\int_{e}^{e^2}\frac{3(\ln x)^2}{x}dx$ (3) $\int_{0}^{2}x\sqrt{2x^2+1}\,dx$

MAPL CORE 피적분함수가 $f(g(x))g'(x)$꼴인 정적분은 치환적분법을 이용하여 한다. 이때 적분구간이 변함에 주의한다.

$\int_{a}^{b}f(g(x))g'(x)dx \Rightarrow g(x)=t$로 치환한다.

개념익힘 | 풀이 (1) $x^2=t$로 놓으면 $2xdx=dt$이고 $x=0$일 때 $t=0$, $x=1$일 때 $t=1$이므로

$$\int_{0}^{1}xe^{x^2}dx=\int_{0}^{1}e^t\cdot\frac{1}{2}dt=\left[\frac{1}{2}e^t\right]_0^1=\mathbf{\frac{1}{2}(e-1)}$$

(2) $\ln x=t$로 놓으면 $\frac{1}{x}dx=dt$이고 $x=e$일 때 $t=1$, $x=e^2$일 때 $t=2$이므로

$$\int_{e}^{e^2}\frac{3(\ln x)^2}{x}dx=\int_{1}^{2}3t^2dt=\left[t^3\right]_1^2=\mathbf{7} \Leftarrow \int_{a}^{b}\frac{\ln x}{x}dx=\int_{f(a)}^{f(b)}tdx$$ ← $\ln x=t$로 놓으면

(3) $2x^2+1=t$로 놓으면 $4xdx=dt$이고 $x=0$일 때 $t=1$, $x=2$일 때 $t=9$이므로

$$\int_{0}^{2}x\sqrt{2x^2+1}\,dx=\frac{1}{4}\int_{1}^{9}\sqrt{t}\,dt=\frac{1}{4}\left[\frac{2}{3}t\sqrt{t}\right]_1^9=\frac{1}{6}(27-1)=\mathbf{\frac{13}{3}}$$

다른풀이 $\sqrt{2x^2+1}=t$로 치환하여 풀이하기

$\sqrt{2x^2+1}=t$로 놓으면 $2x^2+1=t^2$이고 $4xdx=2tdt$, $x=2$일 때 $t=3$, $x=0$일 때 $t=1$이므로

$$\int_{1}^{3}\frac{1}{2}t\cdot tdt=\frac{1}{2}\left[\frac{1}{3}t^3\right]_1^3=\frac{1}{6}(27-1)=\frac{13}{3}$$

확인유제 0821

2002년 07월 교육청

다음 정적분의 값을 구하여라.

(1) $2\int_{0}^{1}xe^{-x^2}dx$ (2) $\int_{1}^{e^2}\frac{1}{x(\ln x+2)^2}dx$ (3) $\int_{0}^{\sqrt{3}}\frac{x}{\sqrt{x^2+1}}dx$

변형문제 0822

다음 물음에 답하여라.

2019년 03월 교육청

(1) $\int_{0}^{\sqrt{3}}2x\sqrt{x^2+1}\,dx$의 값은?

① 4 ② $\frac{13}{3}$ ③ $\frac{14}{3}$ ④ 5 ⑤ $\frac{16}{3}$

2019학년도 06월 평가원

(2) $\int_{1}^{\sqrt{2}}x^3\sqrt{x^2-1}\,dx$의 값은?

① $\frac{7}{15}$ ② $\frac{8}{15}$ ③ $\frac{3}{5}$ ④ $\frac{2}{3}$ ⑤ $\frac{11}{15}$

발전문제 0823

다음 물음에 답하여라.

2007학년도 수능기출

(1) 1보다 큰 실수 a에 대하여 $f(a)=\int_{1}^{a}\frac{\sqrt{\ln x}}{x}dx$라 할 때, $f(a^4)$과 같은 것은?

① $4f(a)$ ② $8f(a)$ ③ $12f(a)$ ④ $16f(a)$ ⑤ $20f(a)$

2019학년도 사관기출

(2) 실수 전체의 집합에서 연속인 함수 $f(x)$에 대하여 $\int_{1}^{e^2}\frac{f(1+2\ln x)}{x}dx=5$일 때, $\int_{1}^{5}f(x)dx$의 값은?

① 6 ② 7 ③ 8 ④ 9 ⑤ 10

정답 0821 : (1) $\frac{e-1}{e}$ (2) $\frac{1}{4}$ (3) 1 0822 : (1) ③ (2) ② 0823 : (1) ② (2) ⑤

마플개념익힘 02 삼각함수의 치환적분법

다음 정적분의 값을 구하여라.

(1) $\int_0^{\frac{\pi}{2}}(1-\sin^2 x)\sin x\cos x dx$ (2) $\int_0^{\frac{\pi}{2}}\frac{\sin^3 x}{1+\cos x}dx$ (3) $\int_0^{\pi}\sin^3 x dx$

MAPL CORE 치환적분법을 이용하여 삼각함수를 치환하려면 먼저 삼각함수 사이의 관계와 여러 가지 공식을 이용하여 주어진 식을 변형한 후 치환적분법을 이용하되 변수가 바뀌면 적분구간이 바뀐다는 사실에 유의한다.

개념익힘 | **풀이** (1) $\sin x=t$로 놓으면 $\cos x dx=dt$이고 $x=0$일 때 $t=0$, $x=\frac{\pi}{2}$일 때 $t=1$이므로

$$\int_0^{\frac{\pi}{2}}(1-\sin^2 x)\sin x\cos x dx=\int_0^1(1-t^2)t dt=\left[\frac{1}{2}t^2-\frac{1}{4}t^4\right]_0^1=\frac{1}{2}-\frac{1}{4}=\mathbf{\frac{1}{4}}$$

(2) $\int_0^{\frac{\pi}{2}}\frac{\sin^3 x}{1+\cos x}dx=\int_0^{\frac{\pi}{2}}\frac{\sin^2 x\sin x}{1+\cos x}dx=\int_0^{\frac{\pi}{2}}\frac{(1-\cos^2 x)\sin x}{1+\cos x}dx=\int_0^{\frac{\pi}{2}}(1-\cos x)\sin x dx$

$1-\cos x=t$로 놓으면 $\sin x dx=dt$이고 $x=0$일 때 $t=0$, $x=\frac{\pi}{2}$일 때 $t=1$이므로

$$\int_0^{\frac{\pi}{2}}(1-\cos x)\sin x dx=\int_0^1 t dt=\left[\frac{1}{2}t^2\right]_0^1=\mathbf{\frac{1}{2}}$$

(3) $\int_0^{\pi}\sin^3 x dx=\int_0^{\pi}\sin^2 x\cdot\sin x dx=\int_0^{\pi}(1-\cos^2 x)\sin x dx$이므로

$\cos x=t$로 놓으면 $-\sin x dx=dt$이고 $x=0$일 때 $t=1$, $x=\pi$일 때 $t=-1$

$$\int_0^{\pi}(1-\cos^2 x)\sin x dx=-\int_1^{-1}(1-t^2)dt=\int_{-1}^1(1-t^2)dt=\left[t-\frac{1}{3}t^3\right]_{-1}^1=\mathbf{\frac{4}{3}}$$

확인유제 0824 다음 정적분의 값을 구하여라.

2001학년도 수능기출

(1) $\int_0^{\frac{\pi}{2}}(\sin^3 x+1)\cos x dx$ (2) $\int_0^{\frac{\pi}{2}}\frac{\cos^3 x}{1-\sin x}dx$ (3) $\int_0^{\frac{\pi}{4}}\cos^3 x dx$

변형문제 0825 다음 정적분의 값을 구하여라.

2012년 04월 교육청

(1) 정적분 $\int_0^{\frac{\pi}{2}}\sin 2x(\sin x+1)dx$의 값은?

① $\frac{1}{3}$ ② $\frac{2}{3}$ ③ 1 ④ $\frac{4}{3}$ ⑤ $\frac{5}{3}$

2019학년도 09월 평가원

(2) $\int_0^{\frac{\pi}{2}}(\cos x+3\cos^3 x)dx$의 값은?

① $\frac{1}{2}$ ② 1 ③ $\frac{3}{2}$ ④ 2 ⑤ 3

(3) $\int_0^{\frac{\pi}{2}}\sqrt{\cos x-\cos^3 x}\,dx$의 값은?

① $\frac{1}{3}$ ② $\frac{2}{3}$ ③ 1 ④ $\frac{4}{3}$ ⑤ $\frac{5}{3}$

발전문제 0826 $\int_{e^2}^{e^3}\frac{a+\ln x}{x}dx=\int_0^{\frac{\pi}{2}}(1+\sin x)\cos x dx$가 성립할 때, 상수 a의 값은?

2014년 04월 교육청

① -2 ② -1 ③ 0 ④ 1 ⑤ 2

정답 0824 : (1) $\frac{5}{4}$ (2) $\frac{3}{2}$ (3) $\frac{5}{12}\sqrt{2}$ 0825 : (1) ⑤ (2) ⑤ (3) ② 0826 : ②

마플개념익힘 03 유리함수의 치환적분법

다음 정적분의 값을 구하여라.

(1) $\int_1^2 \frac{x-1}{x^2-2x+3}dx$ (2) $\int_0^{\frac{\pi}{2}} \frac{\cos x}{1+2\sin x}dx$ (3) $\int_0^{\ln 3} \frac{e^{-x}}{e^{-x}+1}dx$

MAPL CORE 피적분함수를 $\frac{f'(x)}{f(x)}$ 꼴로 변형할 수 있으면 $\int_a^b \frac{f'(x)}{f(x)}dx=\left[\ln|f(x)|\right]_a^b=\ln|f(b)|-\ln|f(a)|$를 이용한다.

개념익힘 | **풀이** (1) $x^2-2x+3=t$로 놓으면 $(2x-2)dx=dt$이고 $x=1$일 때 $t=2$, $x=2$일 때 $t=3$이므로

$$\int_1^2 \frac{x-1}{x^2-2x+3}dx=\int_2^3 \frac{1}{t}\cdot\frac{1}{2}dt=\left[\frac{1}{2}\ln|t|\right]_2^3=\mathbf{\frac{1}{2}\ln\frac{3}{2}}$$

(2) $1+2\sin x=t$로 놓으면 $2\cos x dx=dt$이고 $x=0$일 때 $t=1$, $x=\frac{\pi}{2}$일 때 $t=3$이므로

$$\int_0^{\frac{\pi}{2}} \frac{\cos x}{1+2\sin x}dx=\int_1^3 \frac{1}{t}\cdot\frac{1}{2}dt=\left[\frac{1}{2}\ln|t|\right]_1^3=\mathbf{\frac{1}{2}\ln 3}$$

(3) $e^{-x}+1=t$로 놓으면 $-e^{-x}dx=dt$이고 $x=0$일 때 $t=2$, $x=\ln 3$일 때, $t=\frac{4}{3}$이므로

$$\int_0^{\ln 3} \frac{e^{-x}}{e^{-x}+1}dx=\int_2^{\frac{4}{3}} -\frac{1}{t}dt=\int_{\frac{4}{3}}^2 \frac{1}{t}dt=\left[\ln|t|\right]_{\frac{4}{3}}^2=\ln 2-\ln\frac{4}{3}=\mathbf{\ln\frac{3}{2}}$$

확인유제 0827 다음 정적분의 값을 구하여라.

(1) $\int_1^3 \frac{x}{x^2+1}dx$ (2) $\int_0^{\pi} \frac{\sin x}{2+\cos x}dx$ (3) $\int_0^{\frac{\pi}{3}} \tan x dx$

변형문제 0828 다음 물음에 답하여라.

(1) 정적분 $\int_e^{e^2} \frac{1}{x\ln x}dx$의 값은?

① -1 ② $-\ln 2$ ③ $\ln 2$ ④ 1 ⑤ 2

(2) $\int_{\frac{\pi}{6}}^{\frac{\pi}{3}} \frac{1}{(2\sqrt{3}+\tan x)\cos^2 x}dx$의 값은?

① $\frac{1}{3}\ln 3$ ② $\frac{1}{2}\ln 3$ ③ 1 ④ $\ln\frac{8}{7}$ ⑤ $\ln\frac{9}{7}$

발전문제 0829 다음 물음에 답하여라.

(1) $f(x)=e^{-2x}$, $g(x)=\frac{1}{1+x}$일 때, $\int_0^{\ln 3} g(f(x))dx$의 값은?

① 1 ② $\ln 2$ ③ $\ln 5$ ④ $\ln\sqrt{2}$ ⑤ $\ln\sqrt{5}$

2018학년도 수능기출

(2) 함수 $f(x)$가

$$f(x)=\int_0^x \frac{1}{1+e^{-t}}dt$$

일 때, $(f\circ f)(a)=\ln 5$를 만족시키는 실수 a의 값은?

① $\ln 11$ ② $\ln 13$ ③ $\ln 15$ ④ $\ln 17$ ⑤ $\ln 19$

정답 0827 : (1) $\frac{1}{2}\ln 5$ (2) $\ln 3$ (3) $\ln 2$ 0828 : (1) ③ (2) ⑤ 0829 : (1) ⑤ (2) ④

마플개념익힘 04 삼각치환법을 이용한 정적분

다음 정적분의 값을 구하여라.

(1) $\int_0^3 \frac{4}{x^2+9}dx$　　　(2) $\int_0^{\frac{1}{2}} \frac{x^2}{\sqrt{1-x^2}}dx$

MAPL CORE

(1) $\sqrt{a^2-x^2}$, $\frac{1}{\sqrt{a^2-x^2}}$ 인 꼴은 $x=a\sin\theta\left(-\frac{\pi}{2}\le\theta\le\frac{\pi}{2}\right)$로 치환하여 정적분을 구한다.

(2) $\sqrt{x^2+a^2}$, $\frac{1}{x^2+a^2}$ 인 꼴은 $x=a\tan\theta\left(-\frac{\pi}{2}<\theta<\frac{\pi}{2}\right)$로 치환하여 정적분을 구한다.

참고 $\cos 2\theta=\cos^2\theta-\sin^2\theta$

$=(1-\sin^2\theta)-\sin^2\theta=1-2\sin^2\theta \Rightarrow \sin^2\theta=\frac{1-\cos 2\theta}{2}$

$=\cos^2\theta-(1-\cos^2\theta)=2\cos^2\theta-1 \Rightarrow \cos^2\theta=\frac{1+\cos 2\theta}{2}$

개념익힘 | **풀이** (1) $x=3\tan\theta\left(-\frac{\pi}{2}<\theta<\frac{\pi}{2}\right)$로 놓으면 $\frac{dx}{d\theta}=\sec^2\theta$, 즉 $dx=3\sec^2\theta d\theta$이고

$x=0$일 때 $\theta=0$, $x=3$일 때 $\theta=\frac{\pi}{4}$이므로

$$\therefore \int_0^3 \frac{4}{x^2+9}dx=\int_0^{\frac{\pi}{4}} \frac{4}{9\tan^2\theta+9}\cdot 3\sec^2\theta d\theta$$

$$=\int_0^{\frac{\pi}{4}} \frac{4}{9\sec^2\theta}\cdot 3\sec^2\theta d\theta=\frac{4}{3}\int_0^{\frac{\pi}{4}} d\theta=\frac{4}{3}\Big[\theta\Big]_0^{\frac{\pi}{4}}=\boldsymbol{\frac{\pi}{3}}$$

(2) $x=\sin\theta\left(-\frac{\pi}{2}\le\theta\le\frac{\pi}{2}\right)$로 놓으면 $\frac{dx}{d\theta}=\cos\theta$, 즉 $dx=\cos\theta d\theta$이고

$x=0$일 때 $\theta=0$, $x=\frac{1}{2}$일 때 $\theta=\frac{\pi}{6}$이므로 $\sqrt{1-x^2}=\sqrt{1-\sin^2\theta}=\cos\theta$

$$\therefore \int_0^{\frac{1}{2}} \frac{x^2}{\sqrt{1-x^2}}dx=\int_0^{\frac{\pi}{6}} \frac{\sin^2\theta}{\cos\theta}\cdot\cos\theta d\theta$$

$$=\int_0^{\frac{\pi}{6}} \sin^2\theta d\theta=\int_0^{\frac{\pi}{6}} \frac{1-\cos 2\theta}{2}d\theta=\left[\frac{\theta}{2}-\frac{1}{4}\sin 2\theta\right]_0^{\frac{\pi}{6}}=\boldsymbol{\frac{\pi}{12}-\frac{\sqrt{3}}{8}}$$

확인유제 0830 $\int_{-2}^{2} \frac{1}{x^2+4}dx-\int_0^{\frac{3}{2}} \frac{1}{\sqrt{9-x^2}}dx$의 값은?

① $\frac{\pi}{12}$　② $\frac{\pi}{6}$　③ $\frac{\pi}{4}$　④ $\frac{\pi}{3}$　⑤ $\frac{5}{12}\pi$

변형문제 0831 정적분 $\int_0^a \frac{1}{x^2+a^2}dx=\frac{\pi}{12}$일 때, 양수 a의 값은?

2011년 07월 교육청

① 1　② 2　③ 3　④ 4　⑤ 5

발전문제 0832 다음 정적분의 값을 구하여라.

(1) $\int_{\sqrt{2}}^{2} \frac{x}{\sqrt{x^2-1}}dx$　　　(2) $\int_0^{\frac{\pi}{2}} \frac{\sin x}{1+\cos^2 x}dx$

정답 0830 : ①　0831 : ③　0832 : (1) $\sqrt{3}-1$ (2) $\frac{\pi}{4}$

오른쪽 그림은 $0 \le x \le 4$에서 정의된 함수 $y=f(x)$의 그래프이다.
정적분 $\int_0^1 f(2x+1)dx$의 값을 구하여라.

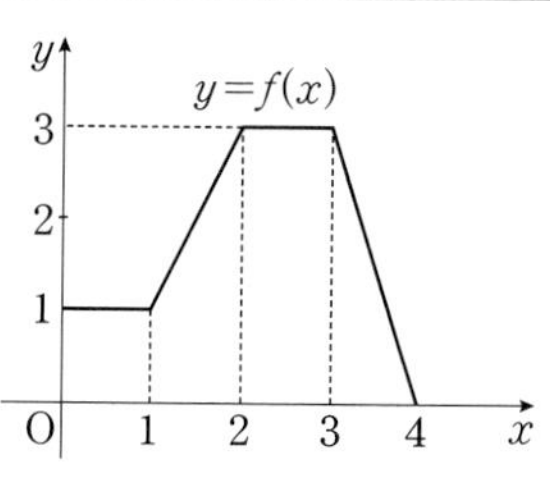

개념익힘 | 풀이 $\int_0^1 f(2x+1)dx$에서 $2x+1=t$로 놓으면 $2dx=dt$

$x=0$일 때 $t=1$, $x=1$일 때 $t=3$이다.

따라서 $\int_0^1 f(2x+1)dx=\int_1^3 f(t)\cdot\frac{1}{2}dt=\frac{1}{2}\int_1^2(2t-1)dt+\frac{1}{2}\int_2^3 3dt$

$=\frac{1}{2}\Big[t^2-t\Big]_1^2+\frac{1}{2}\Big[3t\Big]_2^3=\mathbf{\frac{5}{2}}$

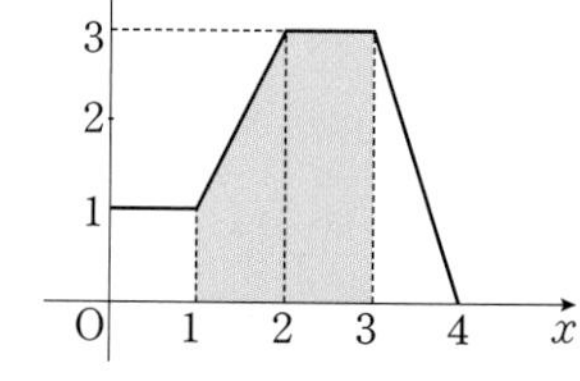

참고 $\int_1^3 f(x)dx$의 값은 그림에서 어두운 부분의 넓이와 같으므로

$\int_0^1 f(2x+1)dx=\frac{1}{2}\int_1^3 f(x)dx=\frac{1}{2}\left\{\frac{1}{2}(1+3)+3\right\}=\frac{5}{2}$

확인유제 0833 다음 물음에 답하여라.

(1) $0 \le x \le 6$에서 정의된 함수 $f(x)$의 그래프가 오른쪽 그림과 같을 때, $\int_1^2 f(3x-2)dx$의 값을 구하여라.

(2) $0 \le x \le 4$에서 정의된 함수 $f(x)$의 그래프가 오른쪽 그림과 같을 때, $\int_1^4 \frac{f(\sqrt{x}+1)}{2\sqrt{x}}dx$의 값을 구하여라.

참고 $\int_e^{e^2} f(\ln x+1)\frac{1}{x}dx$와 같은 문제이다.

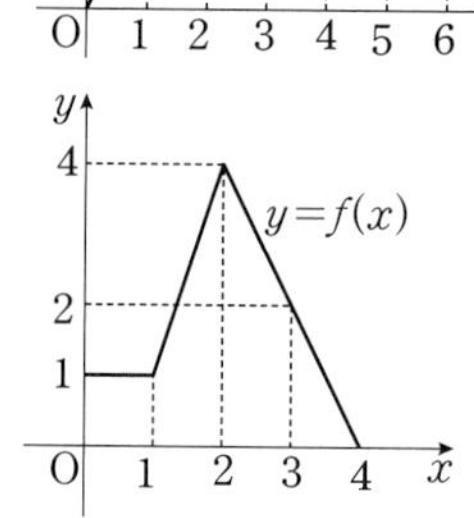

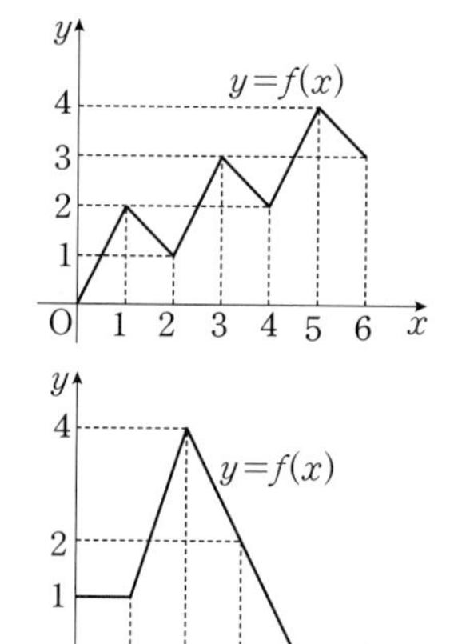

변형문제 0834 2005학년도 09월 평가원

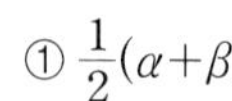

연속함수 $f(x)$의 그래프가 오른쪽 그림과 같다. 이 곡선과 x축으로 둘러싸인 두 부분 A, B의 넓이가 각각 α, β일 때, 정적분 $\int_0^p xf(2x^2)dx$의 값은? (단, $p>\frac{1}{2}$)

① $\frac{1}{2}(\alpha+\beta)$ ② $\frac{1}{2}(\alpha-\beta)$ ③ $\alpha+\beta$
④ $\frac{1}{4}(\alpha+\beta)$ ⑤ $\frac{1}{4}(\alpha-\beta)$

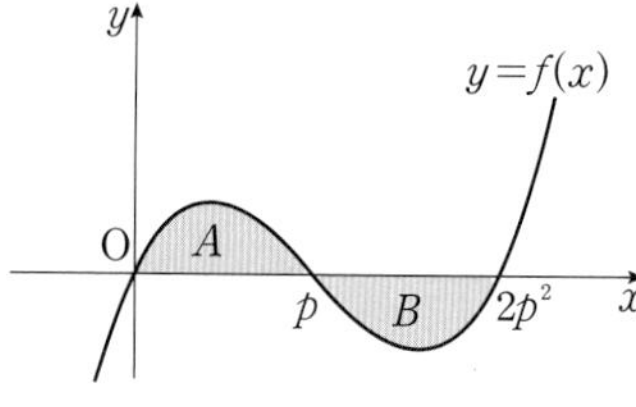

발전문제 0835 오른쪽 그림은 $0 \le x \le 5$에서 정의된 함수 $y=f(x)$의 그래프이다.
이때 $\int_0^{\frac{\pi}{2}} f(5\sin x+1)\cos x dx$의 값은?

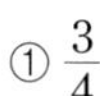

① $\frac{3}{4}$ ② $\frac{4}{5}$ ③ 2
④ 4 ⑤ 5

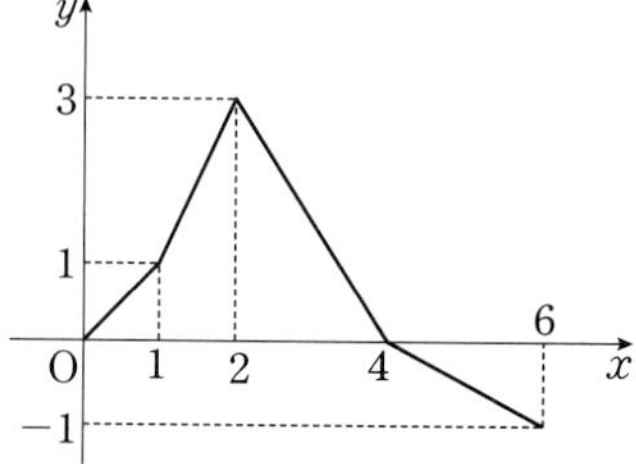

정답 0833 : (1) 2 (2) 3 0834 : ⑤ 0835 : ②

MAPL ; YOURMASTERPLAN

03 정적분의 부분적분법

01 부분적분법을 이용한 정적분

두 함수 $f(x)$, $g(x)$가 미분가능하고, $f'(x)$, $g'(x)$가 닫힌구간 $[a, b]$에서 연속일 때, 다음이 성립한다.

적분 그대로

$$\int_a^b f(x)g'(x)dx=\Big[f(x)g(x)\Big]_a^b-\int_a^b f'(x)g(x)dx$$

그대로 미분

마플해설 닫힌구간 $[a, b]$에서 미분가능한 두 함수 $f(x)$, $g(x)$에 대하여 두 함수의 곱의 미분법에서

$\{f(x)g(x)\}'=f'(x)g(x)+f(x)g'(x)$

이므로 $f(x)g(x)$는 $f'(x)g(x)+f(x)g'(x)$의 한 부정적분이다.

$\int_a^b\{f'(x)g(x)+f(x)g'(x)\}dx=\int_a^b\{f(x)g(x)\}'dx=\Big[f(x)g(x)\Big]_a^b$

이므로 다음이 성립한다.

$\int_a^b f(x)g'(x)dx=\Big[f(x)g(x)\Big]_a^b-\int_a^b f'(x)g(x)dx$

보기01 다음 정적분의 값을 구하여라.

(1) $\int_0^1 xe^x dx$ (2) $\int_0^{\frac{\pi}{2}} x\sin x dx$ (3) $\int_0^{\frac{\pi}{2}} x\cos x dx$

풀이 (1) $f(x)=x$, $g'(x)=e^x$로 놓으면 $f'(x)=1$, $g(x)=e^x$이므로

$\int_0^1 xe^x dx=\Big[xe^x\Big]_0^1-\int_0^1 e^x dx=e-\Big[e^x\Big]_0^1=1$

(2) $f(x)=x$, $g'(x)=\sin x$로 놓으면 $f'(x)=1$, $g(x)=-\cos x$이므로

$\int_0^{\frac{\pi}{2}} x\sin x dx=\Big[x(-\cos x)\Big]_0^{\frac{\pi}{2}}-\int_0^{\frac{\pi}{2}}(-\cos x)dx=0-\Big[-\sin x\Big]_0^{\frac{\pi}{2}}=1$

(3) $f(x)=x$, $g'(x)=\cos x$로 놓으면 $f'(x)=1$, $g(x)=\sin x$이므로

$\int_0^{\frac{\pi}{2}} x\cos x dx=\Big[x\sin x\Big]_0^{\frac{\pi}{2}}-\int_0^{\frac{\pi}{2}}\sin x dx=\frac{\pi}{2}-\Big[-\cos x\Big]_0^{\frac{\pi}{2}}=\frac{\pi}{2}-1$

보기02 다음 정적분의 값을 구하여라.

(1) $\int_1^e \ln x dx$ (2) $\int_1^e x\ln x dx$

풀이 (1) $f(x)=\ln x$, $g'(x)=1$로 놓으면 $f'(x)=\frac{1}{x}$, $g(x)=x$이므로

$\int_1^e \ln x dx=\Big[x\ln x\Big]_1^e-\int_1^e\frac{1}{x}\cdot x dx=e-\Big[x\Big]_1^e=e-(e-1)=1$

(2) $f(x)=\ln x$, $g'(x)=x$로 놓으면 $f'(x)=\frac{1}{x}$, $g(x)=\frac{1}{2}x^2$이므로

$\int_1^e x\ln x dx=\Big[\frac{1}{2}x^2\ln x\Big]_1^e-\int_1^e\frac{1}{2}x dx=\Big[\frac{1}{2}x^2\ln x\Big]_1^e-\Big[\frac{1}{4}x^2\Big]_1^e=\left(\frac{1}{2}e^2\right)-\left(\frac{1}{4}e^2-\frac{1}{4}\right)=\frac{1}{4}(e^2+1)$

정적분의 부분적분법 적용하는 요령 (로 다 삼 지)

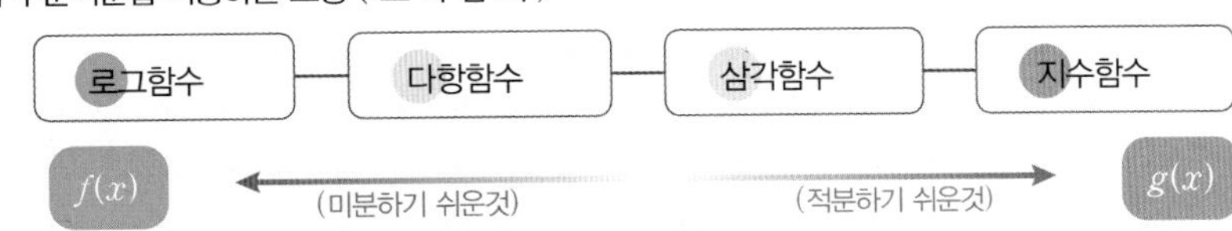

마플개념익힘 01 정적분의 부분적분법 (부분적분법을 한 번 적용하는 경우)

다음 정적분의 값을 구하여라.

(1) $\int_0^{\frac{\pi}{3}} x\sin 3x dx$ (2) $\int_0^1 x2^x dx$ (3) $\int_0^1 (x-1)e^{-x} dx$

MAPL CORE 피적분함수가 두 함수의 곱의 꼴이고 치환이 어려운 경우 다음과 같이 부분적분법을 이용한다.

$\int_a^b f(x)g'(x)dx = \Big[f(x)g(x)\Big]_a^b - \int_a^b f'(x)g(x)dx$

이때 함수 $f(x)$는 미분한 결과가 간단해지는 함수, 즉 로그함수, 다항함수, 삼각함수, 지수함수 순서로 정리한다.

(1) $f(x)=x,\ g'(x)=\sin 3x$로 놓으면 $f'(x)=1,\ g(x)=-\frac{1}{3}\cos 3x$

$\therefore \int_0^{\frac{\pi}{3}} x\sin 3x dx = \Big[-\frac{1}{3}x\cos 3x\Big]_0^{\frac{\pi}{3}} - \int_0^{\frac{\pi}{3}} 1\cdot\left(-\frac{1}{3}\cos 3x\right)dx$

$=\frac{\pi}{9}+\frac{1}{3}\int_0^{\frac{\pi}{3}}\cos 3x dx = \frac{\pi}{9}+\frac{1}{3}\Big[\frac{\sin 3x}{3}\Big]_0^{\frac{\pi}{3}} = \boldsymbol{\frac{\pi}{9}}$

(2) $f(x)=x,\ g'(x)=2^x$로 놓으면 $f'(x)=1,\ g(x)=\frac{2^x}{\ln 2}$

$\therefore \int_0^1 x\cdot 2^x dx = \Big[x\cdot\frac{2^x}{\ln 2}\Big]_0^1 - \int_0^1 1\cdot\frac{2^x}{\ln 2}dx$

$=\frac{2}{\ln 2}-\frac{1}{\ln 2}\int_0^1 2^x dx = \frac{2}{\ln 2}-\frac{1}{\ln 2}\Big[\frac{2^x}{\ln 2}\Big]_0^1 = \boldsymbol{\frac{2}{\ln 2}-\frac{1}{(\ln 2)^2}}$

(3) $f(x)=x-1,\ g'(x)=e^{-x}$로 놓으면 $f'(x)=1,\ g(x)=-e^{-x}$이므로

$\int_0^1 (x-1)e^{-x}dx = \Big[-(x-1)e^{-x}\Big]_0^1 - \int_0^1 (-e^{-x})dx = -1+\Big[-e^{-x}\Big]_0^1 = \boldsymbol{-\frac{1}{e}}$

확인유제 0836

다음 정적분의 값을 구하여라.

(1) $\int_0^{\frac{\pi}{2}} x\cos 2x dx$ (2) $\int_0^{\pi} 4x\sin x\cos x dx$ (3) $\int_{-1}^0 (2x+1)e^{-x} dx$

변형문제 0837

다음 물음에 답하여라.

2019학년도 수능기출

(1) $\int_0^{\pi} x\cos(\pi-x)dx$의 값은?

① 1 ② 2 ③ $\pi-1$ ④ π ⑤ $\pi+2$

2017년 04월 교육청

(2) $\int_0^{\frac{\pi}{2}} (x+1)\cos x dx$의 값은?

① $\frac{\pi}{4}$ ② $\frac{\pi}{2}$ ③ $\frac{3}{4}\pi$ ④ π ⑤ $\frac{5}{4}\pi$

발전문제 0838

$\int_{-1}^1 |x|e^x dx$의 값은?

1996학년도 수능기출

① $2(e+1)$ ② $2(1-e^{-1})$ ③ $2(e-e^{-1})$ ④ $2(e^{-1}-e)$ ⑤ $2(e+e^{-1})$

정답 0836 : (1) $-\frac{1}{2}$ (2) $-\pi$ (3) $e-3$ 0837 : (1) ② (2) ② 0838 : ②

마플개념익힘 02 정적분의 부분적분법 (부분적분법을 한 번 더 적용하는 경우)

다음 정적분의 값을 구하여라.

(1) $\int_0^1 x^2 e^x dx$ (2) $\int_0^\pi x^2 \cos x dx$

개념익힘 | **풀이** (1) $f(x)=x^2$, $g'(x)=e^x$로 놓으면 $f'(x)=2x$, $g(x)=e^x$

$$\int_0^1 x^2 e^x dx=\left[x^2 e^x\right]_0^1-\int_0^1 2xe^x dx=e-\int_0^1 2xe^x dx \quad \cdots\cdots ㉠$$

$\int_0^1 2xe^x dx$에서 $u(x)=2x$, $v'(x)=e^x$로 놓으면 $u'(x)=2$, $v(x)=e^x$

$$\int_0^1 2xe^x dx=\left[2xe^x\right]_0^1-\int_0^1 2e^x dx=2e-\left[2e^x\right]_0^1=2e-(2e-2)=2 \quad \cdots\cdots ㉡$$

㉡을 ㉠에 대입하면 $\int_0^1 x^2 e^x dx=\boldsymbol{e-2}$

(2) $f(x)=x^2$, $g'(x)=\cos x$로 놓으면 $f'(x)=2x$, $g(x)=\sin x$

$$\int_0^\pi x^2 \cos x dx=\left[x^2 \sin x\right]_0^\pi-\int_0^\pi 2x\sin x dx=-\int_0^\pi 2x\sin x dx \quad \cdots\cdots ㉠$$

㉠의 $\int_0^\pi 2x\sin x dx$에서 $u(x)=2x$, $v'(x)=\sin x$로 놓으면 $u'(x)=2$, $v(x)=-\cos x$

$$\int_0^\pi 2x\sin x dx=\left\{\left[-2x\cos x\right]_0^\pi-\int_0^\pi(-2\cos x)dx\right\}=2\pi+2\left[\sin x\right]_0^\pi=2\pi \quad \cdots\cdots ㉡$$

㉡을 ㉠에 대입하면 $\int_0^\pi x^2\cos x dx=\boldsymbol{-2\pi}$

확인유제 0839

다음 정적분의 값을 구하여라.

(1) $\int_0^1 x^2 e^{2x} dx$ (2) $\int_0^\pi x^2 \sin x dx$

마플개념익힘 03 지수함수와 삼각함수의 정적분

정적분 $\int_0^{\frac{\pi}{2}} e^x \sin x dx$의 값을 구하여라.

개념익힘 | **풀이** $f(x)=\sin x$, $g'(x)=e^x$로 놓으면 $f'(x)=\cos x$, $g(x)=e^x$

$$\therefore \int_0^{\frac{\pi}{2}} e^x \sin x dx=\left[e^x \sin x\right]_0^{\frac{\pi}{2}}-\int_0^{\frac{\pi}{2}} e^x \cos x dx=e^{\frac{\pi}{2}}-\int_0^{\frac{\pi}{2}} e^x\cos x dx \quad \cdots\cdots ㉠$$

이때 $u(x)=\cos x$, $v'(x)=e^x$로 놓으면 $u'(x)=-\sin x$, $v(x)=e^x$

$$\therefore \int_0^{\frac{\pi}{2}} e^x\cos x dx=\left[e^x\cos x\right]_0^{\frac{\pi}{2}}-\int_0^{\frac{\pi}{2}}(-e^x\sin x)dx=-1+\int_0^{\frac{\pi}{2}} e^x\sin x dx \quad \cdots\cdots ㉡$$

㉡을 ㉠에 대입하면 $\int_0^{\frac{\pi}{2}} e^x \sin x dx=e^{\frac{\pi}{2}}-\left\{-1+\int_0^{\frac{\pi}{2}} e^x\sin x dx\right\}$

따라서 $2\int_0^{\frac{\pi}{2}} e^x\sin x dx=e^{\frac{\pi}{2}}+1$이므로 $\int_0^{\frac{\pi}{2}} e^x \sin x dx=\boldsymbol{\frac{1}{2}e^{\frac{\pi}{2}}+\frac{1}{2}}$

확인유제 0840

정적분 $\int_1^{e^\pi} \cos(\ln x)dx$의 값을 구하여라.

정답 0839 : (1) $\frac{1}{4}(e^2-1)$ (2) π^2-4 0840 : $-\frac{e^\pi+1}{2}$

마플개념익힘 04 다항함수와 로그함수의 정적분

다음 정적분의 값을 구하여라.

(1) $\int_1^e \ln x^2 dx$　　(2) $\int_1^e \frac{\ln x}{x^2} dx$　　(3) $\int_0^1 x\ln(x+1)dx$

MAPL CORE 함수 $f(x)$는 미분한 결과가 간단해지는 로그함수로 정하여 $\int_a^b f(x)g'(x)dx = \left[f(x)g(x)\right]_a^b - \int_a^b f'(x)g(x)dx$를 이용하여 부분적분법을 한다.

개념익힘 | **풀이** (1) $f(x)=\ln x$, $g'(x)=1$로 놓으면 $f'(x)=\frac{1}{x}$, $g(x)=x$이므로

$$\therefore \int_1^e \ln x^2 dx = 2\int_1^e \ln x dx = 2\left[x\ln x\right]_1^e - 2\int_1^e x\cdot\frac{1}{x}dx$$ ⬅ $\int_a^b \ln x dx = \left[x\ln x - x\right]_a^b$

$$= 2e - 2\int_1^e dx = 2e - 2\left[x\right]_1^e = \mathbf{2}$$

(2) $f(x)=\ln x$, $g'(x)=\frac{1}{x^2}$로 놓으면 $f'(x)=\frac{1}{x}$, $g(x)=-\frac{1}{x}$이므로

$$\therefore \int_1^e \frac{\ln x}{x^2}dx = \left[-\frac{1}{x}\ln x\right]_1^e - \int_1^e\left(-\frac{1}{x}\right)\cdot\frac{1}{x}dx = -\frac{1}{e} + \int_1^e \frac{1}{x^2}dx = -\frac{1}{e} + \left[-\frac{1}{x}\right]_1^e = \mathbf{1-\frac{2}{e}}$$

(3) $f(x)=\ln(x+1)$, $g'(x)=x$로 놓으면 $f'(x)=\frac{1}{x+1}$, $g(x)=\frac{1}{2}x^2$이므로

$$\therefore \int_0^1 x\ln(x+1)dx = \left[\frac{1}{2}x^2\ln(x+1)\right]_0^1 - \int_0^1 \frac{1}{2}x^2\cdot\frac{1}{x+1}dx$$

$$= \frac{1}{2}\ln 2 - \frac{1}{2}\int_0^1 \frac{x^2}{x+1}dx$$

$$= \frac{1}{2}\ln 2 - \frac{1}{2}\int_0^1\left(x-1+\frac{1}{x+1}\right)dx$$

$$= \frac{1}{2}\ln 2 - \frac{1}{2}\left[\frac{1}{2}x^2 - x + \ln|x+1|\right]_0^1 = \mathbf{\frac{1}{4}}$$

확인유제 0841 다음 정적분의 값을 구하여라.

(1) $\int_0^1 \ln(x+1)dx$　　(2) $\int_e^{e^2} x\ln x dx$　　(3) $\int_1^e (\ln x)^2 dx$

변형문제 0842 다음 물음에 답하여라.

2020학년도 06월 평가원

(1) $\int_1^e x^3 \ln x dx$의 값은?

① $\frac{3e^4}{16}$　② $\frac{3e^4+1}{16}$　③ $\frac{3e^4+2}{16}$　④ $\frac{3e^4+3}{16}$　⑤ $\frac{3e^4+4}{16}$

2017학년도 06월 평가원

(2) $\int_1^e x(1-\ln x)dx$의 값은?

① $\frac{1}{4}(e^2-7)$　② $\frac{1}{4}(e^2-6)$　③ $\frac{1}{4}(e^2-5)$　④ $\frac{1}{4}(e^2-4)$　⑤ $\frac{1}{4}(e^2-3)$

2020학년도 수능기출

(3) $\int_e^{e^2} \frac{\ln x - 1}{x^2}dx$의 값은?

① $\frac{e+2}{e^2}$　② $\frac{e+1}{e^2}$　③ $\frac{1}{e}$　④ $\frac{e-1}{e^2}$　⑤ $\frac{e-2}{e^2}$

발전문제 0843 $\int_0^1 (1+2e^{-x})dx - \int_1^e \frac{\ln x}{x^2}dx$의 값을 구하여라.

2011년 04월 교육청

정답 0841 : (1) $2\ln 2-1$ (2) $\frac{3}{4}e^4 - \frac{1}{4}e^2$ (3) $e-2$　0842 : (1) ② (2) ⑤ (3) ⑤　0843 : 2

마플개념익힘 05 주기함수를 이용한 부분적분과 치환적분

연속함수 $f(x)$는 다음 두 조건을 만족한다.

(가) $-1 \le x < 1$일 때, $f(x)=\pi\cos\left(\frac{\pi}{3}x\right)$

(나) 임의의 실수 x에 대하여 $f(x)=f(x+2)$

정적분 $\int_{2}^{6} f(x)dx$의 값을 구하여라.

MAPL CORE 함수 $f(x)$가 주기가 p인 주기함수이면 다음이 성립한다.

① 구간 $[a, b]$의 정적분의 값은 구간 $[a+p, b+p]$의 정적분의 값과 같다. ⇨ $\int_{a}^{b} f(x)dx=\int_{a+p}^{b+p} f(x)dx$

② 한 주기에 해당하는 구간이 정적분의 값은 항상 같다. ⇨ $\int_{a}^{a+p} f(x)dx=\int_{b}^{b+p} f(x)dx$

참고 $f(x-a)=f(x+b)$이면 $f(t)=f(t+a+b)$ ⬅ $t=x-a$ 하면

개념익힘 | 풀이 조건 (가), (나)를 만족하는 함수 $y=f(x)$의 그래프는 오른쪽 그림과 같고

$\int_{2}^{6} f(x)dx=4\int_{0}^{1} \pi\cos\left(\frac{\pi}{3}x\right)dx$

$\frac{\pi}{3}x=t$로 놓으면 $\frac{\pi}{3}dx=dt$

$x=0$일 때, $t=0$, $x=1$일 때, $t=\frac{\pi}{3}$이므로

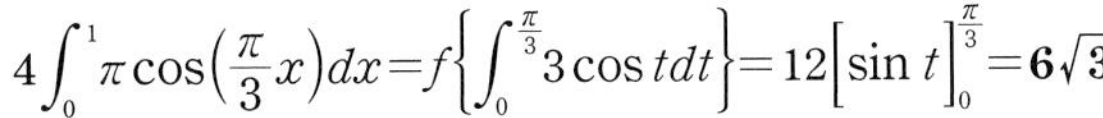

$4\int_{0}^{1} \pi\cos\left(\frac{\pi}{3}x\right)dx=f\left\{\int_{0}^{\frac{\pi}{3}} 3\cos t dt\right\}=12\left[\sin t\right]_{0}^{\frac{\pi}{3}}=\mathbf{6\sqrt{3}}$

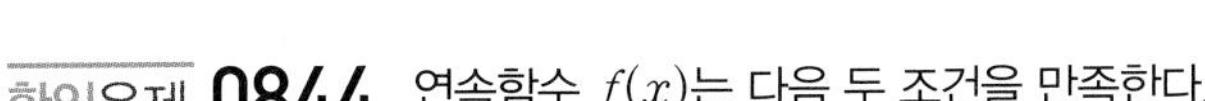

확인유제 0844 연속함수 $f(x)$는 다음 두 조건을 만족한다.

(가) $-1 \le x < 1$일 때, $f(x)=\frac{e^{x}+e^{-x}}{2}$

(나) 임의의 실수 x에 대하여 $f(x)=f(x+2)$

정적분 $\int_{1}^{5} f(x)dx$의 값을 구하여라.

변형문제 0845 연속함수 $f(x)$가 다음 조건을 만족시킨다.

2010년 10월 교육청

(가) 모든 실수 x에 대하여 $f(x-1)=f(x+1)$이다.

(나) $\int_{1}^{\frac{3}{2}} f(2x)dx=7$, $\int_{1}^{\frac{4}{3}} f(3x)dx=1$

$\int_{2001}^{2012} f(x)dx$의 값은?

① 65 ② 71 ③ 82 ④ 88 ⑤ 99

발전문제 0846 모든 실수 x에 대하여 연속인 함수 $f(x)$가 다음 조건을 만족시킨다.

2016년 04월 교육청

(가) 모든 실수 x에 대하여 $f(x+2)=f(x)$이다.

(나) $0 \le x \le 1$일 때, $f(x)=\sin\pi x+1$이다.

(다) $1 < x < 2$일 때, $f'(x) \ge 0$이다.

$\int_{0}^{6} f(x)dx=p+\frac{q}{\pi}$일 때, $p+q$의 값을 구하여라. (단, p, q는 정수이다.)

정답 0844 : $2\left(e-\frac{1}{e}\right)$ 0845 : ④ 0846 : 12

연속함수 $f(x)$가

$$f(x)+f(-x)=2\cos x-1$$

를 만족할 때, 정적분 $\int_{-\pi}^{\pi}f(x)dx$를 구하여라.

MAPL CORE $-x=t$로 치환하면 $\int_{-\pi}^{0}f(x)dx=\int_{0}^{\pi}f(-x)dx$, $\int_{-\pi}^{\pi}f(-x)dx=\int_{-\pi}^{\pi}f(x)dx$이 성립한다.

개념익힘 | 풀이

$$\int_{-\pi}^{\pi}f(x)dx=\int_{-\pi}^{0}f(x)dx+\int_{0}^{\pi}f(x)dx$$

$$=\int_{0}^{\pi}\{f(-t)\}dt+\int_{0}^{\pi}f(x)dx$$

$$=\int_{0}^{\pi}\{f(-x)+f(x)\}dx$$

$$=\int_{0}^{\pi}(2\cos x-1)dx=\Big[2\sin x-x\Big]_{0}^{\pi}=-\pi$$

⬅ $\int_{-\pi}^{0}f(x)dx$에서 $x=-t$로 놓으면 $dx=-dt$이고
$x=-\pi$일 때 $t=\pi$, $x=0$일 때 $t=0$이므로
$\int_{-\pi}^{0}f(x)dx=\int_{\pi}^{0}-f(-t)dt=\int_{0}^{\pi}f(-t)dt$

다른풀이 $f(x)=2\cos x-1-f(-x)$임을 이용하여 풀이하기

$f(x)+f(-x)=2\cos x-1$에서 $f(x)=2\cos x-1-f(-x)$

$$\int_{-\pi}^{\pi}f(x)dx=\int_{-\pi}^{\pi}\{2\cos x-1-f(-x)\}dx$$

$$\int_{-\pi}^{\pi}f(x)dx=2\int_{0}^{\pi}(2\cos x-1)dx-\int_{-\pi}^{\pi}f(-x)dx \quad \cdots\cdots ㉠$$ ⬅ $2\cos x-1$ 우함수

$-x=t$로 놓으면 $-dx=dt$이고 $x=-\pi$일 때 $t=\pi$, $x=\pi$일 때, $t=-\pi$이므로

$$\int_{-\pi}^{\pi}f(-x)dx=-\int_{\pi}^{-\pi}f(t)dt=\int_{-\pi}^{\pi}f(t)dt=\int_{-\pi}^{\pi}f(x)dx$$

㉠에 대입하면 $\int_{-\pi}^{\pi}f(x)dx=2\int_{0}^{\pi}(2\cos x-1)dx-\int_{-\pi}^{\pi}f(x)dx$

$2\int_{-\pi}^{\pi}f(x)dx=2\int_{0}^{\pi}(2\cos x-1)dx=2\Big[2\sin x-x\Big]_{0}^{\pi}=-2\pi$ $\quad\therefore \int_{-\pi}^{\pi}f(x)dx=-\pi$

확인유제 0847 다음 물음에 답하여라.

(1) 모든 실수 x에서 미분가능한 함수 $f(x)$가 $f(x)+f(-x)=\cos\frac{x}{2}$를 만족시킬 때,

$\int_{-\pi}^{\pi}f(x)dx$의 값을 구하여라.

(2) 닫힌구간 $\left[-\frac{\pi}{4}, \frac{\pi}{4}\right]$에서 연속인 함수 $f(x)$가 $f(x)+f(-x)=\tan^2 x$를 만족시킬 때,

$\int_{-\frac{\pi}{4}}^{\frac{\pi}{4}}f(x)dx$의 값을 구하여라.

변형문제 0848 함수 $f(x)=x^2e^x$에 대하여 정적분 $\int_{0}^{\frac{1}{2}}\{f(x)+f(1-x)\}dx$의 값은? (단, e는 자연로그의 밑이다.)

① $e-2$ ② $e-1$ ③ $e+\frac{1}{2}$ ④ $2e$ ⑤ e^2+1

발전문제 0849 연속함수 $f(x)$에 대하여 $f(x)+f(-x)=x^2\left(e^x+\frac{1}{e^x}\right)$이 성립할 때, $\int_{-1}^{1}f(x)dx$의 값을 구하여라.

정답 0847 : (1) 2 (2) $\frac{4-\pi}{4}$ 0848 : ① 0849 : $e-\frac{5}{e}$

07 정적분의 치환적분법과 부분적분법

수능특강문제 01 연속함수 $f(x)$에 대하여

$$f(1)=6,\ \int_0^1 f(x)dx=3$$

일 때, 정적분 $\int_0^1 f'(\sqrt{x})dx$의 값을 구하여라.

수능특강 풀이

STEP Ⓐ 치환적분법을 이용하여 주어진 식 정리하기

$\sqrt{x}=t$로 놓으면 $\frac{1}{2\sqrt{x}}dx=dt$이고

$x=0$일 때, $t=0$이고 $x=1$일 때, $t=1$이므로

$$\int_0^1 f'(\sqrt{x})dx=\int_0^1 f'(\sqrt{x})\cdot 2\sqrt{x}\cdot\frac{1}{2\sqrt{x}}dx$$

$$=\int_0^1 f'(t)\cdot 2tdt$$

STEP Ⓑ 부분적분법을 이용하여 정적분 계산하기

$2\int_0^1 tf'(t)dt$에서 $u(t)=t$, $v'(t)=f'(t)$로 놓으면 $u'(t)=1$, $v(t)=f(t)$

$2\int_0^1 tf'(t)dt=\Big[2tf(t)\Big]_0^1-2\int_0^1 f(t)dt=2f(1)-2\cdot 3=6$

정답 6

수능특강문제 02 함수 $f(x)=\int_1^x e^{t^3}dt$에 대하여 $\int_0^1 xf(x)dx$의 값은?

2017학년도 사관기출

① $\frac{1-e}{2}$ ② $\frac{1-e}{3}$ ③ $\frac{1-e}{4}$ ④ $\frac{1-e}{5}$ ⑤ $\frac{1-e}{6}$

수능특강 풀이

STEP Ⓐ 양변을 x로 미분하고 $f(1)=0$임을 구하기

$f(x)=\int_1^x e^{t^3}dt$ ...... ㉠

㉠의 양변에 $x=1$을 대입하면 $f(1)=0$

㉠의 양변을 x로 미분하면 $f'(x)=e^{x^3}$

STEP Ⓑ 부분적분법을 이용하여 구하기

정적분의 부분적분에서

$$\int_0^1 xf(x)dx=\Big[\frac{1}{2}x^2f(x)\Big]_0^1-\int_0^1\frac{1}{2}x^2f'(x)dx$$

$$=\frac{1}{2}f(1)-\int_0^1\frac{1}{2}x^2e^{x^3}dx$$

$$=-\int_0^1\frac{1}{2}x^2e^{x^3}dx\ (\because f(1)=0)$$

STEP Ⓒ 치환적분을 이용하여 구하기

이때 $\int_0^1\frac{1}{2}x^2e^{x^3}dx$의 정적분은 $e^{x^3}=t$로 놓으면 $3x^2e^{x^3}dx=dt$

$x=0$일 때, $t=1$이고 $x=1$일 때, $t=e$이므로

$\int_0^1\frac{1}{2}x^2e^{x^3}dx=\frac{1}{6}\int_1^e 1dt=\frac{1}{6}\Big[\,t\,\Big]_1^e=\frac{1}{6}(e-1)$

따라서 $\int_0^1 xf(x)dx=-\int_0^1\frac{1}{2}x^2f'(x)dx=-\frac{1}{6}(e-1)=\frac{1-e}{6}$

정답 ⑤

수능특강문제 03

다음 물음에 답하여라. (단, e는 자연로그의 밑이다.)

(1) 수열 $\{a_n\}$에 대하여 $a_n=\int_0^1 x^{2n-1}e^{x^n}dx$일 때, $\sum_{n=1}^{\infty}a_n a_{n+1}$의 값은?

① 1　② $\frac{3}{2}$　③ 2　④ 5　⑤ 9

(2) $\int_1^2 x^3 e^{x^2}dx$의 값은?

① $\frac{1}{2}e^4$　② $\frac{2}{3}e^4$　③ $\frac{3}{2}e^4$　④ $\frac{5}{2}e^4$　⑤ $3e^4$

(3) 자연수 n에 대하여 함수 $f(n)=\int_1^n x^3 e^{x^2}dx$라 할 때, $\frac{f(5)}{f(3)}$의 값은?

① e^{14}　② $2e^{16}$　③ $3e^{16}$　④ $4e^{18}$　⑤ $5e^{18}$

수능특강 풀이

(1) $\int_0^1 x^{2n-1}e^{x^n}dx$에서 $x^n=t$로 놓으면 $nx^{n-1}dx=dt$이고

$x=0$일 때, $t=0$이고 $x=1$일 때, $t=1$

$a_n=\int_0^1 x^{2n-1}e^{x^n}dx=\int_0^1 x^n\cdot x^{n-1}e^{x^n}dx=\frac{1}{n}\int_0^1 te^t dt$

한편 $\frac{1}{n}\int_0^1 te^t dt$에서 $u(t)=t,\ v'(t)=e^t$으로 놓으면 $u'(t)=1,\ v(t)=e^t$이므로

$\frac{1}{n}\int_0^1 te^t dt=\frac{1}{n}\left\{\left[te^t\right]_0^1-\int_0^1 e^t dt\right\}=\frac{1}{n}\left\{(e-0)-\left[e^t\right]_0^1\right\}=\frac{1}{n}\{e-(e-1)\}=\frac{1}{n}$

$a_n=\frac{1}{n}$이므로 $a_n a_{n+1}=\frac{1}{n}\cdot\frac{1}{n+1}$

따라서 $\sum_{n=1}^{\infty}a_n a_{n+1}=\sum_{n=1}^{\infty}\frac{1}{n(n+1)}=\lim_{n\to\infty}\sum_{k=1}^{k}\frac{1}{k(k+1)}=\lim_{n\to\infty}\sum_{k=1}^{k}\left(\frac{1}{k}-\frac{1}{k+1}\right)$

$=\lim_{n\to\infty}\left\{\left(\frac{1}{1}-\frac{1}{2}\right)+\left(\frac{1}{2}-\frac{1}{3}\right)+\cdots+\left(\frac{1}{n}-\frac{1}{n+1}\right)\right\}$

$=\lim_{n\to\infty}\left(\frac{1}{1}-\frac{1}{n+1}\right)=1$

(2) $\int_1^2 x^3 e^{x^2}dx$에서 $x^2=t$로 놓으면 $2xdx=dt$이고

$x=1$일 때, $t=1$이고 $x=2$일 때, $t=4$

$\int_1^2 x^3 e^{x^2}dx=\int_1^2 x^2\cdot x\cdot e^{x^2}dx=\frac{1}{2}\int_1^4 te^t dt$

한편 $\int_1^4 te^t dt$에서 $u(t)=t,\ v'(t)=e^t$로 놓으면 $u'(t)=1,\ v(t)=e^t$이므로

$\int_1^4 te^t dt=\left[te^t\right]_1^4-\int_1^4 e^t dt=\left[te^t\right]_1^4-\left[e^t\right]_1^4=3e^4$

따라서 $\int_1^2 x^3 e^{x^2}dx=\frac{1}{2}\int_1^4 te^t dt=\frac{3}{2}e^4$

(3) $f(n)=\int_1^n x^3 e^{x^2}dx$에서 $x^2=t$라 하면 $2xdx=dt$이고

$x=1$일 때, $t=1$이고 $x=n$일 때, $t=n^2$

$f(n)=\int_1^n (x^2 e^{x^2}\cdot x)dx=\int_1^{n^2}\frac{1}{2}te^t dt$

한편 $\int_1^{n^2}\frac{1}{2}te^t dt$에서 $u(t)=t,\ v'(t)=e^t$으로 놓으면 $u'(t)=1,\ v(t)=e^t$이므로

$f(n)=\frac{1}{2}\int_1^{n^2}te^t dt=\frac{1}{2}\left\{\left[te^t\right]_1^{n^2}-\int_1^{n^2}e^t dt\right\}=\frac{1}{2}\left\{(n^2e^{n^2}-e)-\left[e^t\right]_1^{n^2}\right\}=\frac{1}{2}\{(n^2e^{n^2}-e)-(e^{n^2}-e)\}=\frac{1}{2}(n^2-1)e^{n^2}$

따라서 $\frac{f(5)}{f(3)}=\frac{\frac{1}{2}(5^2-1)e^{25}}{\frac{1}{2}(3^2-1)e^9}=\frac{12e^{25}}{4e^9}=3e^{16}$

정답 (1) ① (2) ③ (3) ③

수능특강문제 **04**

2015년 10월 교육청

실수 전체의 집합에서 미분가능한 함수 $f(x)$가 다음 조건을 만족시킨다.

(가) $f(1)=2$

(나) $\int_0^1 (x-1)f'(x+1)dx=-4$

$\int_1^2 f(x)dx$의 값을 구하여라. (단, $f'(x)$는 연속함수이다.)

수능특강 풀이

STEP A $x+1=t$로 치환하여 조건 (나)의 식 변형하기

조건 (나)의 $\int_0^1 (x-1)f'(x+1)dx$에서 $x+1=t$로 놓으면 $dx=dt$이고

$x=0$일 때, $t=1$이고 $x=1$일 때, $t=2$

$$\int_0^1 (x-1)f'(x+1)dx=\int_1^2 (t-2)f'(t)dt$$

STEP B 부분적분법을 이용하여 정적분 계산하기

$$\begin{aligned}\int_1^2 (t-2)f'(t)dt&=\Big[(t-2)f(t)\Big]_1^2-\int_1^2 f(t)dt\\&=f(1)-\int_1^2 f(t)dt\\&=2-\int_1^2 f(t)dt=-4\end{aligned}$$

따라서 $\int_1^2 f(x)dx=6$

정답 6

수능특강문제 **05**

2012학년도 06월 평가원

정의역이 $\{x|x>-1\}$인 함수 $f(x)$에 대하여

$$f'(x)=\frac{1}{(1+x^3)^2}\text{이고, 함수 } g(x)=x^2$$

일 때, $\int_0^1 f(x)g'(x)dx=\frac{1}{6}$이다. $f(1)$의 값은?

① $\frac{1}{6}$ ② $\frac{2}{9}$ ③ $\frac{5}{18}$ ④ $\frac{1}{3}$ ⑤ $\frac{7}{18}$

수능특강 풀이

STEP A 부분적분법을 이용하여 정적분 계산하기

$$\begin{aligned}\int_0^1 f(x)g'(x)dx&=\Big[f(x)g(x)\Big]_0^1-\int_0^1 f'(x)g(x)dx\\&=f(1)g(1)-f(0)g(0)-\int_0^1\frac{x^2}{(1+x^3)^2}dx\\&=f(1)-\int_0^1\frac{x^2}{(1+x^3)^2}dx\ (\because g(1)=1,\ g(0)=0)\end{aligned}$$

STEP B 치환적분법을 이용하여 $f(1)$의 값 구하기

$\int_0^1\frac{x^2}{(1+x^3)^2}dx$에서 $1+x^3=t$로 놓으면 $3x^2dx=dt$이고

$x=0$일 때, $t=1$이고 $x=1$일 때, $t=2$

$$\int_0^1\frac{x^2}{(1+x^3)^2}dx=\int_1^2\frac{1}{3}\cdot\frac{1}{t^2}dt=\frac{1}{3}\Big[-\frac{1}{t}\Big]_1^2=\frac{1}{3}\Big(-\frac{1}{2}+1\Big)=\frac{1}{6}$$

$$\int_0^1 f(x)g'(x)dx=f(1)-\int_0^1\frac{x^2}{(1+x^3)^2}dx=f(1)-\frac{1}{6}$$

따라서 $f(1)-\frac{1}{6}=\frac{1}{6}$에서 $f(1)=\frac{1}{3}$

정답 ④

수능특강문제 06 2011학년도 수능기출

실수 전체의 집합에서 미분가능한 함수 $f(x)$가 있다. 모든 실수 x에 대하여 $f(2x)=2f(x)f'(x)$이고, $f(a)=0$, $\int_{2a}^{4a}\frac{f(x)}{x}dx=k(a>0,\ 0<k<1)$일 때, $\int_{a}^{2a}\frac{\{f(x)\}^2}{x^2}dx$의 값을 k로 나타낸 것은?

① $\frac{k^2}{4}$ ② $\frac{k^2}{2}$ ③ k^2 ④ k ⑤ $2k$

수능특강 풀이

STEP Ⓐ $f(a)=0,\ f(2x)=2f(x)f'(x)$임을 이용하여 정적분의 값을 k로 나타내기

$f(2x)=2f(x)f'(x)$에서 $x=a$일 때, $f(2a)=2f(a)f'(a)$

$f(a)=0$이므로

$f(2a)=2\times0\times f'(a)=0$ …… ㉠

$\int_{2a}^{4a}\frac{f(x)}{x}dx=k$에서 $x=2t$로 놓으면 $dx=2dt$이고

$x=2a$일 때, $t=a$이고 $x=4a$일 때, $t=2a$이므로

$\int_{2a}^{4a}\frac{f(x)}{x}dx=\int_{a}^{2a}\frac{f(2t)}{2t}\cdot2dt=\int_{a}^{2a}\frac{f(2t)}{t}dt=k$ …… ㉡

STEP Ⓑ $\int_{a}^{2a}\frac{\{f(x)\}^2}{x^2}dx$를 부분적분법을 이용하여 구하기

$\int_{a}^{2a}\frac{\{f(x)\}^2}{x^2}dx$에서 $g(x)=\{f(x)\}^2$, $h'(x)=\frac{1}{x^2}$로 놓으면 $g'(x)=2f(x)f'(x)$, $h(x)=-\frac{1}{x}$이므로

$$\int_{a}^{2a}\frac{\{f(x)\}^2}{x^2}dx=\left[\{f(x)\}^2\cdot\left(-\frac{1}{x}\right)\right]_a^{2a}-\int_a^{2a}2f(x)f'(x)\cdot\left(-\frac{1}{x}\right)dx$$
$$=\left[\{f(x)\}^2\cdot\left(-\frac{1}{x}\right)\right]_a^{2a}+\int_a^{2a}\frac{1}{x}\cdot f(2x)dx$$
$$=-\frac{\{f(2a)\}^2}{2a}+\frac{\{f(a)\}^2}{a}+k(\because ㉡)$$
$$=0+0+k(\because ㉠)$$
$$=k$$

다른풀이 부분적분법과 치환적분법을 이용하여 풀이하기

$\frac{d}{dx}\{f(x)\}^2=2f(x)f'(x)$이므로 $\frac{d}{dx}\{f(x)\}^2=f(2x)$

(ⅰ) 부분적분에 의하여

$$\int_{a}^{2a}\frac{\{f(x)\}^2}{x^2}dx=\int_a^{2a}\frac{1}{x^2}\{f(x)\}^2dx=\left[-\frac{1}{x}\{f(x)\}^2\right]_a^{2a}+\int_a^{2a}\frac{1}{x}\cdot2f(x)f'(x)dx$$

그런데 $f(a)=0$이므로 $f(2a)=2f(a)f'(a)=0$

$\therefore\left[-\frac{1}{x}\{f(x)\}^2\right]_a^{2a}=-\left[\frac{1}{2a}\{f(2a)\}-\frac{1}{a}\{f(a)\}\right]=0$ …… ㉠

(ⅱ) $2x=t$라 하면 $x=\frac{1}{2}t$이고 $dx=\frac{1}{2}dt$

$x=a$일 때, $t=2a$이고 $x=2a$일 때, $t=4a$

$f(t)=f(2x)=2f(x)f'(x)$

$\int_a^{2a}\frac{1}{x}\cdot2f(x)f'(x)dx=\int_{2a}^{4a}\frac{2}{t}\cdot f(t)\cdot\frac{1}{2}dt$ …… ㉡

따라서 ㉠, ㉡에서 $\int_{a}^{2a}\frac{\{f(x)\}^2}{x^2}dx=k$

정답 ④

그래프의 성질을 이용한 정적분

01 우함수와 기함수의 정적분

닫힌구간 $[-a,\ a]$에서 연속인 함수 $f(x)$의 그래프가 y축에 대하여 대칭이거나 원점에 대하여 대칭일 때,

$\int_{-a}^{a} f(x)dx$를 구해 보자.

(1) 모든 실수 x에 대하여 $f(-x)=f(x)$이면

$$\int_{-a}^{a} \boldsymbol{f(x)dx}=2\int_{0}^{a} \boldsymbol{f(x)dx}$$ ⬅ $f(x)$는 우함수 (even function)

설명 $f(-x)=f(x)$인 함수 $y=f(x)$의 그래프는 y축에 대하여 대칭이다.

닫힌구간 $[0,\ a]$에서 $f(x)\geq 0$인 부분의 넓이를 S_1,

$f(x)\leq 0$인 부분의 넓이를 S_2라고 하면

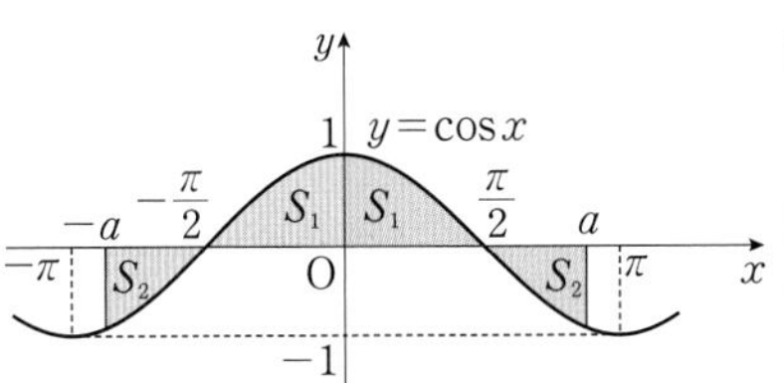

$\int_{0}^{a} f(x)dx=S_1-S_2$, $\int_{-a}^{0} f(x)dx=-S_2+S_1$이므로

$\int_{-a}^{0} f(x)dx=\int_{0}^{a} f(x)dx$ ⬅ 구간 $[-a,\ 0]$과 구간 $[0,\ a]$의 정적분의 값이 같다.

따라서 $\int_{-a}^{a} f(x)dx=\int_{-a}^{0} f(x)dx+\int_{0}^{a} f(x)dx=2\int_{0}^{a} f(x)dx$

예를들면 $f(x)=\cos x$일 때, $f(-x)=f(x)$이므로 $\int_{-\frac{\pi}{2}}^{\frac{\pi}{2}} \cos x dx=2\int_{0}^{\frac{\pi}{2}} \cos x dx=2$

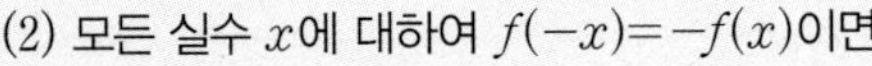

(2) 모든 실수 x에 대하여 $f(-x)=-f(x)$이면

$$\int_{-a}^{a} \boldsymbol{f(x)dx=0}$$ ⬅ $f(x)$는 기함수 (odd function)

설명 $f(-x)=-f(x)$인 함수 $y=f(x)$의 그래프는 원점에 대하여 대칭이다.

닫힌구간 $[-a,\ a]$에서 $f(x)\geq 0$인 부분의 넓이를 S_1,

$f(x)\leq 0$인 부분의 넓이를 S_2라고 하면

$\int_{0}^{a} f(x)dx=S_1$, $\int_{-a}^{0} f(x)dx=-S_1$이므로

$\int_{-a}^{0} f(x)dx=-\int_{0}^{a} f(x)dx$ ⬅ 구간 $[-a,\ 0]$과 구간 $[0,\ a]$의 정적분의 값은 그 절댓값이 같고 부호가 다르다.

따라서 $\int_{-a}^{a} f(x)dx=\int_{-a}^{0} f(x)dx+\int_{0}^{a} f(x)dx=0$

예를들면 $f(x)=\sin x$일 때, $f(-x)=-f(x)$이므로 $\int_{-\pi}^{\pi} \sin x dx=0$

주의 적분구간이 $[-a,\ a]$일 때, 즉 위끝, 아래끝의 절댓값이 같고 부호가 다를 때, 우함수 기함수의 정적분을 이용한다.

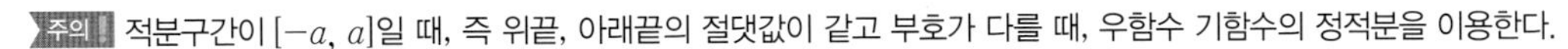

	$f(-x)=f(x)$인 함수	$f(-x)=-f(x)$인 함수
다항함수	지수가 짝수인 항들로만 이루어진 함수, 상수함수	지수가 홀수인 항들로만 이루어진 함수
삼각함수	$f(x)=\cos x$	$f(x)=\sin x$, $f(x)=\tan x$

참고 • (우함수)×(우함수)=(우함수) • (기함수)×(기함수)=(우함수) • (우함수)×(기함수)=(기함수)

보기 01 다음 정적분의 값을 구하여라.

(1) $\int_{-\frac{\pi}{3}}^{\frac{\pi}{3}}(\sin x+\cos x+\tan x)dx$　　(2) $\int_{-1}^{0}(e^{x}+e^{-x})dx+\int_{0}^{1}(e^{x}+e^{-x})dx$

(3) $\int_{-\frac{\pi}{2}}^{\frac{\pi}{2}}(x^2\sin x+\cos 3x)dx$　　(4) $\int_{-2}^{2}xe^{x^2}dx$

풀이 (1) $\sin x$, $\tan x$는 기함수이므로 $\int_{-\frac{\pi}{3}}^{\frac{\pi}{3}}(\sin x+\tan x)dx=0$, $\cos x$는 우함수이다.

$$\therefore \int_{-\frac{\pi}{3}}^{\frac{\pi}{3}}(\sin x+\cos x+\tan x)dx=\int_{-\frac{\pi}{3}}^{\frac{\pi}{3}}\cos x dx=2\int_{0}^{\frac{\pi}{3}}\cos x dx=2\Big[\sin x\Big]_{0}^{\frac{\pi}{3}}=\sqrt{3}$$

(2) $f(x)=e^{x}+e^{-x}$로 놓으면 $f(-x)=e^{-x}+e^{x}=f(x)$이므로 $f(x)$는 우함수이다.

$$\therefore \int_{-1}^{0}(e^{x}+e^{-x})dx+\int_{0}^{1}(e^{x}+e^{-x})dx=\int_{-1}^{1}(e^{x}+e^{-x})dx=2\int_{0}^{1}(e^{x}+e^{-x})dx$$

$$=2\Big[e^{x}-e^{-x}\Big]_{0}^{1}=2\left(e-\frac{1}{e}\right)$$

(3) x^2은 우함수, $\sin x$는 기함수이므로 $y=x^2\sin x$는 기함수이고 $y=\cos 3x$는 우함수이다.

$$\therefore \int_{-\frac{\pi}{2}}^{\frac{\pi}{2}}(x^2\sin x+\cos 3x)dx=2\int_{0}^{\frac{\pi}{2}}\cos 3x dx=2\Big[\frac{1}{3}\sin 3x\Big]_{0}^{\frac{\pi}{2}}=-\frac{2}{3}$$

(4) $f(x)=xe^{x^2}$로 놓으면 $f(-x)=-xe^{x^2}=-f(x)$이므로 $f(x)$는 기함수이다.

$$\therefore \int_{-2}^{2}xe^{x^2}dx=0$$

보기 02 임의의 실수 a에 대하여 $\int_{-a}^{a}f(x)dx=0$을 만족하는 $f(x)$는?

① $f(x)=\sin x+\tan x+1$　② $f(x)=e^{x}-e^{-x}$　③ $f(x)=\cos x+\ln x$

④ $f(x)=|x|\cdot e^{|x|}$　⑤ $f(x)=x^5+x^3+x+1$

풀이 $\int_{-a}^{a}f(x)dx=0$을 만족하는 함수 $f(x)$는 원점에 대하여 대칭인 함수, 즉 기함수이다.

$f(x)=e^{x}-e^{-x}$라 하면 $f(-x)=e^{-x}-e^{x}=-(e^{x}-e^{-x})=-f(x)$이므로 ②번 $f(x)$는 원점에 대하여 대칭이다.

보기 03 원점에 대하여 대칭인 함수 $f(x)$가 실수전체에서 미분가능할 때,

$$\int_{-2}^{2}f'(x)(3+\sin x+\sin^3 x)dx$$

의 값을 구하여라. (단, $f(2)=5$)

풀이 곡선 $y=f(x)$가 원점에 대하여 대칭이므로 함수 $f(x)$는 기함수이다. 즉 $f'(x)$는 우함수이고 $f(0)=0$이다.

이때 $f'(x)\sin x$, $f'(x)\sin^3 x$는 기함수이다.

$$\int_{-2}^{2}f'(x)(3+\sin x+\sin^3 x)dx=3\int_{-2}^{2}f'(x)dx=3\cdot 2\int_{0}^{2}f'(x)dx=6\Big[f(x)\Big]_{0}^{2}$$

$$=6\{f(2)-f(0)\}=6(5-0)=30$$

04 정적분으로 정의된 함수

01 정적분이 포함한 등식에서 적분구간이 상수인 경우 함수 $f(x)$의 결정

$f(x)=g(x)+\int_a^b f(t)dt$ (a, b는 상수)일 때, 함수 $f(x)$의 식을 구하는 방법

[1단계] $\int_a^b f(t)dt=k$ (k는 상수)로 놓는다.

⇨ $f(x)=g(x)+k$ …… ㉠

[2단계] ㉠을 $\int_a^b f(t)dt=k$에 대입하여 $\int_a^b \{g(t)+k\}dt=k$를 풀어 상수 k의 값을 구한다.

[3단계] 상수 k의 값을 ㉠에 대입하여 $f(x)$를 구한다.

참고 적분구간이 상수이면 정적분 $\int_a^b f(t)dt$도 상수이다.

보기 01 다음 식을 만족시키는 함수 $f(x)$를 구하여라.

(1) $f(x)=e^x+\int_0^2 f(t)dt$ (2) $f(x)=\ln x+\int_1^e f(t)dt$ (단, $x>0$)

풀이 (1) $\int_0^2 f(t)dt=k$ (k는 상수) …… ㉠

로 놓으면 $f(x)=e^x+k$ …… ㉡

㉡을 ㉠에 대입하면

$\int_0^2 f(t)dt=\int_0^2 (e^t+k)dt=\Big[e^t+kt\Big]_0^2=e^2+2k-1=k$ $\therefore k=-e^2+1$

따라서 $f(x)=e^x-e^2+1$

(2) $\int_1^e f(t)dt=k$ (k는 상수) …… ㉠

로 놓으면 $f(x)=\ln x+k$ …… ㉡

㉡을 ㉠에 대입하면

$\int_1^e f(t)dt=\int_1^e (\ln t+k)dt=\Big[t\ln t-t+kt\Big]_1^e=k(e-1)+1=k$ $\therefore k=\dfrac{1}{2-e}$

따라서 $f(x)=\ln x+\dfrac{1}{2-e}$

더 알아보기

정적분으로 정의된 함수

정적분 $\int_a^x f(t)dt$(a는 상수)에서 $f(t)$의 한 부정적분을 $F(t)$라 하면

$$\int_a^x f(t)dt=\Big[F(t)\Big]_a^x=F(x)-F(a)$$ ⬅ $f(t)$에 대하여 x의 값이 변함에 따라 정적분의 값도 변한다.

이므로 $\int_a^x f(t)dt$는 **x에 대한 함수이다.**

이와 같이 정적분의 아래끝, 위끝에 변수가 있는 함수를 정적분으로 정의된 함수라 한다.

주의 정적분의 경우에 적분변수와 관계없이 위끝 또는 아래끝에 나타나는 문자가 변수가 됨에 주의해야 한다.

즉, a가 상수일 때, $\int_a^x f(t)dt$에서 t는 적분변수이므로 $\int_a^x f(t)dt$는 t에 대한 함수가 아니고 x에 대한 함수이다.

02 정적분으로 정의된 함수의 미분

연속함수 $f(x)$와 상수 a에 대하여 정적분으로 정의된 함수들을 각각 x에 대하여 미분하면 다음과 같다.

(1) $\dfrac{d}{dx}\displaystyle\int_a^x f(t)dt=f(x)$ ← $f(t)$의 t대신에 x를 대입한다.

(2) $\dfrac{d}{dx}\displaystyle\int_x^{x+a} f(t)dt=f(x+a)-f(x)$

참고 연속함수 $f(x)$와 미분가능한 두 함수 $g(x)$, $h(x)$에 대하여 함수 $f(t)$의 한 부정적분을 $F(t)$라 하면

$$\frac{d}{dx}\int_{g(x)}^{h(x)} f(t)dt=\frac{d}{dx}\Big[F(t)\Big]_{g(x)}^{h(x)}=\frac{d}{dx}\{F(h(x))-F(g(x))\}=f(h(x))h'(x)-f(g(x))g'(x)$$

마플해설 닫힌구간 $[a, b]$에서 연속인 함수 $f(t)$가 $a<x<b$이면 $\int_a^x f(t)dt$는 x의 값에 따라 그 값이 하나씩 정해지므로 x에 대한 함수이다. 이때 $f(t)$의 한 부정적분을 $F(t)$라 하면

(1) $\displaystyle\int_a^x f(t)dt=\Big[F(t)\Big]_a^x=F(x)-F(a)$

$\therefore \dfrac{d}{dx}\displaystyle\int_a^x f(t)dt=\dfrac{d}{dx}\{F(x)-F(a)\}=F'(x)-0=f(x)$ (단, $F(a)$는 상수)

(2) $\displaystyle\int_x^{x+a} f(t)dt=\Big[F(t)\Big]_x^{x+a}=F(x+a)-F(x)$

$\therefore \dfrac{d}{dx}\displaystyle\int_x^{x+a} f(t)dt=\dfrac{d}{dx}\{F(x+a)-F(x)\}=F'(x+a)\cdot(x+a)'-F'(x)=f(x+a)-f(x)$

보기 02 다음 함수를 x에 대하여 미분하여라.

(1) $\displaystyle\int_1^x (e^t+2t-1)dt$ (2) $\displaystyle\int_x^{x+1} e^t\sin\pi t dt$

풀이

(1) $\dfrac{d}{dx}\displaystyle\int_1^x (e^t+2t-1)dt=e^x+2x-1$

(2) $\dfrac{d}{dx}\displaystyle\int_x^{x+1} e^t\sin\pi t dt=e^{x+1}\sin\{\pi(x+1)\}-e^x\sin\pi x=-e^{x+1}\sin\pi x-e^x\sin\pi x=-e^x(e+1)\sin\pi x$

← $\sin\{\pi(x+1)\}=\sin(\pi x+\pi)=-\sin\pi x$

보기 03 함수 $F(x)=\displaystyle\int_2^x (e^x+\sin x)dx$에 대하여 함수 $F(-x)$를 정적분의 꼴로 나타내어라.

풀이 $F(x)=\displaystyle\int_2^x (e^x+\sin x)dx=\int_2^x (e^t+\sin t)dt$이므로

$F(-x)=\displaystyle\int_2^{-x} (e^t+\sin t)dt=\int_2^{-x} (e^x+\sin x)dx$

더 알아보기

① $\dfrac{d}{dx}\displaystyle\int_a^x tf(t)dt=xf(x)$

설명 $\int xf(x)dx=G(x)+C$라고 하면

$$\frac{d}{dx}\int_a^x tf(t)dt=\frac{d}{dx}\Big[G(t)\Big]_a^x=\frac{d}{dx}G(x)-\frac{d}{dx}G(a)=G'(x)=xf(x)$$

② $\dfrac{d}{dx}\displaystyle\int_a^x xf(t)dt=\int_a^x f(t)dt+xf(x)$

설명 $\dfrac{d}{dx}\displaystyle\int_a^x xf(t)dt=\dfrac{d}{dx}\Big\{x\cdot\int_a^x f(t)dt\Big\}=1\cdot\int_a^x f(t)dt+x\cdot\dfrac{d}{dx}\int_a^x f(t)dt=\int_a^x f(t)dt+xf(x)$

03 적분구간과 피적분함수에 변수가 있는 정적분을 포함한 등식

(1) $\int_a^x f(t)dt=g(x)$와 같이 적분구간에만 변수 x가 있는 경우

[1단계] 양변에 $x=a$를 대입한다. ⇨ $\int_a^a f(t)dt=0$이므로 $g(a)=0$

[2단계] 양변을 x에 대하여 미분한다. ⇨ $\frac{d}{dx}\int_a^x f(t)dt=\frac{d}{dx}g(x)$이므로 $f(x)=g'(x)$

(2) $\int_a^x (x-t)f(t)dt=g(x)$와 같이 적분구간과 피적분함수에 모두 변수 x가 있는 경우

[1단계] 좌변을 전개한다.

$$\int_a^x (x-t)f(t)dt=x\int_a^x f(t)dt-\int_a^x tf(t)dt$$ ⬅ x는 상수 취급한다.

[2단계] $x\int_a^x f(t)dt-\int_a^x tf(t)dt=g(x)$의 양변을 x에 대하여 미분하면

$$(x)'\int_a^x f(t)dt+x\left(\int_a^x f(t)dt\right)'-\left(\int_a^x tf(t)dt\right)'=g'(x)$$

$$\int_a^x f(t)dt+xf(x)-xf(x)=g'(x)\quad \therefore \int_a^x f(t)dt=g'(x)$$

[3단계] $\int_a^x f(t)dt=g'(x)$를 조건에 맞게 변형한다.

보기 04 실수 전체에서 미분가능한 함수 $f(x)$가 모든 실수 x에 대하여

$$\int_a^x f(t)dt=e^{2x}-3e^x+2$$

을 만족할 때, 상수 a의 값과 $f(x)$를 구하여라.

풀이 주어진 등식의 양변에 $x=a$를 대입하면 $\int_a^a f(t)dt=0$이므로

$e^{2a}-3e^a+2=0$, 즉 $(e^a)^2-3e^a+2=0$, $(e^a-1)(e^a-2)=0$

$\therefore e^a=1$ 또는 2이므로 $a=0$ 또는 $\ln 2$

또, 주어진 등식의 양변을 x에 관하여 미분하면

$\frac{d}{dx}\int_a^x f(t)dt=\frac{d}{dx}(e^{2x}-3e^x+2)$이므로 $f(x)=2e^{2x}-3e^x$

보기 05 실수전체의 집합에서 연속인 함수 $f(x)$가 모든 실수 x에 대하여

$$\int_0^x (x-t)f(t)dt=e^{2x}-2x-1$$

을 만족하는 함수 $f(x)$를 구하여라.

풀이 주어진 식의 좌변을 전개하면

$\int_0^x (x-t)f(t)dt=x\int_0^x f(t)dt-\int_0^x tf(t)dt=e^{2x}-2x-1$이므로

양변을 x에 대하여 미분하면

$(x)'\int_0^x f(t)dt+x\left(\int_0^x f(t)dt\right)'-\left(\int_0^x tf(t)dt\right)'=\frac{d}{dx}(e^{2x}-2x-1)$

$\int_0^x f(t)dt+xf(x)-xf(x)=2e^{2x}-2$

$\therefore \int_0^x f(t)dt=2e^{2x}-2$ …… ㉠

또, ㉠의 양변을 x에 대하여 미분하면 $f(x)=\frac{d}{dx}\int_0^x f(t)dt=4e^{2x}$

04 정적분으로 표시된 함수의 극한값 $\left(\lim + \int\right)$

연속함수 $f(x)$와 상수 a에 대하여 정적분과 미분계수의 정의를 이용하면 함수의 극한값은 다음과 같다.

(1) $\displaystyle \lim_{x\to a}\frac{1}{x-a}\int_a^x f(t)dt=f(a)$

(2) $\displaystyle \lim_{h\to 0}\frac{1}{h}\int_a^{h+a} f(t)dt=f(a)$

마플해설 정적분으로 정의된 함수의 극한이 $\frac{0}{0}$꼴의 경우에는 미분계수의 정의를 이용하여 구한다.

$\displaystyle F'(a)=\lim_{x\to a}\frac{F(x)-F(a)}{x-a}=\lim_{h\to 0}\frac{F(a+h)-F(a)}{h}$를 이용하여 계산한다.

함수 $F'(x)=f(x)$라 할 때, 정적분과 미분계수의 정의에 의하여

(1) $\displaystyle \lim_{x\to a}\frac{1}{x-a}\int_a^x f(t)dt=\lim_{x\to a}\frac{\int_a^x f(t)dt}{x-a}=\lim_{x\to a}\frac{\left[F(t)\right]_a^x}{x-a}=\lim_{x\to a}\frac{F(x)-F(a)}{x-a}=F'(a)=f(a)$

(2) $\displaystyle \lim_{h\to 0}\frac{1}{h}\int_a^{h+a} f(t)dt=\lim_{h\to 0}\frac{\int_a^{h+a} f(t)dt}{h}=\lim_{h\to 0}\frac{\left[F(t)\right]_a^{h+a}}{h}=\lim_{h\to 0}\frac{F(h+a)-F(a)}{h}=F'(a)=f(a)$

보기 06 다음 극한값을 구하여라.

(1) $\displaystyle \lim_{x\to e}\frac{1}{x-e}\int_e^x t^2\ln t dt$　　(2) $\displaystyle \lim_{h\to 0}\frac{1}{h}\int_0^h \cos^3 t\sin t dt$

풀이 (1) $f(t)=t^2\ln t$로 놓고 한 부정적분을 $F(t)$라 하면

$\displaystyle \int_e^x t^2\ln t dt=\left[F(t)\right]_e^x=F(x)-F(e)$

$\displaystyle \therefore \lim_{x\to e}\frac{1}{x-e}\int_e^x t^2\ln t dt=\lim_{x\to e}\frac{F(x)-F(e)}{x-e}=F'(e)=f(e)$

따라서 $f(e)=e^2\ln e=e^2$

(2) $f(t)=\cos^3 t\sin t$의 한 부정적분을 $F(t)$라 하면

$\displaystyle \int_0^h \cos^3 t\sin t dt=\left[F(t)\right]_0^h=F(h)-F(0)$

$\displaystyle \therefore \lim_{h\to 0}\frac{1}{h}\int_0^h \cos^3 t\sin t dt=\lim_{h\to 0}\frac{F(h)-F(0)}{h}=F'(0)=f(0)$

따라서 $f(0)=\cos^3 0\sin 0=0$

보기 07 함수 $f(x)=2^x(2^x-1)$에 대하여 $\displaystyle \lim_{x\to 2}\frac{1}{x^2-4}\int_2^x f(t)dt$의 값을 구하여라.

풀이 함수 $f(x)$의 부정적분을 $F(x)$라 하면

$$\lim_{x\to 2}\frac{1}{x^2-4}\int_2^x f(t)dt=\lim_{x\to 2}\frac{\left[F(t)\right]_2^x}{x^2-4}=\lim_{x\to 2}\frac{F(x)-F(2)}{x^2-4}$$

$$=\lim_{x\to 2}\left\{\frac{F(x)-F(2)}{x-2}\times\frac{1}{x+2}\right\}$$

$$=\frac{1}{4}F'(2)=\frac{1}{4}f(2)=\frac{1}{4}\times 4(4-1)=3$$

마플개념익힘 01 적분구간이 상수인 정적분을 포함한 함수

다음 등식을 만족하는 함수 $f(x)$를 구하여라.

(1) $f(x)=x-\int_1^e \frac{f(t)}{t}dt$　　　(2) $f(x)=\sin x+3\int_0^{\frac{\pi}{2}} f(t)\cos t dt$

MAPL CORE $f(x)=g(x)+\int_a^b f(t)dt$ (a, b는 상수)꼴에서 함수 $f(x)$를 구하는 방법

[1단계] $\int_a^b f(t)dt=k$ (k는 상수)로 놓는다.

[2단계] $f(x)=g(x)+k$를 $\int_a^b f(t)dt=k$에 대입하여 k의 값을 구하여 $f(x)$를 결정한다.

개념익힘 | 풀이 (1) $\int_1^e \frac{f(t)}{t}dt=k$ (k는 상수)　…… ㉠

으로 놓으면 $f(x)=x-k$　…… ㉡

㉡을 ㉠에 대입하면 $\int_1^e \frac{t-k}{t}dt=\int_1^e\left(1-\frac{k}{t}\right)dt=\Big[t-k\ln|t|\Big]_1^e=e-k-1=k$　$\therefore k=\frac{e-1}{2}$

$\therefore f(x)=\boldsymbol{x-\frac{e-1}{2}}$

(2) $\int_0^{\frac{\pi}{2}} f(t)\cos t dt=k$ (k는 상수)　…… ㉠

로 놓으면 $f(x)=\sin x+3k$　…… ㉡

㉡을 ㉠에 대입하면

$$\int_0^{\frac{\pi}{2}} f(t)\cos t dt=\int_0^{\frac{\pi}{2}}(\sin t+3k)\cos t dt=\int_0^{\frac{\pi}{2}}\sin t\cos t dt+3k\int_0^{\frac{\pi}{2}}\cos t dt$$

$$=\int_0^1 \theta d\theta+3k\Big[\sin t\Big]_0^{\frac{\pi}{2}}$$ ← $\sin t=\theta$로 놓으면 $\cos t dt=d\theta$이고 $t=0$일 때 $\theta=0$, $t=\frac{\pi}{2}$일 때 $t=1$

$$=\left[\frac{1}{2}\theta^2\right]_0^1+3k=\frac{1}{2}+3k$$

즉, $k=\frac{1}{2}+3k$이므로 $k=-\frac{1}{4}$　$\therefore f(x)=\boldsymbol{\sin x-\frac{3}{4}}$

참고 $\int_0^{\frac{\pi}{2}}\sin t\cos t dt+3k\int_0^{\frac{\pi}{2}}\cos t dt=\int_0^{\frac{\pi}{2}}\frac{1}{2}\sin 2x dx+3k\int_0^{\frac{\pi}{2}}\cos x dx=\left[-\frac{1}{4}\cos 2x\right]_0^{\frac{\pi}{2}}+3k\Big[\sin x\Big]_0^{\frac{\pi}{2}}=\frac{1}{2}+3k$

확인유제 0850 다음 등식을 만족하는 연속함수 $f(x)$를 구하여라.

(1) $f(x)=\cos x+\int_0^{\frac{\pi}{3}} f(t)\sin t dt$　　　(2) $f(x)=\frac{2}{x^2+1}+\int_0^1 tf(t)dt$

변형문제 0851 다음 물음에 답하여라.

(1) 미분가능한 함수 $f(x)$가 $f(x)=\sin x+\int_0^{\pi} tf'(t)dt$를 만족시킬 때, $f\left(\frac{\pi}{2}\right)$의 값은?

① -2　② -1　③ 0　④ 1　⑤ 2

(2) 함수 $f(x)$가 $f(x)=x\cos x+\int_0^{\frac{\pi}{2}} f(t)dt$를 만족시킬 때, $f\left(\frac{\pi}{2}\right)$의 값은?

① -4　② -2　③ -1　④ $-\frac{1}{2}$　⑤ $-\frac{1}{4}$

발전문제 0852 연속함수 $f(x)$가 $f(x)=e^{x^2}+\int_0^1 tf(t)dt$를 만족시킬 때, $\int_0^1 xf(x)dx$의 값은?

2013학년도 수능기출

① $e-2$　② $\frac{e-1}{2}$　③ $\frac{e}{2}$　④ $e-1$　⑤ $\frac{e+1}{2}$

정답 0850 : (1) $\cos x+\frac{3}{4}$ (2) $\frac{2}{x^2+1}+2\ln 2$　0851 : (1) ② (2) ③　0852 : ④

마플개념익힘 02 적분구간이 변수로 주어진 정적분을 포함한 함수

다음 물음에 답하여라.

(1) 연속함수 $f(x)$가 모든 실수 x에 대하여 등식 $\int_0^x f(t)dt=xe^x+ae^x+1$을 만족시킬 때, $\int_0^{\ln 8}\frac{f(x)}{x}dx$의 값을 구하여라.

(2) 임의의 양수 x에 대하여 $\int_e^x f(t)dt=x\ln x-ax+1$을 만족할 때, $f(1)$의 값을 구하여라.

MAPL CORE $\int_a^x f(t)dt=g(x)$와 같이 적분구간에 변수 x가 있는 경우

[1단계] 양변에 $x=a$를 대입한다. ⇨ $\int_a^a f(t)dt=0$이므로 $g(a)=0$

[2단계] 양변을 x에 대하여 미분한다. ⇨ $\frac{d}{dx}\int_a^x f(t)dt=g'(x)$이므로 $f(x)=g'(x)$

개념익힘 | 풀이

(1) $\int_0^x f(t)dt=xe^x+ae^x+1$ …… ㉠

㉠의 양변에 $x=0$을 대입하면 $\int_0^0 f(t)dt=a+1=0$이므로 $a=-1$

$\therefore \int_0^x f(t)dt=xe^x-e^x+1$

㉠의 양변을 x에 대하여 미분하면 $f(x)=e^x+xe^x-e^x=xe^x$

따라서 $\int_0^{\ln 8}\frac{f(x)}{x}dx=\int_0^{\ln 8}\frac{xe^x}{x}dx=\int_0^{\ln 8}e^x dx=\left[e^x\right]_0^{\ln 8}=e^{\ln 8}-e^0=8-1=\mathbf{7}$

(2) $\int_e^x f(t)dt=x\ln x-ax+1$ …… ㉠

㉠의 양변에 $x=e$를 대입하면 $\int_e^e f(t)dt=e\ln e-ea+1=0$, $0=e-ae+1$ $\therefore a=\frac{e+1}{e}$

$\therefore \int_e^x f(t)dt=x\ln x-\frac{e+1}{e}x+1$

㉠의 양변을 x에 대하여 미분하면 $f(x)=\ln x+x\cdot\frac{1}{x}-\frac{e+1}{e}=\ln x-\frac{1}{e}$

따라서 $f(x)=\ln x-\frac{1}{e}$이므로 $f(1)=0-\frac{1}{e}=\mathbf{-\frac{1}{e}}$

확인유제 0853 다음 물음에 답하여라. (단, a는 상수이다.)

2013학년도 06월 평가원

(1) 연속함수 $f(x)$가 모든 실수 x에 대하여 $\int_0^x f(t)dt=e^x+ax+a$를 만족시킬 때, $f(\ln 2)$의 값은?

① 1 ② 2 ③ e ④ 3 ⑤ $2e$

2018학년도 06월 평가원

(2) 양의 실수 전체의 집합에서 연속인 함수 $f(x)$가 $\int_1^x f(t)dt=x^2-a\sqrt{x}\,(x>0)$을 만족시킬 때, $f(1)$의 값은?

① 1 ② $\frac{3}{2}$ ③ 2 ④ $\frac{5}{2}$ ⑤ 3

2013년 10월 교육청

(3) 연속함수 $f(x)$가 모든 실수 x에 대하여 $\int_0^x f(t)dt=\cos 2x+ax^2+a$를 만족시킬 때, $f\left(\frac{\pi}{2}\right)$의 값은?

① $-\frac{3}{2}\pi$ ② $-\pi$ ③ $-\frac{\pi}{2}$ ④ 0 ⑤ $\frac{\pi}{2}$

정답 0853 : (1) ① (2) ② (3) ②

변형문제 0854 다음 물음에 답하여라.

2019년 04월 교육청

(1) 실수 전체의 집합에서 미분가능한 함수 $f(x)$가

$$xf(x)=3^x+a+\int_0^x tf'(t)dt$$

를 만족시킬 때, $f(a)$의 값은? (단, a는 상수이다.)

① $\frac{\ln 2}{6}$ ② $\frac{\ln 2}{3}$ ③ $\frac{\ln 2}{2}$ ④ $\frac{\ln 3}{3}$ ⑤ $\frac{\ln 3}{2}$

2019학년도 사관기출

(2) 실수 전체의 집합에서 미분가능한 함수 $f(x)$가 모든 실수 x에 대하여

$$xf(x)=x^2e^{-x}+\int_1^x f(t)dt$$

를 만족시킬 때, $f(2)$의 값은?

① $\frac{1}{e}$ ② $\frac{e+1}{e^2}$ ③ $\frac{e+2}{e^2}$ ④ $\frac{e+3}{e^2}$ ⑤ $\frac{e+4}{e^2}$

02 정적분

발전문제 0855 다음 물음에 답하여라.

(1) $x>0$에서 정의되고, 미분가능한 함수 $f(x)$가

$$xf(x)-x=\int_1^x f(t)dt$$

를 만족시킬 때, $f\left(\frac{1}{e}\right)+f(e)$의 값은?

① -2 ② -1 ③ 2 ④ 3 ⑤ 4

(2) 양의 실수 전체의 집합에서 정의된 미분 기능한 함수 $f(x)$가

$$xf(x)=x\ln x+\int_e^x f(t)dt$$

를 만족시킬 때, $f(e^3)$의 값은?

① 4 ② 5 ③ 6 ④ 7 ⑤ 8

(3) $x>0$에서 정의되고, 미분가능한 함수 $f(x)$가

$$x^2f(x)=x^3e^x+2\int_1^x tf(t)dt$$

를 만족시킬 때, $f(2)$의 값은?

① e^2-1 ② $4e^2-1$ ③ $4e^2-2e$ ④ $4e^2+1$ ⑤ $4e^2+2e$

정답 0854 : (1) ④ (2) ② 0855 : (1) ③ (2) ④ (3) ③

마플개념익힘 03 적분구간과 피적분함수에 변수가 있는 정적분을 포함한 함수

함수 $f(x)$가 $\int_1^x (x-t)f(t)dt = x^2\ln x + ax + b$를 만족할 때, 다음 물음에 답하여라.

(1) 상수 a, b의 값을 구하여라.　　(2) $\int_1^2 f(x)dx$의 값을 구하여라.

MAPL CORE $\int_a^x (x-t)f(t)dt = g(x)$와 같이 적분구간과 피적분함수에 변수 x가 있는 경우 ⬅ 적분변수가 t일 때, x는 상수로 취급한다.

[1단계] $\int_a^x (x-t)f(t)dt = x\int_a^x f(t)dt - \int_a^x tf(t)dt = g(x)$로 변형한다.

[2단계] 곱의 미분법을 이용하여 양변을 x에 대하여 미분한다. $\int_a^x f(t)dt + xf(x) - xf(x) = g'(x)$ $\therefore \int_a^x f(t)dt = g'(x)$

개념익힘 | 풀이 (1) 주어진 등식의 양변에 $x=1$을 대입하면 $0=a+b$ $\therefore a+b=0$ …… ㉠

좌변을 정리하면 $\int_1^x (x-t)f(t)dt = x\int_1^x f(t)dt - \int_1^x tf(t)dt$이므로

$x\int_1^x f(t)dt - \int_1^x tf(t)dt = x^2\ln x + ax + b$

양변을 x에 대하여 미분하면 $\int_1^x f(t)dt + xf(x) - xf(x) = 2x\ln x + x^2 \cdot \frac{1}{x} + a = 2x\ln x + x + a$

$\therefore \int_1^x f(t)dt = 2x\ln x + x + a$

양변에 다시 $x=1$을 대입하면 $0=0+1+a$ …… ㉡

㉠, ㉡을 연립하여 풀면 $a=-1$, $b=1$

(2) $\int_1^x f(t)dt = 2x\ln x + x - 1$이므로 양변을 x에 대하여 미분하면

$f(x) = 2\ln x + 2x \cdot \frac{1}{x} + 1 = 2\ln x + 3$

따라서 $\int_1^2 f(x)dx = \int_1^2 (2\ln x + 3)dx = \Big[2x\ln x - 2x + 3x\Big]_1^2 = 4\ln 2 + 2 - 1 = \mathbf{4\ln 2 + 1}$

참고 $\int_1^x f(t)dt = 2x\ln x + x - 1$이므로 $x=2$을 대입하면 $\int_1^2 f(t)dt = 4\ln 2 + 2 - 1 = 4\ln 2 + 1$

확인유제 0856 미분가능한 함수 $f(x)$가 $\int_0^x (x-t)f(t)dt = e^x - ax - b$를 만족할 때, 다음 물음에 답하여라.

(1) 상수 a, b의 값을 구하여라.　　(2) $\int_0^1 f(x)dx$의 값을 구하여라.

변형문제 0857 다음 물음에 답하여라.

2018학년도 사관기출

(1) 실수 전체의 집합에서 연속인 함수 $f(x)$가 모든 실수 x에 대하여

$$\int_1^x (x-t)f(t)dt = e^{x-1} + ax^2 - 3x + 1$$

을 만족시킬 때, $f(a)$의 값은? (단, a는 상수이다.)

① -3　② -1　③ 0　④ 1　⑤ 3

2018년도 03월 교육청

(2) 실수 전체의 집합에서 연속인 함수 $f(x)$가 모든 실수 x에 대하여

$$x\int_0^x f(t)dt - \int_0^x tf(t)dt = ae^{2x} - 4x + b$$

를 만족시킬 때, $f(a)f(b)$의 값은? (단, a, b는 상수이다.)

① 24　② 36　③ 42　④ 52　⑤ 64

발전문제 0858 연속함수 $f(x)$에 대하여 $f(x) = xe^x + x + \int_0^x (x-t)f'(t)dt$를 만족할 때, $f'(2) - f(2)$의 값을 구하여라.

정답 0856 : (1) $a=1$, $b=1$ (2) $e-1$　0857 : (1) ⑤ (2) ⑤　0858 : $3e^2+1$

마플개념익힘 04 정적분을 포함한 함수의 활용 (1)

함수 $f(x)=\int_0^x \frac{1}{e^t+1}dt$에 대하여 $f(a)=2$가 성립할 때,
정적분 $\int_0^a \frac{\ln\{f(x)+1\}}{e^x+1}dx$의 값을 구하여라. (단, a는 실수)

MAPL CORE $\int_a^x h(t)dt=f(x)$(a는 상수)꼴의 등식에서 $f'(x)$를 구하려면 양변을 x에 대하여 미분한다.

이때 $f(x)$가 미정계수를 포함하고 있으면 주어진 등식의 양변에 $x=a$를 대입한 후 $\int_a^a h(t)dt=0$임을 이용한다.

개념익힘 | 풀이 $f(x)=\int_0^x \frac{1}{e^t+1}dt$에서 양변을 x로 미분하면 $f'(x)=\frac{1}{e^x+1}$

$\int_0^a \frac{\ln\{f(x)+1\}}{e^x+1}dx$에서 $f(x)+1=t$로 놓고 양변을 x로 미분하면 $f'(x)dx=dt$, 즉 $\frac{1}{e^x+1}dx=dt$

또, $x=0$일 때, $f(0)=0$이므로 $f(0)+1=t=1$

$x=a$일 때, $f(a)=2$이므로 $f(a)+1=t=3$

$\therefore \int_0^a \frac{\ln\{f(x)+1\}}{e^x+1}dx=\int_1^3 \ln t\,dt=\Big[t\ln t\Big]_1^3-\int_1^3 1dt=3\ln 3-\Big[x\Big]_1^3=\mathbf{3\ln 3-2}$

확인유제 0859 2010학년도 09월 평가원

함수 $f(x)=\int_0^x \frac{1}{1+t^6}dt$에 대하여 상수 a가 $f(a)=\frac{1}{2}$을 만족시킬 때, $\int_0^a \frac{e^{f(x)}}{1+x^6}dx$의 값은?

① $\frac{\sqrt{e}-1}{2}$ ② $\sqrt{e}-1$ ③ 1 ④ $\frac{\sqrt{e}+1}{2}$ ⑤ $\sqrt{e}+1$

변형문제 0860 다음 물음에 답하여라.

(1) 연속함수 $f(x)$가 $\int_0^x f(x-t)dt=1+\cos x$를 만족할 때, $f\left(\frac{\pi}{2}\right)$의 값은?

① -1 ② 0 ③ $\frac{1}{2}$ ④ 1 ⑤ 2

(2) 실수 전체의 집합에서 연속인 함수 $f(x)$가 $\int_0^x f(x-t)dt=e^{2x}+e^x-2$를 만족시킬 때, $f(\ln 3)$의 값은?

① 18 ② 19 ③ 20 ④ 21 ⑤ 22

발전문제 0861 다음 물음에 답하여라.

2018년 07월 교육청

(1) 양의 실수 전체의 집합에서 미분가능한 두 함수 $f(x)$와 $g(x)$가 다음조건을 만족시킨다.

> (가) 모든 양의 실수 x에 대하여 $g(x)=\int_1^x \frac{f(t^2+1)}{t}dt$
>
> (나) $\int_2^5 f(x)dx=16$

$g(2)=3$일 때, $\int_1^2 xg(x)dx$의 값은?

① 2 ② 4 ③ 6 ④ 8 ⑤ 10

2014학년도 수능기출

(2) 연속함수 $y=f(x)$의 그래프가 원점에 대하여 대칭이고, 모든 실수 x에 대하여

$$f(x)=\frac{\pi}{2}\int_1^{x+1} f(t)dt$$

이다. $f(1)=1$일 때, $\pi^2\int_0^1 xf(x+1)dx$의 값은?

① $2(\pi-2)$ ② $2\pi-3$ ③ $2(\pi-1)$ ④ $2\pi-1$ ⑤ 2π

정답 0859 : ② 0860 : (1) ① (2) ④ 0861 : (1) ① (2) ①

함수 $f(x)$가 모든 실수 x에 대하여

$$f(x)=\int_0^x t\sin(x-t)dt$$

일 때, $\lim_{h\to0}\frac{f(2h)-f(-2h)}{h}$의 값을 구하여라.

MAPL CORE $\int_a^x tf(x-t)dt=\int_0^{x-a}(x-z)f(z)dz$

해설 $\int_0^x tf(x-t)dt$에서 $x-t=z$로 놓으면 $\frac{dz}{dt}=-1$이고 $t=a$일 때 $z=x-a$, $t=x$일 때 $z=0$이므로

$$\int_{x-a}^0 (x-z)f(z)\cdot(-1)dz=\int_0^{x-a}(x-z)f(z)dz=x\int_0^{x-a}f(z)dz-\int_0^{x-a}zf(z)dz$$

개념익힘 | **풀이** $f(x)=\int_0^x t\sin(x-t)dt$에서 $x-t=z$로 놓으면 $-dt=dz$이고

$t=0$일 때, $z=x$이고 $t=x$일 때, $z=0$

$$f(x)=\int_x^0(x-z)\sin z\cdot(-1)dz=\int_0^x(x-z)\sin z dz=x\int_0^x\sin z dz-\int_0^x z\sin z dz$$

양변을 x에 대하여 미분하면 $f'(x)=\int_0^x\sin z dz+x\sin x-x\sin x=\int_0^x\sin z dz=\Big[-\cos z\Big]_0^x=-\cos x+1$

$$\begin{aligned}\lim_{h\to0}\frac{f(2h)-f(-2h)}{h}&=\lim_{h\to0}\left\{\frac{f(2h)-f(0)}{2h}\cdot2\right\}+\lim_{h\to0}\left\{\frac{f(-2h)-f(0)}{-2h}\cdot2\right\}\\&=2f'(0)+2f'(0)\\&=4f'(0)\end{aligned}$$

따라서 구하는 극한값은 $4f'(0)=4(-\cos0+1)=0$

다른풀이 부분적분법을 이용하여 풀이하기

$f(x)=\int_0^x t\sin(x-t)dt$에서 $h(t)=t$, $g'(t)=\sin(x-t)$로 놓으면

$h'(t)=1$, $g(t)=\cos(x-t)$이므로

$$f(x)=\Big[t\cos(x-t)\Big]_0^x-\int_0^x1\cdot\cos(x-t)dt=x-\Big[-\sin(x-t)\Big]_0^x=x-\sin x$$

이때 $f'(x)=1-\cos x$이므로 $f'(0)=0$

따라서 $\lim_{h\to0}\frac{f(2h)-f(-2h)}{h}=4f'(0)=0$

확인유제 0862 연속함수 $f(x)$가 $\int_0^x tf(x-t)dt=-2\sin2x+kx$를 만족시킬 때, 상수 k의 값은?

① 2 ② 4 ③ 6 ④ 8 ⑤ 10

변형문제 0863 함수 $f(x)=\frac{1}{1+x}$에 대하여 $F(x)=\int_0^x tf(x-t)dt\,(x\ge0)$일 때, $F'(a)=\ln10$을 만족시키는 상수 a의 값을 구하여라.

2014학년도 09월 평가원

발전문제 0864 실수 전체의 집합에서 연속인 함수 $f(x)$가 모든 실수 t에 대하여

$$\int_0^2 xf(tx)dx=4t^2$$

을 만족시킬 때, $f(2)$의 값은?

2011학년도 09월 평가원

① 1 ② 2 ③ 3 ④ 4 ⑤ 5

정답 0862 : ② 0863 : 9 0864 : ④

마플개념익힘 06 정적분으로 나타내는 함수의 극대, 극소

모든 실수 x에 대하여

$$f(x)=\int_0^x (1-\sin t)\cos t\,dt$$

일 때, 함수 $f(x)$의 극댓값과 극솟값을 구하여라. (단, $0<x<2\pi$)

MAPL CORE $f(x)=\int_a^x g(t)dt$와 같이 정의된 함수 $f(x)$의 극대 · 극소 구하는 방법

[1단계] 주어진 양변을 x에 대하여 미분하여 $f'(x)$를 구한다.

[2단계] $f'(x)=0$을 만족하는 x값을 구하여 $f(x)$의 증감표를 만든다.

[3단계] 정적분을 계산하여 함수의 극댓값과 극솟값을 구한다.

개념익힘 | 풀이 $f(x)=\int_0^x (1-\sin t)\cos t\,dt$의 양변을 x에 대하여 미분하면 $f'(x)=(1-\sin x)\cos x$

$f'(x)=0$일 때, $\sin x=1$ 또는 $\cos x=0$

이때 $0<x<2\pi$이므로 위의 식을 만족하는 x의 값은 $x=\frac{\pi}{2}$ 또는 $x=\frac{3}{2}\pi$이므로

함수 $f(x)$의 증가와 감소를 나타내는 표를 만들면 다음과 같다.

x	(0)	$\cdots$	$\frac{\pi}{2}$	$\cdots$	$\frac{3}{2}\pi$	$\cdots$	(2π)
$f'(x)$		$+$	0	$-$	0	$+$	
$f(x)$		↗	극대	↘	극소	↗	

따라서 함수 $f(x)$는 $x=\frac{\pi}{2}$일 때 극대, $x=\frac{3}{2}\pi$일 때 극소이고

$$f(x)=\int_0^x (1-\sin t)\cos t\,dt=\int_0^x \left(\cos t-\frac{1}{2}\sin 2t\right)dt$$

$$=\left[\sin t+\frac{1}{4}\cos 2t\right]_0^x=\sin x+\frac{1}{4}\cos 2x-\frac{1}{4}$$

$x=\frac{\pi}{2}$에서 극대이고 극댓값 $f\left(\frac{\pi}{2}\right)=\frac{1}{2}$, $x=\frac{3}{2}\pi$에서 극소이고 극솟값 $f\left(\frac{3}{2}\pi\right)=-\frac{3}{2}$

다른풀이 $\sin t=u$로 치환하여 풀이하기

극댓값 $f\left(\frac{\pi}{2}\right)=\int_0^{\frac{\pi}{2}} (1-\sin t)\cos t\,dt$

$\sin t=u$로 놓으면 $\cos t\,dt=du$이고

$t=0$일 때 $u=9$, $t=\frac{\pi}{2}$일 때 $u=1$

$f\left(\frac{\pi}{2}\right)=\int_0^1 (1-t)dt=\left[t-\frac{1}{2}t^2\right]_0^1=\frac{1}{2}$

극솟값 $f\left(\frac{3}{2}\pi\right)=\int_0^{\frac{3}{2}\pi} (1-\sin t)\cos t\,dt$

도 마찬가지 방법으로 푼다.

확인유제 0865 다음 함수 $f(x)$의 극댓값을 구하여라.

(1) $f(x)=\int_1^x (1-\ln t)dt$ (단, $x>0$)　　(2) $f(x)=\int_0^x (1-t)e^t dt$

변형문제 0866 다음 물음에 답하여라.

(1) 함수 $f(x)=\int_0^x (a+b\cos t)\sin t\,dt$가 $x=\frac{\pi}{2}$에서 극댓값 1을 가질 때, 상수 a, b에 대하여 $a+b$의 값은?

① 0　② 2　③ 4　④ 6　⑤ 10

(2) $x>0$에서 정의된 미분가능한 함수 $f(x)=\int_x^e \frac{(\ln t)^3}{t}dt$는 $x=a$에서 극댓값 b를 갖는다. 두 상수 a, b에 대하여 $4ab$의 값은?

① $\frac{1}{4}$　② $\frac{3}{4}$　③ 1　④ $\frac{5}{4}$　⑤ $\frac{3}{2}$

발전문제 0867 함수 $f(x)=\int_0^x (1+2\cos t)\sin t\,dt$의 극댓값은? (단, $0<x<\pi$)

① -2　② -1　③ $-\frac{1}{2}$　④ $\frac{1}{2}$　⑤ $\frac{9}{4}$

정답 0865 : (1) $e-2$ (2) $e-2$　0866 : (1) ② (2) ③　0867 : ⑤

마플개념익힘 07 정적분으로 나타내는 함수의 최대, 최소

$0 \le x \le \pi$에서 정의된 함수

$$f(x)=\int_0^x (2\cos t-1)dt$$

의 최댓값과 최솟값을 구하여라.

MAPL CORE $f(x)=\int_a^x g(t)dt$(a는 상수)꼴일 때, 함수 $f(x)$의 최댓값, 최솟값은

[1단계] 양변을 x에 대하여 미분하여 극값을 구한다.

[2단계] 주어진 구간의 양 끝에서의 함숫값과 극댓값, 극솟값을 비교한다.

개념익힘 | 풀이 $f(x)=\int_0^x (2\cos t-1)dt$의 양변을 x에 대하여 미분하면

$f'(x)=2\cos x-1$

$0 \le x \le \pi$이므로 $f'(x)=0$에서 $\cos x=\frac{1}{2}$ $\quad \therefore x=\frac{\pi}{3}$

함수 $f(x)$의 증가와 감소를 표로 나타내면 다음과 같다.

x	0	$\cdots$	$\frac{\pi}{3}$	$\cdots$	π
$f'(x)$		+	0	−	0
$f(x)$	0	↗	극대	↘	$-\pi$

이때 $f(x)=\int_0^x (2\cos t-1)dt=\Big[2\sin t-t\Big]_0^x=2\sin x-x$

따라서 $x=\frac{\pi}{3}$일 때 최댓값 $\boldsymbol{f\left(\frac{\pi}{3}\right)=\sqrt{3}-\frac{\pi}{3}}$, $x=\pi$일 때 최솟값 $\boldsymbol{f(\pi)=-\pi}$

확인유제 0868 $0 \le x \le 2\pi$에서 함수

$$f(x)=\int_0^x t\sin t\,dt$$

의 최댓값과 최솟값을 구하여라.

변형문제 0869 다음 물음에 답하여라.

(1) $x>0$일 때, 함수 $f(x)=\int_1^x (t-t\ln t)dt$의 최댓값은?

① $\frac{1}{4}(e^2-3)$ ② $\frac{1}{4}(e^2-2)$ ③ $\frac{1}{4}(e^2-1)$ ④ $\frac{1}{2}(e^2-3)$ ⑤ $\frac{1}{2}(e^2-2)$

2018년 10월 교육청

(2) 실수 전체의 집합에서 정의된 함수 $f(x)=\int_0^x \frac{2t-1}{t^2-t+1}dt$의 최솟값은?

① $\ln\frac{1}{2}$ ② $\ln\frac{2}{3}$ ③ $\ln\frac{3}{4}$ ④ $\ln\frac{4}{5}$ ⑤ $\ln\frac{5}{6}$

발전문제 0870 자연수 n에 대하여 양의 실수 전체의 집합에서 정의된 함수

2018년 04월 교육청

$$f(x)=\int_1^x \frac{n-\ln t}{t}dt$$

의 최댓값을 $g(n)$이라 하자. $\sum_{n=1}^{12} g(n)$의 값을 구하여라.

정답 0868 : 최댓값 π 최솟값 -2π 0869 : (1) ① (2) ③ 0870 : 325

마플개념익힘 08 정적분으로 정의된 함수의 극한

다음 극한값을 구하여라.

(1) $\lim_{x\to1}\frac{1}{x-1}\int_1^x\left(\sin\frac{\pi}{2}t+4\right)dt$　　　(2) $\lim_{h\to0}\frac{1}{h}\int_1^{1+2h}(t\ln t+te^t)dx$

MAPL CORE 정적분과 미분계수의 정의를 이용하면 정적분으로 표시된 함수의 극한값은 다음과 같다.

$F'(x)=f(x)$라 할 때, 정적분과 미분계수의 정의에 의하여

(1) $\lim_{x\to a}\frac{1}{x-a}\int_a^x f(t)dt=\lim_{x\to a}\frac{\int_a^x f(t)dt}{x-a}=\lim_{x\to a}\frac{\left[F(t)\right]_a^x}{x-a}=\lim_{x\to a}\frac{F(x)-F(a)}{x-a}=F'(a)=f(a)$

(2) $\lim_{h\to0}\frac{1}{h}\int_a^{h+a}f(t)dt=\lim_{h\to0}\frac{\int_a^{h+a}f(t)dt}{h}=\lim_{h\to0}\frac{\left[F(t)\right]_a^{h+a}}{h}=\lim_{h\to0}\frac{F(h+a)-F(a)}{h}=F'(a)=f(a)$

개념익힘 | 풀이 (1) 함수 $f(t)=\sin\frac{\pi}{2}t+4$로 놓고 $f(t)$의 한 부정적분을 $F(t)$라 하면

$$\lim_{x\to1}\frac{1}{x-1}\int_1^x f(t)dt=\lim_{x\to1}\frac{1}{x-1}\left[F(t)\right]_1^x=\lim_{x\to1}\frac{F(x)-F(1)}{x-1}$$
$$=F'(1)=f(1)=\sin\frac{\pi}{2}+4=\mathbf{5}$$

(2) 함수 $f(t)=t\ln t+te^t$로 놓고 $f(t)$의 한 부정적분을 $F(t)$라 하면

$$\lim_{h\to0}\frac{1}{h}\int_1^{1+2h}f(t)dt=\lim_{h\to0}\frac{1}{h}\left[F(t)\right]_1^{1+2h}=\lim_{h\to0}\frac{F(1+2h)-F(1)}{h}=\lim_{h\to0}\frac{F(1+2h)-F(1)}{2h}\cdot2$$
$$=2F'(1)=2f(1)=2\cdot e=\mathbf{2e}$$

확인유제 0871 다음 극한값을 구하여라.

(1) $\lim_{h\to0}\frac{1}{h}\int_{\frac{\pi}{2}-h}^{\frac{\pi}{2}+h}x\sin x\,dx$　　　(2) $\lim_{x\to1}\frac{1}{x-1}\int_1^{x^2}(t^2+2\cos\pi t)e^t dt$

변형문제 0872 함수 $f(x)=x^2e^x$에 대하여 $\lim_{x\to1}\frac{1}{x-1}\int_1^x\{f(t)\}^2f'(t)dt$의 값은?

① e^3　② $2e^3$　③ $3e^3$　④ $4e^3$　⑤ $5e^3$

발전문제 0873 함수 $f(x)=a\cos(\pi x^2)$에 대하여

2019학년도 06월 평가원

$$\lim_{x\to0}\left\{\frac{x^2+1}{x}\int_1^{x+1}f(t)dt\right\}=3$$

일 때, $f(a)$의 값은? (단, a는 상수이다.)

① 1　② $\frac{3}{2}$　③ 2　④ $\frac{5}{2}$　⑤ 3

정답 0871 : (1) π (2) $-2e$　0872 : ③　0873 : ⑤

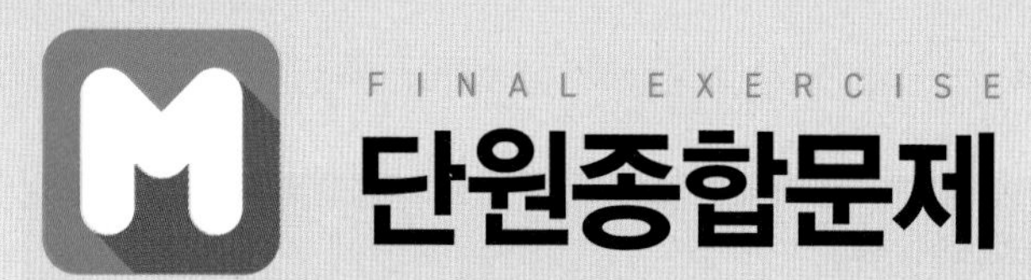

BASIC

내신 수능 기본 대표 기출문제

0874 무리함수의 정적분의 계산

다음 물음에 답하여라.

2019년 04월 교육청

(1) $\int_{1}^{16} \frac{1}{x\sqrt{x}}dx$의 값은?

① $\frac{3}{2}$　② $\frac{4}{3}$　③ $\frac{5}{4}$　④ $\frac{6}{5}$　⑤ $\frac{7}{6}$

2017년 07월 교육청

(2) $\int_{0}^{4}(5x-3)\sqrt{x}\,dx$의 값은?

① 47　② 48　③ 49　④ 50　⑤ 51

0875 지수함수의 정적분의 계산

다음 물음에 답하여라.

2020학년도 06월 평가원

(1) $\int_{0}^{\ln 3} e^{x+3}dx$의 값은?

① $\frac{e^3}{2}$　② e^3　③ $\frac{3}{2}e^3$　④ $2e^3$　⑤ $\frac{5}{2}e^3$

2015학년도 09월 평가원

(2) $\int_{0}^{1} 2e^{2x}dx$의 값은?

① e^2-1　② e^2+1　③ e^2+2　④ $2e^2-1$　⑤ $2e^2+1$

0876 삼각함수 정적분의 계산

다음 물음에 답하여라.

2018년 04월 교육청

(1) $\int_{0}^{\frac{\pi}{6}} \cos 3x\,dx$의 값은?

① $\frac{1}{6}$　② $\frac{1}{4}$　③ $\frac{1}{3}$　④ $\frac{5}{12}$　⑤ $\frac{1}{2}$

(2) $\int_{\frac{\pi}{4}}^{\frac{\pi}{2}}(1+\cot^2 x)dx$의 값은?

① 0　② 1　③ $\sqrt{2}$　④ 2　⑤ $2\sqrt{2}$

0877 지수함수의 정적분의 계산

내신빈출

다음 물음에 답하여라.

(1) $a_n=(\ln 3)\int_{0}^{n} 3^x dx$ (단, n은 0 또는 자연수)일 때, $\sum_{n=0}^{\infty}\frac{1}{1+a_n}$의 값은?

① $\frac{1}{3}$　② $\frac{2}{3}$　③ 1　④ $\frac{3}{2}$　⑤ $\frac{5}{2}$

(2) 자연수 n에 대하여 $a_n=\int_{n}^{n+1} 4^x dx$라 할 때, $\sum_{n=1}^{\infty}\frac{1}{a_n}$의 값은?

① $\frac{\ln 2}{9}$　② $\frac{\ln 3}{9}$　③ $\frac{2\ln 2}{9}$　④ $\frac{\ln 3}{3}$　⑤ $\frac{2\ln 2}{3}$

정답 0874 : (1) ① (2) ②　0875 : (1) ④ (2) ①　0876 : (1) ③ (2) ②　0877 : (1) ④ (2) ③

0878

정적분의 성질을 이용한 정적분계산
내신빈출

다음 물음에 답하여라.

(1) $\int_0^{\ln 2} \frac{e^{3x}}{e^x+1}dx - \int_{\ln 2}^{0} \frac{1}{e^t+1}dt$의 값은?

① $\frac{1}{2}$ ② $\ln 2$ ③ $\frac{1}{2}+\ln 2$ ④ $1+\ln 2$ ⑤ $2+2\ln 2$

(2) 함수 $f(x)=4x\ln x$에 대하여 $\int_e^{2e} f(x)dx - \int_{e^2}^{2e} f(x)dx + \int_1^e f(x)dx$를 구하면?

① e^4+1 ② e^4+7 ③ e^4+9 ④ $3e^4+1$ ⑤ $3e^4+7$

0879

정적분의 부분적분
2014년 10월 교육청

함수 $f(x)=xe^x$에 대하여 $\int_0^1 f(x)dx$의 값은?

① 1 ② 2 ③ e ④ $e+1$ ⑤ $e+2$

0880

로그함수의 부분적분
내신빈출

다음 물음에 답하여라.

(1) 함수 $f(x)=a\ln x+b$가

$$f'(1)=3, \int_1^e f(x)dx=2e+1$$

을 만족시킬 때, 두 상수 a, b에 대하여 $a+b$의 값은?

① 3 ② 4 ③ 5 ④ 6 ⑤ 7

(2) 함수 $f(x)=ax\ln x+b$가 다음 두 조건을 만족할 때, 상수 a, b에 대하여 $a+4b$의 값은?

(가) $\lim_{x\to e}\frac{f(x)-f(e)}{x-e}=2$ (나) $\int_1^e f(x)dx=\frac{1}{4}e(e+1)$

① 2 ② 4 ③ 6 ④ 8 ⑤ 10

0881

치환적분을 이용한 정적분계산
2005년 10월 교육청

다음 물음에 답하여라. (단, e는 자연로그의 밑)

(1) 정적분 $\int_0^1 2xe^{x^2}dx$의 값은?

① $e-1$ ② e ③ $e+1$ ④ e^2-1 ⑤ e^2

(2) 정적분 $\int_0^1 (xe^{x^2}-2)dx$의 값은?

① $e-1$ ② $e-3$ ③ $\frac{1}{2}(e-1)$ ④ $\frac{1}{2}(e-5)$ ⑤ $\frac{1}{2}e+1$

0882

치환적분을 이용한 정적분계산
2015학년도 06월 평가원

다음 물음에 답하여라. (단, n은 자연수)

(1) 정적분 $\int_e^{e^3} \frac{\ln x}{x}dx$의 값은?

① 1 ② 2 ③ 3 ④ 4 ⑤ 5

2017년 03월 교육청

(2) $\int_1^{e^2} \frac{(\ln x)^3}{x}dx$의 값은?

① $2\ln 2$ ② 2 ③ $4\ln 2$ ④ 4 ⑤ $6\ln 2$

정답 0878 : (1) ③ (2) ④ 0879 : ① 0880 : (1) ③ (2) ① 0881 : (1) ① (2) ④ 0882 : (1) ④ (2) ④

0883

치환적분을 이용한 정적분계산
내신빈출

다음 물음에 답하여라. (단, n은 자연수)

(1) $S_n=\int_1^{e^n}\frac{\ln x}{x}dx$일 때, $\sum_{n=1}^{\infty}\frac{1}{\sqrt{S_nS_{n+1}}}$의 값은?

① $\frac{1}{2}$ ② 1 ③ $\frac{4}{3}$ ④ 2 ⑤ 4

(2) $a_n=\int_1^{e}\frac{(\ln x)^n}{x}dx$라 할 때, $\sum_{n=1}^{\infty}a_na_{n+1}$의 값은?

① $\frac{1}{3}$ ② $\frac{1}{2}$ ③ $\frac{2}{3}$ ④ 1 ⑤ $\frac{4}{3}$

0884

치환적분을 이용한 정적분계산
내신빈출

다음 물음에 답하여라.

(1) 정적분 $\int_1^{e^2}\frac{3}{x(1+\ln x)^2}dx$의 값은?

① 1 ② 2 ③ e ④ $e+1$ ⑤ $3e$

(2) 정적분 $\int_1^{e}\frac{2\ln x}{x+x(\ln x)^2}dx$의 값은? (단, e는 자연로그의 밑이다.)

① $\frac{1}{2}\ln 2$ ② $\ln 2$ ③ $\frac{3}{2}\ln 2$ ④ $2\ln 2$ ⑤ $\frac{5}{2}\ln 2$

(3) 정적분 $\int_0^1(e^{x^2}\times 2^x)(2x+\ln 2)dx$의 값은?

① $e-2$ ② $e-1$ ③ $2e-2$ ④ $2e-1$ ⑤ $2e+1$

0885

치환적분을 이용한 정적분계산
1995학년도 수능기출

다음 물음에 답하여라.

(1) 정적분 $\int_0^{\pi}(1-\cos^3 x)\cos x\sin x dx$의 값은?

① 0 ② $-\frac{1}{5}$ ③ $-\frac{2}{5}$ ④ $-\frac{3}{5}$ ⑤ $-\frac{4}{5}$

2019년 05월 교육청

(2) $\int_0^1\frac{\sin\frac{\pi}{3}x}{\cos^2\frac{\pi}{3}x}dx$의 값은?

① $\frac{1}{\pi}$ ② $\frac{2}{\pi}$ ③ $\frac{3}{\pi}$ ④ $\frac{4}{\pi}$ ⑤ $\frac{5}{\pi}$

0886

치환적분을 이용한 정적분계산

다음 정적분의 값을 구하여라.

(1) $\int_0^{\frac{\pi}{2}}\frac{\sin 2x}{1+\cos^2 x}dx$ (2) $\int_0^{\frac{\pi}{2}}\frac{\sin^3 x}{1-\cos x}dx$

0887

부분적분을 이용한 미지수 구하기
2018년 08월 교육청

다음 물음에 답하여라.

(1) $\int_0^{\frac{\pi}{k}}x\cos kx dx=-\frac{1}{8}$을 만족시키는 양수 k의 값은?

① 1 ② 2 ③ 3 ④ 4 ⑤ 5

(2) $\int_0^{3\pi}|x\sin x|dx=k\pi$를 만족시키는 상수 k의 값은?

① 4 ② 5 ③ 6 ④ 8 ⑤ 9

정답 0883 : (1) ④ (2) ② 0884 : (1) ② (2) ② (3) ④ 0885 : (1) ③ (2) ③ 0886 : (1) $\ln 2$ (2) $\frac{3}{2}$ 0887 : (1) ④ (2) ⑤

0888

치환적분을 이용한 정적분계산
2012년 10월 교육청

다음 물음에 답하여라.

(1) 연속함수 $f(x)$의 그래프가 x축과 만나는 세 점의 x좌표는 0, 3, 4이다. 오른쪽 그림과 같이 곡선 $y=f(x)$와 x축으로 둘러싸인 두 부분 A, B의 넓이가 각각 6, 2일 때, $\int_0^2 f(2x)dx$의 값은?

① 2　　② 4　　③ 6
④ 8　　⑤ 10

(2) 오른쪽 그림과 같이 곡선 $y=f(x)$와 x축으로 둘러싸인 두 도형을 각각 A, B라고 하자. A의 넓이가 1, B의 넓이가 3일 때, 정적분

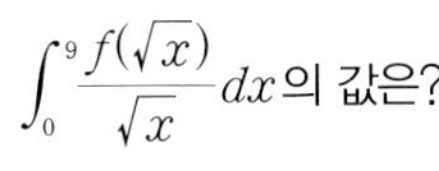

$\int_0^9 \frac{f(\sqrt{x})}{\sqrt{x}}dx$의 값은?

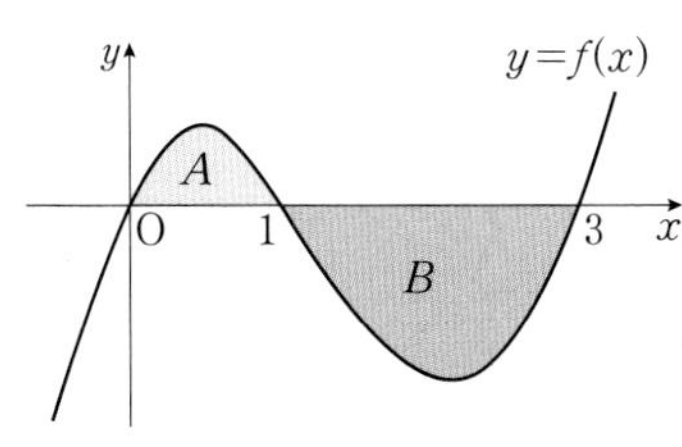

① -4　　② -3　　③ -1
④ 3　　⑤ 4

0889

부분적분을 이용한 정적분계산
2011년 10월 교육청

다음물음에 답하여라.

(1) 오른쪽 그림은 미분가능한 함수 $f(x)$의 그래프이다.
$f(0)=0$, $f(2)=3$이고, $y=f(x)$와 x축 및 직선 $x=2$로 둘러싸인 부분의 넓이가 1일 때, 정적분 $\int_0^2 2xf'(x)dx$의 값을 구하여라.

(2) 두 점 (0, 0), (1, 1)을 지나는 미분가능한 함수 $y=f(x)$의 그래프가 오른쪽 그림과 같다. 곡선 $y=f(x)$와 x축 및 직선 $x=1$로 둘러싸인 부분의 넓이를 $\frac{1}{4}$이라 할 때, $\int_0^1 f'(\sqrt{x})dx$의 값을 구하여라.

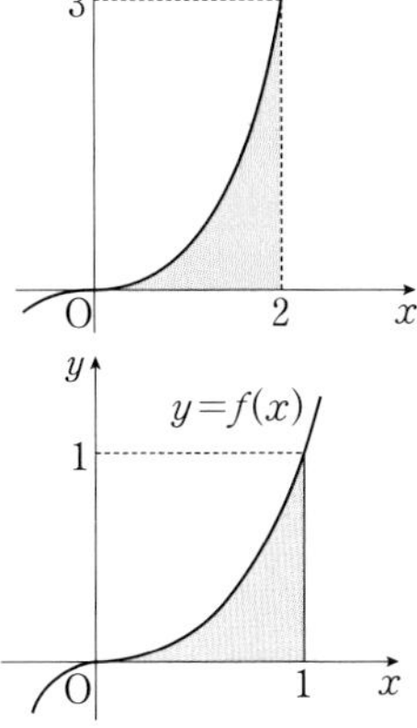

0890

부분적분을 이용한 정적분계산

$\int_1^e \left(\frac{1}{4}+x\ln x\right)dx$의 값은?

① $\frac{e^2-2e}{4}$　　② $\frac{e^2-e}{4}$　　③ $\frac{e^2}{4}$　　④ $\frac{e^2+e}{4}$　　⑤ $\frac{e^2+2e}{4}$

0891

부분적분을 이용한 정적분계산
내신기출

정적분 $\int_0^{\frac{\pi}{2}} e^{-x}(\sin x+\cos x)dx$를 구하면?

① 1　　② 2　　③ 3　　④ 4　　⑤ 5

0892

삼각함수로 치환하는 정적분
내신빈출

정적분 $\int_{-a}^{a} \frac{1}{a^2+x^2}dx=\frac{\pi}{6}$일 때, 상수 a의 값은?

① 1　　② 2　　③ 3　　④ 4　　⑤ 5

0893

정적분으로 주어진 함수의 극한
내신빈출

다음 물음에 답하여라.

(1) $\lim_{x\to 0}\frac{1}{x}\int_{1-x}^{1+2x}(\sin \pi t+\cos \pi t)dt$의 값은?

① -6　　② -5　　③ -4　　④ -3　　⑤ -2

(2) $\lim_{h\to 0}\frac{1}{h}\int_{\frac{\pi}{2}-h}^{\frac{\pi}{2}+h} x\sin x dx$의 값을 α라고 할 때, $\tan\left(\alpha+\frac{\pi}{3}\right)$의 값은?

① $\frac{1}{\sqrt{3}}$　　② 1　　③ $\frac{2\sqrt{3}}{3}$　　④ $\sqrt{3}$　　⑤ $\frac{4\sqrt{3}}{3}$

정답　0888 : (1) ① (2) ①　0889 : 10 (2) $\frac{3}{2}$　0890 : ④　0891 : ①　0892 : ③　0893 : (1) ④ (2) ④

0894
정적분으로 주어진 함수의 극한
내신빈출

다음 물음에 답하여라.

(1) 함수 $f(x)=\sin\frac{\pi}{3}x+2$에 대하여

$$a=\lim_{x\to 0}\frac{1}{x}\int_2^{2+x}f(t)dt,\ b=\lim_{x\to 1}\frac{1}{x-1}\int_1^{x^2}f(t)dt$$

을 만족하는 상수 a, b에 대하여 $2a-b$의 값은?

① -2 ② -1 ③ 0 ④ $\sqrt{2}$ ⑤ $\sqrt{3}$

(2) 함수 $f(x)=\sin\frac{\pi}{4}x+1$에 대하여

$$\lim_{x\to 0}\frac{1}{x}\int_2^{2+x}f(t)dt=\alpha,\ \lim_{x\to 2}\frac{1}{x-2}\int_4^{x^2}f(t)dt=\beta$$

일 때, $\alpha+\beta$의 값은?

① 4 ② 6 ③ 8 ④ 10 ⑤ 12

0895
적분구간이 상수인 함수 구하기
내신빈출

다음 물음에 답하여라. (단, e는 자연로그의 밑이다.)

(1) 함수 $f(x)$가 $f(x)=x+2\int_1^e\frac{f(t)}{t}dt$를 만족할 때, $f(2e)$의 값은?

① 1 ② 2 ③ e ④ $2e$ ⑤ e^2

(2) 함수 $f(x)$가 $f(x)=\ln x+\int_1^e f(t)dt$를 만족할 때, $f(1)$의 값은?

① $2-e$ ② $\frac{1}{2-e}$ ③ $\frac{1}{e+2}$ ④ $\frac{1}{2}$ ⑤ $\frac{1}{e-1}$

(3) 함수 $f(x)$가 $f(x)=e^x+\int_0^1 tf(t)dt$를 만족할 때, $f(0)$의 값은?

① 1 ② 2 ③ e ④ 3 ⑤ $e+1$

0896
적분구간이 변수로 주어진 정적분의 미분정
내신빈출

다음 물음에 답하여라.

(1) 양의 실수 전체의 집합에서 정의된 미분 가능한 함수 $f(x)$가

$$xf(x)=x^2\ln x+\int_1^x f(t)dt$$

를 만족시킬 때, $f(e)$의 값은?

① $e-1$ ② e ③ $e+1$ ④ $e+2$ ⑤ $2e$

(2) 모든 실수 x에 대하여 함수 $f(x)$가

$$xf(x)=x^2\sin x+\int_{\frac{\pi}{2}}^x f(t)dt$$

를 만족할 때, $f(\pi)$의 값은?

① 0 ② 1 ③ 2 ④ 3 ⑤ 4

(3) 모든 실수 x에서 미분가능한 함수 $f(x)$가

$$\int_0^x f(t)dt=xf(x)-x^2\sin x$$

를 만족시킨다. $f(\pi)=2$일 때, $f\left(\frac{\pi}{2}\right)$의 값은?

① $\frac{\pi}{2}$ ② $\frac{\pi}{2}+1$ ③ π ④ $\pi+1$ ⑤ $\pi+2$

정답 0894 : (1) ③ (2) ② 0895 : (1) ② (2) ② (3) ④ 0896 : (1) ③ (2) ② (3) ②

0897

정적분으로 정의된 함수의 미분
내신빈출

다음 물음에 답하여라.

(1) 곡선 $y=\ln x$ 위의 점 $\mathrm{P}(x,\ y)$에서의 접선이 x축의 양의 방향과 이루는 각의 크기를 $\theta(x)$라고 할 때, 정적분 $\int_1^{e^2} 5(\ln x)^4 \tan\theta(x)dx$의 값은?

① 30 ② 32 ③ 34
④ 36 ⑤ 38

(2) 곡선 $y=x^3+1$ 위의 점 $\mathrm{P}(x,\ y)$에서의 접선이 x축의 양의 방향과 이루는 각의 크기를 $\theta(x)$라고 할 때, 정적분 $\int_0^1 e^{x^3}\tan\theta(x)dx$의 값은?

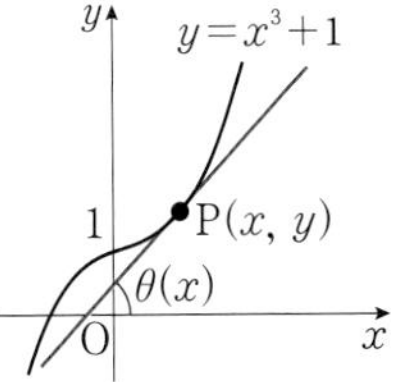

① $e-2$ ② $e-1$ ③ e
④ $e+1$ ⑤ $e+2$

0898

삼각함수로 치환하는 정적분
내신빈출

다음 물음에 답하여라.

(1) $\int_{-2}^{2}\frac{1}{x^2+4}dx-\int_0^{\frac{3}{2}}\frac{1}{\sqrt{9-x^2}}dx$의 값은?

① $\frac{\pi}{12}$ ② $\frac{\pi}{6}$ ③ $\frac{\pi}{4}$ ④ $\frac{\pi}{3}$ ⑤ $\frac{5}{12}\pi$

(2) $\int_0^{\frac{1}{2}}\frac{2}{1+4x^2}dx+\int_0^{\frac{\sqrt{2}}{2}}\frac{1}{\sqrt{1-x^2}}dx$의 값은?

① 0 ② $\frac{\pi}{6}$ ③ $\frac{\pi}{4}$ ④ $\frac{\pi}{3}$ ⑤ $\frac{\pi}{2}$

0899

정적분과 부등식
내신빈출

다음 물음에 답하여라.

(1) 부등식 $\int_0^2 |f(x)|dx > \left|\int_0^2 f(x)dx\right|$를 만족하는 함수 $f(x)$를 [보기]에서 모두 고르면?

ㄱ. $f(x)=\sqrt{x}-1$	ㄴ. $f(x)=x^2-2x$	ㄷ. $f(x)=e^{x-1}-1$

① ㄱ ② ㄴ ③ ㄱ, ㄷ ④ ㄴ, ㄷ ⑤ ㄱ, ㄴ, ㄷ

(2) $x>0$에서 정의된 함수 $f(x)=x\ln x+k$에 대하여 부등식 $\left|\int_{\frac{1}{e}}^{e^2} f(x)dx\right| < \int_{\frac{1}{e}}^{e^2}|f(x)|dx$를 만족시키는 상수 k의 값의 범위는? (단, e는 자연로그의 밑이다.)

① $-3e^2<k<\frac{1}{e}$ ② $-2e^2<k<\frac{1}{e}$ ③ $-2e^2<k<e$
④ $1<k<e$ ⑤ $1<k<e^2$

0900

부분적분을 이용한 정적분계산

이계도함수 $f''(x)$가 연속이고 함수 $f(x)$가 다음 두 조건을 만족한다.

(가) $\lim_{x\to2}\frac{f(x)-3}{x-2}=5$ (나) $\lim_{x\to3}\frac{f(x)-4}{x-3}=10$

이때 정적분 $\int_2^3 xf''(x)dx$의 값을 구하여라.

정답 0897 : (1) ② (2) ② 0898 : (1) ① (2) ⑤ 0899 : (1) ③ (2) ② 0900 : 19

0901

적분구간이 상수인 함수 $f(x)$ 구하기 내신빈출

다음 물음에 답하여라.

(1) 함수 $f(x)$가 $f(x)=1+2\int_0^1 e^{t-x}f(t)dt$를 만족할 때, $f(1)$의 값을 구하여라.

(2) 함수 $f(x)$가 $f(x)=x+\int_0^1 e^{-t}f(t)dt$를 만족시킬 때, $f(2)$의 값을 구하여라.

0902

부분적분을 이용한 정적분 활용 내신빈출

다음 물음에 답하여라.

(1) 자연수 n에 대하여 $I_n=\int_0^1 x^n e^x dx$라 할 때, [보기]에서 옳은 것만을 있는 대로 고른 것은?

ㄱ. $I_1=1$	ㄴ. $I_2=e-1$	ㄷ. $I_n=e-nI_{n-1}$ (단, $n=2, 3, 4, \cdots$)

① ㄱ ② ㄱ, ㄴ ③ ㄱ, ㄷ ④ ㄴ, ㄷ ⑤ ㄱ, ㄴ, ㄷ

(2) 자연수 n에 대하여 $I_n=\int_0^1 x^n e^x dx$라고 할 때, 다음 [보기] 중 옳은 것은?

ㄱ. $I_1>I_2$	ㄴ. $n\ge 2$일 때, $nI_{n-1}+I_n=1$	ㄷ. $I_4=9e-24$

① ㄱ ② ㄴ ③ ㄱ, ㄴ ④ ㄱ, ㄷ ⑤ ㄱ, ㄴ, ㄷ

(3) $n\ge 2$인 자연수 n에 대하여 $I_n=\int_0^1 x^n e^x dx$라고 할 때, $10I_4+2I_5$의 값은?

① $e-1$ ② e ③ $e+1$ ④ $2e$ ⑤ $2e+1$

0903

정적분으로 정의된 함수의 미분 2005년 10월 교육청

실수 전체의 집합에서 미분가능한 함수 $f(x)$가 $f(x)=e^x-1+\int_0^x f(t)dt$를 만족할 때,

다음의 설명 중 옳은 것을 모두 고른 것은? (단, e는 자연로그의 밑)

ㄱ. $f(0)=0$이다.

ㄴ. $f'(0)=0$이다.

ㄷ. 모든 실수 x에 대하여 $f'(x)>f(x)$이다.

① ㄱ ② ㄴ ③ ㄱ, ㄴ ④ ㄱ, ㄷ ⑤ ㄴ, ㄷ

0904

정적분으로 정의된 함수의 최대 최소 내신빈출

구간 $[0, 2\pi]$에서 함수 $f(x)=\int_0^x 3(1+\cos t)^2\sin t\,dt$의 최댓값과 최솟값의 합을 구하여라.

0905

정적분으로 표시된 함수의 극한 내신빈출

함수 $f(x)$가 $f(x)=\int_0^x \frac{\sin 2t}{1+\sin^2 t}dt$일 때, $\lim_{x\to 0}\frac{f(x)}{\sin^2 x}$의 값은?

① $\frac{1}{2}$ ② 1 ③ $\frac{3}{2}$ ④ 2 ⑤ $\frac{5}{2}$

0906

정적분으로 정의된 함수의 미분 2002학년도 수능기출

두 함수 $f(x)=ax+b$와 $g(x)=e^x$이

$$f(g(x))=\int_0^x f(t)g(t)dt-xe^x+3$$

을 만족할 때, $f(2)$의 값은?

① -4 ② -2 ③ 0 ④ 2 ⑤ 4

정답 0901: (1) $2e^{-1}-1$ (2) e 0902 : (1) ③ (2) ④ (3) ④ 0903 : ④ 0904 : 8 0905 : ② 0906 : ⑤

0907 정적분으로 정의된 함수의 미분

모든 실수 x에 대하여 미분가능한 함수 $f(x)$가

$$\int_0^x f(t)dt = x + \int_0^x (x-t)f(t)dt$$

를 만족시킬 때, $f(1)$의 값을 구하여라. (단, $f(x)>0$)

0908 부분적분과 치환적분의 활용 내신빈출

오른쪽 그림과 같이 도함수 $f'(x)$가 연속이고 함수 $y=f(x)$가 $x=1$에서 극댓값 e, $x=2$에서 극솟값 1을 갖고 $f(3)=e^2$이다.

이때 정적분 $\int_1^3 |f'(x)| \ln f(x) dx$의 값을 구하여라.

(단, e는 자연로그의 밑이다.)

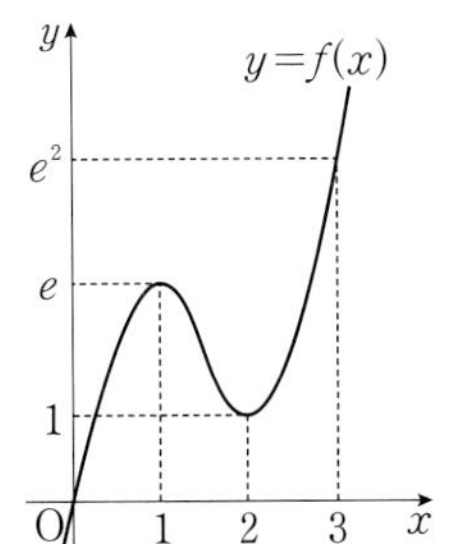

0909 역함수와 치환적분 2019년 04월 교육청

실수 전체의 집합에서 미분가능한 두 함수 $f(x)$, $g(x)$가 있다. $g(x)$가 $f(x)$의 역함수이고 $g(2)=1$, $g(5)=5$일 때, $\int_1^5 \frac{40}{g'(f(x))\{f(x)\}^2} dx$의 값을 구하여라.

0910 정적분과 함수 역함수 미분 2009학년도 수능기출

함수 $f(x)$를 $f(x)=\int_a^x \{2+\sin(t^2)\}dt$라 하자. $f''(a)=\sqrt{3}a$일 때, $(f^{-1})'(0)$의 값은?

$\left(\text{단, } a\text{는 } 0<a<\sqrt{\frac{\pi}{2}}\text{인 상수이다.}\right)$

① $\frac{1}{10}$ ② $\frac{1}{5}$ ③ $\frac{3}{10}$ ④ $\frac{2}{5}$ ⑤ $\frac{1}{2}$

0911 부분적분법의 활용 2020학년도 09월 평가원

다음 물음에 답하여라.

(1) 두 함수 $f(x)$, $g(x)$는 실수 전체의 집합에서 도함수가 연속이고 다음 조건을 만족시킨다.

> (가) 모든 실수 x에 대하여 $f(x)g(x)=x^4-1$이다.
> (나) $\int_{-1}^1 \{f(x)\}^2 g'(x)dx=120$

$\int_{-1}^1 x^3 f(x)dx$의 값은?

① 12 ② 15 ③ 18 ④ 21 ⑤ 24

(2) 실수 전체의 집합에서 도함수가 연속인 두 함수 $f(x)$, $g(x)$가 다음 조건을 만족시킨다.

> (가) 모든 실수 x에 대하여 $f(x)g(x)=x^2-x$이다.
> (나) $\int_0^1 \{g(x)\}^2 f'(x)dx=14-\frac{38}{e}$

$\int_0^1 (2x-1)g(x)dx=p-\frac{q}{e}$일 때, 두 자연수 p, q에 대하여 $p+q$의 값은?

① 26 ② 27 ③ 29 ④ 31 ⑤ 33

정답 0907 : e 0908 : e^2+2 0909 : 12 0910 : ④ 0911 : (1) ② (2) ①

0912
정적분으로 주어진 함수의 극한
내신빈출

실수 전체의 집합에서 연속인 함수 $f(x)$에 대하여

$$\lim_{x\to 2}\frac{\int_1^x f(t)dt-e^2+e}{x-2}=2e^2$$

일 때, $f(2)+\int_1^2 f(x)dx$의 값은?

① $3e^2-2e$ ② $3e^2-e$ ③ $3e^2$ ④ $3e^2+e$ ⑤ $3e^2+2e$

0913
정적분
서술형

정적분 $\int_0^{\pi}|\sin x-\cos x|dx$의 값을 다음 단계로 서술하여라.

[1단계] 닫힌구간 $[0, \pi]$에서 방정식 $\sin x-\cos x=0$의 해를 구한다.

[2단계] 1단계를 이용하여 닫힌구간 $[0, \pi]$에서
$\sin x-\cos x\geq 0$, $\sin x-\cos x\leq 0$을 만족시키는 구간을 각각 구하여라.

[3단계] 1단계를 이용하여 정적분 $\int_0^{\pi}|\sin x-\cos x|dx$의 값을 구한다.

0914
적분구간이 상수로 주어진 정적분
서술형

양의 실수 전체의 집합에서 연속인 함수 $f(x)$가

$$f(x)=\ln\frac{1}{x}+\int_1^e f(t)dt$$

를 만족시킬 때, $f(1)$의 값을 구하는 과정을 다음 단계로 서술하여라.

[1단계] $\int_1^e f(t)dt=k$(k는 상수)로 놓고 $f(x)$를 k를 포함한 식으로 나타낸다.

[2단계] k의 값을 구한다.

[3단계] $f(1)$의 값을 구한다.

0915
적분구간이 상수로 주어진 정적분
서술형

연속함수 $f(x)$가 모든 실수 x에 대하여

$$f(x)=5x\cos x+\int_0^{\frac{\pi}{2}}f(t)dt$$

를 만족시킬 때, $f(0)$의 값을 구하는 과정을 다음 단계로 서술하여라.

[1단계] $\int_0^{\frac{\pi}{2}}f(t)dt=a$($a$는 상수)로 놓고 $f(x)$를 a를 포함한 식으로 나타낸다.

[2단계] a의 값을 구한다.

[3단계] $f(0)$의 값을 구한다.

0916
정적분과 함수의 미분
서술형

$x>0$에서 정의된 미분가능한 함수 $f(x)$에 대하여

$$\int_1^x f(t)dt=xf(x)-x^2e^x$$

이 성립할 때, $f(-1)$의 값을 구하는 과정을 다음 단계로 서술하여라.

[1단계] $\int_1^1 f(t)dt=0$을 이용하여 $f(1)$의 값을 구한다.

[2단계] 주어진 식의 양변을 x에 대하여 미분하여 $f'(x)$를 구한다.

[3단계] $f'(x)$를 적분하여 적분상수로 나타낸다.

[4단계] 적분상수를 구한 후 $f(-1)$을 구한다.

정답 0912 : ② 0913 : 해설참조 0914 : 해설참조 0915 : 해설참조 0916 : 해설참조

0917

정적분과 함수의 활용
2019년 10월 교육청

함수 $f(x)=\int_{x}^{x+2}|2^t-5|dt$의 최솟값을 m이라 할 때, 2^m의 값은?

① $\left(\frac{5}{4}\right)^8$ ② $\left(\frac{5}{4}\right)^9$ ③ $\left(\frac{5}{4}\right)^{10}$ ④ $\left(\frac{5}{4}\right)^{11}$ ⑤ $\left(\frac{5}{4}\right)^{12}$

0918

$\int_0^b xf(t)dt$를 포함하는 정적분과 미분
2020년 06월 평가원

실수 전체의 집합에서 미분가능한 함수 $f(x)$가 모든 실수 x에 대하여 다음 조건을 만족시킨다.

(가) $f(x)>0$ (나) $\ln f(x)+2\int_0^x(x-t)f(t)dt=0$

[보기]에서 옳은 것만을 있는 대로 고른 것은?

ㄱ. $x>0$에서 함수 $f(x)$는 감소한다.
ㄴ. 함수 $f(x)$의 최댓값은 1이다.
ㄷ. 함수 $F(x)$를 $F(x)=\int_0^x f(t)dt$라 할 때, $f(1)+\{F(1)\}^2=1$이다.

① ㄱ ② ㄱ, ㄴ ③ ㄱ, ㄷ ④ ㄴ, ㄷ ⑤ ㄱ, ㄴ, ㄷ

0919

정적분과 함수의 활용
2019년 03월 교육청

함수 $f(x)$의 도함수가 $f'(x)=xe^{-x^2}$이다. 모든 실수 x에 대하여 두 함수 $f(x)$, $g(x)$가 다음 조건을 만족시킬 때, [보기]에서 옳은 것만을 있는 대로 고른 것은?

(가) $g(x)=\int_1^x f'(t)(x+1-t)dt$ (나) $f(x)=g'(x)-f'(x)$

ㄱ. $g'(1)=\frac{1}{e}$
ㄴ. $f(1)=g(1)$
ㄷ. 어떤 양수 x에 대하여 $g(x)<f(x)$이다.

① ㄱ ② ㄱ, ㄴ ③ ㄱ, ㄷ ④ ㄴ, ㄷ ⑤ ㄱ, ㄴ, ㄷ

0920

정적분과 미분의 활용
2011학년도 수능기출

실수 전체의 집합에서 미분가능하고, 다음 조건을 만족시키는 모든 함수 $f(x)$에 대하여 $\int_0^2 f(x)dx$의 최솟값은?

(가) $f(0)=1$, $f'(0)=1$
(나) $0<a<b<2$이면 $f'(a)\le f'(b)$이다.
(다) 구간 $(0, 1)$에서 $f''(x)=e^x$이다.

① $\frac{1}{2}e-1$ ② $\frac{3}{2}e-1$ ③ $\frac{5}{2}e-1$ ④ $\frac{7}{2}e-2$ ⑤ $\frac{9}{2}e-2$

0921

정적분으로 주어진 함수의 극한
내신빈출

함수 $f(x)$는 모든 실수 x에 대하여 $f'(x)>0$, $f''(x)<0$을 만족하고 $f(0)=1$, $f(8)=12$이다. 다음 [보기]에서 옳은 것을 있는 대로 고른 것은?

ㄱ. $\int_0^8\{f(x)+xf'(x)\}dx=96$ ㄴ. $\int_0^8 f(x)dx>\int_0^8 xf'(x)dx$ ㄷ. $\int_0^8 f(x)dx>52$

① ㄱ ② ㄱ, ㄴ ③ ㄱ, ㄷ ④ ㄴ, ㄷ ⑤ ㄱ, ㄴ, ㄷ

정답 0917 : ③ 0918 : ⑤ 0919 : ② 0920 : ③ 0921 : ⑤

0922 정적분과 미분의 활용 2019학년도 수능기출

$x>0$에서 정의된 연속함수 $f(x)$가 모든 양수 x에 대하여

$$2f(x)+\frac{1}{x^2}f\left(\frac{1}{x}\right)=\frac{1}{x}+\frac{1}{x^2}$$

을 만족시킬 때, $\int_{\frac{1}{2}}^{2}f(x)dx$의 값은?

① $\frac{\ln 2}{3}+\frac{1}{2}$ ② $\frac{2\ln 2}{3}+\frac{1}{2}$ ③ $\frac{\ln 2}{3}+1$ ④ $\frac{2\ln 2}{3}+1$ ⑤ $\frac{2\ln 2}{3}+\frac{3}{2}$

0923 정적분으로 정의된 함수의 미분 2012학년도 09월 평가원

구간 $\left[0, \frac{\pi}{2}\right]$에서 연속인 함수 $f(x)$가 다음 조건을 만족시킬 때, $f\left(\frac{\pi}{4}\right)$의 값은?

(가) $\int_0^{\frac{\pi}{2}}f(t)dt=1$ (나) $\cos x\int_0^x f(t)dt=\sin x\int_x^{\frac{\pi}{2}}f(t)dt$ $\left(단, 0\le x\le\frac{\pi}{2}\right)$

① $\frac{1}{5}$ ② $\frac{1}{4}$ ③ $\frac{1}{3}$ ④ $\frac{1}{2}$ ⑤ 1

0924 정적분과 치환적분법 2017학년도 수능기출

닫힌구간 $[0, 1]$에서 증가하는 연속함수 $f(x)$가

$$\int_0^1 f(x)dx=2,\ \int_0^1|f(x)|dx=2\sqrt{2}$$

를 만족시킨다. 함수 $F(x)$가

$$F(x)=\int_0^x|f(t)|dt\,(0\le x\le 1)$$

일 때, $\int_0^1 f(x)F(x)dx$의 값은?

① $4-\sqrt{2}$ ② $2+\sqrt{2}$ ③ $5-\sqrt{2}$ ④ $1+2\sqrt{2}$ ⑤ $2+2\sqrt{2}$

0925 정적분의 활용 2020학년도 수능기출

실수 t에 대하여 곡선 $y=e^x$ 위의 점 (t, e^t)에서의 접선의 방정식을 $y=f(x)$라 할 때,
함수 $y=|f(x)+k-\ln x|$가 양의 실수 전체의 집합에서 미분가능하도록 하는 실수 k의 최솟값을 $g(t)$라 하자.
두 실수 a, $b(a<b)$에 대하여 $\int_a^b g(t)dt=m$이라 할 때, [보기]에서 옳은 것만을 있는 대로 고른 것은?

ㄱ. $m<0$이 되도록 하는 두 실수 a, $b(a<b)$가 존재한다.
ㄴ. 실수 c에 대하여 $g(c)=0$이면 $g(-c)=0$이다.
ㄷ. $a=\alpha$, $b=\beta(\alpha<\beta)$일 때, m의 값이 최소이면 $\frac{1+g'(\beta)}{1+g'(\alpha)}<-e^2$이다.

① ㄱ ② ㄴ ③ ㄱ, ㄴ ④ ㄱ, ㄷ ⑤ ㄱ, ㄴ, ㄷ

0926 정적분의 활용 2019년 10월 교육청

실수 전체의 집합에서 미분가능한 두 함수 $f(x)$, $g(x)$가 모든 실수 x에 대하여 다음 조건을 만족시킨다.

(가) $g(x+1)-g(x)=-\pi(e+1)e^x\sin(\pi x)$ (나) $g(x+1)=\int_0^x\{f(t+1)e^t-f(t)e^t+g(t)\}dt$

$\int_0^1 f(x)dx=\frac{10}{9}e+4$일 때, $\int_1^{10}f(x)dx$의 값을 구하여라.

0927 정적분의 활용 2020학년도 09월 평가원

실수 전체의 집합에서 미분가능한 함수 $f(x)$가 모든 실수 x에 대하여

$$f'(x^2+x+1)=\pi f(1)\sin\pi x+f(3)x+5x^2$$

을 만족시킬 때, $f(7)$의 값을 구하여라.

정답 0922 : ② 0923 : ④ 0924 : ④ 0925 : ⑤ 0926 : 26 0927 : 93

미적분

Ⅰ 수열의 극한 Ⅱ 미분법 Ⅲ 적분법

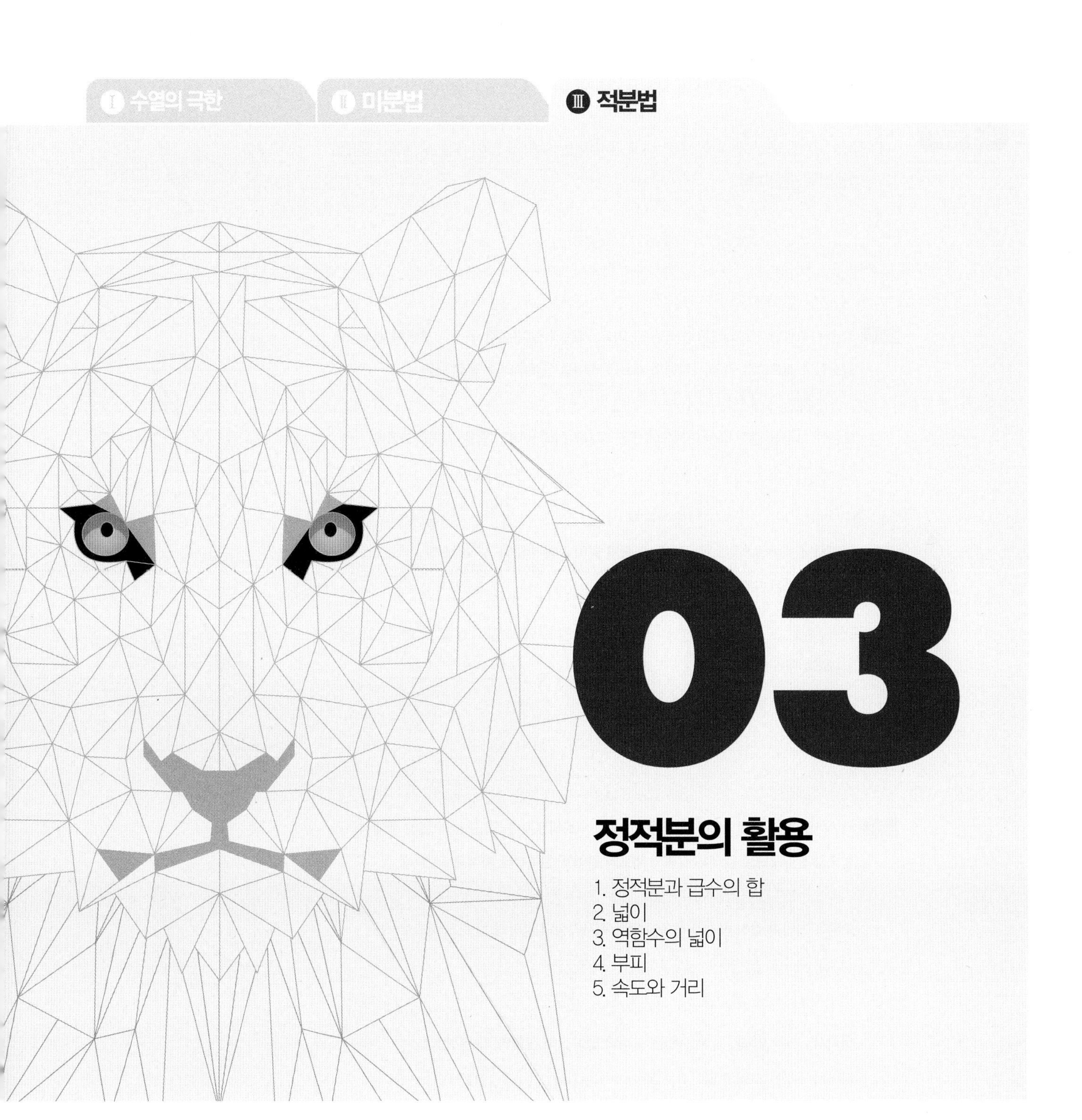

03

정적분의 활용

1. 정적분과 급수의 합
2. 넓이
3. 역함수의 넓이
4. 부피
5. 속도와 거리

01 정적분과 급수의 합

01 구분구적법

어떤 도형의 넓이 또는 부피를 구할 때, 그 도형을 잘게 나누어 도형의 넓이와 부피의 어림한 값을 구한 뒤에 이 어림한 값의 극한값으로 도형의 넓이나 부피를 구하는 방법을 구분구적법(區分求積法)이라 한다.

오른쪽 그림과 같이 곡선으로 둘러싸인 도형의 넓이를 S,
곡선의 내부에 있는 정사각형의 넓이의 합을 m, 곡선의 내부와 곡선의 경계선을 포함하는 정사각형들의 넓이의 합을 M이라 하면

$m \le S \le M$

이다. 이때 정사각형의 크기를 한없이 작게 하면 m과 M은 도형의 넓이 S에 한없이 가까워지므로, m과 M의 극한을 구하면 이 도형의 넓이를 구할 수 있다.

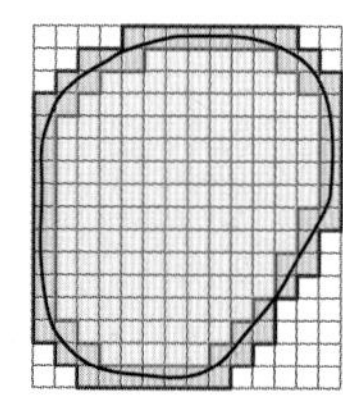

마플해설

(1) 곡선 $y=x^2$과 x축 및 직선 $x=1$로 둘러싸인 도형의 넓이 S를 오른쪽 그림을 이용하여 구하여라.

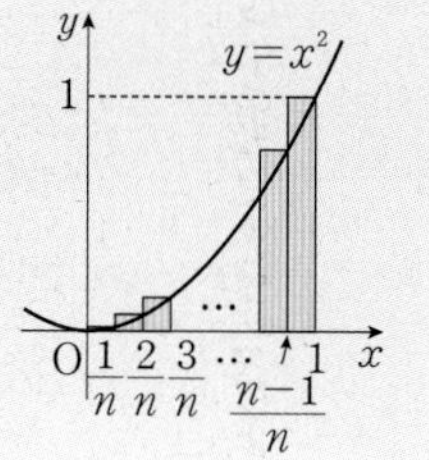

해설 각 직사각형의 가로의 길이는 모두 $\frac{1}{n}$이고, 세로의 길이는 각 구간의 오른쪽 끝에서의 함숫값과 같으므로 각 직사각형의 세로의 길이를 왼쪽부터 차례로 쓰면

$\left(\frac{1}{n}\right)^2, \left(\frac{2}{n}\right)^2, \left(\frac{3}{n}\right)^2, \cdots, \left(\frac{n-1}{n}\right)^2, \left(\frac{n}{n}\right)^2$

오른쪽 그림과 같이 곡선 아래쪽에 만든 직사각형의 넓이의 합을 S_n이라고 하면

$$S_n=\frac{1}{n}\left(\frac{1}{n}\right)^2+\frac{1}{n}\left(\frac{2}{n}\right)^2+\frac{1}{n}\left(\frac{3}{n}\right)^2+\cdots+\frac{1}{n}\left(\frac{n-1}{n}\right)^2+\frac{1}{n}\left(\frac{n}{n}\right)^2$$
$$=\frac{1}{n^3}\{1^2+2^2+3^2+\cdots+(n-1)^2+n^2\}=\frac{1}{n^3}\times\frac{n(n+1)(2n+1)}{6}=\frac{1}{6}\left(1+\frac{1}{n}\right)\left(2+\frac{1}{n}\right)$$

여기서 $n\to\infty$일 때, S_n은 구하는 도형의 넓이 S에 한없이 가까워진다.

따라서 구하는 도형의 넓이 S는 $S=\lim_{n\to\infty}S_n=\lim_{n\to\infty}\left\{\frac{1}{6}\left(1+\frac{1}{n}\right)\left(2+\frac{1}{n}\right)\right\}=\frac{1}{3}$

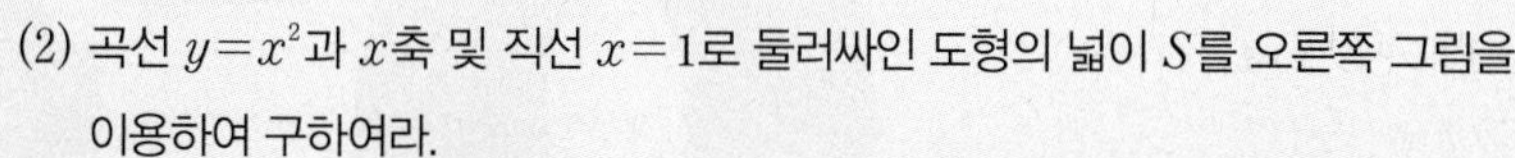

(2) 곡선 $y=x^2$과 x축 및 직선 $x=1$로 둘러싸인 도형의 넓이 S를 오른쪽 그림을 이용하여 구하여라.

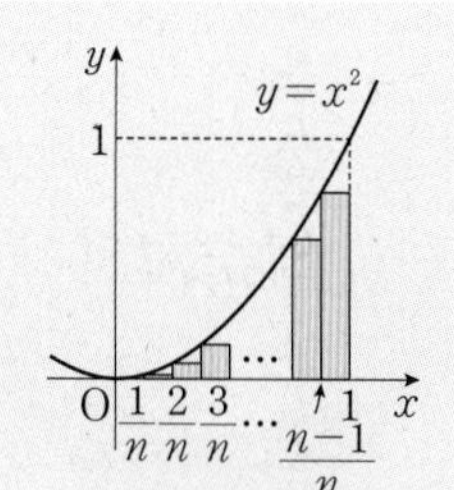

해설 각 직사각형의 가로의 길이는 모두 $\frac{1}{n}$이고, 세로의 길이는 각 구간의 왼쪽 끝에서의 함숫값과 같으므로 각 직사각형의 세로의 길이를 왼쪽부터 차례로 쓰면

$\left(\frac{1}{n}\right)^2, \left(\frac{2}{n}\right)^2, \left(\frac{3}{n}\right)^2, \cdots, \left(\frac{n-1}{n}\right)^2$

오른쪽 그림과 같이 곡선 아래쪽에 만든 직사각형의 넓이의 합을 L_n이라고 하면

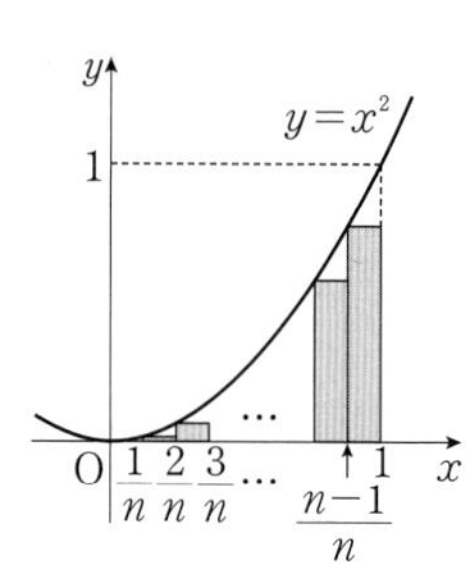

$$L_n=\frac{1}{n}\left(\frac{1}{n}\right)^2+\frac{1}{n}\left(\frac{2}{n}\right)^2+\frac{1}{n}\left(\frac{3}{n}\right)^2+\cdots+\frac{1}{n}\left(\frac{n-1}{n}\right)^2$$
$$=\frac{1}{n^3}\{1^2+2^2+3^2+\cdots+(n-1)^2\}=\frac{1}{n^3}\times\frac{n(n-1)(2n-1)}{6}=\frac{1}{6}\left(1-\frac{1}{n}\right)\left(2-\frac{1}{n}\right)$$

여기서 $n\to\infty$일 때, L_n은 구하는 도형의 넓이 S에 한없이 가까워진다.

따라서 구하는 도형의 넓이 S는 $S=\lim_{n\to\infty}L_n=\lim_{n\to\infty}\left\{\frac{1}{6}\left(1-\frac{1}{n}\right)\left(2-\frac{1}{n}\right)\right\}=\frac{1}{3}$

02 정적분과 급수의 합 사이의 관계

함수 $y=f(x)$가 닫힌구간 $[a, b]$에서 연속일 때, 정적분을 다음과 같이 정리한다.

$$\int_a^b f(x)dx=\lim_{n\to\infty}\sum_{k=1}^{n} f(x_k)\Delta x \left(\text{단, } \Delta x=\frac{b-a}{n},\ x_k=a+k\Delta x\right)$$

위의 극한값을 함수 $f(x)$의 a에서 b까지의 정적분이라고 하며 기호로 $\int_a^b f(x)dx$와 같이 나타낸다.

마플해설 함수 $y=f(x)$가 닫힌구간 $[a, b]$에서 연속이고 $f(x)\geq 0$일 때,

곡선 $y=f(x)$와 두 직선 $x=a$와 $x=b$ 및 x축으로 둘러싸인 도형의 넓이 S를 구하여 보자.

오른쪽 그림과 같이 닫힌구간 $[a, b]$를 n등분하고 양 끝점을 포함하여 각 분점의 x좌표를 차례로

$a=x_0,\ x_1,\ x_2,\ \cdots,\ x_{n-1},\ x_n=b$

라고 하고 각 소구간의 길이를 Δx라 하면

$$\Delta x=\frac{b-a}{n},\ x_k=a+k\Delta x(k=0,\ 1,\ 2,\ \cdots,\ n)$$

오른쪽 그림과 같이 각 소구간의 오른쪽 끝점에서의 함숫값을 높이로 하는 직사각형의 넓이의 합을 S_n이라 하면

$$S_n=f(x_1)\Delta x+f(x_2)\Delta x+\cdots+f(x_n)\Delta x=\sum_{k=1}^{n} f(x_k)\Delta x$$

이다. n이 한없이 커지면 S_n의 값은 구하는 도형의 넓이 S에 한없이 가까워지므로

$$S=\lim_{n\to\infty}S_n=\lim_{n\to\infty}\sum_{k=1}^{n} f(x_k)\Delta x$$

가 성립한다. 따라서 다음이 성립함을 알 수 있다.

$$\int_a^b f(x)dx=\lim_{n\to\infty}\sum_{k=1}^{n} f(x_k)\Delta x \quad \cdots\cdots ㉠$$

한편 함수 $y=f(x)$가 닫힌구간 $[a, b]$에서 연속이고 $f(x)\leq 0$일 때,

곡선 $y=f(x)$와 두 직선 $x=a$와 $x=b$ 및 x축으로 둘러싸인 도형의 넓이를 T라 하면

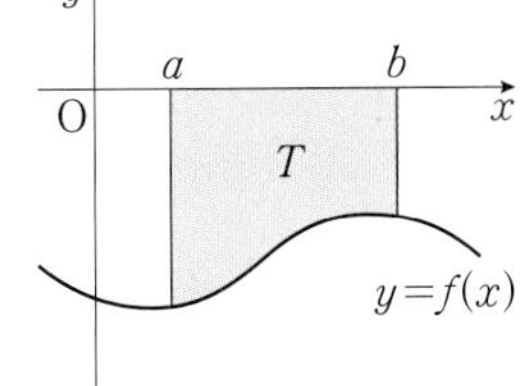

$$T=\int_a^b \{-f(x)\}dx$$

이다. 이때 $-f(x)\geq 0$이므로 ㉠에 의하여

$$\int_a^b \{-f(x)\}dx=\lim_{n\to\infty}\sum_{k=1}^{n}\{-f(x_k)\}\Delta x$$

이다. 따라서 $\int_a^b f(x)dx=\lim_{n\to\infty}\sum_{k=1}^{n} f(x_k)\Delta x$이 성립함을 알 수 있다.

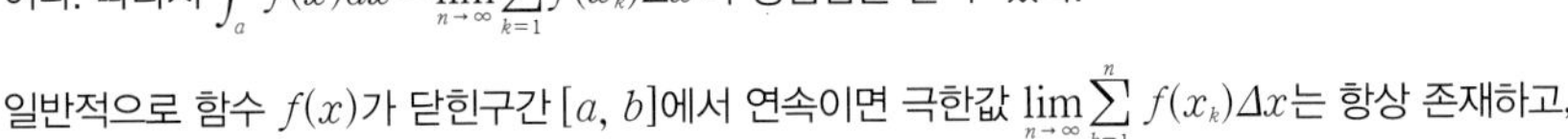

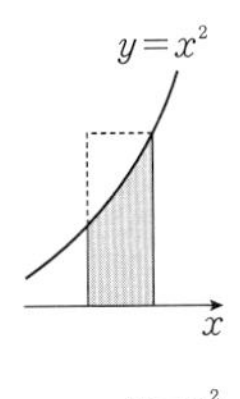

일반적으로 함수 $f(x)$가 닫힌구간 $[a, b]$에서 연속이면 극한값 $\lim_{n\to\infty}\sum_{k=1}^{n} f(x_k)\Delta x$는 항상 존재하고,

이 극한값은 $f(x)$의 a에서 b까지의 정적분 $\int_a^b f(x)dx$임이 알려져 있다.

예를 들어 아래 왼쪽 그림에서 곡선 $y=x^2$과 직선 $x=1$ 및 x축으로 둘러싸인 도형에 대하여

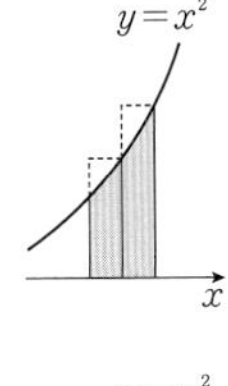

색칠한 직사각형의 넓이의 합 S_n은 $S_n=\sum_{k=1}^{n}\left(\frac{k}{n}\right)^2\times\frac{1}{n}$이고 $n=10,\ 20,\ 30,\ \cdots$일 때의 S_n의 값을 공학적 도구를 이용하여 구하면

아래의 오른쪽 표와 같다.

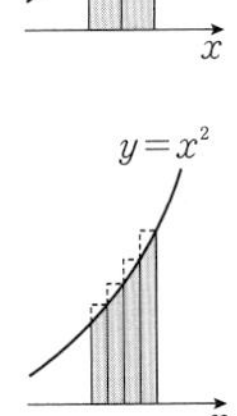

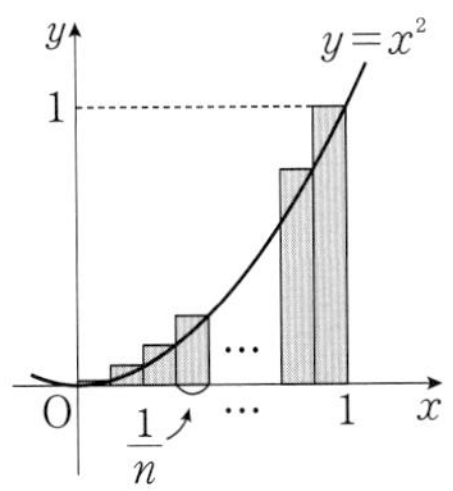

n	S_n
10	0.385
20	0.35875
30	0.350185185
⋮	⋮
100	0.33835
1000	0.3338335
10000	0.333383335
⋮	⋮

이 표에서 n의 값이 커짐에 따라 S_n의 값은 $\int_0^1 x^2dx=\frac{1}{3}$에 한없이 가까워짐을 알 수 있다.

보기 01 정적분의 정의에 의하여 $\int_0^2 x^2dx$의 값을 구하여라.

풀이 $f(x)=x^2$이라고 하면 함수 $f(x)$는 구간 $[0, 2]$에서 연속이다.

정적분의 정의에서 $a=0$, $b=2$라고 하면

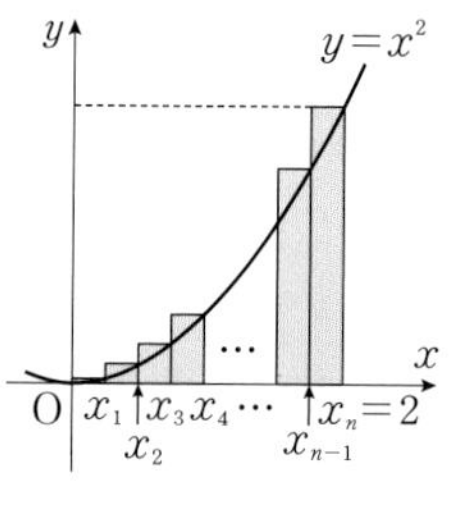

$$\Delta x=\frac{b-a}{n}=\frac{2}{n},\ x_k=a+k\Delta x=\frac{2k}{n}$$

$$f(x_k)={x_k}^2=\left(\frac{2k}{n}\right)^2=\frac{4k^2}{n^2}$$

$$\therefore \int_0^2 x^2dx=\lim_{n\to\infty}\sum_{k=1}^{n}f(x_k)\Delta x$$

$$=\lim_{n\to\infty}\sum_{k=1}^{n}\frac{4k^2}{n^2}\cdot\frac{2}{n}=\lim_{n\to\infty}\frac{8}{n^3}\sum_{k=1}^{n}k^2$$

$$=\lim_{n\to\infty}\left\{\frac{8}{n^3}\cdot\frac{n(n+1)(2n+1)}{6}\right\}=\frac{8}{3}$$

보기 02 정적분의 정의에 의하여 $\int_0^1 e^x dx$의 값을 구하여라.

풀이 $f(x)=e^x$이라고 하면 함수 $f(x)$는 구간 $[0, 1]$에서 연속이다.

정적분의 정의에서 $a=0$, $b=1$이므로

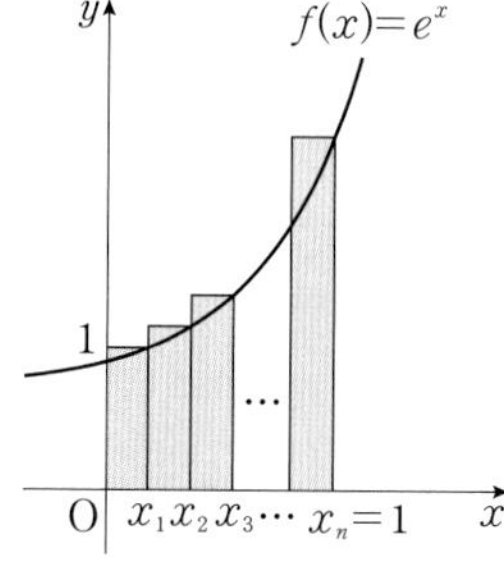

$$\Delta x=\frac{b-a}{n}=\frac{1}{n},\ x_k=a+k\Delta x=\frac{k}{n},\ f(x_k)=e^{x_k}=e^{\frac{k}{n}}$$

$$\therefore \int_0^1 e^x dx=\lim_{n\to\infty}\sum_{k=1}^{n}f(x_k)\Delta x$$

$$=\lim_{n\to\infty}\sum_{k=1}^{n}e^{\frac{k}{n}}\cdot\frac{1}{n}=\lim_{n\to\infty}\frac{1}{n}\sum_{k=1}^{n}e^{\frac{k}{n}}$$

$$=\lim_{n\to\infty}\frac{1}{n}\left\{\frac{e^{\frac{1}{n}}(1-e)}{1-e^{\frac{1}{n}}}\right\}$$ ⬅ 첫째항이 $e^{\frac{1}{n}}$이고 공비가 $e^{\frac{1}{n}}$인 등비수열의 합

이때 $h=\frac{1}{n}$로 놓으면 $n\to\infty$일 때, $h\to 0$이므로

$$\lim_{n\to\infty}\frac{1}{n}\left\{\frac{e^{\frac{1}{n}}(1-e)}{1-e^{\frac{1}{n}}}\right\}=(1-e)\cdot\lim_{n\to\infty}e^{\frac{1}{n}}\cdot\lim_{n\to\infty}\left(\frac{\frac{1}{n}}{1-e^{\frac{1}{n}}}\right)$$

$$=(1-e)\cdot\lim_{h\to 0}e^h\cdot\lim_{h\to 0}\left(\frac{h}{1-e^h}\right)$$

$$=(1-e)\cdot\lim_{h\to 0}e^h\cdot\lim_{h\to 0}\left(-\frac{1}{\frac{e^h-1}{h}}\right)$$ ⬅ $\lim_{h\to 0}\frac{e^h-1}{h}=1$

$$=(1-e)\cdot 1\cdot(-1)=e-1$$

더 알아보기

구분구적법에서 닫힌구간 $[a, b]$를 n등분하여 모든 구간의 간격을 $\frac{b-a}{n}$로 만들어 나눠진 직사각형의 넓이의 합을 계산할 때,

① 높이를 각 구간의 오른쪽 끝점에서의 함숫값으로 할 경우 ⇨ 정적분 $\int_a^b f(x)dx$가 $\lim_{n\to\infty}\sum_{k=1}^{n}f(x_k)\cdot\frac{b-a}{n}$로 표현

② 높이를 각 구간의 왼쪽 끝점에서의 함숫값으로 할 경우 ⇨ 정적분 $\int_a^b f(x)dx$가 $\lim_{n\to\infty}\sum_{k=0}^{n-1}f(x_k)\cdot\frac{b-a}{n}$로 표현

즉, 1에서 n까지 또는 0에서 $n-1$까지 차이인데 결론은 모두 같다는 것이다.

$$\int_a^b f(x)dx=\lim_{n\to\infty}\sum_{k=0}^{n-1}f\left(a+\frac{b-a}{n}k\right)\frac{b-a}{n}=\lim_{n\to\infty}\sum_{k=1}^{n}f\left(a+\frac{b-a}{n}k\right)\frac{b-a}{n}$$

03 정적분과 급수의 관계

함수 $f(x)$가 닫힌구간 $[a, b]$에서 연속일 때, 정적분의 정의

$$\lim_{n\to\infty}\sum_{k=1}^{n} f(x_k)\Delta x = \int_a^b f(x)\,dx \left(\text{단, } \Delta x = \frac{b-a}{n},\ x_k = a+k\Delta x\right)$$

를 이용하면 다음과 같이 여러 가지 급수의 합을 정적분으로 나타낼 수 있다.

(1) $\lim_{n\to\infty}\sum_{k=1}^{n} f\left(a+\frac{(b-a)k}{n}\right)\cdot\frac{b-a}{n} = \int_a^b f(x)dx = \int_0^{b-a} f(a+x)dx$

(2) $\lim_{n\to\infty}\sum_{k=1}^{n} f\left(a+\frac{p}{n}k\right)\cdot\frac{p}{n} = \int_a^{a+p} f(x)dx = \int_0^{p} f(a+x)dx$

(3) $\lim_{n\to\infty}\sum_{k=1}^{n} f\left(a+\frac{p}{n}k\right)\cdot\frac{q}{n} = q\int_0^{1} f(a+px)dx$

마플해설 함수 $f(x)$가 닫힌구간 $[a, b]$에서 연속일 때,

$\lim_{n\to\infty}\sum_{k=1}^{n} f\left(a+\frac{(b-a)k}{n}\right)\cdot\frac{b-a}{n}$

→ $\int_a^b f(x)dx$

해설 $\lim_{n\to\infty}\sum_{k=1}^{n} f\left(a+\frac{(b-a)k}{n}\right)\cdot\frac{b-a}{n} = \lim_{n\to\infty}\sum_{k=1}^{n} f(x_k)\Delta x = \int_a^b f(x)dx$

⬅ $a+\frac{b-a}{n}k = x_k$, $\frac{b-a}{n} = \Delta x$로 놓으면

→ $\int_0^{b-a} f(x+a)dx$

해설 $\lim_{n\to\infty}\sum_{k=1}^{n} f\left(a+\frac{(b-a)k}{n}\right)\cdot\frac{b-a}{n} = \lim_{n\to\infty}\sum_{k=1}^{n} f(a+x_k)\Delta x = \int_0^{b-a} f(x+a)dx$

→ $(b-a)\int_0^1 f((b-a)x+a)dx$

해설 $\lim_{n\to\infty}\sum_{k=1}^{n} f\left(a+\frac{(b-a)k}{n}\right)\cdot\frac{b-a}{n} = \lim_{n\to\infty}\sum_{k=1}^{n} f(a+(b-a)x_k)\Delta x$

$= (b-a)\int_0^1 f(a+(b-a)x)dx$

⬅ $\frac{k}{n} = x_k$, $\frac{1}{n} = \Delta x$로 놓으면

$\lim_{n\to\infty}\sum_{k=1}^{n} f\left(a+\frac{p}{n}k\right)\cdot\frac{p}{n} = \int_a^{a+p} f(x)\,dx$ ⬅ $\lim_{n\to 0}\sum_{k=1}^{n} f\left(\frac{p}{n}k\right)\cdot\frac{p}{n} = \int_a^{p} f(x)dx$

보기 03 정적분을 이용하여 다음 극한값을 구하여라.

(1) $\lim_{n\to\infty}\frac{1}{n^5}(1^4+2^4+3^4+\cdots+n^4)$

(2) $\lim_{n\to\infty}\frac{1}{n}\left(\sin\frac{\pi}{n}+\sin\frac{2\pi}{n}+\sin\frac{3\pi}{n}+\cdots+\sin\frac{n\pi}{n}\right)$

풀이 (1) $\lim_{n\to\infty}\frac{1}{n^5}(1^4+2^4+3^4+\cdots+n^4) = \lim_{n\to\infty}\sum_{k=1}^{n}\left(\frac{k}{n}\right)^4\frac{1}{n}$

이때 $\Delta x = \frac{1-0}{n}$, $x_k = 0+k\Delta x = \frac{k}{n}$로 놓으면 $f(x) = x^4$, $a=0$, $b=1$

따라서 정적분과 급수의 합 사이의 관계에 의하여 $\lim_{n\to\infty}\sum_{k=1}^{n}\left(\frac{k}{n}\right)^4\frac{1}{n} = \int_0^1 x^4dx = \left[\frac{1}{5}x^5\right]_0^1 = \frac{1}{5}$

(2) $\lim_{n\to\infty}\frac{1}{n}\left(\sin\frac{\pi}{n}+\sin\frac{2\pi}{n}+\sin\frac{3\pi}{n}+\cdots+\sin\frac{n\pi}{n}\right) = \lim_{n\to\infty}\frac{1}{n}\sum_{k=1}^{n}\sin\frac{k\pi}{n}$

이때 $\Delta x = \frac{\pi-0}{n}$, $x_k = 0+k\Delta x = \frac{k\pi}{n}$로 놓으면 $f(x) = \sin x$, $a=0$, $b=\pi$

따라서 정적분과 급수의 합 사이의 관계에 의하여 $\lim_{n\to\infty}\frac{1}{n}\sum_{k=1}^{n}\sin\frac{k\pi}{n} = \frac{1}{\pi}\int_0^{\pi}\sin x\,dx = -\frac{1}{\pi}\left[\cos x\right]_0^{\pi} = \frac{2}{\pi}$

보기 04 정적분을 이용하여 다음 극한값을 구하여라.

(1) $\lim_{n\to\infty}\frac{1}{n}(\sqrt[n]{e}+\sqrt[n]{e^2}+\sqrt[n]{e^3}+\cdots+\sqrt[n]{e^n})$

(2) $\lim_{n\to\infty}\left(\frac{1}{n+1}+\frac{1}{n+2}+\frac{1}{n+3}+\cdots+\frac{1}{2n}\right)$

풀이 (1) $\lim_{n\to\infty}\frac{1}{n}\{e^{\frac{1}{n}}+e^{\frac{2}{n}}+e^{\frac{3}{n}}+\cdots+e^{\frac{n}{n}}\}=\lim_{n\to\infty}\sum_{k=1}^{n}e^{\frac{k}{n}}\cdot\frac{1}{n}$

이때 $\Delta x=\frac{1-0}{n}$, $x_k=0+k\Delta x=\frac{k}{n}$로 놓으면 $f(x)=e^x$, $a=0$, $b=1$

따라서 정적분과 급수의 합 사이의 관계에 의하여 $\lim_{n\to\infty}\sum_{k=1}^{n}e^{\frac{k}{n}}\cdot\frac{1}{n}=\int_0^1 e^x dx=\left[e^x\right]_0^1=e-1$

(2) $\lim_{n\to\infty}\left(\frac{1}{n+1}+\frac{1}{n+2}+\frac{1}{n+3}+\cdots+\frac{1}{2n}\right)=\lim_{n\to\infty}\sum_{k=1}^{n}\frac{1}{n+k}=\lim_{n\to\infty}\sum_{k=1}^{n}\frac{1}{1+\left(\frac{k}{n}\right)}\cdot\frac{1}{n}$

이때 $\Delta x=\frac{1-0}{n}$, $x_k=0+k\Delta x=\frac{k}{n}$로 놓으면 $f(x)=\frac{1}{1+x}$, $a=0$, $b=1$

따라서 정적분과 급수의 합 사이의 관계에 의하여

$$\lim_{n\to\infty}\sum_{k=1}^{n}\frac{1}{1+\left(\frac{k}{n}\right)}\cdot\frac{1}{n}=\int_0^1\frac{1}{1+x}dx=\Big[\ln|1+x|\Big]_0^1=\ln 2-\ln 1=\ln 2$$

보기 05 정적분을 이용하여 $\lim_{n\to\infty}\sum_{k=1}^{n}\frac{1}{n}\ln\left(1+\frac{k}{n}\right)$의 극한값을 구하여라.

풀이 $\lim_{n\to\infty}\frac{1}{n}\left\{\ln\left(1+\frac{1}{n}\right)+\ln\left(1+\frac{2}{n}\right)+\ln\left(1+\frac{3}{n}\right)+\cdots+\ln\left(1+\frac{n}{n}\right)\right\}=\lim_{n\to\infty}\sum_{k=1}^{n}\frac{1}{n}\ln\left(1+\frac{k}{n}\right)$

[방법1] $\Delta x=\frac{1-0}{n}$, $x_k=0+k\Delta x=\frac{k}{n}$로 놓으면 $f(x)=\ln(1+x)$, $a=0$, $b=1$

따라서 정적분과 급수의 합 사이의 관계에 의하여

$$\lim_{n\to\infty}\sum_{k=1}^{n}\frac{1}{n}\ln\left(1+\frac{k}{n}\right)=\int_0^1\ln(1+x)dx=\Big[x\ln(1+x)\Big]_0^1-\int_0^1\frac{x}{1+x}dx=\ln 2-\Big[x-\ln(1+x)\Big]_0^1$$
$$=2\ln 2-1$$

[방법2] $\Delta x=\frac{2-1}{n}$, $x_k=0+k\Delta x=\frac{k}{n}$로 놓으면 $f(x)=\ln x$, $a=1$, $b=2$

따라서 정적분과 급수의 합 사이의 관계에 의하여

$$\lim_{n\to\infty}\sum_{k=1}^{n}\frac{1}{n}\ln\left(1+\frac{k}{n}\right)=\int_1^2\ln x dx=\Big[x\ln x\Big]_1^2-\int_1^2 x\cdot\frac{1}{x}dx=2\ln 2-1$$

+α 더 알아보기

급수의 합 $\lim_{n\to\infty}\sum_{k=1}^{n}\left(1+\frac{2k}{n}\right)^2\frac{1}{n}$을 x_k에 따라 나타나는 정적분의 형태로 나타내면 다음과 같다.

① $x_k=\frac{k}{n}$이면 $k=1, 2, \cdots, n$에서 $\frac{1}{n}\le x_k\le\frac{n}{n}$, $\Delta x=\frac{1}{n}$, $f(x_k)=(1+2x_k)^2$이므로

$\lim_{n\to\infty}\sum_{k=1}^{n}\left(1+\frac{2k}{n}\right)^2\frac{1}{n}=\int_0^1(1+2x)^2dx$

② $x_k=\frac{2k}{n}$이면 $k=1, 2, \cdots, n$에서 $\frac{2}{n}\le x_k\le\frac{2n}{n}$, $\Delta x=\frac{2}{n}$, $f(x_k)=(1+x_k)^2$이므로

$\lim_{n\to\infty}\sum_{k=1}^{n}\left(1+\frac{2k}{n}\right)^2\frac{1}{n}=\lim_{n\to\infty}\sum_{k=1}^{n}\left(1+\frac{2k}{n}\right)^2\times\frac{2}{n}\times\frac{1}{2}=\frac{1}{2}\int_0^2(1+x)^2dx$

③ $x_k=1+\frac{2k}{n}$이면 $k=1, 2, \cdots, n$에서 $1+\frac{2}{n}\le x_k\le 1+\frac{2n}{n}$, $\Delta x=\frac{2}{n}$, $f(x_k)=x_k^2$이므로

$\lim_{n\to\infty}\sum_{k=n}^{n}\left(1+\frac{2k}{n}\right)^2\frac{1}{n}=\lim_{n\to\infty}\sum_{k=1}^{n}\left(1+\frac{2k}{n}\right)^2\times\frac{2}{n}\times\frac{1}{2}=\frac{1}{2}\int_1^3 x^2dx$

마플개념익힘 01 정적분을 이용한 급수의 합 (1)

다음 물음에 답하여라.

(1) 함수 $f(x)=\cos\frac{\pi}{2}x$에 대하여 $\lim_{n\to\infty}\sum_{k=1}^{n}f\left(1+\frac{2k}{n}\right)\frac{1}{n}$의 값을 구하여라.

2015학년도 수능기출 (2) 함수 $f(x)=\frac{1}{x}$에 대하여 $\lim_{n\to\infty}\sum_{k=1}^{n}f\left(1+\frac{2k}{n}\right)\frac{2}{n}$의 값을 구하여라.

MAPL CORE 급수를 정적분으로 나타낼 때에는 다음 순서로 한다.

[1단계] 적분변수를 정한다. [2단계] 적분구간을 구한다. [3단계] 정적분으로 나타내어 계산한다.

$$\lim_{n\to\infty}\sum_{k=1}^{n}f\left(a+\frac{p}{n}k\right)\cdot\frac{p}{n}=\int_{a}^{a+p}f(x)dx$$

개념익힘 | 풀이 (1) $\lim_{n\to\infty}\sum_{k=1}^{n}f\left(1+\frac{2k}{n}\right)\frac{1}{n}=\lim_{n\to\infty}\frac{1}{2}\sum_{k=1}^{n}f\left(1+\frac{2k}{n}\right)\frac{2}{n}$ ⬅ $1+\frac{2k}{n}=x,\ a=1,\ b=3$

$$=\frac{1}{2}\int_{1}^{3}f(x)dx=\frac{1}{2}\int_{1}^{3}\cos\frac{\pi}{2}xdx$$

$$=\frac{1}{2}\left[\frac{2}{\pi}\sin\frac{\pi}{2}x\right]_{1}^{3}=-\frac{2}{\pi}$$

(2) $\lim_{n\to\infty}\sum_{k=1}^{n}f\left(1+\frac{2k}{n}\right)\frac{2}{n}=\int_{1}^{3}f(x)dx=\int_{1}^{3}\frac{1}{x}dx=\left[\ln x\right]_{1}^{3}=\mathbf{\ln 3}$ ⬅ $1+\frac{2k}{n}=x,\ a=1,\ b=3$

다른풀이 $x=\frac{2k}{n}$, $a=0$, $b=2$로 놓고 풀이하기

$$\lim_{n\to\infty}\sum_{k=1}^{n}f\left(1+\frac{2k}{n}\right)\frac{2}{n}=\int_{0}^{2}f(1+x)dx=\int_{0}^{2}\frac{1}{1+x}dx=\left[\ln(1+x)\right]_{0}^{2}=\ln 3$$

다른풀이 $x=\frac{k}{n}$, $a=0$, $b=1$로 놓고 풀이하기

$$\lim_{n\to\infty}\sum_{k=1}^{n}f\left(1+\frac{2k}{n}\right)\frac{2}{n}=2\int_{0}^{1}f(1+2x)dx=2\int_{0}^{1}\frac{1}{1+2x}dx=\int_{0}^{1}\frac{2}{1+2x}dx=\left[\ln(1+2x)\right]_{0}^{1}=\ln 3$$

확인유제 0928 다음 물음에 답하여라.

2017학년도 09월 평가원 (1) 함수 $f(x)=4x^2+6x+32$에 대하여 $\lim_{n\to\infty}\sum_{k=1}^{n}\frac{k}{n^2}f\left(\frac{k}{n}\right)$의 값은?

① 13 ② 15 ③ 17 ④ 19 ⑤ 21

2019년 03월 교육청 (2) 함수 $f(x)=\sin(3x)$에 대하여 $\lim_{n\to\infty}\sum_{k=1}^{n}\frac{\pi}{n}f\left(\frac{k\pi}{n}\right)$의 값은?

① $\frac{2}{3}$ ② 1 ③ $\frac{4}{3}$ ④ $\frac{5}{3}$ ⑤ 2

변형문제 0929 정적분을 이용하여 다음 극한값을 구하여라.

(1) $\lim_{n\to\infty}\sum_{k=1}^{n}\frac{3\pi}{n}\sin^3\frac{\pi k}{n}$ (2) $\lim_{n\to\infty}\frac{1}{n^2}\sum_{k=1}^{n}ke^{\frac{k}{n}}$ (3) $\lim_{n\to\infty}\frac{1}{n^3}\sum_{k=1}^{n}k^2e^{\left(\frac{k}{n}\right)^3}$

발전문제 0930 정적분을 이용하여 다음 극한값을 구하여라.

2011년 07월 교육청 (1) $\lim_{n\to\infty}\sum_{k=1}^{n}\frac{k}{n^2}\cos\frac{k^2}{2n^2}$ (2) $\lim_{n\to\infty}\sum_{k=1}^{n}\frac{1}{\sqrt{4n^2-(n+k)^2}}$

정답 0928 : (1) ④ (2) ① 0929 (1) 4 (2) 1 (3) $\frac{1}{3}(e-1)$ 0930 : (1) $\sin\frac{1}{2}$ (2) $\frac{\pi}{3}$

마플개념익힘 02 정적분을 이용한 급수의 합 (2)

다음 정적분을 이용하여 극한값을 구하여라.

(1) $\lim_{n\to\infty}\frac{\pi}{n^2}\left(\cos\frac{\pi}{n}+2\cos\frac{2\pi}{n}+3\cos\frac{3\pi}{n}+\cdots+n\cos\frac{n\pi}{n}\right)$

(2) $\lim_{n\to\infty}\left(\frac{2}{n^2+1^2}+\frac{4}{n^2+2^2}+\frac{6}{n^2+3^2}+\cdots+\frac{2n}{n^2+n^2}\right)$

MAPL CORE 합이 나열된 경우에는 주어진 식의 합의 기호 Σ를 이용하여 $\lim_{n\to\infty}\sum_{k=1}^{n}f\left(a+\frac{p}{n}k\right)\frac{p}{n}$ 꼴로 변형한 후 정적분으로 나타낸다.

$$\lim_{n\to\infty}\sum_{k=1}^{n}f\left(a+\frac{p}{n}k\right)\cdot\frac{p}{n}=\int_a^{a+p}f(x)\,dx$$

개념익힘 | 풀이 (1) (주어진식)$=\lim_{n\to\infty}\frac{\pi}{n^2}\left(\sum_{k=1}^{n}k\cos\frac{k\pi}{n}\right)=\frac{1}{\pi}\lim_{n\to\infty}\frac{\pi}{n}\sum_{k=1}^{n}\frac{\pi k}{n}\cos\frac{k\pi}{n}=\frac{1}{\pi}\int_0^{\pi}x\cos x\,dx$

⬅ $\Delta x=\frac{\pi-0}{n}=\frac{\pi}{n}$, $x_k=0+k\cdot\frac{\pi}{n}=\frac{\pi k}{n}$라고 하면 정적분의 정의에 의하여

이때 $f(x)=x$, $g'(x)=\cos x$로 놓으면 $f'(x)=1$, $g(x)=\sin x$

$\therefore\ \frac{1}{\pi}\int_0^{\pi}x\cos x\,dx=\frac{1}{\pi}\Big[x\sin x\Big]_0^{\pi}-\frac{1}{\pi}\int_0^{\pi}\sin x\,dx=\frac{1}{\pi}\cdot 0-\frac{1}{\pi}\Big[-\cos x\Big]_0^{\pi}=\mathbf{-\frac{2}{\pi}}$

참고 $\lim_{n\to\infty}\frac{\pi}{n^2}\left(\sum_{k=1}^{n}k\cos\frac{k\pi}{n}\right)=\pi\lim_{n\to\infty}\frac{1}{n}\sum_{k=1}^{n}\frac{k}{n}\cos\frac{k\pi}{n}=\pi\int_0^1 x\cos\pi x\,dx$

(2) (주어진식)$=\lim_{n\to\infty}\sum_{k=1}^{n}\frac{2k}{n^2+k^2}=\lim_{n\to\infty}\sum_{k=1}^{n}\frac{2\cdot\frac{k}{n}}{1+\left(\frac{k}{n}\right)^2}\cdot\frac{1}{n}=\int_0^1\frac{2x}{1+x^2}dx$

⬅ $\Delta x=\frac{1-0}{n}=\frac{1}{n}$, $x_k=0+k\cdot\frac{1}{n}=\frac{k}{n}$라고 하면 정적분의 정의에 의하여

이때 $1+x^2=t$로 놓으면 $2x\,dx=dt$이고 $x=0$일 때 $t=1$, $x=1$일 때 $t=2$

$\therefore\ \int_0^1\frac{2x}{1+x^2}dx=\int_1^2\frac{1}{t}dt=\Big[\ln|t|\Big]_1^2=\mathbf{\ln 2}$

확인유제 0931 다음 극한값을 구하여라.

(1) $\lim_{n\to\infty}\frac{\pi}{n^2}\left(\sin\frac{\pi}{n}+2\sin\frac{2\pi}{n}+3\sin\frac{3\pi}{n}+\cdots+n\sin\frac{n\pi}{n}\right)$

(2) $\lim_{n\to\infty}\frac{1}{n}\left\{\ln\left(1+\frac{2}{n}\right)+\ln\left(1+\frac{4}{n}\right)+\cdots+\ln\left(1+\frac{2n}{n}\right)\right\}$

변형문제 0932 다음 극한값을 구하여라.

(1) $\lim_{n\to\infty}\frac{1}{n}\left\{\frac{1}{\sqrt{n^2+1^2}}+\frac{2}{\sqrt{n^2+2^2}}+\frac{3}{\sqrt{n^2+3^3}}+\cdots+\frac{n}{\sqrt{n^2+n^2}}\right\}$

(2) $\lim_{n\to\infty}\frac{1}{n^3}\{\sqrt{n^2-1^2}+2\sqrt{n^2-2^2}+\cdots+(n-1)\sqrt{n^2-(n-1)^2}\}$

발전문제 0933 다음 극한값을 구하여라.

(1) $\lim_{n\to\infty}\frac{4}{n^2}\left(e^{\frac{2}{n}}+2e^{\frac{4}{n}}+3e^{\frac{6}{n}}+\cdots+ne^{\frac{2n}{n}}\right)$

(2) $\lim_{n\to\infty}\left(\frac{n}{n^2+1^2}+\frac{n}{n^2+2^2}+\frac{n}{n^2+3^2}+\cdots+\frac{n}{n^2+n^2}\right)$

정답 0931 : (1) 1 (2) $\frac{1}{2}(3\ln 3-2)$ 0932 : (1) $\sqrt{2}-1$ (2) $\frac{1}{3}$ 0933 : (1) e^2+1 (2) $\frac{\pi}{4}$

2011년 10월 교육청

오른쪽 그림과 같이 자연수 n에 대하여 직선 $x=n+k$가 두 직선 $y=x+1$, $y=0$과 만나는 점을 각각 A, B라 하자. 선분 AB를 세로로 하고 가로의 길이가 2인 직사각형의 넓이를 $S(k)$라 할 때, $\lim_{n\to\infty}\sum_{k=0}^{n-1}\frac{1}{S(k)}$의 값을 구하여라.

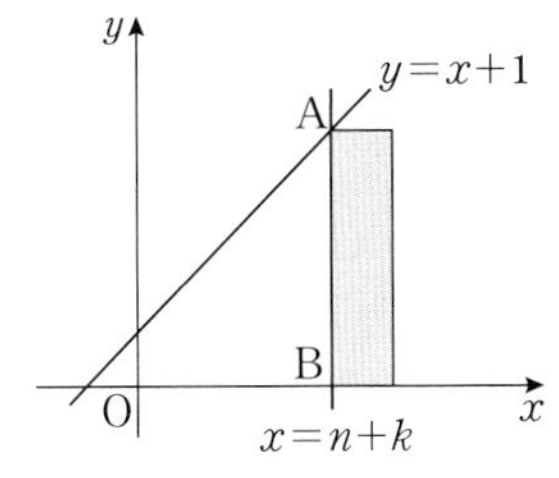

개념익힘 | **풀이** A$(n+k,\ n+k+1)$, B$(n+k,\ 0)$, $\overline{\mathrm{AB}}=n+k+1$이므로

$S(k)=2(n+k+1)$

따라서 $\lim_{n\to\infty}\sum_{k=0}^{n-1}\frac{1}{S(k)}=\lim_{n\to\infty}\sum_{k=0}^{n-1}\frac{1}{2(n+k+1)}=\frac{1}{2}\lim_{n\to\infty}\sum_{k=1}^{n}\frac{1}{n+k}$

$$=\frac{1}{2}\lim_{n\to\infty}\sum_{k=1}^{n}\left(\frac{1}{1+\frac{k}{n}}\right)\frac{1}{n}=\frac{1}{2}\int_0^1\frac{1}{x+1}dx$$

$$=\frac{1}{2}\Big[\ln(x+1)\Big]_0^1=\mathbf{\frac{\ln 2}{2}}$$

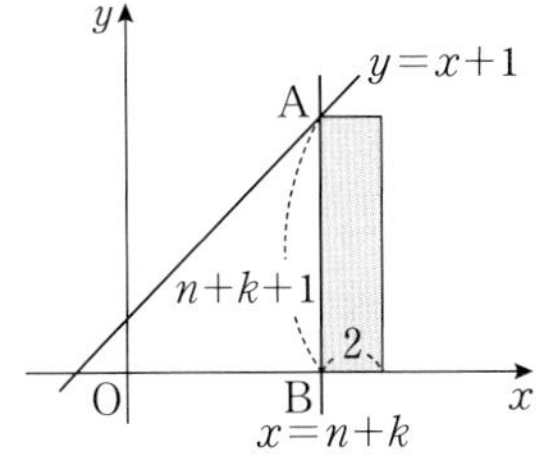

확인유제 0934 오른쪽 그림과 같이 두 점 A$(-1,\ 0)$, B$(1,\ 0)$을 지름의 양 끝 점으로 하는 원 $x^2+y^2=1$의 호 AB를 n등분하는 점을 A에서 가까운 점부터 차례대로 P_1, P_2, P_3, $\cdots$, P_{n-1}이라고 하자.

삼각형 $\mathrm{ABP}_k(k=1,\ 2,\ 3,\ \cdots,\ n-1)$의 넓이를 S_k라고 할 때,

$\lim_{n\to\infty}\frac{1}{n}\sum_{k=1}^{n-1}S_k$의 값을 구하여라.

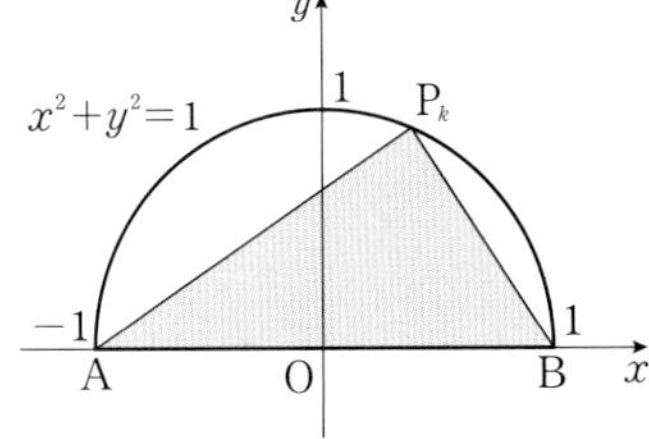

변형문제 0935 2015학년도 09월 평가원

오른쪽 그림과 같이 중심이 O, 반지름의 길이가 1이고 중심각의 크기가 $\frac{\pi}{2}$인 부채꼴 OAB가 있다. 자연수 n에 대하여 호 AB를 $2n$등분한 각 분점(양 끝점도 포함)을 차례로

$\mathrm{P}_0(=\mathrm{A})$, P_1, P_2, $\cdots$, P_{2n-1}, $\mathrm{P}_{2n}(=\mathrm{B})$

라 하자. 주어진 자연수 n에 대하여 $S_k(1\le k\le n)$을 삼각형 $\mathrm{OP}_{n-k}\mathrm{P}_{n+k}$의 넓이라 할 때, $\lim_{n\to\infty}\frac{1}{n}\sum_{k=1}^{n}S_k$의 값은?

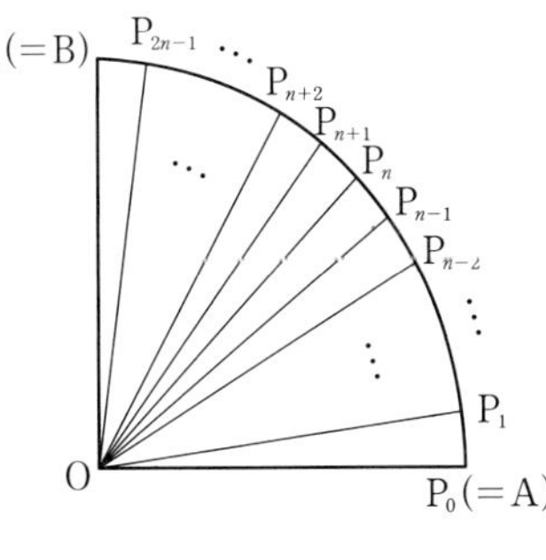

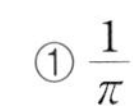

① $\frac{1}{\pi}$ ② $\frac{13}{12\pi}$ ③ $\frac{7}{6\pi}$ ④ $\frac{5}{4\pi}$ ⑤ $\frac{4}{3\pi}$

발전문제 0936 2014학년도 06월 평가원

오른쪽 그림과 같이 함수 $f(x)=e^x$이 있다. 2 이상인 자연수 n에 대하여 닫힌구간 $[1,\ 2]$를 n등분한 각 분점(양 끝점도 포함)을 차례로

$1=x_0$, x_1, x_2, $\cdots$, $x_n=2$

라 하자. 세 점 $(0,\ 0)$, $(x_k,\ 0)$, $(x_k,\ f(x_k))$를 꼭짓점으로 하는 삼각형의 넓이를 $A_k(k=1,\ 2,\ \cdots,\ n)$이라 할 때, $\lim_{n\to\infty}\frac{1}{n}\sum_{k=1}^{n}A_k$의 값은?

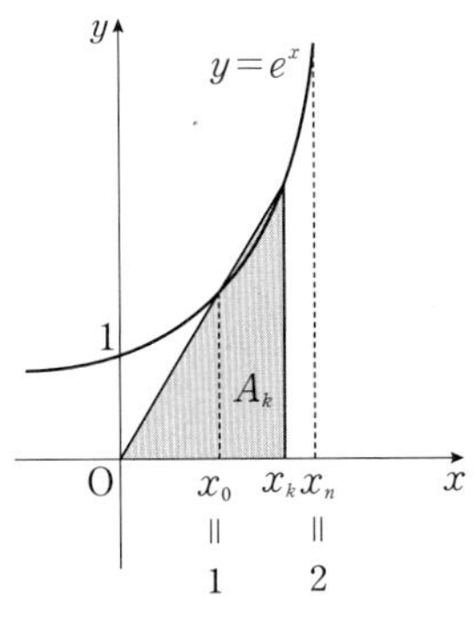

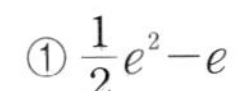

① $\frac{1}{2}e^2-e$ ② $\frac{1}{2}(e^2-e)$ ③ $\frac{1}{2}e^2$

④ e^2-e ⑤ $e^2-\frac{1}{2}e$

정답 0934 : $\frac{2}{\pi}$ 0935 : ① 0936 : ③

오른쪽 그림과 같이 자연수 n과 $1 \le k \le n$인 자연수 k에 대하여 곡선 $y=e^x$ 위의 점 $\mathrm{P}_k\left(\frac{k}{n}, e^{\frac{k}{n}}\right)$에서의 접선이 y축과 만나는 점을 Q_k라 할 때, $\lim_{n\to\infty}\frac{1}{n}\sum_{k=1}^{n}\overline{\mathrm{OQ}_k}$의 값을 구하여라. (단, O는 원점이다.)

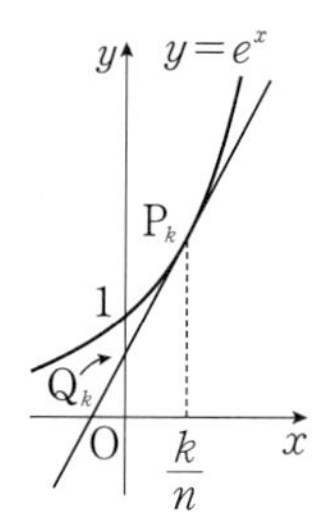

개념익힘 | **풀이** $f(x)=e^x$이라 하면 $f'(x)=e^x$이므로 점 $\mathrm{P}_k\left(\frac{k}{n}, e^{\frac{k}{n}}\right)$에서의 접선의 기울기는 $e^{\frac{k}{n}}$

점 $\mathrm{P}_k\left(\frac{k}{n}, e^{\frac{k}{n}}\right)$에서 접선의 방정식은 $y-e^{\frac{k}{n}}=e^{\frac{k}{n}}\left(x-\frac{k}{n}\right)$, 즉 $y=e^{\frac{k}{n}}x+e^{\frac{k}{n}}-\frac{k}{n}e^{\frac{k}{n}}$

이 접선이 y축과 만나는 점의 좌표는 $\mathrm{Q}_k\left(0, \left(1-\frac{k}{n}\right)e^{\frac{k}{n}}\right)$이므로 $\overline{\mathrm{OQ}_k}=\left(1-\frac{k}{n}\right)e^{\frac{k}{n}}$

$\therefore \lim_{n\to\infty}\frac{1}{n}\sum_{k=1}^{n}\overline{\mathrm{OQ}_k}=\lim_{n\to\infty}\frac{1}{n}\sum_{k=1}^{n}\left(1-\frac{k}{n}\right)e^{\frac{k}{n}}$

이때 $x_k=\frac{k}{n}$로 놓으면 $\Delta x=\frac{1}{n}$이고 함수는 $y=(1-x)e^x$이므로 정적분의 정의에 의하여

$$\lim_{n\to\infty}\frac{1}{n}\sum_{k=1}^{n}\left(1-\frac{k}{n}\right)e^{\frac{k}{n}}=\int_0^1(1-x)e^x dx=\Big[(1-x)e^x\Big]_0^1-\int_0^1(-e^x)dx$$

$$=(-1)+\Big[e^x\Big]_0^1=(-1)+(e-1)=\boldsymbol{e-2}$$

확인유제 **0937** 자연수 n과 $1 \le k \le n$인 자연수 k에 대하여 곡선 $y=e^x$ 위의 점 $\mathrm{A}_k\left(\frac{k}{n}, e^{\frac{k}{n}}\right)$에서의 접선을 l_k라 하자. 점 A_k를 지나고 직선 l_k에 수직인 직선이 x축과 만나는 점을 P_k라 할 때, $\lim_{n\to\infty}\frac{1}{n}\sum_{k=1}^{n}\overline{\mathrm{OP}_k}$의 값을 구하여라. (단, O는 원점이고, e는 자연로그의 밑이다.)

변형문제 **0938** 오른쪽 그림과 같이 자연수 n에 대하여 사분원

$$x^2+y^2=4(x \ge 0,\ y \ge 0)$$

의 호 AB를 n등분하여 양 끝점과 각 분점을 차례로 $\mathrm{A}(=\mathrm{P}_0)$, P_1, P_2, $\cdots$, P_{n-1}, $\mathrm{B}(=\mathrm{P}_n)$라 하자. 원 위의 점 $\mathrm{P}_k(1 \le k \le n-1)$에서의 접선과 x축, y축으로 둘러싸인 부분의 넓이를 S_k라 할 때, 극한값 $\lim_{n\to\infty}\frac{1}{n}\sum_{k=1}^{n-1}\frac{1}{S_k}$을 구하여라.

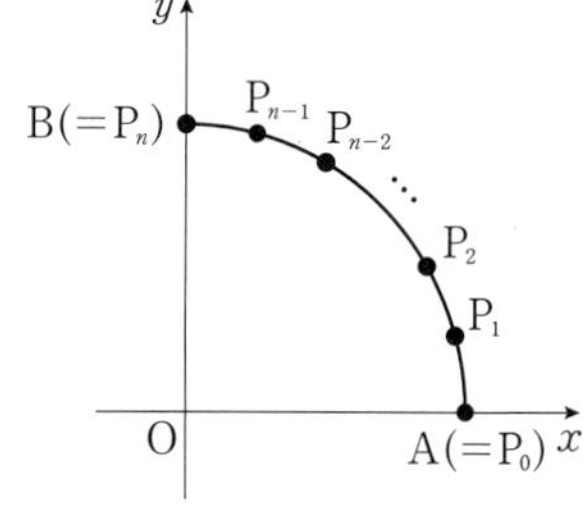

발전문제 **0939** 오른쪽 그림과 같이 2 이상의 자연수 n에 대하여 곡선 $y=\sin x$ 위의 점 $\mathrm{P}_k\left(\frac{k\pi}{n}, \sin\frac{k\pi}{n}\right)(k=1, 2, 3, \cdots, n)$에서의 접선이 y축과 만나는 점을 Q_k라 하고, 점 $\mathrm{P}_k(k=1, 2, 3, \cdots, n-1)$에서 x축에 내린 수선의 발을 R_k라 하자. 두 삼각형 $\mathrm{OP}_k\mathrm{Q}_k$, $\mathrm{OP}_k\mathrm{R}_k$의 넓이를 각각 S_k, T_k라 할 때, $\lim_{n\to\infty}\frac{1}{n}\sum_{k=1}^{n}(S_k-T_k)$의 값은? (단, O는 원점이고, $T_n=0$이다.)

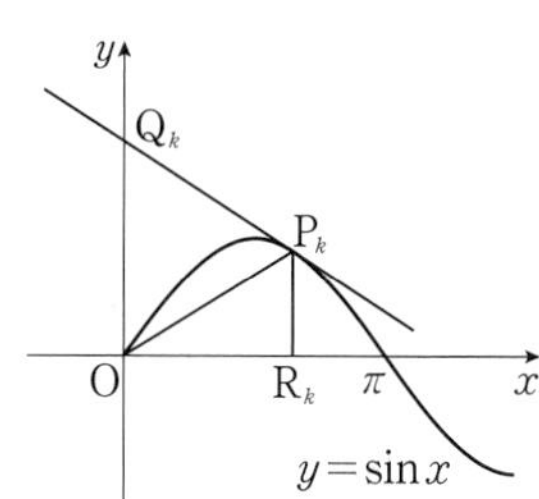

① $\frac{1}{4}$　② $\frac{1}{2}$　③ $\frac{3}{4}$　④ 1　⑤ $\frac{5}{4}$

정답　0937 : $\frac{e^2}{2}$　0938 : $\frac{1}{2\pi}$　0939 : ④

2005학년도 수능기출

오른쪽 그림은 연속함수 $y=f(x)$의 그래프이다.
닫힌구간 $[0, 1]$에서 함수 $f(x)$의 역함수 $g(x)$가 존재하고 연속일 때,
극한값 $\lim_{n\to\infty}\sum_{k=1}^{n}\left\{g\left(\frac{k}{n}\right)-g\left(\frac{k-1}{n}\right)\right\}\frac{k}{n}$와 같은 값을 갖는 것은?

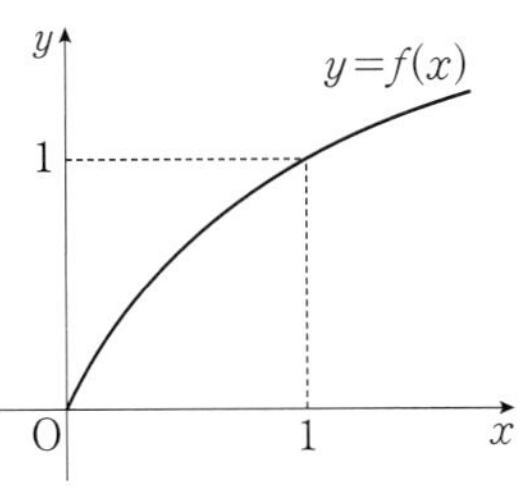

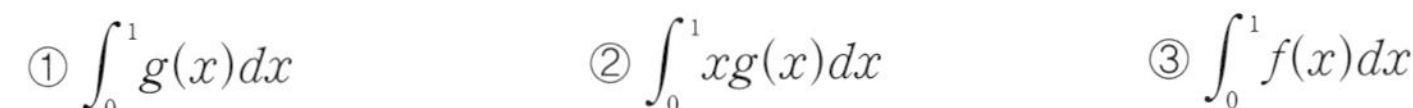

① $\int_0^1 g(x)dx$ ② $\int_0^1 xg(x)dx$ ③ $\int_0^1 f(x)dx$
④ $\int_0^1 xf(x)dx$ ⑤ $\int_0^1 \{f(x)-g(x)\}dx$

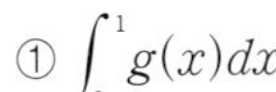

[1단계] 정적분과 급수의 변형을 한다. $\lim_{n\to\infty}\sum_{k=1}^{n}f\left(a+\frac{(b-a)k}{n}\right)\cdot\frac{b-a}{n}=\int_a^b f(x)dx$

[2단계] $y=x$에 대칭을 활용한다.

개념익힘 | **풀이**

$\sum_{k=1}^{n}\left\{g\left(\frac{k}{n}\right)-g\left(\frac{k-1}{n}\right)\right\}\frac{k}{n}$

$=\frac{1}{n}\left\{g\left(\frac{1}{n}\right)-g\left(\frac{0}{n}\right)\right\}+\frac{2}{n}\left\{g\left(\frac{2}{n}\right)-g\left(\frac{1}{n}\right)\right\}+\cdots+\frac{n}{n}\left\{g\left(\frac{n}{n}\right)-g\left(\frac{n-1}{n}\right)\right\}$

$=-\frac{1}{n}\left\{g\left(\frac{1}{n}\right)+g\left(\frac{2}{n}\right)+\cdots+g\left(\frac{n-1}{n}\right)\right\}+g(1)$ ⬅ $g(0)=0,\ g(1)=1$

$=1-\frac{1}{n}\sum_{k=0}^{n-1}g\left(\frac{k}{n}\right)$

따라서 정적분과 급수의 합 사이의 관계에 의하여

$\lim_{n\to\infty}\sum_{k=1}^{n}\left\{g\left(\frac{k}{n}\right)-g\left(\frac{k-1}{n}\right)\right\}\frac{k}{n}$

$=\lim_{n\to\infty}\left\{1-\frac{1}{n}\sum_{k=1}^{n}g\left(\frac{k}{n}\right)\right\}$

$=1-\int_0^1 g(x)dx$

$=\int_0^1 \boldsymbol{f(x)dx}$

참고 그래프를 이용하여 $1-\int_0^1 g(x)dx=\int_0^1 f(x)dx$임을 보이기

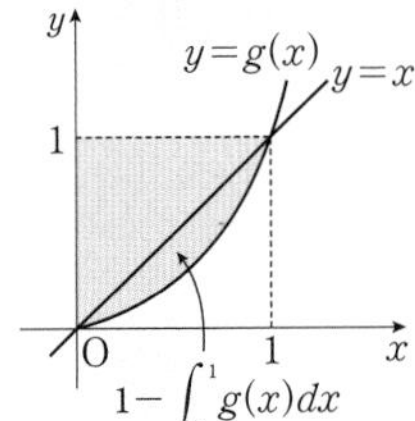

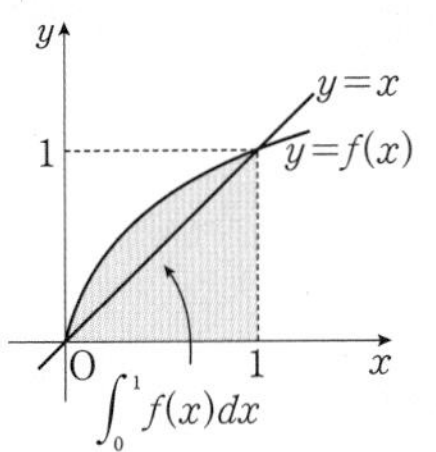

다른풀이 역함수의 대응관계와 구분구적법에 의한 정적분의 정의를 이용하여 풀이하기

함수 $f(x)$의 역함수가 $g(x)$이므로 오른쪽 그림에서

$f(x_k)=\frac{k}{n}$에서 $g\left(\frac{k}{n}\right)=x_k$

$f(x_{k-1})=\frac{k-1}{n}$에서 $g\left(\frac{k-1}{n}\right)=x_{k-1}$

따라서 $x_k-x_{k-1}=\Delta x$로 놓으면

$\lim_{n\to\infty}\sum_{k=1}^{n}\left\{g\left(\frac{k}{n}\right)-g\left(\frac{k-1}{n}\right)\right\}\frac{k}{n}$

$=\lim_{n\to\infty}\sum_{k=1}^{n}(x_k-x_{k-1})f(x_k)$

$=\lim_{n\to\infty}\sum_{k=1}^{n}f(x_k)\Delta x=\int_0^1 f(x)dx$

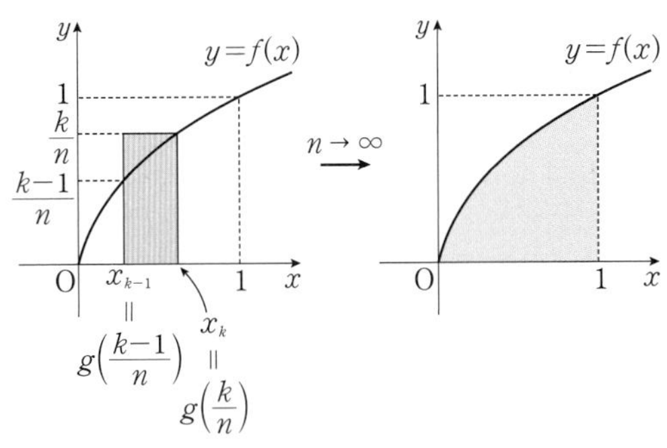

확인유제 **0940** $f(x)=\sqrt{x}$에 대하여 $\lim_{n\to\infty}\sum_{k=1}^{n}\frac{k}{n}\left\{f\left(\frac{k}{n}\right)-f\left(\frac{k-1}{n}\right)\right\}$의 값은?

2015학년도 경찰대기출

① $\frac{1}{5}$ ② $\frac{1}{4}$ ③ $\frac{1}{3}$ ④ $\frac{1}{2}$ ⑤ 1

정답 0940 : ③

변형문제 0941 다음 물음에 답하여라.

(1) 실수 전체의 집합에서 미분가능한 함수 $f(x)$가 다음 조건을 만족시킨다.

(가) 모든 실수 x에 대하여 $f'(x)>0$, $f''(x)>0$이다.

(나) $f(1)=1$, $f(5)=5$

(다) $\lim_{n\to\infty}\sum_{k=1}^{n} f^{-1}\left(1+\frac{4k}{n}\right)\cdot\frac{3}{n}=12$

$\int_1^5 \{x-f(x)\}dx$의 값을 구하여라. (단, $f^{-1}(x)$는 $f(x)$의 역함수이다.)

(2) 미분가능한 함수 $f(x)$가 다음 조건을 만족시킨다.

(가) 모든 실수 x에 대하여 $f'(x)>0$, $f''(x)>0$이다.

(나) $f(0)=0$, $f(5)=5$

$\lim_{n\to\infty}\sum_{k=1}^{n}\left\{f\left(\frac{5k}{n}\right)+f^{-1}\left(\frac{5k}{n}\right)\right\}\frac{5}{n}$의 값을 구하여라. (단, $f^{-1}(x)$는 $f(x)$의 역함수이다.)

2009학년도 수능기기출

(3) 닫힌구간 $[0, 1]$에서 정의된 연속함수 $f(x)$가 $f(0)=0$, $f(1)=1$이며, 열린구간 $(0, 1)$에서 이계도함수를 갖고 $f'(x)>0$, $f''(x)>0$일 때, $\int_0^1 \{f^{-1}(x)-f(x)\}dx$의 값과 같은 것은?

① $\lim_{n\to\infty}\sum_{k=1}^{n}\left\{\frac{k}{n}-f\left(\frac{k}{n}\right)\right\}\frac{1}{2n}$ ② $\lim_{n\to\infty}\sum_{k=1}^{n}\left\{\frac{k}{n}-f\left(\frac{k}{n}\right)\right\}\frac{2}{n}$ ③ $\lim_{n\to\infty}\sum_{k=1}^{n}\left\{\frac{k}{n}-f\left(\frac{k}{n}\right)\right\}\frac{1}{n}$

④ $\lim_{n\to\infty}\sum_{k=1}^{n}\left\{\frac{k}{2n}-f\left(\frac{k}{n}\right)\right\}\frac{1}{n}$ ⑤ $\lim_{n\to\infty}\sum_{k=1}^{n}\left\{\frac{2k}{n}-f\left(\frac{k}{n}\right)\right\}\frac{1}{n}$

발전문제 0942 닫힌구간 $[0, 10]$에서 연속이고 열린구간 $(0, 10)$에서 이계도함수를 갖는 함수 $f(x)$가 다음 조건을 만족한다.

$$f(x)>0,\ f'(x)>0,\ f''(x)>0$$

이때 $\mathrm{A}=\sum_{k=1}^{10} f(k)$, $\mathrm{B}=\frac{1}{2}\sum_{k=1}^{20} f\left(\frac{k}{2}\right)$, $\mathrm{C}=\int_0^{10} f(x)dx$라 할 때, A, B, C의 대소 관계로 옳은 것은?

① $\mathrm{A}<\mathrm{B}<\mathrm{C}$ ② $\mathrm{B}<\mathrm{A}<\mathrm{C}$ ③ $\mathrm{B}<\mathrm{C}<\mathrm{A}$ ④ $\mathrm{C}<\mathrm{A}<\mathrm{B}$ ⑤ $\mathrm{C}<\mathrm{B}<\mathrm{A}$

정답 0941 : (1) 4 (2) 25 (3) ② 0942 : ⑤

16 정적분을 이용한 부등식의 증명

01 정적분과 부등식에 대한 성질

다음과 같은 정적분과 부등식에 대한 성질을 이용하여 부등식이 성립함을 증명할 수 있다.

두 함수 $f(x)$, $g(x)$가 구간 $[a, b]$에서 연속일 때,

(1) $a<b$이고 $f(x)\geq 0$일 때, $\int_a^b f(x)dx \geq 0$ ⬅ 곡선 $y=f(x)$와 x축 및 두 직선 $x=a$, $x=b$로 둘러싸인 넓이

(2) $a<b$이고 $f(x)\geq g(x)$일 때, $\int_a^b f(x)dx \geq \int_a^b g(x)dx$

마플해설 (1) 정적분의 정의에 의하여

$$\int_a^b f(x)dx=\lim_{n\to\infty}\sum_{k=1}^{n} f(x_k)\Delta x\left(\Delta x=\frac{b-a}{n},\ x_k=a+k\Delta x\right)$$

이고 구간 $[a, b]$에서 $f(x)\geq 0$, $\Delta x>0$이므로 $\int_a^b f(x)dx=\lim_{n\to\infty}\sum_{k=1}^{n} f(x_k)\Delta x \geq 0$

$\int_a^b f(x)dx$는 구간 $[a, b]$에서 곡선 $y=f(x)$와 x축 사이의 넓이이다. $\left(\text{단, } \int_a^b f(x)dx>0\text{일 때}\right)$

(2) $f(x)\geq g(x)$에서 $f(x)-g(x)\geq 0$이므로 (1)에 의하여 $\int_a^b \{f(x)-g(x)\}dx \geq 0$이므로 $\int_a^b f(x)dx \geq \int_a^b g(x)dx$이다.

보기 01 자연수 n에 대하여 부등식

$$\ln(n+1)<1+\frac{1}{2}+\frac{1}{3}+\cdots+\frac{1}{n}$$

이 성립함을 증명하여라.

풀이 $f(x)=\frac{1}{x}$로 놓으면 함수 $f(x)$는 $x>0$일 때, 감소한다.

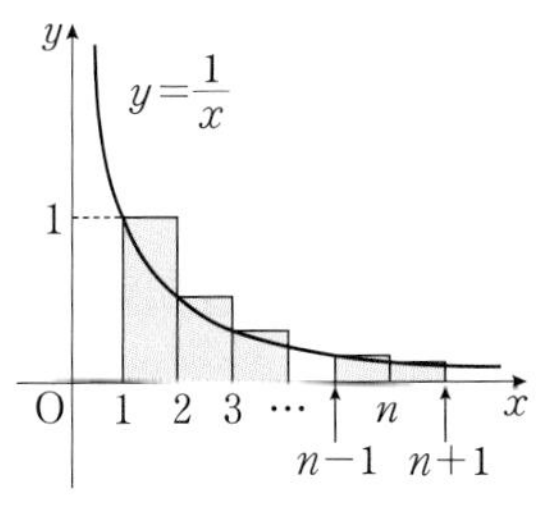

즉 곡선 $y=\frac{1}{x}$과 x축 및 두 직선 $x=1$, $x=n+1$로 둘러싸인 넓이는 오른쪽 그림의 직사각형의 넓이의 합보다 작다.

$$\int_1^{n+1}\frac{1}{x}dx<1+\frac{1}{2}+\frac{1}{3}+\cdots+\frac{1}{n}$$

이때 $\int_1^{n+1}\frac{1}{x}dx=\Big[\ln x\Big]_1^{n+1}=\ln(n+1)$이므로

$$\ln(n+1)<1+\frac{1}{2}+\frac{1}{3}+\cdots+\frac{1}{n}$$

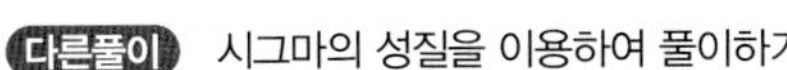

다른풀이 시그마의 성질을 이용하여 풀이하기

오른쪽 그림에서 자연수 k에 대하여 $k<x<k+1$일 때, 색칠한 부분의 넓이는 직사각형의 넓이보다 작으므로

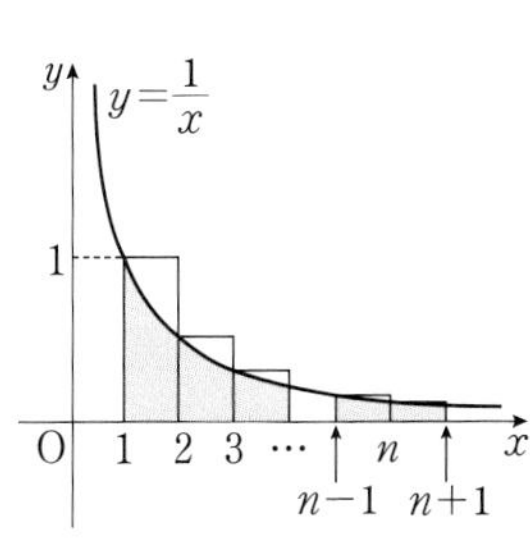

$\int_k^{k+1}\frac{1}{x}dx<1\times\frac{1}{k}=\frac{1}{k}$이다.

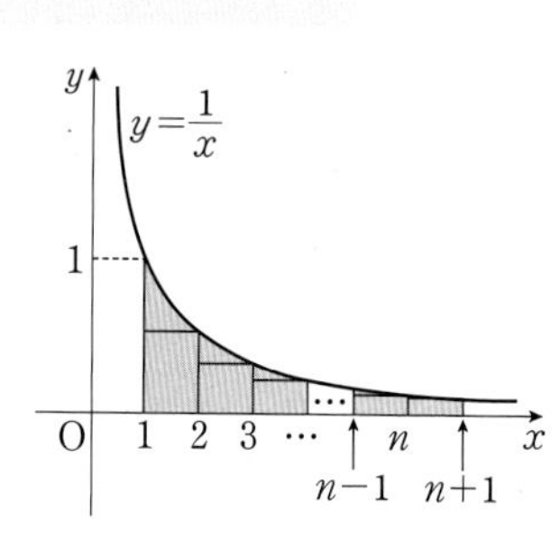

$$\therefore \sum_{k=1}^{n}\int_k^{k+1}\frac{1}{x}dx<\sum_{k=1}^{n}\frac{1}{k} \quad \cdots\cdots ㉠$$

$$\sum_{k=1}^{n}\int_k^{k+1}\frac{1}{x}dx=\int_1^2\frac{1}{x}dx+\int_2^3\frac{1}{x}dx+\int_3^4\frac{1}{x}dx+\cdots+\int_n^{n+1}\frac{1}{x}dx$$

$$=\int_1^{n+1}\frac{1}{x}dx=\Big[\ln|x|\Big]_1^{n+1}=\ln(n+1) \quad \cdots\cdots ㉡$$

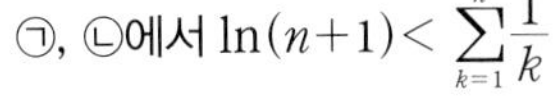

㉠, ㉡에서 $\ln(n+1)<\sum_{k=1}^{n}\frac{1}{k}$

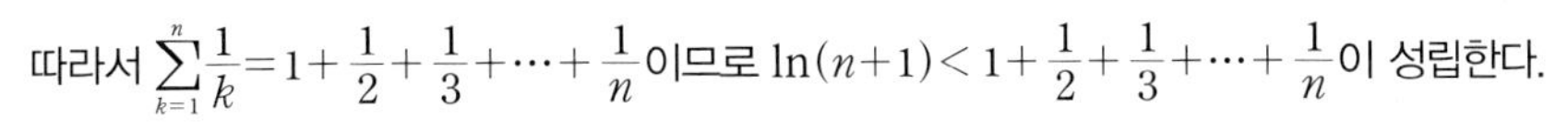

따라서 $\sum_{k=1}^{n}\frac{1}{k}=1+\frac{1}{2}+\frac{1}{3}+\cdots+\frac{1}{n}$이므로 $\ln(n+1)<1+\frac{1}{2}+\frac{1}{3}+\cdots+\frac{1}{n}$이 성립한다.

보기 02 자연수 n에 대하여 부등식

$$\frac{1}{2}+\frac{1}{3}+\frac{1}{4}+\cdots+\frac{1}{n+1}<\ln(n+1)$$

이 성립함을 증명하여라.

풀이 $f(x)=\dfrac{1}{x}$로 놓으면 함수 $f(x)$는 $x>0$일 때, 감소한다.

즉, 곡선 $y=\dfrac{1}{x}$과 x축 및 두 직선 $x=1$, $x=n+1$로 둘러싸인 넓이는

오른쪽 그림의 직사각형의 넓이의 합보다 크다.

$\therefore \dfrac{1}{2}+\dfrac{1}{3}+\dfrac{1}{4}+\cdots+\dfrac{1}{n+1}<\displaystyle\int_1^{n+1}\frac{1}{x}dx$

이때 $\displaystyle\int_1^{n+1}\frac{1}{x}dx=\Big[\ln x\Big]_1^{n+1}=\ln(n+1)$이므로

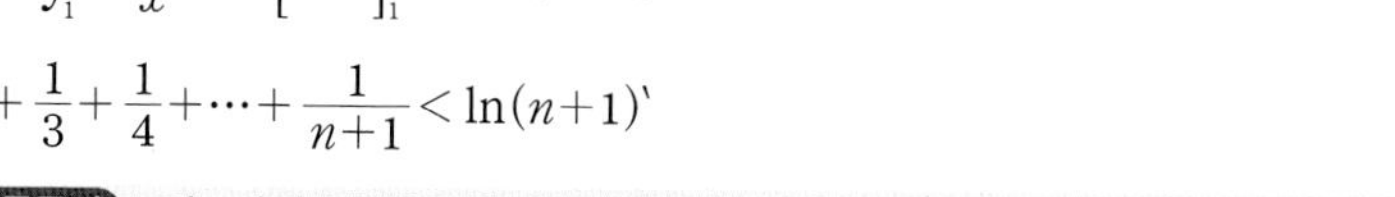

$\dfrac{1}{2}+\dfrac{1}{3}+\dfrac{1}{4}+\cdots+\dfrac{1}{n+1}<\ln(n+1)$

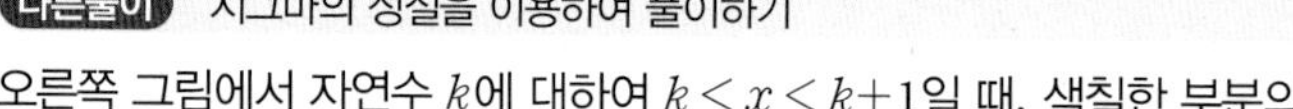

다른풀이 시그마의 성질을 이용하여 풀이하기

오른쪽 그림에서 자연수 k에 대하여 $k<x<k+1$일 때, 색칠한 부분의 넓이는

직사각형의 넓이보다 크므로 $\displaystyle\int_k^{k+1}\frac{1}{x}dx>1\times\frac{1}{k+1}=\frac{1}{k+1}$이다.

$\therefore \displaystyle\sum_{k=1}^{n}\int_k^{k+1}\frac{1}{x}dx>\sum_{k=1}^{n}\frac{1}{k+1}$ ⋯⋯ ㉠

$\displaystyle\sum_{k=1}^{n}\int_k^{k+1}\frac{1}{x}dx=\int_1^2\frac{1}{x}dx+\int_2^3\frac{1}{x}dx+\int_3^4\frac{1}{x}dx+\cdots+\int_n^{n+1}\frac{1}{x}dx$

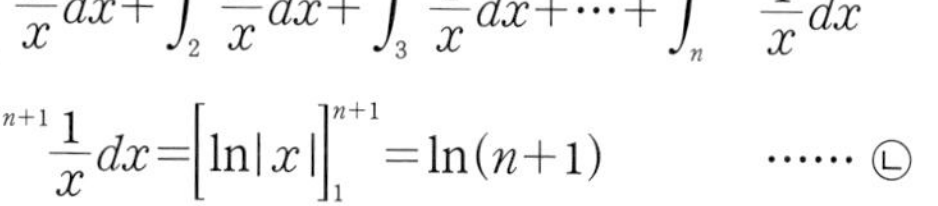

$\displaystyle=\int_1^{n+1}\frac{1}{x}dx=\Big[\ln|x|\Big]_1^{n+1}=\ln(n+1)$ ⋯⋯ ㉡

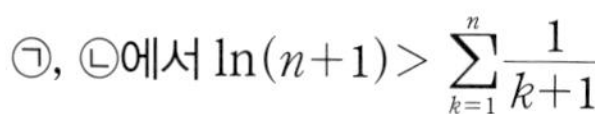

㉠, ㉡에서 $\ln(n+1)>\displaystyle\sum_{k=1}^{n}\frac{1}{k+1}$

따라서 $\displaystyle\sum_{k=1}^{n}\frac{1}{k+1}=\frac{1}{2}+\frac{1}{3}+\frac{1}{4}+\cdots+\frac{1}{n+1}$이므로 $\ln(n+1)>\dfrac{1}{2}+\dfrac{1}{3}+\dfrac{1}{4}+\cdots\dfrac{1}{n+1}$이 성립한다.

보기 03 다음 조건을 이용하여 $\displaystyle\sum_{n=1}^{\infty}\frac{1}{n^2}\le 2$가 성립함을 증명하여라.

> 오른쪽 그림과 같이 곡선 $y=\dfrac{1}{x^2}$에 대하여 닫힌구간 $[0, n]$을 n등분하여
>
> 만든 직사각형의 넓이의 합을 S_n이라 하면 $S_n=1+\dfrac{1}{2^2}+\dfrac{1}{3^2}+\cdots+\dfrac{1}{n^2}$이다.
>
> $T_n=1+\displaystyle\int_1^n\frac{1}{x^2}dx$라고 하자.

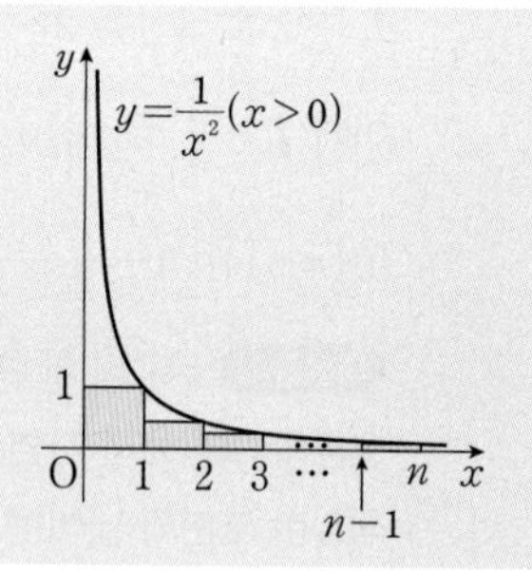

[1단계] S_n과 T_n의 대소 관계를 구하여라.

[2단계] 1단계를 이용하여 $\displaystyle\sum_{n=1}^{\infty}\frac{1}{n^2}\le 2$가 성립함을 증명한다.

풀이 [1단계] $1+\dfrac{1}{2^2}+\dfrac{1}{3^2}+\cdots+\dfrac{1}{n^2}<1+\displaystyle\int_1^n\frac{1}{x^2}dx$이므로 $S_n<T_n$

[2단계] $T_n=1+\displaystyle\int_1^n\frac{1}{x^2}dx=1+\Big[-\frac{1}{x}\Big]_1^n=2-\frac{1}{n}$이므로 $\displaystyle\lim_{n\to\infty}T_n=2$

$S_n<T_n$에서 $\displaystyle\lim_{n\to\infty}S_n\le\lim_{n\to\infty}T_n$이므로 $\displaystyle\lim_{n\to\infty}S_n\le 2$

따라서 $\displaystyle\sum_{n=1}^{\infty}\frac{1}{n^2}\le 2$가 성립함을 알 수 있다.

참고

① 급수 $\displaystyle\sum_{n=1}^{\infty}\frac{1}{n^2}$은 수렴한다.

오일러는 1735년에 $\displaystyle\sum_{n=1}^{\infty}\frac{1}{n^2}=\frac{\pi^2}{6}$임을 알아냈다.

② $\displaystyle\sum_{n=1}^{\infty}\frac{1}{n}=\infty$

02 넓이

01 곡선과 x축 사이의 넓이

함수 $y=f(x)$가 닫힌구간 $[a, b]$에서 연속일 때, 곡선 $y=f(x)$와 x축 및 두 직선 $x=a$와 $x=b$로 둘러싸인 도형의 넓이 S는 다음과 같다.

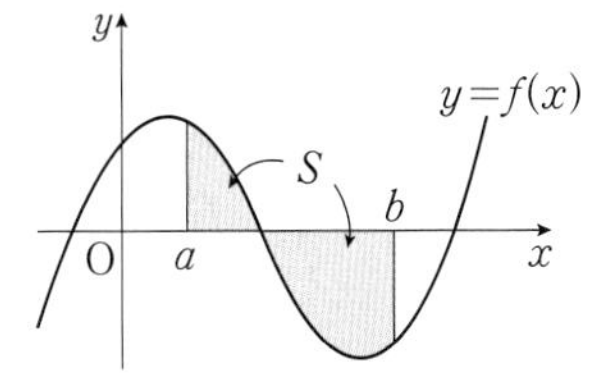

$$S=\int_a^b |f(x)|dx$$

곡선과 x축 사이의 넓이를 구하는 방법

닫힌구간 $[a, b]$에서 $f(x)$의 값이 양수와 음수인 경우가 모두 있을 때, 곡선 $y=f(x)$와 x축 사이의 넓이는 다음과 같은 순서로 구한다.

[1단계] 닫힌구간 $[a, b]$에서 곡선 $y=f(x)$와 x축의 교점의 x좌표를 구한다.

[2단계] $f(x)$의 값이 양수인 구간과 음수인 구간으로 나눠 넓이를 정적분으로 나타낸 후 그 값을 구한다.

마플해설 $y=f(x)$가 오른쪽 그림과 같을 때, 닫힌구간 $[a, c]$에서 $f(x)\ge 0$이고, 닫힌구간 $[c, b]$에서 $f(x)\le 0$이므로 곡선 $y=f(x)$와 x축 및 두 직선 $x=a$, $x=b$로 둘러싸인 도형의 넓이 S는

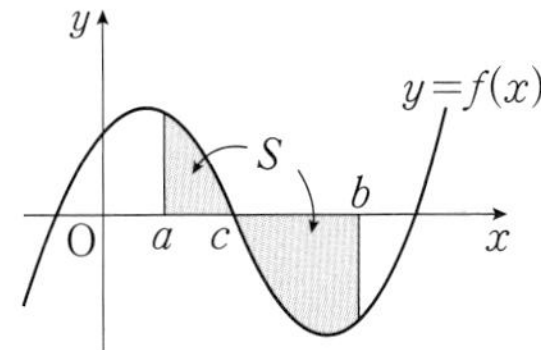

$$S=\int_a^c f(x)dx+\int_c^b \{-f(x)\}dx$$
$$=\int_a^c |f(x)|dx+\int_c^b |f(x)|dx$$
$$=\int_a^b |f(x)|dx$$

보기 01 다음 각 곡선에 대하여 주어진 구간에서 곡선과 x축으로 둘러싸인 부분의 넓이를 구하여라.

(1) $y=\sqrt{x}(0\le x\le 4)$　　(2) $y=\frac{1}{x}(1\le x\le e)$

(3) $y=e^x(-1\le x\le 1)$　　(4) $y=-\ln x(1\le x\le e)$

풀이 (1) $0\le x\le 4$에서 $y=\sqrt{x}\ge 0$이므로

구하는 넓이를 S라 하면

$S=\int_0^4 \sqrt{x}\,dx=\left[\frac{2}{3}x\sqrt{x}\right]_0^4=\frac{16}{3}$

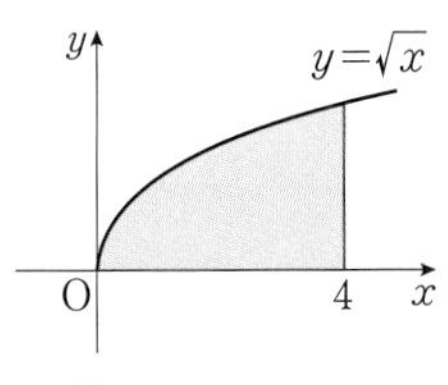

(2) $1\le x\le e$에서 $y=\frac{1}{x}>0$이므로

구하는 넓이를 S라 하면

$S=\int_1^e \frac{1}{x}dx=\left[\ln x\right]_1^e=1$

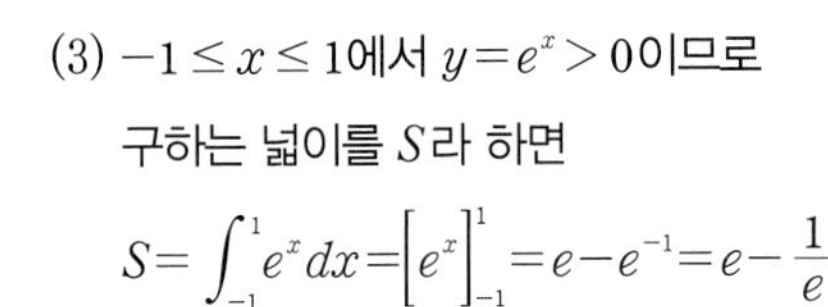

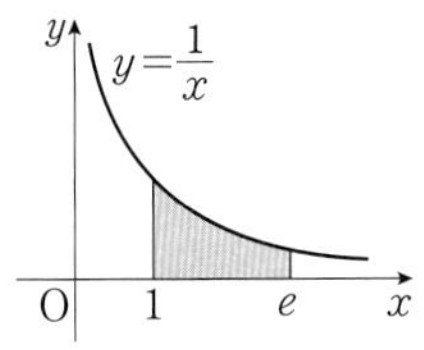

(3) $-1\le x\le 1$에서 $y=e^x>0$이므로

구하는 넓이를 S라 하면

$S=\int_{-1}^1 e^x dx=\left[e^x\right]_{-1}^1=e-e^{-1}=e-\frac{1}{e}$

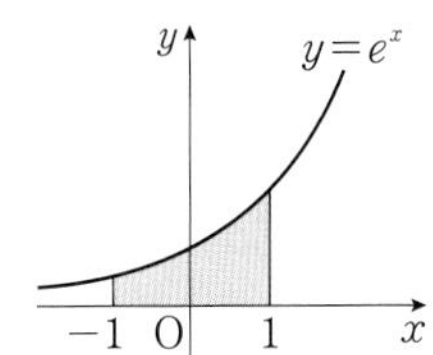

(4) $1\le x\le e$에서 $y=-\ln x\le 0$이므로

구하는 넓이를 S라 하면

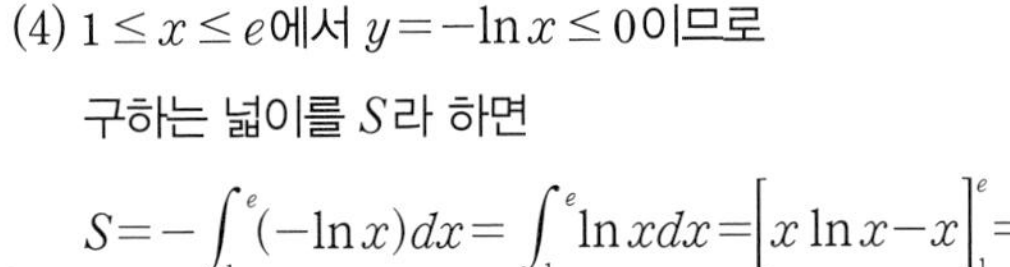

$S=-\int_1^e(-\ln x)dx=\int_1^e \ln x dx=\left[x\ln x-x\right]_1^e=1$

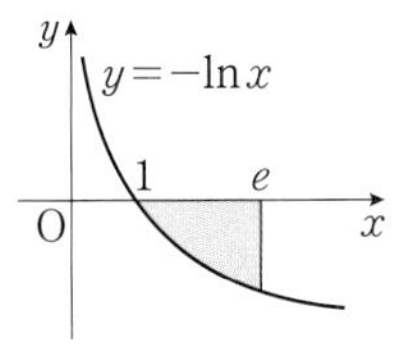

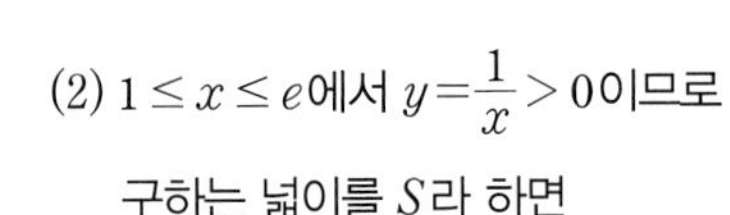

보기 02 다음 각 곡선에 대하여 주어진 구간에서 곡선과 x축으로 둘러싸인 부분의 넓이를 구하여라.

(1) $y=\sin x(0\le x\le 2\pi)$　　(2) $y=\cos x(0\le x\le \pi)$　　(3) $y=\sin^2 x\left(0<x<\frac{\pi}{2}\right)$

풀이 (1) $y=\sin x(0\le x\le 2\pi)$에서

닫힌구간 $[0, \pi]$에서 $y\ge 0$, 닫힌구간 $[\pi, 2\pi]$에서 $y\le 0$이므로

구하는 넓이를 S라 하면

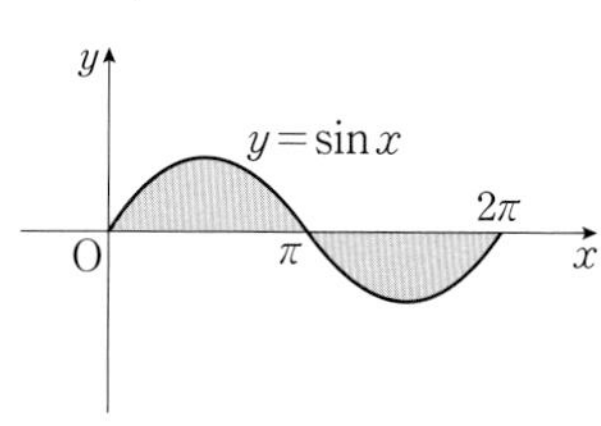

$$S=\int_0^{2\pi}|\sin x|dx=\int_0^{\pi}\sin x dx+\int_{\pi}^{2\pi}-\sin x dx$$

$$=\Big[-\cos x\Big]_0^{\pi}+\Big[\cos x\Big]_{\pi}^{2\pi}=2+2=4$$

(2) 닫힌구간 $\left[0, \frac{\pi}{2}\right]$에서 $y\ge 0$, 닫힌구간 $\left[\frac{\pi}{2}, \pi\right]$에서 $y\le 0$이므로

구하는 넓이를 S라 하면

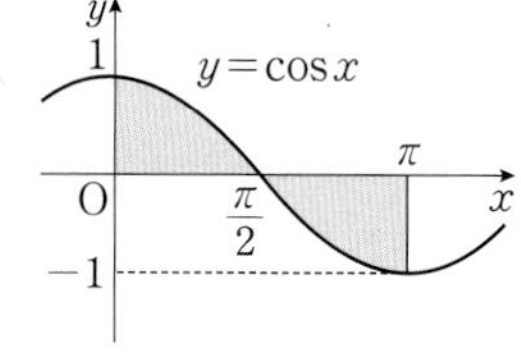

$$S=\int_0^{\pi}|\cos x|dx=\int_0^{\frac{\pi}{2}}\cos x dx+\int_{\frac{\pi}{2}}^{\pi}(-\cos x)dx$$

$$=\Big[\sin x\Big]_0^{\frac{\pi}{2}}+\Big[-\sin x\Big]_{\frac{\pi}{2}}^{\pi}=1+1=2$$

(3) $y=\sin^2 x\left(0<x<\frac{\pi}{2}\right)$에서 $y\ge 0$이므로 구하는 넓이를 S라 하면

$$S=\int_0^{\frac{\pi}{2}}\sin^2 x dx=\int_0^{\frac{\pi}{2}}\frac{1-\cos 2x}{2}dx=\frac{1}{2}\Big[x-\frac{1}{2}\sin 2x\Big]_0^{\frac{\pi}{2}}=\frac{\pi}{4}$$

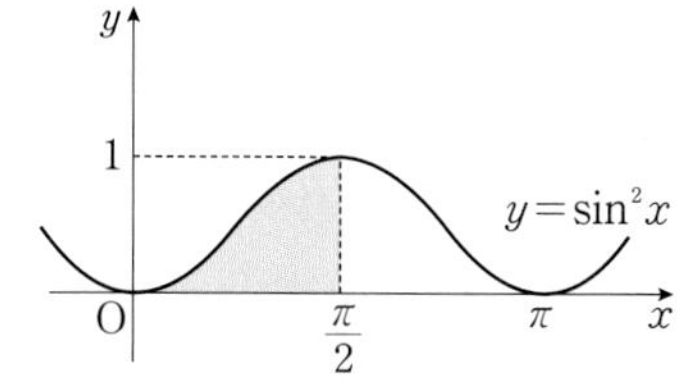

02 곡선과 y축 사이의 넓이

함수 $x=g(y)$가 닫힌구간 $[c, d]$에서 연속일 때, 곡선 $x=g(y)$와 y축 및 두 직선 $y=c$, $y=d$로 둘러싸인 도형의 넓이 S는 곡선과 x축 사이의 도형의 넓이를 구할 때와 같은 방법으로 하면 다음과 같다.

$$\boldsymbol{S=\int_c^d|g(y)|dy}$$

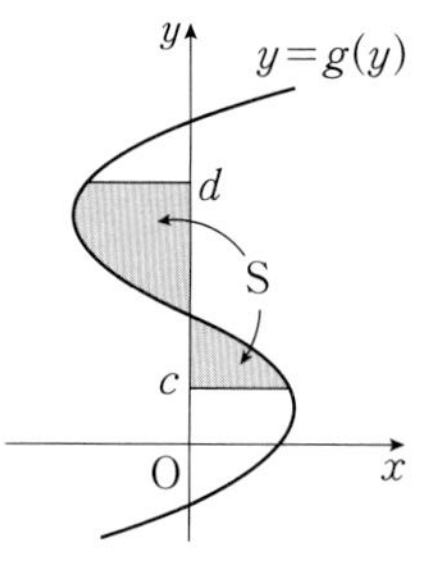

보기 03 다음 곡선과 직선 및 y축으로 둘러싸인 도형의 넓이를 구하여라.

(1) $y=e^x$, $y=2$, y축　　(2) $y=\ln x$, $y=0$, $y=1$, y축

풀이 (1) 곡선 $y=e^x$과 직선 $y=2$와의 교점은 $(\ln 2, 2)$이고 $y=e^x$에서 $x=\ln y$이다.

오른쪽 그림에서 구하는 넓이 S는 곡선 $x=\ln y$와 y축 및 두 직선 $x=0$, $y=2$로 둘러싸인 도형의 넓이이다.

$$S=\int_1^2\ln y dy=\Big[y\ln y-y\Big]_1^2=(2\ln 2-2)-(0-1)=2\ln 2-1$$

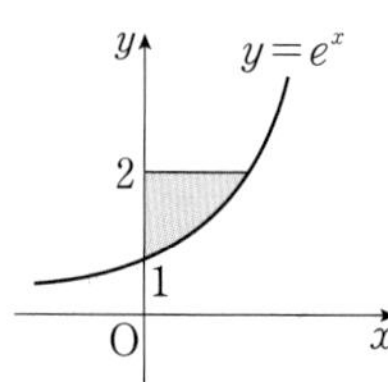

(2) 곡선 $y=\ln x$와 직선 $y=1$과의 교점은 $(e, 1)$이고 $y=\ln x$에서 $x=e^y$이다.

오른쪽 그림에서 구하는 넓이 S는 곡선 $x=e^y$과 y축 및 두 직선 $y=0$, $y=1$로 둘러싸인 도형의 넓이이다.

$$S=\int_0^1 e^y dy=\Big[e^y\Big]_0^1=e^1-e^0=e-1$$

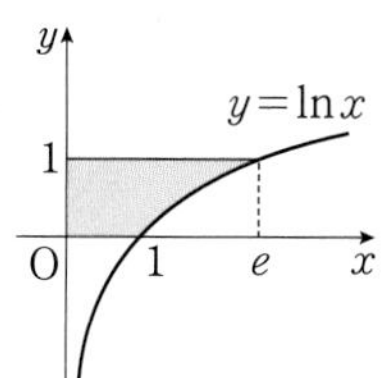

03 두 곡선 사이의 넓이

(1) 두 곡선 $y=f(x)$, $y=g(x)$ 사이의 넓이

두 함수 $y=f(x)$, $y=g(x)$가 구간 $[a,\ b]$에서 연속일 때,

두 곡선 $y=f(x)$, $y=g(x)$와 두 직선 $x=a$, $x=b$로 둘러싸인

부분의 넓이 S는

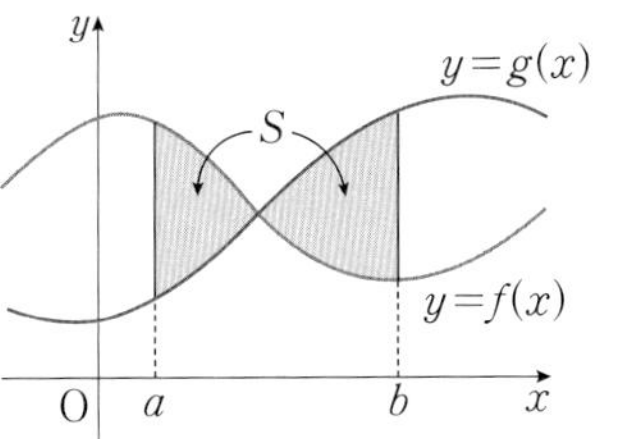

$$S=\int_a^b |f(x)-g(x)|dx$$ ⬅ $S=\int_a^b$ {(위쪽 그래프의 식)−(아래쪽 그래프의 식)}dx

참고 $y=f(x)$와 $y=g(x)$가 x축 위쪽, 아래쪽, x축에 걸쳐있어도 넓이공식은 같다.

(2) 두 곡선 $x=g(y)$, $x=h(y)$ 사이의 넓이

두 함수 $x=g(y)$, $x=h(y)$가 구간 $[c,\ d]$에서 연속일 때,

두 곡선 $x=g(y)$, $x=h(y)$와 두 직선 $y=c$, $y=d$로 둘러싸인

부분의 넓이 S는

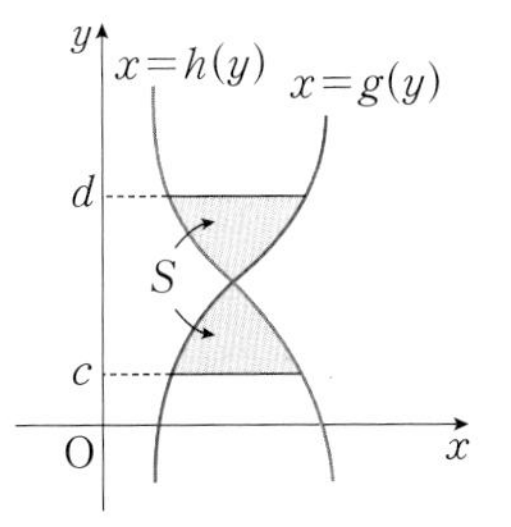

$$S=\int_c^d |g(y)-h(y)|dy$$ ⬅ $S=\int_a^b$ {(오른쪽 그래프의 식)−(왼쪽 그래프의 식)}dy

보기 04 다음 곡선 또는 직선으로 둘러싸인 도형의 넓이를 구하여라.

(1) $y=\sqrt{x}$, $y=\frac{1}{x}$, $x=4$ (2) $y=\sin x$, $y=\tan x$, $x=\frac{\pi}{4}$ (3) $y=\sin \pi x$, $y=2x$

풀이 (1) 두 곡선 $y=\sqrt{x}$, $y=\frac{1}{x}$의 교점의 x좌표는 $\sqrt{x}=\frac{1}{x}$에서 $x=1$

$1\le x\le 4$에서 $\sqrt{x}\ge\frac{1}{x}$이므로 구하는 넓이를 S라 하면

$S=\int_1^4\left\{\sqrt{x}-\frac{1}{x}\right\}dx=\left[\frac{2}{3}x\sqrt{x}-\ln|x|\right]_1^4$

$=\frac{16}{3}-\ln 4-\left(\frac{2}{3}\quad 0\right)=\frac{14}{3}-2\ln 2$

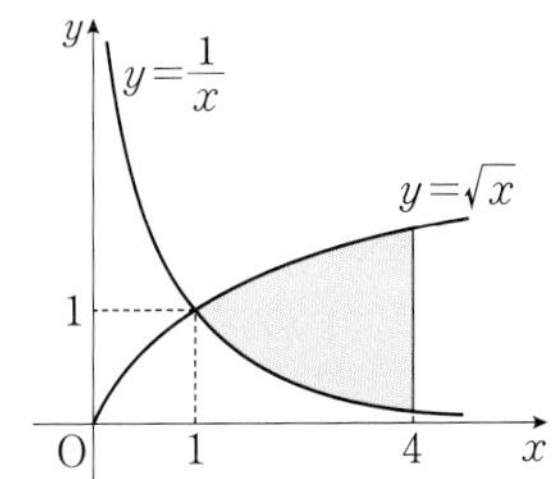

(2) 두 곡선 $y=\sin x$, $y=\tan x$의 교점의 x좌표는 $\sin x=\tan x$에서 $x=0$

$0\le x\le\frac{\pi}{4}$에서 $\sin x\le\tan x$이므로 구하는 넓이 S는

$S=\int_0^{\frac{\pi}{4}}\{\tan x-\sin x\}dx=\Big[-\ln|\cos x|+\cos x\Big]_0^{\frac{\pi}{4}}$

$=\frac{1}{2}\ln 2+\frac{\sqrt{2}}{2}-1$

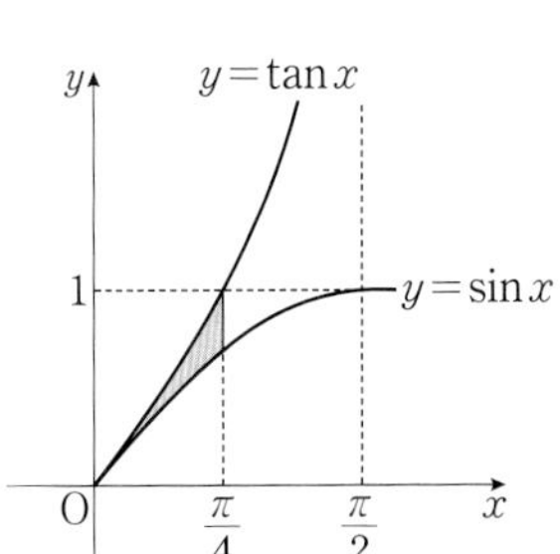

(3) 두 곡선 $y=\sin \pi x$, $y=2x$의 교점의 x좌표는

$\sin \pi x=2x$에서 $x=-\frac{1}{2}$ 또는 $x=0$ 또는 $x=\frac{1}{2}$ ⬅ 그림에서 값 구하기

$0\le x\le\frac{1}{2}$에서 $2x\le\sin \pi x$, $-\frac{1}{2}\le x\le 0$에서 $\sin \pi x\le 2x$

이므로 구하는 넓이를 S라 하면

$S=2\int_0^{\frac{1}{2}}\{\sin \pi x-2x\}dx=2\left[-\frac{1}{\pi}\cos \pi x-x^2\right]_0^{\frac{1}{2}}$

$=2\left(-\frac{1}{4}+\frac{1}{\pi}\right)=-\frac{1}{2}+\frac{2}{\pi}$

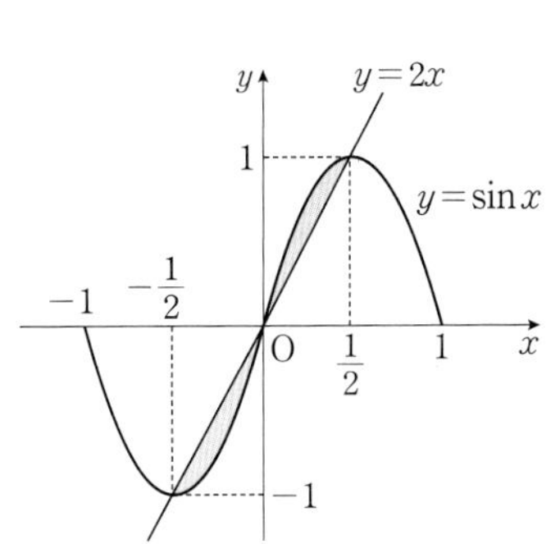

04 두 도형의 넓이가 서로 같은 경우

(1) 곡선과 x축으로 둘러싸인 두 부분의 넓이 S_1, S_2가 같을 조건

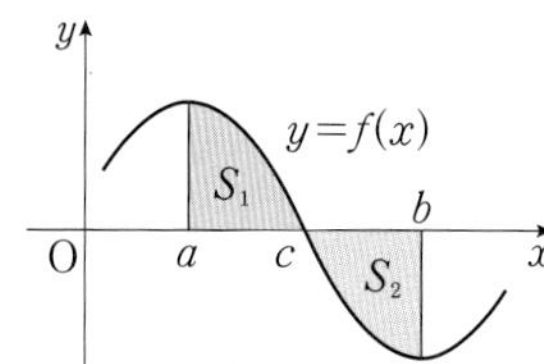

$S_1=S_2$이면 $\int_a^b f(x)dx=0$

(2) 두 곡선 $y=f(x)$, $y=g(x)$로 둘러싸인 두 부분의 넓이 S_1, S_2가 같을 조건

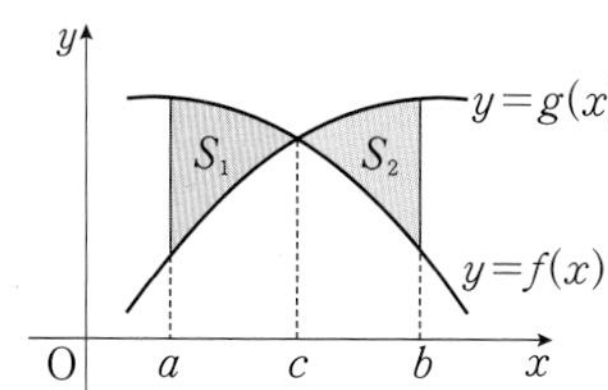

$S_1=S_2$이면 $\int_a^b \{f(x)-g(x)\}dx=0$

마플해설 (1) 닫힌구간 $[a, c]$에서 $f(x)\ge 0$이고, 닫힌구간 $[c, b]$에서 $f(x)\le 0$일 때, 닫힌구간 $[a, c]$와 닫힌구간 $[c, b]$에서 곡선 $y=f(x)$와 x축으로 둘러싸인 부분의 넓이를 각각 S_1, S_2라 하면

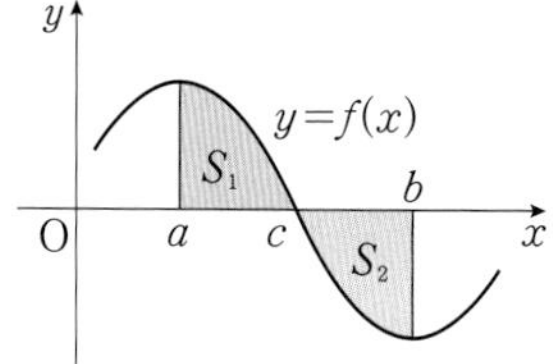

$S_1=\int_a^c f(x)dx$, $S_2=\int_c^b \{-f(x)\}dx=-\int_c^b f(x)dx$

이때 $S_1=S_2$이면 $\int_a^c f(x)dx=-\int_c^b f(x)dx$에서 $\int_a^c f(x)dx+\int_c^b f(x)dx=0$

$\therefore \int_a^b f(x)dx=0$

(2) 닫힌구간 $[a, c]$에서 $f(x)\ge g(x)$이고, 닫힌구간 $[c, b]$에서 $g(x)\ge f(x)$일 때, 닫힌구간 $[a, c]$와 닫힌구간 $[c, b]$에서 두 곡선 $y=f(x)$, $y=g(x)$로 둘러싸인 부분의 넓이를 각각 S_1, S_2라 하면

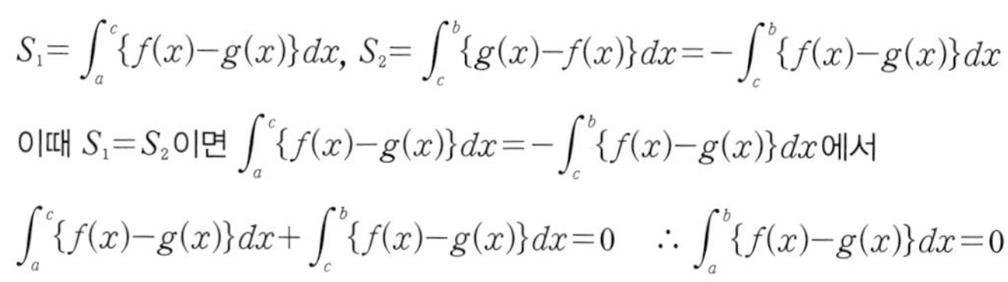

$S_1=\int_a^c \{f(x)-g(x)\}dx$, $S_2=\int_c^b \{g(x)-f(x)\}dx=-\int_c^b \{f(x)-g(x)\}dx$

이때 $S_1=S_2$이면 $\int_a^c \{f(x)-g(x)\}dx=-\int_c^b \{f(x)-g(x)\}dx$에서

$\int_a^c \{f(x)-g(x)\}dx+\int_c^b \{f(x)-g(x)\}dx=0 \quad \therefore \int_a^b \{f(x)-g(x)\}dx=0$

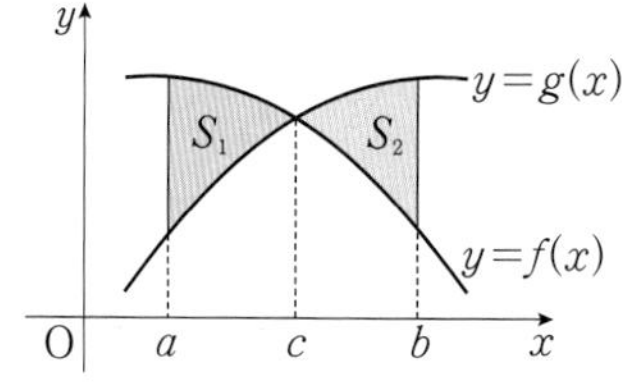

보기 05 다음 색칠된 두 부분의 넓이가 같을 때, 상수 a, k의 값을 구하여라.

(1)

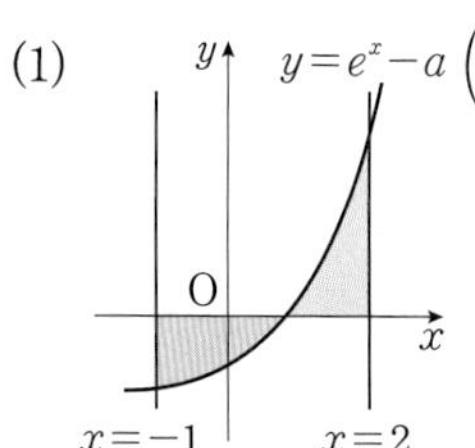

(2)

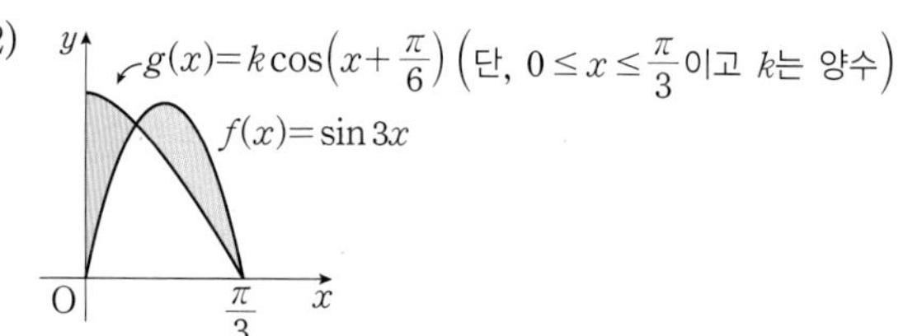

풀이 (1) 곡선 $y=e^x-a$와 x축 및 직선 $x=-1$로 둘러싸인 부분의 넓이와 곡선 $y=e^x-a$와 x축 및 직선 $x=2$로 둘러싸인 부분의 넓이가 서로 같으므로

$\int_{-1}^{2}(e^x-a)dx=\left[e^x-ax\right]_{-1}^{2}=(e^2-2a)-(e^{-1}+a)=e^2-e^{-1}-3a=0$

따라서 $a=\frac{e^3-1}{3e}$

(2) 두 곡선 $y=f(x), y=g(x)$와 y축으로 둘러싸인 부분의 넓이와 두 곡선 $y=f(x), y=g(x)$로 둘러싸인 부분의 넓이가 서로 같으므로

$\int_0^{\frac{\pi}{3}}\left\{\sin 3x-k\cos\left(x+\frac{\pi}{6}\right)\right\}dx=\left[-\frac{1}{3}\cos 3x-k\sin\left(x+\frac{\pi}{6}\right)\right]_0^{\frac{\pi}{3}}=\left(\frac{1}{3}-k\right)-\left(-\frac{1}{3}-\frac{k}{2}\right)=\frac{2}{3}-\frac{k}{2}=0$

따라서 $k=\frac{4}{3}$

마플개념익힘 01 곡선과 x축으로 둘러싸인 도형의 넓이

다음 각 곡선에 대하여 주어진 구간에서 곡선과 x축으로 둘러싸인 부분의 넓이를 구하여라.

(1) $y=\dfrac{2}{x+1}-1(0 \le x \le 2)$ (2) $y=e^{-x}-1(-1 \le x \le 1)$

MAPL CORE 곡선 $y=f(x)$와 x축 사이의 넓이를 구할 때는 그래프의 개형을 그린 후 x축과 그래프로 둘러싸인 부분이

① x축 위에 있을 때, $S=\int_a^b f(x)dx$ ② x축 아래에 있을 때, $S=-\int_a^b f(x)dx$

개념익힘 | **풀이** (1) 곡선 $y=\dfrac{2}{x+1}-1$과 x축 및 두 직선 $x=0$, $x=2$로 둘러싸인 도형은 오른쪽 그림과 같으므로 구하는 넓이를 S라 하면

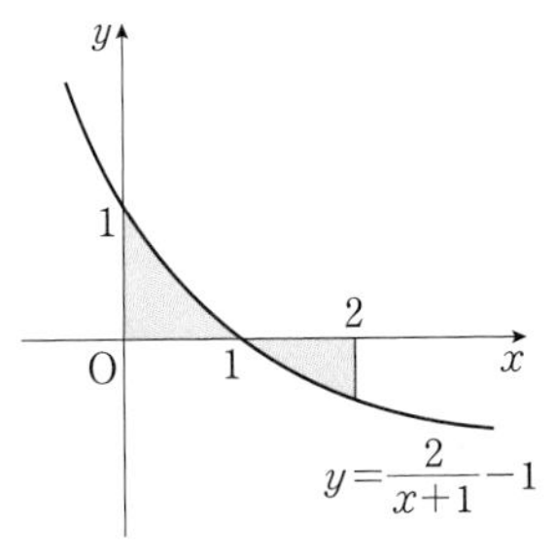

$$S=\int_0^2\left|\frac{2}{x+1}-1\right|dx$$
$$=\int_0^1\left(\frac{2}{x+1}-1\right)dx+\int_1^2\left(-\frac{2}{x+1}+1\right)dx$$
$$=\Big[2\ln(x+1)-x\Big]_0^1+\Big[-2\ln(x+1)+x\Big]_1^2$$
$$=2\ln 2-1+\{-2\ln 3+2-(-2\ln 2+1)\}$$
$$=4\ln 2-2\ln 3=\mathbf{\ln\frac{16}{9}}$$

(2) 곡선 $y=e^{-x}-1$과 x축의 교점의 x좌표는 $e^{-x}-1=0$에서 $x=0$
구간 $[-1, 0]$에서 $y \ge 0$이고 구간 $[0, 1]$에서 $y \le 0$이므로
구하는 넓이를 S라 하면

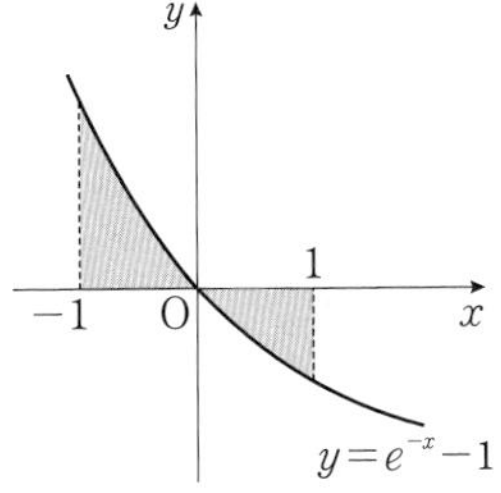

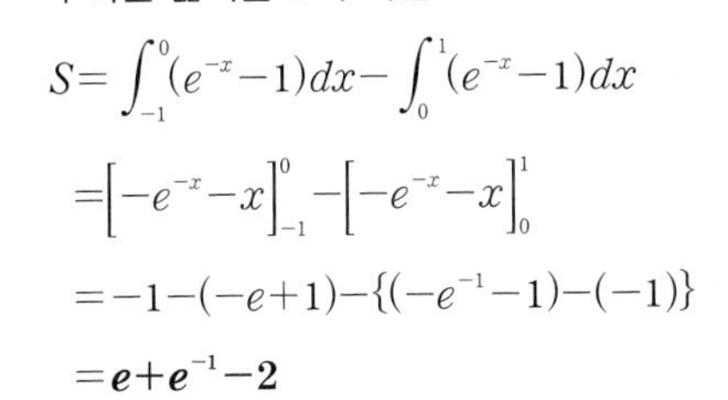

$$S=\int_{-1}^0(e^{-x}-1)dx-\int_0^1(e^{-x}-1)dx$$
$$=\Big[-e^{-x}-x\Big]_{-1}^0-\Big[-e^{-x}-x\Big]_0^1$$
$$=-1-(-e+1)-\{(-e^{-1}-1)-(-1)\}$$
$$=\boldsymbol{e+e^{-1}-2}$$

확인유제 0943 다음 물음에 답하여라.

(1) 곡선 $y=x\sin x$와 x축, $x=0$ 및 $x=2\pi$로 둘러싸인 도형의 넓이를 구하여라.

2017년 03월 교육청

(2) 곡선 $y=\sin^2 x\cos x\left(0 \le x \le \dfrac{\pi}{2}\right)$와 x축으로 둘러싸인 도형의 넓이를 구하여라.

변형문제 0944 곡선 $y=|\sin 2x|+1$과 x축 및 두 직선 $x=\dfrac{\pi}{4}$, $x=\dfrac{5\pi}{4}$로 둘러싸인 부분의 넓이는?

2019학년도 06월 평가원

① $\pi+1$ ② $\pi+\dfrac{3}{2}$ ③ $\pi+2$ ④ $\pi+\dfrac{5}{2}$ ⑤ $\pi+3$

발전문제 0945 함수 $f(x)=\dfrac{\ln x}{x}(x>0)$가 $x=a$에서 극값을 갖고, 변곡점의 x좌표가 b일 때, 곡선 $y=f(x)$와 x축 및 두 직선 $x=a$, $x=b$로 둘러싸인 부분의 넓이를 구하여라.

정답 0943 : (1) 4π (2) $\dfrac{1}{3}$ 0944 : ③ 0945 : $\dfrac{5}{8}$

마플개념익힘 02 곡선과 y 축으로 둘러싸인 도형의 넓이

다음 물음에 답하여라.

(1) 곡선 $y=-\frac{1}{x}$과 y축 및 두 직선 $y=1$, $y=e$로 둘러싸인 도형의 넓이를 구하여라.

(2) 곡선 $y=\ln(x+1)-1$과 y축, $y=1$로 둘러싸인 도형의 넓이를 구하여라.

MAPL CORE 곡선과 y축 사이의 넓이를 구할 때는 곡선의 방정식이 $y=f(x)$꼴이면 먼저 $x=g(y)$꼴로 변형하고 곡선과 y축의 교점을 구하여 그래프를 그린 후 $x\geq 0$인 구간과 $x\leq 0$인 구간으로 나누어 정적분의 값을 구한다.

① y축 오른쪽에 있을 때, $S=\int_c^d g(y)dy$ ② y축 왼쪽에 있을 때, $S=-\int_c^d g(y)dy$

개념익힘 | **풀이**

(1) 곡선 $y=-\frac{1}{x}$과 두 직선 $y=1$, $y=e$ 및 y축으로 둘러싸인 도형은 오른쪽 그림의 어두운 부분과 같다.

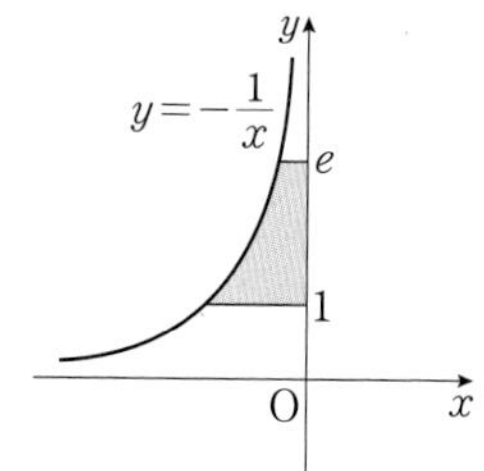

$y=-\frac{1}{x}$에서 $xy=-1$ $\therefore x=-\frac{1}{y}$

따라서 구하는 넓이 S는

$$S=-\int_1^e\left(-\frac{1}{y}\right)dy=\Big[\ln|y|\Big]_1^e=1-0=\mathbf{1}$$

(2) 곡선 $y=\ln(x+1)-1$과 y축 및 $y=1$으로 둘러싸인 도형은 오른쪽 그림의 어두운 부분과 같다.

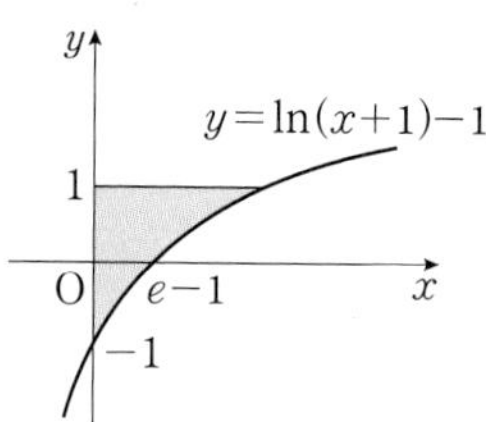

$y=\ln(x+1)-1$에서 $x=e^{y+1}-1$

따라서 구하는 넓이 S는

$$S=\int_{-1}^1(e^{y+1}-1)dy=\Big[e^{y+1}-y\Big]_{-1}^1=(e^2-1)-(1+1)=\mathbf{e^2-3}$$

확인유제 0946 다음 물음에 답하여라.

(1) 곡선 $y=e^x$과 y축 및 두 직선 $y=2$, $y=3$로 둘러싸인 도형의 넓이를 구하여라.

(2) 곡선 $y=\ln(x+1)$과 y축 및 두 직선 $y=-2$, $y=1$로 둘러싸인 도형의 넓이를 구하여라.

변형문제 0947 곡선 $y=x\sqrt{x}$와 y축 및 두 직선 $y=1$, $y=a$로 둘러싸인 도형의 넓이가 $\frac{93}{5}$일 때, 상수 a의 값은? (단, $a>1$)

① 2 ② 3 ③ 6 ④ 8 ⑤ 10

발전문제 0948 함수 $y=xe^x$의 그래프와 직선 $y=e$ 및 y축으로 둘러싸인 부분의 넓이는? (단, e는 자연로그의 밑이다.)

2018년 03월 교육청

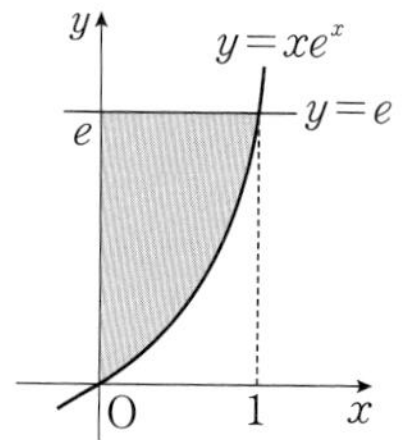

① $e-2$ ② $e-1$ ③ 1

④ $\sqrt{e}$ ⑤ e

정답 0946 : (1) $\ln\frac{27}{4}-1$ (2) $e+\frac{1}{e^2}-1$ 0947 : ④ 0948 : ②

마플개념익힘 03 두 곡선 사이의 넓이

다음 직선 또는 곡선으로 둘러싸인 부분의 넓이를 각각 구하여라. (단, e는 자연로그의 밑이다.)

(1) 두 곡선 $y=e^x$, $y=e^{-x}$ 및 $x=-1$, $x=1$로 둘러싸인 도형

(2) 두 곡선 $y=\sin x$와 $y=\cos x$ 및 두 직선 $x=0$과 $x=\pi$로 둘러싸인 도형

MAPL CORE 적분변수를 x로 하여 두 곡선 사이의 넓이를 구하는 방법은 다음과 같다.

[1단계] 두 곡선의 교점의 x좌표를 구하여 적분구간을 정한다.

[2단계] 두 곡선의 위치 관계를 파악한다.

[3단계] 적분구간에서 (위쪽에 있는 곡선의 식)$-$(아래쪽에 있는 곡선의 식)을 적분한 값을 구한다.

개념익힘 | 풀이

(1) 구간 $[-1, 1]$에서 주어진 두 곡선의 교점의 x좌표는 $e^x=e^{-x}$ $\quad\therefore x=0$

구간 $-1\le x\le 0$에서 $e^x\le e^{-x}$이고 구간 $0\le x\le 1$에서 $e^x\ge e^{-x}$이다.

따라서 구하는 넓이 S는

$$S=\int_{-1}^{1}|e^x-e^{-x}|dx=\int_{-1}^{0}(e^{-x}-e^x)dx+\int_{0}^{1}(e^x-e^{-x})dx$$

$$=\Big[-e^{-x}-e^x\Big]_{-1}^{0}+\Big[e^x+e^{-x}\Big]_{0}^{1}=\left(e+\frac{1}{e}-2\right)+\left(e+\frac{1}{e}-2\right)=\mathbf{2\left(e+\frac{1}{e}-2\right)}$$

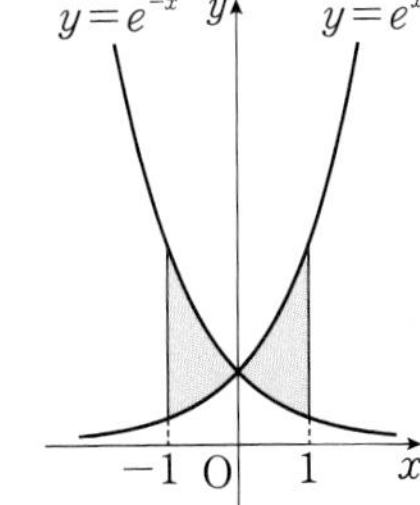

(2) 구간 $[0, \pi]$에서 $y=\sin x$, $y=\cos x$의 교점의 x좌표는 $\frac{\pi}{4}$이고

구간 $0\le x\le \frac{\pi}{4}$에서 $\sin x\le\cos x$이고

구간 $\frac{\pi}{4}\le x\le\pi$에서 $\sin x\ge\cos x$이다.

따라서 구하는 넓이 S는

$$S=\int_{0}^{\frac{\pi}{4}}(\cos x-\sin x)dx+\int_{\frac{\pi}{4}}^{\pi}(\sin x-\cos x)dx$$

$$=\Big[\sin x+\cos x\Big]_{0}^{\frac{\pi}{4}}+\Big[-\cos x-\sin x\Big]_{\frac{\pi}{4}}^{\pi}=\mathbf{2\sqrt{2}}$$

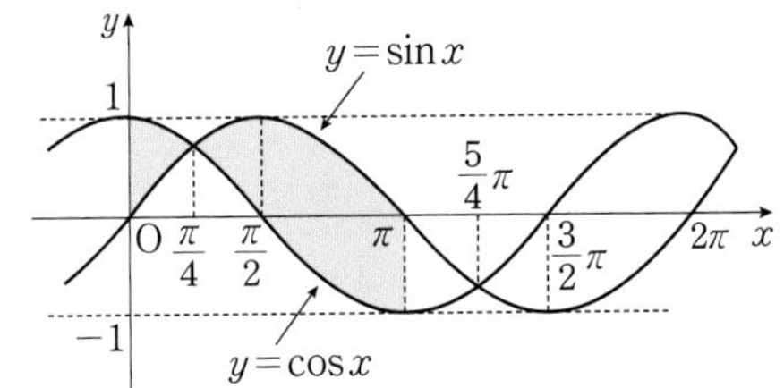

참고 $S=\int_{\frac{\pi}{4}}^{\frac{5}{4}\pi}(\sin x-\cos x)dx=2\sqrt{2}$

확인유제 0949 다음 물음에 답하여라. (단, e는 자연로그의 밑이다.)

(1) 두 곡선 $y=\frac{1}{x}(x>0)$, $y=-\frac{2}{x}(x>0)$와 두 직선 $x=\frac{1}{e}$, $x=e$로 둘러싸인 도형의 넓이를 구하여라.

(2) 두 곡선 $y=\sin x$와 $y=\sin 2x$ 및 두 직선 $x=0$과 $x=\pi$로 둘러싸인 노형의 넓이를 구하여리.

변형문제 0950 2012학년도 수능기출

오른쪽 그림에서 두 곡선 $y=e^x$, $y=xe^x$과 y축으로 둘러싸인 부분 A의 넓이를 a, 두 곡선 $y=e^x$, $y=xe^x$과 직선 $x=2$로 둘러싸인 부분 B의 넓이를 b라 할 때, $b-a$의 값은?

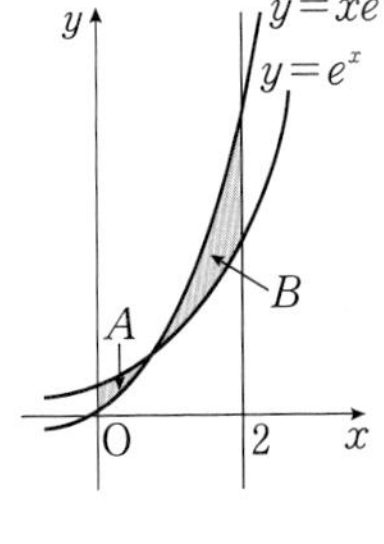

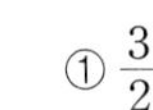
① $\frac{3}{2}$ ② $e-1$ ③ 2

④ $\frac{5}{2}$ ⑤ e

발전문제 0951 2019학년도 09월 평가원

오른쪽 그림과 같이 두 곡선 $y=2^x-1$, $y=\left|\sin\frac{\pi}{2}x\right|$가 원점 O와 점 $(1, 1)$에서 만난다. 두 곡선 $y=2^x-1$, $y=\left|\sin\frac{\pi}{2}x\right|$로 둘러싸인 부분의 넓이는?

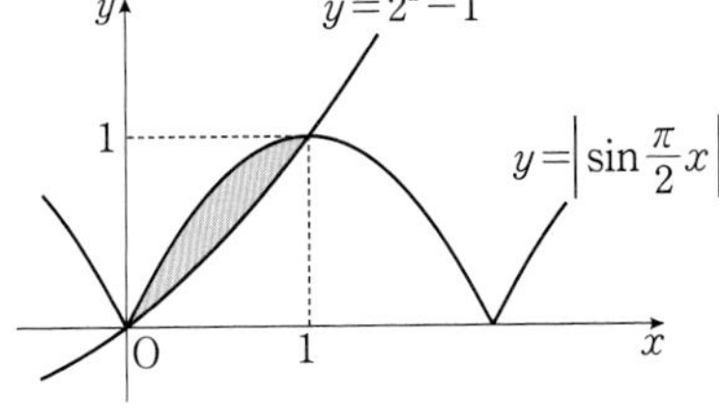

① $-\frac{1}{\pi}+\frac{1}{\ln 2}-1$ ② $\frac{2}{\pi}-\frac{1}{\ln 2}+1$ ③ $\frac{2}{\pi}+\frac{1}{2\ln 2}-1$

④ $\frac{1}{\pi}-\frac{1}{2\ln 2}+1$ ⑤ $\frac{1}{\pi}+\frac{1}{\ln 2}-1$

정답 0949 : (1) 6 (2) $\frac{5}{2}$ 0950 : ③ 0951 : ②

마플개념익힘 04 두 곡선 사이의 넓이 (적분변수가 y인 경우)

곡선 $y=|\ln x|$와 직선 $y=1$로 둘러싸인 부분의 넓이를 구하여라.

MAPL CORE 적분변수를 y로 하여 두 곡선 사이의 넓이를 구하는 방법은 다음과 같다.
[1단계] 두 곡선의 교점의 y좌표를 구하여 적분구간을 정한다.
[2단계] 두 곡선의 위치 관계를 파악한다.
[3단계] 적분구간에서 (오른쪽에 있는 곡선의 식)−(왼쪽에 있는 곡선의 식)을 적분한 값을 구한다.

개념익힘 | **풀이** $y=|\ln x|=\begin{cases}-\ln x & (x<1)\\ \ln x & (x\ge 1)\end{cases}$이므로

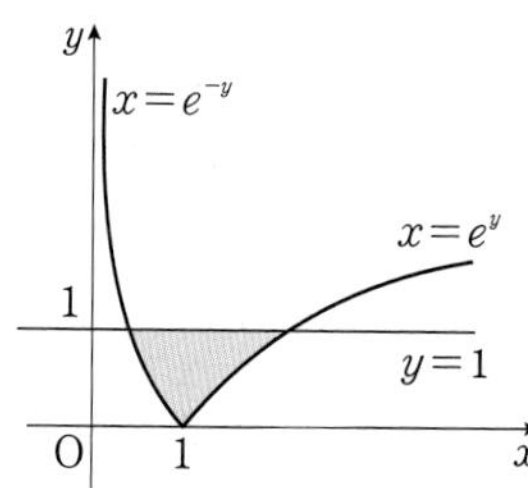

$y=\ln x$에서 $x=e^{y}$

$y=-\ln x$에서 $x=e^{-y}$

y축의 구간 $[0, 1]$에서 $e^{y}\ge e^{-y}$

이므로 구하는 넓이 S는

$S=\int_0^1 (e^{y}-e^{-y})dy=\Big[e^{y}+e^{-y}\Big]_0^1=\boldsymbol{e+\frac{1}{e}-2}$

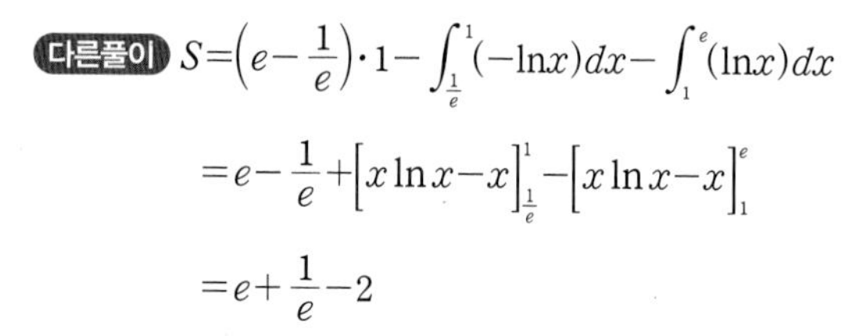

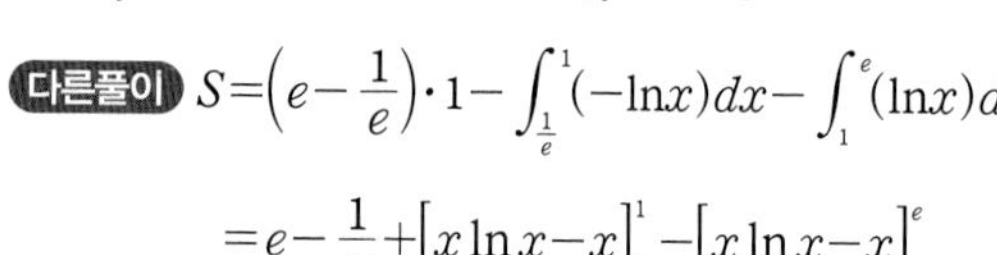

다른풀이 $S=\left(e-\frac{1}{e}\right)\cdot 1-\int_{\frac{1}{e}}^{1}(-\ln x)dx-\int_1^e(\ln x)dx$

$=e-\frac{1}{e}+\Big[x\ln x-x\Big]_{\frac{1}{e}}^{1}-\Big[x\ln x-x\Big]_1^e$

$=e+\frac{1}{e}-2$

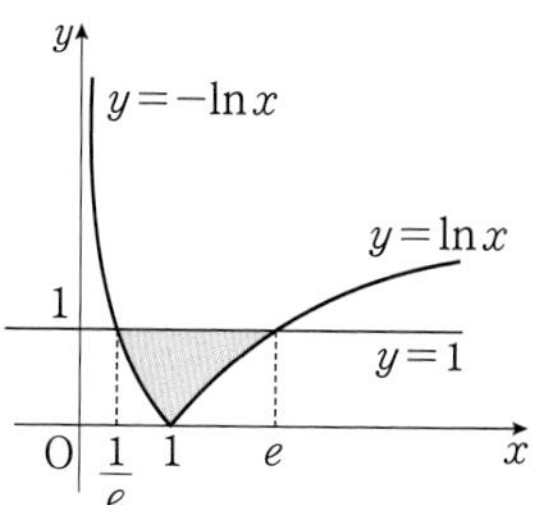

확인유제 0952 다음 곡선과 직선으로 둘러싸인 도형의 넓이를 구하여라.

(1) $y=\sqrt{x}$, $y=x-2$, $y=0$ (2) $y=\sqrt{x-1}$, $y=\frac{1}{2}x$, x축

변형문제 0953 다음 물음에 답하여라.

(1) 두 곡선 $y=\ln x$와 $y=-\ln x$ 및 두 직선 $y=1$과 $y=-1$로 둘러싸인 도형의 넓이는?

① $e-\frac{1}{e}+1$ ② $e+\frac{1}{e}+2$ ③ $2\left(e-\frac{1}{e}+2\right)$ ④ $2\left(e+\frac{1}{e}-2\right)$ ⑤ $2\left(e+\frac{1}{e}+2\right)$

(2) 두 곡선 $y=\ln x$, $y=-\ln x$와 두 직선 $x=\frac{1}{e}$, $x=e$로 둘러싸인 도형의 넓이는?

① $4-\frac{4}{e}$ ② $4+\frac{1}{e}$ ③ $2+\frac{2}{e}$ ④ $1+\frac{1}{e}$ ⑤ $4e+\frac{4}{e}$

발전문제 0954 두 함수 $y=\ln(x+1)$, $y=\ln 2x$의 그래프와 x축으로 둘러싸인 부분의 넓이를 구하여라.

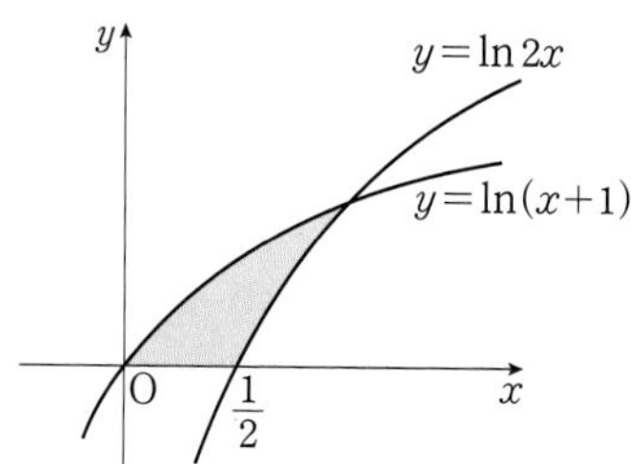

정답 0952 : (1) $\frac{10}{3}$ (2) $\frac{1}{3}$ 0953 : (1) ④ (2) ① 0954 : $\ln 2-\frac{1}{2}$

곡선 $\ln x+\ln y=1$과 두 직선 $y=ex$, $y=\frac{1}{e}x$로 둘러싸인 도형의 넓이를 구하여라.

MAPL CORE [1단계] 곡선과 직선의 방정식을 연립하여 교점의 x좌표를 구한다.
[2단계] 곡선과 직선 중 어느 것이 위쪽에 있는지 찾고 구간을 나누어 정적분의 값을 구한다.

개념익힘 | 풀이 곡선 $\ln x+\ln y=1$과 두 직선 $y=ex$, $y=\frac{1}{e}x$로 둘러싸인 도형은 오른쪽 그림과 같다.

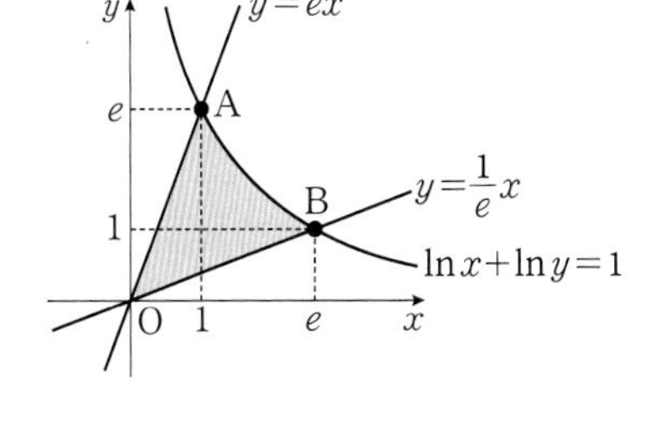

$\ln x+\ln y=1$에서 $\ln xy=1$, $xy=e$, $y=\frac{e}{x}(x>0)$이므로

곡선 $y=\frac{e}{x}$와 직선 $y=ex$, $y=\frac{1}{e}x$의 교점을 각각 A, B라 하면

$\frac{e}{x}=ex$에서 $x=1(x>0)$ $\quad\therefore$ A$(1, e)$

$\frac{e}{x}=\frac{1}{e}x$에서 $x=e(x>0)$ $\quad\therefore$ B$(e, 1)$

따라서 구하는 넓이 S는 $S=\int_0^1 exdx+\int_1^e \frac{e}{x}dx-\int_0^e \frac{1}{e}xdx=\left[\frac{1}{2}ex^2\right]_0^1+\left[e\ln|x|\right]_1^e-\left[\frac{1}{2e}x^2\right]_0^e=\boldsymbol{e}$

확인유제 0955 오른쪽 그림과 같이 곡선 $y=\frac{2}{x}$와 두 직선 $y=2x$, $y=\frac{1}{2}x$ 로 둘러싸인 도형의 넓이를 구하여라. (단, $x>0$, $y>0$)

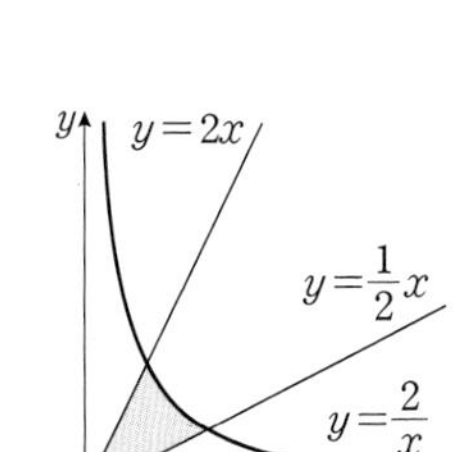

변형문제 0956
1998학년도 수능기출

오른쪽 그림과 같이 두 직선 $x=p$, $x=q$와 x축 및 곡선 $y=\log_a x$로 둘러싸인 부분을 곡선 $y=\log_b x$가 두 부분 A와 B로 나눈다. A와 B의 넓이를 각각 α, β라 할 때, $\frac{\alpha}{\beta}$의 값은? (단, $1<a<b$, $1<p<q$)

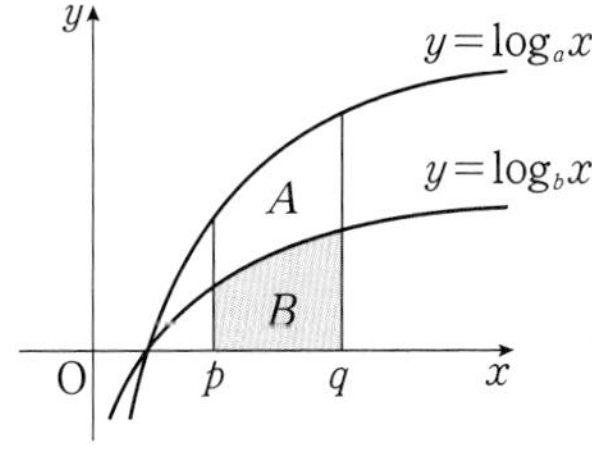

① $\left(\frac{b}{a}-1\right)(q-p)$ ② $\frac{a}{b}-1$ ③ $\log_a b-1$
④ $\log_b a-1$ ⑤ $(q-p)\log_b a$

발전문제 0957 다음 물음에 답하여라.

(1) 오른쪽 그림과 같이 곡선 $y=\frac{2x}{x^2+1}$와 직선 $y=x$로 둘러싸인 도형의 넓이는?

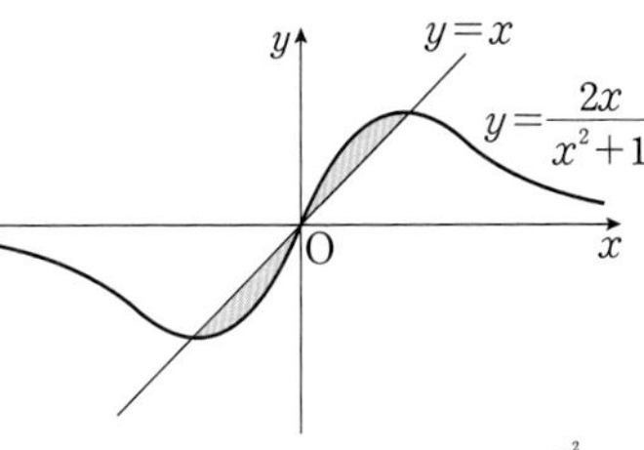

① $2\ln 2-1$ ② $3\ln 2-1$ ③ $5\ln 3-1$
④ $4\ln 2+1$ ⑤ $6\ln 3+1$

2009학년도 09월 평가원

(2) 오른쪽 그림과 같이 곡선 $y=\frac{xe^{x^2}}{e^{x^2}+1}$과 직선 $y=\frac{2}{3}x$로 둘러싸인 두 부분의 넓이의 합은?

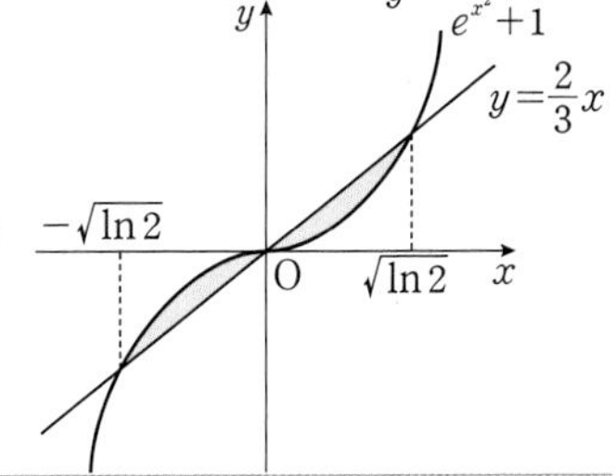

① $\frac{5}{3}\ln 2-\ln 3$ ② $2\ln 3-\frac{5}{3}\ln 2$ ③ $\frac{5}{3}\ln 2+\ln 3$
④ $2\ln 3+\frac{5}{3}\ln 2$ ⑤ $\frac{7}{3}\ln 2-\ln 3$

정답 0955 : $2\ln 2$ 0956 : ③ 0957 : (1) ① (2) ①

곡선 $y=\ln x$와 점 $(e, 1)$에서 이 곡선에 그은 접선 및 x축으로 둘러싸인 도형의 넓이를 구하여라.

MAPL CORE 곡선과 접선으로 둘러싸인 도형의 넓이 구하는 순서

[1단계] 곡선 위의 점 $(a, f(a))$에서의 접선의 방정식을 구한다. 즉 $y-f(a)=f'(a)(x-a)$

[2단계] 곡선과 접선의 교점의 x좌표를 구하여 곡선과 접선으로 둘러싸인 도형의 넓이를 구한다.

개념익힘 | 풀이 $y=\ln x$의 도함수는 $y'=\frac{1}{x}$이므로 점 $(e, 1)$에서 접선의 기울기는 $\frac{1}{e}$

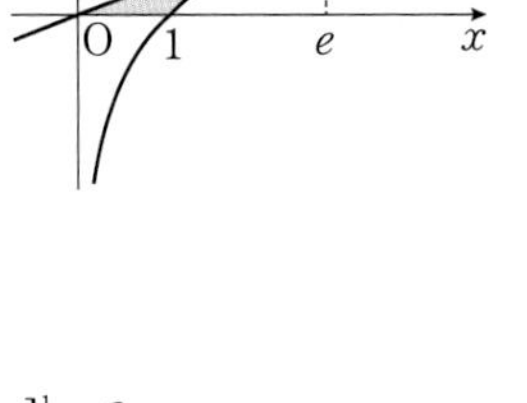

접선의 방정식은 $y-1=\frac{1}{e}(x-e)$ $\quad\therefore y=\frac{1}{e}x$

곡선 $y=\ln x$와 접선 $y=\frac{1}{e}x$를 각각 x에 대하여 정리하면

$x=e^y$, $x=ey$

따라서 구하는 넓이는 곡선 $x=e^y$과 x축 및 직선 $x=ey$로 둘러싸인 부분의 넓이와 같다.

$0\le y\le 1$일 때, $e^y\ge ey$이므로 구하는 넓이 S는 $S=\int_0^1(e^y-ey)dy=\left[e^y-\frac{e}{2}y^2\right]_0^1=\boldsymbol{\frac{e}{2}-1}$

다른풀이 구하는 넓이는 곡선 $y=\ln x$와 x축 직선 $y=\frac{1}{e}x$로 둘러싸인 부분의 넓이와 같다.

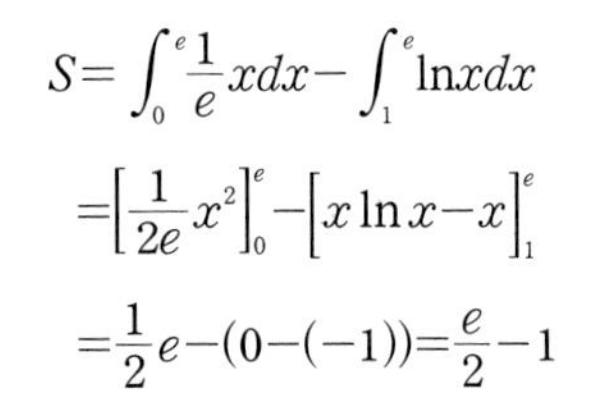

$$S=\int_0^e\frac{1}{e}xdx-\int_1^e\ln xdx$$
$$=\left[\frac{1}{2e}x^2\right]_0^e-\left[x\ln x-x\right]_1^e$$
$$=\frac{1}{2}e-(0-(-1))=\frac{e}{2}-1$$

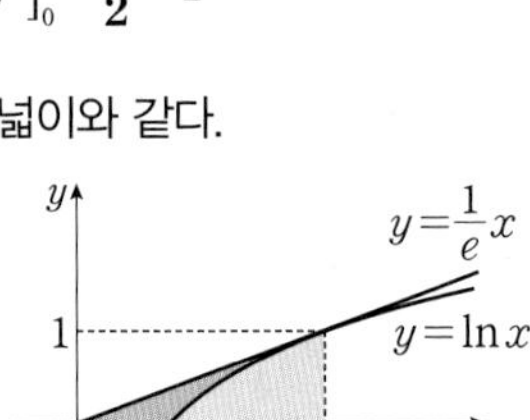

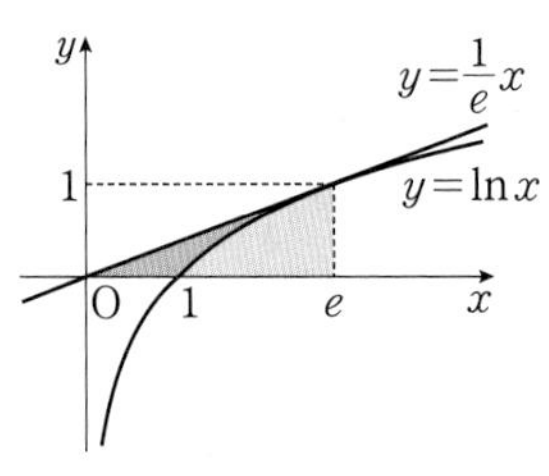

확인유제 0958 다음 물음에 답하여라.

(1) 곡선 $y=e^x$과 원점에서 이 곡선에 그은 접선과 y축으로 둘러싸인 부분의 넓이를 구하여라.

2019학년도 사관기출 (2) 곡선 $y=e^{\frac{x}{3}}$과 이 곡선 위의 점 $(3, e)$에서의 접선 및 y축으로 둘러싸인 도형의 넓이를 구하여라.

변형문제 0959 다음 물음에 답하여라.

2005학년도 수능기출 (1) 곡선 $y=3\sqrt{x-9}$와 이 곡선 위의 점 $(18, 9)$에서의 접선 및 x축으로 둘러싸인 영역의 넓이는?

① 18 ② 20 ③ 24 ④ 27 ⑤ 32

2011년 07월 교육청 (2) 곡선 $y=e^x-1$ 위의 점 $\mathrm{P}(1, e-1)$에서의 접선을 l이라 하자. 이때 곡선 $y=e^x-1$과 y축, 접선 l로 둘러싸인 부분의 넓이는?

① $\frac{e}{2}-1$ ② $e-\frac{3}{2}$ ③ $\frac{e}{2}$ ④ $e-1$ ⑤ $\frac{e}{2}+1$

발전문제 0960 닫힌구간 $\left[0, \frac{\pi}{2}\right]$에서 정의된 함수 $f(x)=\sin x$의 그래프 위의 한 점 $\mathrm{P}(a, \sin a)\left(0<a<\frac{\pi}{2}\right)$에서의 접선을 l이라 하자. 곡선 $y=f(x)$와 x축 및 직선 l로 둘러싸인 부분의 넓이와 곡선 $y=f(x)$와 x축 및 직선 $x=a$로 둘러싸인 부분의 넓이가 같을 때, $\cos a$의 값은?

2019년 04월 교육청

① $\frac{1}{6}$ ② $\frac{1}{3}$ ③ $\frac{1}{2}$ ④ $\frac{2}{3}$ ⑤ $\frac{5}{6}$

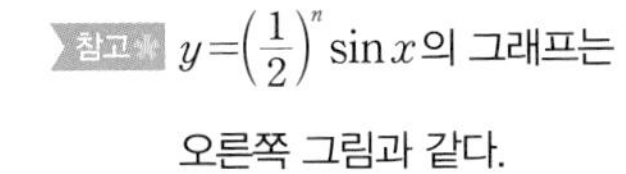

정답 0958 : (1) $\frac{1}{2}e-1$ (2) $\frac{3}{2}e-3$ 0959 : (1) ④ (2) ① 0960 : ②

2007학년도 09월 평가원

자연수 n에 대하여 구간 $[(n-1)\pi,\ n\pi]$에서 곡선 $y=\left(\frac{1}{2}\right)^n\sin x$와 x축으로 둘러싸인 도형의 넓이를 S_n이라 할 때, 급수 $\sum_{n=1}^{\infty}S_n$을 구하여라.

MAPL CORE 두 곡선으로 둘러싸인 넓이와 급수
[1단계] 두 곡선으로 둘러싸인 부분을 넓이 공식을 이용하여 구한다.
[2단계] 급수의 성질을 이용하여 극한값을 구한다.

개념익힘 | 풀이 $S_n=\int_{(n-1)\pi}^{n\pi}\left|\left(\frac{1}{2}\right)^n\sin x\right|dx=\left(\frac{1}{2}\right)^n\int_{(n-1)\pi}^{n\pi}|\sin x|dx$

이때 함수 $y=|\sin x|$는 주기가 π인 주기함수이므로

$$\int_{(n-1)\pi}^{n\pi}|\sin x|dx=\int_0^{\pi}|\sin x|dx=\int_0^{\pi}\sin x dx=\left[-\cos x\right]_0^{\pi}=2$$

따라서 $S_n=\left(\frac{1}{2}\right)^n\times 2=\left(\frac{1}{2}\right)^{n-1}$이므로 $\sum_{n=1}^{\infty}S_n=\sum_{n=1}^{\infty}\left(\frac{1}{2}\right)^{n-1}=\frac{1}{1-\frac{1}{2}}=\mathbf{2}$

참고 $y=\left(\frac{1}{2}\right)^n\sin x$의 그래프는 오른쪽 그림과 같다.

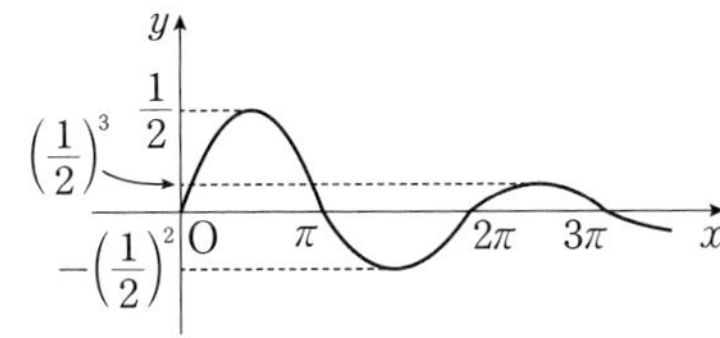

확인유제 0961 곡선 $y=\frac{1}{x}$과 세 직선 $y=0$, $x=n$, $x=n+1\,(n>0)$로 둘러싸인 도형의 넓이를 S_n이라 할 때, $\lim_{n\to\infty}nS_n$을 구하여라.

변형문제 0962 자연수 n에 대하여 곡선 $y=e^{-x}$과 x축 및 두 직선 $x=n$, $x=n+1$로 둘러싸인 도형의 넓이를 S_n이라고 할 때, 급수 $\sum_{n=1}^{\infty}S_n$의 값은?

① $\frac{1}{e}$ ② $\frac{1}{2}$ ③ 1 ④ $\sqrt{e}$ ⑤ e

발전문제 0963 자연수 n에 대하여 닫힌구간 $[0,\ \pi]$에서 두 곡선 $y=\frac{1}{n}\sin x$, $y=\frac{1}{n+1}\sin x$로 둘러싸인 부분의 넓이를 S_n이라고 할 때, 극한값 $\lim_{n\to\infty}\sum_{k=1}^{n}S_k$의 값은?

2004년 10월 교육청

① 2 ② 5 ③ 8 ④ 11 ⑤ 14

정답 0961 : 1 0962 : ① 0963 : ①

마플개념익힘 08 두 곡선 사이의 넓이가 서로 같을 조건

오른쪽 그림과 같이 곡선 $y=\sin\frac{\pi}{2}x$와 직선 $y=k$및 두 직선 $x=0$, $x=1$로 둘러싸인 두 도형을 각각 A, B라 하자.
두 도형 A, B의 넓이가 같을 때, 상수 k의 값을 구하여라.
(단, $0<k<1$)

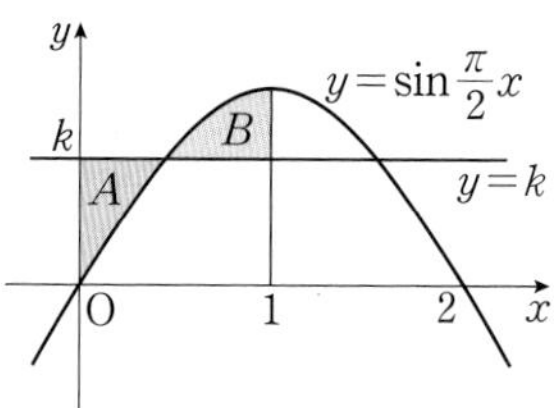

MAPL CORE

① $\int_a^b f(x)dx$와 $\int_b^c f(x)dx$의 절댓값이 같고 부호가 반대이면

즉, $S_1=S_2$이면 $\int_a^c f(x)dx=0$

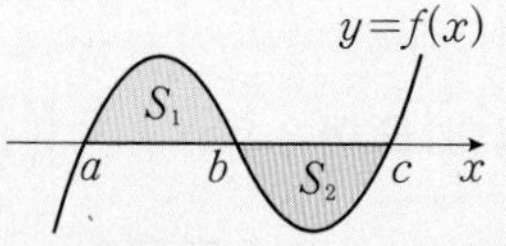

② 두 곡선 $y=f(x)$와 $y=g(x)$로 둘러싸인 윗부분과 아랫부분의 넓이가 같을 때,

즉, $S_1=S_2$이면 $\int_a^b \{f(x)-g(x)\}dx=0$

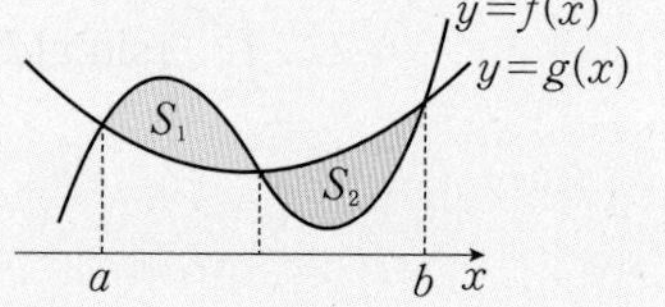

개념익힘 | 풀이 $0\le x\le 1$에서 곡선 $y=\sin\frac{\pi}{2}x$와 직선 $y=k$의 교점의 x좌표를 α라 하면 두 도형 A, B의 넓이가 같으므로

$$\int_0^\alpha\left(k-\sin\frac{\pi}{2}x\right)dx=\int_\alpha^1\left(\sin\frac{\pi}{2}x-k\right)dx$$

$$\int_0^\alpha\left(k-\sin\frac{\pi}{2}x\right)dx+\int_\alpha^1\left(k-\sin\frac{\pi}{2}x\right)dx=0$$

$$\int_0^1\left(k-\sin\frac{\pi}{2}x\right)dx=\left[kx+\frac{2}{\pi}\cos\frac{\pi}{2}x\right]_0^1=0,\ k-\frac{2}{\pi}=0$$

따라서 $k=\mathbf{\frac{2}{\pi}}$

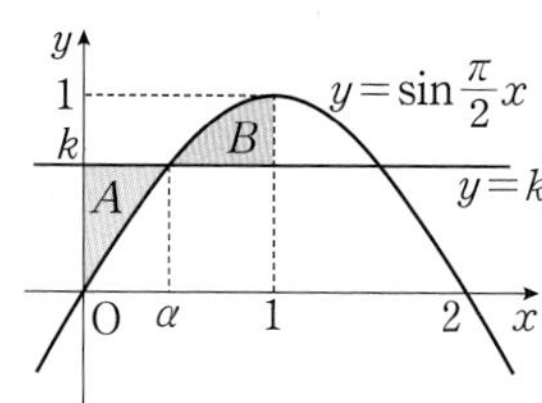

확인유제 0964

다음 물음에 답하여라.

(1) 오른쪽 그림과 같이 두 곡선 $y=a\sin x$와 $y=\cos x$ 및 두 직선 $x=0$과 $x=\frac{\pi}{3}$로 둘러싸인 도형에서 색칠한 두 부분의 넓이가 같을 때, 상수 a의 값은? (단, $a>1$)

① $\sqrt{2}$ ② $\frac{3}{2}$ ③ $\sqrt{3}$

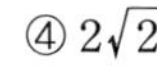

④ $2\sqrt{2}$ ⑤ $2\sqrt{3}$

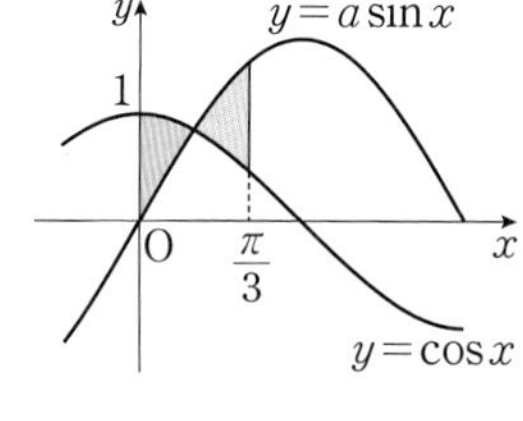

2018학년도 수능기출

(2) 오른쪽 그림과 같이 곡선 $y=e^{2x}$과 y축 및 직선 $y=-2x+a$로 둘러싸인 영역을 A, 곡선 $y=e^{2x}$과 두 직선 $y=-2x+a$, $x=1$로 둘러싸인 영역을 B라 하자. A의 넓이와 B의 넓이가 같을 때, 상수 a의 값은?
(단, $1<a<e^2$)

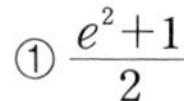

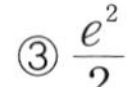

① $\frac{e^2+1}{2}$ ② $\frac{2e^2+1}{4}$ ③ $\frac{e^2}{2}$

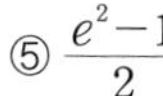

④ $\frac{2e^2-1}{4}$ ⑤ $\frac{e^2-1}{2}$

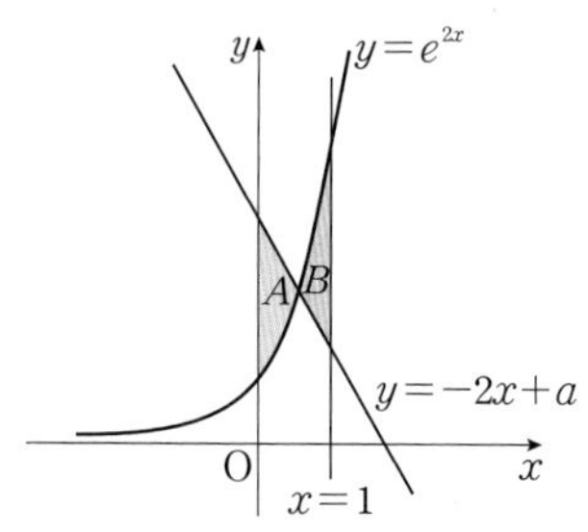

정답 0964 : (1) ③ (2) ①

변형문제 0965 다음 물음에 답하여라.

(1) 오른쪽 그림과 같이 곡선 $y=\sqrt{x+1}$과 두 직선 $x=-1$, $y=1$로 둘러싸인 부분의 넓이와 곡선 $y=\sqrt{x+1}$과 두 직선 $x=k$, $y=1$로 둘러싸인 부분의 넓이가 서로 같을 때, 상수 k의 값은? (단, $k>0$)

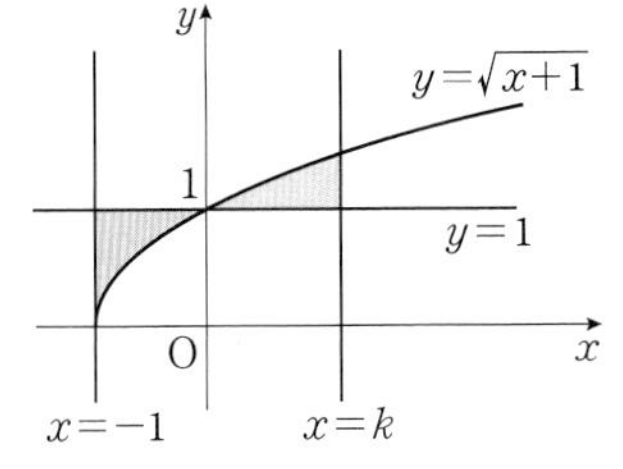

① 1 ② $\frac{9}{8}$ ③ $\frac{5}{4}$

④ $\frac{11}{8}$ ⑤ $\frac{3}{2}$

2009년 10월 교육청

(2) 오른쪽 그림과 같이 곡선 $y=\ln(x+1)$과 두 직선 $x=0$, $y=a$로 둘러싸인 부분의 넓이와 곡선 $y=\ln(x+1)$과 두 직선 $x=e-1$, $y=a$로 둘러싸인 부분의 넓이가 서로 같을 때, 실수 a의 값은?

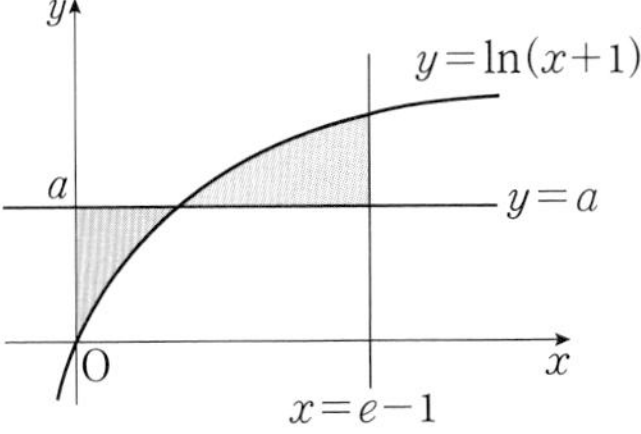

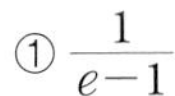
① $\frac{1}{e-1}$ ② $\frac{2}{e-1}$ ③ $\frac{2}{e}$

④ $\frac{1}{e+1}$ ⑤ $\frac{2}{e+1}$

(3) 오른쪽 그림과 같이 곡선 $y=\ln(4-x)$와 y축 및 직선 $y=a\,(0<a<\ln 4)$로 둘러싸인 부분의 넓이와 곡선 $y=\ln(4-x)$와 두 직선 $x=3$, $y=a$로 둘러싸인 부분의 넓이가 서로 같을 때, 상수 a의 값은?

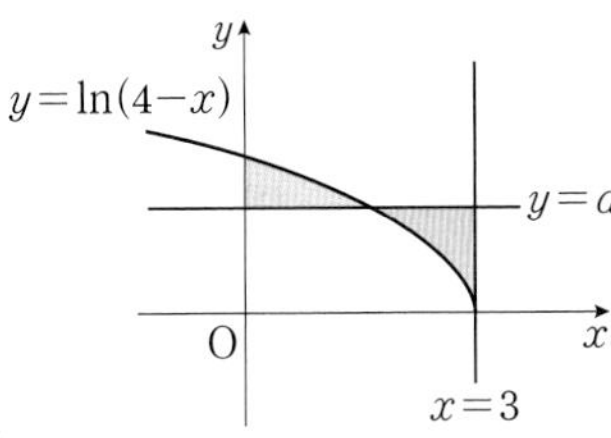

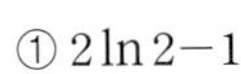
① $2\ln 2-1$ ② $\frac{8\ln 2}{3}-1$ ③ $\frac{10\ln 2}{3}-1$

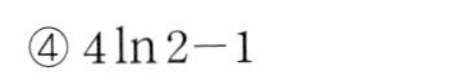

④ $4\ln 2-1$ ⑤ $\frac{14\ln 2}{3}-1$

발전문제 0966 다음 물음에 답하여라.

(1) 오른쪽 그림과 같이 곡선 $y=x\sin x\,(0\le x\le \pi)$와 점 $(\pi, 0)$을 지나고 기울기가 음수인 직선 l이 있다. 곡선 $y=x\sin x$와 y축 및 직선 l로 둘러싸인 영역을 A, 곡선 $y=x\sin x$와 직선 l로 둘러싸인 영역을 B라 하자. 두 영역 A, B의 넓이가 같을 때, 직선 l의 기울기는?

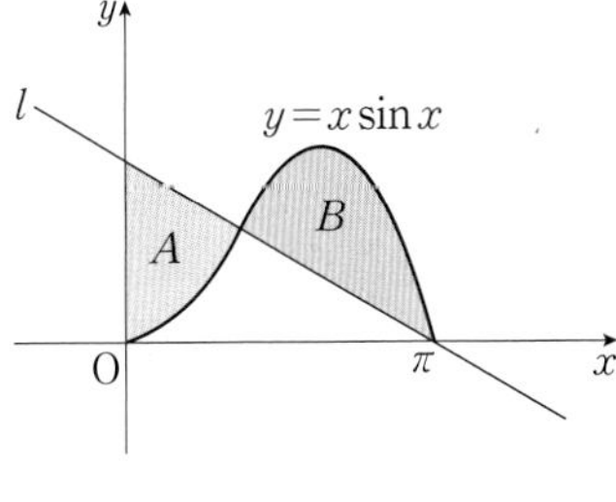

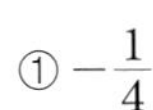
① $-\frac{1}{4}$ ② $-\frac{1}{\pi}$ ③ $-\frac{1}{3}$

④ $-\frac{1}{2}$ ⑤ $-\frac{2}{\pi}$

2012학년도 09월 평가원

(2) 오른쪽 그림과 같이 곡선 $y=x\sin x\left(0\le x\le \frac{\pi}{2}\right)$에 대하여 이 곡선과 x축, 직선 $x=k$로 둘러싸인 영역을 A, 이 곡선과 직선 $x=k$, 직선 $y=\frac{\pi}{2}$로 둘러싸인 영역을 B라 하자. A의 넓이와 B의 넓이가 같을 때, 상수 k의 값은? $\left(단,\ 0\le k\le \frac{\pi}{2}\right)$

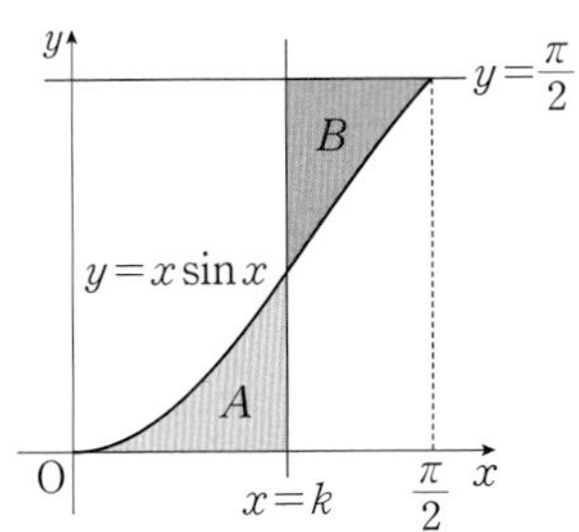

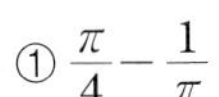
① $\frac{\pi}{4}-\frac{1}{\pi}$ ② $\frac{\pi}{4}$ ③ $\frac{\pi}{2}-\frac{2}{\pi}$

④ $\frac{\pi}{4}+\frac{1}{\pi}$ ⑤ $\frac{\pi}{2}-\frac{1}{\pi}$

정답 0965 : (1) ③ (2) ① (3) ② 0966 : (1) ⑤ (2) ③

마플개념익힘 09 도형의 넓이를 이등분하는 경우

곡선 $y=ae^{x}$과 x축 및 두 직선 $x=0$, $x=\ln 2$로 둘러싸인 도형의 넓이를 곡선 $y=e^{2x}$이 이등분하도록 하는 실수 a의 값을 구하여라. (단, $a>1$)

MAPL CORE 오른쪽 그림에서 곡선 $y=f(x)$와 x축으로 둘러싸인 도형의 넓이를 곡선 $y=g(x)$가 이등분하면 ⇦ $\int_a^k \{f(x)-g(x)\}dx=\frac{1}{2}\int_a^b f(x)dx$

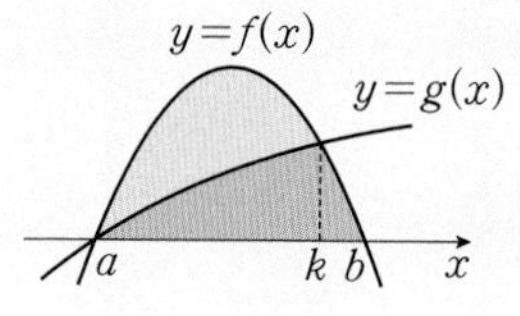

개념익힘 | 풀이 곡선 $y=ae^{x}$과 x축 및 두 직선 $x=0$, $x=\ln 2$로 둘러싸인 도형의 넓이를 S_1이라 하면 $S_1=\int_0^{\ln 2} ae^{x}dx=\left[ae^{x}\right]_0^{\ln 2}=a$

곡선 $y=e^{2x}$과 x축 및 두 직선 $x=0$, $x=\ln 2$로 둘러싸인 도형의 넓이를

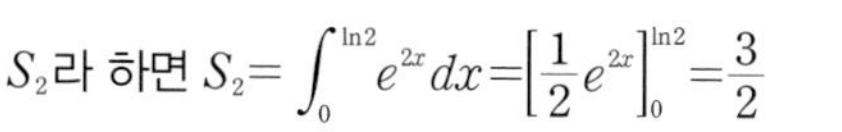

S_2라 하면 $S_2=\int_0^{\ln 2} e^{2x}dx=\left[\frac{1}{2}e^{2x}\right]_0^{\ln 2}=\frac{3}{2}$

따라서 $S_2=\frac{1}{2}S_1$이므로 $a=\mathbf{3}$

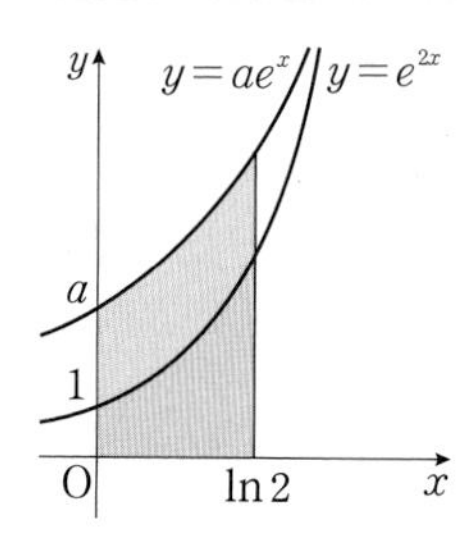

확인유제 0967
2015학년도 06월 평가원

함수 $y=e^{x}$의 그래프와 x축, y축 및 직선 $x=1$로 둘러싸인 영역의 넓이가 직선 $y=ax\,(0<a<e)$에 의하여 이등분될 때, 상수 a의 값은?

① $e-\frac{1}{3}$ ② $e-\frac{1}{2}$ ③ $e-1$ ④ $e-\frac{4}{3}$ ⑤ $e-\frac{3}{2}$

변형문제 0968
2017학년도 09월 평가원

다음 물음에 답하여라.

(1) 함수 $y=\cos 2x$의 그래프와 x축, y축 및 직선 $x=\frac{\pi}{12}$로 둘러싸인 영역의 넓이가 직선 $y=a$에 의하여 이등분될 때, 상수 a의 값은?

① $\frac{1}{2\pi}$ ② $\frac{1}{\pi}$ ③ $\frac{3}{2\pi}$
④ $\frac{2}{\pi}$ ⑤ $\frac{5}{2\pi}$

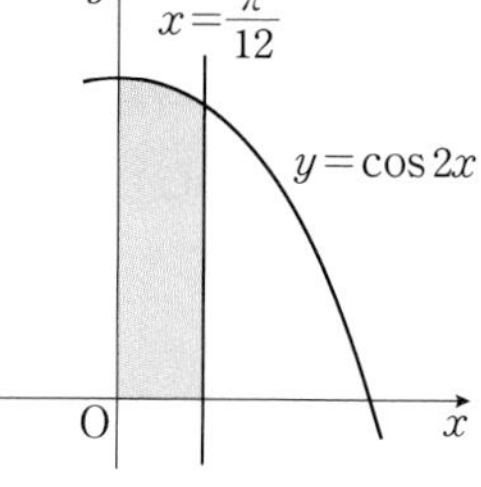

(2) 곡선 $y=\frac{e^{x}}{\sqrt{e^{x}+1}}$과 x축 및 두 직선 $x=\ln 3$, $x=\ln 8$로 둘러싸인 도형의 넓이를 직선 $y=\frac{1}{\ln a}$이 이등분할 때, 양수 a의 값은?

① $\frac{1}{2}$ ② $\frac{2}{3}$ ③ $\frac{3}{4}$
④ $\frac{5}{3}$ ⑤ $\frac{8}{3}$

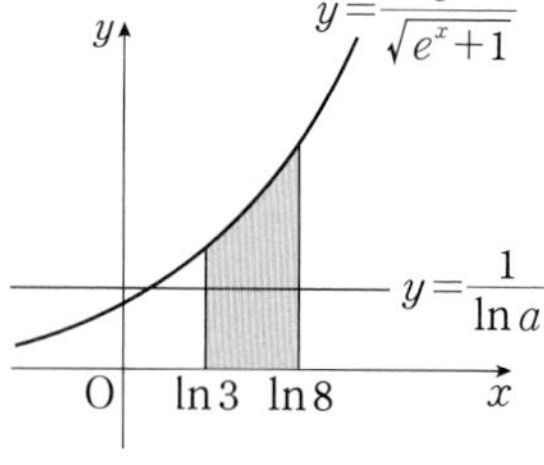

발전문제 0969

곡선 $y=a\cos x\left(0\le x\le\frac{\pi}{2}\right)$와 x축 및 y축으로 둘러싸인 도형의 넓이를 곡선 $y=\sin x$가 이등분할 때, 양수 a의 값은?

① $\frac{1}{2}$ ② $\frac{2}{3}$ ③ $\frac{3}{4}$
④ $\frac{4}{3}$ ⑤ $\frac{5}{6}$

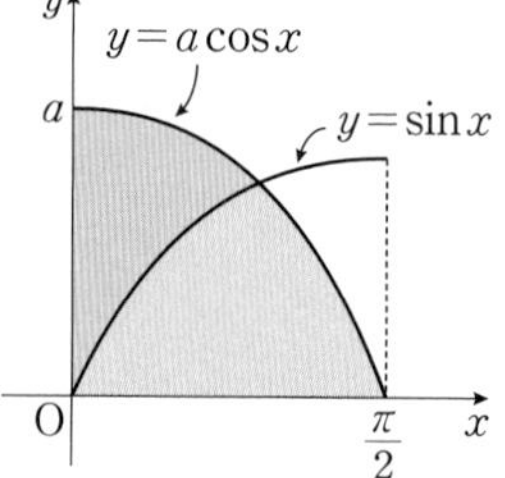

정답 0967 : ③ 0968 : (1) ③ (2) ⑤ 0969 : ④

03 역함수의 넓이

M A P L ; Y O U R M A S T E R P L A N

01 함수와 그 역함수의 그래프로 둘러싸인 부분의 넓이

함수 $f(x)$의 역함수를 $g(x)$라 할 때, 두 함수 $y=f(x)$, $y=g(x)$로 둘러싸인 부분의 넓이 S는 직선 $y=x$와 곡선 $y=f(x)$로 둘러싸인 부분의 넓이의 2배이다.

$$S=\int_a^b |f(x)-g(x)|dx=2\int_a^b |f(x)-x|dx$$

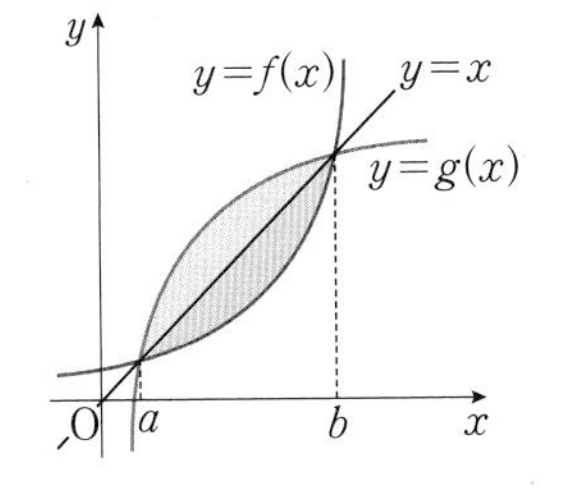

마플해설 일반적으로 증가하는 함수 $y=f(x)$와 그 역함수 $y=g(x)$의 그래프로 둘러싸인 부분의 넓이는 두 곡선 $y=f(x)$, $y=g(x)$가 직선 $y=x$에 대하여 대칭임을 이용하여 구한다.

이때 $f(x)$의 역함수인 $g(x)$의 식을 직접 구하여 계산할 수도 있지만, 함수에 따라서는 역함수를 식으로 나타내기가 쉽지 않은 경우도 많다.

또, 식으로 나타냈다고 하더라도 적분하기가 쉽지 않은 경우가 많기 때문에 대칭성을 이용하여 계산하는 것이 편리하다.

보기 01 $-1\le x\le 1$에서 함수 $f(x)=\sin\frac{\pi}{2}x$의 그래프와 그 역함수 $y=g(x)$로 둘러싸인 도형의 넓이를 구하여라.

풀이 $f(x)=\sin\frac{\pi}{2}x$와 그 역함수 $y=g(x)$는 직선 $y=x$에 대하여 대칭이다.

$y=\sin\frac{\pi}{2}x$와 $y=x$의 교점의 x좌표는 $x=-1$ 또는 $x=1$이다.

이때 두 곡선 $y=f(x)$와 그 역함수 $y=g(x)$로 둘러싸인 도형의 넓이는 $y=f(x)$와 직선 $y=x$로 둘러싸인 도형의 넓이의 2배이다.

따라서 구하는 넓이를 S라 하면

$$S=4\int_0^1\left(\sin\frac{\pi}{2}x-x\right)dx=4\left[-\frac{2}{\pi}\cos\frac{\pi}{2}x-\frac{1}{2}x^2\right]_0^1$$

$$=4\left\{\left(-\frac{1}{2}\right)-\left(-\frac{2}{\pi}\right)\right\}=\frac{8}{\pi}-2$$

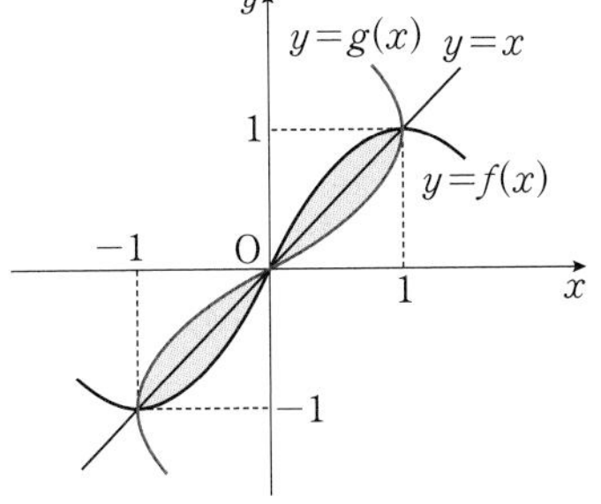

보기 02 함수 $f(x)=\frac{-3}{x-5}+1$의 역함수를 $y=g(x)$라 하자. 두 함수 $y=f(x)$, $y=g(x)$의 그래프로 둘러싸인 도형의 넓이를 구하여라.

풀이 곡선 $f(x)=\frac{-3}{x-5}+1$에서 직선 $y=x$의 교점의 x좌표를 구하면

$\frac{-3}{x-5}+1=x$, $x^2-6x+8=0$, $(x-2)(x-4)=0$

$\therefore x=2$ 또는 $x=4$

$2\le x\le 4$에서 $f(x)\le x$이므로 두 함수 $y=f(x)$, $y=g(x)$의 그래프로 둘러싸인 도형의 넓이를 S라고 하면

$$S=2\int_2^4\left(x-\frac{-3}{x-5}-1\right)dx$$

$$=2\left[\frac{x^2}{2}+3\ln|x-5|-x\right]_2^4$$

$$=2\{(8+0-4)-(2+3\ln 3-2)\}$$

$$=2(4-3\ln 3)$$

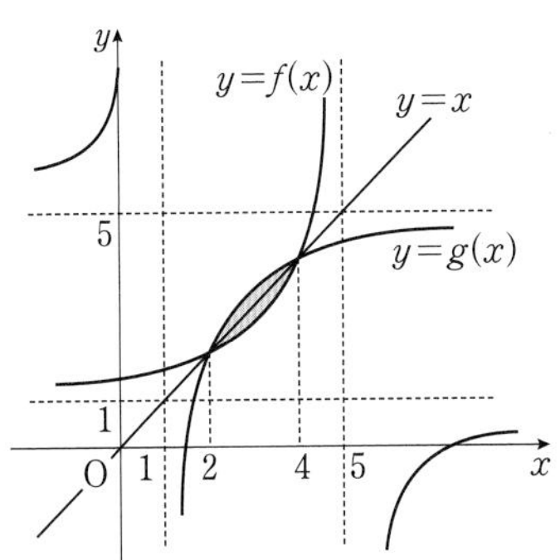

03 정적분의 활용

02 역함수로 표현된 정적분의 계산

닫힌구간 $[a, b]$에서 함수 $f(x)$와 그 역함수를 $g(x)$라 하면 다음이 성립한다.

$$\int_a^b f(x)dx+\int_{f(a)}^{f(b)} g(x)dx=bf(b)-af(a)$$ ⬅ 두 직사각형의 넓이의 차

마플해설 구간 $[a, b]$에서 곡선 $y=f(x)$와 x축으로 둘러싸인 부분의 넓이를 S_1, 구간 $[f(a), f(b)]$에서 곡선 $y=f(x)$의 역함수 $y=g(x)$와 x축으로 둘러싸인 부분의 넓이를 S_2라 하자.
이때 곡선 $y=f(x)$ 위의 두 점 $(a, f(a))$, $(b, f(b))$에 대하여 직선 $y=x$에 대칭인 두 점의 좌표는 각각 $(f(a), a)$, $(f(b), b)$이므로 넓이 S_2를 직선 $y=x$에 대하여 대칭이동하면 다음 그림과 같다.

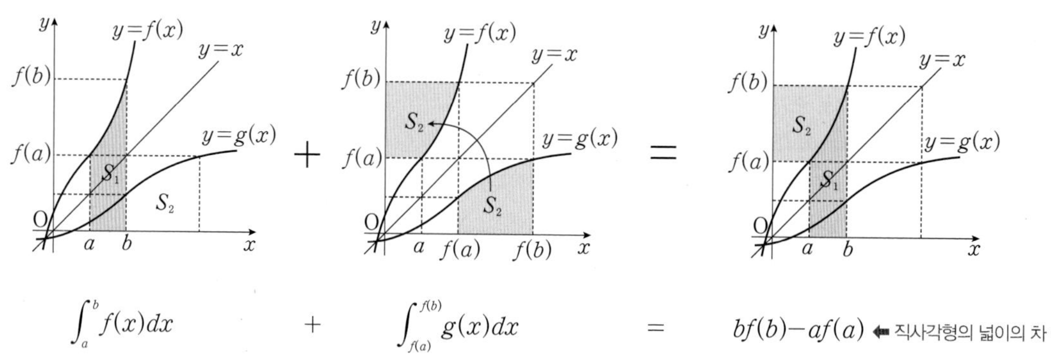

$\int_a^b f(x)dx$ + $\int_{f(a)}^{f(b)} g(x)dx$ = $bf(b)-af(a)$ ⬅ 직사각형의 넓이의 차

보기 03 함수 $f(x)=x+2^x$의 역함수를 $g(x)$라 할 때, 다음 정적분의 값을 구하여라.

(1) $\int_0^2 f(x)dx+\int_{f(0)}^{f(2)} g(x)dx$ (2) $\int_1^6 g(x)dx$

풀이 구간 $[0, 2]$에서 함수 $y=f(x)$와 x축으로 둘러싸인 부분의 넓이를 A,
구간 $[1, 6]$에서 함수 $y=f(x)$의 역함수 $y=g(x)$와 x축으로 둘러싸인
넓이를 B라 하자.

(1) $\int_0^2 f(x)dx+\int_{f(0)}^{f(2)} g(x)dx=\int_0^2 f(x)dx+\int_1^6 g(x)dx$

$=A+B=A+B'$

$=2\cdot 6=12$ ⬅ 직사각형의 넓이

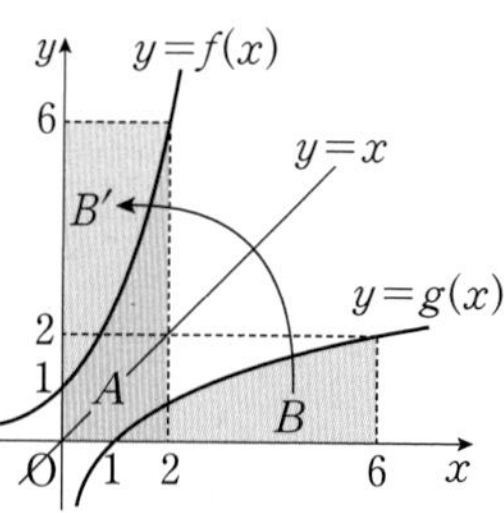

(2) 함수 $y=f(x)$의 역함수 $y=g(x)$의 그래프는 직선 $y=x$에 대하여 대칭이므로 오른쪽 그림과 같이 $\int_1^6 g(x)dx$의 값은 $y=f(x)$의 그래프와 y축 및 직선 $y=6$으로 둘러싸인 부분의 넓이, 즉 B와 같으므로

$$\int_1^6 g(x)dx=2\cdot 6-\int_0^2 f(x)dx$$
$$=12-\int_0^2 (x+2^x)dx$$
$$=12-\left[\frac{1}{2}x^2+\frac{2^x}{\ln 2}\right]_0^2$$
$$=12-\left\{\left(2+\frac{4}{\ln 2}\right)-\frac{1}{\ln 2}\right\}$$
$$=10-\frac{3}{\ln 2}$$

마플개념익힘 01 직선 $y=x$에 대하여 대칭인 두 곡선으로 둘러싸인 도형의 넓이

함수 $f(x)=\left(\frac{1}{2}\right)^x+a$의 역함수를 $g(x)$라 하자. $f(1)=1$일 때, 두 곡선 $y=f(x)$, $y=g(x)$와 x축, y축으로 둘러싸인 부분의 넓이를 구하여라. (단, a는 상수이다.)

MAPL CORE 함수 $g(x)$는 $f(x)$의 역함수이므로 두 함수 $y=f(x)$, $y=g(x)$는 직선 $y=x$에 대하여 대칭이다.
즉, 곡선 $y=g(x)$를 이용하여 곡선 $y=g(x)$를 그리고, 그래프의 대칭성을 이용하여 넓이를 구한 후 정적분의 값을 구한다.

개념익힘 | 풀이 $f(1)=1$이므로 $f(x)=\frac{1}{2}+a=1 \quad \therefore a=\frac{1}{2}$

$f(x)=\left(\frac{1}{2}\right)^x+\frac{1}{2}$이고 모든 x에 대하여 함수 $f(x)$는 감소한다.

곡선 $y=f(x)$가 점 $(1, 1)$을 지나므로 두 곡선 $y=f(x)$, $y=g(x)$와 직선 $y=x$는 다음과 같다.

이때 곡선 $y=f(x)$와 직선 $y=x$ 및 y축으로 둘러싸인 부분의 넓이는

$$\int_0^1\{f(x)-x\}dx=\int_0^1\left\{\left(\frac{1}{2}\right)^x+\frac{1}{2}-x\right\}dx$$

$$=\left[\frac{1}{\ln\frac{1}{2}}\left(\frac{1}{2}\right)^x+\frac{1}{2}x-\frac{x^2}{2}\right]_0^1=\frac{1}{2\ln 2}$$

따라서 두 곡선 $y=f(x)$, $y=g(x)$와 x축, y축으로 둘러싸인 넓이를 S라 하면 $S=2\cdot\frac{1}{2\ln 2}=\mathbf{\frac{1}{\ln 2}}$

확인유제 0970 함수 $f(x)=x+\sin x$의 그래프가 오른쪽 그림과 같고 함수 $f(x)$의 역함수를 $g(x)$라 할 때, 두 곡선 $y=f(x)$와 $y=g(x)$로 둘러싸인 도형의 넓이를 구하여라. (단, $0\le x\le\pi$)

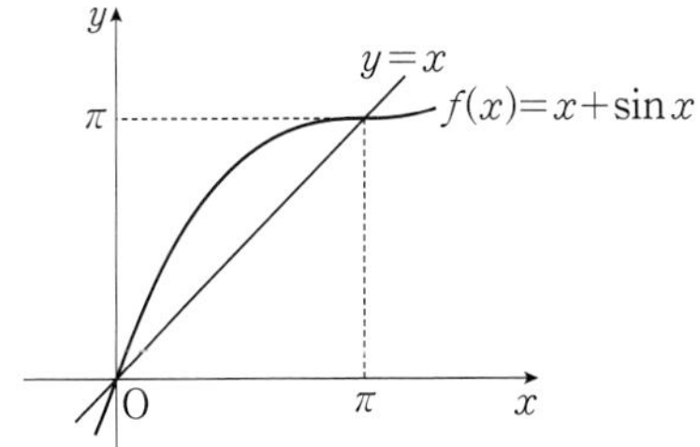

변형문제 0971 함수 $f(x)=e^{ax}$과 그 역함수 $y=g(x)$가 $x=e$에서 서로 접할 때, 두 곡선 $y=f(x)$, $y=g(x)$와 x축 및 y축으로 둘러싸인 부분의 넓이는? (단, a는 상수이다.)

① e^2+1 ② $2e-1$ ③ $e+1$ ④ e^2-2e ⑤ e^2+e

발전문제 0972 함수 $f(x)=e^x+x$의 역함수를 $g(x)$라 하고, 곡선 $y=g(x)$ 위의 점 $\mathrm{P}(f(1), 1)$에서의 접선을 l이라 하자.
곡선 $y=g(x)$와 x축 및 직선 l로 둘러싸인 부분의 넓이는?

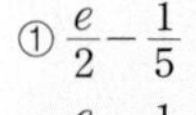

① $\frac{e}{2}-\frac{1}{5}$ ② $\frac{e}{2}-\frac{1}{4}$ ③ $\frac{e}{2}-\frac{1}{3}$

④ $\frac{e}{2}-\frac{1}{2}$ ⑤ $\frac{e}{2}-1$

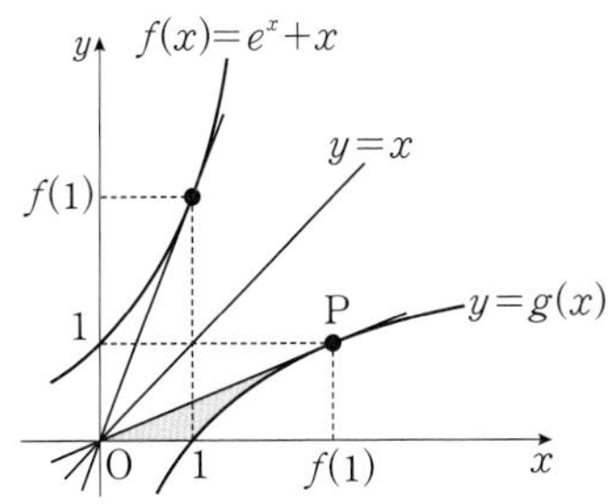

정답 0970 : 4 0971 : ④ 0972 : ⑤

함수 $f(x)=e^x+1$의 역함수를 $g(x)$라고 할 때, $\int_0^1 f(x)dx+\int_2^{e+1} g(x)dx$의 값을 구하여라.

MAPL CORE 역함수로 표현된 정적분의 계산

$\int_a^b f(x)dx+\int_{f(a)}^{f(b)} g(x)dx=bf(b)-af(a)$

개념익힘 | **풀이** 함수 $y=f(x)$와 그 역함수 $y=g(x)$의 그래프는 직선 $y=x$에 대하여 대칭이므로 오른쪽 그림과 같이 $\int_2^{e+1} g(x)dx$의 값은 $y=f(x)$의 그래프와 y축 및 직선 $y=e+1$로 둘러싸인 부분의 넓이, 즉 B와 같다.

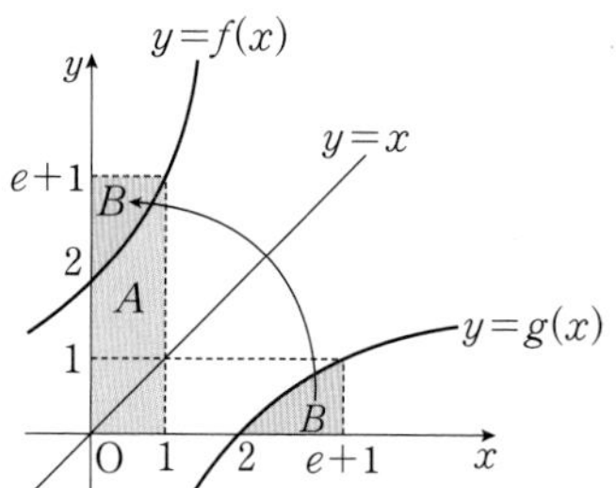

$\therefore \int_0^1 f(x)dx+\int_2^{e+1} g(x)dx=A+B=\boldsymbol{e+1}$

참고

$f(x)=e^x+1$에서 $f(0)=2$, $f(1)=e+1$

이때 $\int_0^1 f(x)dx=S_1$, $\int_2^{e+1} g(x)dx=S_2$라고 하면

그 값은 오른쪽 그림의 색칠한 부분과 같다.

따라서 구하는 값은 $\int_0^1 f(x)dx+\int_2^{e+1} g(x)dx=S_1+S_2=1\times(e+1)=e+1$

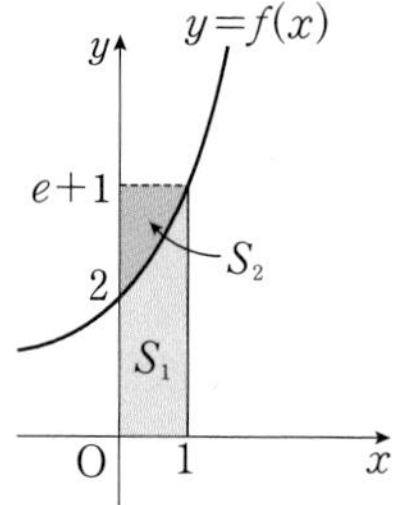

확인유제 **0973** 오른쪽 그림은 함수 $f(x)=xe^x\ (0\le x\le 1)$의 그래프이다. 함수 $f(x)$의 역함수를 $g(x)$라 할 때, 다음 물음에 답하여라.

(1) 정적분 $\int_0^1 f(x)dx+\int_0^e g(x)dx$값을 구하여라.

2004학년도 12월 평가원

(2) 정적분 $\int_0^e g(x)dx$의 값을 구하여라.

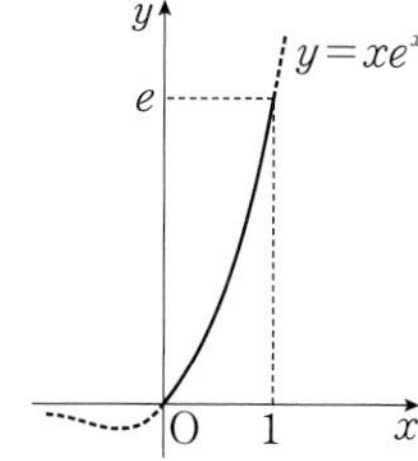

변형문제 **0974** 함수 $f(x)=\sin x+\frac{4}{\pi}x$의 그래프가 오른쪽 그림과 같고 함수 $f(x)$의 역함수를 $g(x)$라 할 때, $\int_4^8 g(x)dx$의 값은?

① $1+3\pi$ ② $2+4\pi$ ③ $2+6\pi$
④ $4+6\pi$ ⑤ $4+8\pi$

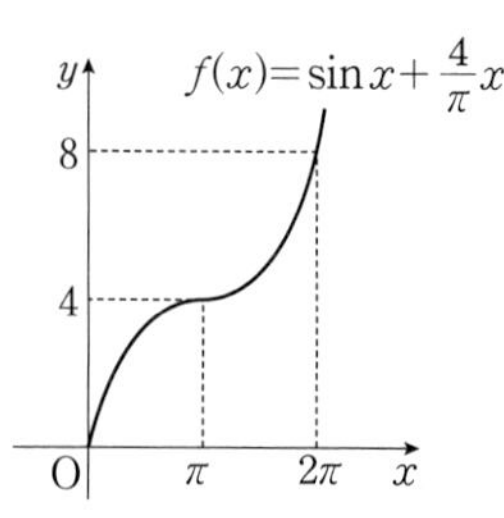

발전문제 **0975** 모든 실수에서 연속이고 역함수가 존재하는 함수 $y=f(x)$의 그래프는 제 1사분면에 있는 두 점 $(2,\ a)$, $(4,\ a+8)$을 지난다. 함수 $f(x)$의 역함수를 $g(x)$라 할 때,

2015학년도 사관기출

$$\lim_{n\to\infty}\frac{2}{n}\sum_{k=1}^{n}f\left(2+\frac{2k}{n}\right)+\lim_{n\to\infty}\frac{8}{n}\sum_{k=1}^{n}g\left(a+\frac{8k}{n}\right)=50$$

을 만족시키는 상수 a의 값을 구하여라.

정답 0973 : (1) e (2) $e-1$ 0974 : ③ 0975 : 9

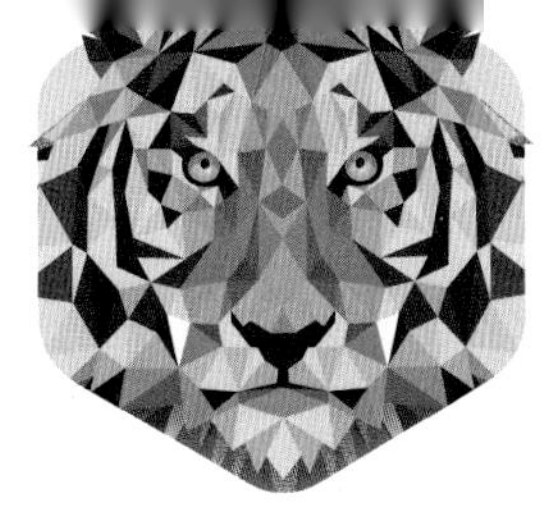

04 부피

01 입체도형의 부피

닫힌구간 $[a, b]$의 임의의 점 x에서 x축에 수직인 평면으로 자른 단면의 넓이가 $S(x)$일 때, 입체도형의 부피 V는 다음과 같다.

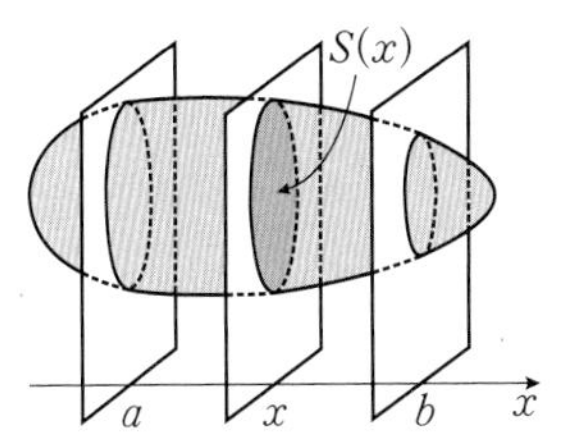

$$V=\int_a^b S(x)\,dx$$

참고 $S(x)$는 구간 $[a, b]$에서 연속인 경우만 생각한다.

마플해설 오른쪽 그림과 같이 x좌표가 x인 점을 지나고 x축에 수직인 평면으로 입체도형을 자른 단면의 넓이를 $S(x)$라 하자.
x축 위의 닫힌구간 $[a, b]$를 n등분하여 양 끝점과 각 분점의 x좌표를 차례대로
$a=x_0,\ x_1,\ x_2,\ \cdots,\ x_{n-1},\ x_n=b$
라 하고, 각 소구간의 길이를 Δx라 하면
$\Delta x=\dfrac{b-a}{n},\ x_k=a+k\Delta x\ (k=0, 1, 2, \cdots, n)$
이다. 이때 밑면의 넓이가 $S(x_k)$이고 높이가 Δx인 입체도형의 부피는 $S(x_k)\Delta x$이므로
n개의 입체도형의 부피의 합 V_n은

$$V_n=S(x_1)\Delta x+S(x_2)\Delta x+\cdots+S(x_n)\Delta x=\sum_{k=1}^{n}S(x_k)\Delta x$$

이다. 따라서 정적분과 급수의 합 사이의 관계에 의하여 구하는 부피 V는 다음과 같다.

$$V=\lim_{n\to\infty}V_n=\lim_{n\to\infty}\sum_{k=1}^{n}S(x_k)\Delta x=\int_a^b S(x)dx$$

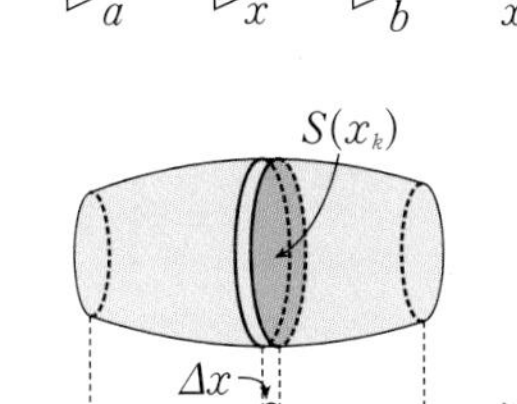

입체도형의 부피 → 단면의 넓이를 적분한다.

보기 01 오른쪽 그림과 같이 높이가 10 cm인 그릇이 있다. 그릇에 채워진 물의 높이가 $x$cm일 때, 수면은 한 변의 길이가 $\sqrt{3x+5}$cm인 정사각형이다. 이 그릇의 부피를 구하여라.

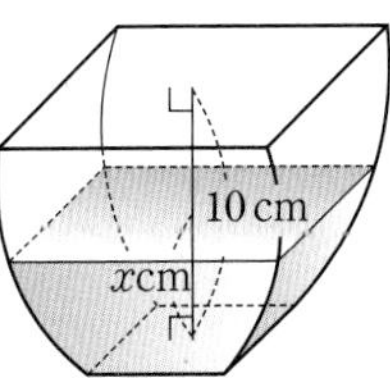

풀이 물의 높이가 x cm일 때의 수면의 넓이를 $S(x)$라고 하면 $S(x)=3x+5(\text{cm}^2)$
따라서 구하는 부피 V는 $V=\int_0^{10}(3x+5)dx=\left[\dfrac{3}{2}x^2+5x\right]_0^{10}=150+50=200(\text{cm}^3)$

FOCUS

원기둥의 밑부분을 잘라낸 작은 쪽의 입체의 부피 공식
밑면의 반지름의 길이가 r인 원기둥에서 밑면의 중심을 지나고 밑면과 θ의 각을 이루는 평면으로 이 원기둥을 자를 때, 작은 입체의 부피 V는 $V=\dfrac{2}{3}r^3\tan\theta$

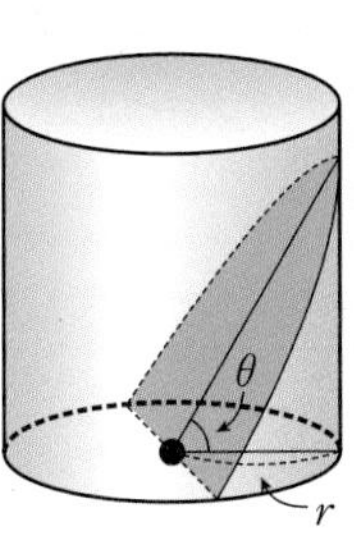

해설 자르는 평면이 지나는 밑면의 지름의 양 끝점을 각각 A, B라고 하자.
밑면의 중심을 원점, 선분 AB의 연장선을 x축, 중심 O를 지나고 선분 AB에 수직인 직선을 y축으로 하여 좌표평면에 나타내면 오른쪽 그림과 같다.
선분 AB 위의 임의의 점 $\text{P}(x, 0)$을 지나고 선분 AB에 수직인 직선이 원과 만나는 점을 Q라고 하면 $\triangle\text{OPQ}$에서 $\overline{\text{OP}}=|x|$, $\overline{\text{OQ}}=r$이므로 $\overline{\text{PQ}}=\sqrt{r^2-x^2}$
점 Q에서 좌표평면에 수직이 되도록 그은 직선이 평면과 만나는 점을 R이라고 하면 $\overline{\text{QR}}=\overline{\text{PQ}}\tan\theta=\sqrt{r^2-x^2}\tan\theta$
이때 $\triangle\text{PQR}$의 넓이 $S(x)$는
$S(x)=\dfrac{1}{2}\cdot\sqrt{r^2-x^2}\cdot\sqrt{r^2-x^2}\tan\theta=\dfrac{1}{2}(r^2-x^2)\tan\theta$
따라서 구하는 입체도형의 부피 V는
$V=\int_{-r}^{r}S(x)dx=\int_{-r}^{r}\dfrac{1}{2}(r^2-x^2)\tan\theta dx=\dfrac{1}{2}\tan\theta\left[r^2x-\dfrac{1}{3}x^3\right]_{-r}^{r}=\dfrac{2}{3}r^3\tan\theta$

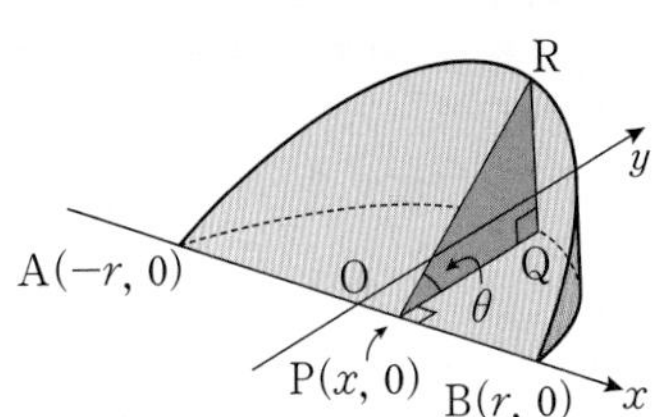

마플개념익힘 01 입체의 부피 (밑면과 평행한 평면으로 자른 단면)

어떤 그릇에 물을 부어 깊이가 x가 되면 수면은 반지름의 길이가 $\sqrt{\ln(x+1)}$인 원이 된다고 한다. 물의 깊이가 $e-1$일 때, 그릇에 담긴 물의 부피를 구하여라. (단, $0 \le x \le e-1$)

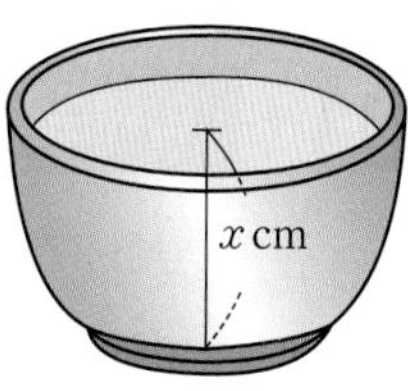

MAPL CORE 밑면으로부터의 높이가 x인 곳에서 밑면과 평행한 평면으로 자른 단면의 넓이가 $S(x)$인 입체도형에서 밑면으로부터의 높이가 a일 때의 부피는 $\int_0^a S(x)dx$

개념익힘 | 풀이 깊이가 $x(0 \le x \le e-1)$일 때, 단면의 넓이 $S(x)$는 $S(x)=\pi\{\sqrt{\ln(x+1)}\}^2=\pi\ln(x+1)$

따라서 구하는 그릇의 부피 V는 $V=\pi\int_0^{e-1}\ln(x+1)dx$

$x+1=t$로 놓으면 $dx=dt$

$x=0$일 때 $t=1$, $x=e-1$일 때 $t=e$이므로 $V=\pi\int_1^e \ln t dt$

이때 $f(t)=\ln t$, $g'(t)=1$로 놓으면 $f'(t)=\frac{1}{t}$, $g(t)=t$이므로

$V=\pi\Big[t\ln t\Big]_1^e-\pi\int_1^e dt=\pi e-\pi\Big[t\Big]_1^e=\boldsymbol{\pi}$

확인유제 0976 높이가 5cm인 어떤 용기가 있다. 밑면으로부터 높이가 $x$cm인 지점에서 밑면과 평행한 평면으로 자른 단면이 한 변의 길이가 $\sqrt{e^{2x}}$cm인 정삼각형일 때, 이 용기의 부피는? (단, 단위는 cm^3)

① $\frac{\sqrt{3}}{8}(e^{10}-1)$ ② $\frac{\sqrt{3}}{4}(e^{10}-1)$ ③ $\frac{\sqrt{3}}{8}(e^{8}-1)$ ④ $\sqrt{3}(e^{8}-1)$ ⑤ $4(e^{10}-1)$

변형문제 0977 높이가 $\frac{\pi}{3}$인 입체도형을 밑면으로부터 높이가 x인 지점에서 밑면에 평행한 평면으로 자른 단면이 한 변의 길이가 $2\tan x$인 정삼각형일 때, 이 입체도형의 부피는?

① $3-\frac{\sqrt{3}}{3}\pi$ ② $2-\frac{\sqrt{3}}{3}\pi$ ③ $1+\frac{\sqrt{3}}{3}\pi$ ④ $1+\frac{1}{3}\pi$ ⑤ $2+\frac{2}{3}\pi$

발전문제 0978 어떤 용기에 물을 넣으면 깊이가 $x\left(0 \le x \le \frac{\pi}{2}\right)$일 때, 수면은 반지름의 길이가 $\sqrt{x\sin x}$인 원이라고 한다. 물의 깊이가 $\frac{\pi}{2}$일 때, 용기에 담긴 물의 부피는?

① π ② 2π ③ $\frac{1}{2}\pi^2$
④ π^2 ⑤ π^2+1

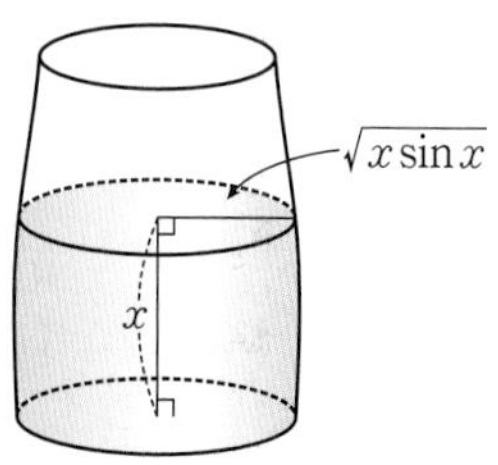

정답 0976 : ① 0977 : ① 0978 : ①

마플개념익힘 02 입체의 부피 (밑면과 평행한 평면으로 자른 단면) (1)

곡선 $y=\sqrt{\cos x}\left(-\frac{\pi}{2} \le x \le \frac{\pi}{2}\right)$와 x축으로 둘러싸인 도형을 밑면으로 하는 입체도형이 있다. 이 도형을 x축에 수직인 평면으로 자른 단면이 모두 정사각형일 때, 그 부피를 구하여라.

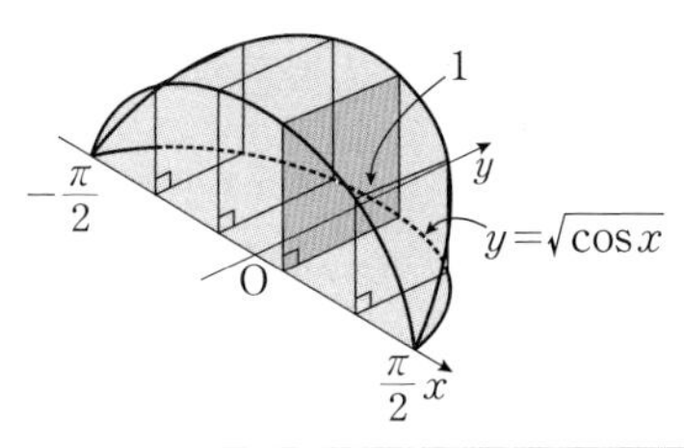

MAPL CORE 닫힌구간 $[a, b]$의 임의의 x에서 x축에 수직인 평면으로 자른 단면의 넓이가 $S(x)$일 때, 입체도형의 부피 V는 $V=\int_0^a S(x)dx$

개념익힘 | 풀이 x좌표가 $\left(-\frac{\pi}{2} \le x \le \frac{\pi}{2}\right)$인 점을 지나고 x축에 수직인 평면으로 입체도형을 자른 단면은 한 변의 길이가 $\sqrt{\cos x}$인 정사각형이므로 그 넓이를 $S(x)$라 하면

$S(x)=(\sqrt{\cos x})^2=\cos x$

따라서 구하는 부피는 $V=\int_{-\frac{\pi}{2}}^{\frac{\pi}{2}}\cos x dx=\left[\sin x\right]_{-\frac{\pi}{2}}^{\frac{\pi}{2}}=\mathbf{2}$

확인유제 0979 2017학년도 수능기출

오른쪽 그림과 같이 곡선 $y=\sqrt{x}+1$과 x축, y축 및 직선 $x=1$로 둘러싸인 도형을 밑면으로 하는 입체도형이 있다. 이 입체도형을 x축에 수직인 평면으로 자른 단면이 모두 정사각형일 때, 이 입체도형의 부피는?

① $\frac{7}{3}$ ② $\frac{5}{2}$ ③ $\frac{8}{3}$
④ $\frac{17}{6}$ ⑤ 3

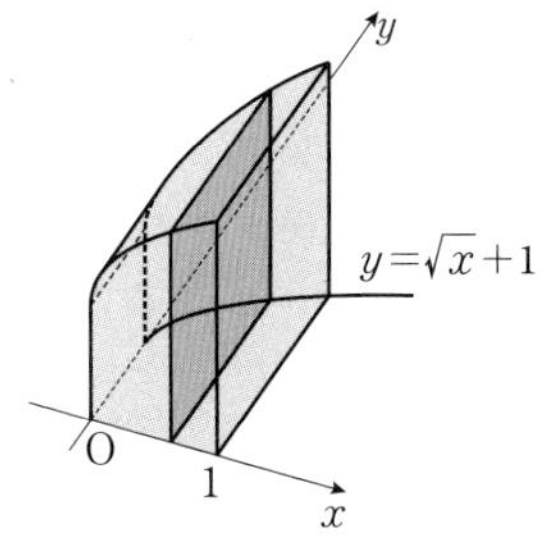

변형문제 0980 다음 물음에 답하여라.

(1) 곡선 $f(x)=\sqrt{x\cos x}\left(0 \le x \le \frac{\pi}{2}\right)$에 대하여 곡선 $y=f(x)$와 x축으로 둘러싸인 부분을 밑면으로 하는 입체도형이 있다. 두 점 $\mathrm{P}(x, y)$, $\mathrm{Q}(x, f(x))$를 지나고 x축에 수직인 평면으로 이 입체도형을 자른 단면이 선분 PQ를 지름으로 하는 반원일 때, 이 입체도형의 부피를 구하여라.

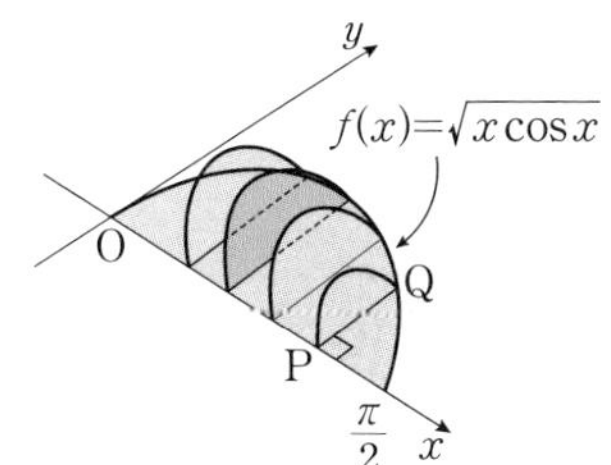

(2) 곡선 $f(x)=\sqrt{x\sin x}(0 \le x \le \pi)$와 x축으로 둘러싸인 부분을 밑면으로 하는 입체도형이 있다. 두 점 $\mathrm{P}(x, 0)$, $\mathrm{Q}(x, f(x))$를 지나고 x축에 수직인 평면으로 이 입체도형을 자른 단면은 선분 PQ를 지름으로 하는 반원일 때, 이 입체도형의 부피를 구하여라.

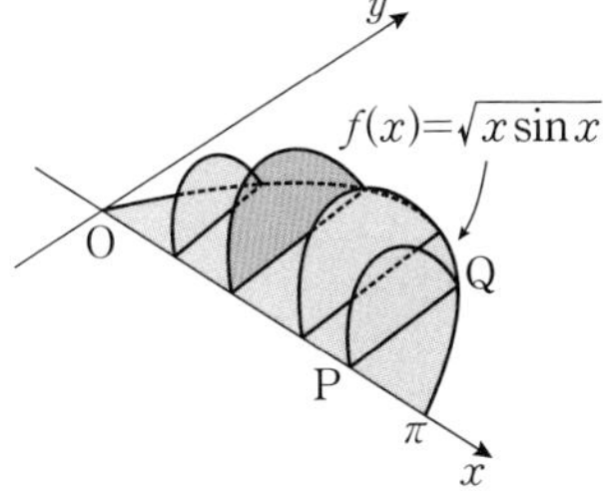

발전문제 0981 오른쪽 그림과 같이 x축 위의 점 $\mathrm{P}(x, 0)$을 지나면서 x축과 수직인 직선이 곡선 $y=\sin x$와 만나는 점을 Q, 직선 $y=-x$와 만나는 점을 R이라고 하자. x축을 접는 선으로 하여 좌표평면을 접어 두 평면이 서로 수직이 되도록 하고 점 P가 원점 O에서 점 $(\pi, 0)$까지 움직일 때, 삼각형 PQR에 의하여 만들어지는 입체도형의 부피는?

y, Q, O, P, π, x, $y=\sin x$, R, $y=-x$

① 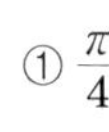 $\frac{\pi}{4}$ ② 1 ③ $\frac{\pi}{2}$
④ 2 ⑤ π

정답 0979 : ④ 0980 : (1) $\frac{\pi(\pi-2)}{16}$ (2) $\frac{\pi^2}{8}$ 0981 : ③

03 정적분의 활용

마플개념익힘 03 입체도형의 부피 (x축에 수직인 평면으로 자른 단면) (2)

오른쪽 그림과 같이 곡선 $y=\sqrt{x^2+\frac{(\ln x)^2}{x}}$과 x축 및 두 직선 $x=1$, $x=e$로 둘러싸인 도형을 밑면으로 하는 입체도형이 있다. 이 입체도형을 x축에 수직인 평면으로 자른 단면이 모두 정사각형일 때, 이 입체도형의 부피를 구하여라.

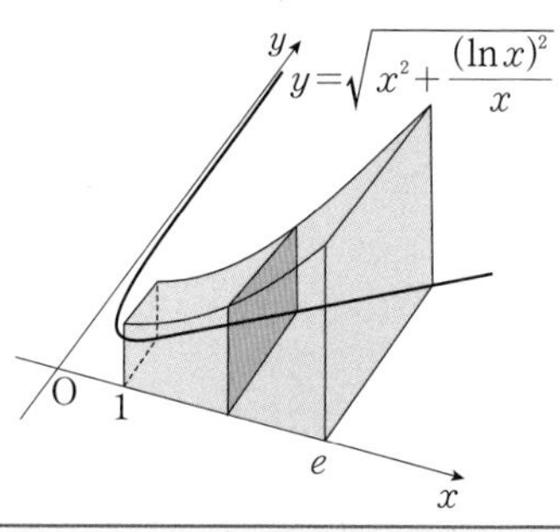

MAPL CORE 입체도형의 부피를 구하는 방법은 다음과 같다.
[1단계] x축과 원점을 정한다.
[2단계] x축 위의 점 $(x, 0)$을 지나 x축에 수직인 평면으로 잘린 입체의 단면의 넓이 $S(x)$를 구한다.
[3단계] 필요한 구간에서 단면의 넓이 $S(x)$를 적분한다. 즉 $V=\int_a^b S(x)dx$

개념익힘 | 풀이 x좌표가 $x(1\le x\le e)$인 점을 지나고 x축에 수직인 평면으로 자른 단면은 한 변의 길이가 $\sqrt{x^2+\frac{(\ln x)^2}{x}}$인 정사각형이므로

단면의 넓이를 $S(x)$라 하면

$$S(x)=\left\{\sqrt{x^2+\frac{(\ln x)^2}{x}}\right\}^2=\left\{x^2+\frac{(\ln x)^2}{x}\right\}$$

따라서 구하는 부피를 V라 하면

$$V=\int_1^e\left\{x^2+\frac{(\ln x)^2}{x}\right\}dx=\int_1^e x^2dx+\int_1^e\frac{(\ln x)^2}{x}dx$$

$\ln x=t$라 하면 $\frac{dt}{dx}=\frac{1}{x}$이고 $x=1$일 때 $t=0$, $x=e$일 때, $t=1$이므로

$$V=\left[\frac{1}{3}x^3\right]_1^e+\int_0^1 t^2dt=\frac{1}{3}(e^3-1)+\left[\frac{1}{3}t^3\right]_0^1=\frac{1}{3}(e^3-1)+\frac{1}{3}(1-0)=\boldsymbol{\frac{1}{3}e^3}$$

확인유제 0982 다음 물음에 답하여라.

2017년 04월 교육청

(1) 오른쪽 그림과 같이 곡선 $y=\sqrt{x+\frac{\pi}{4}\sin\left(\frac{\pi}{2}x\right)}$와 x축 및 두 직선 $x=1$, $x=4$로 둘러싸인 도형을 밑면으로 하는 입체도형이 있다. 이 입체도형을 x축에 수직인 평면으로 자른 단면이 모두 정사각형일 때, 이 입체도형의 부피를 구하여라.

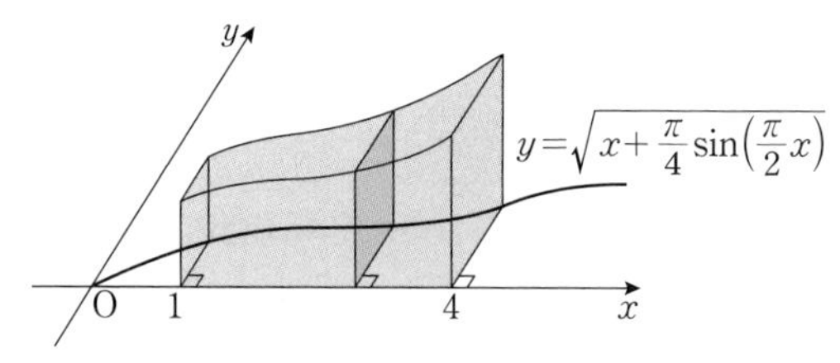

2019년 03월 교육청

(2) 오른쪽 그림과 같이 두 곡선 $y=2\sqrt{2x}+1$, $y=\sqrt{2x}$와 y축 및 직선 $x=2$로 둘러싸인 도형을 밑면으로 하는 입체도형이 있다. 이 입체도형을 x축에 수직인 평면으로 자른 단면이 모두 정사각형일 때, 이 입체도형의 부피를 V라 하자. $30V$의 값을 구하여라.

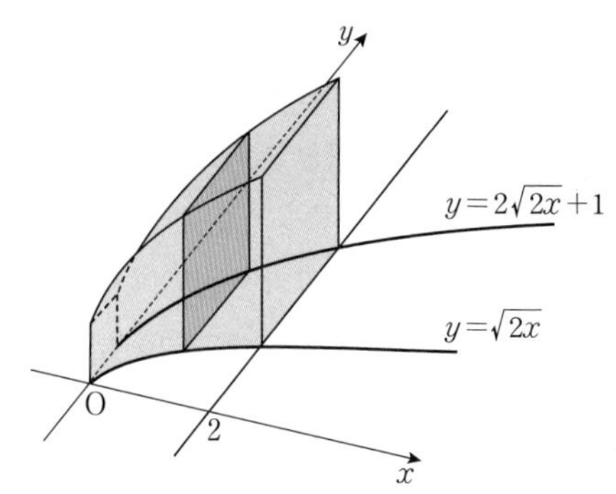

정답 0982 : (1) 7 (2) 340

변형문제 0983 다음 물음에 답하여라.

2020학년도 09월 평가원

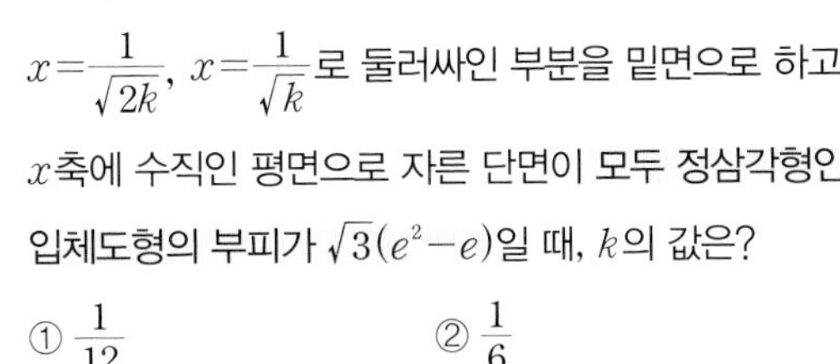

(1) 오른쪽 그림과 같이 양수 k에 대하여 함수 $f(x)=2\sqrt{x}e^{kx^2}$의 그래프와 x축 및 두 직선 $x=\frac{1}{\sqrt{2k}}$, $x=\frac{1}{\sqrt{k}}$로 둘러싸인 부분을 밑면으로 하고 x축에 수직인 평면으로 자른 단면이 모두 정삼각형인 입체도형의 부피가 $\sqrt{3}(e^2-e)$일 때, k의 값은?

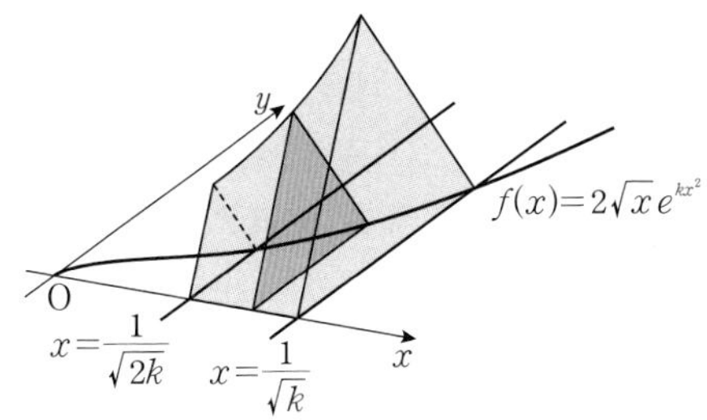

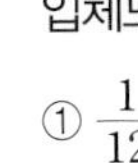

① $\frac{1}{12}$　② $\frac{1}{6}$　③ $\frac{1}{4}$
④ $\frac{1}{3}$　⑤ $\frac{1}{2}$

2020학년도 수능기출

(2) 오른쪽 그림과 같이 양수 k에 대하여 곡선 $y=\sqrt{\frac{e^x}{e^x+1}}$과 x축, y축 및 직선 $x=k$로 둘러싸인 부분을 밑면으로 하고, x축에 수직인 평면으로 자른 단면이 모두 정사각형인 입체도형의 부피가 $\ln 7$일 때, k의 값은?

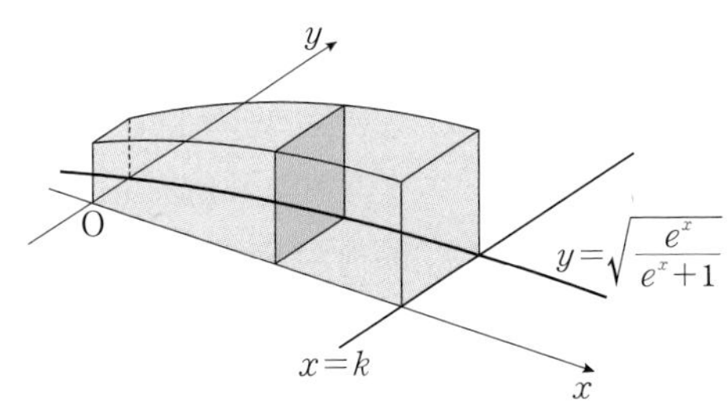

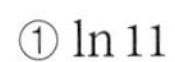

① $\ln 11$　② $\ln 13$
③ $\ln 15$　④ $\ln 17$
⑤ $\ln 19$

발전문제 0984 다음 물음에 답하여라.

2018년 10월 교육청

(1) 오른쪽 그림과 같이 함수 $f(x)=\sqrt{x\sin x^2}\left(\frac{\sqrt{\pi}}{2}\le x\le\frac{\sqrt{3\pi}}{2}\right)$에 대하여 곡선 $y=f(x)$와 곡선 $y=-f(x)$ 및 두 직선 $x=\frac{\sqrt{\pi}}{2}$, $x=\frac{\sqrt{3\pi}}{2}$로 둘러싸인 도형을 밑면으로 하는 입체도형이 있다. 이 입체도형을 x축에 수직인 평면으로 자른 단면이 모두 정사각형일 때, 이 입체도형의 부피는?

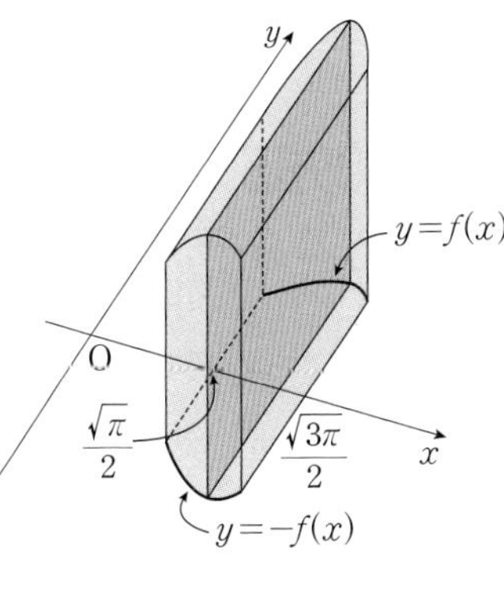

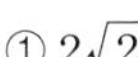

① $2\sqrt{2}$　② $2\sqrt{3}$　③ 4
④ $4\sqrt{2}$　⑤ $4\sqrt{3}$

2019년 03월 교육청

(2) 오른쪽 그림과 같이 함수 $f(x)=\sqrt{x(x^2+1)\sin(x^2)}\,(0\le x\le\sqrt{\pi})$에 대하여 곡선 $y=f(x)$와 x축으로 둘러싸인 부분을 밑면으로 하는 입체도형이 있다. 두 점 $\mathrm{P}(x,\ 0)$, $\mathrm{Q}(x,\ f(x))$를 지나고 x축에 수직인 평면으로 입체도형을 자른 단면이 선분 PQ를 한 변으로 하는 정삼각형이다. 이 입체도형의 부피는?

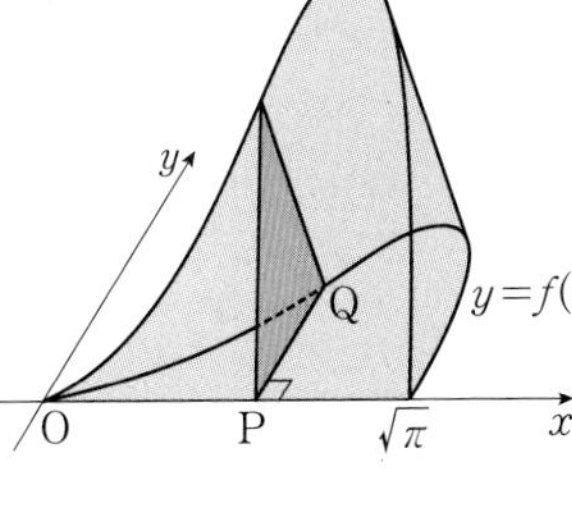

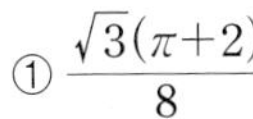

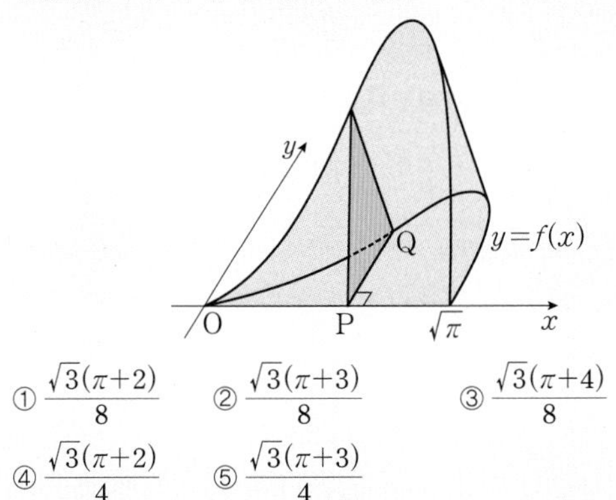

① $\frac{\sqrt{3}(\pi+2)}{8}$　② $\frac{\sqrt{3}(\pi+3)}{8}$　③ $\frac{\sqrt{3}(\pi+4)}{8}$
④ $\frac{\sqrt{3}(\pi+2)}{4}$　⑤ $\frac{\sqrt{3}(\pi+3)}{4}$

정답 0983 : (1) ③ (2) ②　0984 : (1) ① (2) ①

마플개념익힘 04 입체도형의 부피 (x축에 수직인 평면으로 자른 단면)

밑면의 반지름의 길이가 a이고, 높이가 $2a$인 원기둥을 밑면의 중심을 지나는 평면으로 자를 때 생기는 두 입체도형 중에서 작은 쪽을 T라 하자.
또, 도형 T를 밑면의 지름에 수직인 평면으로 자를 때 생기는 단면은 한 내각의 크기가 $60°$인 직각삼각형이 된다고 하자. 이와 같은 도형 T의 부피를 구하여라.

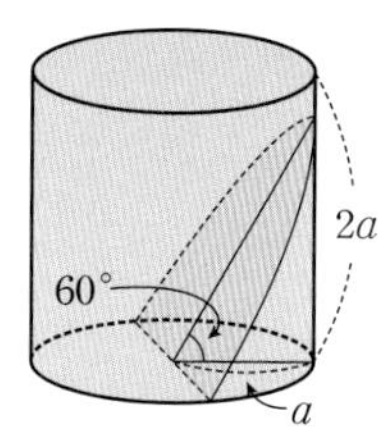

MAPL CORE 복잡한 입체도형의 부피 ⇨ 밑면을 좌표평면 위에 나타낸다.
원기둥의 밑부분을 잘라낸 작은 쪽의 입체의 부피 공식
밑면의 반지름의 길이가 r인 원기둥에서 밑면의 중심을 지나고 밑면과 θ의 각을 이루는 평면으로 이 원기둥을 자를 때, 작은 입체의 부피 V는 $V=\frac{2}{3}r^3\tan\theta$

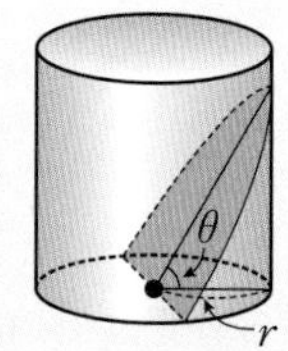

개념익힘 | **풀이** 오른쪽 그림과 같이 밑면의 중심을 원점, 밑면의 지름을 x축으로 잡고, x축 위의 점 $P(x,\ 0)(-a \le x \le a)$을 지나고 x축에 수직인 평면으로 입체도형을 자른 단면을 $\triangle PQR$이라고 하자.

$\overline{PQ}=\sqrt{\overline{OQ}^2-\overline{OP}^2}=\sqrt{a^2-x^2}$

$\overline{RQ}=\overline{PQ}\tan 60°=\sqrt{3}\sqrt{a^2-x^2}$

이므로 $\triangle PQR$의 넓이를 $S(x)$라고 하면

$$S(x)=\frac{1}{2}\cdot\sqrt{a^2-x^2}\cdot\sqrt{3}\sqrt{a^2-x^2}=\frac{\sqrt{3}}{2}(a^2-x^2)$$

따라서 구하는 입체의 부피는

$$V=\int_{-a}^{a}S(x)dx=2\int_{0}^{a}\frac{\sqrt{3}}{2}(a^2-x^2)dx=\sqrt{3}\left[a^2x-\frac{1}{3}x^3\right]_0^a=\mathbf{\frac{2\sqrt{3}}{3}a^3}$$

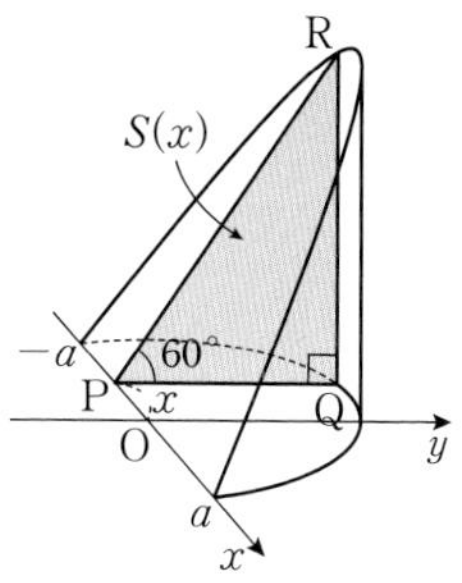

확인유제 0985 밑면인 원의 반지름의 길이가 3cm이고 높이가 9cm인 원기둥 모양의 컵에 물을 가득 채우고 오른쪽 그림과 같이 수면이 컵의 밑면을 이등분할 때까지 컵을 기울였다. 이때 컵에 남아 있는 물의 부피는? (단, 단위는 cm^3)

① 16 ② 36 ③ 54
④ 64 ⑤ 72

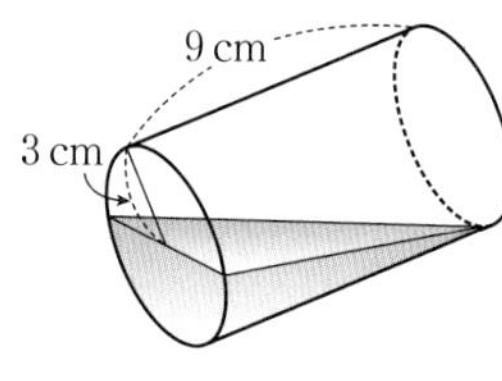

변형문제 0986 밑면의 반지름의 길이가 4, 높이가 4인 원기둥 모양의 그릇에 물이 가득 담겨 있다. 오른쪽 그림과 같이 이 그릇을 $45°$의 각도로 기울였을 때, 그릇에 남아 있는 물의 부피는?

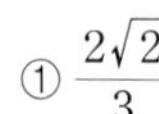

① $\frac{2\sqrt{2}}{3}$ ② $\frac{56}{3}$ ③ $\frac{64}{3}$
④ $\frac{64\sqrt{2}}{3}$ ⑤ $\frac{128}{3}$

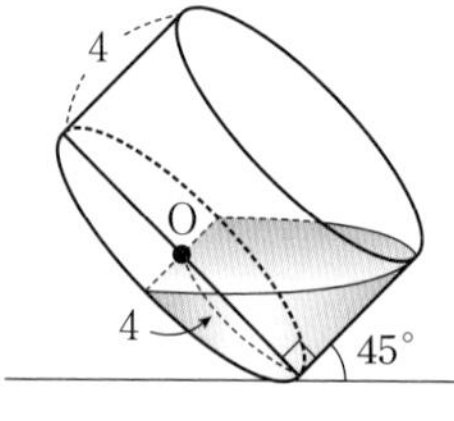

발전문제 0987 오른쪽 그림과 같이 반지름의 길이가 6cm인 반구 모양의 그릇에 물을 가득 채운 후 $30°$만큼 기울여 물을 흘려보낼 때, 남아 있는 물의 양은 몇 cm^3인지 구하여라. (단, 그릇의 두께는 고려하지 않는다.)

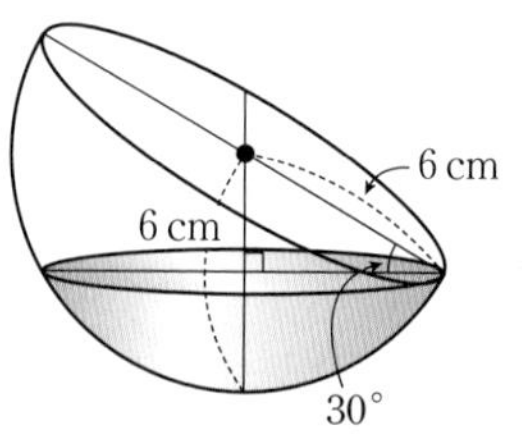

정답 0985 : ③ 0986 : ⑤ 0987 : 45π

17 정적분을 이용한 입체도형의 부피

01 정적분을 이용하여 입체도형의 부피 구하기

입체도형의 부피를 구할 때 공식을 이용할 수도 있지만 정적분을 이용할 수도 있다.
정적분을 이용하여 입체도형의 부피를 구해보자.

(1) 구의 부피

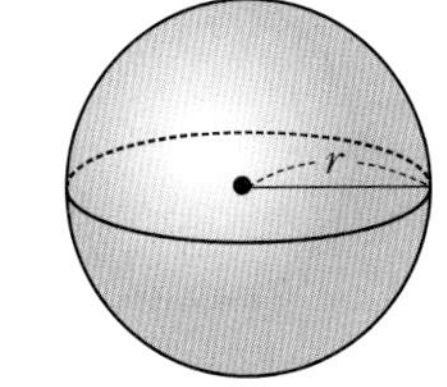

반지름의 길이가 r인 구의 부피 V가 $V=\frac{4}{3}\pi r^3$임을 정적분을 이용하여 다음 단계로 설명한다.

[1단계] 오른쪽 그림과 같이 반지름의 길이가 r인 반구를 밑면과 평행하고 밑면에서 x만큼 떨어진 평면으로 자른 단면의 넓이를 $S(x)$를 r와 x의 식으로 나타내어라.

해설 이 단면은 반지름의 길이가 $\sqrt{r^2-x^2}$인 원이므로
단면의 넓이는 $S(x)=\pi(r^2-x^2)$

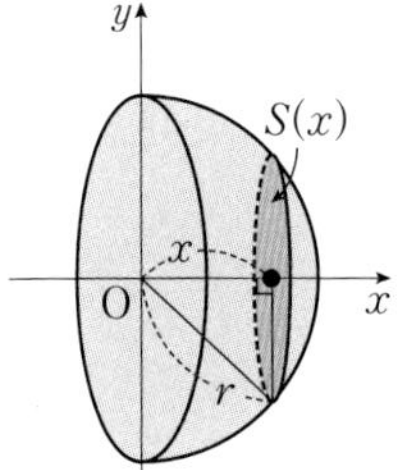

[2단계] 단면의 넓이 $S(x)$를 이용하여 구의 부피를 정적분으로 나타내어라.

해설 $V=2\int_0^r S(x)dx=2\int_0^r \pi(r^2-x^2)dx$

$=2\pi\left[r^2x-\frac{1}{3}x^3\right]_0^r=2\cdot\frac{2}{3}\pi r^3=\frac{4}{3}\pi r^3$

(2) 원기둥의 부피

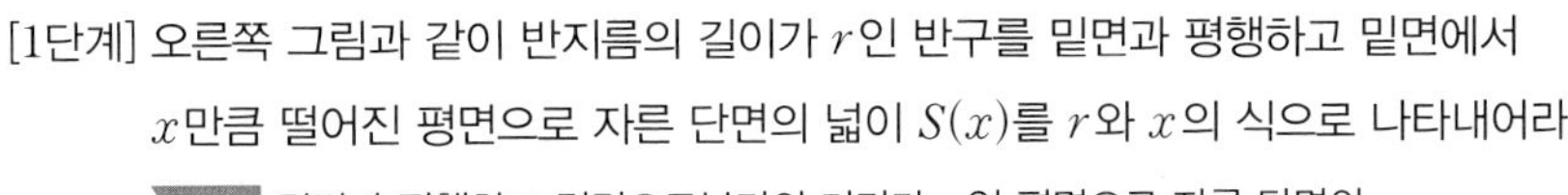

반지름의 길이가 r과 높이가 h인 원기둥의 부피 V가 $V=\pi r^2 h$임을 정적분을 이용하여 다음 단계로 설명한다.

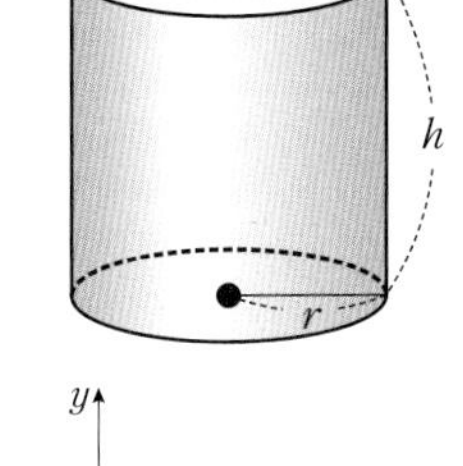

[1단계] 오른쪽 그림과 같이 반지름의 길이가 r인 반구를 밑면과 평행하고 밑면에서 x만큼 떨어진 평면으로 자른 단면의 넓이 $S(x)$를 r와 x의 식으로 나타내어라.

해설 밑면과 평행하고 밑면으로부터의 거리가 x인 평면으로 자른 단면의 넓이는 $S(x)=\pi r^2$

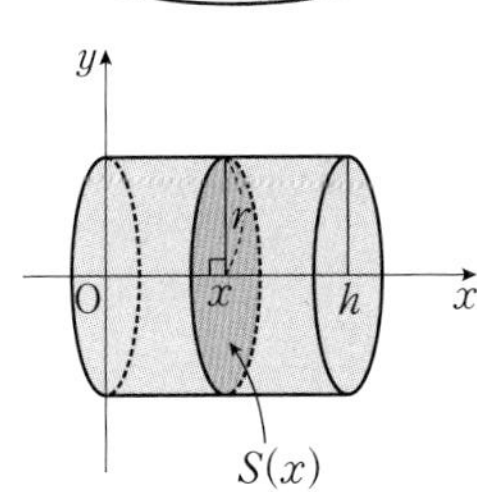

[2단계] 단면의 넓이 $S(x)$를 이용하여 구의 부피 V를 정적분으로 나타내어라.

해설 $V=\int_0^h S(x)dx=\int_0^h \pi r^2 dx=\pi r^2\left[x\right]_0^h=\pi r^2 h$

(3) 원뿔의 부피

반지름의 길이가 r와 높이가 h인 원뿔의 부피 V가 $V=\frac{1}{3}\pi r^2 h$임을 정적분을 이용하여 다음 단계로 설명한다.

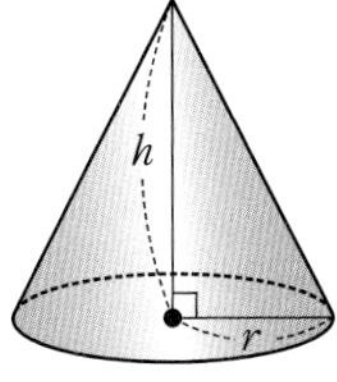

[1단계] 오른쪽 그림과 같이 원뿔의 꼭짓점으로부터 x만큼 떨어진 곳에서 밑면과 평행한 평면으로 자를 때 생기는 단면의 x축에 수직인 평면으로 원뿔을 자른 단면의 넓이 $S(x)$를 구하여라.

해설 $S(x):\pi r^2=x^2:h^2 \quad \therefore S(x)=\frac{\pi r^2 x^2}{h^2}$

[2단계] 단면의 넓이 $S(x)$를 이용하여 구의 부피 V를 정적분으로 나타내어라.

해설 $V=\int_0^h S(x)dx=\int_0^h \frac{\pi r^2 x^2}{h^2}dx=\frac{\pi r^2}{h^2}\left[\frac{x^3}{3}\right]_0^h=\frac{1}{3}\pi r^2 h$

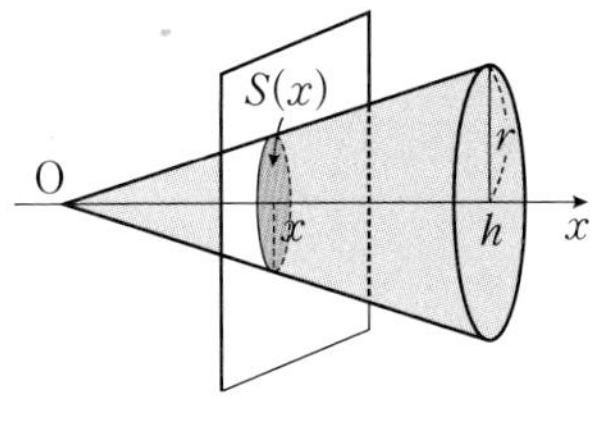

(4) 사각뿔의 넓이

밑면의 넓이가 S이고 높이가 h인 사각뿔의 부피 V는 $V=\frac{1}{3}Sh$임을 정적분을 이용하여 다음 단계로 설명한다.

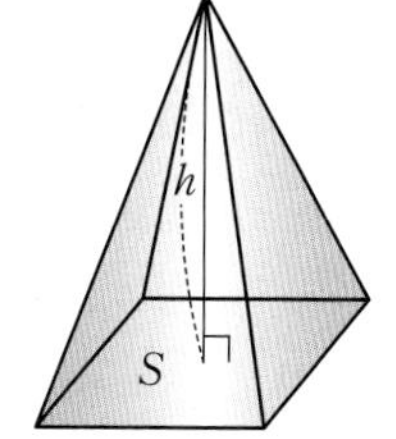

[1단계] 오른쪽 그림과 같이 원뿔의 꼭짓점으로부터 x만큼 떨어진 곳에서 밑면과 평행한 평면으로 자를 때 생기는 단면의 x축에 수직인 평면으로 원뿔을 자른 단면의 넓이 $S(x)$를 구하여라.

해설 $S(x):S=x^2:h^2 \quad \therefore S(x)=\frac{S}{h^2}x^2$

[2단계] 단면의 넓이 $S(x)$를 이용하여 구의 부피 V를 정적분으로 나타내어라.

해설 $V=\int_0^h S(x)dx=\int_0^h \frac{S}{h^2}x^2dx=\frac{S}{h^2}\left[\frac{x^2}{3}\right]_0^h=\frac{1}{3}Sh$

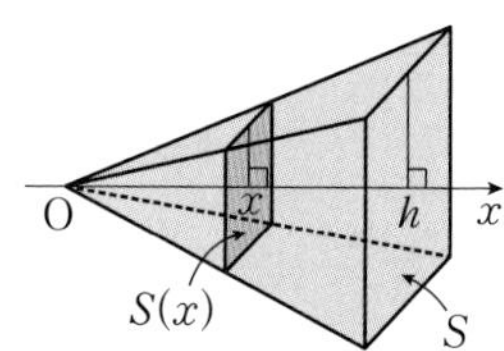

오른쪽 그림과 같이 반지름의 길이와 높이가 모두 r인 원기둥에서 밑면의 반지름의 길이와 높이가 모두 r인 원뿔을 뺀 입체도형이 있다.
이 입체도형의 부피가 반지름의 길이가 r인 반구의 부피와 같음을 다음 두 가지 방법으로 구한다.

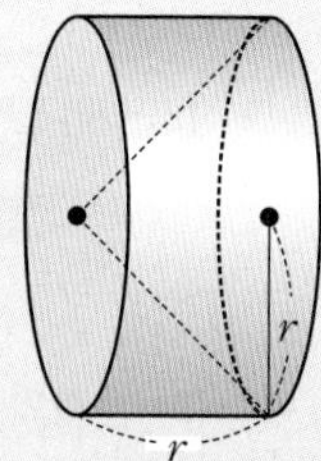

[방법1] 원기둥, 원뿔, 구의 부피를 구하는 공식을 이용하는 방법

① 밑면의 반지름의 길이와 높이가 모두 r인 원기둥과 원뿔의 부피를 구하여 주어진 입체도형의 부피를 구하여라.

해설 (원기둥의 부피)$-$(원뿔의 부피)$=\pi r^3-\frac{1}{3}\pi r^3=\frac{2}{3}\pi r^3$

② ①의 결과와 반지름의 길이가 r인 반구의 부피를 구하여라.

해설 (반구의 부피)$=\frac{2}{3}\pi r^3$이므로 반구의 부피와 같다.

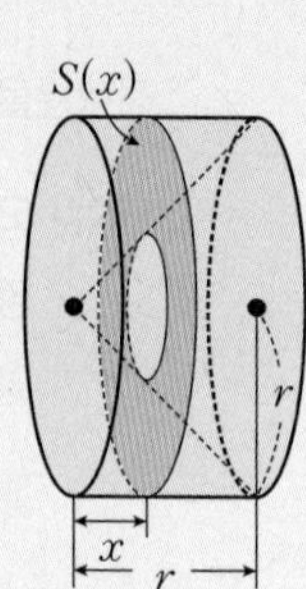

[방법2] 정적분을 이용하는 방법

① 주어진 입체도형을 밑면과 평행하고 밑면에서 x만큼 떨어진 평면으로 자른 단면의 넓이 $S(x)$를 r과 x의 식으로 나타내어라.

해설 $S(x)=\pi(r^2-x^2)$

② 정적분을 이용하여 입체도형의 부피를 구하여라.

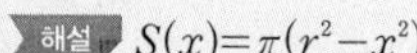

해설 $\int_0^r \pi(r^2-x^2)dx=\pi\left[r^2x-\frac{1}{3}x^3\right]_0^r=\frac{2}{3}\pi r^3$

05 속도와 거리

MAPL ; YOUR MASTER PLAN

01 직선 위를 움직이는 점의 위치와 이동거리

수직선 위를 움직이는 점 P의 시각 t에서의 속도가 $v(t)$이고 시각 $t=a$에서의 점 P의 위치가 x_0일 때, 시각 t에서 점 P의 위치 $x(t)$와 시각 $t=a$부터 시각 $t=b$까지 점 P가 움직인 거리 s는 다음과 같다.

(1) 시각 t에서 점 P의 위치 x는 $x=x_0+\int_a^b v(t)dt$ ⬅ x_0은 출발점의 위치

(2) 시각 $t=a$부터 시각 $t=b$까지 점 P의 위치의 변화량은 $\int_a^b v(t)dt$ ⬅ 정적분의 값

(3) 시각 $t=a$부터 시각 $t=b$까지 점 P가 움직인 거리는 $s=\int_a^b |v(t)|dt$ ⬅ 넓이의 합

참고 시각 $t=a$부터 시각 $t=b$까지 점 P의 위치의 변화량

$\int_a^b v(t)dt$ ⬅ 위치의 변화량을 변위 (위치가 변화한 양)라고 한다.

마플해설 위치의 변화량은 단순히 물체의 위치가 변화한 양을 뜻하는 것으로 속도를 적분하여 구하고 움직인 거리는 운동방향에 관계없이 실제로 움직인 거리의 총합을 뜻하는 것으로 속도의 절댓값을 적분하여 구한다.
이때 중간에 운동방향이 바뀌지 않으면 위치의 변화량의 절댓값과 움직인 거리는 같다.

보기 01 원점을 출발하여 수직선 위를 움직이는 점 P의 시각 t에서의 속도가 $v(t)=2\sin\pi t$일 때, 다음을 구하여라.

(1) 시각 t에서 점 P의 위치를 구하여라.

(2) $t=0$에서 $t=2$까지 점 P가 움직인 거리

풀이 (1) $t=0$에서의 위치가 $x=0$이므로 구하는 위치 x는

$$x=0+\int_0^t 2\sin\pi t dt=\left[-\frac{2}{\pi}\cos\pi t\right]_0^t=-\frac{2}{\pi}\cos\pi t+\frac{2}{\pi}$$

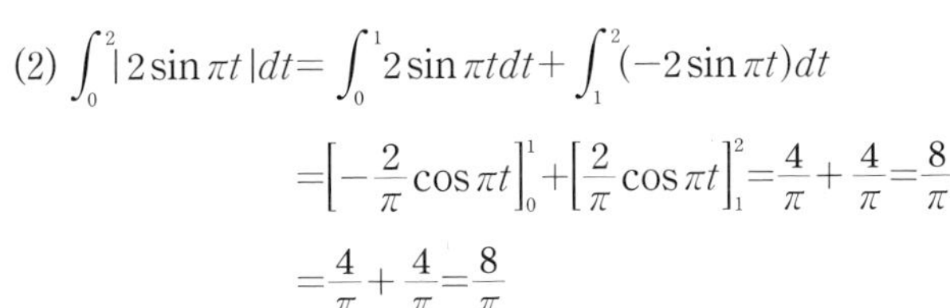

(2) $\int_0^2 |2\sin\pi t|dt=\int_0^1 2\sin\pi t dt+\int_1^2(-2\sin\pi t)dt$

$$=\left[-\frac{2}{\pi}\cos\pi t\right]_0^1+\left[\frac{2}{\pi}\cos\pi t\right]_1^2=\frac{4}{\pi}+\frac{4}{\pi}=\frac{8}{\pi}$$

$$=\frac{4}{\pi}+\frac{4}{\pi}=\frac{8}{\pi}$$

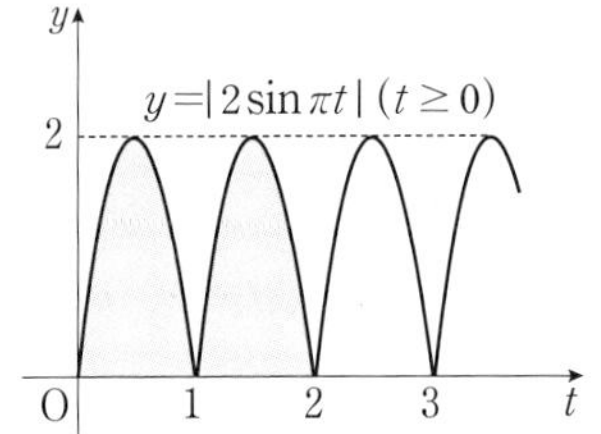

보기 02 원점을 출발하여 수직선 위를 움직이는 점 P의 시각 t에서의 속도가 $v(t)=(t-1)e^t$일 때, 다음을 구하여라.

(1) 시각 t에서 점 P의 위치를 구하여라.

(2) $t=0$에서 $t=1$까지 점 P가 움직인 거리

풀이 (1) $t=0$에서의 위치가 $x=0$이므로 구하는 위치 x는

$$x=0+\int_0^t (t-1)e^t dt=\left[(t-1)e^t\right]_0^t-\int_0^t e^t dt=(t-2)e^t+2$$

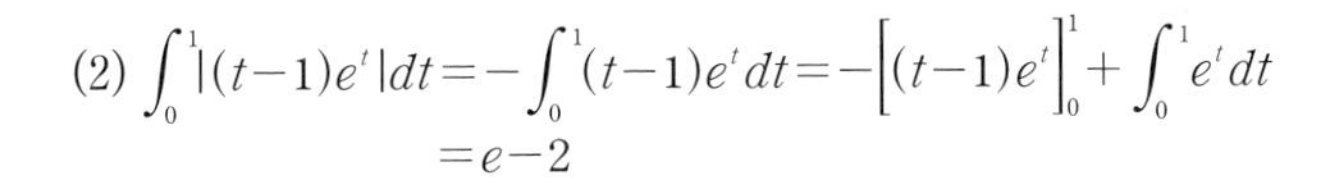

(2) $\int_0^1 |(t-1)e^t|dt=-\int_0^1 (t-1)e^t dt=-\left[(t-1)e^t\right]_0^1+\int_0^1 e^t dt$

$$=e-2$$

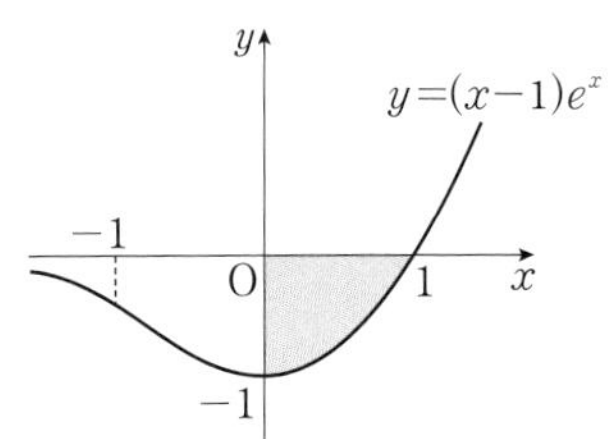

더 알아보기

수 II에서 공부한 수직선 위에서의 속도와 거리

① 시각 t에서 위치 $x(t)$가 주어지면 ⇨ 미분법을 이용하여 속도, 가속도를 구할 수 있다.

② 시각 t에서 속도 $v(t)$가 주어지면 ⇨ 적분법을 이용하여 위치의 변화량, 움직인 거리를 구할 수 있다.

02 평면 위에서 점이 움직인 거리

좌표평면 위를 움직이는 점 $\mathrm{P}(x, y)$의 시각 t에서의 위치가 함수 $x=f(t)$, $y=g(t)$일 때,
시각 $t=a$에서 $t=b$까지 점 P가 움직인 거리 s는

$$s=\int_a^b \sqrt{\left(\frac{dx}{dt}\right)^2+\left(\frac{dy}{dt}\right)^2}\,dt=\int_a^b \sqrt{\{f'(t)\}^2+\{g'(t)\}^2}\,dt$$

참고 수직선 위를 움직이는 점 P의 시각 t에서의 속도가 $v(t)$일 때, $t=a$에서 $t=b$까지 점 P가 움직인 거리는 $\int_a^b |v(t)|dt$

마플해설 평면 위에서 점이 움직인 거리를 구하여 보자.

좌표평면 위를 움직이는 점 $\mathrm{P}(x,y)$의 시각 t에서의 위치가 시각 t를 매개변수로 하는 함수

$$x=f(t),\ y=g(t)$$

로 나타내어질 때, 시각 t에서의 점 P의 속도는 다음과 같이 나타낸다.

$$\left(\frac{dx}{dt}, \frac{dy}{dt}\right) \text{ 또는 } (f'(t), g'(t))$$

점 P가 시각 a에서 t $(a \le t \le b)$까지 움직인 거리는 시각 t의 함수이므로 이 거리를 $s(t)$라고 하자.

시각 t에서 $\mathrm{A}(x, y)$에 있던 점 P가 시각 $t+\Delta t$에서 $\mathrm{B}(x+\Delta x, y+\Delta y)$로 이동했을 때,
움직인 거리 s의 증분 Δs는 Δt가 충분히 작으면 $\overline{\mathrm{AB}}$와 거의 같아진다.

즉, Δs는 $\overline{\mathrm{AB}}=\sqrt{(\Delta x)^2+(\Delta y)^2}$에 아주 가까운 값이 되므로 다음과 같이 나타낼 수 있다.

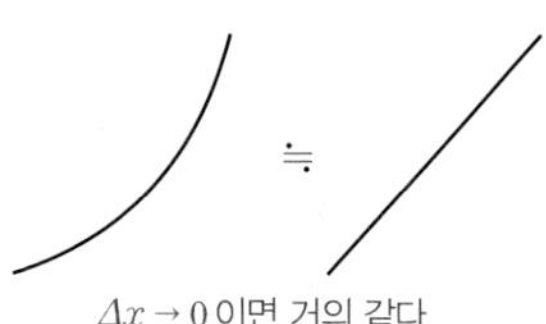

$\Delta x \to 0$ 이면 거의 같다.

$$s'(t)=\frac{ds}{dt}=\lim_{\Delta t\to 0}\frac{\Delta s}{\Delta t}=\lim_{\Delta t\to 0}\sqrt{\left(\frac{\Delta x}{\Delta t}\right)^2+\left(\frac{\Delta y}{\Delta t}\right)^2}=\sqrt{\left(\frac{dx}{dt}\right)^2+\left(\frac{dy}{dt}\right)^2}$$

이고, 이는 점 P의 시각 t에서의 속력과 같으므로 $t=a$에서 $t=b$까지
점 P가 움직인 거리 s는 다음과 같다.

$$s=s(b)-s(a)=\Big[s(t)\Big]_a^b=\int_a^b \sqrt{\left(\frac{dx}{dt}\right)^2+\left(\frac{dy}{dt}\right)^2}\,dt=\int_a^b \sqrt{\{f'(t)\}^2+\{g'(t)\}^2}\,dt$$

보기 03 좌표평면 위를 움직이는 점 P의 시각 t에서의 위치 (x, y)가 다음과 같을 때, $t=0$에서 $t=1$까지 점 P가 움직인 거리를 구하여라.

(1) $x=3t+1$, $y=4t+2$　　(2) $x=\sin t$, $y=\cos t$　　(3) $x=e^t\cos t$, $y=e^t\sin t$

풀이 (1) $\frac{dx}{dt}=3$, $\frac{dy}{dt}=4$이므로 점 P가 움직인 거리 s는

$$s=\int_0^1 \sqrt{3^2+4^2}\,dt=\int_0^1 5dt=\Big[5t\Big]_0^1=5$$

(2) $\frac{dx}{dt}=\cos t$, $\frac{dy}{dt}=-\sin t$이므로 점 P가 움직인 거리 s는

$$s=\int_0^1 \sqrt{(\cos t)^2+(-\sin t)^2}\,dt=\int_0^1 1dt=\Big[t\Big]_0^1=1$$

(3) $\frac{dx}{dt}=e^t(\cos t-\sin t)$, $\frac{dy}{dt}=e^t(\sin t+\cos t)$이므로 점 P가 움직인 거리 s는

$$s=\int_0^1 \sqrt{e^{2t}(\cos t-\sin t)^2+e^{2t}(\sin t+\cos t)^2}\,dt=\int_0^1 \sqrt{2}e^t dt=\sqrt{2}\Big[e^t\Big]_0^1=\sqrt{2}(e-1)$$

더 알아보기

평면 위의 운동에서 움직인 거리 = 곡선의 길이

좌표평면 위를 움직이는 점 $\mathrm{P}(x, y)$의 시각 t에서의 위치 (x, y)가 $x=f(t)$, $y=g(t)$ (단, $a \le t \le b$)로 주어질 때,
이 식은 t의 값이 변함에 따라 점 P가 그리는 곡선의 방정식이다.
따라서 점 P가 움직인 경로가 겹치지 않으면 점 P가 그리는 곡선의 길이는 점 P가 움직인 거리와 같다.
즉 점 P의 위치 $x=f(t)$, $y=g(t)$ $(a \le t \le b)$의 곡선의 길이는 점 P가 시각 $t=a$에서 $t=b$까지 움직인 거리와 같다.

03 곡선의 길이

(1) 매개변수로 나타내어진 곡선의 길이

매개변수로 나타낸 곡선 $x=f(t)$, $y=g(t)$ $(a \le t \le b)$의 길이 l은 다음과 같다.

$$\boldsymbol{l=\int_a^b \sqrt{\left(\frac{dx}{dt}\right)^2+\left(\frac{dy}{dt}\right)^2}\,dt=\int_a^b \sqrt{\{f'(t)\}^2+\{g'(t)\}^2}\,dt}$$

(2) 곡선 $y=f(x)(a \le x \le b)$의 길이

$x=a$에서 $x=b$까지의 곡선 $y=f(x)$의 길이 l은 다음과 같다.

$$\boldsymbol{l=\int_a^b \sqrt{1+\left(\frac{dy}{dx}\right)^2}\,dx=\int_a^b \sqrt{1+\{f'(x)\}^2}\,dx}$$

참고 매개변수방정식으로 주어지지 않은 곡선의 길이를 구할 때 쓴다.

마플해설 좌표평면에서의 곡선의 길이를 구하여 보자.

(1) 매개변수로 나타낸 곡선 $x=f(t)$, $y=g(t)(a \le t \le b)$의 길이를 구하여 보자.

좌표평면 위를 움직이는 점 P의 시각 t에서의 위치 $(x,\ y)$가

$x=f(t)$, $y=g(t)$

일 때, $t=a$에서 $t=b$까지 점 P가 그리는 곡선의길이는 점 P가 움직인 경로가 겹치지 않으면 점 P가 움직인 거리와 같다.

따라서 $t=a$에서 $t=b$까지 점 P가 그리는 곡선의 길이 l은 다음과 같다.

$$l=\int_a^b \sqrt{\left(\frac{dx}{dt}\right)^2+\left(\frac{dy}{dt}\right)^2}\,dt=\int_a^b \sqrt{\{f'(t)\}^2+\{g'(t)\}^2}\,dt$$

(2) 곡선 $y=f(x)(a \le x \le b)$의 길이를 구하여 보자

함수 $y=f(x)(a \le x \le b)$ 점 P의 시각 t에서 위치 $(x,\ y)$가

$x=t$, $y=f(t)(a \le x \le b)$

로 나타낸 곡선으로 볼 수 있다.

즉, $x=a$에서 $x=b$까지의 곡선 $y=f(x)$의 길이 l은 $t=a$에서 $t=b$까지 점 P가 움직인 거리와 같다.

따라서 곡선의 길이 l은

$$l=\int_a^b \sqrt{\left(\frac{dx}{dt}\right)^2+\left(\frac{dy}{dt}\right)^2}\,dt=\int_a^b \sqrt{1+\{f'(t)\}^2}\,dt=\int_a^b \sqrt{1+\{f'(x)\}^2}\,dx$$ ⬅ $x=t$, $y=f(t)$에서 $\frac{dx}{dt}=1$, $\frac{dy}{dt}=f'(t)$

보기 04 다음 곡선의 길이를 구하여라.

(1) $x=3\cos t$, $y=3\sin t\,(0 \le t \le 2\pi)$

(2) $y=\frac{2}{3}(x-1)^{\frac{3}{2}}\,(1 \le x \le 4)$

(1) $\frac{dx}{dt}=-3\sin t$, $\frac{dy}{dt}=3\cos t$이므로 구하는 길이는 다음과 같다.

$$l=\int_0^{2\pi} \sqrt{\left(\frac{dx}{dt}\right)^2+\left(\frac{dy}{dt}\right)^2}\,dt=\int_0^{2\pi} \sqrt{(-3\sin t)^2+(3\cos t)^2}\,dt=\int_0^{2\pi} 3dt=6\pi$$

(2) $f(x)=\frac{2}{3}(x-1)^{\frac{3}{2}}$로 놓으면 $f'(x)=(x-1)^{\frac{1}{2}}$이므로 구하는 길이는 다음과 같다. ⬅ 매개변수로 나타낸 곡선의 길이

$$l=\int_1^4 \sqrt{1+\{f'(x)\}^2}\,dx=\int_1^4 \sqrt{1+(x-1)}\,dx=\int_1^4 \sqrt{x}\,dx=\frac{2}{3}\left[x^{\frac{3}{2}}\right]_1^4=\frac{14}{3}$$

곡선의 길이 $\int_a^b \sqrt{1+\{f'(x)\}^2}\,dx$를 효과적으로 사용하는 방법

'$f(x)$' 라는 함수를 홀로 두고 해결하려 하지 말고 $(x,\ f(x))$로 나타내어서 $(g(x),\ f(x))$의 꼴로 표현한다.

즉 위치를 $(g(x),\ f(x))$로 나타내고 속도를 $(g'(x),\ f'(x))$로 나타내면

(곡선의 길이)$=\int_a^b \sqrt{\{g'(x)\}^2+\{f'(x)\}^2}\,dx$

여기에서 $g'(x)$에 1을 대입하면 $\int_a^b \sqrt{1+\{f'(x)\}^2}\,dx$가 나오게 된다.

마플개념익힘 01 평면 위의 운동에서의 점이 움직인 거리

좌표평면 위를 움직이는 점 P의 시각 t에서의 위치가 다음과 같을 때, 물음에 답하여라.

(1) $x=\sin t+\cos t, y=\cos t-\sin t$일 때, $t=0$에서 $t=\pi$까지 점 P가 움직인 거리를 구하여라.

(2) $x=\ln t,\ y=\frac{1}{2}\left(t+\frac{1}{t}\right)$일 때, 점 P가 시각 $t=\frac{1}{e}$에서 시각 $t=e$까지 움직인 거리를 구하여라.

MAPL CORE $t=a$에서 $t=b$까지 점 P가 움직인 거리 s는 $s=\int_a^b\sqrt{\left(\frac{dx}{dt}\right)^2+\left(\frac{dy}{dt}\right)^2}\,dt$

개념익힘 | **풀이** (1) $\frac{dx}{dt}=\cos t-\sin t,\ \frac{dy}{dt}=-\sin t-\cos t$이므로 점 P가 $t=0$에서 $t=\pi$까지 움직인 거리는

$$s=\int_0^\pi\sqrt{\left(\frac{dx}{dt}\right)^2+\left(\frac{dy}{dt}\right)^2}\,dt=\int_0^\pi\sqrt{(\cos t-\sin t)^2+(-\sin t-\cos t)^2}\,dt$$

$$=\int_0^\pi\sqrt{2}\,dt=\left[\sqrt{2}\,t\right]_0^\pi=\sqrt{2}\pi$$

(2) $\frac{dx}{dt}=\frac{1}{t},\ \frac{dy}{dt}=\frac{1}{2}\left(1-\frac{1}{t^2}\right)$이므로 점 P가 $t=\frac{1}{e}$에서 $t=e$까지 움직인 거리는

$$s=\int_{\frac{1}{e}}^e\sqrt{\left(\frac{1}{t}\right)^2+\left\{\frac{1}{2}\left(1-\frac{1}{t^2}\right)\right\}^2}\,dt=\int_{\frac{1}{e}}^e\sqrt{\frac{1}{4}\left(1+\frac{1}{t^2}\right)^2}\,dt=\int_{\frac{1}{e}}^e\frac{1}{2}\left(1+\frac{1}{t^2}\right)dt$$

$$=\frac{1}{2}\left[t-\frac{1}{t}\right]_{\frac{1}{e}}^e=e-\frac{1}{e}$$

참고 $x=\ln t,\ y=\frac{1}{2}\left(t+\frac{1}{t}\right)\ (t\ge 0)$의 곡선의 그리면 오른쪽 그림과 같다.

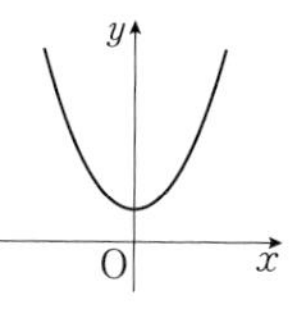

확인유제 **0988** 다음 물음에 답하여라.

(1) 좌표평면 위를 움직이는 점 P(x, y)의 시각 t에서의 위치가

$$x=\sqrt{3}\sin t+\cos t,\ y=\sqrt{3}\cos t-\sin t$$

일 때, $t=0$에서 $t=2\pi$까지 점 P가 움직인 거리를 구하여라.

(2) 좌표평면 위를 움직이는 점 P(x, y)의 시각 t에서의 위치가

$$x=e^t\cos 2t,\ y=e^t\sin 2t$$

일 때, $t=0$에서 $t=1$까지 점 P가 움직인 거리를 구하여라.

변형문제 **0989** 좌표평면 위를 움직이는 점 P(x, y)의 시각 t에서의 위치가

$$x=a\cos^3 t,\ y=a\sin^3 t$$

이다. 점 P가 시각 $t=0$에서 시각 $t=\frac{\pi}{2}$까지 움직인 거리가 12일 때, 양수 a의 값은?

① 6 ② 8 ③ 10 ④ 12 ⑤ 14

발전문제 **0990** 좌표평면 위를 움직이는 점 P(x, y)의 시각 t에서의 위치가

$$x=6t^2+1,\ y=t^3+2$$

일 때, 점 P가 시각 $t=0$에서 시각 $t=3$까지 움직인 거리는?

① 56 ② 57 ③ 59 ④ 60 ⑤ 61

정답 0988 : (1) 4π (2) $\sqrt{5}(e-1)$ 0989 : ② 0990 : ⑤

마플개념익힘 02 곡선의 길이 (1)

매개변수로 나타낸 곡선

$$x=t+\frac{1}{t},\ y=\ln t^2\,(1\le t\le 2)$$

의 길이를 구하여라.

MAPL CORE 곡선 $x=f(t),\ y=g(t)$의 구간 $a\le t\le b$에서의 곡선의 길이 l은

$$l=\int_a^b\sqrt{\left(\frac{dx}{dt}\right)^2+\left(\frac{dy}{dt}\right)^2}\,dt=\int_a^b\sqrt{\{f'(t)\}^2+\{g'(t)\}^2}\,dt$$ ⬅ 매개변수방정식으로 주어진 곡선에서 길이를 구할 때 쓴다.

개념익힘 | **풀이** $\frac{dx}{dt}=1-\frac{1}{t^2},\ \frac{dy}{dt}=\frac{2}{t}$이므로

점 P가 시각 $t=1$에서 $t=2$까지 그리는 곡선의 길이는

$$l=\int_1^2\sqrt{\left(\frac{dx}{dt}\right)^2+\left(\frac{dy}{dt}\right)^2}\,dt=\int_1^2\sqrt{\left(1-\frac{1}{t^2}\right)^2+\left(\frac{2}{t}\right)^2}\,dt=\int_1^2\sqrt{1+\frac{2}{t^2}+\frac{1}{t^4}}\,dt$$

$$=\int_1^2\sqrt{\left(1+\frac{1}{t^2}\right)^2}\,dt=\int_1^2\left(1+\frac{1}{t^2}\right)dt$$

$$=\left[t-\frac{1}{t}\right]_1^2=\mathbf{\frac{3}{2}}$$

확인유제 0991 다음 주어진 구간에서 매개변수로 나타낸 곡선의 길이를 구하여라. (단, $1-\cos x=2\sin^2\frac{x}{2}$)

(1) $x=e^t-t,\ y=4e^{\frac{t}{2}}\ (0<t<2)$ (2) $x=t-\sin t,\ y=1-\cos t\ (0\le t\le 2\pi)$

변형문제 0992 다음 물음에 답하여라.

(1) 매개변수 t로 나타낸 곡선

$$x=e^t+e^{-t},\ y=2t\,(\ln 2<t<\ln 3)$$

의 길이는?

① 1 ② $\frac{13}{12}$ ③ $\frac{7}{6}$ ④ $\frac{5}{4}$ ⑤ $\frac{4}{3}$

(2) 매개변수 t로 나타낸 곡선

$$x=4t,\ y=t^2-2\ln t\,(1\le t\le 4)$$

의 길이는?

① $14+2\ln 2$ ② $15+2\ln 2$ ③ $14+4\ln 2$ ④ $16+2\ln 2$ ⑤ $15+4\ln 2$

발전문제 0993 매개변수 t로 나타낸 곡선

$$x=t^2\sin t,\ y=t^2\cos t\,(0\le t\le\sqrt{5})$$

의 길이는?

① $\frac{37}{6}$ ② $\frac{19}{3}$ ③ $\frac{13}{2}$ ④ $\frac{20}{3}$ ⑤ $\frac{41}{6}$

정답 0991 : (1) e^2+1 (2) 8 0992 : (1) ③ (2) ⑤ 0993 : ②

마플개념익힘 03 곡선의 길이 (2)

다음 주어진 구간에 대응하는 각 곡선의 길이 l을 구하여라.

(1) $f(x)=\frac{2}{3}(x^2+1)^{\frac{3}{2}}$ $(0\le x\le 3)$　　　(2) $f(x)=\frac{1}{2}(e^x+e^{-x})$ $(-1\le x\le 1)$

MAPL CORE 곡선 $y=f(x)$ $(a\le x\le b)$의 길이를 l은

$l=\int_a^b\sqrt{1+\left(\frac{dy}{dx}\right)^2}\,dx=\int_a^b\sqrt{1+\{f'(x)\}^2}\,dx$ ⬅ 매개변수방정식으로 주어지지 않은 곡선일 때, 길이를 구할 때 쓴다.

개념익힘 | 풀이 (1) $f(x)=\frac{2}{3}(x^2+1)^{\frac{3}{2}}$에서 $f'(x)=\frac{2}{3}\cdot\frac{3}{2}(x^2+1)^{\frac{1}{2}}\cdot 2x=2x\sqrt{x^2+1}$이므로

구하는 곡선의 길이를 l이라 하면

$$l=\int_0^3\sqrt{1+(2x\sqrt{x^2+1})^2}\,dx=\int_0^3\sqrt{(2x^2+1)^2}\,dx=\int_0^3(2x^2+1)dx$$

$$=\left[\frac{2}{3}x^3+x\right]_0^3=\mathbf{21}$$

(2) $f(x)=\frac{1}{2}(e^x+e^{-x})$에서 $f'(x)=\frac{1}{2}(e^x-e^{-x})$이므로

$$l=\int_{-1}^1\sqrt{1+\{f'(x)\}^2}\,dx=\int_{-1}^1\sqrt{1+\frac{1}{4}(e^x-e^{-x})^2}\,dx$$

$$=\int_{-1}^1\sqrt{\frac{1}{4}(4+e^{2x}-2+e^{-2x})}\,dx=\frac{1}{2}\int_{-1}^1\sqrt{(e^x+e^{-x})^2}\,dx$$

$$=\int_0^1(e^x+e^{-x})dx=\left[e^x-e^{-x}\right]_0^1=\boldsymbol{e-\frac{1}{e}}$$

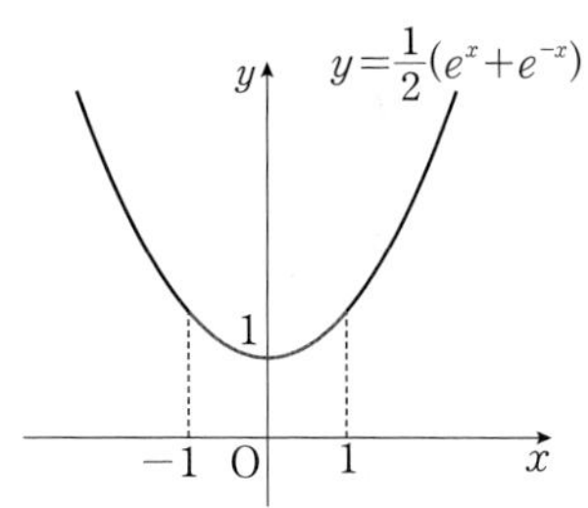

참고 $y=\frac{1}{2}(e^x+e^{-x})$의 그래프는 오른쪽 그림과 같고 이 곡선을 현수선 (catenary)이라고 한다.

확인유제 0994 다음 주어진 구간에 대응하는 각 곡선의 길이 l을 구하여라.

(1) $y=\frac{1}{3}(x^2+2)^{\frac{3}{2}}$ $(0\le x\le 6)$　　　(2) $y=\frac{2}{3}x\sqrt{x}$ $(0\le x\le 8)$

변형문제 0995 다음 물음에 답하여라.

(1) $1\le x\le\sqrt{e}$에서 곡선 $y=\frac{1}{4}x^2-\frac{1}{2}\ln x$의 길이는?

① $\frac{1}{8}e$　② $\frac{1}{4}e$　③ $\frac{1}{2}e$　④ e　⑤ $2e$

2019학년도 06월 평가원

(2) $x=0$에서 $x=\ln 2$까지의 곡선 $y=\frac{1}{8}e^{2x}+\frac{1}{2}e^{-2x}$의 길이는?

① $\frac{1}{2}$　② $\frac{9}{16}$　③ $\frac{5}{8}$　④ $\frac{11}{16}$　⑤ $\frac{3}{4}$

발전문제 0996 다음 물음에 답하여라.

2006학년도 09월 평가원

(1) 실수 전체의 집합에서 이계도함수를 가지고

$f(0)=0,\ f(1)=\sqrt{3}$

을 만족하는 모든 함수 $f(x)$에 대하여 $\int_0^1\sqrt{1+\{f'(x)\}^2}\,dx$의 최솟값을 구하여라.

(2) 미분가능한 함수 $f(x)$의 그래프가 두 점 $(0,\ 3)$, $(6,\ 11)$을 지날 때,

$\lim_{n\to\infty}\sum_{k=1}^n\sqrt{1+\left\{f'\left(\frac{6k}{n}\right)\right\}^2}\cdot\frac{6}{n}$의 최솟값을 구하여라.

정답 0994 : (1) 78 (2) $\frac{52}{3}$　0995 : (1) ② (2) ⑤　0996 : (1) 2 (2) 10

여러 가지 곡선의 길이

01 사이클로이드

갈릴레이 (Galilei, G)는 반지름의 길이가 r인 원을 직선 위를 따라 미끄러지지 않도록 굴릴 때 그 원 위의 고정된 한 점 P가 그리는 도형을 사이클로이드(**cycloid**)라고 하였다.
사이클로이드는 매개변수 t를 이용하여 다음과 같이 표현할 수 있다.

$x=r(t-\sin t)$, $y=r(1-\cos t)$ (단, r은 원의 반지름)

(1) $0\le t\le 2\pi r$일 때, 점 P가 그리는 곡선의 길이 $l=\int_0^{2\pi r}\sqrt{\left(\frac{dx}{dt}\right)^2+\left(\frac{dy}{dt}\right)^2}\,dt=8r$

해설 $\frac{dx}{dt}=r(1-\cos t)$, $\frac{dy}{dt}=r\sin t$이므로 곡선의 길이는

$$l=r\int_0^{2\pi}\sqrt{(1-\cos t)^2+\sin^2 t}\,dt$$

$$=r\int_0^{2\pi}\sqrt{2(1-\cos t)}\,dt$$

$$=r\int_0^{2\pi}\sqrt{4\sin^2\frac{t}{2}}\,dt$$ ⬅ $\cos t=\cos\left(\frac{t}{2}+\frac{t}{2}\right)=\cos^2\frac{t}{2}-\sin^2\frac{t}{2}=1-2\sin^2\frac{t}{2}$

$$=2r\int_0^{2\pi}\sin\frac{t}{2}\,dt$$ ⬅ $0\le t\le 2\pi$일 때, $\sin\frac{t}{2}\ge 0$

$$=2r\int_0^{2\pi}\sin\frac{t}{2}\,dt=2r\left[-2\cos\frac{t}{2}\right]_0^{2\pi}=8r$$

참고 원이 1회전하여 생기는 사이클로이드 곡선의 길이는 원의 지름의 4배이다.

(2) 점 P가 그리는 곡선과 x축으로 둘러싸인 넓이 $S=\int_0^{2\pi r}r^2(1-\cos t)^2dt=3\pi r^2$

해설 $\frac{dx}{dt}=r(1-\cos t)$에서 $dx=r(1-\cos t)dt$이므로
x축으로 둘러싸인 넓이

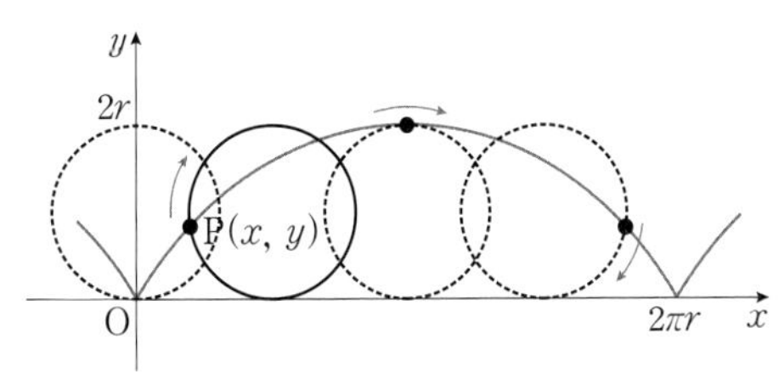

$$S=\int_0^{2\pi r}y\,dx=\int_0^{2\pi r}r(1-\cos t)\cdot r(1-\cos t)dt$$

$$=\int_0^{2\pi r}r^2(1-\cos t)^2dt$$

$$=r^2\int_0^{2\pi r}(1-2\cos t+\cos^2 t)dt=3\pi r^2$$

참고 사이클로이드 곡선의 넓이가 원의 넓이의 3배이다.

(3) 점 P의 시각 t에서의 좌표가 $x=r(t-\sin t)$, $y=r(1-\cos t)$일 때, $t=\pi$에서의 속력과 가속도의 크기

해설 $\frac{dx}{dt}=r(1-\cos t)$, $\frac{dy}{dt}=r\sin t$

$t=\pi$에서의 속력은 $\sqrt{(2r)^2+0}=2r$

$\frac{dx}{dt}=r(1-\cos t)$, $\frac{dy}{dt}=r\sin t$를 각각 t에 대하여 미분하면 $\frac{d^2x}{dt^2}=r\sin t$, $\frac{d^2y}{dt^2}=r\cos t$

점 P의 시각 t에서의 가속도는 $(r\sin t,\ r\cos t)$

$t=\pi$에서의 가속도는 $(0,\ -r)$이고 $t=\pi$에서의 가속도의 크기 $\sqrt{0+(-r)^2}=\boldsymbol{r}$

참고 사이클로이드 곡선의 위의 각 점에서의 속도는 모두 다르다.

02 현수선의 방정식

현수선($catenary$)은 라틴어인 chain에서 비롯된 것으로 못이나 압정 같은 고정물에 의해 양끝이 벽에 고정되어 있는 체인이 나타내는 곡선을 말한다. 현수선은 밀도가 균일한 실의 양 끝을 고정하여 실의 무게만으로 드리웠을 때 중력과 장력에 의하여 만들어지는 곡선이므로 포물선과 비슷해 보여 혼동될 수 있다.

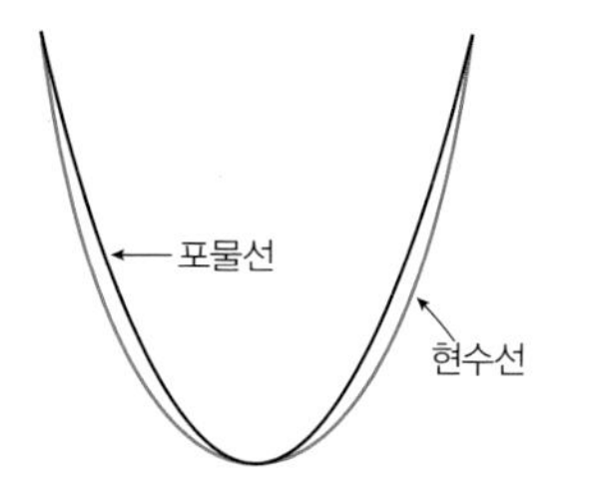

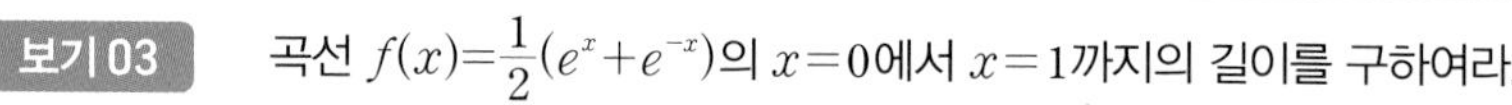

현수선의 방정식은 $y=\frac{a}{2}(e^{\frac{x}{a}}+e^{-\frac{x}{a}})$

$y=\frac{1}{2}(e^x+e^{-x})$은 $a=1$일 때의 현수선의 방정식이다.

보기 03 곡선 $f(x)=\frac{1}{2}(e^x+e^{-x})$의 $x=0$에서 $x=1$까지의 길이를 구하여라.

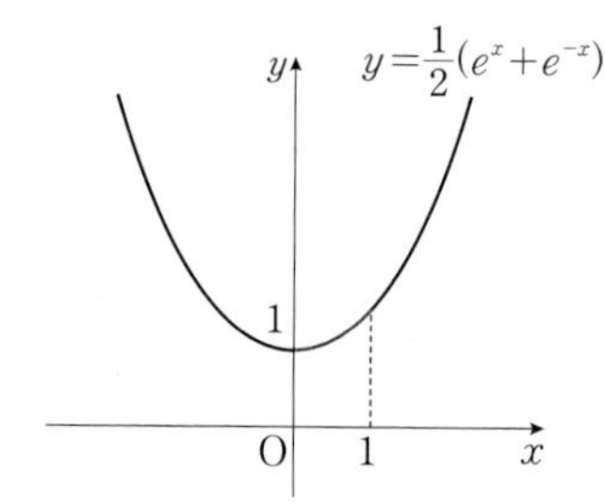

풀이 $f'(x)$를 구하면 $f'(x)=\frac{1}{2}(e^x-e^{-x})$

따라서 구하는 곡선의 길이를 l이라고 하면

$$l=\int_0^1\sqrt{1+\left\{\frac{1}{2}(e^x-e^{-x})\right\}^2}\,dx=\int_0^1\sqrt{\left\{\frac{1}{2}(e^x+e^{-x})\right\}^2}\,dx$$

$$=\int_0^1\frac{1}{2}(e^x+e^{-x})dx=\frac{1}{2}\Big[e^x-e^{-x}\Big]_0^1=\frac{1}{2}\left(e-\frac{1}{e}\right)$$

03 8자춤 방정식

꿀벌들은 다른 꿀벌들과 의사소통을 하기 위해 원형춤 또는 8자춤을 춘다. 벌의 행동원리에 대한 연구로 노벨상을 받은 카를폰 프리슈에 따르면, 벌통 위에서 엉덩이로 원을 그리면 가까운 곳에, 누운 8자를 그리면 먼 곳에 꿀이 많다는 신호이고 8자 춤을 추는 속도가 느릴수록 꿀이 멀리 있는 것이다. 한 꿀벌의 운동을 좌표평면 위에 나타내면 다음과 같다.

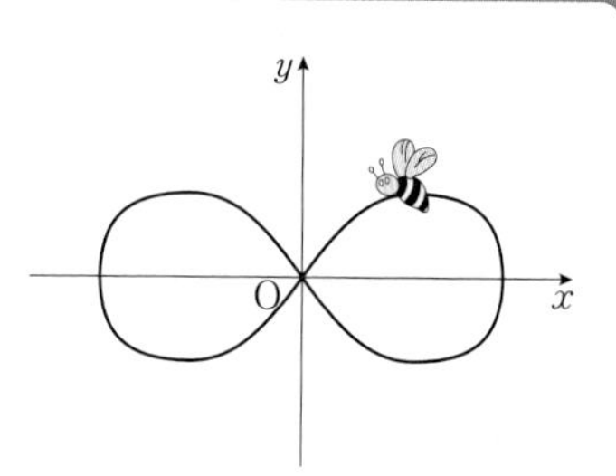

$$\boldsymbol{x=\sqrt{32}\cos t,\ y=\sin 2t}$$

보기 04 시각 t에서의 점 P의 위치가

$$x=\sqrt{32}\cos t,\ y=\sin 2t$$

일 때, $t=0$에서 $t=2\pi$까지 점 P가 그리는 곡선의 모양은 오른쪽 그림과 같다고 한다. 이 곡선의 길이를 구하여라.

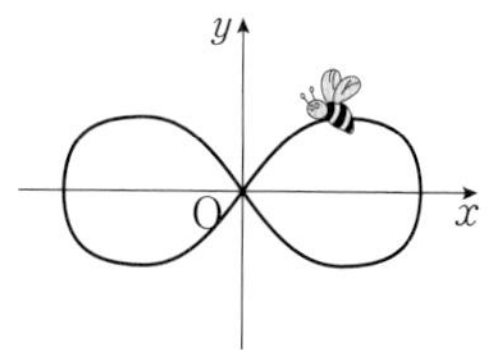

풀이 $x=\sqrt{32}\cos t,\ y=\sin 2t$에서 $\frac{dx}{dt}=-\sqrt{32}\sin t,\ \frac{dy}{dt}=2\cos 2t$

따라서 곡선의 길이 l은

$$l=\int_0^{2\pi}\sqrt{32\sin^2 t+4\cos^2 2t}\,dt=\int_0^{2\pi}\sqrt{16-16\cos 2t+4\cos^2 2t}\,dt$$

$$=\int_0^{2\pi}\sqrt{4(2-\cos 2t)^2}\,dt=2\int_0^{2\pi}(2-\cos 2t)dt$$

$$=2\Big[2t-\frac{1}{2}\sin 2t\Big]_0^{2\pi}=8\pi$$

04 표창 모양의 방정식

다음 식을 표창 모양의 방정식이라 하고 그래프는 오른쪽 그림과 같다.

$$x=a\cos^3 t,\ y=a\sin^3 t$$

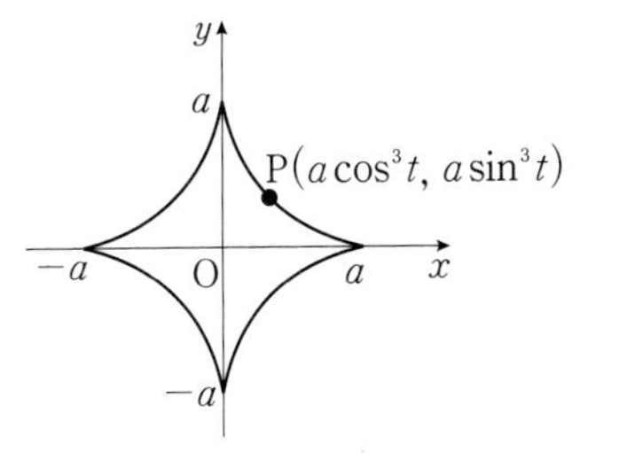

보기 05 좌표평면 위를 움직이는 점 $\mathrm{P}(x,\ y)$의 시각 t에서의 위치가

$x=2\cos^3 t,\ y=2\sin^3 t$

이다. 점 P가 시각 $t=0$에서 시각 $t=\pi$까지 움직인 거리를 구하여라.

풀이 $x=2\cos^3 t,\ y=2\sin^3 t$에서 $\dfrac{dx}{dt}=-6\cos^2 t\sin t,\ \dfrac{dy}{dt}=6\sin^2 t\cos t$이므로

곡선의 길이 l은

$$l=\int_0^\pi \sqrt{(-6\cos^2 t\sin t)^2+(6\sin^2 t\cos t)^2}\,dt=\int_0^\pi \sqrt{36\sin^2\cos^2 t(\cos^2 t+\sin^2 t)}\,dt$$

$$=\int_0^\pi |6\sin t\cos t|dt=\int_0^\pi |3\sin 2t|dt=6\int_0^{\frac{\pi}{2}}\sin 2t dt$$

$$=6\left[-\frac{1}{2}\cos 2t\right]_0^{\frac{\pi}{2}}=6$$

05 로그 나선

자연에서 관찰되는 앵무조개나 암모나이트의 단면, 나선은하, 저기압 근처에서의 소용돌이 모양이 나타내는 곡선을 '로그 나선'이라고 한다. 오른쪽 그림은 '로그 나선'을 나타낸 그래프이다.

이 곡선 위의 점 P의 시각 t에서의 위치를 나타내면 다음과 같다.

$$x=e^{2t}\cos\pi t,\ y=e^{2t}\sin\pi t$$

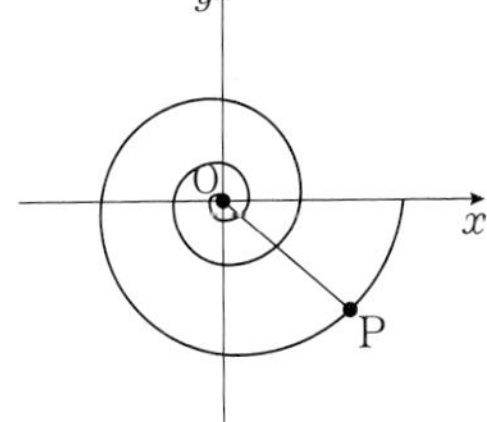

보기 06 점 P의 시각 t에서의 위치가

$x=e^{2t}\cos\pi t,\ y=e^{2t}\sin\pi t$

일 때, $t=0$에서 $t=1$까지의 곡선의 길이를 구하여라.

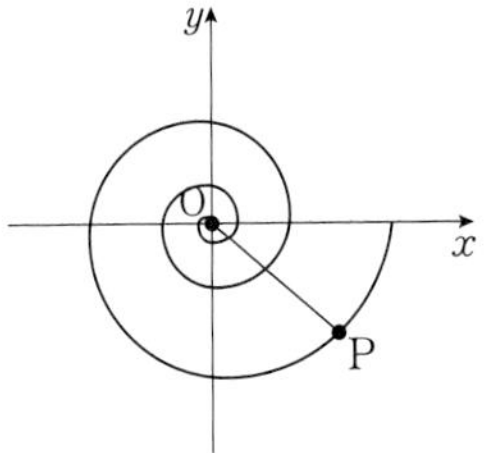

풀이 $\dfrac{dx}{dt}=e^{2t}(2\cos\pi t-\pi\sin\pi t),\ \dfrac{dy}{dt}=e^{2t}(2\sin\pi t+\pi\cos\pi t)$이므로

점 P가 $t=0$에서 $t=1$까지의 곡선의 길이 l은

$$l=\int_0^1 \sqrt{\left(\frac{dx}{dt}\right)^2+\left(\frac{dy}{dt}\right)^2}\,dt$$

$$=\int_0^1 \sqrt{e^{4t}(2\cos\pi t-\pi\sin\pi t)^2+e^{4t}(2\sin\pi t+\pi\cos\pi t)^2}\,dt$$

$$=\int_0^1 \sqrt{4+\pi^2}\,e^{2t}dt=\sqrt{4+\pi^2}\left[\frac{1}{2}e^{2t}\right]_0^1=\frac{\sqrt{4+\pi^2}}{2}(e^2-1)$$

BASIC

내신 수능 기본 대표 기출문제

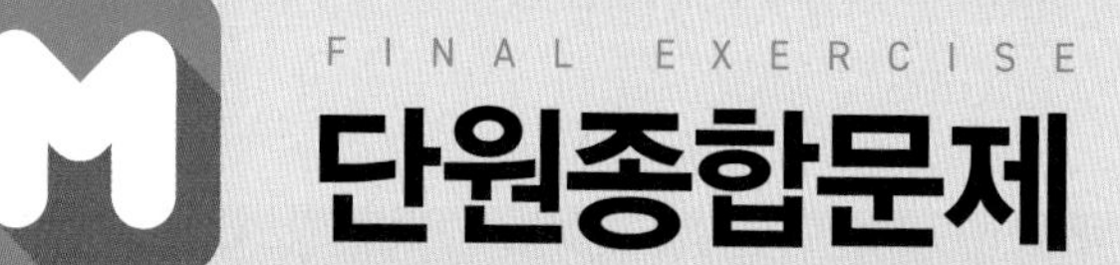

0997 정적분과 급수 2020학년도 수능기출

다음 물음에 답하여라.

(1) 함수 $f(x)=4x^3+x$에 대하여 $\lim_{n\to\infty}\sum_{k=1}^{n}\frac{1}{n}f\left(\frac{2k}{n}\right)$의 값은?

① 6 ② 7 ③ 8 ④ 9 ⑤ 10

2020학년도 09월 평가원

(2) 함수 $f(x)=4x^4+4x^3$에 대하여 $\lim_{n\to\infty}\sum_{k=1}^{n}\frac{1}{n+k}f\left(\frac{k}{n}\right)$의 값은?

① 1 ② 2 ③ 3 ④ 4 ⑤ 5

0998 정적분과 급수 내신빈출

다음 물음에 답하여라.

(1) 함수 $f(x)=\cos\frac{\pi}{2}x$에 대하여 $\lim_{n\to\infty}\sum_{k=1}^{n}f\left(1+\frac{2k}{n}\right)\frac{1}{n}$의 값은?

① $-\pi$ ② $-\frac{\pi}{2}$ ③ $-\frac{2}{\pi}$ ④ $\frac{2}{\pi}$ ⑤ π

(2) 함수 $f(x)=2\sqrt{x}$에 대하여 $\lim_{n\to\infty}\sum_{k=1}^{n}f'\left(1+\frac{3k}{n}\right)\frac{6}{n}$의 값은?

① -2 ② -1 ③ 0 ④ 1 ⑤ 4

0999 정적분과 급수 2014학년도 수능기출

함수 $f(x)=3x^2-ax$가

$$\lim_{n\to\infty}\frac{1}{n}\sum_{k=1}^{n}f\left(\frac{3k}{n}\right)=f(1)$$

을 만족시킬 때, 상수 a의 값을 구하여라.

1000 정적분과 급수 내신빈출

$\lim_{n\to\infty}\sum_{k=1}^{n}\frac{\ln(n+k)-\ln n}{n}$의 값은?

① $\ln\frac{2}{e}$ ② $\ln\frac{3}{e}$ ③ $\ln\frac{4}{e}$ ④ $\ln\frac{5}{e}$ ⑤ $\ln\frac{6}{e}$

1001 정적분을 이용한 극한값 계산 내신빈출

다음 물음에 답하여라.

(1) $\lim_{n\to\infty}\frac{\pi^2}{n^2}\left(\cos\frac{\pi}{n}+2\cos\frac{2\pi}{n}+3\cos\frac{3\pi}{n}+\cdots+n\cos\frac{n\pi}{n}\right)$의 값은?

① -2 ② $-\frac{2}{\pi}$ ③ $-\frac{1}{\pi}$ ④ 2 ⑤ π

(2) $\lim_{n\to\infty}\left(\frac{1}{3n+1}+\frac{1}{3n+2}+\frac{1}{3n+3}+\cdots+\frac{1}{4n}\right)$은?

① $\ln\frac{2}{3}$ ② $\ln\frac{3}{4}$ ③ $\ln\frac{4}{3}$ ④ $\ln 2$ ⑤ $\ln 5$

1002 정적분을 이용한 극한값 계산 내신빈출

함수 $f(x)=e^x+2$에 대하여

$$\lim_{n\to\infty}\sum_{k=1}^{n}f\left(\frac{k}{n}\right)\frac{1}{n}+\lim_{n\to\infty}\sum_{k=1}^{2n}f\left(1+\frac{k}{n}\right)\frac{1}{n}$$

의 값은? (단, e는 자연로그의 밑이다.)

① e^2+5 ② e^2+6 ③ e^2+8 ④ e^3+5 ⑤ e^3+8

정답 0997 : (1) ④ (2) ① 0998 : (1) ③ (2) ⑤ 0999 : 12 1000 : ③ 1001 : (1) ① (2) ③ 1002 : ④

1003 $\lim_{n \to \infty} \frac{1}{n}\left\{\tan^2\frac{\pi}{4n}+\tan^2\frac{2\pi}{4n}+\tan^2\frac{3\pi}{4n}+\cdots+\tan^2\frac{n\pi}{4n}\right\}$의 값은?

정적분을 이용하여 극한값 구하기
내신빈출

① $\frac{4}{\pi}-2$ ② $\frac{4}{\pi}-1$ ③ $\frac{4}{\pi}$ ④ $\frac{4}{\pi}+1$ ⑤ $\frac{4}{\pi}+2$

1004 다음 물음에 답하여라.

곡선과 x축으로 둘러싸인 부분의 넓이
내신빈출

(1) 곡선 $y=\frac{1}{x}(x>0)$과 x축 및 두 직선 $x=1$, $x=a(a>1)$로 둘러싸인 도형의 넓이가 2일 때, 상수 a의 값은?

① 1 ② 2 ③ e ④ $2e$ ⑤ e^2

(2) 곡선 $y=\sqrt{x}$와 x축 및 직선 $x=a$로 둘러싸인 부분의 넓이가 18이 되도록 하는 양의 상수 a의 값은?

① $3\sqrt{2}$ ② $3\sqrt{3}$ ③ $6\sqrt{2}$ ④ 9 ⑤ $6\sqrt{3}$

1005 곡선 $y=\sqrt{9-x}-2$와 x축 및 y축으로 둘러싸인 부분의 넓이를 S라 할 때, $6S$의 값은?

곡선과 x축으로 둘러싸인 부분의 넓이
2019년 05월 교육청

① 10 ② 12 ③ 14 ④ 16 ⑤ 18

1006 함수 $f(x)=\frac{2x-2}{x^2-2x+2}$에 대하여 곡선 $y=f(x)$와 x축 및 y축으로 둘러싸인 영역을 A, 곡선 $y=f(x)$와 x축 및 직선 $x=3$으로 둘러싸인 영역을 B라 하자. 영역 A의 넓이와 영역 B의 넓이의 합은?

곡선과 x축으로 둘러싸인 부분의 넓이
2019년 07월 교육청

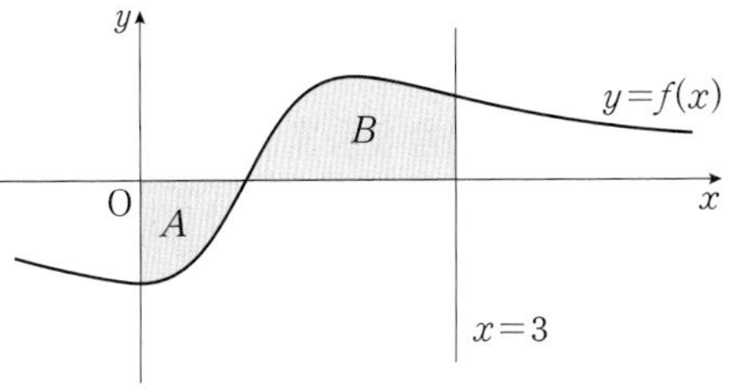

① $2\ln 2$ ② $\ln 6$ ③ $3\ln 2$
④ $\ln 10$ ⑤ $\ln 12$

1007 다음 물음에 히여라.

도형의 넓이를 이등분하는 경우 미지수 결정

(1) 곡선 $y=\frac{4}{x}$와 x축 및 두 직선 $x=1$, $x=4$로 둘러싸인 도형의 넓이가 직선 $x=k$에 의하여 이등분될 때, 양수 k의 값은?

① 1 ② 2 ③ 3 ④ 4 ⑤ 5

2019년 04월 교육청

(2) 곡선 $y=\frac{1}{x}$과 두 직선 $x=1$, $x=2$ 및 x축으로 둘러싸인 부분의 넓이를 S라 하자. 곡선 $y=\frac{1}{x}$과 두 직선 $x=1$, $x=a$ 및 x축으로 둘러싸인 부분의 넓이가 $2S$가 되도록 하는 모든 양수 a의 값의 합은?

① $\frac{15}{4}$ ② $\frac{17}{4}$ ③ $\frac{19}{4}$ ④ $\frac{21}{4}$ ⑤ $\frac{23}{4}$

1008 오른쪽 그림과 같이 곡선 $y=\frac{\ln x}{x}$와 x축 및 두 직선 $x=k$, $x=e^2$으로 둘러싸인 두 부분 A와 B의 넓이가 서로 같도록 하는 실수 k의 값은? (단, $1<k<e^2$)

두 곡선 사이의 넓이가 같을 때
내신빈출

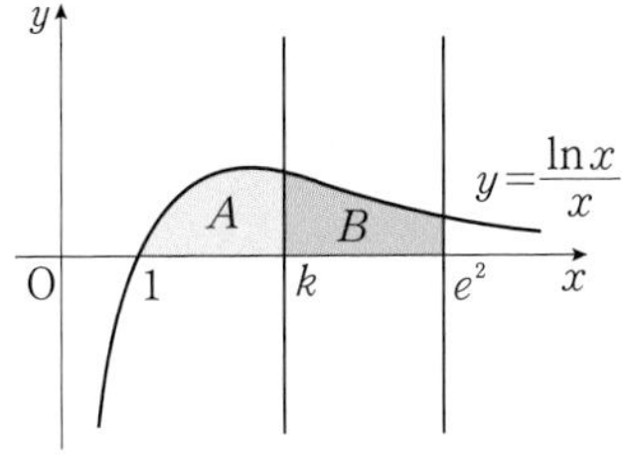

① $\sqrt{e}$ ② e ③ $e\sqrt{e}$
④ $e^{\sqrt{2}}$ ⑤ $e^{\sqrt{2}-1}$

정답 1003 : ② 1004 : (1) ⑤ (2) ④ 1005 : ④ 1006 : ④ 1007 : (1) ② (2) ② 1008 : ④

1009 곡선 $y=|e^x-1|$과 직선 $y=\frac{1}{2}$로 둘러싸인 부분의 넓이는?

두 곡선 사이의 넓이
내신빈출

① $\frac{3}{2}\ln 3-2\ln 2$ ② $\frac{1}{2}\ln 3-\ln 2$ ③ $2\ln 3-\ln 2$ ④ $5\ln 3-2\ln 2$ ⑤ $6\ln 3-3\ln 2$

1010 다음 물음에 답하여라.

두 곡선 사이의 넓이
내신빈출

(1) 두 곡선 $y=e^x-2$, $y=3e^{-x}$ 및 y축으로 둘러싸인 도형의 넓이는?

① $\ln 2$ ② $2\ln 2$ ③ $3\ln 2$ ④ $2\ln 3$ ⑤ $4\ln 3$

(2) 두 곡선 $y=xe^x$, $y=ex$로 둘러싸인 도형의 넓이는?

① $\frac{1}{e}-2$ ② $\frac{1}{e}+1$ ③ $\frac{1}{2}e-3$ ④ $\frac{1}{2}e-2$ ⑤ $\frac{1}{2}e-1$

1011 다음 물음에 답하여라.

두 곡선 사이의 넓이
내신빈출

(1) 구간 $\left[\frac{\pi}{4}, \frac{5}{4}\pi\right]$에서 두 곡선 $y=\sin x$, $y=\cos x$로 둘러싸인 부분의 넓이는?

① $\sqrt{2}$ ② 2 ③ $2\sqrt{2}$ ④ $3\sqrt{2}$ ⑤ 6

(2) $0\le x\le\frac{\pi}{2}$에서 두 곡선 $y=\cos x$, $y=\sin 2x$로 둘러싸인 도형의 넓이는?

① $\frac{1}{2}$ ② $\frac{2}{3}$ ③ $\frac{4}{3}$ ④ $\frac{5}{2}$ ⑤ $\frac{7}{2}$

1012 다음 물음에 답하여라.

곡선과 접선 사이의 넓이
내신빈출

(1) 곡선 $y=e^x$과 이 곡선 위의 점 $(2, e^2)$에서의 접선 및 y축으로 둘러싸인 도형의 넓이는?

① $e-1$ ② e ③ e^2-1 ④ e^2 ⑤ $2e^2+1$

(2) 곡선 $y=e^{x+1}$과 이 곡선 위의 점 $(1, e^2)$에서의 접선 및 y축으로 둘러싸인 도형의 넓이는?

① $\frac{e^2}{2}-1$ ② $\frac{e^2}{2}-e$ ③ $\frac{e}{2}$ ④ e ⑤ $e+2$

1013 다음 물음에 답하여라.

함수와 그 역함수의 정적분
내신빈출

(1) 함수 $f(x)=\ln x$의 역함수를 $g(x)$라 할 때, $\int_1^e f(x)dx+\int_0^1 g(x)dx$의 값은?

① 1 ② $\frac{e}{2}$ ③ 2 ④ e ⑤ $e+1$

(2) 함수 $f(x)=e^x$의 역함수를 $g(x)$라고 할 때, 정적분 $\int_1^2 f(x)dx+\int_e^{e^2} g(x)dx$의 값은?

① e^2-e ② e^2+e ③ $2e^2-e$ ④ e^2+2e ⑤ $2e^2+e$

1014 좌표평면 위의 두 점 $\mathrm{P}(x, 0)$, $\mathrm{Q}(x, \sqrt{\cos x})$를 이은 선분을 한 변으로 하여 좌표평면에 수직이 되도록 정삼각형 PQR을 만든다. 점 P가 x축 위를 원점에서 점 $\mathrm{C}\left(\frac{\pi}{2}, 0\right)$까지 움직일 때, △PQR이 그리는 입체도형의 부피는?

입체도형의 부피
내신빈출

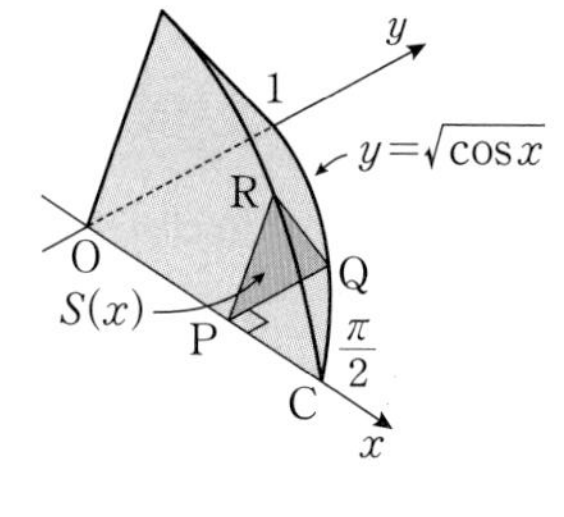

① $\frac{\sqrt{3}}{4}$ ② $\frac{\sqrt{3}}{3}$ ③ $\frac{\sqrt{3}}{2}$ ④ $\frac{3\sqrt{3}}{4}$ ⑤ $\sqrt{3}$

정답 1009 : ① 1010 : (1) ④ (2) ⑤ 1011 : (1) ③ (2) ① 1012 : (1) ③ (2) ② 1013 : (1) ④ (2) ③ 1014 : ①

1015 x축에 수직인 평면으로 자른 입체도형의 부피 내신빈출

좌표평면 위의 두 점 $\mathrm{P}(x, 0)$, $\mathrm{Q}(x, \sqrt{\sin x})$를 이은 선분을 한 변으로 하는 정사각형을 x축에 수직인 평면 위에 그린다. 점 P가 x축 위를 원점 O에서 점 $\mathrm{C}(\pi, 0)$까지 움직일 때, 이 정사각형이 그리는 입체도형의 부피는?

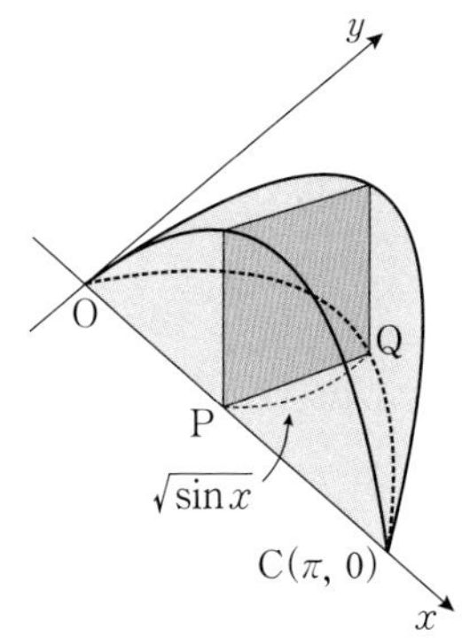

① 2 ② e ③ π
④ $\pi+1$ ⑤ $\pi+2$

1016 x축에 수직인 평면으로 자른 입체도형의 부피 내신빈출

닫힌구간 [1, 2]에서 곡선 $y=\sqrt{\ln x}$ 위의 점 $\mathrm{P}(x, \sqrt{\ln x})$에서 x축에 내린 수선의 발을 H라 하고, 선분 PH를 한 변으로 하는 정사각형을 x축에 수직인 평면 위에 그린다. 점 P의 x좌표가 $x=1$에서 $x=2$까지 변할 때, 이 정사각형이 만드는 입체도형의 부피는?

① $2\ln 2-1$ ② $2\ln 2$ ③ $2\ln 2+2$ ④ $2\ln 2+4$ ⑤ $\ln 3+1$

1017 x축에 수직인 평면으로 자른 입체도형의 부피 내신빈출

오른쪽 그림과 같이 밑면의 반지름의 길이가 1이고 높이가 2인 원기둥이 있다. 이 원기둥을 밑면의 중심을 지나고 밑면과 30°의 각을 이루는 평면으로 자를 때, 생기는 두 입체도형 중에서 작은 것의 부피를 구하여라.

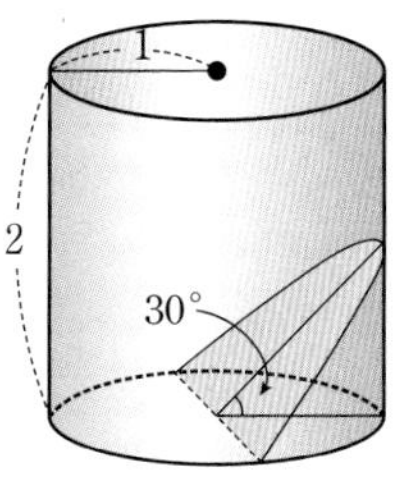

1018 평면운동에서의 움직인 거리 내신빈출

다음 물음에 답하여라.

(1) 좌표평면 위를 움직이는 점 P의 시각 t에서의 위치 (x, y)가

$$x=\cos t+t\sin t,\ y=\sin t-t\cos t$$

일 때, $t=0$에서 $t=\pi$까지 점 P가 움직인 거리는?

① $\frac{\pi}{4}$ ② $\frac{\pi}{2}$ ③ $\frac{\pi^2}{4}$ ④ $\frac{\pi^2}{2}$ ⑤ π^2

(2) 좌표평면 위를 움직이는 점 $\mathrm{P}(x, y)$의 시각 t에서의 위치가

$$x=\cos(t^2+1),\ y=\sin(t^2+1)$$

일 때, $t=0$에서 $t=4$까지 점 P가 움직인 거리는?

① 8 ② 10 ③ 12 ④ 14 ⑤ 16

1019 평면 위의 점이 움직인 거리 내신빈출 치환적분

좌표평면 위를 움직이는 점 P의 시각 t에서의 위치 (x,y)가

$$x=\frac{2}{3}t^3,\ y=t^2$$

일 때, 시각 $t=0$에서 $t=\sqrt{3}$까지 점 P가 움직인 거리는?

① 3 ② 4 ③ $\frac{14}{3}$ ④ 5 ⑤ $\frac{17}{3}$

정답 1015: ① 1016 : ① 1017 : $\frac{2\sqrt{3}}{9}$ 1018 : (1) ④ (2) ⑤ 1019 : ③

1020

평면 위의 점이 움직인 거리를 이용한 시각 구하기
내신빈출

다음 물음에 답하여라.

(1) 좌표평면 위를 움직이는 점 P의 시각 t에서의 위치 $(x,\ y)$가

$$x=\frac{4}{3}t\sqrt{t},\ y=\frac{1}{2}t^2-t$$

일 때, 시각 $t=0$에서 $t=a$까지 점 P가 움직인 거리가 12가 되도록 하는 양수 a의 값은?

① 2　② 4　③ 6　④ 8　⑤ 10

(2) 좌표평면 위를 움직이는 점 P의 시각 t에서의 위치 $(x,\ y)$가

$$x=t^2-2t,\ y=\frac{8}{3}t\sqrt{t}$$

일 때, 시각 $t=0$에서 $t=a$까지 점 P가 움직인 거리가 8가 되도록 하는 양수 a의 값은?

① 2　② 4　③ 6　④ 8　⑤ 10

(3) 평면 위를 움직이는 점 $\mathrm{P}(x,\ y)$의 시각 t에서의 위치가

$$x=\frac{1}{2}t^2-2t,\ y=\frac{4\sqrt{2}}{3}t\sqrt{t}$$

로 주어질 때, $t=0$에서 $t=a$까지 점 P가 움직인 거리가 6이 되도록 하는 양수 a의 값은?

① 2　② 4　③ 6　④ 8　⑤ 10

1021

평면운동에서의 곡선의 길이
내신빈출

다음 물음에 답하여라.

(1) 매개변수로 나타낸 곡선

$$x=e^t\sin t,\ y=e^t\cos t\,(0\le t\le\pi)$$

의 길이를 구하여라.

(2) 매개변수로 나타낸 곡선

$$x=e^t\cos\pi t,\ y=e^t\sin\pi t\,(0\le t\le 1)$$

의 길이를 구하여라.

1022

평면 위에서 점이 움직인 거리
내신빈출

다음 물음에 답하여라.

(1) 좌표평면 위를 움직이는 점 P의 시각 t에서의 위치 $(x,\ y)$가

$$x=\sqrt{2}e^t\sin t,\ y=\sqrt{2}e^t\cos t$$

이다. 점 P가 시각 $t=0$에서 $t=\ln 10$까지 움직인 거리는?

① $9\sqrt{2}$　② 18　③ $18\sqrt{2}$　④ 36　⑤ $36\sqrt{2}$

(2) 좌표평면 위를 움직이는 점 P의 시각 $t\,(t\ge 0)$에서의 위치 $(x,\ y)$가

$$x=e^t\cos t,\ y=e^t\sin t$$

일 때, 시각 $t=0$에서 시각 $t=\ln 5$까지 점 P가 움직인 거리는?

① $\sqrt{2}$　② $2\sqrt{2}$　③ $3\sqrt{2}$　④ $4\sqrt{2}$　⑤ $5\sqrt{2}$

1023

평면 위에서 점이 움직인 거리
내신빈출

좌표평면 위를 움직이는 점 $\mathrm{P}(x,\ y)$의 시각 t에서의 좌표가

$$x=\cos^3 t,\ y=\sin^3 t$$

일 때, $t=0$에서 $t=\frac{\pi}{2}$까지 점 P가 움직인 거리는?

① $\frac{1}{3}$　② $\frac{1}{2}$　③ 1　④ $\frac{3}{2}$　⑤ 2

정답　1020 : (1) ② (2) ① (2) ①　1021 : (1) $\sqrt{2}(e^{\pi}-1)$ (2) $(e-1)\sqrt{1+\pi^2}$　1022 : (1) ② (2) ④　1023 : ④

1024
미분을 이용하여 속력을 구하고 정적분을 이용하여 움직인 거리
내신빈출

좌표평면 위를 움직이는 점 $\mathrm{P}(x, y)$의 시각 $t\left(0 \le t \le \frac{\pi}{2}\right)$에서의 위치가

$$x=2\cos^3 t,\ y=2\sin^3 t$$

일 때, 점 P의 속도의 크기가 최대가 될 때까지 점 P가 움직인 거리는?

① $\frac{1}{3}$ ② $\frac{1}{2}$ ③ 1 ④ $\frac{3}{2}$ ⑤ 2

1025
곡선의 길이
2016년 07월 교육청

좌표평면 위의 곡선

$$y=\frac{1}{3}x\sqrt{x}\ (0 \le x \le 12)$$

에 대하여 $x=0$에서 $x=12$까지의 곡선의 길이를 l이라 할 때, $3l$의 값을 구하여라.

1026
곡선 $y=f(x)$의 곡선의 길이
내신빈출

다음 물음에 답하여라.

(1) 곡선 $f(x)=\frac{1}{4}x^2-\frac{1}{2}\ln x\ (1 \le x < 4)$의 길이는?

① $\frac{5}{2}+\ln 2$ ② $\frac{13}{2}+\ln 2$ ③ $\frac{15}{4}+\ln 2$ ④ $\frac{15}{2}+2\ln 2$ ⑤ $\frac{15}{2}+4\ln 2$

(2) 곡선 $y=\ln(1-x^2)\left(0 \le x \le \frac{1}{2}\right)$의 길이는?

① $\ln 3-\frac{1}{2}$ ② $\ln 3+\frac{1}{2}$ ③ $\ln 3+1$ ④ $\ln\sqrt{3}-\frac{1}{2}$ ⑤ $\ln\sqrt{3}+\frac{1}{2}$

1027
평면운동에서 속력과 움직인 거리
내신빈출

미분가능한 함수 $f(x)$가

$$\lim_{h \to 0}\frac{f(x+h)-f(x-h)}{h}=2x\sqrt{x^2+2}$$

를 만족시킬 때, $0 \le x \le 3$에서의 곡선 $y=f(x)$의 길이는?

① $\frac{14}{3}$ ② $\frac{23}{3}$ ③ 10 ④ 12 ⑤ 24

1028
곡선 $y=f(x)$의 곡선의 길이
2008학년도 09월 평가원

두 함수 f, g가 다음과 같이 정의되어 있다.

$$f(x)=e^x+e^{-x},\ g(x)=e^x-e^{-x}$$

다음 중 곡선 $y=\frac{1}{2}f(x)\ (-a \le x \le a)$의 길이를 나타내는 것은? (단, $a>0$)

① $f(a)$ ② $g(a)$ ③ $2f(a)$ ④ $2g(a)$ ⑤ $\frac{1}{2}g(a)$

1029
곡선 $y=f(x)$의 길이
내신빈출

다음 물음에 답하여라. (단, $f(x)$는 $x \ge 0$에서 정의된 미분가능한 함수이다.)

(1) 함수 $f(x)$에 대하여 $f(0)=1$이고 $f'(x) \ge 0$이다. 곡선 $y=f(x)$의 $x=0$에서 $x=t\ (t>0)$까지의 곡선의 길이가 $\frac{1}{2}(e^t-e^{-t})$일 때, $f(\ln 2)$의 값을 구하여라.

(2) 곡선 $y=f(x)$ 위의 점 $(0, 1)$에서 곡선 위의 임의의 점 (x, y)까지의 곡선의 길이가 $e^x+f(x)-2$일 때, $f'(1)$의 값을 구하여라.

정답 1024 : ④ 1025 : 56 1026 : (1) ③ (2) ① 1027 : ④ 1028 : ② 1029 : (1) $\frac{5}{4}$ (2) $\frac{1}{2}\left(\frac{1}{e}-e\right)$

1030

정적분과 급수의 합 사이의 관계
2018년 03월 교육청

함수 $f(x)=\ln x$에 대하여

$$\lim_{n\to\infty}\sum_{k=1}^{n}\frac{k}{n^2}f\left(1+\frac{k}{n}\right)=\frac{q}{p}$$

일 때, $p+q$의 값을 구하여라. (단, p와 q는 서로소인 자연수이다.)

1031

두 곡선사이의 넓이

다음 물음에 답하여라.

(1) 오른쪽 그림과 같이 곡선 $y=\log_2 x$와 x축 및 두 직선 $x=e$, $x=a$로 둘러싸인 부분의 넓이가 $\frac{2a}{\ln 2}$일 때, 곡선 $y=\ln x$와 x축 및 두 직선 $x=e$, $x=a$로 둘러싸인 부분의 넓이를 구하여라. (단, $a>e$)

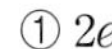
① $2e$　② $2e^2$　③ $2e^3$
④ $3e^3$　⑤ $5e^3$

(2) 오른쪽 그림과 같이 두 곡선 $y=\ln x$, $y=\log_a x$와 직선 $x=e$로 둘러싸인 부분의 넓이가 $\frac{1}{4}$일 때, 상수 a의 값은? (단, $a>e$)

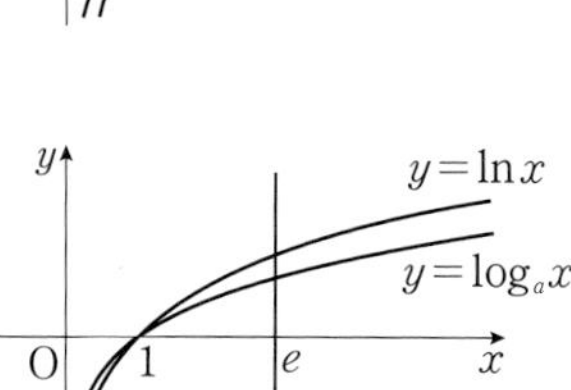

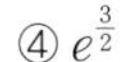

① $e^{\frac{6}{5}}$　② $e^{\frac{5}{4}}$　③ $e^{\frac{4}{3}}$
④ $e^{\frac{3}{2}}$　⑤ e^2

(3) 오른쪽 그림과 같이 두 곡선 $y=\log_2 x$, $y=a\ln x$와 직선 $x=2$로 둘러싸인 영역의 넓이와 두 곡선 $y=\log_4 x$, $y=a\ln x$와 직선 $x=2$로 둘러싸인 영역의 넓이는 같다. 상수 a의 값은?

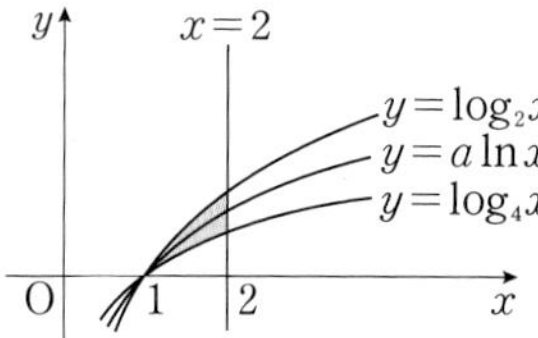

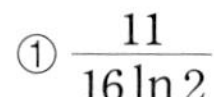
① $\frac{11}{16\ln 2}$　② $\frac{3}{4\ln 2}$　③ $\frac{13}{16\ln 2}$
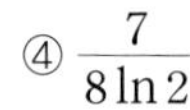
④ $\frac{7}{8\ln 2}$　⑤ $\frac{15}{16\ln 2}$

1032

곡선과 접선 사이의 넓이
내신빈출

좌표평면에서 곡선 $y=e^x$과 두 직선 $y=ex$, $y=-\frac{1}{e}x$로 둘러싸인 도형의 넓이는?

① $\frac{e}{2}-\frac{3}{2e}$　② $\frac{e}{2}-\frac{3}{e}$　③ $\frac{e}{2}+\frac{3}{e}$　④ 1　⑤ $\frac{e}{2}$

1033

두 곡선사이의 넓이
내신빈출

오른쪽 그림에서 두 곡선 $y=e^x$, $y=2xe^x$과 y축으로 둘러싸인 부분의 넓이를 S_1, 두 곡선 $y=e^x$, $y=2xe^x$과 직선 $x=1$로 둘러싸인 부분의 넓이를 S_2라고 할 때, S_2-S_1의 값은?

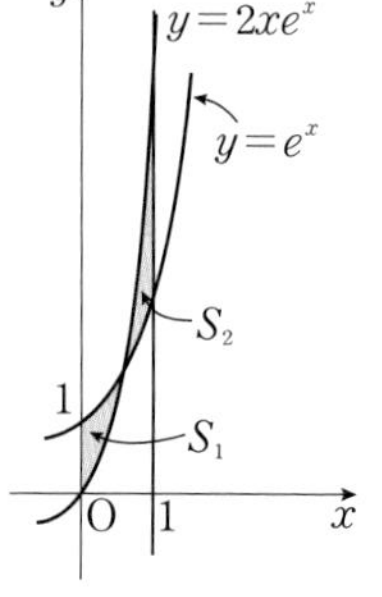

① 2　② $6-2e$　③ $3-e$
④ $2+e$　⑤ $3+e$

정답　1030 : 5　1031 : (1) ③ (2) ③ (3) ②　1032 : ①　1033 : ③

1034

두 곡선 사이의 넓이
2019년 04월 교육청

두 곡선 $y=(\sin x)\ln x$, $y=\frac{\cos x}{x}$와 두 직선 $x=\frac{\pi}{2}$, $x=\pi$로 둘러싸인 부분의 넓이는?

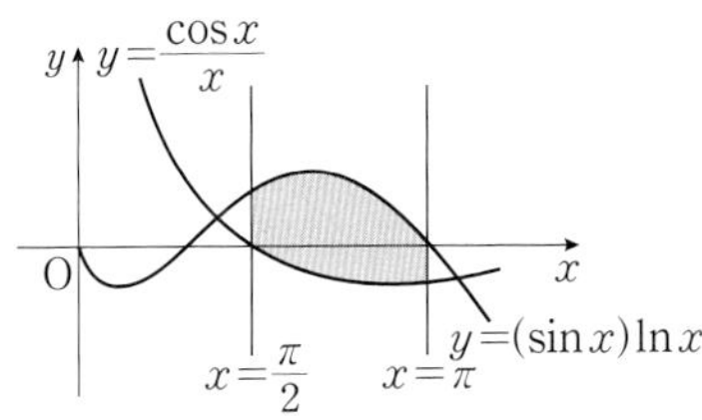

① $\frac{1}{4}\ln\pi$ ② $\frac{1}{2}\ln\pi$ ③ $\frac{3}{4}\ln\pi$ ④ $\ln\pi$ ⑤ $\frac{5}{4}\ln\pi$

1035

두 곡선 사이의 넓이
2016학년도 06월 평가원

닫힌구간 $[0, 4]$에서 정의된 함수 $f(x)=2\sqrt{2}\sin\frac{\pi}{4}x$ 의 그래프가 오른쪽 그림과 같고 직선 $y=g(x)$가 $y=f(x)$의 그래프 위의 점 $\mathrm{A}(1, 2)$를 지난다. 직선 $y=g(x)$가 x축에 평행할 때, 곡선 $y=f(x)$와 직선 $y=g(x)$에 둘러싸인 부분의 넓이는?

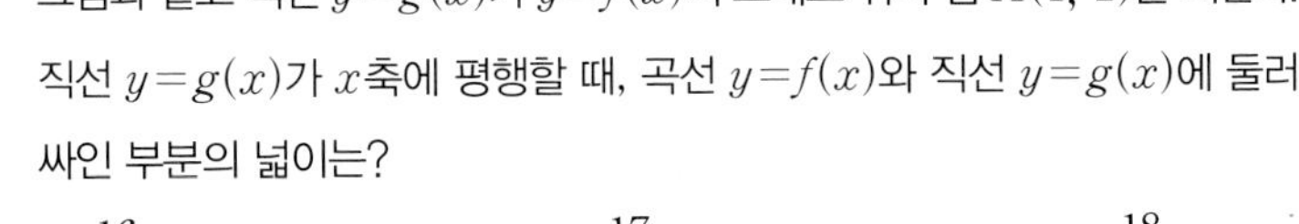

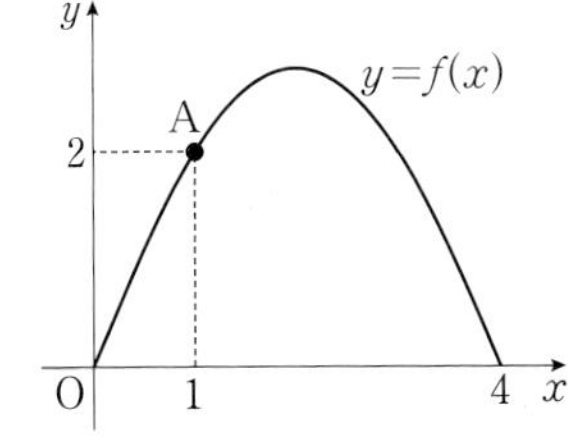

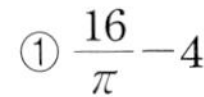

① $\frac{16}{\pi}-4$ ② $\frac{17}{\pi}-4$ ③ $\frac{18}{\pi}-4$ ④ $\frac{16}{\pi}-2$ ⑤ $\frac{17}{\pi}-2$

1036

두 곡선사이의 넓이 구하기
내신빈출

오른쪽 그림에서 곡선 $y=\cos x\left(0\le x\le\frac{\pi}{2}\right)$와 x축 및 y축으로 둘러싸인 도형이 곡선 $y=\frac{\sqrt{3}}{3}\sin x$에 의하여 나누어진 두 부분의 넓이를 각각 S_1, S_2라고 할 때, S_1-S_2의 값을 구하여라.

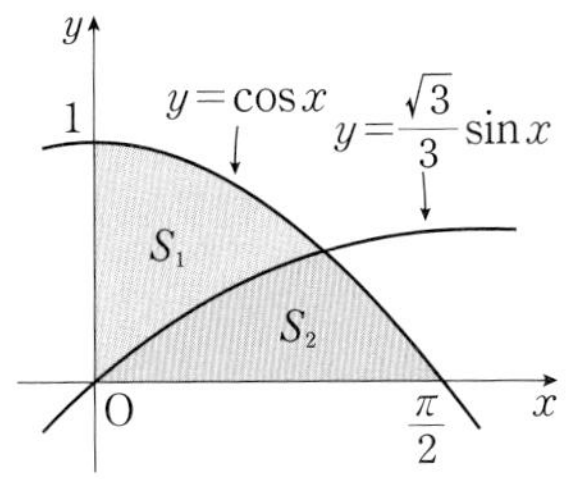

1037

두 곡선 사이의 넓이가 같을 때 미지수 구하기
내신빈출

오른쪽 그림과 같이 곡선 $y=\sin\frac{\pi}{2}x+a\,(0\le x\le 2)$에 대하여 이 곡선과 x축, y축으로 둘러싸인 영역을 A, 이 곡선과 x축으로 둘러싸인 영역을 B라 하자. A의 넓이가 B의 넓이의 $\frac{1}{2}$과 같을 때, 상수 a의 값은? (단, $-1<a<0$)

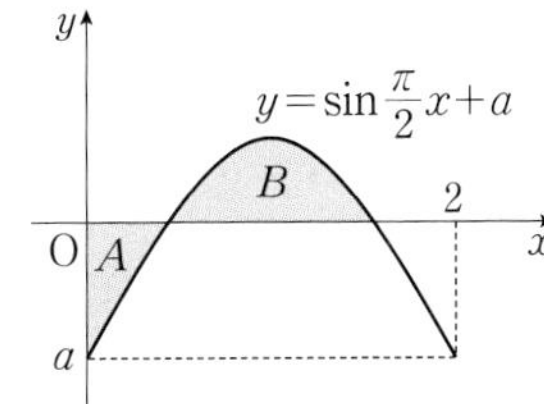

1038

두 곡선 사이의 넓이가 같을 때 미지수 구하기
2014학년도 사관기출

오른쪽 그림과 같이 곡선 $y=\sin\frac{\pi}{2}x\,(0\le x\le 2)$와 직선 $y=k\,(0<k<1)$가 있다. 곡선 $y=\sin\frac{\pi}{2}x$와 직선 $y=k$, y축으로 둘러싸인 부분의 넓이를 S_1, 곡선 $y=\sin\frac{\pi}{2}x$와 직선 $y=k$로 둘러싸인 부분의 넓이를 S_2라 하자. $S_2=2S_1$일 때, 상수 k의 값은?

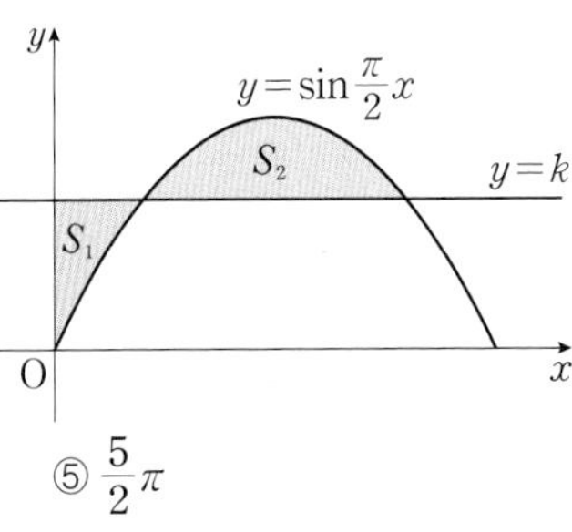

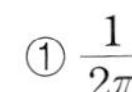

① $\frac{1}{2\pi}$ ② $\frac{1}{\pi}$ ③ $\frac{3}{2\pi}$ ④ $\frac{2}{\pi}$ ⑤ $\frac{5}{2}\pi$

1039

두 곡선 사이의 넓이가 같을 때 미지수 구하기
내신빈출

오른쪽 그림에서 두 함수 $y=k\sin x$, $y=\cos x$의 그래프와 x축 또는 y축으로 둘러싸인 색칠한 두 부분의 넓이 A, B가 서로 같을 때, 상수 k의 값은?

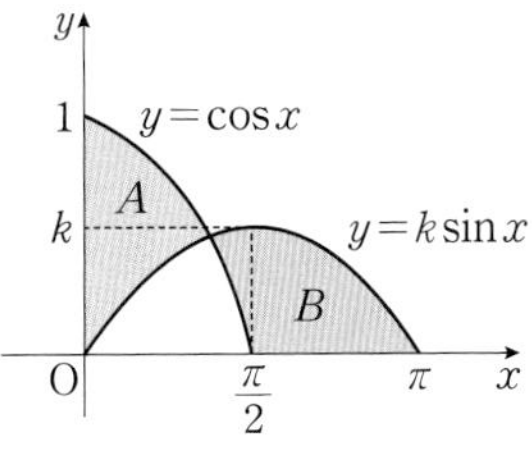

① $\frac{1}{5}$ ② $\frac{1}{6}$ ③ $\frac{1}{3}$ ④ $\frac{1}{2}$ ⑤ $\frac{2}{3}$

정답 1034 : ④ 1035 : ① 1036 : $\frac{2\sqrt{3}}{3}-1$ 1037 : $-\frac{2}{\pi}$ 1038 : ④ 1039 : ④

1040 두 곡선 사이의 넓이의 활용 내신빈출

오른쪽 그림과 같이 곡선 $y=\sin 2x\left(0\le x\le\frac{\pi}{2}\right)$와 x축으로 둘러싸인 부분이 곡선 $y=k\cos x$에 의하여 나누어지는 두 부분의 넓이를 각각 S_1, S_2라고 하자. $S_1 : S_2=9 : 16$이 되도록 하는 상수 k의 값은?

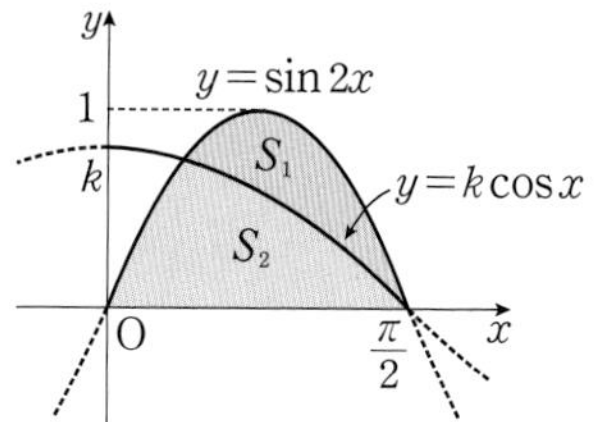

① $\frac{1}{2}$ ② $\frac{2}{3}$ ③ $\frac{3}{4}$ ④ $\frac{4}{5}$ ⑤ $\frac{5}{6}$

1041 두 곡선 사이의 넓이가 같을 때 내신빈출

실수 전체의 집합에서 증가하는 연속함수 $f(x)$가 다음 조건을 만족시킨다.

(가) $f(0)=-18,\ f(1)=0$

(나) $\int_0^1 f(x)dx=-12,\ \int_1^2 f(x)dx=2$

곡선 $y=f(x)$와 x축, y축으로 둘러싸인 부분의 넓이와 곡선 $y=f(x)$와 x축 및 직선 $x=4$로 둘러싸인 부분의 넓이가 서로 같을 때, $\int_1^2 f(2x)dx$의 값은?

① 4 ② 5 ③ 6 ④ 7 ⑤ 8

1042 정적분과 역함수로 둘러싸인 부분의 넓이 내신빈출

함수 $f(x)=e^{x-a}$과 그 역함수 $y=g(x)$에 대하여 두 곡선 $y=f(x)$, $y=g(x)$가 한 점 $(1,\ g(1))$에서만 만날 때, 두 곡선 $y=f(x)$, $y=g(x)$와 x축, y축으로 둘러싸인 부분의 넓이는? (단, a는 상수이다.)

① e ② 2 ③ 1 ④ $1-\frac{1}{e}$ ⑤ $1-\frac{2}{e}$

1043 정적분과 역함수로 둘러싸인 부분의 넓이 2014학년도 09월 평가원

좌표평면에서 꼭짓점의 좌표가 $O(0,\ 0)$, $A(2^3,\ 0)$, $B(2^3,\ 2^3)$, $C(0,\ 2^3)$인 정사각형 OABC와 그 내부는 두 곡선 $y=2^x$, $y=\log_2 x$에 의하여 세 부분으로 나뉜다. 이 세 부분 중 색칠된 부분의 넓이는?

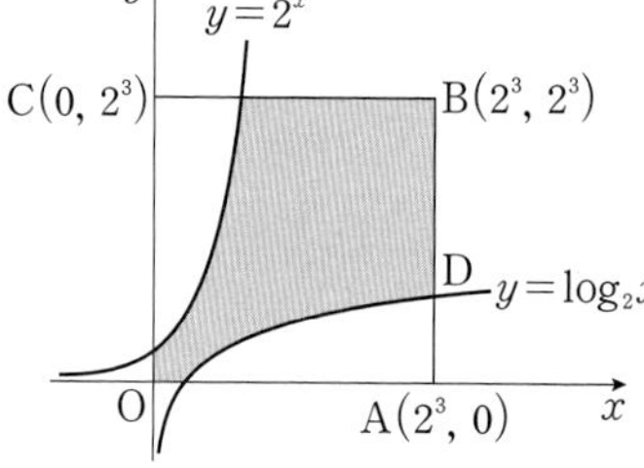

① $14+\frac{12}{\ln 2}$ ② $16+\frac{14}{\ln 2}$ ③ $18+\frac{16}{\ln 2}$ ④ $20+\frac{18}{\ln 2}$ ⑤ $22+\frac{20}{\ln 2}$

1044 역함수로 표현된 정적분의 계산 내신빈출

함수 $f(x)=\sin x\left(0\le x\le\frac{\pi}{2}\right)$의 역함수를 $y=g(x)$라 하자. 오른쪽 그림과 같이 구간 $[0,\ 1]$을 n등분한 점을 지나고 x축에 수직인 직선이 x축과 곡선 $y=g(x)$에 의해 잘린 선분을 세로로 하고, 가로의 길이를 $\frac{1}{n}$로 하는 n개의 직사각형의 넓이의 합을 S_n라 할 때, $\lim_{n\to\infty} S_n$의 값을 구하여라.

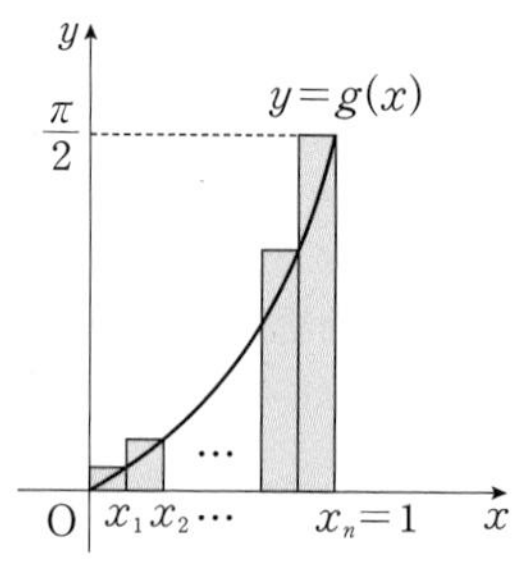

1045 입체도형의 부피

반지름의 길이가 a인 원의 지름 AB에 수직인 현을 한 변으로 하는 정삼각형이 지름 AB와 수직인 상태로 점 A에서 점 B까지 움직일 때, 생기는 입체도형의 부피를 구하여라.

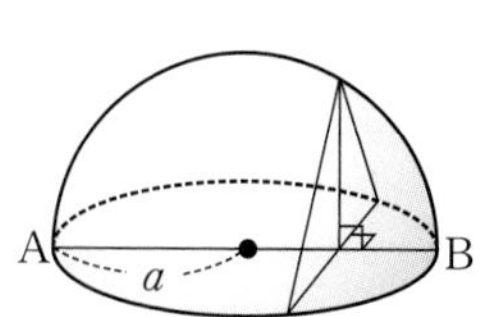

정답 1040 : ④ 1041 : ② 1042 : ⑤ 1043 : ② 1044 : $\frac{\pi}{2}-1$ 1045 : $\frac{4\sqrt{3}}{3}a^3$

1046
곡선 사이의 넓이 활용

다음 물음에 답하여라.

(1) 오른쪽 그림과 같이 곡선 $y=\frac{1}{2e}x^2$과 곡선 $y=\ln x$는 점 $\left(\sqrt{e},\ \frac{1}{2}\right)$에서 만나고 이 점에서의 접선의 기울기가 같다. 두 곡선 $y=\frac{1}{2e}x^2$, $y=\ln x$와 x축으로 둘러싸인 부분의 넓이는?

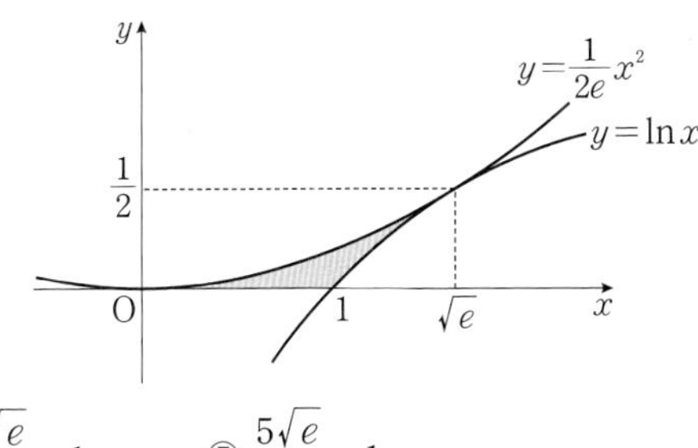

① $\frac{\sqrt{e}}{3}-1$ ② $\frac{2\sqrt{e}}{3}-1$ ③ $\sqrt{e}-1$ ④ $\frac{4\sqrt{e}}{3}-1$ ⑤ $\frac{5\sqrt{e}}{3}-1$

2019년 03월 교육청

(2) 두 함수 $f(x)=ax^2\,(a>0)$, $g(x)=\ln x$의 그래프가 한 점 P에서 만나고 곡선 $y=f(x)$ 위의 점 P에서의 접선의 기울기와 곡선 $y=g(x)$ 위의 점 P에서의 접선의 기울기가 서로 같다. 두 곡선 $y=f(x)$, $y=g(x)$와 x축으로 둘러싸인 부분의 넓이는? (단, a는 상수이다.)

① $\frac{2\sqrt{e}-3}{6}$ ② $\frac{2\sqrt{e}-3}{3}$ ③ $\frac{\sqrt{e}-1}{2}$ ④ $\frac{4\sqrt{e}-3}{6}$ ⑤ $\sqrt{e}-1$

1047
x축에 수직인 평면으로 자른 입체도형의 부피

다음 물음에 답하여라.

(1) 닫힌구간 $[0,\ 2\pi]$에서 두 곡선 $y=\sin x$, $y=\cos x$의 교점의 x좌표를 각각 α, β라고 하자. 이 두 곡선과 직선 $x=t$가 만나는 두 점을 이은 선분을 한 변으로 하는 정사각형을 단면으로 하는 입체도형의 부피는? (단, $\alpha\le t\le\beta$)

① $\frac{\pi}{3}$ ② $\frac{\pi}{4}$ ③ $\frac{\pi}{2}$ ④ $\frac{2}{3}\pi$ ⑤ π

(2) 오른쪽 그림과 같이 곡선 $y=\sin x+\cos x\left(0\le x\le\frac{\pi}{2}\right)$와 x축 및 두 직선 $x=0$, $x=\frac{\pi}{2}$로 둘러싸인 도형을 밑면으로 하는 입체도형이 있다. 이 입체도형을 x축에 수직인 평면으로 자른 단면이 반원일 때, 이 입체도형의 부피는?

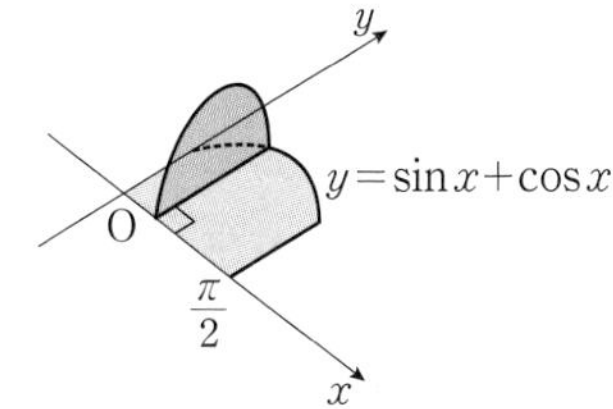

① $\frac{\pi(\pi+1)}{16}$ ② $\frac{\pi(\pi+2)}{16}$ ③ $\frac{\pi(\pi+3)}{16}$

④ $\frac{\pi(\pi+4)}{16}$ ⑤ $\frac{\pi(\pi+5)}{16}$

1048
x축에 수직인 평면으로 자른 입체도형의 부피

다음 물음에 답하여라.

(1) 오른쪽 그림과 같이 곡선 $y=\frac{1}{x}e^{\frac{1}{x}}\,(x>0)$과 x축 및 두 직선 $x=1$, $x=2$로 둘러싸인 도형을 밑면으로 하는 입체도형이 있다. 이 입체도형을 x축에 수직인 평면으로 자른 단면이 모두 정사각형일 때, 이 입체도형의 부피는?

① $\frac{e^2-e}{4}$ ② $\frac{e^2+e}{4}$ ③ $\frac{e^2-e}{2}$

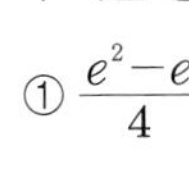

④ $\frac{e^2}{2}$ ⑤ $\frac{e^2+\sqrt{e}}{2}$

2020학년도 사관기출

(2) 오른쪽 그림과 같이 두 곡선 $y=\frac{3}{x}$, $y=\sqrt{\ln x}$와 두 직선 $x=1$, $x=e$로 둘러싸인 도형을 밑면으로 하는 입체도형이 있다. 이 입체도형을 x축에 수직인 평면으로 자른 단면이 모두 정사각형일 때, 이 입체도형의 부피는?

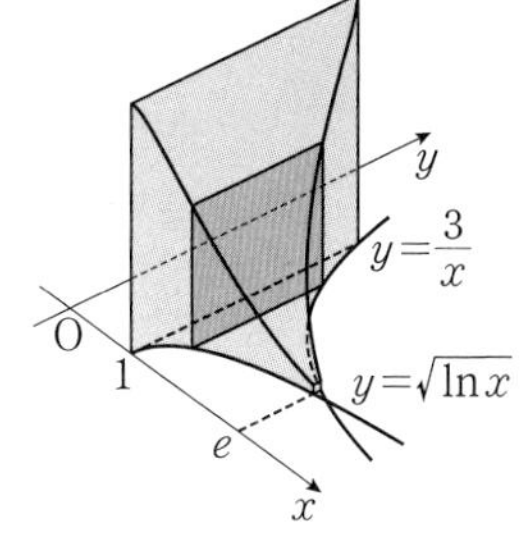

① $5-\frac{9}{e}$ ② $5-\frac{8}{e}$ ③ $5-\frac{7}{e}$

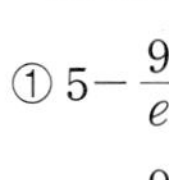

④ $6-\frac{9}{e}$ ⑤ $6-\frac{8}{e}$

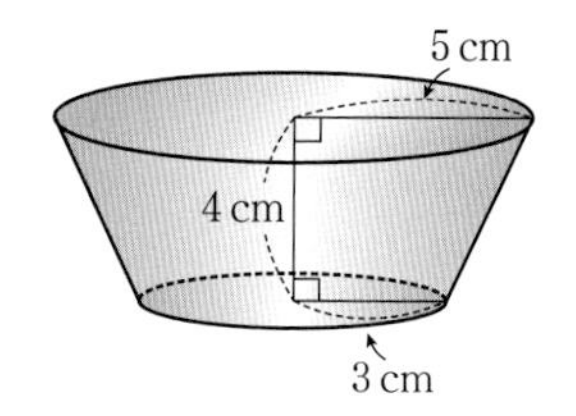

정답 1046 : (1) ② (2) ② 1047 : (1) ⑤ (2) ② 1048 : (1) ③ (2) ④

1049

입체도형의 부피
2004년 10월 교육청

오른쪽 그림과 같이 윗면의 반지름의 길이가 5, 아랫면의 반지름의 길이가 3, 높이가 4인 원뿔대 모양의 그릇이 있다.
이 그릇에 물을 가득 채울 때, 다음 중 담긴 물의 양을 나타낸 식으로 옳은 것은? (단, 그릇의 두께는 무시하고, 물의 높이를 x라 한다.)

5 cm
4 cm
3 cm

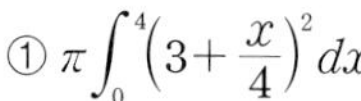

① $\pi\int_0^4\left(3+\frac{x}{4}\right)^2dx$　　② $\pi\int_0^4\left(3+\frac{x}{3}\right)^2dx$　　③ $\pi\int_0^4\left(3+\frac{x}{2}\right)^2dx$

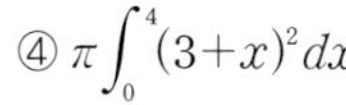

④ $\pi\int_0^4(3+x)^2dx$　　⑤ $\pi\int_0^4(3x)^2dx$

1050

평면 위에서 점이 움직인 거리
2010학년도 수능기출

좌표평면 위를 움직이는 점 P의 시각 t에서의 위치 (x, y)가

$$x=4(\cos t+\sin t),\ y=\cos 2t\,(0\le t\le 2\pi)$$

이다. 점 P가 $t=0$에서 $t=2\pi$까지 움직인 거리를 $a\pi$라 할 때, a^2의 값을 구하여라.

1051

곡선으로 둘러싸인 넓이
서술형

자연수 k에 대하여 닫힌구간 $[0, \pi]$에서 곡선 $y=k\cos x$와 x축 및 두 직선 $x=0$, $x=\pi$로 둘러싸인 도형의 넓이를 a_k라 할 때, $\sum_{k=1}^{10}\frac{1}{(k+1)a_k}$의 값을 구하는 과정을 다음 단계로 서술하여라.

[1단계] 도형의 넓이 a_k를 구한다.

[2단계] 시그마의 성질을 이용하여 $\sum_{k=1}^{10}\frac{1}{(k+1)a_k}$의 값을 구한다.

1052

곡선의 넓이를 이등분하는 경우
서술형

닫힌구간 $\left[0, \frac{\pi}{2}\right]$에서 곡선 $y=\sin 2x$와 x축으로 둘러싸인 도형의 넓이를 곡선 $y=k\cos x$가 이등분할 때, 상수 k의 값을 구하는 과정을 다음 단계로 서술하여라. (단, $0<k<1$)

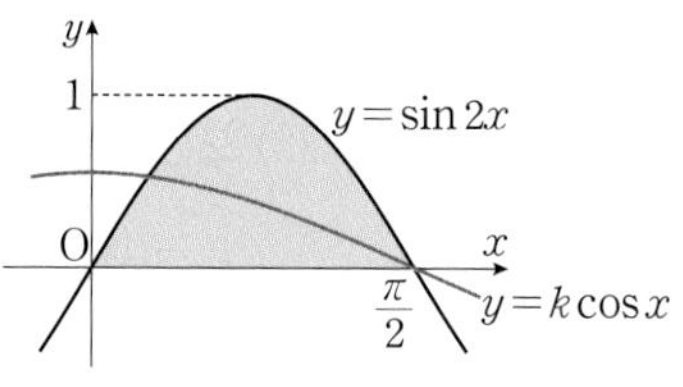

[1단계] 닫힌구간 $\left[0, \frac{\pi}{2}\right]$에서 곡선 $y=\sin 2x$와 x축으로 둘러싸인 도형의 넓이를 구하여라.

[2단계] 두 곡선 $y=\sin 2x$, $y=k\cos x$의 교점의 x좌표를 θ라고 할 때, $\sin\theta$를 k로 나타낸다. $\left(\text{단, } \theta\ne\frac{\pi}{2}\right)$

[3단계] 상수 k의 값을 구한다.

1053

정적분과 역함수로 둘러싸인 부분의 넓이
서술형

실수 전체에서 함수 $f(x)=(x^2+a)e^x$의 역함수가 존재하기 위한 상수 a의 최솟값을 m이라 하자.
함수 $g(x)=(x^2+m)e^x$의 역함수를 $h(x)$라 할 때, 다음 단계로 서술하여라. (단, e는 자연로그의 밑이다.)

[1단계] 함수 $f(x)$의 역함수가 존재하기 위한 a의 최솟값 m를 구한다.

[2단계] $\int_0^1 g(x)dx+\int_m^{2e}h(x)dx$의 값을 구한다.

[3단계] $\int_m^{2e}h(x)dx$의 값을 구한다.

1054

입체도형의 부피
서술형

높이가 2인 그릇에 물을 채우는데, 물의 깊이가 x일 때, 수면은 반지름의 길이가 $\sqrt{\frac{4x+2}{4x^2+4x+5}}$인 원이라 한다. 이 그릇에 물을 채우기 시작하여 수면의 넓이가 최대가 되었을 때, 채워진 물의 부피를 구하는 과정을 다음 단계로 서술하여라.

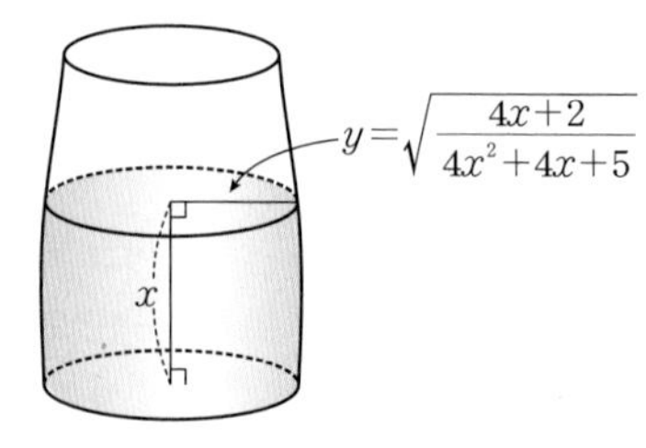

[1단계] 수면의 높이가 x 일 때, 수면의 넓이 $S(x)$을 구하여라.
[2단계] 수면의 넓이가 최대가 되는 x의 값을 구한다.
[3단계] 채워진 물의 부피를 구한다.

정답 1049 : ③　1050 : 64　1051 : 해설참조　1052 : 해설참조　1053 : 해설참조　1054 : 해설참조

1055

입체도형의 부피
서술형
2016년 07월 교육청

오른쪽 그림과 같이 곡선 $y=\sqrt{x}e^{\frac{x}{2}}(1 \le x \le \ln 6)$과 x축으로 둘러싸인 도형을 밑면으로 하는 입체도형을 x축에 수직인 평면으로 자른 단면이 정사각형일 때, 이 입체도형의 부피를 구하는 과정을 다음 단계로 서술하여라.

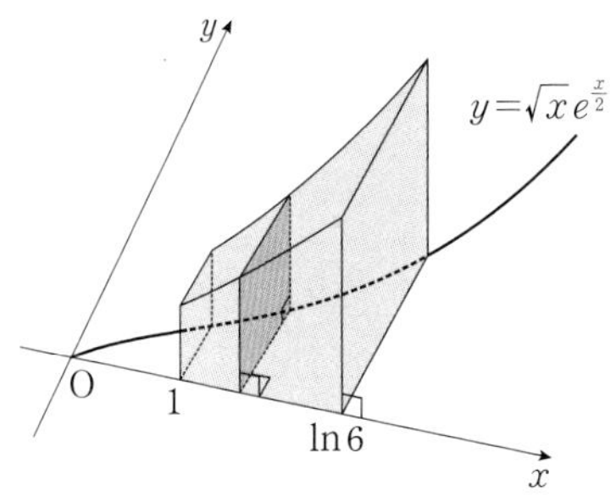

[1단계] 입체도형을 x축에 수직인 평면으로 자른 단면인 정사각형의 넓이 $S(x)$를 구한다.

[2단계] 입체도형의 부피 V를 구한다.

1056

속도와 거리
서술형

좌표평면 위를 움직이는 점 $\mathrm{P}(x, y)$의 시각 t에서의 위치가

$$x=e^{-t}\cos t,\ y=e^{-t}\sin t$$

일 때, 점 P가 시각 $t=0$에서 $t=a(a>0)$까지 움직인 거리를 $s(a)$라 하자.
이때 $\lim\limits_{a\to\infty}s(a)$의 값을 구하는 과정을 다음 단계로 서술하여라.

[1단계] 점 P가 시각 $t=0$에서 $t=a(a>0)$까지 움직인 거리 $s(a)$를 구한다.

[2단계] $\lim\limits_{a\to\infty}s(a)$의 값을 구한다.

1057

평면 위에서 점이 움직인 거리
서술형

좌표평면 위를 움직이는 점 P의 시각 $t(t>0)$에서의 위치 (x, y)가

$$x=\frac{4}{3}t^3-t,\ y=2t^2$$

이다. 시각 $t=a(a>0)$에서의 점 P의 속도의 크기가 37일 때,
시각 $t=\frac{a}{3}$에서 $t=a$까지 점 P가 움직인 거리는 s을 구하는 과정을 다음 단계로 서술하여라.

[1단계] 시각 $t=a(a>0)$에서의 점 P의 속도의 크기가 37일 때, a의 값을 구한다.

[2단계] 시각 $t=\frac{a}{3}$에서 $t=a$까지 점 P가 움직인 거리는 s를 구한다.

1058

사이클로이드 곡선의 활용
서술형

오른쪽 그림과 같이 반지름의 길이가 1인 원이 좌표평면에서 x축을 따라 매 초 1라디안씩 굴러갈 때, 원 위의 한 점 P가 원점에서 출발할 때, 다음 단계로 서술하여라.

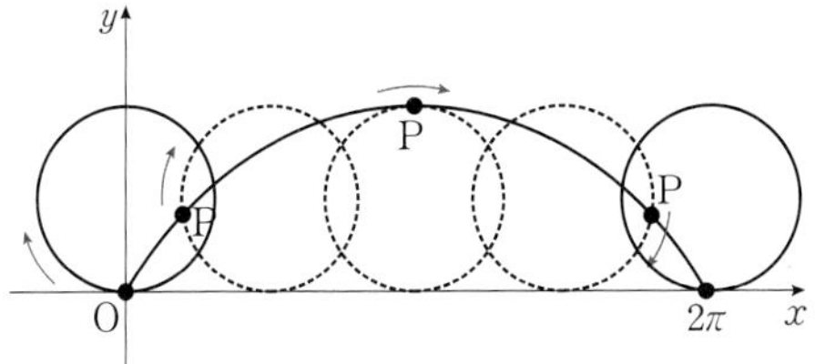

[1단계] t초일 때, 점 P의 좌표를 구한다.

[2단계] 점 P의 속도의 크기의 최댓값을 구한다.

[3단계] 한 점 P가 원점에서 출발할 때, $t=0$에서 $t=\pi$까지 점 P가 움직인 거리를 구한다.

1059

에피시이클로이드 곡선의 길이
2016학년도 사관기출
서술형

좌표평면에서 매개변수 θ로 나타내어진 곡선

$$x=2\cos\theta+\cos 2\theta,\ y=2\sin\theta+\sin 2\theta$$

에 대하여 다음 단계로 서술하여라. (단, θ는 실수이다.)

[1단계] $\theta=\frac{\pi}{6}$에 대응하는 이 곡선 위의 점에서의 접선의 기울기를 구한다.

[2단계] $0\le\theta\le\pi$일 때, 이 곡선의 길이를 구한다.

정답 1055 : 해설참조 1056 : 해설참조 1057 : 해설참조 1058 : 해설참조 1059 : 해설참조

1060
곡선과 직선 사이의 넓이와 극한
2014년 10월 교육청

오른쪽 그림과 같이 원점을 지나고 x축의 양의 방향과 이루는 각의 크기가 $\theta\left(0 \le \theta < \frac{\pi}{4}\right)$인 직선을 l이라 하자. 곡선 $y=-x^3+x\,(x \ge 0)$과 직선 l로 둘러싸인 부분의 넓이를 $S(\theta)$라 할 때, $\lim_{\theta \to \frac{\pi}{4}-} \frac{S(\theta)}{\left(\theta-\frac{\pi}{4}\right)^2}$의 값은?

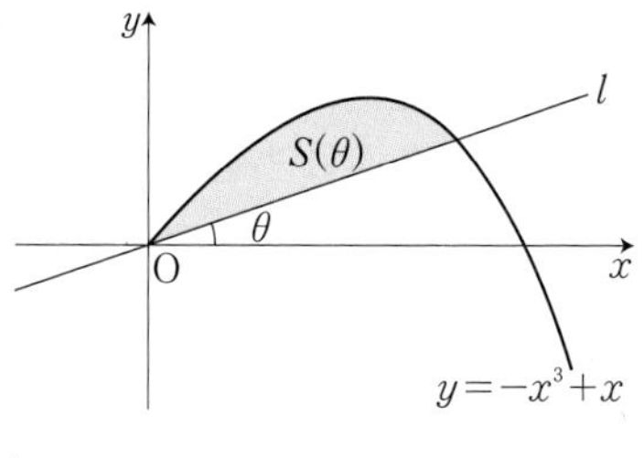

① 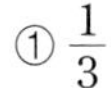 $\frac{1}{3}$　② $\frac{1}{2}$　③ 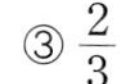 $\frac{2}{3}$
④ 1　⑤ $\frac{3}{2}$

1061
곡선 사이의 넓이 활용
2015학년도 수능기출
오답률 52%

양수 a에 대하여 함수 $f(x)=\int_0^x (a-t)e^t\,dt$의 최댓값이 32이다.
곡선 $y=3e^x$과 두 직선 $x=a$, $y=3$으로 둘러싸인 부분의 넓이를 구하여라.

1062
함수와 그 역함수의 그래프로 둘러싸인 도형의 넓이의 활용
2012학년도 06월 평가원

2 이상의 자연수 n에 대하여 곡선 $y=(\ln x)^n$(단, $x \ge 1$)과 x축, y축 및 $y=1$로 둘러싸인 도형의 넓이를 S_n이라 하자.
[보기]에서 옳은 것만을 있는 대로 고른 것은?

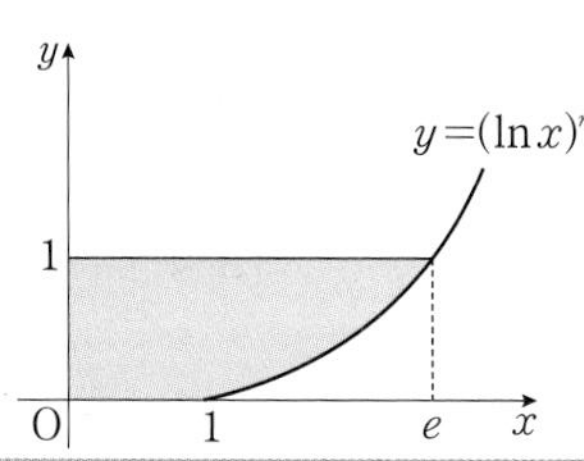

ㄱ. $1 \le x \le e$일 때, $(\ln x)^n \ge (\ln x)^{n+1}$이다.
ㄴ. $S_n < S_{n+1}$
ㄷ. 함수 $f(x)=(\ln x)^n\,(x \ge 1)$의 역함수를 $g(x)$라 하면 $S_n=\int_0^1 g(x)\,dx$이다.

① ㄱ　② ㄱ, ㄴ　③ ㄱ, ㄷ　④ ㄴ, ㄷ　⑤ ㄱ, ㄴ, ㄷ

1063
도형의 넓이의 활용
2005학년도 수능기출

함수 $f(x)=e^{-x}$과 자연수 n에 대하여 점 P_n, Q_n을 각각 $P_n(n,\ f(n))$, $Q_n(n+1,\ f(n))$ 이라 하자.
삼각형 $P_nP_{n+1}Q_n$의 넓이를 A_n, 선분 P_nP_{n+1}과 함수 $y=f(x)$의 그래프로 둘러싸인 도형의 넓이를 B_n이라 할 때, 다음 중 옳은 것을 모두 고른 것은?

ㄱ. $\int_n^{n+1} f(x)\,dx=f(n)-(A_n+B_n)$
ㄴ. $\sum_{n=1}^{\infty} A_n=\frac{1}{2e}$
ㄷ. $\sum_{n=1}^{\infty} B_n=\frac{3-e}{2e(e-1)}$

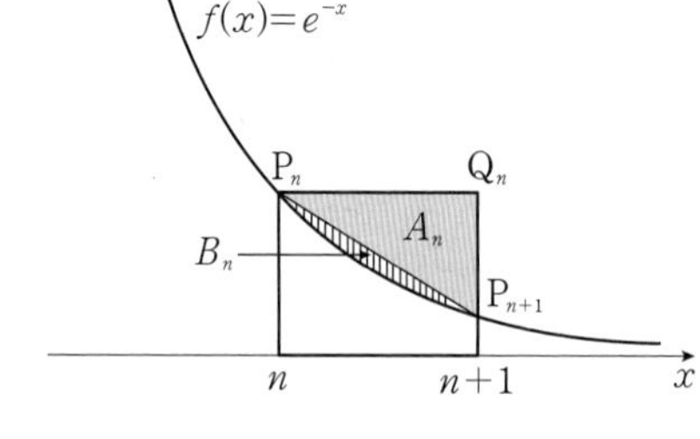

① ㄱ　② ㄱ, ㄴ　③ ㄱ, ㄷ　④ ㄴ, ㄷ　⑤ ㄱ, ㄴ, ㄷ

1064
평면 위에서 점이 움직인 거리
내신빈출

좌표평면 위를 움직이는 점 P의 시각 t에서의 위치 $(x,\ y)$가

$$x=e^t(\sin t-\cos t)+1,\ y=e^t(\sin t+\cos t)-1$$

이다. 점 P가 시각 $t=0$에서 $t=a$까지 움직인 거리를 l이라 하고 시각 $t=a$에서의 점 P의 위치에서 원점까지의 거리를 d라 하자. $l^2=2d^2$일 때, 실수 a의 값은? (단, $0 < a \le 2\pi$)

① $\frac{\pi}{4}$　② $\frac{\pi}{2}$　③ π　④ $\frac{3}{2}\pi$　⑤ 2π

정답 1060 : ④　1061 : 96　1062 : ⑤　1063 : ⑤　1064 : ⑤

Sometimes in the waves of change
we find our true direction.

Unknown

masterplan

MAPLBOOKS Since 1996. Heemang Institute, Inc. www.mapl.co.kr
mapl
마플교과서
Your master plan. MAPL

수능과 내신의
수학개념서

미적분

수능과 내신의 수학개념서

마플교과서
미적분

마플교과서 미적분
ISBN : 978-89-94845-72-2 (53410)
발행일 : 2020년 1월 10일(1판 1쇄)
인쇄일 : 2023년 11월 9일
판/쇄 : 1판 6쇄

펴낸곳
희망에듀출판부 *(Heemang Institute, inc. Publishing dept.)*

펴낸이
임정선

주소 경기도 부천시 석천로 174 하성빌딩
[174, Seokcheon-ro, Bucheon-si, Gyeonggi-do, Republic of Korea]

교재 오류 및 문의
mapl@heemangedu.co.kr

희망에듀 홈페이지
http://www.heemangedu.co.kr

마플교재 인터넷 구입처
http://www.mapl.co.kr

교재 구입 문의
오성서적
Tel 032) 653-6653
Fax 032) 655-4761

YOUR
MASTER
PLAN

YOUR
MASTER
PLAN

내신과 수능을 잡는 최고의 개념서

마플교과서

그냥/교재가/아닙니다/마플입니다

mapl

수능과 내신의
수학개념서

미적분

서명 : 마플교과서 미적분
발행일 : 2020년 1월 10일(1판 1쇄)
인쇄일 : 2023년 11월 9일
판/쇄 : 1판 6쇄

펴낸곳
희망에듀출판부
(Heemang Institute, inc. Publishing dept.)

펴낸이
임정선

주소
경기도 부천시 석천로 174 하성빌딩
[174, Seokcheon-ro, Bucheon-si, Gyeonggi-do, Republic of Korea]

교재 오류 및 문의
mapl@heemangedu.co.kr

희망에듀 홈페이지
http://www.heemangedu.co.kr

마플교재 인터넷 구입처
http://www.mapl.co.kr

교재 구입 문의
오성서적
Tel 032) 653-6653
Fax 032) 656-4761

ISBN : 978-89-94845-72-2 (53410)

파본은 구입처에서 교환하여 드립니다.

수능대비
새로운 교육과정

수능과 내신의 수학개념서

MAPL SERIES
YOUR MASTER PLAN
www.mapl.co.kr

Your master plan.
mapl

미적분
정답과 해설

수능과 내신의 수학개념서

마플교과서

미적분

MAPLBOOKS Since 1996. Heemang Institute, Inc. www.mapl.co.kr
mapl
마플교과서
Your master plan. MAPL

수능과 내신의
수학개념서

미적분

수능과 내신의 수학개념서

마플교과서

미적분

마플교과서 미적분

ISBN : 978-89-94845-72-2 (53410)

발행일 : 2020년 1월 10일(1판 1쇄)

인쇄일 : 2023년 11월 9일

판/쇄 : 1판 6쇄

펴낸곳
희망에듀출판부 *(Heemang Institute, inc. Publishing dept.)*

펴낸이
임정선

주소 경기도 부천시 석천로 174 하성빌딩
(174, Seokcheon-ro, Bucheon-si, Gyeonggi-do, Republic of Korea)

교재 오류 및 문의
mapl@heemangedu.co.kr

희망에듀 홈페이지
http://www.heemangedu.co.kr

마플교재 인터넷 구입처
http://www.mapl.co.kr

교재 구입 문의
오성서적
Tel 032) 653-6653
Fax 032) 655-4761

YOUR
MASTER
PLAN

YOUR
MASTER
PLAN

개념이 있는

정답과 해설

목차

I 수열의 극한

01 수열의 극한

0001

수열 $\{a_n\}$에 대하여

$$\lim_{n\to\infty}(a_n+1)=\alpha,\ \lim_{n\to\infty}\frac{4a_n-1}{a_n+1}=3$$

일 때, 실수 α의 값을 구하여라. (단, $\alpha\neq0$, $a_n+1\neq0$)

STEP A 수열의 극한의 성질을 이용하여 $\lim_{n\to\infty}a_n$의 값 구하기

$\lim_{n\to\infty}(a_n+1)=\alpha$에서

$\lim_{n\to\infty}a_n=\lim_{n\to\infty}\{(a_n+1)-1\}=\lim_{n\to\infty}(a_n+1)-\lim_{n\to\infty}1=\alpha-1$

이고 $\alpha\neq0$이므로

$$\lim_{n\to\infty}\frac{4a_n-1}{a_n+1}=\frac{4\lim_{n\to\infty}a_n-\lim_{n\to\infty}1}{\lim_{n\to\infty}(a_n+1)}=\frac{4(\alpha-1)-1}{\alpha}=\frac{4\alpha-5}{\alpha}$$

이때 $\lim_{n\to\infty}\frac{4a_n-1}{a_n+1}=3$이므로 $\frac{4\alpha-5}{\alpha}=3$, $4\alpha-5=3\alpha$

따라서 $\alpha=5$

참고 $\alpha\neq0$이므로

$$\lim_{n\to\infty}\frac{4a_n-1}{a_n+1}=\lim_{n\to\infty}\frac{4(a_n+1)-5}{a_n+1}=\frac{4\lim_{n\to\infty}(a_n+1)-\lim_{n\to\infty}5}{\lim_{n\to\infty}(a_n+1)}$$

$$=\frac{4\alpha-5}{\alpha}=3$$

따라서 $4\alpha-5=3\alpha$이므로 $\alpha=5$

0002

두 수열 $\{a_n\}$, $\{b_n\}$에 대하여

$$\lim_{n\to\infty}(a_n-4)=1,\ \lim_{n\to\infty}(b_n+3)=5$$

일 때, $\lim_{n\to\infty}(2a_n-3b_n)$의 값은?

① 2 ② 4 ③ 6
④ 8 ⑤ 10

STEP A 수열의 극한의 성질을 이용하여 $\lim_{n\to\infty}a_n$, $\lim_{n\to\infty}b_n$의 값 구하기

$\lim_{n\to\infty}(a_n-4)=1$이므로

$\lim_{n\to\infty}a_n=\lim_{n\to\infty}\{(a_n-4)+4\}=\lim_{n\to\infty}(a_n-4)+\lim_{n\to\infty}4=1+4=5$

$\lim_{n\to\infty}(b_n+3)=5$이므로

$\lim_{n\to\infty}b_n=\lim_{n\to\infty}\{(b_n+3)-3\}=\lim_{n\to\infty}(b_n+3)-\lim_{n\to\infty}3=5-3=2$

STEP B $\lim_{n\to\infty}(2a_n-3b_n)$의 값 구하기

따라서 $\lim_{n\to\infty}(2a_n-3b_n)=2\lim_{n\to\infty}a_n-3\lim_{n\to\infty}b_n$

$=2\times5-3\times2=4$

0003

다음 물음에 답하여라.

(1) 두 수열 $\{a_n\}$, $\{b_n\}$에 대하여

$$\lim_{n\to\infty}(a_n+2b_n)=9,\ \lim_{n\to\infty}(2a_n+b_n)=90$$

일 때, $\lim_{n\to\infty}(a_n+b_n)$의 값을 구하여라.

STEP A 수열의 극한의 성질을 이용하여 $\lim_{n\to\infty}(a_n+b_n)$의 값 구하기

$\lim_{n\to\infty}(a_n+2b_n)=9$, $\lim_{n\to\infty}(2a_n+b_n)=90$이므로

$\lim_{n\to\infty}(a_n+2b_n)+\lim_{n\to\infty}(2a_n+b_n)$

$=\lim_{n\to\infty}\{(a_n+2b_n)+(2a_n+b_n)\}$

$=\lim_{n\to\infty}3(a_n+b_n)$

$=9+90=99$

따라서 $\lim_{n\to\infty}(a_n+b_n)=\frac{1}{3}\lim_{n\to\infty}3(a_n+b_n)=\frac{1}{3}\times99=33$

다른풀이 $a_n+2b_n=c_n$, $2a_n+b_n=d_n$이라 놓고 변형하여 풀이하기

$a_n+2b_n=c_n$ …… ㉠

$2a_n+b_n=d_n$ …… ㉡

이라 하면

$\lim_{n\to\infty}c_n=\lim_{n\to\infty}(a_n+2b_n)=9$,

$\lim_{n\to\infty}d_n=\lim_{n\to\infty}(2a_n+b_n)=90$

$2\times$㉡$-$㉠에서 $3a_n=2d_n-c_n$이므로 $a_n=\frac{1}{3}(2d_n-c_n)$

$2\times$㉠$-$㉡에서 $3b_n=2c_n-d_n$이므로 $b_n=\frac{1}{3}(2c_n-d_n)$

따라서 $a_n+b_n=\frac{1}{3}(c_n+d_n)$이므로

$\lim_{n\to\infty}(a_n+b_n)=\lim_{n\to\infty}\frac{1}{3}(c_n+d_n)$

$=\frac{1}{3}\lim_{n\to\infty}(c_n+d_n)$

$=\frac{1}{3}(\lim_{n\to\infty}c_n+\lim_{n\to\infty}d_n)$

$=\frac{1}{3}\times(9+90)=33$

(2) 두 수열 $\{a_n\}$, $\{b_n\}$이

$$\lim_{n\to\infty}(a_n-1)=2,\ \lim_{n\to\infty}(a_n+2b_n)=9$$

를 만족시킬 때, $\lim_{n\to\infty}a_n(1+b_n)$의 값을 구하여라.

STEP A 수열의 극한의 성질을 이용하여 $\lim_{n\to\infty}a_n$, $\lim_{n\to\infty}b_n$ 구하기

$a_n-1=c_n$이라 하면 $a_n=c_n+1$

$\lim_{n\to\infty}(a_n-1)=2$에서 $\lim_{n\to\infty}c_n=2$

$\therefore \lim_{n\to\infty}a_n=\lim_{n\to\infty}(c_n+1)=2+1=3$

$a_n+2b_n=d_n$이라 하면 $b_n=\frac{1}{2}(d_n-a_n)$

$\lim_{n\to\infty}(a_n+2b_n)=9$에서 $\lim_{n\to\infty}d_n=9$

$\therefore \lim_{n\to\infty}b_n=\lim_{n\to\infty}\frac{1}{2}(d_n-a_n)=\frac{1}{2}(9-3)=3$

STEP B $\lim_{n\to\infty}a_n(1+b_n)$의 값 구하기

따라서 $\lim_{n\to\infty}a_n(1+b_n)=\lim_{n\to\infty}a_n\times\lim_{n\to\infty}(1+b_n)$

$=3\times(1+3)=12$

0004

두 수열 $\{a_n\}$, $\{b_n\}$에 대하여

$$\lim_{n\to\infty} a_n=\infty,\ \lim_{n\to\infty}(a_n-2b_n)=3$$

일 때, $\lim_{n\to\infty}\frac{3a_n+2b_n}{a_n-b_n}$의 값을 구하여라.

STEP A $a_n-2b_n=c_n$으로 치환하여 $\lim_{n\to\infty}\frac{c_n}{a_n}=0$임을 구하기

$a_n-2b_n=c_n$이라 하면 $b_n=\frac{1}{2}(a_n-c_n)$

이때 $\lim_{n\to\infty} c_n=3$, $\lim_{n\to\infty} a_n=\infty$이므로 $\lim_{n\to\infty}\frac{c_n}{a_n}=0$

STEP B 분모, 분자를 a_n으로 나누어 극한값 구하기

$$\lim_{n\to\infty}\frac{3a_n+2b_n}{a_n-b_n}=\lim_{n\to\infty}\frac{3a_n+2\cdot\frac{1}{2}(a_n-c_n)}{a_n-\frac{1}{2}(a_n-c_n)}=\lim_{n\to\infty}\frac{4a_n-c_n}{\frac{1}{2}a_n+\frac{1}{2}c_n}$$

$$\therefore \lim_{n\to\infty}\frac{8a_n-2c_n}{a_n+c_n}=\lim_{n\to\infty}\frac{8-\frac{2c_n}{a_n}}{1+\frac{c_n}{a_n}}=8$$

다른풀이 $\lim_{n\to\infty}\frac{b_n}{a_n}$의 극한값을 구하여 풀이하기

STEP A 조건 (나)에서 $\lim_{n\to\infty}\frac{b_n}{a_n}$의 값 구하기

$\lim_{n\to\infty}(a_n-2b_n)=3$에서 $\lim_{n\to\infty} a_n\left(1-2\cdot\frac{b_n}{a_n}\right)=3$

이때 $\lim_{n\to\infty} a_n=\infty$이므로 $\lim_{n\to\infty}\left(1-2\cdot\frac{b_n}{a_n}\right)=0$

$\therefore \lim_{n\to\infty}\frac{b_n}{a_n}=\frac{1}{2}$

STEP B $\lim_{n\to\infty}\frac{b_n}{a_n}=\frac{1}{2}$를 이용하여 극한값 구하기

따라서 $\lim_{n\to\infty}\frac{3a_n+2b_n}{a_n-b_n}=\lim_{n\to\infty}\frac{3+2\cdot\frac{b_n}{a_n}}{1-\frac{b_n}{a_n}}=\frac{3+2\cdot\frac{1}{2}}{1-\frac{1}{2}}=8$

0005

두 수열 $\{a_n\}$, $\{b_n\}$은 다음 조건을 만족시킨다.

(가) $\lim_{n\to\infty} a_n=\infty$
(나) $\lim_{n\to\infty}(2a_n-5b_n)=3$

$\lim_{n\to\infty}\frac{2a_n+3b_n}{a_n+b_n}=\frac{q}{p}$일 때, $p+q$의 값을 구하여라.
(단, p, q는 서로소인 자연수이다.)

STEP A $2a_n-5b_n=c_n$으로 치환하여 $\lim_{n\to\infty}\frac{c_n}{a_n}=0$임을 구하기

$c_n=2a_n-5b_n$이라 하면 $b_n=\frac{1}{5}(2a_n-c_n)$

$\lim_{n\to\infty} c_n=3$이므로 $\lim_{n\to\infty}\frac{c_n}{a_n}=0$

$$\lim_{n\to\infty}\frac{2a_n+3b_n}{a_n+b_n}=\lim_{n\to\infty}\frac{2a_n+3\cdot\frac{1}{5}(2a_n-c_n)}{a_n+\frac{1}{5}(2a_n-c_n)}=\lim_{n\to\infty}\frac{16a_n-3c_n}{7a_n-c_n}$$

STEP B 분모, 분자를 a_n으로 나누어 극한값 구하기

$$\lim_{n\to\infty}\frac{16-3\cdot\frac{c_n}{a_n}}{7-\frac{c_n}{a_n}}=\frac{16}{7}$$

따라서 $p+q=7+16=23$

다른풀이 $\lim_{n\to\infty}\frac{b_n}{a_n}$의 극한값을 구하여 풀이하기

STEP A 조건 (나)에서 $\lim_{n\to\infty}\frac{b_n}{a_n}$의 값 구하기

$\lim_{n\to\infty}(2a_n-5b_n)=3$에서 $\lim_{n\to\infty} a_n\left(2-5\cdot\frac{b_n}{a_n}\right)=3$

이때 $\lim_{n\to\infty} a_n=\infty$이므로 $\lim_{n\to\infty}\left(2-5\cdot\frac{b_n}{a_n}\right)=0$

$\therefore \lim_{n\to\infty}\frac{b_n}{a_n}=\frac{2}{5}$

STEP B $\lim_{n\to\infty}\frac{b_n}{a_n}=\frac{2}{5}$임을 이용하여 극한값 구하기

$$\lim_{n\to\infty}\frac{2a_n+3b_n}{a_n+b_n}=\lim_{n\to\infty}\frac{2+3\cdot\frac{b_n}{a_n}}{1+\frac{b_n}{a_n}}=\frac{2+3\cdot\frac{2}{5}}{1+\frac{2}{5}}=\frac{16}{7}$$

따라서 $p+q=7+16=23$

두 조건 (가), (나)에서
$\lim_{n\to\infty} a_n=\infty$, $\lim_{n\to\infty}(2a_n-5b_n)=3$이므로 $\lim_{n\to\infty}\frac{2a_n-5b_n}{a_n}=0$
즉 $\lim_{n\to\infty}\left(2-5\cdot\frac{b_n}{a_n}\right)=0$이므로 $\lim_{n\to\infty}\frac{b_n}{a_n}=\frac{2}{5}$

0006

두 수열 $\{a_n\}$, $\{b_n\}$에 대하여

$$\lim_{n\to\infty} a_n=\infty,\ \lim_{n\to\infty}(b_n-a_n)=3$$

일 때, $\lim_{n\to\infty}\left(\frac{b_n^2}{a_n}-\frac{a_n^2}{b_n}\right)$의 값은?

① $\frac{1}{3}$ ② 1 ③ 3
④ 6 ⑤ 9

STEP A $b_n-a_n=c_n$으로 치환하여 $\lim_{n\to\infty}\frac{b_n}{a_n}=1$임을 구하기

$b_n-a_n=c_n$으로 놓으면 $b_n=a_n+c_n$

이때 $\lim_{n\to\infty} c_n=3$이고 $\lim_{n\to\infty} a_n=\infty$이므로 $\lim_{n\to\infty}\frac{c_n}{a_n}=0$

즉 $\lim_{n\to\infty}\frac{b_n-a_n}{a_n}=\lim_{n\to\infty}\left(\frac{b_n}{a_n}-1\right)=0$에서 $\lim_{n\to\infty}\frac{b_n}{a_n}=1$

STEP B 수열의 극한의 성질을 이용하여 극한값 구하기

$$\begin{aligned}\text{따라서 }\lim_{n\to\infty}\left(\frac{b_n^2}{a_n}-\frac{a_n^2}{b_n}\right)&=\lim_{n\to\infty}\left(\frac{b_n^3-a_n^3}{a_nb_n}\right)\\&=\lim_{n\to\infty}\frac{(b_n-a_n)(b_n^2+b_na_n+a_n^2)}{a_nb_n}\\&=\lim_{n\to\infty}(b_n-a_n)\left(\frac{b_n}{a_n}+1+\frac{a_n}{b_n}\right)\\&=3\times(1+1+1)=9\end{aligned}$$

0007

다음 극한값을 구하여라.

(1) $\lim_{n\to\infty}\frac{5n^2+3n}{(2n+1)(2n-1)}$

STEP A 분모의 최고차항으로 분모, 분자를 나누어 구하기

분모, 분자를 각각 n^2으로 나누면

$$\lim_{n\to\infty}\frac{5n^2+3n}{(2n+1)(2n-1)}=\lim_{n\to\infty}\frac{5n^2+3n}{4n^2-1}=\lim_{n\to\infty}\frac{5+\frac{3}{n}}{4-\frac{1}{n^2}}=\frac{5}{4}$$ ← $\lim_{n\to\infty}\frac{3}{n}=\lim_{n\to\infty}\frac{1}{n^2}=0$

(2) $\lim_{n\to\infty}\frac{\sqrt{9n^2+4n+1}}{2n+5}$

STEP A 분모의 최고차항으로 분모, 분자를 나누어 구하기

분모, 분자를 각각 n으로 나누면

$$\lim_{n\to\infty}\frac{\sqrt{9n^2+4n+1}}{2n+5}=\lim_{n\to\infty}\frac{\sqrt{9+\frac{4}{n}+\frac{1}{n^2}}}{2+\frac{5}{n}}$$
$$=\frac{\sqrt{9+0+0}}{2+0} \quad \leftarrow \lim_{n\to\infty}\frac{1}{n}=\lim_{n\to\infty}\frac{1}{n^2}=0$$
$$=\frac{3}{2}$$

(3) $\lim_{n\to\infty}\frac{2n+1}{\sqrt{9n^2+1}-n}$

STEP A 근호 밖의 최고차항으로 분모, 분자를 나누어 구하기

분모, 분자를 n으로 나누면

$$\lim_{n\to\infty}\frac{2n+1}{\sqrt{9n^2+1}-n}=\lim_{n\to\infty}\frac{2+\frac{1}{n}}{\sqrt{9+\frac{1}{n^2}}-1} \quad \leftarrow \lim_{n\to\infty}\frac{1}{n}=\lim_{n\to\infty}\frac{1}{n^2}=0$$
$$=\frac{2+0}{\sqrt{9+0}-1}=1$$

0008

x에 대한 이차방정식

$$x^2-(2n^2+3n+1)x+(n^2+n)=0$$

의 두 근을 α_n, β_n이라 할 때, $\lim_{n\to\infty}\left(\frac{1}{\alpha_n}+\frac{1}{\beta_n}\right)$의 값은?

① -2 ② -1 ③ 0
④ 1 ⑤ 2

STEP A 근과 계수의 관계를 이용하여 α_n, β_n 사이의 관계식 구하기

이차방정식 $x^2-(2n^2+3n+1)x+(n^2+n)=0$의 근과 계수의 관계에 의하여 $\alpha_n+\beta_n=2n^2+3n+1$, $\alpha_n\beta_n=n^2+n$이므로

$$\frac{1}{\alpha_n}+\frac{1}{\beta_n}=\frac{\alpha_n+\beta_n}{\alpha_n\beta_n}=\frac{2n^2+3n+1}{n^2+n}$$

STEP B $\frac{\infty}{\infty}$ 꼴의 극한값 구하기

따라서 $\lim_{n\to\infty}\left(\frac{1}{\alpha_n}+\frac{1}{\beta_n}\right)=\lim_{n\to\infty}\frac{2n^2+3n+1}{n^2+n}=2$

0009

닫힌구간 $[-2, 5]$에서 정의된 함수 $y=f(x)$의 그래프가 다음 그림과 같다.

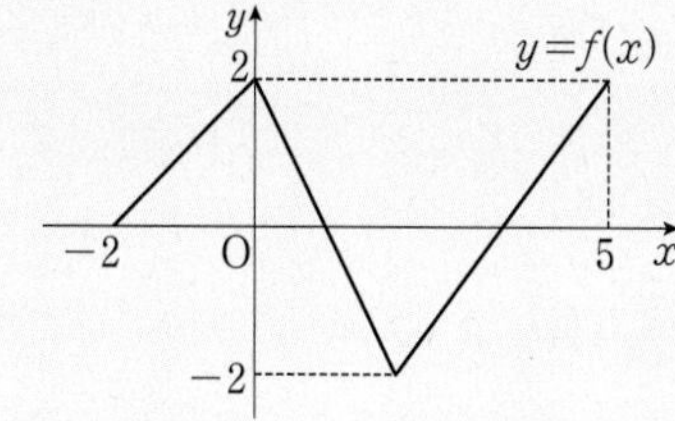

$\lim_{n\to\infty}\frac{|nf(a)-1|-nf(a)}{2n+3}=1$을 만족시키는 상수 a의 개수는?

① 1 ② 2 ③ 3
④ 4 ⑤ 5

STEP A 주어진 식의 절댓값을 없애기

$\lim_{n\to\infty}\frac{|nf(a)-1|-nf(a)}{2n+3}=1$에서

$nf(a)-1\ge 0$, $nf(a)-1<0$인 경우로 나누어 생각한다.

(ⅰ) $nf(a)-1\ge 0$일 때,

$$\lim_{n\to\infty}\frac{|nf(a)-1|-nf(a)}{2n+3}=\lim_{n\to\infty}\frac{nf(a)-1-nf(a)}{2n+3}$$
$$=\lim_{n\to\infty}\frac{-1}{2n+3}=0\ne 1$$

이므로 주어진 조건을 만족하는 상수 a는 존재하지 않는다.

(ⅱ) $nf(a)-1<0$일 때,

$$\lim_{n\to\infty}\frac{|nf(a)-1|-nf(a)}{2n+3}=\lim_{n\to\infty}\frac{-nf(a)+1-nf(a)}{2n+3}$$
$$=\lim_{n\to\infty}\frac{-2nf(a)+1}{2n+3}=-f(a)=1$$

$\therefore f(a)=-1$

STEP B $f(a)=-1$을 만족하는 상수 a의 개수 구하기

따라서 $f(a)=-1$을 만족하는 a의 개수는 $y=f(x)$와 $y=-1$의 교점의 x의 개수와 같으므로 다음 그래프에서 조건을 만족하는 상수 a는 α, β이므로 2개 존재한다.

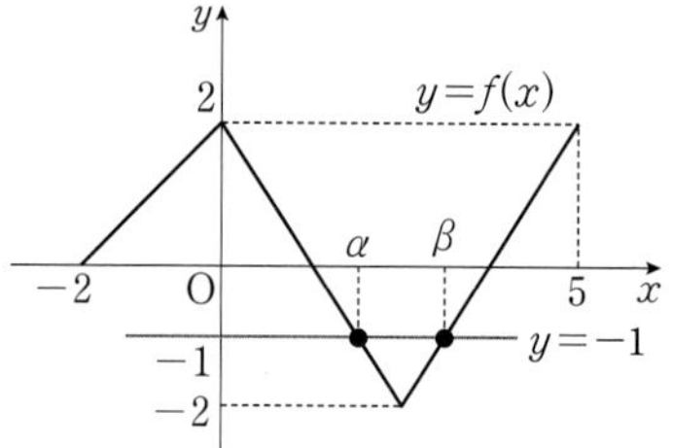

다른풀이 식을 변형하여 절댓값의 성질을 이용하여 풀이하기

STEP A $|nf(a)|=n|f(a)|$를 이용하여 절댓값의 극한 구하기

$|nf(a)-1|=n\left|f(a)-\frac{1}{n}\right|$이므로

$$\lim_{n\to\infty}\frac{|nf(a)-1|-nf(a)}{2n+3}=\lim_{n\to\infty}\frac{n\left|f(a)-\frac{1}{n}\right|-nf(a)}{2n+3}$$
$$=\lim_{n\to\infty}\frac{\left|f(a)-\frac{1}{n}\right|-f(a)}{2+\frac{3}{n}}$$
$$=\frac{|f(a)|-f(a)}{2}=1$$

$\therefore |f(a)|-f(a)=2$

STEP B $f(a)=-1$을 만족하는 상수 a의 개수 구하기

$|f(a)|=k(k\ge 0)$라 하면

(ⅰ) $f(a)\ge 0$인 경우

$f(a)=k$이므로 $|f(a)|-f(a)=k-k=0\ne 2$

(ⅱ) $f(a)<0$인 경우

$f(a)=-k$이므로 $|f(a)|-f(a)=k-(-k)=2k=2$

$\therefore k=1$

(ⅰ), (ⅱ)에서 $k=1$이므로 $f(a)=-1$

따라서 $f(a)=-1$을 만족하는 상수 a는 α, β이므로 개수는 2

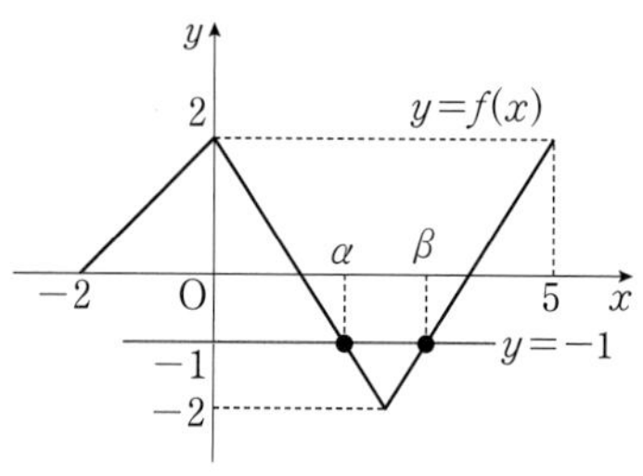

0010

다음 극한값을 구하여라.

(1) $\lim_{n\to\infty}\frac{1+3+5+\cdots+(2n-1)}{2+4+6+\cdots+2n}$

STEP A 등차수열의 합 구하기

$1+3+5+\cdots+(2n-1)=\frac{n\{1+(2n-1)\}}{2}=n^2$

$2+4+6+\cdots+2n=\frac{n(2+2n)}{2}=n^2+n$

STEP B $\frac{\infty}{\infty}$ 꼴의 극한값 구하기

따라서 구하는 극한값은

$\lim_{n\to\infty}\frac{1+3+5+\cdots+(2n-1)}{2+4+6+\cdots+2n}=\lim_{n\to\infty}\frac{n^2}{n^2+n}=\lim_{n\to\infty}\frac{1}{1+\frac{1}{n}}=1$

(2) $\lim_{n\to\infty}\frac{1\cdot2+2\cdot3+\cdots+n(n+1)}{n^3}$

STEP A $\frac{\infty}{\infty}$ 꼴의 극한값 구하기

$$\lim_{n\to\infty}\frac{1\cdot2+2\cdot3+\cdots+n(n+1)}{n^3}=\lim_{n\to\infty}\frac{\frac{n(n+1)(n+2)}{3}}{n^3}$$
$$=\lim_{n\to\infty}\frac{(n+1)(n+2)}{3n^2}$$
$$=\lim_{n\to\infty}\frac{\left(1+\frac{1}{n}\right)\left(1+\frac{2}{n}\right)}{3}$$
$$=\frac{1}{3}$$

0011

다음 물음에 답하여라.

(1) 수열 $\{a_n\}$이 $a_1=1,\ a_2=4$이고, 모든 자연수 n에 대하여

$a_{n+1}-a_n=a_{n+2}-a_{n+1}$

을 만족시킬 때, $\lim_{n\to\infty}\frac{a_na_{n+1}}{1+2+3+\cdots+n}$의 값은?

① 6 ② 10 ③ 12
④ 18 ⑤ 24

STEP A 등차수열의 일반항 구하기

수열 $\{a_n\}$은 첫째항이 1이고 공차가 3인 등차수열이므로 $a_n=3n-2$

STEP B $\frac{\infty}{\infty}$ 꼴의 극한값 구하기

따라서 $\lim_{n\to\infty}\frac{a_na_{n+1}}{1+2+3+\cdots+n}=\lim_{n\to\infty}\frac{(3n-2)(3n+1)}{\frac{n(n+1)}{2}}$

$=\lim_{n\to\infty}\frac{2(3n-2)(3n+1)}{n(n+1)}$

$=18$

(2) 첫째항이 2이고 공차가 3인 등차수열 $\{a_n\}$의 첫째항부터 제 n항까지의 합을 S_n이라 할 때, $\lim_{n\to\infty}\frac{S_n}{a_na_{n+1}}$의 값은?

① 2 ② 1 ③ $\frac{1}{2}$
④ $\frac{1}{3}$ ⑤ $\frac{1}{6}$

STEP A 등차수열의 일반항과 합의 공식을 이용하여 구하기

수열 $\{a_n\}$은 $a_1=2,\ d=3$인 등차수열이므로

$a_n=2+(n-1)\cdot3=3n-1$

$a_{n+1}=3n+2$

첫째항부터 제 n항까지 등차수열의 합 S_n은 $S_n=\frac{n(2+3n-1)}{2}=\frac{3n^2+n}{2}$

STEP B 극한값 구하기

따라서 $\lim_{n\to\infty}\frac{S_n}{a_na_{n+1}}=\lim_{n\to\infty}\frac{\frac{3n^2+n}{2}}{(3n-1)(3n+2)}=\lim_{n\to\infty}\frac{3+\frac{1}{n}}{18+\frac{6}{n}-\frac{4}{n^2}}=\frac{1}{6}$

0012

자연수 n에 대하여

$$f(n)=\frac{1^2+2^2+3^2+\cdots+n^2}{3+5+7+\cdots+(2n+1)}$$

일 때, $\lim_{n\to\infty}\frac{f(n)}{n}$의 값을 구하여라.

STEP A $\sum$의 성질을 이용하여 $f(n)$의 분모, 분자 계산하기

$1^2+2^2+3^2+\cdots+n^2=\sum_{k=1}^{n}k^2=\frac{n(n+1)(2n+1)}{6}$

$3+5+7+\cdots+(2n+1)=\sum_{k=1}^{n}(2k+1)=2\times\frac{n(n+1)}{2}+n=n^2+2n$

이므로

$f(n)=\frac{1^2+2^2+3^2+\cdots+n^2}{3+5+7+\cdots+(2n+1)}=\frac{\frac{n(n+1)(2n+1)}{6}}{n^2+2n}=\frac{2n^2+3n+1}{6n+12}$

STEP B $\lim_{n\to\infty}\frac{f(n)}{n}$의 값 구하기

따라서 $\lim_{n\to\infty}\frac{f(n)}{n}=\lim_{n\to\infty}\frac{2n^2+3n+1}{6n^2+12n}=\lim_{n\to\infty}\frac{2+\frac{3}{n}+\frac{1}{n^2}}{6+\frac{12}{n}}$

$=\frac{2+0+0}{6+0}=\frac{1}{3}$

0013

x에 대한 이차방정식

$$x^2-x+\sqrt{n^2+n}-n=0$$

의 두 근을 $\alpha_n,\ \beta_n$이라 할 때, $\lim_{n\to\infty}\left(\frac{1}{\alpha_n}+\frac{1}{\beta_n}\right)$의 값을 구하여라.

STEP A 근과 계수의 관계를 이용하여 $\alpha_n,\ \beta_n$ 사이의 관계식 구하기

이차방정식 $x^2-x+\sqrt{n^2+n}-n=0$의 근과 계수의 관계에 의하여

$\alpha_n+\beta_n=1,\ \alpha_n\beta_n=\sqrt{n^2+n}-n$

STEP B 분모를 유리화하고 분모, 분자를 n으로 나누어 극한값 구하기

따라서 $\lim_{n\to\infty}\left(\frac{1}{\alpha_n}+\frac{1}{\beta_n}\right)=\lim_{n\to\infty}\frac{\alpha_n+\beta_n}{\alpha_n\beta_n}=\lim_{n\to\infty}\frac{1}{\sqrt{n^2+n}-n}$

$=\lim_{n\to\infty}\frac{\sqrt{n^2+n}+n}{(\sqrt{n^2+n}-n)(\sqrt{n^2+n}+n)}$

$=\lim_{n\to\infty}\frac{\sqrt{n^2+n}+n}{n}$

$=\lim_{n\to\infty}\frac{\sqrt{1+\frac{1}{n}}+1}{1}=2$

0014

자연수 n에 대하여 x에 대한 이차방정식

$$x^2+2nx-4n=0$$

의 양의 실근을 a_n이라 할 때, $\lim_{n\to\infty} a_n$의 값은?

① 1　　② 2　　③ 3
④ 4　　⑤ 6

STEP Ⓐ 근의 공식을 이용하여 a_n 구하기

$x^2+2nx-4n=0$ …… ㉠

이차방정식의 근의 공식을 이용하면

$x=-n\pm\sqrt{n^2+4n}$

방정식 ㉠의 양의 실근이 a_n이므로

$a_n=-n+\sqrt{n^2+4n}$

STEP Ⓑ 분자를 유리화하고 분모, 분자를 n으로 나누어 극한값 구하기

따라서 $\lim_{n\to\infty} a_n=\lim_{n\to\infty}(\sqrt{n^2+4n}-n)$

$$=\lim_{n\to\infty}\frac{(\sqrt{n^2+4n}-n)(\sqrt{n^2+4n}+n)}{\sqrt{n^2+4n}+n}$$

$$=\lim_{n\to\infty}\frac{4n}{\sqrt{n^2+4n}+n}$$

$$=\lim_{n\to\infty}\frac{4}{\sqrt{1+\frac{4}{n}}+1}$$

$$=\frac{4}{1+1}=2$$

0015

다음 물음에 답하여라.

(1) 등차수열 $\{a_n\}$이

$$a_3=5,\ a_6=11$$

일 때, $\lim_{n\to\infty}\{\sqrt{n}(\sqrt{a_{n+1}}-\sqrt{a_n})\}$의 값을 구하여라.

STEP Ⓐ 등차수열 $\{a_n\}$의 일반항 구하기

등차수열 $\{a_n\}$의 첫째항을 a, 공차를 d라 하면

$a_n=a+(n-1)d$

$a_3=5$에서 $a_3=a+2d=5$ …… ㉠

$a_6=11$에서 $a_6=a+5d=11$ …… ㉡

㉠, ㉡을 연립하여 풀면 $a=1,\ d=2$

$\therefore\ a_n=2n-1$

STEP Ⓑ 분자를 유리화하고 분모, 분자를 $\sqrt{n}$으로 나누어 극한값 구하기

따라서 $\lim_{n\to\infty}\sqrt{n}(\sqrt{a_{n+1}}-\sqrt{a_n})$

$$=\lim_{n\to\infty}\sqrt{n}(\sqrt{2n+1}-\sqrt{2n-1})$$

$$=\lim_{n\to\infty}\frac{\sqrt{n}(\sqrt{2n+1}-\sqrt{2n-1})(\sqrt{2n+1}+\sqrt{2n-1})}{\sqrt{2n+1}+\sqrt{2n-1}}$$

$$=\lim_{n\to\infty}\frac{2\sqrt{n}}{\sqrt{2n+1}+\sqrt{2n-1}}$$

$$=\lim_{n\to\infty}\frac{2}{\sqrt{2+\frac{1}{n}}+\sqrt{2-\frac{1}{n}}}$$ ← 분모, 분자를 $\sqrt{n}$으로 나눈다.

$$=\frac{\sqrt{2}}{2}$$

(2) $\lim_{n\to\infty}\{\sqrt{2+4+6+\cdots+2n}-\sqrt{1+3+5+\cdots(2n-1)}\}$의 값을 구하여라.

STEP Ⓐ $\sum$의 성질을 이용하여 $\sum_{k=1}^{n}2k,\ \sum_{k=1}^{n}(2k-1)$의 값 구하기

$$2+4+6+\cdots+2n=\sum_{k=1}^{n}2k=2\cdot\frac{n(n+1)}{2}=n(n+1)=n^2+n$$

$$1+3+5+\cdots(2n-1)=\sum_{k=1}^{n}(2k-1)=2\cdot\frac{n(n+1)}{2}-n=n^2$$

STEP Ⓑ 분자를 유리화하고 분모, 분자를 n으로 나누어 극한값 구하기

따라서 $\lim_{n\to\infty}\{\sqrt{2+4+6+\cdots+2n}-\sqrt{1+3+5+\cdots(2n-1)}\}$

$$=\lim_{n\to\infty}\{\sqrt{n^2+n}-n\}$$

$$=\lim_{n\to\infty}\frac{(\sqrt{n^2+n}-n)(\sqrt{n^2+n}+n)}{\sqrt{n^2+n}+n}$$

$$=\lim_{n\to\infty}\frac{n}{\sqrt{n^2+n}+n}$$

$$=\lim_{n\to\infty}\frac{1}{\sqrt{1+\frac{1}{n}}+1}$$

$$=\frac{1}{1+1}=\frac{1}{2}$$

0016

자연수 n에 대하여 $\sqrt{4n^2+2n+1}$의 소수부분을 a_n이라 할 때, $\lim_{n\to\infty} a_n$의 값을 구하여라.

STEP Ⓐ 소수부분 a_n 구하기

$\sqrt{4n^2}<\sqrt{4n^2+2n+1}<\sqrt{4n^2+4n+1}$

$\sqrt{(2n)^2}<\sqrt{4n^2+2n+1}<\sqrt{(2n+1)^2}$

$\therefore\ 2n<\sqrt{4n^2+2n+1}<2n+1$

여기서 $\sqrt{4n^2+2n+1}$의 정수 부분이 $2n$이므로 소수부분 a_n은

$a_n=\sqrt{4n^2+2n+1}-2n$

STEP Ⓑ $\infty-\infty$꼴에서 분모를 유리화하여 극한값 구하기

따라서 $\lim_{n\to\infty} a_n=\lim_{n\to\infty}(\sqrt{4n^2+2n+1}-2n)$

$$=\lim_{n\to\infty}\frac{(\sqrt{4n^2+2n+1}-2n)(\sqrt{4n^2+2n+1}+2n)}{\sqrt{4n^2+2n+1}+2n}$$

$$=\lim_{n\to\infty}\frac{2n+1}{\sqrt{4n^2+2n+1}+2n}$$

$$=\lim_{n\to\infty}\frac{1+\frac{1}{2n}}{\sqrt{1+\frac{1}{2n}+\frac{1}{4n^2}}+1}$$

$$=\frac{1+0}{\sqrt{1+0+0}+1}=\frac{1}{2}$$

0017

다음 물음에 답하여라.

(1) 자연수 n에 대하여 $\sqrt{n^2+1}$의 정수부분을 a_n이라 할 때, $\lim_{n\to\infty} a_n(\sqrt{n^2+1}-a_n)$의 값은?

① 0 ② $\frac{1}{2}$ ③ $\frac{\sqrt{2}}{2}$

④ 1 ⑤ $\sqrt{2}$

STEP Ⓐ 정수부분 a_n 구하기

$\sqrt{n^2}<\sqrt{n^2+1}<\sqrt{(n+1)^2}$에서 $n<\sqrt{n^2+1}<n+1$이므로

정수부분 $a_n=n$

STEP Ⓑ $\infty-\infty$꼴에서 분자를 유리화하여 극한값 구하기

따라서 $\lim_{n\to\infty} a_n(\sqrt{n^2+1}-a_n)=\lim_{n\to\infty} n(\sqrt{n^2+1}-n)$

$$=\lim_{n\to\infty}\frac{n(n^2+1-n^2)}{\sqrt{n^2+1}+n}$$

$$=\lim_{n\to\infty}\frac{n}{\sqrt{n^2+1}+n}$$

$$=\lim_{n\to\infty}\frac{1}{\sqrt{1+\frac{1}{n^2}}+1}$$

$$=\frac{1}{2}$$

(2) 자연수 n에 대하여 $\sqrt{n^2+3n}$의 소수부분을 a_n이라 할 때, $\lim_{n\to\infty}\frac{10}{a_n}$의 값은?

① 8 ② 10 ③ 16

④ 18 ⑤ 20

STEP Ⓐ 소수부분 a_n 구하기

$\sqrt{n^2+2n+1}<\sqrt{n^2+3n}<\sqrt{n^2+4n+4}$에서

$n+1<\sqrt{n^2+3n}<n+2$이므로

정수부분은 $n+1$

$\therefore a_n=\sqrt{n^2+3n}-(n+1)$

STEP Ⓑ $\infty-\infty$꼴에서 분모를 유리화하여 극한값 구하기

따라서 $\lim_{n\to\infty}\frac{10}{a_n}=\lim_{n\to\infty}\frac{10}{\sqrt{n^2+3n}-(n+1)}$

$$=\lim_{n\to\infty}\frac{10(\sqrt{n^2+3n}+(n+1))}{(\sqrt{n^2+3n}-(n+1))(\sqrt{n^2+3n}+(n+1))}$$

$$=\lim_{n\to\infty}\frac{10(\sqrt{n^2+3n}+(n+1))}{(n^2+3n)-(n^2+2n+1)}$$

$$=\lim_{n\to\infty}\frac{10(\sqrt{n^2+3n}+(n+1))}{n-1}$$

$$=\lim_{n\to\infty}\frac{10\left(\sqrt{1+\frac{3}{n}}+1+\frac{1}{n}\right)}{1-\frac{1}{n}}$$

$$=10\cdot\frac{1+1}{1}=20$$

0018

수열 $\{a_n\}$의 일반항 a_n이 $a_n=9n^2-2n$일 때, $\lim_{n\to\infty}(\sqrt{a_n}-[\sqrt{a_n}])$값을 구하여라. (단, $[x]$는 x보다 크지 않은 최대의 정수이다.)

STEP Ⓐ 소수부분 a_n 구하기

자연수 n에 대하여

$\sqrt{(3n-1)^2}<\sqrt{9n^2-2n}<\sqrt{(3n)^2}$ ⬅ $(3n-1)^2=9n^2-6n+1$

$3n-1<\sqrt{9n^2-2n}<3n$

$[\sqrt{a_n}]$은 $\sqrt{a_n}$이 정수부분이므로 $[\sqrt{a_n}]=3n-1$

STEP Ⓑ $\infty-\infty$꼴에서 분자를 유리화하여 극한값 구하기

따라서 $\lim_{n\to\infty}(\sqrt{a_n}-[\sqrt{a_n}])$

$$=\lim_{n\to\infty}(\sqrt{9n^2-2n}-(3n-1))$$

$$=\lim_{n\to\infty}\frac{(\sqrt{9n^2-2n}-(3n-1))(\sqrt{9n^2-2n}+(3n-1))}{\sqrt{9n^2-2n}+(3n-1)}$$

$$=\lim_{n\to\infty}\frac{9n^2-2n-(9n^2-6n+1)}{\sqrt{9n^2-2n}+(3n-1)}$$

$$=\lim_{n\to\infty}\frac{4n-1}{\sqrt{9n^2-2n}+(3n-1)}$$

$$=\lim_{n\to\infty}\frac{4-\frac{1}{n}}{\sqrt{9-\frac{2}{n}}+3-\frac{1}{n}}$$

$$=\frac{4}{\sqrt{9}+3}=\frac{2}{3}$$

0019

다음 등식이 성립하도록 상수 a, b의 값을 구하여라.

(1) $\lim_{n\to\infty}\frac{an^2+bn+1}{4n+2}=3$

STEP Ⓐ 분모의 최고차항 n으로 분모, 분자를 각각 나누어 극한값이 존재하기 위한 a의 값 구하기

분모의 최고차항 n으로 주어진 식의 분자, 분모를 각각 나누면

$$\lim_{n\to\infty}\frac{an^2+bn+1}{4n+2}=\lim_{n\to\infty}\frac{an+b+\frac{1}{n}}{4+\frac{2}{n}}=3$$

이때 극한값이 존재하려면 $a=0$이어야 한다.

STEP Ⓑ 극한값을 비교하여 b의 값 구하기

따라서 극한값은 3이므로 $\frac{b}{4}=3$에서 $b=12$ $\therefore a=0,\ b=12$

(2) $\lim_{n\to\infty}(\sqrt{n^2+an}-n)=2$

STEP Ⓐ 분모를 유리화하여 $\frac{\infty}{\infty}$꼴로 변형하기

$\sqrt{n^2+an}-n$에서 분모를 1로 생각하여 분모, 분자에 $\sqrt{n^2+an}+n$을 곱한다.

$$\lim_{n\to\infty}(\sqrt{n^2+an}-n)=\lim_{n\to\infty}\frac{(\sqrt{n^2+an}-n)(\sqrt{n^2+an}+n)}{\sqrt{n^2+an}+n}$$

$$=\lim_{n\to\infty}\frac{n^2+an-n^2}{\sqrt{n^2+an}+n}=\lim_{n\to\infty}\frac{an}{\sqrt{n^2+an}+n}$$

STEP Ⓑ 분모의 최고차항 n으로 분모, 분자를 각각 나누어 극한값 구하기

$$\lim_{n\to\infty}\frac{a}{\sqrt{1+\frac{a}{n}}+1}=\frac{a}{1+1}=\frac{a}{2}$$

따라서 $\lim_{n\to\infty}(\sqrt{n^2+an}-n)=2$이므로 $\frac{a}{2}=2$ $\therefore a=4$

0020

다음 물음에 답하여라.

(1) $\lim_{n\to\infty}\frac{\sqrt{kn+1}}{n(\sqrt{n+1}-\sqrt{n-1})}=5$일 때, 상수 k의 값은?

① 12 ② 16 ③ 20
④ 25 ⑤ 36

STEP A 분모를 유리화하여 $\frac{\infty}{\infty}$ 꼴로 변형하기

$$\lim_{n\to\infty}\frac{\sqrt{kn+1}}{n(\sqrt{n+1}-\sqrt{n-1})}=\lim_{n\to\infty}\frac{\sqrt{kn+1}(\sqrt{n+1}+\sqrt{n-1})}{n(n+1-n+1)}$$
$$=\lim_{n\to\infty}\frac{\sqrt{kn+1}(\sqrt{n+1}+\sqrt{n-1})}{2n}$$

STEP B 분모의 최고차항 n으로 분모, 분자를 각각 나누어 극한값 구하기

$$\lim_{n\to\infty}\frac{\sqrt{kn+1}(\sqrt{n+1}+\sqrt{n-1})}{2n}=\lim_{n\to\infty}\frac{\sqrt{k+\frac{1}{n}}\left(\sqrt{1+\frac{1}{n}}+\sqrt{1-\frac{1}{n}}\right)}{2}$$
$$=\frac{\sqrt{k}(1+1)}{2}$$
$$=\sqrt{k}$$

따라서 $\sqrt{k}=5$이므로 $k=25$

(2) 양수 a와 실수 b에 대하여

$$\lim_{n\to\infty}(\sqrt{an^2+4n}-bn)=\frac{1}{5}$$

일 때, $a+b$의 값은?

① 11 ② 30 ③ 60
④ 90 ⑤ 110

STEP A 분모를 유리화하여 $\frac{\infty}{\infty}$ 꼴로 변형하기

$$\lim_{n\to\infty}(\sqrt{an^2+4n}-bn)=\lim_{n\to\infty}\frac{(\sqrt{an^2+4n}-bn)(\sqrt{an^2+4n}+bn)}{\sqrt{an^2+4n}+bn}$$
$$=\lim_{n\to\infty}\frac{(an^2+4n)-b^2n^2}{\sqrt{an^2+4n}+bn}$$
$$=\lim_{n\to\infty}\frac{(a-b^2)n^2+4n}{\sqrt{an^2+4n}+bn}$$

STEP B $\frac{\infty}{\infty}$ 꼴에서 $\frac{1}{5}$로 수렴하려면 분모와 분자의 차수가 같을 조건 구하기

$\lim_{n\to\infty}\frac{(a-b^2)n^2+4n}{\sqrt{an^2+4n}+bn}=\frac{1}{5}$이 성립하려면 $a-b^2=0$

즉 $a=b^2$ ...... ㉠

$$\lim_{n\to\infty}\frac{(a-b^2)n^2+4n}{\sqrt{an^2+4n}+bn}=\lim_{n\to\infty}\frac{(a-b^2)n+4}{\sqrt{a+\frac{4}{n}}+b}$$
$$=\frac{4}{\sqrt{a}+b} \quad \text{...... ㉡}$$
$$=\frac{1}{5}$$

STEP C ㉠, ㉡을 연립하여 a, b의 값 구하기

㉠을 ㉡에 대입하면 $\frac{4}{\sqrt{a}+b}=\frac{4}{\sqrt{b^2}+b}=\frac{4}{|b|+b}=\frac{1}{5}$

이때 $|b|+b\neq0$이어야 하므로 $b>0$

($\because$ $b\leq0$이면 분모가 0이 되어 극한값이 존재하지 않는다.)

즉 $\frac{4}{|b|+b}=\frac{4}{2b}=\frac{1}{5}$ $\quad\therefore b=10$

따라서 $a=b^2=10^2=100$이므로 $a+b=110$

0021

정수 k와 실수 a에 대하여

$$\lim_{n\to\infty}\frac{n^4(n^2+2)}{(an^2+n+7)^k}=\frac{1}{27}$$

일 때, ak의 값을 구하여라.

STEP A 분모, 분자의 차수가 같을 때, k의 값 구하기

$\lim_{n\to\infty}\frac{n^4(n^2+2)}{(an^2+n+7)^k}=\frac{1}{27}$이므로 분자의 차수와 분모의 차수가 같아야 한다.

분자의 차수가 6이므로 $a=0$이면 $k=6$

이때 $\lim_{n\to\infty}\frac{n^4(n^2+2)}{(n+7)^6}=1\neq\frac{1}{27}$이므로 $a\neq0$이고 분모의 최고차항은

$(an^2)^k=a^kn^{2k}$이므로 $2k=6$에서 $k=3$

STEP B 분모, 분자를 n^6으로 나누어 극한값 구하기

$$\text{따라서 }\lim_{n\to\infty}\frac{n^4(n^2+2)}{(an^2+n+7)^3}=\lim_{n\to\infty}\frac{n^6+2n^4}{(an^2+n+7)^3}=\lim_{n\to\infty}\frac{1+\frac{2}{n^2}}{\frac{(an^2+n+7)^3}{n^6}}$$
$$=\lim_{n\to\infty}\frac{1+\frac{2}{n^2}}{\left(a+\frac{1}{n}+\frac{7}{n^2}\right)^3}=\frac{1}{a^3}$$

이므로 $\frac{1}{a^3}=\frac{1}{27}$에서 $a=3$ $\quad\therefore ak=3\times3=9$

0022

다음 물음에 답하여라.

(1) 수렴하는 수열 $\{a_n\}$에 대하여 $\lim_{n\to\infty}\frac{5a_n-1}{a_n+1}=3$일 때,

$\lim_{n\to\infty}(3a_n+2)$의 값을 구하여라.

STEP A 주어진 수열을 b_n으로 놓고 a_n 구하기

$\frac{5a_n-1}{a_n+1}=b_n$으로 놓으면

$5a_n-1=b_n(a_n+1)$에서 $a_n=\frac{b_n+1}{5-b_n}$

STEP B 수열의 극한에 대한 성질을 이용하여 $\lim_{n\to\infty}a_n$ 값 구하기

이때 $\lim_{n\to\infty}b_n=3$, 즉 수열 $\{b_n\}$은 수렴하므로

$$\therefore \lim_{n\to\infty}a_n=\lim_{n\to\infty}\frac{b_n+1}{5-b_n}=\frac{\lim_{n\to\infty}b_n+\lim_{n\to\infty}1}{\lim_{n\to\infty}5-\lim_{n\to\infty}b_n}=\frac{3+1}{5-3}=2$$

따라서 $\lim_{n\to\infty}(3a_n+2)=3\lim_{n\to\infty}a_n+2=3\times2+2=8$

(2) 수열 $\{a_n\}$에 대하여 $\lim_{n\to\infty}(n-1)a_n=2$일 때, $\lim_{n\to\infty}(3n+2)a_n$의 값을 구하여라.

STEP A 주어진 수열을 b_n으로 놓고 a_n 구하기

$(n-1)a_n=b_n$으로 놓으면 $a_n=\frac{b_n}{n-1}$

이때 $\lim_{n\to\infty}b_n=2$이므로

$$\lim_{n\to\infty}(3n+2)a_n=\lim_{n\to\infty}(3n+2)\times\frac{b_n}{n-1}=\lim_{n\to\infty}\frac{3n+2}{n-1}\lim_{n\to\infty}b_n=3\times2=6$$

다른풀이 수열의 극한에 대한 성질을 이용하여 풀이하기

$\lim_{n\to\infty}(n-1)a_n=\lim_{n\to\infty}\frac{n-1}{3n+2}(3n+2)a_n=2$를 이용한다.

즉 $\lim_{n\to\infty}\frac{n-1}{3n+2}\lim_{n\to\infty}(3n+2)a_n=\frac{1}{3}\lim_{n\to\infty}(3n+2)a_n=2$

$\therefore \lim_{n\to\infty}(3n+2)a_n=6$

0023

다음 물음에 답하여라.

(1) 두 수열 $\{a_n\}$, $\{b_n\}$에 대하여

$$\lim_{n\to\infty}\frac{a_n}{2n+3}=2,\ \lim_{n\to\infty}\frac{b_n}{3n+1}=3$$

일 때, $\lim_{n\to\infty}\frac{a_nb_n}{n^2+4}$의 값은?

① 12 ② 24 ③ 36
④ 48 ⑤ 60

STEP Ⓐ 수렴하는 극한의 성질을 이용하여 $\lim_{n\to\infty}\frac{a_nb_n}{(2n+3)(3n+1)}$ 구하기

두 수열 $\{a_n\}$, $\{b_n\}$에 대하여 $\lim_{n\to\infty}\frac{a_n}{2n+3}=2$, $\lim_{n\to\infty}\frac{b_n}{3n+1}=3$이므로

$$\lim_{n\to\infty}\frac{a_n}{2n+3}\times\frac{b_n}{3n+1}=\lim_{n\to\infty}\frac{a_n}{2n+3}\times\lim_{n\to\infty}\frac{b_n}{3n+1}$$
$$=2\times3=6 \quad\cdots\cdots ㉠$$

STEP Ⓑ 수렴하는 극한의 성질을 이용하여 극한값 구하기

따라서 ㉠에서 $\lim_{n\to\infty}\frac{a_nb_n}{n^2+4}=\lim_{n\to\infty}\left\{\frac{a_nb_n}{(2n+3)(3n+1)}\times\frac{(2n+3)(3n+1)}{n^2+4}\right\}$

$$=\lim_{n\to\infty}\frac{a_nb_n}{(2n+3)(3n+1)}\times\lim_{n\to\infty}\frac{(2n+3)(3n+1)}{n^2+4}$$
$$=6\times6=36$$

다른풀이 수렴하는 $\frac{\infty}{\infty}$의 성질을 이용하여 풀이하기

$\lim_{n\to\infty}\frac{a_n}{2n+3}=2$에서 $a_n=4n+a$ (단, a는 상수)

$\lim_{n\to\infty}\frac{b_n}{3n+1}=3$에서 $b_n=9n+b$ (단, b는 상수)라 하면

$$\lim_{n\to\infty}\frac{a_nb_n}{n^2+4}=\lim_{n\to\infty}\frac{(4n+a)(9n+b)}{n^2+4}=\lim_{n\to\infty}\frac{36n^2+4bn+9an+ab}{n^2+4}=36$$

(2) 두 수열 $\{a_n\}$, $\{b_n\}$이 $\lim_{n\to\infty}\frac{a_n}{3n}=2$, $\lim_{n\to\infty}\frac{2n+3}{b_n}=6$을 만족시킬 때,

$\lim_{n\to\infty}\frac{a_n}{b_n}$의 값은? (단, $b_n\neq0$)

① 10 ② 12 ③ 14
④ 16 ⑤ 18

STEP Ⓐ $\frac{a_n}{3n}\times\frac{2n+3}{b_n}=c_n$이라 놓고 식을 변형하기

$$\lim_{n\to\infty}\frac{a_n}{3n}\times\lim_{n\to\infty}\frac{2n+3}{b_n}=\lim_{n\to\infty}\left(\frac{a_n}{3n}\times\frac{2n+3}{b_n}\right)=2\times6=12$$

$\frac{a_n}{3n}\times\frac{2n+3}{b_n}=c_n$이라 하면 $\lim_{n\to\infty}c_n=12$

STEP Ⓑ 수렴하는 극한의 성질을 이용하여 극한값 구하기

따라서 $\frac{a_n}{b_n}=c_n\times\frac{3n}{2n+3}$이므로

$$\lim_{n\to\infty}\frac{a_n}{b_n}=\lim_{n\to\infty}\left(c_n\times\frac{3n}{2n+3}\right)=\lim_{n\to\infty}c_n\times\lim_{n\to\infty}\frac{3n}{2n+3}=12\times\frac{3}{2}=18$$

다른풀이 극한의 성질을 이용하여 직접 풀이하기

$$\lim_{n\to\infty}\frac{a_n}{b_n}=\lim_{n\to\infty}\left(\frac{a_n}{3n}\times\frac{2n+3}{b_n}\times\frac{3n}{2n+3}\right)$$
$$=\lim_{n\to\infty}\frac{a_n}{3n}\times\lim_{n\to\infty}\frac{2n+3}{b_n}\times\lim_{n\to\infty}\frac{3n}{2n+3}=2\times6\times\frac{3}{2}=18$$

0024

수열 $\{a_n\}$과 $\{b_n\}$이

$$\lim_{n\to\infty}(n+1)a_n=2,\ \lim_{n\to\infty}(n^2+1)b_n=7$$

을 만족시킬 때, $\lim_{n\to\infty}\frac{(10n+1)b_n}{a_n}$의 값을 구하여라. (단, $a_n\neq0$)

STEP Ⓐ $(n+1)a_n=c_n$, $(n^2+1)b_n=d_n$이라 놓고 식을 변형하기

$(n+1)a_n=c_n$이라 하면 $a_n=\frac{c_n}{n+1}$이고 $\lim_{n\to\infty}c_n=2$

$(n^2+1)b_n=d_n$이라 하면 $b_n=\frac{d_n}{(n^2+1)}$이고 $\lim_{n\to\infty}d_n=7$

STEP Ⓑ 수렴하는 극한의 성질을 이용하여 극한값 구하기

따라서 $\lim_{n\to\infty}\frac{(10n+1)b_n}{a_n}=\lim_{n\to\infty}\frac{(10n+1)\times\frac{d_n}{(n^2+1)}}{\frac{c_n}{n+1}}$

$$=\lim_{n\to\infty}\frac{(10n+1)(n+1)}{n^2+1}\times\frac{d_n}{c_n}$$
$$=\lim_{n\to\infty}\frac{10n^2+11n+1}{n^2+1}\times\lim_{n\to\infty}\frac{d_n}{c_n}$$
$$=\lim_{n\to\infty}\frac{10+\frac{11}{n}+\frac{1}{n^2}}{1+\frac{1}{n^2}}\times\frac{7}{2}$$
$$=10\cdot\frac{7}{2}=35$$

다른풀이 수열의 극한의 성질을 이용하여 풀이하기

$$\lim_{n\to\infty}\frac{(10n+1)b_n}{a_n}=\lim_{n\to\infty}\frac{(10n+1)b_n\times(n+1)(n^2+1)}{a_n\times(n+1)(n^2+1)}$$
$$=\lim_{n\to\infty}\frac{(n^2+1)b_n}{(n+1)a_n}\times\lim_{n\to\infty}\frac{(10n+1)(n+1)}{n^2+1}$$
$$=\frac{7}{2}\times10=35$$

0025

다음 물음에 답하여라.

(1) 수열 $\{a_n\}$이 모든 자연수 n에 대하여 부등식

$$3n^2+2n<a_n<3n^2+3n$$

을 만족시킬 때, $\lim_{n\to\infty}\frac{5a_n}{n^2+2n}$의 값을 구하여라.

STEP Ⓐ 주어진 부등식의 각 변을 n^2+2n으로 나누기

$3n^2+2n<a_n<3n^2+3n$에서 양변에 5를 곱하면

$15n^2+10n<5a_n<15n^2+15n$

또한, $n^2+2n>0$이므로 위의 부등식의 양변을 n^2+2n으로 나누면

$$\frac{15n^2+10n}{n^2+2n}<\frac{5a_n}{n^2+2n}<\frac{15n^2+15n}{n^2+2n}$$

STEP Ⓑ 수열의 극한의 대소 관계를 이용하기

$\lim_{n\to\infty}\frac{15n^2+10n}{n^2+2n}\le\lim_{n\to\infty}\frac{5a_n}{n^2+2n}\le\lim_{n\to\infty}\frac{15n^2+15n}{n^2+2n}$이고

이때 $\lim_{n\to\infty}\frac{15n^2+10n}{n^2+2n}=15$, $\lim_{n\to\infty}\frac{15n^2+15n}{n^2+2n}=15$

따라서 수열의 극한의 대소 관계에 의해 $\lim_{n\to\infty}\frac{5a_n}{n^2+2n}=15$

다른풀이 $\lim_{n\to\infty}\frac{a_n}{n^2}$의 극한값을 구하여 분모, 분자를 n^2으로 나누어 풀이하기

$3n^2+2n<a_n<3n^2+3n$에서 각 변을 n^2으로 나누면

$$3+\frac{2}{n}<\frac{a_n}{n^2}<3+\frac{3}{n}$$

이때 $\lim_{n\to\infty}\left(3+\frac{2}{n}\right)=\lim_{n\to\infty}\left(3+\frac{3}{n}\right)=3$이므로

수열의 극한의 대소 관계에 의해 $\lim_{n\to\infty}\frac{a_n}{n^2}=3$

따라서 $\lim_{n\to\infty}\frac{5a_n}{n^2+2n}=\lim_{n\to\infty}\frac{5\cdot\frac{a_n}{n^2}}{1+\frac{2}{n}}=5\cdot3=15$

(2) 모든 항이 양수인 수열 $\{a_n\}$이 모든 자연수 n에 대하여 부등식

$$\sqrt{9n^2+4}<\sqrt{na_n}<3n+2$$

를 만족시킬 때, $\lim_{n\to\infty}\frac{a_n}{n}$의 값을 구하여라.

STEP Ⓐ 주어진 부등식 각 변을 제곱하여 n^2으로 나누기

$\sqrt{9n^2+4}<\sqrt{na_n}<3n+2$의 양변을 제곱하면

$9n^2+4<na_n<(3n+2)^2$ ...... ㉠

n이 자연수이므로 ㉠의 양변을 n^2으로 나누면

$\frac{9n^2+4}{n^2}<\frac{a_n}{n}<\frac{(3n+2)^2}{n^2}$

STEP Ⓑ 수열의 극한의 대소 관계를 이용하기

이때 $\lim_{n\to\infty}\frac{9n^2+4}{n^2}=\lim_{n\to\infty}\frac{9+\frac{4}{n^2}}{1}=\frac{9+0}{1}=9$

$\lim_{n\to\infty}\frac{(3n+2)^2}{n^2}=\lim_{n\to\infty}\frac{\left(3+\frac{2}{n}\right)^2}{1}=(3+0)^2=9$

따라서 수열의 극한의 대소 관계에 의하여 $\lim_{n\to\infty}\frac{a_n}{n}=9$

0026

수열 $\{a_n\}$에 대하여 곡선 $y=x^2-(n+1)x+a_n$은 x축과 만나고, 곡선 $y=x^2-nx+a_n$은 x축과 만나지 않는다. $\lim_{n\to\infty}\frac{a_n}{n^2}$의 값은?

① $\frac{1}{20}$ ② $\frac{1}{10}$ ③ $\frac{3}{20}$
④ $\frac{1}{5}$ ⑤ $\frac{1}{4}$

STEP Ⓐ 이차함수의 그래프와 x축의 위치관계를 이용하여 a_n의 범위 구하기

곡선 $y=x^2-(n+1)x+a_n$은 x축과 만나려면

이차방정식 $x^2-(n+1)x+a_n=0$의 판별식을 D_1이라 하면

$D_1=(n+1)^2-4a_n\geq 0$, 즉 $a_n\leq\frac{(n+1)^2}{4}$ ...... ㉠

곡선 $y=x^2-nx+a_n$은 x축과 만나지 않으려면

이차방정식 $x^2-nx+a_n=0$의 판별식을 D_2라 하면

$D_2=n^2-4a_n<0$, 즉 $a_n>\frac{n^2}{4}$ ...... ㉡

STEP Ⓑ 수열의 극한의 대소 관계를 이용하여 수열의 극한값 구하기

㉠, ㉡으로부터 $\frac{n^2}{4}<a_n\leq\frac{(n+1)^2}{4}$

즉 $\frac{n^2}{4n^2}<\frac{a_n}{n^2}\leq\frac{(n+1)^2}{4n^2}$이므로 $\lim_{n\to\infty}\frac{n^2}{4n^2}\leq\lim_{n\to\infty}\frac{a_n}{n^2}\leq\lim_{n\to\infty}\frac{(n+1)^2}{4n^2}$

이때 $\lim_{n\to\infty}\frac{n^2}{4n^2}=\lim_{n\to\infty}\frac{1}{4}=\frac{1}{4}$이고

$\lim_{n\to\infty}\frac{(n+1)^2}{4n^2}=\lim_{n\to\infty}\frac{n^2+2n+1}{4n^2}=\lim_{n\to\infty}\frac{1+\frac{2}{n}+\frac{1}{n^2}}{4}=\frac{1}{4}$이므로

수열의 극한의 대소 관계에 의하여 $\lim_{n\to\infty}\frac{a_n}{n^2}=\frac{1}{4}$

0027

다음 물음에 답하여라.

(1) 수열 $\{a_n\}$이 모든 자연수 n에 대하여 $n<a_n<n+1$을 만족시킬 때, $\lim_{n\to\infty}\frac{1}{n^2}\sum_{k=1}^{n}a_k$의 값을 구하여라.

STEP Ⓐ $a_1+a_2+\cdots+a_n$의 부등식의 범위 구하기

$n<a_n<n+1$에서 $1+2+\cdots+n<a_1+a_2+\cdots+a_n<2+3+\cdots+n+1$

$\therefore \frac{n(n+1)}{2}<\sum_{k=1}^{n}a_k<\frac{n(n+3)}{2}$

각 변에 n^2으로 나누면 $\frac{n(n+1)}{2n^2}<\frac{1}{n^2}\sum_{k=1}^{n}a_k<\frac{n(n+3)}{2n^2}$

STEP Ⓑ 수열의 극한의 대소 관계를 이용하여 극한값 구하기

$\lim_{n\to\infty}\frac{n(n+1)}{2n^2}\leq\lim_{n\to\infty}\frac{1}{n^2}\sum_{k=1}^{n}a_k\leq\lim_{n\to\infty}\frac{n(n+3)}{2n^2}$이고

$\lim_{n\to\infty}\frac{n(n+1)}{2n^2}=\lim_{n\to\infty}\frac{n(n+3)}{2n^2}=\frac{1}{2}$

따라서 수열의 극한의 대소 관계에 의하여 $\lim_{n\to\infty}\frac{1}{n^2}\sum_{k=1}^{n}a_k=\frac{1}{2}$

(2) 수열 $\{a_n\}$이 모든 자연수 n에 대하여 $n<a_n<n+1$을 만족시킬 때, $\lim_{n\to\infty}\frac{n^2}{a_1+a_2+\cdots+a_n}$의 값을 구하여라.

STEP Ⓐ $a_1+a_2+\cdots+a_n$의 부등식의 범위 구하기

$n<a_n<n+1$에서

$1+2+\cdots+n<a_1+a_2+a_3+\cdots+a_n<2+3+\cdots+n+1$이므로

$\frac{n(n+1)}{2}<a_1+a_2+a_3+\cdots+a_n<\frac{n(2+n+1)}{2}$

$\therefore \frac{n(n+1)}{2}<a_1+a_2+a_3+\cdots+a_n<\frac{n^2+3n}{2}$ ⬅ $\sum_{k=1}^{n}k<\sum_{k=1}^{n}a_k<\sum_{k=1}^{n}(k+1)$

STEP Ⓑ 수열의 극한의 대소 관계를 이용하여 극한값 구하기

$\frac{2n^2}{n^2+3n}<\frac{n^2}{a_1+a_2+\cdots+a_n}<\frac{2n^2}{n(n+1)}$

따라서 $\lim_{n\to\infty}\frac{2n^2}{n^2+3n}=\lim_{n\to\infty}\frac{2n^2}{n^2+n}=2$이므로 수열의 극한의 대소 관계에 의하여 $\lim_{n\to\infty}\frac{n^2}{a_1+a_2+\cdots+a_n}=2$

0028

다음 그림은 한 변의 길이가 n인 정사각형의 각 변을 n등분하여 각 변에 평행한 선분을 모두 이어서 나타낸 것이다. [n단계]에서 한 변의 길이가 1인 정사각형의 개수를 a_n, [n단계]에서 한 변의 길이가 1인 정사각형들의 꼭짓점이 되는 점들의 개수를 b_n이라고 할 때, $\lim_{n\to\infty}\frac{b_n}{a_n}$의 값을 구하여라. (단, 중복되는 꼭짓점은 한 번만 센다.)

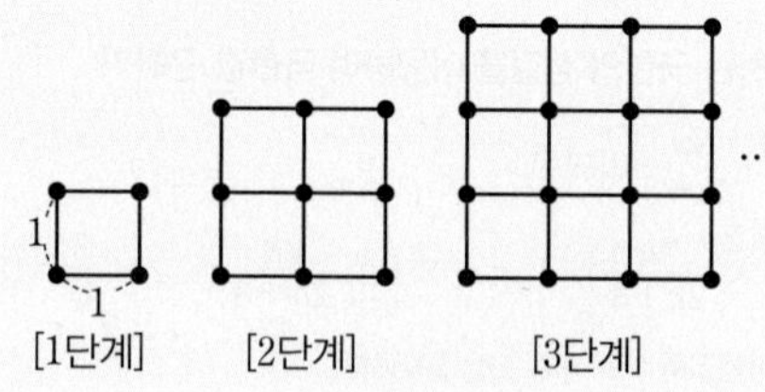

STEP Ⓐ 한 변의 길이가 1인 정사각형의 개수를 a_n 구하기

한 변의 길이가 1인 정사각형의 개수는 $a_1=1$, $a_2=2^2$, $a_3=3^2$, $\cdots$이므로 $a_n=n^2$

STEP Ⓑ 한 변의 길이가 1인 정사각형들의 꼭짓점이 되는 점들의 개수를 b_n 구하기

작은 정사각형들의 꼭짓점의 개수는 4개, 9개, 16개, $\cdots$이므로 $b_n=(n+1)^2$

STEP Ⓒ $\lim_{n\to\infty}\frac{b_n}{a_n}$의 값 구하기

따라서 $\lim_{n\to\infty}\frac{b_n}{a_n}=\lim_{n\to\infty}\frac{(n+1)^2}{n^2}=\lim_{n\to\infty}\frac{n^2+2n+1}{n^2}=\lim_{n\to\infty}\left(1+\frac{2}{n}+\frac{1}{n^2}\right)=1$

0029

다음 물음에 답하여라.

(1) 다음 그림과 같이 한 변의 길이가 1인 정사각형을 이어 붙여서 길이가 1씩 커지는 직사각형 모양을 만든다고 하자. n번째 만든 모든 점의 개수를 a_n, 길이가 1인 모든 선분의 개수를 b_n이라 할 때, $\lim_{n\to\infty}\frac{a_n}{b_n}$의 값을 구하여라.

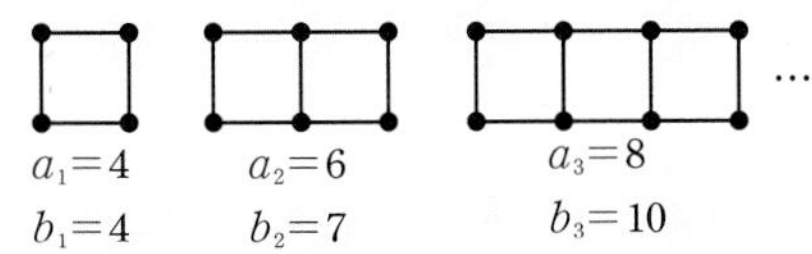

STEP A n번째 만든 모든 점의 개수는 a_n 구하기

n번째 만든 모든 점의 개수 a_n

$a_1=4,\ a_2=6,\ a_3=8,\ \cdots$이므로 $a_n=2n+2$

STEP B n번째 만든 길이가 1인 모든 선분의 개수 b_n 구하기

n번째 만든 길이가 1인 모든 선분의 개수 b_n

$b_1=4,\ b_2=7,\ b_3=10,\ \cdots$이므로 $b_n=3n+1$

STEP C $\lim_{n\to\infty}\frac{a_n}{b_n}$의 값 구하기

따라서 $\lim_{n\to\infty}\frac{a_n}{b_n}=\lim_{n\to\infty}\frac{2n+2}{3n+1}=\frac{2}{3}$

(2) 다음 그림과 같이 한 변의 길이가 1인 정삼각형들을 이어 붙여서 한 변의 길이가 1씩 커지는 정삼각형을 만든다. n번째 만든 도형의 모든 점의 개수를 a_n이라 할 때, $\lim_{n\to\infty}\frac{a_n}{n^2+1}$의 값을 구하여라.

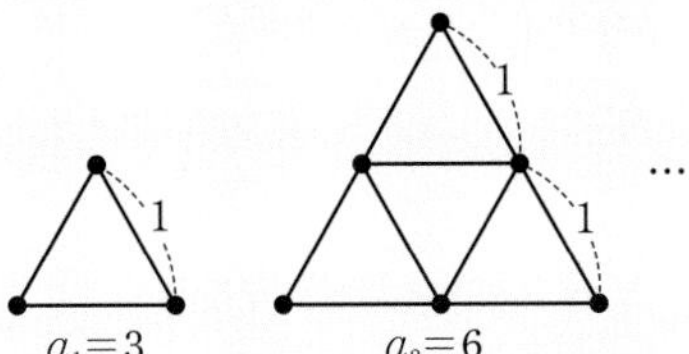

STEP A n번째 만든 도형의 모든 점의 개수 a_n 구하기

도형의 모든 점의 개수 a_n은

$a_1=1+2$

$a_2=1+2+3$

$a_3=1+2+3+4$

$\vdots$

$a_n=1+2+3+4+\cdots+n+(n+1)=\frac{(n+1)(n+2)}{2}$

STEP B $\lim_{n\to\infty}\frac{a_n}{n^2+1}$의 값 구하기

$$\begin{aligned}\therefore \lim_{n\to\infty}\frac{a_n}{n^2+1}&=\lim_{n\to\infty}\frac{\frac{(n+1)(n+2)}{2}}{n^2+1}\\&=\lim_{n\to\infty}\frac{(n+1)(n+2)}{2(n^2+1)}\\&=\lim_{n\to\infty}\frac{\left(1+\frac{1}{n}\right)\left(1+\frac{2}{n}\right)}{2\left(1+\frac{1}{n^2}\right)}\\&=\frac{1\cdot1}{2\cdot1}=\frac{1}{2}\end{aligned}$$

0030

다음 그림과 같이 길이가 1인 성냥개비들을 정사각형 모양으로 배열할 때, [n단계]에서 사용한 성냥개비의 개수를 a_n,
[n단계]에 있는 한 변의 길이가 1인 정사각형의 개수를 b_n이라고 하자.
이때 $\lim_{n\to\infty}\frac{4b_n}{a_n}$의 값을 구하여라.

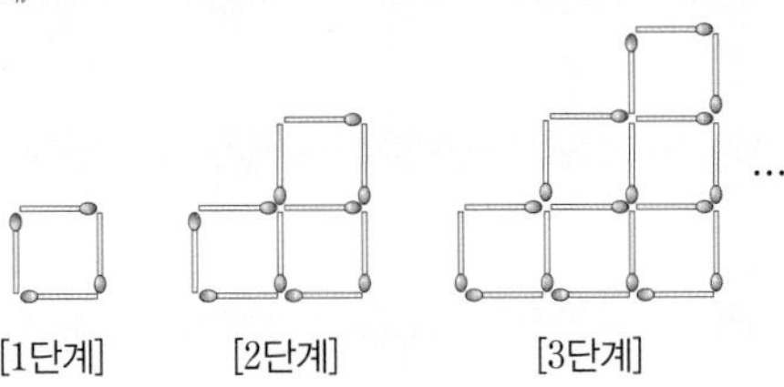

STEP A [n단계]에서 사용한 성냥개비의 개수 a_n 구하기

$a_1=4,\ a_2=4+6,\ a_3=4+6+8,\ \cdots$이므로

$a_n=4+6+8+\cdots+(2n+2)=\frac{n\{8+2(n-1)\}}{2}=n^2+3n$

STEP B [n단계]에 있는 한 변의 길이가 1인 정사각형의 개수 b_n 구하기

$b_1=1,\ b_2=1+2,\ b_3=1+2+3,\ \cdots$이므로

$b_n=1+2+3+\cdots+n=\frac{n^2+n}{2}$

STEP C $\lim_{n\to\infty}\frac{4b_n}{a_n}$의 값 구하기

따라서 $\lim_{n\to\infty}\frac{4b_n}{a_n}=\lim_{n\to\infty}\frac{2n^2+2n}{n^2+3n}=\lim_{n\to\infty}\frac{2+\frac{2}{n}}{1+\frac{3}{n}}=2$

0031

다음 물음에 답하여라.

(1) 자연수 n에 대하여 곡선 $y=x^2$과 직선 $y=-x+n$이 만나서 생기는 두 교점 사이의 거리를 l_n이라 할 때, $\lim_{n\to\infty}\frac{l_n^2}{n}$의 값을 구하여라.

STEP A 곡선과 직선을 연립하여 이차방정식의 근과 계수의 관계 이용하기

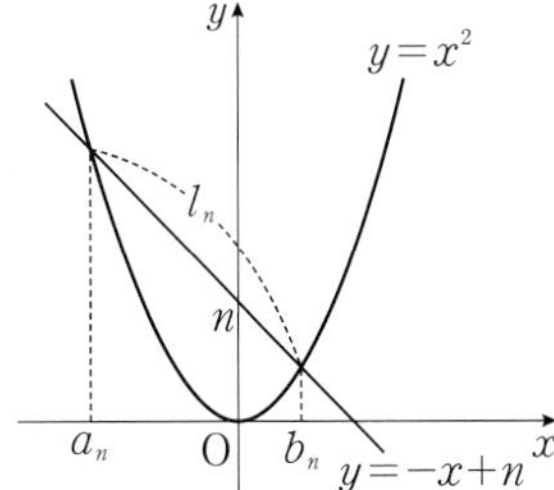

$y=x^2$과 $y=-x+n$의 교점의 x좌표를 α_n, β_n라 하면

교점의 좌표는 $(\alpha_n, -\alpha_n+n)$, $(\beta_n, -\beta_n+n)$

또한, α_n, β_n는 $x^2=-x+n$의 두 근이므로 이차방정식 $x^2+x-n=0$의 근과 계수의 관계에 의하여 $\alpha_n+\beta_n=-1$, $\alpha_n\beta_n=-n$

STEP B 두 교점 사이의 거리를 구하여 극한값 구하기

두 교점 사이의 거리

$l_n=\sqrt{(\alpha_n-\beta_n)^2+(-\alpha_n+n+\beta_n-n)^2}=\sqrt{2(\alpha_n-\beta_n)^2}$

$l_n^2=2(\alpha_n-\beta_n)^2=2\{(\alpha_n+\beta_n)^2-4\alpha_n\beta_n\}=8n+2$

따라서 $\lim_{n\to\infty}\frac{l_n^2}{n}=\lim_{n\to\infty}\frac{8n+2}{n}=8$

(2) 2 이상의 자연수 n에 대하여 곡선 $y=\frac{2}{x}$와 직선 $y=-x+2n$의 두 교점을 A_n, B_n이라 하고 선분 A_nB_n의 길이를 l_n이라 할 때, $\lim_{n\to\infty}\frac{l_n}{n}$의 값을 구하여라.

STEP A 곡선과 직선을 연립하여 이차방정식의 근과 계수의 관계 이용하기

곡선 $y=\frac{2}{x}$와 직선 $y=-x+2n$의 교점의 x좌표를 α, β라 하면

두 점의 좌표는 $A_n(\alpha, -\alpha+2n)$, $B_n(\beta, -\beta+2n)$

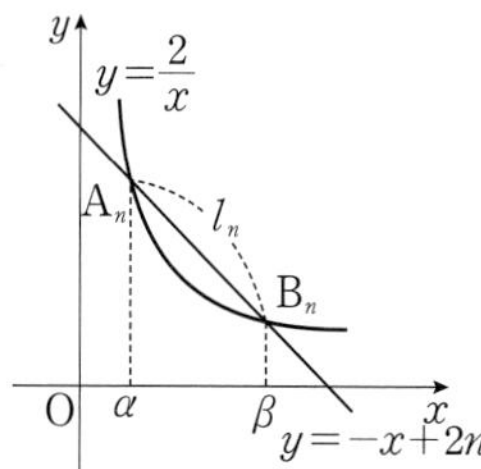

또한, α, β는 방정식 $\frac{2}{x}=-x+2n$의 두 근이므로

이차방정식 $x^2-2nx+2=0$의 근과 계수의 관계에 의하여

$\alpha+\beta=2n$, $\alpha\beta=2$

STEP B 두 교점 사이의 거리를 구하여 극한값 구하기

선분 A_nB_n의 길이가 l_n이므로 $l_n=\sqrt{(\beta-\alpha)^2+(-\beta+\alpha)^2}=\sqrt{2(\beta-\alpha)^2}$

이때 $(\beta-\alpha)^2=(\alpha+\beta)^2-4\alpha\beta=4n^2-8$이므로 $l_n=\sqrt{2(4n^2-8)}$

따라서 $\lim_{n\to\infty}\frac{l_n}{n}=\lim_{n\to\infty}\frac{\sqrt{8n^2-16}}{n}=\lim_{n\to\infty}\sqrt{8-\frac{16}{n^2}}=2\sqrt{2}$

0032

자연수 n에 대하여 직선 $y=2nx$ 위의 점 $P(n, 2n^2)$을 지나고 이 직선과 수직인 직선이 x축과 만나는 점을 Q라 할 때, 선분 OQ의 길이를 l_n이라 하자. $\lim_{n\to\infty}\frac{l_n}{n^3}$의 값은? (단, O는 원점이다.)

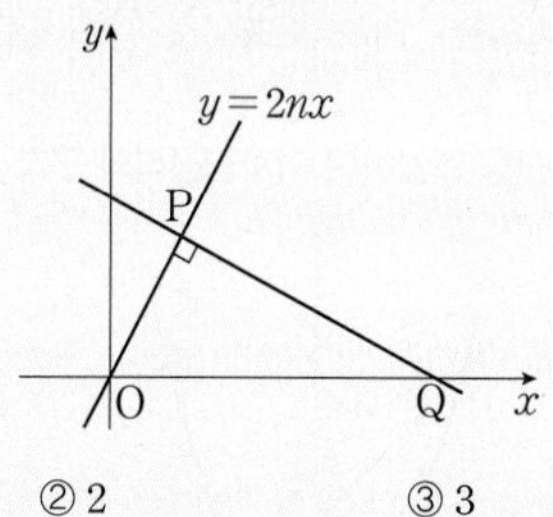

① 1　② 2　③ 3
④ 4　⑤ 5

STEP A 수직인 직선 PQ의 방정식 구하기

직선 $y=2nx$와 수직인 직선의 기울기는 $-\frac{1}{2n}$이므로

직선 $y=2nx$ 위의 점 $P(n, 2n^2)$을 지나고 이 직선과 수직인 직선은

$y=-\frac{1}{2n}(x-n)+2n^2$ …… ㉠

STEP B 점 Q의 좌표를 구하여 l_n 구하기

점 Q는 이 직선의 x축과 만나는 교점이므로 ㉠에 $y=0$을 대입하면

$0=-\frac{1}{2n}(x-n)+2n^2$, $4n^3=x-n$

$\therefore x=4n^3+n$

즉 점 Q의 좌표가 $(4n^3+n, 0)$이므로 선분 OQ 길이는 $l_n=4n^3+n$

STEP C 극한값 구하기

따라서 $\lim_{n\to\infty}\frac{l_n}{n^3}=\lim_{n\to\infty}\frac{4n^3+n}{n^3}=\lim_{n\to\infty}\left(4+\frac{1}{n^2}\right)=4+0=4$

0033

다음 그림과 같이 자연수 n에 대하여 곡선 $y=x^2$ 위의 점 $A_n(n, n^2)$을 지나고 기울기가 $-\sqrt{3}$인 직선이 x축과 만나는 점을 B_n이라 할 때, $\lim_{n\to\infty}\frac{\overline{OB_n}}{\overline{OA_n}}$의 값은? (단, O는 원점이다.)

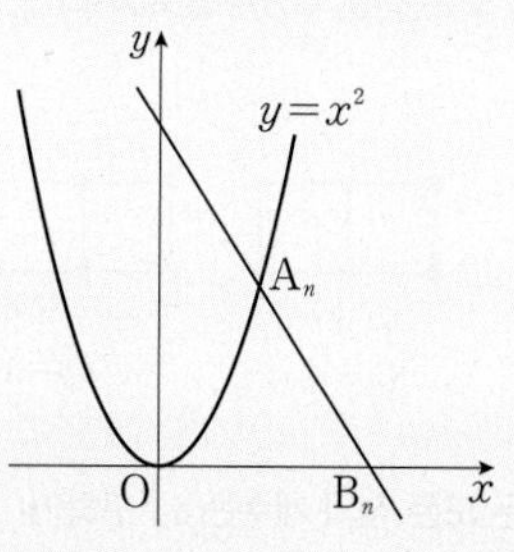

① $\frac{\sqrt{3}}{7}$　② $\frac{\sqrt{3}}{6}$　③ $\frac{\sqrt{3}}{5}$
④ $\frac{\sqrt{3}}{4}$　⑤ $\frac{\sqrt{3}}{3}$

STEP A 점 $A_n(n, n^2)$을 지나고 기울기가 $-\sqrt{3}$인 직선의 방정식 구하기

점 $A_n(n, n^2)$을 지나고 기울기가 $-\sqrt{3}$인 직선의 방정식은

$y=-\sqrt{3}(x-n)+n^2$

STEP B 점 B_n의 좌표 구하기

이 직선이 x축과 만나기 위해서는 $y=0$을 대입하면

$0=-\sqrt{3}(x-n)+n^2$

$\sqrt{3}(x-n)=n^2$　$\therefore x=\frac{n^2}{\sqrt{3}}+n$

즉 점 B_n의 좌표는 점은 $B_n\left(\frac{n^2}{\sqrt{3}}+n, 0\right)$이므로

$\overline{OB_n}=\frac{n^2}{\sqrt{3}}+n$

STEP C $\overline{OA_n}$, $\overline{OB_n}$을 이용하여 극한값 구하기

이때 $\overline{OA_n}=\sqrt{(n-0)^2+(n^2-0)^2}=\sqrt{n^2+n^4}$

따라서 $\lim_{n\to\infty}\frac{\overline{OB_n}}{\overline{OA_n}}=\lim_{n\to\infty}\frac{\frac{n^2}{\sqrt{3}}+n}{\sqrt{n^2+n^4}}=\lim_{n\to\infty}\frac{\frac{1}{\sqrt{3}}+\frac{1}{n}}{\sqrt{\frac{1}{n^2}+1}}=\frac{1}{\sqrt{3}}=\frac{\sqrt{3}}{3}$

0034

다음 그림과 같이 자연수 n에 대하여 직선 $x=n$이 두 곡선 $y=\sqrt{5x+4}$, $y=\sqrt{2x-1}$과 만나는 점을 각각 A_n, B_n이라 하자. 선분 OA_n의 길이를 a_n, 선분 OB_n의 길이를 b_n이라 할 때, $\lim_{n\to\infty}\frac{12}{a_n-b_n}$의 값은? (단, O는 원점이다.)

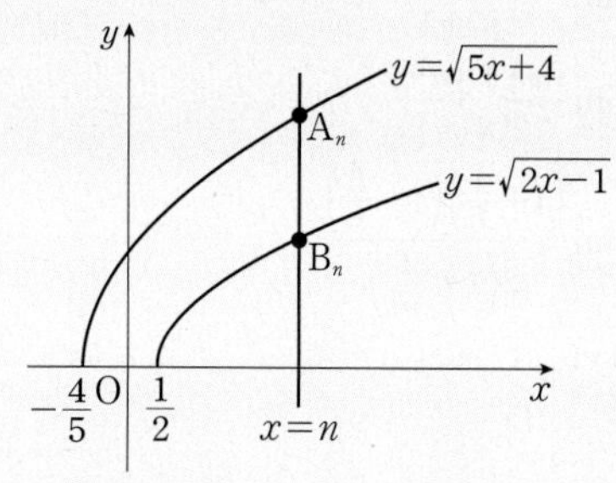

① 4　② 6　③ 8
④ 10　⑤ 12

STEP Ⓐ a_n, b_n 구하기

$A_n(n, \sqrt{5n+4})$, $B_n(n, \sqrt{2n-1})$이므로

선분 OA_n의 길이를

$a_n=\sqrt{(n-0)^2+(\sqrt{5n+4}-0)^2}=\sqrt{n^2+5n+4}$

선분 OB_n의 길이를

$b_n=\sqrt{(n-0)^2+(\sqrt{2n-1}-0)^2}=\sqrt{n^2+2n-1}$

STEP Ⓑ 분모를 유리화하여 극한값 구하기

따라서 $\lim_{n\to\infty}\frac{12}{a_n-b_n}=\lim_{n\to\infty}\frac{12}{\sqrt{n^2+5n+4}-\sqrt{n^2+2n-1}}$

$$=\lim_{n\to\infty}\frac{12(\sqrt{n^2+5n+4}+\sqrt{n^2+2n-1})}{3n+5}$$

$$=\lim_{n\to\infty}\frac{12\left(\sqrt{1+\frac{5}{n}+\frac{4}{n^2}}+\sqrt{1+\frac{2}{n}-\frac{1}{n^2}}\right)}{3+\frac{5}{n}}$$

$$=\frac{12\times(1+1)}{3}=8$$

0035

다음 그림과 같이 자연수 n에 대하여 곡선 $y=2x^2$ 위의 점 $P(n, 2n^2)$을 지나고 선분 OP에 수직인 직선 l이 y축과 만나는 점을 Q라고 할 때, $\lim_{n\to\infty}(\overline{OP}-\overline{OQ})$의 값은? (단, O는 원점이다.)

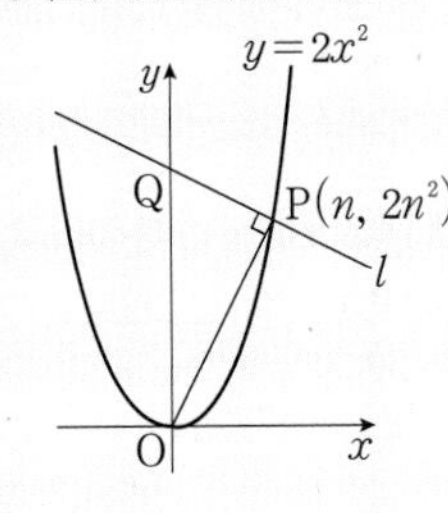

① $-\frac{1}{6}$ ② $-\frac{1}{5}$ ③ $-\frac{1}{4}$

④ $-\frac{1}{3}$ ⑤ $-\frac{1}{2}$

STEP Ⓐ 선분 OP에 수직인 직선 l이 y축과 만나는 점 Q의 좌표 구하기

직선 OP의 기울기가 $\frac{2n^2}{n}=2n$이므로 점 $P(n, 2n^2)$을 지나고

직선 OP에 수직인 직선 l의 방정식은 $y-2n^2=-\frac{1}{2n}(x-n)$이고

점 Q의 좌표는 $\left(0, 2n^2+\frac{1}{2}\right)$

STEP Ⓑ $\lim_{n\to\infty}(\overline{OP}-\overline{OQ})$의 값 구하기

또, $\overline{OP}=\sqrt{n^2+(2n^2)^2}=\sqrt{4n^4+n^2}$이므로

$\lim_{n\to\infty}(\overline{OP}-\overline{OQ})=\lim_{n\to\infty}\left\{\sqrt{4n^4+n^2}-\left(2n^2+\frac{1}{2}\right)\right\}$

$$=\lim_{n\to\infty}\frac{(\sqrt{4n^4+n^2})^2-\left(2n^2+\frac{1}{2}\right)^2}{\sqrt{4n^4+n^2}+\left(2n^2+\frac{1}{2}\right)}$$

$$=\lim_{n\to\infty}\frac{-n^2-\frac{1}{4}}{\sqrt{4n^4+n^2}+\left(2n^2+\frac{1}{2}\right)}$$

$$=\lim_{n\to\infty}\frac{-1-\frac{1}{4n^2}}{\sqrt{4+\frac{1}{n^2}}+\left(2+\frac{1}{2n^2}\right)}$$

$$=-\frac{1}{4}$$

따라서 $\lim_{n\to\infty}(\overline{OP}-\overline{OQ})=-\frac{1}{4}$

다른풀이 닮음을 이용하여 풀이하기

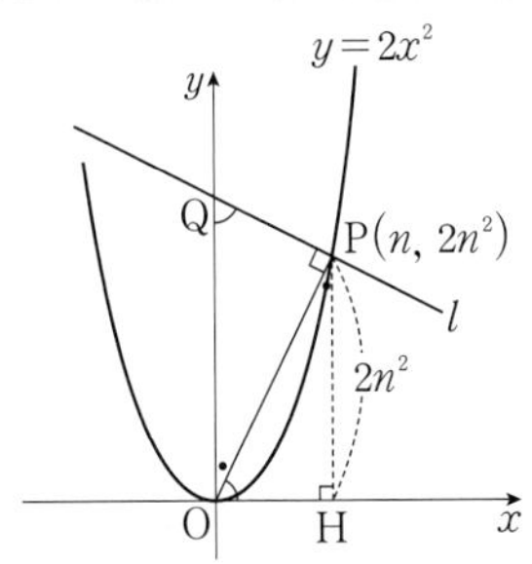

△OPQ ∽ △PHO이므로 (∵ AA닮음) ⬅ 닮음비가 $\sqrt{4n^4+n^2}:2n^2$

$\lim_{n\to\infty}(\overline{OP}-\overline{OQ})=\lim_{n\to\infty}(\overline{PH}-\overline{OP})\times\frac{2n^2}{\sqrt{4n^4+n^2}}$ ⬅ $\overline{OP}:\overline{PH}=\overline{OQ}:\overline{OP}$

$$=\lim_{n\to\infty}\{2n^2-\sqrt{4n^4+n^2}\}\times\lim_{n\to\infty}\frac{2n^2}{\sqrt{4n^4+n^2}}$$

$$=\lim_{n\to\infty}\frac{(2n^2)^2-(\sqrt{4n^4+n^2})^2}{2n^2+\sqrt{4n^4+n^2}}\times 1$$

$$=\lim_{n\to\infty}\frac{-n^2}{2n^2+\sqrt{4n^4+n^2}}=-\frac{1}{4}$$

0036

다음 그림과 같이 자연수 n에 대하여 가로의 길이가 n, 세로의 길이가 48인 직사각형 OAB_nC_n이 있다. 대각선 AC_n과 선분 B_1C_1의 교점을 D_n이라 한다. 이때 $\lim_{n\to\infty}\frac{\overline{AC_n}-\overline{OC_n}}{\overline{B_1D_n}}$의 값을 구하여라.

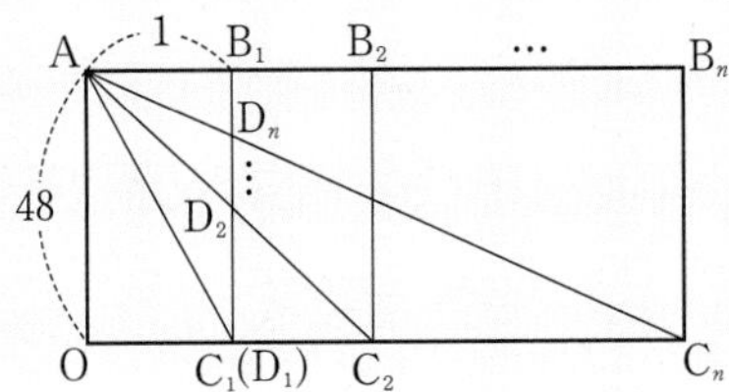

STEP Ⓐ $\overline{OC_n}$, $\overline{AC_n}$, $\overline{B_1D_n}$을 n에 관한 식으로 나타내기

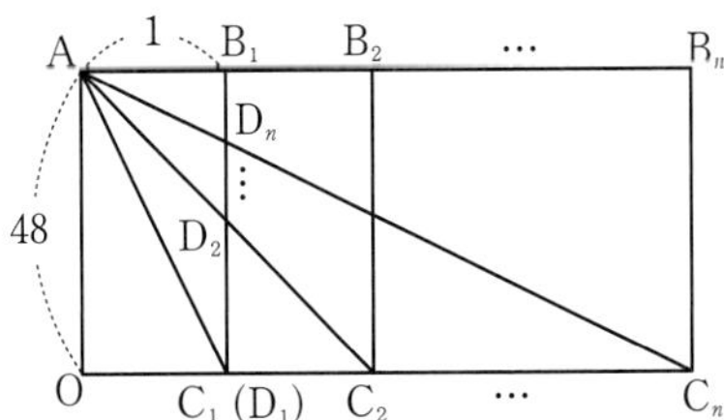

직사각형 OAB_nC_n의 가로의 길이가 $\overline{OC_n}=n$

직각삼각형 AOC_n에서 $\overline{AO}=48$이므로 피타고라스 정리에 의하여

$\overline{AC_n}=\sqrt{\overline{AO}^2+\overline{OC_n}^2}=\sqrt{n^2+48^2}$

또, 삼각형 AB_nC_n과 삼각형 AB_1D_n이 서로 닮음이므로

$\overline{AB_1}:\overline{AB_n}=\overline{B_1D_n}:\overline{B_nC_n}$, $1:n=\overline{B_1D_n}:48$

$\therefore \overline{B_1D_n}=\frac{48}{n}$

STEP Ⓑ $\infty-\infty$꼴의 극한값 구하기

따라서 $\lim_{n\to\infty}\frac{\overline{AC_n}-\overline{OC_n}}{\overline{B_1D_n}}=\lim_{n\to\infty}\frac{\sqrt{n^2+48^2}-n}{\frac{48}{n}}$

$$=\lim_{n\to\infty}\frac{(\sqrt{n^2+48^2}-n)(\sqrt{n^2+48^2}+n)}{\frac{48}{n}(\sqrt{n^2+48^2}+n)}$$

$$=\lim_{n\to\infty}\frac{48^2}{48\left(\sqrt{1+\frac{48^2}{n^2}}+1\right)}=\frac{48}{1+1}=24$$

0037

두 수열 $\{a_n\}$, $\{b_n\}$의 극한에 대한 다음 [보기]의 설명 중 옳은 것만을 있는 대로 고른 것은?

ㄱ. $\lim_{n\to\infty} a_n=\alpha$, $\lim_{n\to\infty} b_n=\beta$이면 $\lim_{n\to\infty} a_nb_n=\alpha\beta$
ㄴ. 두 수열 $\{a_n\}$, $\{b_n\}$이 수렴할 때, $a_n<b_n$이면 $\lim_{n\to\infty} a_n<\lim_{n\to\infty} b_n$
ㄷ. $\lim_{n\to\infty} a_nb_n=0$이면 $\lim_{n\to\infty} a_n=0$ 또는 $\lim_{n\to\infty} b_n=0$

① ㄱ ② ㄱ, ㄴ ③ ㄴ, ㄷ
④ ㄱ, ㄷ ⑤ ㄱ, ㄴ, ㄷ

STEP A 수열의 극한의 기본성질을 이용하여 [보기]의 참, 거짓 판단하기

ㄱ. $\lim_{n\to\infty} a_n=\alpha$, $\lim_{n\to\infty} b_n=\beta$로 수렴하므로
$\lim_{n\to\infty} a_nb_n=\alpha\beta$ [참]

ㄴ. 반례 $a_n=\frac{1}{n}$, $b_n=\frac{2}{n}$이면 $a_n<b_n$이지만
$\lim_{n\to\infty} a_n=0$, $\lim_{n\to\infty} b_n=0$이므로
$\lim_{n\to\infty} a_n<\lim_{n\to\infty} b_n$이 성립하지 않는다. [거짓]

ㄷ. 반례 수열 $\{a_n\}$: $1, 0, 1, 0, 1, 0, \cdots$
수열 $\{b_n\}$: $0, 1, 0, 1, 0, 1, \cdots$이면
$a_nb_n=0$이므로 $\lim_{n\to\infty} a_nb_n=0$이지만
$\lim_{n\to\infty} a_n\neq 0$, $\lim_{n\to\infty} b_n\neq 0$이다. [거짓]

따라서 옳은 것은 ㄱ뿐이다.

0038

세 수열 $\{a_n\}$, $\{b_n\}$, $\{c_n\}$에 대한 옳은 설명을 [보기]에서 모두 고른 것은?

ㄱ. 두 수열 $\{a_n\}$, $\{a_nb_n\}$이 모두 수렴하면 수열 $\{b_n\}$은 수렴한다.
ㄴ. $\lim_{n\to\infty}(a_n-2b_n)=0$이고 $\lim_{n\to\infty} b_n=1$이면 $\lim_{n\to\infty} a_n=2$이다.
ㄷ. $a_n<b_n<c_n$이고 $\lim_{n\to\infty}(c_n-a_n)=0$이면 수열 $\{b_n\}$은 수렴한다.

① ㄱ ② ㄴ ③ ㄱ, ㄴ
④ ㄱ, ㄷ ⑤ ㄴ, ㄷ

STEP A 수열의 극한의 성질을 이용하여 [보기]의 참, 거짓 판단하기

ㄱ. 반례 $a_n=\frac{1}{n}$, $b_n=n+1$이라 하면
$\lim_{n\to\infty} a_n=0$, $\lim_{n\to\infty} a_nb_n=\lim_{n\to\infty}\frac{n+1}{n}=1$이지만
수열 $\{b_n\}$은 발산한다. [거짓]

ㄴ. 두 수열 $\{a_n-2b_n\}$, $\{b_n\}$의 극한값이 수렴하므로
$\lim_{n\to\infty} a_n=\lim_{n\to\infty}\{(a_n-2b_n)+2b_n\}$
$=\lim_{n\to\infty}(a_n-2b_n)+2\lim_{n\to\infty} b_n$
$=0+2=2$ [참]

ㄷ. 반례 $a_n=n-\frac{1}{n}$, $b_n=n$, $c_n=n+\frac{1}{n}$이라 하면
$a_n<b_n<c_n$이고 $\lim_{n\to\infty}(c_n-a_n)=\lim_{n\to\infty}\frac{2}{n}=0$이지만
수열 $\{b_n\}$은 발산한다. [거짓]

따라서 옳은 것은 ㄴ이다.

0039

수열 $\{a_n\}$, $\{b_n\}$, $\{c_n\}$에 대하여 옳은 설명을 [보기]에서 모두 고른 것은?

ㄱ. 수열 $\{a_nb_n\}$이 수렴하면 두 수열 $\{a_n\}$, $\{b_n\}$ 중 적어도 하나는 수렴한다.
ㄴ. $\lim_{n\to\infty}\frac{b_n}{a_n}=\alpha$, $\lim_{n\to\infty} a_n=0$이면 $\lim_{n\to\infty} b_n=0$이다. (단, α는 상수)
ㄷ. $a_n\le c_n\le b_n$, $\lim_{n\to\infty} a_n=\alpha$, $\lim_{n\to\infty} b_n=\beta$이면 수열 $\{c_n\}$은 수렴한다.
ㄹ. 모든 자연수 n에 대하여 $0<a_n<b_n$일 때, 수열 $\{b_n\}$이 수렴하면 수열 $\{a_n\}$도 수렴한다.

① ㄱ ② ㄴ ③ ㄷ, ㄹ
④ ㄴ, ㄷ, ㄹ ⑤ ㄱ, ㄴ, ㄷ, ㄹ

STEP A 수열의 극한의 성질을 이용하여 [보기]의 참, 거짓 판단하기

ㄱ. 반례 수열 $\{a_n\}$: $1, 0, 1, 0, 1, 0, \cdots$,
수열 $\{b_n\}$: $0, 1, 0, 1, 0, 1, \cdots$이라 하면
수열 $\{a_nb_n\}$은 $0, 0, 0, 0, \cdots$이므로 0으로 수렴하지만
두 수열 $\{a_n\}$, $\{b_n\}$은 모두 발산(진동)한다. [거짓]

ㄴ. $\frac{b_n}{a_n}=p_n$로 놓으면 $b_n=a_np_n$
이때 $\lim_{n\to\infty} a_n=0$이고 $\lim_{n\to\infty} p_n=\alpha$ 이므로
$\lim_{n\to\infty} b_n=\lim_{n\to\infty} a_np_n=\lim_{n\to\infty} a_n\cdot\lim_{n\to\infty} p_n=\alpha\cdot 0=0$ [참]

ㄷ. 반례 $a_n=1+\frac{1}{n}$, $b_n=5+\frac{2}{n}$, $c_n=3+(-1)^n$이면
모든 자연수 n에 대하여 $a_n\le c_n\le b_n$이고
$\lim_{n\to\infty} a_n=\lim_{n\to\infty}\left(1+\frac{1}{n}\right)=1$, $\lim_{n\to\infty} b_n=\lim_{n\to\infty}\left(5+\frac{2}{n}\right)=5$이지만
c_n은 발산하는 수열이다. [거짓]

ㄹ. 반례 $a_n=2+(-1)^n$, $b_n=\frac{5n}{n+1}$이라 하면 $0<a_n<b_n$이고
$\lim_{n\to\infty}\frac{5n}{n+1}=5$이지만 수열 $\{a_n\}$은 진동한다. [거짓]

따라서 옳은 것은 ㄴ이다.

0040

다음 극한값을 구하여라.

(1) $\lim_{n\to\infty}\frac{3\times4^n+2^n}{4^n+3}$

STEP A 공비의 절댓값이 가장 큰 것으로 분모, 분자를 나누어 구하기

$\lim_{n\to\infty}\frac{3\times4^n+2^n}{4^n+3}$에서 분모, 분자를 4^n으로 나누면

$$\lim_{n\to\infty}\frac{3+\left(\frac{1}{2}\right)^n}{1+3\left(\frac{1}{4}\right)^n}=\frac{3+0}{1+0}=3$$

(2) $\lim_{n\to\infty}\frac{4^{n+1}-1}{(2^n+1)(2^n-1)}$

STEP A 공비의 절댓값이 가장 큰 것으로 분모, 분자를 나누어 구하기

분모의 4^n으로 분모, 분자를 나누면

$$\lim_{n\to\infty}\frac{4^{n+1}-1}{(2^n+1)(2^n-1)}=\lim_{n\to\infty}\frac{4^{n+1}-1}{4^n-1}=\lim_{n\to\infty}\frac{4-\left(\frac{1}{4}\right)^n}{1-\left(\frac{1}{4}\right)^n}=4$$

(3) $\lim_{n\to\infty}\frac{a^{n+1}-b^{n+1}}{a^n+b^n}\ (0<a<b)$

STEP A 공비의 절댓값이 가장 큰 것으로 분모, 분자를 나누어 구하기

$0<a<b$이므로 $\lim_{n\to\infty}\left(\frac{a}{b}\right)^n=0$

$$\lim_{n\to\infty}\frac{a^{n+1}-b^{n+1}}{a^n+b^n}=\lim_{n\to\infty}\frac{a\left(\frac{a}{b}\right)^n-b}{\left(\frac{a}{b}\right)^n+1}=\frac{0-b}{0+1}=-b$$

0041

다음 물음에 답하여라.

(1) $\lim_{n\to\infty}\frac{a\cdot4^{n+1}+3^{n+1}}{4^n+3^n}=6$일 때, 상수 a의 값은?

① $\frac{1}{2}$ ② 1 ③ $\frac{3}{2}$

④ 2 ⑤ $\frac{5}{2}$

STEP A 공비의 절댓값이 가장 큰 것으로 분모, 분자를 나누어 구하기

분모, 분자를 4^n으로 나누어 정리하면

$$\lim_{n\to\infty}\frac{a\cdot4^{n+1}+3^{n+1}}{4^n+3^n}=\lim_{n\to\infty}\frac{4a+3\cdot\left(\frac{3}{4}\right)^n}{1+\left(\frac{3}{4}\right)^n}=4a=6$$

따라서 $a=\frac{3}{2}$

(2) $\lim_{n\to\infty}\frac{(3\times2^{n-1})^2-3^n}{a\times4^n+2^{n-1}}=3$일 때, 상수 a의 값은?

① $\frac{1}{4}$ ② $\frac{1}{2}$ ③ $\frac{3}{4}$

④ 1 ⑤ $\frac{5}{4}$

STEP A 공비의 절댓값이 가장 큰 것으로 분모, 분자를 나누어 구하기

$$\lim_{n\to\infty}\frac{(3\times2^{n-1})^2-3^n}{a\times4^n+2^{n-1}}=\lim_{n\to\infty}\frac{\frac{9}{4}\times4^n-3^n}{a\times4^n+\frac{1}{2}\times2^n}$$

$$=\lim_{n\to\infty}\frac{\frac{9}{4}-\left(\frac{3}{4}\right)^n}{a+\frac{1}{2}\times\left(\frac{1}{2}\right)^n}$$

$$=\frac{\frac{9}{4}-0}{a+0}=\frac{9}{4a}$$

따라서 $\frac{9}{4a}=3$이므로 $a=\frac{9}{4}\times\frac{1}{3}=\frac{3}{4}$

0042

다음 물음에 답하여라.

(1) 두 수열 $\{a_n\}$, $\{b_n\}$이 모든 자연수 n에 대하여

$\log_2 a_n=2n$, $\log_2 b_n=n+1$

을 만족시킬 때, $\lim_{n\to\infty}\frac{b_{2n}}{a_n+b_n}$의 값을 구하여라.

STEP A 로그꼴을 지수꼴로 변형하기

$\log_2 a_n=2n$에서 $a_n=2^{2n}=4^n$

$\log_2 b_n=n+1$에서 $b_n=2^{n+1}=2\times2^n$

STEP B 공비의 절댓값이 가장 큰 것으로 분모, 분자를 나누어 구하기

$$\therefore \lim_{n\to\infty}\frac{b_{2n}}{a_n+b_n}=\lim_{n\to\infty}\frac{2\times4^n}{4^n+2\times2^n}=\lim_{n\to\infty}\frac{2}{1+\frac{2}{2^n}}\left(\because \frac{2^n}{4^n}=\frac{1}{2^n}\right)$$

$$=\frac{2}{1+0}=2$$

(2) 두 실수 $a=2^{\frac{2}{3}}$, $b=3^{\frac{1}{2}}$에 대하여 $\lim_{n\to\infty}\frac{a^{n+3}+b^{n-2}}{a^n+b^n}$의 값을 구하여라.

STEP A a, b의 대소 비교하기

$a^6=2^4=16$, $b^6=3^3=27$이므로 $1<a<b$

즉 $0<\frac{a}{b}<1$이므로 $\lim_{n\to\infty}\left(\frac{a}{b}\right)^n=0$

STEP B 공비의 절댓값이 가장 큰 것으로 분모, 분자를 나누어 구하기

$$\lim_{n\to\infty}\frac{a^{n+3}+b^{n-2}}{a^n+b^n}=\lim_{n\to\infty}\frac{a^3\left(\frac{a}{b}\right)^n+b^{-2}}{\left(\frac{a}{b}\right)^n+1}=\frac{0+b^{-2}}{0+1}=b^{-2}$$

따라서 $b=3^{\frac{1}{2}}$에서 $b^{-2}=\left(3^{\frac{1}{2}}\right)^{-2}=3^{-1}=\frac{1}{3}$이므로 $\lim_{n\to\infty}\frac{a^{n+3}+b^{n-2}}{a^n+b^n}=b^{-2}=\frac{1}{3}$

0043

다음 등비수열이 수렴하기 위한 x값의 범위를 구하여라.

(1) $\left\{\left(\frac{2x-3}{5}\right)^n\right\}$

STEP Ⓐ 등비수열 $\{r^n\}$이 수렴 조건 $-1<r\le 1$ 구하기

등비수열 $\left\{\left(\frac{2x-3}{5}\right)^n\right\}$이 수렴하려면

공비가 -1보다 크고 1보다 작거나 같아야 하므로

$-1<\frac{2x-3}{5}\le 1$, $-5<2x-3\le 5$, $-2<2x\le 8$ $\therefore -1<x\le 4$

참고※ 주어진 등비수열은 $-1<x<4$일 때, 0으로 수렴하고 $x=4$일 때, 1로 수렴한다.

(2) $\{(-1+\log x)^n\}$

STEP Ⓐ 등비수열 $\{r^n\}$이 수렴 조건 $-1<r\le 1$ 구하기

등비수열 $\{(-1+\log x)^n\}$이 수렴하려면

공비가 -1보다 크고 1보다 작거나 같아야 하므로

$-1<-1+\log x\le 1$, $0<\log x\le 2$ $\therefore 1<x\le 100$

0044

다음 물음에 답하여라.

(1) 등비수열 $\left\{(x+1)\left(\frac{x-2}{3}\right)^{n-1}\right\}$이 수렴할 때, 정수 x의 개수는?

① 3 ② 4 ③ 5
④ 6 ⑤ 7

STEP Ⓐ 등비수열 $\{ar^{n-1}\}$이 수렴 조건 $a=0$ 또는 $-1<r\le 1$ 구하기

수열 $\left\{(x+1)\left(\frac{x-2}{3}\right)^{n-1}\right\}$은 첫째항이 $x+1$이고

공비가 $\frac{x-2}{3}$인 등비수열이므로 이 등비수열이 수렴하려면

$x+1=0$ 또는 $-1<\frac{x-2}{3}\le 1$

STEP Ⓑ 모든 정수 x의 개수 구하기

(i) $x=-1$일 때, 주어진 수열은 $0, 0, 0, 0, \cdots$이므로 0으로 수렴한다.

(ii) $x\ne -1$일 때, 주어진 수열이 수렴하려면

$-1<\frac{x-2}{3}\le 1$에서 $-3<x-2\le 3$ $\therefore -1<x\le 5$

(i), (ii)로부터 구하는 x값의 범위는 $-1\le x\le 5$

따라서 구하는 정수 x의 개수는 $-1, 0, 1, 2, 3, 4, 5$이므로 7

(2) 수열 $\left\{(x-3)\left(\frac{x^2+2x-1}{2}\right)^n\right\}$이 수렴하도록 하는 정수 x의 개수는?

① 3 ② 4 ③ 5
④ 6 ⑤ 7

STEP Ⓐ 등비수열 $\{ar^n\}$이 수렴 조건 $a=0$ 또는 $-1<r\le 1$ 구하기

(i) $x=3$일 때, 주어진 수열은 $0, 0, 0, 0, \cdots$이므로 0으로 수렴한다.

(ii) $x\ne 3$일 때, 주어진 수열이 수렴하려면

$-1<\frac{x^2+2x-1}{2}\le 1$에서 $-2<x^2+2x-1\le 2$이어야 한다.

① $-2<x^2+2x-1$에서 $(x+1)^2>0$이므로 x는 $x\ne -1$인 모든 실수이다.

② $x^2+2x-1\le 2$에서 $x^2+2x-3\le 0$, $(x+3)(x-1)\le 0$이므로 $-3\le x\le 1$

①, ②에서 $-3\le x\le 1$, $x\ne -1$

STEP Ⓑ 모든 정수 x의 개수 구하기

(i), (ii)로부터 구하는 x값의 범위는 $-3\le x\le 1$, $x\ne -1$ 또는 $x=3$

따라서 구하는 정수 x의 개수는 $-3, -2, 0, 1, 3$이므로 5

0045

다음 물음에 답하여라.

(1) $0<x<16$일 때, 등비수열 $\left\{\left(\sqrt{2}\sin\frac{\pi}{8}x\right)^n\right\}$이 수렴하도록 하는 자연수 x의 개수는?

① 5 ② 7 ③ 9
④ 11 ⑤ 13

STEP Ⓐ 수열 $\{r^n\}$이 수렴하기 위한 조건 $-1<r\le 1$임을 이해하기

등비수열 $\left\{\left(\sqrt{2}\sin\frac{\pi}{8}x\right)^n\right\}$이 수렴하므로 $-1<\sqrt{2}\sin\frac{\pi}{8}x\le 1$이어야 한다.

즉 $-\frac{1}{\sqrt{2}}<\sin\frac{\pi}{8}x\le\frac{1}{\sqrt{2}}$ ← $\sin\frac{\pi}{8}x$의 주기는 $\frac{2\pi}{\frac{\pi}{8}}=16$

STEP Ⓑ 연립부등식의 해를 구하기

이때 $0<x<16$에서 $0<\frac{\pi}{8}x<2\pi$이므로 부등식의 해는

$0<\frac{\pi}{8}x\le\frac{\pi}{4}$ 또는 $\frac{3}{4}\pi\le\frac{\pi}{8}x<\frac{5}{4}\pi$ 또는 $\frac{7}{4}\pi<\frac{\pi}{8}x<2\pi$

즉 $0<x\le 2$ 또는 $6\le x<10$ 또는 $14<x<16$

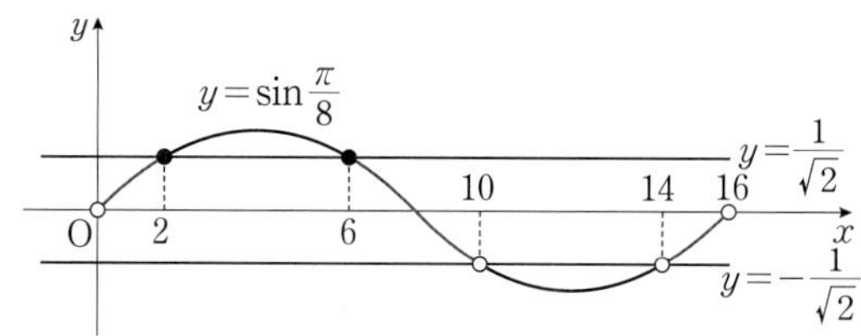

따라서 구하는 자연수 x의 개수는 $1, 2, 6, 7, 8, 9, 15$이므로 7

(2) 등비수열 $\left\{\left(-\sin\frac{k\pi}{4}\right)^n\right\}$이 수렴하도록 하는 10 이하의 자연수 k의 개수는?

① 5 ② 6 ③ 7
④ 8 ⑤ 9

STEP Ⓐ 수열 $\{r^n\}$이 수렴하기 위한 조건 $-1<r\le 1$임을 이해하기

등비수열 $\left\{\left(-\sin\frac{k\pi}{4}\right)^n\right\}$이 수렴하므로 $-1<-\sin\frac{k\pi}{4}\le 1$이어야 한다.

즉 $-1\le\sin\frac{\pi}{4}k<1$ ← $\sin\frac{\pi}{4}k$의 주기는 $\frac{2\pi}{\frac{\pi}{4}}=8$

STEP Ⓑ 연립부등식의 해를 구하기

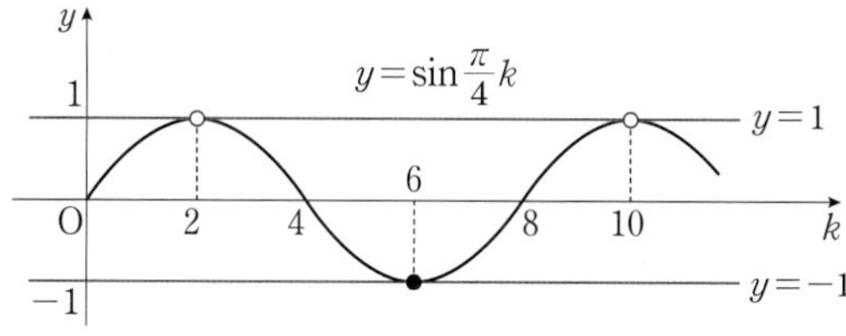

$-1\le\sin\frac{\pi}{4}k<1$을 만족하는 부등식의 해는

$0<x<2$ 또는 $2<x<10$

따라서 10 이하의 자연수 k는 $1, 3, 4, 5, 6, 7, 8, 9$이므로 개수는 8

(3) 등비수열 $\left\{\left(\frac{\log_3 2x-1}{2}\right)^n\right\}$이 수렴할 때, 정수 x의 개수는?

① 11　② 13　③ 15
④ 17　⑤ 19

STEP A 수열 $\{r^n\}$이 수렴하기 위한 조건 $-1<r\le 1$임을 이해하기

등비수열 $\left\{\left(\frac{\log_3 2x-1}{2}\right)^n\right\}$이 수렴하므로 $-1<\frac{\log_3 2x-1}{2}\le 1$이어야 한다.

STEP B 연립부등식의 해를 구하기

$-2<\log_3 2x-1\le 2$에서 $-1<\log_3 2x\le 3$

즉 $\log_3 \frac{1}{3}<\log_3 2x\le \log_3 27$

밑이 1보다 크므로 $\frac{1}{3}<2x\le 27$

$\therefore \frac{1}{6}<x\le\frac{27}{2}$

따라서 구하는 정수 x는 $1, 2, 3, \cdots, 13$이므로 13

0046

다음 물음에 답하여라.

(1) 공비가 3인 등비수열 $\{a_n\}$의 첫째항부터 제 n항까지의 합 S_n이 $\lim_{n\to\infty}\frac{S_n}{3^n}=5$를 만족시킬 때, 첫째항 a_1의 값은?

① 8　② 10　③ 12
④ 14　⑤ 16

STEP A 등비수열의 합 S_n 구하기

등비수열 $\{a_n\}$의 첫째항 a_1, 공비가 3이므로 n항까지 합은

$S_n=\frac{a_1(3^n-1)}{3-1}=\frac{a_1}{2}(3^n-1)$

STEP B 극한값이 존재하므로 a_1 구하기

$\lim_{n\to\infty}\frac{S_n}{3^n}=\lim_{n\to\infty}\frac{\frac{a_1}{2}(3^n-1)}{3^n}=\lim_{n\to\infty}\frac{a_1}{2}\left(1-\frac{1}{3^n}\right)=\frac{a_1}{2}(1-0)=\frac{a_1}{2}$

따라서 $\frac{a_1}{2}=5$에서 $a_1=10$

(2) 첫째항이 3이고 공비가 3인 등비수열 $\{a_n\}$에 대하여 $\lim_{n\to\infty}\frac{3^{n+1}-7}{a_n}$의 값은?

① 1　② 2　③ 3
④ 4　⑤ 5

STEP A 등비수열의 일반항 a_n 구하기

첫째항이 3이고 공비가 3이므로 등비수열 $\{a_n\}$의 일반항은

$a_n=3\cdot 3^{n-1}=3^n$

STEP B 극한값 구하기

따라서 $\lim_{n\to\infty}\frac{3^{n+1}-7}{a_n}=\lim_{n\to\infty}\frac{3^{n+1}-7}{3^n}=\lim_{n\to\infty}\frac{3-\frac{7}{3^n}}{1}=3$

0047

다음 물음에 답하여라.

(1) 첫째항이 1이고 공비가 $r(r>1)$인 등비수열 $\{a_n\}$에 대하여 $S_n=\sum_{k=1}^{n}a_k$일 때, $\lim_{n\to\infty}\frac{a_n}{S_n}=\frac{3}{4}$이다. r의 값은?

① 2　② 3　③ 4
④ 6　⑤ 8

STEP A 등비수열의 a_n, S_n 구하기

등비수열 $\{a_n\}$의 첫째항 1, 공비 $r\,(r>1)$이므로

$a_n=1\cdot r^{n-1}=r^{n-1}$

$S_n=\frac{1\cdot(r^n-1)}{r-1}=\frac{r^n-1}{r-1}$

STEP B $r>1$임을 이용하여 극한값 구하기

$$\lim_{n\to\infty}\frac{a_n}{S_n}=\lim_{n\to\infty}\frac{r^{n-1}}{\frac{r^n-1}{r-1}}=\lim_{n\to\infty}\frac{r^n-r^{n-1}}{r^n-1}$$

$$=\lim_{n\to\infty}\frac{r-1}{r-\left(\frac{1}{r}\right)^{n-1}}$$ ← $\lim_{n\to\infty}\left(\frac{1}{r}\right)^{n-1}=0$

$$=\frac{r-1}{r}$$

이때 $\frac{r-1}{r}=\frac{3}{4}$이므로 $4r-4=3r$

따라서 $r=4$

(2) 등비수열 $\{a_n\}$에 대하여 $a_1=2$, $a_2=6$일 때, $\lim_{n\to\infty}\frac{a_n}{a_1+a_2+a_3+\cdots+a_n}$의 값은?

① $\frac{1}{3}$　② $\frac{2}{3}$　③ 1
④ $\frac{4}{3}$　⑤ $\frac{5}{3}$

STEP A 등비수열 $\{a_n\}$의 일반항과 n항까지 합 구하기

등비수열 $\{a_n\}$의 공비가 $\frac{a_2}{a_1}=\frac{6}{2}=3$이므로

$a_n=2\times 3^{n-1}=\frac{2}{3}\times 3^n$

$a_1+a_2+a_3+\cdots+a_n=\frac{2(3^n-1)}{3-1}=3^n-1$

STEP B $\frac{\infty}{\infty}$ 꼴의 극한값 구하기

따라서 $\lim_{n\to\infty}\frac{a_n}{a_1+a_2+a_3+\cdots+a_n}=\lim_{n\to\infty}\frac{\frac{2}{3}\times 3^n}{3^n-1}=\lim_{n\to\infty}\frac{\frac{2}{3}}{1-\left(\frac{1}{3}\right)^n}=\frac{2}{3}$

0048

다음 물음에 답하여라.

(1) 수열 $\{a_n\}$의 첫째항부터 제 n항까지의 합 S_n이 $S_n=2n+\frac{1}{2^n}$일 때, $\lim_{n\to\infty} a_n$의 값은?

① $\frac{1}{2}$ ② 1 ③ $\frac{3}{2}$
④ 2 ⑤ $\frac{5}{2}$

STEP A 수열의 합과 일반항 사이의 관계를 이용하여 a_n을 구하기

$S_n=2n+\frac{1}{2^n}$이므로

$a_n=S_n-S_{n-1}=2n+\frac{1}{2^n}-2n+2-\frac{1}{2^{n-1}}=2-\frac{1}{2^n}\ (n\geq 2)$

STEP B 극한값 구하기

따라서 $\lim_{n\to\infty} a_n=\lim_{n\to\infty}\left(2-\frac{1}{2^n}\right)=2$

(2) 수열 $\{a_n\}$의 첫째항부터 제 n항까지의 합 S_n이 $S_n=2^n+3^n$일 때, $\lim_{n\to\infty}\frac{a_n}{S_n}$의 값은?

① $\frac{1}{6}$ ② $\frac{1}{3}$ ③ $\frac{1}{2}$
④ $\frac{2}{3}$ ⑤ $\frac{5}{6}$

STEP A 수열의 합과 일반항 사이의 관계를 이용하여 a_n을 구하기

$S_n=2^n+3^n$이므로

$a_n=S_n-S_{n-1}=(2^n+3^n)-(2^{n-1}+3^{n-1})=2^{n-1}+2\cdot 3^{n-1}\ (n\geq 2)$

STEP B 극한값 구하기

따라서 $\lim_{n\to\infty}\frac{a_n}{S_n}=\lim_{n\to\infty}\frac{2^{n-1}+2\cdot 3^{n-1}}{2^n+3^n}=\lim_{n\to\infty}\frac{\left(\frac{2}{3}\right)^{n-1}+2}{2\cdot\left(\frac{2}{3}\right)^{n-1}+3}=\frac{2}{3}$

0049

$\lim_{n\to\infty}\frac{1-r^n}{1+r^n}\ (r>-1)$의 값은 $|r|<1$이면 a이고, $r=1$이면 b이며, $r>1$이면 c일 때, x의 이차방정식 $ax^2+(b+1)x+c=0$의 두 근의 제곱의 합을 구하여라.

STEP A 공비 r의 범위에 따라 극한값 구하기

(ⅰ) $|r|<1$일 때, $\lim_{n\to\infty} r^n=0$이므로

$\lim_{n\to\infty}\frac{1-r^n}{1+r^n}=\frac{1-0}{1+0}=1\quad \therefore a=1$

(ⅱ) $r=1$일 때, 모든 자연수 n에 대하여 $r^n=1$이므로

$\lim_{n\to\infty}\frac{1-r^n}{1+r^n}=\frac{1-1}{1+1}=0\quad \therefore b=0$

(ⅲ) $r>1$일 때, $\lim_{n\to\infty} r^n=\infty$이므로 $\lim_{n\to\infty}\frac{1}{r^n}=0$

$\lim_{n\to\infty}\frac{1-r^n}{1+r^n}=\lim_{n\to\infty}\frac{\frac{1}{r^n}-1}{\frac{1}{r^n}+1}=\frac{0-1}{0+1}=-1\quad \therefore c=-1$

STEP B 두 근의 제곱의 합 구하기

이때 $ax^2+(b+1)x+c=0$, $x^2+x-1=0$의 두 근을 α, β라 하면

두 근의 제곱의 합은 $\alpha^2+\beta^2=(\alpha+\beta)^2-2\alpha\beta=(-1)^2-2\times(-1)=3$

0050

다음 물음에 답하여라.

(1) 양의 실수 x에 대하여 $f(x)=\lim_{n\to\infty}\frac{x^{n+1}+1}{x^{n-1}+x}$일 때, $f\left(\frac{1}{2}\right)+f(1)+f(4)$의 값은?

① 13 ② 15 ③ 17
④ 19 ⑤ 21

STEP A r의 값의 범위에 따라 극한값 구하기

(ⅰ) $0<x<1$일 때, $\lim_{n\to\infty} x^n=0$이므로 $f(x)=\lim_{n\to\infty}\frac{x^{n+1}+1}{x^{n-1}+x}=\frac{1}{x}$

(ⅱ) $x=1$일 때, $f(x)=\lim_{n\to\infty}\frac{x^{n+1}+1}{x^{n-1}+x}=1$

(ⅲ) $x>1$일 때, $f(x)=\lim_{n\to\infty}\frac{x^{n+1}+1}{x^{n-1}+x}=\lim_{n\to\infty}\frac{x^2+\frac{1}{x^{n-1}}}{1+\frac{1}{x^{n-2}}}=x^2$

(ⅰ)~(ⅲ)에서 $f(x)=\begin{cases}\frac{1}{x} & (0<x<1)\\ 1 & (x=1)\\ x^2 & (x>1)\end{cases}$

STEP B $f\left(\frac{1}{2}\right)+f(1)+f(4)$의 값 구하기

따라서 $f\left(\frac{1}{2}\right)+f(1)+f(4)=2+1+16=19$

(2) 함수 $f(x)=\lim_{n\to\infty}\frac{x^{2n+1}+6}{x^{2n}+3}$에 대하여 $f\left(f\left(\frac{1}{2}\right)\right)$의 값은?

① 2 ② 3 ③ 4
④ 5 ⑤ 6

STEP A $f\left(\frac{1}{2}\right)$의 값 구하기

$f\left(\frac{1}{2}\right)=\lim_{n\to\infty}\frac{\left(\frac{1}{2}\right)^{2n+1}+6}{\left(\frac{1}{2}\right)^{2n}+3}=\frac{0+6}{0+3}=2$

STEP B $f(2)$의 값 구하기

$f(2)=\lim_{n\to\infty}\frac{2^{2n+1}+6}{2^{2n}+3}=\lim_{n\to\infty}\frac{2+\frac{6}{2^{2n}}}{1+\frac{3}{2^{2n}}}=\frac{2+0}{1+0}=2$

따라서 $f\left(f\left(\frac{1}{2}\right)\right)=f(2)=2$

0051

다음 물음에 답하여라.

(1) $\lim_{n\to\infty}\frac{r^{n+1}-r^n+4}{r^n+1}=2$를 만족시키는 모든 양수 r의 값의 합은?

① 2　② 3　③ 4
④ 5　⑤ 6

STEP A r의 값의 범위에 따라 극한값 구하기

(ⅰ) $r>1$일 때, $\lim_{n\to\infty}r^n=\infty$이므로 $\lim_{n\to\infty}\frac{1}{r^n}=0$

주어진 수열의 일반항의 분모, 분자를 r^n으로 나누면

$$\lim_{n\to\infty}\frac{r^{n+1}-r^n+4}{r^n+1}=\lim_{n\to\infty}\frac{r-1+\frac{4}{r^n}}{1+\frac{1}{r^n}}=r-1$$

즉 $r-1=2$이므로 $r=3$

(ⅱ) $r=1$일 때, $\lim_{n\to\infty}r^n=1$이므로 $\lim_{n\to\infty}\frac{r^{n+1}-r^n+4}{r^n+1}=\frac{1-1+4}{1+1}=2$

즉 $r=1$

(ⅲ) $0<r<1$일 때, $\lim_{n\to\infty}r^n=0$이므로 $\lim_{n\to\infty}\frac{r^{n+1}-r^n+4}{r^n+1}=\frac{0-0+4}{0+1}=4$

STEP B 조건을 만족하는 양수 r의 합 구하기

(ⅰ)~(ⅲ)에 의하여 양수 r의 값의 합은 $3+1=4$

(2) $\lim_{n\to\infty}\frac{\left(\frac{m}{5}\right)^{n+1}+2}{\left(\frac{m}{5}\right)^n+1}=2$가 되도록 하는 자연수 m의 개수는?

① 5　② 6　③ 7
④ 8　⑤ 9

STEP A $\frac{m}{5}$의 범위에 따른 극한값이 2가 되도록 하도록 자연수 m의 값 구하기

(ⅰ) $0<\frac{m}{5}<1$일 때, $\lim_{n\to\infty}\left(\frac{m}{5}\right)^n=0$이므로 $\lim_{n\to\infty}\frac{\left(\frac{m}{5}\right)^{n+1}+2}{\left(\frac{m}{5}\right)^n+1}=\frac{0+2}{0+1}=2$

즉 $0<m<5$에서 자연수 m의 값은 1, 2, 3, 4

(ⅱ) $\frac{m}{5}=1$일 때, $\lim_{n\to\infty}\left(\frac{m}{5}\right)^n=1$이므로 $\lim_{n\to\infty}\frac{\left(\frac{m}{5}\right)^{n+1}+2}{\left(\frac{m}{5}\right)^n+1}=\frac{1+2}{1+1}=\frac{3}{2}$

즉 $m=5$이면 극한값이 $\frac{3}{2}$이므로 $m\neq5$

(ⅲ) $\frac{m}{5}>1$ 일 때, $\lim_{n\to\infty}\left(\frac{m}{5}\right)^n=\infty$이므로

$$\lim_{n\to\infty}\frac{\left(\frac{m}{5}\right)^{n+1}+2}{\left(\frac{m}{5}\right)^n+1}=\lim_{n\to\infty}\frac{\frac{m}{5}+\frac{2}{\left(\frac{m}{5}\right)^n}}{1+\frac{1}{\left(\frac{m}{5}\right)^n}}=\frac{\frac{m}{5}+0}{1+0}=\frac{m}{5}$$

즉 $\frac{m}{5}=2$에서 $m=10$

STEP B 조건을 만족하는 자연수 m의 개수 구하기

따라서 $\lim_{n\to\infty}\frac{\left(\frac{m}{5}\right)^{n+1}+2}{\left(\frac{m}{5}\right)^n+1}=2$가 되도록 하는 자연수 m은 1, 2, 3, 4, 10 이므로 개수는 5

0052

다음 물음에 답하여라.

(1) 자연수 k에 대하여 $a_k=\lim_{n\to\infty}\frac{\left(\frac{6}{k}\right)^{n+1}}{\left(\frac{6}{k}\right)^n+1}$이라 할 때, $\sum_{k=1}^{10}ka_k$의 값을 구하여라.

STEP A $\frac{6}{k}$의 범위에 따른 a_k 구하기

$a_k=\lim_{n\to\infty}\frac{\left(\frac{6}{k}\right)^{n+1}}{\left(\frac{6}{k}\right)^n+1}$에서 공비가 $\frac{6}{k}$이므로 다음과 같이 나눈다.

(ⅰ) $\frac{6}{k}<1$, 즉 $k>6$일 때,

$\lim_{n\to\infty}\left(\frac{6}{k}\right)^n=0$이므로 $a_k=\lim_{n\to\infty}\frac{\left(\frac{6}{k}\right)^{n+1}}{\left(\frac{6}{k}\right)^n+1}=\frac{0}{0+1}=0$

(ⅱ) $\frac{6}{k}=1$, 즉 $k=6$일 때,

$\lim_{n\to\infty}\left(\frac{6}{k}\right)^n=1$이므로 $a_k=\lim_{n\to\infty}\frac{1^{n+1}}{1^n+1}=\frac{1}{2}$

(ⅲ) $\frac{6}{k}>1$, 즉 $k<6$일 때,

$\lim_{n\to\infty}\left(\frac{6}{k}\right)^n=\infty$이므로

$$a_k=\lim_{n\to\infty}\frac{\left(\frac{6}{k}\right)^{n+1}}{\left(\frac{6}{k}\right)^n+1}=\lim_{n\to\infty}\frac{\left(\frac{6}{k}\right)}{1+\frac{1}{\left(\frac{6}{k}\right)^n}}=\frac{\frac{6}{k}}{1+0}=\frac{6}{k}$$

STEP B $\sum_{k=1}^{10}ka_k$의 값 구하기

따라서 $\sum_{k=1}^{10}ka_k=a_1+2a_2+3a_3+4a_4+5a_5+6a_6+7a_7+8a_8+9a_9+10a_{10}$

$=1\times\frac{6}{1}+2\times\frac{6}{2}+3\times\frac{6}{3}+4\times\frac{6}{4}+5\times\frac{6}{5}$
$+6\times\frac{1}{2}+7\times0+8\times0+9\times0+10\times0$

$=6+6+6+6+6+6\cdot\frac{1}{2}+0+0+0+0$

$=33$

$\frac{6}{k}=-1$일 때는 함숫값이 존재하지 않는다.

(2) 자연수 k에 대하여 $a_k=\lim_{n\to\infty}\dfrac{2\times\left(\frac{k}{10}\right)^{2n+1}+\left(\frac{k}{10}\right)^n}{\left(\frac{k}{10}\right)^{2n}+\left(\frac{k}{10}\right)^n+1}$이라 할 때,

$\sum_{k=1}^{20}a_k$의 값을 구하여라.

STEP A $\frac{k}{10}$의 범위에 따른 a_k 구하기

$$a_k=\lim_{n\to\infty}\frac{2\times\left(\frac{k}{10}\right)^{2n+1}+\left(\frac{k}{10}\right)^n}{\left(\frac{k}{10}\right)^{2n}+\left(\frac{k}{10}\right)^n+1}$$에서

(ⅰ) $0<\frac{k}{10}<1$일 때, 즉 $0<k<10$일 때

$$a_k=\lim_{n\to\infty}\frac{2\times\left(\frac{k}{10}\right)^{2n+1}+\left(\frac{k}{10}\right)^n}{\left(\frac{k}{10}\right)^{2n}+\left(\frac{k}{10}\right)^n+1}=\frac{2\times0+0}{0+0+1}=0$$

(ⅱ) $\frac{k}{10}=1$일 때, 즉 $k=10$일 때

$$a_k=\lim_{n\to\infty}\frac{2\times1^{2n+1}+1^n}{1^{2n}+1^n+1}=\frac{3}{3}=1$$

(ⅲ) $\frac{k}{10}>1$, 즉 $k>10$일 때

$$a_k=\lim_{n\to\infty}\frac{2\times\left(\frac{k}{10}\right)^{2n+1}+\left(\frac{k}{10}\right)^n}{\left(\frac{k}{10}\right)^{2n}+\left(\frac{k}{10}\right)^n+1}=\lim_{n\to\infty}\frac{2\times\left(\frac{k}{10}\right)+\frac{1}{\left(\frac{k}{10}\right)^n}}{1+\frac{1}{\left(\frac{k}{10}\right)^n}+\frac{1}{\left(\frac{k}{10}\right)^{2n}}}$$

$$=\frac{\frac{k}{5}+0}{1+0+0}=\frac{k}{5}$$

(ⅰ)~(ⅲ)에서 $a_k=\begin{cases}0 & (k<10)\\ 1 & (k=10)\\ \frac{k}{5} & (k>10)\end{cases}$

STEP B $\sum_{k=1}^{20}a_k$의 값 구하기

따라서 $\sum_{k=1}^{20}a_k=\sum_{k=1}^{9}a_k+a_{10}+\sum_{k=11}^{20}a_k=\sum_{k=1}^{9}0+1+\sum_{k=11}^{20}\frac{k}{5}$

$$=1+\left(\sum_{k=1}^{20}\frac{k}{5}-\sum_{k=1}^{10}\frac{k}{5}\right)$$
$$=1+\frac{1}{5}\left(\sum_{k=1}^{20}k-\sum_{k=1}^{10}k\right)$$
$$=1+\frac{1}{5}\left(\frac{20\times21}{2}-\frac{10\times11}{2}\right)$$
$$=1+31=32$$

0053

다음 그림과 같이 곡선 $y=f(x)$와 직선 $y=g(x)$가 원점과 점 (3, 3)에서 만난다.

$$h(x)=\lim_{n\to\infty}\frac{\{f(x)\}^{n+1}+5\{g(x)\}^n}{\{f(x)\}^n+\{g(x)\}^n}$$

일 때, $h(2)+h(3)$의 값은?

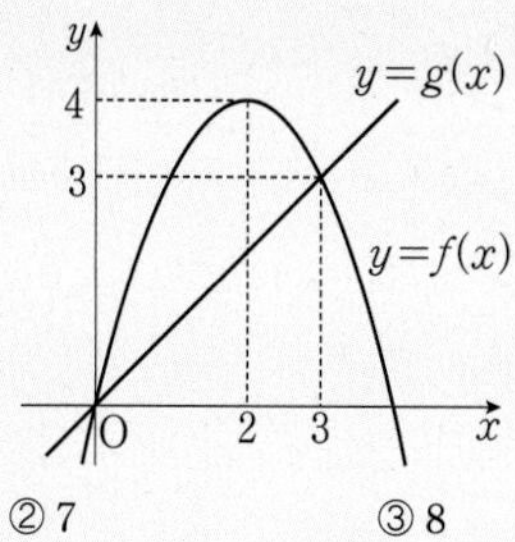

① 6 ② 7 ③ 8
④ 9 ⑤ 10

STEP A $g(x)=x$이므로 $f(2)=4$, $g(2)=2$를 이용하여 $h(2)$ 구하기

직선 $y=g(x)$는 원점과 점 (3, 3)을 지나므로 직선의 방정식은 $y=x$

그래프에서 $f(2)=4$, $g(2)=2$이므로

$$h(2)=\lim_{n\to\infty}\frac{\{f(2)\}^{n+1}+5\{g(2)\}^n}{\{f(2)\}^n+\{g(2)\}^n}=\lim_{n\to\infty}\frac{4^{n+1}+5\cdot2^n}{4^n+2^n}=\lim_{n\to\infty}\frac{4+5\cdot\left(\frac{2}{4}\right)^n}{1+\left(\frac{2}{4}\right)^n}=4$$

STEP B $f(3)=3$, $g(3)=3$임을 이용하여 $h(3)$ 구하기

마찬가지로 그래프에서 $f(3)=3$, $g(3)=3$이므로

$$h(3)=\lim_{n\to\infty}\frac{\{f(3)\}^{n+1}+5\{g(3)\}^n}{\{f(3)\}^n+\{g(3)\}^n}=\lim_{n\to\infty}\frac{3^{n+1}+5\cdot3^n}{3^n+3^n}=\lim_{n\to\infty}\frac{8\cdot3^n}{2\cdot3^n}=4$$

따라서 $h(2)+h(3)=8$

0054

수열 $\{\sqrt{16^n+a^n}-4^n\}$이 수렴하도록 하는 자연수 a의 개수는?

① 1 ② 2 ③ 3
④ 4 ⑤ 5

STEP A $\infty-\infty$꼴이므로 분자를 유리화하여 $\frac{\infty}{\infty}$꼴로 변형하기

$$\lim_{n\to\infty}(\sqrt{16^n+a^n}-4^n)=\lim_{n\to\infty}\frac{16^n+a^n-16^n}{\sqrt{16^n+a^n}+4^n}$$
$$=\lim_{n\to\infty}\frac{a^n}{\sqrt{16^n+a^n}+4^n}$$
$$=\lim_{n\to\infty}\frac{\left(\frac{a}{4}\right)^n}{\sqrt{1+\left(\frac{a}{16}\right)^n}+1}$$

STEP B 주어진 극한식이 수렴할 양수 a의 범위 구하기

(ⅰ) $0<\frac{a}{4}<1$, 즉 $0<a<4$일 때,

$$\lim_{n\to\infty}\frac{\left(\frac{a}{4}\right)^n}{\sqrt{1+\left(\frac{a}{16}\right)^n}+1}=\frac{0}{\sqrt{1+0}+1}=0$$으로 수렴한다.

(ⅱ) $\frac{a}{4}=1$, 즉 $a=4$일 때,

$$\lim_{n\to\infty}\frac{\left(\frac{a}{4}\right)^n}{\sqrt{1+\left(\frac{a}{16}\right)^n}+1}=\frac{1}{\sqrt{1+0}+1}=\frac{1}{2}$$로 수렴한다.

(ⅲ) $\frac{a}{4}>1$, $0<\frac{a}{16}\le1$, 즉 $4<a\le16$일 때,

$$\lim_{n\to\infty}\frac{\left(\frac{a}{4}\right)^n}{\sqrt{1+\left(\frac{a}{16}\right)^n}+1}$$에서

(분자)→ ∞이고 (분모)→ 2 또는 $\sqrt{2}+1$이므로 ∞로 발산한다.

(ⅳ) $\frac{a}{16}>1$, 즉 $a>16$일 때, 분모 분자를 $\left(\frac{a}{4}\right)^n$으로 나누면

$$\lim_{n\to\infty}\frac{1}{\sqrt{\left(\frac{16}{a^2}\right)^n+\left(\frac{1}{a}\right)^n}+\left(\frac{4}{a}\right)^n}$$

$n\to\infty$일 때, (분모)→ 0이므로 ∞로 발산한다.

STEP C 수렴하도록 하는 자연수 a의 개수 구하기

(ⅰ)~(ⅳ)에서 구하는 극한값이 수렴하도록 하는 a의 값의 범위는 $0<a\le4$이므로 자연수 a는 1, 2, 3, 4의 4

0055

자연수 n에 대하여 직선 $x=4^n$이 곡선 $y=\sqrt{x}$와 만나는 점을 P_n이라 하자. 선분 P_nP_{n+1}의 길이를 L_n이라 할 때, $\lim_{n\to\infty}\left(\frac{L_{n+1}}{L_n}\right)^2$의 값을 구하여라.

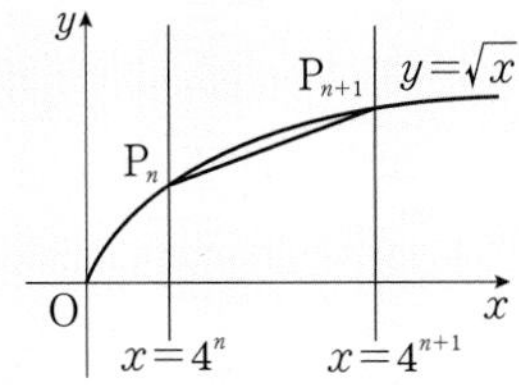

STEP Ⓐ **무리함수의 그래프 위의 두 점 사이의 거리를 구하기**

두 점 P_n, P_{n+1}의 좌표가 각각 $P_n(4^n, 2^n)$, $P_{n+1}(4^{n+1}, 2^{n+1})$이므로

$$(L_n)^2=\overline{P_nP_{n+1}}^2=(4^{n+1}-4^n)^2+(2^{n+1}-2^n)^2$$
$$=(3\times4^n)^2+(2^n)^2$$
$$=9\times16^n+4^n$$

STEP Ⓑ **등비수열의 극한을 이용하여 극한값 구하기**

따라서 $\lim_{n\to\infty}\left(\frac{L_{n+1}}{L_n}\right)^2=\lim_{n\to\infty}\frac{(L_{n+1})^2}{(L_n)^2}$

$$=\lim_{n\to\infty}\frac{9\times16^{n+1}+4^{n+1}}{9\times16^n+4^n}$$
$$=\lim_{n\to\infty}\frac{9\times16+4\times\left(\frac{1}{4}\right)^n}{9+\left(\frac{1}{4}\right)^n}$$
$$=\frac{9\times16+4\times0}{9+0}$$
$$=16$$

0056

다음 그림과 같이 자연수 n에 대하여 두 지수함수 $y=4^x$, $y=3^x$의 그래프와 직선 $x=n$의 교점을 각각 P_n, Q_n이라 하자.

이때 $\lim_{n\to\infty}\frac{\overline{P_{n+1}Q_{n+1}}}{\overline{P_nQ_n}}$의 값은?

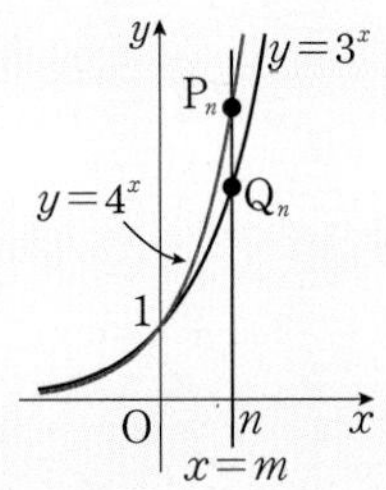

① 2 ② 3 ③ 4
④ 5 ⑤ 6

STEP Ⓐ **$\overline{P_nQ_n}$, $\overline{P_{n+1}Q_{n+1}}$을 지수꼴로 나타내기**

두 지수함수 $y=4^x$, $y=3^x$의 그래프와 직선 $x=n$의 교점 P_n, Q_n의 좌표는 $P_n(n, 4^n)$, $Q_n(n, 3^n)$이므로 $\overline{P_nQ_n}=4^n-3^n$

또, 두 점 P_{n+1}, Q_{n+1}의 좌표는 $P_{n+1}(n+1, 4^{n+1})$, $Q_{n+1}(n+1, 3^{n+1})$이므로

$\overline{P_{n+1}Q_{n+1}}=4^{n+1}-3^{n+1}$

STEP Ⓑ **극한값 구하기**

따라서 구하는 극한값은 $\lim_{n\to\infty}\frac{\overline{P_{n+1}Q_{n+1}}}{\overline{P_nQ_n}}=\lim_{n\to\infty}\frac{4^{n+1}-3^{n+1}}{4^n-3^n}=\lim_{n\to\infty}\frac{4-3\left(\frac{3}{4}\right)^n}{1-\left(\frac{3}{4}\right)^n}=4$

0057

다음 그림과 같이 x축 위에

$$\overline{OA_1}=1,\ \overline{A_1A_2}=\frac{1}{2},\ \overline{A_2A_3}=\left(\frac{1}{2}\right)^2,\ \cdots,\ \overline{A_nA_{n+1}}=\left(\frac{1}{2}\right)^n,\ \cdots$$

을 만족하는 점 A_1, A_2, A_3, …에 대하여 제 1사분면에 선분 OA_1, A_1A_2, A_2A_3, …을 한 변으로 하는 정사각형 $OA_1B_1C_1$, $A_1A_2B_2C_2$, $A_2A_3B_3C_3$, …을 계속하여 만든다. 원점과 점 B_n을 지나는 직선의 방정식을 $y=a_nx$라 할 때, $\lim_{n\to\infty}2^na_n$의 값을 구하여라.

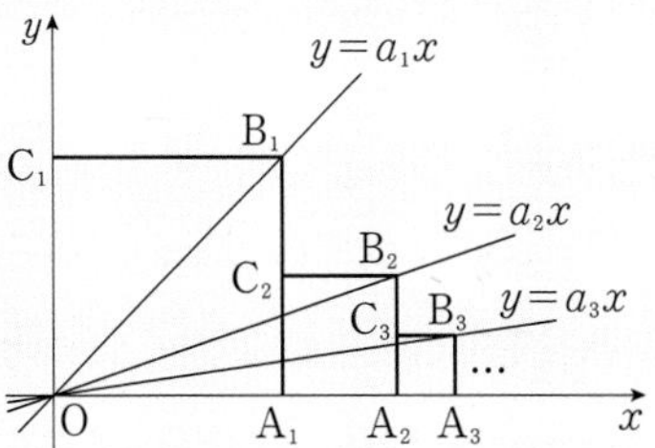

STEP Ⓐ **점 B_n의 좌표 구하기**

$y=a_nx$에서 a_n은 원점에서 점 B_n을 잇는 기울기이고

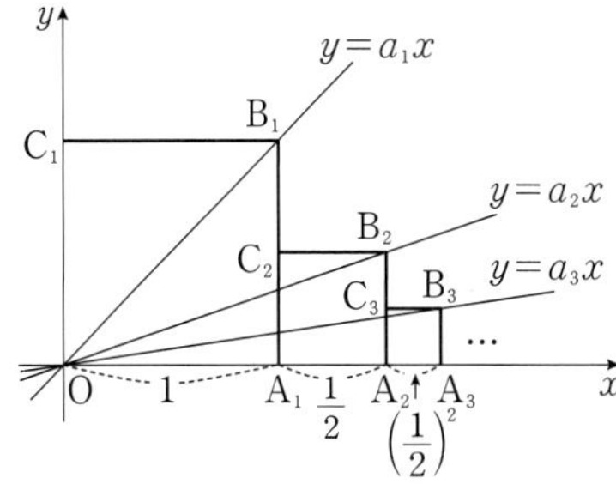

정사각형 $A_{n-1}A_nB_nC_n$의 한 변의 길이가 $\left(\frac{1}{2}\right)^{n-1}$이므로

$\overline{A_nB_n}=\overline{A_{n-1}A_n}=\frac{1}{2^{n-1}}$

이때 $\overline{OA_1}=1$, $\overline{A_1A_2}=\frac{1}{2}$, $\overline{A_2A_3}=\left(\frac{1}{2}\right)^2$, …, $\overline{A_nA_{n+1}}=\left(\frac{1}{2}\right)^n$이므로

$$\overline{OA_n}=1+\frac{1}{2}+\frac{1}{2^2}+\cdots+\frac{1}{2^{n-1}}=\frac{1-\frac{1}{2^n}}{1-\frac{1}{2}}=\frac{2^n-1}{2^{n-1}}$$

STEP Ⓑ **기울기 a_n 구하기**

직선 $y=a_nx$의 기울기는

$$a_n=\frac{\overline{A_nB_n}}{\overline{OA_n}}=\frac{\frac{1}{2^{n-1}}}{\frac{2^n-1}{2^{n-1}}}=\frac{1}{2^n-1}$$

STEP Ⓒ **극한값 구하기**

따라서 $\lim_{n\to\infty}2^na_n=\lim_{n\to\infty}\frac{2^n}{2^n-1}=1$

FINAL EXERCISE 단원종합문제

BASIC

0058

다음 극한값을 구하여라.

(1) $\lim_{n\to\infty}\frac{4n^2+6}{n^2+3n}$의 값은?

① 1 ② 2 ③ 3 ④ 4 ⑤ 5

STEP A 분모의 최고차항으로 분모, 분자를 나누어 구하기

$$\lim_{n\to\infty}\frac{4n^2+6}{n^2+3n}=\lim_{n\to\infty}\frac{4+\frac{6}{n^2}}{1+\frac{3}{n}}=\frac{4+0}{1+0}=4$$

(2) $\lim_{n\to\infty}(\sqrt{n^2+28n}-n)$의 값은?

① 13 ② 14 ③ 15 ④ 16 ⑤ 17

STEP A 분모를 유리화하여 극한값 구하기

$$\lim_{n\to\infty}(\sqrt{n^2+28n}-n)=\lim_{n\to\infty}\frac{(\sqrt{n^2+28n}-n)(\sqrt{n^2+28n}+n)}{\sqrt{n^2+28n}+n}$$
$$=\lim_{n\to\infty}\frac{28n}{\sqrt{n^2+28}+n}$$
$$=\lim_{n\to\infty}\frac{28}{\sqrt{1+\frac{28}{n^2}}+1}$$
$$=\frac{28}{1+1}=14$$

0059

다음 물음에 답하여라.

(1) $\lim_{n\to\infty}\left(2+\frac{1}{3^n}\right)\left(a+\frac{1}{2^n}\right)=10$일 때, 상수 a의 값은?

① 1 ② 2 ③ 3 ④ 4 ⑤ 5

STEP A $-1<r<1$일 때, $\lim_{n\to\infty}r^n=0$임을 이용하기

$\lim_{n\to\infty}\frac{1}{3^n}=0$, $\lim_{n\to\infty}\frac{1}{2^n}=0$이므로

$$\lim_{n\to\infty}\left(2+\frac{1}{3^n}\right)\left(a+\frac{1}{2^n}\right)=\lim_{n\to\infty}\left(2+\frac{1}{3^n}\right)\cdot\lim_{n\to\infty}\left(a+\frac{1}{2^n}\right)$$
$$=(2+0)(a+0)=2a$$

따라서 $2a=10$에서 $a=5$

(2) $\lim_{n\to\infty}\frac{a+\left(\frac{1}{4}\right)^n}{5+\left(\frac{1}{2}\right)^n}=3$일 때, 상수 a의 값은?

① 11 ② 12 ③ 13 ④ 14 ⑤ 15

STEP A $-1<r<1$일 때, $\lim_{n\to\infty}r^n=0$임을 이용하여 계산하기

$\lim_{n\to\infty}\left(\frac{1}{4}\right)^n=0$, $\lim_{n\to\infty}\left(\frac{1}{2}\right)^n=0$이므로 $\lim_{n\to\infty}\frac{a+\left(\frac{1}{4}\right)^n}{5+\left(\frac{1}{2}\right)^n}=\frac{a}{5}=3$

따라서 $a=15$

0060

다음 물음에 답하여라.

(1) 두 상수 a, b에 대하여 $\lim_{n\to\infty}\frac{an^2+bn+7}{2n+1}=3$일 때, $a+b$의 값은?

① 6 ② 8 ③ 10 ④ 12 ⑤ 14

STEP A $\frac{\infty}{\infty}$의 극한값이 존재하므로 분자의 차수 정하기

$a\neq0$일 때, 주어진 식의 극한은 ∞ 또는 $-\infty$로 발산하고
극한값이 존재하기 위해서는 $a=0$

STEP B 분모의 최고차항으로 분모, 분자를 각각 나누어 극한값 구하기

$$\lim_{n\to\infty}\frac{bn+7}{2n+1}=\lim_{n\to\infty}\frac{b+\frac{7}{n}}{2+\frac{1}{n}}=3\text{에서 }\frac{b}{2}=3$$

$\therefore b=6$
따라서 $a+b=0+6=6$

(2) $\lim_{n\to\infty}\frac{an^2+2}{3n(2n-1)-n^2}=3$을 만족시키는 상수 a의 값은?

① 15 ② 16 ③ 17 ④ 18 ⑤ 19

STEP A 분모의 최고차항으로 분자, 분모를 나누어 구하기

주어진 식을 정리하여 분모의 최고차항 n^2으로 분모, 분자를 각각 나누면

$$\lim_{n\to\infty}\frac{an^2+2}{3n(2n-1)-n^2}=\lim_{n\to\infty}\frac{an^2+2}{5n^2-3n}$$
$$=\lim_{n\to\infty}\frac{a+\frac{2}{n^2}}{5-\frac{3}{n}}=\frac{a}{5}$$

따라서 $\frac{a}{5}=3$이므로 $a=15$

0061

다음 물음에 답하여라.

(1) 두 등식 $\lim_{n\to\infty}\frac{an+b}{n}=2$, $\sum_{n=1}^{5}(an+b)=60$을 만족시키는 상수 a, b의 합 $a+b$의 값은?

① 2 ② 4 ③ 6 ④ 8 ⑤ 10

STEP A 분모, 분자를 각각 n으로 나누어 극한값 구하기

$$\lim_{n\to\infty}\frac{an+b}{n}=\lim_{n\to\infty}\left(a+\frac{b}{n}\right)=a=2$$

STEP B 시그마의 성질을 이용하여 b의 값 구하기

$$\sum_{n=1}^{5}(an+b)=\sum_{n=1}^{5}(2n+b)=30+5b=60$$

$5b=30$ $\therefore b=6$
따라서 $a+b=2+6=8$

(2) $\lim_{n\to\infty}\frac{3n-1}{n+1}=a$일 때, $\lim_{n\to\infty}\frac{a^{n+2}+1}{a^n-1}$의 값은? (단, a는 상수이다.)

① 1 ② 3 ③ 5
④ 7 ⑤ 9

STEP Ⓐ 분모, 분자를 각각 n으로 나누어 극한값 구하기

$\lim_{n\to\infty}\frac{3n-1}{n+1}=\lim_{n\to\infty}\frac{3-\frac{1}{n}}{1+\frac{1}{n}}=3$이므로 $a=3$

STEP Ⓑ 분모, 분자를 각각 3^n으로 나누어 극한값 구하기

따라서 $\lim_{n\to\infty}\frac{a^{n+2}+1}{a^n-1}=\lim_{n\to\infty}\frac{3^{n+2}+1}{3^n-1}=\lim_{n\to\infty}\frac{3^2+\frac{1}{3^n}}{1-\frac{1}{3^n}}=9$

0062

다음 물음에 답하여라.

(1) 실수 a에 대하여 $\lim_{n\to\infty}(\sqrt{n^2+an}-n+2a)=10$일 때, a의 값은?

① 0 ② 1 ③ 2
④ 3 ⑤ 4

STEP Ⓐ 분자를 유리화하여 $\frac{\infty}{\infty}$ 꼴로 변형하기

$$\lim_{n\to\infty}(\sqrt{n^2+an}-n+2a)=\lim_{n\to\infty}\frac{\{\sqrt{n^2+an}-(n-2a)\}\{\sqrt{n^2+an}+(n-2a)\}}{\sqrt{n^2+an}+(n-2a)}$$
$$=\lim_{n\to\infty}\frac{n^2+an-(n-2a)^2}{\sqrt{n^2+an}+n-2a}$$
$$=\lim_{n\to\infty}\frac{5an-4a^2}{\sqrt{n^2+an}+n-2a}$$

STEP Ⓑ 분모의 최고차항 n으로 분모, 분자를 각각 나누어 극한값 구하기

$$\lim_{n\to\infty}\frac{5a-\frac{4a^2}{n}}{\sqrt{1+\frac{a}{n}}+1-\frac{2a}{n}}=\frac{5a}{2}$$

따라서 $\frac{5a}{2}=10$이므로 $a=4$

(2) $\lim_{n\to\infty}\frac{an+b}{\sqrt{n^2+3n}-n}=6$일 때, 두 상수 a, b에 대하여 $a+b$의 값은?

① 3 ② 6 ③ 9
④ 12 ⑤ 15

STEP Ⓐ 분모를 유리화하여 $\frac{\infty}{\infty}$ 꼴로 변형하기

$$\lim_{n\to\infty}\frac{an+b}{\sqrt{n^2+3n}-n}=\lim_{n\to\infty}\frac{(an+b)(\sqrt{n^2+3n}+n)}{(\sqrt{n^2+3n}-n)(\sqrt{n^2+3n}+n)}$$
$$=\lim_{n\to\infty}\frac{(an+b)(\sqrt{n^2+3n}+n)}{3n} \quad \cdots\cdots ㉠$$

이때 $a\neq0$이면

$\lim_{n\to\infty}\frac{(an+b)(\sqrt{n^2+3n}+n)}{3n}$은 $-\infty$ 또는 ∞로 발산하므로 $a=0$이다.

STEP Ⓑ 분모의 최고차항으로 분모, 분자를 나누어 극한값 구하기

㉠에서 $\lim_{n\to\infty}\frac{(an+b)(\sqrt{n^2+3n}+n)}{3n}=\lim_{n\to\infty}\frac{b(\sqrt{n^2+3n}+n)}{3n}$
$$=\lim_{n\to\infty}\frac{b\left(\sqrt{1+\frac{3}{n}}+1\right)}{3}=\frac{2b}{3}$$

따라서 $\frac{2b}{3}=6$에서 $b=9$ $\quad\therefore a+b=0+9=9$

0063

다음 물음에 답하여라.

(1) 등식 $\lim_{n\to\infty}\frac{(4n)^2-1}{n^2}=\lim_{n\to\infty}\frac{(2n+1)(an+1)}{(3n-1)(n+1)}$을 만족시키는 상수 a의 값은?

① 8 ② 12 ③ 24
④ 36 ⑤ 40

STEP Ⓐ $\frac{\infty}{\infty}$ 꼴의 수열의 극한은 분모의 최고차항으로 분모, 분자를 각각 나눈 후 수열의 극한의 기본 성질을 이용하여 구하기

$$\lim_{n\to\infty}\frac{(4n)^2-1}{n^2}=\lim_{n\to\infty}\frac{16n^2-1}{n^2}=\lim_{n\to\infty}\left(16-\frac{1}{n^2}\right)$$
$$=16-0=16$$
$$\lim_{n\to\infty}\frac{(2n+1)(an+1)}{(3n-1)(n+1)}=\lim_{n\to\infty}\frac{\left(2+\frac{1}{n}\right)\left(a+\frac{1}{n}\right)}{\left(3-\frac{1}{n}\right)\left(1+\frac{1}{n}\right)}$$
$$=\frac{(2+0)(a+0)}{(3-0)(1+0)}=\frac{2a}{3}$$

따라서 $\frac{2a}{3}=16$이므로 $a=16\times\frac{3}{2}=24$

(2) 등식 $\lim_{n\to\infty}\frac{a\times2^n+8}{2^{n-2}+1}=\lim_{n\to\infty}\frac{a\times\left(\frac{1}{2}\right)^n+8}{\left(\frac{1}{2}\right)^{n-2}+1}$을 만족시키는 상수 a의 값은?

① 0 ② 1 ③ 2
④ 4 ⑤ 8

STEP Ⓐ $r>1$일 때, $\lim_{n\to\infty}r^n=\infty$임을 이용하여 구하기

$\lim_{n\to\infty}2^n=\infty$이므로 $\lim_{n\to\infty}\frac{a\times2^n+8}{2^{n-2}+1}=\lim_{n\to\infty}\frac{4a+\frac{8}{2^{n-2}}}{1+\frac{1}{2^{n-2}}}=\frac{4a+0}{1+0}=4a$

STEP Ⓑ $-1<r<1$일 때, $\lim_{n\to\infty}r^n=0$임을 이용하여 구하기

$\lim_{n\to\infty}\left(\frac{1}{2}\right)^n=0$이므로 $\lim_{n\to\infty}\frac{a\times\left(\frac{1}{2}\right)^n+8}{\left(\frac{1}{2}\right)^{n-2}+1}=\frac{0+8}{0+1}=8$

따라서 $4a=8$이므로 $a=2$

0064

다음 물음에 답하여라.

(1) 자연수 n에 대하여 $\sqrt{n^2+3n}$의 소수부분을 a_n이라 할 때, $\lim_{n\to\infty}\frac{10}{a_n}$의 값은?

① 5 ② 10 ③ 15
④ 20 ⑤ 25

STEP Ⓐ 소수부분 a_n 구하기

$\sqrt{n^2+2n+1}<\sqrt{n^2+3n}<\sqrt{n^2+4n+4}$이므로

$n+1<\sqrt{n^2+3n}<n+2$, $a_n=\sqrt{n^2+3n}-(n+1)$

STEP Ⓑ $\infty-\infty$꼴에서 분모를 유리화하여 극한값 구하기

따라서 $\lim_{n\to\infty}\frac{10}{a_n}=\lim_{n\to\infty}\frac{10}{\sqrt{n^2+3n}-(n+1)}$
$$=\lim_{n\to\infty}\frac{10\{\sqrt{n^2+3n}+(n+1)\}}{n-1}=20$$

(2) 자연수 n에 대하여 $\sqrt{4n^2+4n+2}$의 정수 부분을 a_n, 소수 부분을 b_n이라고 할 때, $\lim_{n\to\infty} a_n b_n$의 값은?

① $\frac{1}{3}$ ② $\frac{1}{2}$ ③ 1
④ 2 ⑤ 3

STEP A 소수부분 b_n 구하기

$(2n+1)^2 < 4n^2+4n+2 < (2n+2)^2$이므로

$a_n=2n+1,\ b_n=\sqrt{4n^2+4n+2}-(2n+1)$

STEP B $\infty-\infty$꼴에서 분모를 유리화하여 극한값 구하기

$$\begin{aligned}\therefore \lim_{n\to\infty} a_n b_n &= \lim_{n\to\infty}(2n+1)\{\sqrt{4n^2+4n+2}-(2n+1)\}\\&=\lim_{n\to\infty}(2n+1)\{\sqrt{4n^2+4n+2}-(2n+1)\}\\&\qquad\times\frac{\sqrt{4n^2+4n+2}+(2n+1)}{\sqrt{4n^2+4n+2}+(2n+1)}\\&=\lim_{n\to\infty}\frac{2n+1}{\sqrt{4n^2+4n+2}+2n+1}\\&=\lim_{n\to\infty}\frac{2+\frac{1}{n}}{\sqrt{4+\frac{4}{n}+\frac{2}{n^2}}+2+\frac{1}{n}}\\&=\frac{1}{2}\end{aligned}$$

0065

수열 $\{a_n\}$에 대하여 $\lim_{n\to\infty}\frac{a_n}{n}=\frac{1}{3}$일 때, $\lim_{n\to\infty}\frac{\sqrt{9n^2+n}-n}{a_n}$의 값은?

① $\frac{1}{6}$ ② $\frac{1}{4}$ ③ $\frac{1}{3}$
④ 3 ⑤ 6

STEP A $\lim_{n\to\infty}\frac{a_n}{n}=\frac{1}{3}$을 이용하기 위하여 구하는 식을 변형하여 구하기

분모, 분자를 각각 n으로 나누면

$$\lim_{n\to\infty}\frac{\sqrt{9n^2+n}-n}{a_n}=\lim_{n\to\infty}\frac{\sqrt{9+\frac{1}{n}}-1}{\frac{a_n}{n}}$$

STEP B 수열의 극한에 대한 성질을 이용하여 극한값 구하기

이때 $\lim_{n\to\infty}\frac{a_n}{n}=\frac{1}{3}$이고 $\lim_{n\to\infty}\left(\sqrt{9+\frac{1}{n}}-1\right)=2$이므로

$$\begin{aligned}\lim_{n\to\infty}\frac{\sqrt{9n^2+n}-n}{a_n}&=\lim_{n\to\infty}\frac{\sqrt{9+\frac{1}{n}}-1}{\frac{a_n}{n}}\\&=\frac{\lim_{n\to\infty}\left(\sqrt{9+\frac{1}{n}}-1\right)}{\lim_{n\to\infty}\frac{a_n}{n}}\\&=\frac{2}{\frac{1}{3}}=6\end{aligned}$$

0066

다음 물음에 답하여라.

(1) 수열 $\{a_n\}$에 대하여 $\lim_{n\to\infty}\frac{a_n}{2n+1}=5$일 때, $\lim_{n\to\infty}\frac{(n+1)a_n}{3n^2}$의 값은?

① $\frac{4}{3}$ ② 2 ③ $\frac{8}{3}$
④ $\frac{10}{3}$ ⑤ 4

STEP A $\frac{a_n}{2n+1}=b_n$이라 놓고 식을 변형하기

$\frac{a_n}{2n+1}=b_n$이라 하면

$a_n=(2n+1)b_n$이고 $\lim_{n\to\infty}b_n=5$

STEP B 수렴하는 극한의 성질을 이용하여 극한값 구하기

$$\begin{aligned}\text{따라서 }\lim_{n\to\infty}\frac{(n+1)a_n}{3n^2}&=\lim_{n\to\infty}\frac{(n+1)(2n+1)b_n}{3n^2}\\&=\lim_{n\to\infty}\frac{2n^2+3n+1}{3n^2}\times\lim_{n\to\infty}b_n\\&=\frac{2}{3}\times5=\frac{10}{3}\end{aligned}$$

참고 $$\begin{aligned}\lim_{n\to\infty}\frac{(n+1)a_n}{3n^2}&=\lim_{n\to\infty}\left\{\frac{a_n}{2n+1}\times\frac{(n+1)(2n+1)}{3n^2}\right\}\\&=\lim_{n\to\infty}\frac{a_n}{2n+1}\times\lim_{n\to\infty}\frac{2n^2+3n+1}{3n^2}\\&=\frac{2}{3}\times5=\frac{10}{3}\end{aligned}$$

(2) 수열 $\{a_n\}$에 대하여 $\lim_{n\to\infty}\frac{a_n}{n+1}=3$일 때, $\lim_{n\to\infty}\frac{(2n+1)a_n}{3n^2}$의 값은?

① 1 ② 2 ③ 3
④ 4 ⑤ 5

STEP A $\frac{a_n}{n+1}=b_n$이라 놓고 식을 변형하기

$\frac{a_n}{n+1}=b_n$이라 하면

$a_n=(n+1)b_n$이고 $\lim_{n\to\infty}\frac{a_n}{n+1}=\lim_{n\to\infty}b_n=3$

STEP B 수렴하는 극한의 성질을 이용하여 극한값 구하기

$$\begin{aligned}\text{따라서 }\lim_{n\to\infty}\frac{(2n+1)a_n}{3n^2}&=\lim_{n\to\infty}\frac{(2n+1)(n+1)b_n}{3n^2}\\&=\lim_{n\to\infty}\frac{(2n+1)(n+1)}{3n^2}\cdot\lim_{n\to\infty}b_n\\&=\frac{2}{3}\cdot3=2\end{aligned}$$

다른풀이 $\lim_{n\to\infty}\frac{a_n}{n+1}=3$이용하여 직접 극한값 풀이하기

$\lim_{n\to\infty}\frac{(2n+1)a_n}{3n^2}=3$의 분모, 분자에 각각 $n+1$을 곱하면

$$\begin{aligned}\lim_{n\to\infty}\frac{(2n+1)a_n}{3n^2}&=\lim_{n\to\infty}\frac{(2n+1)a_n(n+1)}{3n^2(n+1)}\\&=\lim_{n\to\infty}\left\{\frac{(2n+1)(n+1)}{3n^2}\times\frac{a_n}{n+1}\right\}\\&=\lim_{n\to\infty}\frac{(2n+1)(n+1)}{3n^2}\times\lim_{n\to\infty}\frac{a_n}{n+1}\\&=\lim_{n\to\infty}\frac{2n^2+3n+1}{3n^2}\times\lim_{n\to\infty}\frac{a_n}{n+1}\\&=\frac{2}{3}\times3\left(\because \lim_{n\to\infty}\frac{a_n}{n+1}=3\right)\\&=2\end{aligned}$$

0067

수열 $\{a_n\}$, $\{b_n\}$이

$$\lim_{n\to\infty}(n^2+1)a_n=2,\ \lim_{n\to\infty}\frac{b_n+1}{n}=\frac{1}{2}$$

을 만족시킬 때, $\lim_{n\to\infty}\frac{n^3a_n}{b_n+1}$의 값은? (단, $b_n\neq-1$)

① 1 ② 2 ③ 3
④ 4 ⑤ 5

STEP A 수열의 극한에 대한 기본 성질을 이용하여 구하기

$\lim_{n\to\infty}(n^2+1)a_n=2,\ \lim_{n\to\infty}\frac{n}{b_n+1}=2,\ \lim_{n\to\infty}\frac{n^2}{n^2+1}=1$

이므로 수열의 극한에 대한 기본 성질에 의하여

$$\lim_{n\to\infty}\frac{n^3a_n}{b_n+1}=\lim_{n\to\infty}\left\{(n^2+1)a_n\times\frac{n}{b_n+1}\times\frac{n^2}{n^2+1}\right\}$$

$$=\lim_{n\to\infty}(n^2+1)a_n\times\lim_{n\to\infty}\frac{n}{b_n+1}\times\lim_{n\to\infty}\frac{n^2}{n^2+1}$$

$$=2\times2\times1=4$$

0068

다음 물음에 답하여라.

(1) 자연수 n에 대하여 x에 대한 이차방정식

$$x^2+(2n^2+n)x-n^2=0$$

의 두 근을 α_n, β_n이라고 할 때, 극한값 $\lim_{n\to\infty}\left(\frac{1}{\alpha_n}+\frac{1}{\beta_n}\right)$을 구하여라.

STEP A 근과 계수의 관계에 의하여 합과 곱 구하기

이차방정식 $x^2+(2n^2+n)x-n^2=0$의 근과 계수의 관계에서

$\alpha_n+\beta_n=-(2n^2+n)$, $\alpha_n\beta_n=-n^2$

STEP B 수렴하는 극한의 성질을 이용하여 극한값 구하기

따라서 $\lim_{n\to\infty}\left(\frac{1}{\alpha_n}+\frac{1}{\beta_n}\right)=\lim_{n\to\infty}\frac{\alpha_n+\beta_n}{\alpha_n\beta_n}$

$$=\lim_{n\to\infty}\frac{2n^2+n}{n^2}$$

$$=\lim_{n\to\infty}\left(2+\frac{1}{n}\right)=2$$

(2) 자연수 n에 대하여 이차방정식

$$x^2+(\sqrt{n}+1)x-\frac{\sqrt{n}}{2}-\frac{3}{4}=0$$

의 두 근을 α_n, β_n이라 할 때, $\lim_{n\to\infty}\left(\frac{1}{\alpha_n}+\frac{1}{\beta_n}\right)$의 값을 구하여라.

STEP A 근과 계수의 관계에 의하여 합과 곱 구하기

이차방정식 $x^2+(\sqrt{n}+1)x-\frac{\sqrt{n}}{2}-\frac{3}{4}=0$의 근과 계수의 관계에서

$\alpha_n+\beta_n=-\sqrt{n}-1$, $\alpha_n\beta_n=-\frac{\sqrt{n}}{2}-\frac{3}{4}$

STEP B 수렴하는 극한의 성질을 이용하여 극한값 구하기

따라서 $\lim_{n\to\infty}\left(\frac{1}{\alpha_n}+\frac{1}{\beta_n}\right)=\lim_{n\to\infty}\frac{\alpha_n+\beta_n}{\alpha_n\beta_n}=\lim_{n\to\infty}\frac{-\sqrt{n}-1}{-\frac{\sqrt{n}}{2}-\frac{3}{4}}$

$$=\lim_{n\to\infty}\frac{1+\frac{1}{\sqrt{n}}}{\frac{1}{2}+\frac{3}{4\sqrt{n}}}=\frac{1+0}{\frac{1}{2}+0}=2$$

0069

다음 물음에 답하여라. (θ는 상수이고 n은 자연수)

(1) $\lim_{n\to\infty}\frac{\sin n\theta}{n+2}$의 값은?

① -2 ② -1 ③ 0
④ 1 ⑤ 2

STEP A $\sin n\theta$의 값의 범위를 구하여 대소 관계를 나타내기

모든 자연수 n에 대하여 $-1\le\sin n\theta\le1$이므로

부등식의 각 변을 $n+2$로 나누면

$$-\frac{1}{n+2}\le\frac{\sin n\theta}{n+2}\le\frac{1}{n+2}$$

STEP B 수열의 극한의 대소 관계를 이용하여 극한값 구하기

따라서 $\lim_{n\to\infty}\left(-\frac{1}{n+2}\right)=0$, $\lim_{n\to\infty}\frac{1}{n+2}=0$이므로

수열의 극한의 대소 관계에 의하여 $\lim_{n\to\infty}\frac{\sin n\theta}{n+2}=0$

(2) $\lim_{n\to\infty}\frac{\cos(n+1)\theta}{n^2+1}$의 값은?

① -2 ② -1 ③ 0
④ 1 ⑤ 2

STEP A $\cos(n+1)\theta$의 값의 범위를 구하여 대소 관계를 나타내기

모든 자연수 n에 대하여 $-1\le\cos(n+1)\theta\le1$이므로

부등식의 각 변을 n^2+1로 나누면

$$-\frac{1}{n^2+1}\le\frac{\cos(n+1)\theta}{n^2+1}\le\frac{1}{n^2+1}$$

STEP B 수열의 극한의 대소 관계를 이용하여 극한값 구하기

따라서 $\lim_{n\to\infty}\left(-\frac{1}{n^2+1}\right)=0$, $\lim_{n\to\infty}\frac{1}{n^2+1}=0$이므로

수열의 극한의 대소 관계에 의하여 $\lim_{n\to\infty}\frac{\cos(n+1)\theta}{n^2+1}=0$

(3) $\lim_{n\to\infty}\frac{n(n+\cos n\pi)}{n^2+1}$의 값은?

① 1 ② 2 ③ 3
④ 4 ⑤ 5

STEP A $-1\le\cos n\pi\le1$임을 이용하여 범위 구하기

$-1\le\cos n\pi\le1$에서 $-n\le n\cos n\pi\le n$

$n^2-n\le n^2+n\cos n\pi\le n^2+n$

$\frac{n^2-n}{n^2+1}\le\frac{n^2+n\cos n\pi}{n^2+1}\le\frac{n^2+n}{n^2+1}$ ← $\frac{n^2+n\cos n\pi}{n^2+1}=\frac{n(n+\cos n\pi)}{n^2+1}$

STEP B 수열의 극한의 대소 관계를 이용하여 극한값 구하기

$$\frac{n^2-n}{n^2+1}\le\frac{n(n+\cos n\pi)}{n^2+1}\le\frac{n^2+n}{n^2+1}$$

따라서 극한값의 대소 관계에 의하여

$$\lim_{n\to\infty}\frac{n^2-n}{n^2+1}\le\lim_{n\to\infty}\frac{n(n+\cos n\pi)}{n^2+1}\le\lim_{n\to\infty}\frac{n^2+n}{n^2+1}$$

$\lim_{n\to\infty}\frac{n^2-n}{n^2+1}=\lim_{n\to\infty}\frac{n^2+n}{n^2+1}=1$이므로 극한의 대소 관계에 의하여

$$\lim_{n\to\infty}\frac{n(n+\cos n\pi)}{n^2+1}=1$$

0070

다음 물음에 답하여라.

(1) 이차함수 $f(x)=3x^2-2x$의 그래프 위의 두 점 $\mathrm{P}(n,\ f(n))$, $\mathrm{Q}(n+1,\ f(n+1))$을 지나는 직선의 기울기를 a_n이라고 할 때, $\lim_{n\to\infty}\frac{a_n}{n}$의 값을 구하여라.

STEP A 두 점 P, Q를 지나는 직선의 기울기 a_n 구하기

$$\begin{aligned}a_n&=\frac{f(n+1)-f(n)}{(n+1)-n}\\&=f(n+1)-f(n)\\&=3(n+1)^2-2(n+1)-(3n^2-2n)\\&=6n+1\end{aligned}$$

STEP B 극한값 구하기

따라서 $\lim_{n\to\infty}\frac{a_n}{n}=\lim_{n\to\infty}\frac{6n+1}{n}=6$

(2) 이차함수 $f(x)=3x^2$의 그래프 위의 두 점 $\mathrm{P}(n,\ f(n))$, $\mathrm{Q}(n+1,\ f(n+1))$ 사이의 거리를 a_n이라고 할 때, $\lim_{n\to\infty}\frac{a_n}{n}$의 값을 구하여라. (단, n은 자연수이다.)

STEP A 두 점 P, Q 사이의 거리 a_n 구하기

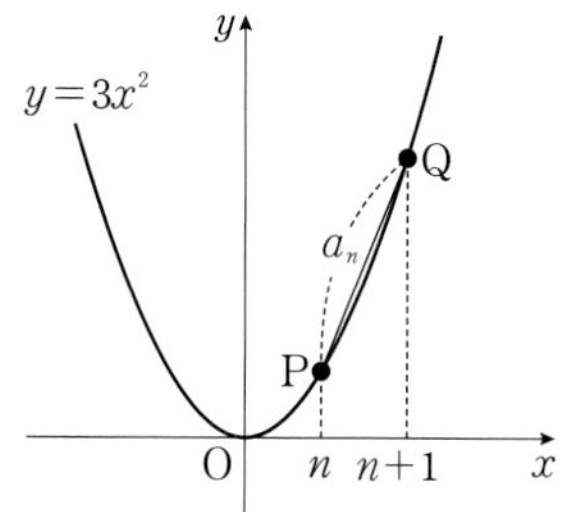

두 점 $\mathrm{P}(n,\ f(n))$과 $\mathrm{Q}(n+1,\ f(n+1))$이 곡선 $f(x)=3x^2$ 위의 점이므로

$\mathrm{P}(n,\ 3n^2)$, $\mathrm{Q}(n+1,\ 3(n+1)^2)$

이때 두 점 P, Q 사이의 거리가 a_n이므로

$a_n=\overline{\mathrm{PQ}}=\sqrt{1+(6n+3)^2}=\sqrt{9(2n+1)^2+1}$

STEP B 극한값 구하기

따라서 $\lim_{n\to\infty}\frac{a_n}{n}=\lim_{n\to\infty}\frac{\sqrt{9(2n+1)^2+1}}{n}=\sqrt{36}=6$

0071

다음 물음에 답하여라.

(1) $\lim_{n\to\infty}\frac{2\times3^{n+1}+5}{3^n}$의 값은?

① 10 ② 9 ③ 8
④ 7 ⑤ 6

STEP A 공비의 절댓값이 가장 큰 것으로 분모, 분자를 나누어 구하기

$$\lim_{n\to\infty}\frac{2\times3^{n+1}+5}{3^n}=\lim_{n\to\infty}\left\{2\times3+5\left(\frac{1}{3}\right)^n\right\}=6$$

(2) $\lim_{n\to\infty}\frac{6^n+5^n+3}{(2^n-1)(3^n+2^n)}$의 값은?

① -2 ② -1 ③ 0
④ 1 ⑤ 3

STEP A 공비의 절댓값이 가장 큰 것으로 분모, 분자를 나누어 구하기

$$\lim_{n\to\infty}\frac{6^n+5^n+3}{(2^n-1)(3^n+2^n)}=\lim_{n\to\infty}\frac{6^n+5^n+3}{6^n+4^n-3^n-2^n}$$

분모의 밑 6^n으로 분모, 분자를 나누면

$$\lim_{n\to\infty}\frac{1+\left(\frac{5}{6}\right)^n+3\left(\frac{1}{6}\right)^n}{1+\left(\frac{4}{6}\right)^n-\left(\frac{3}{6}\right)^n-\left(\frac{2}{6}\right)^n}=\frac{1+0+0}{1+0-0-0}=1$$

0072

다음 물음에 답하여라.

(1) $\lim_{n\to\infty}\frac{a\times3^{n+2}-2^n}{3^n-3\times2^n}=207$일 때, 상수 a의 값은?

① 17 ② 19 ③ 21
④ 23 ⑤ 25

STEP A 분자 분모를 3^n으로 나누어 극한값 구하기

분자 분모를 3^n으로 나누면

$$\lim_{n\to\infty}\frac{a\times3^{n+2}-2^n}{3^n-3\times2^n}=\lim_{n\to\infty}\frac{9a-\left(\frac{2}{3}\right)^n}{1-3\left(\frac{2}{3}\right)^n}=9a=207$$

따라서 $9a=207$이므로 $a=23$

(2) $\lim_{n\to\infty}\frac{a\times6^{n+1}-2^n}{2^n(3^n+2^n)}=12$일 때, 상수 a의 값은?

① 1 ② 2 ③ 3
④ 4 ⑤ 6

STEP A 공비의 절댓값이 가장 큰 것으로 분모, 분자를 나누어 구하기

$$\begin{aligned}\lim_{n\to\infty}\frac{a\times6^{n+1}-2^n}{2^n(3^n+2^n)}&=\lim_{n\to\infty}\frac{a\times6^{n+1}-2^n}{6^n+4^n}=\lim_{n\to\infty}\frac{a\times6-\left(\frac{1}{3}\right)^n}{1+\left(\frac{2}{3}\right)^n}\\&=\frac{6a-0}{1+0}=6a\end{aligned}$$

따라서 $6a=12$에서 $a=2$

0073

다음 물음에 답하여라.

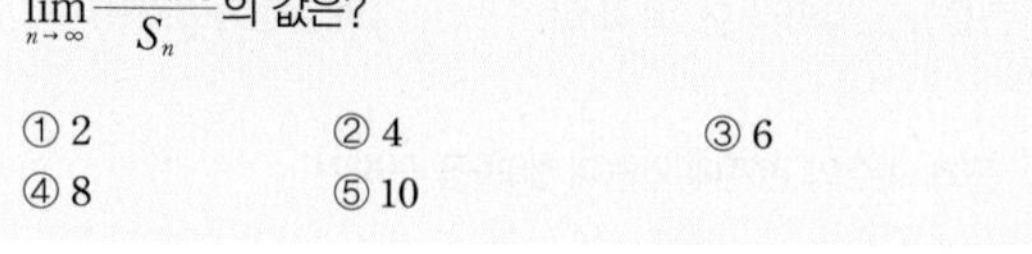

(1) 수열 $\{a_n\}$에서 첫째항부터 제 n항까지의 합 S_n이 $S_n=2n^2-n$일 때, $\lim_{n\to\infty}\frac{a_na_{n+1}}{S_n}$의 값은?

① 2 ② 4 ③ 6
④ 8 ⑤ 10

STEP A 일반항 $\{a_n\}$ 구하기

$S_n=2n^2-n$에서 $n\geq2$일 때,

$$\begin{aligned}a_n&=S_n-S_{n-1}\\&=2n^2-n-\{2(n-1)^2-(n-1)\}\\&=4n-3\end{aligned}$$

STEP B 수렴하는 극한의 성질을 이용하여 극한값 구하기

따라서 $\lim_{n\to\infty}\frac{a_na_{n+1}}{S_n}=\lim_{n\to\infty}\frac{(4n-3)(4n+1)}{2n^2-n}=\lim_{n\to\infty}\frac{16n^2-8n-3}{2n^2-n}$

$$=\lim_{n\to\infty}\frac{16-\frac{8}{n}-\frac{3}{n^2}}{2-\frac{1}{n}}=8$$

(2) 수열 $\{a_n\}$의 첫째항부터 제 n항까지의 합 S_n이 $S_n=2n+2^n$일 때, $\lim_{n\to\infty}\frac{a_n}{2^n}$의 값은?

① $\frac{1}{2}$ ② 1 ③ $\frac{3}{2}$
④ 2 ⑤ $\frac{5}{2}$

STEP A 일반항 $\{a_n\}$ 구하기

$S_n=2n+2^n$이므로 $n\geq 2$일 때,

$$a_n=S_n-S_{n-1}=2n+2^n-2(n-1)-2^{n-1}=2^n+2-2^{n-1}=2^{n-1}+2$$

STEP B 수렴하는 극한의 성질을 이용하여 극한값 구하기

따라서 $\lim_{n\to\infty}\frac{a_n}{2^n}=\lim_{n\to\infty}\frac{2^{n-1}+2}{2^n}=\lim_{n\to\infty}\left(\frac{1}{2}+\frac{1}{2^{n-1}}\right)=\frac{1}{2}$

0074

다음 물음에 답하여라.

(1) 모든 자연수 n에 대하여 수열 $\{a_n\}$이

$$1+3^{n+1}<(3^n+2^{n+1})a_n<3^{n+1}+2^n$$

을 만족시킬 때, $\lim_{n\to\infty}a_n$의 값을 구하여라.

STEP A 주어진 부등식 변형하기

$\frac{1+3^{n+1}}{3^n+2^{n+1}}<a_n<\frac{3^{n+1}+2^n}{3^n+2^{n+1}}$에서 $\lim_{n\to\infty}\frac{1+3^{n+1}}{3^n+2^{n+1}}=\lim_{n\to\infty}\frac{3^{n+1}+2^n}{3^n+2^{n+1}}=3$

STEP B 수열의 극한의 대소 관계를 이용하기

따라서 수열의 극한의 대소 관계에 의하여 $\lim_{n\to\infty}a_n=3$

(2) 모든 항이 양수인 수열 $\{a_n\}$이 모든 자연수 n에 대하여

$$1+2\log_3 n<\log_3 a_n<1+2\log_3(n+1)$$

을 만족시킬 때, $\lim_{n\to\infty}\frac{a_n}{n^2}$의 값을 구하여라.

STEP A 주어진 부등식 변형하기

$\log_3 3n^2<\log_3 a_n<\log_3 3(n+1)^2$

$3n^2<a_n<3(n+1)^2$, $\frac{3n^2}{n^2}<\frac{a_n}{n^2}<\frac{3(n+1)^2}{n^2}$

$\lim_{n\to\infty}\frac{3n^2}{n^2}=\lim_{n\to\infty}\frac{3(n+1)^2}{n^2}=3$

STEP B 수열의 극한의 대소 관계를 이용하기

따라서 극한값의 대소 관계에 의하여 $\lim_{n\to\infty}\frac{a_n}{n^2}=3$

0075

다음 물음에 답하여라.

(1) 자연수 n에 대하여 x에 대한 다항식 $3x^{n+1}+x$를 일차식 $x-2$로 나눈 나머지를 a_n이라고 할 때, $\lim_{n\to\infty}\frac{a_n}{2^n-1}$의 값은?

① 0 ② 1 ③ 2
④ 3 ⑤ 6

STEP A 나머지 정리를 이용하여 a_n 구하기

나머지 정리에 의하여 $a_n=3\cdot 2^{n+1}+2$

STEP B 등비수열의 극한 구하기

따라서 $\lim_{n\to\infty}\frac{a_n}{2^n-1}=\lim_{n\to\infty}\frac{3\cdot 2^{n+1}+2}{2^n-1}=\lim_{n\to\infty}\frac{6+\frac{1}{2^{n-1}}}{1-\frac{1}{2^n}}=6$

(2) 자연수 n에 대하여 다항식 $f(x)=2^nx^2+3^nx+1$을 $x-1$, $x-2$로 나눈 나머지를 각각 a_n, b_n이라 할 때, $\lim_{n\to\infty}\frac{a_n}{b_n}$의 값은?

① 0 ② $\frac{1}{4}$ ③ $\frac{1}{3}$
④ $\frac{1}{2}$ ⑤ 1

STEP A 나머지 정리를 이용하여 a_n, b_n 구하기

나머지 정리에 의하여

$f(x)$를 $(x-1)$로 나눈 나머지는 $a_n=f(1)=2^n+3^n+1$

$f(x)$를 $(x-2)$로 나눈 나머지는 $b_n=f(2)=4\cdot 2^n+2\cdot 3^n+1$

STEP B 등비수열의 극한 구하기

따라서 $\lim_{n\to\infty}\frac{a_n}{b_n}=\lim_{n\to\infty}\frac{2^n+3^n+1}{4\cdot 2^n+2\cdot 3^n+1}=\lim_{n\to\infty}\frac{\left(\frac{2}{3}\right)^n+1+1\left(\frac{1}{3}\right)^n}{4\cdot\left(\frac{2}{3}\right)^n+2\cdot 1+\left(\frac{1}{3}\right)^n}=\frac{1}{2}$

0076

$0<a<b$이고 $\lim_{n\to\infty}\frac{a^{n+1}+2b^n}{a^n+b^{n+1}}=\frac{1}{2}$일 때, 상수 b의 값은?

① 2 ② 3 ③ 4
④ 6 ⑤ 8

STEP A $0<a<b$를 만족하는 극한값 구하기

$0<a<b$에서 $0<\frac{a}{b}<1$이므로 $\lim_{n\to\infty}\left(\frac{a}{b}\right)^n=0$

STEP B 등비수열의 극한 구하기

주어진 수열의 분모, 분자를 b^n으로 나누면

$$\lim_{n\to\infty}\frac{a^{n+1}+2b^n}{a^n+b^{n+1}}=\lim_{n\to\infty}\frac{a\left(\frac{a}{b}\right)^n+2}{\left(\frac{a}{b}\right)^n+b}=\frac{2}{b}$$

STEP C 상수 b의 값 구하기

따라서 $\frac{2}{b}=\frac{1}{2}$이므로 $b=4$

0077

다음 물음에 답하여라.

(1) 이차방정식 $x^2-5x+6=0$의 두 근을 a, b라 할 때, $\lim_{n\to\infty}\frac{a^n+b^n}{a^{n-1}+b^{n-1}}$의 값은?

① $\frac{1}{3}$ ② $\frac{1}{2}$ ③ 1
④ 2 ⑤ 3

STEP A 이차방정식의 두 근을 구하여 $a<b$의 극한값 구하기

이차방정식 $x^2-5x+6=0$에서 $(x-2)(x-3)=0$ $\therefore x=2$ 또는 $x=3$

$a=2$, $b=3$라고 하면 $0<\frac{a}{b}<1$이므로 $\lim_{n\to\infty}\left(\frac{a}{b}\right)^n=0$

STEP B 등비수열의 극한 구하기

따라서 $\lim_{n\to\infty}\frac{a^n+b^n}{a^{n-1}+b^{n-1}}=\lim_{n\to\infty}\frac{\left(\frac{a}{b}\right)^n+1}{\frac{1}{a}\left(\frac{a}{b}\right)^n+\frac{1}{b}}=\frac{1}{\frac{1}{b}}=b=3$

(2) 이차방정식 $x^2-4x-1=0$의 두 근을 α, β라고 할 때,

$\lim_{n\to\infty}\frac{\alpha^{n+1}+\beta^{n+1}}{\alpha^n+\beta^n}$의 값은?

① 0 ② $2-\sqrt{5}$ ③ 1
④ 2 ⑤ $2+\sqrt{5}$

STEP A 이차방정식의 두 근을 구하여 $\alpha<\beta$의 극한값 구하기

이차방정식 $x^2-4x-1=0$에서
$x=2-\sqrt{5}$ 또는 $x=2+\sqrt{5}$
$\alpha=2-\sqrt{5}$, $\beta=2+\sqrt{5}$라고 하면
$-1<\frac{\alpha}{\beta}<0$이므로 $\lim_{n\to\infty}\left(\frac{\alpha}{\beta}\right)^n=0$

STEP B 등비수열의 극한 구하기

따라서 $\lim_{n\to\infty}\frac{\alpha^{n+1}+\beta^{n+1}}{\alpha^n+\beta^n}=\lim_{n\to\infty}\frac{\alpha\left(\frac{\alpha}{\beta}\right)^n+\beta}{\left(\frac{\alpha}{\beta}\right)^n+1}=\frac{0+\beta}{0+1}=2+\sqrt{5}$

0078

다음 물음에 답하여라. (단, n이 자연수)

(1) 함수 $f(x)$를 $f(x)=\lim_{n\to\infty}\frac{x^n+3}{x^n+1}$으로 정의할 때,
$f(-3)+f\left(\frac{1}{4}\right)+f(1)$의 값을 구하여라.

STEP A 등비수열의 극한 구하기

$f(-3)=\lim_{n\to\infty}\frac{(-3)^n+3}{(-3)^n+1}=\lim_{n\to\infty}\frac{1+3\left(-\frac{1}{3}\right)^n}{1+\left(-\frac{1}{3}\right)^n}=1$

$f\left(\frac{1}{4}\right)=\lim_{n\to\infty}\frac{\left(\frac{1}{4}\right)^n+3}{\left(\frac{1}{4}\right)^n+1}=\frac{0+3}{0+1}=3$

$f(1)=\lim_{n\to\infty}\frac{1^n+3}{1^n+1}=2$

따라서 $f(-3)+f\left(\frac{1}{4}\right)+f(1)=6$

(2) 함수 $f(x)$를 $f(x)=\lim_{n\to\infty}\frac{x^{2n}+5}{x^{2n}+1}$으로 정의할 때,
$f(-2)+f\left(\frac{1}{3}\right)+f(-1)$의 값을 구하여라.

STEP A 등비수열의 극한 구하기

$f(x)=\lim_{n\to\infty}\frac{x^{2n}+5}{x^{2n}+1}$에서

(ⅰ) $|x|>1$일 때, $\lim_{n\to\infty}\left(\frac{1}{|x|}\right)^{2n}=0$이므로

$f(x)=\lim_{n\to\infty}\frac{x^{2n}+5}{x^{2n}+1}=\lim_{n\to\infty}\frac{1+\frac{5}{x^{2n}}}{1+\frac{1}{x^{2n}}}=1$, 즉 $f(-2)=1$

(ⅱ) $-1<x<1$일 때, $\lim_{n\to\infty}x^{2n}=0$이므로

$f(x)=\lim_{n\to\infty}\frac{x^{2n}+5}{x^{2n}+1}=\lim_{n\to\infty}\frac{0+5}{0+1}=5$, 즉 $f\left(\frac{1}{3}\right)=5$

(ⅲ) $x=-1$일 때, $\lim_{n\to\infty}x^{2n}=1$이므로

$f(x)=\lim_{n\to\infty}\frac{x^{2n}+5}{x^{2n}+1}=\lim_{n\to\infty}\frac{1+5}{1+1}=3$, 즉 $f(-1)=3$

(ⅰ)~(ⅲ)에서 구하는 값은 $f(-2)+f\left(\frac{1}{3}\right)+f(-1)=1+5+3=9$

0079

다음 물음에 답하여라.

(1) 수열 $\{a_n\}$의 첫째항부터 제 n항까지의 합 S_n이 $S_n=5^n-1$일 때,
$\lim_{n\to\infty}\frac{a_n}{5^n-3}$의 값은?

① $\frac{1}{5}$ ② $\frac{2}{5}$ ③ $\frac{3}{5}$
④ $\frac{4}{5}$ ⑤ 1

STEP A $a_1=S_1$, $a_n=S_n-S_{n-1}(n\geq2)$을 이용하여 a_n 구하기

$S_n=5^n-1$에서
(ⅰ) $n\geq2$일 때, $a_n=S_n-S_{n-1}=(5^n-1)-(5^{n-1}-1)=5^n-5^{n-1}$
(ⅱ) $n=1$일 때, $a_1=S_1=4$
(ⅰ), (ⅱ)에서 $a_n=5^n-5^{n-1}(n\geq1)$

STEP B 등비수열의 극한 구하기

따라서 $\lim_{n\to\infty}\frac{a_n}{5^n-3}=\lim_{n\to\infty}\frac{5^n-5^{n-1}}{5^n-3}=\lim_{n\to\infty}\frac{1-\frac{1}{5}}{1-\frac{3}{5^n}}=\frac{4}{5}$

(2) 첫째항이 a인 수열 $\{a_n\}$이 다음 조건을 만족시킨다.

(가) 모든 자연수 n에 대하여 $a_{n+1}=3a_n$이다.
(나) $\lim_{n\to\infty}\frac{a_{n+1}+2^{n-1}}{3a_n-3^{n+1}}=\frac{7}{4}$

a의 값은? (단, $a\neq3$)

① 4 ② 5 ③ 6
④ 7 ⑤ 8

STEP A 등비수열의 일반항 a_n 구하기

조건 (가)에 의하여 수열 $\{a_n\}$은 공비가 3인 등비수열이므로
$a_n=a\times3^{n-1}$ $(n=1, 2, 3, \cdots)$

STEP B 등비수열의 극한 구하기

조건 (나)에서

$$\lim_{n\to\infty}\frac{a_{n+1}+2^{n-1}}{3a_n-3^{n+1}}=\lim_{n\to\infty}\frac{a\times3^n+2^{n-1}}{3a\times3^{n-1}-3^{n+1}}=\lim_{n\to\infty}\frac{a+\frac{1}{2}\left(\frac{2}{3}\right)^n}{a-3}=\frac{a}{a-3}=\frac{7}{4}$$

따라서 $4a=7(a-3)$이므로 $a=7$

0080

수열 $\{a_n\}$의 첫째항이 9이고, 모든 자연수 n에 대하여 이차방정식 $x^2+3\sqrt{a_n}x+a_{n+1}=0$이 중근을 가질 때, $\lim_{n\to\infty}\frac{2^n a_n+3^{2n+1}}{4^n a_n-2^n}$의 값은?

① $\frac{1}{4}$ ② $\frac{1}{2}$ ③ $\frac{3}{4}$ ④ 1 ⑤ $\frac{5}{4}$

STEP A 이차방정식의 판별식을 이용하여 등비수열의 일반항 구하기

이차방정식 $x^2+3\sqrt{a_n}x+a_{n+1}=0$의 판별식을 D라 하면

$\mathrm{D}=9a_n-4a_{n+1}=0$에서 $a_{n+1}=\frac{9}{4}a_n$

즉 수열 $\{a_n\}$은 첫째항이 9이고 공비가 $\frac{9}{4}$인 등비수열이므로

$a_n=9\times\left(\frac{9}{4}\right)^{n-1}=4\times\left(\frac{9}{4}\right)^n$

STEP B $\frac{\infty}{\infty}$ 꼴의 극한값 구하기

따라서 $\lim_{n\to\infty}\frac{2^n a_n+3^{2n+1}}{4^n a_n-2^n}=\lim_{n\to\infty}\frac{4\times\left(\frac{9}{2}\right)^n+3\times9^n}{4\times9^n-2^n}$

$=\lim_{n\to\infty}\frac{4\times\left(\frac{1}{2}\right)^n+3}{4-\left(\frac{2}{9}\right)^n}$

$=\frac{4\times0+3}{4-0}=\frac{3}{4}$

(2) 자연수 n에 대하여 3^{n-1}의 모든 양의 약수의 합을 a_n, 9^n의 모든 양의 약수의 합을 b_n이라 할 때, $\lim_{n\to\infty}\frac{b_n}{{a_n}^2}$의 값은?

① $\frac{10}{3}$ ② 4 ③ $\frac{14}{3}$ ④ $\frac{16}{3}$ ⑤ 6

STEP A 약수의 총합 구하기

자연수 n에 대하여 3^{n-1}의 모든 양의 약수는 $1, 3, 3^2, 3^3, \cdots, 3^{n-1}$이고

그 합 a_n은 $a_n=\frac{3^n-1}{3-1}=\frac{3^n-1}{2}$

$9^n=3^{2n}$의 양의 약수는 $1, 3, 3^2, 3^3, \cdots, 3^{2n}$이고

그 합 b_n은 $b_n=\frac{3^{2n+1}-1}{3-1}=\frac{3\times9^n-1}{2}$

STEP B 극한값 구하기

따라서 $\lim_{n\to\infty}\frac{b_n}{(a_n)^2}=\lim_{n\to\infty}\frac{\frac{3\times9^n-1}{2}}{\left(\frac{3^n-1}{2}\right)^2}$

$=2\lim_{n\to\infty}\frac{3\times9^n-1}{(3^n)^2-2\times3^n+1}$

$=2\lim_{n\to\infty}\frac{3\times9^n-1}{9^n-2\times3^n+1}$

$=2\lim_{n\to\infty}\frac{3-\left(\frac{1}{9}\right)^n}{1-2\times\left(\frac{1}{3}\right)^n+\left(\frac{1}{9}\right)^n}$

$=2\times3=6$

0081

다음 물음에 답하여라.

(1) n이 양의 정수일 때, 6^n의 양의 약수의 총합은 $T(n)$이다.

이때 $\lim_{n\to\infty}\frac{6^n}{T(n)}$의 값을 구하면?

① $\frac{1}{2}$ ② $\frac{1}{3}$ ③ $\frac{1}{6}$ ④ $\frac{1}{12}$ ⑤ $\frac{1}{18}$

STEP A 약수의 총합 $T(n)$ 구하기

$6^n=2^n\times3^n$이므로 약수의 총합은

$T(n)=(1+2+\cdots+2^n)(1+3+\cdots+3^n)$

$=\frac{2^{n+1}-1}{2-1}\cdot\frac{3^{n+1}-1}{3-1}$

$=(2^{n+1}-1)\left(\frac{3^{n+1}-1}{2}\right)$

STEP B 극한값 구하기

따라서 $\lim_{n\to\infty}\frac{6^n}{T(n)}=\lim_{n\to\infty}\frac{2\cdot6^n}{(2^{n+1}-1)(3^{n+1}-1)}$

$=\lim_{n\to\infty}\frac{2\cdot6^n}{6^{n+1}-2^{n+1}-3^{n+1}+1}$

$=\lim_{n\to\infty}\frac{2}{6-2\left(\frac{2}{6}\right)^n-3\left(\frac{3}{6}\right)^n+\left(\frac{1}{6}\right)^n}$ ← 분모 분자를 6^n으로 나눈다.

$=\frac{2}{6}=\frac{1}{3}$

0082

수렴하는 두 수열 $\{a_n\}$, $\{b_n\}$의 극한에 대한 설명 중 다음 [보기] 중 옳은 것을 모두 고르면?

> ㄱ. $a_n\le b_n$이고 $\lim_{n\to\infty}a_n=\alpha$, $\lim_{n\to\infty}b_n=\beta$이면 $\alpha\le\beta$이다.
> ㄴ. $a_n<b_n$이고 $\lim_{n\to\infty}a_n=\alpha$, $\lim_{n\to\infty}b_n=\beta$이면 $\alpha<\beta$이다.
> ㄷ. $\lim_{n\to\infty}a_n=\alpha$, $\lim_{n\to\infty}b_n=\beta$이고 $\alpha\le\beta$이면 $a_n\le b_n$이다.

① ㄱ ② ㄴ ③ ㄱ, ㄴ ④ ㄴ, ㄷ ⑤ ㄱ, ㄴ, ㄷ

STEP A 수열의 극한의 성질을 이용하여 참, 거짓 판단하기

ㄱ. $a_n<b_n$, $a_n\le b_n$의 경우

모두 $\lim_{n\to\infty}a_n\le\lim_{n\to\infty}b_n$이다. [참]

ㄴ. 반례 $a_n=1-\frac{1}{n}$, $b_n=1+\frac{1}{n}$일 때,

$a_n<b_n$이지만 $\lim_{n\to\infty}a_n=\lim_{n\to\infty}b_n=1$이므로 $\alpha\le\beta$이다. [거짓]

ㄷ. 반례 $a_n=1+\frac{1}{n}$, $b_n=1-\frac{1}{n}$일 때,

$\lim_{n\to\infty}a_n(=1)\le\lim_{n\to\infty}b_n(=1)$이지만 $a_n>b_n$ [거짓]

따라서 옳은 것은 ㄱ이다.

0083

다음 물음에 답하여라.

(1) 등비수열 $\left\{\left(\frac{x^2-2x}{3}\right)^n\right\}$이 수렴할 때, 정수 x의 개수는?

① 3 ② 4 ③ 5
④ 6 ⑤ 7

STEP Ⓐ 수열 $\{r^n\}$이 수렴하기 위한 조건 $-1<r\le 1$임을 이해하기

등비수열 $\left\{\left(\frac{x^2-2x}{3}\right)^n\right\}$이 수렴하므로 $-1<\frac{x^2-2x}{3}\le 1$

STEP Ⓑ 연립부등식의 해를 구하기

(ⅰ) $-1<\frac{x^2-2x}{3}$에서 $-3<x^2-2x$, $x^2-2x+3>0$
즉 $(x-1)^2+2>0$이므로 모든 실수 x에 대하여 만족한다.

(ⅱ) $\frac{x^2-2x}{3}\le 1$, $x^2-2x\le 3$, $x^2-2x-3\le 0$에서 $(x-3)(x+1)\le 0$
$\therefore -1\le x\le 3$

(ⅰ), (ⅱ)에서 $-1\le x\le 3$
따라서 구하는 정수 x의 개수는 $-1, 0, 1, 2, 3$이므로 5

(2) 수열 $\{(x^2-x-1)^n\}$이 수렴할 때, 정수 x의 개수는?

① 1 ② 2 ③ 3
④ 4 ⑤ 5

STEP Ⓐ 수열 $\{r^n\}$이 수렴하기 위한 조건 $-1<r\le 1$임을 이해하기

등비수열 $\{(x^2-x-1)^n\}$이 수렴하므로 $-1<x^2-x-1\le 1$

STEP Ⓑ 연립부등식의 해를 구하기

(ⅰ) $-1<x^2-x-1$에서 $x(x-1)>0$
$\therefore x<0$ 또는 $x>1$

(ⅱ) $x^2-x-1\le 1$에서 $(x+1)(x-2)\le 0$
$\therefore -1\le x\le 2$

(ⅰ), (ⅱ)에서 $-1\le x<0$ 또는 $1<x\le 2$
따라서 구하는 정수 x의 개수는 $-1, 2$이므로 2

(3) 수열 $\left\{\left(\frac{x^2-6x+7}{2}\right)^n\right\}$이 수렴하도록 하는 모든 정수 x의 합은?

① 11 ② 12 ③ 13
④ 14 ⑤ 15

STEP Ⓐ 수열 $\{r^n\}$이 수렴하기 위한 조건 $-1<r\le 1$임을 이해하기

등비수열 $\left\{\left(\frac{x^2-6x+7}{2}\right)^n\right\}$이 수렴하므로

$-1<\frac{x^2-6x+7}{2}\le 1$

STEP Ⓑ 연립부등식의 해를 구하기

(ⅰ) $\frac{x^2-6x+7}{2}>-1$에서 $x^2-6x+7>-2$
$x^2-6x+9>0$, $(x-3)^2>0$
즉 $x\ne 3$인 모든 실수

(ⅱ) $\frac{x^2-6x+7}{2}\le 1$에서 $x^2-6x+7\le 2$
$x^2-6x+5\le 0$, $(x-1)(x-5)\le 0$
즉 $1\le x\le 5$

(ⅰ), (ⅱ)에서 $1\le x<3$ 또는 $3<x\le 5$
따라서 구하는 정수 x는 $1, 2, 4, 5$이므로 구하는 합은 $1+2+4+5=12$

NORMAL

0084

다음 물음에 답하여라.

(1) 등식 $\lim_{n\to\infty}\frac{an^3+bn^2+2}{(3n+a)(n+b)}=4$이 성립하도록 하는 두 상수 a, b에 대하여 $a+b$의 값은?

① 4 ② 6 ③ 8
④ 10 ⑤ 12

STEP Ⓐ 분모, 분자를 n^2으로 나누어 a의 값 구하기

$$\lim_{n\to\infty}\frac{an^3+bn^2+2}{(3n+a)(n+b)}=\lim_{n\to\infty}\frac{an+b+\frac{2}{n^2}}{\left(3+\frac{a}{n}\right)\left(1+\frac{b}{n}\right)}$$

$n\to\infty$일 때, 위의 식이 극한이 존재하려면 $a=0$이어야 한다.

STEP Ⓑ $\frac{\infty}{\infty}$꼴에서 4로 수렴하기 위한 b의 값 구하기

$$\lim_{n\to\infty}\frac{an^3+bn^2+2}{(3n+a)(n+b)}=\lim_{n\to\infty}\frac{bn^2+2}{3n(n+b)}=\lim_{n\to\infty}\frac{b+\frac{2}{n^2}}{3\left(1+\frac{b}{n}\right)}=\frac{b}{3}$$

이때 주어진 수열의 극한값이 4이므로 $\frac{b}{3}=4$에서 $b=12$

따라서 $a+b=0+12=12$

(2) $\lim_{n\to\infty}\{\sqrt{n^2+an}-(bn-4)\}=6$가 성립하도록 두 상수 a, b의 값을 정할 때, $a+b$의 값은?

① 2 ② 3 ③ 4
④ 5 ⑤ 6

STEP Ⓐ 분자를 유리화하여 b의 값 구하기

$n\to\infty$일 때, 주어진 수열의 극한이 존재하려면 $\infty-\infty$꼴이어야 하므로 $b>0$이다.

$$\lim_{n\to\infty}\{\sqrt{n^2+an}-(bn-4)\}$$
$$=\lim_{n\to\infty}\frac{\{\sqrt{n^2+an}-(bn-4)\}\{\sqrt{n^2+an}+(bn-4)\}}{\sqrt{n^2+an}+(bn-4)}$$
$$=\lim_{n\to\infty}\frac{n^2+an-(bn-4)^2}{\sqrt{n^2+an}+(bn-4)}$$
$$=\lim_{n\to\infty}\frac{(1-b^2)n^2+(a+8b)n-16}{\sqrt{n^2+an}+(bn-4)}$$
$$=\lim_{n\to\infty}\frac{(1-b^2)n+(a+8b)-\frac{16}{n}}{\sqrt{1+\frac{a}{n}}+\left(b-\frac{4}{n}\right)}$$

이 수열의 극한이 존재하려면 $1-b^2=0$이어야 하므로 $(1-b)(1+b)=0$
이때 $b>0$이므로 $b=1$

STEP Ⓑ $\frac{\infty}{\infty}$꼴에서 6으로 수렴하기 위한 a의 값 구하기

$$\lim_{n\to\infty}\{\sqrt{n^2+an}-(bn-4)\}=\lim_{n\to\infty}\frac{(a+8)-\frac{16}{n}}{\sqrt{1+\frac{a}{n}}+\left(1-\frac{4}{n}\right)}=\frac{a+8}{1+1}=\frac{a+8}{2}$$

이때 주어진 수열의 극한값이 6이므로 $\frac{a+8}{2}=6$에서 $a=4$

따라서 $a+b=4+1=5$

0085

다음을 만족시키는 두 상수 a, b에 대하여 ab의 값은?

$$\lim_{n\to\infty}2n(\sqrt{n^2+1}-\sqrt{n^2-1})=a,\ \lim_{n\to\infty}\frac{(3n+1)(an-1)}{n^2+1}=b$$

① 6　② 8　③ 10
④ 12　⑤ 14

STEP A $\infty-\infty$꼴의 무리식의 극한은 유리화하여 식을 변형하여 극한값 구하기

$$\lim_{n\to\infty}2n(\sqrt{n^2+1}-\sqrt{n^2-1})$$
$$=\lim_{n\to\infty}\frac{2n(\sqrt{n^2+1}-\sqrt{n^2-1})(\sqrt{n^2+1}+\sqrt{n^2-1})}{\sqrt{n^2+1}+\sqrt{n^2-1}}$$
$$=\lim_{n\to\infty}\frac{2n\{(n^2+1)-(n^2-1)\}}{\sqrt{n^2+1}+\sqrt{n^2-1}}$$
$$=\lim_{n\to\infty}\frac{4n}{\sqrt{n^2+1}+\sqrt{n^2-1}}$$
$$=\lim_{n\to\infty}\frac{4}{\sqrt{1+\frac{1}{n^2}}+\sqrt{1-\frac{1}{n^2}}}$$
$$=\frac{4}{1+1}=2=a$$

STEP B 분모의 최고차항으로 분모, 분자를 나누어 극한값 구하기

$$\lim_{n\to\infty}\frac{(3n+1)(an-1)}{n^2+1}=\lim_{n\to\infty}\frac{(3n+1)(2n-1)}{n^2+1}$$
$$=\lim_{n\to\infty}\frac{\left(3+\frac{1}{n}\right)\left(2-\frac{1}{n}\right)}{1+\frac{1}{n^2}}$$
$$=\frac{3\times2}{1}=6=b$$

따라서 $ab=2\times6=12$

0086

자연수 k에 대하여 $a_k=\lim_{n\to\infty}\frac{\left(\frac{2k+1}{11}\right)^n-1}{\left(\frac{2k+1}{11}\right)^n+1}$일 때, $\sum_{k=1}^{10}a_k$의 값은?

① -2　② -1　③ 0
④ 1　⑤ 2

STEP A $\frac{2k+1}{11}$의 범위에 따른 a_k 구하기

$k=1, 2, 3, 4$일 때, $0<\frac{2k+1}{11}<1$이므로

$$a_k=\lim_{n\to\infty}\frac{\left(\frac{2k+1}{11}\right)^n-1}{\left(\frac{2k+1}{11}\right)^n+1}=\frac{0-1}{0+1}=-1$$

$k=5$일 때, $\frac{2k+1}{11}=1$이므로

$$a_5=\lim_{n\to\infty}\frac{1^n-1}{1^n+1}=0$$

$k=6, 7, 8, 9, 10$일 때, $\frac{2k+1}{11}>1$이므로

$$a_k=\lim_{n\to\infty}\frac{\left(\frac{2k+1}{11}\right)^n-1}{\left(\frac{2k+1}{11}\right)^n+1}=\lim_{n\to\infty}\frac{1-\left(\frac{11}{2k+1}\right)^n}{1+\left(\frac{11}{2k+1}\right)^n}=1$$ ⬅ $\lim_{n\to\infty}\left(\frac{11}{2k+1}\right)^n=0$

STEP B $\sum_{k=1}^{10}a_k$의 값 구하기

따라서 $\sum_{k=1}^{10}a_k=(-1)\times4+0+1\times5=1$

0087

첫째항이 2, 공차가 2인 등차수열 $\{a_n\}$의 첫째항부터 제 n항까지의 합을 S_n이라 할 때, $\lim_{n\to\infty}(\sqrt{S_{n+1}}-\sqrt{S_n})$의 값은?

① $\frac{1}{2}$　② $\frac{\sqrt{2}}{2}$　③ 1
④ $\sqrt{2}$　⑤ 2

STEP A 등차수열의 합 구하기

$S_n=\frac{n\{2\times2+(n-1)\times2\}}{2}=n^2+n$이므로

$S_{n+1}=(n+1)^2+(n+1)=n^2+3n+2$

STEP B $\infty-\infty$꼴의 무리식의 극한값 구하기

$$\lim_{n\to\infty}(\sqrt{S_{n+1}}-\sqrt{S_n})$$
$$=\lim_{n\to\infty}(\sqrt{n^2+3n+2}-\sqrt{n^2+n})$$
$$=\lim_{n\to\infty}\frac{(\sqrt{n^2+3n+2}-\sqrt{n^2+n})(\sqrt{n^2+3n+2}+\sqrt{n^2+n})}{\sqrt{n^2+3n+2}+\sqrt{n^2+n}}$$
$$=\lim_{n\to\infty}\frac{(n^2+3n+2)-(n^2+n)}{\sqrt{n^2+3n+2}+\sqrt{n^2+n}}$$
$$=\lim_{n\to\infty}\frac{2n+2}{\sqrt{n^2+3n+2}+\sqrt{n^2+n}}$$
$$=\lim_{n\to\infty}\frac{2+\frac{2}{n}}{\sqrt{\frac{n^2+3n+2}{n^2}}+\sqrt{\frac{n^2+n}{n^2}}}$$
$$=\lim_{n\to\infty}\frac{2+\frac{2}{n}}{\sqrt{1+\frac{3}{n}+\frac{2}{n^2}}+\sqrt{1+\frac{1}{n}}}$$
$$=\frac{2+0}{\sqrt{1+0+0}+\sqrt{1+0}}=\frac{2}{2}=1$$

0088

두 수열 $\{a_n\}$, $\{b_n\}$이 모든 자연수 n에 대하여 다음 조건을 만족시킬 때, $\lim_{n\to\infty}b_n$의 값은?

(가) $20-\frac{1}{n}<a_n+b_n<20+\frac{1}{n}$

(나) $10-\frac{1}{n}<a_n-b_n<10+\frac{1}{n}$

① 3　② 4　③ 5
④ 6　⑤ 7

STEP A (가), (나)를 빼서 b_n의 범위 구하기

$20-\frac{1}{n}<a_n+b_n<20+\frac{1}{n}$ …… ㉠

$10-\frac{1}{n}<a_n-b_n<10+\frac{1}{n}$ …… ㉡

㉠−㉡을 하면

$$\left(20-\frac{1}{n}\right)-\left(10+\frac{1}{n}\right)<2b_n<\left(20+\frac{1}{n}\right)-\left(10-\frac{1}{n}\right)$$

$10-\frac{2}{n}<2b_n<10+\frac{2}{n}$　$\therefore 5-\frac{1}{n}<b_n<5+\frac{1}{n}$

STEP B 수열의 극한의 대소 관계를 이용하기

$$\lim_{n\to\infty}\left(5-\frac{1}{n}\right)\le\lim_{n\to\infty}b_n\le\lim_{n\to\infty}\left(5+\frac{1}{n}\right)$$
$$\lim_{n\to\infty}\left(5-\frac{1}{n}\right)=\lim_{n\to\infty}\left(5+\frac{1}{n}\right)=5$$

따라서 수열의 극한의 대소 관계에 의해 $\lim_{n\to\infty}b_n=5$

 두 수열 (a_n+b_n)과 (a_n-b_n)의 극한이 수렴하므로 $b_n=\frac{1}{2}\{(a_n+b_n)-(a_n-b_n)\}$을 이용하여 풀이하기

조건 (가)에서 $\lim_{n\to\infty}$를 취하면

$\lim_{n\to\infty}\left(20-\frac{1}{n}\right)\le\lim_{n\to\infty}(a_n+b_n)\le\lim_{n\to\infty}\left(20+\frac{1}{n}\right)$

이때 $\lim_{n\to\infty}\left(20-\frac{1}{n}\right)=20$, $\lim_{n\to\infty}\left(20+\frac{1}{n}\right)=20$이므로

$\lim_{n\to\infty}(a_n+b_n)=20$ …… ㉠

조건 (나)에서 $\lim_{n\to\infty}$를 취하면

$\lim_{n\to\infty}\left(10-\frac{1}{n}\right)\le\lim_{n\to\infty}(a_n-b_n)\le\lim_{n\to\infty}\left(10+\frac{1}{n}\right)$

이때 $\lim_{n\to\infty}\left(10-\frac{1}{n}\right)=10$, $\lim_{n\to\infty}\left(10+\frac{1}{n}\right)=10$이므로

$\lim_{n\to\infty}(a_n-b_n)=10$ …… ㉡

따라서 ㉠, ㉡에서 $\lim_{n\to\infty}b_n=\lim_{n\to\infty}\frac{1}{2}\{(a_n+b_n)-(a_n-b_n)\}$

$=\frac{1}{2}(20-10)$

$=5$

0089

모든 자연수 n에 대하여 수열 $\{a_n\}$이 부등식

$$2n-1<na_n<\sqrt{4n^2+5n}$$

을 만족시킬 때, $\lim_{n\to\infty}\frac{(n^2+2n)a_n}{5n^2+3}$의 값은?

① $\frac{2}{5}$ ② $\frac{1}{2}$ ③ 1
④ $\frac{3}{2}$ ⑤ 3

STEP Ⓐ 조건을 이용하여 $\lim_{n\to\infty}a_n$의 값 구하기

$2n-1<na_n<\sqrt{4n^2+5n}$에서

$2-\frac{1}{n}<a_n<\sqrt{4+\frac{5}{n}}$ ⬅ n은 자연수

이때 $\lim_{n\to\infty}\left(2-\frac{1}{n}\right)=2$, $\lim_{n\to\infty}\sqrt{4+\frac{5}{n}}=2$이므로

수열의 극한의 대소 관계에 의하여 $\lim_{n\to\infty}a_n=2$

STEP Ⓑ 주어진 극한값 구하기

따라서 $\lim_{n\to\infty}\frac{(n^2+2n)a_n}{5n^2+3}=\lim_{n\to\infty}\frac{\left(1+\frac{2}{n}\right)a_n}{5+\frac{3}{n^2}}=\frac{(1+0)\cdot2}{5+0}=\frac{2}{5}$

0090

두 수열 $\{a_n\}$, $\{b_n\}$이 모든 자연수 n에 대하여 다음 조건을 만족시킨다.

(가) $4^n<a_n<4^n+1$
(나) $2+2^2+2^3+\cdots+2^n<b_n<2^{n+1}$

$\lim_{n\to\infty}\frac{4a_n+b_n}{2a_n+2^nb_n}$의 값은?

① $\frac{1}{4}$ ② $\frac{1}{2}$ ③ 1
④ 2 ⑤ 4

STEP Ⓐ 수열의 극한의 대소 관계를 이용하여 $\lim_{n\to\infty}\frac{a_n}{4^n}$, $\lim_{n\to\infty}\frac{b_n}{2^n}$의 값 구하기

조건 (가)에서

$4^n<a_n<4^n+1$의 양변을 4^n으로 나누면

$1<\frac{a_n}{4^n}<1+\frac{1}{4^n}$

$\lim_{n\to\infty}1=\lim_{n\to\infty}\left(1+\frac{1}{4^n}\right)=1$이므로 수열의 극한의 대소 관계에 의하여

$\lim_{n\to\infty}\frac{a_n}{4^n}=1$ …… ㉠

조건 (나)에서

$2+2^2+2^3+\cdots+2^n=\frac{2(2^n-1)}{2-1}=2^{n+1}-2$

$\therefore 2^{n+1}-2<b_n<2^{n+1}$

양면을 2^n으로 나누면 $2-\frac{2}{2^n}<\frac{b_n}{2^n}<2$

$\lim_{n\to\infty}\left(2-\frac{2}{2^n}\right)=\lim_{n\to\infty}2=2$이므로 수열의 극한의 대소 관계에 의하여

$\lim_{n\to\infty}\frac{b_n}{2^n}=2$ …… ㉡

STEP Ⓑ 극한값 구하기

따라서 ㉠, ㉡에 의하여

$\lim_{n\to\infty}\frac{4a_n+b_n}{2a_n+2^nb_n}=\lim_{n\to\infty}\frac{\frac{4a_n+b_n}{4^n}}{\frac{2a_n+2^nb_n}{4^n}}=\lim_{n\to\infty}\frac{4\cdot\frac{a_n}{4^n}+\frac{b_n}{2^n}\cdot\frac{1}{2^n}}{2\cdot\frac{a_n}{4^n}+\frac{b^n}{2^n}}$

$=\frac{4\cdot1+2\cdot0}{2\cdot1+2}=1$

0091

$\lim_{n\to\infty}\frac{a^{n+1}+b^{-n+1}}{a^{n-1}+b^{-n}}=9$를 만족할 때, 등비수열 $\lim_{n\to\infty}\left\{\frac{(b+1)^n}{a^{2n}}\right\}$이 수렴하도록 하는 모든 자연수 b의 합은? (단, $a>1$, $b>1$)

① 20 ② 27 ③ 35
④ 44 ⑤ 53

STEP Ⓐ 공비의 범위에 따라 극한값이 9임을 이용하여 자연수 a의 값 구하기

$a>1$, $b>1$에서 $\frac{1}{b}<1<a$이므로

$\lim_{n\to\infty}\frac{a^{n+1}+b^{-n+1}}{a^{n-1}+b^{-n}}=a^2=9\quad\therefore a=3(\because a>1)$

STEP Ⓑ 등비수열이 수렴하도록 하는 b의 값 구하기

이때 $\lim_{n\to\infty}\left\{\frac{(b+1)^n}{a^{2n}}\right\}=\lim_{n\to\infty}\left(\frac{b+1}{9}\right)^n$이 수렴하려면

$-1<\frac{b+1}{9}\le1$, $-9<b+1\le9$

$\therefore -10<b\le8$

이때 $b>1$이므로 자연수 b는 2, 3, 4, 5, 6, 7, 8

따라서 b의 값의 합은 $2+3+4+5+6+7+8=35$

0092

수열
$$\{(x+2)(x^2-4x+3)^{n-1}\}$$
이 수렴하도록 하는 모든 정수 x의 합을 구하여라.

STEP A 등비수열 $\{ar^{n-1}\}$의 수렴 조건 $a=0$ 또는 $-1<r\le 1$ 구하기

$\{(x+2)(x^2-4x+3)^{n-1}\}$은 첫째항이 $x+2$, 공비가 x^2-4x+3인 등비수열이므로 이 수열이 수렴하기 위해서는 $x+2=0$ 또는 $-1<x^2-4x+3\le 1$을 만족해야 한다.

STEP B 모든 정수 x의 합 구하기

(ⅰ) $x+2=0$일 때,
$x=-2$인 경우 0으로 수렴한다.

(ⅱ) $-1<x^2-4x+3\le 1$일 때,
$x^2-4x+4>0$에서 $(x-2)^2>0$
$\therefore\ x\ne 2$인 모든 실수
$x^2-4x+2\le 0$에서 $2-\sqrt{2}\le x\le 2+\sqrt{2}$
$\therefore\ 2-\sqrt{2}\le x<2$ 또는 $2<x\le 2+\sqrt{2}$

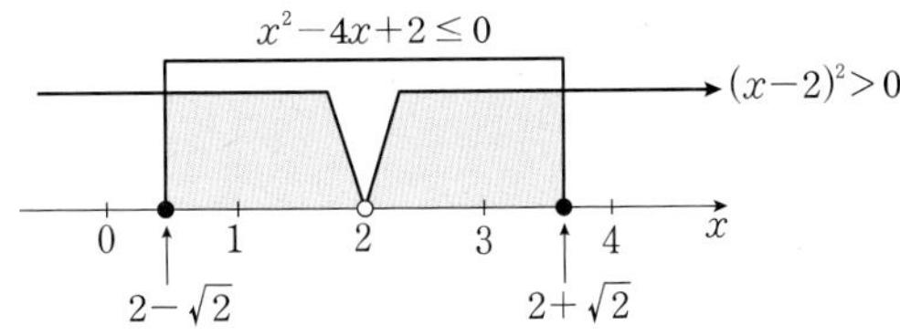

(ⅰ), (ⅱ)를 동시에 만족하는 정수 x는 -2, 1, 3이므로
모든 정수 x의 합은 $-2+1+3=2$

0093

다음 물음에 답하여라.

(1) 이차함수 $f(x)=2x^2-2nx+\frac{1}{2}n^2+6n+1(n=1,\ 2,\ 3,\ \cdots)$의 그래프의 꼭짓점의 좌표를 $\mathrm{P}_n(x_n,\ y_n)$이라 할 때, $\lim_{n\to\infty}\frac{y_n}{x_n}$의 값은?

① $\frac{1}{2}$ ② 2 ③ 6
④ 12 ⑤ 14

STEP A 이차함수 $y=a(x-m)^2+n$꼴로 바꾸어 꼭짓점의 좌표 구하기

$f(x)=2x^2-2nx+\frac{1}{2}n^2+6n+1$
$=2\left(x-\frac{n}{2}\right)^2+6n+1$

즉 이차함수 $f(x)$의 꼭짓점의 좌표는 $\mathrm{P}_n\left(\frac{n}{2},\ 6n+1\right)$

STEP B 극한값 구하기

따라서 $x_n=\frac{n}{2}$, $y_n=6n+1$이므로

$$\lim_{n\to\infty}\frac{y_n}{x_n}=\lim_{n\to\infty}\frac{6n+1}{\frac{n}{2}}=\lim_{n\to\infty}\frac{12n+2}{n}=12$$

(2) 자연수 n에 대하여 이차함수 $f(x)=\sum_{k=1}^{n}\left(x-\frac{k}{n}\right)^2$의 최솟값을 a_n이라 할 때, $\lim_{n\to\infty}\frac{a_n}{n}$의 값은?

① $\frac{1}{12}$ ② $\frac{1}{6}$ ③ $\frac{1}{3}$
④ $\frac{1}{2}$ ⑤ 1

STEP A $\sum$의 성질과 자연수의 거듭제곱의 합을 이용하여 $f(x)$ 구하기

$$f(x)=\sum_{k=1}^{n}\left(x-\frac{k}{n}\right)^2$$
$$=\sum_{k=1}^{n}\left(x^2-\frac{2k}{n}x+\frac{k^2}{n^2}\right)$$
$$=nx^2-\frac{2}{n}\cdot\frac{n(n+1)}{2}x+\frac{n(n+1)(2n+1)}{6n^2}$$
$$=nx^2-(n+1)x+\frac{(n+1)(2n+1)}{6n}$$
$$=n\left(x-\frac{n+1}{2n}\right)^2+\frac{(n+1)(2n+1)}{6n}-\frac{(n+1)^2}{4n}$$

STEP B 이차함수의 최솟값 a_n 구하여 극한값 구하기

이차함수 $f(x)$의 최솟값은 $x=\frac{n+1}{2n}$일 때의 값이므로

$$a_n=\frac{(n+1)(2n+1)}{6n}-\frac{(n+1)^2}{4n}$$
$$=\frac{2(n+1)(2n+1)-3(n+1)^2}{12n}$$
$$=\frac{n^2-1}{12n}$$

따라서 $\lim_{n\to\infty}\frac{a_n}{n}=\lim_{n\to\infty}\frac{n^2-1}{12n^2}=\frac{1}{12}$

0094

다음 물음에 답하여라.

(1) 자연수 n에 대하여 점 $(2n,\ 0)$을 지나고 원 $x^2+y^2=n^2$에 접하는 직선의 y절편을 a_n이라 할 때, 극한값 $\lim_{n\to\infty}\frac{a_n}{n+1}$의 값은? (단, $a_n>0$)

① $\frac{2\sqrt{3}}{3}$ ② $\frac{\sqrt{3}}{3}$ ③ $\frac{3\sqrt{2}}{2}$
④ $\frac{4\sqrt{2}}{3}$ ⑤ $\frac{4\sqrt{3}}{3}$

STEP A 점과 직선 사이의 거리를 이용하여 접선의 y절편 a_n 구하기

접선의 방정식을 $y=k(x-2n)$(k는 상수)이라 하면
접선의 y절편은 $-2kn$이고 $a_n>0$이므로 $k<0$

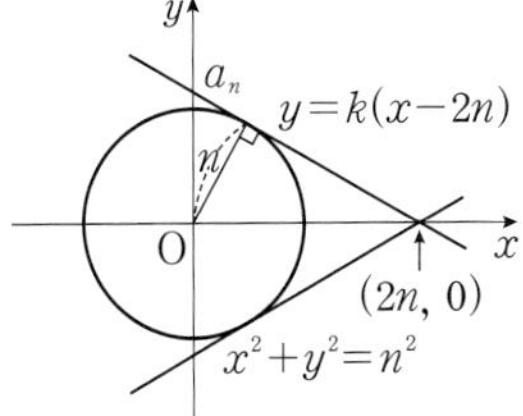

이때 원점과 접선 사이의 거리는 원의 반지름의 길이와 같으므로

$\frac{|2kn|}{\sqrt{k^2+1}}=n$, $|2kn|=n\sqrt{k^2+1}$

양변을 제곱하여 정리하면
$4k^2n^2=n^2(k^2+1)$, $3k^2=1$

그런데 $k<0$이므로 $k=-\frac{\sqrt{3}}{3}$

즉 접선의 y절편 $a_n=-2kn=\frac{2\sqrt{3}}{3}n$

STEP B 극한값 구하기

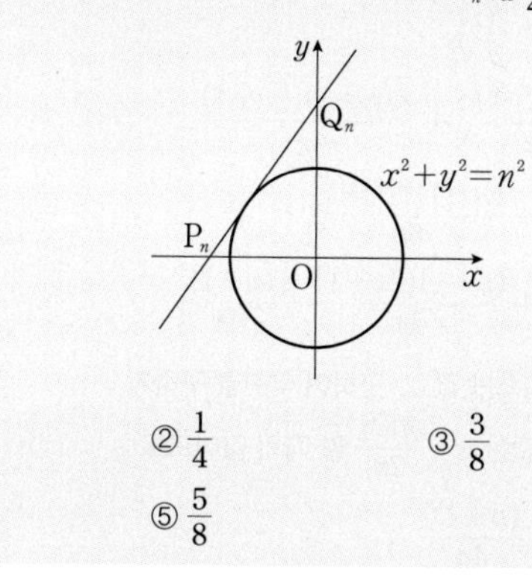

따라서 $a_n=\frac{2\sqrt{3}}{3}n$이므로 $\lim_{n\to\infty}\frac{a_n}{n+1}=\lim_{n\to\infty}\frac{\frac{2\sqrt{3}}{3}n}{n+1}=\lim_{n\to\infty}\frac{\frac{2\sqrt{3}}{3}}{1+\frac{1}{n}}=\frac{2\sqrt{3}}{3}$

(2) 좌표평면에서 자연수 n에 대하여 기울기가 n이고 y절편이 양수인 직선이 원 $x^2+y^2=n^2$에 접할 때, 이 직선이 x축, y축과 만나는 점을 각각 P_n, Q_n이라 하자. $l_n=\overline{\mathrm{P}_n\mathrm{Q}_n}$이라 할 때, $\lim_{n\to\infty}\frac{l_n}{2n^2}$의 값은?

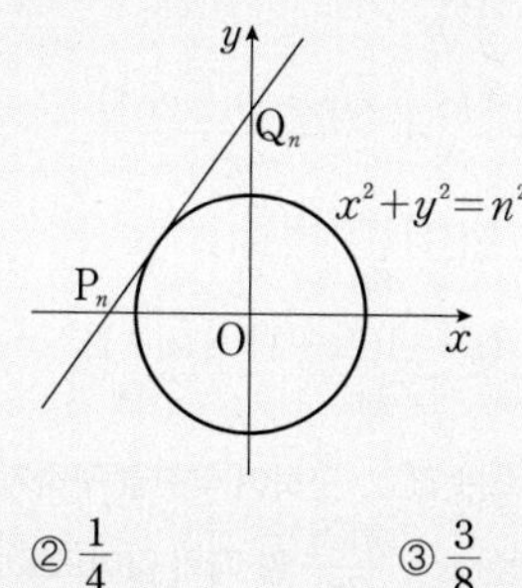

① $\frac{1}{8}$　② $\frac{1}{4}$　③ $\frac{3}{8}$　④ $\frac{1}{2}$　⑤ $\frac{5}{8}$

STEP Ⓐ 점과 직선 사이의 거리를 이용하여 접선의 방정식 구하기

기울기가 n이고 원에 접하는 접선의 방정식을 $y=nx+k\,(k>0)$이라 하면 원의 접선 $nx-y+k=0$과 원의 중심 $(0,\ 0)$ 사이의 거리는 n이므로

$n=\frac{|k|}{\sqrt{n^2+1}}$에서 $|k|=n\sqrt{n^2+1}$

$\therefore k=n\sqrt{n^2+1}\ (\because k>0)$

즉 접선의 방정식은 $y=nx+n\sqrt{n^2+1}$

STEP Ⓑ 두 점 P_n, Q_n의 좌표를 구하여 l_n 구하기

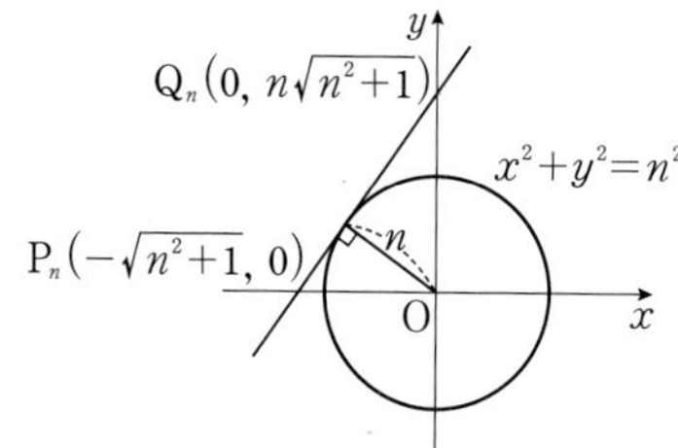

점 P_n은 접선의 x절편이므로 $y=0$일 때,

$0=nx+n\sqrt{n^2+1}$에서 $x=-\sqrt{n^2+1}$　$\therefore \mathrm{P}_n(-\sqrt{n^2+1},\ 0)$

마찬가지로 점 Q_n은 접선의 y절편이므로 $x=0$일 때,

$y=n\sqrt{n^2+1}$　$\therefore \mathrm{Q}_n(0,\ n\sqrt{n^2+1})$

$$l_n=\overline{\mathrm{P}_n\mathrm{Q}_n}=\sqrt{(\sqrt{n^2+1})^2+(n\sqrt{n^2+1})^2}$$
$$=\sqrt{n^4+2n^2+1}$$
$$=\sqrt{(n^2+1)^2}$$
$$=n^2+1$$

STEP Ⓒ 극한값 구하기

따라서 $\lim_{n\to\infty}\frac{l_n}{2n^2}=\lim_{n\to\infty}\frac{n^2+1}{2n^2}=\lim_{n\to\infty}\frac{1+\frac{1}{n^2}}{2}=\frac{1}{2}$

0095

다음 물음에 답하여라.

(1) 자연수 n에 대하여 직선 $x=2n$이 직선 $y=\frac{1}{n}x$ 및 x축과 만나는 점을 각각 P_n, Q_n이라 하자. 삼각형 $\mathrm{OP}_n\mathrm{Q}_n$에 내접하는 원의 중심의 y좌표를 a_n이라 할 때, $\lim_{n\to\infty}a_n$의 값은? (단, O는 원점이다.)

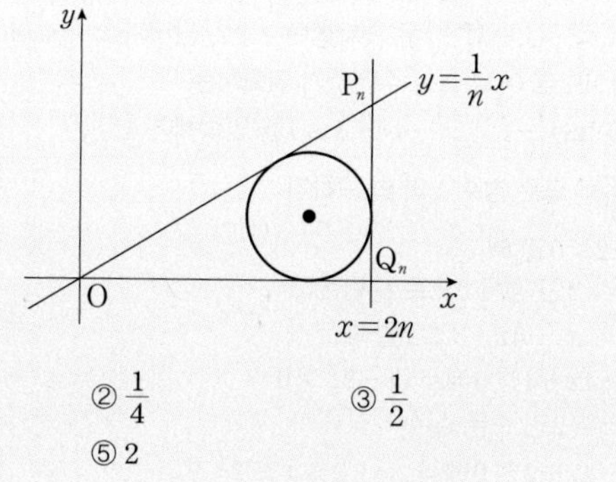

① $\frac{1}{6}$　② $\frac{1}{4}$　③ $\frac{1}{2}$　④ 1　⑤ 2

STEP Ⓐ 삼각형 $\mathrm{OP}_n\mathrm{Q}_n$에 내접하는 원의 반지름 구하기

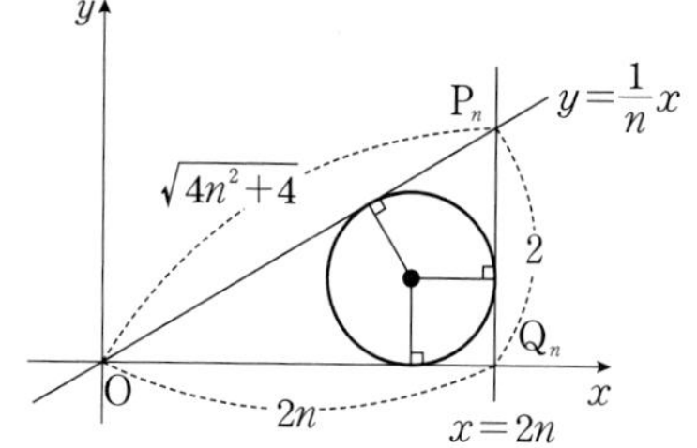

그림과 같이 삼각형 $\mathrm{OP}_n\mathrm{Q}_n$은 직각삼각형이고 점 P_n의 좌표는 $(2n,\ 2)$이므로 이 삼각형에 내접하는 원의 반지름의 길이를 r_n이라 하면

삼각형 $\mathrm{OP}_n\mathrm{Q}_n$의 넓이를 구하는 식에서

$\frac{1}{2}\overline{\mathrm{OQ}_n}\times\overline{\mathrm{P}_n\mathrm{Q}_n}=\frac{1}{2}\times r_n\times(\overline{\mathrm{OQ}_n}+\overline{\mathrm{P}_n\mathrm{Q}_n}+\overline{\mathrm{OP}_n})$

$\frac{1}{2}\times 2n\times 2=\frac{1}{2}\times r_n\times(2n+2+\sqrt{4n^2+4})$

$2n=r_n\times(n+1+\sqrt{n^2+1})$

$\therefore r_n=\frac{2n}{n+1+\sqrt{n^2+1}}$

STEP Ⓑ $\lim_{n\to\infty}a_n$의 값 구하기

원의 중심의 y좌표는 r_n과 같으므로 $a_n=\frac{2n}{n+1+\sqrt{n^2+1}}$

따라서 $\lim_{n\to\infty}a_n=\lim_{n\to\infty}\frac{2n}{n+1+\sqrt{n^2+1}}$

$$=\lim_{n\to\infty}\frac{2}{1+\frac{1}{n}+\sqrt{1+\frac{1}{n^2}}}$$
$$=\frac{2}{1+0+\sqrt{1+0}}=1$$

(2) 좌표평면에서 자연수 n에 대하여 두 직선 $y=\frac{1}{n}x$와 $x=n$이 만나는 점을 A_n, 직선 $x=n$과 x축이 만나는 점을 B_n이라 하자.
삼각형 $\mathrm{A}_n\mathrm{OB}_n$에 내접하는 원의 중심을 C_n이라 하고, 삼각형 $\mathrm{A}_n\mathrm{OC}_n$의 넓이를 S_n이라 하자. $\lim_{n\to\infty}\frac{S_n}{n}$의 값은?

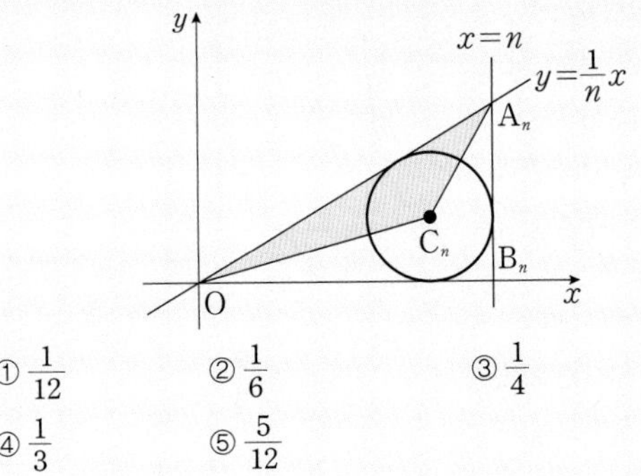

① $\frac{1}{12}$ ② $\frac{1}{6}$ ③ $\frac{1}{4}$
④ $\frac{1}{3}$ ⑤ $\frac{5}{12}$

STEP Ⓐ 삼각형 $\mathrm{A}_n\mathrm{OB}_n$에 내접하는 원의 반지름 구하기

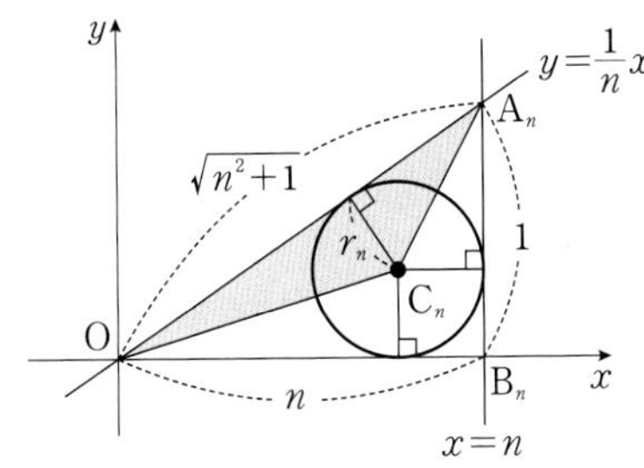

삼각형 $\mathrm{A}_n\mathrm{OB}_n$에 내접하는 원의 반지름의 길이를 r_n이라 하면
$\mathrm{A}_n(n, 1)$, $\mathrm{B}_n(n, 0)$, $\overline{\mathrm{OA}_n}=\sqrt{n^2+1}$
$\triangle\mathrm{A}_n\mathrm{OB}_n=\triangle\mathrm{A}_n\mathrm{OC}_n+\triangle\mathrm{C}_n\mathrm{OB}_n+\triangle\mathrm{A}_n\mathrm{C}_n\mathrm{B}_n$
$\frac{1}{2}\times n\times 1=\frac{1}{2}\times\sqrt{n^2+1}\times r_n+\frac{1}{2}\times n\times r_n+\frac{1}{2}\times 1\times r_n$
$(\sqrt{n^2+1}+n+1)r_n=n$
$\therefore\ r_n=\frac{n}{\sqrt{n^2+1}+n+1}$

STEP Ⓑ S_n 구하기

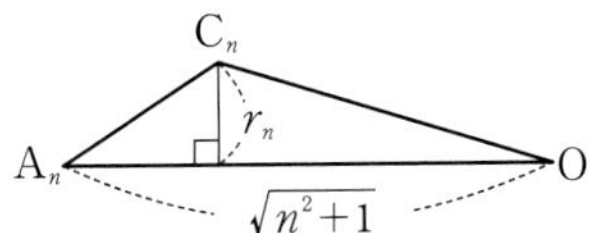

삼각형 $\mathrm{A}_n\mathrm{OC}_n$의 넓이를 S_n이라 하면

$$S_n=\frac{1}{2}\times\overline{\mathrm{OA}_n}\times r_n$$
$$=\frac{1}{2}\times\sqrt{n^2+1}\times\frac{n}{\sqrt{n^2+1}+n+1}$$
$$=\frac{n\sqrt{n^2+1}}{2(\sqrt{n^2+1}+n+1)}$$

STEP Ⓒ 극한값 구하기

따라서 $\lim_{n\to\infty}\frac{S_n}{n}=\lim_{n\to\infty}\frac{n\sqrt{n^2+1}}{2n(\sqrt{n^2+1}+n+1)}$

$$=\lim_{n\to\infty}\frac{\sqrt{n^2+1}}{2(\sqrt{n^2+1}+n+1)}$$
$$=\lim_{n\to\infty}\frac{\sqrt{1+\frac{1}{n^2}}}{2\left(\sqrt{1+\frac{1}{n^2}}+1+\frac{1}{n}\right)}$$
$$=\frac{1}{2(1+1)}=\frac{1}{4}$$

원 밖의 점에서 원에 그은 접선의 길이가 같음을 이용하여 원의 반지름 구하기

내접원의 반지름의 길이를 r_n이라 하면
원 밖의 한 점에서 원에 그은 두 접선의 길이는 같으므로 다음 그림과 같이 선분의 길이를 정하면

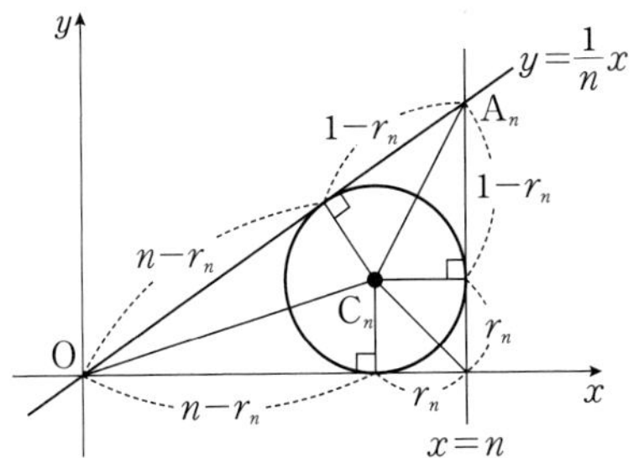

$\overline{\mathrm{OA}_n}=\sqrt{n^2+1}$이므로 $\sqrt{n^2+1}=(n-r_n)+(1-r_n)=n+1-2r_n$
$\therefore\ r_n=\frac{(n+1)-\sqrt{n^2+1}}{2}$

$$S_n=\frac{1}{2}\times\overline{\mathrm{OA}_n}\times r_n=\frac{1}{2}\times\sqrt{n^2+1}\times\frac{(n+1)-\sqrt{n^2+1}}{2}$$
$$=\frac{(n+1-\sqrt{n^2+1})\sqrt{n^2+1}}{4}$$

따라서 $\lim_{n\to\infty}\frac{S_n}{n}=\lim_{n\to\infty}\frac{(n+1-\sqrt{n^2+1})\sqrt{n^2+1}}{4n}$

$$=\lim_{n\to\infty}\frac{\sqrt{n^2+1}}{2(n+1+\sqrt{n^2+1})}=\frac{1}{4}$$

내접원의 반지름 구하기
삼각형 ABC에 내접원 중심이 I, 내접하는 원의 반지름의 길이를 r, 세 변의 길이가 각각 a, b, c이고 넓이가 S일 때, $\triangle$ABC의 넓이는 세 삼각형 $\triangle$ABI, $\triangle$BCI, $\triangle$CAI의 넓이의 합과 같다.

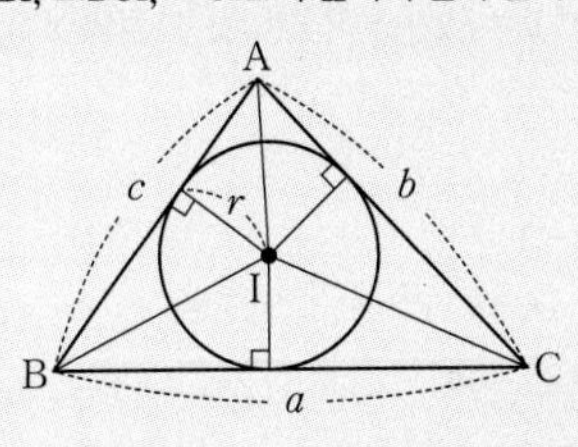

$S=\frac{1}{2}ar+\frac{1}{2}br+\frac{1}{2}cr=\frac{1}{2}(a+b+c)r\quad\therefore\ r=\frac{2S}{a+b+c}$

0096

다음 물음에 답하여라.
(1) 자연수 n에 대하여 원 $x^2+y^2=4n^2$과 직선 $y=\sqrt{n}$이 제 1사분면에서 만나는 점의 x좌표를 a_n이라 할 때, $\lim_{n\to\infty}(2n-a_n)$의 값은?

① $\frac{1}{8}$ ② $\frac{1}{6}$ ③ $\frac{1}{4}$
④ $\frac{1}{3}$ ⑤ $\frac{1}{2}$

STEP Ⓐ 교점의 x좌표 a_n 구하기

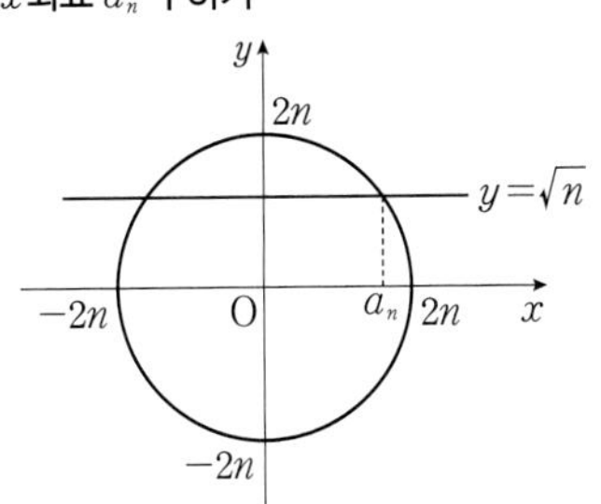

점 $(a_n, \sqrt{n})$이 원 $x^2+y^2=4n^2$ 위의 점이므로 $(a_n)^2+(\sqrt{n})^2=4n^2$
$a_n>0$이므로 $a_n=\sqrt{4n^2-n}$

STEP B 분자를 유리화하고 분모, 분자를 각각 n으로 나누어 극한값 구하기

따라서 $\lim_{n\to\infty}(2n-a_n)=\lim_{n\to\infty}(2n-\sqrt{4n^2-n})$

$$=\lim_{n\to\infty}\frac{(2n-\sqrt{4n^2-n})(2n+\sqrt{4n^2-n})}{2n+\sqrt{4n^2-n}}$$

$$=\lim_{n\to\infty}\frac{n}{2n+\sqrt{4n^2-2n}}$$

$$=\lim_{n\to\infty}\frac{1}{2+\sqrt{4-\frac{2}{n}}}$$

$$=\frac{1}{4}$$

(2) 좌표평면에서 자연수 n에 대하여 원 $x^2+y^2=n^2$과 곡선 $y=\sqrt{x+n}$이 만나는 두 점 사이의 거리를 a_n, 원의 지름의 길이를 b_n이라 할 때, $\lim_{n\to\infty}(b_n-a_n)$의 값은?

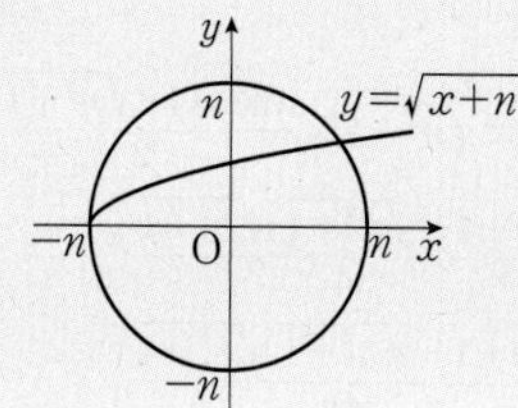

① $\frac{1}{6}$ ② $\frac{1}{3}$ ③ $\frac{1}{2}$
④ $\frac{2}{3}$ ⑤ $\frac{5}{6}$

STEP A 원과 곡선의 교점의 좌표를 구하여 a_n, b_n 구하기

원 $x^2+y^2=n^2$과 곡선 $y=\sqrt{x+n}$이 만나는 교점의 x좌표는

$x^2+(\sqrt{x+n})^2=n^2$, $x^2+x+n-n^2=0$

$(x+n)(x-n+1)=0$

$\therefore x=-n$ 또는 $x=n-1$

이때 두 점은 $(-n, 0)$, $(n-1, \sqrt{2n-1})$이므로

두 점 사이의 거리는 $a_n=\sqrt{(n-1+n)^2+(\sqrt{2n-1})^2}=\sqrt{4n^2-2n}$

원의 지름의 길이는 $b_n=2n$

STEP B 분모를 1로 보고 분자를 유리화하여 $\lim_{n\to\infty}(b_n-a_n)$의 값 구하기

따라서 $\lim_{n\to\infty}(b_n-a_n)=\lim_{n\to\infty}(2n-\sqrt{4n^2-2n})$

$$=\lim_{n\to\infty}\frac{(2n-\sqrt{4n^2-2n})(2n+\sqrt{4n^2-2n})}{2n+\sqrt{4n^2-2n}}$$

$$=\lim_{n\to\infty}\frac{2n}{2n+\sqrt{4n^2-2n}}$$

$$=\lim_{n\to\infty}\frac{2}{2+\sqrt{4-\frac{2}{n}}}$$

$$=\frac{1}{2}$$

0097

자연수 n에 대하여 직선 $y=n$과 함수 $y=\tan x$의 그래프가 제 1사분면에서 만나는 점의 x좌표를 작은 수부터 크기순으로 나열할 때, n번째 수를 a_n이라 하자 $\lim_{n\to\infty}\frac{a_n}{n}$의 값은?

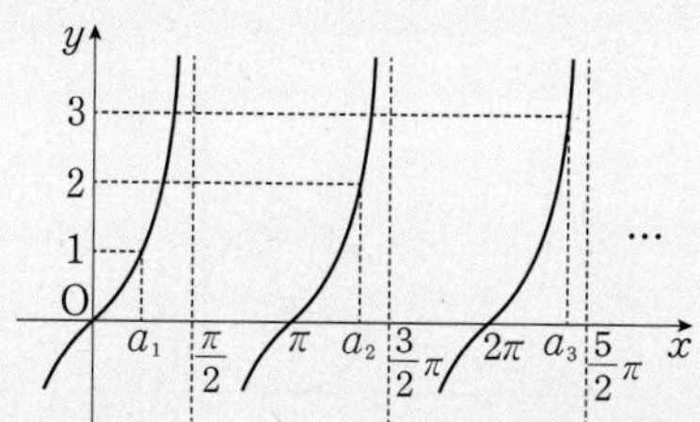

① $\frac{\pi}{4}$ ② $\frac{\pi}{2}$ ③ $\frac{3}{4}\pi$
④ π ⑤ $\frac{5}{4}\pi$

STEP A a_n의 값의 범위 구하기

주어진 그래프에서 a_1, a_2, a_3, …의 값의 범위를 구하면

$0<a_1<\frac{\pi}{2}$

$\pi<a_2<\frac{3}{2}\pi$

$2\pi<a_3<\frac{5}{2}\pi$

⋮

$(n-1)\pi<a_n<(n-1)\pi+\frac{\pi}{2}$

$\therefore (n-1)\pi<a_n<\frac{(2n-1)\pi}{2}$

STEP B $\lim_{n\to\infty}\frac{a_n}{n}$의 값 구하기

부등식의 각 변에 $\frac{1}{n}$을 곱하면

$\frac{(n-1)\pi}{n}<\frac{a_n}{n}<\frac{(2n-1)\pi}{2n}$

이때 $\lim_{n\to\infty}\frac{(n-1)\pi}{n}=\lim_{n\to\infty}\frac{(2n-1)\pi}{2n}=\pi$

따라서 수열의 극한값의 대소 관계에 의하여 $\lim_{n\to\infty}\frac{a_n}{n}=\pi$

다른풀이 $y=\tan\theta$의 그래프를 이용하여 풀이하기

$y=\tan x$의 주기가 π이고 $\frac{(n-1)\pi}{2}$(n은 정수)마다 점근선이 있으므로

다음 그림에서와 같이 $\lim_{n\to\infty}\{a_n-(n-1)\pi\}=\frac{\pi}{2}$

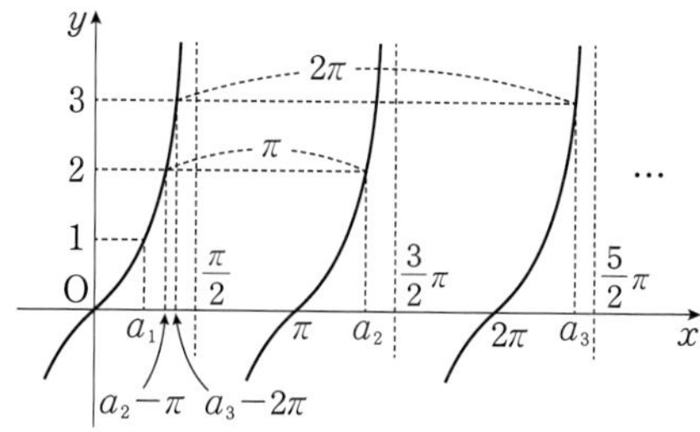

따라서 $\lim_{n\to\infty}\frac{a_n}{n}=\lim_{n\to\infty}\frac{\{a_n-(n-1)\pi+(n-1)\pi\}}{n}$

$$=\lim_{n\to\infty}\frac{\left\{\frac{\pi}{2}+(n-1)\pi\right\}}{n}$$

$$=\pi$$

0098

서술형

n이 자연수일 때, 이차방정식 $x^2-3x+n-\sqrt{n^2+2n}=0$의 두 근을 α_n, β_n이라할 때, $\lim_{n\to\infty}\left(\frac{1}{\alpha_n}+\frac{1}{\beta_n}\right)$의 값을 구하는 과정을 다음 단계로 서술하여라.

[1단계] 이차방정식의 근과 계수의 관계에 의하여 $\alpha_n+\beta_n$, $\alpha_n\beta_n$의 값을 구한다.

[2단계] $\frac{1}{\alpha_n}+\frac{1}{\beta_n}$을 n에 관한 식으로 정리한다.

[3단계] $\lim_{n\to\infty}\left(\frac{1}{\alpha_n}+\frac{1}{\beta_n}\right)$의 값을 구한다.

1단계	이차방정식의 근과 계수의 관계에 의하여 $\alpha_n+\beta_n$, $\alpha_n\beta_n$의 값을 구한다.	◀ 30%

이차방정식 $x^2-3x+n-\sqrt{n^2+2n}=0$의 두 근이 α_n, β_n이므로
이차방정식의 근과 계수의 관계에 의하여
$\alpha_n+\beta_n=3$, $\alpha_n\beta_n=n-\sqrt{n^2+2n}$

2단계	$\frac{1}{\alpha_n}+\frac{1}{\beta_n}$을 n에 관한 식으로 정리한다.	◀ 20%

$$\frac{1}{\alpha_n}+\frac{1}{\beta_n}=\frac{\alpha_n+\beta_n}{\alpha_n\beta_n}=\frac{3}{n-\sqrt{n^2+2n}}$$

3단계	$\lim_{n\to\infty}\left(\frac{1}{\alpha_n}+\frac{1}{\beta_n}\right)$의 값을 구한다.	◀ 50%

$$\begin{aligned}\lim_{n\to\infty}\left(\frac{1}{\alpha_n}+\frac{1}{\beta_n}\right)&=\lim_{n\to\infty}\frac{3}{n-\sqrt{n^2+2n}}\\&=\lim_{n\to\infty}\frac{3(n+\sqrt{n^2+2n})}{(n-\sqrt{n^2+2n})(n+\sqrt{n^2+2n})}\\&=\lim_{n\to\infty}\frac{3(n+\sqrt{n^2+2n})}{-2n}\\&=\lim_{n\to\infty}\frac{3\left(1+\sqrt{1+\frac{2}{n}}\right)}{-2}\\&=-3\end{aligned}$$

0099

서술형

자연수 n에 대하여 직선 $y=nx$와 곡선 $y=\frac{1}{x}$이 만나는 서로 다른 두 점 사이의 거리를 a_n이라 할 때, $\lim_{n\to\infty}(\sqrt{n+1}\,a_{n+1}-\sqrt{n}\,a_n)$의 값을 구하는 과정을 다음 단계로 서술하여라.

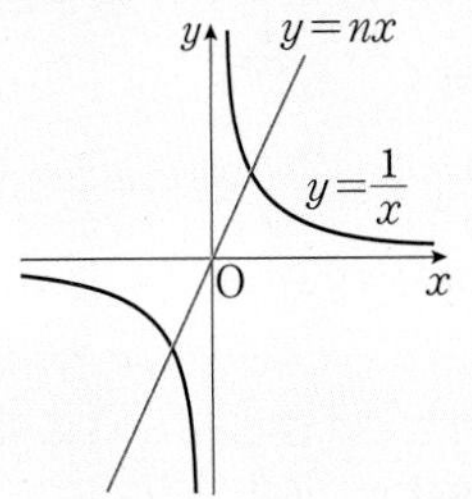

[1단계] 곡선과 직선의 교점의 좌표를 구하여 두 점 사이의 거리 a_n을 구한다.

[2단계] $\sqrt{n}\,a_n$, $\sqrt{n+1}\,a_{n+1}$을 n에 관한 식으로 나타낸다.

[3단계] 분모를 1로 보고 분자를 유리화하여 극한값 $\lim_{n\to\infty}(\sqrt{n+1}\,a_{n+1}-\sqrt{n}\,a_n)$을 구한다.

1단계	곡선과 직선의 교점의 좌표를 구하여 두 점 사이의 거리 a_n을 구한다.	◀ 40%

직선 $y=nx$와 곡선 $y=\frac{1}{x}$이 만나는 점의 x좌표는 $nx=\frac{1}{x}$,

즉 $x^2=\frac{1}{n}$에서 $x=-\frac{\sqrt{n}}{n}$ 또는 $x=\frac{\sqrt{n}}{n}$

두 점 $\left(-\frac{\sqrt{n}}{n}, -\sqrt{n}\right)$, $\left(\frac{\sqrt{n}}{n}, \sqrt{n}\right)$ 사이의 거리 a_n은

$$a_n=\sqrt{\left(\frac{2\sqrt{n}}{n}\right)^2+(2\sqrt{n})^2}=2\sqrt{\frac{1}{n}+n}=\frac{2\sqrt{1+n^2}}{\sqrt{n}}$$

2단계	$\sqrt{n}\,a_n$, $\sqrt{n+1}\,a_{n+1}$을 n에 관한 식으로 나타낸다.	◀ 20%

즉 $\sqrt{n}\,a_n=2\sqrt{n^2+1}$이므로
$\sqrt{n+1}\,a_{n+1}=2\sqrt{(n+1)^2+1}=2\sqrt{n^2+2n+2}$

3단계	분모를 1로 보고 분자를 유리화하여 극한값 $\lim_{n\to\infty}(\sqrt{n+1}\,a_{n+1}-\sqrt{n}\,a_n)$을 구한다.	◀ 40%

$$\begin{aligned}&\lim_{n\to\infty}(\sqrt{n+1}a_{n+1}-\sqrt{n}\,a_n)\\&=2\lim_{n\to\infty}(\sqrt{n^2+2n+2}-\sqrt{n^2+1})\\&=2\lim_{n\to\infty}\frac{2n+1}{\sqrt{n^2+2n+2}+\sqrt{n^2+1}}\\&=2\lim_{n\to\infty}\frac{2+\frac{1}{n}}{\sqrt{1+\frac{2}{n}+\frac{2}{n^2}}+\sqrt{1+\frac{1}{n^2}}}\\&=2\times\frac{2}{1+1}\\&=2\end{aligned}$$

0100

서술형

수열 $\{a_n\}$이 모든 자연수 n에 대하여

$$\frac{1}{\sqrt{n+2}+\sqrt{n+3}}<a_n<\frac{1}{\sqrt{n+1}+\sqrt{n+2}}$$

을 만족시킬 때, $\lim_{n\to\infty}\frac{a_1+a_2+a_3+\cdots+a_n}{\sqrt{n+1}}$의 극한값을 구하는 과정을 다음 단계로 서술하여라.

[1단계] $\frac{1}{\sqrt{n+2}+\sqrt{n+3}}<a_n<\frac{1}{\sqrt{n+1}+\sqrt{n+2}}$에서 양 끝 변의 분모를 유리화하여 부등식에 $n=1, 2, 3, \cdots$을 차례대로 대입하여 각 변끼리 더하여 $a_1+a_2+a_3+\cdots+a_n$의 범위를 구한다.

[2단계] 1단계에서 구한 범위의 양변을 $\sqrt{n+1}$로 나누어 $\lim_{n\to\infty}\frac{a_1+a_2+a_3+\cdots+a_n}{\sqrt{n+1}}$의 범위를 구한다.

[3단계] 수열의 극한의 대소 관계를 이용하여 $\lim_{n\to\infty}\frac{a_1+a_2+a_3+\cdots+a_n}{\sqrt{n+1}}$의 극한값을 구한다.

1단계 $\frac{1}{\sqrt{n+2}+\sqrt{n+3}}<a_n<\frac{1}{\sqrt{n+1}+\sqrt{n+2}}$에서 양 끝 변의 분모를 유리화하여 부등식에 $n=1, 2, 3, \cdots$을 차례대로 대입하여 각 변끼리 더하여 $a_1+a_2+a_3+\cdots+a_n$의 범위를 구한다. ◀ 50%

$\frac{1}{\sqrt{n+2}+\sqrt{n+3}}<a_n<\frac{1}{\sqrt{n+1}+\sqrt{n+2}}$에서

양 끝 변의 분모를 유리화하면

$\sqrt{n+3}-\sqrt{n+2}<a_n<\sqrt{n+2}-\sqrt{n+1}$

위의 부등식에 $n=1, 2, 3, \cdots$을 차례대로 대입하면

$\sqrt{4}-\sqrt{3}<a_1<\sqrt{3}-\sqrt{2}$,

$\sqrt{5}-\sqrt{4}<a_2<\sqrt{4}-\sqrt{3}$,

$\sqrt{6}-\sqrt{5}<a_3<\sqrt{5}-\sqrt{4}$,

$\vdots$

$\sqrt{n+3}-\sqrt{n+2}<a_n<\sqrt{n+2}-\sqrt{n+1}$

이때 각 변끼리 더하면

$\sqrt{n+3}-\sqrt{3}<a_1+a_2+a_3+\cdots+a_n<\sqrt{n+2}-\sqrt{2}$

2단계 1단계에서 구한 범위의 양변을 $\sqrt{n+1}$로 나누어 $\lim_{n\to\infty}\frac{a_1+a_2+a_3+\cdots+a_n}{\sqrt{n+1}}$의 범위를 구한다. ◀ 20%

$$\frac{\sqrt{n+3}-\sqrt{3}}{\sqrt{n+1}}<\frac{a_1+a_2+a_3+\cdots+a_n}{\sqrt{n+1}}<\frac{\sqrt{n+2}-\sqrt{2}}{\sqrt{n+1}}$$

3단계 수열의 극한의 대소 관계를 이용하여 $\lim_{n\to\infty}\frac{a_1+a_2+a_3+\cdots+a_n}{\sqrt{n+1}}$의 극한값을 구한다. ◀ 30%

이때 $\lim_{n\to\infty}\frac{\sqrt{n+3}-\sqrt{3}}{\sqrt{n+1}}=1$, $\lim_{n\to\infty}\frac{\sqrt{n+2}-\sqrt{2}}{\sqrt{n+1}}=1$이므로

수열의 극한의 대소 관계에 의하여

$$\lim_{n\to\infty}\frac{a_1+a_2+a_3+\cdots+a_n}{\sqrt{n+1}}=1$$

0101

서술형

수열 $\{a_n\}$에 대하여 이차함수 $y=x^2-3(n+1)x+a_n$의 그래프는 x축과 만나고, 이차함수 $y=x^2-3nx+a_n$의 그래프는 x축과 만나지 않는다. $\lim_{n\to\infty}\frac{a_n}{n^2}$의 값을 구하는 과정을 다음 단계로 서술하여라.

[1단계] 이차함수 $y=x^2-3(n+1)x+a_n$의 그래프는 x축과 만나도록 하는 a_n의 범위를 구한다.

[2단계] 이차함수 $y=x^2-3nx+a_n$의 그래프는 x축과 만나지 않도록 하는 a_n의 범위를 구한다.

[3단계] $\lim_{n\to\infty}\frac{a_n}{n^2}$의 값을 구한다.

[4단계] 구한 답이 문제의 뜻에 맞는지 확인한다.

1단계 이차함수 $y=x^2-3(n+1)x+a_n$의 그래프는 x축과 만나도록 하는 a_n의 범위를 구한다. ◀ 20%

이차함수 $y=x^2-3(n+1)x+a_n$의 그래프가 x축과 만나므로

이차방정식 $x^2-3(n+1)x+a_n=0$의 판별식을 D_1이라고 하면

$D_1=9(n+1)^2-4a_n\geq 0$

즉 $a_n\leq\frac{9(n+1)^2}{4}$ ...... ㉠

2단계 이차함수 $y=x^2-3nx+a_n$의 그래프는 x축과 만나지 않도록 하는 a_n의 범위를 구한다. ◀ 20%

이차함수 $y=x^2-3nx+a_n$의 그래프는 x축과 만나지 않으므로

이차방정식 $x^2-3nx+a_n=0$의 판별식을 D_2라고 하면

$D_2=9n^2-4a_n<0$

즉 $a_n>\frac{9n^2}{4}$ ...... ㉡

3단계 $\lim_{n\to\infty}\frac{a_n}{n^2}$의 값을 구한다. ◀ 20%

㉠, ㉡에서

$\frac{9n^2}{4}<a_n\leq\frac{9(n+1)^2}{4}$이므로 $\frac{9n^2}{4n^2}<\frac{a_n}{n^2}\leq\frac{9(n+1)^2}{4n^2}$에서

$\lim_{n\to\infty}\frac{9n^2}{4n^2}=\frac{9}{4}$이고 $\lim_{n\to\infty}\frac{9(n+1)^2}{4n^2}=\frac{9}{4}$

이므로 수열의 극한의 대소 관계에 의하여 $\lim_{n\to\infty}\frac{a_n}{n^2}=\frac{9}{4}$

4단계 구한 답이 문제의 뜻에 맞는지 확인한다. ◀ 40%

$\lim_{n\to\infty}\frac{a_n}{n^2}\neq\frac{9}{4}$이면 $\lim_{n\to\infty}\frac{a_n}{n^2}>\frac{9}{4}$ 또는 $\lim_{n\to\infty}\frac{a_n}{n^2}<\frac{9}{4}$

(ⅰ) $\lim_{n\to\infty}\frac{a_n}{n^2}>\frac{9}{4}$일 때,

이차방정식 $x^2-3(n+1)x+a_n=0$의 판별식을 D_1은

문제의 조건에 따라 $D_1=9(n+1)^2-4a_n\geq 0$

즉 $\frac{a_n}{n^2}\leq\frac{9(n+1)^2}{4n^2}$이므로 $\lim_{n\to\infty}\frac{a_n}{n^2}\leq\lim_{n\to\infty}\frac{9(n+1)^2}{4n^2}=\frac{9}{4}$

이것은 $\lim_{n\to\infty}\frac{a_n}{n^2}>\frac{9}{4}$라는 가정에 모순이다.

(ⅱ) $\lim_{n\to\infty}\frac{a_n}{n^2}<\frac{9}{4}$일 때,

이차방정식 $x^2-3nx+a_n=0$의 판별식을 D_2는

문제의 조건에 따라 $D_2=9n^2-4a_n<0$

즉 $\frac{a_n}{n^2}>\frac{9n^2}{4n^2}$이므로 $\lim_{n\to\infty}\frac{a_n}{n^2}\geq\lim_{n\to\infty}\frac{9n^2}{4n^2}=\frac{9}{4}$

이것은 $\lim_{n\to\infty}\frac{a_n}{n^2}<\frac{9}{4}$라는 가정에 모순이다.

따라서 (ⅰ), (ⅱ)에 의하여 $\lim_{n\to\infty}\frac{a_n}{n^2}=\frac{9}{4}$

0102

서술형

자연수 n에 대하여 다음 그림과 같이 기울기가 n이고 곡선 $y=x^2$에 접하는 직선이 x축, y축과 만나는 점을 각각 P_n, Q_n이라고 하자.

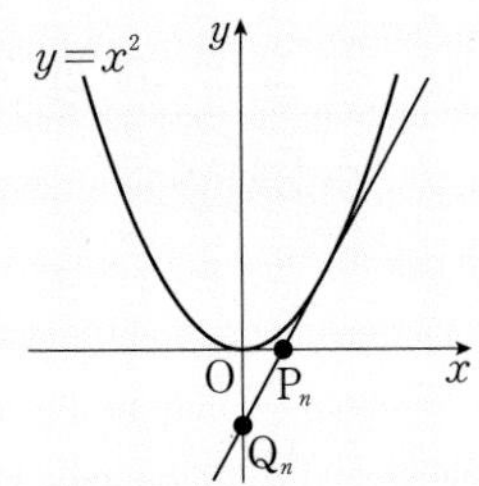

$l_n=\overline{P_nQ_n}$이라고 할 때, $\lim_{n\to\infty}\frac{l_n}{2n^2}$의 값을 구하는 과정을 다음 단계로 서술하여라.

[1단계] 기울기가 n이고 곡선 $y=x^2$에 접하는 직선의 방정식을 구한다.

[2단계] x축, y축과 만나는 점을 각각 P_n, Q_n이라 할 때, $l_n=\overline{P_nQ_n}$의 값을 구한다.

[3단계] $\lim_{n\to\infty}\frac{l_n}{2n^2}$의 값을 구한다.

1단계	기울기가 n이고 곡선 $y=x^2$에 접하는 직선의 방정식을 구한다.	◀ 50%

직선과 곡선의 접점의 좌표를 $(a,\ a^2)$이라고 하면

직선의 기울기는

$2a$이므로 $2a=n$, $a=\frac{n}{2}$ ← $f'(a)=2a$

즉 접점이 $\left(\frac{n}{2},\ \frac{n^2}{4}\right)$이고 기울기가 n인 접선의 방정식은

$y-\frac{n^2}{4}=n\left(x-\frac{n}{2}\right)$

즉 직선의 방정식은 $y=nx-\frac{n^2}{4}$

2단계	x축, y축과 만나는 점을 각각 P_n, Q_n이라 할 때, $l_n=\overline{P_nQ_n}$의 값을 구한다.	◀ 20%

$P_n\left(\frac{n}{4},\ 0\right)$, $Q_n\left(0,\ -\frac{n^2}{4}\right)$이므로

$l_n=\sqrt{\left(0-\frac{n}{4}\right)^2+\left(\frac{-n^2}{4}-0\right)^2}=\frac{n\sqrt{1+n^2}}{4}$

3단계	$\lim_{n\to\infty}\frac{l_n}{2n^2}$의 값을 구한다.	◀ 30%

따라서 $\lim_{n\to\infty}\frac{l_n}{2n^2}=\lim_{n\to\infty}\frac{n\sqrt{1+n^2}}{8n^2}=\lim_{n\to\infty}\frac{\sqrt{\frac{1}{n^2}+1}}{8}=\frac{1}{8}$

TOUGH

0103

다음은 첫째항이 2, 공비가 3인 등비수열 $\{a_n\}$에서

$\lim_{n\to\infty}\frac{a_1+a_2+a_3+\cdots+a_n}{a_n+a_{n+1}}$의 값을 구하는 과정이다.

(가), (나), (다)에 알맞은 식과 수를 각각 $f(n)$, $g(n)$, a라 하면 $af(3)g(2)$의 값을 구하여라.

등비수열 $\{a_n\}$의 첫째항이 2, 공비가 3이므로

$a_n=\boxed{(가)}$, $a_{n+1}=2\times 3^n$

$a_1+a_2+a_3+\cdots+a_n=\boxed{(나)}$

$\lim_{n\to\infty}\frac{a_1+a_2+a_3+\cdots+a_n}{a_n+a_{n+1}}=\lim_{n\to\infty}\frac{\boxed{(나)}}{\boxed{(가)}+2\times 3^n}$

$=\boxed{(다)}$

STEP A 빈칸 추론하기

등비수열 $\{a_n\}$의 첫째항이 2, 공비가 3이므로

$a_n=\boxed{2\times 3^{n-1}}$, $a_{n+1}=2\times 3^n$

$a_1+a_2+a_3+\cdots+a_n=\frac{2(3^n-1)}{3-1}=\boxed{3^n-1}$

$\lim_{n\to\infty}\frac{a_1+a_2+a_3+\cdots+a_n}{a_n+a_{n+1}}=\lim_{n\to\infty}\frac{\boxed{3^n-1}}{\boxed{2\times 3^{n-1}}+2\times 3^n}$

$=\lim_{n\to\infty}\frac{3-\frac{1}{3^{n-1}}}{2+2\times 3}=\boxed{\frac{3}{8}}$

STEP B $af(3)g(2)$의 값 구하기

따라서 $f(n)=2\times 3^{n-1}$, $g(n)=3^n-1$, $a=\frac{3}{8}$이므로

$af(3)g(2)=\frac{3}{8}\times(2\times 3^{3-1})\times(3^2-1)=\frac{3}{8}\times 18\times 8=54$

0104

다음 그림과 같이 좌표평면 위에 두 점 O$(0, 0)$, A$(2, 0)$과 직선 $y=2$ 위를 움직이는 점 P$(t, 2)$가 있다. 선분 AP와 직선 $y=\frac{1}{2}x$가 만나는 점을 Q라고 하자. △QOA의 넓이가 △POA의 넓이의 $\frac{1}{3}$일 때 t의 값을 t_1, $\frac{1}{2}$일 때 t의 값을 t_2, $\frac{n}{n+2}$일 때 t의 값을 t_n이라고 하자.
이때 $\lim_{n\to\infty} t_n$의 값을 구하여라.

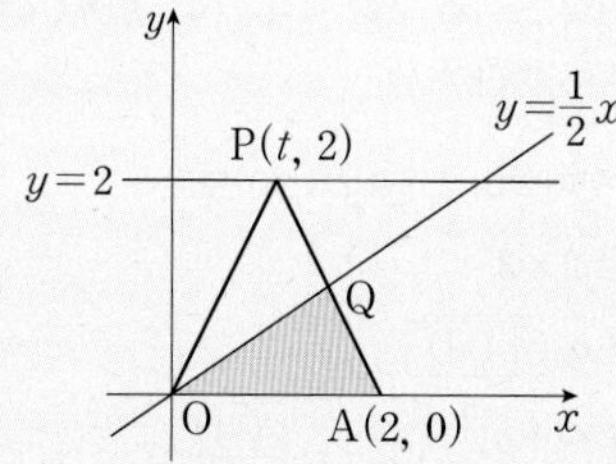

STEP A 삼각형 QOA의 넓이가 삼각형 POA의 넓이의 $\frac{n}{n+2}$일 때, 점 Q의 좌표 구하기

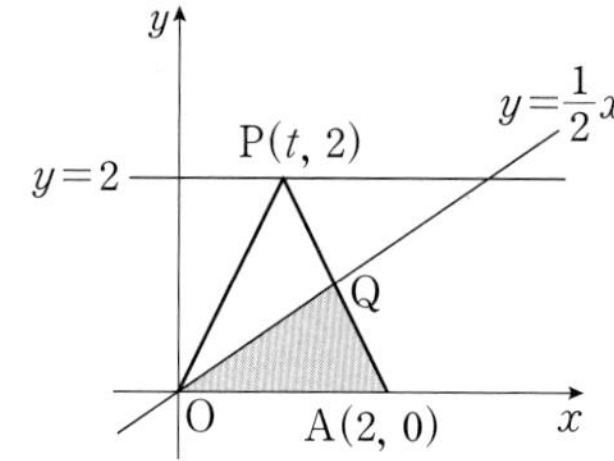

△POA$=\frac{1}{2}\cdot 2\cdot 2=2$이고 삼각형 QOA의 넓이가 삼각형 POA의 넓이의 $\frac{n}{n+2}$일 때, t의 값이 t_n이므로
두 점 P, Q의 좌표를 P$(t_n, 2)$, Q(x_n, y_n)라 하면

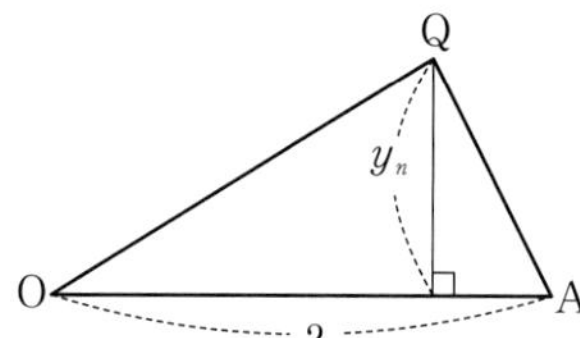

$$\triangle\text{QOA}=\frac{n}{n+2}\triangle\text{POA}$$

$$\frac{1}{2}\times 2\times y_n=\frac{n}{n+2}\times 2$$

$$\therefore y_n=\frac{2n}{n+2}$$

$y=\frac{1}{2}x$에 대입하면

$$x_n=2\times\frac{2n}{n+2}=\frac{4n}{n+2} \quad \therefore \text{Q}\left(\frac{4n}{n+2}, \frac{2n}{n+2}\right)$$

STEP B t_n 구하기

두 점 A$(2, 0)$, Q$\left(\frac{4n}{n+2}, \frac{2n}{n+2}\right)$을 지나는 직선의 방정식은

$$y-0=\frac{\frac{2n}{n+2}-0}{\frac{4n}{n+2}-2}(x-2)$$

$$\therefore y=\frac{n}{n-2}(x-2)$$

이 직선이 점 P$(t_n, 2)$를 지나므로 $2=\frac{n}{n-2}(t_n-2)$

$$t_n=\frac{2n-4}{n}+2=\frac{4n-4}{n}$$

STEP C 극한값 구하기

따라서 $\lim_{n\to\infty} t_n=\lim_{n\to\infty}\frac{4n-4}{n}=4$

다른풀이 $\lim_{n\to\infty}\frac{n}{n+2}=1$이 되는 점의 좌표 구하여 풀이하기

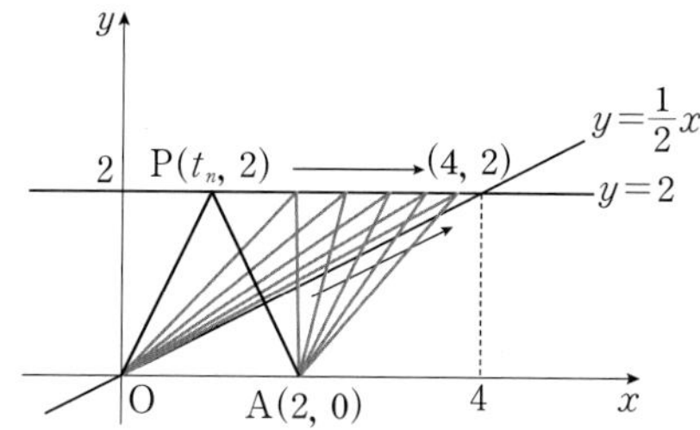

삼각형 QOA의 넓이가 삼각형 POA의 넓이의 $\frac{n}{n+2}$이므로

$$\triangle\text{QOA}=\frac{n}{n+2}\triangle\text{POA}$$

즉 $\frac{\triangle\text{QOA}}{\triangle\text{POA}}=\frac{n}{n+2}$이므로 점 Q는 $\overline{\text{AP}}$를 $n:2$로 내분하는 점이다.

즉 Q$\left(\frac{nt_n+4}{n+2}, \frac{2n}{n+2}\right)$

따라서 $n\to\infty$일 때, Q$\to(t_n, 2)$이므로 두 점 P, Q는 모두 점 $(4, 2)$로 수렴하므로 $\lim_{n\to\infty} t_n=4$

0105

첫째항이 1이고 공차가 6인 등차수열 $\{a_n\}$에 대하여

$$S_n=a_1+a_2+a_3+\cdots+a_n$$
$$T_n=-a_1+a_2-a_3+\cdots+(-1)^n a_n$$

이라 할 때, $\lim_{n\to\infty}\frac{a_{2n}T_{2n}}{S_{2n}}$의 값을 구하여라.

STEP A 등차수열에서 a_n, S_n, T_n을 각각 구하기

등차수열 $\{a_n\}$의 일반항은 $a_n=1+(n-1)\cdot 6=6n-5$

$\therefore a_{2n}=12n-5$

$$S_n=\sum_{k=1}^{n}a_k=\sum_{k=1}^{n}(6k-5)=6\sum_{k=1}^{n}k-5n$$
$$=6\cdot\frac{n(n+1)}{2}-5n$$
$$=3n^2-2n$$

$\therefore S_{2n}=3\cdot(2n)^2-2\cdot(2n)=12n^2-4n$

$a_{n+1}-a_n=6\ (n\geq 1)$이므로

$$T_{2n}=-a_1+a_2-a_3+\cdots+(-1)^{2n}a_{2n}$$
$$=(-a_1+a_2)+(-a_3+a_4)+\cdots+(-a_{2n-1}+a_{2n})$$
$$=6+6+\cdots+6=6n$$

STEP B 극한값 구하기

따라서 $\lim_{n\to\infty}\frac{a_{2n}T_{2n}}{S_{2n}}=\lim_{n\to\infty}\frac{(12n-5)\cdot 6n}{12n^2-4n}$

$$=\lim_{n\to\infty}\frac{36n^2-15n}{6n^2-2n}$$
$$=\lim_{n\to\infty}\frac{36-\frac{15}{n}}{6-\frac{2}{n}}$$
$$=\frac{36}{6}=6$$

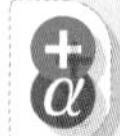
등차수열 $\{a_n\}$에 대하여 첫째항이 1, 공차가 6인 합 S_{2n}을 구하면
$S_{2n}=\frac{2n\{2+(2n-1)6\}}{2}=n(12n-4)=12n^2-4n$

0106

다음 물음에 답하여라.

(1) 자연수 n에 대하여 점 $(4n, 3n)$을 중심으로 하고, x축에 접하는 원 C_n이 있다. 원 C_n 위의 점 P에 대하여 선분 OP의 길이가 자연수가 되도록 하는 점 P의 개수를 a_n이라 할 때, $\lim_{n\to\infty}\frac{1}{n^2}\sum_{k=1}^{n}a_k$의 값을 구하여라. (단, O는 원점이다.)

STEP Ⓐ 원점에서 원위의 점 P까지 거리의 최대 최소 구하기

원 C_n은 x축에 접하는 원이므로 반지름의 길이는 $3n$이다.

원 C_n의 중심을 $G_n(4n, 3n)$이라 하면

$\overline{OG_n}=\sqrt{(4n)^2+(3n)^2}=5n$

다음 그림과 같이 직선 OG_n과 원 C_n이 만나는 점을 각각 A, B라 하면

선분 OP의 길이는 $\overline{OB}\le\overline{OP}\le\overline{OA}$

$\overline{OA}=\overline{OG_n}+3n=8n$, $\overline{OB}=\overline{OG_n}-3n=2n$ ($\because \overline{OG_n}=5n$)

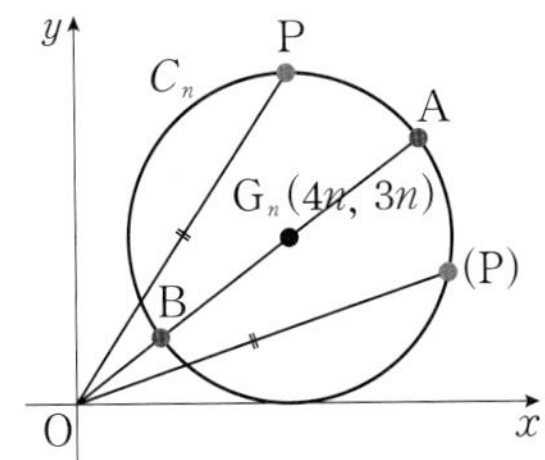

STEP Ⓑ 선분 OP의 길이가 자연수인 점 P의 개수 a_n 구하기

$\overline{OP}=2n$ 또는 $\overline{OP}=8n$일 때, 점 P의 개수는 각각 1개이고

$2n+1\le\overline{OP}\le 8n-1$일 때, 선분 OP의 길이가 자연수인 점 P의 개수는 각각 2개이다.

즉 구하는 점 P의 개수는 $2+2\times(6n-1)=12n$이므로 $a_n=12n$

STEP Ⓒ 극한값 구하기

따라서 $\lim_{n\to\infty}\frac{1}{n^2}\sum_{k=1}^{n}a_k=\lim_{n\to\infty}\left\{\frac{1}{n^2}\times\frac{12n(n+1)}{2}\right\}$

$=\lim_{n\to\infty}\frac{12n(n+1)}{2n^2}=6$

(2) 자연수 n에 대하여 점 $(3n, 4n)$을 중심으로 하고 y축에 접하는 원 O_n이 있다. 원 O_n 위를 움직이는 점과 점 $(0, -1)$ 사이의 거리의 최댓값을 a_n, 최솟값을 b_n이라 할 때, $\lim_{n\to\infty}\frac{a_n}{b_n}$의 값을 구하여라.

STEP Ⓐ 원 O_n의 방정식 구하기

자연수 n에 대하여 점 $(3n, 4n)$을 중심으로 하고

y축에 접하는 원 O_n의 방정식은 $(x-3n)^2+(y-4n)^2=(3n)^2$

STEP Ⓑ 원 밖의 점과 원 위의 점 사이의 거리의 최댓값과 최솟값 구하기

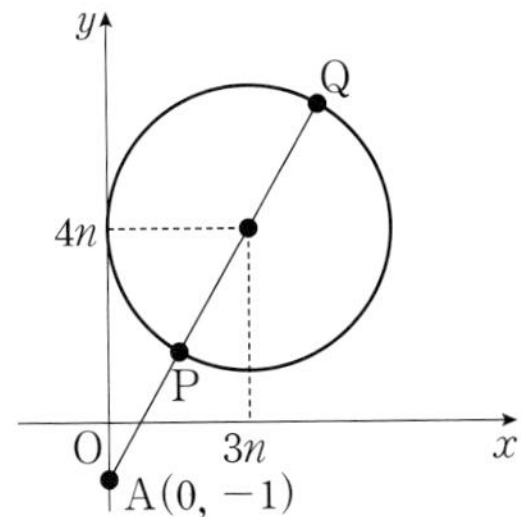

점 $(3n, 4n)$과 원 밖의 점 $(0, -1)$ 사이의 거리는

$\sqrt{(3n)^2+(4n+1)^2}=\sqrt{25n^2+8n+1}$

원 밖의 점 $(0, -1)$과 원 O_n 위를 움직이는 점 사이의 거리의 최댓값은 점 $(0, -1)$과 원의 중심 사이의 거리에 반지름의 길이를 더한 값이므로

$a_n=\overline{AQ}=\sqrt{25n^2+8n+1}+3n$

원 밖의 점 $(0, -1)$과 원 O_n 위를 움직이는 점 사이의 거리의 최솟값은 점 $(0, -1)$과 원의 중심 사이의 거리에 반지름의 길이를 뺀 값이므로

$b_n=\overline{AP}=\sqrt{25n^2+8n+1}-3n$

STEP Ⓒ $\frac{\infty}{\infty}$ 꼴이므로 분모, 분자의 최고차항으로 나누어 극한값 구하기

따라서 $\lim_{n\to\infty}\frac{a_n}{b_n}=\lim_{n\to\infty}\frac{\sqrt{25n^2+8n+1}+3n}{\sqrt{25n^2+8n+1}-3n}$

$=\lim_{n\to\infty}\frac{\sqrt{25+\frac{8}{n}+\frac{1}{n^2}}+3}{\sqrt{25+\frac{8}{n}+\frac{1}{n^2}}-3}$

$=\frac{5+3}{5-3}$

$=4$

0107

자연수 n에 대하여 두 점 P_{n-1}, P_n이 함수 $y=x^2$의 그래프 위의 점일 때, 점 P_{n+1}을 다음 규칙에 따라 정한다.

(가) 두 점 P_0, P_1의 좌표는 각각 $(0, 0)$, $(1, 1)$이다.
(나) 점 P_{n+1}은 점 P_n을 지나고 직선 $P_{n-1}P_n$에 수직인 직선과 함수 $y=x^2$의 그래프의 교점이다. (단, P_n과 P_{n+1}은 서로 다른 점이다.)

$l_n=\overline{P_{n-1}P_n}$이라 할 때, $\lim_{n\to\infty}\frac{l_n}{n}$의 값은?

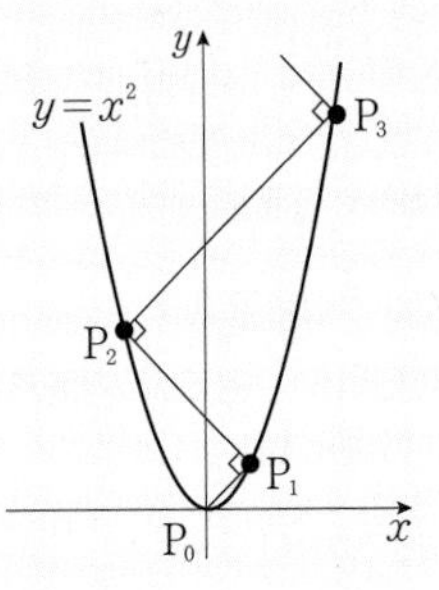

① $2\sqrt{3}$ ② $2\sqrt{2}$ ③ 2
④ $\sqrt{3}$ ⑤ $\sqrt{2}$

STEP Ⓐ 수직인 직선을 이용하여 P_1, P_2, P_3, $\cdots$의 좌표 구하기

직선 P_0P_1의 기울기가 1이므로 직선 P_1P_2의 기울기는 -1

점 $P_1(1, 1)$을 지나고 기울기가 -1인 직선 P_1P_2의 방정식은

$y-1=-(x-1)$ $\therefore y=-x+2$

점 P_2의 좌표를 구하면

$x^2=-x+2$에서 $x^2+x-2=0$

$(x+2)(x-1)=0$

$x<0$이므로 $x=-2$ $\therefore P_2(-2, 4)$

점 $P_2(-2, 4)$를 지나고 기울기가 1인 직선 P_2P_3의 방정식은

$y-4=x+2$ $\therefore y=x+6$

점 P_3의 좌표를 구하면

$x^2=x+6$에서 $x^2-x-6=0$

$(x+2)(x-3)=0$

$x>0$이므로 $x=3$ $\therefore P_3(3, 9)$

점 $P_3(3, 9)$를 지나고 기울기가 -1인 직선 P_3P_4의 방정식은

$y-9=-(x-3)$ $\therefore y=-x+12$

점 P_4의 좌표를 구하면

$x^2=-x+12$에서 $x^2+x-12=0$

$(x+4)(x-3)=0$

$x<0$이므로 $x=-4$ $\therefore P_4(-4, 16)$

STEP Ⓑ l_n의 길이를 구하여 규칙성을 구한 후 극한값 구하기

이와 같은 방법으로
점 $P_n(n=2, 3, 4, \cdots)$을 차례로 구해보면
$P_2(-2, 4)$, $P_3(3, 9)$, $P_4(-4, 16)$, $\cdots$
이므로

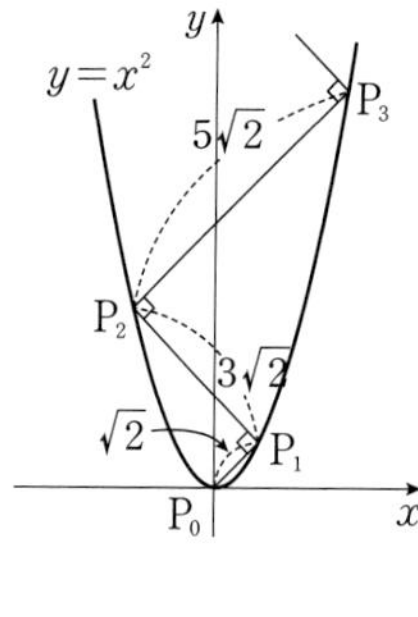

$l_1=\overline{P_0P_1}=\sqrt{1^2+1^2}=\sqrt{2}$

$l_2=\overline{P_1P_2}=\sqrt{(-2-1)^2+(4-1)^2}$
$=\sqrt{3^2+3^2}=3\sqrt{2}$

$l_3=\overline{P_2P_3}=\sqrt{(3+2)^2+(9-4)^2}$
$=\sqrt{5^2+5^2}=5\sqrt{2}$

$\vdots$

$l_n=\overline{P_{n-1}P_n}=(2n-1)\sqrt{2}$

따라서 $\lim_{n\to\infty}\frac{l_n}{n}=\lim_{n\to\infty}\frac{(2n-1)\sqrt{2}}{n}=2\sqrt{2}$

+α $P_{2m-1}(2m-1, 4m^2-4m+1)$, $P_{2m}(-2m, 4m^2)$

(i) $n=2m$일 때,
$l_n=l_{2m}=\overline{P_{2m-1}P_{2m}}=\sqrt{(4m-1)^2+(4m-1)^2}$
$=\sqrt{2}(4m-1)$
$=\sqrt{2}(2n-1)$

(ii) $n=2m+1$일 때,
$l_n=l_{2m+1}=\overline{P_{2m}P_{2m+1}}=\sqrt{(4m+1)^2+(4m+1)^2}$
$=\sqrt{2}(4m+1)$
$=\sqrt{2}(2n-1)$

(i), (ii)에서 n의 값에 관계없이 $l_n=\sqrt{2}(2n-1)$

따라서 $\lim_{n\to\infty}\frac{l_n}{n}=\lim_{n\to\infty}\frac{\sqrt{2}(2n-1)}{n}=2\sqrt{2}$

다른풀이 직선의 교점을 구하지 않고 풀이하기

STEP Ⓐ 기울기가 -1인 직선들과 함수 $y=x^2$의 교점의 좌표 구하기

직선 P_1P_2, 직선 P_3P_4, 직선 P_5P_6, $\cdots$은 모두 기울기가 -1인 직선이므로
직선의 방정식은 $y=-x+n$꼴이다.
이때 $y=x^2$과 $y=-x+n$의 교점이 P_1, P_2, $\cdots$이므로
$x^2=-x+n$에서 $x^2+x-n=0$
근과 계수의 관계에 의하여 두 교점 P_1, P_2의 x좌표의 합은 -1
즉 $P_1(1, 1)$이므로 $P_2(-2, 4)$

STEP Ⓑ 기울기가 1인 직선들과 함수 $y=x^2$의 교점의 좌표 구하기

직선 P_0P_1, 직선 P_2P_3, 직선 P_4P_5, $\cdots$은 모두 기울기가 1인 직선이므로
직선의 방정식은 $y=x+m$꼴이다.
이때 $y=x^2$과 $y=x+m$의 교점이 P_2, P_3, $\cdots$이므로
$x^2=x+m$에서 $x^2-x-m=0$
근과 계수의 관계에 의하여 두 교점 P_2, P_3의 x좌표의 합은 1
즉 $P_2(-2, 4)$이므로 $P_3(3, 9)$
마찬가지로 계속하면 두 교점 P_3, P_4의 x좌표의 합은 -1이므로
$P_4(-4, 16)$

$\vdots$

$\overline{P_0P_1}=\sqrt{2}$, $\overline{P_1P_2}=3\sqrt{2}$, $\overline{P_2P_3}=5\sqrt{2}$

$\vdots$

$l_n=\overline{P_{n-1}P_n}=(2n-1)\sqrt{2}$

STEP Ⓒ 극한값 구하기

따라서 $\lim_{n\to\infty}\frac{l_n}{n}=\lim_{n\to\infty}\frac{(2n-1)\sqrt{2}}{n}=2\sqrt{2}$

0108

다음 물음에 답하여라.

(1) 함수 $f(x)$가 모든 실수 x에 대하여 다음 조건을 만족시킨다.

(가) $-1<x\le 1$일 때, $f(x)=2x$
(나) $f(x+2)=f(x)$

자연수 n에 대하여 직선 $y=\frac{1}{n}x$와 함수 $y=f(x)$의 그래프의 교점의 개수를 a_n이라 할 때, $\lim_{n\to\infty}\frac{a_n}{n}$의 값을 구하여라.

STEP Ⓐ 조건을 만족하는 함수 $f(x)$의 그래프 그리기

모든 실수 x에 대하여 $f(x+2)=f(x)$이므로
함수 $y=f(x)$의 그래프는 다음과 같다.

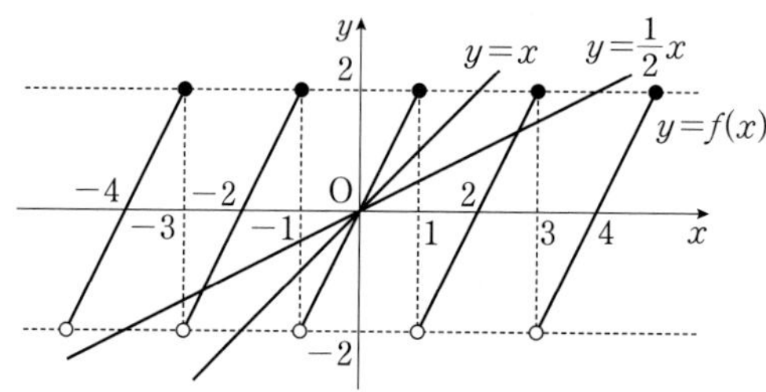

STEP Ⓑ 직선과 함수 $y=f(x)$의 그래프와의 교점의 개수 a_n 구하기

$y=\frac{1}{n}x$의 그래프는 점 $(2n, 2)$를 지나므로 $x>0$일 때,
$y=f(x)$의 그래프와 $y=\frac{1}{n}x$의 그래프의 교점은 $(n-1)$개이다.
$x<0$일 때도 마찬가지로 $(n-1)$개의 교점이 있고 $x=0$일 때도
1개의 교점을 가지므로 $a_n=2n-1$

STEP Ⓒ 극한값 구하기

따라서 $\lim_{n\to\infty}\frac{a_n}{n}=\lim_{n\to\infty}\frac{2n-1}{n}=2$

(2) 모든 실수에서 정의된 함수 $f(x)$가 모든 실수 x에 대하여 다음 조건을 만족시킨다.

(가) $-1<x\le 1$일 때, $f(x)=x^2$
(나) $f(x+2)=f(x)$

자연수 n에 대하여 직선 $y=\frac{1}{2n}x+\frac{1}{4n}$과 함수 $y=f(x)$의 그래프의 교점의 개수를 a_n이라고 할 때, $\lim_{n\to\infty}\frac{a_n}{n}$의 값을 구하여라.

STEP Ⓐ 조건을 만족하는 함수 $f(x)$의 그래프 그리기

모든 실수 x에 대하여 $f(x+2)=f(x)$이므로
함수 $y=f(x)$의 그래프는 다음과 같다.

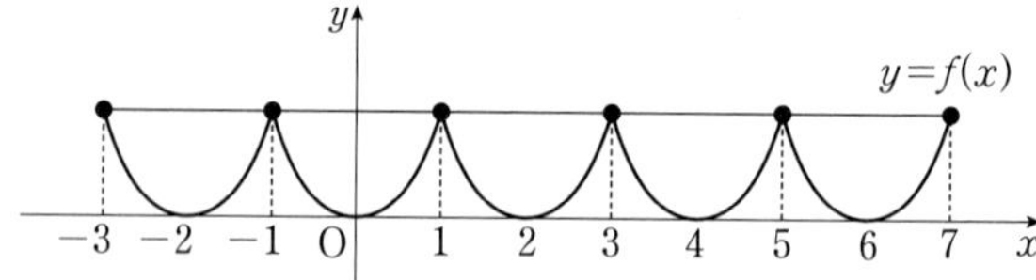

STEP Ⓑ 직선과 함수 $y=f(x)$의 그래프와의 교점의 개수 a_n 구하기

직선 $y=\frac{1}{2n}x+\frac{1}{4n}$과 함수 $y=f(x)$의 그래프와의 교점의 개수는 a_n이므로
$n=1$일 때, $y=\frac{1}{2}x+\frac{1}{4}$이므로 $a_1=3$
$n=2$일 때, $y=\frac{1}{4}x+\frac{1}{8}$이므로 $a_2=5$
$n=3$일 때, $y=\frac{1}{6}x+\frac{1}{12}$이므로 $a_3=7$
즉 수열 $\{a_n\}$은 첫째항이 3, 공차가 2인 등차수열이므로 일반항은 $a_n=2n+1$

STEP Ⓒ 극한값 구하기

따라서 $\lim_{n\to\infty}\frac{a_n}{n}=\lim_{n\to\infty}\frac{2n+1}{n}=2$

0109

좌표평면에서 자연수 n에 대하여 곡선 $y=(x-2n)^2$이 x축, y축과 만나는 점을 각각 P_n, Q_n이라 하자. 두 점 P_n, Q_n을 지나는 직선과 곡선 $y=(x-2n)^2$으로 둘러싸인 영역 (경계선 포함)에 속하고 x좌표와 y좌표가 모두 자연수인 점의 개수를 a_n이라 하자. 다음은 $\lim_{n\to\infty}\frac{a_n}{n^3}$의 값을 구하는 과정이다.

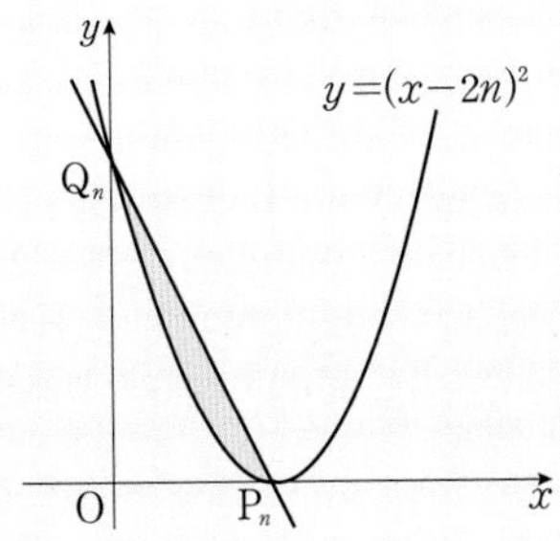

두 점 P_n, Q_n을 지나는 직선의 방정식은

$y=$ (가) $\times x+4n^2$이다.

주어진 영역에 속하는 점 중에서 x좌표가 k(k는 $2n-1$ 이하의 자연수)이고 y좌표가 자연수인 점의 개수는

(나) $+2nk$이므로

$a_n=\sum_{k=1}^{2n-1}($(나)$+2nk)$이다.

따라서 $\lim_{n\to\infty}\frac{a_n}{n^3}=$ (다) 이다.

위의 (가), (나)에 알맞은 식을 각각 $f(n)$, $g(k)$라 하고, (다)에 알맞은 수를 p라 할 때, $p\times f(3)\times g(4)$의 값은?

① 100 ② 105 ③ 110
④ 115 ⑤ 120

STEP Ⓐ 두 점 P_n, Q_n을 지나는 직선의 방정식 구하기

$P_n(2n, 0)$, $Q_n(0, 4n^2)$이므로 직선 P_nQ_n의 기울기는

$\frac{0-4n^2}{2n-0}=\frac{-4n^2}{2n}=-2n$이고 y절편은 $4n^2$이므로

직선 P_nQ_n의 방정식은 $y=\boxed{-2n}\times x+4n^2$

STEP Ⓑ x좌표가 k일 때, y좌표가 자연수인 점의 개수 구하기

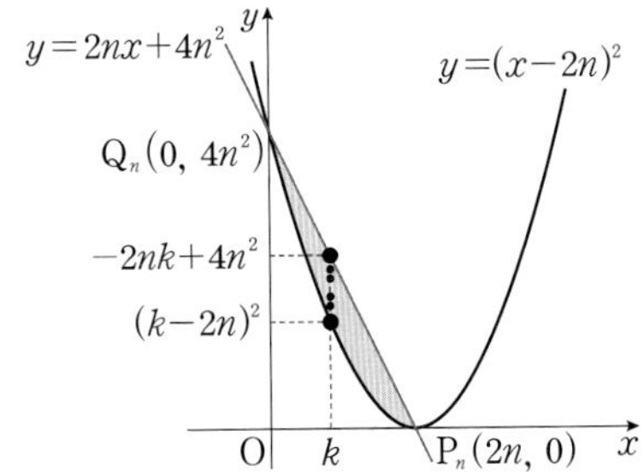

x좌표가 k(k는 $2n-1$ 이하의 자연수)일 때,
영역에 속하는 점의 y좌표는

$(k-2n)^2$부터 $-2nk+4n^2$까지이므로 ⬅ $-2nk+4n^2$, $(k-2n)^2$은 자연수이다.

그 개수는 $-2nk+4n^2-(k-2n)^2+1=\boxed{-k^2+1}+2nk$

⬅ a, b가 자연수일 때, $a\le x\le b$인 자연수의 개수는 $(b-a)+1$이다.

STEP Ⓒ 시그마의 성질을 이용하여 a_n 구하기

$$a_n=\sum_{k=1}^{2n-1}(\boxed{-k^2+1}+2nk)$$
$$=-\frac{(2n-1)\times 2n\times(4n-1)}{6}+(2n-1)+2n\times\frac{(2n-1)\times 2n}{2}$$
$$=-\frac{n(2n-1)(4n-1)}{3}+(2n-1)+2n^2(2n-1)$$
$$=(2n-1)\left\{2n^2-\frac{n(4n-1)}{3}+1\right\}$$
$$=(2n-1)\left(\frac{2}{3}n^2+\frac{n}{3}+1\right)$$

STEP Ⓓ 극한값 구하기

$$\lim_{n\to\infty}\frac{a_n}{n^3}=\lim_{n\to\infty}\frac{(2n-1)\left(\frac{2}{3}n^2+\frac{n}{3}+1\right)}{n^3}=\boxed{\frac{4}{3}}$$

즉 $f(n)=-2n$, $g(k)=-k^2+1$, $p=\frac{4}{3}$이므로

$f(3)=-6$, $g(4)=-15$

따라서 $p\times f(3)\times g(4)=\frac{4}{3}\times(-6)\times(-15)=120$

02 급수

0110

다음 급수의 합을 구하여라.

(1) $\frac{1}{2}+\frac{1}{2+4}+\frac{1}{2+4+6}+\cdots+\frac{1}{2+4+\cdots+2n}+\cdots$

STEP A 주어진 수열의 일반항 a_n 구하기

먼저 일반항을 구하여 보면

$a_n=\frac{1}{2+4+\cdots+2n}=\frac{1}{n(n+1)}$

STEP B $\sum_{n=1}^{\infty}a_n=\lim_{n\to\infty}S_n$ 임을 이용하여 구하기

제 n항까지의 부분합을 S_n이라 하면

$$S_n=\sum_{k=1}^{n}\frac{1}{k(k+1)}=\sum_{k=1}^{n}\left(\frac{1}{k}-\frac{1}{k+1}\right)$$
$$=\left(1-\frac{1}{2}\right)+\left(\frac{1}{2}-\frac{1}{3}\right)+\cdots+\left(\frac{1}{n}-\frac{1}{n+1}\right)$$
$$=1-\frac{1}{n+1}$$

이므로 $\lim_{n\to\infty}S_n=\lim_{n\to\infty}\left(1-\frac{1}{n+1}\right)=1$

(2) $\frac{1}{1^2+2}+\frac{1}{2^2+4}+\frac{1}{3^2+6}+\cdots+\frac{1}{n^2+2n}+\cdots$

STEP A $\sum_{n=1}^{\infty}a_n=\lim_{n\to\infty}S_n$ 임을 이용하여 구하기

제 n항까지의 부분합을 S_n이라 하면

$$S_n=\sum_{k=1}^{n}\frac{1}{k^2+2k}=\sum_{k=1}^{n}\frac{1}{k(k+2)}$$
$$=\frac{1}{2}\sum_{k=1}^{n}\left(\frac{1}{k}-\frac{1}{k+2}\right)$$
$$=\frac{1}{2}\left\{\left(1-\frac{1}{3}\right)+\left(\frac{1}{2}-\frac{1}{4}\right)+\left(\frac{1}{3}-\frac{1}{5}\right)+\cdots+\left(\frac{1}{n-1}-\frac{1}{n+1}\right)+\left(\frac{1}{n}-\frac{1}{n+2}\right)\right\}$$
$$=\frac{1}{2}\left(1+\frac{1}{2}-\frac{1}{n+1}-\frac{1}{n+2}\right)$$

이므로 $\lim_{n\to\infty}S_n=\lim_{n\to\infty}\frac{1}{2}\left(1+\frac{1}{2}-\frac{1}{n+1}-\frac{1}{n+2}\right)=\frac{3}{4}$

(3) $\frac{1}{2\cdot5}+\frac{1}{5\cdot8}+\frac{1}{8\cdot11}+\cdots+\frac{1}{(3n-1)(3n+2)}+\cdots$

STEP A $\sum_{n=1}^{\infty}a_n=\lim_{n\to\infty}S_n$ 임을 이용하여 구하기

제 n항까지의 부분합을 S_n이라 하면

$$S_n=\sum_{k=1}^{n}\frac{1}{(3k-1)(3k+2)}=\frac{1}{3}\sum_{k=1}^{n}\left(\frac{1}{3k-1}-\frac{1}{3k+2}\right)$$
$$=\frac{1}{3}\left\{\left(\frac{1}{2}-\frac{1}{5}\right)+\left(\frac{1}{5}-\frac{1}{8}\right)+\cdots+\left(\frac{1}{3n-1}-\frac{1}{3n+2}\right)\right\}$$
$$=\frac{1}{3}\left(\frac{1}{2}-\frac{1}{3n+2}\right)$$

이므로 $\lim_{n\to\infty}S_n=\lim_{n\to\infty}\frac{1}{3}\left(\frac{1}{2}-\frac{1}{3n+2}\right)=\frac{1}{6}$

0111

다음 급수의 합을 구하여라.

(1) $\sum_{n=1}^{\infty}\frac{2n+1}{1^2+2^2+3^2+\cdots+n^2}$

STEP A $\sum_{n=1}^{\infty}a_n=\lim_{n\to\infty}S_n$ 임을 이용하여 구하기

$1^2+2^2+3^2+\cdots+n^2=\frac{n(n+1)(2n+1)}{6}$

이므로

$$\sum_{n=1}^{\infty}\frac{2n+1}{\frac{n(n+1)(2n+1)}{6}}=\sum_{n=1}^{\infty}\frac{6}{n(n+1)}$$
$$=\lim_{n\to\infty}\sum_{k=1}^{n}\frac{6}{k(k+1)}$$
$$=6\lim_{n\to\infty}\sum_{k=1}^{n}\left(\frac{1}{k}-\frac{1}{k+1}\right)$$
$$=6\lim_{n\to\infty}\left(\frac{1}{1}-\frac{1}{n+1}\right)=6$$

(2) $\sum_{n=1}^{\infty}\frac{1}{n\sqrt{n+1}+(n+1)\sqrt{n}}$

STEP A 분모를 유리화하여 주어진 수열의 일반항 a_n 구하기

$$a_n=\frac{1}{n\sqrt{n+1}+(n+1)\sqrt{n}}$$
$$=\frac{1}{\sqrt{n}\sqrt{n+1}(\sqrt{n}+\sqrt{n+1})}$$
$$=\frac{\sqrt{n+1}-\sqrt{n}}{\sqrt{n}\sqrt{n+1}}$$
$$=\frac{1}{\sqrt{n}}-\frac{1}{\sqrt{n+1}}$$

STEP B $\sum_{n=1}^{\infty}a_n=\lim_{n\to\infty}S_n$ 임을 이용하여 구하기

$$S_n=\sum_{k=1}^{n}\left(\frac{1}{\sqrt{k}}-\frac{1}{\sqrt{k+1}}\right)$$
$$=\left(1-\frac{1}{\sqrt{2}}\right)+\left(\frac{1}{\sqrt{2}}-\frac{1}{\sqrt{3}}\right)+\left(\frac{1}{\sqrt{3}}-\frac{1}{\sqrt{4}}\right)+\cdots+\left(\frac{1}{\sqrt{n}}-\frac{1}{\sqrt{n+1}}\right)$$
$$=1-\frac{1}{\sqrt{n+1}}$$

$\therefore \lim_{n\to\infty}S_n=\lim_{n\to\infty}\left(1-\frac{1}{\sqrt{n+1}}\right)=1$

(3) $\sum_{n=2}^{\infty}\log_2\left(1-\frac{1}{n^2}\right)$

STEP A 로그의 성질을 이용하여 $\sum_{n=2}^{\infty}\log_2\left(1-\frac{1}{n^2}\right)$의 값 구하기

$$\sum_{n=2}^{\infty}\log_2\left(1-\frac{1}{n^2}\right)$$
$$=\sum_{n=2}^{\infty}\log_2\left(\frac{n-1}{n}\cdot\frac{n+1}{n}\right)$$
$$=\lim_{n\to\infty}\sum_{k=2}^{n}\log_2\left(\frac{k-1}{k}\cdot\frac{k+1}{k}\right)$$
$$=\lim_{n\to\infty}\log_2\left\{\left(\frac{1}{2}\cdot\frac{3}{2}\right)\cdot\left(\frac{2}{3}\cdot\frac{4}{3}\right)\cdot\left(\frac{3}{4}\cdot\frac{5}{4}\right)\cdots\left(\frac{n-1}{n}\right)\cdot\left(\frac{n+1}{n}\right)\right\}$$
$$=\lim_{n\to\infty}\left(\log_2\frac{n+1}{2n}\right)$$
$$=\log_2\frac{1}{2}=-1$$

0112

다음 물음에 답하여라.

(1) 수열 $\{a_n\}$의 첫째항부터 제 n항까지의 합 S_n이

$$S_n=\frac{1}{2}(n^2+3n)$$

일 때, $\sum_{n=1}^{\infty}\frac{1}{a_na_{n+2}}$의 값은?

① $\frac{1}{12}$ ② $\frac{1}{6}$ ③ $\frac{1}{4}$
④ $\frac{1}{3}$ ⑤ $\frac{5}{12}$

STEP Ⓐ $a_n=S_n-S_{n-1}$을 이용하여 일반항 a_n 구하기

(ⅰ) $a_1=S_1=2$
(ⅱ) $n\geq 2$일 때,

$$\begin{aligned}a_n&=S_n-S_{n-1}\\&=\frac{1}{2}(n^2+3n)-\frac{1}{2}\{(n-1)^2+3(n-1)\}\\&=\frac{1}{2}(n^2+3n)-\frac{1}{2}\{(n^2-2n+1)+(3n-3)\}\\&=n+1\end{aligned}$$

(ⅰ), (ⅱ)에 의하여 $a_n=n+1(n\geq 1)$

STEP Ⓑ $\sum_{n=1}^{\infty}a_n=\lim_{n\to\infty}S_n$임을 이용하여 구하기

$$\begin{aligned}\sum_{k=1}^{n}\frac{1}{a_ka_{k+2}}&=\sum_{k=1}^{n}\frac{1}{(k+1)(k+3)}\\&=\frac{1}{2}\sum_{k=1}^{n}\left(\frac{1}{k+1}-\frac{1}{k+3}\right)\\&=\frac{1}{2}\left\{\left(\frac{1}{2}-\frac{1}{4}\right)+\left(\frac{1}{3}-\frac{1}{5}\right)+\left(\frac{1}{4}-\frac{1}{6}\right)+\cdots\right.\\&\qquad\left.+\left(\frac{1}{n}-\frac{1}{n+2}\right)+\left(\frac{1}{n+1}-\frac{1}{n+3}\right)\right\}\\&=\frac{1}{2}\left(\frac{1}{2}+\frac{1}{3}-\frac{1}{n+2}-\frac{1}{n+3}\right)\end{aligned}$$

이므로

$$\begin{aligned}\sum_{n=1}^{\infty}\frac{1}{a_na_{n+2}}&=\lim_{n\to\infty}\sum_{k=1}^{n}\frac{1}{a_ka_{k+2}}\\&=\frac{1}{2}\lim_{n\to\infty}\left(\frac{1}{2}+\frac{1}{3}-\frac{1}{n+2}-\frac{1}{n+3}\right)\\&=\frac{1}{2}\left(\frac{1}{2}+\frac{1}{3}\right)\\&=\frac{5}{12}\end{aligned}$$

다른풀이 $\frac{1}{AB}=\frac{1}{B-A}\left(\frac{1}{A}-\frac{1}{B}\right)$을 이용하여 풀이하기

STEP Ⓐ $a_n=S_n-S_{n-1}$을 이용하여 일반항 a_n 구하기

(ⅰ) $a_1=S_1=2$
(ⅱ) $n\geq 2$일 때,

$$\begin{aligned}a_n&=S_n-S_{n-1}\\&=\frac{1}{2}(n^2+3n)-\frac{1}{2}\{(n-1)^2+3(n-1)\}\\&=n+1\end{aligned}$$

(ⅰ), (ⅱ)에 의하여 $a_n=n+1(n\geq 1)$

STEP Ⓑ $\frac{1}{a_ka_{k+2}}=\frac{1}{a_{k+2}-a_k}\left(\frac{1}{a_k}-\frac{1}{a_{k+2}}\right)$을 이용하여 구하기

$a_1=2,\ a_2=3$

$a_{n+2}-a_n=(n+3)-(n+1)=2$

따라서

$$\begin{aligned}\sum_{k=1}^{n}\frac{1}{a_ka_{k+2}}&=\sum_{k=1}^{n}\frac{1}{a_{k+2}-a_k}\left(\frac{1}{a_k}-\frac{1}{a_{k+2}}\right)\\&=\sum_{k=1}^{n}\frac{1}{2}\left(\frac{1}{a_k}-\frac{1}{a_{k+2}}\right)\\&=\frac{1}{2}\sum_{k=1}^{n}\left(\frac{1}{a_k}-\frac{1}{a_{k+2}}\right)\\&=\frac{1}{2}\left\{\left(\frac{1}{a_1}-\frac{1}{a_3}\right)+\left(\frac{1}{a_2}-\frac{1}{a_4}\right)+\left(\frac{1}{a_3}-\frac{1}{a_5}\right)+\cdots\right.\\&\qquad\left.+\left(\frac{1}{a_{n-1}}-\frac{1}{a_{n+1}}\right)+\left(\frac{1}{a_n}-\frac{1}{a_{n+2}}\right)\right\}\\&=\frac{1}{2}\left(\frac{1}{a_1}+\frac{1}{a_2}-\frac{1}{a_{n+1}}-\frac{1}{a_{n+2}}\right)\\&=\frac{1}{2}\left(\frac{1}{2}+\frac{1}{3}-\frac{1}{n+2}-\frac{1}{n+3}\right)\end{aligned}$$

이므로

$$\begin{aligned}\sum_{n=1}^{\infty}\frac{1}{a_na_{n+2}}&=\lim_{n\to\infty}\sum_{k=1}^{n}\frac{1}{a_ka_{k+2}}\\&=\frac{1}{2}\lim_{n\to\infty}\left(\frac{1}{2}+\frac{1}{3}-\frac{1}{n+2}-\frac{1}{n+3}\right)\\&=\frac{1}{2}\left(\frac{1}{2}+\frac{1}{3}\right)\\&=\frac{5}{12}\end{aligned}$$

(2) 수열 $\{a_n\}$의 첫째항부터 제 n항까지의 합 S_n이

$$S_n=n^2+2n$$

일 때, 급수 $\sum_{n=1}^{\infty}\frac{2}{a_na_{n+1}}$의 값은?

① $\frac{1}{3}$ ② $\frac{1}{4}$ ③ $\frac{1}{5}$
④ $\frac{1}{6}$ ⑤ $\frac{1}{7}$

STEP Ⓐ $a_n=S_n-S_{n-1}$을 이용하여 일반항 a_n 구하기

(ⅰ) $a_1=S_1=3$
(ⅱ) $n\geq 2$일 때,

$$\begin{aligned}a_n&=S_n-S_{n-1}\\&=n^2+2n-\{(n-1)^2+2(n-1)\}\\&=2n+1\end{aligned}$$

(ⅰ), (ⅱ)에 의하여 $a_n=2n+1(n\geq 1)$

STEP Ⓑ $\sum_{n=1}^{\infty}a_n=\lim_{n\to\infty}S_n$임을 이용하여 구하기

$$\begin{aligned}\sum_{k=1}^{n}\frac{2}{a_ka_{k+1}}&=\sum_{k=1}^{n}\frac{2}{(2k+1)(2k+3)}\\&=\sum_{k=1}^{n}\left(\frac{1}{2k+1}-\frac{1}{2k+3}\right)\\&=\left(\frac{1}{3}-\frac{1}{5}\right)+\left(\frac{1}{5}-\frac{1}{7}\right)+\left(\frac{1}{7}-\frac{1}{9}\right)+\cdots+\left(\frac{1}{2n+1}-\frac{1}{2n+3}\right)\\&=\frac{1}{3}-\frac{1}{2n+3}\end{aligned}$$

따라서

$$\begin{aligned}\sum_{n=1}^{\infty}\frac{2}{a_na_{n+1}}&=\lim_{n\to\infty}\sum_{k=1}^{n}\frac{2}{a_ka_{k+1}}\\&=\lim_{n\to\infty}\left(\frac{1}{3}-\frac{1}{2n+3}\right)\\&=\frac{1}{3}\end{aligned}$$

0113

모든 자연수 n에 대하여 수열 $\{a_n\}$은 다음 두 조건을 만족시킨다.
이때 $\sum_{n=1}^{\infty} a_n$의 값은?

(가) $a_n \neq 0$
(나) x에 대한 다항식 $a_n x^2 + a_n x + 2$를 $x-n$으로 나눈 나머지가 20이다.

① 10 ② 12 ③ 14
④ 16 ⑤ 18

STEP Ⓐ 나머지 정리를 이용하여 일반항 a_n 구하기

$f(x)=a_n x^2 + a_n x + 2$라고 하면

$f(x)$를 $x-n$으로 나눈 나머지는 $f(n)=a_n n^2 + a_n n + 2 = 20$

$\therefore a_n = \dfrac{18}{n(n+1)}$

STEP Ⓑ $\sum_{n=1}^{\infty} a_n = \lim_{n\to\infty} S_n$ 임을 이용하여 구하기

따라서 $\sum_{n=1}^{\infty} a_n = \sum_{n=1}^{\infty} \dfrac{18}{n(n+1)}$

$= \lim_{n\to\infty} \sum_{k=1}^{n} 18\left(\dfrac{1}{k} - \dfrac{1}{k+1}\right)$

$= 18 \lim_{n\to\infty} \left\{\left(1-\dfrac{1}{2}\right)+\left(\dfrac{1}{2}-\dfrac{1}{3}\right)+\cdots+\left(\dfrac{1}{n}-\dfrac{1}{n+1}\right)\right\}$

$= 18 \lim_{n\to\infty} \left(1-\dfrac{1}{n+1}\right)$

$= 18$

0114

다음 물음에 답하여라.

(1) 등차수열 $\{a_n\}$에 대하여

$a_1=4,\ a_4-a_2=4$

일 때, $\sum_{n=1}^{\infty} \dfrac{2}{na_n}$의 값은?

① 1 ② $\dfrac{3}{2}$ ③ 2
④ $\dfrac{5}{2}$ ⑤ 3

STEP Ⓐ 주어진 조건을 만족하는 등차수열 $\{a_n\}$의 일반항 구하기

등차수열 $\{a_n\}$의 공차를 d라 하면

$a_4-a_2=4$에서 $a_4-a_2=(a_1+3d)-(a_1+d)=2d=4$이므로 $d=2$

등차수열 $\{a_n\}$의 첫째항은 4이고 공차가 2이므로

일반항 a_n은 $a_n=4+(n-1)\times 2 = 2n+2$

STEP Ⓑ 급수의 합을 부분합으로 표현하여 극한값 구하기

따라서 $\sum_{n=1}^{\infty} \dfrac{2}{na_n} = \sum_{n=1}^{\infty} \dfrac{2}{n(2n+2)}$

$= \sum_{n=1}^{\infty} \dfrac{1}{n(n+1)}$

$= \lim_{n\to\infty} \sum_{k=1}^{n} \dfrac{1}{k(k+1)}$

$= \lim_{n\to\infty} \sum_{k=1}^{n} \left(\dfrac{1}{k}-\dfrac{1}{k+1}\right)$

$= \lim_{n\to\infty} \left\{\left(\dfrac{1}{1}-\dfrac{1}{2}\right)+\left(\dfrac{1}{2}-\dfrac{1}{3}\right)+\left(\dfrac{1}{3}-\dfrac{1}{4}\right)+\cdots+\left(\dfrac{1}{n}-\dfrac{1}{n+1}\right)\right\}$

$= \lim_{n\to\infty} \left(1-\dfrac{1}{n+1}\right)$

$= 1$

(2) 등차수열 $\{a_n\}$에 대하여

$a_1=1,\ a_2+a_4=10$

일 때, $\sum_{n=1}^{\infty} \dfrac{1}{a_n a_{n+1}}$의 값은?

① $\dfrac{1}{4}$ ② $\dfrac{1}{2}$ ③ $\dfrac{3}{4}$
④ 1 ⑤ 2

STEP Ⓐ 주어진 조건을 만족하는 등차수열 $\{a_n\}$의 일반항 구하기

등차수열 $\{a_n\}$의 공차를 d라 하면

$a_2+a_4=10$에서 $a_2+a_4=(1+d)+(1+3d)=10$이므로 $d=2$

등차수열 $\{a_n\}$의 첫째항은 1이고 공차가 2이므로

$a_n=1+(n-1)\times 2 = 2n-1$

STEP Ⓑ 급수의 합을 부분합으로 표현하여 극한값 구하기

따라서 $\sum_{n=1}^{\infty} \dfrac{1}{a_n a_{n+1}} = \sum_{n=1}^{\infty} \dfrac{1}{(2n-1)(2n+1)}$

$= \lim_{n\to\infty} \sum_{k=1}^{n} \dfrac{1}{(2k-1)(2k+1)}$

$= \lim_{n\to\infty} \sum_{k=1}^{n} \dfrac{1}{2}\left(\dfrac{1}{2k-1}-\dfrac{1}{2k+1}\right)$

$= \dfrac{1}{2}\lim_{n\to\infty} \left\{\left(\dfrac{1}{1}-\dfrac{1}{3}\right)+\left(\dfrac{1}{3}-\dfrac{1}{5}\right)+\left(\dfrac{1}{5}-\dfrac{1}{7}\right)+\cdots +\left(\dfrac{1}{2n-1}-\dfrac{1}{2n+1}\right)\right\}$

$= \dfrac{1}{2}\lim_{n\to\infty} \left(1-\dfrac{1}{2n+1}\right) = \dfrac{1}{2}$

0115

다음 물음에 답하여라.

(1) 자연수 n에 대하여 x의 이차방정식 $x^2+(n-1)x+n^2=0$의 두 근을 α_n, β_n이라 할 때, $\sum_{n=1}^{\infty} \dfrac{1}{(\alpha_n-1)(\beta_n-1)}$의 값을 구하여라.

STEP Ⓐ 이차방정식의 근과 계수 관계를 이용하여 $\alpha_n+\beta_n$, $\alpha_n\beta_n$의 값 구하기

$x^2+(n-1)x+n^2=0$의 두 근을 α_n, β_n이라 할 때,

두 근의 합 $\alpha_n+\beta_n=-(n-1)$

두 근의 곱 $\alpha_n\beta_n=n^2$

STEP Ⓑ $\sum_{n=1}^{\infty} \dfrac{1}{(\alpha_n-1)(\beta_n-1)}$의 값 구하기

$\sum_{n=1}^{\infty} \dfrac{1}{(\alpha_n-1)(\beta_n-1)} = \sum_{n=1}^{\infty} \dfrac{1}{\alpha_n\cdot\beta_n-(\alpha_n+\beta_n)+1} = \sum_{n=1}^{\infty} \dfrac{1}{n(n+1)}$

따라서 $\sum_{n=1}^{\infty} \dfrac{1}{n(n+1)} = 1$

(2) 자연수 n에 대하여 이차방정식 $x^2-8nx+n+2=0$의 서로 다른 두 근을 α_n, β_n이라 할 때, $\sum_{n=1}^{\infty} \dfrac{1}{n^2}\left(\dfrac{1}{\alpha_n}+\dfrac{1}{\beta_n}\right)$의 값을 구하여라.

STEP Ⓐ 이차방정식의 근과 계수 관계를 이용하여 $\alpha_n+\beta_n$, $\alpha_n\beta_n$의 값 구하기

이차방정식 $x^2-8nx+n+2=0$의 근과 계수의 관계에 의하여

$\alpha_n+\beta_n=8n,\ \alpha_n\beta_n=n+2$

STEP Ⓑ $\sum_{n=1}^{\infty} \dfrac{1}{n^2}\left(\dfrac{1}{\alpha_n}+\dfrac{1}{\beta_n}\right)$의 값 구하기

따라서 $\sum_{n=1}^{\infty} \dfrac{1}{n^2}\left(\dfrac{1}{\alpha_n}+\dfrac{1}{\beta_n}\right) = \sum_{n=1}^{\infty} \dfrac{\alpha_n+\beta_n}{n^2\alpha_n\beta_n} = \sum_{n=1}^{\infty} \dfrac{8n}{n^2(n+2)} = \sum_{n=1}^{\infty} \dfrac{8}{n(n+2)}$

$= 8\cdot\dfrac{3}{4} = 6$

0116

자연수 n에 대하여 두 직선

$$\frac{n}{3}x+(n+1)y=1,\ nx-(n+1)y=-1$$

및 x축으로 둘러싸인 부분의 넓이를 S_n이라고 할 때, $\sum_{n=1}^{\infty} S_n$의 값은?

① $\frac{1}{4}$ ② $\frac{1}{2}$ ③ 1
④ 2 ⑤ 4

STEP Ⓐ 두 직선 및 x축으로 둘러싸인 부분의 넓이 S_n 구하기

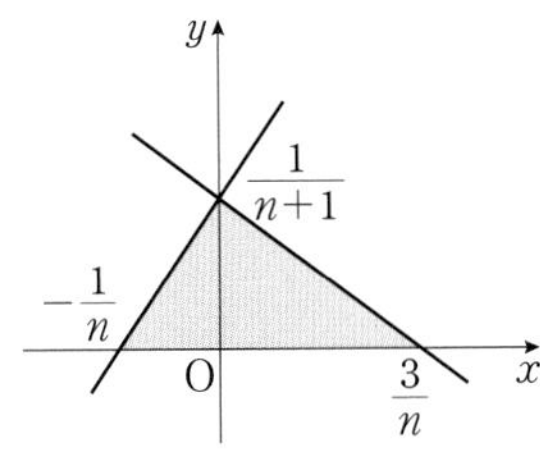

두 직선 $\frac{n}{3}x+(n+1)y=1$, $nx-(n+1)y=-1$ 및 x축으로 둘러싸인 부분의 넓이는

$$S_n=\frac{1}{2}\left\{\frac{3}{n}-\left(-\frac{1}{n}\right)\right\}\times\frac{1}{n+1}$$
$$=\frac{2}{n(n+1)}$$

STEP Ⓑ $\sum_{n=1}^{\infty} S_n$의 값 구하기

따라서 $\sum_{n=1}^{\infty} S_n=\sum_{n=1}^{\infty}\frac{2}{n(n+1)}=2\cdot 1=2$

0117

좌표평면에서 직선 $x-3y+3=0$ 위에 있는 점 중에서 x좌표와 y좌표가 자연수인 모든 점의 좌표를 각각 (a_1, b_1), (a_2, b_2), $\cdots$, (a_n, b_n), $\cdots$이라 할 때, 급수 $\sum_{n=1}^{\infty}\frac{1}{a_nb_n}$의 값은? (단, $a_1<a_2<\cdots<a_n<\cdots$이다.)

① 1 ② $\frac{1}{2}$ ③ $\frac{1}{3}$
④ $\frac{1}{4}$ ⑤ $\frac{1}{5}$

STEP Ⓐ 직선 $x-3y+3=0$ 위의 자연수인 점의 순서쌍 구하기

직선 $x-3y+3=0$, 즉 $y=\frac{1}{3}x+1$ 위의 점 (x, y)가 모두 자연수가 되려면 x좌표가 3의 배수가 되어야 한다.
즉 $a_1=3$, $a_2=6$, $a_3=9$, $\cdots$이므로
$a_n=3n$
이때 $y=b_n=n+1$
$\therefore (a_n, b_n)=(3n, n+1)$

STEP Ⓑ $\sum_{n=1}^{\infty}\frac{1}{a_nb_n}$의 값 구하기

따라서 $\sum_{n=1}^{\infty}\frac{1}{a_nb_n}=\sum_{n=1}^{\infty}\frac{1}{3n(n+1)}$

$$=\frac{1}{3}\lim_{n\to\infty}\sum_{k=1}^{n}\frac{1}{k(k+1)}$$
$$=\frac{1}{3}\lim_{n\to\infty}\sum_{k=1}^{n}\left(\frac{1}{k}-\frac{1}{k+1}\right)$$
$$=\frac{1}{3}\lim_{n\to\infty}\left(1-\frac{1}{n+1}\right)$$
$$=\frac{1}{3}$$

다른풀이 자연수의 점의 좌표를 구하여 풀이하기

$x-3y+3=0$에서 $x=3y-3=3(y-1)$
직선 $x-3y+3=0$ 위의 점 중에서 x, y좌표가 모두 자연수인 점의 좌표는
$(3, 2)$, $(6, 3)$, $(9, 4)$, $\cdots$, $(3n, n+1)$, $\cdots$이므로
$a_n=3n$, $b_n=n+1$
따라서 구하는 급수의 합은

$$\sum_{n=1}^{\infty}\frac{1}{a_nb_n}=\sum_{n=1}^{\infty}\frac{1}{3n(n+1)}=\frac{1}{3}\sum_{n=1}^{\infty}\frac{1}{n(n+1)}=\frac{1}{3}$$

0118

$n\geq 2$인 자연수 n에 대하여 중심이 원점이고 반지름의 길이가 1인 원 C를 x축 방향으로 $\frac{2}{n}$만큼 평행 이동시킨 원을 C_n이라 하자.
원 C와 원 C_n의 공통현의 길이를 l_n이라 할 때, $\sum_{n=2}^{\infty}\frac{1}{(nl_n)^2}=\frac{q}{p}$이다.
$p+q$의 값을 구하여라. (단, p, q는 서로소인 자연수이다.)

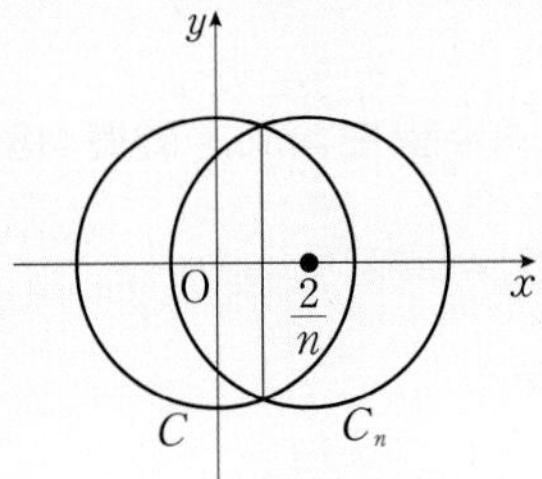

STEP Ⓐ C와 원 C_n의 공통현의 길이 l_n 구하기

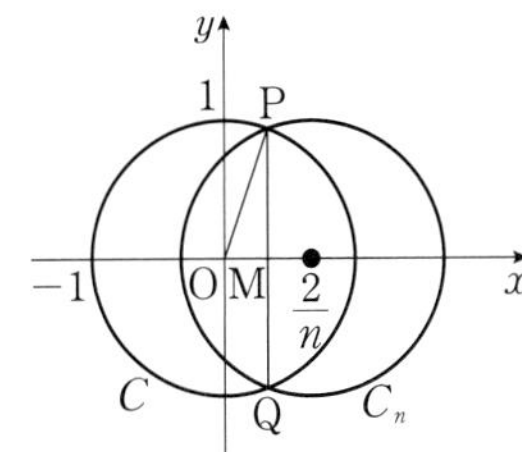

삼각형 POM은 직각삼각형이고 $\overline{OP}=1$, $\overline{OM}=\frac{1}{n}$

$\overline{PM}=\sqrt{1-\frac{1}{n^2}}$에서 $l_n=2\overline{PM}=2\sqrt{1-\frac{1}{n^2}}$

또한, $(nl_n)^2=n^2l_n^2=n^2\times 4\times\frac{n^2-1}{n^2}=4(n^2-1)$

STEP Ⓑ $\sum_{n=2}^{\infty}\frac{1}{(nl_n)^2}$의 값 구하기

$$\therefore \sum_{n=2}^{\infty}\frac{1}{(nl_n)^2}$$
$$=\sum_{n=2}^{\infty}\frac{1}{4(n^2-1)}$$
$$=\lim_{n\to\infty}\sum_{k=2}^{n}\frac{1}{4(k^2-1)}$$
$$=\lim_{n\to\infty}\frac{1}{4}\sum_{k=2}^{n}\frac{1}{2}\left(\frac{1}{k-1}-\frac{1}{k+1}\right)$$
$$=\lim_{n\to\infty}\frac{1}{8}\left\{\left(1-\frac{1}{3}\right)+\left(\frac{1}{2}-\frac{1}{4}\right)+\left(\frac{1}{3}-\frac{1}{5}\right)+\cdots+\left(\frac{1}{n-1}-\frac{1}{n+1}\right)\right\}$$
$$=\lim_{n\to\infty}\frac{1}{8}\left(1+\frac{1}{2}-\frac{1}{n}-\frac{1}{n+1}\right)$$
$$=\frac{3}{16}$$

따라서 $p+q=16+3=19$

0119

수열 $\{a_n\}$에 대하여 다음 물음에 답하여라.

(1) $\sum_{n=1}^{\infty} a_n=3$일 때, $\lim_{n\to\infty}\frac{3a_n+5n+1}{a_n-3n+2}$의 값을 구하여라.

STEP Ⓐ **급수 $\sum_{n=1}^{\infty} a_n$이 수렴하면 $\lim_{n\to\infty} a_n=0$임을 이용하기**

$\sum_{n=1}^{\infty} a_n=3$이 수렴하므로 $\lim_{n\to\infty} a_n=0$

STEP Ⓑ **극한값 구하기**

$\therefore \lim_{n\to\infty}\frac{3a_n+5n+1}{a_n-3n+2}=\lim_{n\to\infty}\frac{5+\frac{1}{n}}{-3+\frac{2}{n}}=-\frac{5}{3}$

(2) 수열 $\{a_n\}$에 대하여 $\sum_{n=1}^{\infty}\left(a_n-\frac{3n+1}{n}\right)=2$일 때, $\lim_{n\to\infty}(2a_n+5)$의 값을 구하여라.

STEP Ⓐ **급수 $\sum_{n=1}^{\infty} a_n$이 수렴하면 $\lim_{n\to\infty} a_n=0$임을 이용하기**

급수 $\sum_{n=1}^{\infty}\left(a_n-\frac{3n+1}{n}\right)$이 수렴하므로 $\lim_{n\to\infty}\left(a_n-\frac{3n+1}{n}\right)=0$

STEP Ⓑ **극한값 구하기**

$$\begin{aligned}\lim_{n\to\infty} a_n&=\lim_{n\to\infty}\left\{\left(a_n-\frac{3n+1}{n}\right)+\frac{3n+1}{n}\right\}\\&=\lim_{n\to\infty}\left(a_n-\frac{3n+1}{n}\right)+\lim_{n\to\infty}\frac{3n+1}{n}\\&=0+\lim_{n\to\infty}\left(3+\frac{1}{n}\right)\\&=3\end{aligned}$$

$\therefore \lim_{n\to\infty}(2a_n+5)=2\times3+5=11$

0120

다음 물음에 답하여라.

(1) 수열 $\{a_n\}$에 대하여 $\sum_{n=1}^{\infty}\left(2-\frac{a_n}{9^n}\right)=1$일 때, $\lim_{n\to\infty}\frac{9^n}{2a_n+1}$의 값은?

① $\frac{1}{5}$ ② $\frac{1}{4}$ ③ $\frac{1}{3}$
④ $\frac{1}{2}$ ⑤ 1

STEP Ⓐ **급수 $\sum_{n=1}^{\infty} a_n$이 수렴하면 $\lim_{n\to\infty} a_n=0$임을 이용하기**

$\sum_{n=1}^{\infty}\left(2-\frac{a_n}{9^n}\right)$이 수렴하므로 $\lim_{n\to\infty}\left(2-\frac{a_n}{9^n}\right)=0$

$\therefore \lim_{n\to\infty}\frac{a_n}{9^n}=2$

STEP Ⓑ **극한값 구하기**

따라서 $\lim_{n\to\infty}\frac{9^n}{2a_n+1}$의 분모 분자를 9^n으로 나누면

$\lim_{n\to\infty}\frac{9^n}{2a_n+1}=\lim_{n\to\infty}\frac{1}{2\cdot\frac{a_n}{9^n}+\frac{1}{9^n}}=\frac{1}{4}$

(2) 수열 $\{a_n\}$에 대하여 $\sum_{n=1}^{\infty}\left(7-\frac{a_n}{2^n}\right)=19$일 때, $\lim_{n\to\infty}\frac{a_n}{2^{n+1}}$의 값은?

① 2 ② $\frac{5}{2}$ ③ 3
④ $\frac{7}{2}$ ⑤ 4

STEP Ⓐ **급수 $\sum_{n=1}^{\infty} a_n$이 수렴하면 $\lim_{n\to\infty} a_n=0$임을 이용하기**

수열 $\{a_n\}$에 대하여 급수 $\sum_{n=1}^{\infty}\left(7-\frac{a_n}{2^n}\right)$이 수렴하므로

$b_n=7-\frac{a_n}{2^n}$이라 하면 $\sum_{n=1}^{\infty} b_n=19$이므로 $\lim_{n\to\infty} b_n=0$

$\therefore \frac{a_n}{2^n}=7-b_n$

$\lim_{n\to\infty}\frac{a_n}{2^n}=\lim_{n\to\infty}(7-b_n)=7$

STEP Ⓑ **$\lim_{n\to\infty}\frac{a_n}{2^{n+1}}$의 극한값 구하기**

따라서 $\lim_{n\to\infty}\frac{a_n}{2^{n+1}}=\frac{1}{2}\times\lim_{n\to\infty}\frac{a_n}{2^n}=\frac{1}{2}\times7=\frac{7}{2}$

0121

다음 물음에 답하여라.

(1) 수열 $\{a_n\}$이 $\sum_{n=1}^{\infty}(2a_n-3)=2$를 만족시킨다. $\lim_{n\to\infty} a_n=r$일 때, $\lim_{n\to\infty}\frac{r^{n+2}-1}{r^n+1}$의 값을 구하여라.

STEP Ⓐ **급수 $\sum_{n=1}^{\infty} a_n$이 수렴하면 $\lim_{n\to\infty} a_n=0$임을 이용하기**

$\sum_{n=1}^{\infty}(2a_n-3)$은 수렴하므로 $\lim_{n\to\infty}(2a_n-3)=0$

$2a_n-3=b_n$이라 하면 $\lim_{n\to\infty} b_n=0$이고 $a_n=\frac{1}{2}(b_n+3)$이므로

$\lim_{n\to\infty} a_n=\lim_{n\to\infty}\frac{1}{2}(b_n+3)=\frac{1}{2}(0+3)=\frac{3}{2}$

$\therefore \lim_{n\to\infty} a_n=\frac{3}{2}=r$

STEP Ⓑ **등비수열의 극한 구하기**

따라서 $\lim_{n\to\infty}\frac{r^{n+2}-1}{r^n+1}=\lim_{n\to\infty}\frac{\left(\frac{3}{2}\right)^{n+2}-1}{\left(\frac{3}{2}\right)^n+1}=\lim_{n\to\infty}\frac{\frac{9}{4}-\left(\frac{2}{3}\right)^n}{1+\left(\frac{2}{3}\right)^n}=\frac{\frac{9}{4}-0}{1+0}=\frac{9}{4}$

(2) 두 수열 $\{a_n\}$, $\{b_n\}$에 대하여 급수 $\sum_{n=1}^{\infty}\left(a_n-\frac{3n}{n+1}\right)$과 $\sum_{n=1}^{\infty}(a_n+b_n)$이 모두 수렴할 때, $\lim_{n\to\infty}\frac{3-b_n}{a_n}$의 값을 구하여라. (단, $a_n\neq0$)

STEP Ⓐ **급수 $\sum_{n=1}^{\infty} a_n$이 수렴하면 $\lim_{n\to\infty} a_n=0$임을 이용하기**

급수 $\sum_{n=1}^{\infty}\left(a_n-\frac{3n}{n+1}\right)$가 수렴하므로 $\lim_{n\to\infty}\left(a_n-\frac{3n}{n+1}\right)=0$

$\therefore \lim_{n\to\infty} a_n=3$

또, $\sum_{n=1}^{\infty}(a_n+b_n)$이 수렴하므로 $\lim_{n\to\infty}(a_n+b_n)=0$

$\lim_{n\to\infty}(a_n+b_n)=3+\lim_{n\to\infty} b_n=0$

$\therefore \lim_{n\to\infty} b_n=-3$

STEP Ⓑ **극한값 구하기**

따라서 $\lim_{n\to\infty}\frac{3-b_n}{a_n}=\frac{3-(-3)}{3}=2$

0122

다음 등비급수에 답하여라.

$$x+x(x-1)+x(x-1)^2+x(x-1)^3+\cdots$$

(1) 이 등비급수가 수렴하도록 하는 x의 값의 범위를 구하여라.

STEP Ⓐ 등비급수가 수렴하기 위한 x의 값 구하기

등비급수 $x+x(x-1)+x(x-1)^2+x(x-1)^3+\cdots$은
첫째항이 x이고 공비가 $x-1$이므로
이 등비급수가 수렴하려면 $x=0$ 또는 $-1<x-1<1$, $0<x<2$
따라서 $0\le x<2$

(2) 이 등비급수가 $\frac{1}{2}$로 수렴할 때, x의 값을 구하여라.

STEP Ⓐ 등비급수가 $\frac{1}{2}$로 수렴할 때, x의 값 구하기

이때 등비급수는 $\frac{x}{1-(x-1)}=\frac{1}{2}$, $2x=2-x$이므로 $x=\frac{2}{3}$

0123

다음 물음에 답하여라.

(1) 급수 $\sum_{n=1}^{\infty}(x+1)\left(\frac{x-1}{2}\right)^{n-1}$이 수렴하도록 하는 모든 정수 x의 개수는?

① 4 ② 5 ③ 6
④ 7 ⑤ 8

STEP Ⓐ 등비급수 $\sum_{n=1}^{\infty}ar^{n-1}$의 수렴 조건 $a=0$ 또는 $-1<r<1$임을 이용하여 정수 x의 개수 구하기

$\sum_{n=1}^{\infty}(x+1)\left(\frac{x-1}{2}\right)^{n-1}$의 첫째항은 $x+1$, 공비는 $\frac{x-1}{2}$이므로
이 급수가 수렴하려면 $x+1=0$ 또는 $-1<\frac{x-1}{2}<1$이어야 한다.
(ⅰ) $x+1=0$에서 $x=-1$일 때, 수렴한다.
(ⅱ) $-1<\frac{x-1}{2}<1$에서 $-2<x-1<2$
$\therefore -1<x<3$
(ⅰ), (ⅱ)에서 $-1\le x<3$일 때, 수렴하므로 이를 만족시키는
정수 x는 $-1, 0, 1, 2$이므로 그 개수는 4

(2) 급수 $\sum_{n=1}^{\infty}(x^2-4)\left(\frac{x-2}{3}\right)^{n-1}$이 수렴하도록 하는 모든 정수 x의 개수는?

① 2 ② 3 ③ 4
④ 5 ⑤ 6

STEP Ⓐ 등비급수 $\sum_{n=1}^{\infty}ar^{n-1}$의 수렴 조건 $a=0$ 또는 $-1<r<1$임을 이용하여 정수 x의 개수 구하기

$\sum_{n=1}^{\infty}(x^2-4)\left(\frac{x-2}{3}\right)^{n-1}$의 첫째항은 x^2-4, 공비는 $\frac{x-2}{3}$이므로
이 급수가 수렴하려면 $x^2-4=0$ 또는 $-1<\frac{x-2}{3}<1$
(ⅰ) $x^2-4=0$에서 $x=-2$ 또는 $x=2$이므로 정수 x는 -2, 2이다.
(ⅱ) $-1<\frac{x-2}{3}<1$에서 $-1<x<5$이므로 정수 x는 $0, 1, 2, 3, 4$이다.
(ⅰ), (ⅱ)에서 구하는 정수 x의 개수는 6

0124

등비급수 $\sum_{n=1}^{\infty}r^n$이 수렴할 때, 다음 [보기]에서 항상 수렴하는 것만을 있는 대로 고른 것은?

ㄱ. $\sum_{n=1}^{\infty}r^{2n}$	ㄴ. $\sum_{n=1}^{\infty}\frac{r^n+(-r)^n}{2}$
ㄷ. $\sum_{n=1}^{\infty}\left(\frac{r-1}{2}\right)^n$	ㄹ. $\sum_{n=1}^{\infty}\left(\frac{r}{2}-1\right)^n$

① ㄱ, ㄴ ② ㄴ, ㄹ ③ ㄱ, ㄴ, ㄷ
④ ㄱ, ㄷ, ㄹ ⑤ ㄱ, ㄴ, ㄷ, ㄹ

STEP Ⓐ 등비급수 $\sum_{n=1}^{\infty}r^n$의 수렴 조건 $-1<r<1$임을 이용하여 수렴하는 것 구하기

$\sum_{n=1}^{\infty}r^n$이 수렴하므로 $-1<r<1$ …… ㉠
ㄱ. $\sum_{n=1}^{\infty}r^{2n}=\sum_{n=1}^{\infty}(r^2)^n$은 공비가 r^2인 등비급수이므로 ㉠에서 $0\le r^2<1$
즉 주어진 급수는 수렴한다.
ㄴ. $\sum_{n=1}^{\infty}r^n$이 수렴하므로 $\sum_{n=1}^{\infty}\frac{r^n}{2}$도 수렴하고
$\sum_{n=1}^{\infty}\frac{(-r)^n}{2}$은 공비가 $-r$인 등비급수이므로 ㉠에서 $-1<-r<1$
즉 $\sum_{n=1}^{\infty}\frac{r^n+(-r)^n}{2}=\sum_{n=1}^{\infty}\frac{r^n}{2}+\sum_{n=1}^{\infty}\frac{(-r)^n}{2}$에서 주어진 급수는 수렴한다.
ㄷ. $\sum_{n=1}^{\infty}\left(\frac{r-1}{2}\right)^n$은 공비가 $\frac{r-1}{2}$인 등비급수이므로 ㉠에서 $-1<\frac{r-1}{2}<0$
즉 주어진 급수는 수렴한다.
ㄹ. $\sum_{n=1}^{\infty}\left(\frac{r}{2}-1\right)^n$은 공비가 $\frac{r}{2}-1$인 등비급수이므로 ㉠에서
$-\frac{3}{2}<\frac{r}{2}-1<-\frac{1}{2}$
즉 주어진 급수는 항상 수렴한다고 할 수 없다.
따라서 항상 수렴하는 것은 ㄱ, ㄴ, ㄷ이다.

0125

다음 급수의 합을 구하여라.

(1) $\sum_{n=1}^{\infty}\frac{2^n+3^n}{4^n}$

STEP Ⓐ 주어진 등비급수를 간단히 정리하고 등비급수의 성질을 이용하여 합 구하기

$$\sum_{n=1}^{\infty}\frac{2^n+3^n}{4^n}=\sum_{n=1}^{\infty}\left\{\left(\frac{1}{2}\right)^n+\left(\frac{3}{4}\right)^n\right\}=\sum_{n=1}^{\infty}\left(\frac{1}{2}\right)^n+\sum_{n=1}^{\infty}\left(\frac{3}{4}\right)^n$$
$$=\frac{\frac{1}{2}}{1-\frac{1}{2}}+\frac{\frac{3}{4}}{1-\frac{3}{4}}=1+3=4$$

(2) $\sum_{n=1}^{\infty}\frac{5^{n+2}-4^{n+2}}{6^n}$

STEP Ⓐ 주어진 등비급수를 간단히 정리하고 등비급수의 성질을 이용하여 합 구하기

$$\sum_{n=1}^{\infty}\frac{5^{n+2}-4^{n+2}}{6^n}=\sum_{n=1}^{\infty}\left\{5^2\left(\frac{5}{6}\right)^n-4^2\left(\frac{4}{6}\right)^n\right\}$$
$$=25\times\frac{\frac{5}{6}}{1-\frac{5}{6}}-16\times\frac{\frac{2}{3}}{1-\frac{2}{3}}$$
$$=93$$

(3) $\sum_{n=1}^{\infty}\left(\frac{1}{2}\right)^n \cos n\pi$

STEP Ⓐ 주어진 등비급수를 간단히 정리하고 등비급수의 성질을 이용하여 합 구하기

$$\sum_{n=1}^{\infty}\left(\frac{1}{2}\right)^n \cos n\pi=\frac{1}{2}\cos\pi+\left(\frac{1}{2}\right)^2\cos 2\pi+\left(\frac{1}{2}\right)^3\cos 3\pi+\left(\frac{1}{2}\right)^4\cos 4\pi+\cdots$$
$$=-\frac{1}{2}+\left(\frac{1}{2}\right)^2-\left(\frac{1}{2}\right)^3+\left(\frac{1}{2}\right)^4-\cdots$$
$$=\frac{-\frac{1}{2}}{1-\left(-\frac{1}{2}\right)}=-\frac{1}{3}$$

0126

다음 급수의 합을 구하여라.

(1) $\sum_{n=1}^{\infty}\left\{\frac{1+(-1)^n}{3}\right\}^n$

STEP Ⓐ 공비가 보이지 않는 등비급수의 합 구하기

공비가 보이지 않을 때는 n 대신 1, 2, 3, …을 대입한다.

$$\sum_{n=1}^{\infty}\left\{\frac{1+(-1)^n}{3}\right\}^n=0+\left(\frac{2}{3}\right)^2+0+\left(\frac{2}{3}\right)^4+0+\left(\frac{2}{3}\right)^6+\cdots$$
$$=\left(\frac{2}{3}\right)^2+\left(\frac{2}{3}\right)^4+\left(\frac{2}{3}\right)^6+\cdots$$
$$=\frac{\frac{4}{9}}{1-\frac{4}{9}}=\frac{4}{5}$$

(2) $\frac{1+(-3)}{4}+\frac{1^2+(-3)^2}{4^2}+\frac{1^3+(-3)^3}{4^3}+\cdots$

STEP Ⓐ 공비가 보이지 않는 등비급수의 합 구하기

$$\frac{1+(-3)}{4}+\frac{1^2+(-3)^2}{4^2}+\frac{1^3+(-3)^3}{4^3}+\cdots$$
$$=\left\{\frac{1}{4}+\frac{-3}{4}\right\}+\left\{\left(\frac{1}{4}\right)^2+\left(\frac{-3}{4}\right)^2\right\}+\left\{\left(\frac{1}{4}\right)^3+\left(\frac{-3}{4}\right)^3\right\}+\cdots$$
$$=\left\{\frac{1}{4}+\left(\frac{1}{4}\right)^2+\left(\frac{1}{4}\right)^3+\cdots\right\}+\left\{\left(\frac{-3}{4}\right)+\left(-\frac{3}{4}\right)^2+\left(-\frac{3}{4}\right)^3+\cdots\right\}$$
$$=\frac{\frac{1}{4}}{1-\frac{1}{4}}+\frac{-\frac{3}{4}}{1-\left(-\frac{3}{4}\right)}$$
$$=\frac{1}{3}-\frac{3}{7}=-\frac{2}{21}$$

0127

자연수 n에 대하여 다음 물음에 답하여라.

(1) 이차함수 $y=3x^2+x-6$의 그래프가 x축과 만나는 두 점의 x좌표를 각각 α, β라고 할 때, $\sum_{n=1}^{\infty}\left(\frac{1}{\alpha}+\frac{1}{\beta}\right)^n$의 값을 구하여라.

STEP Ⓐ 이차방정식의 근과 계수의 관계를 이용하여 합과 곱 구하기

이차방정식 $3x^2+x-6=0$의 두 근은 α, β이므로

근과 계수의 관계에서

$\alpha+\beta=-\frac{1}{3}$, $\alpha\beta=-2$

STEP Ⓑ 등비급수의 성질을 이용하여 합 구하기

따라서 $\frac{1}{\alpha}+\frac{1}{\beta}=\frac{\alpha+\beta}{\alpha\beta}=\frac{-\frac{1}{3}}{-2}=\frac{1}{6}$이므로

$$\sum_{n=1}^{\infty}\left(\frac{1}{\alpha}+\frac{1}{\beta}\right)^n=\sum_{n=1}^{\infty}\left(\frac{1}{6}\right)^n=\frac{\frac{1}{6}}{1-\frac{1}{6}}=\frac{1}{5}$$

(2) 이차방정식 $x^2+(3^n-2^n)x-4^n=0$의 서로 다른 두 실근을 α_n, β_n이라 할 때, $\sum_{n=1}^{\infty}\left(\frac{1}{\alpha_n}+\frac{1}{\beta_n}\right)$의 값을 구하여라.

STEP Ⓐ 이차방정식의 근과 계수를 이용하여 $\alpha_n+\beta_n$, $\alpha_n\beta_n$의 값 구하기

x에 대한 이차방정식 $x^2+(3^n-2^n)x-4^n=0$의 서로 다른 두 실근이 α_n, β_n이므로 이차방정식의 근과 계수의 관계에 의하여

$\alpha_n+\beta_n=-3^n+2^n$, $\alpha_n\beta_n=-4^n$

$$\frac{1}{\alpha_n}+\frac{1}{\beta_n}=\frac{\alpha_n+\beta_n}{\alpha_n\beta_n}=\frac{-3^n+2^n}{-4^n}=\left(\frac{3}{4}\right)^n-\left(\frac{1}{2}\right)^n$$

STEP Ⓑ 등비급수의 성질을 이용하여 합 구하기

따라서 $\sum_{n=1}^{\infty}\left(\frac{1}{\alpha_n}+\frac{1}{\beta_n}\right)=\sum_{n=1}^{\infty}\left\{\left(\frac{3}{4}\right)^n-\left(\frac{1}{2}\right)^n\right\}$

$$=\sum_{n=1}^{\infty}\left(\frac{3}{4}\right)^n-\sum_{n=1}^{\infty}\left(\frac{1}{2}\right)^n$$
$$=\frac{\frac{3}{4}}{1-\frac{3}{4}}-\frac{\frac{1}{2}}{1-\frac{1}{2}}$$
$$=3-1=2$$

0128

등비수열 $\{a_n\}$에 대하여

$$\sum_{n=1}^{\infty}a_n=4,\ \sum_{n=1}^{\infty}a_n^2=\frac{16}{3}$$

일 때, $\sum_{n=1}^{\infty}a_n^3$의 값을 구하여라.

STEP Ⓐ 등비급수의 합을 이용하여 첫째항과 공비 구하기

등비수열 $\{a_n\}$의 첫째항을 a, 공비를 r로 놓으면

수열 $\{a_n^2\}$은 첫째항이 a^2, 공비가 r^2인 등비수열이다.

이때 $-1<r<1$이면 $0\le r^2<1$

$\sum_{n=1}^{\infty}a_n=\sum_{n=1}^{\infty}ar^{n-1}=4$에서 $\frac{a}{1-r}=4$, $a=4(1-r)$ …… ㉠

$\sum_{n=1}^{\infty}a_n^2=\sum_{n=1}^{\infty}a^2r^{2n-2}=\frac{a^2}{1-r^2}=\frac{16}{3}$에서

$\frac{a^2}{1-r^2}=\frac{a^2}{(1-r)(1+r)}=\frac{4a}{1+r}=\frac{16}{3}$, $3a=4(1+r)$ …… ㉡

㉠, ㉡을 연립하여 풀면 $a=2$, $r=\frac{1}{2}$

STEP Ⓑ $\sum_{n=1}^{\infty}a_n^3$의 값 구하기

따라서 $\sum_{n=1}^{\infty}a_n^3=\sum_{n=1}^{\infty}a^3r^{3n-3}=\frac{a^3}{1-r^3}=\frac{8}{1-\frac{1}{8}}=\frac{64}{7}$

0129

다음 물음에 답하여라.

(1) 등비수열 $\{a_n\}$에 대하여 $\sum_{n=1}^{\infty}a_n=6$, $\sum_{n=1}^{\infty}a_{2n}=2$일 때, $\sum_{n=1}^{\infty}{a_n}^2$의 값은?

① 4 ② 6 ③ 8
④ 10 ⑤ 12

STEP Ⓐ 등비급수의 합을 이용하여 첫째항과 공비 구하기

등비수열 $\{a_n\}$의 첫째항을 a, 공비를 r이라 하면

$a_n=ar^{n-1}$, $a_{2n}=ar^{2n-1}=ar\times(r^2)^{n-1}$이므로

$\sum_{n=1}^{\infty}a_n=\frac{a}{1-r}=6$, $a=6(1-r)$ …… ㉠

$\sum_{n=1}^{\infty}a_{2n}=\frac{ar}{1-r^2}=\frac{ar}{(1+r)(1-r)}=2$에서

$\frac{6r}{1+r}=2$, $3r=1+r$ …… ㉡

㉠, ㉡을 연립하여 풀면 $a=3$, $r=\frac{1}{2}$

STEP Ⓑ $\sum_{n=1}^{\infty}{a_n}^2$의 값 구하기

따라서 구하는 급수의 합은

$$\sum_{n=1}^{\infty}{a_n}^2=\sum_{n=1}^{\infty}a^2(r^2)^{n-1}=\frac{a^2}{1-r^2}=\frac{3^2}{1-\left(\frac{1}{2}\right)^2}=12$$

(2) 등비수열 $\{a_n\}$에 대하여

$$\sum_{n=1}^{\infty}a_n=8,\ \sum_{n=1}^{\infty}a_{2n-1}=\frac{32}{5}$$

일 때, a_2의 값은?

① $\frac{1}{2}$ ② 1 ③ $\frac{3}{2}$
④ 2 ⑤ $\frac{5}{2}$

STEP Ⓐ 주어진 등비급수의 합을 이용하여 첫째항과 공비 구하기

등비수열 $\{a_n\}$의 첫째항을 a, 공비를 $r\,(-1<r<1)$이라 하면

$\sum_{n=1}^{\infty}a_n=8$에서 $\frac{a}{1-r}=8$ …… ㉠

$\sum_{n=1}^{\infty}a_{2n-1}=\frac{32}{5}$에서 $\frac{a}{1-r^2}=\frac{32}{5}$ …… ㉡

㉡에서 $\frac{a}{1-r}\times\frac{1}{1+r}=\frac{32}{5}$이므로

이 식에 ㉠을 대입하면

$8\times\frac{1}{1+r}=\frac{32}{5}$, $1+r=\frac{5}{4}$

$\therefore r=\frac{1}{4}$

㉠에서 $\frac{a}{1-\frac{1}{4}}=8$이므로 $\frac{4a}{3}=8$

즉 $a=8\times\frac{3}{4}=6$

STEP Ⓑ a_2의 값 구하기

따라서 $a_2=ar=6\times\frac{1}{4}=\frac{3}{2}$

0130

다음 물음에 답하여라.

(1) 공비가 같은 두 등비수열 $\{a_n\}$, $\{b_n\}$에 대하여

$$a_1+b_1=6,\ \sum_{n=1}^{\infty}a_n=5,\ \sum_{n=1}^{\infty}b_n=4$$

가 성립할 때, $\sum_{n=1}^{\infty}(2{a_n}^2+{b_n}^2)$의 값을 구하여라.

STEP Ⓐ 등비급수의 합을 이용하여 첫째항과 공비 구하기

두 등비수열 $\{a_n\}$, $\{b_n\}$의 공비를 $r(-1<r<1)$이라 하면

$\sum_{n=1}^{\infty}a_n=\frac{a_1}{1-r}=5$ …… ㉠

$\sum_{n=1}^{\infty}b_n=\frac{b_1}{1-r}=4$ …… ㉡

㉠+㉡을 하면 $\frac{a_1+b_1}{1-r}=\frac{6}{1-r}=9$, $1-r=\frac{2}{3}$ ← $a_1+b_1=6$

$\therefore r=\frac{1}{3}$

㉠, ㉡에서 $a_1=\frac{10}{3}$, $b_1=\frac{8}{3}$

STEP Ⓑ 등비급수의 성질을 이용하여 합 구하기

따라서 $\sum_{n=1}^{\infty}(2{a_n}^2+{b_n}^2)=2\sum_{n=1}^{\infty}{a_n}^2+\sum_{n=1}^{\infty}{b_n}^2$

$$=2\sum_{n=1}^{\infty}\left(\frac{10}{3}\right)^2\left(\frac{1}{9}\right)^{n-1}+\sum_{n=1}^{\infty}\left(\frac{8}{3}\right)^2\left(\frac{1}{9}\right)^{n-1}$$

$$=2\cdot\frac{\left(\frac{10}{3}\right)^2}{1-\frac{1}{9}}+\frac{\left(\frac{8}{3}\right)^2}{1-\frac{1}{9}}$$

$$=2\cdot\frac{100}{9}\cdot\frac{9}{8}+\frac{64}{9}\cdot\frac{9}{8}$$

$$=25+8=33$$

(2) 공비가 같은 두 등비수열 $\{a_n\}$, $\{b_n\}$에 대하여

$$a_1-b_1=1\text{이고 }\sum_{n=1}^{\infty}a_n=8,\ \sum_{n=1}^{\infty}b_n=6$$

일 때, $\sum_{n=1}^{\infty}a_nb_n$의 값을 구하여라.

STEP Ⓐ 등비급수의 합을 이용하여 첫째항과 공비 구하기

두 등비수열 $\{a_n\}$, $\{b_n\}$의 공비를 $r(-1<r<1)$이라 하면

$\sum_{n=1}^{\infty}a_n=\frac{a_1}{1-r}=8$ …… ㉠

$\sum_{n=1}^{\infty}b_n=\frac{b_1}{1-r}=6$ …… ㉡

㉠−㉡을 하면 $\frac{a_1-b_1}{1-r}=\frac{1}{1-r}=2$, $1-r=\frac{1}{2}$ ← $a_1-b_1=1$

$\therefore r=\frac{1}{2}$

㉠, ㉡에 $r=\frac{1}{2}$을 각각 대입하면 $a_1=4$, $b_1=3$

STEP Ⓑ 등비급수의 성질을 이용하여 합 구하기

따라서 수열 $\{a_nb_n\}$은 첫째항이 $a_1b_1=4\times3=12$, 공비가 $r^2=\frac{1}{4}$인

등비수열이므로 $\sum_{n=1}^{\infty}a_nb_n=\sum_{n=1}^{\infty}12\left(\frac{1}{4}\right)^{n-1}=\frac{12}{1-\frac{1}{4}}=16$

0131

수열 $\{a_n\}$이 $a_1=\frac{1}{8}$이고,

$$a_n a_{n+1}=2^n\,(n\geq 1)$$

을 만족시킬 때, $\sum_{n=1}^{\infty}\frac{1}{a_{2n-1}}$의 값을 구하여라.

STEP Ⓐ 항들을 나열하여 수열 $\{a_n\}$의 일반항 구하기

$a_1=\frac{1}{2^3}$

$a_1a_2=2^1$에서 $a_2=\frac{2}{a_1}=2^4$

$a_2a_3=2^2$에서 $a_3=\frac{2^2}{a_2}=\frac{1}{2^2}$

$a_3a_4=2^3$에서 $a_4=\frac{2^3}{a_3}=2^5$

$a_4a_5=2^4$에서 $a_5=\frac{2^4}{a_4}=\frac{1}{2}$

$\vdots$

$\{a_{2n-1}\}: \frac{1}{2^3}, \frac{1}{2^2}, \frac{1}{2^1}, \cdots$이므로 $\left\{\frac{1}{a_{2n-1}}\right\}: 2^3, 2^2, 2^1, \cdots$

즉 수열 $\left\{\frac{1}{a_{2n-1}}\right\}$은 첫째항이 8이고 공비가 $\frac{1}{2}$인 등비수열이다.

STEP Ⓑ $\sum_{n=1}^{\infty}\frac{1}{a_{2n-1}}$의 값 구하기

따라서 $\sum_{n=1}^{\infty}\frac{1}{a_{2n-1}}=\frac{8}{1-\frac{1}{2}}=16$

다른풀이 식을 변형하여 일반항을 구하는 풀이하기

STEP Ⓐ $a_na_{n+1}=2^n(n\geq 1)$을 이용하여 일반항을 찾기

$a_na_{n+1}=2^n$ …… ㉠

에서 n 대신에 $n+1$을 대입하면

$a_{n+1}a_{n+2}=2^{n+1}$ …… ㉡

㉡÷㉠을 하면 $\frac{a_{n+1}a_{n+2}}{a_na_{n+1}}=\frac{2^{n+1}}{2^n}$, $\frac{a_{n+2}}{a_n}=2$이므로 $a_{n+2}=2a_n$

즉 $\{a_{2n-1}\}$과 $\{a_{2n}\}$은 공비가 2인 등비수열이다.

이때 $a_1=\frac{1}{8}$이므로 $a_{2n-1}=\frac{1}{8}\cdot 2^{n-1}=2^{n-4}$

따라서 $\sum_{n=1}^{\infty}\frac{1}{a_{2n-1}}=\sum_{n=1}^{\infty}\frac{1}{2^{n-4}}=\frac{8}{1-\frac{1}{2}}=16$

0132

다음과 같이 귀납적으로 정의된 수열 $\{a_n\}$이 있다.

$$a_1=2,\ a_{n+1}a_n=\left(\frac{1}{4}\right)^n\,(n=1, 2, 3, \cdots)$$

이때 $\sum_{n=1}^{\infty}a_{2n-1}+\sum_{n=1}^{\infty}a_{2n}$의 값은?

① $\frac{17}{6}$ ② $\frac{19}{6}$ ③ $\frac{7}{2}$
④ $\frac{23}{6}$ ⑤ $\frac{25}{6}$

STEP Ⓐ 항들을 나열하여 수열 $\{a_{2n-1}\}$, $\{a_{2n}\}$의 일반항 구하기

$a_1=2,$

$a_2a_1=\frac{1}{4}$에서 $a_2=\frac{1}{8}$

$a_3a_2=\left(\frac{1}{4}\right)^2$에서 $a_3=\frac{1}{2}$

$a_4a_3=\left(\frac{1}{4}\right)^3$에서 $a_4=\frac{1}{32}$

$\vdots$

즉 a_{2n-1}은 첫째항이 2이고 공비가 $\frac{1}{4}$인 등비수열이므로

$a_{2n-1}=2\left(\frac{1}{4}\right)^{n-1}$

a_{2n}은 첫째항이 $\frac{1}{8}$이고 공비가 $\frac{1}{4}$인 등비수열이므로

$a_{2n}=\frac{1}{8}\left(\frac{1}{4}\right)^{n-1}$

STEP Ⓑ $\sum_{n=1}^{\infty}a_{2n-1}+\sum_{n=1}^{\infty}a_{2n}$의 값 구하기

따라서 $\sum_{n=1}^{\infty}a_{2n-1}+\sum_{n=1}^{\infty}a_{2n}=\sum_{n=1}^{\infty}2\left(\frac{1}{4}\right)^{n-1}+\sum_{n=1}^{\infty}\frac{1}{8}\left(\frac{1}{4}\right)^{n-1}$

$=\frac{2}{1-\frac{1}{4}}+\frac{\frac{1}{8}}{1-\frac{1}{4}}$

$=\frac{8}{3}+\frac{1}{6}=\frac{17}{6}$

0133

$a_1=8$, $a_na_{n+1}=3^n\,(n=1, 2, 3, \cdots)$으로 정의된 수열 $\{a_n\}$에 대하여 $\lim_{n\to\infty}\frac{a_1+a_3+a_5+\cdots+a_{2n-1}}{a_{2n}}$의 값을 구하면?

① 30 ② 32 ③ 36
④ 42 ⑤ 55

STEP Ⓐ 항들을 나열하여 수열 $\{a_{2n-1}\}$, $\{a_{2n}\}$의 일반항 구하기

$a_1=8$이므로

$a_1a_2=3^1$에서 $a_2=\frac{1}{8}\times 3^1$

$a_2a_3=3^2$에서 $a_3=8\times 3^1$

$a_3a_4=3^3$에서 $a_4=\frac{1}{8}\times 3^2$

$a_4a_5=3^4$에서 $a_5=8\times 3^2$

$a_5a_6=3^5$에서 $a_6=\frac{1}{8}\times 3^3$

$a_6a_7=3^6$에서 $a_7=8\times 3^3$

$\vdots$

$\therefore a_{2n-1}=8\times 3^{n-1}$, $a_{2n}=\frac{1}{8}\times 3^n\,(n=1, 2, 3, \cdots)$

이때 $a_1+a_3+a_5+\cdots+a_{2n-1}=\sum_{k=1}^{n}a_{2k-1}=\sum_{k=1}^{n}(8\times 3^{k-1})$

$=8\times\frac{3^n-1}{3-1}$

$=4(3^n-1)$

STEP Ⓑ 극한값 구하기

따라서 $\lim_{n\to\infty}\frac{a_1+a_3+a_5+\cdots+a_{2n-1}}{a_{2n}}=\lim_{n\to\infty}\frac{4(3^n-1)}{\frac{1}{8}\times 3^n}$

$=\lim_{n\to\infty}32\left(1-\frac{1}{3^n}\right)$

$=32$

0134

다음 물음에 답하여라.

(1) 두 수열 $\{a_n\}$, $\{b_n\}$에 대하여 옳은 것만을 [보기]에서 있는 대로 고른 것은?

ㄱ. 급수 $\sum_{n=1}^{\infty}(a_n-3)$이 수렴하면 $\lim_{n\to\infty}a_n=3$이다.

ㄴ. $\sum_{n=1}^{\infty}a_n=\alpha$, $\lim_{n\to\infty}b_n=\beta$이면 $\lim_{n\to\infty}a_nb_n=0$이다.
(단, α, β는 상수이다.)

ㄷ. $\sum_{n=1}^{\infty}a_n$이 수렴하고 $\lim_{n\to\infty}b_n=\infty$이면 $\lim_{n\to\infty}a_nb_n=0$이다.

① ㄱ ② ㄴ ③ ㄱ, ㄴ
④ ㄱ, ㄷ ⑤ ㄱ, ㄴ, ㄷ

STEP A 급수와 수열의 극한 사이의 관계와 수열의 극한의 성질을 이용하여 [보기]의 참, 거짓 판단하기

ㄱ. $\sum_{n=1}^{\infty}(a_n-3)$이 수렴하므로 $\lim_{n\to\infty}(a_n-3)=0$ $\therefore \lim_{n\to\infty}a_n=3$ [참]

ㄴ. $\sum_{n=1}^{\infty}a_n=\alpha$이므로 $\lim_{n\to\infty}a_n=0$이고 $\lim_{n\to\infty}b_n=\beta$이므로
$\lim_{n\to\infty}a_nb_n=\lim_{n\to\infty}a_n\cdot\lim_{n\to\infty}b_n=0\cdot\beta=0$ [참]

ㄷ. 반례 $a_n=\dfrac{1}{n^2+n}$, $b_n=n^3$으로 놓으면 $\sum_{n=1}^{\infty}a_n=1$, $\lim_{n\to\infty}b_n=\infty$이지만
$\lim_{n\to\infty}a_nb_n=\lim_{n\to\infty}\dfrac{n^3}{n^2+n}=\infty$ [거짓]

따라서 옳은 것은 ㄱ, ㄴ이다.

(2) 두 수열 $\{a_n\}$, $\{b_n\}$에 대하여 옳은 것만을 [보기]에서 있는 대로 고른 것은?

ㄱ. 급수 $\sum_{n=1}^{\infty}a_n$이 수렴하면 수열 $\{a_n\}$은 수렴한다.

ㄴ. 수열 $\{a_n\}$이 양의 무한대로 발산하면 급수 $\sum_{n=1}^{\infty}\dfrac{1}{a_n}$은 수렴한다.

ㄷ. 급수 $\sum_{n=1}^{\infty}a_n$, $\sum_{n=1}^{\infty}b_n$이 각각 수렴하면 $\sum_{n=1}^{\infty}a_nb_n=\sum_{n=1}^{\infty}a_n\times\sum_{n=1}^{\infty}b_n$이다.

① ㄱ ② ㄴ ③ ㄱ, ㄴ
④ ㄱ, ㄷ ⑤ ㄱ, ㄴ, ㄷ

STEP A 급수와 수열의 극한 사이의 관계와 수열의 극한의 성질을 이용하여 [보기]의 참, 거짓 판단하기

ㄱ. 급수 $\sum_{n=1}^{\infty}a_n$이 수렴하면 $\lim_{n\to\infty}a_n=0$이므로 수열 $\{a_n\}$은 수렴한다. [참]

ㄴ. $a_n=\sqrt{n+1}+\sqrt{n}$이면 $\lim_{n\to\infty}a_n=\infty$이지만
$$\sum_{n=1}^{\infty}\frac{1}{a_n}=\sum_{n=1}^{\infty}\frac{1}{\sqrt{n+1}+\sqrt{n}}=\sum_{n=1}^{\infty}(\sqrt{n+1}-\sqrt{n})$$
$$=\lim_{n\to\infty}(\sqrt{n+1}-1)=\infty \text{ [거짓]}$$

ㄷ. $a_n=\left(\dfrac{1}{2}\right)^n$, $b_n=\left(\dfrac{1}{3}\right)^n$이라 하면 $a_nb_n=\left(\dfrac{1}{6}\right)^n$이다.

이때 $\sum_{n=1}^{\infty}\left(\dfrac{1}{2}\right)^n=\dfrac{\frac{1}{2}}{1-\frac{1}{2}}=1$, $\sum_{n=1}^{\infty}\left(\dfrac{1}{3}\right)^n=\dfrac{\frac{1}{3}}{1-\frac{1}{3}}=\dfrac{1}{2}$

$\sum_{n=1}^{\infty}\left(\dfrac{1}{6}\right)^n=\dfrac{\frac{1}{6}}{1-\frac{1}{6}}=\dfrac{1}{5}$이다. [거짓]

따라서 옳은 것은 ㄱ이다.

0135

다음 물음에 답하여라.

(1) 두 수열 $\{a_n\}$, $\{b_n\}$에 대하여 옳은 것만을 [보기]에서 있는 대로 고른 것은?

ㄱ. $\sum_{n=1}^{\infty}a_n$이 수렴하면 $\lim_{n\to\infty}ka_n=0$ (단, k는 상수)

ㄴ. $\sum_{n=1}^{\infty}a_n$, $\sum_{n=1}^{\infty}\dfrac{b_n}{a_n}$이 수렴하면 $\lim_{n\to\infty}b_n=0$ (단, $a_n\neq0$)

ㄷ. $\sum_{n=1}^{\infty}a_n=\alpha$, $\sum_{n=1}^{\infty}b_n=\beta$이고 $\alpha>\beta$이면 $\lim_{n\to\infty}a_n>\lim_{n\to\infty}b_n$이다.

① ㄱ ② ㄴ ③ ㄱ, ㄴ
④ ㄴ, ㄷ ⑤ ㄱ, ㄴ, ㄷ

STEP A 급수와 수열의 극한 사이의 관계를 이용하여 [보기]의 참, 거짓 판단하기

ㄱ. 급수 $\sum_{n=1}^{\infty}a_n$이 수렴하므로 $\lim_{n\to\infty}a_n=0$ $\therefore \lim_{n\to\infty}ka_n=k\lim_{n\to\infty}a_n=0$ [참]

ㄴ. 급수 $\sum_{n=1}^{\infty}a_n$과 $\sum_{n=1}^{\infty}\dfrac{b_n}{a_n}$이 수렴하므로 $\lim_{n\to\infty}a_n=0$, $\lim_{n\to\infty}\dfrac{b_n}{a_n}=0$
이때 $b_n=\dfrac{b_n}{a_n}\times a_n$이므로 $\lim_{n\to\infty}b_n=\lim_{n\to\infty}\dfrac{b_n}{a_n}\times a_n=\lim_{n\to\infty}\dfrac{b_n}{a_n}\times\lim_{n\to\infty}a_n=0$
[참]

ㄷ. $\sum_{n=1}^{\infty}a_n$, $\sum_{n=1}^{\infty}b_n$이 수렴하므로 $\lim_{n\to\infty}a_n=0$, $\lim_{n\to\infty}b_n=0$ $\therefore \lim_{n\to\infty}a_n=\lim_{n\to\infty}b_n$
[거짓]

따라서 옳은 것은 ㄱ, ㄴ이다.

(2) 두 수열 $\{a_n\}$, $\{b_n\}$에 대하여 옳은 것만을 [보기]에서 있는 대로 고른 것은?

ㄱ. 급수 $\sum_{n=1}^{\infty}(a_n+b_n-1)$과 $\sum_{n=1}^{\infty}(a_n-b_n+1)$이 모두 수렴하면 $\lim_{n\to\infty}(2a_n+3b_n)=3$이다.

ㄴ. $\lim_{n\to\infty}(a_n-2)=0$이면 급수 $\sum_{n=1}^{\infty}a_n=2$이다.

ㄷ. $\lim_{n\to\infty}a_n=0$이면 급수 $\sum_{n=1}^{\infty}\left(\dfrac{1}{3}\right)^{a_n}$도 수렴한다.

① ㄱ ② ㄴ ③ ㄱ, ㄴ
④ ㄱ, ㄷ ⑤ ㄱ, ㄴ, ㄷ

STEP A 급수와 수열의 극한 사이의 관계와 수열의 극한의 성질을 이용하여 [보기]의 참, 거짓 판단하기

ㄱ. 급수 $\sum_{n=1}^{\infty}(a_n+b_n-1)$과 $\sum_{n=1}^{\infty}(a_n-b_n+1)$이 모두 수렴하므로
$\lim_{n\to\infty}(a_n+b_n-1)=0$, $\lim_{n\to\infty}(a_n-b_n+1)=0$
이때 $\lim_{n\to\infty}a_n=\alpha$, $\lim_{n\to\infty}b_n=\beta$로 수렴하면
$\lim_{n\to\infty}(a_n+b_n-1)=\alpha+\beta-1=0$ …… ㉠
$\lim_{n\to\infty}(a_n-b_n+1)=\alpha-\beta+1=0$ …… ㉡
㉠, ㉡을 연립하면 $\alpha=0$, $\beta=1$
$\therefore \lim_{n\to\infty}(2a_n+3b_n)=2\alpha+3\beta=2\cdot0+3\cdot1=3$ [참]

ㄴ. $a_n-2=b_n$이라 하면 $\lim_{n\to\infty}b_n=0$이고 $a_n=b_n+2$이므로
$\lim_{n\to\infty}(b_n+2)=2\neq0$, 즉 급수 $\sum_{n=1}^{\infty}a_n$은 발산한다. [거짓]

ㄷ. 반례 $a_n=-\dfrac{1}{2^n}$이라 하면 $\lim_{n\to\infty}a_n=\lim_{n\to\infty}\left(-\dfrac{1}{2^n}\right)=0$이지만
$\lim_{n\to\infty}\left(\dfrac{1}{3}\right)^{a_n}=\lim_{n\to\infty}\left(\dfrac{1}{3}\right)^{-\frac{1}{2^n}}=\left(\dfrac{1}{3}\right)^0=1\neq0$이므로
$\sum_{n=1}^{\infty}\left(\dfrac{1}{3}\right)^{a_n}$은 발산한다. [거짓]

따라서 옳은 것은 ㄱ이다.

(3) 등비수열 $\{a_n\}$에 대하여 옳은 것을 모두 고른 것은?

ㄱ. 등비급수 $\sum_{n=1}^{\infty} a_n$이 수렴하면 $\sum_{n=1}^{\infty} a_{2n}$도 수렴한다.
ㄴ. 등비급수 $\sum_{n=1}^{\infty} a_n$이 발산하면 $\sum_{n=1}^{\infty} a_{2n}$도 발산한다.
ㄷ. 등비급수 $\sum_{n=1}^{\infty} a_n$이 수렴하면 $\sum_{n=1}^{\infty}\left(a_n+\frac{1}{2}\right)$도 수렴한다.

① ㄱ ② ㄴ ③ ㄱ, ㄴ
④ ㄱ, ㄷ ⑤ ㄴ, ㄷ

STEP Ⓐ 등비급수와 수열의 극한 사이의 관계를 이용하여 [보기]의 참, 거짓 판단하기

ㄱ. 등비급수 $\sum_{n=1}^{\infty} a_n$이 수렴하므로 $a_n=ar^{n-1}$이라 하면 $|r|<1$

$\sum_{n=1}^{\infty} a_{2n}$에서 $a_{2n}=ar^{2n-1}$도 수렴 $\therefore |r^2|<1$ [참]

ㄴ. 등비급수 $\sum_{n=1}^{\infty} a_n$이 발산하므로 $a_n=ar^{n-1}$이라 하면 $|r|\geq 1$

$\sum_{n=1}^{\infty} a_{2n}$에서 $a_{2n}=ar^{2n-1}$도 발산 $\therefore |r^2|\geq 1$ [참]

ㄷ. 반례 $\sum_{n=1}^{\infty} a_n$이 수렴하므로 $a_n=\left(\frac{1}{2}\right)^n$이라 하면

$a_n+\frac{1}{2}=\left(\frac{1}{2}\right)^n+\frac{1}{2}$

이때 $\lim_{n\to\infty}\left(a_n+\frac{1}{2}\right)=\frac{1}{2}\neq 0$이므로

$\sum_{n=1}^{\infty}\left(a_n+\frac{1}{2}\right)$은 발산한다. [거짓]

따라서 옳은 것은 ㄱ, ㄴ이다.

0136

다음 물음에 답하여라.

(1) 두 수열 $\{a_n\}$, $\{b_n\}$에 대하여 옳은 것만을 [보기]에서 있는 대로 고른 것은?

ㄱ. $\lim_{n\to\infty} a_nb_n$이 발산하면 $\lim_{n\to\infty} a_n$이 발산하거나 $\lim_{n\to\infty} b_n$이 발산한다.
ㄴ. $\sum_{n=1}^{\infty} a_nb_n$이 발산하면 $\lim_{n\to\infty} a_n$이 발산하거나 $\lim_{n\to\infty} b_n$이 발산한다.
ㄷ. $\sum_{n=1}^{\infty} a_nb_n$이 수렴하면 $\sum_{n=1}^{\infty} a_n$과 $\sum_{n=1}^{\infty} b_n$이 모두 수렴한다.

① ㄱ ② ㄴ ③ ㄱ, ㄴ
④ ㄱ, ㄷ ⑤ ㄱ, ㄴ, ㄷ

STEP Ⓐ 급수와 수열의 극한 사이의 관계와 수열의 극한의 성질을 이용하여 [보기]의 참, 거짓 판단하기

ㄱ. $\lim_{n\to\infty} a_n$과 $\lim_{n\to\infty} b_n$이 모두 수렴하면 $\lim_{n\to\infty} a_nb_n$도 수렴한다.
[대우명제]
$\lim_{n\to\infty} a_nb_n$이 발산하면 $\lim_{n\to\infty} a_n$이 발산하거나 $\lim_{n\to\infty} b_n$이 발산한다. [참]

ㄴ. 반례 $a_n=\frac{n}{n+1}$, $b_n=\frac{n+1}{n}$으로 놓으면

$\lim_{n\to\infty} a_nb_n=\lim_{n\to\infty}\frac{n}{n+1}\times\frac{n+1}{n}=1\neq 0$이므로

$\sum_{n=1}^{\infty} a_nb_n$이 발산하지만 $\lim_{n\to\infty} a_n=\lim_{n\to\infty} b_n=1$이므로

$\lim_{n\to\infty} a_n$과 $\lim_{n\to\infty} b_n$은 모두 수렴한다. [거짓]

ㄷ. 반례 $a_n=\frac{1}{4^n}$, $b_n=2^n$이면 $a_nb_n=\frac{1}{2^n}$이므로

$\sum_{n=1}^{\infty} a_nb_n$은 수렴하지만 $\sum_{n=1}^{\infty} b_n$은 발산한다. [거짓]

따라서 옳은 것은 ㄱ 뿐이다.

(2) 두 수열 $\{a_n\}$, $\{b_n\}$에 대하여 옳은 것만을 [보기]에서 있는 대로 고른 것은?

ㄱ. 급수 $\sum_{n=1}^{\infty}(a_n+b_n)$이 발산하면 두 급수 $\sum_{n=1}^{\infty} a_n$, $\sum_{n=1}^{\infty} b_n$ 중 적어도 하나는 발산한다.
ㄴ. 두 급수 $\sum_{n=1}^{\infty} a_n$, $\sum_{n=1}^{\infty} b_n$이 모두 수렴하고 $\sum_{n=1}^{\infty} a_n<\sum_{n=1}^{\infty} b_n$이면 $\lim_{n\to\infty} a_n<\lim_{n\to\infty} b_n$이다.
ㄷ. 모든 자연수 n에 대하여 $a_n<b_n$이고 두 급수 $\sum_{n=1}^{\infty} a_n$, $\sum_{n=1}^{\infty} b_n$이 모두 수렴하면 $\sum_{n=1}^{\infty} a_n<\sum_{n=1}^{\infty} b_n$이다.

① ㄱ ② ㄴ ③ ㄱ, ㄷ
④ ㄴ, ㄷ ⑤ ㄱ, ㄴ, ㄷ

STEP Ⓐ 급수와 수열의 극한 사이의 관계와 수열의 극한의 성질을 이용하여 [보기]의 참, 거짓 판단하기

ㄱ. 두 급수 $\sum_{n=1}^{\infty} a_n$, $\sum_{n=1}^{\infty} b_n$이 모두 수렴하면 급수 $\sum_{n=1}^{\infty}(a_n+b_n)$은 수렴한다.
즉 이 명제의 대우인
'급수 $\sum_{n=1}^{\infty}(a_n+b_n)$이 발산하면 두 급수 $\sum_{n=1}^{\infty} a_n$, $\sum_{n=1}^{\infty} b_n$ 중 적어도 하나는 발산한다.' 는 참이다. [참]

ㄴ. 두 급수 $\sum_{n=1}^{\infty} a_n$, $\sum_{n=1}^{\infty} b_n$이 모두 수렴하면 그 대소에 관계없이 $\lim_{n\to\infty} a_n=0$, $\lim_{n\to\infty} b_n=0$이다. [거짓]

ㄷ. $\sum_{k=1}^{n} a_n=S_n$, $\sum_{k=1}^{n} b_n=T_n$이라 하면 모든 자연수 n에 대하여 $a_n<b_n$이므로 $S_n<T_n$이다.
이때 두 급수 $\sum_{n=1}^{\infty} a_n$, $\sum_{n=1}^{\infty} b_n$이 모두 수렴하므로 두 수열 $\{S_n\}$, $\{T_n\}$은 모두 수렴하고 수열의 극한의 대소 관계에 의하여 $\lim_{n\to\infty} S_n<\lim_{n\to\infty} T_n$
즉 $\sum_{n=1}^{\infty} a_n=\lim_{n\to\infty} S_n<\lim_{n\to\infty} T_n=\sum_{n=1}^{\infty} b_n$이다. [참]

따라서 옳은 것은 ㄱ, ㄷ이다.

0137

첫째항이 $0.\dot{2}$, 공비가 $0.0\dot{6}$인 등비수열 $\{a_n\}$에 대하여 급수 $\sum_{n=1}^{\infty} a_n$의 값은?

① $\frac{4}{45}$ ② $\frac{5}{21}$ ③ $\frac{15}{22}$
④ $\frac{7}{8}$ ⑤ $\frac{5}{2}$

STEP A 등비수열의 첫째항을 분수로 고치기

등비수열 $\{a_n\}$의 첫째항이 $0.\dot{2}$이므로

$0.\dot{2}=0.222\cdots=0.2+0.02+0.002+\cdots$

이므로 이 급수는 첫째항이 0.2, 공비가 0.1인 등비수열이다.

즉 $0.\dot{2}=\frac{0.2}{1-0.1}=\frac{2}{9}$

STEP B 등비수열의 공비를 분수로 고치기

등비수열 $\{a_n\}$의 공비가 $0.0\dot{6}$이므로

$0.0\dot{6}=0.0666\cdots=0.06+0.006+0.0006+\cdots$

이므로 이 급수는 첫째항이 0.06, 공비가 0.1인 등비수열이다.

즉 $0.0\dot{6}=\frac{0.06}{1-0.1}=\frac{1}{15}$

STEP C $\sum_{n=1}^{\infty} a_n$의 값 구하기

따라서 수열 $\{a_n\}$은 첫째항이 $\frac{2}{9}$, 공비가 $\frac{1}{15}$인 등비수열이므로

$$\sum_{n=1}^{\infty} a_n=\frac{\frac{2}{9}}{1-\frac{1}{15}}=\frac{5}{21}$$

0138

다음 물음에 답하여라.

(1) $\frac{12}{99}$를 순환소수로 나타낼 때, 소수점 아래 n번째 자리의 수를 a_n이라 하자. 예를 들면 $a_3=1$이다. 급수 $\sum_{n=1}^{\infty}\frac{a_n}{2^n}$의 값은?

① $\frac{4}{3}$ ② $\frac{3}{2}$ ③ $\frac{5}{3}$
④ 2 ⑤ $\frac{5}{2}$

STEP A 순환소수에서 a_1, a_2, a_3, $\cdots$ 구하기

$\frac{12}{99}=0.\dot{1}\dot{2}=0.12121212,\cdots$에서

$a_1=1,\ a_2=2,\ a_3=1,\ a_4=2,\ \cdots$

STEP B $\sum_{n=1}^{\infty}\frac{a_n}{2^n}$의 값 구하기

따라서 $\sum_{n=1}^{\infty}\frac{a_n}{2^n}=\frac{a_1}{2}+\frac{a_2}{2^2}+\frac{a_3}{2^3}+\frac{a_4}{2^4}+\frac{a_5}{2^5}+\frac{a_6}{2^6}+\cdots$

$$=\frac{1}{2}+\frac{2}{2^2}+\frac{1}{2^3}+\frac{2}{2^4}+\frac{1}{2^5}+\frac{2}{2^6}+\cdots$$

$$=\left(\frac{1}{2}+\frac{1}{2^3}+\frac{1}{2^5}+\cdots\right)+2\left(\frac{1}{2^2}+\frac{1}{2^4}+\frac{1}{2^6}+\cdots\right)$$

$$=\frac{\frac{1}{2}}{1-\frac{1}{4}}+2\cdot\frac{\frac{1}{4}}{1-\frac{1}{4}}$$

$$=\frac{2}{3}+\frac{2}{3}=\frac{4}{3}$$

(2) $\frac{8}{33}$을 소수로 나타낼 때 소수점 아래 n번째 자리의 수를 a_n이라 할 때, 수열 $\{a_n\}$에 대하여 급수 $\sum_{n=1}^{\infty}\frac{a_n}{7^n}$의 값은?

① $\frac{1}{3}$ ② $\frac{1}{2}$ ③ $\frac{3}{8}$
④ $\frac{3}{5}$ ⑤ $\frac{5}{3}$

STEP A 순환소수에서 a_1, a_2, a_3, $\cdots$ 구하기

$\frac{8}{33}=\frac{24}{99}=0.\dot{2}\dot{4}=0.242424\cdots$이므로

$a_1=2,\ a_2=4,\ a_3=2,\ a_4=4,\ \cdots$

STEP B $\sum_{n=1}^{\infty}\frac{a_n}{7^n}$의 값 구하기

따라서 $\sum_{n=1}^{\infty}\frac{a_n}{7^n}=\frac{a_1}{7}+\frac{a_2}{7^2}+\frac{a_3}{7^3}+\frac{a_4}{7^4}+\frac{a_5}{7^5}+\frac{a_6}{7^6}+\cdots$

$$=\frac{2}{7}+\frac{4}{7^2}+\frac{2}{7^3}+\frac{4}{7^4}+\frac{2}{7^5}+\frac{4}{7^6}+\cdots$$

$$=\left(\frac{2}{7}+\frac{2}{7^3}+\frac{2}{7^5}+\cdots\right)+\left(\frac{4}{7^2}+\frac{4}{7^4}+\frac{4}{7^6}+\cdots\right)$$

$$=\frac{\frac{2}{7}}{1-\frac{1}{49}}+\frac{\frac{4}{49}}{1-\frac{1}{49}}$$

$$=\frac{7}{24}+\frac{2}{24}=\frac{3}{8}$$

0139

수열 $\{a_n\}$의 각 항이

$$a_1=0.\dot{1},\ a_2=0.\dot{1}\dot{0},\ a_3=0.\dot{1}0\dot{0},\ \cdots,\ a_n=0.\dot{1}\underbrace{00\cdots0\dot{0}}_{0\text{이 } n-1\text{개}},\ \cdots$$

일 때, $\sum_{n=1}^{\infty}\left(\frac{1}{a_{n+1}}-\frac{1}{a_n}\right)$의 값은?

STEP A 순환소수를 이용하여 일반항 a_n 구하기

$a_1=\frac{1}{9}=\frac{1}{10-1}$

$a_2=\frac{10}{99}=\frac{10}{10^2-1}$

$a_3=\frac{100}{999}=\frac{10^2}{10^3-1}$

$\vdots$

$a_n=\frac{10^{n-1}}{10^n-1}$

STEP B 등비급수의 성질을 이용하여 합 구하기

따라서 $\sum_{n=1}^{\infty}\left(\frac{1}{a_{n+1}}-\frac{1}{a_n}\right)=\sum_{n=1}^{\infty}\left(\frac{10^{n+1}-1}{10^n}-\frac{10^n-1}{10^{n-1}}\right)$

$$=\sum_{n=1}^{\infty}\frac{(10^{n+1}-1)-10(10^n-1)}{10^n}$$

$$=\sum_{n=1}^{\infty}\frac{9}{10^n}$$

$$=\frac{\frac{9}{10}}{1-\frac{1}{10}}=1$$

0140

오른쪽 그림과 같이 좌표평면 위의 점 P가 원점 O를 출발하여 P_1, P_2, P_3, …으로 움직인다.

$\overline{OP_1}=1$, $\overline{P_1P_2}=\frac{4}{5}\overline{OP_1}$, $\overline{P_2P_3}=\frac{4}{5}\overline{P_1P_2}$, …

일 때, 점 P_n이 한없이 가까워지는 점의 좌표를 구하여라.

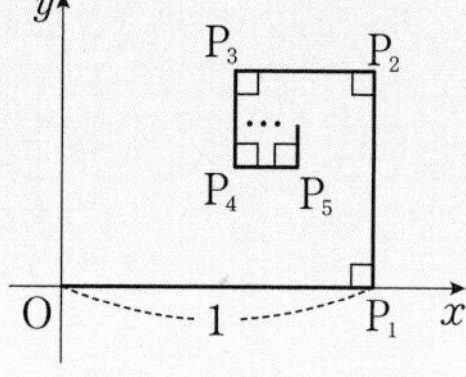

STEP Ⓐ 등비급수의 합을 이용하여 가까워지는 x좌표 구하기

$\overline{OP_1}=1$, $\overline{P_1P_2}=\frac{4}{5}$, $\overline{P_2P_3}=\left(\frac{4}{5}\right)^2$, $\overline{P_3P_4}=\left(\frac{4}{5}\right)^3$, …

점 P_n의 x좌표를 x_n으로 놓으면

$$\lim_{n\to\infty}x_n=\overline{OP_1}-\overline{P_2P_3}+\overline{P_4P_5}-\cdots=1-\left(\frac{4}{5}\right)^2+\left(\frac{4}{5}\right)^4-\cdots$$
$$=\frac{1}{1-\left(-\frac{16}{25}\right)}=\frac{25}{41}$$

STEP Ⓑ 등비급수의 합을 이용하여 가까워지는 y좌표 구하기

점 P_n의 y좌표를 y_n으로 놓으면

$$\lim_{n\to\infty}y_n=\overline{P_1P_2}-\overline{P_3P_4}+\overline{P_5P_6}-\cdots=\frac{4}{5}-\left(\frac{4}{5}\right)^3+\left(\frac{4}{5}\right)^5-\cdots$$
$$=\frac{\frac{4}{5}}{1-\left(-\frac{16}{25}\right)}=\frac{20}{41}$$

따라서 점 P_n은 점 $\left(\frac{25}{41}, \frac{20}{41}\right)$에 가까워진다.

0141

다음 그림과 같이 x축의 양의 방향과 $\overline{OP_1}$이 이루는 각의 크기가 30°이고, 자연수 n에 대하여 점 P_n이 $\overline{OP_1}=1$, $\overline{P_1P_2}=\frac{1}{4}\overline{OP_1}$, $\overline{P_2P_3}=\frac{1}{4}\overline{P_1P_2}$, …

일 때, 점 P_n이 한없이 가까워지는 점의 좌표를 구하여라.

(단, O는 원점이고, $\angle OP_1P_2=60°$, $\angle P_nP_{n+1}P_{n+2}=60°$ $(n\ge1)$)

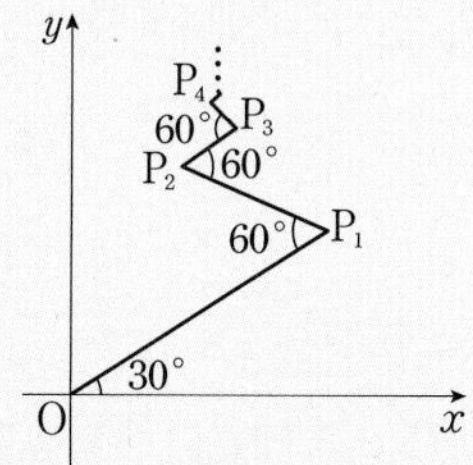

STEP Ⓐ 점의 좌표를 각각 등비급수로 나타내기

점 P_n이 한없이 가까워지는 점의 좌표를 (x, y)라 하면

$$x=\overline{OP_1}\cos30°-\overline{P_1P_2}\cos30°+\overline{P_2P_3}\cos30°-\overline{P_3P_4}\cos30°+\cdots$$
$$=1\cdot\frac{\sqrt{3}}{2}-\frac{1}{4}\cdot\frac{\sqrt{3}}{2}+\left(\frac{1}{4}\right)^2\cdot\frac{\sqrt{3}}{2}+\left(\frac{1}{4}\right)^3\cdot\frac{\sqrt{3}}{2}+\cdots$$
$$=\frac{\frac{\sqrt{3}}{2}}{1-\left(-\frac{1}{4}\right)}=\frac{2\sqrt{3}}{5}$$

$$y=\overline{OP_1}\sin30°+\overline{P_1P_2}\sin30°+\overline{P_2P_3}\sin30°+\overline{P_3P_4}\sin30°+\cdots$$
$$=1\cdot\frac{1}{2}+\frac{1}{4}\cdot\frac{1}{2}+\left(\frac{1}{4}\right)^2\cdot\frac{1}{2}+\left(\frac{1}{4}\right)^3\cdot\frac{1}{2}+\cdots$$
$$=\frac{\frac{1}{2}}{1-\frac{1}{4}}=\frac{2}{3}$$

따라서 점 P_n이 한없이 가까워지는 점의 좌표는 $\left(\frac{2\sqrt{3}}{5}, \frac{2}{3}\right)$

0142

다음 그림과 같이 좌표평면 위의 점 P가 원점 O를 출발하여 P_1, P_2, P_3, …으로 움직인다.

$\overline{OP_1}=4$, $\overline{P_1P_2}=\frac{3}{4}\overline{OP_1}$, $\overline{P_2P_3}=\frac{3}{4}\overline{P_1P_2}$, …

일 때, 점 P_n이 한없이 가까워지는 점의 x좌표를 구하여라.

(단, $\angle OP_1P_2=60°$, $\angle P_nP_{n+1}P_{n+2}=60°$ $(n\ge1)$)

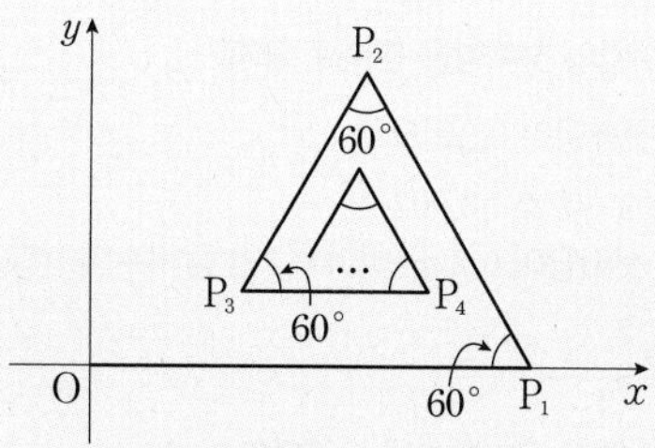

STEP Ⓐ 점 P_n의 x좌표를 a_n이라 하고 각각 좌표 구하기

자연수 k에 대하여 $\overline{OP_1}=4$, $\overline{P_kP_{k+1}}=4\left(\frac{3}{4}\right)^k$이고

선분 $P_{3k}P_{3k+1}$는 x축에 대하여 평행하다.

이때 점 P_n의 x좌표를 a_n이라 하면

$a_1=4$

$a_2=a_1-4\left(\frac{3}{4}\right)\cos60°=a_1-2\left(\frac{3}{4}\right)$

$a_3=a_2-4\left(\frac{3}{4}\right)^2\cos60°=a_2-2\left(\frac{3}{4}\right)^2$

$a_4=a_3+4\left(\frac{3}{4}\right)^3$

$a_5=a_4-4\left(\frac{3}{4}\right)^4\cos60°=a_4-2\left(\frac{3}{4}\right)^4$

$a_6=a_5-4\left(\frac{3}{4}\right)^5\cos60°=a_5-2\left(\frac{3}{4}\right)^5$

$a_7=a_6+4\left(\frac{3}{4}\right)^6$

$a_8=a_7-4\left(\frac{3}{4}\right)^7\cos60°=a_7-2\left(\frac{3}{4}\right)^7$

$a_9=a_8-4\left(\frac{3}{4}\right)^8\cos60°=a_8-2\left(\frac{3}{4}\right)^8$

$a_{10}=a_9+4\left(\frac{3}{4}\right)^9$

⋮

STEP Ⓑ 등비급수의 합을 이용하여 가까워지는 x좌표 구하기

점 P_n의 x좌표를 x_n이라 하면

$$\lim_{n\to\infty}x_n=4-2\left(\frac{3}{4}\right)-2\left(\frac{3}{4}\right)^2+4\left(\frac{3}{4}\right)^3-2\left(\frac{3}{4}\right)^4-2\left(\frac{3}{4}\right)^5+4\left(\frac{3}{4}\right)^6-\cdots$$
$$=\left\{4+4\left(\frac{3}{4}\right)^3+4\left(\frac{3}{4}\right)^6+\cdots\right\}-\left\{2\left(\frac{3}{4}\right)+2\left(\frac{3}{4}\right)^4+\cdots\right\}$$
$$-\left\{2\left(\frac{3}{4}\right)^2+2\left(\frac{3}{4}\right)^5+\cdots\right\}$$
$$=\frac{4}{1-\frac{27}{64}}-\frac{\frac{3}{2}}{1-\frac{27}{64}}-\frac{\frac{9}{8}}{1-\frac{27}{64}}$$
$$=\frac{256-96-72}{37}=\frac{88}{37}$$

참고 $\lim_{n\to\infty}x_n=4-3\times\frac{1}{2}-\frac{9}{4}\times\frac{1}{2}+\frac{9}{4}\left(\frac{3}{4}\right)-\frac{9}{4}\left(\frac{3}{4}\right)^2\times\frac{1}{2}-\frac{9}{4}\left(\frac{3}{4}\right)^3\times\frac{1}{2}+\cdots$

$$=4\left\{1-\frac{3}{4}\times\frac{1}{2}-\left(\frac{3}{4}\right)^2\times\frac{1}{2}\right\}+\frac{27}{16}\left\{1-\frac{3}{4}\times\frac{1}{2}-\left(\frac{3}{4}\right)^2\times\frac{1}{2}\right\}+\cdots$$
$$=\frac{\frac{44}{32}}{1-\frac{27}{64}}=\frac{88}{37}$$

0143

어떤 공을 높이가 hm인 곳에서 수직으로 떨어뜨리면 떨어진 높이의 $\frac{2}{3}$만큼 튀어 오른다. 이 공을 높이가 9m인 곳에서 수직으로 떨어뜨릴 때, 공이 상하 운동을 계속한다고 할 때, 공이 움직인 거리의 합을 구하여라.

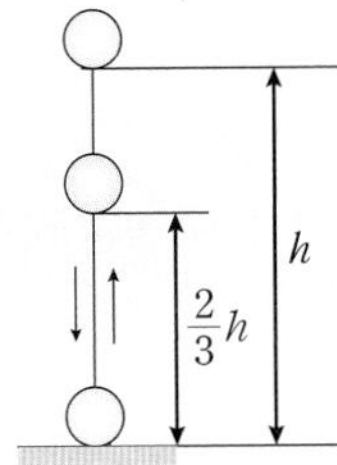

STEP Ⓐ **수열 $\{l_n\}$의 첫째항과 공비 구하기**

공이 처음 지면에 닿을 때까지 움직인 거리를 l, 공이 지면에 n번째 닿은 후 $(n+1)$번째 닿을 때까지 움직인 거리를 l_n이라 하면

$l=9(\text{m})$이고

$l_1=l\times\frac{2}{3}+l\times\frac{2}{3}=2\times l\times\frac{2}{3}=2\times9\times\frac{2}{3}=12(\text{m})$

$l_2=\frac{l_1}{2}\times\frac{2}{3}+\frac{l_1}{2}\times\frac{2}{3}=l_1\times\frac{2}{3}=12\times\frac{2}{3}=8(\text{m})$

$l_3=\frac{l_2}{2}\times\frac{2}{3}+\frac{l_2}{2}\times\frac{2}{3}=l_2\times\frac{2}{3}=8\times\frac{2}{3}=\frac{16}{3}(\text{m})$

⋮

STEP Ⓑ **등비급수의 합 구하기**

따라서 수열 $\{l_n\}$은 첫째항이 12, 공비가 $\frac{2}{3}$인 등비수열이므로

$\sum_{n=1}^{\infty}l_n$은 수렴하고 공이 움직인 거리의 합은 $l+\sum_{n=1}^{\infty}l_n=9+\frac{12}{1-\frac{2}{3}}=45(\text{m})$

0144

어떤 공을 높이가 hm인 곳에서 수직으로 떨어뜨리면 떨어진 높이의 $\frac{2}{5}$만큼 튀어 오른다. 이 공이 상하 운동을 계속한다고 할 때, 공이 움직인 거리의 합은 49m이었다. 처음 공이 떨어뜨린 높이 h의 값은?

① 15m ② 18m ③ 21m
④ 24m ⑤ 27m

STEP Ⓐ **수열 $\{l_n\}$의 첫째항과 공비 구하기**

공이 처음 지면에 닿을 때까지 움직인 거리를 l, 공이 지면에 n번째 닿은 후 $(n+1)$번째 닿을 때까지 음직인 거리를 l_n이라 하면

$l=h(\text{m})$이고

$l_1=l\times\frac{2}{5}+l\times\frac{2}{5}=\frac{4}{5}h(\text{m})$

$l_2=\frac{l_1}{2}\times\frac{2}{5}+\frac{l_1}{2}\times\frac{2}{5}=l_1\times\frac{2}{5}=\frac{4}{5}h\times\frac{2}{5}(\text{m})$

$l_3=\frac{l_2}{2}\times\frac{2}{5}+\frac{l_2}{2}\times\frac{2}{5}=l_2\times\frac{2}{5}=\frac{4}{5}h\times\left(\frac{2}{5}\right)^2(\text{m})$

⋮

STEP Ⓑ **등비급수의 합 구하기**

수열 $\{l_n\}$은 첫째항이 $\frac{4}{5}h$, 공비가 $\frac{2}{5}$인 등비수열이므로

$\sum_{n=1}^{\infty}l_n$은 수렴하고 공이 움직인 거리의 합은

$$l+\sum_{n=1}^{\infty}l_n=h+\frac{\frac{4}{5}h}{1-\frac{2}{5}}=\frac{7}{3}h$$

따라서 $\frac{7}{3}h=49$에서 $h=49\times\frac{3}{7}=21(\text{m})$

0145

길이가 1m인 어떤 진자가 천장에 수직으로 매달려 있다. 다음 그림과 같이 진자를 각 θ만큼 당겼다가 놓으면 추가 처음 매달려 있던 위치를 기준으로 이전에 올라간 각의 $\frac{2}{3}$배만큼 반대쪽으로 올라갔다가 내려오는 과정을 멈출 때까지 계속 반복한다고 한다. 이 진자의 추가 정지할 때까지 움직인 거리의 합을 구하여라. (단, 처음에 잡아당긴 거리는 포함되지 않는다.)

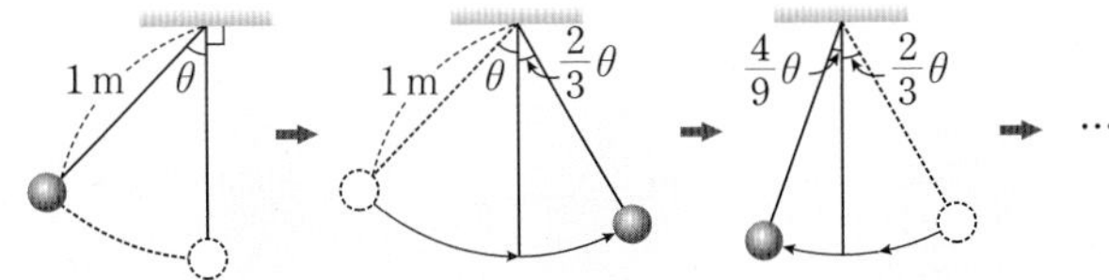

STEP Ⓐ **등비급수의 합 구하기**

진자의 추가 정지할 때까지 움직인 거리의 합은

$1\times\theta+2\times\frac{2}{3}\theta+2\times\left(\frac{2}{3}\right)^2\theta+2\times\left(\frac{2}{3}\right)^3\theta+\cdots$

$=\theta+2\theta\left\{\frac{2}{3}+\left(\frac{2}{3}\right)^2+\left(\frac{2}{3}\right)^3+\cdots\right\}$

$=\theta+2\theta\times\frac{\frac{2}{3}}{1-\frac{2}{3}}$

$=5\theta$

따라서 이 진자의 추가 정지할 때까지 움직인 거리의 합은 5θ m

0146

다음 그림과 같이 점 $P_1(1, 0)$에서 직선 $y=x$에 내린 수선의 발을 P_2, 점 P_2에서 y축에 내린 수선의 발을 P_3, 점 P_3에서 직선 $y=-x$에 내린 수선의 발을 P_4, 점 P_4에서 x축에 내린 수선의 발을 P_5라 하자.

이와 같은 방법으로 P_6, P_7, P_8, ⋯을 그려 나갈 때, $\overline{P_1P_2}+\overline{P_2P_3}+\overline{P_3P_4}+\cdots$의 값을 구하여라.

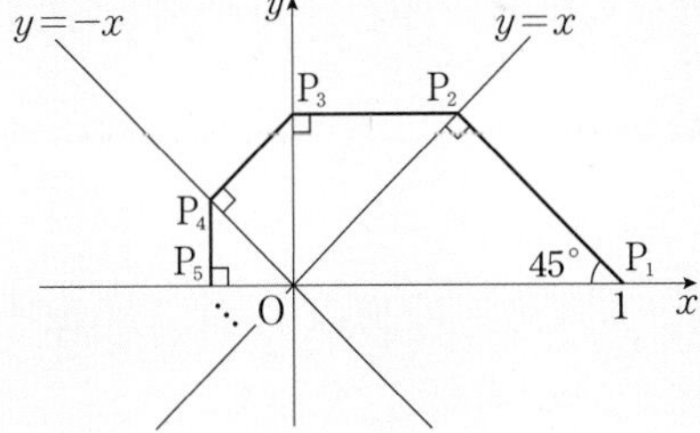

STEP Ⓐ **선분의 길이의 합을 등비급수로 구하기**

$\angle P_2OP_1=45°$이므로 $\overline{P_1P_2}=\overline{OP_1}\sin45°=1\cdot\frac{\sqrt{2}}{2}=\frac{\sqrt{2}}{2}$

$\angle P_3OP_2=45°$이므로

$\overline{P_2P_3}=\overline{OP_2}\sin45°=\overline{P_1P_2}\sin45°=\frac{\sqrt{2}}{2}\cdot\frac{\sqrt{2}}{2}=\left(\frac{\sqrt{2}}{2}\right)^2$

$\angle P_4OP_3=45°$이므로

$\overline{P_3P_4}=\overline{OP_3}\sin45°=\overline{P_2P_3}\sin45°=\left(\frac{\sqrt{2}}{2}\right)^2\cdot\frac{\sqrt{2}}{2}=\left(\frac{\sqrt{2}}{2}\right)^3$

⋮

$$\overline{P_1P_2}+\overline{P_2P_3}+\overline{P_3P_4}+\cdots=\frac{\sqrt{2}}{2}+\left(\frac{\sqrt{2}}{2}\right)^2+\left(\frac{\sqrt{2}}{2}\right)^3+\left(\frac{\sqrt{2}}{2}\right)^4+\cdots$$

$$=\frac{\frac{\sqrt{2}}{2}}{1-\frac{\sqrt{2}}{2}}$$

$$=\sqrt{2}+1$$

0147

다음 그림과 같이 한 변의 길이가 2인 정사각형 $A_1B_1C_1D_1$의 각 변의 중점을 연결하여 정사각형 $A_2B_2C_2D_2$를 만들고, 정사각형 $A_3B_3C_3D_3$을 만든다. 이와 같은 방법으로 정사각형을 한없이 만들 때, 모든 정사각형의 둘레의 길이의 합을 구하여라.

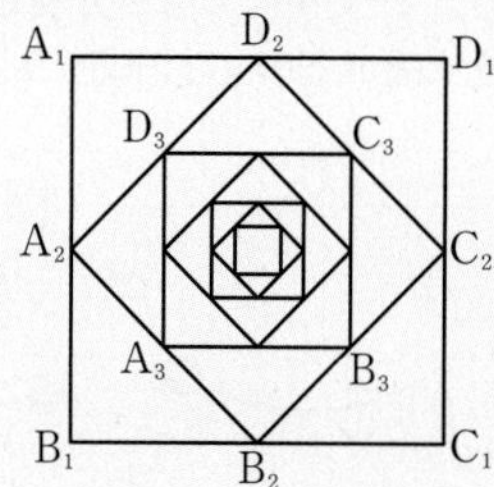

STEP A 정사각형의 $A_nB_nC_nD_n$의 변의 길이 a_n 구하기

다음 그림과 같이 정사각형 $A_nB_nC_nD_n$의 변의 길이를 a_n이라고 하면

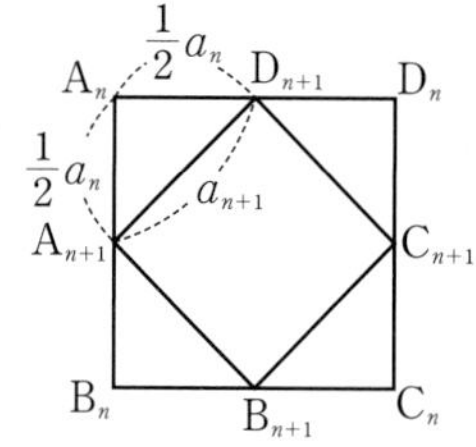

$a_{n+1}{}^2=\left(\frac{1}{2}a_n\right)^2+\left(\frac{1}{2}a_n\right)^2=\frac{1}{2}a_n{}^2$이므로 $a_{n+1}=\frac{\sqrt{2}}{2}a_n$

$a_n=a_1\times\left(\frac{\sqrt{2}}{2}\right)^{n-1}=2\times\left(\frac{\sqrt{2}}{2}\right)^{n-1}$

STEP B 등비급수의 성질을 이용하여 둘레의 길이의 합 구하기

정사각형 $A_nB_nC_nD_n$의 둘레의 길이를 l_n이라고 하면

$l_n=4a_n=8\times\left(\frac{\sqrt{2}}{2}\right)^{n-1}$

따라서 모든 정사각형의 둘레의 길이의 합은

$$\sum_{n=1}^{\infty}l_n=\sum_{n=1}^{\infty}\left\{8\times\left(\frac{\sqrt{2}}{2}\right)^{n-1}\right\}=\frac{8}{1-\frac{\sqrt{2}}{2}}=\frac{16}{2-\sqrt{2}}=\frac{16(2+\sqrt{2})}{2}=16+8\sqrt{2}$$

0148

다음 그림에서 $\triangle ABC$는 한 변의 길이가 2인 정삼각형이고 $\overline{AB}$, $\overline{AC}$의 중점을 각각 B_1, C_1이라고 하자.

또, $\overline{AB_1}$, $\overline{AC_1}$의 중점을 각각 B_2, C_2라고 하자. 이와 같은 과정을 한 없이 반복할 때, $\overline{CB_1}+\overline{B_1C_1}+\overline{C_1B_2}+\overline{B_2C_2}+\overline{C_2B_3}+\cdots$의 값을 구하여라.

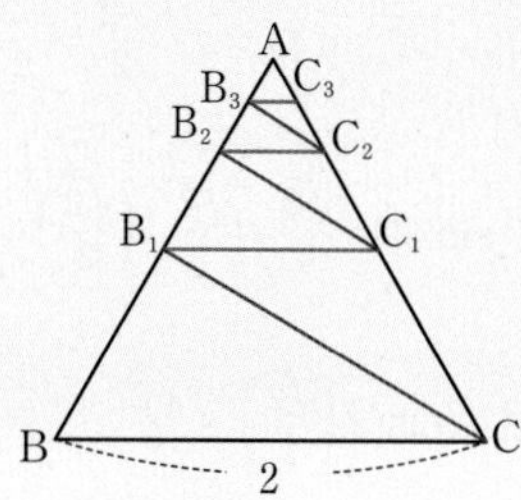

STEP A 정삼각형의 모든 선분의 길이 구하기

$\overline{CB_1}=\frac{\sqrt{3}}{2}\times\overline{BC}=\frac{\sqrt{3}}{2}\times2=\sqrt{3}$

$\overline{C_1B_2}=\frac{\sqrt{3}}{2}\times\overline{B_1C_1}=\frac{\sqrt{3}}{2}\times1=\frac{\sqrt{3}}{2}$

$\overline{C_2B_3}=\frac{\sqrt{3}}{2}\times\overline{B_2C_2}=\frac{\sqrt{3}}{2}\times\frac{1}{2}=\frac{\sqrt{3}}{4}$

⋮

STEP B 등비급수의 성질을 이용하여 급수의 합 구하기

$\overline{CB_1}+\overline{B_1C_1}+\overline{C_1B_2}+\overline{B_2C_2}+\overline{C_2B_3}+\cdots$

$=\{\overline{CB_1}+\overline{C_1B_2}+\overline{C_2B_3}+\cdots\}+\{\overline{B_1C_1}+\overline{B_2C_2}+\overline{B_3C_3}+\cdots\}$

$=\left\{\sqrt{3}+\frac{\sqrt{3}}{2}+\frac{1}{2}\cdot\frac{\sqrt{3}}{2}+\cdots\right\}+\left\{1+\frac{1}{2}+\frac{1}{4}+\cdots\right\}$

$=\frac{\sqrt{3}}{1-\frac{1}{2}}+\frac{1}{1-\frac{1}{2}}$

$=2\sqrt{3}+2$

참고 한 변의 길이가 a인 정삼각형의 높이 h는

$h=\frac{\sqrt{3}}{2}a$

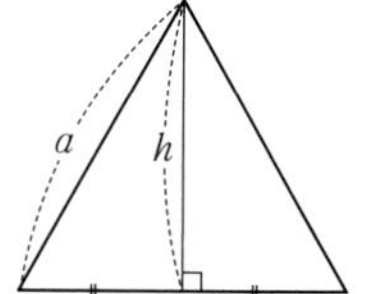

0149

다음 그림과 같이 한 변의 길이가 1인 정사각형 $OA_1B_1C_1$의 내부에 점 O를 중심으로 하고 $\overline{OA_1}$을 반지름으로 하는 사분원을 그린 후, 그 사분원에 내접하는 정사각형 $OA_2B_2C_2$를 그린다.

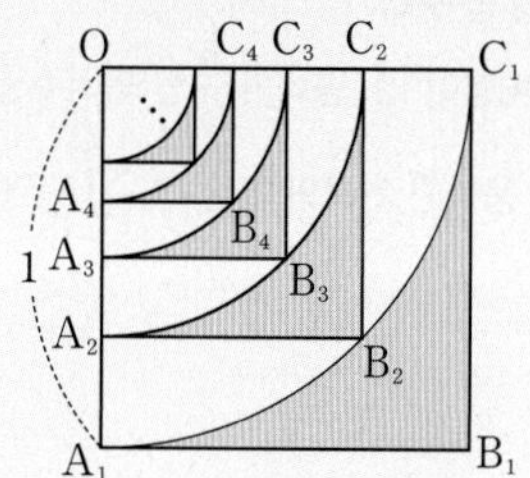

이와 같은 과정을 한없이 반복한다고 할 때, n번째 얻어지는 호 A_nC_n의 길이를 l_n, 선분 A_nB_n, 선분 B_nC_n, 호 A_nC_n으로 둘러싸인 도형의 넓이를 S_n이라 할 때, 다음 물음에 답하여라.

(1) 급수 $\sum_{n=1}^{\infty}l_n$의 값을 구하여라.

STEP A l_1의 값 구하기

정사각형 $OA_1B_1C_1$의 한 변의 길이가 1이므로

$l_1=\frac{1}{4}\times2\pi\times1=\frac{\pi}{2}$

STEP B 닮음비를 이용하여 공비 구하기

정사각형 $OA_2B_2C_2$의 한 변의 길이를 x라 하면

$\overline{OA_1}=\overline{OB_2}=1$, $\overline{OA_2}=\overline{A_2B_2}=x$

이므로 직각삼각형 OA_2B_2에서 $x^2+x^2=1^2$, $x^2=\frac{1}{2}$

$x>0$이므로 $x=\frac{\sqrt{2}}{2}$

즉 두 정사각형 $OA_1B_1C_1$과 $OA_2B_2C_2$의 닮음비는 $1:\frac{\sqrt{2}}{2}$이고

같은 방법으로 두 정사각형 $OA_nB_nC_n$과 $OA_{n+1}B_{n+1}C_{n+1}$의 닮음비는 $1:\frac{\sqrt{2}}{2}$

STEP C $\sum_{n=1}^{\infty}l_n$의 값 구하기

따라서 수열 $\{l_n\}$은 첫째항이 $\frac{\pi}{2}$, 공비가 $\frac{\sqrt{2}}{2}$인 등비수열이므로

$$\sum_{n=1}^{\infty}l_n=\frac{\frac{\pi}{2}}{1-\frac{\sqrt{2}}{2}}=\frac{2+\sqrt{2}}{2}\pi$$

(2) 급수 $\sum_{n=1}^{\infty} S_n$의 값을 구하여라.

STEP Ⓐ S_1의 값 구하기

S_1=(정사각형 $OA_1B_1C_1$의 넓이)−(부채꼴 A_1OC_1의 넓이)

$=1^2-\frac{1}{4}\times\pi\times1^2$

$=1-\frac{\pi}{4}$

STEP Ⓑ 닮음비를 이용하여 공비 구하기

두 정사각형 $OA_nB_nC_n$과 $OA_{n+1}B_{n+1}C_{n+1}$의 닮음비는 $1:\frac{\sqrt{2}}{2}$

이므로 넓이의 비는 $1^2:\left(\frac{\sqrt{2}}{2}\right)^2=1:\frac{1}{2}$

STEP Ⓒ $\sum_{n=1}^{\infty} S_n$의 값 구하기

따라서 수열 $\{S_n\}$은 첫째항이 $1-\frac{\pi}{4}$, 공비가 $\frac{1}{2}$인 등비수열이므로

$$\sum_{n=1}^{\infty} S_n=\frac{1-\frac{\pi}{4}}{1-\frac{1}{2}}=2-\frac{\pi}{2}$$

정사각형 $OA_nB_nC_n$의 한 변의 길이를 a_n이라 하고 정사각형 $OA_nB_nC_n$의 넓이에서 $\overline{OA_n}$을 반지름으로 하는 사분원의 넓이를 뺀 값을 S_n이라고 하자.

$a_1=1$, $a_{n+1}=\frac{1}{\sqrt{2}}a_n$이므로

수열 $\{a_n\}$은 첫째항이 1, 공비가 $\frac{1}{\sqrt{2}}$인 등비수열이다.

즉 $a_n=\left(\frac{1}{\sqrt{2}}\right)^{n-1}$이므로 $S_n=a_n^2-\frac{1}{4}\pi a_n^2=\left(1-\frac{\pi}{4}\right)\left(\frac{1}{2}\right)^{n-1}$

$$\sum_{n=1}^{\infty} S_n=\sum_{n=1}^{\infty}\left(1-\frac{\pi}{4}\right)\left(\frac{1}{2}\right)^{n-1}=\frac{1-\frac{\pi}{4}}{1-\frac{1}{2}}=2-\frac{\pi}{2}$$

0150

다음 물음에 답하여라.

(1) 오른쪽 그림과 같이 $\overline{OP}=\overline{OQ}=1$인 직각이등변삼각형 OPQ에서 점 O와 각 변의 중점을 꼭짓점으로 하는 정사각형 $OA_1B_1C_1$을 만든다. 또, 직각이등변삼각형 A_1PB_1에서 점 A_1과 각 변의 중점을 꼭짓점으로 하는 정사각형 $A_1A_2B_2C_2$를 만든다. 이와 같은 과정을 한없이 반복할 때, 이들 정사각형의 넓이의 합을 구하여라.

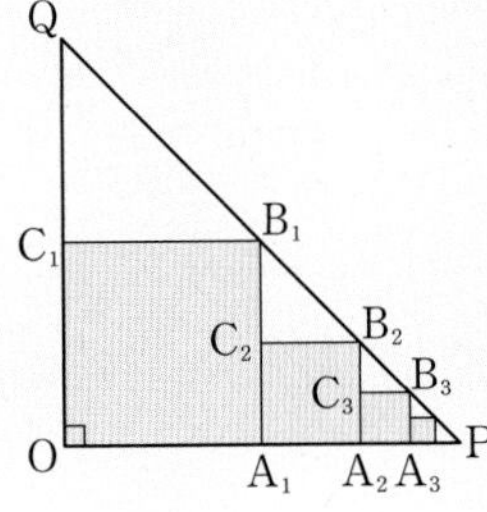

STEP Ⓐ 정사각형의 한 변의 길이 구하기

오른쪽 그림과 같이 정사각형의 한 변의 길이를 차례대로

a_1, a_2, a_3, …이라 하면

$a_1=\frac{1}{2}$, $a_2=\left(\frac{1}{2}\right)^2$, $a_3=\left(\frac{1}{2}\right)^3$, …

정사각형의 넓이를 차례대로

S_1, S_2, S_3, …이라 하면

$S_1=\left(\frac{1}{2}\right)^2=\frac{1}{4}$, $S_2=\left(\frac{1}{2}\right)^4=\left(\frac{1}{4}\right)^2$,

$S_3=\left(\frac{1}{2}\right)^6=\left(\frac{1}{4}\right)^3$, …

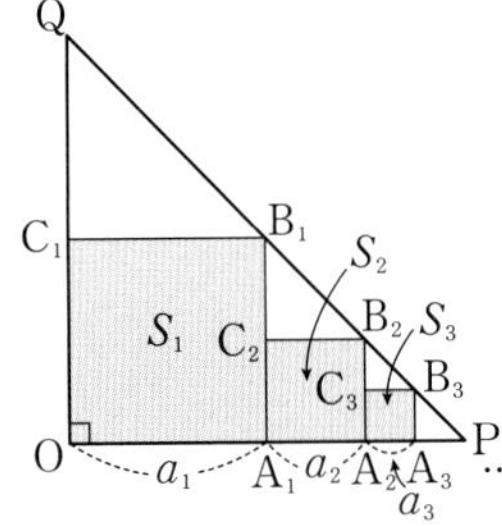

STEP Ⓑ 등비급수의 합을 구하기

그러므로 수열 $\{S_n\}$은 첫째항이 $\frac{1}{4}$이고 공비가 $\frac{1}{4}$인 등비수열을 이룬다.

따라서 구하는 정사각형의 넓이의 합은

$$S_1+S_2+S_3+\cdots=\frac{1}{4}+\left(\frac{1}{4}\right)^2+\left(\frac{1}{4}\right)^3+\cdots=\frac{\frac{1}{4}}{1-\frac{1}{4}}=\frac{1}{3}$$

그림과 같이 $\overline{AB}=a$, $\overline{BC}=b$인 직각삼각형 ABC에 내접하는 정사각형 $A_1B_1BC_1$을 그리고, 직각삼각형 A_1B_1C에 내접하는 정사각형 $A_2B_2B_1C_2$를 그린다. 이와 같이 직각삼각형에 내접하는 정사각형을 한없이 그려나갈 때, 각 정사각형의 넓이의 합은 $\frac{ab^2}{a+2b}$임을 증명하여라.

증명

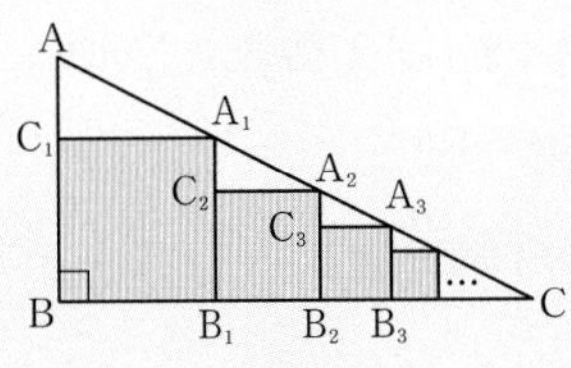

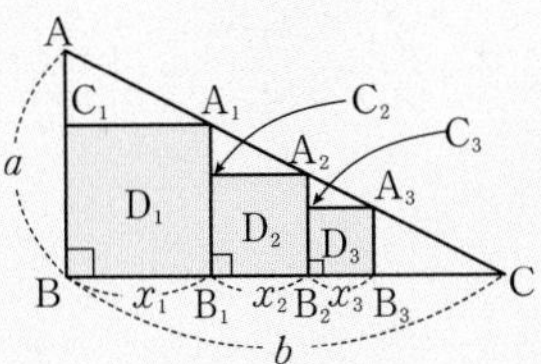

그림과 같이 정사각형 D_1, D_2, D_3, …의 한 변의 길이를 각각 x_1, x_2, x_3, …이라고 하자.

$\triangle ABC \backsim \triangle AC_1A_1$이므로 $b:x_1=a:(a-x_1)$

$\therefore x_1=\frac{ab}{a+b}$

이때 $a:\frac{ab}{a+b}$에서 $1:\frac{b}{a+b}$이므로

$x_2=\frac{b}{a+b}x_1$

같은 방법으로 하면

$x_3=\frac{b}{a+b}x_2=\left(\frac{b}{a+b}\right)^2x_1$, $x_4=\left(\frac{b}{a+b}\right)^3x_1$, …, $x_n=\left(\frac{b}{a+b}\right)^{n-1}x_1$

따라서 구하는 정사각형의 넓이의 합은 첫째항이 $x_1^2=\left(\frac{ab}{a+b}\right)^2$

공비가 $\left(\frac{b}{a+b}\right)^2$인 등비급수이므로 $\frac{\left(\frac{ab}{a+b}\right)^2}{1-\frac{b^2}{(a+b)^2}}=\frac{ab^2}{a+2b}$

(2) 다음 그림과 같이 한 변의 길이가 1인 정사각형 ABCD의 각 변을 $2:1$로 내분하는 점을 연결하여 정사각형 $A_1B_1C_1D_1$을 만든다. 또, 정사각형 $A_1B_1C_1D_1$의 각 변을 $2:1$로 내분하는 점을 연결하여 정사각형 $A_2B_2C_2D_2$를 만든다.

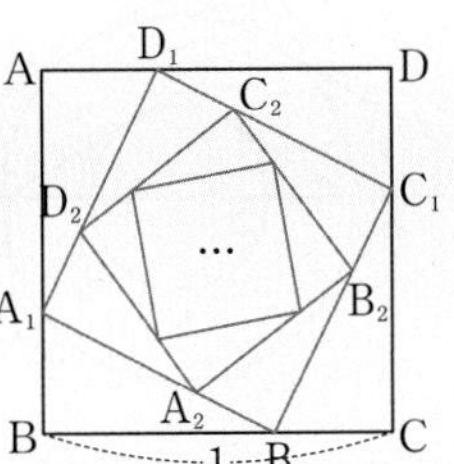

이와 같은 과정을 계속하여 n번째 만들어진 정사각형 $A_nB_nC_nD_n$의 넓이를 S_n이라 할 때, 급수 $\sum_{n=1}^{\infty} S_n$의 합을 구하여라.

STEP A 정사각형 $A_nB_nC_nD_n$의 한 변의 길이 a_n 구하기

정사각형 $A_1B_1C_1D_1$의 한 변의 길이를 a_1이라 하면

$a_1=\sqrt{\left(\frac{2}{3}\right)^2+\left(\frac{1}{3}\right)^2}=\frac{\sqrt{5}}{3}$

$S_1=a_1^{\,2}=\frac{5}{3^2}=\frac{5}{9}$

정사각형 $A_nB_nC_nD_n$의 한 변의 길이를 a_n이라 하면

정사각형 $A_{n+1}B_{n+1}C_{n+1}D_{n+1}$의 한 변의 길이가 a_{n+1}이므로

$a_{n+1}=\sqrt{\left(\frac{2}{3}a_n\right)^2+\left(\frac{1}{3}a_n\right)^2}=\frac{\sqrt{5}}{3}a_n$

즉 $S_{n+1}=\frac{5}{9}S_n$이므로 수열 $\{S_n\}$은 첫째항이 $\frac{5}{9}$이고

공비가 $\frac{5}{9}$인 등비수열을 이룬다.

STEP B 등비급수의 합을 구하기

따라서 $\sum_{n=1}^{\infty}S_n=\frac{\frac{5}{9}}{1-\frac{5}{9}}=\frac{5}{4}$

0151

다음 물음에 답하여라.

(1) $\overline{B_1C_1}=8$이고 $\angle B_1A_1C_1=120^\circ$인 이등변삼각형 $A_1B_1C_1$이 있다. 그림과 같이 중심이 선분 B_1C_1 위에 있고 직선 A_1B_1과 직선 A_1C_1에 동시에 접하는 원 O_1을 그리고, 이등변삼각형 $A_1B_1C_1$의 내부와 원 O_1의 외부의 공통부분에 색칠하여 얻은 그림을 R_1이라 하자.
그림 R_1에서 원 O_1과 선분 B_1C_1이 만나는 점을 각각 B_2, C_2라 할 때, 삼각형 $A_1B_1C_1$ 내부의 점 A_2를 삼각형 $A_2B_2C_2$가 $\angle B_2A_2C_2=120^\circ$인 이등변삼각형이 되도록 잡는다.
중심이 선분 B_2C_2 위에 있고 직선 A_2B_2와 직선 A_2C_2에 동시에 접하는 원 O_2를 그리고 이등변삼각형 $A_2B_2C_2$의 내부와 원 O_2의 외부의 공통부분에 색칠하여 얻은 그림을 R_2라 하자.
이와 같은 과정을 계속하여 n번째 얻은 그림 R_n에 색칠되어 있는 부분의 넓이를 S_n이라 할 때, $\lim_{n\to\infty}S_n$의 값은?

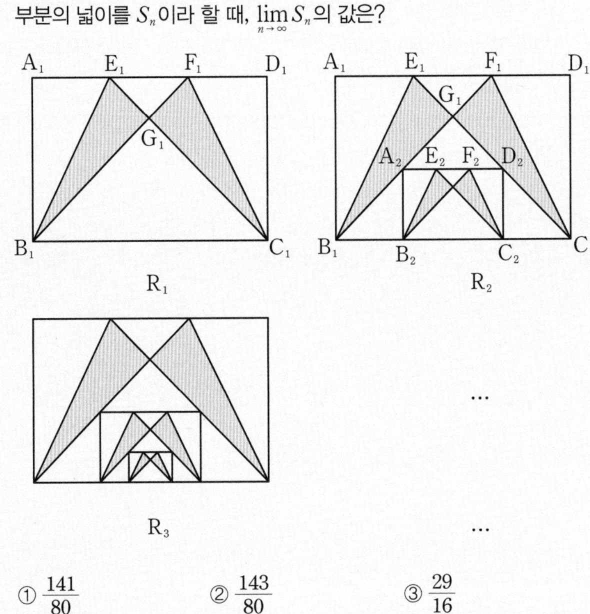

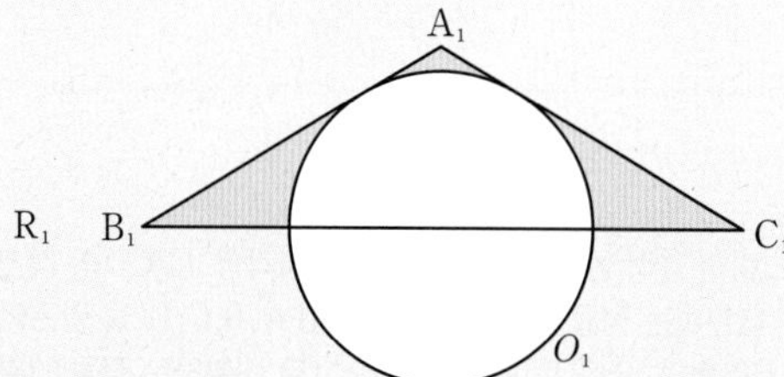

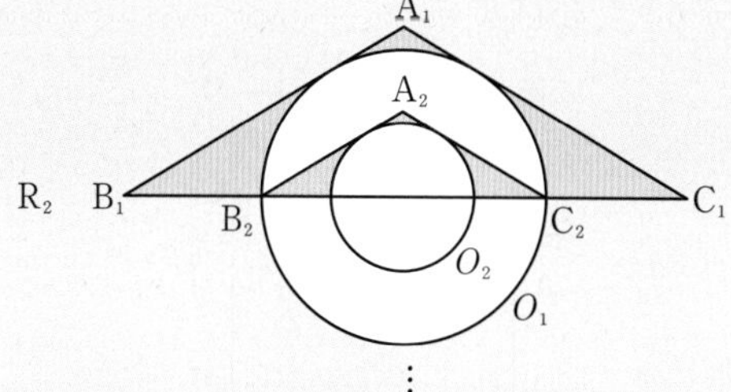

⋮

① $\frac{32}{3}\sqrt{3}-\frac{8}{3}\pi$ ② $\frac{32}{3}\sqrt{3}-\frac{4}{3}\pi$ ③ $\frac{64}{9}\sqrt{3}-\frac{8}{3}\pi$
④ $\frac{64}{9}\sqrt{3}-\frac{5}{3}\pi$ ⑤ $\frac{64}{9}\sqrt{3}-\frac{4}{3}\pi$

STEP A 도형의 성질을 이용하여 S_1의 값 구하기

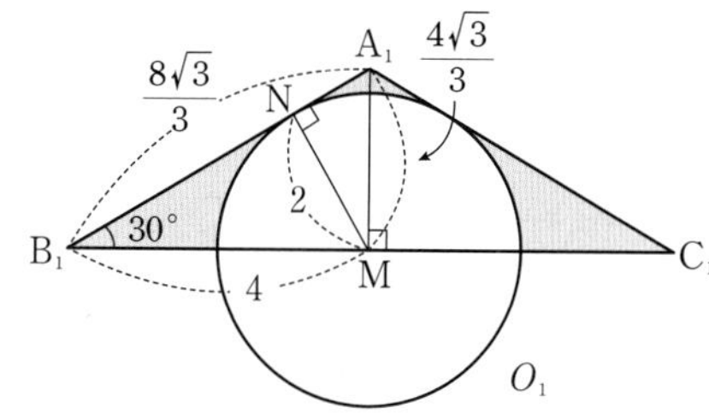

삼각형 $A_1B_1C_1$은 이등변삼각형이므로 선분 B_1C_1의 중점을 M이라 하면 원 O_1의 중심은 M이다.

원 O_1과 직선 A_1B_1이 접하는 점을 N이라 하면

원 O_1의 반지름의 길이 $\overline{MN}$은 $\overline{MN}=4\times\sin30^\circ=2$

삼각형 A_1B_1M에서 $\overline{B_1M}=4$, $\angle A_1B_1M=30^\circ$이므로

$\overline{A_1M}=4\times\tan30^\circ=\frac{4\sqrt{3}}{3}$

$S_1=\frac{1}{2}\times8\times\frac{4\sqrt{3}}{3}-\frac{1}{2}\times\pi\times2^2=\frac{16\sqrt{3}}{3}-2\pi$

STEP B 도형의 닮음비를 이용하여 수열 $\{S_n\}$의 공비 구하기

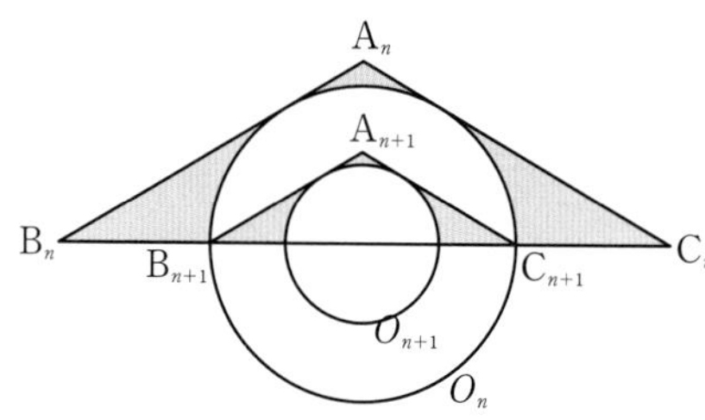

삼각형 $A_nB_nC_n$과 삼각형 $A_{n+1}B_{n+1}C_{n+1}$은 서로 닮음이고

$\frac{1}{2}\times\overline{B_nC_n}=\overline{B_{n+1}C_{n+1}}$이므로 닮음비는 2 : 1이다.

삼각형 $A_nB_nC_n$과 삼각형 $A_{n+1}B_{n+1}C_{n+1}$의 닮음비가 2 : 1이므로 넓이의 비는 4 : 1이다.

즉 $1:\frac{1}{4}$이므로 공비는 $\frac{1}{4}$이다.

STEP C $\lim_{n\to\infty}S_n$의 값 구하기

따라서 수열 $\{S_n\}$은 첫째항이 $\frac{16\sqrt{3}}{3}-2\pi$이고 공비가 $\frac{1}{4}$인 등비수열의 첫째항부터 제 n항까지의 합이므로

$\lim_{n\to\infty}S_n=\frac{\frac{16\sqrt{3}}{3}-2\pi}{1-\frac{1}{4}}=\frac{64\sqrt{3}}{9}-\frac{8\pi}{3}$

(2) 그림과 같이 $\overline{A_1B_1}=2$, $\overline{B_1C_1}=3$인 직사각형 $A_1B_1C_1D_1$이 있다. 선분 A_1D_1을 삼등분하는 점 중에서 A_1에 가까운 점부터 차례대로 E_1, F_1이라 하고, 선분 B_1F_1과 선분 C_1E_1의 교점을 G_1이라 하자. 삼각형 $B_1G_1E_1$과 삼각형 $C_1F_1G_1$의 내부에 색칠하여 얻은 그림을 R_1이라 하자. 그림 R_1에서 선분 B_1C_1 위에 두 꼭짓점 B_2, C_2가 있고, 선분 B_1G_1 위에 꼭짓점 A_2, 선분 C_1G_1 위에 꼭짓점 D_2가 있으며 $\overline{A_2B_2}:\overline{B_2C_2}=2:3$인 직사각형 $A_2B_2C_2D_2$를 그린다. 선분 A_2D_2를 삼등분하는 점 중에서 A_2에 가까운 점부터 차례대로 E_2, F_2라 하고, 선분 B_2F_2와 선분 C_2E_2의 교점을 G_2라 하자. 삼각형 $B_2G_2E_2$와 삼각형 $C_2F_2G_2$의 내부에 색칠하여 얻은 그림을 R_2라 하자.
이와 같은 과정을 계속하여 n번째 얻은 그림 R_n에 색칠되어 있는 부분의 넓이를 S_n이라 할 때, $\lim_{n\to\infty} S_n$의 값은?

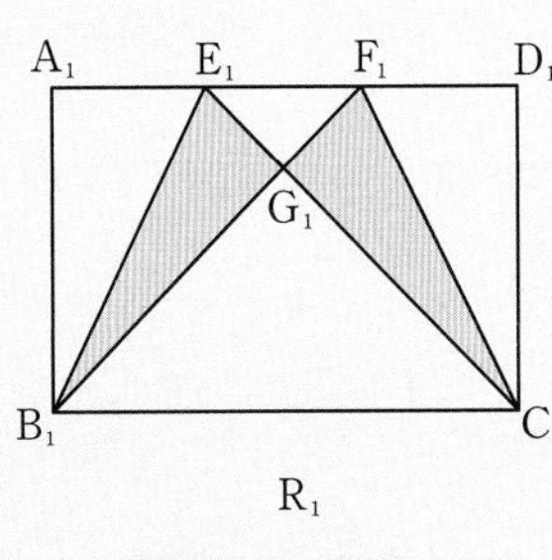

R₁

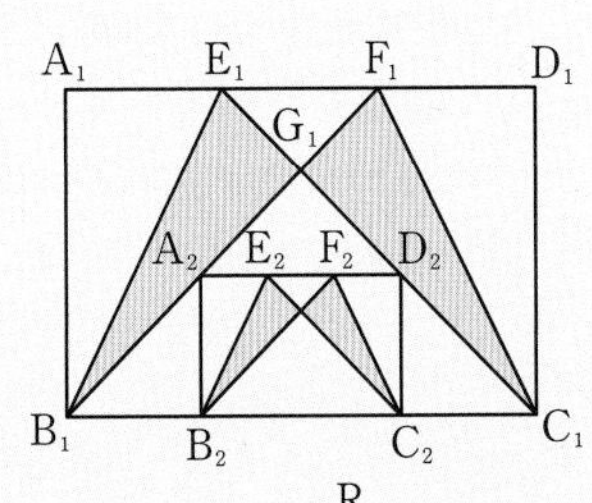

R₂

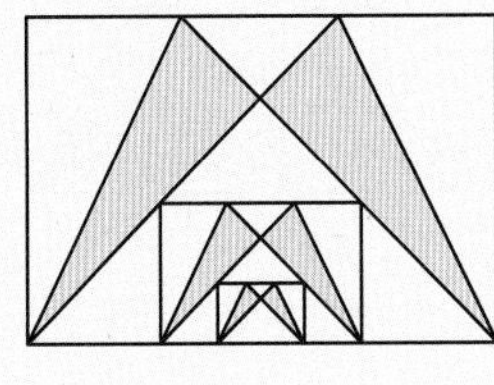
R₃ ⋯

① $\frac{141}{80}$ ② $\frac{143}{80}$ ③ $\frac{29}{16}$
④ $\frac{147}{80}$ ⑤ $\frac{149}{80}$

STEP Ⓐ R_1의 넓이 S_1 구하기

그림 R_n에서 새로 색칠된 부분의 넓이를 a_n이라 하자.

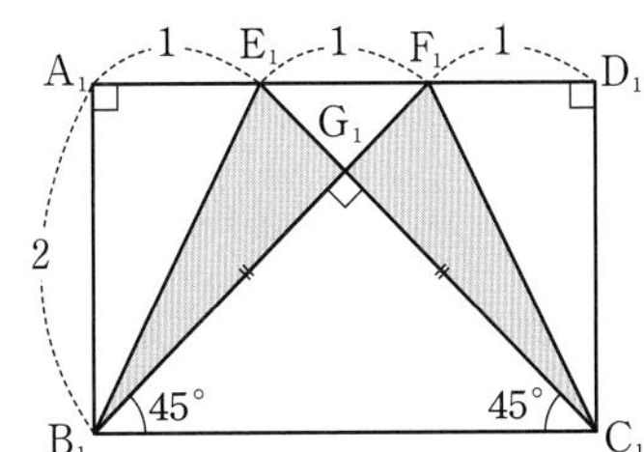

$\overline{A_1B_1}=\overline{A_1F_1}=2$이므로
삼각형 $A_1B_1F_1$은 직각이등변삼각형이고 $\angle G_1B_1C_1=45°$
$\overline{D_1C_1}=\overline{D_1E_1}=2$이므로
삼각형 $D_1C_1E_1$은 직각이등변삼각형이고 $\angle G_1C_1B_1=45°$
그러므로 $\angle B_1G_1C_1=90°$이고
삼각형 $G_1B_1C_1$은 직각이등변삼각형이다.
또한, $\angle G_1E_1F_1=45°$, $\angle G_1F_1E_1=45°$이므로
삼각형 $G_1E_1F_1$도 직각이등변삼각형이다.

$\overline{B_1C_1}=3$이므로 $\overline{B_1G_1}=\frac{3\sqrt{2}}{2}$

$\overline{E_1F_1}=1$이므로 $\overline{E_1G_1}=\frac{\sqrt{2}}{2}$

$\therefore a_1=2\times\left(\frac{1}{2}\times\frac{3\sqrt{2}}{2}\times\frac{\sqrt{2}}{2}\right)=\frac{3}{2}$

⬅ 전체 직사각형의 넓이에서 네 개의 직각삼각형의 넓이를 빼면
$a_1=6-\left(1+1+\frac{9}{4}+\frac{1}{4}\right)=\frac{3}{2}$

STEP Ⓑ 닮음비를 이용하여 공비 구하기

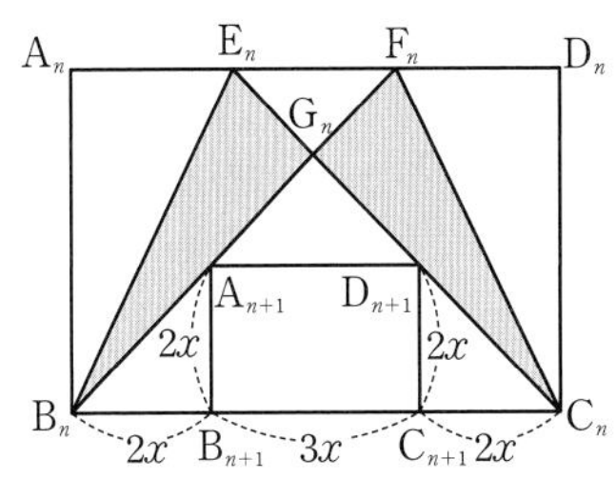

$\overline{A_{n+1}B_{n+1}}=2x$라 하면
$\overline{B_{n+1}C_{n+1}}=3x$이고 ⬅ $\overline{A_2B_2}:\overline{B_2C_2}=2:3$
$\overline{B_nC_n}=2x+3x+2x=7x$이므로
$\overline{B_{n+1}C_{n+1}}:\overline{B_nC_n}=3x:7x=3:7=1:\frac{7}{3}$
즉 직사각형 $A_nB_nC_nD_n$과 직사각형 $A_{n+1}B_{n+1}C_{n+1}D_{n+1}$의 닮음비가 $1:\frac{3}{7}$이므로 그림 R_{n+1}에서 추가로 색칠되는 도형의 넓이 a_{n+1}은

$a_{n+1}=\left(\frac{3}{7}\right)^2 a_n=\frac{9}{49}a_n$

STEP Ⓒ $\lim_{n\to\infty} S_n$ 구하기

따라서 수열 $\{a_n\}$은 첫째항이 $\frac{3}{2}$이고 공비가 $\frac{9}{49}$인 등비수열이다.

$$\therefore \lim_{n\to\infty} S_n=\sum_{n=1}^{\infty}a_n=\frac{\frac{3}{2}}{1-\frac{9}{49}}=\frac{147}{80}$$

0152

그림과 같이 $\overline{A_1D_1}=2$, $\overline{A_1B_1}=1$인 직사각형 $A_1B_1C_1D_1$에서 선분 A_1D_1의 중점을 M_1이라 하자. 중심이 A_1, 반지름의 길이가 $\overline{A_1B_1}$이고 중심각의 크기가 $\frac{\pi}{2}$인 부채꼴 $A_1B_1M_1$을 그리고, 부채꼴 $A_1B_1M_1$에 색칠하여 얻은 그림을 R_1이라 하자. 그림 R_1에서 부채꼴 $A_1B_1M_1$의 호 B_1M_1이 선분 A_1C_1과 만나는 점을 A_2라 하고, 중심이 A_1, 반지름의 길이가 $\overline{A_1D_1}$인 원이 선분 A_1C_1과 만나는 점을 C_2라 하자. 가로와 세로의 길이의 비가 $2:1$이고 가로가 선분 A_1D_1과 평행한 직사각형 $A_2B_2C_2D_2$를 그리고, 직사각형 $A_2B_2C_2D_2$에서 그림 R_1을 얻는 것과 같은 방법으로 만들어지는 부채꼴에 색칠하여 얻은 그림을 R_2라 하자.
이와 같은 과정을 계속하여 n번째 얻은 그림 R_n에 색칠되어 있는 부분의 넓이를 S_n이라 할 때, $\lim_{n\to\infty}S_n$의 값은?

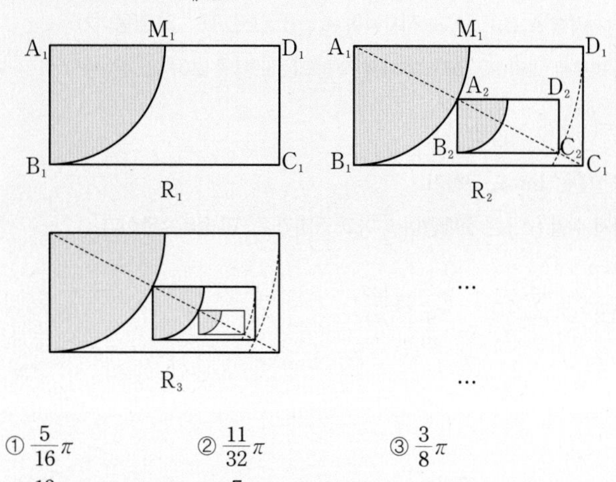

① $\frac{5}{16}\pi$　② $\frac{11}{32}\pi$　③ $\frac{3}{8}\pi$
④ $\frac{13}{32}\pi$　⑤ $\frac{7}{16}\pi$

STEP A　S_1 구하기

R_1에서 부채꼴 $A_1B_1M_1$은 반지름의 길이가 1이고
중심각의 크기가 $\frac{\pi}{2}$이므로 $S_1=\frac{1}{2}\times1^2\times\frac{\pi}{2}=\frac{\pi}{4}$

STEP B　닮음비를 이용하여 공비 구하기

그림 R_2에서 직사각형 $A_1B_1C_1D_1$과 직사각형 $A_2B_2C_2D_2$는 서로 닮음이고 두 도형의 닮음비는 대각선의 길이의 비는 $\overline{A_1C_1}:\overline{A_2C_2}$와 같다.
직각삼각형 $A_1B_1C_1$에서 $\overline{A_1C_1}=\sqrt{2^2+1^2}=\sqrt{5}$
$\therefore \overline{A_2C_2}=\overline{A_1C_2}-\overline{A_1A_2}=\overline{A_1D_1}-\overline{A_1B_1}=2-1=1$
즉 두 직사각형 $A_1B_1C_1D_1$, $A_2B_2C_2D_2$의 닮음비는
$\overline{A_1C_1}:\overline{A_2C_2}=\sqrt{5}:1$
이때 넓이의 비는 $(\sqrt{5})^2:1^2=5:1$이므로 $1:\frac{1}{5}$

STEP C　$\lim_{n\to\infty}S_n$ 구하기

따라서 수열 $\{S_n\}$은 첫째항이 $\frac{\pi}{4}$, 공비가 $\frac{1}{5}$인 등비급수이다.

$$\therefore \lim_{n\to\infty}S_n=\frac{\frac{\pi}{4}}{1-\frac{1}{5}}=\frac{5}{16}\pi$$

0153

다음 물음에 답하여라.

(1) 한 변의 길이가 $2\sqrt{3}$인 정삼각형 $A_1B_1C_1$이 있다.
그림과 같이 $\angle A_1B_1C_1$의 이등분선과 $\angle A_1C_1B_1$의 이등분선이 만나는 점을 A_2라 하자. 두 선분 B_1A_2, C_1A_2를 각각 지름으로 하는 반원의 내부와 정삼각형 $A_1B_1C_1$의 내부의 공통부분인 모양의 도형에 색칠하여 얻은 그림을 R_1이라 하자. 그림 R_1에서 점 A_2를 지나고 선분 A_1B_1에 평행한 직선이 선분 B_1C_1과 만나는 점을 B_2, 점 A_2를 지나고 선분 A_1C_1에 평행한 직선이 선분 B_1C_1과 만나는 점을 C_2라 하자. 그림 R_1에 정삼각형 $A_2B_2C_2$를 그리고, 그림 R_1을 얻는 것과 같은 방법으로 정삼각형 $A_2B_2C_2$의 내부에 모양의 도형을 그리고 색칠하여 얻은 그림을 R_2라 하자.
이와 같은 과정을 계속하여 n번째 얻은 그림 R_n에 색칠되어 있는 부분의 넓이를 S_n이라 할 때, $\lim_{n\to\infty}S_n$의 값을 구하여라.

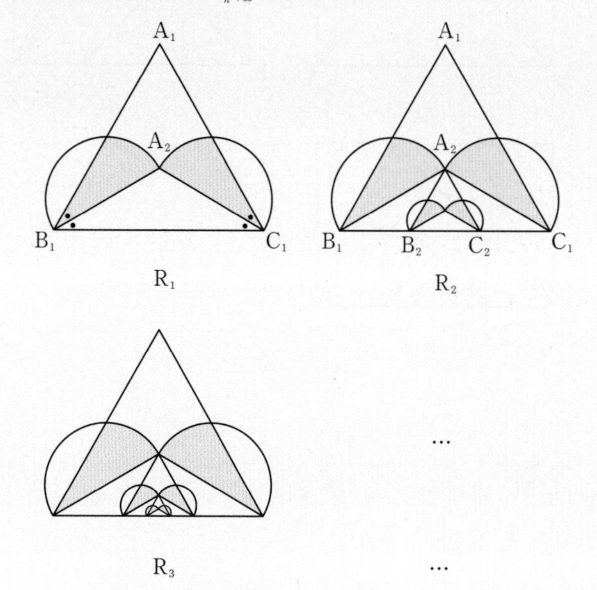

STEP A　정삼각형 $A_1B_1C_1$의 내부의 공통부분인 모양의 넓이 구하기

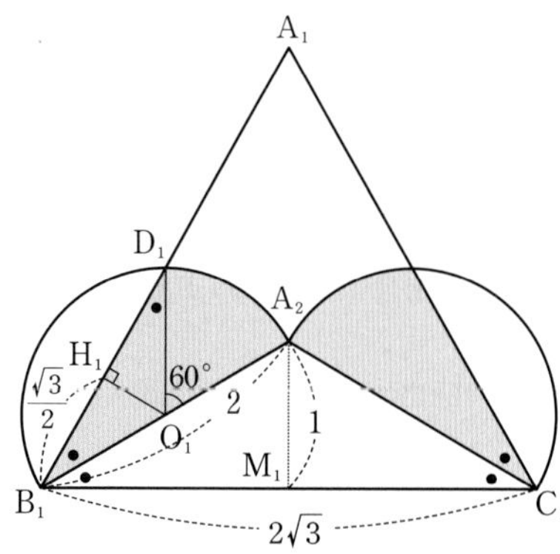

변 B_1C_1의 중점을 M_1이라 하면
$\overline{B_1M_1}=\sqrt{3}$, $\angle A_2B_1M_1=30°$이므로 $\overline{A_2B_1}=2$
$\overline{A_2B_1}$의 중점을 O_1, 변 A_1B_1과 지름이 A_2B_1인 반원과 만나는 점을 D_1,
점 O_1에서 선분 B_1D_1에 내린 수선의 발을 H_1이라 하면
$\overline{B_1O_1}=1$, $\overline{O_1H_1}=\frac{1}{2}$, $\overline{B_1H_1}=\frac{\sqrt{3}}{2}$이므로 도형 $B_1A_2D_1$의 넓이는
$\frac{1}{2}\times\sqrt{3}\times\frac{1}{2}+\pi\times1^2\times\frac{60°}{360°}=\frac{\sqrt{3}}{4}+\frac{\pi}{6}$

STEP B 닮음비를 이용하여 공비 구하기

또한, 삼각형 $A_1B_1C_1$의 높이는 $\overline{A_1M_1}=\frac{\sqrt{3}}{2}\times 2\sqrt{3}=3$

삼각형 $A_2B_2C_2$의 높이는 $\overline{A_2M_1}=1$이므로

두 삼각형 $A_1B_1C_1$, $A_2B_2C_2$의 닮음비는 3 : 1이므로 넓이 비는 9 : 1

즉 수열 $\{S_n\}$의 공비는 $\frac{1}{9}$

STEP C $\lim_{n\to\infty} S_n$의 값 구하기

따라서 $\lim_{n\to\infty} S_n=\frac{2\left(\frac{\sqrt{3}}{4}+\frac{\pi}{6}\right)}{1-\frac{1}{9}}=\frac{9\sqrt{3}+6\pi}{16}$

(2) 다음 그림과 같이 $\overline{A_1B_1}=1$, $\overline{A_1D_1}=2$인 직사각형 $A_1B_1C_1D_1$이 있다. 선분 A_1D_1 위의 $\overline{B_1C_1}=\overline{B_1E_1}$, $\overline{C_1B_1}=\overline{C_1F_1}$인 두 점 E_1, F_1에 대하여 중심이 B_1인 부채꼴 $B_1E_1C_1$과 중심이 C_1인 부채꼴 $C_1F_1B_1$을 각각 직사각형 $A_1B_1C_1D_1$ 내부에 그리고, 선분 B_1E_1과 선분 C_1F_1의 교점을 G_1이라 하자. 두 선분 G_1F_1, G_1B_1과 호 F_1B_1로 둘러싸인 부분과 두 선분 G_1E_1, G_1C_1과 호 E_1C_1로 둘러싸인 부분인 ⋈ 모양의 도형에 색칠하여 얻은 그림을 R_1이라 하자.

그림 R_1에서 선분 B_1G_1 위의 점 A_2, 선분 C_1G_1 위의 점 D_2와 선분 B_1C_1 위의 두 점 B_2, C_2를 꼭짓점으로 하고 $\overline{A_2B_2}:\overline{A_2D_2}=1:2$인 직사각형 $A_2B_2C_2D_2$를 그리고, 그림 R_1을 얻는 것과 같은 방법으로 직사각형 $A_2B_2C_2D_2$ 내부에 ⋈ 모양의 도형을 그리고 색칠하여 얻은 그림을 R_2라 하자. 이와 같은 과정을 계속하여 n번째 얻은 그림 R_n에 색칠되어 있는 부분의 넓이를 S_n이라 할 때, $\lim_{n\to\infty} S_n$의 값은?

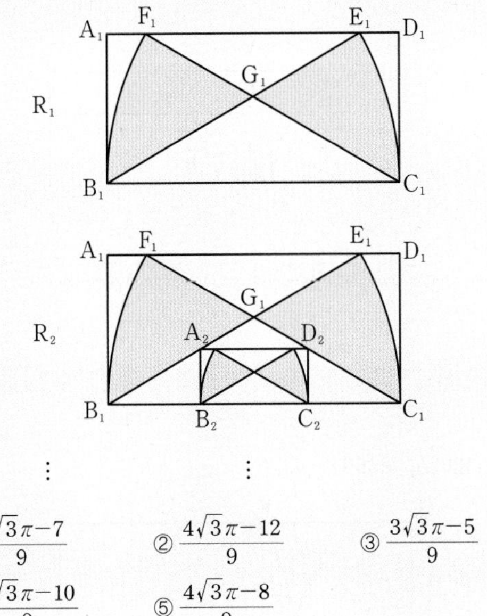

① $\frac{3\sqrt{3}\pi-7}{9}$ ② $\frac{4\sqrt{3}\pi-12}{9}$ ③ $\frac{3\sqrt{3}\pi-5}{9}$

④ $\frac{4\sqrt{3}\pi-10}{9}$ ⑤ $\frac{4\sqrt{3}\pi-8}{9}$

STEP A S_1의 값 구하기

도형 R_1의 색칠된 부분의 넓이 S_1은

S_1=(부채꼴 $F_1C_1B_1$의 넓이)+(부채꼴 $E_1B_1C_1$의 넓이)
$-2\times(\triangle G_1B_1C_1)$의 넓이

점 F_1와 G_1에서 $\overline{B_1C_1}$에 내린 수선의 발을 각각 H, M라고 하면

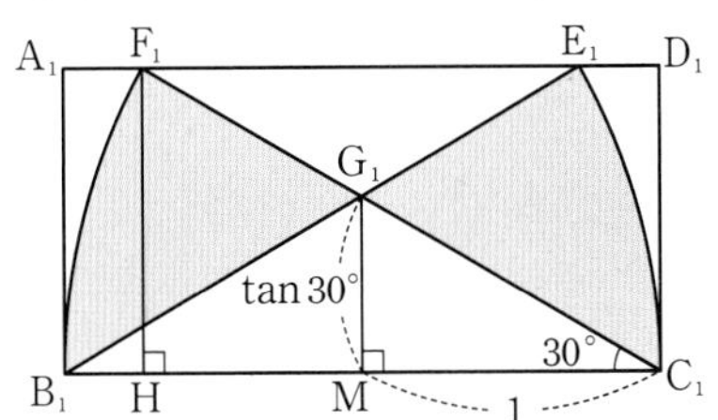

$\overline{F_1C_1}=2$, $\overline{F_1H}=1$이므로 $\angle F_1C_1H=30°$

(부채꼴 $F_1C_1B_1$의 넓이)$=\frac{30}{360}\times 4\pi=\frac{\pi}{3}$

부채꼴 $F_1C_1B_1$과 부채꼴 $E_1B_1C_1$는 합동이므로

(부채꼴 $E_1B_1C_1$의 넓이)$=\frac{\pi}{3}$

$\overline{C_1M}=1$이고 $\angle G_1C_1M=30°$이므로

$\overline{G_1M}=\overline{C_1M}\tan 30°=\frac{\sqrt{3}}{3}$

$\therefore$ (삼각형 $G_1B_1C_1$의 넓이)$=\frac{1}{2}\times 2\times\frac{\sqrt{3}}{3}=\frac{\sqrt{3}}{3}$

즉 $S_1=\frac{\pi}{3}+\frac{\pi}{3}-2\cdot\frac{\sqrt{3}}{3}=\frac{2(\pi-\sqrt{3})}{3}$

STEP B 넓이의 비를 구하여 공비 구하기

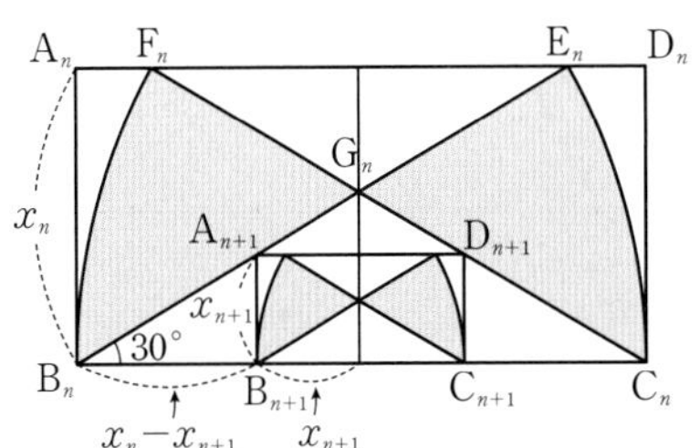

직사각형 $A_nB_nC_nD_n$에서 $\overline{A_nB_n}=x_n$이라 하면

직사각형 $A_{n+1}B_{n+1}C_{n+1}D_{n+1}$에서 $\overline{A_{n+1}B_{n+1}}=x_{n+1}$

$\overline{B_nB_{n+1}}:\overline{B_{n+1}A_{n+1}}=\sqrt{3}:1$이므로 $(x_n-x_{n+1}):x_{n+1}=\sqrt{3}:1$

즉 $x_n-x_{n+1}=\sqrt{3}x_{n+1}$에서 $x_{n+1}=\frac{1}{\sqrt{3}+1}x_n$

$\therefore x_{n+1}=\frac{\sqrt{3}-1}{2}x_n$

$A_nB_nC_nD_n$ 내부에 그려진 도형의 넓이와 직사각형 $A_{n+1}B_{n+1}C_{n+1}D_{n+1}$의 내부에 새로 그려진 도형의 넓이의 비는

$1:\left(\frac{\sqrt{3}-1}{2}\right)^2$이므로 공비가 $\left(\frac{\sqrt{3}-1}{2}\right)^2$

STEP C $\lim_{n\to\infty} S_n$의 값 구하기

따라서 $\lim_{n\to\infty} S_n$은 첫째항이 $\frac{2(\pi-\sqrt{3})}{3}$이고 공비가 $\left(\frac{\sqrt{3}-1}{2}\right)^2$인 등비급수이다.

$$\therefore \lim_{n\to\infty} S_n=\frac{\frac{2(\pi-\sqrt{3})}{3}}{1-\left(\frac{\sqrt{3}-1}{2}\right)^2}=\frac{4\sqrt{3}\pi-12}{9}$$

0154

다음 물음에 답하여라.

(1) 그림과 같이 $\overline{AB}=2$, $\overline{BC}=4$이고 $\angle ABC=60°$인 삼각형 ABC가 있다. 사각형 $D_1BE_1F_1$이 마름모가 되도록 세 선분 AB, BC, CA 위에 각각 점 D_1, E_1, F_1을 잡고, 마름모 $D_1BE_1F_1$의 내부와 중심이 B인 부채꼴 BE_1D_1의 외부의 공통부분에 색칠하여 얻은 그림을 R_1이라 하자. 그림 R_1에서 사각형 $D_2E_1E_2F_2$가 마름모가 되도록 세 선분 F_1E_1, E_1C, CF_1 위에 각각 점 D_2, E_2, F_2를 잡고, 마름모 $D_2E_1E_2F_2$의 내부와 중심이 E_1인 부채꼴 $E_1E_2D_2$의 외부의 공통부분에 색칠하여 얻은 그림을 R_2라 하자. 이와 같은 과정을 계속하여 n번째 얻은 그림 R_n에 색칠되어 있는 부분의 넓이를 S_n이라 할 때, $\lim_{n\to\infty} S_n$의 값은?

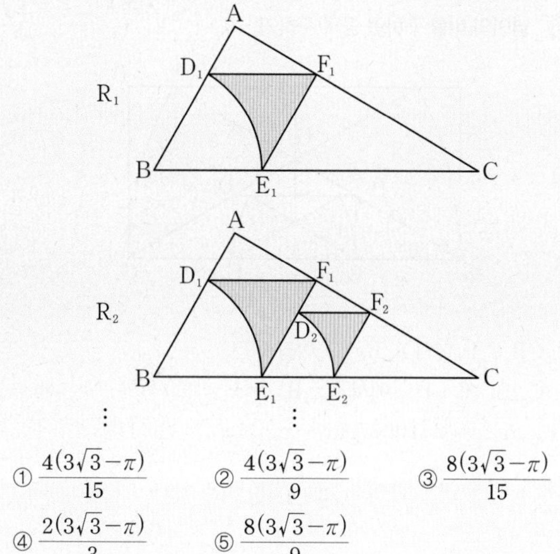

① $\dfrac{4(3\sqrt{3}-\pi)}{15}$ ② $\dfrac{4(3\sqrt{3}-\pi)}{9}$ ③ $\dfrac{8(3\sqrt{3}-\pi)}{15}$

④ $\dfrac{2(3\sqrt{3}-\pi)}{3}$ ⑤ $\dfrac{8(3\sqrt{3}-\pi)}{9}$

STEP Ⓐ S_1의 값 구하기

그림 R_n에서 새로 색칠된 도형의 넓이를 a_n이라 하자.

그림 R_1에서 삼각형 ABC와 삼각형 F_1E_1C가 닮음이므로

$\overline{AB} : \overline{F_1E_1} = \overline{BC} : \overline{E_1C}$

마름모 $D_1BE_1F_1$의 한 변의 길이를 x라 하면

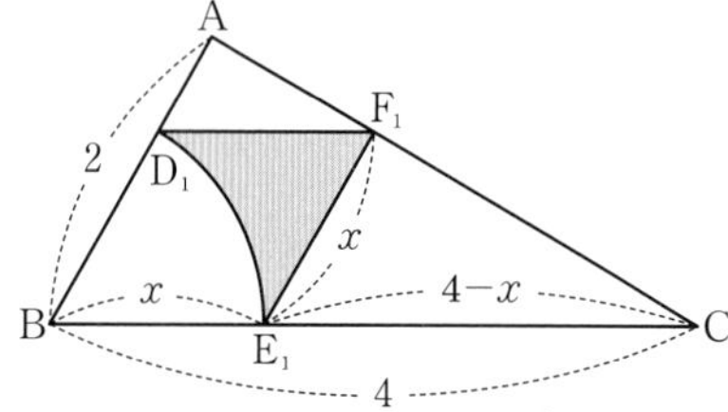

$2 : 4 = x : (4-x)$이므로 $x=\dfrac{4}{3}$

그림 R_1에서 색칠된 부분의 넓이는 마름모 $D_1BE_1F_1$의 넓이에서 부채꼴 BE_1D_1의 넓이를 뺀 값이므로

$$a_1=\frac{4}{3}\times\frac{4}{3}\sin 60°-\pi\times\left(\frac{4}{3}\right)^2\times\frac{60°}{360°}=\frac{8(3\sqrt{3}-\pi)}{27}$$

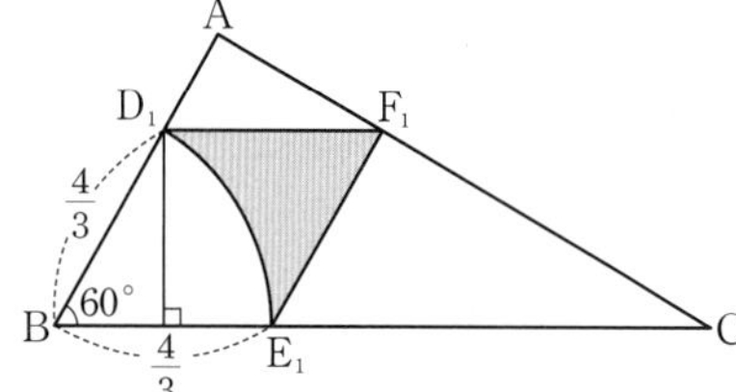

STEP Ⓑ 닮음비를 구하여 넓이의 공비 구하기

그림 R_2에서 삼각형 ABC와 삼각형 F_1E_1C의 닮음비는 $2 : \dfrac{4}{3}$

즉 $1 : \dfrac{2}{3}$이므로 두 마름모의 넓이의 비는 $1 : \left(\dfrac{2}{3}\right)^2$, 즉 공비는 $\left(\dfrac{2}{3}\right)^2=\dfrac{4}{9}$

⬅ 모든 자연수 n에 대하여 $a_{n+1}=\dfrac{4}{9}a_n$이 성립한다.

STEP Ⓒ $\lim_{n\to\infty} S_n$의 값 구하기

따라서 수열 $\{a_n\}$은 첫째항이 $\dfrac{8(3\sqrt{3}-\pi)}{27}$이고 공비가 $\dfrac{4}{9}$인 등비수열이므로

$$\lim_{n\to\infty} S_n=\sum_{n=1}^{\infty} a_n=\frac{\frac{8(3\sqrt{3}-\pi)}{27}}{1-\frac{4}{9}}=\frac{8(3\sqrt{3}-\pi)}{15}$$

(2) 다음 그림과 같이 $\overline{A_1B_1}=3$, $\overline{B_1C_1}=1$인 직사각형 $OA_1B_1C_1$이 있다. 중심이 C_1이고 반지름의 길이가 $\overline{B_1C_1}$인 원과 선분 OC_1의 교점을 D_1, 중심이 O이고 반지름의 길이가 $\overline{OD_1}$인 원과 선분 A_1B_1의 교점을 E_1이라 하자.

직사각형 $OA_1B_1C_1$에 호 B_1D_1, 호 D_1E_1, 선분 B_1E_1로 둘러싸인 ◸ 모양의 도형을 그리고 색칠하여 얻은 그림을 R_1이라 하자.

그림 R_1에 선분 OA_1 위의 점 A_2와 호 D_1E_1 위의 점 B_2, 선분 OD_1 위의 점 C_2와 점 O를 꼭짓점으로 하고 $\overline{A_2B_2} : \overline{B_2C_2}=3 : 1$인 직사각형 $OA_2B_2C_2$를 그리고, 그림 R_1을 얻은 것과 같은 방법으로 직사각형 $OA_2B_2C_2$에 ◸ 모양의 도형을 그리고 색칠하여 얻은 그림을 R_2라 하자.

이와 같은 과정을 계속하여 n번째 얻은 그림 R_n에 색칠되어 있는 부분의 넓이를 S_n이라 할 때, $\lim_{n\to\infty} S_n$의 값은?

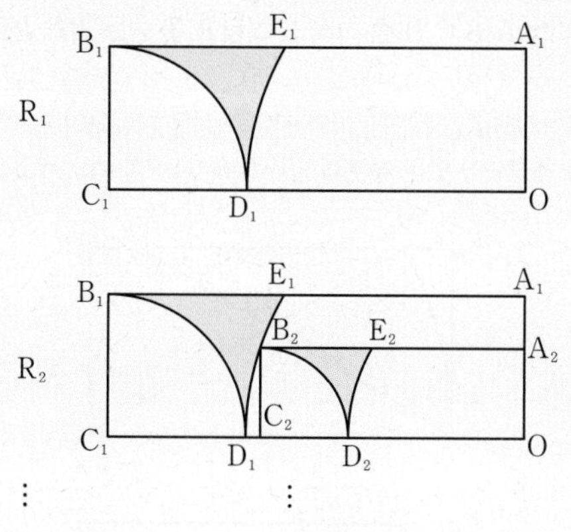

① $4-\dfrac{2\sqrt{3}}{3}-\dfrac{7}{9}\pi$ ② $5-\dfrac{5\sqrt{3}}{6}-\dfrac{35}{36}\pi$ ③ $6-\sqrt{3}-\dfrac{7}{6}\pi$

④ $7-\dfrac{7\sqrt{3}}{6}-\dfrac{49}{36}\pi$ ⑤ $8-\dfrac{4\sqrt{3}}{3}-\dfrac{14}{9}\pi$

STEP Ⓐ 넓이 S_1 구하기

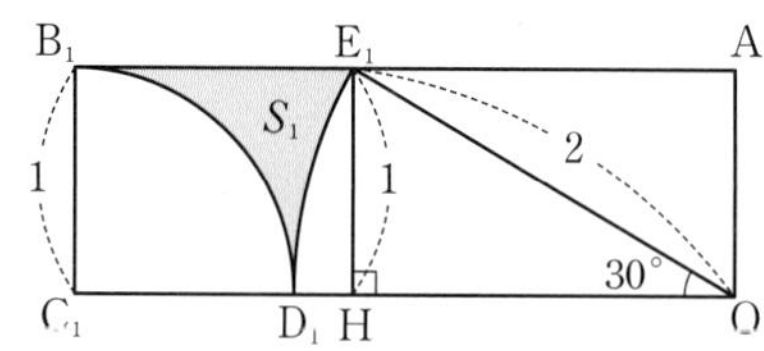

$\overline{B_1C_1}=\overline{C_1D_1}=1$, $\overline{OD_1}=\overline{OE_1}=2$, $\overline{A_1E_1}=\sqrt{3}$이므로

점 E_1에서 선분 C_1O에 내린 수선의 발을 H라 하면

직각삼각형 E_1HO에서 $\overline{E_1H}=1$, $\overline{E_1O}=2$이므로

$\angle E_1OH=30°$

(S_1의 넓이)=(직사각형 $OA_1B_1C_1$)−(부채꼴 $B_1C_1D_1$)

−(부채꼴 OE_1D_1)−(삼각형 E_1OA_1)

이므로

$$S_1=3-1^2\cdot\pi\cdot\frac{90°}{360°}-2^2\cdot\pi\cdot\frac{30°}{360°}-\frac{1}{2}\cdot1\cdot\sqrt{3}$$

$$=3-\frac{\sqrt{3}}{2}-\frac{7}{12}\pi$$

STEP Ⓑ 닮음을 이용하여 공비 구하기

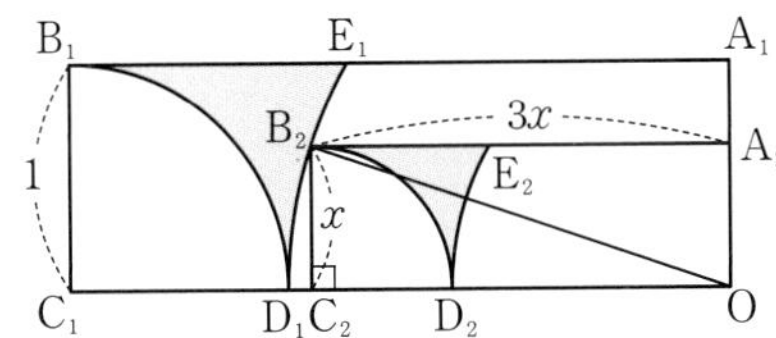

$\overline{B_2C_2}=x$라 하면

$\overline{A_2B_2}=3x$이고 $\overline{OB_2}=\overline{OD_1}=2$이므로

직각삼각형 OC_2B_2에서 $x^2+(3x)^2=2^2$

$\therefore\ x=\sqrt{\frac{2}{5}}$

즉 도형 B_1, D_1, E_1와 도형 B_2, D_2, E_2의

닮음비가 $1:\sqrt{\frac{2}{5}}$이므로 넓이의 비는 $1:\frac{2}{5}$

따라서 공비는 $\frac{2}{5}$

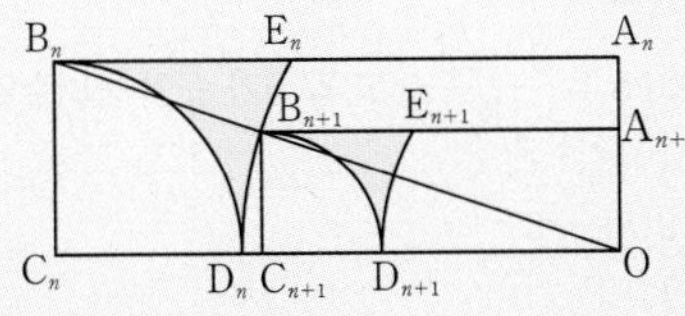

두 직사각형 $OA_nB_nC_n$과 $OA_{n+1}B_{n+1}C_{n+1}$은 서로 닮은 사각형이다.
닮음비가
$\overline{OB_n}:\overline{OB_{n+1}}=\sqrt{10}\times\overline{B_nC_n}:2\times\overline{B_nC_n}=\sqrt{10}:2$
이므로 넓이의 비는 $10:4=5:2=1:\frac{2}{5}$가 되므로 공비가 $\frac{2}{5}$

STEP Ⓒ $\lim_{n\to\infty}S_n$의 값 구하기

따라서 S_n은 첫째항이 $S_1=3-\frac{\sqrt{3}}{2}-\frac{7}{12}\pi$이고 공비가 $\frac{2}{5}$인 등비수열이다.

$$\therefore\ \lim_{n\to\infty}S_n=\frac{3-\frac{\sqrt{3}}{2}-\frac{7}{12}\pi}{1-\frac{2}{5}}=5-\frac{5\sqrt{3}}{6}-\frac{35}{36}\pi$$

0155

그림과 같이 한 변의 길이가 5인 정사각형 ABCD의 대각선 BD의 5등분점을 점 B에서 가까운 순서대로 각각 P_1, P_2, P_3, P_4라 하고, 선분 BP_1, P_2P_3, P_4D를 각각 대각선으로 하는 정사각형과 선분 P_1P_2, P_3P_4를 각각 지름으로 하는 원을 그린 후, 모양의 도형에 색칠하여 얻은 그림을 R_1이라 하자. 그림 R_1에서 선분 P_2P_3을 대각선으로 하는 정사각형의 꼭짓점 중 점 A와 가장 가까운 점을 Q_1, 점 C와 가장 가까운 점을 Q_2라 하자. 선분 AQ_1을 대각선으로 하는 정사각형과 선분 CQ_2를 대각선으로 하는 정사각형을 그리고, 새로 그려진 2개의 정사각형 안에 그림 R_1을 얻는 것과 같은 방법으로 모양의 도형을 각각 그리고 색칠하여 얻은 그림을 R_2라 하자. 그림 R_2에서 선분 AQ_1을 대각선으로 하는 정사각형과 선분 CQ_2를 대각선으로 하는 정사각형에 그림 R_1에서 그림 R_2를 얻는 것과 같은 방법으로 모양의 도형을 각각 그리고 색칠하여 얻은 그림을 R_3이라 하자. 이와 같은 과정을 계속하여 n번째 얻은 그림 R_n에 색칠되어 있는 부분의 넓이를 S_n이라 할 때, $\lim_{n\to\infty}S_n$의 값은?

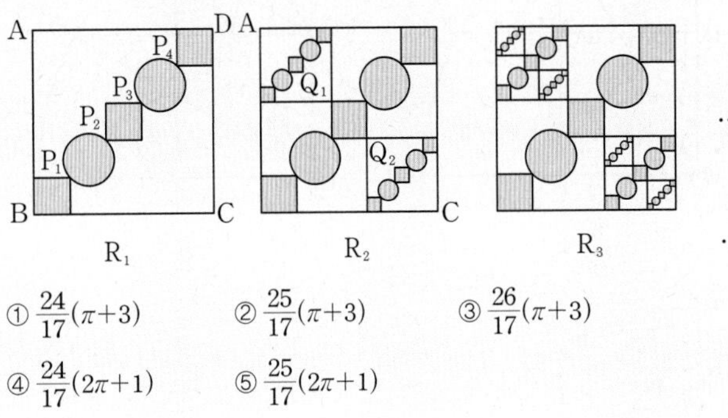

① $\frac{24}{17}(\pi+3)$ ② $\frac{25}{17}(\pi+3)$ ③ $\frac{26}{17}(\pi+3)$

④ $\frac{24}{17}(2\pi+1)$ ⑤ $\frac{25}{17}(2\pi+1)$

STEP Ⓐ R_1의 S_1 구하기

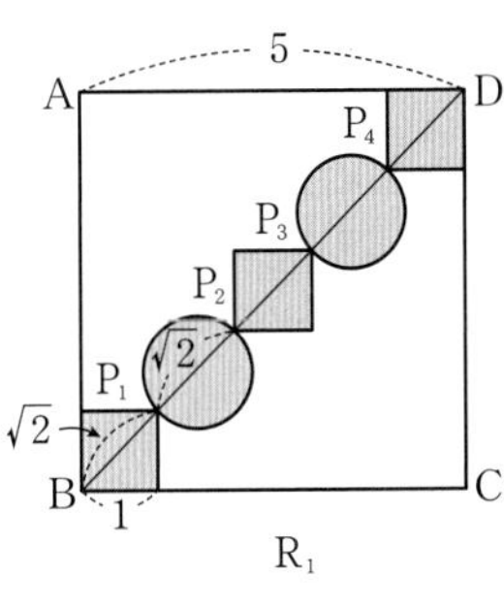

그림 R_1에서 한 변의 길이가 5인 정사각형 ABCD의 대각선 $\overline{BD}=5\sqrt{2}$이므로

선분 $BP_1=P_2P_3=P_4D=\sqrt{2}$를 각각 대각선으로 하는 정사각형의 한 변의 길이는 1이므로 한 정사각형의 넓이는 1^2

또한, 선분 $P_1P_2=P_3P_4=\sqrt{2}$를 각각 지름으로 하는 원의 반지름은 $\frac{\sqrt{2}}{2}$이므로

한 원의 넓이는 $\left(\frac{\sqrt{2}}{2}\right)^2\pi$

$S_1=3\times1+2\left(\frac{\sqrt{2}}{2}\right)^2\pi=3+\pi$

STEP Ⓑ 닮음비를 이용하여 공비 구하기

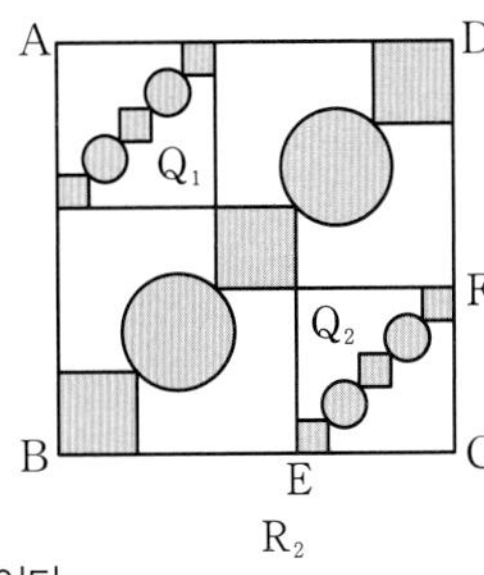

오른쪽 그림과 같이 그림 R_2에서 선분 CQ_2를 대각선으로 하는 정사각형의 꼭짓점 중 두 선분 CB, CD 위의 점을 각각 E, F라고 하자.

이때 $\overline{CB}:\overline{CE}=5:2$이므로 □ABCD와 □$Q_2$ECF는 닮음비가 $5:2$이고 넓이의 비가 $25:4$

이때 도형의 개수는 2배씩 늘어나므로

수열 $\{S_n\}$은 공비가 $\frac{4}{25}\cdot2=\frac{8}{25}$인 등비수열이다.

STEP Ⓒ $\lim_{n\to\infty}S_n$의 값 구하기

따라서 $\{S_n\}$은 첫째항이 $3+\pi$이고 공비가 $\frac{8}{25}$인 등비수열이다.

$$\therefore\ \lim_{n\to\infty}S_n=\frac{3+\pi}{1-\frac{8}{25}}=\frac{25}{17}(\pi+3)$$

0156

그림과 같이 중심이 O, 반지름의 길이가 2이고 중심각의 크기가 90°인 부채꼴 OAB가 있다. 선분 OA의 중점을 C, 선분 OB의 중점을 D라 하자. 점 C를 지나고 선분 OB와 평행한 직선이 호 AB와 만나는 점을 E, 점 D를 지나고 선분 OA와 평행한 직선이 호 AB와 만나는 점을 F라 하자. 선분 CE와 선분 DF가 만나는 점을 G, 선분 OE와 선분 DG가 만나는 점을 H, 선분 OF와 선분 CG가 만나는 점을 I라 하자.
사각형 OIGH를 색칠하여 얻은 그림을 R_1이라 하자.
그림 R_1에 중심이 C, 반지름의 길이가 $\overline{CI}$, 중심각의 크기가 90°인 부채꼴 CJI와 중심이 D, 반지름의 길이가 $\overline{DH}$, 중심각의 크기가 90°인 부채꼴 DHK를 그린다. 두 부채꼴 CJI, DHK에 그림 R_1을 얻는 것과 같은 방법으로 두 개의 사각형을 그리고 색칠하여 얻은 그림을 R_2라 하자.
이와 같은 과정을 계속하여 n번째 얻은 그림 R_n에 색칠되어 있는 부분의 넓이를 S_n이라 할 때, $\lim_{n\to\infty} S_n$의 값은?

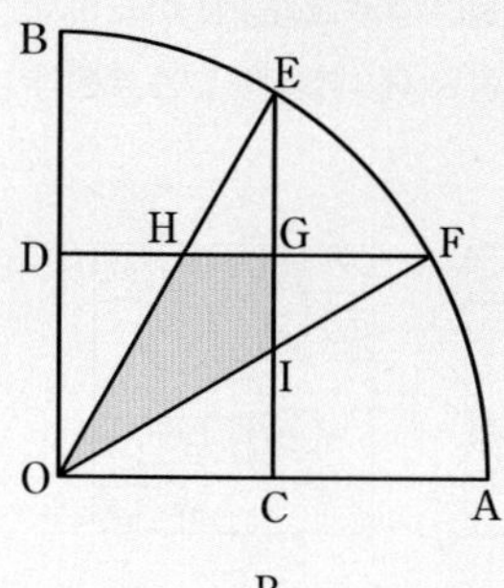

R_1

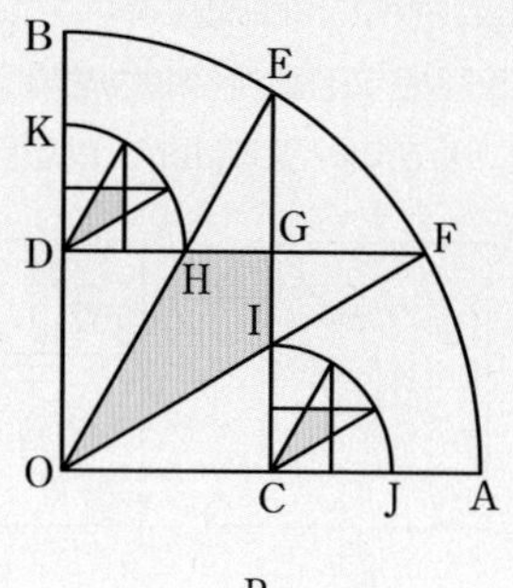

R_2

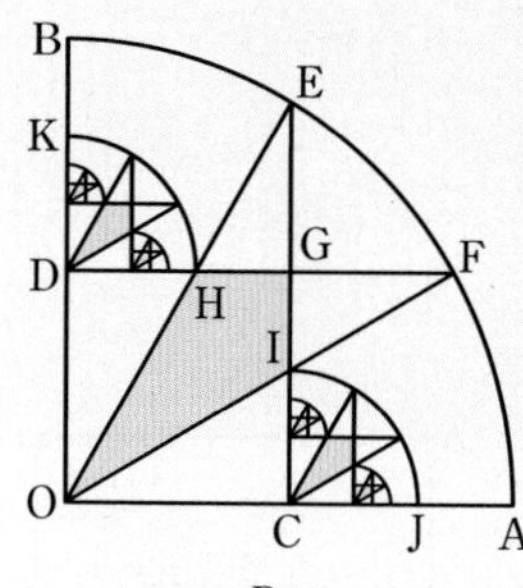

R_3

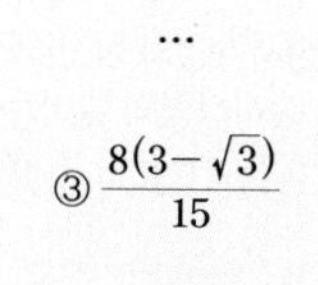

① $\frac{2(3-\sqrt{3})}{5}$ ② $\frac{7(3-\sqrt{3})}{15}$ ③ $\frac{8(3-\sqrt{3})}{15}$
④ $\frac{3(3-\sqrt{3})}{5}$ ⑤ $\frac{2(3-\sqrt{3})}{3}$

STEP Ⓐ 넓이 S_1 구하기

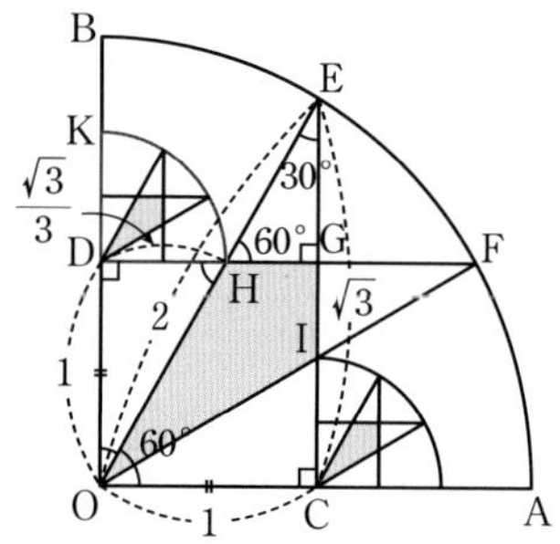

직각삼각형 OCE에서 $\overline{OC}=1$, $\overline{OE}=2$이므로
$\angle COE=60°$
같은 방법으로 생각하면
$\angle DOF=60°$
즉 직각삼각형 ODH에서 $\angle HOD=30°$이므로
$\overline{DH}=1\times\tan 30°=\frac{\sqrt{3}}{3}$

$S_1=\square OCGD-\triangle OCI-\triangle OHD$
$=1\times1-2\times\frac{1}{2}\times\frac{\sqrt{3}}{3}\times1$ ← $\triangle OCI\equiv\triangle OHD$
$=1-\frac{\sqrt{3}}{3}$
$=\frac{3-\sqrt{3}}{3}$

STEP Ⓑ 닮음을 이용하여 공비 구하기

부채꼴 DHK의 반지름의 길이는 $\frac{\sqrt{3}}{3}$이므로
$S_1 : S_2$의 길이의 비는 두 부채꼴의 반지름의 길이의 비와 같으므로
$2:\frac{\sqrt{3}}{3}$이다.
즉 닮음비는 $1:\frac{\sqrt{3}}{6}$이므로 넓이의 비는 $1:\frac{1}{12}$이고
부채꼴의 개수는 2배씩 증가하므로 공비는 $2\cdot\frac{1}{12}=\frac{1}{6}$

STEP Ⓒ $\lim_{n\to\infty} S_n$의 값 구하기

따라서 S_n은 첫째항이 $S_1=\frac{3-\sqrt{3}}{3}$이고 공비가 $\frac{1}{6}$인 등비수열이므로

$$\lim_{n\to\infty} S_n=\frac{\frac{3-\sqrt{3}}{3}}{1-\frac{1}{6}}=\frac{2(3-\sqrt{3})}{5}$$

0157

다음 물음에 답하여라.

(1) 그림과 같이 길이가 4인 선분 AB를 지름으로 하는 원 O가 있다. 원의 중심을 C라 하고, 선분 AC의 중점과 선분 BC의 중점을 각각 D, P라 하자. 선분 AC의 수직이등분선과 선분 BC의 수직이등분선이 원 O의 위쪽 반원과 만나는 점을 각각 E, Q라 하자. 선분 DE를 한 변으로 하고 원 O와 점 A에서 만나며 선분 DF가 대각선인 정사각형 DEFG를 그리고, 선분 PQ를 한 변으로 하고 원 O와 점 B에서 만나며 선분 PR이 대각선인 정사각형 PQRS를 그린다. 원 O의 내부와 정사각형 DEFG의 내부의 공통부분인 모양의 도형과 원 O의 내부와 정사각형 PQRS의 내부의 공통부분인 모양의 도형에 색칠하여 얻은 그림을 R_1이라 하자.

그림 R_1에서 점 F를 중심으로 하고 반지름의 길이가 $\frac{1}{2}\overline{DE}$인 원 O_1, 점 R을 중심으로 하고 반지름의 길이가 $\frac{1}{2}\overline{PQ}$인 원 O_2를 그린다. 두 원 O_1, O_2에 각각 그림 R_1을 얻은 것과 같은 방법으로 만들어지는 모양의 2개의 도형과 모양의 2개의 도형에 색칠하여 얻은 그림을 R_2라 하자. 이와 같은 과정을 계속하여 n번째 얻은 그림 R_n에 색칠되어 있는 부분의 넓이를 S_n이라 할 때, $\lim_{n\to\infty} S_n$의 값은?

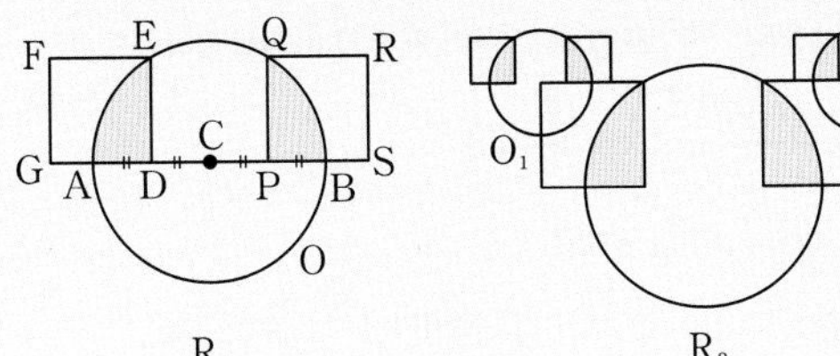

R_1　　　R_2

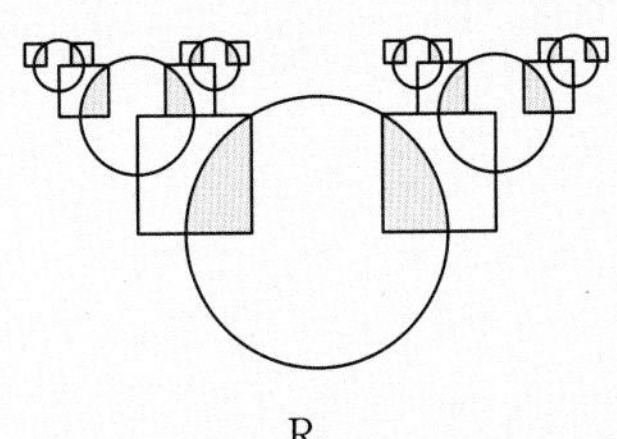

R_3

① $\frac{12\pi-9\sqrt{3}}{10}$　② $\frac{8\pi-6\sqrt{3}}{5}$　③ $\frac{32\pi-24\sqrt{3}}{15}$

④ $\frac{28\pi-21\sqrt{3}}{10}$　⑤ $\frac{16\pi-12\sqrt{3}}{5}$

STEP Ⓐ R_1에서 색칠된 의 넓이 구하기

그림 R_1에서 아래 그림과 같이 두 점 C, Q를 연결하여 직각삼각형 QCP를 만든다.

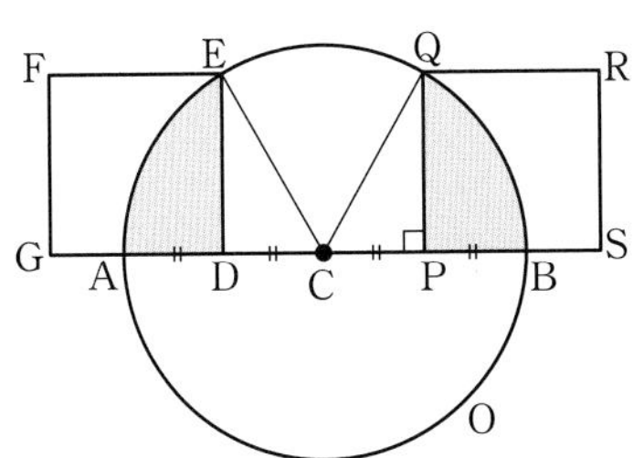

직각삼각형 QCP에서 $\overline{CQ}=2$, $\overline{CP}=1$이므로

$\overline{PQ}=\sqrt{\overline{CQ}^2-\overline{CP}^2}=\sqrt{2^2-1^2}=\sqrt{3}$

이때 $\cos(\angle QCP)=\frac{\overline{CP}}{\overline{CQ}}=\frac{1}{2}$이므로

$\angle QCP=60°\ (0°<\angle QCP<90°)$

즉 그림 R_1에 색칠된 부분의 넓이는

$S_1=2\{(\text{부채꼴 QCB의 넓이})-(\triangle QCP\text{의 넓이})\}$

$=2\left\{\pi\times2^2\times\frac{60°}{360°}-\frac{1}{2}\times1\times\sqrt{3}\right\}$

$=\frac{4}{3}\pi-\sqrt{3}$

STEP Ⓑ R_2에서 원의 반지름의 길이를 구하여 넓이의 비를 구하기

한편 그림 R_2에서 새로 그려진 원의 반지름의 길이는

$\frac{1}{2}\overline{DE}=\frac{1}{2}\overline{PQ}=\frac{\sqrt{3}}{2}$

그림 R_1에 있는 원과 그림 R_2에 새로 그려진 원의 반지름의 길이의 비는

$2:\frac{\sqrt{3}}{2}$, 즉 $1:\frac{\sqrt{3}}{4}$

이때 넓이의 비는 $1:\left(\frac{\sqrt{3}}{4}\right)^2$

한편 그림 R_{n+1}에서 새로 생긴 원의 개수는 그림 R_n에서 새로 생긴 원의 개수의 2배이다.

즉 공비는 $\left(\frac{\sqrt{3}}{4}\right)^2\times2=\frac{3}{8}$

STEP Ⓒ $\lim_{n\to\infty} S_n$의 값 구하기

따라서 $\{S_n\}$은 첫째항이 $\frac{4}{3}\pi-\sqrt{3}$, 공비가 $\frac{3}{8}$인 등비수열이다.

$\therefore \lim_{n\to\infty} S_n=\frac{\frac{4}{3}\pi-\sqrt{3}}{1-\frac{3}{8}}=\frac{32\pi-24\sqrt{3}}{15}$

(2) 그림과 같이 한 변의 길이 6인 정삼각형 ABC가 있다.
정삼각형 ABC의 외심을 O라 할 때, 중심이 A이고 반지름의 길이가 $\overline{AO}$인 원을 O_A, 중심이 B이고 반지름의 길이가 $\overline{BO}$인 원을 O_B, 중심이 C이고 반지름의 길이가 $\overline{CO}$인 원을 O_C라 하자.
원 O_A와 원 O_B의 내부의 공통부분, 원 O_A와 원 O_C의 내부의 공통부분, 원 O_B와 원 O_C의 내부의 공통부분 중 삼각형 ABC내부에 있는 모양의 도형에 색칠하여 얻은 그림을 R_1이라 하자.
그림 R_1에 원 O_A가 두 선분 AB, AC와 만나는 점을 각각 D, E, 원 O_B가 두 선분 AB, BC와 만나는 점을 각각 F, G, 원 O_C가 두 선분 BC, AC와 만나는 점을 각각 H, I라 하고, 세 정삼각형 AFI, BHD, CEG에서 R_1을 얻는 과정과 같은 방법으로 각각 만들어지는 모양의 도형 3개에 색칠하여 얻은 그림을 R_2라 하자. 그림 R_2에 새로 만들어진 세 개의 정삼각형에 각각 R_1에서 R_2를 얻는 과정과 같은 방법으로 만들어지는 모양의 도형 9개에 색칠하여 얻은 그림을 R_3이라 하자. 이와 같은 과정을 계속하여 n번째 얻은 그림 R_n에 색칠되어 있는 부분의 넓이를 S_n이라 할 때, $\lim_{n\to\infty} S_n$의 값은?

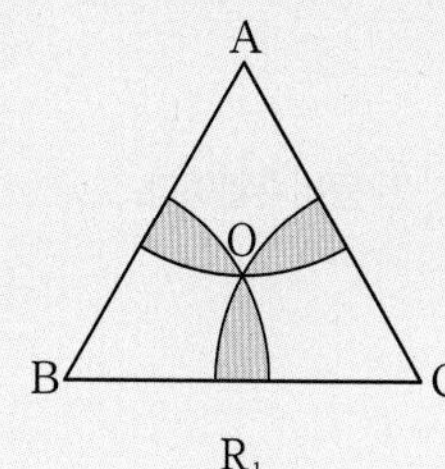

R_1

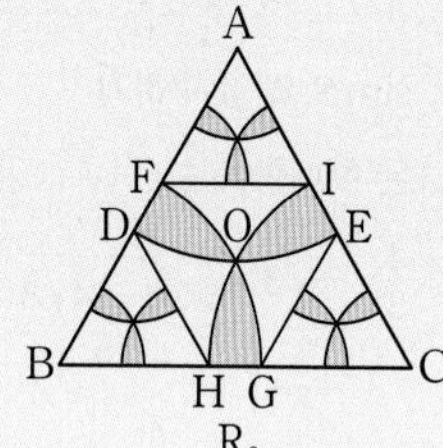

R_2

R_3

…

① $(2\pi-3\sqrt{3})(\sqrt{3}+3)$ ② $(\pi-\sqrt{3})(\sqrt{3}+3)$
③ $(2\pi-3\sqrt{3})(2\sqrt{3}+3)$ ④ $(\pi-\sqrt{3})(2\sqrt{3}+3)$
⑤ $(2\pi-2\sqrt{3})(\sqrt{3}+3)$

STEP A 넓이 S_1 구하기

정삼각형 ABC의 외심 O는 무게중심이기도 하므로 선분 OB는 각 ABC를 이등분한다.
그림과 같이 선분 BC의 중점을 M이라 하면 직각삼각형 BMO에서
$\angle OBM=\frac{\pi}{6}$, $\overline{BM}=\frac{6}{2}=3$이므로 $\overline{OM}=\sqrt{3}$, $\overline{OB}=2\sqrt{3}$

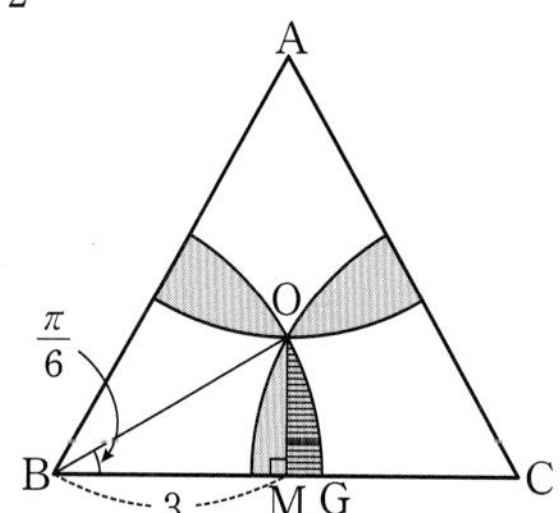

호 OG와 두 선분 OM, MG로 둘러싸인 부분의 넓이
즉 (빗금 친 부분의 넓이)
=(부채꼴 OBG의 넓이)−(직각삼각형 OMB의 넓이)
$=\frac{1}{2}\times\overline{OB}^2\times\frac{\pi}{6}-\frac{1}{2}\times\overline{BM}\times\overline{OM}$
$=\pi-\frac{3\sqrt{3}}{2}$
이므로 그림 R_1에 색칠된 부분의 넓이는
S_1=(빗금 친 부분의 넓이)×6
$=\left(\pi-\frac{3\sqrt{3}}{2}\right)\times 6$
$=3(2\pi-3\sqrt{3})$

STEP B 닮음을 이용하여 공비 구하기

두 그림 R_1, R_2에서 새로 색칠된 모양의 도형의 닮음비는 정삼각형 ABC, EGC의 닮음비는 $\overline{BC}:\overline{GC}$와 같다.

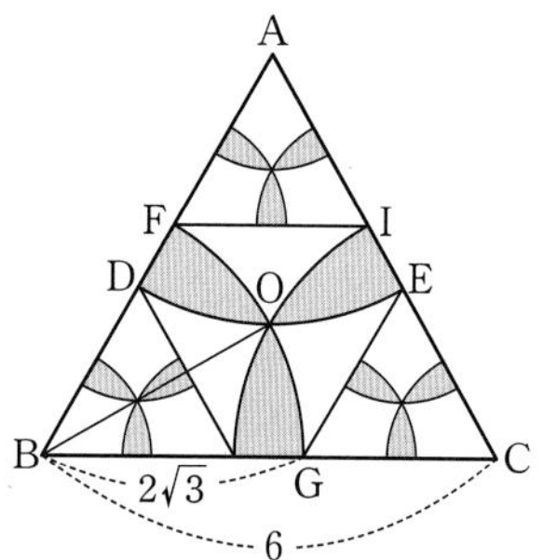

이때 $\overline{GC}=\overline{BC}-\overline{BG}=\overline{BC}-\overline{BO}=6-2\sqrt{3}$이므로
$\overline{BC}:\overline{GC}=6:(6-2\sqrt{3})=1:\frac{3-\sqrt{3}}{3}$
같은 과정을 계속하므로 모든 자연수 n에 대하여
두 그림 R_n, R_{n+1}에서 새로 색칠된 모양의 도형의 닮음비도
$1:\frac{3-\sqrt{3}}{3}$이고 넓이의 비는 $1^2:\left(\frac{3-\sqrt{3}}{3}\right)^2=1:\frac{4-2\sqrt{3}}{3}$
또한, 새로 색칠된 모양의 도형의 개수가 3배씩 많아지므로
S_n의 공비는 $\frac{4-2\sqrt{3}}{3}\times 3=4-2\sqrt{3}$

STEP C $\lim_{n\to\infty} S_n$의 값 구하기

따라서 첫째항이 $3(2\pi-3\sqrt{3})$이고 공비가 $4-2\sqrt{3}$이므로
$\lim_{n\to\infty} S_n=\frac{3(2\pi-3\sqrt{3})}{1-(4-2\sqrt{3})}=(2\pi-3\sqrt{3})(2\sqrt{3}+3)$

FINAL EXERCISE
단원종합문제

BASIC

0158

다음 물음에 답하여라.

(1) 두 수열 $\{a_n\}$, $\{b_n\}$에 대하여 $\sum_{n=1}^{\infty}a_n=4$, $\sum_{n=1}^{\infty}b_n=10$일 때,

$\sum_{n=1}^{\infty}(a_n+5b_n)$의 값은?

① 6 ② 14 ③ 25
④ 35 ⑤ 54

STEP A 등비급수의 성질을 이용하여 합 구하기

$\sum_{n=1}^{\infty}a_n=4$, $\sum_{n=1}^{\infty}b_n=10$으로 각각 수렴하므로

급수의 성질에 의하여

$$\sum_{n=1}^{\infty}(a_n+5b_n)=\sum_{n=1}^{\infty}a_n+5\sum_{n=1}^{\infty}b_n$$
$$=4+5\times10=54$$

(2) 두 급수 $\sum_{n=1}^{\infty}a_n$, $\sum_{n=1}^{\infty}b_n$이 수렴하고

$$\sum_{n=1}^{\infty}(a_n-3b_n)=10,\ \sum_{n=1}^{\infty}(3a_n-2b_n)=9$$

일 때, $\sum_{n=1}^{\infty}(a_n-b_n)$의 값은?

① 1 ② 2 ③ 3
④ 4 ⑤ 5

STEP A 급수의 성질을 이용하여 구하기

$\sum_{n=1}^{\infty}a_n=\alpha$, $\sum_{n=1}^{\infty}b_n=\beta$로 놓으면

$\sum_{n=1}^{\infty}(a_n-3b_n)=10$에서 $\sum_{n=1}^{\infty}a_n-3\sum_{n=1}^{\infty}b_n=10$이므로

$\alpha-3\beta=10$ …… ㉠

$\sum_{n=1}^{\infty}(3a_n-2b_n)=9$에서 $3\sum_{n=1}^{\infty}a_n-2\sum_{n=1}^{\infty}b_n=9$이므로

$3\alpha-2\beta=9$ …… ㉡

㉠과 ㉡을 연립하여 풀면 $\alpha=1$, $\beta=-3$

STEP B $\sum_{n=1}^{\infty}(a_n-b_n)$의 값 구하기

따라서 $\sum_{n=1}^{\infty}(a_n-b_n)=\sum_{n=1}^{\infty}a_n-\sum_{n=1}^{\infty}b_n$

$$=\alpha-\beta=1-(-3)=4$$

(3) 두 수열 $\{a_n\}$, $\{b_n\}$에 대하여

$$\sum_{n=1}^{\infty}(a_n+2b_n)=10,\ \sum_{n=1}^{\infty}(b_n-2a_n)=15$$

일 때, $\sum_{n=1}^{\infty}(a_n+b_n)$의 값은?

① 1 ② 3 ③ 5
④ 7 ⑤ 9

STEP A 급수의 성질을 이용하여 구하기

$\sum_{n=1}^{\infty}(a_n+2b_n)=10$, $\sum_{n=1}^{\infty}(b_n-2a_n)=15$이므로

급수의 성질에 의하여

$$\sum_{n=1}^{\infty}a_n=\sum_{n=1}^{\infty}\frac{1}{5}\{(a_n+2b_n)-2(b_n-2a_n)\}$$
$$=\frac{1}{5}\sum_{n=1}^{\infty}(a_n+2b_n)-\frac{2}{5}\sum_{n=1}^{\infty}(b_n-2a_n)$$
$$=\frac{1}{5}\times10-\frac{2}{5}\times15=-4$$

$$\sum_{n=1}^{\infty}b_n=\sum_{n=1}^{\infty}\{(b_n-2a_n)+2a_n\}$$
$$=\sum_{n=1}^{\infty}(b_n-2a_n)+2\sum_{n=1}^{\infty}a_n$$
$$=15+2\times(-4)=7$$

STEP B $\sum_{n=1}^{\infty}(a_n+b_n)$의 값 구하기

따라서 $\sum_{n=1}^{\infty}(a_n+b_n)=\sum_{n=1}^{\infty}a_n+\sum_{n=1}^{\infty}b_n=(-4)+7=3$

0159

다음 물음에 답하여라.

(1) 정수 a, b에 대하여 $\sum_{n=1}^{\infty}\frac{1}{n(n+2)}=2^a\times3^b$가 성립할 때,

a^2+b^2의 값은?

① 3 ② 4 ③ 5
④ 6 ⑤ 8

STEP A $\sum_{n=1}^{\infty}a_n$에서 첫째항부터 제 n항까지의 부분합 S_n을 구하여 $\sum_{n=1}^{\infty}a_n=\lim_{n\to\infty}S_n$임을 이용하여 a, b의 값 구하기

$$2^a\times3^b=\lim_{n\to\infty}\sum_{k=1}^{n}\frac{1}{2}\left(\frac{1}{k}-\frac{1}{k+2}\right)$$
$$=\frac{1}{2}\lim_{n\to\infty}\left\{\left(1-\frac{1}{3}\right)+\left(\frac{1}{2}-\frac{1}{4}\right)+\cdots+\left(\frac{1}{n-1}-\frac{1}{n+1}\right)+\left(\frac{1}{n}-\frac{1}{n+2}\right)\right\}$$
$$=\lim_{n\to\infty}\frac{1}{2}\left(1+\frac{1}{2}-\frac{1}{n+1}-\frac{1}{n+2}\right)$$
$$=\frac{3}{4}=2^{-2}\times3^1$$

따라서 $a=-2$, $b=1$이므로 $a^2+b^2=5$

(2) 급수 $\sum_{n=1}^{\infty}\frac{2022}{4n^2-1}$의 값은?

① 1007 ② 1009 ③ 1010
④ 1011 ⑤ 2010

STEP A 주어진 수열의 일반항 a_n 구하기

주어진 수열의 일반항 a_n은

$$a_n=\frac{2022}{(2n-1)(2n+1)}$$
$$=\frac{2022}{2}\left(\frac{1}{2n-1}-\frac{1}{2n+1}\right)$$
$$=1011\left(\frac{1}{2n-1}-\frac{1}{2n+1}\right)$$

STEP B 주어진 급수의 첫째항부터 제 n항까지의 부분합 S_n을 구하기

$$\sum_{k=1}^{n}a_k=1011\sum_{k=1}^{n}\left(\frac{1}{2k-1}-\frac{1}{2k+1}\right)$$
$$=1011\left\{\left(\frac{1}{1}-\frac{1}{3}\right)+\left(\frac{1}{3}-\frac{1}{5}\right)+\cdots+\left(\frac{1}{2n-1}-\frac{1}{2n+1}\right)\right\}$$
$$=1011\left(1-\frac{1}{2n+1}\right)$$

STEP C $\lim_{n\to\infty}S_n$의 값 구하기

따라서 구하는 급수의 합은

$$\lim_{n\to\infty}\sum_{k=1}^{n}a_k=\lim_{n\to\infty}1011\left(1-\frac{1}{2n+1}\right)=1011(1-0)=1011$$

0160

자연수 n에 대하여 $3^n \cdot 5^{n+1}$의 모든 양의 약수의 개수를 a_n이라 할 때, $\sum_{n=1}^{\infty}\frac{1}{a_n}$의 값은?

① $\frac{1}{2}$ ② $\frac{7}{12}$ ③ $\frac{2}{3}$
④ $\frac{3}{4}$ ⑤ $\frac{5}{6}$

STEP Ⓐ $3^n \cdot 5^{n+1}$의 약수의 개수 구하기

$3^n \cdot 5^{n+1}$의 모든 양의 약수의 개수는 $a_n=(n+1)(n+2)$

STEP Ⓑ 주어진 급수의 첫째항부터 제 n항까지의 부분합 S_n을 구하여 $\lim_{n\to\infty}S_n$의 값 구하기

따라서 $\sum_{n=1}^{\infty}\frac{1}{a_n}=\sum_{n=1}^{\infty}\frac{1}{(n+1)(n+2)}$

$=\lim_{n\to\infty}\sum_{k=1}^{n}\frac{1}{(k+1)(k+2)}$

$=\lim_{n\to\infty}\sum_{k=1}^{n}\left(\frac{1}{k+1}-\frac{1}{k+2}\right)$

$=\lim_{n\to\infty}\left(\frac{1}{2}-\frac{1}{n+2}\right)=\frac{1}{2}$

0161

다음 물음에 답하여라.

(1) 수열 $\{a_n\}$에 대하여 다항식 $a_nx^2+a_nx+2$를 $x-n$으로 나눈 나머지가 25일 때, 급수 $\sum_{n=1}^{\infty}a_n$의 값을 구하여라.

STEP Ⓐ 나머지 정리를 이용하여 a_n 구하기

나머지 정리에 의해

$a_nx^2+a_nx+2=(x-n)\mathrm{Q}(x)+25$

$x=n$을 대입하면

$n^2a_n+na_n+2=25$에서 $a_n=\frac{23}{n(n+1)}$

STEP Ⓑ 주어진 급수의 첫째항부터 제 n항까지의 부분합 S_n을 구하여 $\lim_{n\to\infty}S_n$의 값 구하기

따라서 $\sum_{n=1}^{\infty}a_n=23\sum_{n=1}^{\infty}\frac{1}{n(n+1)}=23\cdot1=23$ ⬅ $\sum_{n=1}^{\infty}\frac{1}{n(n+1)}=1$

(2) 모든 자연수 n에 대하여 x에 관한 이차방정식 $x^2+(2n-1)x+n^2=0$의 두 근이 α_n, $\beta_n\,(\alpha_n>\beta_n)$일 때, $\sum_{n=1}^{\infty}\frac{1}{(\alpha_n-1)(\beta_n-1)}$의 값을 구하여라.

STEP Ⓐ 이차방정식의 근과 계수의 관계를 이용하여 $\alpha_n+\beta_n$, $\alpha_n\beta_n$ 구하기

이차방정식의 근과 계수의 관계에 의하여

$\alpha_n+\beta_n=-(2n-1)$, $\alpha_n\beta_n=n^2$

STEP Ⓑ $\sum_{n=1}^{\infty}a_n=\lim_{n\to\infty}S_n$임을 이용하여 구하기

따라서 $\sum_{n=1}^{\infty}\frac{1}{(\alpha_n-1)(\beta_n-1)}=\sum_{n=1}^{\infty}\frac{1}{\alpha_n\beta_n-(\alpha_n+\beta_n)+1}$

$=\sum_{n=1}^{\infty}\frac{1}{n^2+(2n-1)+1}$

$=\sum_{n=1}^{\infty}\frac{1}{n(n+2)}$ ⬅ $\sum_{n=1}^{\infty}\frac{1}{n(n+2)}=\frac{3}{4}$

$=\frac{3}{4}$

0162

수렴하는 급수만을 [보기]에서 있는 대로 고른 것은?

ㄱ. $\sum_{n=1}^{\infty}\frac{1}{n(n+1)}$	ㄴ. $\sum_{n=1}^{\infty}\frac{n+2}{3n-1}$
ㄷ. $\sum_{n=1}^{\infty}\frac{1}{\sqrt{n+1}+\sqrt{n}}$	ㄹ. $\sum_{n=1}^{\infty}\frac{n^2}{1+2+3+\cdots+n}$

① ㄱ ② ㄴ, ㄹ ③ ㄴ, ㄷ
④ ㄱ, ㄴ, ㄹ ⑤ ㄴ, ㄷ, ㄹ

STEP Ⓐ 급수와 수열의 극한 사이의 관계를 이용하여 [보기]의 참, 거짓 판단하기

ㄱ. $\sum_{n=1}^{\infty}\frac{1}{n(n+1)}=\lim_{n\to\infty}\left(1-\frac{1}{n+1}\right)=1$ [수렴]

ㄴ. $\lim_{n\to\infty}\frac{n+2}{3n-1}=\frac{1}{3}\neq0$이므로 $\sum_{n=1}^{\infty}\frac{n+2}{3n-1}$은 발산한다.

ㄷ. $\sum_{n=1}^{\infty}\frac{1}{\sqrt{n+1}+\sqrt{n}}$에서 제 n항까지의 부분합을 S_n이라고 하면

$S_n=\sum_{n=1}^{n}\frac{1}{\sqrt{k+1}+\sqrt{k}}$

$=\sum_{n=1}^{n}\frac{\sqrt{k+1}-\sqrt{k}}{(\sqrt{k+1}+\sqrt{k})(\sqrt{k+1}-\sqrt{k})}$

$=\sum_{k=1}^{n}(\sqrt{k+1}-\sqrt{k})$

$=(\sqrt{2}-1)+(\sqrt{3}-\sqrt{2})+\cdots+(\sqrt{n+1}-\sqrt{n})$

$=\sqrt{n+1}-1$

$\therefore \lim_{n\to\infty}S_n=\lim_{n\to\infty}(\sqrt{n+1}-1)=\infty$ [발산]

ㄹ. $\lim_{n\to\infty}\frac{n^2}{1+2+3+\cdots+n}=\lim_{n\to\infty}\frac{2n^2}{n(n+1)}=2\neq0$

이므로 $\sum_{n=1}^{\infty}\frac{n^2}{1+2+3+\cdots+n}$은 발산한다.

따라서 수렴하는 것은 ㄱ뿐이다.

0163

다음 물음에 답하여라.

(1) 수열 $\{a_n\}$의 첫째항부터 제 n항까지의 합을 S_n이라 하자. $\lim_{n\to\infty}S_n=7$일 때, $\lim_{n\to\infty}(2a_n+3S_n)$의 값은?

① 7 ② 14 ③ 21
④ 28 ⑤ 32

STEP Ⓐ $\lim_{n\to\infty}S_n=7$이면 $\lim_{n\to\infty}a_n=0$임을 이용하기

$\lim_{n\to\infty}S_n=7$로 수렴하므로 $\lim_{n\to\infty}a_n=0$

따라서 $\lim_{n\to\infty}(2a_n+3S_n)-2\lim_{n\to\infty}a_n+3\lim_{n\to\infty}S_n$

$=2\cdot0+3\cdot7=21$

(2) 수열 $\{a_n\}$에 대하여 $\sum_{n=1}^{\infty}a_n=5$이고 첫째항부터 제 n항까지의 합을 S_n이라 할 때, $\lim_{n\to\infty}\frac{2S_n+a_n+2}{S_{n-1}-a_n-3}$의 값은?

① 2 ② 3 ③ 4
④ 5 ⑤ 6

STEP Ⓐ $\sum_{n=1}^{\infty}a_n$이 수렴하면 $\lim_{n\to\infty}a_n=0$임을 이용하여 구하기

$\sum_{n=1}^{\infty}a_n=5$이므로 $\lim_{n\to\infty}a_n=0$

STEP B $\sum_{n=1}^{\infty}a_n=\lim_{n\to\infty}S_n=\lim_{n\to\infty}S_{n-1}$임을 이용하여 구하기

$\sum_{n=1}^{\infty}a_n=\lim_{n\to\infty}\sum_{k=1}^{n}a_k=\lim_{n\to\infty}S_n=\lim_{n\to\infty}S_{n-1}=5$

따라서 구하는 극한값은 $\lim_{n\to\infty}\frac{2S_n+a_n+2}{S_{n-1}-a_n-3}=\frac{2\times5+0+2}{5-0-3}=\frac{12}{2}=6$

0164

다음 물음에 답하여라.

(1) 수열 $\{a_n\}$에 대하여 급수 $\sum_{n=1}^{\infty}\left(a_n-\frac{5n}{n+1}\right)$이 수렴할 때, $\lim_{n\to\infty}a_n$의 값은?

① -5 ② -1 ③ 0
④ 1 ⑤ 5

STEP A 급수 $\sum_{n=1}^{\infty}a_n$이 수렴하면 $\lim_{n\to\infty}a_n=0$임을 이용하기

급수 $\sum_{n=1}^{\infty}\left(a_n-\frac{5n}{n+1}\right)$이 수렴하므로 $\lim_{n\to\infty}\left(a_n-\frac{5n}{n+1}\right)=0$

$\therefore \lim_{n\to\infty}\frac{5n}{n+1}=5$

STEP B $\lim_{n\to\infty}a_n$의 값 구하기

따라서 $\lim_{n\to\infty}a_n=\lim_{n\to\infty}\left\{\left(a_n-\frac{5n}{n+1}\right)+\frac{5n}{n+1}\right\}$

$=\lim_{n\to\infty}\left(a_n-\frac{5n}{n+1}\right)+\lim_{n\to\infty}\frac{5n}{n+1}$

$=0+5=5$

(2) 수열 $\{a_n\}$에 대하여 급수 $\sum_{n=1}^{\infty}\left(a_n-\frac{7n}{3n+2}\right)$이 수렴할 때, $\lim_{n\to\infty}\frac{(3n+5)a_n}{n+3}$의 값은?

① 5 ② 6 ③ 7
④ 8 ⑤ 9

STEP A $\sum_{n=1}^{\infty}\left(a_n-\frac{7n}{3n+2}\right)$이 수렴하면 $\lim_{n\to\infty}\left(a_n-\frac{7n}{3n+2}\right)=0$임을 이용하기

급수 $\sum_{n=1}^{\infty}\left(a_n-\frac{7n}{3n+2}\right)$이 수렴하므로 $\lim_{n\to\infty}\left(a_n-\frac{7n}{3n+2}\right)=0$

$\therefore \lim_{n\to\infty}a_n=\frac{7}{3}$

STEP B 극한값 구하기

따라서 $\lim_{n\to\infty}\frac{(3n+5)a_n}{n+3}=\lim_{n\to\infty}\frac{(3n+5)}{n+3}\times\lim_{n\to\infty}a_n=3\times\frac{7}{3}=7$

0165

다음 물음에 답하여라.

(1) 수렴하는 두 수열 $\{a_n\}$, $\{b_n\}$이 모든 자연수 n에 대하여 $\lim_{n\to\infty}(a_n+b_n)=6$, $\sum_{n=1}^{\infty}(2a_n-b_n)=5$일 때, $\lim_{n\to\infty}a_nb_n$의 값은?

① 8 ② 10 ③ 14
④ 12 ⑤ 16

STEP A 수열의 극한의 성질 이용하기

두 수열 $\{a_n\}$, $\{b_n\}$이 모두 수렴하므로

$\lim_{n\to\infty}a_n=\alpha$, $\lim_{n\to\infty}b_n=\beta$ (α, β는 상수)라 하면

$\lim_{n\to\infty}(a_n+b_n)=\lim_{n\to\infty}a_n+\lim_{n\to\infty}b_n=\alpha+\beta=6$ …… ㉠

STEP B 급수 $\sum_{n=1}^{\infty}a_n$이 수렴하면 $\lim_{n\to\infty}a_n=0$임을 이용하기

또, $\sum_{n=1}^{\infty}(2a_n-b_n)$이 수렴하므로

$\lim_{n\to\infty}(2a_n-b_n)=2\lim_{n\to\infty}a_n-\lim_{n\to\infty}b_n=2\alpha-\beta=0$ …… ㉡

㉠, ㉡을 연립하여 풀면 $\alpha=2$, $\beta=4$

따라서 $\lim_{n\to\infty}a_nb_n=\lim_{n\to\infty}a_n\times\lim_{n\to\infty}b_n=\alpha\beta=2\times4=8$

(2) 두 수열 $\{a_n\}$, $\{b_n\}$에 대하여 $\lim_{n\to\infty}\frac{a_n}{n}=1$, $\sum_{n=1}^{\infty}\frac{b_n}{n}=2$일 때, $\lim_{n\to\infty}\frac{a_n+4n}{b_n+3n-2}$의 값은?

① 1 ② $\frac{4}{3}$ ③ $\frac{5}{3}$
④ 2 ⑤ $\frac{7}{3}$

STEP A 급수 $\sum_{n=1}^{\infty}a_n$이 수렴하면 $\lim_{n\to\infty}a_n=0$임을 이용하기

급수 $\sum_{n=1}^{\infty}\frac{b_n}{n}$이 수렴하므로 $\lim_{n\to\infty}\frac{b_n}{n}=0$

STEP B 분모, 분자를 n으로 나누어 극한값 구하기

따라서 $\lim_{n\to\infty}\frac{a_n+4n}{b_n+3n-2}=\lim_{n\to\infty}\frac{\frac{a_n}{n}+4}{\frac{b_n}{n}+3-\frac{2}{n}}=\frac{1+4}{0+3-0}=\frac{5}{3}$

0166

다음 물음에 답하여라.

(1) 수열 $\{a_n\}$에 대하여 급수 $\sum_{n=1}^{\infty}\frac{a_n-n}{n}$이 수렴할 때, $\lim_{n\to\infty}\frac{5n+a_n}{5n-a_n}$의 값은?

① $\frac{1}{2}$ ② $\frac{3}{4}$ ③ 1
④ $\frac{5}{4}$ ⑤ $\frac{3}{2}$

STEP A $\sum_{n=1}^{\infty}a_n$이 수렴하면 $\lim_{n\to\infty}a_n=0$임을 이용하여 구하기

급수 $\sum_{n=1}^{\infty}\frac{a_n-n}{n}$이 수렴하므로 $\lim_{n\to\infty}\left(\frac{a_n-n}{n}\right)=\lim_{n\to\infty}\left(\frac{a_n}{n}-1\right)=0$

$\therefore \lim_{n\to\infty}\frac{a_n}{n}=1$

STEP B 주어진 식의 분모, 분자를 n으로 나누어 극한값 구하기

따라서 $\lim_{n\to\infty}\frac{5n+a_n}{5n-a_n}=\lim_{n\to\infty}\frac{5+\frac{a_n}{n}}{5-\frac{a_n}{n}}=\frac{5+1}{5-1}=\frac{3}{2}$

(2) 수열 $\{a_n\}$에 대하여 급수 $\sum_{n=1}^{\infty}\left(\frac{a_n}{n}-1\right)$이 수렴할 때, $\lim_{n\to\infty}\frac{a_n+3}{2n+1}$의 값은?

① $\frac{1}{6}$ ② $\frac{1}{2}$ ③ $\frac{3}{4}$
④ 1 ⑤ $\frac{5}{4}$

STEP A $\sum_{n=1}^{\infty}a_n$이 수렴하면 $\lim_{n\to\infty}a_n=0$임을 이용하여 구하기

급수 $\sum_{n=1}^{\infty}\left(\frac{a_n}{n}-1\right)$이 수렴하므로 $\lim_{n\to\infty}\left(\frac{a_n}{n}-1\right)=0$

이때 $\frac{a_n}{n}=b_n$이라 하면 $a_n=nb_n$이고 $\lim_{n\to\infty}b_n=1$

STEP B 주어진 식의 분모, 분자를 n으로 나누어 극한값 구하기

따라서 $\lim_{n\to\infty}\frac{a_n+3}{2n+1}=\lim_{n\to\infty}\frac{nb_n+3}{2n+1}=\lim_{n\to\infty}\frac{b_n+\frac{3}{n}}{2+\frac{1}{n}}=\frac{1+0}{2+0}=\frac{1}{2}$

0167

다음 물음에 답하여라.

(1) 수열 $\{a_n\}$에 대하여 급수 $\sum_{n=1}^{\infty}\left(a_n-\frac{2n}{n+1}\right)$이 수렴할 때, $\lim_{n\to\infty}(2a_n^2+3a_n-1)$의 값은?

① 11 ② 13 ③ 15
④ 17 ⑤ 19

STEP A $\sum_{n=1}^{\infty}a_n$이 수렴하면 $\lim_{n\to\infty}a_n=0$임을 이용하여 구하기

$\sum_{n=1}^{\infty}\left(a_n-\frac{2n}{n+1}\right)$이 수렴하므로 $\lim_{n\to\infty}\left(a_n-\frac{2n}{n+1}\right)=0$

$\therefore \lim_{n\to\infty}a_n=2$

STEP B $\lim_{n\to\infty}(2a_n^2+3a_n-1)$의 값 구하기

따라서 $\lim_{n\to\infty}(2a_n^2+3a_n-1)=2(\lim_{n\to\infty}a_n)^2+3\lim_{n\to\infty}a_n-1$

$=2\cdot2^2+3\cdot2-1=13$

(2) 수열 $\{a_n\}$에 대하여 $\sum_{n=1}^{\infty}\left(na_n-\frac{n^2+1}{2n+1}\right)=3$일 때, $\lim_{n\to\infty}(a_n^2+2a_n+2)$의 값은?

① $\frac{13}{4}$ ② 3 ③ $\frac{11}{4}$
④ $\frac{5}{2}$ ⑤ $\frac{9}{4}$

STEP A $\sum_{n=1}^{\infty}\left(na_n-\frac{n^2+1}{2n+1}\right)=3$이 수렴하면 $\lim_{n\to\infty}\left(na_n-\frac{n^2+1}{2n+1}\right)=0$임을 이용하기

$\sum_{n=1}^{\infty}\left(na_n-\frac{n^2+1}{2n+1}\right)=3$이 수렴하므로 $\lim_{n\to\infty}\left(na_n-\frac{n^2+1}{2n+1}\right)=0$

$b_n=na_n-\frac{n^2+1}{2n+1}$이라 하면

$a_n=\frac{b_n}{n}+\frac{n^2+1}{2n^2+n}$이므로 $\lim_{n\to\infty}b_n=0$

$\therefore \lim_{n\to\infty}a_n=\lim_{n\to\infty}\left(\frac{b_n}{n}+\frac{n^2+1}{2n^2+n}\right)=0+\frac{1}{2}=\frac{1}{2}$

STEP B 극한값 구하기

따라서 $\lim_{n\to\infty}(a_n^2+2a_n+2)=(\lim_{n\to\infty}a_n)^2+2\lim_{n\to\infty}a_n+2$

$=\left(\frac{1}{2}\right)^2+2\left(\frac{1}{2}\right)+2=\frac{13}{4}$

다른풀이 급수의 일반항을 변형하여 풀이하기

$\lim_{n\to\infty}\left(na_n-\frac{n^2+1}{2n+1}\right)=0$을 변형하면

$\lim_{n\to\infty}n\left\{a_n-\frac{n^2+1}{n(2n+1)}\right\}=0$에서 $n\to\infty$이므로

$\lim_{n\to\infty}\left\{a_n-\frac{n^2+1}{n(2n+1)}\right\}=0$

$\lim_{n\to\infty}a_n=\lim_{n\to\infty}\left[\left\{a_n-\frac{n^2+1}{n(2n+1)}\right\}+\frac{n^2+1}{n(2n+1)}\right]$

$=0+\frac{1}{2}=\frac{1}{2}$

따라서 $\lim_{n\to\infty}(a_n^2+2a_n+2)=\left(\frac{1}{2}\right)^2+2\left(\frac{1}{2}\right)+2=\frac{13}{4}$

0168

$\sum_{n=1}^{\infty}\frac{1+3+3^2+\cdots+3^{n-1}}{5^n}$의 합은?

① $\frac{1}{8}$ ② $\frac{3}{8}$ ③ $\frac{5}{8}$
④ $\frac{9}{8}$ ⑤ $\frac{21}{8}$

STEP A 등비수열의 합 구하기

$1+3+3^2+\cdots+3^{n-1}=\frac{3^n-1}{3-1}=\frac{1}{2}(3^n-1)$

STEP B 등비급수의 성질을 이용하여 합 구하기

따라서 $\sum_{n=1}^{\infty}\frac{1+3+3^2+\cdots+3^{n-1}}{5^n}=\sum_{n=1}^{\infty}\frac{3^n-1}{2\cdot5^n}$

$=\sum_{n=1}^{\infty}\frac{1}{2}\cdot\left(\frac{3}{5}\right)^n-\sum_{n=1}^{\infty}\frac{1}{2}\cdot\left(\frac{1}{5}\right)^n$

$=\frac{\frac{1}{2}\cdot\frac{3}{5}}{1-\frac{3}{5}}-\frac{\frac{1}{2}\cdot\frac{1}{5}}{1-\frac{1}{5}}$

$=\frac{3}{4}-\frac{1}{8}=\frac{5}{8}$

0169

다음 물음에 답하여라.

(1) $0<\theta<\pi$일 때, $\sum_{n=1}^{\infty}(\cos\theta)^{2n-1}=\frac{2}{3}$를 만족시키는 θ의 값은?

① $\frac{\pi}{6}$ ② $\frac{\pi}{4}$ ③ $\frac{\pi}{3}$
④ $\frac{\pi}{2}$ ⑤ $\frac{2}{3}\pi$

STEP A 등비급수 구하기

수열 $\{(\cos\theta)^{2n-1}\}$은 첫째항이 $\cos\theta$, 공비가 $\cos^2\theta$인 등비수열이다.

$0<\theta<\pi$이므로 $0\le\cos^2\theta<1$

$\therefore \sum_{n=1}^{\infty}(\cos\theta)^{2n-1}=\frac{\cos\theta}{1-\cos^2\theta}$

STEP B 조건을 만족하는 θ의 값 구하기

$\frac{\cos\theta}{1-\cos^2\theta}=\frac{2}{3}$이므로 $3\cos\theta=2-2\cos^2\theta$

$2\cos^2\theta+3\cos\theta-2=0$

$(2\cos\theta-1)(\cos\theta+2)=0$

$\therefore \cos\theta=\frac{1}{2}\ (\because \cos\theta\ne-2)$

따라서 다음 그림에서 $\theta=\frac{\pi}{3}\ (\because 0<\theta<\pi)$

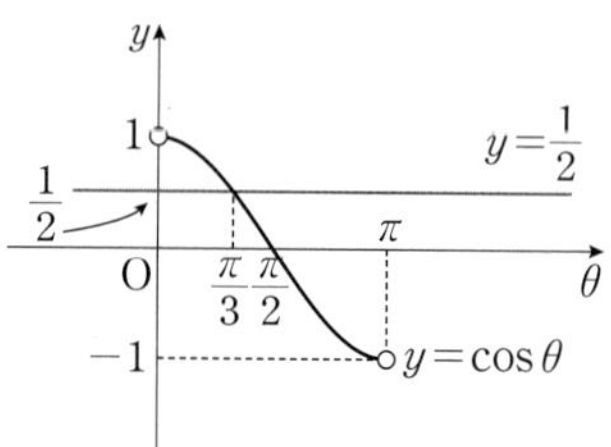

(2) $0<\theta<\frac{\pi}{2}$에 대하여 $\sum_{n=1}^{\infty}\cos^2\theta(\sin\theta)^{n-1}=\frac{18}{13}$을 만족시킬 때, $24\tan\theta$의 값은?

① 6 ② 8 ③ 10
④ 12 ⑤ 14

STEP A 등비급수 구하기

등비급수는 첫째항이 $\cos^2\theta$, 공비가 $\sin\theta$인 등비급수이고

$0<\theta<\frac{\pi}{2}$에서 $0<\sin\theta<1$이므로

$$\cos^2\theta+\cos^2\theta\sin\theta+\cos^2\theta\sin^2\theta+\cdots=\frac{\cos^2\theta}{1-\sin\theta}=\frac{1-\sin^2\theta}{1-\sin\theta}$$
$$=1+\sin\theta=\frac{18}{13}$$

$\therefore \sin\theta=\frac{5}{13}$

STEP B $\sin\theta=\frac{5}{13}$임을 이용하여 $24\tan\theta$의 값 구하기

$\sin^2\theta+\cos^2\theta=1$이므로 $\cos\theta=\frac{12}{13}\left(\because 0<\theta<\frac{\pi}{2}\right)$

따라서 $24\tan\theta=24\times\frac{\sin\theta}{\cos\theta}=24\times\frac{\frac{5}{13}}{\frac{12}{13}}=10$

0170

두 등비수열 $\{a_n\}$, $\{b_n\}$에 대하여 $a_1=b_1=2$이고

$\sum_{n=1}^{\infty}a_n=5$, $\sum_{n=1}^{\infty}b_n=6$일 때, $\sum_{n=1}^{\infty}a_nb_n$의 값은?

① $\frac{17}{3}$ ② $\frac{19}{3}$ ③ $\frac{20}{3}$
④ 7 ⑤ 9

STEP A 등비급수의 성질을 이용하여 각각의 공비 구하기

등비수열 $\{a_n\}$의 공비를 $r_1(-1<r_1<1)$이라 하면

$\sum_{n=1}^{\infty}a_n=\frac{2}{1-r_1}=5$ $\therefore r_1=\frac{3}{5}$

등비수열 $\{b_n\}$의 공비를 $r_2(-1<r_2<1)$이라 하면

$\sum_{n=1}^{\infty}b_n=\frac{2}{1-r_2}=6$ $\therefore r_2=\frac{2}{3}$

STEP B 등비급수 $\sum_{n=1}^{\infty}a_nb_n$의 합 구하기

$a_nb_n=a_1r_1^{n-1}\times b_1r_2^{n-1}=4\times\left(\frac{2}{5}\right)^{n-1}$

$\therefore \sum_{n=1}^{\infty}a_nb_n=\sum_{n=1}^{\infty}4\cdot\left(\frac{2}{5}\right)^{n-1}=\frac{4}{1-\frac{2}{5}}=\frac{20}{3}$

0171

다음 물음에 답하여라.

(1) 수열 $\{a_n\}$에 대하여 $\sum_{n=1}^{\infty}\frac{a_n}{4^n}=2$일 때, $\lim_{n\to\infty}\frac{a_n+4^{n+1}-3^{n-1}}{4^{n-1}+3^{n+1}}$의 값은?

① 12 ② 14 ③ 15
④ 16 ⑤ 20

STEP A 급수 $\sum_{n=1}^{\infty}a_n$이 수렴하면 $\lim_{n\to\infty}a_n=0$임을 이용하기

$\sum_{n=1}^{\infty}\frac{a_n}{4^n}=2$이므로 $\lim_{n\to\infty}\frac{a_n}{4^n}=0$

STEP B 분모, 분자를 4^n으로 나누어 극한값 구하기

$$\text{따라서 } \lim_{n\to\infty}\frac{a_n+4^{n+1}-3^{n-1}}{4^{n-1}+3^{n+1}}=\lim_{n\to\infty}\frac{\frac{a_n}{4^n}+4-\frac{1}{3}\left(\frac{3}{4}\right)^n}{\frac{1}{4}+3\left(\frac{3}{4}\right)^n}$$
$$=\frac{0+4-0}{\frac{1}{4}+0}=16$$

(2) 모든 항이 양수인 수열 $\{a_n\}$에 대하여 급수 $\sum_{n=1}^{\infty}\left(2-\frac{a_n}{3^n}\right)$이 수렴할 때,

$\lim_{n\to\infty}\frac{4a_n-3^{n+1}}{3a_n+2^n}$의 값은?

① $\frac{1}{3}$ ② $\frac{1}{2}$ ③ $\frac{2}{3}$
④ $\frac{4}{3}$ ⑤ $\frac{5}{6}$

STEP A 급수 $\sum_{n=1}^{\infty}a_n$이 수렴하면 $\lim_{n\to\infty}a_n=0$임을 이용하기

급수 $\sum_{n=1}^{\infty}\left(2-\frac{a_n}{3^n}\right)$이 수렴하므로

급수와 수열의 극한 사이의 관계에 의하여

$\lim_{n\to\infty}\left(2-\frac{a_n}{3^n}\right)=0$, 즉 $\lim_{n\to\infty}\frac{a_n}{3^n}=2$

STEP B 분모, 분자를 3^n으로 나누어 극한값 구하기

$$\text{따라서 } \lim_{n\to\infty}\frac{4a_n-3^{n+1}}{3a_n+2^n}=\lim_{n\to\infty}\frac{4\times\frac{a_n}{3^n}-3}{3\times\frac{a_n}{3^n}+\left(\frac{2}{3}\right)^n}=\frac{4\times2-3}{3\times2+0}=\frac{5}{6}$$

(3) 모든 항이 양수인 수열 $\{a_n\}$에 대하여 $\sum_{n=1}^{\infty}(3^na_n-2)$가 수렴할 때,

$\lim_{n\to\infty}\frac{6a_n+5\cdot4^{-n}}{a_n+3^{-n}}$의 값은?

① 2 ② 3 ③ 4
④ 5 ⑤ 6

STEP A $\sum_{n=1}^{\infty}a_n$이 수렴하면 $\lim_{n\to\infty}a_n=0$임을 이용하여 구하기

급수 $\sum_{n=1}^{\infty}(3^na_n-2)$가 수렴하므로

$\lim_{n\to\infty}(3^na_n-2)=0$, 즉 $\lim_{n\to\infty}3^na_n=2$

STEP B 분모, 분자를 3^n을 곱하여 극한값 구하기

$$\text{따라서 } \lim_{n\to\infty}\frac{6a_n+5\times4^{-n}}{a_n+3^{-n}}=\lim_{n\to\infty}\frac{6\times3^na_n+5\left(\frac{3}{4}\right)^n}{3^na_n+1}$$
$$=\frac{6\times2}{2+1}=4$$

0172

다음 물음에 답하여라.

(1) 등비급수 $\sum_{n=1}^{\infty}\left(\frac{2x-5}{7}\right)^n$이 수렴하기 위한 모든 정수 x의 값의 합은?

① 12 ② 13 ③ 14
④ 15 ⑤ 16

STEP A 등비급수 $\sum_{n=1}^{\infty}r^n$의 수렴 조건 $-1<r<1$임을 이용하여 정수 x의 합 구하기

등비급수 $\sum_{n=1}^{\infty}\left(\frac{2x-5}{7}\right)^n$의 공비가 $\frac{2x-5}{7}$이므로

등비급수가 수렴하려면 $-1<\frac{2x-5}{7}<1$이어야 한다.

즉 $-7<2x-5<7$이므로 $-1<x<6$

따라서 정수 x는 $0, 1, 2, 3, 4, 5$이므로 합은 15

(2) 등비급수 $\sum_{n=1}^{\infty}\left(\frac{2a-1}{6}\right)^n$이 수렴하도록 하는 모든 정수 a의 개수는?

① 3 ② 4 ③ 5
④ 6 ⑤ 7

STEP A 등비급수 $\sum_{n=1}^{\infty}r^n$의 수렴 조건 $-1<r<1$임을 이용하여 정수 a의 개수 구하기

등비급수 $\sum_{n=1}^{\infty}\left(\frac{2a-1}{6}\right)^n$의 공비가 $\frac{2a-1}{6}$이므로

등비급수가 수렴하려면 $-1<\frac{2a-1}{6}<1$이어야 한다.

즉 $-6<2a-1<6$이므로 $-\frac{5}{2}<a<\frac{7}{2}$

따라서 정수 a의 개수는 $-2, -1, 0, 1, 2, 3$이므로 6

0173

다음 물음에 답하여라.

(1) 급수 $\sum_{n=1}^{\infty}(x+1)\left(1-\frac{x}{4}\right)^{n-1}$이 수렴하도록 하는 모든 정수 x의 개수는?

① 4 ② 5 ③ 6
④ 7 ⑤ 8

STEP A 등비급수 $\sum_{n=1}^{\infty}ar^{n-1}$의 수렴조건 $a=0$ 또는 $-1<r<1$임을 이용하여 정수 x의 개수 구하기

$\sum_{n=1}^{\infty}(x+1)\left(1-\frac{x}{4}\right)^{n-1}$의 첫째항 $x+1$, 공비가 $1-\frac{x}{4}$이므로

이 급수가 수렴하려면 $x+1=0$ 또는 $-1<1-\frac{x}{4}<1$

(ⅰ) $x+1=0$에서 $x=-1$

(ⅱ) $-1<1-\frac{x}{4}<1$일 때, $0<x<8$

(ⅰ), (ⅱ)에서 $x=-1$ 또는 $0<x<8$일 때, 수렴하므로 이를 만족시키는 정수 x는 $-1, 1, 2, 3, 4, 5, 6, 7$이므로 그 개수는 8

(2) 급수 $\sum_{n=1}^{\infty}(x^2-25)\left(\frac{x-2}{3}\right)^{n-1}$이 수렴하도록 하는 모든 정수 x의 개수는?

① 4 ② 5 ③ 6
④ 7 ⑤ 8

STEP A 등비급수 $\sum_{n=1}^{\infty}ar^{n-1}$의 수렴조건 $a=0$ 또는 $-1<r<1$임을 이용하여 정수 x의 개수 구하기

$\sum_{n=1}^{\infty}(x^2-25)\left(\frac{x-2}{3}\right)^{n-1}$이 첫째항 x^2-25, 공비가 $\frac{x-2}{3}$이므로

이 급수가 수렴하려면 $x^2-25=0$ 또는 $-1<\frac{x-2}{3}<1$

(ⅰ) $x^2-25=0$에서 $x=-5$ 또는 $x=5$이므로 정수 x는 $-5, 5$

(ⅱ) $-1<\frac{x-2}{3}<1$에서 $-1<x<5$이므로 정수 x는 $0, 1, 2, 3, 4$

(ⅰ), (ⅱ)에서 구하는 정수 x의 개수는 7

0174

다음 물음에 답하여라.

(1) 등비수열 $\left\{\left(\frac{x}{2}-1\right)^n\right\}$과 등비급수 $\sum_{n=1}^{\infty}\left(\frac{x-4}{3}\right)^{n-1}$이 동시에 수렴하도록 하는 실수 x의 값의 범위는?

① $1<x\leq 2$ ② $1<x\leq 3$ ③ $2\leq x<5$
④ $1<x\leq 4$ ⑤ $1<x\leq 5$

STEP A 등비수열 $\lim_{n\to\infty}r^n$의 수렴 조건 $-1<r\leq 1$임을 이용하여 정수 x의 범위 구하기

등비수열 $\left\{\left(\frac{x}{2}-1\right)^n\right\}$이 수렴하려면 $-1<\frac{x}{2}-1\leq 1$

$\therefore 0<x\leq 4$ …… ㉠

STEP B 등비급수 $\sum_{n=1}^{\infty}r^n$의 수렴 조건 $-1<r<1$임을 이용하여 정수 x의 범위 구하기

등비급수 $\sum_{n=1}^{\infty}\left(\frac{x-4}{3}\right)^{n-1}$의 첫째항은 1이고 공비가 $\frac{x-4}{3}$이므로

수렴하려면 $-1<\frac{x-4}{3}<1$

$\therefore 1<x<7$ …… ㉡

따라서 ㉠, ㉡을 동시에 만족하는 x의 값의 범위는 $1<x\leq 4$

(2) 수열 $\{(1-\log_2 x)^n\}$과 등비급수 $1+\frac{x}{3}+\left(\frac{x}{3}\right)^2+\left(\frac{x}{3}\right)^3+\cdots$이 모두 수렴하도록 하는 x의 값의 범위는?

① $-3<x\leq 2$ ② $1<x\leq 3$ ③ $1\leq x<3$
④ $-2<x\leq 1$ ⑤ $-3<x\leq 1$

STEP A 등비수열 $\lim_{n\to\infty}r^n$의 수렴 조건 $-1<r\leq 1$임을 이용하여 정수 x의 범위 구하기

수열 $\{(1-\log_2 x)^n\}$이 수렴하려면 $-1<1-\log_2 x\leq 1$

$0\leq \log_2 x<2$ $\therefore 1\leq x<4$ …… ㉠

STEP B 등비급수 $\sum_{n=1}^{\infty}r^n$의 수렴 조건 $-1<r<1$임을 이용하여 정수 x의 범위 구하기

등비급수 $1+\frac{x}{3}+\left(\frac{x}{3}\right)^2+\left(\frac{x}{3}\right)^3+\cdots$의 공비는 $\frac{x}{3}$이므로

이 등비급수가 수렴하려면

$-1<\frac{x}{3}<1$ $\therefore -3<x<3$ …… ㉡

따라서 ㉠, ㉡을 동시에 만족하는 x의 값의 범위는 $1\leq x<3$

0175

다음 중 급수의 합이 큰 것부터 나열하면?

$A=\sum_{n=1}^{\infty}\frac{3^n+(-2)^n}{4^n}$ $B=\sum_{n=1}^{\infty}\left(\frac{1}{2^n}-\frac{1}{4^n}\right)$

$C=\sum_{n=1}^{\infty}(2^{n+1}-1)\left(\frac{1}{4}\right)^n$

① $A>B>C$ ② $A>C>B$ ③ $C>B>A$
④ $C>A>B$ ⑤ $B>C>A$

STEP A 등비급수의 성질을 이용하여 합 구하기

$$A=\sum_{n=1}^{\infty}\frac{3^n+(-2)^n}{4^n}=\sum_{n=1}^{\infty}\left(\frac{3}{4}\right)^n+\sum_{n=1}^{\infty}\left(-\frac{1}{2}\right)^n=\frac{\frac{3}{4}}{1-\frac{3}{4}}+\frac{-\frac{1}{2}}{1-\left(-\frac{1}{2}\right)}$$
$$=3-\frac{1}{3}=\frac{8}{3}$$

$$B=\sum_{n=1}^{\infty}\left(\frac{1}{2^n}-\frac{1}{4^n}\right)=\sum_{n=1}^{\infty}\left(\frac{1}{2}\right)^n-\sum_{n=1}^{\infty}\left(\frac{1}{4}\right)^n=\frac{\frac{1}{2}}{1-\frac{1}{2}}-\frac{\frac{1}{4}}{1-\frac{1}{4}}=\frac{2}{3}$$

$$C=\sum_{n=1}^{\infty}(2^{n+1}-1)\left(\frac{1}{4}\right)^n=2\sum_{n=1}^{\infty}\left(\frac{1}{2}\right)^n-\sum_{n=1}^{\infty}\left(\frac{1}{4}\right)^n=2\cdot\frac{\frac{1}{2}}{1-\frac{1}{2}}-\frac{\frac{1}{4}}{1-\frac{1}{4}}=\frac{5}{3}$$

따라서 합이 큰 것은 $A>C>B$

0176

다음 물음에 답하여라.

(1) 첫째항이 3인 등비수열 $\{a_n\}$에 대하여 $\sum_{n=1}^{\infty}a_n=\frac{15}{4}$일 때, $\sum_{n=1}^{\infty}a_{2n}$의 값은?

① $\frac{2}{3}$　② $\frac{3}{4}$　③ $\frac{4}{5}$　④ $\frac{5}{8}$　⑤ $\frac{6}{7}$

STEP Ⓐ 주어진 등비급수의 합을 이용하여 공비 구하기

등비수열 $\{a_n\}$의 공비를 r라 하면

$\sum_{n=1}^{\infty}a_n$이 수렴하므로 $-1<r<1$이고

$\sum_{n=1}^{\infty}a_n=\frac{3}{1-r}=\frac{15}{4}$이므로 $12=15-15r$

$\therefore r=\frac{1}{5}$

STEP Ⓑ $\sum_{n=1}^{\infty}a_{2n}$의 값 구하기

따라서 $a_n=3\times\left(\frac{1}{5}\right)^{n-1}$이므로 $\sum_{n=1}^{\infty}a_{2n}=\sum_{n=1}^{\infty}3\left(\frac{1}{5}\right)^{2n-1}=\frac{\frac{3}{5}}{1-\frac{1}{25}}=\frac{5}{8}$

(2) 첫째항이 4인 등비수열 $\{a_n\}$에 대하여 $\sum_{n=1}^{\infty}a_n=\frac{16}{3}$일 때, $\sum_{n=1}^{\infty}\sqrt{a_n}$의 값은?

① 2　② 3　③ 4　④ 5　⑤ 6

STEP Ⓐ 주어진 등비급수의 합을 이용하여 공비 구하기

등비수열 $\{a_n\}$의 공비를 r라 하면

$\sum_{n=1}^{\infty}a_n$이 수렴하므로 $-1<r<1$이고

$\sum_{n=1}^{\infty}a_n=\frac{4}{1-r}=\frac{16}{3}$이므로 $12=16-16r$

$\therefore r=\frac{1}{4}$

STEP Ⓑ $\sum_{n=1}^{\infty}\sqrt{a_n}$의 값 구하기

이때 $a_n=4\times\left(\frac{1}{4}\right)^{n-1}=4^{2-n}$이므로 $\sqrt{a_n}=\sqrt{4^{2-n}}=4^{\frac{2-n}{2}}=(2^2)^{\frac{2-n}{2}}=2^{2-n}$

따라서 $\sum_{n=1}^{\infty}\sqrt{a_n}=\sum_{n=1}^{\infty}2^{2-n}=\frac{2}{1-\frac{1}{2}}=4$ ⇐ 수열 $\{\sqrt{a_n}\}$은 첫째항이 $2^{2-1}=2$, 공비가 $2^{-1}=\frac{1}{2}$인 등비수열

0177

다음 물음에 답하여라.

(1) 등비수열 $\{a_n\}$에 대하여 $a_1=3$, $a_2=1$일 때, $\sum_{n=1}^{\infty}a_n^2$의 값은?

① $\frac{81}{8}$　② $\frac{83}{8}$　③ $\frac{85}{8}$　④ $\frac{87}{8}$　⑤ $\frac{89}{8}$

STEP Ⓐ 등비수열 $\{a_n\}$의 첫째항과 공비 구하기

등비수열 $\{a_n\}$에 대하여 $a_1=3$, $a_2=1$이므로 첫째항은 3, 공비는 $\frac{1}{3}$

$\therefore a_n=3\cdot\left(\frac{1}{3}\right)^{n-1}$

STEP Ⓑ 등비급수의 합 구하기

따라서 $\sum_{n=1}^{\infty}a_n^2=\sum_{n=1}^{\infty}9\cdot\left(\frac{1}{9}\right)^{n-1}=\frac{9}{1-\frac{1}{9}}=\frac{81}{8}$

(2) 수열 $\{a_n\}$이 모든 자연수 n에 대하여 $a_1=3$, $a_{n+1}=\frac{2}{3}a_n$을 만족시킬 때, $\sum_{n=1}^{\infty}a_{2n-1}$의 값은?

① $\frac{3}{2}$　② $\frac{9}{5}$　③ $\frac{27}{5}$　④ $\frac{81}{5}$　⑤ $\frac{27}{2}$

STEP Ⓐ 조건을 만족하는 등비수열의 일반항 구하기

수열 $\{a_n\}$이 $a_1=3$이고 모든 자연수 n에 대하여 $a_{n+1}=\frac{2}{3}a_n$이므로

수열 $\{a_n\}$은 첫째항이 3이고 공비가 $\frac{2}{3}$인 등비수열이다.

$\therefore a_n=3\times\left(\frac{2}{3}\right)^{n-1}$

STEP Ⓑ 등비급수를 이용하여 $\sum_{n=1}^{\infty}a_{2n-1}$의 값 구하기

$a_{2n-1}=3\times\left(\frac{2}{3}\right)^{(2n-1)-1}=3\times\left(\frac{2}{3}\right)^{2(n-1)}=3\times\left(\frac{4}{9}\right)^{n-1}$

따라서 $\sum_{n=1}^{\infty}a_{2n-1}=\frac{3}{1-\frac{4}{9}}=\frac{27}{5}$

0178

다음 물음에 답하여라.

(1) 등비수열 $\{a_n\}$에 대하여 $a_1+a_2=18$, $a_2+a_3=9$일 때, 급수 $\sum_{n=1}^{\infty}a_n$의 값은?

① 6　② 12　③ 18　④ 24　⑤ 36

STEP Ⓐ 등비수열 $\{a_n\}$의 첫째항과 공비 구하기

등비수열 $\{a_n\}$에서 첫째항을 a, 공비를 r이라 하면

$a_1+a_2=a+ar=a(1+r)=18$ …… ㉠

$a_2+a_3=ar+ar^2=ar(1+r)=9$ …… ㉡

㉡에서 ㉠을 나누면 $r=\frac{1}{2}$, $a=12$

STEP Ⓑ 등비급수의 합 구하기

따라서 $\sum_{n=1}^{\infty}a_n=\frac{12}{1-\frac{1}{2}}=24$

(2) 등비수열 $\{a_n\}$에 대하여 $a_1+a_3=10$, $a_2+a_4=5$일 때, $\sum_{n=1}^{\infty}a_na_{n+2}$의 값은?

① $\frac{52}{3}$　② $\frac{58}{3}$　③ $\frac{61}{3}$　④ $\frac{64}{3}$　⑤ $\frac{72}{3}$

STEP Ⓐ 등비수열 $\{a_n\}$의 첫째항과 공비 구하기

등비수열 $\{a_n\}$의 첫째항을 a, 공비를 r이라 하면

$a_1+a_3=10$에서 $a+ar^2=a(1+r^2)=10$ …… ㉠

$a_2+a_4=5$에서 $ar+ar^3=ar(1+r^2)=5$ …… ㉡

㉠, ㉡에서 $a=8$, $r=\frac{1}{2}$　$\therefore a_n=8\left(\frac{1}{2}\right)^{n-1}$

STEP Ⓑ 등비급수의 합 구하기

따라서 $\sum_{n=1}^{\infty}a_na_{n+2}=\sum_{n=1}^{\infty}\left\{8\left(\frac{1}{2}\right)^{n-1}\cdot8\left(\frac{1}{2}\right)^{n+1}\right\}$

$=\sum_{n=1}^{\infty}16\left(\frac{1}{4}\right)^{n-1}=\frac{16}{1-\frac{1}{4}}=\frac{64}{3}$

0179

다음 물음에 답하여라.

(1) 자연수 n에 대하여 다항식 x^2+2x를 $2^n x-1$로 나눈 나머지를 a_n이라 할 때, $\sum_{n=1}^{\infty} a_n$의 값은?

① $\frac{3}{2}$ ② $\frac{5}{3}$ ③ 2
④ $\frac{7}{3}$ ⑤ 3

STEP Ⓐ 나머지 정리를 이용하여 a_n 구하기

$f(x)=x^2+2x$라 하면

$f(x)$를 일차식 $2^n x-1$로 나눈 나머지는 나머지 정리에 의하여

$a_n=f\left(\frac{1}{2^n}\right)=\left(\frac{1}{2^n}\right)^2+2\cdot\frac{1}{2^n}=\frac{1}{4^n}+\frac{2}{2^n}\ (n=1, 2, 3, \cdots)$

STEP Ⓑ 등비급수의 성질을 이용하여 합 구하기

따라서 $\sum_{n=1}^{\infty} a_n=\sum_{n=1}^{\infty}\left(\frac{1}{4^n}+\frac{2}{2^n}\right)=\sum_{n=1}^{\infty}\frac{1}{4^n}+\sum_{n=1}^{\infty}\frac{2}{2^n}$

$=\frac{\frac{1}{4}}{1-\frac{1}{4}}+\frac{1}{1-\frac{1}{2}}=\frac{1}{3}+2=\frac{7}{3}$

(2) 자연수 n에 대하여 다항식 $x^n(5x^n+3x)$를 $3x-2$로 나눈 나머지를 a_n이라 할 때, $\sum_{n=1}^{\infty} a_n$의 값은?

① 2 ② 4 ③ 6
④ 8 ⑤ 12

STEP Ⓐ 나머지 정리를 이용하여 a_n 구하기

$f(x)=x^n(5x^n+3x)$라 하면

$f(x)$를 일차식 $3x-2$로 나눈 나머지는 나머지 정리에 의하여

$a_n=f\left(\frac{2}{3}\right)=\left(\frac{2}{3}\right)^n\left\{5\times\left(\frac{2}{3}\right)^n+3\times\frac{2}{3}\right\}=5\times\left(\frac{4}{9}\right)^n+3\times\left(\frac{2}{3}\right)^{n+1}$

STEP Ⓑ 등비급수의 성질을 이용하여 합 구하기

따라서 $\sum_{n=1}^{\infty} a_n=\sum_{n=1}^{\infty}\left\{5\times\left(\frac{4}{9}\right)^n+3\times\left(\frac{2}{3}\right)^{n+1}\right\}$

$=5\sum_{n=1}^{\infty}\left(\frac{4}{9}\right)^n+3\sum_{n=1}^{\infty}\left(\frac{2}{3}\right)^{n+1}$

$=5\times\frac{\frac{4}{9}}{1-\frac{4}{9}}+3\times\frac{\frac{4}{9}}{1-\frac{2}{3}}$

$=5\times\frac{4}{5}+3\times\frac{4}{3}=8$

0180

다음 물음에 답하여라.

(1) 이차방정식 $7x^2+x-1=0$의 두 근을 α, β라고 할 때, $\frac{1}{\beta-\alpha}\sum_{n=1}^{\infty}(\beta^n-\alpha^n)$의 값은?

① 1 ② 2 ③ 4
④ 5 ⑤ 7

STEP Ⓐ 이차방정식에서 두 근을 구하고 -1과 1 사이인지 확인하기

$7x^2+x-1=0$의 두 근은 $x=\frac{-1+\sqrt{29}}{14}$ 또는 $x=\frac{-1-\sqrt{29}}{14}$

즉 두 근이 $|\alpha|<1$, $|\beta|<1$이므로 $\sum_{n=1}^{\infty}\alpha^n$, $\sum_{n=1}^{\infty}\beta^n$은 각각 수렴한다.

STEP Ⓑ 근과 계수의 관계를 이용하여 α, β 사이의 관계식 구하기

근과 계수의 관계에 의하여 $\alpha+\beta=-\frac{1}{7}$, $\alpha\beta=-\frac{1}{7}$

STEP Ⓒ 공식을 이용하여 등비급수의 합 구하기

따라서 $\frac{1}{\beta-\alpha}\sum_{n=1}^{\infty}(\beta^n-\alpha^n)$

$=\frac{1}{\beta-\alpha}\left(\sum_{n=1}^{\infty}\beta^n-\sum_{n=1}^{\infty}\alpha^n\right)$

$=\frac{1}{\beta-\alpha}\left(\frac{\beta}{1-\beta}-\frac{\alpha}{1-\alpha}\right)$

$=\frac{1}{\beta-\alpha}\left\{\frac{\beta-\alpha\beta-\alpha+\alpha\beta}{(1-\beta)(1-\alpha)}\right\}$

$=\frac{1}{1-(\alpha+\beta)+\alpha\beta}=1$

(2) 이차방정식 $9x^2-7x+1=0$의 두 근을 α, β라고 할 때, $\frac{1}{\beta-\alpha}\sum_{n=1}^{\infty}(\beta^n-\alpha^n)$의 값은?

① $\frac{2}{3}$ ② 2 ③ $\frac{5}{3}$
④ $\frac{7}{2}$ ⑤ 3

STEP Ⓐ 이차방정식에서 두 근을 구하고 -1과 1 사이인지 확인하기

$9x^2-7x+1=0$의 두 근이 $x=\frac{7\pm\sqrt{13}}{18}$

즉 두 근이 $|\alpha|<1$, $|\beta|<1$이므로 $\sum_{n=1}^{\infty}\alpha^n$, $\sum_{n=1}^{\infty}\beta^n$은 각각 수렴한다.

STEP Ⓑ 근과 계수의 관계를 이용하여 α, β 사이의 관계식 구하기

근과 계수의 관계에 의하여 $\alpha+\beta=\frac{7}{9}$, $\alpha\beta=\frac{1}{9}$

STEP Ⓒ 공식을 이용하여 등비급수의 합 구하기

따라서 $\frac{1}{\beta-\alpha}\sum_{n=1}^{\infty}(\beta^n-\alpha^n)=\frac{1}{\beta-\alpha}\left(\sum_{n=1}^{\infty}\beta^n-\sum_{n=1}^{\infty}\alpha^n\right)$

$=\frac{1}{\beta-\alpha}\left(\frac{\beta}{1-\beta}-\frac{\alpha}{1-\alpha}\right)$

$=\frac{1}{\beta-\alpha}\left\{\frac{\beta-\alpha\beta-\alpha+\alpha\beta}{(1-\beta)(1-\alpha)}\right\}$

$=\frac{1}{1-(\alpha+\beta)+\alpha\beta}$

$=\frac{1}{1-\frac{7}{9}+\frac{1}{9}}=3$

0181

다음 물음에 답하여라.

(1) 자연수 n에 대하여 9^n-1을 10으로 나눴을 때의 나머지를 a_n이라고 할 때, $\sum_{n=1}^{\infty}\frac{a_n}{10^n}$의 값은?

① $\frac{80}{99}$ ② $\frac{20}{33}$ ③ $\frac{46}{99}$
④ $\frac{10}{33}$ ⑤ $\frac{17}{99}$

STEP Ⓐ 9^n-1의 일의 자리의 수 구하기

자연수 n에 대하여 9^n-1을 10으로 나눴을 때의 나머지는 9^n-1의 일의 자리의 수와 같으므로

$a_1=8$, $a_2=0$, $a_3=8$, $a_4=0$, $\cdots$

따라서 $\sum_{n=1}^{\infty}\frac{a_n}{10^n}=\frac{8}{10}+\frac{8}{10^3}+\frac{8}{10^5}+\cdots=\frac{\frac{8}{10}}{1-\frac{1}{100}}=\frac{80}{99}$

(2) 순환소수 $0.\dot{3}4\dot{5}$의 소수점 아래 n번째 자리의 숫자를 a_n이라고 할 때, 수열 $\{a_n\}$에 대하여 $\sum_{n=1}^{\infty}\frac{a_n}{2^n}$의 값은?

① $\frac{2}{7}$ ② $\frac{3}{7}$ ③ $\frac{5}{7}$
④ $\frac{15}{7}$ ⑤ $\frac{25}{7}$

STEP Ⓐ 수열 $\{a_n\}$이 $3, 4, 5, 3, 4, 5, \cdots$임과 등비급수의 합을 이용하여 주어진 급수의 합 구하기

$0.\dot{3}4\dot{5}=0.345345345\cdots$
이므로
$a_1=3,\ a_2=4,\ a_3=5,\ a_4=3,\ a_5=4,\ a_6=5,\ \cdots$

$$\sum_{n=1}^{\infty}\frac{a_n}{2^n}=\frac{3}{2}+\frac{4}{2^2}+\frac{5}{2^3}+\frac{3}{2^4}+\frac{4}{2^5}+\frac{5}{2^6}+\cdots$$
$$=3\left(\frac{1}{2}+\frac{1}{2^4}+\frac{1}{2^7}+\cdots\right)+4\left(\frac{1}{2^2}+\frac{1}{2^5}+\frac{1}{2^8}+\cdots\right)+5\left(\frac{1}{2^3}+\frac{1}{2^6}+\frac{1}{2^9}+\cdots\right)$$
$$=\frac{\frac{3}{2}}{1-\frac{1}{8}}+\frac{1}{1-\frac{1}{8}}+\frac{\frac{5}{8}}{1-\frac{1}{8}}=\frac{25}{7}$$

0182

다음 그림과 같이 한 변의 길이가 2인 직각이등변삼각형 ABC에 내접하는 정사각형 $AA_1B_1C_1$을 그리고, 직각이등변삼각형 A_1BB_1에 내접하는 정사각형 $A_1A_2B_2C_2$를 그린다.
이와 같은 과정을 반복하여 직각이등변삼각형에 내접하는 정사각형을 한없이 그려갈 때, $\overline{AB_1}+\overline{A_1B_2}+\overline{A_2B_3}+\cdots$의 값은?

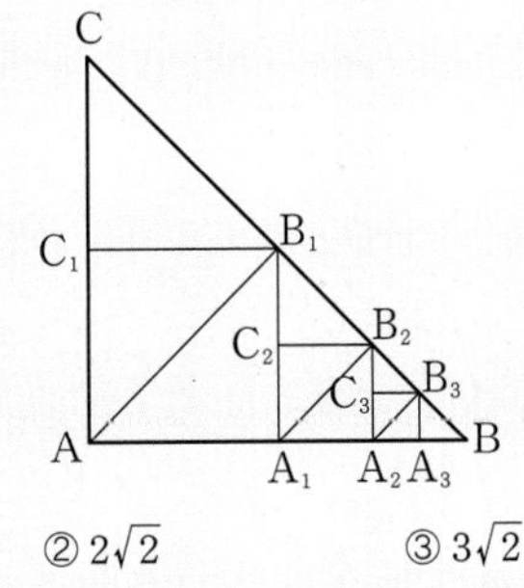

① $\sqrt{2}$ ② $2\sqrt{2}$ ③ $3\sqrt{2}$
④ $4\sqrt{2}$ ⑤ $6\sqrt{2}$

STEP Ⓐ 선분의 길이 구하기

정사각형 $AA_1B_1C_1$에서
$\overline{AA_1}=\frac{1}{2}\overline{AB}=1$이므로 $\overline{AB_1}=\sqrt{2}\,\overline{AA_1}=\sqrt{2}$
또, 정사각형 $A_1A_2B_2C_2$에서
$\overline{A_1A_2}=\frac{1}{2}\overline{A_1B}=\frac{1}{2}$이므로 $\overline{A_1B_2}=\frac{\sqrt{2}}{2}$, $\overline{A_2B_3}=\frac{\sqrt{2}}{4}$, $\overline{A_3B_4}=\frac{\sqrt{2}}{8}$, $\cdots$

STEP Ⓑ 등비급수의 합 구하기

따라서 구하는 값은 첫째항이 $\sqrt{2}$, 공비가 $\frac{1}{2}$인 등비급수이므로

$$\overline{AB_1}+\overline{A_1B_2}+\overline{A_2B_3}+\cdots=\frac{\sqrt{2}}{1-\frac{1}{2}}=2\sqrt{2}$$

0183

다음 그림과 같이 자연수 n에 대하여 직선 $x=3^n$이 곡선 $y=\sqrt{x}$와 만나는 점을 A_n이라 하고, 삼각형 $A_nB_nC_n$이 정삼각형이 되도록 x축 위의 두 점 B_n, C_n을 정한다. 삼각형 $A_nB_nC_n$의 넓이를 S_n이라 할 때, $\sum_{n=1}^{\infty}\frac{1}{S_n}$의 값은?

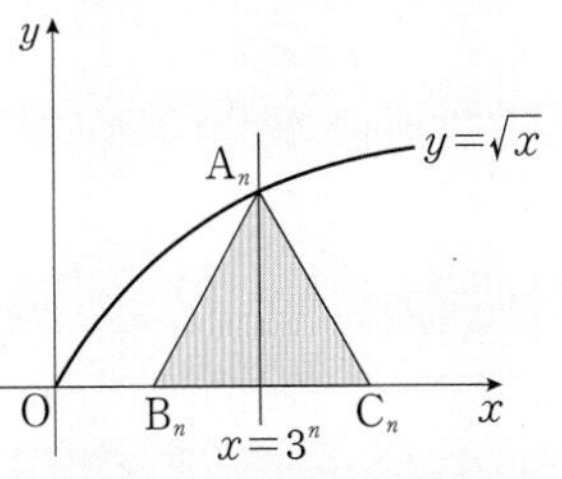

① $\frac{\sqrt{3}}{4}$ ② $\frac{\sqrt{3}}{3}$ ③ $\frac{\sqrt{3}}{2}$
④ $\frac{2\sqrt{3}}{3}$ ⑤ $\frac{3\sqrt{3}}{4}$

STEP Ⓐ 정삼각형 $A_nB_nC_n$의 넓이 S_n 구하기

점 A_n에서 x축에 내린 수선의 발을 H_n이라 하면

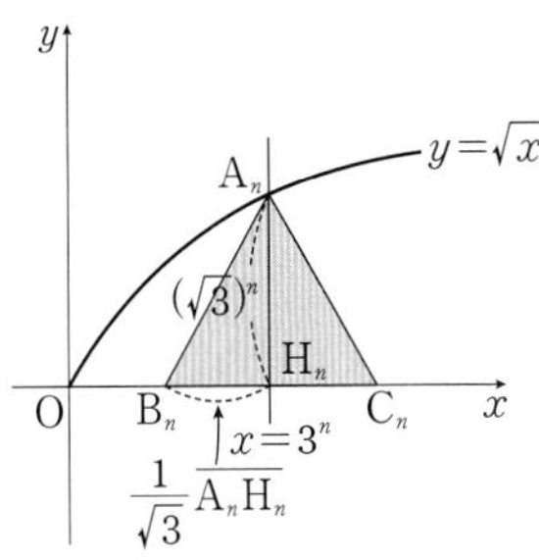

$\overline{A_nH_n}=\sqrt{3^n}=(\sqrt{3})^n$
$\overline{B_nC_n}=2\times\overline{B_nH_n}=2\times\frac{1}{\sqrt{3}}\times\overline{A_nH_n}=2\times(\sqrt{3})^{n-1}$이므로

$$S_n=\frac{1}{2}\times\overline{B_nC_n}\times\overline{A_nH_n}$$
$$=\frac{1}{2}\times\{2\times(\sqrt{3})^{n-1}\}\times(\sqrt{3})^n$$
$$=(\sqrt{3})^{2n-1}$$
$$=\frac{3^n}{\sqrt{3}}$$

STEP Ⓑ $\sum_{n=1}^{\infty}\frac{1}{S_n}$의 값 구하기

따라서 $\sum_{n=1}^{\infty}\frac{1}{S_n}=\sum_{n=1}^{\infty}\frac{\sqrt{3}}{3^n}=\frac{\frac{\sqrt{3}}{3}}{1-\frac{1}{3}}=\frac{\sqrt{3}}{2}$

NORMAL

0184

수열 $\{a_n\}$이 $a_1=3$이고 모든 자연수 n에 대하여

$$a_1+a_2+a_3+\cdots+a_n=n(n+2)$$

를 만족시킬 때, $\sum_{n=1}^{\infty}\frac{12}{a_na_{n+1}}$의 값은?

① 2 ② 4 ③ 6
④ 8 ⑤ 10

STEP Ⓐ $a_1=S_1$, $a_n=S_n-S_{n-1}(n\geq 2)$을 만족하는 a_n 구하기

수열 $\{a_n\}$의 첫째항부터 제 n항까지의 합을 S_n이라 하면
$S_n=n(n+2)$이므로

$$a_n=S_n-S_{n-1}=n(n+2)-(n-1)(n+1)$$
$$=2n+1(n\geq 2)$$

이때 $a_1=3$이므로 $a_n=2n+1(n\geq 1)$

STEP Ⓑ $\sum_{n=1}^{\infty}a_n=\lim_{n\to\infty}S_n$임을 이용하여 급수의 합 구하기

따라서 $\sum_{n=1}^{\infty}\frac{12}{a_na_{n+1}}=\sum_{n=1}^{\infty}\frac{12}{(2n+1)(2n+3)}=\lim_{n\to\infty}\sum_{k=1}^{n}\frac{12}{(2k+1)(2k+3)}$

$$=6\lim_{n\to\infty}\sum_{k=1}^{n}\left(\frac{1}{2k+1}-\frac{1}{2k+3}\right)$$
$$=6\lim_{n\to\infty}\left\{\left(\frac{1}{3}-\frac{1}{5}\right)+\left(\frac{1}{5}-\frac{1}{7}\right)+\left(\frac{1}{7}-\frac{1}{9}\right)+\cdots+\left(\frac{1}{2n+1}-\frac{1}{2n+3}\right)\right\}$$
$$=6\lim_{n\to\infty}\left(\frac{1}{3}-\frac{1}{2n+3}\right)$$
$$=2$$

0185

다음 물음에 답하여라.

(1) 수열 $\{a_n\}$에서 $\lim_{n\to\infty}a_n=5$이고 $\sum_{n=1}^{\infty}\frac{a_{n+1}-a_n}{a_na_{n+1}}=\frac{1}{20}$일 때, a_1의 값은? (단, $a_n\neq 0$)

① 2 ② 4 ③ 6
④ 8 ⑤ 10

STEP Ⓐ $\frac{a_{n+1}-a_n}{a_na_{n+1}}=\frac{1}{a_n}-\frac{1}{a_{n+1}}$임을 이용하여 제 n항까지의 부분합 S_n 구하기

$\frac{a_{n+1}-a_n}{a_na_{n+1}}=\frac{1}{a_n}-\frac{1}{a_{n+1}}$이므로

$$\sum_{k=1}^{n}\frac{a_{k+1}-a_k}{a_ka_{k+1}}=\sum_{k=1}^{n}\left(\frac{1}{a_k}-\frac{1}{a_{k+1}}\right)$$
$$=\left(\frac{1}{a_1}-\frac{1}{a_2}\right)+\left(\frac{1}{a_2}-\frac{1}{a_3}\right)+\left(\frac{1}{a_3}-\frac{1}{a_4}\right)+\cdots+\left(\frac{1}{a_n}-\frac{1}{a_{n+1}}\right)$$
$$=\frac{1}{a_1}-\frac{1}{a_{n+1}}$$

STEP Ⓑ $\sum_{n=1}^{\infty}a_n=\lim_{n\to\infty}S_n$임을 이용하여 구하기

이때 $\lim_{n\to\infty}a_n=5$에서 $\lim_{n\to\infty}a_{n+1}=5$

$$\sum_{n=1}^{\infty}\frac{a_{n+1}-a_n}{a_na_{n+1}}=\sum_{n=1}^{\infty}\left(\frac{1}{a_n}-\frac{1}{a_{n+1}}\right)=\lim_{n\to\infty}\sum_{k=1}^{n}\left(\frac{1}{a_k}-\frac{1}{a_{k+1}}\right)$$
$$=\lim_{n\to\infty}\left(\frac{1}{a_1}-\frac{1}{a_{n+1}}\right)=\frac{1}{a_1}-\frac{1}{5}$$

따라서 $\frac{1}{a_1}-\frac{1}{5}=\frac{1}{20}$이므로 $\frac{1}{a_1}=\frac{1}{20}+\frac{1}{5}=\frac{1}{4}$ $\therefore a_1=4$

(2) 수열 $\{a_n\}$의 일반항이 $a_n=\frac{3n^2}{n^2+1}(n=1, 2, 3, \cdots)$일 때,
$\sum_{n=1}^{\infty}\frac{a_n-a_{n+1}}{a_na_{n+1}}$의 값은?

① $-\frac{2}{3}$ ② $-\frac{1}{3}$ ③ 0
④ $\frac{1}{3}$ ⑤ $\frac{2}{3}$

STEP Ⓐ $\frac{a_n-a_{n+1}}{a_na_{n+1}}=\frac{1}{a_{n+1}}-\frac{1}{a_n}$임을 이용하여 제 n항까지의 부분합 S_n 구하기

$\frac{a_n-a_{n+1}}{a_na_{n+1}}=\frac{1}{a_{n+1}}-\frac{1}{a_n}$이므로

$$\sum_{k=1}^{n}\frac{a_k-a_{k+1}}{a_ka_{k+1}}=\sum_{k=1}^{n}\left(\frac{1}{a_{k+1}}-\frac{1}{a_k}\right)$$
$$=\left(\frac{1}{a_2}-\frac{1}{a_1}\right)+\left(\frac{1}{a_3}-\frac{1}{a_2}\right)+\left(\frac{1}{a_4}-\frac{1}{a_3}\right)+\cdots+\left(\frac{1}{a_{n+1}}-\frac{1}{a_n}\right)$$
$$=-\frac{1}{a_1}+\frac{1}{a_{n+1}}$$

STEP Ⓑ $\sum_{n=1}^{\infty}a_n=\lim_{n\to\infty}S_n$임을 이용하여 구하기

이때 $a_1=\frac{3\times 1^2}{1^2+1}=\frac{3}{2}$이고 $\lim_{n\to\infty}a_n=\lim_{n\to\infty}\frac{3n^2}{n^2+1}=\lim_{n\to\infty}\frac{3}{1+\frac{1}{n^2}}=\frac{3}{1+0}=3$

이므로 $\lim_{n\to\infty}a_{n+1}=\lim_{n\to\infty}a_n=3$

따라서 $\lim_{n\to\infty}\frac{1}{a_{n+1}}=\frac{1}{\lim_{n\to\infty}a_{n+1}}=\frac{1}{3}$이므로

$$\sum_{n=1}^{\infty}\frac{a_n-a_{n+1}}{a_na_{n+1}}=\sum_{n=1}^{\infty}\left(\frac{1}{a_{n+1}}-\frac{1}{a_n}\right)=\lim_{n\to\infty}\sum_{k=1}^{n}\left(\frac{1}{a_{k+1}}-\frac{1}{a_k}\right)=\lim_{n\to\infty}\left(-\frac{1}{a_1}+\frac{1}{a_{n+1}}\right)$$
$$=-\lim_{n\to\infty}\frac{1}{a_1}+\lim_{n\to\infty}\frac{1}{a_{n+1}}=-\frac{1}{a_1}+\frac{1}{3}$$
$$=-\frac{2}{3}+\frac{1}{3}=-\frac{1}{3}$$

0186

$\sum_{n=1}^{\infty}\frac{(2^n+1)(3^n+1)}{12^n}-\sum_{n=1}^{\infty}\frac{(2^n-1)(3^n-1)}{12^n}$의 값은?

① $\frac{4}{5}$ ② $\frac{14}{15}$ ③ $\frac{16}{15}$
④ $\frac{6}{5}$ ⑤ $\frac{4}{3}$

STEP Ⓐ 두 등비급수를 간단히 정리하기

$$\frac{(2^n+1)(3^n+1)}{12^n}=\frac{6^n+2^n+3^n+1}{12^n}=\left(\frac{1}{2}\right)^n+\left(\frac{1}{6}\right)^n+\left(\frac{1}{4}\right)^n+\left(\frac{1}{12}\right)^n$$
$$\frac{(2^n-1)(3^n-1)}{12^n}=\frac{6^n-2^n-3^n+1}{12^n}=\left(\frac{1}{2}\right)^n-\left(\frac{1}{6}\right)^n-\left(\frac{1}{4}\right)^n+\left(\frac{1}{12}\right)^n$$

STEP Ⓑ 등비급수의 성질을 이용하여 합 구하기

따라서 두 급수 $\sum_{n=1}^{\infty}\frac{(2^n+1)(3^n+1)}{12^n}$, $\sum_{n=1}^{\infty}\frac{(2^n-1)(3^n-1)}{12^n}$은 모두 수렴하므로

$$\sum_{n=1}^{\infty}\frac{(2^n+1)(3^n+1)}{12^n}-\sum_{n=1}^{\infty}\frac{(2^n-1)(3^n-1)}{12^n}$$
$$=\sum_{n=1}^{\infty}\left\{\frac{(2^n+1)(3^n+1)}{12^n}-\frac{(2^n-1)(3^n-1)}{12^n}\right\}$$
$$=2\sum_{n=1}^{\infty}\left\{\left(\frac{1}{6}\right)^n+\left(\frac{1}{4}\right)^n\right\}=2\left\{\sum_{n=1}^{\infty}\left(\frac{1}{6}\right)^n+\sum_{n=1}^{\infty}\left(\frac{1}{4}\right)^n\right\}$$
$$=2\left(\frac{\frac{1}{6}}{1-\frac{1}{6}}+\frac{\frac{1}{4}}{1-\frac{1}{4}}\right)=2\left(\frac{1}{5}+\frac{1}{3}\right)$$
$$=2\times\frac{8}{15}=\frac{16}{15}$$

0187

다음 물음에 답하여라.

(1) 첫째항이 5인 등비수열 $\{a_n\}$이

$$\sum_{n=1}^{5} a_n = \sum_{n=6}^{\infty} a_n$$

을 만족시킬 때, a_{16}의 값은?

① $\frac{5}{2}$　② $\frac{5}{4}$　③ $\frac{5}{8}$
④ $\frac{2}{3}$　⑤ $\frac{5}{6}$

STEP A 등비급수의 합을 이용하여 r^5 구하기

등비수열 $\{a_n\}$의 공비를 r라 하자.

$\sum_{n=1}^{5} a_n = \sum_{n=6}^{\infty} a_n$이면 $\sum_{n=1}^{\infty} a_n = \sum_{n=1}^{5} a_n + \sum_{n=6}^{\infty} a_n = 2\sum_{n=1}^{5} a_n$이고

$2\sum_{n=1}^{5} a_n$은 상수이므로 $\sum_{n=1}^{\infty} a_n$은 수렴한다.

따라서 $-1 < r < 1$이다.

$\sum_{n=1}^{\infty} a_n = 2\sum_{n=1}^{5} a_n$에서 $\frac{5}{1-r} = 2 \times \frac{5(1-r^5)}{1-r}$

$1 = 2(1-r^5)$　$\therefore r^5 = \frac{1}{2}$

STEP B 등비수열의 a_{16} 구하기

따라서 $a_{16} = 5r^{15} = 5 \times \left(\frac{1}{2}\right)^3 = \frac{5}{8}$

(2) 등비수열 $\{a_n\}$에 대하여 $\lim_{n\to\infty} \frac{a_n}{3^n} = 2$일 때, $\sum_{n=1}^{\infty} \frac{1}{a_n}$의 값은?

① $\frac{1}{6}$　② $\frac{1}{5}$　③ $\frac{1}{4}$
④ $\frac{1}{3}$　⑤ $\frac{1}{2}$

STEP A 등비수열의 극한에서 조건을 만족하는 첫째항과 공비 구하기

등비수열 $\{a_n\}$의 첫째항을 a, 공비를 r라 하면

$\lim_{n\to\infty} \frac{a_n}{3^n} = \lim_{n\to\infty} \frac{ar^{n-1}}{3^n} = \frac{a}{3} \times \lim_{n\to\infty} \left(\frac{r}{3}\right)^{n-1} = 2$

(ⅰ) $\frac{r}{3} \le -1$ 또는 $\frac{r}{3} > 1$이면 수열 $\left\{\left(\frac{r}{3}\right)^{n-1}\right\}$은 발산한다.

(ⅱ) $-1 < \frac{r}{3} < 1$이면 수열 $\left\{\left(\frac{r}{3}\right)^{n-1}\right\}$은 0에 수렴한다.

(ⅲ) $\frac{r}{3} = 1$, 즉 $r = 3$이면 $\frac{a}{3} \times \lim_{n\to\infty} \left(\frac{r}{3}\right)^{n-1} = 2$이려면 $\frac{a}{3} = 2$
즉 $a = 6$이어야 한다.

STEP B $\sum_{n=1}^{\infty} \frac{1}{a_n}$의 값 구하기

따라서 $\frac{1}{a_n} = \frac{1}{6 \times 3^{n-1}} = \frac{1}{6} \times \left(\frac{1}{3}\right)^{n-1}$이므로

$\sum_{n=1}^{\infty} \frac{1}{a_n} = \sum_{n=1}^{\infty} \frac{1}{6} \times \left(\frac{1}{3}\right)^{n-1} = \frac{\frac{1}{6}}{1-\frac{1}{3}} = \frac{1}{4}$ ← 수열 $\left\{\frac{1}{a_n}\right\}$은 첫째항이 $\frac{1}{6}$이고 공비가 $\frac{1}{3}$인 등비수열이다.

0188

등비수열 $\{a_n\}$이 $a_2 = \frac{1}{2}$, $a_5 = \frac{1}{6}$을 만족시킨다.

$$\sum_{n=1}^{\infty} a_n a_{n+1} a_{n+2} = \frac{q}{p}$$

일 때, $p+q$의 값을 구하여라. (단, p, q는 서로소인 자연수이다.)

STEP A 등비수열 $\{a_n\}$의 첫째항과 공비 구하기

등비수열 $\{a_n\}$의 첫째항을 a, 공비를 r이라 하면

$a_2 = ar = \frac{1}{2}$　…… ㉠

$a_5 = ar^4 = \frac{1}{6}$　…… ㉡

㉡÷㉠을 하면 $\frac{ar^4}{ar} = \frac{1}{3}$에서 $r^3 = \frac{1}{3}$

㉠의 양변을 세제곱하면 $(ar)^3 = \frac{1}{8}$

$a^3 \times \frac{1}{3} = \frac{1}{8}$이므로 $a^3 = \frac{3}{8}$

STEP B $\sum_{n=1}^{\infty} a_n a_{n+1} a_{n+2}$의 값 구하기

$a_n a_{n+1} a_{n+2} = ar^{n-1} ar^n ar^{n+1} = a^3 r^{3n} = \frac{3}{8} \cdot \left(\frac{1}{3}\right)^n$

수열 $\{a_n a_{n+1} a_{n+2}\}$는 첫째항이 $\frac{3}{8} \times \frac{1}{3} = \frac{1}{8}$이고 공비가 $\frac{1}{3}$인 등비수열이다.

$\therefore \sum_{n=1}^{\infty} a_n a_{n+1} a_{n+2} = \frac{\frac{1}{8}}{1-\frac{1}{3}} = \frac{\frac{1}{8}}{\frac{2}{3}} = \frac{3}{16}$

따라서 $p+q = 16+3 = 19$

다른풀이 등비중항을 이용하여 풀이하기

공비가 r인 등비수열 $\{a_n\}$에 대하여 $(a_{n+1})^2 = a_n a_{n+2}$이므로

수열 $\{a_n a_{n+1} a_{n+2}\} = \{(a_{n+1})^3\}$는 첫째항이 a_2^3, 공비가 r^3인 등비수열이다.

$\therefore \sum_{n=1}^{\infty} a_n a_{n+1} a_{n+2} = \frac{a_2^3}{1-r^3} = \frac{\frac{1}{8}}{1-\frac{1}{3}} = \frac{\frac{1}{8}}{\frac{2}{3}} = \frac{3}{16}$

따라서 $p+q = 19$

0189

공비가 양수인 등비수열 $\{a_n\}$이

$$a_1 + a_2 = 20,\ \sum_{n=3}^{\infty} a_n = \frac{4}{3}$$

를 만족시킬 때, a_1의 값을 구하여라.

STEP A 등비수열 $\{a_n\}$의 일반항 구하기

등비수열 $\{a_n\}$의 첫째항을 a_1, 공비를 r이라 하면

$a_n = a_1 \cdot r^{n-1}$

$a_1 + a_2 = a_1 + a_1 r = a_1(1+r) = 20$　…… ㉠

STEP B 등비급수의 성질을 이용하기

$\sum_{n=3}^{\infty} a_n = \frac{4}{3}$으로 수렴하므로 $-1 < r < 1$이고

$\sum_{n=3}^{\infty} a_n = \frac{a_3}{1-r} = \frac{a_1 r^2}{1-r} = \frac{4}{3}$

$3a_1 r^2 = 4(1-r)$　…… ㉡

㉠에서 $a_1 = \frac{20}{1+r}$을 ㉡에 대입하면

$3 \cdot \frac{20}{1+r} r^2 = 4(1-r)$, $15r^2 = 1-r^2$

$16r^2 = 1$　$\therefore r = \frac{1}{4}$ ($\because$ 조건에 의하여 공비 $r > 0$)

이 값을 ㉠에 대입하여 풀면 $\frac{5}{4} a_1 = 20$

따라서 $a_1 = 16$

0190

다음 물음에 답하여라.

(1) 두 수열 $\{a_n\}$, $\{b_n\}$이 다음 조건을 만족시킬 때, $\lim_{n\to\infty}(a_n{}^2+4b_n{}^2)$의 값은?

(가) $\sum_{n=1}^{\infty}(a_n-2b_n)=6$

(나) 모든 자연수 n에 대하여 $\frac{3n^2+1}{n^2+2}<a_nb_n<\frac{3n^2+2n}{n^2+1}$

① 8 ② 12 ③ 14
④ 16 ⑤ 18

STEP A 급수와 수열의 극한 사이의 관계 이용하기

조건 (가)에서 급수 $\sum_{n=1}^{\infty}(a_n-2b_n)=6$이 수렴하므로

$\lim_{n\to\infty}(a_n-2b_n)=0$

STEP B 수열의 극한의 대소 관계를 이용하여 $\lim_{n\to\infty}a_nb_n$의 값 구하기

조건 (나)에서 모든 자연수 n에 대하여

$\frac{3n^2+1}{n^2+2}<a_nb_n<\frac{3n^2+2n}{n^2+1}$이고

$\lim_{n\to\infty}\frac{3n^2+1}{n^2+2}=3$, $\lim_{n\to\infty}\frac{3n^2+2n}{n^2+1}=3$

이므로 수열의 극한의 대소 관계에 의하여 $\lim_{n\to\infty}a_nb_n=3$

STEP C $\lim_{n\to\infty}(a_n{}^2+4b_n{}^2)$의 값 구하기

따라서 $\lim_{n\to\infty}(a_n{}^2+4b_n{}^2)=\lim_{n\to\infty}\{(a_n-2b_n)^2+4a_nb_n\}$

$=\lim_{n\to\infty}(a_n-2b_n)^2+4\lim_{n\to\infty}a_nb_n$

$=0+4\times3=12$

(2) 두 수열 $\{a_n\}$, $\{b_n\}$이 다음 조건을 만족시킬 때, $\lim_{n\to\infty}a_n$의 값은?

(가) 모든 자연수 n에 대하여 $\frac{2n^3+3}{1^2+2^2+3^2+\cdots+n^2}<a_n<2b_n$

(나) $\sum_{n=1}^{\infty}(b_n-3)=2$

① 3 ② 4 ③ 5
④ 6 ⑤ 7

STEP A 조건 (나)에서 $\lim_{n\to\infty}b_n$의 값 구하기

조건 (나)에서

급수 $\sum_{n=1}^{\infty}(b_n-3)$이 수렴하므로 $\lim_{n\to\infty}(b_n-3)=0$

$\therefore \lim_{n\to\infty}b_n=3$

STEP B 수열의 극한값의 대소 관계를 이용하여 $\lim_{n\to\infty}a_n$의 값 구하기

조건 (가)에서

$\frac{2n^3+3}{1^2+2^2+3^2+\cdots+n^2}<a_n<2b_n$

$\frac{2n^3+3}{\frac{n(n+1)(2n+1)}{6}}<a_n<2b_n$, $\frac{12n^3+18}{n(n+1)(2n+1)}<a_n<2b_n$

따라서 $\lim_{n\to\infty}\frac{6(2n^3+3)}{n(n+1)(2n+1)}=6$이고 $\lim_{n\to\infty}2b_n=6$이므로

수열의 극한의 대소 관계에 의하여 $\lim_{n\to\infty}a_n=6$

수열의 극한값의 대소 관계

$a_n<c_n<b_n$이고 $\lim_{n\to\infty}a_n=\lim_{n\to\infty}b_n=\alpha$이면 $\lim_{n\to\infty}c_n=\alpha$

0191

다음 두 조건을 만족시키는 모든 정수 r의 개수는?

(가) 급수 $\sum_{n=1}^{\infty}\left(\frac{r-5}{8}\right)^n$이 수렴한다.

(나) $\lim_{n\to\infty}\frac{r^{n+1}-7^n+2}{r^n+7^{n+1}+2^{n-1}}=-\frac{1}{7}$

① 6 ② 7 ③ 8
④ 9 ⑤ 10

STEP A 조건 (가)를 만족하는 공비의 범위 구하기

급수 $\sum_{n=1}^{\infty}\left(\frac{r-5}{8}\right)^n$이 수렴하려면 $-1<\frac{r-5}{8}<1$이므로 $-3<r<13$

STEP B 조건(나)를 만족하는 r의 범위 구하기

(ⅰ) $-3<r<7$일 때,

$$\lim_{n\to\infty}\frac{r^{n+1}-7^n+2}{r^n+7^{n+1}+2^{n-1}}=\lim_{n\to\infty}\frac{r\left(\frac{r}{7}\right)^n-1+\frac{2}{7^n}}{\left(\frac{r}{7}\right)^n+7+\frac{1}{2}\left(\frac{2}{7}\right)^n}=-\frac{1}{7}$$

(ⅱ) $r=7$일 때,

$$\lim_{n\to\infty}\frac{7^{n+1}-7^n+2}{7^n+7^{n+1}+2^{n-1}}=\lim_{n\to\infty}\frac{6\times7^n+2}{8\times7^n+2^{n-1}}=\frac{3}{4}$$

(ⅲ) $7<r<13$일 때,

$$\lim_{n\to\infty}\frac{r^{n+1}-7^n+2}{r^n+7^{n+1}+2^{n-1}}=\lim_{n\to\infty}\frac{r-\left(\frac{7}{r}\right)^n+\frac{2}{r^n}}{1+7\left(\frac{7}{r}\right)^n+\frac{1}{2}\left(\frac{2}{r}\right)^n}=r$$

(ⅰ)~(ⅲ)에서 $-3<r<7$

STEP C 정수 r의 개수 구하기

따라서 정수 r는 $-2, -1, 0, 1, 2, \cdots, 6$이므로 개수는 9

0192

2보다 큰 자연수 n에 대하여 $(-3)^{n-1}$의 n제곱근 중 실수인 것의 개수를 a_n이라 할 때, $\sum_{n=3}^{\infty}\frac{a_n}{2^n}$의 값은?

① $\frac{1}{6}$ ② $\frac{1}{4}$ ③ $\frac{1}{3}$
④ $\frac{5}{12}$ ⑤ $\frac{1}{2}$

STEP A $(-3)^{n-1}$의 n제곱근 중 실수인 것의 개수 a_n 구하기

자연수 k에 대하여

(ⅰ) $n=2k+1$일 때, $(-3)^{n-1}=(-3)^{2k}>0$이므로

$(-3)^{n-1}$의 n제곱근 중 실수인 것은 1(개)

$\therefore a_{2k+1}=1$

(ⅱ) $n=2k$일 때, $(-3)^{n-1}=(-3)^{2k-1}<0$이므로

$(-3)^{n-1}$의 n제곱근 중 실수인 것은 존재하지 않는다.

$\therefore a_{2k}=0$

STEP B 등비급수의 합 구하기

(ⅰ), (ⅱ)에서 $\sum_{n=3}^{\infty}\frac{a_n}{2^n}=\frac{1}{2^3}+\frac{0}{2^4}+\frac{1}{2^5}+\frac{0}{2^6}+\frac{1}{2^7}+\cdots$

$$=\frac{\frac{1}{2^3}}{1-\frac{1}{4}}=\frac{1}{6}$$

0193

첫째항이 3, 공비가 $\frac{1}{2}$인 등비수열 $\{a_n\}$에 대하여 T_n을 다음과 같이 정의하자.

$$T_n=\sum_{k=1}^{\infty}a_k+\sum_{k=2}^{\infty}a_k+\sum_{k=3}^{\infty}a_k+\cdots+\sum_{k=n}^{\infty}a_k$$

$\lim_{n\to\infty}T_n$의 값은?

① 7 ② 9 ③ 12
④ 15 ⑤ 17

STEP Ⓐ 등비급수의 성질을 이용하여 T_n의 값 구하기

$a_1=3,\ r=\frac{1}{2}$이라 하면

$$T_n=\frac{a_1}{1-r}+\frac{a_2}{1-r}+\frac{a_3}{1-r}+\cdots+\frac{a_n}{1-r}$$
$$=\frac{1}{1-r}(a_1+a_2+\cdots+a_n)$$
$$=\frac{1}{1-r}\times\frac{a_1(1-r^n)}{1-r}$$
$$=\frac{a_1(1-r^n)}{(1-r)^2}$$

$$\therefore\ T_n=\frac{3\left\{1-\left(\frac{1}{2}\right)^n\right\}}{\left(\frac{1}{2}\right)^2}=12\left\{1-\left(\frac{1}{2}\right)^n\right\}$$

STEP Ⓑ $\lim_{n\to\infty}T_n$의 값 구하기

따라서 $\lim_{n\to\infty}T_n=12\lim_{n\to\infty}\left\{1-\left(\frac{1}{2}\right)^n\right\}=12\times(1-0)=12$

0194

자연수 n에 대하여 원 $x^2+y^2=\left(\frac{1}{4}\right)^n$의 접선 중 기울기가 -1이고 제 1사분면을 지나는 접선이 x축과 만나는 점의 좌표를 $(a_n,\ 0)$이라고 할 때, $\sum_{n=1}^{\infty}a_n$의 값은?

① $\frac{1}{2}$ ② $\frac{\sqrt{2}}{2}$ ③ 1
④ $\sqrt{2}$ ⑤ 2

STEP Ⓐ 원에 접하는 접선의 방정식 구하기

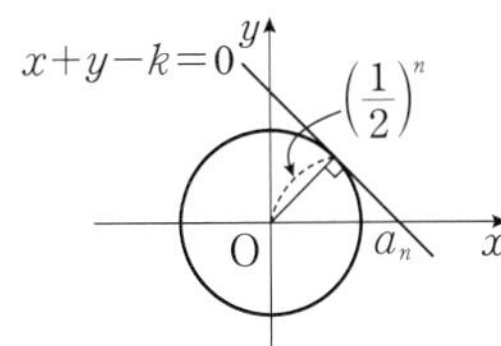

원의 접선의 방정식을 $y=-x+k(k>0)$라고 하면

직선 $x+y-k=0$과 점 $(0,\ 0)$ 사이의 거리가 원의 반지름의 길이인 $\left(\frac{1}{2}\right)^n$과 같아야 한다.

즉 $\frac{|-k|}{\sqrt{2}}=\left(\frac{1}{2}\right)^n,\ k=\sqrt{2}\times\left(\frac{1}{2}\right)^n$

$y=-x+\sqrt{2}\times\left(\frac{1}{2}\right)^n$이므로 $a_n=\sqrt{2}\times\left(\frac{1}{2}\right)^n$

STEP Ⓑ $\sum_{n=1}^{\infty}a_n$의 값 구하기

따라서 $\sum_{n=1}^{\infty}a_n=\sum_{n=1}^{\infty}\sqrt{2}\times\left(\frac{1}{2}\right)^n=\sqrt{2}\times\frac{\frac{1}{2}}{1-\frac{1}{2}}=\sqrt{2}$

0195

다음 물음에 답하여라.

(1) 어느 음료 회사에서 1년 동안 판매한 음료수의 빈 캔을 수거한 결과, 처음 판매한 음료수 캔의 45%가 수거되었다. 수거된 빈 캔은 재처리 과정을 거쳐 수거된 양의 $\frac{2}{3}$가 재활용된다고 한다. 처음 700kg의 음료수캔을 생산하여 위와 같은 재처리 과정을 무한히 반복할 때, 재활용되는 캔의 양은 최대 몇 kg인지 구하여라.

STEP Ⓐ 주어진 수열의 일반항 $\{a_n\}$ 구하기

n번째 재활용되는 캔의 양을 a_n이라고 하면

$$a_1=700\times0.45\times\frac{2}{3}=700\times\frac{3}{10}$$
$$a_2=700\times\frac{3}{10}\times0.45\times\frac{2}{3}=700\times\left(\frac{3}{10}\right)^2$$
$$\vdots$$
$$a_n=700\times\left(\frac{3}{10}\right)^n$$

STEP Ⓑ 등비급수의 합 구하기

따라서 처음 700kg으로 재활용되는 캔의 양은 최대

$$700\times\frac{\frac{3}{10}}{1-\frac{3}{10}}=300(\text{kg})$$

(2) 어느 장학 재단에서 12억 원의 기금을 조성하였다. 매년 초에 기금을 운용하여 연말까지 10%의 이익을 내고 기금과 이익을 합한 금액의 20%를 매년 말에 장학금으로 지급하려고 한다.
장학금으로 지급하고 남은 금액을 기금으로 하여 기금의 운용과 장학금의 지급을 매년 이와 같은 방법으로 실시할 계획이다. 기금을 조성한 후 n번째 해에 지급하는 장학금을 a_n억 원이라고 할 때, $\sum_{n=1}^{\infty}a_n$의 값을 구하여라.

STEP Ⓐ 주어진 수열의 일반항 $\{a_n\}$ 구하기

$$a_1=12\times\left(1+\frac{10}{100}\right)\times\frac{20}{100}=\frac{66}{25}$$
$$a_2=12\times\left(1+\frac{10}{100}\right)\times\frac{80}{100}\times\left(1+\frac{10}{100}\right)\times\frac{20}{100}=a_1\times\frac{22}{25}$$
$$a_3=12\times\left\{\left(1+\frac{10}{100}\right)\times\frac{80}{100}\right\}^2\times\left(1+\frac{10}{100}\right)\times\frac{20}{100}=a_2\times\frac{22}{25}$$
$$\vdots$$
$$a_n=\frac{66}{25}\times\left(\frac{22}{25}\right)^{n-1}$$

STEP Ⓑ $\sum_{n=1}^{\infty}a_n$의 값 구하기

즉 수열 $\{a_n\}$은 첫째항이 $\frac{66}{25}$, 공비가 $\frac{22}{25}$인 등비수열이므로

$$\sum_{n=1}^{\infty}a_n=\frac{\frac{66}{25}}{1-\frac{22}{25}}=22$$

0196

오른쪽 그림과 같이 반지름의 길이가 4인 원 C_1에 내접하는 정삼각형을 그리고, 이 정삼각형의 내접원을 C_2라 하자.
또, 원 C_2에 내접하는 정삼각형을 그리고, 이 정삼각형의 내접원을 C_3이라 하자. 이와 같은 과정을 한없이 반복할 때, $C_1, C_2, C_3, \cdots$의 둘레의 길이의 합을 구하여라.

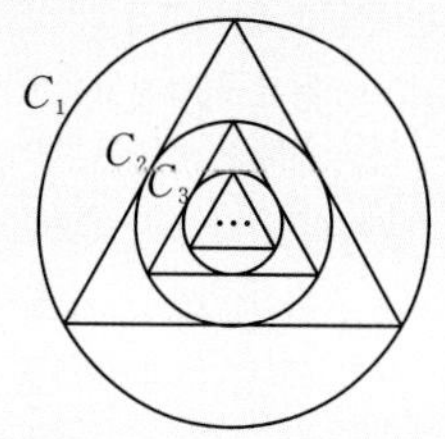

STEP Ⓐ 원 C_1의 둘레의 길이 구하기

즉 C_1의 둘레의 길이는 $2\pi \cdot 4 = 8\pi$

STEP Ⓑ 원 C_2의 둘레의 길이 구하기

원 C_1에 내접하는 정삼각형 ABC에서
원의 중심 O에서 선분 BC에 내린 수선의 발을 H라 하면
직각삼각형 OHB에 대하여 $\overline{OB}=4$이므로
$\overline{OH}=4\sin 30^\circ=2$,
$\overline{BH}=4\cos 30^\circ=2\sqrt{3}$
즉 원 C_2의 반지름의 길이는 2이므로
원의 둘레의 길이는 $2\pi \cdot 2=4\pi$

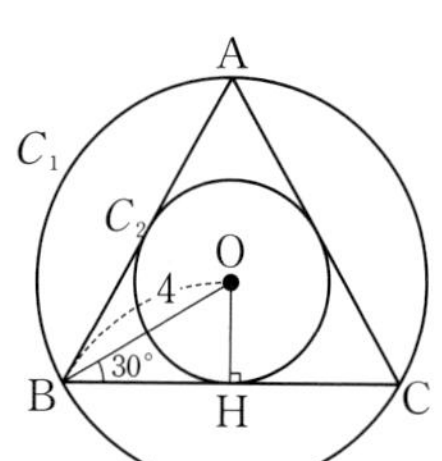

STEP Ⓒ 등비급수의 합 구하기

따라서 $C_1, C_2, C_3, \cdots$의 둘레의 길이의 합은

$$8\pi+4\pi+2\pi+\cdots=\frac{8\pi}{1-\frac{1}{2}}=16\pi$$

0197

다음 그림과 같이 정사각형에 직각이등변삼각형과 정사각형을 번갈아 붙이는 과정을 한 없이 반복한다.
이때 정사각형을 $S_1, S_2, S_3, \cdots$, 삼각형을 $T_1, T_2, T_3, \cdots$이라고 하자.
S_1의 한 변의 길이가 2일 때, 이들 사각형과 삼각형의 넓이의 총합은?

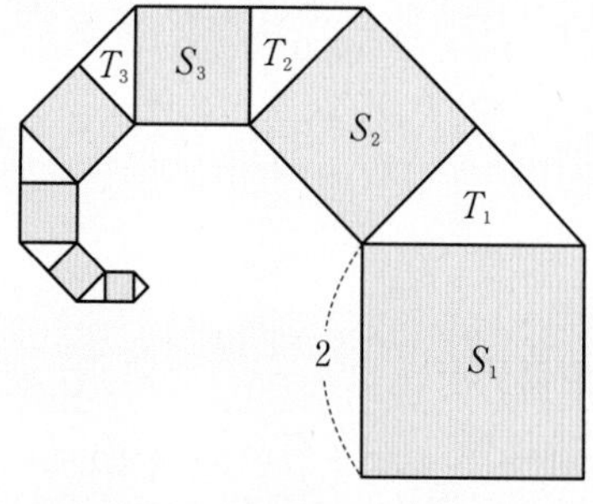

① 10 ② 11 ③ 12
④ 13 ⑤ 14

STEP Ⓐ 정사각형의 넓이의 합 S 구하기

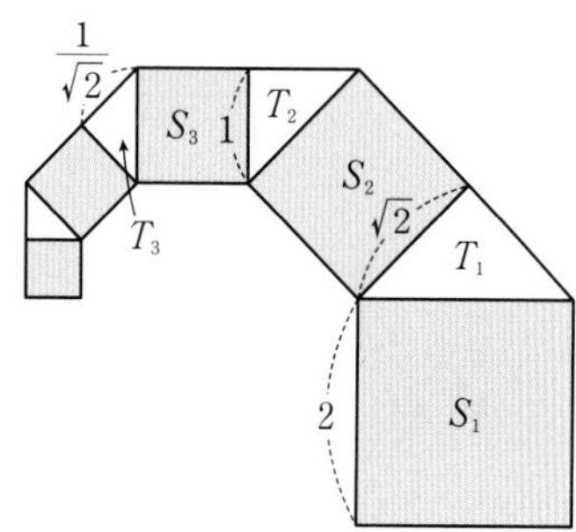

각 변의 길이는 다음과 같이 정해진다.

$$S=S_1+S_2+S_3+\cdots=2^2+(\sqrt{2})^2+1^2+\cdots$$
$$=4+2+1+\cdots$$
$$=\frac{4}{1-\frac{1}{2}}=8$$

STEP Ⓑ 직각이등변삼각형의 넓이의 합 T 구하기

$$T=T_1+T_2+T_3+\cdots=\frac{1}{2}(\sqrt{2})^2+\frac{1}{2}\cdot 1^2+\frac{1}{2}\left(\frac{1}{\sqrt{2}}\right)^2+\cdots$$
$$=1+\frac{1}{2}+\frac{1}{4}+\cdots$$
$$=\frac{1}{1-\frac{1}{2}}=2$$

따라서 $S+T=8+2=10$

0198

좌표평면에서 자연수 n에 대하여 점 P_n의 좌표를 $(n, 3^n)$, 점 Q_n의 좌표를 $(n, 0)$이라 하자.
사각형 $P_nQ_{n+1}Q_{n+2}P_{n+1}$의 넓이를 a_n이라 할 때, $\sum_{n=1}^{\infty}\frac{1}{a_n}=\frac{q}{p}$이다.
p^2+q^2의 값을 구하여라. (단, p와 q는 서로소인 자연수이다.)

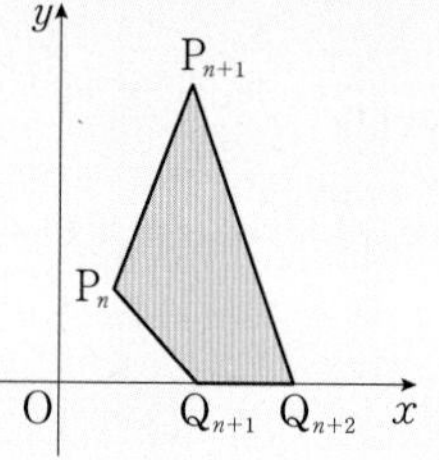

STEP Ⓐ 사각형의 꼭짓점의 좌표를 구하여 사각형의 넓이 a_n 구하기

사각형의 꼭짓점의 좌표를 구하면

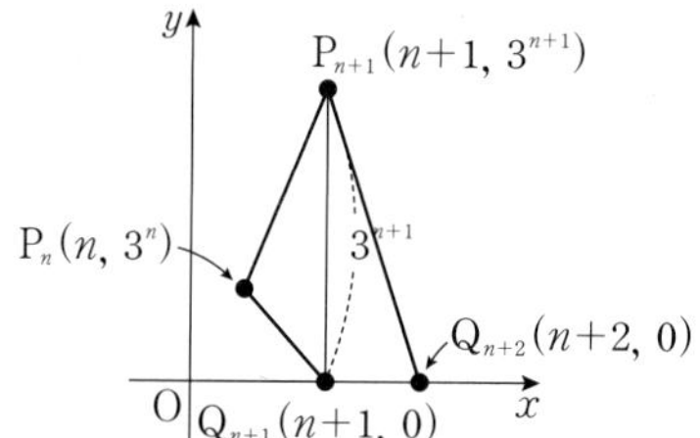

$$a_n=\triangle P_nQ_{n+1}P_{n+1}+\triangle P_{n+1}Q_{n+1}Q_{n+2}$$
$$=\frac{1}{2}\times 3^{n+1}\times 1+\frac{1}{2}\times 3^{n+1}\times 1$$
$$=3^{n+1}$$

STEP Ⓑ $\sum_{n=1}^{\infty}\frac{1}{a_n}$의 값 구하기

$$\sum_{n=1}^{\infty}\frac{1}{a_n}=\sum_{n=1}^{\infty}\left(\frac{1}{3}\right)^{n+1}=\frac{\left(\frac{1}{3}\right)^2}{1-\frac{1}{3}}=\frac{1}{6}$$

따라서 $p=6$, $q=1$이므로 $p^2+q^2=6^2+1^2=37$

0199

서술형

수열 $\{a_n\}$의 일반항이 $a_n=\dfrac{1}{n(n+1)(n+2)}$일 때,

급수 $\sum_{n=1}^{\infty}a_n$의 합을 구하는 과정을 다음 단계로 서술하여라.

[1단계] $\dfrac{1}{n(n+1)(n+2)}=\dfrac{a}{n(n+1)}+\dfrac{b}{(n+1)(n+2)}$일 때, 상수 a, b의 값을 구한다.

[2단계] 급수 $\sum_{n=1}^{\infty}a_n$의 합을 구한다.

1단계 $\dfrac{1}{n(n+1)(n+2)}=\dfrac{a}{n(n+1)}+\dfrac{b}{(n+1)(n+2)}$일 때, 상수 a, b의 값을 구한다. ◀ 40%

주어진 식의 우변을 간단히 하면

$$\frac{a}{n(n+1)}+\frac{b}{(n+1)(n+2)}=\frac{(a+b)n+2a}{n(n+1)(n+2)}$$

이므로 $a+b=0$, $2a=1$에서 $a=\dfrac{1}{2}$, $b=-\dfrac{1}{2}$

즉 $\dfrac{1}{n(n+1)(n+2)}=\dfrac{1}{2}\left\{\dfrac{1}{n(n+1)}-\dfrac{1}{(n+1)(n+2)}\right\}$

2단계 급수 $\sum_{n=1}^{\infty}a_n$의 합을 구한다. ◀ 60%

제 n항까지의 부분합을 S_n이라 하면

$$\begin{aligned}S_n&=\sum_{k=1}^{n}\frac{1}{k(k+1)(k+2)}\\&=\sum_{k=1}^{n}\frac{1}{2}\left\{\frac{1}{k(k+1)}-\frac{1}{(k+1)(k+2)}\right\}\\&=\frac{1}{2}\left\{\left(\frac{1}{1\cdot2}-\frac{1}{2\cdot3}\right)+\left(\frac{1}{2\cdot3}-\frac{1}{3\cdot4}\right)+\cdots+\left(\frac{1}{n(n+1)}-\frac{1}{(n+1)(n+2)}\right)\right\}\\&=\frac{1}{2}\left\{\frac{1}{2}-\frac{1}{(n+1)(n+2)}\right\}\end{aligned}$$

이므로

$$\sum_{n=1}^{\infty}a_n=\lim_{n\to\infty}S_n=\lim_{n\to\infty}\frac{1}{2}\left\{\frac{1}{2}-\frac{1}{(n+1)(n+2)}\right\}=\frac{1}{2}\left(\frac{1}{2}-0\right)=\frac{1}{4}$$

따라서 $\sum_{n=1}^{\infty}\dfrac{1}{n(n+1)(n+2)}=\dfrac{1}{4}$

0200

서술형

급수 $\sum_{n=1}^{\infty}\dfrac{1}{n}$이 발산함을 다음 단계로 서술하여라.

[1단계] 급수 $\sum_{n=1}^{\infty}\dfrac{1}{n}$의 제 2^k항 $(k\geq2)$까지의 부분합 $S_N\,(N=2^k)$을

$$S_N=1+\frac{1}{2}+\left(\frac{1}{3}+\frac{1}{4}\right)+\left(\frac{1}{5}+\frac{1}{6}+\frac{1}{7}+\frac{1}{8}\right)+\cdots+\left(\frac{1}{2^{k-1}+1}+\cdots+\frac{1}{2^k}\right)$$

과 같이 나타내었을 때, 각각의 괄호 안의 합은 $\dfrac{1}{2}$보다 큼을 보인다.

[2단계] 부등식 $S_N>1+\dfrac{k}{2}$가 성립함을 보인다.

[3단계] 급수 $\sum_{n=1}^{\infty}\dfrac{1}{n}$의 발산함을 보인다.

1단계 급수 $\sum_{n=1}^{\infty}\dfrac{1}{n}$의 제 2^k항 $(k\geq2)$까지의 부분합 $S_N\,(N=2^k)$을
$S_N=1+\dfrac{1}{2}+\left(\dfrac{1}{3}+\dfrac{1}{4}\right)+\left(\dfrac{1}{5}+\dfrac{1}{6}+\dfrac{1}{7}+\dfrac{1}{8}\right)+\cdots+\left(\dfrac{1}{2^{k-1}+1}+\cdots+\dfrac{1}{2^k}\right)$
과 같이 나타내었을 때, 각각의 괄호 안의 합은 $\dfrac{1}{2}$보다 큼을 보인다. ◀ 40%

$$\frac{1}{2^{k-1}}+\cdots+\frac{1}{2^k}>+\underbrace{\frac{1}{2^k}+\cdots+\frac{1}{2^k}}_{2^{k-1}\text{개}}=\frac{2^{k-1}}{2^k}=\frac{1}{2}$$

이므로 각각의 괄호 안의 합은 $\dfrac{1}{2}$보다 크다.

2단계 부등식 $S_N>1+\dfrac{k}{2}$가 성립함을 보인다. ◀ 30%

$$S_N>1+\underbrace{\frac{1}{2}+\frac{1}{2}+\cdots+\frac{1}{2}}_{k\text{개}}=1+\frac{k}{2}$$

3단계 급수 $\sum_{n=1}^{\infty}\dfrac{1}{n}$의 발산함을 보인다. ◀ 30%

$\lim_{k\to\infty}\left(1+\dfrac{k}{2}\right)=\infty$이므로 $\lim_{k\to\infty}S_N>\lim_{k\to\infty}\left(1+\dfrac{k}{2}\right)=\infty$

즉 $\lim_{k\to\infty}S_N=\infty$

따라서 급수 $\sum_{n=1}^{\infty}\dfrac{1}{n}$이 발산함을 알 수 있다.

0201

서술형

자연수 n에 대하여 두 함수 $y=\dfrac{|x|}{n}$와 $y=|\sin\pi x|$의 그래프의 교점의 개수를 a_n이라고 할 때, $\sum_{n=1}^{\infty}\dfrac{1}{a_na_{n+1}}$의 값을 구하는 과정을 다음 단계로 서술하여라.

[1단계] 두 함수 $y=\dfrac{|x|}{n}$와 $y=|\sin\pi x|$의 그래프의 교점의 개수 a_n을 구한다.

[2단계] $\sum_{n=1}^{\infty}\dfrac{1}{a_na_{n+1}}$의 부분합을 S_n이라 하면 S_n의 값을 구한다.

[3단계] $\lim_{n\to\infty}S_n$의 값을 구한다.

1단계 두 함수 $y=\dfrac{|x|}{n}$와 $y=|\sin\pi x|$의 그래프의 교점의 개수 a_n을 구한다. ◀ 30%

$y=\dfrac{|x|}{n}$와 $y=|\sin\pi x|$의 그래프를 그리면 다음과 같다.

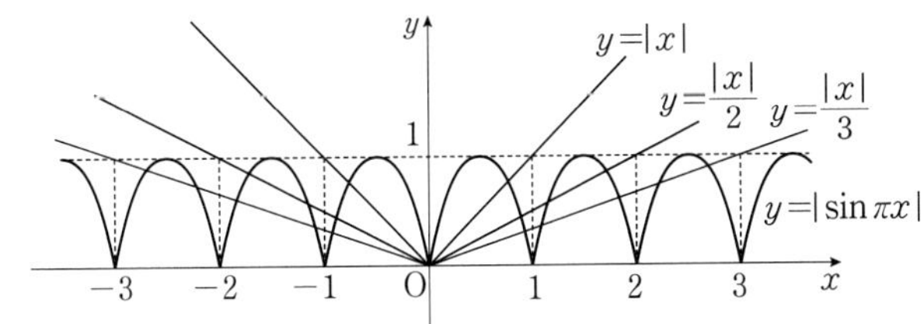

위의 그림에서 교점의 개수는 $a_1=3$, $a_2=7$, $a_3=11$, $\cdots$

이므로 $a_n=4n-1$

2단계 $\sum_{n=1}^{\infty}\dfrac{1}{a_na_{n+1}}$의 부분합을 S_n이라 하면 S_n의 값을 구한다. ◀ 40%

$\sum_{n=1}^{\infty}\dfrac{1}{a_na_{n+1}}=\sum_{n=1}^{\infty}\dfrac{1}{(4n-1)(4n+3)}$의 부분합이 S_n이므로

$$\begin{aligned}S_n&=\sum_{k=1}^{n}\frac{1}{(4k-1)(4k+3)}\\&=\sum_{k=1}^{n}\frac{1}{4}\left(\frac{1}{4k-1}-\frac{1}{4k+3}\right)\\&=\frac{1}{4}\left\{\left(\frac{1}{3}-\frac{1}{7}\right)+\left(\frac{1}{7}-\frac{1}{11}\right)+\cdots+\left(\frac{1}{4n-1}-\frac{1}{4n+3}\right)\right\}\\&=\frac{1}{4}\left(\frac{1}{3}-\frac{1}{4n+3}\right)\end{aligned}$$

3단계 $\lim_{n\to\infty}S_n$의 값을 구한다. ◀ 30%

따라서 $\lim_{n\to\infty}S_n=\lim_{n\to\infty}\dfrac{1}{4}\left(\dfrac{1}{3}-\dfrac{1}{4n+3}\right)=\dfrac{1}{4}\left(\dfrac{1}{3}-0\right)=\dfrac{1}{12}$

0202

서술형

급수 $\sum_{n=1}^{\infty}(\cos x)^{n-1}=\frac{2}{3}$을 만족시키는 실수 x의 값을 구하는 과정을 다음 단계로 서술하여라. (단, $0<x<\pi$)

[1단계] 수열 $\{(\cos x)^{n-1}\}$의 첫째항과 공비를 구한다.

[2단계] 등비급수가 $\frac{2}{3}$로 수렴하도록 하는 $\cos x$의 값을 구한다.

[3단계] $0<x<\pi$에서 실수 x의 값을 구한다.

1단계 수열 $\{(\cos x)^{n-1}\}$의 첫째항과 공비를 구한다. ◀ 20%

수열 $\{(\cos x)^{n-1}\}$은 첫째항이 1, 공비가 $\cos x$인 등비수열이다.

2단계 등비급수가 $\frac{2}{3}$으로 수렴하도록 하는 $\cos x$의 값을 구한다. ◀ 50%

$\sum_{n=1}^{\infty}(\cos x)^{n-1}=\frac{1}{1-\cos x}=\frac{2}{3}$에서

$2-2\cos x=3$, 즉 $\cos x=-\frac{1}{2}$

3단계 $0<x<\pi$에서 실수 x의 값을 구한다. ◀ 30%

따라서 $0<x<\pi$이므로 구하는 실수 x의 값은 $x=\frac{2}{3}\pi$

0203

서술형

다음 등비급수의 수렴에 대하여 서술하여라.

$$x+x(x^2-x+1)+x(x^2-x+1)^2+x(x^2-x+1)^3+\cdots$$

[1단계] 급수가 수렴하도록 하는 실수 x의 값의 범위를 구한다. (단, $x\neq 0$)

[2단계] 이 급수가 4로 수렴할 때, x의 값을 구한다.

1단계 급수가 수렴하도록 하는 실수 x의 값의 범위를 구한다. ◀ 60%

등비급수 $x+x(x^2-x+1)+x(x^2-x+1)^2+x(x^2-x+1)^3+\cdots$은

첫째항이 $x\,(x\neq 0)$이고 공비가 x^2-x+1이므로

이 등비급수가 수렴하려면 $-1<x^2-x+1<1$

(i) $-1<x^2-x+1$에서 $x^2-x+2>0$

즉 $x^2-x+2=\left(x-\frac{1}{2}\right)^2+\frac{7}{4}>0$이므로

x는 0아닌 모든 실수 x에 대하여 성립한다.

(ii) $x^2-x+1<1$에서 $x^2-x<0$

$x(x-1)<0\quad\therefore 0<x<1$

(i), (ii)에서 구하는 x의 값의 범위는 $0<x<1$

2단계 이 급수가 4로 수렴할 때, x의 값을 구한다. ◀ 40%

등비급수는 첫째항이 $x\,(x\neq 0)$이고 공비가 x^2-x+1

등비급수의 합이 4이므로

$\frac{x}{1-1-(x^2-x+1)}=4$에서 $\frac{x}{x-x^2}=4$, $x=4x-4x^2$

$4x^2-3x=0$, $x(4x-3)=0$

$\therefore x=\frac{3}{4}\,(\because 0<x<1)$

0204

서술형

다음 그림과 같이 $\overline{AB}=1$, $\overline{BC}=2$인 직각삼각형 ABC의 내부에 정사각형 A_1, A_2, A_3, …을 한없이 만든다고 하자.

정사각형 A_n의 둘레의 길이를 l_n, 넓이를 S_n이라고 할 때, 다음 단계로 서술하여라.

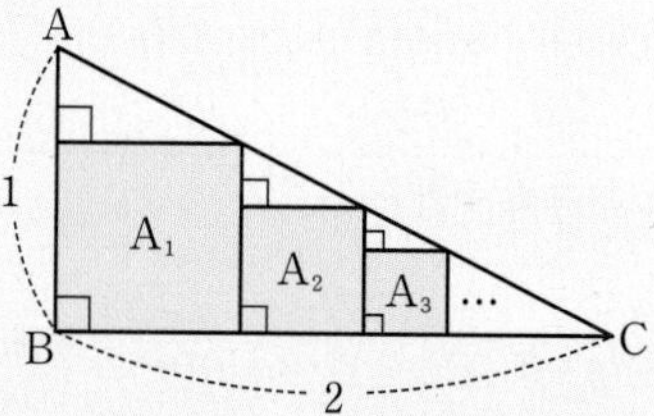

[1단계] 정사각형 A_1의 한 변의 길이 a_1을 구한다.

[2단계] $\sum_{n=1}^{\infty}l_n$의 값을 구한다.

[3단계] $\sum_{n=1}^{\infty}S_n$의 값을 구한다.

1단계 정사각형 A_1의 한 변의 길이 a_1을 구한다. ◀ 30%

정사각형 A_1의 한 변의 길이를 a라고 하면

다음 그림에서 $1:(1-a)=2:a\quad\therefore a=\frac{2}{3}$

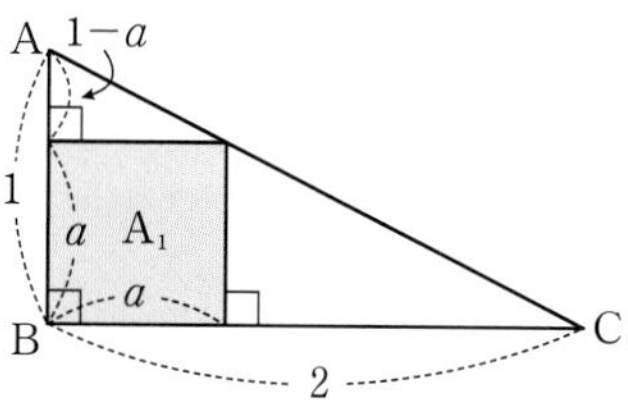

2단계 $\sum_{n=1}^{\infty}l_n$의 값을 구한다. ◀ 40%

$l_1=4\times\frac{2}{3}=\frac{8}{3}$이고 정사각형 A_n의 한 변의 길이를 b_n이라고 하면

다음 그림에서 $1:(b_n-b_{n+1})=2:b_{n+1}\quad\therefore b_{n+1}=\frac{2}{3}b_n$

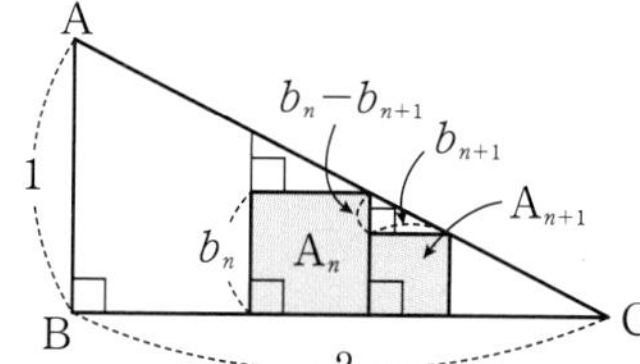

즉 두 정사각형 A_n, A_{n+1}의 닮음비가 $1:\frac{2}{3}$이므로 둘레의 길이의 비는 $1:\frac{2}{3}$

$\sum_{n=1}^{\infty}l_n=\frac{\frac{8}{3}}{1-\frac{2}{3}}=8$

3단계 $\sum_{n=1}^{\infty}S_n$의 값을 구한다. ◀ 30%

$S_1=\left(\frac{2}{3}\right)^2=\frac{4}{9}$이고 두 정사각형 A_n, A_{n+1}의 닮음비가 $1:\frac{2}{3}$이므로

넓이의 비는 $1:\left(\frac{2}{3}\right)^2$, 즉 $1:\frac{4}{9}$

따라서 $\sum_{n=1}^{\infty}S_n=\frac{\frac{4}{9}}{1-\frac{4}{9}}=\frac{4}{5}$

$\overline{AB}=a$, $\overline{BC}=b$인 직각삼각형 ABC 의 내부에 있는 정사각형들의 넓이의 합은 $\frac{ab^2}{a+2b}=\frac{1\cdot 2^2}{1+2\cdot 2}=\frac{4}{5}$

TOUGH

0205

두 수열 $\{a_n\}$, $\{b_n\}$이 모든 자연수 n에 대하여

$$1+2+2^2+\cdots+2^{n-1}<a_n<2^n$$

$$\frac{3n-1}{n+1}<\sum_{k=1}^{n}b_k<\frac{3n+1}{n}$$

을 만족시킬 때, $\lim_{n\to\infty}\frac{8^n-1}{4^{n-1}a_n+8^{n+1}b_n}$의 값은?

① 1　② 2　③ 4　④ 8　⑤ 16

STEP Ⓐ 수열의 극한의 대소 관계를 이용하여 $\frac{a_n}{2^n}$, b_n의 극한값 구하기

$1+2+2^2+\cdots+2^{n-1}<a_n<2^n$에서

$\frac{1\times(2^n-1)}{2-1}<a_n<2^n$이므로 $2^n-1<a_n<2^n$, $1-\frac{1}{2^n}<\frac{a_n}{2^n}<1$

$\lim_{n\to\infty}\left(1-\frac{1}{2^n}\right)=1$, $\lim_{n\to\infty}1=1$이므로

수열의 극한의 대소 관계에 의하여 $\lim_{n\to\infty}\frac{a_n}{2^n}=1$

$\frac{3n-1}{n+1}<\sum_{k=1}^{n}b_k<\frac{3n+1}{n}$에서 $\lim_{n\to\infty}\frac{3n-1}{n+1}\le\lim_{n\to\infty}\sum_{k=1}^{n}b_k\le\lim_{n\to\infty}\frac{3n+1}{n}$

$\lim_{n\to\infty}\frac{3n-1}{n+1}=3$, $\lim_{n\to\infty}\frac{3n+1}{n}=3$이므로 $\lim_{n\to\infty}\sum_{k=1}^{n}b_k=3$

$\lim_{n\to\infty}\sum_{k=1}^{n}b_k=\sum_{n=1}^{\infty}b_n=3$이 수렴하므로 $\lim_{n\to\infty}b_n=0$

STEP Ⓑ 극한값 구하기

따라서 $\lim_{n\to\infty}\frac{8^n-1}{4^{n-1}a_n+8^{n+1}b_n}=\lim_{n\to\infty}\frac{1-\frac{1}{8^n}}{\frac{1}{4}\cdot\frac{a_n}{2^n}+8\cdot b_n}=\frac{1-0}{\frac{1}{4}\cdot1+8\cdot0}=4$

0206

집합 $A=\{1, 2, 3\}$에 대하여 수열 $\{a_n\}$은 집합 A의 원소로 이루어진 수열이다. 이 수열이 등식 $\sum_{n=1}^{\infty}\frac{a_n}{10^n}=\frac{104}{333}$를 만족시킬 때, $\sum_{n=1}^{\infty}\frac{a_n}{5^n}=\frac{q}{p}$이다. $p+q$의 값을 구하여라. (단, p, q는 서로소인 자연수이다.)

STEP Ⓐ 순환소수를 이용하여 일반항 a_n 구하기

$\frac{104}{333}=\frac{312}{999}=0.\dot{3}1\dot{2}$이므로

$\sum_{n=1}^{\infty}\frac{a_n}{10^n}=\frac{a_1}{10}+\frac{a_2}{10^2}+\frac{a_3}{10^3}+\cdots=\frac{3}{10}+\frac{1}{10^2}+\frac{2}{10^3}+\cdots$

$a_1=3$, $a_2=1$, $a_3=2$, $\cdots$이므로

$a_{3k-2}=3$, $a_{3k-1}=1$, $a_{3k}=2$ (단, $k=1, 2, 3, \cdots$)

STEP Ⓑ 등비급수의 성질을 이용하여 합 구하기

$$\sum_{n=1}^{\infty}\frac{a_n}{5^n}=\frac{a_1}{5}+\frac{a_2}{5^2}+\frac{a_3}{5^3}+\cdots$$

$$=\left(\frac{3}{5}+\frac{3}{5^4}+\frac{3}{5^7}+\cdots\right)+\left(\frac{1}{5^2}+\frac{1}{5^5}+\frac{1}{5^8}+\cdots\right)+\left(\frac{2}{5^3}+\frac{2}{5^6}+\frac{2}{5^9}+\cdots\right)$$

$$=\frac{\frac{3}{5}}{1-\frac{1}{5^3}}+\frac{\frac{1}{5^2}}{1-\frac{1}{5^3}}+\frac{\frac{2}{5^3}}{1-\frac{1}{5^3}}$$

$$=\frac{75}{124}+\frac{5}{124}+\frac{2}{124}=\frac{82}{124}=\frac{41}{62}$$

따라서 $p=62$, $q=41$이므로 $p+q=103$

0207

자연수 n에 대하여 직선 $y=\left(\frac{1}{2}\right)^{n-1}(x-1)$과 이차함수 $y=3x(x-1)$의 그래프가 만나는 두 점을 $\mathrm{A}(1,0)$과 P_n이라 하자.

점 P_n에서 x축에 내린 수선의 발을 H_n이라 할 때, $\sum_{n=1}^{\infty}\overline{\mathrm{P}_n\mathrm{H}_n}$의 값은?

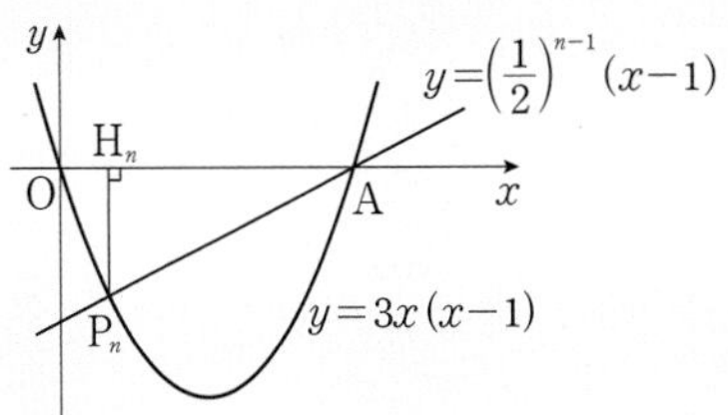

① $\frac{3}{2}$　② $\frac{14}{9}$　③ $\frac{29}{18}$　④ $\frac{5}{3}$　⑤ $\frac{31}{18}$

STEP Ⓐ $\overline{\mathrm{P}_n\mathrm{H}_n}$ 구하기

점 P_n의 좌표를 $(x_n, y_n)(x_n\neq1)$이라 하자.

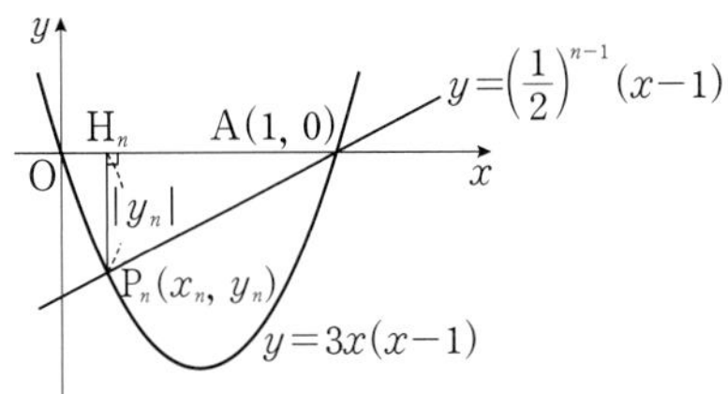

점 P_n은 직선 $y=\left(\frac{1}{2}\right)^{n-1}(x-1)$과 이차함수 $y=3x(x-1)$의 그래프와의 교점이므로 $\left(\frac{1}{2}\right)^{n-1}(x_n-1)=3x_n(x_n-1)$

$(x_n-1)\left\{3x_n-\left(\frac{1}{2}\right)^{n-1}\right\}=0$

$\therefore\ x_n=1$ 또는 $x_n=\frac{1}{3}\left(\frac{1}{2}\right)^{n-1}$

이때 점 A의 x좌표가 1이므로 점 P_n의 x좌표는 $x_n=\frac{1}{3}\left(\frac{1}{2}\right)^{n-1}$

이때 $x_n=\frac{1}{3}\left(\frac{1}{2}\right)^{n-1}$을 직선 $y_n=\left(\frac{1}{2}\right)^{n-1}(x_n-1)$에 대입하면

$y_n=\left(\frac{1}{2}\right)^{n-1}\left\{\frac{1}{3}\left(\frac{1}{2}\right)^{n-1}-1\right\}$

$=\frac{1}{3}\left(\frac{1}{4}\right)^{n-1}-\left(\frac{1}{2}\right)^{n-1}$

$\therefore\ \overline{\mathrm{P}_n\mathrm{H}_n}=|y_n|=\left|\frac{1}{3}\left(\frac{1}{4}\right)^{n-1}-\left(\frac{1}{2}\right)^{n-1}\right|=\left(\frac{1}{2}\right)^{n-1}-\frac{1}{3}\left(\frac{1}{4}\right)^{n-1}$ ($\because n\ge1$)

STEP Ⓑ $\sum_{n=1}^{\infty}\overline{\mathrm{P}_n\mathrm{H}_n}$의 값 구하기

따라서 $\sum_{n=1}^{\infty}\overline{\mathrm{P}_n\mathrm{H}_n}=\sum_{n=1}^{\infty}\left\{\left(\frac{1}{2}\right)^{n-1}-\frac{1}{3}\left(\frac{1}{4}\right)^{n-1}\right\}$

$=\sum_{n=1}^{\infty}\left(\frac{1}{2}\right)^{n-1}-\frac{1}{3}\sum_{n=1}^{\infty}\left(\frac{1}{4}\right)^{n-1}$

$=\frac{1}{1-\frac{1}{2}}-\frac{1}{3}\cdot\frac{1}{1-\frac{1}{4}}$

$=2-\frac{4}{9}$

$=\frac{14}{9}$

0208

모든 자연수 n에 대하여 좌표평면 위에 점 P_n을 다음 규칙에 따라 정한다.

(가) 점 P_1의 좌표는 $(1, 1)$이다.
(나) 점 P_n의 x좌표는 n이다.
(다) 두 점 P_n, P_{n+1}을 지나는 직선의 기울기는 $\frac{1}{2^n}$이다.

두 직선 $x=n$, $x=n+1$과 선분 P_n, P_{n+1}, x축으로 둘러싸인 도형의 넓이를 a_n이라 하자.
급수 $\sum_{n=1}^{\infty}(a_n-\alpha)$가 수렴할 때, 상수 α의 값은?

① $\frac{3}{2}$ ② $\frac{7}{4}$ ③ 2
④ $\frac{9}{4}$ ⑤ 3

STEP **A** **점 P_n의 y좌표 y_n을 이용하여 a_n 구하기**

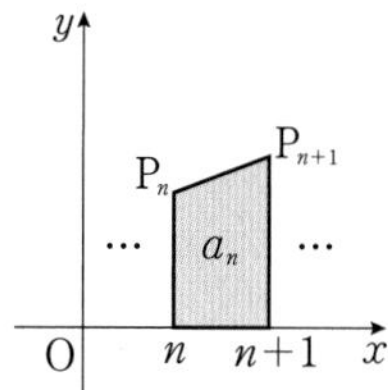

P_n의 y좌표를 y_n이라 하면

$y_n=1+\frac{1}{2}+\left(\frac{1}{2}\right)^2+\cdots+\left(\frac{1}{2}\right)^{n-1}=2-\frac{1}{2^{n-1}}$

$a_n=\frac{1}{2}(y_n+y_{n+1})=\frac{1}{2}\left(4-\frac{1}{2^{n-1}}-\frac{1}{2^n}\right)=2-\frac{3}{2^{n+1}}$

STEP **B** **급수 $\sum_{n=1}^{\infty}(a_n-\alpha)$가 수렴하면 $\lim_{n\to\infty}(a_n-\alpha)=0$임을 이용하기**

급수 $\sum_{n=1}^{\infty}(a_n-\alpha)$가 수렴하면

$\lim_{n\to\infty}(a_n-\alpha)=0$이고 $\lim_{n\to\infty}a_n=2$

따라서 $\alpha=2$

0209

그림과 같이 한 변의 길이가 4인 정사각형 $A_1B_1C_1D_1$이 있다.
선분 C_1D_1의 중점을 E_1이라 하고, 직선 A_1B_1 위에 두 점 F_1, G_1을 $\overline{E_1F_1}=\overline{E_1G_1}$, $\overline{E_1F_1}:\overline{F_1G_1}=5:6$이 되도록 잡고 이등변 삼각형 $E_1F_1G_1$을 그린다. 선분 D_1A_1과 선분 E_1F_1의 교점을 P_1, 선분 B_1C_1과 선분 G_1E_1의 교점을 Q_1 이라 할 때, 네 삼각형 $E_1D_1P_1$, $P_1F_1A_1$, $Q_1B_1G_1$, $E_1Q_1C_1$로 만들어진 모양의 도형에 색칠하여 얻은 그림을 R_1이라 하자.
그림 R_1에 선분 F_1G_1 위의 두 점 A_2, B_2와 선분 G_1E_1 위의 점 C_2, 선분 E_1F_1 위의 점 D_2를 꼭짓점으로 하는 정사각형 $A_2B_2C_2D_2$를 그리고, 그림 R_1을 얻는 것과 같은 방법으로 정사각형 $A_2B_2C_2D_2$에 모양의 도형을 그리고, 색칠하여 얻은 그림을 R_2라 하자. 이와 같은 과정을 계속하여 n번째 얻은 그림, R_n에 색칠되어 있는 부분의 넓이를 S_n이라 할 때, $\lim_{n\to\infty}S_n$의 값은?

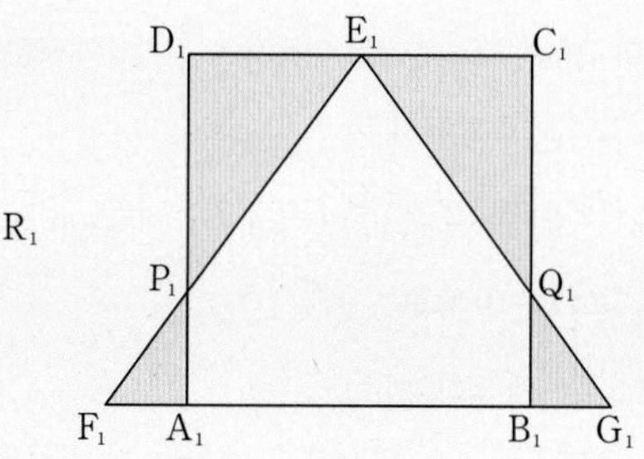

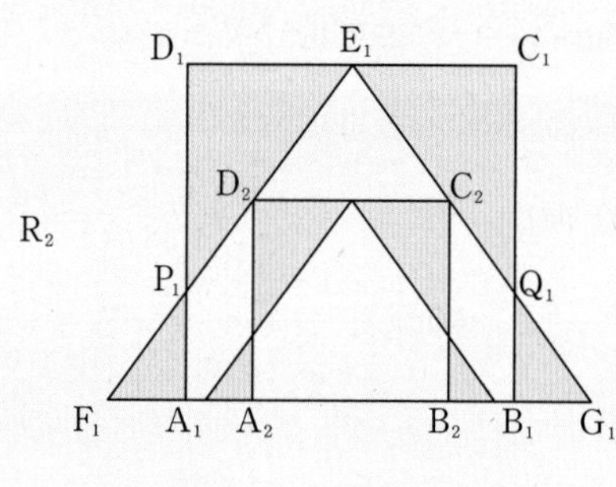

① $\frac{61}{6}$ ② $\frac{125}{12}$ ③ $\frac{32}{3}$
④ $\frac{131}{12}$ ⑤ $\frac{67}{6}$

STEP **A** **넓이 S_1 구하기**

그림 R_1의 점 E_1에서 변 A_1B_1에 내린 수선의 발을 H라 하자.

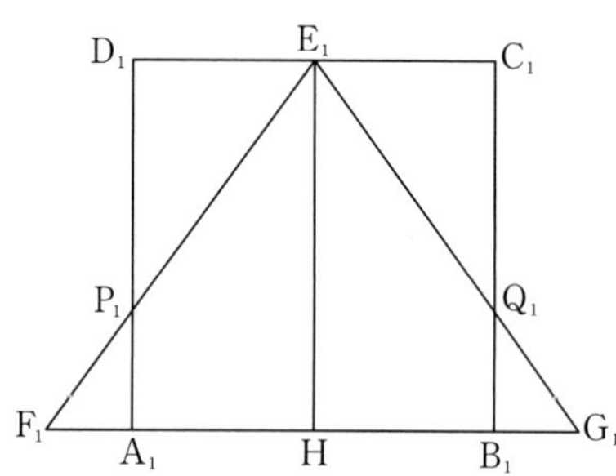

점 E_1에서 $\overline{A_1B_1}$로 내린 수선의 발을 H라 하면

$\overline{E_1D_1}=\frac{1}{2}\overline{D_1C_1}=\frac{1}{2}\times4=2$

$\overline{E_1H}=\overline{D_1A_1}=4$

$\overline{E_1F_1}:\overline{F_1G_1}=5:6$이므로 $\overline{E_1F_1}=5a$라 놓으면

$\overline{F_1G_1}=6a$

즉 $\overline{F_1H}=\frac{1}{2}\overline{F_1G_1}=3a$

직각삼각형 E_1F_1H에서 $(5a)^2=4^2+(3a)^2$

즉 $16a^2=16$에서 $a>0$이므로 $a=1$

$\overline{F_1H}=3$이고 $\overline{A_1H}=2$이므로 $\overline{F_1A_1}=3-2=1$

삼각형 $D_1P_1E_1$과 삼각형 $A_1P_1F_1$이 닮음이고

$\overline{D_1E_1}=2$, $\overline{A_1F_1}=1$이므로 닮음비는 $2:1$

즉 $\overline{D_1P_1}=\frac{2}{3}\times4=\frac{8}{3}$, $\overline{A_1P_1}=\frac{1}{3}\times4=\frac{4}{3}$

$\overline{E_1F_1}=\overline{E_1G_1}$이므로

삼각형 $D_1P_1E_1$과 삼각형 $C_1Q_1E_1$이 합동이고

삼각형 $A_1P_1F_1$과 삼각형 $B_1Q_1G_1$이 합동이므로

$S_1=2\times\frac{1}{2}\times2\times\frac{8}{3}+2\times\frac{1}{2}\times1\times\frac{4}{3}=\frac{20}{3}$

STEP B 닮음을 이용하여 공비 구하기

그림 R_2의 점 E_1에서 변 D_2C_2에 내린 수선의 발을 H_1이라 하자.

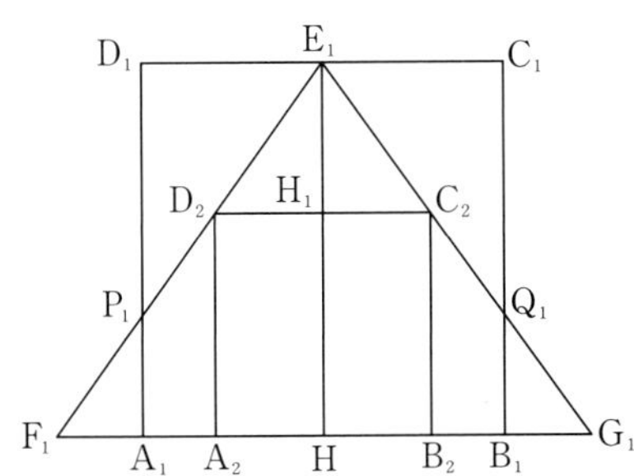

정사각형 $A_2B_2C_2D_2$의 한 변의 길이를 x라 놓으면

$\overline{D_2H_1}=\frac{x}{2}$, $\overline{E_1H_1}=4-x$

삼각형 E_1F_1H와 삼각형 $E_1D_2H_1$은 닮음이므로

$3:4=\frac{x}{2}:4-x$

즉 $2x=12-3x$에서 $x=\frac{12}{5}$

정사각형 $A_1B_1C_1D$과 정사각형 $A_2B_2C_2D_2$의 닮음비는

$4:\frac{12}{5}=1:\frac{3}{5}$이므로 넓이의 비는 $1:\frac{9}{25}$이므로 공비는 $\frac{9}{25}$

STEP C $\lim_{n\to\infty}S_n$의 값 구하기

따라서 $\lim_{n\to\infty}S_n$은 첫째항이 $\frac{20}{3}$이고 공비가 $\left(\frac{3}{5}\right)^2$인 등비급수이므로

$$\lim_{n\to\infty}S_n=\frac{\frac{20}{3}}{1-\frac{9}{25}}=\frac{125}{12}$$

0210

그림과 같이 $\overline{OA_1}=4$, $\overline{OB_1}=4\sqrt{3}$인 직각삼각형 OA_1B_1이 있다. 중심이 O이고 반지름의 길이가 $\overline{OA_1}$인 원이 선분 OB_1과 만나는 점을 B_2라 하자. 삼각형 OA_1B_1의 내부와 부채꼴 OA_1B_2의 내부에서 공통된 부분을 제외한 ◸ 모양의 도형에 색칠하여 얻은 그림을 R_1이라 하자. 그림 R_1에서 점 B_2를 지나고 선분 A_1B_1에 평행한 직선이 선분 OA_1과 만나는 점을 A_2, 중심이 O이고 반지름의 길이가 $\overline{OA_2}$인 원이 선분 OB_2와 만나는 점을 B_3이라 하자. 삼각형 OA_2B_2의 내부와 부채꼴 OA_2B_3의 내부에서 공통된 부분을 제외한 ◸ 모양의 도형에 색칠하여 얻은 그림을 R_2라 하자.
이와 같은 과정을 계속하여 n번째 얻은 그림 R_n에 색칠되어 있는 부분의 넓이를 S_n이라 할 때, $\lim_{n\to\infty}S_n$의 값은?

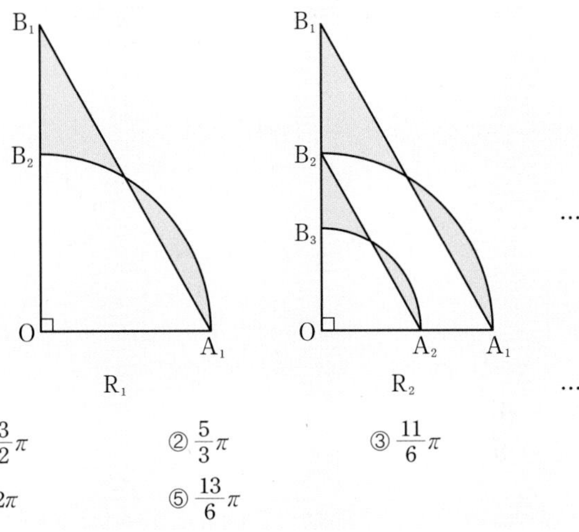

① $\frac{3}{2}\pi$ ② $\frac{5}{3}\pi$ ③ $\frac{11}{6}\pi$

④ 2π ⑤ $\frac{13}{6}\pi$

STEP A R_1의 넓이 S_1 구하기

그림 R_1에서 부채꼴 OA_1B_2의 호 A_1B_2와 선분 A_1B_1이 만나는 점을 C_1이라 하자.

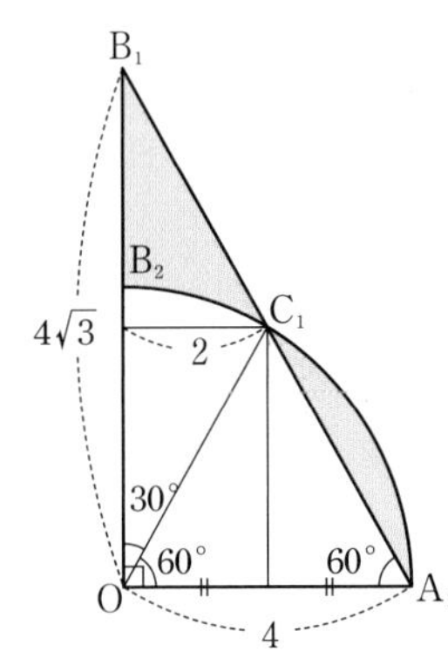

$\angle C_1OA_1=60°$이므로 부채꼴 C_1OA_1의 넓이와 정삼각형 C_1OA_1의 넓이의 차는

$16\pi\times\frac{1}{6}-\frac{\sqrt{3}}{4}\times16=\frac{8}{3}\pi-4\sqrt{3}$ …… ㉠

또, $\angle C_1OB_1=30°$이므로

삼각형 C_1OB_1의 넓이와 부채꼴 C_1OB_2의 넓이의 차는

$\frac{1}{2}\times4\sqrt{3}\times2-16\pi\times\frac{1}{12}=4\sqrt{3}-\frac{4}{3}\pi$ …… ㉡

㉠, ㉡에서 $S_1=\left(\frac{8}{3}\pi-4\sqrt{3}\right)+\left(4\sqrt{3}-\frac{4}{3}\pi\right)=\frac{4}{3}\pi$

STEP B 닮음비를 이용하여 공비 구하기

한편, 삼각형 OA_1B_1과 삼각형 OA_2B_2의 닮음비는

$\overline{OB_1}:\overline{OB_2}=4\sqrt{3}:4=\sqrt{3}:1=1:\frac{1}{\sqrt{3}}$

STEP C $\lim_{n\to\infty}S_n$ 구하기

S_n은 첫째항이 $\frac{4}{3}\pi$이고 공비가 $\left(\frac{1}{\sqrt{3}}\right)^2=\frac{1}{3}$인 등비수열의 첫째항부터 제 n항까지의 합이다.

따라서 $\lim_{n\to\infty}S_n=\frac{\frac{4}{3}\pi}{1-\frac{1}{3}}=2\pi$

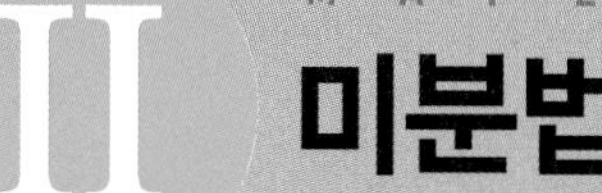

II 미분법

01 지수로그함수의 미분

0211

다음 극한값을 구하여라.

(1) $\lim_{x\to\infty}\dfrac{2^{x+1}-3^{x+1}}{2^x-3^x}$

STEP A 주어진 식의 분모와 분자를 3^x으로 나누어 정리한 후 극한값 구하기

분모, 분자를 3^x으로 나누면

$$\lim_{x\to\infty}\frac{2^{x+1}-3^{x+1}}{2^x-3^x}=\lim_{x\to\infty}\frac{2\left(\frac{2}{3}\right)^x-3}{\left(\frac{2}{3}\right)^x-1}=\frac{-3}{-1}=3$$

(2) $\lim_{x\to\infty}(5^x+3^x)^{\frac{1}{x}}$

STEP A 주어진 식을 5^x으로 묶어 정리한 후 극한값 구하기

5^x으로 묶어 내면

$$\begin{aligned}\lim_{x\to\infty}(5^x+3^x)^{\frac{1}{x}}&=\lim_{x\to\infty}\left[5^x\left\{1+\left(\frac{3}{5}\right)^x\right\}\right]^{\frac{1}{x}}\\&=\lim_{x\to\infty}5\left\{1+\left(\frac{3}{5}\right)^x\right\}^{\frac{1}{x}}\\&=5(1+0)=5\end{aligned}$$

(3) $\lim_{x\to\infty}\{\log_2(4x^2+1)-\log_2(x^2+4)\}$

STEP A 로그의 성질을 이용하여 식을 정리하기

로그의 성질에 의하여

$$\lim_{x\to\infty}\{\log_2(4x^2+1)-\log_2(x^2+4)\}=\lim_{x\to\infty}\log_2\frac{4x^2+1}{x^2+4}$$

STEP B $\lim_{x\to\infty}f(x)$의 극한을 이용하여 $\lim_{x\to\infty}\log_2 f(x)$의 극한값 구하기

따라서 $\lim_{x\to\infty}\log_2\dfrac{4x^2+1}{x^2+4}=\log_2\left\{\lim_{x\to\infty}\dfrac{4x^2+1}{x^2+4}\right\}=\log_2 4=2$

(4) $\lim_{x\to1}(\ln|x^3-1|-\ln|x^2-1|)$

STEP A 로그의 성질을 이용하여 식을 정리하기

$$\lim_{x\to1}(\ln|x^3-1|-\ln|x^2-1|)=\lim_{x\to1}\ln\left|\frac{x^3-1}{x^2-1}\right|$$

STEP B $\lim_{x\to1}f(x)$의 극한을 이용하여 $\lim_{x\to1}\ln f(x)$의 극한값 구하기

따라서 $\lim_{x\to1}\left|\dfrac{(x-1)(x^2+x+1)}{(x-1)(x+1)}\right|=\lim_{x\to1}\left|\dfrac{x^2+x+1}{x+1}\right|=\dfrac{3}{2}$이므로

$$\lim_{x\to1}\ln\left|\frac{x^3-1}{x^2-1}\right|=\lim_{x\to1}\ln\left|\frac{x^2+x+1}{x+1}\right|=\ln\left\{\lim_{x\to1}\left|\frac{x^2+x+1}{x+1}\right|\right\}=\ln\frac{3}{2}$$

0212

다음 극한값을 구하여라.

(1) $\lim_{x\to\infty}\dfrac{\left(\frac{1}{2}\right)^{x-1}+\left(\frac{1}{3}\right)^{x+1}}{\left(\frac{1}{2}\right)^{x+2}+\left(\frac{1}{3}\right)^{x}}$

STEP A 주어진 식의 분모와 분자를 $\left(\frac{1}{2}\right)^x$으로 나누어 정리한 후 극한값 구하기

$$\lim_{x\to\infty}\frac{\left(\frac{1}{2}\right)^{x-1}+\left(\frac{1}{3}\right)^{x+1}}{\left(\frac{1}{2}\right)^{x+2}+\left(\frac{1}{3}\right)^{x}}=\lim_{x\to\infty}\frac{2\times\left(\frac{1}{2}\right)^x+\frac{1}{3}\times\left(\frac{1}{3}\right)^x}{\frac{1}{4}\times\left(\frac{1}{2}\right)^x+\left(\frac{1}{3}\right)^x}$$에서

분자와 분모를 각각 $\left(\frac{1}{2}\right)^x$으로 나누면

$$(\text{주어진 식})=\lim_{x\to\infty}\frac{2+\frac{1}{3}\times\left(\frac{2}{3}\right)^x}{\frac{1}{4}+\left(\frac{2}{3}\right)^x}=\frac{2+\frac{1}{3}\times0}{\frac{1}{4}+0}=8$$

(2) $\lim_{x\to-\infty}\dfrac{2^{2x}+\left(\frac{1}{3}\right)^{x+1}}{2^{2x+1}+\left(\frac{1}{3}\right)^{x}}$

STEP A $-x=t$로 치환하여 극한값 구하기

$\lim_{x\to-\infty}\dfrac{2^{2x}+\left(\frac{1}{3}\right)^{x+1}}{2^{2x+1}+\left(\frac{1}{3}\right)^{x}}$에서 $-x=t$라 하면

$x\to-\infty$일 때, $t\to\infty$이고 $\lim_{t\to\infty}\left(\frac{1}{12}\right)^t=0$이므로

$$\begin{aligned}\lim_{x\to-\infty}\frac{2^{2x}+\left(\frac{1}{3}\right)^{x+1}}{2^{2x+1}+\left(\frac{1}{3}\right)^{x}}&=\lim_{t\to\infty}\frac{2^{-2t}+\left(\frac{1}{3}\right)^{-t+1}}{2^{-2t+1}+\left(\frac{1}{3}\right)^{-t}}=\lim_{t\to\infty}\frac{\left(\frac{1}{4}\right)^t+\frac{1}{3}\times3^t}{2\times\left(\frac{1}{4}\right)^t+3^t}\\&=\lim_{t\to\infty}\frac{\left(\frac{1}{12}\right)^t+\frac{1}{3}}{2\times\left(\frac{1}{12}\right)^t+1}\\&=\frac{0+\frac{1}{3}}{0+1}=\frac{1}{3}\end{aligned}$$

다른풀이 주어진 식의 분모와 분자에 3^x을 곱하여 정리한 후 극한값 구하기

$\lim_{x\to-\infty}12^x=0$이므로

$$\lim_{x\to-\infty}\frac{2^{2x}+\left(\frac{1}{3}\right)^{x+1}}{2^{2x+1}+\left(\frac{1}{3}\right)^{x}}=\lim_{x\to-\infty}\frac{4^x+\frac{1}{3}\times\left(\frac{1}{3}\right)^x}{2\times4^x+\left(\frac{1}{3}\right)^x}=\lim_{x\to-\infty}\frac{12^x+\frac{1}{3}}{2\times12^x+1}=\frac{0+\frac{1}{3}}{0+1}=\frac{1}{3}$$

(3) $\lim_{x\to0+}\dfrac{\log_3x^3-1}{\log_3 3x+1}$

STEP A 분모의 최고차항으로 분모, 분자를 나누어 극한값 구하기

$\lim_{x\to0+}\log_3x=-\infty$이므로

$$\lim_{x\to0+}\frac{\log_3x^3-1}{\log_3 3x+1}=\lim_{x\to0+}\frac{3\log_3x-1}{\log_3x+2}=\lim_{x\to0+}\frac{3-\frac{1}{\log_3x}}{1+\frac{2}{\log_3x}}=\frac{3-0}{1+0}=3$$

0213

다음 물음에 답하여라.

(1) $\lim_{x\to\infty}\frac{9^x}{9^x+a^x}+\lim_{x\to\infty}\frac{a^x}{9^x-1}=1$이 성립하도록 하는 자연수 a의 개수를 구하여라.

STEP Ⓐ $a>9$, $a=9$, $a<9$일 때, 나눠 자연수 a의 값 구하기

$f(x)=\frac{9^x}{9^x+a^x}+\frac{a^x}{9^x-1}$으로 놓으면

$a>9$일 때, $\lim_{x\to\infty}f(x)=\infty$

$a=9$일 때, $\lim_{x\to\infty}f(x)=\frac{1}{2}+1=\frac{3}{2}$

$a<9$일 때, $\lim_{x\to\infty}f(x)=1+0=1$

$\therefore a<9$

따라서 등식을 만족시키는 자연수 a는 1, 2, 3, 4, 5, 6, 7, 8로 8

(2) $\lim_{x\to\infty}\frac{a^{2x}+a}{a^{2x+2}+7a^2}=\frac{1}{4}$을 만족시키는 모든 양수 a의 값의 합을 구하여라.

STEP Ⓐ $0<a<1$, $a=1$, $a>1$일 때, 나눠 양수 a의 값 구하기

$0<a<1$, $a=1$, $a>1$일 때, 나눠 양수 a의 값을 구하면 다음과 같다.

(ⅰ) $0<a<1$일 때,

$\lim_{x\to\infty}a^{2x}=0$일 때

$\lim_{x\to\infty}\frac{a^{2x}+a}{a^{2x+2}+7a^2}=\lim_{x\to\infty}\frac{a^{2x}+a}{a^2\times a^{2x}+7a^2}=\frac{0+a}{0+7a^2}=\frac{1}{7a}=\frac{1}{4}$, $a=\frac{4}{7}$

$0<\frac{4}{7}<1$이므로 $a=\frac{4}{7}$는 주어진 식을 만족시킨다.

(ⅱ) $a=1$일 때,

$\lim_{x\to\infty}\frac{a^{2x}+a}{a^{2x+2}+7a^2}=\lim_{x\to\infty}\frac{1^{2x}+1}{1^{2x+2}+7\times1^2}=\frac{2}{8}=\frac{1}{4}$

$a=1$은 주어진 식을 만족시킨다.

(ⅲ) $a>1$일 때,

$0<\frac{1}{a}<1$이므로 $\lim_{x\to\infty}\left(\frac{1}{a}\right)^{2x}=0$이다.

$\lim_{x\to\infty}\frac{a^{2x}+a}{a^{2x+2}+7a^2}=\lim_{x\to\infty}\frac{1+a\times\left(\frac{1}{a}\right)^{2x}}{a^2+7a^2\times\left(\frac{1}{a}\right)^{2x}}=\frac{1+0}{a^2+0}=\frac{1}{a^2}=\frac{1}{4}$, $a^2=4$

$a>1$이므로 $a=2$는 주어진 식을 만족시킨다.

(ⅰ)~(ⅲ)에서 모든 양수 a의 값의 합은 $\frac{4}{7}+1+2=\frac{25}{7}$

(3) $\lim_{x\to\infty}\frac{a^{x+2}+2a^x+3^x}{a^{x+1}-a^x-3^{x+1}}=6$을 만족시키는 1보다 큰 상수 a의 값을 구하여라.

STEP Ⓐ $1<a<3$, $a=3$, $a>3$일 때, 나눠 양수 a의 값 구하기

$\lim_{x\to\infty}\frac{a^{x+2}+2a^x+3^x}{a^{x+1}-a^x-3^{x+1}}=\lim_{x\to\infty}\frac{(a^2+2)a^x+3^x}{(a-1)a^x-3\times3^x}$

(ⅰ) $1<a<3$일 때,

$\lim_{x\to\infty}\frac{(a^2+2)a^x+3^x}{(a-1)a^x-3\times3^x}=\lim_{x\to\infty}\frac{(a^2+2)\times\left(\frac{a}{3}\right)^x+1}{(a-1)\times\left(\frac{a}{3}\right)^x-3}=\frac{0+1}{0-3}=-\frac{1}{3}$

이므로 주어진 식을 만족시키는 a는 없다.

(ⅱ) $a=3$일 때,

$\lim_{x\to\infty}\frac{(3^2+2)\times3^x+3^x}{(3-1)\times3^x-3\times3^x}=\lim_{x\to\infty}\frac{12\times3^x}{-3^x}=-12$

이므로 주어진 식을 만족시키는 a는 없다.

(ⅲ) $a>3$일 때,

$\lim_{x\to\infty}\frac{(a^2+2)a^x+3^x}{(a-1)a^x-3\times3^x}=\lim_{x\to\infty}\frac{a^2+2+\left(\frac{3}{a}\right)^x}{a-1-3\times\left(\frac{3}{a}\right)^x}=\frac{a^2+2+0}{a-1-0}=\frac{a^2+2}{a-1}$

$\frac{a^2+2}{a-1}=6$에서 $a^2-6a+8=0$, $(a-2)(a-4)=0$

$a>3$이므로 $a=4$

(ⅰ), (ⅱ)에서 구하는 상수 a의 값은 4

0214

다음 극한값을 구하여라.

(1) $\lim_{x\to0}(1+3x)^{\frac{1}{6x}}$

STEP Ⓐ $\lim_{x\to0}(1+x)^{\frac{1}{x}}=e$임을 이용하여 계산하기

$\lim_{x\to0}(1+3x)^{\frac{1}{6x}}=\lim_{x\to0}\left\{(1+3x)^{\frac{1}{3x}}\right\}^{\frac{1}{2}}=e^{\frac{1}{2}}=\sqrt{e}$

(2) $\lim_{x\to\infty}x\ln\left(1+\frac{1}{x}\right)$

STEP Ⓐ $\lim_{x\to\infty}\left(1+\frac{1}{x}\right)^x=e$임을 이용하여 구하기

$\lim_{x\to\infty}x\ln\left(1+\frac{1}{x}\right)=\lim_{x\to\infty}\ln\left(1+\frac{1}{x}\right)^x=\ln e=1$

(3) $\lim_{x\to\infty}\left(\frac{2x+1}{2x}\right)^x$

STEP Ⓐ $2x=t$로 놓고 극한값 구하기

$\lim_{x\to\infty}\left(\frac{2x+1}{2x}\right)^x=\lim_{x\to\infty}\left(1+\frac{1}{2x}\right)^x$

$2x=t$로 놓으면 $x\to\infty$일 때, $t\to\infty$이므로

$\lim_{x\to\infty}\left(1+\frac{1}{2x}\right)^x=\lim_{x\to\infty}\left[\left(1+\frac{1}{2x}\right)^{2x}\right]^{\frac{1}{2}}=\lim_{t\to\infty}\left[\left(1+\frac{1}{t}\right)^t\right]^{\frac{1}{2}}=e^{\frac{1}{2}}=\sqrt{e}$

(4) $\lim_{x\to1}x^{\frac{1}{1-x}}$

STEP Ⓐ $1-x=t$로 놓고 극한값 구하기

$1-x=t$로 치환하면 $x=1-t$이고 $x\to1$일 때, $t\to0$이므로

$\lim_{x\to1}x^{\frac{1}{1-x}}=\lim_{t\to0}(1-t)^{\frac{1}{t}}=\lim_{t\to0}\left\{(1-t)^{-\frac{1}{t}}\right\}^{-1}=e^{-1}=\frac{1}{e}$

0215

다음 물음에 답하여라.

(1) $\lim_{x\to\infty}\left(1+\frac{6}{x}+\frac{9}{x^2}\right)^{ax}=e^{18}$을 만족시키는 상수 a의 값은?

① 1 ② 2 ③ 3
④ 4 ⑤ 5

STEP Ⓐ $\lim_{x\to\infty}\left(1+\frac{1}{x}\right)^x=e$임을 이용하여 구하기

$\lim_{x\to\infty}\left(1+\frac{6}{x}+\frac{9}{x^2}\right)^{ax}=\lim_{x\to\infty}\left\{\left(1+\frac{3}{x}\right)^2\right\}^{ax}=\lim_{x\to\infty}\left(1+\frac{3}{x}\right)^{2ax}$

$=\lim_{x\to\infty}\left\{\left(1+\frac{3}{x}\right)^{\frac{x}{3}}\right\}^{6a}=e^{6a}=e^{18}$

따라서 $6a=18$에서 $a=3$

(2) $\lim_{x\to\infty} x\{\ln(x+a)-\ln x\}=2$를 만족시키는 상수 a의 값은?

① 1 ② 2 ③ 3
④ 4 ⑤ 5

STEP Ⓐ $\lim_{x\to\infty}\left(1+\frac{1}{x}\right)^x=e$임을 이용하여 구하기

$$\lim_{x\to\infty} x\{\ln(x+a)-\ln x\}=\lim_{x\to\infty} x\left(\ln\frac{x+a}{x}\right)$$
$$=\lim_{x\to\infty}\ln\left(1+\frac{a}{x}\right)^x$$
$$=\lim_{x\to\infty}\ln\left\{\left(1+\frac{a}{x}\right)^{\frac{x}{a}}\right\}^a$$
$$=\ln e^a=a$$

따라서 $a=2$

0216

다음 물음에 답하여라.

(1) $\lim_{n\to\infty}\left\{\frac{1}{2}\left(1+\frac{1}{n}\right)\left(1+\frac{1}{n+1}\right)\left(1+\frac{1}{n+2}\right)\cdots\left(1+\frac{1}{2n}\right)\right\}^n$의 값은?

① e ② $\sqrt{e}$ ③ 1
④ $\frac{1}{\sqrt{e}}$ ⑤ $\frac{1}{e}$

STEP Ⓐ $\lim_{x\to\infty}\left(1+\frac{1}{x}\right)^x=e$임을 이용하여 구하기

$$\lim_{n\to\infty}\left\{\frac{1}{2}\left(1+\frac{1}{n}\right)\left(1+\frac{1}{n+1}\right)\times\cdots\times\left(1+\frac{1}{2n}\right)\right\}^n$$
$$=\lim_{n\to\infty}\left(\frac{1}{2}\times\frac{n+1}{n}\times\frac{n+2}{n+1}\times\cdots\times\frac{2n+1}{2n}\right)^n$$
$$=\lim_{n\to\infty}\left(\frac{2n+1}{2n}\right)^n$$
$$=\lim_{n\to\infty}\left(1+\frac{1}{2n}\right)^n$$
$$=\lim_{n\to\infty}\left\{\left(1+\frac{1}{2n}\right)^{2n}\right\}^{\frac{1}{2}}$$
$$=e^{\frac{1}{2}}=\sqrt{e}$$

(2) $f(n)=\lim_{x\to\infty}\left(1+\frac{n}{x}\right)^x$일 때, $\ln f(1)+\ln f(2)+\cdots+\ln f(10)$의 값은?

① 10 ② 15 ③ 50
④ 55 ⑤ 100

STEP Ⓐ $\lim_{x\to\infty}\left(1+\frac{1}{x}\right)^x=e$임을 이용하여 $f(n)$ 구하기

$$f(n)=\lim_{x\to\infty}\left(1+\frac{n}{x}\right)^x=\lim_{x\to\infty}\left\{\left(1+\frac{n}{x}\right)^{\frac{x}{n}}\right\}^n=e^n$$

STEP Ⓑ $\ln f(1)+\ln f(2)+\cdots+\ln f(10)$의 값 구하기

따라서 $\ln f(1)+\ln f(2)+\cdots+\ln f(10)=\ln e^1+\ln e^2+\cdots+\ln e^{10}$
$$=1+2+\cdots+10=55$$

0217

다음 극한값을 구하여라.

(1) $\lim_{x\to 0}\frac{\ln(1+3x)}{e^{2x}-1}$

STEP Ⓐ 무리수 e의 정의를 이용한 함수의 극한값 구하기

$$\lim_{x\to 0}\frac{\ln(1+3x)}{e^{2x}-1}=\lim_{x\to 0}\left\{\frac{2x}{e^{2x}-1}\cdot\frac{\ln(1+3x)}{3x}\cdot\frac{3}{2}\right\}$$
$$=1\cdot 1\cdot\frac{3}{2}=\frac{3}{2}$$

(2) $\lim_{x\to 0}\frac{e^{2x}-e^{-3x}}{x}$

STEP Ⓐ 무리수 e의 정의를 이용한 함수의 극한값 구하기

$$\lim_{x\to 0}\frac{e^{2x}-e^{-3x}}{x}=\lim_{x\to 0}\frac{e^{2x}-1+1-e^{-3x}}{x}$$
$$=\lim_{x\to 0}\frac{e^{2x}-1}{2x}\cdot 2-\lim_{x\to 0}\frac{e^{-3x}-1}{-3x}\cdot(-3)$$
$$=1\cdot 2-1\cdot(-3)=5$$

참고 $\frac{e^{ax}-1}{x}$에서 $e^{ax}-1=t$로 놓으면 $x=\frac{1}{a}\ln(1+t)$

$x\to 0$일 때, $t\to 0$이므로 $\lim_{x\to 0}\frac{e^{ax}-1}{x}=a\lim_{t\to 0}\frac{1}{\ln(1+t)^{\frac{1}{t}}}=a$

(3) $\lim_{x\to 0}\frac{(e^{2x}-1)\ln(1+2x)}{2x^2}$

STEP Ⓐ 무리수 e의 정의를 이용한 함수의 극한값 구하기

$2x=t$로 놓으면 $x\to 0$일 때, $t\to 0$이므로

$$\lim_{x\to 0}\frac{(e^{2x}-1)\ln(1+2x)}{2x^2}=\lim_{x\to 0}\left\{\frac{(e^{2x}-1)}{2x}\times 2\times\frac{\ln(1+2x)}{2x}\right\}$$
$$=\lim_{x\to 0}\frac{(e^{2x}-1)}{2x}\times 2\times\lim_{x\to 0}\frac{\ln(1+2x)}{2x}$$
$$=\lim_{t\to 0}\frac{(e^t-1)}{t}\times 2\times\lim_{t\to 0}\frac{\ln(1+t)}{t}$$
$$=1\times 2\times 1=2$$

(4) $\lim_{x\to 0}\frac{\ln(1+x)(1+2x)(1+3x)}{e^{2x}-1}$

STEP Ⓐ 무리수 e의 정의를 이용한 함수의 극한값 구하기

$$\lim_{x\to 0}\frac{\ln(1+x)(1+2x)(1+3x)}{e^{2x}-1}$$
$$=\lim_{x\to 0}\frac{\frac{\ln(1+x)+\ln(1+2x)+\ln(1+3x)}{2x}}{\frac{e^{2x}-1}{2x}}$$
$$=\lim_{x\to 0}\frac{\frac{1}{2}\left\{\frac{\ln(1+x)}{x}+\frac{\ln(1+2x)}{2x}\cdot 2+\frac{\ln(1+3x)}{3x}\cdot 3\right\}}{\frac{e^{2x}-1}{2x}}$$
$$=\frac{1}{2}(1+2+3)=3$$

0218

다음 극한값을 구하여라.

(1) $\lim_{x\to 0}\frac{e^x+e^{2x}+e^{3x}+\cdots+e^{10x}-10}{x}$의 값은?

① 10 ② 20 ③ 30
④ 45 ⑤ 55

STEP Ⓐ 무리수 e의 정의를 이용한 함수의 극한값 구하기

$$\lim_{x\to 0}\frac{e^x+e^{2x}+e^{3x}+\cdots+e^{10x}-10}{x}$$
$$=\lim_{x\to 0}\frac{(e^x-1)+(e^{2x}-1)+\cdots+(e^{10x}-1)}{x}$$
$$=\lim_{x\to 0}\left\{\frac{e^x-1}{x}+\frac{e^{2x}-1}{2x}\cdot 2+\cdots+\frac{e^{10x}-1}{10x}\cdot 10\right\}$$
$$=1+2+\cdots+10$$
$$=\frac{10(10+1)}{2}=55$$

(2) $\lim_{x\to0}\frac{1}{x}\ln(1+x)(1+2x)(1+3x)(1+4x)\cdots(1+10x)$의 값은?

① 10 ② 20 ③ 30
④ 45 ⑤ 55

STEP A 무리수 e의 정의를 이용한 함수의 극한값 구하기

$$\lim_{x\to0}\frac{1}{x}\{\ln(1+x)+\ln(1+2x)+\ln(1+3x)+\cdots+\ln(1+10x)\}$$
$$=\lim_{x\to0}\frac{\ln(1+x)}{x}+2\lim_{x\to0}\frac{\ln(1+2x)}{2x}+3\lim_{x\to0}\frac{\ln(1+3x)}{3x}\cdots+10\lim_{x\to0}\frac{\ln(1+10x)}{10x}$$
$$=1+2\cdot1+3\cdot1+\cdots+10\cdot1$$
$$=\frac{10(10+1)}{2}=55$$

0219

다음의 함수 중에서 극한값 $\lim_{x\to0}\frac{e^x-1}{f(x)}$이 존재하는 것을 모두 고른 것은?

ㄱ. $f(x)=2x$
ㄴ. $f(x)=e^{2x}-1$
ㄷ. $f(x)=\ln(1+2x)$

① ㄱ ② ㄷ ③ ㄱ, ㄴ
④ ㄴ, ㄷ ⑤ ㄱ, ㄴ, ㄷ

STEP A 무리수 e의 정의를 이용한 함수의 극한값 구하기

ㄱ. $f(x)=2x$이면 $\lim_{x\to0}\frac{e^x-1}{2x}=\frac{1}{2}\lim_{x\to0}\frac{e^x-1}{x}=\frac{1}{2}$ [참]

ㄴ. $f(x)=e^{2x}-1$이면

$$\lim_{x\to0}\frac{e^x-1}{e^{2x}-1}=\lim_{x\to0}\frac{e^x-1}{(e^x-1)(e^x+1)}=\lim_{x\to0}\frac{1}{e^x+1}=\frac{1}{2}\ [참]$$

ㄷ. $f(x)=\ln(1+2x)$이면

$$\lim_{x\to0}\frac{e^x-1}{\ln(1+2x)}=\lim_{x\to0}\frac{\frac{e^x-1}{x}}{\frac{\ln(1+2x)}{2x}}\cdot\frac{x}{2x}=\frac{1}{1}\cdot\frac{1}{2}=\frac{1}{2}\ [참]$$

따라서 옳은 것은 ㄱ, ㄴ, ㄷ이다.

0220

다음 극한값을 구하여라.

(1) $\lim_{x\to0}\frac{\log_3(1+4x)}{2x}$

STEP A 밑이 e가 아닌 지수함수와 로그함수의 극한값 구하기

$$\lim_{x\to0}\frac{\log_3(1+4x)}{2x}=\lim_{x\to0}\frac{\log_3(1+4x)}{4x}\cdot2=\frac{1}{\ln3}\cdot2=\frac{2}{\ln3}$$

(2) $\lim_{x\to0}\frac{3^x-2^x}{x}$

STEP A 밑이 e가 아닌 지수함수와 로그함수의 극한값 구하기

$$\lim_{x\to0}\frac{3^x-2^x}{x}=\lim_{x\to0}\left(\frac{3^x-1}{x}-\frac{2^x-1}{x}\right)=\ln3-\ln2=\ln\frac{3}{2}$$

(3) $\lim_{x\to0}\frac{8^x-1}{e^{3x}-1}$

STEP A 밑이 e가 아닌 지수함수와 로그함수의 극한값 구하기

$$\lim_{x\to0}\frac{8^x-1}{e^{3x}-1}=\lim_{x\to0}\frac{\frac{8^x-1}{x}\cdot x}{\frac{e^{3x}-1}{3x}\cdot3x}=\frac{1}{3}\lim_{x\to0}\frac{\frac{8^x-1}{x}}{\frac{e^{3x}-1}{3x}}$$
$$=\frac{1}{3}\cdot\frac{\ln8}{1}$$
$$=\frac{1}{3}\cdot3\ln2$$
$$=\ln2$$

0221

다음 극한값을 구하여라.

(1) $\lim_{x\to0}\frac{2^x-1}{\log_2(1+2x)}$

STEP A 밑이 e가 아닌 지수함수와 로그함수의 극한값 구하기

$$\lim_{x\to0}\frac{2^x-1}{\log_2(1+2x)}=\lim_{x\to0}\frac{\frac{2^x-1}{x}}{\frac{\log_2(1+2x)}{x}}$$

$\lim_{x\to0}\frac{\log_2(1+2x)}{x}$에서 $2x=t$로 놓으면

$x\to0$일 때, $t\to0$이므로

$$\lim_{x\to0}\frac{\log_2(1+2x)}{x}=\lim_{t\to0}\frac{\log_2(1+t)}{\frac{t}{2}}=2\lim_{t\to0}\frac{\log_2(1+t)}{t}=2\log_2e=\frac{2}{\ln2}$$

따라서 $\lim_{x\to0}\frac{2^x-1}{\log_2(1+2x)}=\lim_{x\to0}\frac{\frac{2^x-1}{x}}{\frac{\log_2(1+2x)}{x}}$

$$=\frac{\lim_{x\to0}\frac{2^x-1}{x}}{\lim_{x\to0}\frac{\log_2(1+2x)}{x}}$$
$$=\frac{\ln2}{\frac{2}{\ln2}}=\frac{(\ln2)^2}{2}$$

(2) $\lim_{x\to0}\frac{\{\log_2(1+x)\}(4^x-1)}{x^2}$

STEP A 밑이 e가 아닌 지수함수와 로그함수의 극한값 구하기

$$\lim_{x\to0}\frac{\{\log_2(1+x)\}(4^x-1)}{x^2}=\lim_{x\to0}\left\{\frac{\log_2(1+x)}{x}\cdot\frac{4^x-1}{x}\right\}$$
$$=\frac{1}{\ln2}\cdot\ln4=\frac{1}{\ln2}\cdot2\ln2=2$$

(3) $\lim_{x\to0}\frac{e^x-3^{-x}}{x}$

STEP A 밑이 e가 아닌 지수함수의 극한값 구하기

$$\lim_{x\to0}\frac{e^x-3^{-x}}{x}=\lim_{x\to0}\frac{e^x-1-(3^{-x}-1)}{x}=\lim_{x\to0}\left(\frac{e^x-1}{x}-\frac{3^{-x}-1}{x}\right)$$
$$=\lim_{x\to0}\left(\frac{e^x-1}{x}+\frac{3^{-x}-1}{-x}\right)$$
$$=1+\ln3=\ln3e$$

0222

다음 물음에 답하여라.

(1) $\lim_{x\to0}\frac{\log_3(3+x)-1}{x}$을 구하면?

① $\frac{1}{3\ln3}$ ② $\frac{3}{\ln3}$ ③ $\frac{1}{3}$

④ $\frac{\ln3}{3}$ ⑤ $3\ln3$

STEP Ⓐ 밑이 e가 아닌 로그함수의 극한값 구하기

$$\lim_{x\to0}\frac{\log_3(3+x)-1}{x}=\lim_{x\to0}\frac{\log_3(3+x)-\log_3 3}{x}=\lim_{x\to0}\frac{1}{x}\log_3\left(\frac{3+x}{3}\right)$$

$$=\lim_{x\to0}\log_3\left(1+\frac{x}{3}\right)^{\frac{1}{x}}=\log_3\lim_{x\to0}\left\{\left(1+\frac{x}{3}\right)^{\frac{3}{x}}\right\}^{\frac{1}{3}}$$

$$=\log_3 e^{\frac{1}{3}}=\frac{1}{3\ln3}$$

(2) $\lim_{x\to0}\frac{a^x+b^x-2}{x}=\ln24$를 만족시키는 두 양의 정수 a, b의 순서쌍 (a, b)의 개수는?

① 4 ② 6 ③ 8

④ 10 ⑤ 12

STEP Ⓐ 밑이 e가 아닌 지수함수의 극한값 구하기

$$\lim_{x\to0}\frac{a^x+b^x-2}{x}=\lim_{x\to0}\frac{a^x-1+b^x-1}{x}=\lim_{x\to0}\frac{a^x-1}{x}+\lim_{x\to0}\frac{b^x-1}{x}$$

$$=\ln a+\ln b=\ln ab$$

이때 $\ln ab=\ln24$이므로 $ab=24=2^3\times3^1$

따라서 순서쌍 (a, b)의 개수는 약수의 개수와 같으므로 $(3+1)(1+1)=8$

(3) $\lim_{x\to0}\frac{2^x+2^{2x}+2^{3x}+\cdots+2^{10x}-10}{x}$의 값은?

① $\ln2$ ② $10\ln2$ ③ $35\ln2$

④ $55\ln2$ ⑤ $385\ln2$

STEP Ⓐ 밑이 e가 아닌 지수함수의 극한값 구하기

$$\lim_{x\to0}\frac{2^x+2^{2x}+2^{3x}+\cdots+2^{10x}-10}{x}$$

$$=\lim_{x\to0}\frac{(2^x-1)+(2^{2x}-1)+\cdots+(2^{10x}-1)}{x}$$

$$=\lim_{x\to0}\left\{\frac{2^x-1}{x}+\frac{2^{2x}-1}{2x}\cdot2+\cdots+\frac{2^{10x}-1}{10x}\cdot10\right\}$$

$$=\ln2+2\ln2+\cdots+10\ln2$$

$$=(1+2+3+\cdots+10)\ln2$$

$$=\frac{10(10+1)}{2}\ln2=55\ln2$$

다른풀이 미분계수를 이용하여 풀이하기

$f(x)=2^x+2^{2x}+2^{3x}+\cdots+2^{10x}$으로 놓으면 $f(0)=10$이므로

$$\lim_{x\to0}\frac{2^x+2^{2x}+2^{3x}+\cdots+2^{10x}-10}{x}=\lim_{x\to0}\frac{f(x)-f(0)}{x-0}=f'(0)$$

이때 $f(x)$를 미분하면

$$f'(x)=2^x\ln2+2^{2x}\ln2\times2+2^{3x}\ln2\times3+\cdots+2^{10x}\ln2\times10$$

$$f'(0)=\ln2(1+2+3+\cdots+10)=\frac{10(10+1)}{2}\ln2=55\ln2$$

0223

다음 등식이 성립할 때, 상수 a, b의 값을 각각 구하여라.

(1) $\lim_{x\to0}\frac{\ln(a+4x)}{x}=b$

STEP Ⓐ $\lim_{x\to0}x=0$이고 $\lim_{x\to0}\ln(a+4x)=0$임을 이용하여 상수 a 구하기

$x\to0$일 때, (분모)→ 0이고 극한값이 존재하므로 (분자)→ 0이어야 한다.

즉 $\lim_{x\to0}\ln(a+4x)=0$이므로 $a=1$

STEP Ⓑ $\lim_{x\to0}\frac{\ln(1+ax)}{bx}=\frac{a}{b}$임을 이용하여 b의 값 구하기

$$\lim_{x\to0}\frac{\ln(1+4x)}{x}=\lim_{x\to0}\frac{\ln(1+4x)}{4x}\cdot4=1\cdot4=4$$

따라서 $b=4$

(2) $\lim_{x\to0}\frac{e^{ax}+b}{\ln(1+2x)}=2$

STEP Ⓐ (분모)→ 0이고 극한값이 존재하므로 (분자)→ 0이어야 함을 이용하기

$x\to0$일 때, (분모)→ 0이고 극한값이 존재하므로 (분자)→ 0이어야 한다.

즉 $\lim_{x\to0}(e^{ax}+b)=0$이므로 $e^0+b=0$

$\therefore b=-1$

STEP Ⓑ $\lim_{x\to0}\frac{\ln(1+ax)}{bx}=\lim_{x\to0}\frac{e^{ax}-1}{bx}=\frac{a}{b}$임을 이용하여 a의 값 구하기

$$\lim_{x\to0}\frac{e^{ax}-1}{\ln(1+2x)}=\lim_{x\to0}\left\{\frac{e^{ax}-1}{ax}\cdot\frac{2x}{\ln(1+2x)}\cdot\frac{a}{2}\right\}=1\cdot1\cdot\frac{a}{2}=\frac{a}{2}=2$$

따라서 $a=4$

(3) $\lim_{x\to0}\frac{(e^x-1)\ln(1+x)}{ax^2+b}=2$

STEP Ⓐ (분자)→ 0이고 0이 아닌 극한값이 존재하므로 (분모)→ 0이어야 함을 이용하기

$x\to0$일 때, (분자)→ 0이고 0이 아닌 극한값이 존재하므로 (분모)→ 0이어야 한다.

$\lim_{x\to0}(ax^2+b)=0$이므로 $b=0$

STEP Ⓑ $\lim_{x\to0}\frac{\ln(1+x)}{x}=\lim_{x\to0}\frac{e^x-1}{x}=1$임을 이용하여 a의 값 구하기

$$\lim_{x\to0}\frac{(e^x-1)\ln(1+x)}{ax^2}=\frac{1}{a}\lim_{x\to0}\left\{\frac{e^x-1}{x}\cdot\frac{\ln(1+x)}{x}\right\}=\frac{1}{a}\cdot1\cdot1=2$$

따라서 $a=\frac{1}{2}$

0224

다음 물음에 답하여라.

(1) $\lim_{x\to0}\frac{\ln(a+3x)}{x^2+x}=b$를 만족시키는 상수 a, b에 대하여 $a+b$의 값은?

① 1 ② 2 ③ 3

④ 4 ⑤ 5

STEP Ⓐ (분모)→ 0이고 극한값이 존재하므로 (분자)→ 0이어야 함을 이용하기

$x\to0$일 때, (분모)→ 0이고 극한값이 존재하므로 (분자)→ 0이어야한다.

즉 $\lim_{x\to0}\ln(a+3x)=0$이므로 $a=1$

STEP Ⓑ $\lim_{x\to0}\frac{\ln(1+ax)}{bx}=\frac{a}{b}$임을 이용하여 b의 값 구하기

$$\lim_{x\to0}\frac{\ln(1+3x)}{x^2+x}=\lim_{x\to0}\frac{\ln(1+3x)}{3x}\cdot\frac{3}{x+1}=1\cdot3=3$$

$\therefore b=3$

따라서 $a+b=1+3=4$

(2) $\lim_{x\to0}\frac{e^{ax+b}-1}{\ln(1+cx)}=3$을 만족시키는 상수 a, b, c에 대하여 $\frac{a+b}{c}$의 값은?

① 0 ② 1 ③ 2
④ 3 ⑤ 4

STEP A (분모)→ 0이고 극한값이 존재하므로 (분자)→ 0이어야 함을 이용하기

$x\to0$일 때, (분모)→ 0이고 극한값이 존재하므로 (분자)→ 0이어야한다.
$\lim_{x\to0}(e^{ax+b}-1)=e^b-1=0$이므로 $b=0$

STEP B $\lim_{x\to0}\frac{\ln(1+ax)}{bx}=\lim_{x\to0}\frac{e^{ax}-1}{bx}=\frac{a}{b}$임을 이용하여 $\frac{a}{c}$의 값 구하기

$$\lim_{x\to0}\frac{e^{ax+b}-1}{\ln(1+cx)}=\lim_{x\to0}\frac{e^{ax}-1}{\ln(1+cx)}=\lim_{x\to0}\left\{\frac{e^{ax}-1}{ax}\cdot\frac{cx}{\ln(1+cx)}\cdot\frac{a}{c}\right\}$$
$$=\frac{a}{c}=3$$

따라서 $\frac{a+b}{c}=\frac{a}{c}=3$ ($\because b=0$)

(3) $\lim_{x\to0}\frac{\ln(1+ax^2)}{2x^2+b}=6$을 만족시키는 두 상수 a, b에 대하여 $a+b$의 값은?

① 6 ② 8 ③ 10
④ 12 ⑤ 14

STEP A (분자)→ 0이고 0이 아닌 극한값이 존재하므로 (분모)→ 0이어야 함을 이용하기

$\lim_{x\to0}\frac{\ln(1+ax^2)}{2x^2+b}=6$에서
$x\to0$일 때, (분자)→ 0이고 0이 아닌 극한값이 존재하므로 (분모)→ 0이어야 한다.
즉 $\lim_{x\to0}(2x^2+b)=0$이므로 $b=0$

STEP B $\lim_{x\to0}\frac{\ln(1+x)}{x}=1$임을 이용하여 b의 값 구하기

이때 $a=0$이면 $\lim_{x\to0}\frac{\ln(1+ax^2)}{2x^2+b}=\lim_{x\to0}\frac{\ln1}{2x^2}=\lim_{x\to0}0\neq6$이므로 $a\neq0$

$$\lim_{x\to0}\frac{\ln(1+ax^2)}{2x^2+b}=\lim_{x\to0}\frac{\ln(1+ax^2)}{2x^2}=\frac{a}{2}\times\lim_{x\to0}\frac{\ln(1+ax^2)}{ax^2}$$
$$=\frac{a}{2}\times1=\frac{a}{2}=6$$

따라서 $a=12$이므로 $a+b=12+0=12$

0225

다음 극한값을 만족하는 양수 a의 값을 구하여라. (단, $a\neq1$)

(1) $\lim_{x\to0}\frac{(a+12)^x-a^x}{x}=\ln3$

STEP A $\lim_{x\to0}\frac{a^x-1}{x}=\ln a$임을 이용하여 계산하기

$$\lim_{x\to0}\frac{(a+12)^x-a^x}{x}=\lim_{x\to0}\frac{(a+12)^x-1-a^x+1}{x}$$
$$=\lim_{x\to0}\frac{(a+12)^x-1}{x}-\lim_{x\to0}\frac{a^x-1}{x}$$
$$=\ln(a+12)-\ln a$$
$$=\ln\frac{a+12}{a}=\ln3$$

즉 $\frac{a+12}{a}=3$, $a+12=3a$
따라서 $a=6$

(2) $\lim_{x\to0}\frac{a^x-(2a+2)^x}{x}=-3\ln2$

STEP A $\lim_{x\to0}\frac{a^x-1}{x}=\ln a$임을 이용하여 계산하기

$$\lim_{x\to0}\frac{a^x-(2a+2)^x}{x}=\lim_{x\to0}\frac{(a^x-1)-\{(2a+2)^x-1\}}{x}$$
$$=\lim_{x\to0}\frac{(a^x-1)}{x}-\lim_{x\to0}\frac{(2a+2)^x-1}{x}$$
$$=\ln a-\ln(2a+2)=\ln\frac{a}{2a+2}$$

즉 $\ln\frac{a}{2a+2}=-3\ln2=\ln\frac{1}{8}$이므로 $\frac{a}{2a+2}=\frac{1}{8}$, $8a=2a+2$
따라서 $a=\frac{1}{3}$

0226

다음 물음에 답하여라.

(1) 연속함수 $f(x)$가 $\lim_{x\to0}\frac{f(x)}{e^{2x}-1}=6$을 만족할 때, $\lim_{x\to0}\frac{f(x)}{x}$의 값을 구하여라.

STEP A 극한의 성질을 이용하여 극한값 구하기

$\lim_{x\to0}\frac{f(x)}{e^{2x}-1}=6$이므로

$$\lim_{x\to0}\frac{f(x)}{x}=\lim_{x\to0}\left\{\frac{f(x)}{e^{2x}-1}\times\frac{e^{2x}-1}{x}\right\}$$
$$=\lim_{x\to0}\frac{f(x)}{e^{2x}-1}\times\lim_{x\to0}\frac{e^{2x}-1}{x}$$
$$=\lim_{x\to0}\frac{f(x)}{e^{2x}-1}\times2\lim_{x\to0}\frac{e^{2x}-1}{2x}$$
$$=6\times2=12$$

(2) 연속함수 $f(x)$가 $\lim_{x\to0}\frac{f(x)}{\ln(1-x)}=4$를 만족할 때, $\lim_{x\to0}\frac{f(x)}{x}$의 값을 구하여라.

STEP A $\lim_{x\to0}\frac{\ln(1+x)}{x}=1$임을 이용하여 계산하기

$$\lim_{x\to0}\frac{f(x)}{x}=\lim_{x\to0}\left\{\frac{f(x)}{\ln(1-x)}\times\frac{\ln(1-x)}{x}\right\}$$
$$=\lim_{x\to0}\frac{f(x)}{\ln(1-x)}\times\lim_{x\to0}\frac{\ln(1-x)}{-x}\cdot(-1)$$
$$=4\cdot1\cdot(-1)=-4$$

다른풀이 극한의 성질을 이용하여 풀이하기

$$\lim_{x\to0}\frac{f(x)}{\ln(1-x)}=\lim_{x\to0}\frac{\frac{f(x)}{x}}{\frac{\ln(1-x)}{x}}=4$$에서

$$\lim_{x\to0}\frac{\ln(1-x)}{x}=\lim_{x\to0}\frac{-\ln(1-x)}{-x}=-\lim_{x\to0}\ln(1-x)^{\frac{1}{-x}}=-1$$

따라서 $\lim_{x\to0}\frac{f(x)}{x}=-4$

0227

다음 물음에 답하여라.

(1) 함수 $f(x)$에 대하여 $\lim_{x\to0}\frac{f(x)}{e^x-1}=3$일 때, $\lim_{x\to0}\frac{f(x)f(2x)}{\ln(x^2+1)}$의 값은?

① 9 ② 12 ③ 15
④ 18 ⑤ 21

STEP A 극한의 성질을 이용하여 극한값 구하기

$\lim_{x\to0}\frac{f(x)}{e^x-1}=3$에서 $\lim_{x\to0}\frac{f(2x)}{e^{2x}-1}=3$이므로

$$\lim_{x\to0}\frac{f(x)f(2x)}{\ln(x^2+1)}$$
$$=\lim_{x\to0}\left\{\frac{f(x)}{e^x-1}\times\frac{f(2x)}{e^{2x}-1}\times\frac{x^2}{\ln(x^2+1)}\times\frac{e^x-1}{x}\times\frac{e^{2x}-1}{x}\right\}$$
$$=\lim_{x\to0}\frac{f(x)}{e^x-1}\times\lim_{x\to0}\frac{f(2x)}{e^{2x}-1}\times\lim_{x\to0}\frac{x^2}{\ln(x^2+1)}\times\lim_{x\to0}\frac{e^x-1}{x}\times2\lim_{x\to0}\frac{e^{2x}-1}{2x}$$
$$=3\times3\times1\times1\times2$$
$$=18$$

(2) 연속함수 $f(x)$에 대하여 $\lim_{x\to0}\frac{\ln\{1+f(2x)\}}{x}=10$일 때, $\lim_{x\to0}\frac{f(x)}{x}$의 값은?

① 1 ② 2 ③ 3
④ 4 ⑤ 5

STEP A $\lim_{x\to0}\frac{\ln(1+x)}{x}=1$임을 이용해 극한값 구하기

$$\lim_{x\to0}\frac{\ln\{1+f(2x)\}}{x}=\lim_{x\to0}\left\{\frac{\ln\{1+f(2x)\}}{f(2x)}\times\frac{f(2x)}{x}\right\}$$
$$=\lim_{x\to0}\frac{\ln\{1+f(2x)\}}{f(2x)}\times\lim_{x\to0}\frac{f(2x)}{x}$$
$$=1\times\lim_{x\to0}\frac{f(2x)}{x}=10$$

⬅ $t=f(2x)$로 놓으면 $\lim_{x\to0}\frac{\ln\{1+f(2x)\}}{f(2x)}=\lim_{t\to0}\frac{\ln(1+t)}{t}=\lim_{t\to0}\ln(1+t)^{\frac{1}{t}}=\ln e=1$

$\lim_{x\to0}\frac{f(2x)}{x}=10$에서 $2x=t$라 하면

$x\to0$일 때, $t\to0$이므로

$$\lim_{x\to0}\frac{f(2x)}{x}=\lim_{t\to0}\frac{f(t)}{\frac{t}{2}}=\lim_{t\to0}2\times\frac{f(t)}{t}=10$$

따라서 $\lim_{x\to0}\frac{f(x)}{x}=\lim_{t\to0}\frac{f(t)}{t}=5$

0228

함수 $f(x)$가 $\lim_{x\to0}\frac{f(x)}{\ln(1+x)}=1$을 만족시킬 때, [보기]에서 항상 옳은 것을 모두 고른 것은?

① ㄱ ② ㄴ ③ ㄷ
④ ㄴ, ㄷ ⑤ ㄱ, ㄴ, ㄷ

STEP A 극한의 성질을 이용하여 극한값 구하기

$g(x)=\frac{f(x)}{\ln(1+x)}$로 놓으면

$\lim_{x\to0}g(x)=1$, $f(x)=g(x)\ln(1+x)$

ㄱ. $\lim_{x\to0}\frac{x}{g(x)\ln(1+x)}=\lim_{x\to0}\frac{1}{g(x)\cdot\frac{\ln(1+x)}{x}}=\frac{1}{1\cdot1}=1$ [참]

ㄴ. $\lim_{x\to0}\frac{g(x)\ln(1+x)+x}{\ln(1+x)}=\lim_{x\to0}\left(g(x)+\frac{x}{\ln(1+x)}\right)=1+1=2$ [참]

ㄷ. $\lim_{x\to0}\frac{\{g(x)\}^2\{\ln(1+x)\}^2}{\ln(1+x)}=\lim_{x\to0}\{g(x)\}^2\cdot\ln(1+x)=0$ [참]

따라서 옳은 것은 ㄱ, ㄴ, ㄷ이다.

0229

함수 $f(x)$가 $x>-1$인 모든 실수 x에 대하여 부등식

$$\ln(x^2+2x+1)\le f(x)\le e^{2x}-1$$

을 만족시킬 때, $\lim_{x\to0}\frac{f(x)}{x}$의 값을 구하여라.

STEP A 함수의 극한의 대소 관계를 이용하여 $\lim_{x\to0+}\frac{f(x)}{x}$의 값 구하기

$\ln(x^2+2x+1)=\ln(x+1)^2=2\ln(x+1)$이므로

주어진 부등식에서 $2\ln(x+1)\le f(x)\le e^{2x}-1$

(ⅰ) $x>0$일 때,

주어진 부등식의 각 변을 x로 나누면

$\frac{2\ln(1+x)}{x}\le\frac{f(x)}{x}\le\frac{e^{2x}-1}{x}$이고

$\lim_{x\to0+}\frac{2\ln(1+x)}{x}=2$, $\lim_{x\to0+}\frac{e^{2x}-1}{x}=2$

이므로 함수의 극한의 대소 관계에 의하여 $\lim_{x\to0+}\frac{f(x)}{x}=2$

STEP B $\lim_{x\to0-}\frac{f(x)}{x}$의 값 구하기

(ⅱ) $-1<x<0$일 때,

주어진 부등식의 각 변을 x로 나누면

$\frac{2\ln(1+x)}{x}\ge\frac{f(x)}{x}\ge\frac{e^{2x}-1}{x}$

$\lim_{x\to0-}\frac{2\ln(1+x)}{x}=2$, $\lim_{x\to0-}\frac{e^{2x}-1}{x}=2$

이므로 함수의 극한의 대소 관계에 의하여 $\lim_{x\to0-}\frac{f(x)}{x}=2$

STEP C $\lim_{x\to0}\frac{f(x)}{x}$의 값 구하기

(ⅰ), (ⅱ)에 의하여 $\lim_{x\to0+}\frac{f(x)}{x}=\lim_{x\to0-}\frac{f(x)}{x}=2$이므로 $\lim_{x\to0}\frac{f(x)}{x}=2$

0230

함수 $f(x)$가 $x>-1$인 모든 실수 x에 대하여 부등식

$$\ln(1+x)\le f(x)\le \frac{1}{2}(e^{2x}-1)$$

을 만족시킬 때, $\lim_{x\to 0}\frac{f(3x)}{x}$의 값은?

① 1　② e　③ 3
④ 4　⑤ $2e$

STEP Ⓐ x의 값의 범위를 나누어 $\lim_{x\to 0}\frac{f(x)}{x}=1$의 극한값 구하기

$\ln(1+x)\le f(x)\le \frac{1}{2}(e^{2x}-1)$에서

(ⅰ) $x>0$일 때,

주어진 부등식의 각 변을 x로 나누면

$$\frac{\ln(1+x)}{x}\le\frac{f(x)}{x}\le\frac{e^{2x}-1}{2x}$$

이때 $\lim_{x\to 0+}\frac{\ln(1+x)}{x}=1$이고 $2x=t$라 하면

$$\lim_{x\to 0+}\frac{e^{2x}-1}{2x}=\lim_{t\to 0+}\frac{e^{t}-1}{t}=1$$

$$\therefore \lim_{x\to 0+}\frac{f(x)}{x}=1$$

(ⅱ) $-1<x<0$일 때,

주어진 부등식의 각 변을 x로 나누면

$$\frac{\ln(1+x)}{x}\ge\frac{f(x)}{x}\ge\frac{e^{2x}-1}{2x}$$

이때 $\lim_{x\to 0-}\frac{\ln(1+x)}{x}=1$이고 $2x=t$라 하면

$$\lim_{x\to 0-}\frac{e^{2x}-1}{2x}=\lim_{t\to 0-}\frac{e^{t}-1}{t}=1$$

$$\therefore \lim_{x\to 0-}\frac{f(x)}{x}=1$$

(ⅰ), (ⅱ)에 의하여 $\lim_{x\to 0+}\frac{f(x)}{x}=\lim_{x\to 0-}\frac{f(x)}{x}=1$이므로 $\lim_{x\to 0}\frac{f(x)}{x}=1$

STEP Ⓑ $\lim_{x\to 0}\frac{f(3x)}{x}$의 값 구하기

$3x=t$라 하면 $x\to 0$이면 $t\to 0$

따라서 $\lim_{x\to 0}\frac{f(3x)}{x}=\lim_{x\to 0}\frac{f(3x)}{3x}\times 3=3\lim_{t\to 0}\frac{f(t)}{t}=3\times 1=3$

다른풀이 $x=3t$로 치환하여 풀이하기

$x=3t$라 하면 주어진 부등식은 $\ln(1+3t)\le f(3t)\le\frac{1}{2}(e^{6t}-1)$

(ⅰ) $t>0$일 때, 양변을 t로 나누면

$$\frac{\ln(1+3t)}{t}\le\frac{f(3t)}{t}\le\frac{e^{6t}-1}{2t}$$

$$\lim_{t\to 0+}\frac{\ln(1+3t)}{t}\le\lim_{t\to 0+}\frac{f(3t)}{t}\le\lim_{t\to 0+}\frac{e^{6t}-1}{2t}$$

이때 $\lim_{t\to 0+}\frac{\ln(1+3t)}{t}=\lim_{t\to 0+}\frac{\ln(1+3t)}{3t}\times 3=3$

$\lim_{t\to 0+}\frac{e^{6t}-1}{2t}=\lim_{t\to 0+}\frac{e^{6t}-1}{6t}\times 3=3$이므로

$$\lim_{t\to 0+}\frac{f(3t)}{t}=3$$

(ⅱ) $-\frac{1}{3}<t<0$일 때, 마찬가지로 하면

$$\lim_{t\to 0-}\frac{f(3t)}{t}=3$$

(ⅰ), (ⅱ)에 의하여 $\lim_{t\to 0}\frac{f(3t)}{t}=\lim_{x\to 0}\frac{f(3x)}{x}=3$

0231

다음 물음에 답하여라.

(1) 함수 $f(x)$가 $x>0$인 모든 실수 x에 대하여 부등식

$$e\ln x\le f(x)\le e^{x}-e$$

를 만족시킬 때, $\lim_{x\to 1}\frac{f(x)}{x^2-1}$의 값을 구하여라.

STEP Ⓐ 함수의 극한의 대소 관계를 이용하여 $\lim_{x\to 1}\frac{f(x)}{x-1}$의 값 구하기

$e\ln x\le f(x)\le e^{x}-e$에서

(ⅰ) $x>1$일 때,

주어진 부등식의 각 변을 $x-1$로 나누면

$$\frac{e\ln x}{x-1}\le\frac{f(x)}{x-1}\le\frac{e^{x}-e}{x-1}$$

$$\lim_{x\to 1+}\frac{e\ln x}{x-1}=e,\ \lim_{x\to 1+}\frac{e^{x}-e}{x-1}=\lim_{x\to 1+}\frac{e(e^{x-1}-1)}{x-1}=e$$

이므로 함수의 극한의 대소 관계에 의하여 $\lim_{x\to 1+}\frac{f(x)}{x-1}=e$

(ⅱ) $0<x<1$일 때,

$$\frac{e^{x}-e}{x-1}\le\frac{f(x)}{x-1}\le\frac{e\ln x}{x-1}$$

$$\lim_{x\to 1-}\frac{e^{x}-e}{x-1}=\lim_{x\to 1-}\frac{e(e^{x-1}-1)}{x-1}=e,\ \lim_{x\to 1-}\frac{e\ln x}{x-1}=e$$

이므로 함수의 극한의 대소 관계에 의하여 $\lim_{x\to 1-}\frac{f(x)}{x-1}=e$

(ⅰ), (ⅱ)에 의하여 $\lim_{x\to 1+}\frac{f(x)}{x-1}=\lim_{x\to 1-}\frac{f(x)}{x-1}=e$이므로 $\lim_{x\to 1}\frac{f(x)}{x-1}=e$

STEP Ⓑ $\lim_{x\to 1}\frac{f(x)}{x^2-1}$의 값 구하기

따라서 $\lim_{x\to 1}\frac{f(x)}{x^2-1}=\lim_{x\to 1}\left(\frac{f(x)}{x-1}\times\frac{1}{x+1}\right)=e\times\frac{1}{2}=\frac{e}{2}$

다른풀이 미분계수를 이용하여 풀이하기

$e\ln x\le f(x)\le e^{x}-e$에서

$x>1$일 때, $\frac{e\ln x}{x-1}\le\frac{f(x)}{x-1}\le\frac{e^{x}-e}{x-1}$

$0<x<1$일 때, $\frac{e^{x}-e}{x-1}\le\frac{f(x)}{x-1}\le\frac{e\ln x}{x-1}$

한편 $g(x)=e\ln x$, $h(x)=e^{x}$로 놓으면

$g'(x)=\frac{e}{x}$, $h'(x)=e^{x}$이므로

$$\lim_{x\to 1}\frac{e\ln x}{x-1}=\lim_{x\to 1}\frac{g(x)-g(1)}{x-1}=g'(1)=\frac{e}{1}=e$$

$$\lim_{x\to 1}\frac{e^{x}-e}{x-1}=\lim_{x\to 1}\frac{h(x)-h(1)}{x-1}=h'(1)=e$$

이때 함수의 극한의 대소 관계에 의하여 $\lim_{x\to 1}\frac{f(x)}{x-1}=e$

따라서 $\lim_{x\to 1}\frac{f(x)}{x^2-1}=\lim_{x\to 1}\left(\frac{f(x)}{x-1}\times\frac{1}{x+1}\right)=e\times\frac{1}{2}=\frac{e}{2}$

(2) 모든 양수 x에 대하여 함수 $f(x)$가 부등식

$$\ln ex \le f(x) \le e^{x-1}$$

을 만족시킬 때, $\lim_{x\to1}\frac{f(x)-1}{x^2+x-2}$의 값을 구하여라.

STEP Ⓐ 함수의 극한의 대소 관계를 이용하여 $\lim_{x\to1}\frac{f(x)-1}{x-1}$의 값 구하기

$\ln ex \le f(x) \le e^{x-1}$에서 $1+\ln x \le f(x) \le e^{x-1}$이므로

$1+\ln x-1 \le f(x)-1 \le e^{x-1}-1$

(i) $x>1$일 때,

주어진 부등식의 각 변을 $x-1$로 나누면

$\frac{\ln x}{x-1} \le \frac{f(x)-1}{x-1} \le \frac{e^{x-1}-1}{x-1}$

이때 $\lim_{x\to1+}\frac{\ln x}{x-1}=\lim_{x\to1+}\frac{e^{x-1}-1}{x-1}=1$

이므로 함수의 극한의 대소 관계에 의하여 $\lim_{x\to1+}\frac{f(x)-1}{x-1}=1$

(ii) $0<x<1$일 때,

주어진 부등식의 각 변을 $x-1$로 나누면

$\frac{\ln x}{x-1} \ge \frac{f(x)-1}{x-1} \ge \frac{e^{x-1}-1}{x-1}$

이때 $\lim_{x\to1-}\frac{\ln x}{x-1}=\lim_{x\to1-}\frac{e^{x-1}-1}{x-1}=1$

이므로 함수의 극한의 대소 관계에 의하여 $\lim_{x\to1-}\frac{f(x)-1}{x-1}=1$

(i), (ii)에 의하여

$\lim_{x\to1+}\frac{f(x)-1}{x-1}=\lim_{x\to1-}\frac{f(x)-1}{x-1}=1$이므로 $\lim_{x\to1}\frac{f(x)-1}{x-1}=1$

STEP Ⓑ $\lim_{x\to1}\frac{f(x)-1}{x^2+x-2}$의 값 구하기

따라서 $\lim_{x\to1}\frac{f(x)-1}{x^2+x-2}=\lim_{x\to1}\frac{f(x)-1}{(x-1)(x+2)}$

$=\lim_{x\to1}\frac{f(x)-1}{x-1}\times\lim_{x\to1}\frac{1}{x+2}$

$=1\times\frac{1}{1+2}=\frac{1}{3}$

다른풀이 미분계수를 이용하여 풀이하기

STEP Ⓐ 미분계수를 이용하여 극한값 구하기

$g(x)=\ln ex=1+\ln x$, $h(x)=e^{x-1}$으로 놓으면

$g'(x)=\frac{1}{x}$, $h'(x)=e^{x-1}$

한편 $\lim_{x\to1}\frac{\ln ex-1}{x-1}=\lim_{x\to1}\frac{g(x)-g(1)}{x-1}=g'(1)=1$

$\lim_{x\to1}\frac{e^{x-1}-1}{x-1}=\lim_{x\to1}\frac{h(x)-h(1)}{x-1}=h'(1)=1$

STEP Ⓑ 함수의 극한의 대소 관계를 이용하여 $\lim_{x\to1}\frac{f(x)-1}{x-1}$의 값 구하기

$\lim_{x\to1+}\frac{\ln ex-1}{x-1} \le \lim_{x\to1+}\frac{f(x)-1}{x-1} \le \lim_{x\to1+}\frac{e^{x-1}-1}{x-1}$,

$\lim_{x\to1-}\frac{e^{x-1}-1}{x-1} \le \lim_{x\to1-}\frac{f(x)-1}{x-1} \le \lim_{x\to1-}\frac{\ln ex-1}{x-1}$이므로

$\lim_{x\to1}\frac{f(x)-1}{x-1}=1$

따라서 $\lim_{x\to1}\frac{f(x)-1}{x^2+x-2}=\lim_{x\to1}\frac{f(x)-1}{(x-1)(x+2)}$

$=\lim_{x\to1}\frac{f(x)-1}{x-1}\times\lim_{x\to1}\frac{1}{x+2}$

$=1\times\frac{1}{1+2}=\frac{1}{3}$

0232

다음 함수가 모든 실수 x에서 연속이 되도록 상수 a, b에 대하여 $a+b$의 값을 구하여라.

(1) $f(x)=\begin{cases}\frac{\ln(a+2x)}{x} & (x\neq0)\\ b & (x=0)\end{cases}$

STEP Ⓐ 함수 $f(x)$가 $x=0$에서 연속이면 $\lim_{x\to0}f(x)=f(0)$임을 이용하기

함수 $f(x)$가 모든 실수 x에서 연속이려면 $x=0$에서 연속이어야 하므로

$\lim_{x\to0}f(x)=f(0)$에서 $\lim_{x\to0}\frac{\ln(a+2x)}{x}=b$ …… ㉠

$x\to0$일 때, (분모)$\to0$이고 극한값이 존재하므로 (분자)$\to0$이어야 한다.

즉 $\lim_{x\to0}\ln(a+2x)=0$이므로 $\ln a=0$

$\therefore a=1$

STEP Ⓑ $\lim_{x\to0}\frac{\ln(1+x)}{x}=1$임을 이용하여 극한값 구하기

$a=1$을 ㉠에 대입하면

$\lim_{x\to0}\frac{\ln(1+2x)}{x}=\lim_{x\to0}\frac{\ln(1+2x)}{2x}\cdot2=1\cdot2=2$

$\therefore b=2$

따라서 $a+b=1+2=3$

(2) $f(x)=\begin{cases}\frac{e^{2x}+a}{x} & (x\neq0)\\ b & (x=0)\end{cases}$

STEP Ⓐ 함수 $f(x)$가 $x=0$에서 연속이면 $\lim_{x\to0}f(x)=f(0)$임을 이용하기

함수 $f(x)$가 모든 실수에서 연속이려면 $x=0$에서 연속이어야 하므로

$\lim_{x\to0}f(x)=f(0)$에서 $b=\lim_{x\to0}\frac{e^{2x}+a}{x}$ …… ㉠

$x\to0$일 때, (분모)$\to0$이고 극한값이 존재하므로 (분자)$\to0$이어야 한다.

$\lim_{x\to0}(e^{2x}+a)=1+a=0$

$\therefore a=-1$

STEP Ⓑ $\lim_{x\to0}\frac{e^x-1}{x}=1$임을 이용하여 극한값 구하기

$\lim_{x\to0}\frac{e^{2x}-1}{x}=\lim_{x\to0}\frac{e^{2x}-1}{2x}\cdot2=1\cdot2=2$

$\therefore b=2$

따라서 $a+b=(-1)+2=1$

0233

다음 물음에 답하여라.

(1) 함수 $f(x)=\begin{cases}\frac{e^{3x}-1}{x(e^x+1)} & (x\neq0)\\ a & (x=0)\end{cases}$가 $x=0$에서 연속일 때,

상수 a의 값은?

① $\frac{1}{2}$ ② 1 ③ $\frac{2}{3}$

④ $\frac{3}{2}$ ⑤ $\frac{5}{6}$

STEP Ⓐ 함수 $f(x)$가 $x=0$에서 연속이면 $\lim_{x\to0}f(x)=f(0)$임을 이용하기

함수 $f(x)$가 $x=0$에서 연속이므로 $\lim_{x\to0}f(x)=f(0)$

STEP Ⓑ $\lim_{x\to0}\frac{e^x-1}{x}=1$임을 이용하여 극한값 구하기

$a=\lim_{x\to0}\frac{e^{3x}-1}{x(e^x+1)}=\lim_{x\to0}\left(\frac{e^{3x}-1}{3x}\cdot\frac{3}{e^x+1}\right)=1\cdot\frac{3}{2}=\frac{3}{2}$

따라서 $a=\frac{3}{2}$

다른풀이 $a^3-1=(a-1)(a^2+a+1)$을 이용하여 풀이하기

$$\lim_{x\to0}f(x)=\lim_{x\to0}\frac{e^{3x}-1}{x(e^x+1)}=\lim_{x\to0}\frac{(e^x-1)(e^{2x}+e^x+1)}{x(e^x+1)}$$
$$=\lim_{x\to0}\left(\frac{e^x-1}{x}\cdot\frac{e^{2x}+e^x+1}{e^x+1}\right)$$
$$=1\cdot\frac{3}{2}=\frac{3}{2}$$

(2) 함수 $f(x)=\begin{cases}\frac{e^{ax}-1}{3x} & (x<0)\\ x^2+3x+2 & (x\geq0)\end{cases}$이 실수 전체의 집합에서 연속일 때, 상수 a의 값은? (단, $a\neq0$)

① 6 ② 7 ③ 8
④ 9 ⑤ 10

STEP A 함수 $f(x)$가 $x=0$에서 연속이면 $\lim_{x\to0}f(x)=f(0)$임을 이용하기

함수 $f(x)$가 모든 실수에서 연속이려면 $x=0$에서 연속이어야 하므로

$\lim_{x\to0+}f(x)=\lim_{x\to0-}f(x)=f(0)$이다.

$$\lim_{x\to0-}\frac{e^{ax}-1}{3x}=\lim_{x\to0+}(x^2+3x+2)=2$$

STEP B $\lim_{x\to0}\frac{e^x-1}{x}=1$임을 이용하여 극한값 구하기

$$\lim_{x\to0-}\frac{e^{ax}-1}{3x}=\lim_{x\to0-}\frac{e^{ax}-1}{ax}\cdot\frac{a}{3}=\frac{a}{3}$$

따라서 $\frac{a}{3}=2$이므로 $a=6$

(3) 함수 $f(x)=\begin{cases}\frac{\ln(x+a)-2}{x} & (x>0)\\ x^2-3x+b & (x\leq0)\end{cases}$이 실수 전체의 집합에서 연속일 때, 두 상수 a, b에 대하여 ab의 값은?

① $\frac{1}{e}$ ② $\frac{2}{e}$ ③ 1
④ e ⑤ $2e$

STEP A 함수 $f(x)$가 $x=0$에서 연속이면 $\lim_{x\to0}f(x)=f(0)$임을 이용하기

함수 $f(x)$가 모든 실수에서 연속이려면 $x=0$에서 연속이어야 하므로

$\lim_{x\to0+}f(x)=\lim_{x\to0-}f(x)=f(0)$이다.

STEP B $\lim_{x\to0}\frac{\ln(1+bx)}{ax}=\frac{b}{a}$임을 이용하여 극한값 구하기

$\lim_{x\to0-}f(x)=\lim_{x\to0-}(x^2-3x+b)=b$이고

$$\lim_{x\to0+}f(x)=\lim_{x\to0+}\frac{\ln(x+a)-2}{x}=b \quad\cdots\cdots ㉠$$

이므로 위의 식에서

$x\to0+$일 때, (분모)→ 0이고 극한값이 존재하므로 (분자)→ 0이어야 한다.

즉 $\lim_{x\to0+}\{\ln(x+a)-2\}=0$이므로

$\ln a-2=0 \quad\therefore a=e^2$

$$\lim_{x\to0+}f(x)=\lim_{x\to0+}\frac{\ln(x+e^2)-2}{x}=\lim_{x\to0+}\frac{\ln(x+e^2)-\ln e^2}{x}$$
$$=\lim_{x\to0+}\frac{\ln\left(1+\frac{x}{e^2}\right)}{x}$$

$\frac{x}{e^2}=t$로 놓으면 $x\to0+$일 때, $t\to0+$이므로

$$\lim_{x\to0+}f(x)=\lim_{t\to0+}\frac{\ln(1+t)}{e^2t}=\frac{1}{e^2}\lim_{t\to0+}\frac{\ln(1+t)}{t}$$
$$=\frac{1}{e^2}\times1=\frac{1}{e^2}$$

STEP C ab의 값 구하기

㉠에서 $b=\frac{1}{e^2}$이므로 $ab=e^2\times\frac{1}{e^2}=1$

0234

다음 물음에 답하여라.

(1) 이차항의 계수가 1인 이차함수 $f(x)$와 함수

$$g(x)=\begin{cases}\frac{1}{\ln(x+1)} & (x\neq0)\\ 8 & (x=0)\end{cases}$$

에 대하여 함수 $f(x)g(x)$가 구간 $(-1, \infty)$에서 연속일 때, $f(3)$의 값은?

① 6 ② 9 ③ 12
④ 15 ⑤ 18

STEP A $f(x)=x^2+ax+b$라 하고 함수 $f(x)g(x)$가 $x=0$에서 연속일 조건 구하기

함수 $f(x)$는 이차항의 계수가 1이므로 $f(x)=x^2+ax+b$로 놓으면

$$f(x)g(x)=\begin{cases}\frac{x^2+ax+b}{\ln(x+1)} & (x\neq0,\ x>-1)\\ 8b & (x=0)\end{cases}$$

구간 $(-1, \infty)$에서 $g(x)$는 $x\neq0$인 모든 실수에서 연속이고

$f(x)$는 실수 전체에서 연속이다.

즉 $f(x)g(x)$가 구간 $(-1, \infty)$에서 연속이려면 $x=0$에서 연속이어야 한다.

STEP B $x=0$에서 연속이면 $\lim_{x\to0}f(x)g(x)=f(0)g(0)$임을 이용하여 구하기

함수 $f(x)g(x)$가 $x=0$에서 연속이므로 $\lim_{x\to0}f(x)g(x)=f(0)g(0)$

$$\lim_{x\to0}\frac{x^2+ax+b}{\ln(x+1)}=8b$$

$x\to0$일 때, (분모)→ 0이고 극한값이 존재하므로 (분자)→ 0이어야 한다.

즉 $\lim_{x\to0}(x^2+ax+b)=0$이므로 $b=0$

$$\lim_{x\to0}\frac{x^2+ax}{\ln(x+1)}=\lim_{x\to0}\frac{x(x+a)}{\ln(x+1)}=\lim_{x\to0}\left\{\frac{x}{\ln(x+1)}\times(x+a)\right\}=1\times a=a$$

$\therefore a=0$

따라서 $f(x)=x^2$이므로 $f(3)=3^2=9$

(2) 이차항의 계수가 1인 이차함수 $f(x)$와 함수

$g(x)=\begin{cases}\frac{1}{e^x-1} & (x\neq0)\\ 4 & (x=0)\end{cases}$에 대하여 함수 $y=f(x)g(x)$가

실수 전체의 집합에서 연속일 때, $f(-2)$의 값은?

① -4 ② -2 ③ 0
④ 2 ⑤ 4

STEP A $f(x)=x^2+ax+b$라 하고 함수 $f(x)g(x)$가 $x=0$에서 연속일 조건 구하기

함수 $f(x)$는 이차항의 계수가 1이므로 $f(x)=x^2+ax+b$로 놓으면

함수 $y=f(x)g(x)$가 $x=0$에서 연속이므로

$\lim_{x\to0}f(x)g(x)=f(0)g(0)$이어야 한다.

$$f(0)g(0)=4b\text{에서 }\lim_{x\to0}\frac{x^2+ax+b}{e^x-1}=4b \quad\cdots\cdots ㉠$$

STEP B $x=0$에서 연속이면 $\lim_{x\to0}f(x)g(x)=f(0)g(0)$임을 이용하여 구하기

$x\to0$일 때, (분모)→ 0이고 극한값이 존재하므로 (분자)→ 0이어야 한다.

즉 $\lim_{x\to0}(x^2+ax+b)=0$이므로 $b=0$

㉠에서

$$\lim_{x\to0}\frac{x^2+ax}{e^x-1}=\lim_{x\to0}\frac{x(x+a)}{e^x-1}=\lim_{x\to0}\left\{\frac{x}{e^x-1}\times(x+a)\right\}=1\times a=a$$

즉 $a=0$이므로 $f(x)=x^2$

따라서 $f(-2)=(-2)^2=4$

0235

오른쪽 그림과 같이 곡선 $y=\ln(1+10x)$ 위를 움직이는 점 P와 원점 O를 이은 선분이 x축의 양의 방향과 이루는 각의 크기를 θ라고 하자. 점 P가 원점 O에 한없이 가까워질 때, $\tan\theta$의 극한값은?

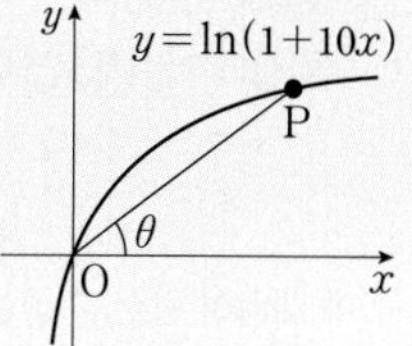

① 1　② 2　③ 5　④ 10　⑤ 12

STEP A　$\tan\theta$를 t에 대한 식으로 나타내기

곡선 $y=\ln(1+10x)$ 위의 점 P의 x좌표를 t로 놓으면

$\mathrm{P}(t,\ \ln(1+10t))$

각 θ는 직선 OP가 x축의 양의 방향과 이루는 각이므로

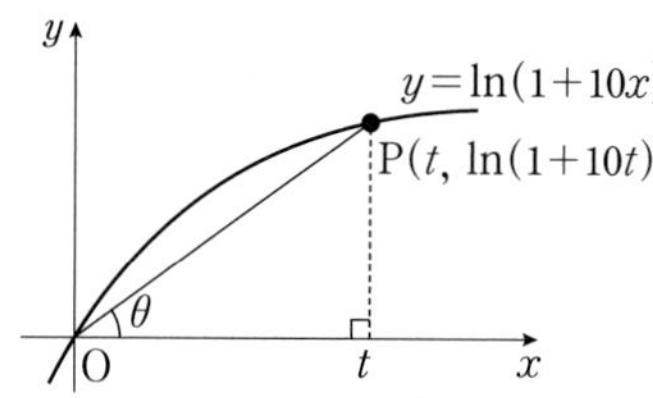

$\tan\theta=(\text{직선 OP의 기울기})=\dfrac{\ln(1+10t)-0}{t-0}=\dfrac{\ln(1+10t)}{t}$

STEP B　$\displaystyle\lim_{x\to0}\frac{\ln(x+1)}{x}=1$임을 이용하여 구하기

따라서 점 P가 원점 O에 한없이 가까워지면 $t\to0$이므로

$$\lim_{t\to0}\tan\theta=\lim_{t\to0}\frac{\ln(1+10t)}{t}=\lim_{t\to0}\frac{\ln(1+10t)}{10t}\times10$$
$$=1\times10=10$$

0236

오른쪽 그림과 같이 곡선 $y=e^x$ 위를 움직이는 점 P와 세 점 $\mathrm{A}(0,\ e)$, $\mathrm{B}(0,\ 1)$, $\mathrm{C}(2,\ 1)$에 대하여 두 삼각형 PAB, PBC의 넓이를 각각 S_1, S_2라고 하자. 점 P가 점 B에 한없이 가까워질 때, $\dfrac{S_1}{S_2}$의 극한값은?

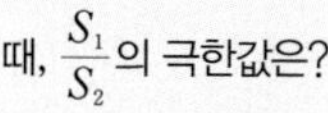

① $\dfrac{e-3}{2}$　② $\dfrac{e-2}{2}$　③ $\dfrac{e-1}{2}$　④ $\dfrac{e}{2}$　⑤ $2e$

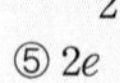

STEP A　삼각형의 넓이 S_1, S_2 구하기

점 P의 좌표를 $(t,\ e^t)$이라고 하면

삼각형 PAB의 넓이 $S_1=\dfrac{1}{2}(e-1)t$

삼각형 PBC의 넓이 $S_2=\dfrac{1}{2}(e^t-1)\cdot2=e^t-1$

$\therefore\ \dfrac{S_1}{S_2}=\dfrac{(e-1)t}{2(e^t-1)}$

STEP B　$\displaystyle\lim_{x\to0}\frac{e^x-1}{x}=1$임을 이용하여 구하기

이때 점 P가 점 B에 한없이 가까워지면 $t\to0$이므로

$$\therefore\ \lim_{t\to0}\frac{S_1}{S_2}=\lim_{t\to0}\frac{(e-1)t}{2(e^t-1)}=\frac{e-1}{2}\cdot\lim_{t\to0}\frac{1}{\frac{e^t-1}{t}}=\frac{e-1}{2}\cdot\frac{1}{1}=\frac{e-1}{2}$$

0237

다음 물음에 답하여라.

(1) 그림과 같이 곡선 $y=xe^x$ 위의 점 $\mathrm{P}(t,\ te^t)(t>0)$을 중심으로 하고 y축에 접하는 원을 C라 하자. 원 C의 반지름의 길이를 $r(t)$, 원점 O를 지나고 원 C에 접하는 직선 중에서 y축이 아닌 직선의 기울기를 $m(t)$라 할 때, $\displaystyle\lim_{t\to0+}\frac{4r(t)-e^t\times m(t)}{t}$의 값을 구하여라.

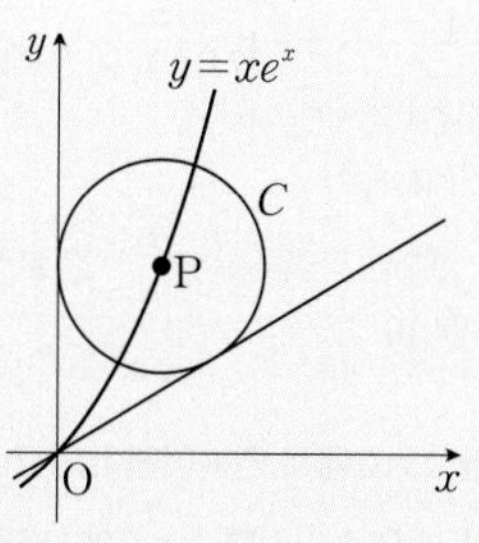

STEP A　점 $\mathrm{P}(t,\ te^t)$에서 직선 $m(t)x-y=0$까지의 거리 구하기

$r(t)=t$이고 원점 O를 지나는 원 C의 접선의 방정식은 $y=m(t)x$

점 P에서 접선까지의 거리는 원 C의 반지름의 길이와 같으므로

$t=\dfrac{|t\times m(t)-te^t|}{\sqrt{\{m(t)\}^2+1}}$

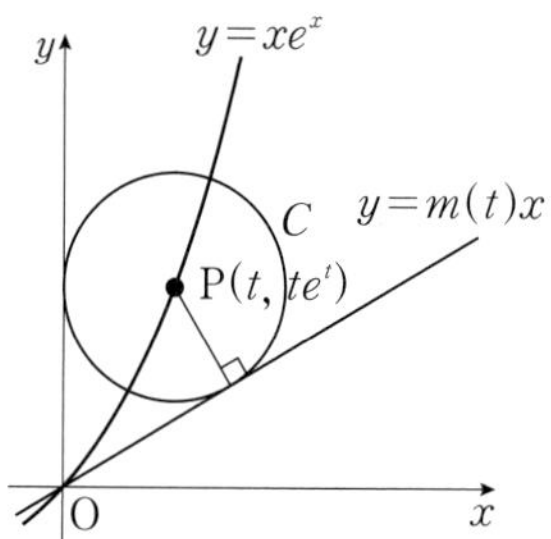

STEP B　$\displaystyle\lim_{x\to0}\frac{e^x-1}{x}=1$임을 이용하여 극한값 구하기

$|m(t)-e^t|=\sqrt{\{m(t)\}^2+1}$

양변을 제곱하면

$\{m(t)-e^t\}^2=\{m(t)\}^2+1$

$\therefore\ e^t\times m(t)=\dfrac{e^{2t}-1}{2}$

따라서 $\displaystyle\lim_{t\to0+}\frac{4r(t)-e^t\times m(t)}{t}=\lim_{t\to0+}\frac{4t-\frac{e^{2t}-1}{2}}{t}$

$$=\lim_{t\to0+}\left(4-\frac{e^{2t}-1}{2t}\right)$$
$$=4-1=3$$

(2) $t<1$인 실수 t에 대하여 곡선 $y=\ln x$와 직선 $x+y=t$가 만나는 점을 P라 하자. 점 P에서 x축에 내린 수선의 발을 H, 직선 PH와 곡선 $y=e^x$이 만나는 점을 Q라 할 때, 삼각형 OHQ의 넓이를 $S(t)$라 하자. $\lim_{t\to 0+}\frac{2S(t)-1}{t}$의 값을 구하여라.

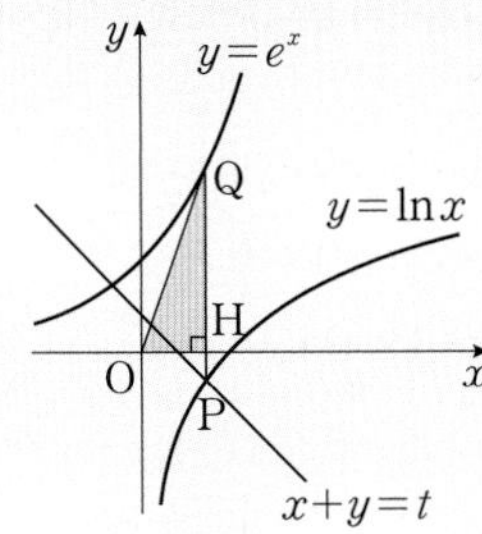

STEP A 삼각형 OHQ의 넓이 $S(t)$ 구하기

점 P의 좌표를 $(a, \ln a)(a>0)$이라 하면

점 Q의 좌표는 (a, e^a)

점 P는 직선 $x+y=t$ 위의 점이므로 $a+\ln a=t$

$\ln e^a+\ln a=\ln ae^a=t$이므로

$ae^a=e^t$ …… ㉠

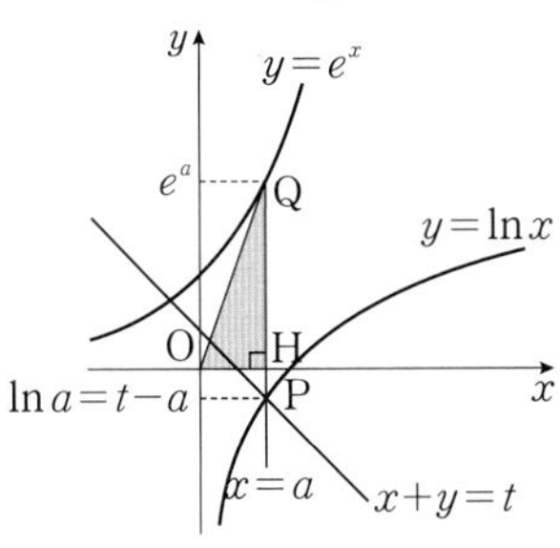

그러므로 삼각형 OHQ의 넓이 $S(t)$는

$S(t)=\frac{1}{2}\times\overline{OH}\times\overline{HQ}=\frac{1}{2}\times a\times e^a=\frac{1}{2}ae^a=\frac{1}{2}e^t$ ← ㉠에서 $ae^a=e^t$

STEP B 지수함수의 극한값 구하기

따라서 $\lim_{t\to 0+}\frac{2S(t)-1}{t}=\lim_{t\to 0+}\frac{2\times\frac{1}{2}e^t-1}{t}=\lim_{t\to 0+}\frac{e^t-1}{t}=1$

(3) 곡선 $y=\ln(x+1)$ 위를 움직이는 점 $P(a, b)$가 있다. 점 P를 지나고 기울기가 -1인 직선이 곡선 $y=e^x-1$과 만나는 점을 Q라 하자. 두 점 P, Q를 지름의 양 끝점으로 하는 원의 넓이를 $S(a)$, 원점 O와 선분 PQ의 중점을 지름의 양 끝점으로 하는 원의 넓이를 $T(a)$라 할 때, $\lim_{a\to 0+}\frac{4T(a)-S(a)}{\pi a^2}$의 값을 구하여라. (단, $a>0$)

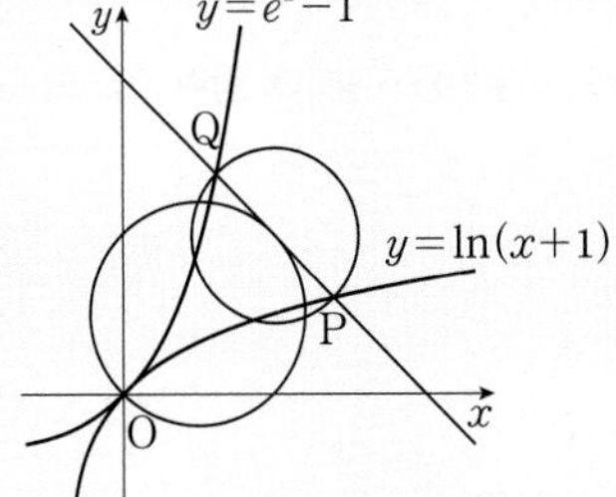

STEP A 두 곡선이 역함수 관계임을 이용하여 선분 PQ의 중점 구하기

두 곡선 $y=\ln(x+1)$, $y=e^x-1$은 직선 $y=x$에 대하여 대칭이고

두 점 P, Q는 기울기가 -1인 직선 위의 점이므로 직선 $y=x$에 대하여 대칭이다.

두 점 $P(a, b)$, $Q(b, a)$에 대하여 선분 PQ의 중점을 M이라 하면

$M\left(\frac{a+b}{2}, \frac{a+b}{2}\right)$

또한, 점 $P(a, b)$가 곡선 $y=\ln(x+1)$ 위의 점이므로

$b=\ln(a+1)$ …… ㉠

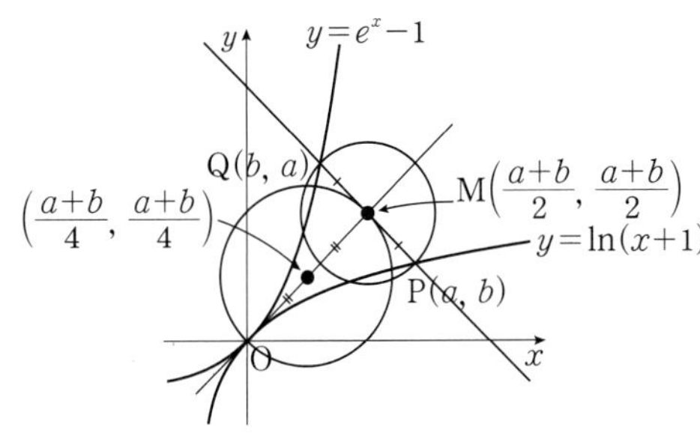

STEP B $S(a)$, $T(a)$를 구하여 극한값 구하기

P, Q를 지름의 양 끝점으로 하는 원의 반지름은

$\overline{PM}=\frac{\sqrt{2}}{2}(a-b)(\because a>b)$이므로 원의 넓이 $S(a)$

$\therefore S(a)=\frac{\pi}{2}(a-b)^2$

원점 O와 선분 PQ의 중점을 지름의 양 끝점으로 하는 원의 반지름은

$\frac{1}{2}\overline{OM}=\frac{\sqrt{2}}{4}(a+b)$이므로 원의 넓이 $T(a)$

$\therefore T(a)=\frac{\pi}{8}(a+b)^2$

$4T(a)-S(a)=4\cdot\frac{\pi}{8}(a+b)^2-\frac{\pi}{2}(a-b)^2$

$=2\pi ab=2\pi a\ln(a+1)(\because ㉠)$

따라서 $\lim_{a\to 0+}\frac{4T(a)-S(a)}{\pi a^2}=\lim_{a\to 0+}\frac{2\ln(a+1)}{a}=2$

01 지수로그함수의 미분

0238

다음 물음에 답하여라.

(1) 함수 $f(x)=x^3+10\ln x$에 대하여 $f'(10)$의 값은?

① 120 ② 151 ③ 251
④ 281 ⑤ 301

STEP Ⓐ 로그함수의 미분법을 이용하여 함수 $f(x)$의 도함수 구하기

함수 $f(x)=x^3+10\ln x$를 x로 미분하면

$f'(x)=3x^2+\dfrac{10}{x}$

$\therefore f'(10)=301$

(2) 함수 $f(x)=e^{3x}+10x$에 대하여 $f'(0)$의 값은?

① 17 ② 16 ③ 15
④ 14 ⑤ 13

STEP Ⓐ 지수함수의 미분법을 이용하여 함수 $f(x)$의 도함수 구하기

$f(x)=e^{3x}+10x$를 x로 미분하면

$f'(x)=(e^3)^x\cdot\ln e^3+10=3e^{3x}+10$

$\therefore f'(0)=3+10=13$

(3) 함수 $f(x)=e^x\ln x$에 대하여 $f'(1)$의 값은?

① 1 ② 2 ③ e
④ $2e$ ⑤ $3e$

STEP Ⓐ 로그함수, 지수함수의 곱의 미분법을 이용하여 함수 $f(x)$의 도함수 구하기

$f(x)=e^x\ln x$를 x로 미분하면

$f'(x)=(e^x)'\ln x+e^x(\ln x)'=e^x\ln x+\dfrac{e^x}{x}$

$\therefore f'(1)=e\ln 1+e=e$

0239

다음 물음에 답하여라.

(1) 함수 $f(x)=\ln x+\ln 2x+\ln 3x+\cdots+\ln 10x$의 도함수 $f'(x)$에 대하여 $f'\left(\dfrac{1}{2}\right)$의 값은?

① 10 ② 20 ③ 30
④ 40 ⑤ 50

STEP Ⓐ 로그함수의 미분법을 이용하여 $f'\left(\dfrac{1}{2}\right)$의 값 구하기

$f(x)=\ln x+\ln 2x+\ln 3x+\cdots+\ln 10x$에서

$f(x)=\ln x+(\ln 2+\ln x)+(\ln 3+\ln x)+\cdots+(\ln 10+\ln x)$

$f'(x)=\dfrac{1}{x}+\dfrac{1}{x}+\cdots+\dfrac{1}{x}$

따라서 $f'\left(\dfrac{1}{2}\right)=2+2+\cdots+2=2\cdot 10=20$

(2) 함수 $f(x)=(e^x+x^2)\ln x$에 대하여 $f'(1)$의 값은?

① $e+1$ ② $e+2$ ③ $e+3$
④ $e+4$ ⑤ $e+5$

STEP Ⓐ 로그함수, 로그함수의 곱의 미분법을 이용하여 $f'(1)$의 값 구하기

$f(x)=(e^x+x^2)\ln x$에서

$f'(x)=(e^x+x^2)'\times\ln x+(e^x+x^2)\times(\ln x)'$

$\quad=(e^x+2x)\times\ln x+(e^x+x^2)\times\dfrac{1}{x}$

따라서 $f'(1)=(e+2)\times 0+(e+1)\times 1=e+1$

0240

다음 물음에 답하여라.

(1) 함수 $f(x)=x^2\ln x$일 때, $\displaystyle\lim_{x\to 1}\frac{f(x)}{x-1}$의 값을 구하여라.

STEP Ⓐ 미분계수의 정의를 이용하여 구하기

$f(1)=0$이므로

$\displaystyle\lim_{x\to 1}\frac{f(x)}{x-1}=\lim_{x\to 1}\frac{f(x)-f(1)}{x-1}=f'(1)$

$f(x)=x^2\ln x$에서

$f'(x)=(x^2)'\ln x+x^2(\ln x)'=2x\ln x+x$

$\therefore \displaystyle\lim_{x\to 1}\frac{f(x)}{x-1}=f'(1)=2\ln 1+1=1$

(2) 함수 $f(x)=e^{5x}$에 대하여 극한값 $\displaystyle\lim_{x\to 0}\frac{f'(x)-5}{x}$의 값을 구하여라.

STEP Ⓐ 지수함수의 미분법을 이용하여 함수 $f(x)$의 도함수 구하기

$f(x)=(e^5)^x$에서 $f'(x)=e^{5x}\cdot\ln e^5=5e^{5x}$

$\therefore \displaystyle\lim_{x\to 0}\frac{f'(x)-5}{x}=\lim_{x\to 0}\frac{5e^{5x}-5}{x}=5\lim_{x\to 0}\frac{e^{5x}-1}{x}=5\cdot 5=25$

0241

다음 물음에 답하여라.

(1) 함수 $f(x)=x^2e^x$에 대하여 $\displaystyle\lim_{x\to 1}\frac{f(x)-f(1)}{x^2-1}$의 값을 구하여라.

STEP Ⓐ 지수함수의 곱의 미분법 구하기

$f(x)=x^2e^x$에서

$f'(x)=2xe^x+x^2e^x$이므로 $f'(1)=3e$

STEP Ⓑ 미분계수의 정의를 이용하여 구하기

$$\begin{aligned}\lim_{x\to 1}\frac{f(x)-f(1)}{x^2-1}&=\lim_{x\to 1}\frac{f(x)-f(1)}{(x-1)(x+1)}\\&=\lim_{x\to 1}\left\{\frac{1}{x+1}\times\frac{f(x)-f(1)}{x-1}\right\}\\&=\lim_{x\to 1}\frac{1}{x+1}\times\lim_{x\to 1}\frac{f(x)-f(1)}{x-1}\\&=\frac{1}{2}f'(1)\end{aligned}$$

따라서 $\displaystyle\lim_{x\to 1}\frac{f(x)-f(1)}{x^2-1}=\frac{1}{2}f'(1)=\frac{3}{2}e$

(2) 함수 $f(x)=x\ln x$에 대하여 $\lim_{x\to1}\frac{f(x^2)-f(1)}{x-1}$의 값을 구하여라.

STEP Ⓐ 로그함수의 곱의 미분법 구하기

$f'(x)=1\cdot\ln x+x\cdot\frac{1}{x}=\ln x+1$이므로 $f'(1)=1$

STEP Ⓑ 미분계수의 정의를 이용하여 구하기

$x^2=t$로 놓으면 $x\to1$일 때, $t\to1$

$$\lim_{x\to1}\frac{f(x^2)-f(1)}{x-1}=\lim_{x\to1}\left\{\frac{f(x^2)-f(1)}{x^2-1}\cdot(x+1)\right\}$$
$$=2\lim_{t\to1}\frac{f(t)-f(1)}{t-1}=2f'(1)$$

따라서 $\lim_{x\to1}\frac{f(x^2)-f(1)}{x-1}=2f'(1)=2$

0242

다음 물음에 답하여라.

(1) 함수 $f(x)=x\ln x$에 대하여 $\lim_{h\to0}\frac{f(e+h)-f(e-2h)}{h}$의 값은?

① 2 ② e ③ 6
④ $2e$ ⑤ e^2

STEP Ⓐ 로그함수의 곱의 미분법 구하기

$f(x)=x\ln x$에서 $f'(x)=\ln x+x\cdot\frac{1}{x}=\ln x+1$

STEP Ⓑ 미분계수의 정의를 이용하여 구하기

$$\lim_{h\to0}\frac{f(e+h)-f(e-2h)}{h}$$
$$=\lim_{h\to0}\frac{f(e+h)-f(e)+f(e)-f(e-2h)}{h}$$
$$=\lim_{h\to0}\frac{f(e+h)-f(e)}{h}-\lim_{h\to0}\frac{f(e-2h)-f(e)}{-2h}\cdot(-2)$$
$$=f'(e)+2f'(e)=3f'(e)$$

따라서 $3f'(e)=3(\ln e+1)=6$

(2) 함수 $f(x)=x^2\ln x-x$에 대하여 $\lim_{h\to0}\frac{f(e+eh)-f(e-eh)}{h}$의 값은?

① $4e^2$ ② $5e^2-e$ ③ $6e^2-2e$
④ $7e^2-3e$ ⑤ $8e^2-4e$

STEP Ⓐ 로그함수의 곱의 미분법 구하기

$f(x)=x^2\ln x-x$에서

$$f'(x)=(x^2)'\times\ln x+x^2\times(\ln x)'-1$$
$$=2x\times\ln x+x^2\times\frac{1}{x}-1$$
$$=2x\ln x+x-1$$

STEP Ⓑ 미분계수의 정의를 이용하여 구하기

따라서 함수 $f(x)$가 $x=e$에서 미분가능하므로

$$\lim_{h\to0}\frac{f(e+eh)-f(e-eh)}{h}=\lim_{h\to0}\left\{\frac{f(e+eh)-f(e)}{h}-\frac{f(e-eh)-f(e)}{h}\right\}$$
$$=e\lim_{h\to0}\left\{\frac{f(e+eh)-f(e)}{eh}+\frac{f(e-eh)-f(e)}{-eh}\right\}$$
$$=e\{f'(e)+f'(e)\}=2ef'(e)$$
$$=2e(2e\ln e+e-1)=6e^2-2e$$

0243

함수 $f(x)=x\log_5 x$에 대하여 $\lim_{t\to\infty}t\left\{f\left(e+\frac{1}{t}\right)-f\left(e-\frac{1}{t}\right)\right\}$의 값은?

① $\frac{2}{\ln5}$ ② $\frac{4}{\ln5}$ ③ $2\ln5$
④ $4\ln5$ ⑤ $6\ln5$

STEP Ⓐ 로그함수의 곱의 미분법 구하기

$f(x)=x\log_5 x$에서

$f'(x)=1\times\log_5 x+x\times\frac{1}{x\ln5}=\log_5 x+\frac{1}{\ln5}$

STEP Ⓑ 미분계수의 정의를 이용하여 구하기

이때 $\frac{1}{t}=h$라 하면 $t=\frac{1}{h}$이고 $t\to\infty$일 때, $h\to0+$이므로

$$\lim_{t\to\infty}t\left\{f\left(e+\frac{1}{t}\right)-f\left(e-\frac{1}{t}\right)\right\}=\lim_{h\to0+}\frac{1}{h}\{f(e+h)-f(e-h)\}$$
$$=\lim_{h\to0}\frac{f(e+h)-f(e)-f(e-h)+f(e)}{h}$$
$$=\lim_{h\to0}\frac{f(e+h)-f(e)}{h}+\lim_{h\to0}\frac{f(e-h)-f(e)}{-h}$$
$$=f'(e)+f'(e)=2f'(e)$$

따라서 $2f'(e)=2\left(\log_5 e+\frac{1}{\ln5}\right)=2\left(\frac{1}{\ln5}+\frac{1}{\ln5}\right)=\frac{4}{\ln5}$

0244

다음 물음에 답하여라.

(1) 함수

$$f(x)=\begin{cases}(3x+1)e^x & (x\le0)\\ ax+1 & (x>0)\end{cases}$$

이 $x=0$에서 미분가능할 때, 상수 a의 값은?

① 1 ② 4 ③ 7
④ 10 ⑤ 13

STEP Ⓐ $x=0$에서 연속임을 확인하기

함수 $f(x)$가 $x=0$에서 미분가능하면

$x=0$에서 연속이므로

$\lim_{x\to0-}f(x)=\lim_{x\to0+}f(x)=f(0)$에서

$\lim_{x\to0-}(3x+1)e^x=\lim_{x\to0+}(ax+1)=1$이 성립한다.

STEP Ⓑ 미분계수가 같도록 하는 a의 값 구하기

$$\lim_{x\to0-}\frac{f(x)-f(0)}{x}=\lim_{x\to0-}\frac{(3x+1)e^x-1}{x}$$
$$=\lim_{x\to0-}\frac{(3x+1)(e^x-1)+3x}{x}$$
$$=\lim_{x\to0-}(3x+1)\lim_{x\to0-}\frac{e^x-1}{x}+\lim_{x\to0-}3$$
$$=1+3=4$$
$$\lim_{x\to0+}\frac{f(x)-f(0)}{x-0}=\lim_{x\to0+}\frac{(ax+1)-1}{x}=a$$

따라서 $a=4$

(2) 함수

$$f(x)=\begin{cases} 3+a\ln x & (0<x\le 1) \\ bx+2 & (x>1) \end{cases}$$

가 $x=1$에서 미분가능할 때, 두 상수 a, b에 대하여 $a+b$의 값은?

① -3 ② -2 ③ -1
④ 1 ⑤ 2

STEP Ⓐ $x=1$에서 연속이 되도록 하는 b의 값 구하기

함수 $f(x)$가 $x=1$에서 미분가능하면 $x=1$에서 연속이므로

$\lim_{x\to 1-}f(x)=\lim_{x\to 1+}f(x)=f(1)$에서 $\lim_{x\to 1-}(3+a\ln x)=\lim_{x\to 1+}(bx+2)=f(1)$

즉 $3=b+2$에서 $b=1$ …… ㉠

STEP Ⓑ 미분계수 $f'(1)$이 존재하기 위한 조건을 이용하여 a의 값 구하기

함수 $f(x)$가 $x=1$에서 미분가능 하므로

$\lim_{x\to 1-}\frac{f(x)-f(1)}{x-1}=\lim_{x\to 1+}\frac{f(x)-f(1)}{x-1}$이다.

$\lim_{x\to 1-}\frac{f(x)-f(1)}{x-1}=\lim_{x\to 1-}\frac{(3+a\ln x)-3}{x-1}=\lim_{x\to 1-}\frac{a\ln x}{x-1}=a$

⬅ $x-1=t$로 놓으면 $\lim_{x\to 1-}\frac{\ln x}{x-1}=\lim_{t\to 0-}\frac{\ln(1+t)}{t}=1$

$\lim_{x\to 1+}\frac{f(x)-f(1)}{x-1}=\lim_{x\to 1+}\frac{(bx+2)-(b+2)}{x-1}=\lim_{x\to 1+}\frac{b(x-1)}{x-1}=b$

즉 $a=b$ …… ㉡

따라서 ㉠, ㉡에서 $a=1$, $b=1$이므로 $a+b=2$

다른풀이 도함수를 이용하여 풀이하기

$f(x)$가 $x=1$에서 미분가능하려면 $x=1$에서 연속이고 미분계수가 존재

(ⅰ) $x=1$에서 연속이므로

$\lim_{x\to 1-}f(x)=\lim_{x\to 1+}f(x)=f(1)$

$3=b+2$ $\therefore b=1$ …… ㉠

(ⅱ) $x=1$에서 미분계수가 존재하므로

$f'(x)=\begin{cases} \frac{a}{x} & (0<x<1) \\ b & (x>1) \end{cases}$에서 $\lim_{x\to 1-}f'(x)=\lim_{x\to 1+}f'(x)$

$\therefore a=b$ …… ㉡

따라서 ㉠, ㉡에서 $a=1$, $b=1$이므로 $a+b=2$

0245

함수

$$f(x)=\begin{cases} x+1 & (x<0) \\ e^{ax+b} & (x\ge 0) \end{cases}$$

은 $x=0$에서 미분가능하다. $f(10)=e^k$일 때, 상수 k의 값을 구하여라.
(단, a와 b는 상수이다.)

STEP Ⓐ $x=0$에서 연속이 되도록 하는 b의 값 구하기

함수 $f(x)$가 $x=0$에서 미분가능하면 $x=0$에서 연속이므로

$\lim_{x\to 0-}f(x)=\lim_{x\to 0+}f(x)=f(0)$에서 $\lim_{x\to 0-}(x+1)=\lim_{x\to 0+}e^{ax+b}=e^b$

즉 $e^b=1$에서 $b=0$ …… ㉠

STEP Ⓑ 미분계수 $f'(0)$이 존재하기 위한 조건을 이용하여 a의 값 구하기

함수 $f(x)$가 $x=0$에서 미분가능하므로

$\lim_{x\to 0-}\frac{f(x)-f(0)}{x-0}=\lim_{x\to 0+}\frac{f(x)-f(0)}{x-0}$이다.

$\lim_{x\to 0-}\frac{f(x)-f(0)}{x}=\lim_{x\to 0-}\frac{(x+1)-1}{x}=1$

$\lim_{x\to 0+}\frac{f(x)-f(0)}{x-0}=\lim_{x\to 0+}\frac{e^{ax}-1}{x}=a$

즉 $a=1$

따라서 $f(x)=\begin{cases} x+1 & (x<0) \\ e^x & (x\ge 0) \end{cases}$이므로 $f(10)=e^{10}$에서 $k=10$

0246

함수

$$f(x)=\begin{cases} ax^2+1 & (x\le 1) \\ \ln bx & (x>1) \end{cases}$$

가 $x=1$에서 미분가능할 때, 상수 a, b에 대하여 ab의 값은?

① $\frac{1}{2}\sqrt{e}$ ② $\frac{1}{2}e$ ③ $\frac{1}{2}e\sqrt{e}$
④ $2e\sqrt{e}$ ⑤ $5e$

STEP Ⓐ $x=1$에서 연속이기 위한 조건을 이용하여 a, b 사이의 관계식 구하기

함수 $f(x)=\begin{cases} ax^2+1 & (x\le 1) \\ \ln bx & (x>1) \end{cases}$가 $x=1$에서 미분가능하면

$x=1$에서 연속이므로 $\lim_{x\to 1-}f(x)=\lim_{x\to 1+}f(x)=f(1)$

$a+1=\ln b$ …… ㉠

STEP Ⓑ 미분계수 $f'(1)$이 존재하기 위한 조건을 이용하여 a의 값 구하기

함수 $f(x)$가 $x=1$에서 미분가능 하므로

$\lim_{x\to 1-}\frac{f(x)-f(1)}{x-1}=\lim_{x\to 1+}\frac{f(x)-f(1)}{x-1}$이다.

$\lim_{x\to 1-}\frac{f(x)-f(1)}{x-1}=\lim_{x\to 1-}\frac{(ax^2+1)-(a+1)}{x-1}$

$=\lim_{x\to 1-}\frac{a(x^2-1)}{x-1}$

$=\lim_{x\to 1-}a(x+1)=2a$

$\lim_{x\to 1+}\frac{f(x)-f(1)}{x-1}=\lim_{x\to 1+}\frac{\ln bx-\ln b}{x-1}=\lim_{x\to 1+}\frac{\ln x}{x-1}=1$

⬅ $x-1=t$로 놓으면 $\lim_{x\to 1+}\frac{\ln x}{x-1}=\lim_{t\to 0+}\frac{\ln(1+t)}{t}=1$

즉 $2a=1$ $\therefore a=\frac{1}{2}$

㉠에서 $b=e^{\frac{3}{2}}=e\sqrt{e}$

따라서 $ab=\frac{1}{2}e\sqrt{e}$

다른풀이 도함수를 이용하여 풀이하기

$x=1$에서 미분계수가 존재하므로

$\ln bx=\ln b+\ln x$에서 $(\ln bx)'=(\ln b+\ln x)'=\frac{1}{x}$

$f'(x)=\begin{cases} 2ax & (x<1) \\ \frac{1}{x} & (x>1) \end{cases}$

$\lim_{x\to 1-}f'(x)=\lim_{x\to 1+}f'(x)$

$2a=1$ $\therefore a=\frac{1}{2}$

㉠에서 $b=e^{\frac{3}{2}}=e\sqrt{e}$

따라서 $ab=\frac{1}{2}e\sqrt{e}$

FINAL EXERCISE

단원종합문제 지수로그함수의 미분

BASIC

0247

다음 물음에 답하여라.

(1) $\lim_{x\to0}\frac{\ln(1+x)}{3x}$의 값은?

① 1 ② $\frac{1}{2}$ ③ $\frac{1}{3}$ ④ $\frac{1}{4}$ ⑤ $\frac{1}{5}$

STEP A $\lim_{x\to0}\frac{\ln(1+ax)}{bx}=\frac{a}{b}$임을 이용하여 계산하기

$\lim_{x\to0}\frac{\ln(1+x)}{3x}=\frac{1}{3}\lim_{x\to0}\ln(1+x)^{\frac{1}{x}}=\frac{1}{3}\ln e=\frac{1}{3}$

(2) $\lim_{x\to0}\frac{x^2+5x}{\ln(1+3x)}$의 값은?

① $\frac{7}{3}$ ② 2 ③ $\frac{5}{3}$ ④ $\frac{4}{3}$ ⑤ 1

STEP A $\lim_{x\to0}\frac{\ln(1+ax)}{bx}=\frac{a}{b}$임을 이용하여 계산하기

$\lim_{x\to0}\frac{x^2+5x}{\ln(1+3x)}=\lim_{x\to0}\left\{\frac{3x}{\ln(1+3x)}\cdot\frac{x+5}{3}\right\}$

$=\lim_{x\to0}\frac{3x}{\ln(1+3x)}\cdot\lim_{x\to0}\frac{x+5}{3}$

$=1\cdot\frac{5}{3}=\frac{5}{3}$

0248

다음 물음에 답하여라.

(1) $\lim_{x\to0}\frac{e^{3x}-1}{2x}$의 값은?

① $\frac{1}{2}$ ② $\frac{3}{4}$ ③ 1 ④ $\frac{5}{4}$ ⑤ $\frac{3}{2}$

STEP A $\lim_{x\to0}\frac{e^{ax}-1}{bx}=\frac{a}{b}$임을 이용하여 계산하기

$\lim_{x\to0}\frac{e^{3x}-1}{2x}=\frac{3}{2}\cdot\lim_{x\to0}\frac{e^{3x}-1}{3x}=\frac{3}{2}$

(2) $\lim_{x\to0}\frac{e^x-1}{e^{3x}-1}$의 값은?

① 1 ② $\frac{2}{3}$ ③ $\frac{1}{2}$ ④ $\frac{1}{3}$ ⑤ $\frac{1}{6}$

STEP A $\lim_{x\to0}\frac{e^x-1}{x}=1$임을 이용하여 계산하기

$\lim_{x\to0}\frac{e^x-1}{e^{3x}-1}=\lim_{x\to0}\left(\frac{e^x-1}{x}\times\frac{3x}{e^{3x}-1}\times\frac{1}{3}\right)=\frac{1}{3}$

0249

다음 물음에 답하여라.

(1) $\lim_{x\to0}\frac{e^{6x}-e^{4x}}{2x}$의 값은?

① 1 ② 2 ③ 3 ④ 4 ⑤ 5

STEP A $\lim_{x\to0}\frac{e^x-1}{x}=1$임을 이용하여 계산하기

$\lim_{x\to0}\frac{e^{6x}-e^{4x}}{2x}=\lim_{x\to0}\frac{(e^{6x}-1)-(e^{4x}-1)}{2x}$

$=\lim_{x\to0}\frac{e^{6x}-1}{2x}-\lim_{x\to0}\frac{e^{4x}-1}{2x}$

$=3\times\lim_{x\to0}\frac{e^{6x}-1}{6x}-2\times\lim_{x\to0}\frac{e^{4x}-1}{4x}$

$=3-2=1$

(2) 함수 $f(x)=e^x-e^{-x}$에 대하여 $\lim_{x\to0}\frac{f(x)}{x}$의 값은?

① 1 ② 2 ③ 3 ④ 4 ⑤ 5

STEP A $\lim_{x\to0}\frac{e^x-1}{x}=1$임을 이용하기

$\lim_{x\to0}\frac{f(x)}{x}=\lim_{x\to0}\frac{e^x-e^{-x}}{x}$

$=\lim_{x\to0}\frac{e^x-1+1-e^{-x}}{x}$

$=\lim_{x\to0}\left(\frac{e^x-1}{x}+\frac{e^{-x}-1}{-x}\right)$ ← $\lim_{x\to0}\frac{e^x-1}{x}=1$, $\lim_{x\to0}\frac{e^{-x}-1}{-x}=1$

$=1+1=2$

다른풀이 미분계수를 이용하여 풀이하기

$\lim_{x\to0}\frac{f(x)}{x}=\lim_{x\to0}\frac{f(x)-f(0)}{x-0}=f'(0)$이므로

$f(x)=e^x-e^{-x}$에서 $f'(x)=e^x+e^{-x}$

따라서 주어진 값은 $f'(0)=e^0+e^0=1+1=2$

0250

다음 물음에 답하여라.

(1) $\lim_{x\to0}\frac{\ln(1+5x)}{e^{2x}-1}$의 값은?

① 1 ② $\frac{3}{2}$ ③ 2 ④ $\frac{5}{2}$ ⑤ 3

STEP A $\lim_{x\to0}\frac{\ln(1+x)}{x}=1$, $\lim_{x\to0}\frac{e^x-1}{x}=1$임을 이용하여 계산하기

$\lim_{x\to0}\frac{\ln(1+5x)}{e^{2x}-1}=\lim_{x\to0}\left\{\frac{\ln(1+5x)}{5x}\cdot\frac{2x}{e^{2x}-1}\cdot\frac{5}{2}\right\}$

$=\lim_{x\to0}\frac{\ln(1+5x)}{5x}\cdot\lim_{x\to0}\frac{2x}{e^{2x}-1}\cdot\frac{5}{2}$

$=1\cdot1\cdot\frac{5}{2}=\frac{5}{2}$

(2) $\lim_{x\to0}\frac{e^{6x}-1}{\ln(1+3x)}$의 값은?

① 1 ② 2 ③ 3 ④ 4 ⑤ 5

STEP A $\lim_{x\to0}\frac{\ln(1+x)}{x}=1$, $\lim_{x\to0}\frac{e^x-1}{x}=1$임을 이용하여 계산하기

$\lim_{x\to0}\frac{e^{6x}-1}{\ln(1+3x)}=\lim_{x\to0}\frac{e^{6x}-1}{6x}\cdot\lim_{x\to0}\frac{3x}{\ln(1+3x)}\cdot2=1\cdot1\cdot2=2$

0251

다음 물음에 답하여라.

(1) $\lim_{x \to \infty}\left(1+\frac{1}{x}\right)^{-2x}$의 값은?

① $\frac{1}{e^2}$　② $\frac{1}{e}$　③ 1
④ e　⑤ e^2

STEP Ⓐ $\lim_{x \to \infty}\left(1+\frac{1}{x}\right)^{x}=e$임을 이용하여 계산하기

$$\lim_{x \to \infty}\left(1+\frac{1}{x}\right)^{-2x}=\lim_{x \to \infty}\left\{\left(1+\frac{1}{x}\right)^{x}\right\}^{-2}=e^{-2}=\frac{1}{e^2}$$

(2) $\lim_{x \to 0}(1+3x)^{\frac{1}{6x}}$의 값은?

① $\frac{1}{e^2}$　② $\frac{1}{e}$　③ $\sqrt{e}$
④ e　⑤ e^2

STEP Ⓐ $\lim_{x \to 0}(1+x)^{\frac{1}{x}}=e$임을 이용하여 계산하기

$$\lim_{x \to 0}(1+3x)^{\frac{1}{6x}}=\lim_{x \to 0}\{(1+3x)^{\frac{1}{3x}}\}^{\frac{1}{2}}=e^{\frac{1}{2}}=\sqrt{e}$$

0252

다음 물음에 답하여라.

(1) $\lim_{x \to 0}\frac{e^{2x}+10x-1}{x}$의 값은?

① 9　② 10　③ 11
④ 12　⑤ 13

STEP Ⓐ $\lim_{x \to 0}\frac{e^x-1}{x}=1$임을 이용하여 계산하기

$$\lim_{x \to 0}\frac{e^{2x}+10x-1}{x}=\lim_{x \to 0}\left(\frac{e^{2x}-1}{x}+10\right)$$
$$=\lim_{x \to 0}\left(\frac{e^{2x}-1}{2x}\cdot 2+10\right)$$
$$=1\cdot 2+10=12$$

(2) $\lim_{x \to 0}\frac{\ln(1+3x)+9x}{2x}$의 값은?

① -6　② -2　③ 0
④ 2　⑤ 6

STEP Ⓐ $\lim_{x \to 0}\frac{\ln(1+ax)}{bx}=\frac{a}{b}$임을 이용하여 계산하기

$$\lim_{x \to 0}\frac{\ln(1+3x)+9x}{2x}=\lim_{x \to 0}\frac{\ln(1+3x)}{2x}+\lim_{x \to 0}\frac{9x}{2x}$$
$$=\lim_{x \to 0}\left\{\frac{\ln(1+3x)}{3x}\cdot\frac{3}{2}\right\}+\frac{9}{2}$$
$$=\lim_{t \to 0}\left\{\frac{\ln(1+t)}{t}\cdot\frac{3}{2}\right\}+\frac{9}{2}$$
$$=1\times\frac{3}{2}+\frac{9}{2}=6$$

0253

다음 물음에 답하여라.

(1) $\lim_{x \to \infty}\frac{e^{\frac{1}{x}}-1}{\ln(1+3x)-\ln(3x)}$의 값은?

① 1　② $\frac{3}{2}$　③ 2
④ $\frac{5}{2}$　⑤ 3

STEP Ⓐ 무리수 e의 정의를 이용한 함수의 극한값 구하기

$\frac{1}{3x}=t$로 놓으면 $x \to \infty$일 때, $t \to 0+$이므로

$$\lim_{x \to \infty}\frac{e^{\frac{1}{x}}-1}{\ln(1+3x)-\ln(3x)}=\lim_{x \to \infty}\frac{e^{\frac{1}{x}}-1}{\ln\left(\frac{1}{3x}+1\right)}$$
$$=\lim_{t \to 0+}\frac{e^{3t}-1}{\ln(t+1)}$$
$$=\lim_{t \to 0+}\frac{\frac{e^{3t}-1}{3t}\times 3}{\frac{\ln(t+1)}{t}}$$
$$=\frac{1\times 3}{1}=3$$

(2) $\lim_{x \to 0}\frac{\ln(1+2x)+\ln(1-2x)}{x^2}$의 값은?

① -5　② -4　③ -3
④ -2　⑤ -1

STEP Ⓐ $\lim_{x \to 0}\frac{\ln(1+ax)}{bx}=\frac{a}{b}$임을 이용하여 계산하기

$$\lim_{x \to 0}\frac{\ln(1+2x)+\ln(1-2x)}{x^2}=\lim_{x \to 0}\frac{\ln\{(1+2x)(1-2x)\}}{x^2}$$
$$=\lim_{x \to 0}\frac{\ln(1-4x^2)}{x^2}$$
$$=\lim_{x \to 0}\ln(1-4x^2)^{\frac{1}{x^2}}$$
$$=\lim_{x \to 0}\ln\{(1-4x^2)^{-\frac{1}{4x^2}}\}^{-4}$$
$$=\ln e^{-4}=-4$$

0254

다음 [보기] 중 옳은 것은?

ㄱ. $\lim_{x \to 0}\frac{\ln(1+3x)}{x}=3$	ㄴ. $\lim_{x \to 0}\frac{\log_5(1+x)}{x}=1$
ㄷ. $\lim_{x \to 0}\frac{e^{3x}-1}{2x}=\frac{3}{2}$	ㄹ. $\lim_{x \to 0}\frac{5^x-1}{x}=\ln 5$

① ㄱ, ㄴ　② ㄱ, ㄹ　③ ㄴ, ㄷ
④ ㄱ, ㄷ, ㄹ　⑤ ㄱ, ㄴ, ㄷ, ㄹ

STEP Ⓐ 지수함수 로그함수의 극한의 진위판단하기

ㄱ. $3x=t$로 놓으면 $x=\frac{t}{3}$이고 $x \to 0$일 때, $t \to 0$이므로

$$\lim_{x \to 0}\frac{\ln(1+3x)}{x}=\lim_{x \to 0}\frac{3}{t}\ln(1+t)$$
$$=\lim_{t \to 0}3\ln(1+t)^{\frac{1}{t}}$$
$$=3\ln e=3 \text{ [참]}$$

ㄴ. $\lim_{x \to 0}\frac{\log_5(1+x)}{x}=\lim_{x \to 0}\log_5(1+x)^{\frac{1}{x}}$

$$=\log_5 e=\frac{1}{\ln 5} \text{ [거짓]}$$

ㄷ. $e^{3x}-1=t$로 놓으면 $e^{3x}=1+t$이므로

$3x=\ln(1+t)\quad \therefore x=\frac{1}{3}\ln(1+t)$

또, $x\to0$일 때, $t\to0$이므로

$$\lim_{x\to0}\frac{e^{3x}-1}{2x}=\lim_{t\to0}\frac{t}{\frac{2}{3}\ln(1+t)}=\frac{3}{2}\lim_{t\to0}\frac{1}{\ln(1+t)^{\frac{1}{t}}}=\frac{3}{2}\cdot\frac{1}{\ln e}=\frac{3}{2}$$ [참]

ㄹ. $5^x-1=t$로 놓으면 $5^x=1+t$이므로

$x=\log_5(1+t)$

또, $x\to0$일 때, $t\to0$이므로

$$\lim_{x\to0}\frac{5^x-1}{x}=\lim_{t\to0}\frac{t}{\log_5(1+t)}=\lim_{t\to0}\frac{1}{\log_5(1+t)^{\frac{1}{t}}}=\frac{1}{\log_5 e}=\ln5$$ [참]

따라서 옳은 것은 ㄱ, ㄷ, ㄹ이다.

0255

다음 물음에 답하여라.

(1) $\lim_{x\to0}\frac{e^{2x}-1}{x^2+ax}=\frac{1}{2}$을 만족시키는 상수 a의 값은?

① 1 ② 2 ③ 3 ④ 4 ⑤ 5

STEP A $\lim_{x\to0}\frac{e^{ax}-1}{bx}=\frac{a}{b}$임을 이용하여 계산하기

$$\lim_{x\to0}\frac{e^{2x}-1}{x^2+ax}=\lim_{x\to0}\frac{e^{2x}-1}{x(x+a)}=\lim_{x\to0}\left(\frac{e^{2x}-1}{2x}\times\frac{2}{x+a}\right)=1\times\frac{2}{0+a}=\frac{2}{a}$$

따라서 $\frac{2}{a}=\frac{1}{2}$이므로 $a=4$

(2) 함수 $f(x)=2e^x+a$에 대하여 $\lim_{x\to0}\frac{xf(x)}{\ln(1+2x)}=2$일 때, 상수 a의 값은?

① -2 ② -1 ③ 1 ④ 2 ⑤ 3

STEP A $\lim_{x\to0}\frac{\ln(1+ax)}{bx}=\frac{a}{b}$임을 이용하여 계산하기

$$\lim_{x\to0}\frac{xf(x)}{\ln(1+2x)}=\frac{1}{2}\lim_{x\to0}\frac{f(x)}{\frac{\ln(1+2x)}{2x}}$$

함수 $f(x)=2e^x+a$는 $x=0$에서 연속이므로

$\lim_{x\to0}f(x)=f(0)=2+a$

한편 $2x=t$로 놓으면 $x\to0$일 때, $t\to0$이므로

$$\lim_{x\to0}\frac{\ln(1+2x)}{2x}=\lim_{t\to0}\frac{\ln(1+t)}{t}=1$$

STEP B 함수의 극한의 성질을 이용하여 상수 a의 값 구하기

따라서 $$\lim_{x\to0}\frac{xf(x)}{\ln(1+2x)}=\frac{1}{2}\times\frac{\lim_{x\to0}f(x)}{\lim_{t\to0}\frac{\ln(1+t)}{t}}=\frac{1}{2}\times\frac{2+a}{1}=\frac{2+a}{2}=2$$

이므로 $2+a=4$에서 $a=2$

0256

다음 물음에 답하여라.

(1) $\lim_{x\to1}\frac{\ln x}{x-1}$의 값은?

① 1 ② 2 ③ e ④ $2e$ ⑤ e^2

STEP A $\lim_{x\to0}\frac{\ln(1+x)}{x}=1$임을 이용하여 계산하기

$x-1=t$로 놓으면 $x\to1$일 때, $t\to0$이므로

$$\lim_{x\to1}\frac{\ln x}{x-1}=\lim_{t\to0}\frac{\ln(1+t)}{t}=\ln\lim_{t\to0}(1+t)^{\frac{1}{t}}=1$$

(2) $\lim_{x\to1}\frac{\log_2 x}{x-1}$의 값은?

① $\frac{1}{2}$ ② $\frac{1}{\ln2}$ ③ $\ln2$ ④ $\ln4$ ⑤ e

STEP A $\lim_{x\to0}\frac{\log_a(1+x)}{x}=\log_a e$임을 이용하여 계산하기

$x-1=t$로 놓으면 $x\to1$일 때, $t\to0$이므로

$$\lim_{x\to1}\frac{\log_2 x}{x-1}=\lim_{t\to0}\frac{\log_2(1+t)}{t}=\frac{1}{\ln2}$$

(3) $\lim_{x\to1}\frac{\ln x}{x^3-1}$의 값은?

① $\frac{1}{3}$ ② $\frac{1}{2}$ ③ 1 ④ $\frac{3}{2}$ ⑤ 2

STEP A $\lim_{x\to0}\frac{\ln(1+x)}{x}=1$임을 이용하여 계산하기

$$\lim_{x\to1}\frac{\ln x}{x^3-1}=\lim_{x\to1}\left\{\frac{\ln x}{(x-1)}\cdot\frac{1}{x^2+x+1}\right\}$$

이때 $\lim_{x\to1}\frac{\ln x}{x-1}$에서 $x-1=t$로 놓으면 $x=1+t$

$$\lim_{t\to0}\frac{\ln(1+t)}{t}=1$$

따라서 $\lim_{x\to1}\left\{\frac{\ln x}{(x-1)}\cdot\frac{1}{x^2+x+1}\right\}=1\cdot\frac{1}{3}=\frac{1}{3}$

0257

$\lim_{x\to0}\frac{\ln(1+x)(1+3x)(1+5x)(1+7x)}{e^{4x}-1}$의 값은?

① 2 ② 3 ③ 4 ④ $\frac{1}{4}\ln(e+1)$ ⑤ $2\ln(e+16)$

STEP A $\lim_{x\to0}\frac{\ln(1+ax)}{bx}=\frac{a}{b}$임을 이용하여 계산하기

$$\lim_{x\to0}\frac{\ln(1+x)(1+3x)(1+5x)(1+7x)}{e^{4x}-1}$$

$$=\lim_{x\to0}\frac{\frac{\ln(1+x)+\ln(1+3x)+\ln(1+5x)+\ln(1+7x)}{4x}}{\frac{e^{4x}-1}{4x}}$$

$$=\lim_{x\to0}\frac{\frac{\ln(1+x)}{4x}+\frac{\ln(1+3x)}{4x}+\frac{\ln(1+5x)}{4x}+\frac{\ln(1+7x)}{4x}}{\frac{e^{4x}-1}{4x}}$$

$$=\frac{1}{4}+\frac{3}{4}+\frac{5}{4}+\frac{7}{4}=4$$

0258

다음 물음에 답하여라.

(1) $\lim_{x\to 0}\frac{\sqrt{ax+b}-2}{e^x-1}=3$을 만족시키는 두 상수 a, b에 대하여 ab의 값은?

① 6 ② 10 ③ 12
④ 24 ⑤ 48

STEP A (분모)→ 0이고 극한값이 존재하므로 (분자)→ 0이어야 함을 이용하여 b의 값 구하기

$\lim_{x\to 0}\frac{\sqrt{ax+b}-2}{e^x-1}=3$에서

$x\to 0$일 때, (분모)→ 0이고 극한값이 존재하므로 (분자)→ 0이어야 한다.

즉 $\lim_{x\to 0}(\sqrt{ax+b}-2)=0$이므로 $b=4$

STEP B $\lim_{x\to 0}\frac{e^x-1}{x}=1$임을 이용하여 상수 a의 값 구하기

$$\lim_{x\to 0}\frac{\sqrt{ax+4}-2}{e^x-1}=\lim_{x\to 0}\frac{(\sqrt{ax+4}-2)(\sqrt{ax+4}+2)}{(e^x-1)(\sqrt{ax+4}+2)}$$
$$=\lim_{x\to 0}\frac{ax}{(e^x-1)(\sqrt{ax+4}+2)}$$
$$=\lim_{x\to 0}\left(\frac{1}{\frac{e^x-1}{x}}\cdot\frac{a}{\sqrt{ax+4}+2}\right)=\frac{a}{4}$$

이때 $\frac{a}{4}=3$이므로 $a=12$

따라서 $ab=12\cdot 4=48$

(2) $\lim_{x\to 0}\frac{e^{3x}-1}{\ln(1+ax)+b}=1$을 만족시키는 상수 a, b에 대하여 $a+b$의 값은?

① 1 ② 2 ③ 3
④ 4 ⑤ 5

STEP A (분자)→ 0이고 극한값이 존재하므로 (분모)→ 0이어야 함을 이용하여 b의 값 구하기

$x\to 0$일 때, (분자)→ 0이고 0이 아닌 극한값이 존재하므로 (분모)→ 0이어야 한다.

즉 $\lim_{x\to 0}\{\ln(1+ax)+b\}=0$이므로 $\ln 1+b=0$ $\therefore b=0$

STEP B 밑이 e인 지수함수와 로그함수의 극한값 구하기

$b=0$을 주어진 식에 대입하고 분자, 분모를 각각 x로 나누면

$$\lim_{x\to 0}\frac{\frac{e^{3x}-1}{x}}{\frac{\ln(1+ax)}{x}}=\lim_{x\to 0}\frac{\frac{e^{3x}-1}{3x}\cdot 3}{\frac{\ln(1+ax)}{ax}\cdot a}=\frac{3}{a}=1$$

즉 $a=3$

따라서 $a+b=3+0=3$

0259

연속함수 $f(x)$에 대하여 다음 조건을 만족하는 극한값 a, b에 대하여 $a+b$의 값은?

(가) $\lim_{x\to 0}\frac{f(x)}{x}=2$일 때, $\lim_{x\to 0}\frac{e^{4x}-1}{f(x)}=a$

(나) $\lim_{x\to 0}\frac{f(x)}{x}=2$일 때, $\lim_{x\to 0}\frac{\ln(1+2x)}{f(x)}=b$

① -16 ② -8 ③ 1
④ 2 ⑤ 3

STEP A 함수의 극한의 성질을 이용하여 지수함수의 극한 구하기

조건 (가)에서 분자, 분모에 각각 x를 곱하면

$$\lim_{x\to 0}\frac{e^{4x}-1}{f(x)}=\lim_{x\to 0}\left\{\frac{e^{4x}-1}{x}\cdot\frac{x}{f(x)}\right\}$$
$$=\lim_{x\to 0}\left\{\frac{e^{4x}-1}{4x}\cdot\frac{x}{f(x)}\cdot 4\right\}$$
$$=1\cdot\frac{1}{2}\cdot 4=2$$

STEP B 함수의 극한의 성질을 이용하여 로그함수의 극한 구하기

조건 (나)에서 분자, 분모에 각각 $2x$를 곱하면

$$\lim_{x\to 0}\frac{\ln(1+2x)}{f(x)}=\lim_{x\to 0}\left\{\frac{\ln(1+2x)}{2x}\cdot 2\cdot\frac{x}{f(x)}\right\}$$
$$=1\cdot 2\cdot\frac{1}{2}=1$$

따라서 $a=2$, $b=1$이므로 $a+b=3$

0260

다음 물음에 답하여라.

(1) 함수 $f(x)$에 대하여 $\lim_{x\to\infty}\left\{f(x)\ln\left(1+\frac{3}{x}\right)\right\}=6$일 때, 극한값 $\lim_{x\to\infty}\frac{f(x)}{x}$의 값은?

① 1 ② 2 ③ 3
④ 4 ⑤ 5

STEP A 극한의 성질을 이용하여 극한값 구하기

함수 $h(x)$를 $h(x)=f(x)\ln\left(1+\frac{3}{x}\right)$로 놓으면

$f(x)=\frac{h(x)}{\ln\left(1+\frac{3}{x}\right)}$이고 $\lim_{x\to\infty}h(x)=6$

$$\therefore \lim_{x\to\infty}\frac{f(x)}{x}=\lim_{x\to\infty}\frac{h(x)}{x\ln\left(1+\frac{3}{x}\right)}=\frac{\lim_{x\to\infty}h(x)}{\lim_{x\to\infty}\ln\left\{\left(1+\frac{3}{x}\right)^{\frac{x}{3}}\right\}^3}$$
$$=\frac{6}{\ln e^3}=\frac{6}{3}=2$$

(2) 함수 $f(x)$가 $\lim_{x\to\infty}\left\{f(x)\ln\left(1+\frac{1}{2x}\right)\right\}=4$를 만족시킬 때, $\lim_{x\to\infty}\frac{f(x)}{x-3}$의 값은?

① 6 ② 8 ③ 10
④ 12 ⑤ 14

STEP A 함수의 극한의 성질을 이용하여 구하기

$$\lim_{x\to\infty}\left\{f(x)\ln\left(1+\frac{1}{2x}\right)\right\}=\lim_{x\to\infty}\left\{\frac{f(x)}{2x}\cdot 2x\cdot\ln\left(1+\frac{1}{2x}\right)\right\}$$

$$\lim_{x\to\infty}\left\{\frac{f(x)}{2x}\ln\left(1+\frac{1}{2x}\right)^{2x}\right\}=4$$

이때 $\lim_{x\to\infty}\ln\left(1+\frac{1}{2x}\right)^{2x}=1$이므로 $\lim_{x\to\infty}\frac{f(x)}{2x}=4$

STEP B $\lim_{x\to\infty}\frac{f(x)}{x-3}$의 값 구하기

따라서 $\lim_{x\to\infty}\frac{f(x)}{x-3}=\lim_{x\to\infty}\left\{\frac{f(x)}{2x}\cdot\frac{2x}{x-3}\right\}$

$$=\lim_{x\to\infty}\frac{f(x)}{2x}\cdot\lim_{x\to\infty}\frac{2x}{x-3}$$
$$=4\cdot 2=8$$

0261

다음 물음에 답하여라.

(1) 함수 $f(x)=\begin{cases} \dfrac{e^{2x}+a}{x} & (x\neq 0) \\ b & (x=0) \end{cases}$이 $x=0$에서 연속이 되도록 두 상수 a, b의 값을 정할 때, $a+b$의 값은?

① 1 ② $e-1$ ③ 2
④ e ⑤ 3

STEP A 함수 $f(x)$가 $x=0$에서 연속이면 $\lim\limits_{x\to 0}f(x)=f(0)$임을 이용하기

함수 $f(x)$가 $x=0$에서 연속이므로 $\lim\limits_{x\to 0}f(x)=f(0)$이다.

STEP B $\lim\limits_{x\to 0}\dfrac{e^{ax}-1}{bx}=\dfrac{a}{b}$를 이용하기

$\lim\limits_{x\to 0}\dfrac{e^{2x}+a}{x}=b$에서

$x\to 0$일 때, (분모)$\to 0$이고 극한값이 존재하므로 (분자)$\to 0$이어야 한다.

$0=1+a$에서 $a=-1$

$\lim\limits_{x\to 0}\dfrac{e^{2x}-1}{x}=\lim\limits_{x\to 0}\left(\dfrac{e^{2x}-1}{2x}\cdot 2\right)=1\cdot 2=2$

$\therefore b=2$

따라서 $a=-1$, $b=2$이므로 $a+b=(-1)+2=1$

(2) 함수 $f(x)=\begin{cases} \dfrac{e^{3x}-1}{x(e^x+1)} & (x\neq 0) \\ a & (x=0) \end{cases}$이 $x=0$에서 연속일 때, 상수 a의 값은?

① 1 ② $\dfrac{3}{2}$ ③ 2
④ $\dfrac{5}{2}$ ⑤ 3

STEP A 함수 $f(x)$가 $x=0$에서 연속이면 $\lim\limits_{x\to 0}f(x)=f(0)$임을 이용하기

함수 $f(x)$가 $x=0$에서 연속이므로 $\lim\limits_{x\to 0}f(x)=f(0)$이다.

STEP B $\lim\limits_{x\to 0}\dfrac{e^{ax}-1}{bx}=\dfrac{a}{b}$를 이용하기

$\lim\limits_{x\to 0}f(x)=\lim\limits_{x\to 0}\dfrac{e^{3x}-1}{x(e^x+1)}=\lim\limits_{x\to 0}\left(\dfrac{e^{3x}-1}{3x}\times\dfrac{3}{e^x+1}\right)$

$=1\times\dfrac{3}{2}=\dfrac{3}{2}$

따라서 $a=\dfrac{3}{2}$

0262

다음 물음에 답하여라.

(1) 함수 $f(x)=\begin{cases} \dfrac{\ln(a+3x)}{x} & (x\neq 0) \\ b & (x=0) \end{cases}$가 $x=0$에서 연속일 때, $a+b$의 값은?

① 2 ② 3 ③ 4
④ 5 ⑤ 6

STEP A 함수 $f(x)$가 $x=0$에서 연속 조건을 만족하는 a, b의 값 구하기

함수 $f(x)$가 $x=0$에서 연속이려면 $\lim\limits_{x\to 0}f(x)=f(0)$이어야 한다.

$\lim\limits_{x\to 0}\dfrac{\ln(a+3x)}{x}=b$ …… ㉠

$x\to 0$일 때, (분모)$\to 0$이고 극한값이 존재하므로 (분자)$\to 0$이다.

즉 $\lim\limits_{x\to 0}\ln(a+3x)=0$이므로 $\ln a=0$

$\therefore a=1$

STEP B $\lim\limits_{x\to 0}\dfrac{\ln(1+ax)}{bx}=\dfrac{a}{b}$을 이용하여 구하기

$a=1$을 ㉠에 대입하면

$b=\lim\limits_{x\to 0}\dfrac{\ln(1+3x)}{x}=\lim\limits_{x\to 0}\dfrac{\ln(1+3x)}{3x}\cdot 3=1\cdot 3=3$

따라서 $a+b=1+3=4$

(2) 함수 $f(x)=\begin{cases} -14x+a & (x\leq 1) \\ \dfrac{5\ln x}{x-1} & (x>1) \end{cases}$이 실수 전체의 집합에서 연속일 때, 상수 a의 값은?

① -15 ② -14 ③ 14
④ 15 ⑤ 19

STEP A $x=1$에서 연속이면 $\lim\limits_{x\to 1}f(x)=f(1)$임을 이용하기

실수 전체의 집합에서 연속이므로 $x=1$에서 연속이어야 한다.

즉 $\lim\limits_{x\to 1+}f(x)=\lim\limits_{x\to 1-}f(x)=f(1)$

$\lim\limits_{x\to 1+}\dfrac{5\ln x}{x-1}=\lim\limits_{x\to 1-}(-14x+a)=-14+a$

STEP B $\lim\limits_{x\to 1}\dfrac{\ln x}{x-1}=1$임을 이용하여 a의 값 구하기

$\lim\limits_{x\to 1}\dfrac{5\ln x}{x-1}$에서 $x-1=t$라 하면 $x=1+t$

$x\to 1$이면 $t\to 0$이므로 $\lim\limits_{x\to 1}\dfrac{5\ln x}{x-1}=\lim\limits_{t\to 0}\dfrac{5\ln(1+t)}{t}=5$

따라서 $5=-14+a$이므로 $a=19$

0263

다음 물음에 답하여라.

(1) 실수 전체의 집합에서 연속인 함수 $f(x)$에 대하여

$xf(x)=e^{2x}+10x-1$

이 성립할 때, $f(0)$의 값을 구하여라.

STEP A 함수 $f(x)$가 $x=0$에서 연속 조건을 만족하도록 하는 $f(0)$ 구하기

$x\neq 0$일 때, $f(x)=\dfrac{e^{2x}-1}{x}+10$

이때 함수 $f(x)$는 모든 실수에서 연속이므로 $x=0$에서도 연속이어야 한다.

즉 $\lim\limits_{x\to 0}f(x)=f(0)$

$\lim\limits_{x\to 0}f(x)=\lim\limits_{x\to 0}\left(\dfrac{e^{2x}-1}{x}+10\right)=\lim\limits_{x\to 0}\left(\dfrac{e^{2x}-1}{2x}\cdot 2+10\right)=1\times 2+10=12$

따라서 $f(0)=12$

(2) $x>-\dfrac{1}{5}$에서 연속인 함수 $f(x)$가

$\{\ln(1+5x)\}f(x)=x$

를 만족할 때, $f(0)$의 값을 구하여라.

STEP A 함수 $f(x)$가 $x=0$에서 연속 조건을 만족하도록 하는 $f(0)$ 구하기

$x\neq 0$일 때, $f(x)=\dfrac{x}{\ln(1+5x)}$이고 $x>-\dfrac{1}{5}$에서 연속이므로

$f(x)$는 $x=0$에서 연속이다.

즉 $\lim\limits_{x\to 0}f(x)=f(0)$

$\lim\limits_{x\to 0}f(x)=\lim\limits_{x\to 0}\dfrac{x}{\ln(1+5x)}=\lim\limits_{x\to 0}\dfrac{1}{\dfrac{\ln(1+5x)}{5x}\cdot 5}=\dfrac{1}{5}$

따라서 $f(0)=\dfrac{1}{5}$

(3) 함수 $f(x)$가 모든 양의 실수에서 연속이고

$$(x-1)f(x)=\ln x$$

를 만족할 때, $f(1)$의 값을 구하여라.

STEP A 함수 $f(x)$가 $x=1$에서 연속 조건을 만족하도록 하는 $f(1)$ 구하기

$x\neq 1$일 때, $f(x)=\dfrac{\ln x}{x-1}$이므로

함수 $f(x)$가 모든 실수에서 연속이므로 $x=1$에서도 연속이다.

$\lim_{x\to 1}f(x)=f(1)$

$\lim_{x\to 1}f(x)=\lim_{x\to 1}\dfrac{\ln x}{x-1}$

한편 $x-1=t$라 하면 $x=t+1$이고 $x\to 1$일 때, $t\to 0$이므로

$\lim_{x\to 1}\dfrac{\ln x}{x-1}=\lim_{t\to 0}\dfrac{\ln(t+1)}{t}=\lim_{t\to 0}\ln(t+1)^{\frac{1}{t}}=\ln e=1$

따라서 $f(1)=1$

0264

다음 물음에 답하여라.

(1) 함수 $f(x)=(x^2+1)e^x$에 대하여 $f'(0)$의 값은?

① 1 ② 2 ③ 3
④ 4 ⑤ 5

STEP A 지수함수의 곱의 도함수를 이용하여 계산하기

$f(x)=(x^2+1)e^x$를 x로 미분하면 $f'(x)=2xe^x+(x^2+1)e^x$

따라서 $f'(0)=1$

(2) 함수 $f(x)=e^x+x^2-3x$에 대하여 $f'(0)$의 값은?

① -5 ② -4 ③ -3
④ -2 ⑤ -1

STEP A 지수함수의 도함수를 이용하여 계산하기

$f(x)=e^x+x^2-3x$의 양변을 x로 미분하면 $f'(x)=e^x+2x-3$

따라서 $f'(0)=1+0-3=-2$

0265

다음 물음에 답하여라.

(1) 함수 $f(x)=x\ln x$에 대하여 $f'(e)$의 값은?

① 1 ② 2 ③ 3
④ 4 ⑤ 5

STEP A 로그함수의 도함수를 이용하여 계산하기

$f(x)=x\ln x$에서 $f'(x)=(x)'\ln x+x(\ln x)'=\ln x+x\cdot\dfrac{1}{x}=\ln x+1$

따라서 $f'(e)=\ln e+1=2$

(2) 함수 $f(x)=x^2\ln 2x$에 대하여 $f'(2)$의 값은?

① $2+2\ln 2$ ② $1+4\ln 2$ ③ $2+4\ln 2$
④ $1+8\ln 2$ ⑤ $2+8\ln 2$

STEP A 로그함수의 도함수를 이용하여 계산하기

$f(x)=x^2\ln 2x$에서 $f(x)=x^2(\ln x+\ln 2)$

$f'(x)=2x(\ln x+\ln 2)+x^2\times\dfrac{1}{x}=x+2x\ln 2x$

따라서 $f'(2)=2+4\ln 2^2=2+8\ln 2$

(3) 함수 $f(x)=x^3\ln x$에 대하여 $\dfrac{f'(e)}{e^2}$의 값은?

① 2 ② e ③ 4
④ $2e$ ⑤ 8

STEP A 곱의 미분법을 이용하여 미분계수 구하기

$f(x)=x^3\ln x$에서

$f'(x)=3x^2\times\ln x+x^3\times\dfrac{1}{x}=3x^2\ln x+x^2$

따라서 $f'(e)=3e^2\ln e+e^2=4e^2$이므로 $\dfrac{f'(e)}{e^2}=4$

0266

다음 물음에 답하여라.

(1) 함수 $f(x)=\ln(2x+3)$에 대하여 $\lim_{h\to 0}\dfrac{f(2+h)-f(2)}{h}$의 값은?

① $\dfrac{2}{7}$ ② $\dfrac{5}{14}$ ③ $\dfrac{3}{7}$
④ $\dfrac{1}{2}$ ⑤ $\dfrac{4}{7}$

STEP A 미분계수 계산하기

함수 $f(x)=\ln(2x+3)$에서

$f'(x)=\dfrac{2}{2x+3}$이므로 $\lim_{h\to 0}\dfrac{f(2+h)-f(2)}{h}=f'(2)$

따라서 $f'(2)=\dfrac{2}{7}$

(2) 함수 $f(x)=\log_3 x$에 대하여 $\lim_{h\to 0}\dfrac{f(3+h)-f(3-h)}{h}$의 값은?

① $\dfrac{1}{2\ln 3}$ ② $\dfrac{2}{3\ln 3}$ ③ $\dfrac{5}{6\ln 3}$
④ $\dfrac{1}{\ln 3}$ ⑤ $\dfrac{7}{6\ln 3}$

STEP A 미분계수의 정의를 이용하여 주어진 식을 변형하기

함수 $f(x)=\log_3 x$가 $x=3$에서 미분가능하므로

미분계수의 정의에 의하여

$\lim_{h\to 0}\dfrac{f(3+h)-f(3-h)}{h}$

$=\lim_{h\to 0}\dfrac{f(3+h)-f(3)-f(3-h)+f(3)}{h}$

$=\lim_{h\to 0}\dfrac{f(3+h)-f(3)}{h}+\lim_{h\to 0}\dfrac{f(3-h)-f(3)}{-h}$

$=f'(3)+f'(3)$

$=2f'(3)$

STEP B 로그함수의 미분법을 이용하여 $f'(3)$ 구하기

$f(x)=\log_3 x$에서 $f'(x)=\dfrac{1}{x}\cdot\dfrac{1}{\ln 3}$

$f'(3)=\dfrac{1}{\ln 3}\cdot\dfrac{1}{3}$

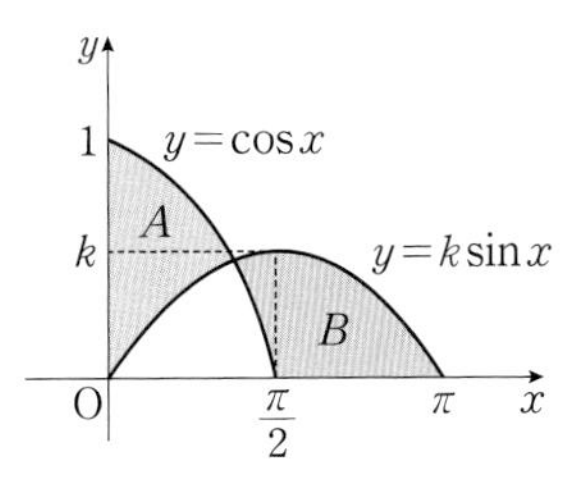

따라서 $2f'(3)=\dfrac{2}{3\ln 3}$

(3) 함수 $f(x)=x^2+x\ln x$에 대하여 $\lim_{h\to 0}\frac{f(1+2h)-f(1-h)}{h}$의 값은?

① 6 ② 7 ③ 8
④ 9 ⑤ 10

STEP Ⓐ 미분계수의 정의를 이용하여 주어진 식을 변형하기

$\lim_{h\to 0}\frac{f(1+2h)-f(1-h)}{h}$

$=\lim_{h\to 0}\frac{f(1+2h)-f(1)}{2h}\cdot 2-\lim_{h\to 0}\frac{f(1-h)-f(1)}{-h}\cdot(-1)$

$=2f'(1)+f'(1)=3f'(1)$

STEP Ⓑ $f'(x)$를 구하여 $f'(1)$ 구하기

$f(x)=x^2+x\ln x$에서 $f'(x)=2x+1\cdot\ln x+x\cdot\frac{1}{x}=2x+\ln x+1$

따라서 $3f'(1)=3(2+\ln 1+1)=9$

0267

함수 $f(x)=x\ln x$에 대하여 x의 값이 1에서 e까지 변할 때의 평균변화율과 $x=a$에서의 순간변화율이 같을 때, 실수 a의 값은?

① $\frac{1}{e}$ ② $e^{\frac{1}{e}}$ ③ $e^{\frac{1}{e-1}}$
④ $e^{\frac{e}{e-1}}$ ⑤ $e^{\frac{e}{e+1}}$

STEP Ⓐ x의 값이 1에서 e까지 변할 때의 평균변화율 구하기

함수 $f(x)=x\ln x$에 대하여 x의 값이 1에서 e까지 변할 때의 평균변화율

$\frac{f(e)-f(1)}{e-1}=\frac{e\ln e-\ln 1}{e-1}=\frac{e}{e-1}$

STEP Ⓑ $x=a$에서의 순간변화율 구하기

$f(x)=x\ln x$에서 $f'(x)=1\cdot\ln x+x\cdot\frac{1}{x}=\ln x+1$

$f'(a)=\ln a+1$이므로 $\frac{e}{e-1}=\ln a+1$

따라서 $\ln a=\frac{1}{e-1}$이므로 $a=e^{\frac{1}{e-1}}$

0268

오른쪽 그림과 같이 두 함수 $y=2^x$, $y=3^x$과 x축 위의 한 점 $\mathrm{P}(x, 0)$에서 y축과 평행한 직선을 그어 만난 교점을 Q, R이라고 할

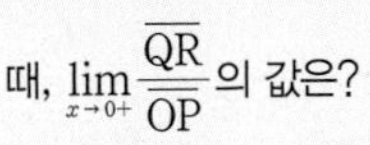

때, $\lim_{x\to 0+}\frac{\overline{\mathrm{QR}}}{\overline{\mathrm{OP}}}$의 값은?

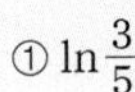

① $\ln\frac{3}{5}$ ② $\ln\frac{3}{2}$
③ $\ln\frac{6}{7}$ ④ $\ln 2$
⑤ $\ln 5$

STEP Ⓐ 밑이 e가 아닌 지수함수의 극한 구하기

점 P의 좌표를 $\mathrm{P}(x, 0)$이라 하면

$\mathrm{Q}(x, 2^x)$, $\mathrm{R}(x, 3^x)$이므로 $\overline{\mathrm{OP}}=x$, $\overline{\mathrm{QR}}=3^x-2^x$에서

$\lim_{x\to 0+}\frac{\overline{\mathrm{QR}}}{\overline{\mathrm{OP}}}=\lim_{x\to 0+}\frac{3^x-2^x}{x}$

$=\lim_{x\to 0+}\frac{3^x-1+1-2^x}{x}$

$=\lim_{x\to 0+}\frac{3^x-1}{x}-\lim_{x\to 0+}\frac{2^x-1}{x}$

$=\ln 3-\ln 2=\ln\frac{3}{2}$

0269

다음 그림과 같이 곡선 $y=\ln x$ 위를 움직이는 점 $\mathrm{P}(t, \ln t)$와 두 점 $\mathrm{A}(1, 0)$, $\mathrm{B}(3, 0)$에 대하여 삼각형 PAB의 넓이를 $S(t)$라고 할 때, $\lim_{t\to 1+}\frac{S(t)}{t-1}$의 값은?

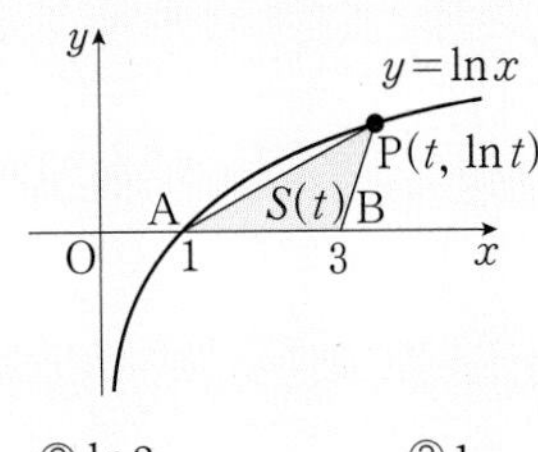

① -1 ② $\ln 2$ ③ 1
④ 2 ⑤ e

STEP Ⓐ $S(t)$를 t에 대한 식으로 나타내기

삼각형 PAB의 넓이가 $S(t)$이므로

$S(t)=\frac{1}{2}\cdot(3-1)\cdot\ln t=\ln t$

STEP Ⓑ 밑이 e인 로그함수의 극한 구하기

따라서 $t-1=x$로 놓으면 $t\to 1+$일 때, $x\to 0+$이므로

$\lim_{t\to 1+}\frac{\ln t}{t-1}=\lim_{x\to 0+}\frac{\ln(1+x)}{x}=\lim_{x\to 0+}\ln(1+x)^{\frac{1}{x}}=\ln e=1$

NORMAL

0270

다음 물음에 답하여라.

(1) 함수 $f(x)=\frac{\ln(x+1)}{4}$의 역함수를 $g(x)$라 할 때, $\lim_{x\to0}\frac{f(x)}{g(x)}$의 값은?

① $\frac{1}{16}$ ② $\frac{1}{8}$ ③ $\frac{1}{4}$
④ 4 ⑤ 16

STEP A 함수 $f(x)$의 역함수 $g(x)$ 구하기

$f(x)=\frac{\ln(x+1)}{4}$에서 $y=x$에 대칭인 식은 $x=\frac{\ln(y+1)}{4}$

$\ln(y+1)=4x$, $y+1=e^{4x}$이므로 역함수가 $g(x)=e^{4x}-1$

STEP B $\lim_{x\to0}\frac{e^{ax}-1}{bx}=\frac{a}{b}$, $\lim_{x\to0}\frac{\ln(1+ax)}{bx}=\frac{a}{b}$를 이용하여 구하기

$$\lim_{x\to0}\frac{f(x)}{g(x)}=\frac{\ln(x+1)}{4(e^{4x}-1)}=\frac{1}{4}\lim_{x\to0}\frac{\ln(x+1)}{x}\times\lim_{x\to0}\frac{x}{e^{4x}-1}$$
$$=\frac{1}{4}\times1\times\frac{1}{4}=\frac{1}{16}$$

(2) 함수 $f(x)=\log_2(x+3)$의 역함수를 $g(x)$라 할 때,

$\lim_{x\to0}\frac{f(x-2)}{g(x)+2}$의 값은?

① $(\ln2)^2$ ② $\ln2$ ③ 1
④ $\frac{1}{\ln2}$ ⑤ $\frac{1}{(\ln2)^2}$

STEP A $f(x)$의 역함수 $g(x)$ 구하기

$f(x)=\log_2(x+3)$의 역함수는 $g(x)=2^x-3$

STEP B $\lim_{x\to0}\frac{a^x-1}{x}=\ln a$, $\lim_{x\to0}\frac{\log_a(1+x)}{x}=\frac{1}{\ln a}$을 이용하여 구하기

$$\lim_{x\to0}\frac{f(x-2)}{g(x)+2}=\lim_{x\to0}\frac{\log_2(x+1)}{2^x-1}=\lim_{x\to0}\frac{\log_2(x+1)}{x}\times\lim_{x\to0}\frac{x}{2^x-1}$$
$$=\frac{1}{\ln2}\times\frac{1}{\ln2}=\frac{1}{(\ln2)^2}$$

따라서 $\lim_{x\to0}\frac{f(x-2)}{g(x)+2}=\frac{1}{(\ln2)^2}$

(3) 양의 실수 전체의 집합에서 정의된 함수 $f(x)=\ln\sqrt[3]{x}$의 역함수를 $g(x)$라 할 때, $\lim_{x\to0+}\frac{f(g(x))}{g(x)-1}$의 값은?

① $\frac{1}{6}$ ② $\frac{1}{4}$ ③ $\frac{1}{3}$
④ $\frac{2}{3}$ ⑤ $\frac{3}{2}$

STEP A $f(x)$의 역함수 $g(x)$ 구하기

$f(x)=y=\ln\sqrt[3]{x}$의 역함수 $g(x)$를 구하기 위해 x와 y를 바꾸면

$x=\ln y^{\frac{1}{3}}$에서 $e^x=y^{\frac{1}{3}}$이므로 $y=e^{3x}$ $\quad\therefore g(x)=e^{3x}$

STEP B $\lim_{x\to0}\frac{e^x-1}{x}=1$임을 이용하여 극한값 구하기

$\lim_{x\to0+}\frac{f(g(x))}{g(x)-1}$에서 $g(x)$는 $f(x)$의 역함수이므로 $f(g(x))=x$

따라서 $\lim_{x\to0+}\frac{f(g(x))}{g(x)-1}=\lim_{x\to0+}\frac{x}{e^{3x}-1}=\lim_{x\to0+}\frac{\frac{x}{3x}}{\frac{e^{3x}-1}{3x}}=\frac{\frac{1}{3}}{1}=\frac{1}{3}$

다른풀이 미분계수의 정의를 이용하는 풀이하기

STEP A $f(x)$의 역함수 $g(x)$이므로 $g'(x)=\frac{1}{f'(g(x))}$을 이용하기

$f(x)=\ln\sqrt[3]{x}$에서 $f(1)=0$이고 $g(x)$는 $f(x)$의 역함수이므로 $g(0)=1$

$f(g(x))=x$이므로 양변을 x로 미분하면 $f'(g(x))g'(x)=1$

$g'(x)=\frac{1}{f'(g(x))}$이므로 $g'(0)=\frac{1}{f'(g(0))}=\frac{1}{f'(1)}$

STEP B 미분계수의 정의를 이용하여 극한값 구하기

$$\lim_{x\to0+}\frac{f(g(x))}{g(x)-1}=\lim_{x\to0+}\frac{x}{g(x)-g(0)}=\lim_{x\to0+}\frac{1}{\frac{g(x)-g(0)}{x-0}}=\frac{1}{g'(0)}=f'(1)$$

$f(x)=\ln\sqrt[3]{x}=\frac{1}{3}\ln x$에서 $f'(x)=\frac{1}{3}\times\frac{1}{x}=\frac{1}{3x}$

따라서 $\lim_{x\to0+}\frac{f(g(x))}{g(x)-1}=f'(1)=\frac{1}{3}$

0271

다음 물음에 답하여라.

(1) 자연수 n에 대하여 $f(n)=\lim_{x\to0}\frac{x}{e^x+e^{2x}+e^{3x}+\cdots+e^{nx}-n}$일 때, $\lim_{n\to\infty}n^2f(n)$의 값은?

① $\frac{1}{e}$ ② 1 ③ 2
④ 4 ⑤ $2e$

STEP A $\lim_{x\to0}\frac{e^{ax}-1}{bx}=\frac{a}{b}$를 이용하여 $f(n)$의 값 구하기

$$f(n)=\lim_{x\to0}\frac{x}{e^x+e^{2x}+e^{3x}+\cdots+e^{nx}-n}$$
$$=\lim_{x\to0}\frac{x}{e^x-1+e^{2x}-1+e^{3x}-1+\cdots+e^{nx}-1}$$
$$=\lim_{x\to0}\frac{1}{\frac{e^x-1+e^{2x}-1+\cdots+e^{nx}-1}{x}}$$
$$=\lim_{x\to0}\frac{1}{\frac{e^x-1}{x}+\frac{e^{2x}-1}{2x}\times2+\cdots+\frac{e^{nx}-1}{nx}\times n}$$
$$=\frac{1}{1+2+\cdots+n}=\frac{2}{n(n+1)}$$

STEP B $\frac{\infty}{\infty}$꼴의 극한값 구하기

따라서 $\lim_{n\to\infty}n^2f(n)=\lim_{n\to\infty}\frac{2n^2}{n(n+1)}=\lim_{n\to\infty}\frac{2}{1+\frac{1}{n}}=2$

(2) 자연수 n에 대하여 $f(n)=\lim_{x\to0}\frac{e^x+e^{2x}+e^{3x}+\cdots+e^{nx}-n}{x}$일 때, $\sum_{n=1}^{10}\frac{1}{f(n)}$의 값은?

① $\frac{12}{11}$ ② $\frac{11}{10}$ ③ $\frac{20}{11}$
④ $\frac{6}{5}$ ⑤ $\frac{7}{5}$

STEP A $\lim_{x\to0}\frac{e^{ax}-1}{bx}=\frac{a}{b}$를 이용하여 $f(n)$의 값 구하기

$$f(n)=\lim_{x\to0}\frac{e^x+e^{2x}+e^{3x}+\cdots+e^{nx}-n}{x}$$
$$=\lim_{x\to0}\left(\frac{e^x-1}{x}+\frac{e^{2x}-1}{x}+\frac{e^{3x}-1}{x}+\cdots+\frac{e^{nx}-1}{x}\right)$$
$$=\lim_{x\to0}\left(\frac{e^x-1}{x}+2\times\frac{e^{2x}-1}{2x}+3\times\frac{e^{3x}-1}{3x}+\cdots+n\times\frac{e^{nx}-1}{nx}\right)$$
$$=1+2+3+\cdots+n$$
$$=\frac{n(n+1)}{2}$$

STEP B 시그마의 성질을 이용하여 값 구하기

따라서 $\sum_{n=1}^{10}\frac{1}{f(n)}=\sum_{n=1}^{10}\frac{2}{n(n+1)}=2\sum_{n=1}^{10}\left(\frac{1}{n}-\frac{1}{n+1}\right)$

$=2\left\{\left(\frac{1}{1}-\frac{1}{2}\right)+\left(\frac{1}{2}-\frac{1}{3}\right)+\left(\frac{1}{3}-\frac{1}{4}\right)+\cdots+\left(\frac{1}{10}-\frac{1}{11}\right)\right\}$

$=2\left(1-\frac{1}{11}\right)=\frac{20}{11}$

0272

다음 물음에 답하여라.

(1) 자연수 n에 대하여

$$f(n)=\lim_{x\to0}\frac{x}{\ln(1+x)+\ln(1+2x)+\cdots+\ln(1+nx)}$$

일 때, $\sum_{n=1}^{\infty}f(n)$의 값은?

① 1　② 2　③ e
④ $2e$　⑤ $3e$

STEP A $\lim_{x\to0}\frac{\ln(1+ax)}{bx}=\frac{a}{b}$를 이용하여 $f(n)$의 값 구하기

$f(n)=\lim_{x\to0}\frac{x}{\ln(1+x)+\ln(1+2x)+\cdots+\ln(1+nx)}$

$=\lim_{x\to0}\frac{1}{\frac{\ln(1+x)+\ln(1+2x)+\cdots+\ln(1+nx)}{x}}$

$=\lim_{x\to0}\frac{1}{\frac{\ln(1+x)}{x}+\frac{\ln(1+2x)}{2x}\times2+\cdots+\frac{\ln(1+nx)}{nx}\times n}$

$=\frac{1}{1+2+\cdots+n}=\frac{1}{\frac{n(n+1)}{2}}=\frac{2}{n(n+1)}$

STEP B 무한급수의 값 구하기

따라서 $\sum_{n=1}^{\infty}f(n)=\sum_{n=1}^{\infty}\frac{2}{n(n+1)}=2\sum_{n=1}^{\infty}\left(\frac{1}{n}-\frac{1}{n+1}\right)$

$=2\lim_{n\to\infty}\left\{\left(1-\frac{1}{2}\right)+\left(\frac{1}{2}-\frac{1}{3}\right)+\cdots+\left(\frac{1}{n}-\frac{1}{n+1}\right)\right\}$

$=2\lim_{n\to\infty}\left(1-\frac{1}{n+1}\right)=2$

(2) $f_n(x)=(1+x)(1+2x)(1+3x)\cdots(1+nx)$에 대하여

$$a_n=\lim_{x\to0}\frac{\ln f_n(x)}{x}$$

일 때, $\lim_{n\to\infty}\frac{2a_n}{n^2}$의 값은? (단, n은 자연수이다.)

① 1　② 2　③ 3
④ 4　⑤ 5

STEP A $\lim_{x\to0}\frac{\ln(1+ax)}{bx}=\frac{a}{b}$를 이용하여 $f(n)$의 값 구하기

$\ln f_n(x)=\ln(1+x)(1+2x)(1+3x)\cdots(1+nx)$

$=\ln(1+x)+\ln(1+2x)+\ln(1+3x)+\cdots+\ln(1+nx)$

이므로

$a_n=\lim_{x\to0}\frac{\ln f_n(x)}{x}$

$=\lim_{x\to0}\frac{1}{x}\{\ln(1+x)+\ln(1+2x)+\ln(1+3x)+\cdots+\ln(1+nx)\}$

$=\lim_{x\to0}\left\{\frac{\ln(1+x)}{x}+\frac{\ln(1+2x)}{2x}\times2+\frac{\ln(1+3x)}{3x}\times3+\cdots+\frac{\ln(1+nx)}{nx}\times n\right\}$

$=1+2+3+\cdots+n$

$=\frac{n(n+1)}{2}$

STEP B $\frac{\infty}{\infty}$꼴의 극한값 구하기

따라서 $\lim_{n\to\infty}\frac{2a_n}{n^2}=\lim_{n\to\infty}\frac{2n(n+1)}{2n^2}=\lim_{n\to\infty}\frac{2+\frac{2}{n}}{2}=1$

0273

다음 물음에 답하여라.

(1) 함수 $f(x)=e^x(2\ln x+a)$에 대하여

$$\lim_{x\to1}\frac{f(x)-e}{x^3-1}=b$$

를 만족하는 상수 a, b에 대하여 $a+b$의 값은?

① 1　② e　③ $1+e$
④ $2e$　⑤ $3e$

STEP A (분모)→ 0이고 극한값이 존재하므로 (분자)→ 0임을 이용하여 a의 값 구하기

$\lim_{x\to1}\frac{f(x)-e}{x^3-1}=b$에서

$x\to1$일 때, (분모)→ 0이고 극한값이 존재하므로 (분자)→ 0이어야 한다.

즉 $\lim_{x\to1}\{f(x)-e\}=f(1)-e=0$

$\therefore f(1)=e$

즉 $f(1)=e^1(2\ln1+a)=ae=e$

$\therefore a=1$

STEP B 미분계수의 정의를 이용하여 b의 값 구하기

$\lim_{x\to1}\frac{f(x)-e}{x^3-1}=\lim_{x\to1}\left\{\frac{f(x)-f(1)}{x-1}\cdot\frac{1}{x^2+x+1}\right\}$

$=f'(1)\cdot\frac{1}{3}=b$

한편 $f'(x)=e^x(2\ln x+1)+e^x\cdot\frac{2}{x}$이므로

$b=\frac{1}{3}f'(1)=\frac{1}{3}\cdot3e=e$

따라서 $a=1$, $b=e$이므로 $a+b=1+e$

(2) 함수 $f(x)=x\log_3ax^2\,(x>0)$에 대하여

$$\lim_{x\to1}\frac{f(x)-\log_3a}{x-1}=1$$

일 때, 상수 a의 값은?

① $\frac{1}{e}$　② $\frac{2}{e}$　③ $\frac{3}{e^2}$
④ $\frac{4}{e^2}$　⑤ $\frac{5}{e^3}$

STEP A 미분계수의 정의를 이용하여 구하기

$f(x)=x\log_3ax^2$에서 $f(1)=\log_3a$이므로

$\lim_{x\to1}\frac{f(x)-\log_3a}{x-1}=\lim_{x\to1}\frac{f(x)-f(1)}{x-1}=f'(1)$

STEP B 로그함수의 도함수를 이용하여 상수 a의 값 구하기

$f(x)=x\log_3ax^2=x(\log_3a+2\log_3x)$이므로

$f'(x)=1\cdot(\log_3a+2\log_3x)+x\cdot\frac{2}{x\ln3}=\log_3ax^2+\frac{2}{\ln3}$

$f'(1)=\log_3a+\frac{2}{\ln3}=1$이므로 $\log_3a+2\log_3e=1$

따라서 $\log_3ae^2=\log_33$에서 $a=\frac{3}{e^2}$

0274

함수 $f(x)=\begin{cases} \ln x+b & (x \geq 1) \\ ax^2+1 & (x<1) \end{cases}$가 모든 실수 x에 대하여 미분가능할 때, 상수 a, b에 대하여 $a+b$의 값은?

① $\frac{1}{2}$　② 1　③ $\frac{3}{2}$
④ 2　⑤ 3

STEP Ⓐ $x=1$에서 연속이기 위한 조건을 이용하여 a, b 사이의 관계식 구하기

함수 $f(x)$가 모든 실수 x에 대하여 미분가능하므로
$x=1$에서 미분가능 하여야 한다.
이때 $x=1$에서 연속이므로
$\lim_{x\to1+}f(x)=\lim_{x\to1-}f(x)=f(1)$에서 $\lim_{x\to1+}(\ln x+b)=\lim_{x\to1-}(ax^2+1)=b$
$a+1=b$ …… ㉠

STEP Ⓑ 미분계수 $f'(1)$이 존재하기 위한 조건을 이용하여 a의 값 구하기

함수 $f(x)$가 $x=1$에서 미분가능 하므로
$\lim_{x\to1+}\frac{f(x)-f(1)}{x-1}=\lim_{x\to1-}\frac{f(x)-f(1)}{x-1}$이다.

$\lim_{x\to1+}\frac{f(x)-f(1)}{x-1}=\lim_{x\to1+}\frac{(\ln x+b)-b}{x-1}=\lim_{x\to1+}\frac{\ln x}{x-1}=1$

⬅ $x-1=t$로 놓으면 $\lim_{x\to1+}\frac{\ln x}{x-1}=\lim_{t\to0+}\frac{\ln(1+t)}{t}=1$

$\lim_{x\to1-}\frac{f(x)-f(1)}{x-1}=\lim_{x\to1-}\frac{ax^2+1-(a+1)}{x-1}=\lim_{x\to1-}\frac{a(x^2-1)}{x-1}$
$=\lim_{x\to1-}a(x+1)=2a$

즉 $2a=1$ $\therefore a=\frac{1}{2}$

따라서 ㉠에서 $b=\frac{1}{2}+1=\frac{3}{2}$이므로 $a+b=\frac{1}{2}+\frac{3}{2}=2$

다른풀이 도함수를 이용하여 풀이하기

$f(x)$가 $x=1$에서 미분가능하면 $x=1$에서 연속이므로
(i) $\lim_{x\to1+}f(x)=\lim_{x\to1-}f(x)=f(1)$에서 $a+1=b$
(ii) $f'(x)=\begin{cases} \frac{1}{x} & (x>1) \\ 2ax & (x<1) \end{cases}$에서
$\lim_{x\to1+}f'(x)=\lim_{x\to1-}f'(x)$이어야 하므로 $2a=1$, 즉 $a=\frac{1}{2}$
이때 $a+1=b$에서 $a=\frac{1}{2}$, $b=\frac{3}{2}$

따라서 $a+b=\frac{1}{2}+\frac{3}{2}=2$

0275

다음 물음에 답하여라.

(1) $\lim_{x\to1}\frac{x^n-e^{x-1}}{x^2-1}=10$을 만족시키는 자연수 n의 값은?

① 11　② 15　③ 17
④ 19　⑤ 21

STEP Ⓐ $x^n-1=(x-1)(x^{n-1}+x^{n-2}+\cdots+1)$임을 이용하여 극한값 구하기

$\lim_{x\to1}\frac{x^n-e^{x-1}}{x^2-1}=\lim_{x\to1}\frac{x^n-1-(e^{x-1}-1)}{(x-1)(x+1)}$
$=\lim_{x\to1}\left\{\frac{(x-1)(x^{n-1}+x^{n-2}+\cdots+1)}{(x-1)(x+1)}-\frac{e^{x-1}-1}{(x-1)(x+1)}\right\}$
$=\lim_{x\to1}\frac{x^{n-1}+x^{n-2}+\cdots+1}{x+1}-\lim_{x\to1}\left(\frac{e^{x-1}-1}{x-1}\times\frac{1}{x+1}\right)$
$=\frac{n}{2}-1\times\frac{1}{2}=\frac{n-1}{2}$

STEP Ⓑ n의 값 구하기

따라서 $\frac{n-1}{2}=10$이므로 $n=21$

(2) $\lim_{x\to1}\frac{x^n-e^{x-1}}{x^2+x-2}=5$를 만족시키는 자연수 n의 값은?

① 12　② 14　③ 16
④ 18　⑤ 20

STEP Ⓐ $x^n-1=(x-1)(x^{n-1}+x^{n-2}+\cdots+1)$임을 이용하여 극한값 구하기

$\lim_{x\to1}\frac{x^n-e^{x-1}}{x^2+x-2}=\lim_{x\to1}\frac{(x^n-1)-(e^{x-1}-1)}{(x-1)(x+2)}$
$=\lim_{x\to1}\left\{\frac{x^n-1}{(x-1)(x+2)}-\frac{e^{x-1}-1}{(x-1)(x+2)}\right\}$
$=\lim_{x\to1}\left\{\frac{(x-1)(x^{n-1}+x^{n-2}+\cdots+1)}{(x-1)(x+2)}-\frac{e^{x-1}-1}{(x-1)(x+2)}\right\}$
$=\lim_{x\to1}\frac{x^{n-1}+x^{n-2}+\cdots+1}{x+2}-\lim_{x\to1}\left(\frac{e^{x-1}-1}{x-1}\times\frac{1}{x+2}\right)$
$=\frac{n}{3}-1\times\frac{1}{3}=\frac{n-1}{3}$

STEP Ⓑ n의 값 구하기

이때 $\lim_{x\to1}\frac{x^n-e^{x-1}}{x^2+x-2}=5$에서 $\frac{n-1}{3}=5$
따라서 구하는 자연수 n의 값은 16

0276

$a>3$인 상수 a에 대하여 두 곡선 $y=a^{x-1}$과 $y=3^x$이 점 P에서 만난다.
점 P의 x좌표를 k라 할 때, $\lim_{n\to\infty}\frac{\left(\frac{a}{3}\right)^{n+k}}{\left(\frac{a}{3}\right)^{n+1}+1}$의 값은?

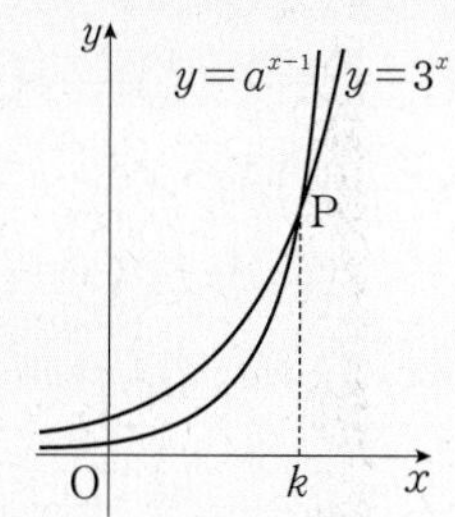

① 1　② 2　③ 3
④ 4　⑤ 5

STEP Ⓐ 두 곡선의 교점의 x좌표가 k임을 이용하여 a, k 관계식 세우기

두 곡선 $y=a^{x-1}$과 $y=3^x$이 만나는 점 P의 x좌표가 k이므로
$a^{k-1}=3^k$에서 $a^k\times\frac{1}{a}=3^k$
즉 $\left(\frac{a}{3}\right)^k=a$

STEP Ⓑ 극한값 구하기

$a>3$이므로 $\lim_{n\to\infty}\left(\frac{a}{3}\right)^n=\infty$

따라서 $\lim_{n\to\infty}\frac{\left(\frac{a}{3}\right)^{n+k}}{\left(\frac{a}{3}\right)^{n+1}+1}=\lim_{n\to\infty}\frac{\left(\frac{a}{3}\right)^n\times\left(\frac{a}{3}\right)^k}{\left(\frac{a}{3}\right)^{n+1}+1}=\lim_{n\to\infty}\frac{\left(\frac{a}{3}\right)^n\times a}{\left(\frac{a}{3}\right)^{n+1}+1}$
$=\lim_{n\to\infty}\frac{a}{\frac{a}{3}+\frac{1}{\left(\frac{a}{3}\right)^n}}=\frac{a}{\frac{a}{3}+0}=3$

0277

좌표평면에 두 함수 $f(x)=2^x$의 그래프와 $g(x)=\left(\frac{1}{2}\right)^x$의 그래프가 있다. 두 곡선 $y=f(x)$, $y=g(x)$가 직선 $x=t\,(t>0)$와 만나는 점을 각각 A, B라 하자.

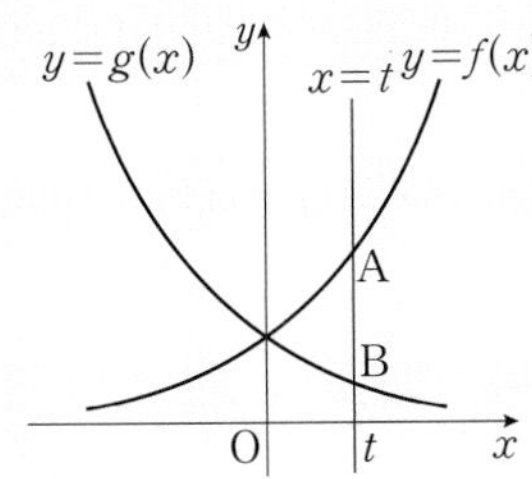

점 A에서 y축에 내린 수선의 발을 H라 할 때, $\lim_{t\to0+}\frac{\overline{AB}}{\overline{AH}}$의 값은?

① $2\ln2$　② $\frac{7}{4}\ln2$　③ $\frac{3}{2}\ln2$　④ $\frac{5}{4}\ln2$　⑤ $\ln2$

STEP Ⓐ $\overline{AB}$, $\overline{AH}$를 t에 관하여 나타내기

$x=t$에서 두 함수 $f(x)=2^x$, $g(x)=\left(\frac{1}{2}\right)^x$와 만나는 점은

$A(t,\,2^t)$, $B\left(t,\,\left(\frac{1}{2}\right)^t\right)$

점 A에서 y축에 내린 수선의 발은 $H(0,\,2^t)$

즉 $\overline{AH}=t$, $\overline{AB}=2^t-\left(\frac{1}{2}\right)^t$

STEP Ⓑ $\lim_{t\to0+}\frac{\overline{AB}}{\overline{AH}}$의 극한값 구하기

따라서 $\lim_{t\to0+}\frac{\overline{AB}}{\overline{AH}}=\lim_{t\to0+}\frac{2^t-\left(\frac{1}{2}\right)^t}{t}=\lim_{t\to0+}\left\{\frac{2^t-1}{t}-\frac{\left(\frac{1}{2}\right)^t-1}{t}\right\}$

$=\ln2-\ln\frac{1}{2}=2\ln2$

$a>0$일 때, $a^t-1=s$로 놓으면 $a^t=s+1$이므로 $t=\frac{\ln(s+1)}{\ln a}\,(a\neq1)$

$t\to0$일 때, $s\to0$이므로

$\lim_{t\to0}\frac{a^t-1}{t}=\lim_{s\to0}\frac{s\ln a}{\ln(s+1)}=\lim_{s\to0}\frac{\ln a}{\frac{\ln(s+1)}{s}}=\ln a$

0278

서술형

다음 그림과 같이 곡선 $y=2^x-1$ 위의 점 $P(t,\,2^t-1)$을 지나고 직선 OP에 수직인 직선을 l이라 하자.

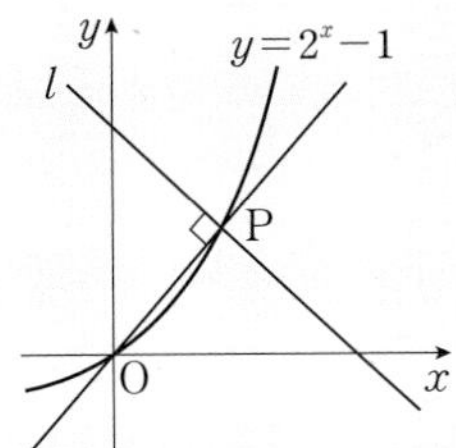

직선 l의 y절편을 $f(t)$라 할 때, $\lim_{t\to0+}\frac{f(t)}{t}$의 값을 구하는 과정을 다음 단계로 서술하여라. (단, O는 원점이고, 점 P는 제1사분면의 점이다.)

[1단계] 직선 OP의 기울기를 구한다.
[2단계] 점 $P(t,\,2^t-1)$을 지나고 직선 OP에 수직인 직선 l의 방정식을 구한다.
[3단계] 직선 l의 y절편 $f(t)$를 구한다.
[4단계] $\lim_{t\to0+}\frac{f(t)}{t}$를 구한다.

1단계 직선 OP의 기울기를 구한다. ◀ 20%

곡선 $y=2^x-1$ 위의 점 $P(t,\,2^t-1)$에 대하여

직선 OP의 기울기는 $\frac{2^t-1}{t}$

2단계 점 $P(t,\,2^t-1)$을 지나고 직선 OP에 수직인 직선 l의 방정식을 구한다. ◀ 30%

직선 OP에 수직인 직선 l의 기울기를 $m(t)$라 하면

$\frac{2^t-1}{t}\times m(t)=-1$에서 $m(t)=-\frac{t}{2^t-1}$이므로

직선 l의 방정식은 $y-(2^t-1)=-\frac{t}{2^t-1}(x-t)$

3단계 직선 l의 y절편 $f(t)$를 구한다. ◀ 20%

즉 직선 l의 y절편은 $f(t)=(2^t-1)+\frac{t^2}{2^t-1}$

4단계 $\lim_{t\to0+}\frac{f(t)}{t}$를 구한다. ◀ 30%

따라서 $\lim_{t\to0+}\frac{f(t)}{t}=\lim_{t\to0+}\frac{2^t-1}{t}+\lim_{t\to0+}\frac{t^2}{t(2^t-1)}$

$=\lim_{t\to0+}\frac{2^t-1}{t}+\lim_{t\to0+}\frac{1}{\frac{2^t-1}{t}}$

$=\ln2+\frac{1}{\ln2}$

01 지수로그함수의 미분

0279

서술형

세 양수 a, b, c에 대하여 $\lim_{x\to\infty} x^a \ln\left(b+\frac{c}{x^2}\right)=2$일 때, $a+b+c$의 값을 구하는 과정을 다음 단계로 서술하여라.

[1단계] $\frac{1}{x}=t$로 놓고 주어진 식을 t에 관한 식으로 정리한다.
[2단계] 극한값이 존재함을 이용하여 b의 값을 구한다.
[3단계] $\lim_{x\to0}\frac{\ln(1+x)}{x}=1$을 이용하여 a, c의 값을 구한다.
[4단계] $a+b+c$의 값을 구한다.

1단계 $\frac{1}{x}=t$로 놓고 주어진 식을 t에 관한 식으로 정리한다. ◀ 30%

$\lim_{x\to\infty} x^a \ln\left(b+\frac{c}{x^2}\right)=2$에서 $\frac{1}{x}=t$로 놓으면 $x\to\infty$일 때, $t\to0$이므로

$\lim_{x\to\infty} x^a \ln\left(b+\frac{c}{x^2}\right)=2$에서 $\lim_{t\to0}\frac{\ln(b+ct^2)}{t^a}=2$ …… ㉠

2단계 극한값이 존재함을 이용하여 b의 값을 구한다. ◀ 20%

$t\to0$일 때, (분모)$\to0$이고 극한값이 존재하므로 (분자)$\to0$이어야 한다.
즉 $\lim_{t\to0}\ln(b+ct^2)=0$이므로 $\ln b=0$
$\therefore b=1$

3단계 $\lim_{x\to0}\frac{\ln(1+x)}{x}=1$을 이용하여 a, c의 값을 구한다. ◀ 40%

$b=1$을 ㉠에 대입하면 $\lim_{t\to0}\frac{\ln(1+ct^2)}{t^a}$

$$\lim_{t\to0}\frac{\ln(1+ct^2)}{t^a}=\lim_{t\to0}\left\{\frac{\ln(1+ct^2)}{ct^2}\times\frac{ct^2}{t^a}\right\}$$
$$=\lim_{t\to0}\frac{ct^2}{t^a}=\lim_{t\to0}ct^{2-a}=2$$

a, c가 양수이므로 $2-a=0$, $c=2$
$\therefore c=2,\ a=2$

4단계 $a+b+c$의 값을 구한다. ◀ 10%

따라서 $a+b+c=2+1+2=5$

다른풀이 극한의 성질을 이용하여 풀이하기

양수 a에 대하여 $\lim_{x\to\infty}x^a=\infty$이므로 주어진 등식이 성립하려면

$\lim_{x\to\infty}\ln\left(b+\frac{c}{x^2}\right)=0$이어야 하므로 $\lim_{x\to\infty}\left(b+\frac{c}{x^2}\right)=1$

즉 $b+0=1$이므로 $b=1$
$b=1$을 대입하면

$$\lim_{x\to\infty}x^a\ln\left(1+\frac{c}{x^2}\right)=\lim_{x\to\infty}cx^{a-2}\ln\left(1+\frac{c}{x^2}\right)^{\frac{x^2}{c}}$$
$$=\lim_{x\to\infty}cx^{a-2}\cdot1$$

즉 $\lim_{x\to\infty}cx^{a-2}=2$이므로
a, c가 양수이므로 $c=2$, $2-a=0$
$\therefore c=2,\ a=2$
따라서 $a+b+c=2+1+2=5$

TOUGH

0280

$a>e$인 실수 a에 대하여 두 곡선 $y=e^{x-1}$과 $y=a^x$이 만나는 점의 x좌표를 $f(a)$라 할 때, $\lim_{a\to e+}\frac{1}{(e-a)f(a)}$의 값은?

① $\frac{1}{e^2}$ ② $\frac{1}{e}$ ③ 1
④ e ⑤ e^2

STEP A 지수방정식을 만족하는 x의 값 구하기

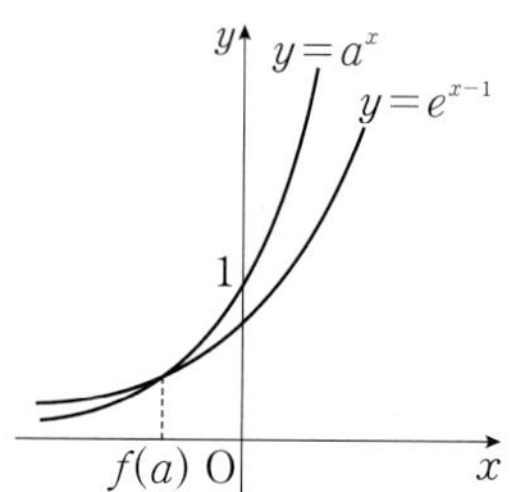

두 곡선 $y=e^{x-1}$과 $y=a^x$이 만나는 점의 x좌표는 방정식 $e^{x-1}=a^x$의 해이다.
$e^{x-1}=a^x$에서 양변에 $\frac{e}{a^x}$를 곱하면 $\left(\frac{e}{a}\right)^x=e$

$x=\frac{1}{\ln\frac{e}{a}}$이므로 $f(a)=\frac{1}{\ln\frac{e}{a}}$

$\ln e^{x-1}=\ln a^x$
$x-1=x\ln a$에서 $x(1-\ln a)=1$
즉 $x=\frac{1}{1-\ln a}=\frac{1}{\ln\frac{e}{a}}$이므로 $f(a)=\frac{1}{\ln\frac{e}{a}}$

STEP B $\lim_{\triangle\to0}(1+\triangle)^{\frac{1}{\triangle}}=e$임을 이용하여 구하기

따라서 $a-e=t$라 하면
$a=t+e$이고 $a\to e+$일 때, $t\to0+$이므로

$$\lim_{a\to e+}\frac{1}{(e-a)f(a)}=\lim_{a\to e+}\frac{\ln\frac{e}{a}}{(e-a)}$$
$$=\lim_{t\to0+}\frac{\ln\frac{e}{t+e}}{-t}$$
$$=\lim_{t\to0+}\left(-\frac{1}{t}\right)\ln\frac{e}{t+e}$$
← $\lim_{t\to0+}\frac{1}{t}\ln\left(\frac{e}{t+e}\right)^{-1}=\lim_{t\to0+}\ln\left(\frac{t+e}{e}\right)^{\frac{1}{t}}$
$$=\lim_{t\to0+}\ln\left(1+\frac{t}{e}\right)^{\frac{1}{t}}$$
$$=\lim_{t\to0+}\ln\left\{\left(1+\frac{t}{e}\right)^{\frac{e}{t}}\right\}^{\frac{1}{e}}$$
$$=\frac{1}{e}$$

0281

2보다 큰 실수 a에 대하여 두 곡선 $y=2^x$, $y=-2^x+a$가 y축과 만나는 점을 각각 A, B라 하고, 두 곡선의 교점을 C라 하자. 직선 AC의 기울기를 $f(a)$, 직선 BC의 기울기를 $g(a)$라 할 때, $\lim_{a\to2+}\{f(a)-g(a)\}$의 값은?

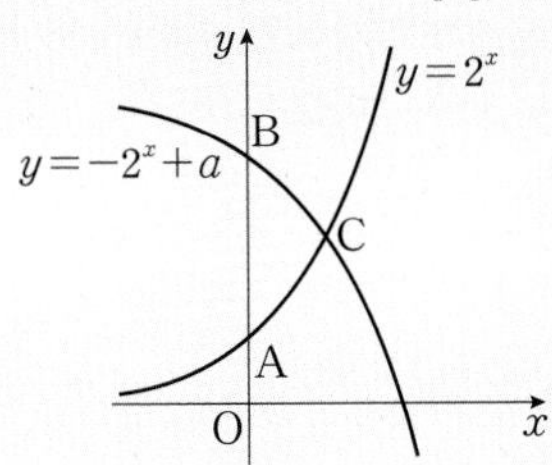

① $\dfrac{1}{\ln 2}$ ② $\dfrac{2}{\ln 2}$ ③ $\ln 2$
④ $2\ln 2$ ⑤ 2

STEP A 점 A, B, C의 좌표 구하기

곡선 $y=2^x$이 y축과 만나는 점은 $A(0, 1)$

곡선 $y=-2^x+a$가 y축과 만나는 점은 $B(0, a-1)$

두 곡선 $y=2^x$과 $y=-2^x+a$가 만나는 점은 $2^x=-2^x+a$, $2^{x+1}=a$

$x=\log_2 a-1=\log_2\dfrac{a}{2}$, $y=2^{\log_2\frac{a}{2}}=\dfrac{a}{2}$

$\therefore C\left(\log_2\dfrac{a}{2}, \dfrac{a}{2}\right)$

STEP B 직선 AC의 기울기 $f(a)$, 직선 BC의 기울기 $g(a)$ 구하기

$A(0, 1)$, $C\left(\log_2\dfrac{a}{2}, \dfrac{a}{2}\right)$이므로

직선 AC의 기울기는 $f(a)=\dfrac{\frac{a}{2}-1}{\log_2\frac{a}{2}-0}=\dfrac{\frac{a}{2}-1}{\log_2\frac{a}{2}}$

$B(0, a-1)$, $C\left(\log_2\dfrac{a}{2}, \dfrac{a}{2}\right)$이므로

직선 BC의 기울기는 $g(a)=\dfrac{\frac{a}{2}-(a-1)}{\log_2\frac{a}{2}-0}=-\dfrac{\frac{a}{2}-1}{\log_2\frac{a}{2}}$

STEP C $\lim_{a\to2+}\{f(a)-g(a)\}$의 값 구하기

$$\lim_{a\to2+}\{f(a)-g(a)\}=2\lim_{a\to2+}\frac{\frac{a}{2}-1}{\log_2\frac{a}{2}}$$

따라서 $\dfrac{a}{2}-1=t$라 하면 $a\to2+$일 때, $t\to0+$이므로

$$\begin{aligned}\lim_{a\to2+}\{f(a)-g(a)\}&=2\lim_{t\to0+}\frac{t}{\log_2(t+1)}\\&=2\lim_{t\to0+}\frac{1}{\frac{\log_2(t+1)}{t}}\\&=2\lim_{t\to0+}\frac{1}{\log_2(t+1)^{\frac{1}{t}}}\\&=2\times\frac{1}{\log_2 e}=2\ln 2\end{aligned}$$

+α $a-2=t$로 치환하면 $a\to2+$일 때, $t\to0+$이므로

$$\begin{aligned}\therefore \lim_{a\to2+}\{f(a)-g(a)\}&=\lim_{t\to0+}\frac{t}{\log_2\frac{t+2}{2}}=\lim_{t\to0+}\frac{t}{\log_2\left(\frac{t}{2}+1\right)}\\&=\lim_{t\to0+}\frac{2}{\frac{2}{t}\log_2\left(\frac{t}{2}+1\right)}\\&=\lim_{t\to0+}\frac{2}{\log_2\left(\frac{t}{2}+1\right)^{\frac{2}{t}}}\\&=\frac{2}{\log_2 e}=2\ln 2\end{aligned}$$

다른풀이 $a\to2+$이면 $f(a)$, $g(a)$가 접선의 기울기임을 이용하여 풀이하기

$a\to2+$이면 점 C는 곡선 $y=2^x$을 따라 점 A에 한없이 가까워진다.

즉 직선 AC의 기울기는 곡선 $y=2^x$ 위의 점 A에서의 접선의 기울기에 한없이 가까워진다.

$y'=2^x\times\ln 2$이므로 $\lim_{a\to2+}f(a)=2^0\times\ln 2=\ln 2$

한편 점 C를 지나고 x축에 평행한 직선을 l이라 하면

곡선 $y=-2^x+a$와 곡선 $y=2^x$은 항상 직선 l에 대하여 대칭이다.

즉 직선 BC와 직선 AC도 항상 직선 l에 대하여 대칭이다.

$\lim_{a\to2+}g(a)=-\lim_{a\to2+}f(a)=-\ln 2$

따라서 $\lim_{a\to2+}\{f(a)-g(a)\}=\lim_{a\to2+}f(a)-\lim_{a\to2+}g(a)=\ln 2-(-\ln 2)=2\ln 2$

0282

함수 $f(x)=\left(\dfrac{x}{x-1}\right)^x$ $(x>1)$에 대하여 [보기]에서 옳은 것을 모두 고른 것은?

ㄱ. $\lim_{x\to\infty}f(x)=e$
ㄴ. $\lim_{x\to\infty}f(x)f(x+1)=e^2$
ㄷ. $k\ge2$일 때, $\lim_{x\to\infty}f(kx)=e^k$이다.

① ㄱ ② ㄷ ③ ㄱ, ㄴ
④ ㄴ, ㄷ ⑤ ㄱ, ㄴ, ㄷ

STEP A $\lim_{x\to\infty}\left(1+\dfrac{1}{x}\right)^x=e$임을 이용하여 진위판단하기

ㄱ. $x-1=t$로 놓으면

$x\to\infty$일 때, $t\to\infty$이므로

$$\begin{aligned}\lim_{x\to\infty}f(x)&=\lim_{x\to\infty}\left(\frac{x}{x-1}\right)^x=\lim_{t\to\infty}\left(\frac{t+1}{t}\right)^{t+1}\\&=\lim_{t\to\infty}\left\{\left(1+\frac{1}{t}\right)^t\left(1+\frac{1}{t}\right)\right\}=e\ [\text{참}]\end{aligned}$$

ㄴ. ㄱ에서 $\lim_{x\to\infty}f(x)=e$

$$\begin{aligned}\text{또, }\lim_{x\to\infty}f(x+1)&=\lim_{x\to\infty}\left(\frac{x+1}{x}\right)^{x+1}\\&=\lim_{x\to\infty}\left\{\left(1+\frac{1}{x}\right)^x\left(1+\frac{1}{x}\right)\right\}\\&=e\end{aligned}$$

$\therefore \lim_{x\to\infty}f(x)f(x+1)=\lim_{x\to\infty}f(x)\cdot\lim_{x\to\infty}f(x+1)=e^2$ [참]

ㄷ. $kx-1=t$로 놓으면

$x\to\infty$일 때, $t\to\infty$이므로

$$\begin{aligned}\lim_{x\to\infty}f(kx)&=\lim_{x\to\infty}\left(\frac{kx}{kx-1}\right)^{kx}=\lim_{t\to\infty}\left(\frac{t+1}{t}\right)^{t+1}\\&=\lim_{t\to\infty}\left\{\left(1+\frac{1}{t}\right)^t\left(1+\frac{1}{t}\right)\right\}=e\ [\text{거짓}]\end{aligned}$$

따라서 옳은 것은 ㄱ, ㄴ이다.

다른풀이 $\lim_{x\to\infty}\left(1+\dfrac{1}{x}\right)^x=e$를 이용하여 풀이하기

STEP A 무리식 e의 극한을 이용할 수 있도록 식을 변형하기

$$f(x)=\left(\frac{x}{x-1}\right)^x=\left(\frac{x-1}{x}\right)^{-x}=\left(1-\frac{1}{x}\right)^{-x}=\left(1+\frac{1}{-x}\right)^{-x}$$

STEP B $\lim_{x\to\infty}\left(1+\dfrac{1}{x}\right)^x=e$임을 이용하여 진위판단하기

ㄱ. $\lim_{x\to\infty}f(x)=\lim_{x\to\infty}\left(1+\dfrac{1}{-x}\right)^{-x}=e$ [참]

ㄴ. $$\begin{aligned}\lim_{x\to\infty}f(x)f(x+1)&=\lim_{x\to\infty}\left[\left(1+\frac{1}{-x}\right)^{-x}\cdot\left\{1+\frac{1}{-(x+1)}\right\}^{-(x+1)}\right]\\&=e\cdot e=e^2\ [\text{참}]\end{aligned}$$

ㄷ. $\lim_{x\to\infty}f(kx)=\lim_{x\to\infty}\left(1+\dfrac{1}{-kx}\right)^{-kx}=e$ [거짓]

따라서 옳은 것은 ㄱ, ㄴ이다.

0283

함수 $f(x)$에 대하여 옳은 것만을 [보기]에서 있는 대로 고른 것은?

ㄱ. $f(x)=x^2$이면 $\lim_{x\to0}\frac{e^{f(x)}-1}{x}=0$이다.

ㄴ. $\lim_{x\to0}\frac{e^x-1}{f(x)}=1$이면 $\lim_{x\to0}\frac{3^x-1}{f(x)}=\ln3$이다.

ㄷ. $\lim_{x\to0}f(x)=0$이면 $\lim_{x\to0}\frac{e^{f(x)}-1}{x}$이 존재한다.

① ㄱ ② ㄷ ③ ㄱ, ㄴ
④ ㄴ, ㄷ ⑤ ㄱ, ㄴ, ㄷ

STEP A $\lim_{x\to0}\frac{e^x-1}{x}=1$임을 이용하여 참임을 판별하기

ㄱ. $f(x)=x^2$이면

$$\lim_{x\to0}\frac{e^{f(x)}-1}{x}=\lim_{x\to0}\frac{e^{x^2}-1}{x^2}\cdot x=1\cdot0=0 \text{ [참]}$$

STEP B $\lim_{x\to0}\frac{a^x-1}{x}=\ln a$임을 이용하여 참임을 판별하기

ㄴ. $\lim_{x\to0}\frac{3^x-1}{f(x)}=\lim_{x\to0}\frac{e^x-1}{f(x)}\cdot\frac{3^x-1}{x}\cdot\frac{x}{e^x-1}$

$=1\cdot\ln3\cdot1=\ln3$ [참]

STEP C $\lim_{x\to0}f(x)=0$이면 $\lim_{x\to0}\frac{e^{f(x)}-1}{f(x)}=1$임을 이용하여 거짓임을 판별하기

ㄷ. $\lim_{x\to0}\frac{e^{f(x)}-1}{x}=\lim_{x\to0}\frac{e^{f(x)}-1}{f(x)}\cdot\frac{f(x)}{x}$

$=\lim_{x\to0}\frac{e^{f(x)}-1}{f(x)}\cdot\lim_{x\to0}\frac{f(x)}{x}$

$=\lim_{x\to0}\frac{f(x)}{x}$

이때 $\lim_{x\to0}f(x)=0$이라고 해서 $\lim_{x\to0}\frac{f(x)}{x}$의 극한값이 반드시 존재하는 것은 아니다.

반례 $f(x)=|x|$라 하면 $\lim_{x\to0}f(x)=0$이지만

$\lim_{x\to0+}\frac{|x|}{x}=1$, $\lim_{x\to0-}\frac{|x|}{x}=-1$이므로 극한값은 존재하지 않는다. [거짓]

따라서 옳은 것은 ㄱ, ㄴ이다.

0284

$a>0$, $b>0$, $a\neq1$, $b\neq1$일 때, 함수 $f(x)=\frac{b^x+\log_a x}{a^x+\log_b x}$에 대하여 [보기]에서 옳은 것만을 있는 대로 고른 것은?

ㄱ. $1<a<b$이면 $x>1$인 모든 x에 대하여 $f(x)>1$이다.

ㄴ. $b<a<1$이면 $\lim_{x\to\infty}f(x)=0$이다.

ㄷ. $\lim_{x\to0+}f(x)=\log_a b$

① ㄱ ② ㄴ ③ ㄱ, ㄷ
④ ㄴ, ㄷ ⑤ ㄱ, ㄴ, ㄷ

STEP A $1<a<b$일 때, $y=a^x$, $y=b^x$, $y=\log_a x$, $y=\log_b x$의 그래프를 이용하여 $f(x)>1$임이 참임을 판별하기

ㄱ. $1<a<b$일 때, $y=a^x$, $y=b^x$, $y=\log_a x$, $y=\log_b x$의 그래프는 다음 그림과 같다.

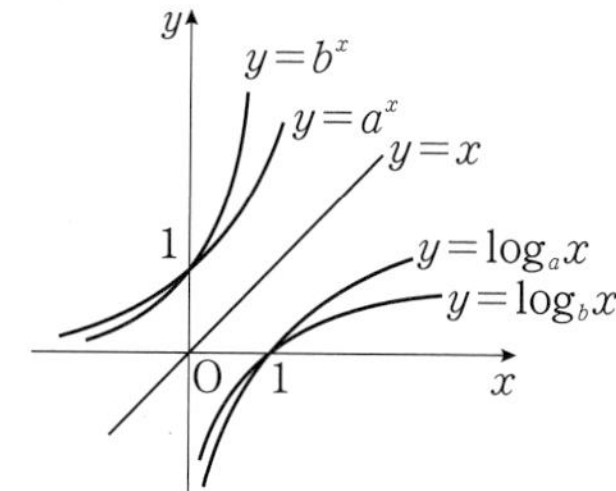

$x>1$이면 $1<a^x<b^x$이고 $0<\log_b x<\log_a x$이므로

$a^x+\log_b x<b^x+\log_a x$

$\therefore f(x)=\frac{b^x+\log_a x}{a^x+\log_b x}>1$ [참]

STEP B $b<a<1$일 때, $\lim_{x\to\infty}f(x)$ 극한값 구하기

ㄴ. $b<a<1$이면 $\lim_{x\to\infty}a^x=\lim_{x\to\infty}b^x=0$이고

$\lim_{x\to\infty}\log_a x=\lim_{x\to\infty}\log_b x=-\infty$이므로

$$\lim_{x\to\infty}f(x)=\lim_{x\to\infty}\frac{b^x+\log_a x}{a^x+\log_b x}=\lim_{x\to\infty}\frac{\frac{b^x}{\log_b x}+\frac{\log_a x}{\log_b x}}{\frac{a^x}{\log_b x}+1}$$

$$=\lim_{x\to\infty}\frac{\log_a x}{\log_b x}=\lim_{x\to\infty}\frac{\frac{\log x}{\log a}}{\frac{\log x}{\log b}}$$

$$=\frac{\log b}{\log a}=\log_a b \text{ [거짓]}$$

STEP C $\lim_{x\to0+}a^x=\lim_{x\to0+}b^x=1$임을 이용하여 $\lim_{x\to0+}f(x)$의 극한값 구하기

ㄷ. $\lim_{x\to0+}a^x=\lim_{x\to0+}b^x=1$이므로 $\lim_{x\to0+}f(x)=\lim_{x\to0+}\frac{1+\log_a x}{1+\log_b x}$

이때 $x\to0+$일 때, $\log_a x$, $\log_b x$는 ∞ 또는 $-\infty$로 발산하므로

$\lim_{x\to0+}\frac{1}{\log_b x}=0$

$f(x)$의 분자, 분모를 각각 $\log_b x$로 나누면

$$\lim_{x\to0+}f(x)=\lim_{x\to0+}\frac{1+\log_a x}{1+\log_b x}=\lim_{x\to0+}\frac{\frac{1}{\log_b x}+\frac{\log_a x}{\log_b x}}{\frac{1}{\log_b x}+1}$$

$$=\lim_{x\to0+}\frac{\log_a x}{\log_b x}=\lim_{x\to0+}\frac{\frac{\log x}{\log a}}{\frac{\log x}{\log b}}=\log_a b \text{ [참]}$$

따라서 옳은 것은 ㄱ, ㄷ이다.

02 삼각함수의 미분

MAPL; YOURMASTERPLAN

0285

다음 물음에 답하여라.

(1) $\frac{\pi}{2}<\theta<\pi$인 θ에 대하여 $\cot\theta=-\frac{3}{4}$일 때, $\sin\left(\frac{3\pi}{2}+\theta\right)$의 값은?

① $-\frac{4}{5}$ ② $-\frac{3}{5}$ ③ $\frac{3}{5}$

④ $\frac{3}{4}$ ⑤ $\frac{4}{5}$

STEP Ⓐ 삼각함수의 성질을 이용하여 삼각함수 정리하기

$\sin\left(\frac{3\pi}{2}+\theta\right)=\sin\left\{\pi+\left(\frac{\pi}{2}+\theta\right)\right\}=-\sin\left(\frac{\pi}{2}+\theta\right)=-\cos\theta$

STEP Ⓑ 삼각함수의 사이의 관계를 이용하여 구하기

$\cot\theta=\frac{\cos\theta}{\sin\theta}=-\frac{3}{4}$에서 $\sin\theta=-\frac{4}{3}\cos\theta$

$\cos^2\theta+\sin^2\theta=\cos^2\theta+\frac{16}{9}\cos^2\theta=\frac{25}{9}\cos^2\theta=1$

$\cos^2\theta=\frac{9}{25}$

이때 $\frac{\pi}{2}<\theta<\pi$이므로 $\cos\theta<0$

따라서 $\cos\theta=-\frac{3}{5}$이므로 $\sin\left(\frac{3\pi}{2}+\theta\right)=-\cos\theta=\frac{3}{5}$

다른풀이 $1+\cot^2\theta=\csc^2\theta$을 이용하여 풀이하기

$1+\cot^2\theta=\csc^2\theta$에서 $1+\left(-\frac{3}{4}\right)^2=\frac{25}{16}=\csc^2\theta$

$\sin^2\theta=\frac{1}{\csc^2\theta}=\frac{16}{25}$

이때 $\frac{\pi}{2}<\theta<\pi$에서 $\sin\theta>0$이므로 $\sin\theta=\frac{4}{5}$

$\cos\theta=\frac{\cos\theta}{\sin\theta}\times\sin\theta=\cot\theta\times\sin\theta=\left(-\frac{3}{4}\right)\times\frac{4}{5}=-\frac{3}{5}$

따라서 $\cos\theta=-\frac{3}{5}$이므로 $\sin\left(\frac{3\pi}{2}+\theta\right)=-\cos\theta=\frac{3}{5}$

(2) $\frac{\pi}{2}<\theta<\pi$인 θ에 대하여 $\cos\theta=-\frac{3}{5}$일 때, $\csc(\pi+\theta)$의 값은?

① $-\frac{5}{2}$ ② $-\frac{5}{3}$ ③ $-\frac{5}{4}$

④ $\frac{5}{4}$ ⑤ $\frac{5}{3}$

STEP Ⓐ 삼각함수의 성질을 이용하여 삼각함수 $\sin\theta$의 값 구하기

$\cos\theta=-\frac{3}{5}$이므로 $\sin^2\theta=1-\cos^2\theta=1-\frac{9}{25}=\frac{16}{25}$

$\frac{\pi}{2}<\theta<\pi$에서 $\sin\theta>0$이므로 $\sin\theta=\frac{4}{5}$

STEP Ⓑ 삼각함수의 사이의 관계를 이용하여 구하기

따라서 $\csc(\pi+\theta)=\frac{1}{\sin(\pi+\theta)}=\frac{1}{-\sin\theta}=\frac{1}{-\frac{4}{5}}=-\frac{5}{4}$

0286

이차방정식 $8x^2-4x-3=0$의 두 근이 $\sin\theta$, $\cos\theta$일 때, 다음의 식의 값을 구하여라.

(1) $\tan\theta+\cot\theta$

STEP Ⓐ 이차방정식의 근과 계수의 관계를 이용하기

이차방정식 $8x^2-4x-3=0$의 두 근이 $\sin\theta$, $\cos\theta$이므로
근과 계수의 관계에 의하여

$\sin\theta+\cos\theta=\frac{1}{2}$, $\sin\theta\cos\theta=-\frac{3}{8}$

STEP Ⓑ 삼각함수의 사이의 관계를 이용하여 구하기

따라서 $\tan\theta+\cot\theta=\frac{\sin\theta}{\cos\theta}+\frac{\cos\theta}{\sin\theta}=\frac{\sin^2\theta+\cos^2\theta}{\cos\theta\sin\theta}$

$=\frac{1}{\cos\theta\sin\theta}=\frac{1}{-\frac{3}{8}}=-\frac{8}{3}$

(2) $\sec\theta+\csc\theta$

STEP Ⓐ 이차방정식의 근과 계수의 관계를 이용하기

이차방정식 $8x^2-4x-3=0$의 두 근이 $\sin\theta$, $\cos\theta$이므로
근과 계수의 관계에 의하여

$\sin\theta+\cos\theta=\frac{1}{2}$, $\sin\theta\cos\theta=-\frac{3}{8}$

STEP Ⓑ 삼각함수의 사이의 관계를 이용하여 구하기

따라서 $\sec\theta+\csc\theta=\frac{1}{\cos\theta}+\frac{1}{\sin\theta}=\frac{\sin\theta+\cos\theta}{\cos\theta\sin\theta}=\frac{\frac{1}{2}}{-\frac{3}{8}}=-\frac{4}{3}$

(3) $(1+\tan^2\theta)(1+\cot^2\theta)$

STEP Ⓐ 이차방정식의 근과 계수의 관계를 이용하기

이차방정식 $8x^2-4x-3=0$의 두 근이 $\sin\theta$, $\cos\theta$이므로
근과 계수의 관계에 의하여

$\sin\theta+\cos\theta=\frac{1}{2}$, $\sin\theta\cos\theta=-\frac{3}{8}$

STEP Ⓑ 삼각함수의 사이의 관계를 이용하여 구하기

따라서 $(1+\tan^2\theta)(1+\cot^2\theta)=\sec^2\theta\csc^2\theta$

$=\frac{1}{\cos^2\theta}\times\frac{1}{\sin^2\theta}=\frac{1}{\cos^2\theta\sin^2\theta}$

$=\left(\frac{1}{\cos\theta\sin\theta}\right)^2=\left(\frac{1}{-\frac{3}{8}}\right)^2=\frac{64}{9}$

0287

실수 θ가 다음 조건을 만족시킬 때, $\csc\theta+\sec\theta$의 값을 구하여라.

(가) $\cos\theta\tan\theta<0$, $\sin\theta\cos\theta<0$

(나) $5\sin\theta=\csc\theta$

STEP Ⓐ θ의 사분면 구하기

조건 (가)에서 $\cos\theta\tan\theta<0$, $\sin\theta\cos\theta<0$

$\cos\theta\tan\theta=\cos\theta\times\frac{\sin\theta}{\cos\theta}=\sin\theta<0$이므로 $\sin\theta<0$, $\cos\theta>0$

즉 각 θ는 제 4사분면의 각이다.

STEP Ⓑ 삼각함수의 사이의 관계를 이용하여 $\csc\theta+\sec\theta$의 값 구하기

조건 (나)에서 $5\sin\theta=\csc\theta=\frac{1}{\sin\theta}$

$5\sin^2\theta=1$, $\sin^2\theta=\frac{1}{5}$이므로 $\sin\theta=-\frac{\sqrt{5}}{5}$ 또는 $\sin\theta=\frac{\sqrt{5}}{5}$

각 θ는 제 4사분면의 각이므로 $\sin\theta=-\frac{\sqrt{5}}{5}$, $\csc\theta=-\sqrt{5}$

$\cos^2\theta=1-\sin^2\theta=1-\left(-\frac{\sqrt{5}}{5}\right)^2=\frac{4}{5}$에서

$\cos\theta=-\frac{2\sqrt{5}}{5}$ 또는 $\cos\theta=\frac{2\sqrt{5}}{5}$

각 θ는 제 4사분면의 각이므로 $\cos\theta=\frac{2\sqrt{5}}{5}$, $\sec\theta=\frac{\sqrt{5}}{2}$

따라서 $\csc\theta+\sec\theta=-\sqrt{5}+\frac{\sqrt{5}}{2}=-\frac{\sqrt{5}}{2}$

0288

두 실수 α, β에 대하여 다음 물음에 답하여라.

(1) $\sin\alpha+\cos\beta=\frac{1}{2}$, $\cos\alpha+\sin\beta=\frac{1}{4}$일 때, $\sin(\alpha+\beta)$의 값을 구하여라.

STEP Ⓐ 주어진 두 식을 각각 제곱하여 변끼리 더하기

$\sin\alpha+\cos\beta=\frac{1}{2}$에서 양변을 제곱하면

$\sin^2\alpha+2\sin\alpha\cos\beta+\cos^2\beta=\frac{1}{4}$ ······ ㉠

$\cos\alpha+\sin\beta=\frac{1}{4}$에서 양변을 제곱하면

$\cos^2\alpha+2\cos\alpha\sin\beta+\sin^2\beta=\frac{1}{16}$ ······ ㉡

㉠+㉡을 하면

$1+1+2(\sin\alpha\cos\beta+\cos\alpha\sin\beta)=\frac{5}{16}$

$2+2\sin(\alpha+\beta)=\frac{5}{16}$

따라서 $\sin(\alpha+\beta)=-\frac{27}{32}$

(2) $\sin\alpha+\sin\beta=1$, $\cos\alpha+\cos\beta=\frac{1}{2}$일 때, $\cos(\alpha-\beta)$의 값을 구하여라.

STEP Ⓐ 주어진 두 식을 각각 제곱하여 변끼리 더하기

$\sin\alpha+\sin\beta=1$에서 양변을 제곱하면

$(\sin\alpha+\sin\beta)^2=\sin^2\alpha+\sin^2\beta+2\sin\alpha\sin\beta=1$ ······ ㉠

$\cos\alpha+\cos\beta=\frac{1}{2}$에서 양변을 제곱하면

$(\cos\alpha+\cos\beta)^2=\cos^2\alpha+\cos^2\beta+2\cos\alpha\cos\beta=\frac{1}{4}$ ······ ㉡

㉠+㉡의 변끼리 더하면

$1+1+2(\sin\alpha\sin\beta+\cos\alpha\cos\beta)=1+\frac{1}{4}$

$\therefore \sin\alpha\sin\beta+\cos\alpha\cos\beta=-\frac{3}{8}$

STEP Ⓑ 삼각함수의 덧셈정리를 이용하여 $\cos(\alpha-\beta)$의 값 구하기

따라서 $\cos(\alpha-\beta)=\cos\alpha\cos\beta+\sin\alpha\sin\beta=-\frac{3}{8}$

0289

다음 물음에 답하여라.

(1) $0<\alpha<\beta<2\pi$이고 $\cos\alpha=\cos\beta=\frac{1}{3}$일 때, $\sin(\beta-\alpha)$의 값은?

① $-\frac{4\sqrt{2}}{9}$ ② $-\frac{4}{9}$ ③ 0
④ $\frac{4}{9}$ ⑤ $\frac{4\sqrt{2}}{9}$

STEP Ⓐ $0<\alpha<\beta<2\pi$에서 $\sin\alpha$, $\sin\beta$ 구하기

$0<\alpha<\beta<2\pi$, $\cos\alpha=\cos\beta=\frac{1}{3}$이므로

그림에서 $0<\alpha<\frac{\pi}{2}$, $\frac{3}{2}\pi<\beta<2\pi$

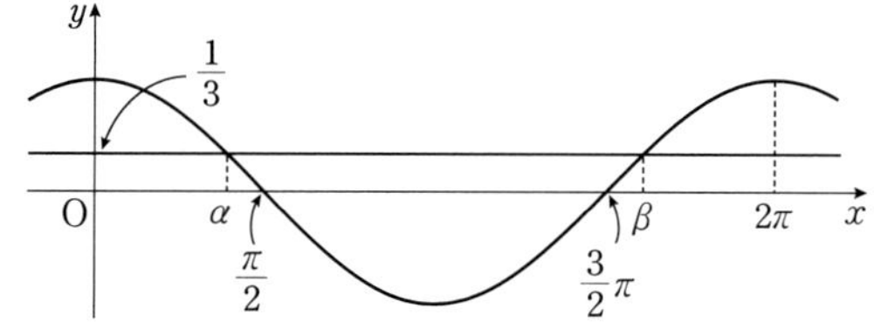

즉 $\sin\alpha=\sqrt{1-\cos^2\alpha}=\sqrt{1-\frac{1}{9}}=\frac{2\sqrt{2}}{3}$

$\sin\beta=-\sqrt{1-\cos^2\beta}=-\sqrt{1-\frac{1}{9}}=-\frac{2\sqrt{2}}{3}$

STEP Ⓑ 삼각함수의 덧셈정리 구하기

따라서 $\sin(\beta-\alpha)=\sin\beta\cos\alpha-\cos\beta\sin\alpha$

$=\left(-\frac{2\sqrt{2}}{3}\right)\times\frac{1}{3}-\frac{1}{3}\times\frac{2\sqrt{2}}{3}$

$=-\frac{4\sqrt{2}}{9}$

참고 $\beta=2\pi-\alpha$이므로

$\sin(\beta-\alpha)=\sin(2\pi-2\alpha)=-\sin 2\alpha$

$=-2\sin\alpha\cos\alpha$

$=-2\cdot\frac{2\sqrt{2}}{3}\cdot\frac{1}{3}$

$=-\frac{4\sqrt{2}}{9}$

(2) $0<\alpha<\frac{\pi}{2}$, $0<\beta<\frac{\pi}{2}$이고 $\sin\alpha=\frac{2}{3}$, $\cos\beta=\frac{1}{2}$일 때, $\sin(\alpha+\beta)$, $\sin(\alpha-\beta)$를 두 근으로 하는 이차방정식이 $x^2+\frac{a}{3}x+\frac{b}{36}=0$일 때, 상수 a, b의 곱 ab의 값은?

① 18 ② 19 ③ 20
④ 21 ⑤ 22

STEP Ⓐ 삼각함수 사이의 관계와 삼각함수의 덧셈정리를 이용하여 $\sin(\alpha+\beta)$, $\sin(\alpha-\beta)$의 값 구하기

$\sin\alpha=\frac{2}{3}\left(0<\alpha<\frac{\pi}{2}\right)$에서 $\cos\alpha=\sqrt{1-\sin^2\alpha}=\frac{\sqrt{5}}{3}$

$\cos\beta=\frac{1}{2}\left(0<\beta<\frac{\pi}{2}\right)$에서 $\sin\beta=\sqrt{1-\cos^2\beta}=\frac{\sqrt{3}}{2}$

$\sin(\alpha+\beta)=\sin\alpha\cos\beta+\cos\alpha\sin\beta$

$=\frac{2}{3}\cdot\frac{1}{2}+\frac{\sqrt{5}}{3}\cdot\frac{\sqrt{3}}{2}=\frac{2+\sqrt{15}}{6}$

$\sin(\alpha-\beta)=\sin\alpha\cos\beta-\cos\alpha\sin\beta$

$=\frac{2}{3}\cdot\frac{1}{2}-\frac{\sqrt{5}}{3}\cdot\frac{\sqrt{3}}{2}=\frac{2-\sqrt{15}}{6}$

STEP Ⓑ 이차방정식의 두 근이 $\sin(\alpha+\beta)$, $\sin(\alpha-\beta)$임을 이용하여 a, b의 값 구하기

$x^2+\frac{a}{3}x+\frac{b}{36}=0$의 두 근이 $\sin(\alpha+\beta)$, $\sin(\alpha-\beta)$이므로

이차방정식의 근과 계수의 관계에 의하여

두 근의 합 $\sin(\alpha+\beta)+\sin(\alpha-\beta)=-\frac{a}{3}$이므로

$\frac{2+\sqrt{15}}{6}+\frac{2-\sqrt{15}}{6}=\frac{2}{3}$, $-\frac{a}{3}=\frac{2}{3}$

$\therefore a=-2$

두 근의 곱 $\sin(\alpha+\beta)\sin(\alpha-\beta)=\frac{b}{36}$이므로

$\frac{2+\sqrt{15}}{6}\times\frac{2-\sqrt{15}}{6}=\frac{-11}{36}$, $\frac{b}{36}=\frac{-11}{36}$

$\therefore b=-11$

따라서 $ab=(-2)\times(-11)=22$

0290

다음 물음에 답하여라.

(1) $0 \le x \le 2\pi$에서 함수 $f(x)=2\sin\left(x+\frac{4}{3}\pi\right)+\sqrt{3}\cos x-2$의 최댓값을 구하여라.

STEP A 삼각함수의 덧셈정리를 이용하여 정리하기

$$\begin{aligned} f(x)&=2\sin\left(x+\frac{4}{3}\pi\right)+\sqrt{3}\cos x-2 \\ &=2\left(\sin x\cos\frac{4}{3}\pi+\cos x\sin\frac{4}{3}\pi\right)+\sqrt{3}\cos x-2 \\ &=2\left\{\sin x\times\left(-\frac{1}{2}\right)+\cos x\times\left(-\frac{\sqrt{3}}{2}\right)\right\}+\sqrt{3}\cos x-2 \\ &=-\sin x-2 \end{aligned}$$

STEP B 함수 $f(x)$의 최댓값 구하기

따라서 $0 \le x \le 2\pi$에서 $-1 \le \sin x \le 1$이므로 함수 $f(x)$의 최댓값은

$1-2=-1$ ⬅ $-3 \le -\sin x-2 \le -1$

(2) $0 \le x \le 2\pi$에서 함수 $f(x)=2\sin\left(x+\frac{\pi}{6}\right)-2\cos\left(x+\frac{\pi}{3}\right)+\sqrt{3}$의 최댓값을 구하여라.

STEP A 삼각함수의 덧셈정리를 이용하여 정리하기

삼각함수의 덧셈정리에 의하여

$$\begin{aligned} f(x)&=2\sin\left(x+\frac{\pi}{6}\right)-2\cos\left(x+\frac{\pi}{3}\right)+\sqrt{3} \\ &=2\left(\sin x\cos\frac{\pi}{6}+\cos x\sin\frac{\pi}{6}\right)-2\left(\cos x\cos\frac{\pi}{3}-\sin x\sin\frac{\pi}{3}\right)+\sqrt{3} \\ &=2\left(\sin x\times\frac{\sqrt{3}}{2}+\cos x\times\frac{1}{2}\right)-2\left(\cos x\times\frac{1}{2}-\sin x\times\frac{\sqrt{3}}{2}\right)+\sqrt{3} \\ &=\sqrt{3}\sin x+\cos x-\cos x+\sqrt{3}\sin x+\sqrt{3} \\ &=2\sqrt{3}\sin x+\sqrt{3} \end{aligned}$$

STEP B 함수 $f(x)$의 최댓값 구하기

$0 \le x \le 2\pi$에서 $-1 \le \sin x \le 1$이므로

$-2\sqrt{3} \le 2\sqrt{3}\sin x \le 2\sqrt{3}$

즉 $-2\sqrt{3}+\sqrt{3} \le f(x) \le 2\sqrt{3}+\sqrt{3}$

따라서 $0 \le x \le 2\pi$에서 함수 $f(x)$의 최댓값은 $3\sqrt{3}$

0291

다음 물음에 답하여라.

(1) 방정식 $2x^2+3x+a=0$의 두 근이 $\tan\alpha$, $\tan\beta$일 때, $\tan(\alpha+\beta)=-3$을 만족하는 a의 값을 구하여라.

STEP A 이차방정식의 근과 계수의 관계에 의하여 합과 곱 구하기

이차방정식 $2x^2+3x+a=0$의 두 근이 $\tan\alpha$, $\tan\beta$이므로

근과 계수의 관계에 의하여

$\tan\alpha+\tan\beta=-\frac{3}{2}$, $\tan\alpha\tan\beta=\frac{a}{2}$

STEP B 탄젠트의 덧셈정리를 이용하여 a의 값 구하기

$$\tan(\alpha+\beta)=\frac{\tan\alpha+\tan\beta}{1-\tan\alpha\tan\beta}=\frac{-\frac{3}{2}}{1-\frac{a}{2}}=-3$$

$\frac{-3}{2-a}=-3$, $2-a=1$

따라서 $a=1$

(2) $\tan\left(\frac{\pi}{4}+\alpha\right)=2$일 때, $\tan\alpha$의 값을 구하여라.

STEP A 삼각함수의 덧셈정리를 이용하여 $\tan\alpha$의 값 구하기

$$\tan\left(\alpha+\frac{\pi}{4}\right)=\frac{\tan\alpha+\tan\frac{\pi}{4}}{1-\tan\alpha\tan\frac{\pi}{4}}=\frac{\tan\alpha+1}{1-\tan\alpha}=2$$

즉 $1+\tan\alpha=2(1-\tan\alpha)$이므로 $3\tan\alpha=1$

따라서 $\tan\alpha=\frac{1}{3}$

다른풀이 $\beta=\alpha+\frac{\pi}{4}$로 놓고 탄젠트의 덧셈정리 풀이하기

$\beta=\alpha+\frac{\pi}{4}$라 하면 $\tan\beta=2$이고 $\alpha=\beta-\frac{\pi}{4}$이므로

$$\tan\alpha=\tan\left(\beta-\frac{\pi}{4}\right)=\frac{\tan\beta-\tan\frac{\pi}{4}}{1+\tan\beta\tan\frac{\pi}{4}}=\frac{2-1}{1+2\times1}=\frac{1}{3}$$

0292

다음 물음에 답하여라.

(1) $\tan(\alpha-\beta)=\frac{7}{8}$, $\tan\beta=1$일 때, $\tan\alpha$의 값을 구하여라. $\left(단,\ 0<\alpha<\frac{\pi}{2},\ 0<\beta<\frac{\pi}{2}\right)$

① 11 ② 12 ③ 13
④ 14 ⑤ 15

STEP A 삼각함수의 덧셈정리 이해하기

$$\tan(\alpha-\beta)=\frac{\tan\alpha-\tan\beta}{1+\tan\alpha\tan\beta}=\frac{7}{8}$$

$\tan\beta=1$이므로 $\frac{\tan\alpha-1}{1+\tan\alpha}=\frac{7}{8}$에서 $8(\tan\alpha-1)=7(1+\tan\alpha)$

따라서 $\tan\alpha=15$

(2) $\overline{AB}=\overline{AC}$인 이등변삼각형 ABC에서 $\angle A=\alpha$, $\angle B=\beta$라 하자. $\tan(\alpha+\beta)=-\frac{3}{2}$일 때, $\tan\alpha$의 값은?

① $\frac{21}{10}$ ② $\frac{11}{5}$ ③ $\frac{23}{10}$
④ $\frac{12}{5}$ ⑤ $\frac{5}{2}$

STEP A 삼각함수의 성질을 이용하여 구하기

$\angle C=\gamma$라 하면

$$\begin{aligned} \tan\gamma&=\tan(\pi-(\alpha+\beta)) \quad ⬅ \alpha+\beta+\gamma=\pi \\ &=-\tan(\alpha+\beta) \\ &=\frac{3}{2} \end{aligned}$$

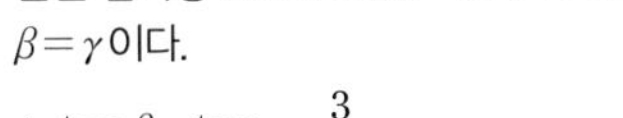

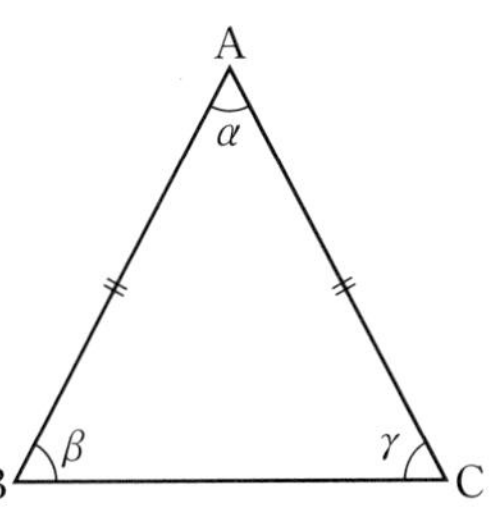

한편 삼각형 ABC는 $\overline{AB}=\overline{AC}$이므로 $\beta=\gamma$이다.

$\therefore \tan\beta=\tan\gamma=\frac{3}{2}$

STEP B 삼각함수의 덧셈정리를 이용하여 $\tan\alpha$의 값 구하기

$$\begin{aligned} 따라서\ \tan\alpha&=\tan(\pi-(\beta+\gamma))=-\tan(\beta+\gamma)\ (\because \beta=\gamma) \\ &=-\tan(2\beta)=-\frac{2\tan\beta}{1-\tan^2\beta} \\ &=-\frac{2\times\frac{3}{2}}{1-\left(\frac{3}{2}\right)^2}=\frac{12}{5} \end{aligned}$$

0293

다음 물음에 답하여라.

(1) $f(x)=\tan x\left(0<x<\frac{\pi}{2}\right)$의 역함수를 $g(x)$라 할 때, $g\left(\frac{1}{4}\right)+g\left(\frac{3}{5}\right)$의 값을 구하여라.

STEP **A** **역함수의 성질을 이용하여 $\tan\alpha$, $\tan\beta$ 구하기**

$f(x)=\tan x$의 역함수가 $g(x)$이므로 $g\left(\frac{1}{4}\right)=\alpha$, $g\left(\frac{3}{5}\right)=\beta$로 놓으면

$\tan\alpha=\frac{1}{4}$, $\tan\beta=\frac{3}{5}$ ⬅ $f(a)=b \Leftrightarrow f^{-1}(b)=a$

STEP **B** **탄젠트의 덧셈정리를 이용하여 $\alpha+\beta$의 값 구하기**

$$\tan(\alpha+\beta)=\frac{\tan\alpha+\tan\beta}{1-\tan\alpha\tan\beta}=\frac{\frac{1}{4}+\frac{3}{5}}{1-\frac{1}{4}\cdot\frac{3}{5}}=\frac{\frac{5+12}{20}}{1-\frac{3}{20}}=1$$

이때 $0<\alpha<\frac{\pi}{2}$, $0<\beta<\frac{\pi}{2}$에서 $0<\alpha+\beta<\pi$이므로

$\tan(\alpha+\beta)=1$을 만족시키는 $\alpha+\beta$의 값은 $\frac{\pi}{4}$

따라서 $g\left(\frac{1}{4}\right)+g\left(\frac{3}{5}\right)=\alpha+\beta=\frac{\pi}{4}$

(2) 함수 $f(x)=\tan x\left(0<x<\frac{\pi}{2}\right)$의 역함수를 $g(x)$라 할 때, $12\left\{g\left(\frac{1}{2}\right)+g\left(\frac{1}{3}\right)\right\}$의 값을 구하여라.

STEP **A** **역함수의 성질을 이용하여 $\tan\alpha$, $\tan\beta$ 구하기**

$f(x)=\tan x$의 역함수가 $y=g(x)$이므로

$g\left(\frac{1}{2}\right)=\alpha$, $g\left(\frac{1}{3}\right)=\beta$라 하면

$\tan\alpha=\frac{1}{2}$, $\tan\beta=\frac{1}{3}$ ⬅ $f(a)=b \Leftrightarrow f^{-1}(b)=a$

STEP **B** **탄젠트의 덧셈정리를 이용하여 $\alpha+\beta$의 값 구하기**

$$\tan(\alpha+\beta)=\frac{\tan\alpha+\tan\beta}{1-\tan\alpha\tan\beta}=\frac{\frac{1}{2}+\frac{1}{3}}{1-\frac{1}{2}\cdot\frac{1}{3}}=1 \quad \therefore \alpha+\beta=\frac{\pi}{4}$$

따라서 $12\left\{g\left(\frac{1}{2}\right)+g\left(\frac{1}{3}\right)\right\}=12(\alpha+\beta)=12\cdot\frac{\pi}{4}=3\pi$

0294

다음 물음에 답하여라.

(1) 좌표평면에서 두 직선 $y=x$, $y=-2x$가 이루는 예각의 크기를 θ라 할 때, $\tan\theta$의 값은?

STEP **A** **두 직선이 x축의 양의 방향과 이루는 각의 크기를 α, β라 하고 $\tan\alpha$, $\tan\beta$의 값 구하기**

두 직선 $y=x$, $y=-2x$가 x축의 양의 방향과 이루는 각의 크기를 각각 α, β라 하면 $\tan\alpha=1$, $\tan\beta=-2$

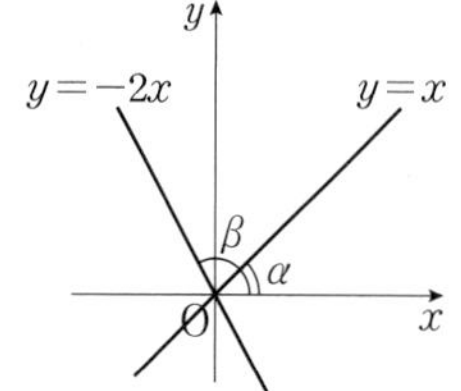

STEP **B** **삼각함수의 덧셈정리를 이용하여 $\tan\theta$의 값 구하기**

두 직선 $y=x$, $y=-2x$가 이루는 예각의 크기가 θ이므로

$\theta=\beta-\alpha$

따라서 $\tan\theta=|\tan(\beta-\alpha)|=\left|\frac{\tan\beta-\tan\alpha}{1+\tan\beta\tan\alpha}\right|=\left|\frac{-2-1}{1+(-2)\times 1}\right|=3$

(2) 좌표평면에서 두 직선 $x-y-1=0$, $ax-y+1=0$이 이루는 예각의 크기를 θ라 하자. $\tan\theta=\frac{1}{6}$일 때, 상수 a의 값은? (단, $a>1$)

STEP **A** **두 직선이 x축의 양의 방향과 이루는 각의 크기를 θ_1, θ_2라 하고 $\tan\theta_1$, $\tan\theta_2$의 값 구하기**

두 직선 $x-y-1=0$, $ax-y+1=0$의 x축의 양의 방향과 이루는 각의 크기를 각각 θ_1, θ_2라 하면

$\tan\theta_1=1$, $\tan\theta_2=a$

STEP **B** **삼각함수의 덧셈정리를 이용하여 $\tan\theta$의 값 구하기**

이때 두 직선이 이루는 예각의 크기 θ에 대하여 $\tan\theta=\frac{1}{6}$이므로

$$\tan\theta=|\tan(\theta_2-\theta_1)|=\left|\frac{\tan\theta_2-\tan\theta_1}{1+\tan\theta_2\tan\theta_1}\right|=\left|\frac{a-1}{1+a}\right|=\frac{1}{6}$$

$a>1$이므로 $\frac{a-1}{1+a}=\frac{1}{6}$

따라서 $6a-6=1+a$이므로 $a=\frac{7}{5}$

0295

오른쪽 그림과 같이 두 직각삼각형 $\triangle ABC$와 $\triangle ADE$가 있다. $\overline{AB}=\overline{DE}=3$, $\overline{BC}=\overline{AD}=4$, $\overline{BC}/\!/\overline{DE}$, $\angle CAE=\theta$일 때, $48\tan\theta$의 값은?

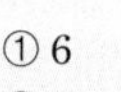

① 6 ② 8
③ 10 ④ 14
⑤ 16

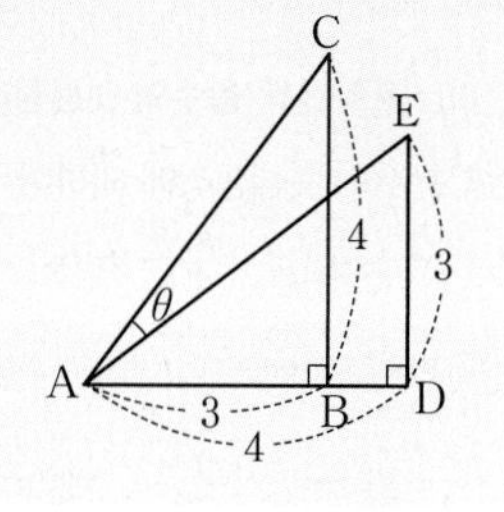

STEP **A** **두 삼각형이 x축의 양의 방향과 이루는 각의 크기를 θ_1, θ_2라 하고 $\tan\theta_1$, $\tan\theta_2$의 값 구하기**

$\angle BAC=\theta_1$, $\angle DAE=\theta_2$라 하면 $\theta=\theta_1-\theta_2$

삼각형 ABC에서 $\tan\theta_1=\frac{4}{3}$, 삼각형 ADE에서 $\tan\theta_2=\frac{3}{4}$

STEP **B** **삼각함수의 덧셈정리를 이용하여 $\tan\theta$의 값 구하기**

$$\tan\theta=\tan(\theta_1-\theta_2)=\frac{\tan\theta_1-\tan\theta_2}{1+\tan\theta_1\tan\theta_2}=\frac{\frac{4}{3}-\frac{3}{4}}{1+\frac{4}{3}\cdot\frac{3}{4}}=\frac{\frac{7}{12}}{2}=\frac{7}{24}$$

따라서 $48\tan\theta=48\times\frac{7}{24}=14$

다른풀이 삼각함수의 덧셈정리를 이용하여 풀이하기

$\angle EAD=\alpha$라 하면

$\tan\alpha=\frac{3}{4}$이고 $\tan(\theta+\alpha)=\frac{\tan\theta+\tan\alpha}{1-\tan\theta\tan\alpha}=\frac{4}{3}$이므로

$\tan\theta+\frac{3}{4}=\frac{4}{3}-\tan\theta \quad \therefore \tan\theta=\frac{7}{24}$

따라서 $48\tan\theta=14$

0296

다음 물음에 답하여라.

(1) 오른쪽 그림과 같이 두 직선 $y=\frac{1}{2}x$, $y=3x$ 위의 두 점 A, B와 원점 O를 꼭짓점으로 하고 $\angle OAB=90°$인 직각삼각형 OAB가 있다. $\overline{OA}=2$일 때, $\overline{OB}$의 길이를 구하여라.

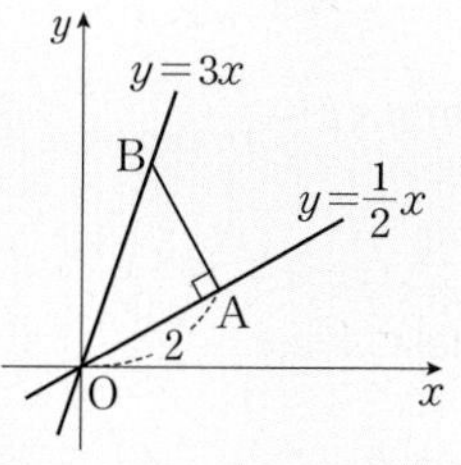

STEP A 두 직선이 x축의 양의 방향과 이루는 각의 크기를 α, β라 할 때, $\tan\alpha$, $\tan\beta$값 구하기

두 직선 $y=\frac{1}{2}x$, $y=3x$가 x축의 양의 방향과 이루는 각의 크기를 각각 α, β라 하면

$\tan\alpha=\frac{1}{2}$, $\tan\beta=3$, $\angle AOB=\theta$라 하면

$\theta=\beta-\alpha$

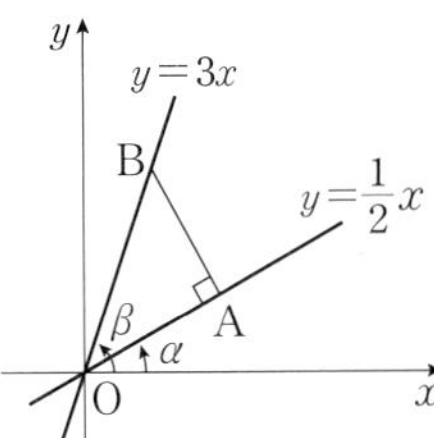

STEP B 삼각함수의 덧셈정리를 이용하여 선분 OB의 길이 구하기

$\tan\theta=\tan(\beta-\alpha)=\frac{\tan\beta-\tan\alpha}{1+\tan\beta\tan\alpha}=\frac{3-\frac{1}{2}}{1+3\cdot\frac{1}{2}}=1$ $\therefore \beta-\alpha=45°$

따라서 삼각형 PAB는 직각이등변삼각형이고 $\overline{OA}=2$이므로

$\overline{OB}=\sqrt{2^2+2^2}=2\sqrt{2}$

(2) 오른쪽 그림과 같이 두 직선 $y=\frac{1}{3}x$, $y=2x+10$ 위의 두 점 A, B와 교점 P를 세 꼭짓점으로 하는 삼각형 PAB가 있다. $\angle B=90°$이고 $\overline{PB}=12$일 때, $\overline{PA}$의 값은?

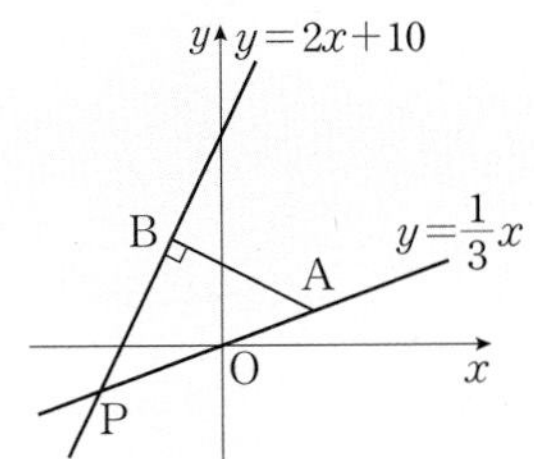

① $12\sqrt{2}$ ② $12\sqrt{3}$
③ 18 ④ $18\sqrt{2}$
⑤ $18\sqrt{3}$

STEP A 두 직선이 x축의 양의 방향과 이루는 각의 크기를 α, β라 할 때, $\tan\alpha$, $\tan\beta$값 구하기

직선 $y=2x+10$이 x축의 양의 방향과 이루는 예각의 크기를 β라 하면

$\tan\beta=2$

또한, 직선 $y=\frac{1}{3}x$가 x축의 양의 방향과 이루는 예각의 크기를 α라 하면

$\tan\alpha=\frac{1}{3}$

삼각형 PAB에서 $\angle BPA=\theta$라 하면

$\theta=\beta-\alpha$

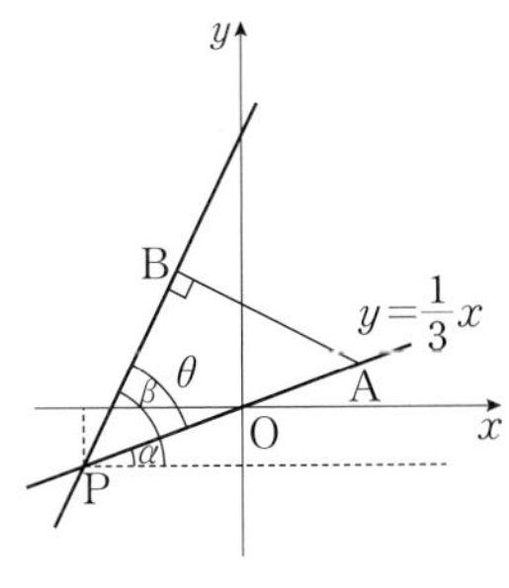

STEP B 삼각함수의 덧셈정리를 이용하여 선분 PA의 길이 구하기

$\tan(\beta-\alpha)=\frac{\tan\beta-\tan\alpha}{1+\tan\alpha\tan\beta}=\frac{2-\frac{1}{3}}{1+\frac{2}{3}}=1$ $\therefore \beta-\alpha=45°$

따라서 삼각형 PAB는 직각이등변삼각형이고 $\overline{PB}=12$이므로 $\overline{PA}=12\sqrt{2}$

0297

오른쪽 그림과 같이 점 O를 중심으로 하고 반지름의 길이가 각각 1, $\sqrt{2}$인 두 원 C_1, C_2가 있다. 원 C_1 위의 두 점 P, Q와 원 C_2 위의 점 R에 대하여 $\angle QOP=\alpha$, $\angle ROQ=\beta$라 하자. $\overline{OQ}\perp\overline{QR}$이고 $\sin\alpha=\frac{4}{5}$일 때, $\cos(\alpha+\beta)$의 값을 구하여라. (단, $0<\alpha<\frac{\pi}{2}$, $0<\beta<\frac{\pi}{2}$)

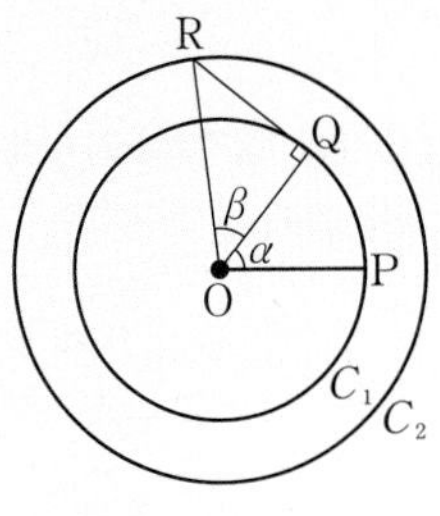

STEP A $\sin\alpha=\frac{4}{5}$을 이용하여 $\cos\alpha$의 값 구하기

$\sin\alpha=\frac{4}{5}$에서

$\sin^2\alpha+\cos^2\alpha=1$이므로 $\cos^2\alpha=1-\sin^2\alpha=1-\frac{16}{25}=\frac{9}{25}$

이때 $0<\alpha<\frac{\pi}{2}$이므로 $\cos\alpha=\frac{3}{5}$

STEP B 직각삼각형 OQR에서 $\sin\beta$, $\cos\beta$의 값 구하기

직각삼각형 OQR에 대하여

$\overline{OR}=\sqrt{2}$, $\overline{OQ}=1$, $\angle OQR=\frac{\pi}{2}$

이므로 $\beta=\frac{\pi}{4}$

$\therefore \sin\beta=\frac{\sqrt{2}}{2}$, $\cos\beta=\frac{\sqrt{2}}{2}$

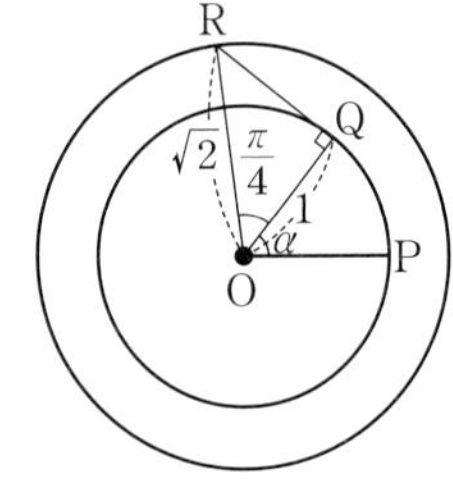

STEP C 삼각함수의 덧셈정리를 이용하여 $\cos(\alpha+\beta)$값 구하기

따라서 $\cos(\alpha+\beta)=\cos\alpha\cos\beta-\sin\alpha\sin\beta$

$=\frac{3}{5}\times\frac{\sqrt{2}}{2}-\frac{4}{5}\times\frac{\sqrt{2}}{2}=-\frac{\sqrt{2}}{10}$

0298

오른쪽 그림에서 $\overline{AB}\perp\overline{BC}$, $\overline{AC}\perp\overline{CD}$이고 $\overline{AB}=4$, $\overline{BC}=3$, $\overline{CD}=3$일 때, 점 D에서 선분 $\overline{AB}$에 내린 수선의 발을 H라 한다.

다음 물음에 답하여라.

(1) 선분 $\overline{DH}$의 길이를 구하여라.

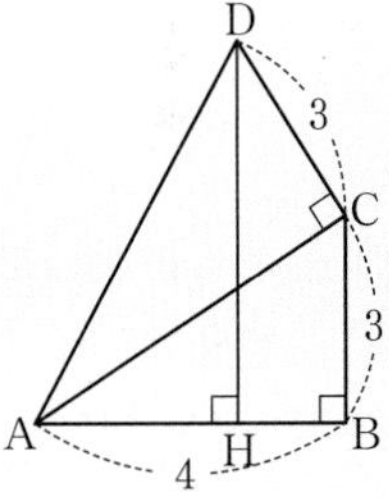

STEP A 직각삼각형 ABC, ACD에서 선분 AC, AD의 길이 구하기

직사각형 ABC에서 $\overline{AC}=\sqrt{\overline{AB}^2+\overline{BC}^2}=\sqrt{4^2+3^2}=5$

직사각형 ACD에서 $\overline{AD}=\sqrt{\overline{AC}^2+\overline{CD}^2}=\sqrt{5^2+3^2}=\sqrt{34}$

STEP B 삼각함수의 덧셈정리를 이용하여 $\sin(\alpha+\beta)$, $\cos(\alpha+\beta)$의 값 구하기

$\angle CAB=\alpha$, $\angle DAC=\beta$라 하면

$\sin\alpha=\frac{3}{5}$, $\cos\alpha=\frac{4}{5}$,

$\sin\beta=\frac{3}{\sqrt{34}}$, $\cos\beta=\frac{5}{\sqrt{34}}$

$\therefore \sin(\alpha+\beta)=\sin\alpha\cos\beta+\cos\alpha\sin\beta$

$=\frac{3}{5}\cdot\frac{5}{\sqrt{34}}+\frac{4}{5}\cdot\frac{3}{\sqrt{34}}=\frac{27}{5\sqrt{34}}$

$\therefore \cos(\alpha+\beta)=\cos\alpha\cos\beta-\sin\alpha\sin\beta$

$=\frac{4}{5}\cdot\frac{5}{\sqrt{34}}-\frac{3}{5}\cdot\frac{3}{\sqrt{34}}=\frac{11}{5\sqrt{34}}$

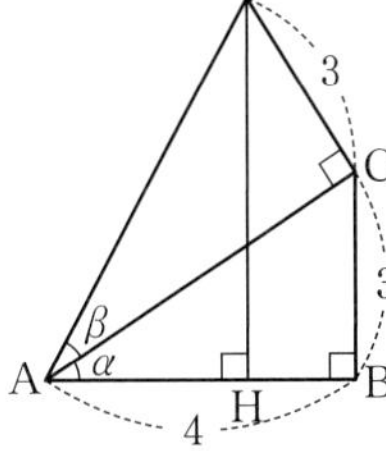

STEP C 선분 DH의 길이 구하기

따라서 $\overline{DH}=\overline{AD}\sin(\alpha+\beta)=\sqrt{34}\cdot\frac{27}{5\sqrt{34}}=\frac{27}{5}$

(2) 선분 $\overline{AH}$의 길이를 구하여라.

STEP A 선분 AH의 길이 구하기

$\overline{AH}=\overline{AD}\cos(\alpha+\beta)=\sqrt{34}\cdot\frac{11}{5\sqrt{34}}=\frac{11}{5}$

0299

다음 그림과 같이 $\overline{AB}=5$, $\overline{AC}=2\sqrt{5}$인 삼각형 ABC의 꼭짓점 A에서 선분 BC에 내린 수선의 발을 D라 하자. 선분 AD를 3 : 1로 내분하는 점 E에 대하여 $\overline{EC}=\sqrt{5}$이다. $\angle ABD=\alpha$, $\angle DCE=\beta$라 할 때, $\cos(\alpha-\beta)$의 값은?

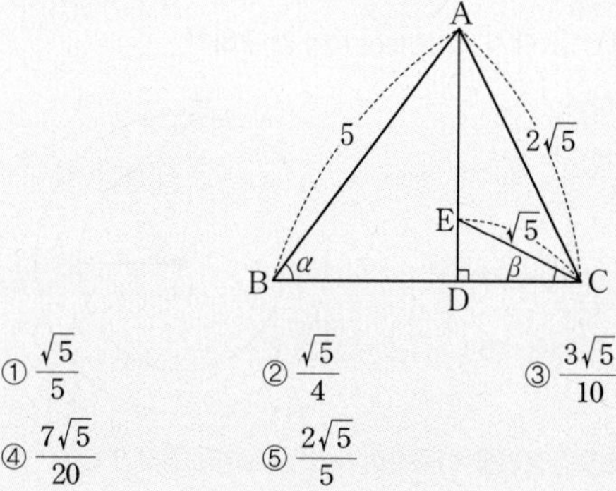

① $\frac{\sqrt{5}}{5}$ ② $\frac{\sqrt{5}}{4}$ ③ $\frac{3\sqrt{5}}{10}$
④ $\frac{7\sqrt{5}}{20}$ ⑤ $\frac{2\sqrt{5}}{5}$

STEP A 피타고라스 정리를 이용하여 선분 DE, CD의 길이 구하기

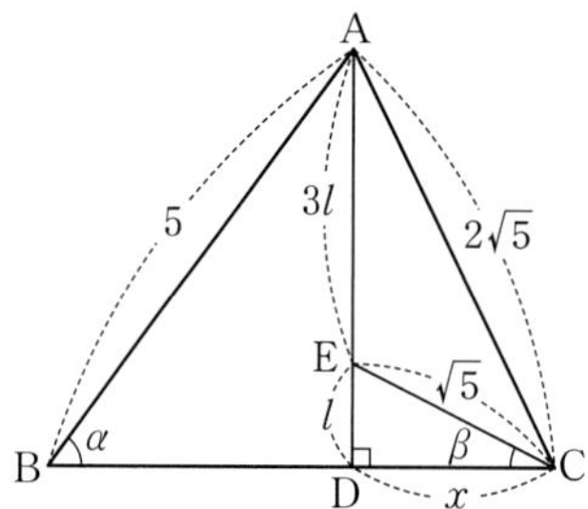

선분 AD를 3 : 1로 내분하는 점이 E이므로 $\overline{AE}=3l$, $\overline{ED}=l$라 하고 $\overline{CD}=x$라 하면

직각삼각형 ADC, EDC에서 피타고라스 정리를 이용하면

$x^2=(2\sqrt{5})^2-(4l)^2=(\sqrt{5})^2-l^2$

$20-16l^2=5-l^2$, $15l^2=15$ $\therefore l=1(\because l>0)$

또한, $x^2=5-1=4$이므로 $x=2(\because x>0)$

STEP B 직각삼각형 ADB, EDC에서 삼각함수의 값 구하기

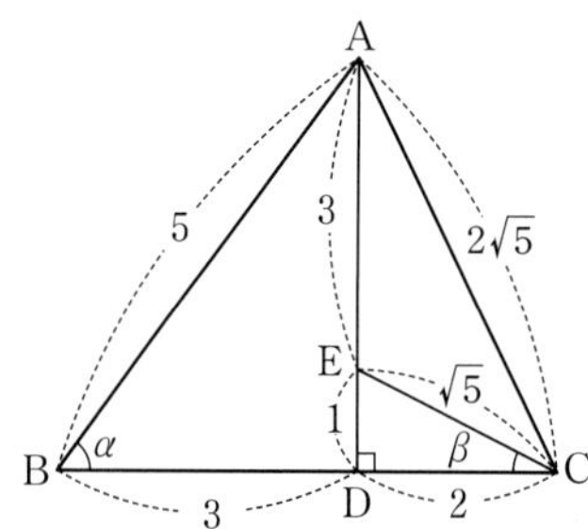

직각삼각형 ADB에서

$\overline{AD}=4$이므로 $\overline{BD}^2=\overline{AB}^2-\overline{AD}^2=5^2-4^2=9$

$\therefore \overline{BD}=3$

이때 직각삼각형 ADB에서 $\cos\alpha=\frac{3}{5}$, $\sin\alpha=\frac{4}{5}$

또한, 직각삼각형 EDC에서 $\cos\beta=\frac{2}{\sqrt{5}}$, $\sin\beta=\frac{1}{\sqrt{5}}$

STEP C 삼각함수의 덧셈정리를 이용하여 주어진 값 구하기

따라서 $\cos(\alpha-\beta)=\cos\alpha\cos\beta+\sin\alpha\sin\beta$

$$=\frac{3}{5}\cdot\frac{2}{\sqrt{5}}+\frac{4}{5}\cdot\frac{1}{\sqrt{5}}$$

$$=\frac{10}{5\sqrt{5}}=\frac{2\sqrt{5}}{5}$$

0300

오른쪽 그림과 같이 탑으로부터 8m 떨어진 지점에서 눈높이가 1.6m인 수지가 탑의 밑부분을 내려본 각의 크기가 θ이고, 탑의 꼭대기를 올려본 각의 크기가 $\theta+\frac{\pi}{4}$이다.

이때 탑의 높이를 구하여라.

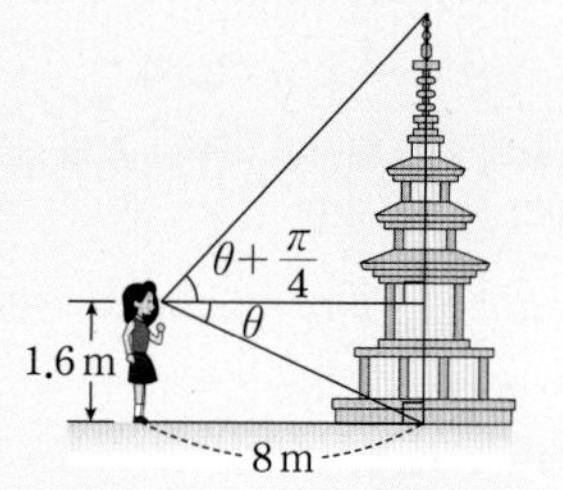

STEP A $\tan\theta$의 값 구하기

눈높이가 1.6m인 수지가 탑의 밑부분을 내려 본각의 크기가 θ이므로

$\tan\theta=\frac{1.6}{8}=\frac{1}{5}$

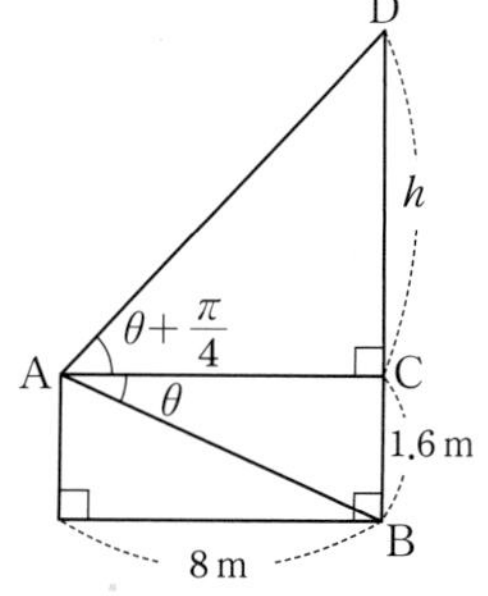

STEP B 삼각함수의 덧셈정리를 이용하여 $\tan\left(\theta+\frac{\pi}{4}\right)$ 구하기

직각삼각형 ACD에서 $\tan\left(\theta+\frac{\pi}{4}\right)=\frac{h}{8}$이고

$\tan\left(\theta+\frac{\pi}{4}\right)=\frac{\tan\theta+\tan\frac{\pi}{4}}{1-\tan\theta\tan\frac{\pi}{4}}=\frac{\frac{1}{5}+1}{1-\frac{1}{5}\times 1}=\frac{3}{2}$이므로 $\frac{h}{8}=\frac{3}{2}$

$\therefore h=12$

따라서 탑의 높이는 $\overline{BC}+\overline{CD}=1.6+12=13.6(\text{m})$

0301

오른쪽 그림과 같이 y축 위의 두 점 A(0, 4), B(0, 2)와 x축 위의 점 C(1, 0)에 대하여 $\angle CAO=\alpha$, $\angle CBO=\beta$라고 하자. y축 위의 점 P(0, y)($y>0$)에 대하여 $\angle CPO=\gamma$라 할 때, $\alpha+\beta=\gamma$가 되는 점 P의 y좌표는?

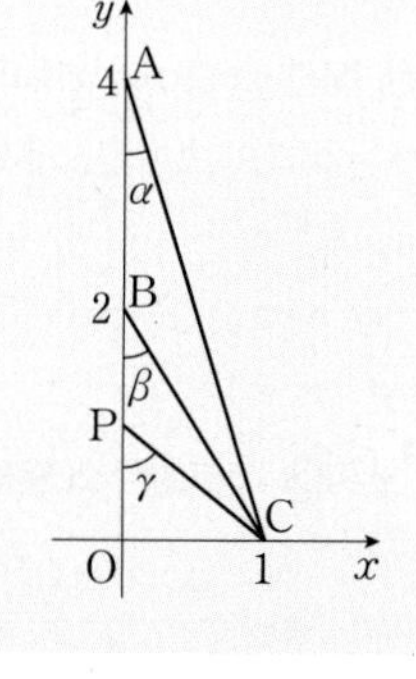

① $\frac{5}{4}$ ② $\frac{2}{3}$
③ $\frac{7}{6}$ 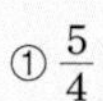 ④ $\frac{8}{7}$
⑤ $\frac{9}{8}$ 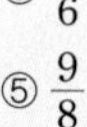

STEP A $\tan\alpha$, $\tan\beta$, $\tan\gamma$ 구하기

$\overline{OA}=4$, $\overline{OB}=2$, $\overline{OC}=1$, $\overline{OP}=y$이므로

$\triangle$AOC에서 $\tan\alpha=\frac{\overline{OC}}{\overline{OA}}=\frac{1}{4}$, $\triangle$BOC에서 $\tan\beta=\frac{\overline{OC}}{\overline{OB}}=\frac{1}{2}$

$\triangle$POC에서 $\tan\gamma=\frac{\overline{OC}}{\overline{OP}}=\frac{1}{y}$

STEP B 삼각함수의 덧셈정리를 이용하여 점 P의 y좌표 구하기

$\alpha+\beta=\gamma$이므로

$\tan\gamma=\tan(\alpha+\beta)=\frac{\tan\alpha+\tan\beta}{1-\tan\alpha\tan\beta}=\frac{\frac{1}{4}+\frac{1}{2}}{1-\frac{1}{4}\cdot\frac{1}{2}}=\frac{6}{7}$

$\therefore \tan\gamma=\tan(\alpha+\beta)=\frac{6}{7}=\frac{1}{y}$

따라서 $P\left(0, \frac{7}{6}\right)$이므로 $y=\frac{7}{6}$

0302

곡선 $y=1-x^2(0<x<1)$ 위의 점 P에서 y축에 내린 수선의 발을 H라 하고, 원점 O와 점 A(0, 1)에 대하여 $\angle APH=\theta_1$, $\angle HPO=\theta_2$라 하자. $\tan\theta_1=\frac{1}{2}$일 때, $\tan(\theta_1+\theta_2)$의 값은?

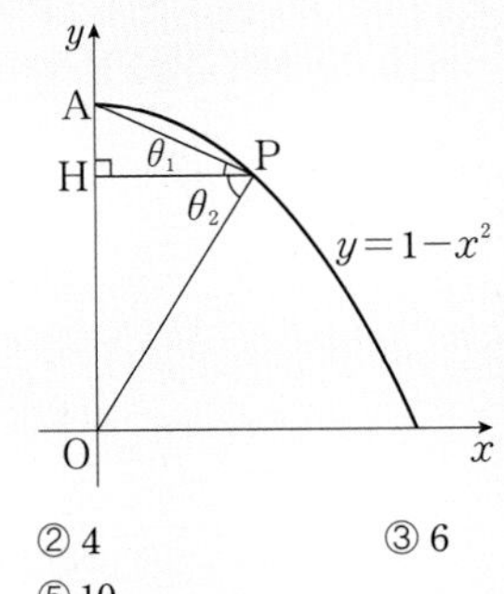

① 2　② 4　③ 6
④ 8　⑤ 10

STEP A 조건을 만족하는 점 P의 좌표와 $\tan\theta_2$의 값 구하기

점 P의 좌표를 $(t, 1-t^2)$이라 하면

직각삼각형 AHP에서 $\tan\theta_1=\frac{1}{2}$이므로

$$\tan\theta_1=\frac{\overline{AH}}{\overline{HP}}=\frac{\overline{AO}-\overline{HO}}{\overline{HP}}=\frac{1-(1-t^2)}{t}=t$$

$\therefore t=\frac{1}{2}$

이때 $P\left(\frac{1}{2}, \frac{3}{4}\right)$이고 직각삼각형 PHO에서 $\tan\theta_2=\frac{\overline{HO}}{\overline{PH}}=\frac{\frac{3}{4}}{\frac{1}{2}}=\frac{3}{2}$

STEP B 탄젠트의 덧셈정리를 이용하여 구하기

따라서 $\tan(\theta_1+\theta_2)=\frac{\tan\theta_1+\tan\theta_2}{1-\tan\theta_1\tan\theta_2}=\frac{\frac{1}{2}+\frac{3}{2}}{1-\frac{1}{2}\times\frac{3}{2}}=\frac{2}{\frac{1}{4}}=8$

다른풀이 직선의 방정식을 이용하여 점 P의 좌표를 구하여 풀이하기

$\tan\theta_1=\frac{1}{2}$이므로 직선 AP의 기울기는 $-\frac{1}{2}$이고

y절편은 1이므로 직선 AP의 방정식은 $y=-\frac{1}{2}x+1$

직선 AP와 곡선 $y=1-x^2$과의 교점을 구하면

$1-x^2=-\frac{1}{2}x+1$에서 $x\left(x-\frac{1}{2}\right)=0$

$\therefore x=\frac{1}{2}$ 또는 $x=0$

$\therefore P\left(\frac{1}{2}, \frac{3}{4}\right)$

한편 오른쪽 그림과 같이 θ_2는 직선 OP와 x축의 양의 방향과 이루는 각의 크기와 같으므로 $\tan\theta_2=\frac{3}{2}$

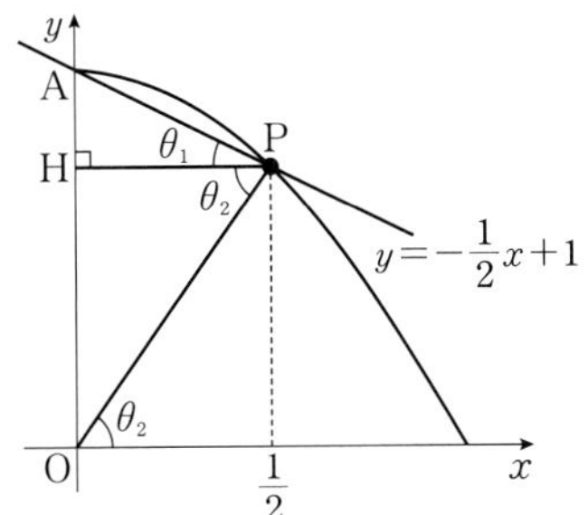

따라서 $\tan(\theta_1+\theta_2)=\frac{\tan\theta_1+\tan\theta_2}{1-\tan\theta_1\tan\theta_2}=\frac{\frac{1}{2}+\frac{3}{2}}{1-\frac{1}{2}\times\frac{3}{2}}=\frac{2}{\frac{1}{4}}=8$

0303

다음 그림과 같이 x축 위의 두 점 A(20, 0), B(80, 0)과 양의 y축 위의 점 P(0, y)에 대하여 $\angle APB=\theta$라고 할 때, $\tan\theta$의 값이 최대가 되는 점 P의 y좌표를 구하여라.

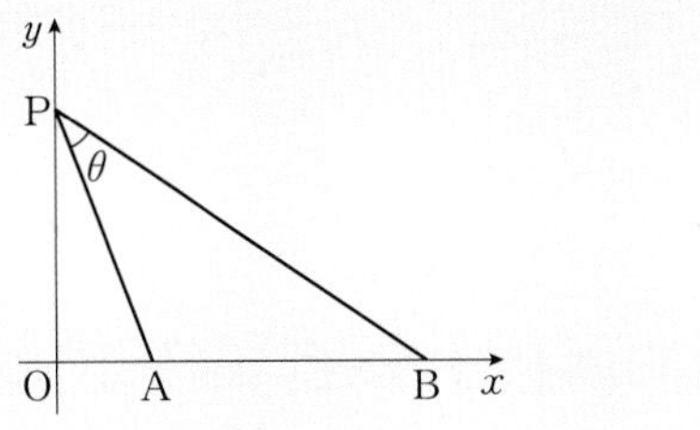

STEP A 삼각함수의 덧셈정리를 이용하여 $\tan\theta$ 구하기

$\angle OPB=\alpha$, $\angle OPA=\beta$라 하면

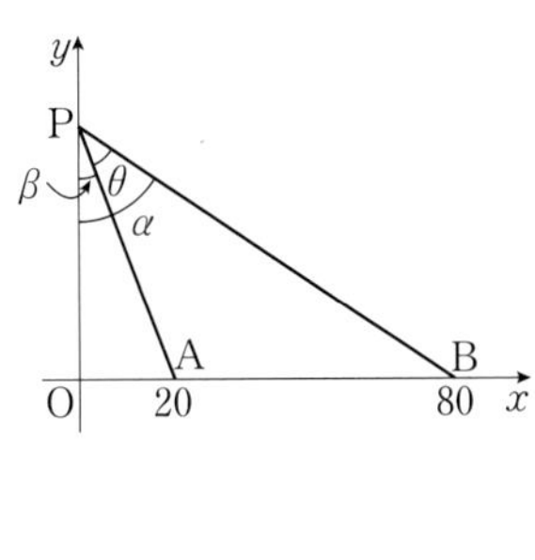

$\tan\alpha=\frac{80}{y}$, $\tan\beta=\frac{20}{y}$

$$\tan\theta=\tan(\alpha-\beta)=\frac{\tan\alpha-\tan\beta}{1+\tan\alpha\tan\beta}=\frac{\frac{80}{y}-\frac{20}{y}}{1+\frac{80}{y}\cdot\frac{20}{y}}=\frac{60y}{y^2+1600}$$

이때 $y>0$이므로 분모와 분자를 y로 나누면

$$\tan\theta=\frac{60y\cdot\frac{1}{y}}{(y^2+1600)\frac{1}{y}}=\frac{60}{y+\frac{1600}{y}}$$

STEP B 분모의 산술평균과 기하평균을 이용하여 최대가 되는 y좌표 구하기

그런데 분자의 값이 60으로 고정되어 있으므로 $\tan\theta$의 값이 최대가 되려면 $y+\frac{1600}{y}$의 값이 최소가 되어야 한다.

$y>0$일 때, $\frac{1600}{y}>0$이므로 산술평균과 기하평균의 관계에 의해

$$y+\frac{1600}{y}\geq 2\sqrt{y\times\frac{1600}{y}}=80$$

이때 등호는 $y=\frac{1600}{y}$일 때, 성립하므로 $y^2=1600$

$\therefore y=40$

따라서 구하고자 하는 $y=40$

다른풀이 원의 할선의 비례관계를 이용하여 풀이하기

다음 그림과 같이 A, B 두 점을 지나는 원이 점 P에서 y축에 접할 때, θ는 최대가 되므로 $\tan\theta$의 값도 최대가 된다.

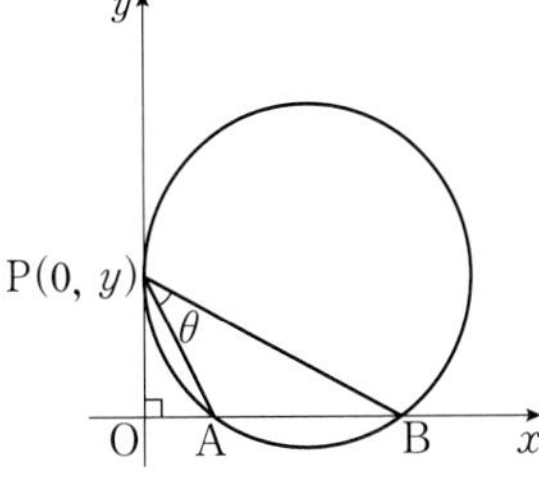

이때 원의 할선과 접선의 비례관계에 의해 $\overline{OP}^2=\overline{OA}\cdot\overline{OB}$이므로

$y^2=20\cdot 80=1600$

0304

오른쪽 그림과 같이 점 P지점에서 높이가 36m인 건물을 올려다보니 다른 건물에 가려서 A지점에서 B지점까지 20m의 부분만 보였다. 두 지점 A, B를 올려다 본 사잇각의 크기를 θ라고 할 때, $\tan\theta$의 최댓값을 구하여라.

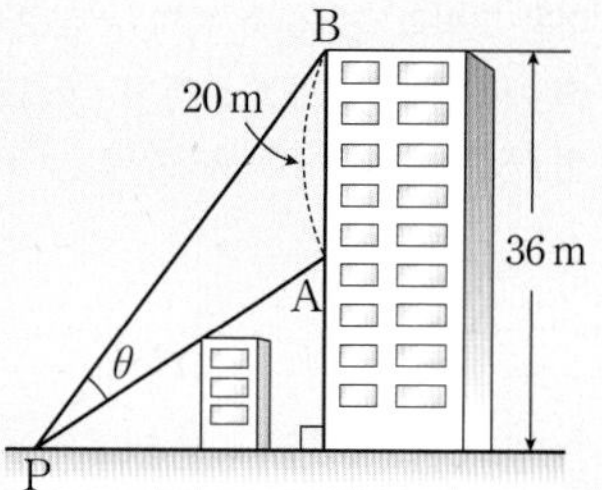

STEP A 삼각함수의 덧셈정리를 이용하여 $\tan\theta$ 구하기

오른쪽 그림에서

$\overline{PH}=x$, $\angle BPH=\alpha$, $\angle APH=\beta$

라고 하면

$\tan\alpha=\frac{36}{x}$, $\tan\beta=\frac{16}{x}$이고

$\theta=\alpha-\beta$이므로

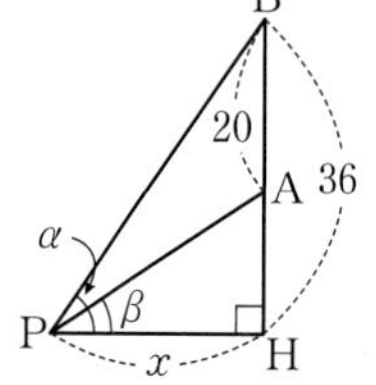

$$\tan\theta=\tan(\alpha-\beta)=\frac{\frac{36}{x}-\frac{16}{x}}{1+\frac{36}{x}\times\frac{16}{x}}=\frac{\frac{20}{x}}{1+\frac{576}{x^2}}=\frac{20}{x+\frac{576}{x}}$$

STEP B 분모의 산술평균과 기하평균을 이용하여 최대가 되는 x좌표 구하기

이때 $x>0$, $\frac{576}{x}>0$이므로 산술평균과 기하평균의 관계에 의하여

$x+\frac{576}{x}\geq 2\sqrt{x\times\frac{576}{x}}=48$ (등호는 $x=24$일 때 성립)

따라서 $\tan\theta=\frac{20}{x+\frac{576}{x}}\leq\frac{20}{48}=\frac{5}{12}$이므로 $\tan\theta$의 최댓값은 $\frac{5}{12}$

0305

오른쪽 그림과 같이 P지점에서 높이가 18m인 건물을 올려다보니 나무에 가려서 A지점에서 B지점까지 10m의 부분만 보인다. 두 지점 A, B를 바라본 시선의 사잇각의 크기가 θ라고 할 때, θ가 최대가 되는 점 P와 H 사이의 거리를 구하여라. (단위는 m)

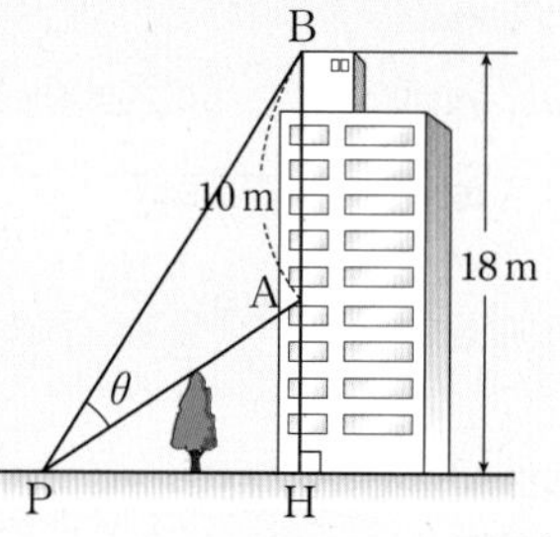

STEP A 삼각함수의 덧셈정리를 이용하여 $\tan\theta$ 구하기

$\overline{PH}=x$m, $\angle BPH=\alpha$, $\angle APH=\beta$로 놓으면

$\tan\alpha=\frac{18}{x}$, $\tan\beta=\frac{8}{x}$

이때 $\theta=\alpha-\beta$이므로

$$\tan\theta=\tan(\alpha-\beta)=\frac{\tan\alpha-\tan\beta}{1+\tan\alpha\tan\beta}=\frac{\frac{18}{x}-\frac{8}{x}}{1+\frac{18}{x}\cdot\frac{8}{x}}=\frac{10}{x+\frac{144}{x}}$$

STEP B 분모의 산술평균과 기하평균을 이용하여 최대가 되는 x좌표 구하기

이때 $x+\frac{144}{x}$가 최소일 때, $\tan\theta$는 최대이고 θ도 최대이다.

산술평균과 기하평균의 관계에 의하여

$x+\frac{144}{x}\geq 2\sqrt{x\cdot\frac{144}{x}}=2\cdot 12=24$이고

등호는 $x=\frac{144}{x}$일 때, 최소이므로 $x^2=144$, $x=12$

따라서 구하는 거리는 12m

0306

다음 극한값을 구하여라.

(1) $\lim_{x\to 0}\frac{\sin 2x-\sin x}{x}$

STEP A $\lim_{x\to 0}\frac{\sin x}{x}=1$임을 이용하여 극한값을 구하기

$$\lim_{x\to 0}\frac{\sin 2x-\sin x}{x}=\lim_{x\to 0}\frac{\sin 2x}{x}-\lim_{x\to 0}\frac{\sin x}{x}=2-1=1$$

(2) $\lim_{x\to 0}\frac{\sin 2x}{x+\tan 3x}$

STEP A $\lim_{x\to 0}\frac{\sin x}{x}=1$, $\lim_{x\to 0}\frac{\tan x}{x}=1$임을 이용하여 극한값을 구하기

$$\lim_{x\to 0}\frac{\sin 2x}{x+\tan 3x}=\lim_{x\to 0}\frac{\frac{\sin 2x}{x}}{1+\frac{\tan 3x}{x}}=\frac{\lim_{x\to 0}\left(\frac{\sin 2x}{2x}\cdot 2\right)}{\lim_{x\to 0}\left(1+\frac{\tan 3x}{3x}\cdot 3\right)}=\frac{1\cdot 2}{1+1\cdot 3}=\frac{1}{2}$$

(3) $\lim_{x\to 0}\frac{\tan(3x^3-x^2+4x)}{2x^3+x^2-2x}$

STEP A $\lim_{x\to 0}\frac{\tan x}{x}=1$임을 이용하여 극한값을 구하기

$$\lim_{x\to 0}\frac{\tan(3x^3-x^2+4x)}{2x^3+x^2-2x}=\lim_{x\to 0}\left\{\frac{\tan(3x^3-x^2+4x)}{3x^3-x^2+4x}\cdot\frac{3x^3-x^2+4x}{2x^3+x^2-2x}\right\}$$
$$=1\cdot\lim_{x\to 0}\frac{3x^3-x^2+4x}{2x^3+x^2-2x}$$
$$=1\cdot\lim_{x\to 0}\frac{3x^2-x+4}{2x^2+x-2}$$
$$=1\cdot(-2)=-2$$

(4) $\lim_{x\to 0}\frac{e^x-1}{\tan 3x}$

STEP A $\lim_{x\to 0}\frac{\tan x}{x}=1$, $\lim_{x\to 0}\frac{e^x-1}{x}=1$임을 이용하여 극한값을 구하기

$$\lim_{x\to 0}\frac{e^x-1}{\tan 3x}=\lim_{x\to 0}\left(\frac{e^x-1}{x}\cdot\frac{3x}{\tan 3x}\cdot\frac{1}{3}\right)=1\cdot 1\cdot\frac{1}{3}=\frac{1}{3}$$

(5) $\lim_{x\to 0}\frac{\ln(1+6x)}{\sin 2x}$

STEP A $\lim_{x\to 0}\frac{\ln(1+x)}{x}=1$, $\lim_{x\to 0}\frac{\sin x}{x}=1$임을 이용하여 극한값을 구하기

$$\lim_{x\to 0}\frac{\ln(1+6x)}{\sin 2x}=\lim_{x\to 0}\left\{\frac{\ln(1+6x)}{6x}\cdot\frac{2x}{\sin 2x}\cdot 3\right\}=1\cdot 1\cdot 3=3$$

(6) $\lim_{x\to 0}\frac{e^{2x}-1}{\sin 3x}$

STEP A $\lim_{x\to 0}\frac{\sin x}{x}=1$, $\lim_{x\to 0}\frac{e^x-1}{x}=1$임을 이용하여 극한값을 구하기

$$\lim_{x\to 0}\frac{e^{2x}-1}{\sin 3x}=\lim_{x\to 0}\left(\frac{e^{2x}-1}{2x}\cdot\frac{3x}{\sin 3x}\cdot\frac{2}{3}\right)=1\cdot 1\cdot\frac{2}{3}=\frac{2}{3}$$

0307

다음 극한값을 구하여라.

(1) $\lim_{x\to0}\frac{e^{x\sin 2x}-1}{x\ln(1+x)}$

STEP A $\lim_{x\to0}\frac{\ln(1+x)}{x}=1$, $\lim_{x\to0}\frac{e^x-1}{x}=1$임을 이용하여 극한값을 구하기

$$\lim_{x\to0}\frac{e^{x\sin 2x}-1}{x\ln(1+x)}=\lim_{x\to0}\left\{\frac{e^{x\sin 2x}-1}{x\sin 2x}\cdot\frac{\sin 2x}{2x}\cdot\frac{x}{\ln(1+x)}\cdot2\right\}=1\cdot1\cdot1\cdot2=2$$

(2) $\lim_{x\to0}\frac{e^{2x^2}-1}{\tan x\sin 2x}$

STEP A $\lim_{x\to0}\frac{\tan x}{x}=1$, $\lim_{x\to0}\frac{\sin x}{x}=1$, $\lim_{x\to0}\frac{e^x-1}{x}=1$임을 이용하여 극한값을 구하기

분모, 분자를 $2x^2$으로 나누어 정리하면

$$\lim_{x\to0}\frac{\frac{e^{2x^2}-1}{2x^2}}{\frac{\tan x\sin 2x}{2x^2}}=\lim_{x\to0}\left(\frac{e^{2x^2}-1}{2x^2}\cdot\frac{x}{\tan x}\cdot\frac{2x}{\sin 2x}\right)$$

$$=\lim_{x\to0}\frac{e^{2x^2}-1}{2x^2}\cdot\lim_{x\to0}\frac{x}{\tan x}\cdot\lim_{x\to0}\frac{2x}{\sin 2x}$$

$=1\cdot1\cdot1=1$ ⬅ $\lim_{x\to0}\frac{e^{2x^2}-1}{2x^2}=1$, $\lim_{x\to0}\frac{\tan x}{x}=1$, $\lim_{x\to0}\frac{\sin 2x}{2x}=1$

(3) $\lim_{x\to0}\frac{3^{\sin x}-1}{3\sin x}$

STEP A $\lim_{x\to0}\frac{a^x-1}{x}=\ln a$임을 이용하여 극한값을 구하기

$\sin x=t$로 놓으면 $x\to0$일 때, $t\to0$이므로

$$\lim_{x\to0}\frac{3^{\sin x}-1}{3\sin x}=\lim_{t\to0}\frac{3^t-1}{3t}=\lim_{t\to0}\left(\frac{1}{3}\cdot\frac{3^t-1}{t}\right)=\frac{\ln 3}{3}$$

(4) $\lim_{x\to0}\frac{e^{x\sin x}+e^{x\sin 2x}-2}{x\ln(1+x)}$

STEP A $\lim_{x\to0}\frac{\sin x}{x}=1$, $\lim_{x\to0}\frac{e^x-1}{x}=1$, $\lim_{x\to0}\frac{\ln(x+1)}{x}=1$임을 이용하여 극한값을 구하기

$$\lim_{x\to0}\frac{e^{x\sin x}+e^{x\sin 2x}-2}{x\ln(1+x)}=\lim_{x\to0}\left\{\frac{e^{x\sin x}-1}{x\ln(1+x)}+\frac{e^{x\sin 2x}-1}{x\ln(1+x)}\right\}$$

$$=\lim_{x\to0}\left\{\frac{e^{x\sin x}-1}{x\sin x}\cdot\frac{\sin x}{x}\cdot\frac{x}{\ln(1+x)}\right\}$$

$$+\lim_{x\to0}\left\{\frac{e^{x\sin 2x}-1}{x\sin 2x}\cdot\frac{\sin 2x}{2x}\cdot2\cdot\frac{x}{\ln(1+x)}\right\}$$

$$=1\cdot1\cdot1+1\cdot1\cdot2\cdot1=1+2=3$$

다른풀이 $\lim_{x\to0}\frac{e^x-1}{x}=1$임을 이용하여 풀이하기

$$\lim_{x\to0}\frac{e^{x\sin x}+e^{x\sin 2x}-2}{x\ln(1+x)}$$

$$=\lim_{x\to0}\frac{1}{\ln(1+x)}\left(\frac{e^{x\sin x}-1}{x}+\frac{e^{x\sin 2x}-1}{x}\right)$$

$$=\lim_{x\to0}\left\{\frac{x}{\ln(1+x)}\cdot\frac{1}{x}\left(\frac{e^{x\sin x}-1}{x}+\frac{e^{x\sin 2x}-1}{x}\right)\right\}$$

$$=\lim_{x\to0}\frac{x}{\ln(1+x)}\cdot\lim_{x\to0}\frac{1}{x}\left(\frac{e^{x\sin x}-1}{x}+\frac{e^{x\sin 2x}-1}{x}\right)$$

$$=\lim_{x\to0}\frac{x}{\ln(1+x)}\cdot\left\{\lim_{x\to0}\left(\frac{\sin x}{x}\cdot\frac{e^{x\sin x}-1}{x\sin x}\right)+\lim_{x\to0}\left(\frac{\sin 2x}{2x}\cdot\frac{e^{x\sin 2x}-1}{x\sin 2x}\cdot2\right)\right\}$$

$$=1\cdot1\cdot1+1\cdot1\cdot1\cdot2=1+2=3$$

0308

다음 물음에 답하여라.

(1) $\lim_{\theta\to0}\frac{\sin\theta\tan\theta+\sin 2\theta\tan 2\theta+\cdots+\sin 10\theta\tan 10\theta}{\theta^2}$의 값을 구하여라.

STEP A $\lim_{x\to0}\frac{\sin x}{x}=1$, $\lim_{x\to0}\frac{\tan x}{x}=1$임을 이용하여 극한값을 구하기

$$\lim_{\theta\to0}\frac{\sin\theta\tan\theta+\sin 2\theta\tan 2\theta+\cdots+\sin 10\theta\tan 10\theta}{\theta^2}$$

$$=\lim_{\theta\to0}\left(\frac{\sin\theta\tan\theta}{\theta^2}+\frac{\sin 2\theta\tan 2\theta}{\theta^2}+\cdots+\frac{\sin 10\theta\tan 10\theta}{\theta^2}\right)$$

$$=\lim_{\theta\to0}\left(\frac{\sin\theta}{\theta}\times\frac{\tan\theta}{\theta}\times1^2+\frac{\sin 2\theta}{2\theta}\times\frac{\tan 2\theta}{2\theta}\times2^2\cdots+\frac{\sin 10\theta}{10\theta}\times\frac{\tan 10\theta}{10\theta}\times10^2\right)$$

$$=1^2+2^2+\cdots+10^2$$

$$=\sum_{k=1}^{10}k^2=\frac{10\times11\times21}{6}=385$$

(2) $f(n)=\lim_{x\to0}\frac{x}{\sin x+\sin 2x+\cdots+\sin nx}$라고 할 때, $\sum_{n=1}^{\infty}f(n)$의 값을 구하여라.

STEP A $\lim_{x\to0}\frac{\sin x}{x}=1$임을 이용하여 극한값을 구하기

$$f(n)=\lim_{x\to0}\frac{1}{\frac{\sin x}{x}+\frac{\sin 2x}{x}+\cdots+\frac{\sin nx}{x}}$$

$$=\frac{1}{\frac{\sin x}{x}+2\times\frac{\sin 2x}{2x}+\cdots+n\times\frac{\sin nx}{nx}}$$

$$=\frac{1}{1+2+\cdots+n}=\frac{1}{\frac{1}{2}n(n+1)}=\frac{2}{n(n+1)}$$

$$=2\left(\frac{1}{n}-\frac{1}{n+1}\right)$$

STEP B 급수 구하기

따라서 $\sum_{n=1}^{\infty}f(n)=\lim_{n\to\infty}\sum_{k=1}^{n}2\left(\frac{1}{k}-\frac{1}{k+1}\right)=\lim_{n\to\infty}2\left(1-\frac{1}{n+1}\right)=2$

(3) 자연수 n에 대하여 함수 $f(n)$이

$$f(n)=\lim_{x\to0}\frac{\sum_{k=1}^{n}\sin kx}{x}$$ 일 때, $\lim_{n\to\infty}\frac{f(2n)}{2n^2+3n}$의 값을 구하여라.

STEP A $\lim_{x\to0}\frac{\sin x}{x}=1$임을 이용하여 극한값을 구하기

$$f(n)=\lim_{x\to0}\frac{\sum_{k=1}^{n}\sin kx}{x}=\lim_{x\to0}\sum_{k=1}^{n}\frac{\sin kx}{x}$$

$$=\lim_{x\to0}\sum_{k=1}^{n}\left(k\times\frac{\sin kx}{kx}\right)=\sum_{k=1}^{n}\left(k\times\lim_{x\to0}\frac{\sin kx}{kx}\right)$$

$$=\sum_{k=1}^{n}(k\times1)=\sum_{k=1}^{n}k$$

$$=\frac{n(n+1)}{2}$$

STEP B $\frac{\infty}{\infty}$ 꼴의 수열의 극한 구하기

따라서 $\lim_{n\to\infty}\frac{f(2n)}{2n^2+n}=\lim_{n\to\infty}\frac{\frac{2n(2n+1)}{2}}{2n^2+3n}=\lim_{n\to\infty}\frac{2n^2+n}{2n^2+3n}$

$$=\lim_{n\to\infty}\frac{2+\frac{1}{n}}{2+\frac{3}{n}}=\frac{2+0}{2+0}=1$$

0309

다음 극한값을 구하여라.

(1) $\lim_{x \to 0} \frac{x^2}{1-\cos 2x}$

STEP Ⓐ $\sin^2 2x+\cos^2 2x=1$을 이용하여 극한값 구하기

분모, 분자에 $1+\cos 2x$를 곱하면

$$\lim_{x \to 0} \frac{x^2}{1-\cos 2x}=\lim_{x \to 0} \frac{x^2(1+\cos 2x)}{(1-\cos 2x)(1+\cos 2x)}$$
$$=\lim_{x \to 0} \frac{x^2(1+\cos 2x)}{1-\cos^2 2x}$$
$$=\lim_{x \to 0} \left\{\frac{x^2}{\sin^2 2x}\times(1+\cos 2x)\right\}$$
$$=\lim_{x \to 0} \frac{1}{2^2}\left(\frac{2x}{\sin 2x}\right)^2\times\lim_{x \to 0}(1+\cos 2x)$$
$$=\frac{1}{4}\times 1^2\times 2=\frac{1}{2}$$

(2) $\lim_{x \to 0} \frac{x\tan x}{1-\cos x}$

STEP Ⓐ $\sin^2 x+\cos^2 x=1$을 이용하여 극한값 구하기

$$\lim_{x \to 0} \frac{x\tan x}{1-\cos x}=\lim_{x \to 0}\left(\frac{x}{1-\cos x}\cdot\frac{\sin x}{\cos x}\right)$$

분모, 분자에 $1+\cos x$를 곱하면

$$=\lim_{x \to 0}\left\{\frac{x^2}{(1-\cos x)(1+\cos x)}\cdot\frac{\sin x}{x}\cdot\frac{1+\cos x}{\cos x}\right\}$$
$$=\lim_{x \to 0}\left\{\left(\frac{x}{\sin x}\right)^2\cdot\frac{\sin x}{x}\cdot\frac{1+\cos x}{\cos x}\right\}$$
$$=1^2\cdot 1\cdot 2=2$$

(3) $\lim_{x \to 0} \frac{1-\cos 3x}{x\ln(1+x)}$

STEP Ⓐ $\sin^2 3x+\cos^2 3x=1$을 이용하여 극한값 구하기

$$\lim_{x \to 0} \frac{1-\cos 3x}{x\ln(1+x)}=\lim_{x \to 0} \frac{(1-\cos 3x)(1+\cos 3x)}{x\ln(1+x)(1+\cos 3x)}$$
$$=\lim_{x \to 0} \frac{1-\cos^2 3x}{x\ln(1+x)(1+\cos 3x)}$$
$$=\lim_{x \to 0} \frac{\sin^2 3x}{x\ln(1+x)(1+\cos 3x)}$$
$$=9\lim_{x \to 0} \frac{\sin^2 3x}{(3x)^2}\times\lim_{x \to 0}\frac{x}{\ln(1+x)}\times\lim_{x \to 0}\frac{1}{1+\cos 3x}$$
$$=9\times 1\times 1\times\frac{1}{2}=\frac{9}{2}$$

0310

다음 물음에 답하여라.

(1) $\lim_{x \to 0} \frac{1-\cos x}{\ln(1+3x^2)}$의 값은?

① $\frac{1}{12}$　② $\frac{1}{6}$　③ $\frac{1}{4}$　④ $\frac{1}{3}$　⑤ $\frac{5}{12}$

STEP Ⓐ $\sin^2 x+\cos^2 x=1$을 이용하여 극한값 구하기

$$\lim_{x \to 0} \frac{1-\cos x}{\ln(1+3x^2)}=\lim_{x \to 0}\left\{\frac{(1-\cos x)(1+\cos x)}{1+\cos x}\times\frac{1}{\ln(1+3x^2)}\right\}$$
$$=\lim_{x \to 0}\left\{\frac{\sin^2 x}{1+\cos x}\times\frac{1}{\ln(1+3x^2)}\right\}$$
$$=\lim_{x \to 0}\left\{\frac{1}{1+\cos x}\times\frac{\sin^2 x}{x^2}\times\frac{x^2}{\ln(1+3x^2)}\right\}$$
$$=\lim_{x \to 0}\frac{1}{1+\cos x}\times\lim_{x \to 0}\left(\frac{\sin x}{x}\right)^2\times\lim_{x \to 0}\frac{1}{\frac{\ln(1+3x^2)}{3x^2}\times 3}$$
$$=\frac{1}{2}\times 1^2\times\frac{1}{3}=\frac{1}{6}$$

(2) $\lim_{x \to 0} \frac{1-\cos 3x}{x\tan 2x}$의 값은?

① $\frac{3}{4}$　② $\frac{3}{2}$　③ $\frac{9}{4}$　④ 3　⑤ $\frac{15}{4}$

STEP Ⓐ $\sin^2 3x+\cos^2 3x=1$을 이용하여 극한값 구하기

$$\lim_{x \to 0} \frac{1-\cos 3x}{x\tan 2x}=\lim_{x \to 0}\left(\frac{1-\cos 3x}{x\tan 2x}\times\frac{1+\cos 3x}{1+\cos 3x}\right)$$
$$=\lim_{x \to 0}\frac{1-\cos^2 3x}{x(1+\cos 3x)\tan 2x}$$
$$=\lim_{x \to 0}\frac{\sin^2 3x}{x(1+\cos 3x)\tan 2x}$$
$$=\lim_{x \to 0}\left\{\left(\frac{\sin 3x}{3x}\right)^2\times\frac{2x}{\tan 2x}\times\frac{9}{2}\times\frac{1}{1+\cos 3x}\right\}$$
$$=\lim_{x \to 0}\left(\frac{\sin 3x}{3x}\right)^2\times\lim_{x \to 0}\frac{2x}{\tan 2x}\times\lim_{x \to 0}\frac{9}{2}\times\lim_{x \to 0}\frac{1}{1+\cos 3x}$$
$$=1^2\times 1\times\frac{9}{2}\times\frac{1}{2}=\frac{9}{4}$$

0311

자연수 n에 대하여 $f(n)=\lim_{x \to 0}\frac{1-\cos nx}{x^2}$일 때, $\sum_{n=1}^{8} f(n)$의 값은?

① 101　② 102　③ 103　④ 104　⑤ 105

STEP Ⓐ $\sin^2 nx+\cos^2 nx=1$을 이용하여 극한값 구하기

분모, 분자에 $1+\cos nx$를 곱하면

$$f(n)=\lim_{x \to 0}\frac{1-\cos nx}{x^2}=\lim_{x \to 0}\frac{(1-\cos nx)(1+\cos nx)}{x^2(1+\cos nx)}$$
$$=\lim_{x \to 0}\frac{1-\cos^2 nx}{x^2(1+\cos nx)}=\lim_{x \to 0}\left(\frac{\sin^2 nx}{x^2}\times\frac{1}{1+\cos nx}\right)$$
$$=\lim_{x \to 0}\left\{n^2\times\left(\frac{\sin nx}{nx}\right)^2\times\frac{1}{1+\cos nx}\right\}$$
$$=n^2\times 1\times\frac{1}{2}=\frac{n^2}{2}$$

STEP Ⓑ 시그마의 성질을 이용하여 구하기

따라서 $\sum_{n=1}^{8} f(n)=\frac{1}{2}\sum_{n=1}^{8} n^2=\frac{1}{2}\times\frac{8\cdot 9\cdot 17}{6}=102$

0312

함수 $f(x)$가 $\lim_{x\to0}\frac{f(x)}{\ln(1+x)}=1$을 만족시킬 때, [보기]에서 항상 옳은 것을 모두 고른 것은?

ㄱ. $\lim_{x\to0}\frac{\sin x}{f(x)}=0$　ㄴ. $\lim_{x\to0}\frac{f(x)+x}{\ln(1+x)}=2$　ㄷ. $\lim_{x\to0}\frac{\{f(x)\}^2}{\ln(1+x)}=0$

① ㄱ　② ㄴ　③ ㄷ
④ ㄴ, ㄷ　⑤ ㄱ, ㄴ, ㄷ

STEP A 주어진 식을 변형한 후, $\lim_{x\to0}\frac{f(x)}{x}=1$임을 이용하여 [보기]의 진위판단하기

$\lim_{x\to0}\frac{f(x)}{\ln(1+x)}=\lim_{x\to0}\left\{\frac{f(x)}{x}\cdot\frac{x}{\ln(1+x)}\right\}=\lim_{x\to0}\frac{f(x)}{x}\cdot1=1$

$\therefore \lim_{x\to0}\frac{f(x)}{x}=1$

ㄱ. $\lim_{x\to0}\frac{\sin x}{f(x)}=\lim_{x\to0}\frac{\frac{\sin x}{x}}{\frac{f(x)}{x}}=1$ [거짓]

ㄴ. $\lim_{x\to0}\frac{f(x)+x}{\ln(1+x)}=\lim_{x\to0}\frac{\frac{f(x)}{x}+1}{\frac{\ln(1+x)}{x}}=\frac{1+1}{1}=2$ [참]

ㄷ. $\lim_{x\to0}\frac{f(x)}{\ln(1+x)}=1$에서

$x\to0$일 때, (분모)$\to0$이고 극한값이 존재하므로 (분자)$\to0$이어야 한다.

즉 $\lim_{x\to0}f(x)=0$이므로 $f(0)=0$

$\lim_{x\to0}\frac{\{f(x)\}^2}{\ln(1+x)}=\lim_{x\to0}\left\{\frac{f(x)}{\ln(1+x)}\cdot f(x)\right\}=1\cdot\lim_{x\to0}f(x)=1\cdot0=0$ [참]

따라서 옳은 것은 ㄴ, ㄷ이다.

0313

함수 $f(x)$에 대하여 $\lim_{x\to0}\frac{f(x)}{3x+2\tan x}=4$일 때, $\lim_{x\to0}\frac{f(x)}{3x-2\tan x}$의 값은?

① 4　② 8　③ 12
④ 16　⑤ 20

STEP A 함수의 극한의 성질을 이용하여 극한값 구하기

$\lim_{x\to0}\frac{f(x)}{3x+2\tan x}=4$이므로

$\lim_{x\to0}\frac{f(x)}{3x-2\tan x}=\lim_{x\to0}\left\{\frac{f(x)}{3x+2\tan x}\times\frac{3x+2\tan x}{3x-2\tan x}\right\}$

$=\lim_{x\to0}\left\{\frac{f(x)}{3x+2\tan x}\times\frac{3+\frac{2\tan x}{x}}{3-\frac{2\tan x}{x}}\right\}$

$=4\times\frac{3+2}{3-2}=20$

0314

다음 물음에 답하여라.

(1) 함수 $f(x)$에 대하여

$\lim_{x\to0}\frac{f(x)}{1-\cos x}=10$이 성립할 때, $\lim_{x\to0}\frac{f(x)}{x^2}$의 값은?

① 4　② 5　③ 6
④ 7　⑤ 8

STEP A 주어진 식의 분자, 분모에 $1+\cos x$를 각각 곱하여 극한값 구하기

$\lim_{x\to0}\frac{f(x)}{1-\cos x}=10$에서

$\lim_{x\to0}\left\{\frac{f(x)}{x^2}\times\frac{x^2}{1-\cos x}\right\}=\lim_{x\to0}\left\{\frac{f(x)}{x^2}\times\frac{x^2(1+\cos x)}{(1-\cos x)(1+\cos x)}\right\}$

$=\lim_{x\to0}\left\{\frac{f(x)}{x^2}\times\frac{x^2(1+\cos x)}{\sin^2x}\right\}$

$=\lim_{x\to0}\left\{\frac{f(x)}{x^2}\times\left(\frac{x}{\sin x}\right)^2\times(1+\cos x)\right\}$

$=\lim_{x\to0}\frac{f(x)}{x^2}\times1^2\times2=10$

따라서 $\lim_{x\to0}\frac{f(x)}{x^2}=5$

(2) 연속함수 $f(x)$가 $\lim_{x\to0}\frac{f(x)}{1-\cos(x^2)}=2$를 만족시킬 때,

$\lim_{x\to0}\frac{f(x)}{x^p}=q$이다. $p+q$의 값은? (단, $p>0$, $q>0$이다.)

① 4　② 5　③ 6
④ 7　⑤ 8

STEP A 주어진 식의 분자, 분모에 $1+\cos(x^2)$를 각각 곱하여 극한값 구하기

$\lim_{x\to0}\frac{f(x)}{1-\cos(x^2)}=\lim_{x\to0}\frac{f(x)\{1+\cos(x^2)\}}{\{1-\cos(x^2)\}\{1+\cos(x^2)\}}$

$=\lim_{x\to0}\frac{f(x)\{1+\cos(x^2)\}}{1-\cos^2(x^2)}=\lim_{x\to0}\frac{f(x)\{1+\cos(x^2)\}}{\sin^2(x^2)}$

$=\lim_{x\to0}\left[\frac{(x^2)^2}{\sin^2(x^2)}\times\frac{f(x)}{x^4}\times\{1+\cos(x^2)\}\right]$

$=1\times\lim_{x\to0}\frac{f(x)}{x^4}\times2=2\lim_{x\to0}\frac{f(x)}{x^4}$

STEP B $\lim_{x\to0}\frac{f(x)}{x^p}=q$를 만족하는 p, q의 값 구하기

이때 $2\lim_{x\to0}\frac{f(x)}{x^4}=2$이므로 $\lim_{x\to0}\frac{f(x)}{x^4}=1$

따라서 $p=4$, $q=1$이므로 $p+q=5$

다른풀이 $\lim_{x\to0}\frac{\sin x}{x}=1$임을 이용하여 풀이하기

$\lim_{x\to0}\frac{f(x)}{x^p}=\lim_{x\to0}\left\{\frac{f(x)}{1-\cos(x^2)}\times\frac{1-\cos(x^2)}{x^p}\right\}$

$=\lim_{x\to0}\left\{\frac{f(x)}{1-\cos(x^2)}\times\frac{1-\cos^2(x^2)}{x^p}\times\frac{1}{1+\cos(x^2)}\right\}$

$=\lim_{x\to0}\left\{\frac{f(x)}{1-\cos(x^2)}\times\frac{\sin^2(x^2)}{x^p}\times\frac{1}{1+\cos(x^2)}\right\}$

$=2\times\lim_{x\to0}\frac{\sin^2(x^2)}{x^p}\times\frac{1}{2}=\lim_{x\to0}\frac{\sin^2(x^2)}{x^p}$

$=\lim_{x\to0}\left\{\frac{\sin^2(x^2)}{x^4}\times\frac{x^4}{x^p}\right\}=\lim_{x\to0}\frac{x^4}{x^p}$

$\lim_{x\to0}\frac{x^4}{x^p}$의 극한값이 존재할 조건은 $p\le4$이고

$\lim_{x\to0}\frac{x^4}{x^p}=q$에서 $q>0$이므로 $p=4$, 즉 $q=1$

따라서 $p=4$, $q=1$이므로 $p+q=5$

다른풀이 $1-\cos x$대신 $\frac{1}{2}x^2$로 두고 풀이하기

$1-\cos(x^2)$대신 $\frac{1}{2}x^4$로 놓으면

$\lim_{x\to0}\frac{f(x)}{1-\cos(x^2)}=2$에서 $\lim_{x\to0}\frac{2f(x)}{x^4}=2$이므로 $\lim_{x\to0}\frac{f(x)}{x^4}=1$

따라서 $p=4$, $q=1$이므로 $p+q=5$

0315

다음 극한값을 구하여라.

(1) $\lim_{x \to 2} \frac{x-2}{\sin \pi x}$

STEP A $x-2=t$로 놓은 후 $\lim_{t \to 0} \frac{\sin t}{t}=1$을 이용하여 극한값 구하기

$x-2=t$로 놓으면 $x=t+2$이고 $x \to 2$일 때, $t \to 0$이므로

$\lim_{x \to 2} \frac{x-2}{\sin \pi x}=\lim_{t \to 0} \frac{t}{\sin(\pi t+2\pi)}=\lim_{t \to 0} \frac{t}{\sin \pi t}=\frac{1}{\pi}$

(2) $\lim_{x \to \pi} \frac{\tan 3x}{x-\pi}$

STEP A $x-\pi=t$로 놓은 후 $\lim_{t \to 0} \frac{\tan t}{t}=1$을 이용하여 극한값 구하기

$x-\pi=t$로 놓으면 $x=\pi+t$이고 $x \to \pi$일 때, $t \to 0$이므로

$\lim_{x \to \pi} \frac{\tan 3x}{x-\pi}=\lim_{t \to 0} \frac{\tan 3(\pi+t)}{t}=\lim_{t \to 0} \frac{\tan(3\pi+3t)}{t}=\lim_{t \to 0} \frac{\tan 3t}{t}=3$

(3) $\lim_{x \to -\pi} \frac{1+\cos x}{(x+\pi)\sin x}$

STEP A $x+\pi=t$로 놓은 후 $\lim_{t \to 0} \frac{\sin t}{t}=1$을 이용하여 극한값 구하기

$x+\pi=t$로 놓으면 $x=t-\pi$이고 $x \to -\pi$일 때, $t \to 0$이므로

$$\begin{aligned}\lim_{x \to -\pi} \frac{1+\cos x}{(x+\pi)\sin x}&=\lim_{t \to 0} \frac{1+\cos(t-\pi)}{t\sin(t-\pi)}=\lim_{t \to 0} \frac{1-\cos t}{-t\sin t}\\&=\lim_{t \to 0} \frac{(1-\cos t)(1+\cos t)}{-t\sin t(1+\cos t)}\\&=\lim_{t \to 0} \frac{\sin^2 t}{-t\sin t(1+\cos t)}\\&=\lim_{t \to 0} \left\{\left(-\frac{\sin t}{t}\right)\times \frac{1}{1+\cos t}\right\}\\&=-1\times\frac{1}{2}=-\frac{1}{2}\end{aligned}$$

0316

다음 물음에 답하여라.

(1) $\lim_{x \to a} \frac{b\cos x}{x-a}=1$이 성립하도록 하는 실수 a, b에 대하여 ab의 값은? (단, $0<a<\pi$, $b \neq 0$)

① $-\pi$ ② -1 ③ $-\frac{\pi}{2}$
④ $\frac{\pi}{2}$ ⑤ π

STEP A (분모)$\to 0$이고 극한값이 존재하므로 (분자)$\to 0$이어야 함을 이용하기

$x \to a$일 때, (분모)$\to 0$이고 극한값이 존재하므로 (분자)$\to 0$이어야 한다.

$\lim_{x \to a} b\cos x=b\cos a=0$에서 $\cos a=0$ ($\because a \neq 0$)

$\therefore a=\frac{\pi}{2}$ ($\because 0<a<\pi$)

STEP B $x-\frac{\pi}{2}=t$로 놓은 후 $\lim_{t \to 0} \frac{\sin t}{t}=1$을 이용하여 극한값 구하기

이때 $x-\frac{\pi}{2}=t$로 놓으면 $x \to \frac{\pi}{2}$일 때, $t \to 0$이므로

$\lim_{x \to \frac{\pi}{2}} \frac{b\cos x}{x-\frac{\pi}{2}}=\lim_{t \to 0} \frac{b\cos\left(\frac{\pi}{2}+t\right)}{t}=\lim_{t \to 0} \frac{-b\sin t}{t}=-b=1$

$\therefore b=-1$

따라서 $a=\frac{\pi}{2}$, $b=-1$이므로 $ab=-\frac{\pi}{2}$

(2) 등식 $\lim_{x \to \pi} \frac{a\tan x+b}{x-\pi}=2$를 만족하는 두 상수 a, b에 대하여 $a+b$의 값은?

① -2 ② -1 ③ 0
④ 1 ⑤ 2

STEP A (분모)$\to 0$이고 극한값이 존재하므로 (분자)$\to 0$이어야 함을 이용하기

$x \to \pi$일 때, (분모)$\to 0$이고 극한값이 존재하므로 (분자)$\to 0$이어야 한다.

$\lim_{x \to \pi}(a\tan x+b)=0$이므로 $b=0$

STEP B $x-\pi=t$로 놓은 후 $\lim_{t \to 0} \frac{\tan t}{t}=1$을 이용하여 극한값 구하기

$x-\pi=t$로 놓으면 $x=\pi+t$이고 $x \to \pi$일 때, $t \to 0$

$\lim_{x \to \pi} \frac{a\tan x}{x-\pi}=\lim_{t \to 0} \frac{a\tan(\pi+t)}{t}=\lim_{t \to 0} \frac{a\tan t}{t}=a=2$

따라서 $a=2$, $b=0$이므로 $a+b=2$

0317

$f(n)=\lim_{x \to 1} \frac{\tan 2(x-1)+\tan 4(x-1)+\cdots+\tan 2n(x-1)}{x-1}$일 때, $\sum_{k=1}^{10} f(k)$의 값을 구하여라.

STEP A $x-1=t$로 놓은 후 $\lim_{t \to 0} \frac{\tan t}{t}=1$을 이용하여 극한값 구하기

$x-1=t$로 놓으면 $x \to 1$일 때, $t \to 0$이므로

$f(1)=\lim_{t \to 0} \frac{\tan 2t}{t}=2$

$f(2)=\lim_{t \to 0} \frac{\tan 2t+\tan 4t}{t}=2+4$

$f(3)=\lim_{t \to 0} \frac{\tan 2t+\tan 4t+\tan 6t}{t}=2+4+6$

$\vdots$

$f(n)=2(1+2+3+\cdots+n)=2\times\frac{1}{2}n(n+1)=n(n+1)$

STEP B 시그마의 성질을 이용하여 구하기

따라서 $\sum_{k=1}^{10} f(k)=\sum_{k=1}^{10} k(k+1)=\sum_{k=1}^{10} k^2+\sum_{k=1}^{10} k$

$=\frac{10\times11\times21}{6}+\frac{10\times11}{2}$

$=440$

0318

다음 등식을 만족하는 상수 a, b의 값을 구하여라.

(1) $\lim_{x \to 0} \frac{\sin 3x}{ax+b}=3$

STEP A (분자)$\to 0$이고 0이 아닌 극한값이 존재하므로 (분모)$\to 0$이어야 함을 이용하여 b의 값 구하기

$x \to 0$일 때, (분자)$\to 0$이고 0이 아닌 극한값이 존재하므로 (분모)$\to 0$이다.

$\lim_{x \to 0}(ax+b)=0 \quad \therefore b=0$

STEP B $\lim_{x \to 0} \frac{\sin x}{x}=1$을 이용하여 a의 값 구하기

$b=0$을 주어진 식에 대입하여 극한값을 구하면

$\lim_{x \to 0} \frac{\sin 3x}{ax}=\frac{3}{a}=3 \quad \therefore a=1$

따라서 $a=1$, $b=0$

(2) $\lim_{x\to0}\frac{\sin 2x}{\sqrt{ax+b}-1}=2$

STEP Ⓐ **(분자)→ 0이고 0이 아닌 극한값이 존재하므로 (분모)→ 0이어야 함을 이용하여 b의 값 구하기**

$\lim_{x\to0}\frac{\sin 2x}{\sqrt{ax+b}-1}=2$에서

$x\to0$일 때, (분자)→ 0이고 0이 아닌 극한값이 존재하므로 (분모)→ 0이어야 한다.

즉 $\lim_{x\to0}(\sqrt{ax+b}-1)=0$이므로 $\sqrt{b}-1=0$

$\therefore b=1$

STEP Ⓑ **$\lim_{x\to0}\frac{\sin x}{x}=1$을 이용하여 a의 값 구하기**

$$\begin{aligned}\lim_{x\to0}\frac{\sin 2x}{\sqrt{ax+b}-1}&=\lim_{x\to0}\frac{\sin 2x}{\sqrt{ax+1}-1}\\&=\lim_{x\to0}\frac{\sin 2x(\sqrt{ax+1}+1)}{(\sqrt{ax+1}-1)(\sqrt{ax+1}+1)}\\&=\lim_{x\to0}\frac{\sin 2x(\sqrt{ax+1}+1)}{ax}\\&=\lim_{x\to0}\frac{\sin 2x}{ax}\times\lim_{x\to0}(\sqrt{ax+1}+1)\\&=\frac{2}{a}\times2=\frac{4}{a}\end{aligned}$$

$\frac{4}{a}=2$이므로 $a=2$

따라서 $a=2,\ b=1$

(3) $\lim_{x\to0}\frac{\sqrt{2x+a}+b}{\tan 2x}=\frac{1}{4}$

STEP Ⓐ **(분모)→ 0이고 극한값이 존재하므로 (분자)→ 0이어야 함을 이용하여 b의 값 구하기**

$x\to0$일 때, (분모)→ 0이고 극한값이 존재하므로 (분자)→ 0이다.

$\lim_{x\to0}(\sqrt{2x+a}+b)=0$

$\therefore b=-\sqrt{a}$

STEP Ⓑ **$\lim_{x\to0}\frac{\tan x}{x}=1$을 이용하여 a의 값 구하기**

주어진 식에 $b=-\sqrt{a}$를 대입하여 극한값을 구하면

$$\begin{aligned}\lim_{x\to0}\frac{\sqrt{2x+a}-\sqrt{a}}{\tan 2x}&=\lim_{x\to0}\frac{2x}{\tan 2x(\sqrt{2x+a}+\sqrt{a})}\\&=\lim_{x\to0}\left(\frac{2x}{\tan 2x}\times\frac{1}{\sqrt{2x+a}+\sqrt{a}}\right)\\&=\frac{1}{2\sqrt{a}}=\frac{1}{4}\end{aligned}$$

$\therefore a=4$

따라서 $a=4,\ b=-2$

0319

다음 물음에 답하여라.

(1) $\lim_{x\to0}\frac{a-b\cos x}{x^2}=3$일 때, 상수 a, b에 대하여 $a+b$의 값은?

① 4 ② 5 ③ 6
④ 8 ⑤ 12

STEP Ⓐ **(분모)→ 0이고 극한값이 존재하므로 (분자)→ 0이어야 함을 이용하여 b의 값 구하기**

$x\to0$일 때, (분모)→ 0이고 극한값이 존재하므로 (분자)→ 0이어야 한다.

$\lim_{x\to0}(a-b\cos x)=a-b=0\quad\therefore a=b$

STEP Ⓑ **분모, 분자에 $1+\cos x$를 곱하여 $\lim_{x\to0}\frac{\sin x}{x}=1$임을 이용하기**

$$\begin{aligned}\lim_{x\to0}\frac{a-b\cos x}{x^2}=\lim_{x\to0}\frac{a-a\cos x}{x^2}&=a\lim_{x\to0}\frac{1-\cos x}{x^2}\\&=a\lim_{x\to0}\frac{\sin^2 x}{x^2(1+\cos x)}\\&=a\lim_{x\to0}\left\{\left(\frac{\sin x}{x}\right)^2\times\frac{1}{1+\cos x}\right\}\\&=a\times1\times\frac{1}{1+1}=\frac{a}{2}=3\end{aligned}$$

따라서 $a=6,\ b=6$이므로 $a+b=6+6=12$

(2) $\lim_{x\to0}\frac{x^2}{a\cos^2x+b}=\frac{1}{2}$일 때, 상수 a, b에 대하여 ab의 값은?

① 4 ② 2 ③ 1
④ -2 ⑤ -4

STEP Ⓐ **(분자)→ 0이고 0이 아닌 극한값이 존재하므로 (분모)→ 0이어야 함을 이용하여 a, b 관계식 구하기**

$x\to0$일 때, (분자)→ 0이고 0이 아닌 극한값이 존재하므로 (분모)→ 0이어야 한다.

즉 $\lim_{x\to0}(a\cos^2x+b)=0$이므로 $a+b=0$

$\therefore b=-a$ …… ㉠

STEP Ⓑ **$\lim_{x\to0}\frac{\sin x}{x}=1$임을 이용하여 a의 값 구하기**

$$\begin{aligned}\lim_{x\to0}\frac{x^2}{a\cos^2x+b}&=\lim_{x\to0}\frac{x^2}{a\cos^2x-a}\ (\because ㉠)\\&=\lim_{x\to0}\frac{x^2}{a(\cos^2x-1)}\\&=\lim_{x\to0}\frac{x^2}{-a\sin^2x}\ (\because \cos^2x+\sin^2x=1)\\&=-\lim_{x\to0}\frac{1}{a}\left(\frac{x}{\sin x}\right)^2=-\frac{1}{a}\cdot1=-\frac{1}{a}\end{aligned}$$

즉 $-\frac{1}{a}=\frac{1}{2}\quad\therefore a=-2$

따라서 ㉠에서 $b=2$이므로 $ab=-4$

0320

다음 물음에 답하여라.

(1) $\lim_{x\to0}\frac{1-\cos x}{ax\sin x+b}=\frac{1}{8}$일 때, 상수 a, b에 대하여 a^2+b^2의 값은?

① 9 ② 16 ③ 25
④ 36 ⑤ 49

STEP Ⓐ **(분자)→ 0이고 0이 아닌 극한값이 존재하므로 (분모)→ 0이어야 함을 이용하여 b의 값 구하기**

$x\to0$일 때 (분자)→ 0이고 0이 아닌 극한값이 존재하므로 (분모)→ 0이다.

즉 $\lim_{x\to0}(ax\sin x+b)=0$이므로 $b=0$

STEP Ⓑ **분모, 분자에 $1+\cos x$을 곱하여 $\lim_{x\to0}\frac{\sin x}{x}=1$임을 이용하기**

$b=0$을 주어진 식에 대입하면

$$\begin{aligned}\lim_{x\to0}\frac{1-\cos x}{ax\sin x}&=\lim_{x\to0}\frac{(1-\cos x)(1+\cos x)}{ax\sin x(1+\cos x)}\\&=\lim_{x\to0}\frac{\sin^2x}{ax\sin x(1+\cos x)}\\&=\lim_{x\to0}\left(\frac{1}{a}\cdot\frac{\sin x}{x}\cdot\frac{1}{1+\cos x}\right)\\&=\frac{1}{a}\cdot1\cdot\frac{1}{2}=\frac{1}{2a}\end{aligned}$$

따라서 $\frac{1}{2a}=\frac{1}{8}$에서 $a=4$이므로 $a^2+b^2=16$

(2) $\lim_{x\to0}\frac{a-3\cos x}{x\tan x}=b$일 때, 두 실수 a, b에 대하여 $a+b$의 값은?

① $\frac{1}{2}$ ② 1 ③ 2
④ $\frac{9}{2}$ ⑤ 6

STEP A (분모)→ 0이고 극한값이 존재하므로 (분자)→ 0이어야 함을 이용하여 a의 값 구하기

$x\to0$일 때 (분모)→ 0이고 극한값이 존재하므로 (분자)→ 0이다.
$\lim_{x\to0}(a-3\cos x)=a-3=0$이므로 $a=3$

STEP B 분모, 분자에 $1+\cos x$를 곱하여 $\lim_{x\to0}\frac{\sin x}{x}=1$임을 이용하기

$$\lim_{x\to0}\frac{3(1-\cos x)}{x\tan x}=\lim_{x\to0}\frac{3\sin^2 x}{x\tan x(1+\cos x)}$$
$$=\lim_{x\to0}\left(\frac{\sin^2 x}{x^2}\cdot\frac{x}{\tan x}\cdot\frac{3}{1+\cos x}\right)$$
$$=1\cdot1\cdot\frac{3}{2}=\frac{3}{2}=b$$

따라서 $a=3$, $b=\frac{3}{2}$이므로 $a+b=3+\frac{3}{2}=\frac{9}{2}$

0321

다음 등식을 만족하는 상수 a, b의 값을 구하여라.

(1) $\lim_{x\to0}\frac{\ln(a+x)}{\tan x}=b$

STEP A (분모)→ 0이고 극한값이 존재하므로 (분자)→ 0이어야 함을 이용하여 a의 값 구하기

$x\to0$일 때, (분모)→ 0이고 극한값이 존재하므로 (분자)→ 0이다.
$\lim_{x\to0}\ln(a+x)=0$이므로 $\ln a=0$ $\therefore a=1$

STEP B $\lim_{x\to0}\frac{\ln(1+x)}{x}=1$임을 이용하여 b의 값 구하기

$a=1$을 주어진 식에 대입하여 극한값을 구하면
$$\lim_{x\to0}\frac{\ln(a+x)}{\tan x}=\lim_{x\to0}\frac{\ln(1+x)}{\tan x}$$
$$=\lim_{x\to0}\left\{\frac{\ln(1+x)}{x}\cdot\frac{x}{\tan x}\right\}$$
$$=1\cdot1=1$$
$\therefore b=1$
따라서 $a=1$, $b=1$

(2) $\lim_{x\to0}\frac{e^{ax}+b}{\sin 2x}=3$

STEP A (분모)→ 0이고 극한값이 존재하므로 (분자)→ 0이어야 함을 이용하여 b의 값 구하기

$x\to0$일 때, (분모)→ 0이고 극한값이 존재하므로 (분자)→ 0이다.
$\lim_{x\to0}(e^{ax}+b)=0$이므로 $e^0+b=0$ $\therefore b=-1$

STEP B $\lim_{x\to0}\frac{e^x-1}{x}=1$임을 이용하여 a의 값 구하기

$b=-1$을 주어진 식에 대입하여 극한값을 구하면
$$\lim_{x\to0}\frac{e^{ax}-1}{\sin 2x}=\lim_{x\to0}\left(\frac{e^{ax}-1}{ax}\times\frac{2x}{\sin 2x}\times\frac{a}{2}\right)$$
$$=1\times1\times\frac{a}{2}=\frac{a}{2}$$
$\frac{a}{2}=3$ $\therefore a=6$
따라서 $a=6$, $b=-1$

0322

다음 물음에 답하여라.

(1) $\lim_{x\to a}\frac{2^x-1}{3\sin(x-a)}=b\ln2$를 만족시키는 두 상수 a, b에 대하여 $a+b$의 값은?

① $\frac{1}{6}$ ② $\frac{1}{5}$ ③ $\frac{1}{4}$
④ $\frac{1}{3}$ ⑤ $\frac{1}{2}$

STEP A (분모)→ 0이고 극한값이 존재하므로 (분자)→ 0이어야 함을 이용하여 a의 값 구하기

$x\to a$일 때, (분모)→ 0이고 극한값이 존재하므로 (분자)→ 0이다.
$\lim_{x\to a}(2^x-1)=0$이므로 $2^a-1=0$ $\therefore a=0$

STEP B $\lim_{x\to0}\frac{a^x-1}{x}=\ln a$임을 이용하여 b의 값 구하기

$a=0$을 주어진 식에 대입하여 극한값을 구하면
$$\lim_{x\to0}\frac{2^x-1}{3\sin x}=\lim_{x\to0}\left(\frac{1}{3}\times\frac{x}{\sin x}\times\frac{2^x-1}{x}\right)$$
$$=\frac{1}{3}\times1\times\ln2=\frac{1}{3}\ln2$$
$\therefore b=\frac{1}{3}$
따라서 $a=0$, $b=\frac{1}{3}$이므로 $a+b=\frac{1}{3}$

(2) 두 양수 a, b가
$$\lim_{x\to0}\frac{\sin 7x}{2^{x+1}-a}=\frac{b}{2\ln2}$$
를 만족시킬 때, ab의 값은?

① 11 ② 12 ③ 13
④ 14 ⑤ 15

STEP A (분자)→ 0이고 0이 아닌 극한값이 존재하므로 (분모)→ 0이어야 함을 이용하여 a의 값 구하기

$\lim_{x\to0}\frac{\sin 7x}{2^{x+1}-a}=\frac{b}{2\ln2}\neq0$에서
$x\to0$일 때, (분자)→ 0이고 0이 아닌 극한값이 존재하므로 (분모)→ 0이어야 한다.
즉 $\lim_{x\to0}(2^{x+1}-a)=0$이므로 $2-a=0$ $\therefore a=2$

STEP B 삼각함수와 지수함수의 극한을 이용하여 b의 값 구하기

$$\lim_{x\to0}\frac{\sin 7x}{2^{x+1}-2}=\lim_{x\to0}\frac{\sin 7x}{2(2^x-1)}=\lim_{x\to0}\frac{\frac{\sin 7x}{x}}{2\cdot\frac{2^x-1}{x}}=\frac{7}{2\cdot\ln2}$$
$\therefore b=7$
따라서 $a=2$, $b=7$이므로 $ab=14$

0323

다음 물음에 답하여라.

(1) $\lim_{x\to0}\frac{x(3^x-1)}{2-a\cos x}=\ln b$가 성립하도록 하는 두 양수 a, b의 곱 ab값을 구하여라. (단, $b\neq1$)

STEP A (분자)→ 0이고 0이 아닌 극한값이 존재하므로 (분모)→ 0이어야 함을 이용하여 a의 값 구하기

$x\to0$일 때, (분자)→ 0이고 0이 아닌 극한값이 존재하므로 (분모)→ 0이다.
$\lim_{x\to0}(2-a\cos x)=2-a=0$ $\therefore a=2$

STEP B 삼각함수와 지수함수의 극한을 이용하여 b의 값 구하기

$a=2$를 주어진 식에 대입하여 극한값을 구하면

$$\lim_{x\to0}\frac{x(3^x-1)}{2(1-\cos x)}=\lim_{x\to0}\left(\frac{x^2}{1-\cos^2 x}\times\frac{3^x-1}{x}\times\frac{1+\cos x}{2}\right)$$
$$=\lim_{x\to0}\left(\frac{x^2}{\sin^2 x}\times\frac{3^x-1}{x}\times\frac{1+\cos x}{2}\right)$$
$$=1\times\ln3\times\frac{2}{2}=\ln3=\ln b$$

$\therefore b=3$

따라서 $a=2$, $b=3$이므로 $ab=6$

(2) $\lim_{x\to0}\frac{x\ln(1+ax)}{1-\cos3x}=\frac{1}{3}$을 만족시키는 상수 a의 값을 구하여라.

STEP A 분모, 분자에 $1+\cos3x$를 곱하여 극한값 구하기

$$\lim_{x\to0}\frac{x\ln(1+ax)}{1-\cos3x}=\lim_{x\to0}\frac{x\ln(1+ax)\cdot(1+\cos3x)}{(1-\cos3x)(1+\cos3x)}$$
$$=\lim_{x\to0}\frac{x\ln(1+ax)\times(1+\cos3x)}{1-\cos^2 3x}$$
$$=\lim_{x\to0}\left\{\frac{x\ln(1+ax)}{\sin^2 3x}\times(1+\cos3x)\right\}$$
$$=\lim_{x\to0}\left\{\left(\frac{3x}{\sin3x}\right)^2\times\frac{\ln(1+ax)}{ax}\times\frac{a}{9}\times(1+\cos3x)\right\}$$
$$=1^2\times1\times\frac{a}{9}\times2=\frac{2a}{9}=\frac{1}{3}$$

따라서 $a=\frac{3}{2}$

(3) $\lim_{x\to0}\frac{x(e^{\sin3x}-a)}{1-\cos x}=b$일 때, 두 상수 a, b에 대하여 $a+b$의 값을 구하여라.

STEP A 분모, 분자에 $1+\cos x$를 곱하여 극한값 구하기

$$\lim_{x\to0}\frac{x(e^{\sin3x}-a)}{1-\cos x}=\lim_{x\to0}\left\{\frac{x(e^{\sin3x}-a)}{1-\cos x}\times\frac{1+\cos x}{1+\cos x}\right\}$$
$$=\lim_{x\to0}\frac{x(e^{\sin3x}-a)(1+\cos x)}{\sin^2 x}$$
$$=\lim_{x\to0}\left\{\left(\frac{x}{\sin x}\right)^2\times\frac{e^{\sin3x}-a}{x}\times(1+\cos x)\right\}$$

$\lim_{x\to0}\frac{x(e^{\sin3x}-a)}{1-\cos x}$의 값이 존재하고

$\lim_{x\to0}\left(\frac{x}{\sin x}\right)^2=1$, $\lim_{x\to0}(1+\cos x)=2$이므로 $\lim_{x\to0}\frac{e^{\sin3x}-a}{x}$의 값도 존재한다.

$$\lim_{x\to0}\left\{\left(\frac{x}{\sin x}\right)^2\times\frac{e^{\sin3x}-a}{x}\times(1+\cos x)\right\}=1^2\times2\times\lim_{x\to0}\frac{e^{\sin3x}-a}{x}$$
$$=2\lim_{x\to0}\frac{e^{\sin3x}-a}{x}=b$$

즉 $\lim_{x\to0}\frac{e^{\sin3x}-a}{x}=\frac{b}{2}$

STEP B 삼각함수와 지수함수의 극한을 이용하여 a, b의 값 구하기

$\lim_{x\to0}\frac{e^{\sin3x}-a}{x}$의 값이 존재하고

$x\to0$일 때, (분모)$\to0$이고 극한값이 존재하므로 (분자)$\to0$이어야 한다.

즉 $\lim_{x\to0}(e^{\sin3x}-a)=0$이므로 $e^{\sin0}-a=1-a=0$

$\therefore a=1$

$\lim_{x\to0}\frac{e^{\sin3x}-1}{x}=\lim_{x\to0}\left(\frac{e^{\sin3x}-1}{\sin3x}\times\frac{\sin3x}{3x}\times3\right)=1\times1\times3=\frac{b}{2}$이므로

$b=6$

따라서 $a+b=1+6=7$

0324

함수 $f(x)=\begin{cases}\frac{1-\cos x}{\ln(1+2x^2)} & (x\neq0)\\ a & (x=0)\end{cases}$이 $x=0$에서 연속일 때,

상수 a의 값은?

① $\frac{1}{6}$ ② $\frac{1}{4}$ ③ $\frac{1}{3}$

④ 1 ⑤ 3

STEP A 분모, 분자에 $1+\cos x$를 곱하여 극한값 구하기

함수 $f(x)$가 $x=0$에서 연속이므로 $\lim_{x\to0}f(x)=f(0)$

즉 $\lim_{x\to0}f(x)=a$이다.

$$\lim_{x\to0}f(x)=\lim_{x\to0}\frac{1-\cos x}{\ln(1+2x^2)}$$
$$=\lim_{x\to0}\left\{\frac{(1-\cos x)(1+\cos x)}{x^2}\times\frac{1}{1+\cos x}\times\frac{x^2}{\ln(1+2x^2)}\right\}$$
$$=\lim_{x\to0}\left\{\left(\frac{\sin x}{x}\right)^2\times\frac{1}{1+\cos x}\times\frac{1}{2}\times\frac{2x^2}{\ln(1+2x^2)}\right\}$$
$$=\lim_{x\to0}\left(\frac{\sin x}{x}\right)^2\times\lim_{x\to0}\frac{1}{1+\cos x}\times\frac{1}{2}\times\frac{1}{\lim_{x\to0}\frac{\ln(1+2x^2)}{2x^2}}$$
$$=1^2\times\frac{1}{2}\times\frac{1}{2}\times\frac{1}{1}=\frac{1}{4}$$

따라서 $a=\frac{1}{4}$

0325

다음 물음에 답하여라.

(1) 함수 $f(x)=\begin{cases}\frac{e^x-\sin2x-a}{3x} & (x\neq0)\\ b & (x=0)\end{cases}$가 $x=0$에서 연속일 때,

두 상수 a, b에 대하여 $a+b$의 값은?

① $\frac{1}{3}$ ② $\frac{2}{3}$ ③ 1

④ $\frac{4}{3}$ ⑤ $\frac{5}{3}$

STEP A 함수 $f(x)$가 $x=0$에서 연속이면 $\lim_{x\to0}f(x)=f(0)$임을 이용하기

함수 $f(x)$가 $x=0$에서 연속이기 위한 조건은 $\lim_{x\to0}f(x)=f(0)$

즉 $\lim_{x\to0}\frac{e^x-\sin2x-a}{3x}=b$ ...... ㉠

$x\to0$일 때, (분모)$\to0$이고 극한값이 존재하므로 (분자)$\to0$이어야 한다.

$\lim_{x\to0}(e^x-\sin2x-a)=0$이므로 $e^0-\sin0-a=0$

$\therefore a=1$

STEP B 삼각함수와 지수함수의 극한을 이용하여 극한값 구하기

$a=1$을 ㉠에 대입하면

$$\lim_{x\to0}\frac{e^x-\sin2x-1}{3x}=\frac{1}{3}\lim_{x\to0}\frac{e^x-\sin2x-1}{x}$$
$$=\lim_{x\to0}\frac{1}{3}\left(\frac{e^x-1}{x}-\frac{2\sin2x}{2x}\right)$$
$$=\frac{1}{3}(1-2)=-\frac{1}{3}$$

$\therefore b=-\frac{1}{3}$

따라서 $a+b=\frac{2}{3}$

(2) 함수 $f(x)=\begin{cases} \dfrac{e^{ax}+b}{\tan 2x} & (x \neq 0) \\ 5 & (x=0) \end{cases}$ $\left(단, -\dfrac{\pi}{2}<x<\dfrac{\pi}{2}\right)$가 모든 실수 x에서 연속일 때, 두 상수 a, b에 대하여 $a+b$의 값은?

① 5 ② 6 ③ 8
④ 9 ⑤ 11

STEP Ⓐ 함수 $f(x)$가 $x=0$에서 연속이면 $\lim_{x\to0}f(x)=f(0)$임을 이용하기

함수 $f(x)$가 $-\dfrac{\pi}{2}<x<\dfrac{\pi}{2}$인 모든 실수 x에서 연속이므로

$x=0$에서 연속이다.

STEP Ⓑ (분모)→ 0이고 극한값이 존재하므로 (분자)→ 0이어야 함을 이용하여 b의 값 구하기

즉 $\lim_{x\to0}f(x)=f(0)$이므로 $\lim_{x\to0}\dfrac{e^{ax}+b}{\tan 2x}=5$

$x\to0$일 때, (분모)→ 0이고 극한값이 존재하므로 (분자)→ 0이다.

$\lim_{x\to0}(e^{ax}+b)=1+b=0 \quad \therefore b=-1$

STEP Ⓒ $\lim_{x\to0}\dfrac{e^{ax}-1}{bx}=\dfrac{a}{b}$, $\lim_{x\to0}\dfrac{\tan ax}{bx}=\dfrac{a}{b}$를 이용하기

$b=-1$을 주어진 식에 대입하여 극한값을 구하면

$\lim_{x\to0}\dfrac{e^{ax}-1}{\tan 2x}=\lim_{x\to0}\left(\dfrac{e^{ax}-1}{ax}\times\dfrac{2x}{\tan 2x}\times\dfrac{a}{2}\right)=1\times1\times\dfrac{a}{2}=5$

$\therefore a=10$

따라서 $a=10$, $b=-1$이므로 $a+b=10+(-1)=9$

0326

다음 각 함수가 $x=1$에서 연속일 때, 실수 a의 값을 구하여라.

(1) $f(x)=\begin{cases} \dfrac{\sin 2(x-1)}{x-1} & (x\neq1) \\ a & (x=1) \end{cases}$

STEP Ⓐ 함수 $f(x)$가 $x=1$에서 연속이면 $\lim_{x\to1}f(x)=f(1)$임을 이용하기

함수 $f(x)$가 $x=1$에서 연속이기 위한 조건은 $\lim_{x\to1}f(x)=f(1)$

즉 $\lim_{x\to1}\dfrac{\sin 2(x-1)}{x-1}=a$

STEP Ⓑ $x-1=t$로 놓은 후 $\lim_{x\to0}\dfrac{\sin x}{x}=1$을 이용하여 극한값 구하기

이때 $x-1=t$로 놓으면 $x\to1$일 때, $t\to0$이므로

$\lim_{x\to1}\dfrac{\sin 2(x-1)}{x-1}=\lim_{t\to0}\dfrac{\sin 2t}{t}=\lim_{t\to0}\dfrac{\sin 2t}{2t}\cdot2=1\cdot2=2$

따라서 $a=2$

(2) $f(x)=\begin{cases} \dfrac{\tan(x-1)}{\ln x} & (x\neq1) \\ a & (x=1) \end{cases}$

STEP Ⓐ 함수 $f(x)$가 $x=1$에서 연속이면 $\lim_{x\to1}f(x)=f(1)$임을 이용하기

$x=1$에서 $f(x)$가 연속이므로 $\lim_{x\to1}f(x)=f(1)$이다.

$\lim_{x\to1}\dfrac{\tan(x-1)}{\ln x}=a$

STEP Ⓑ $x-1=t$로 놓은 후 $\lim_{x\to0}\dfrac{\tan x}{x}=1$을 이용하여 극한값 구하기

$x-1=t$로 놓으면 $x\to1$일 때, $t\to0$이고 $x=1+t$이므로

$\lim_{x\to1}f(x)=\lim_{x\to1}\dfrac{\tan(x-1)}{\ln x}=\lim_{t\to0}\dfrac{\tan t}{\ln(1+t)}$

$=\lim_{t\to0}\dfrac{\tan t}{t}\cdot\lim_{t\to0}\dfrac{1}{\dfrac{\ln(1+t)}{t}}=1$

따라서 $a=1$

(3) $f(x)=\begin{cases} \dfrac{e^{2x-2}-1}{x-1} & (x\neq1) \\ a & (x=1) \end{cases}$

STEP Ⓐ 함수 $f(x)$가 $x=1$에서 연속이면 $\lim_{x\to1}f(x)=f(1)$임을 이용하기

$x=1$에서 $f(x)$가 연속이므로 $\lim_{x\to1}f(x)=f(1)$이다.

$\lim_{x\to1}\dfrac{e^{2x-2}-1}{x-1}=a$

STEP Ⓑ $x-1=t$로 놓은 후 $\lim_{x\to0}\dfrac{e^x-1}{x}=1$을 이용하여 극한값 구하기

$x-1=t$로 놓으면 $x\to1$일 때, $t\to0$이고 $x=1+t$이므로

$a=\lim_{t\to0}\dfrac{e^{2t}-1}{t}=\lim_{t\to0}2\cdot\dfrac{e^{2t}-1}{2t}=2$

따라서 $a=2$

0327

다음 물음에 답하여라. (단, e는 자연로그의 밑이다.)

(1) 함수 $f(x)$가 모든 양의 실수에서 연속이고

$(x-1)f(x)=\ln x$를

만족할 때, $f(1)$의 값을 구하여라.

STEP Ⓐ 함수 $f(x)$가 $x=1$에서 연속이면 $\lim_{x\to1}f(x)=f(1)$임을 이용하기

$x\neq1$일 때, $f(x)=\dfrac{\ln x}{x-1}$이므로

함수 $f(x)$가 모든 실수에서 연속이므로 $x=1$에서도 연속이다.

즉 $\lim_{x\to1}f(x)=f(1)$에서 $\lim_{x\to1}\dfrac{\ln x}{x-1}=f(1)$

STEP Ⓑ $x-1=t$로 놓은 후 $\lim_{t\to0}\dfrac{\ln(t+1)}{t}=1$을 이용하기

한편 $x-1=t$라 하면 $x=t+1$이고 $x\to1$일 때, $t\to0$이므로

$\lim_{x\to1}\dfrac{\ln x}{x-1}=\lim_{t\to0}\dfrac{\ln(t+1)}{t}=\lim_{t\to0}\ln(t+1)^{\frac{1}{t}}=\ln e=1$

따라서 $f(1)=1$

(2) 함수 $f(x)$가 모든 실수 x에서 연속이고

$\sin 2xf(x)=e^{3x}-1$

을 만족할 때, $f(0)$의 값을 구하여라.

STEP Ⓐ 함수 $f(x)$가 $x=0$에서 연속이면 $\lim_{x\to0}f(x)=f(0)$임을 이용하기

$x\neq0$일 때, $f(x)=\dfrac{e^{3x}-1}{\sin 2x}$이므로

함수 $f(x)$가 모든 실수에서 연속이므로 $x=0$에서도 연속이다.

즉 $\lim_{x\to0}f(x)=f(0)$에서 $\lim_{x\to0}\dfrac{e^{3x}-1}{\sin 2x}=f(0)$

STEP Ⓑ $\lim_{x\to0}\dfrac{e^{ax}-1}{bx}=\dfrac{a}{b}$, $\lim_{x\to0}\dfrac{\sin ax}{bx}=\dfrac{a}{b}$를 이용하기

$\lim_{x\to0}\dfrac{e^{3x}-1}{\sin 2x}=\lim_{x\to0}\left(\dfrac{e^{3x}-1}{3x}\times\dfrac{2x}{\sin 2x}\times\dfrac{3}{2}\right)$

$=1\times1\times\dfrac{3}{2}=\dfrac{3}{2}$

따라서 $f(0)=\dfrac{3}{2}$

0328

모든 실수 x에서 연속인 함수 $f(x)$에 대하여

$$(x-1)f(x)=\tan(x-1)\pi$$

를 만족할 때, $f(1)$의 값은?

① $-\pi$　② π　③ $\frac{3}{2}\pi$
④ 2　⑤ 5

STEP Ⓐ **함수 $f(x)$가 $x=1$에서 연속이면 $\lim_{x\to1}f(x)=f(1)$임을 이용하기**

$x\neq1$일 때, $f(x)=\frac{\tan(x-1)\pi}{x-1}$이므로

함수 $f(x)$가 모든 실수에서 연속이므로 $x=1$에서도 연속이다.

즉 $\lim_{x\to1}f(x)=f(1)$이므로 $\lim_{x\to1}\frac{\tan(x-1)\pi}{x-1}=f(1)$

STEP Ⓑ **$x-1=t$로 놓은 후 $\lim_{t\to0}\frac{\tan t}{t}=1$을 이용하기**

$x-1=t$로 놓으면 $x\to1$일 때, $t\to0$이므로

$$\lim_{x\to1}\frac{\tan(x-1)\pi}{x-1}=\lim_{t\to0}\frac{\tan\pi t}{t}=\lim_{t\to0}\frac{\tan\pi t}{\pi t}\cdot\pi=1\cdot\pi=\pi$$

따라서 $f(1)=\pi$

0329

다음 물음에 답하여라. (단, e는 자연로그의 밑이다.)

(1) 함수 $f(x)$가 모든 실수에서 연속이고 $(1-\cos x)f(x)=x(e^x-1)$을 만족할 때, $f(0)$의 값을 구하여라.

STEP Ⓐ **함수 $f(x)$가 $x=0$에서 연속이면 $\lim_{x\to0}f(x)=f(0)$임을 이용하기**

$x\neq2n\pi$ (단, n은 정수)일 때, $f(x)=\frac{x(e^x-1)}{1-\cos x}$

함수 $f(x)$가 모든 실수에서 연속이므로 $x=0$에서도 연속이다.

즉 $\lim_{x\to0}f(x)=f(0)$이므로 $\lim_{x\to0}\frac{x(e^x-1)}{1-\cos x}=f(0)$

$$\lim_{x\to0}\frac{x(e^x-1)}{1-\cos x}=\lim_{x\to0}\frac{x(e^x-1)(1+\cos x)}{(1-\cos x)(1+\cos x)}=\lim_{x\to0}\frac{x(e^x-1)(1+\cos x)}{\sin^2x}$$

$$=\lim_{x\to0}\left\{\frac{\frac{e^x-1}{x}}{\frac{\sin^2x}{x^2}}\cdot(1+\cos x)\right\}=1\cdot2=2$$

따라서 $f(0)=2$

(2) 함수 $f(x)$가 모든 실수에서 연속이고 $\sin2xf(x)=3x(1+x)^{\frac{1}{2x}}$을 만족할 때, $f(0)$의 값을 구하여라.

STEP Ⓐ **함수 $f(x)$가 $x=0$에서 연속이면 $\lim_{x\to0}f(x)=f(0)$임을 이용하기**

$x\neq2n\pi$ (단, n은 정수)일 때, $f(x)=\frac{3x(1+x)^{\frac{1}{2x}}}{\sin2x}$

함수 $f(x)$가 모든 실수에서 연속이므로 $x=0$에서도 연속이다.

즉 $\lim_{x\to0}f(x)=f(0)$이므로 $\lim_{x\to0}\frac{3x(1+x)^{\frac{1}{2x}}}{\sin2x}=f(0)$

STEP Ⓑ **$\lim_{t\to0}\frac{\sin t}{t}=1$, $\lim_{t\to0}(1+t)^{\frac{1}{t}}=e$임을 이용하기**

$$\lim_{x\to0}\frac{3x(1+x)^{\frac{1}{2x}}}{\sin2x}=\lim_{x\to0}\left\{\frac{3x}{\sin2x}\times(1+x)^{\frac{1}{2x}}\right\}=\lim_{x\to0}\frac{3x}{\sin2x}\times\lim_{x\to0}\{(1+x)^{\frac{1}{x}}\}^{\frac{1}{2}}$$

$$=\frac{3}{2}\times e^{\frac{1}{2}}=\frac{3\sqrt{e}}{2}$$

따라서 $f(0)=\frac{3\sqrt{e}}{2}$

0330

다음 그림과 같이 좌표평면에서 곡선 $y=\ln(1+3x)$ 위의 한 점 $\mathrm{P}(t,\ \ln(1+3t))(t>0)$에서 x축에 내린 수선의 발을 H라 하고, 선분 PH가 곡선 $y=\sin\frac{x}{2}$와 만나는 점을 Q라 하자.

$\lim_{t\to0+}\frac{\overline{\mathrm{PH}}+\overline{\mathrm{QH}}}{\overline{\mathrm{OH}}}$의 값을 구하여라. (단, O는 원점이다.)

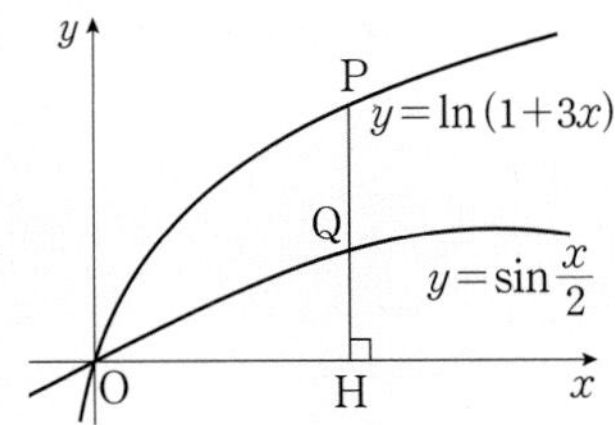

STEP Ⓐ **$\overline{\mathrm{OH}}$, $\overline{\mathrm{PH}}$, $\overline{\mathrm{QH}}$을 t에 관한 식으로 나타내기**

$\mathrm{P}(t,\ \ln(1+3t))$, $\mathrm{H}(t,\ 0)$, $\mathrm{Q}\left(t,\ \sin\frac{t}{2}\right)$이므로

$\overline{\mathrm{OH}}=t$, $\overline{\mathrm{PH}}=\ln(1+3t)$, $\overline{\mathrm{QH}}=\sin\frac{t}{2}$

STEP Ⓑ **삼각함수와 로그함수의 극한을 이용하여 극한값 구하기**

따라서 $\lim_{t\to0+}\frac{\overline{\mathrm{PH}}+\overline{\mathrm{QH}}}{\overline{\mathrm{OH}}}=\lim_{t\to0+}\frac{\ln(1+3t)+\sin\frac{t}{2}}{t}$

$$=\lim_{t\to0+}\frac{\ln(1+3t)}{3t}\times3+\lim_{t\to0+}\frac{\sin\frac{t}{2}}{\frac{t}{2}}\times\frac{1}{2}$$

$$=1\times3+1\times\frac{1}{2}=\frac{7}{2}$$

0331

다음 그림과 같이 곡선 $y=\ln(1+10x)$ 위의 한 점 $\mathrm{P}(x,\ \ln(1+10x))$에서 x축에 내린 수선의 발을 H라고 하자.

삼각형 OHP의 넓이를 $S(x)$라고 할 때, $\lim_{x\to0+}\frac{S(x)}{\sin^2x}$의 값은?

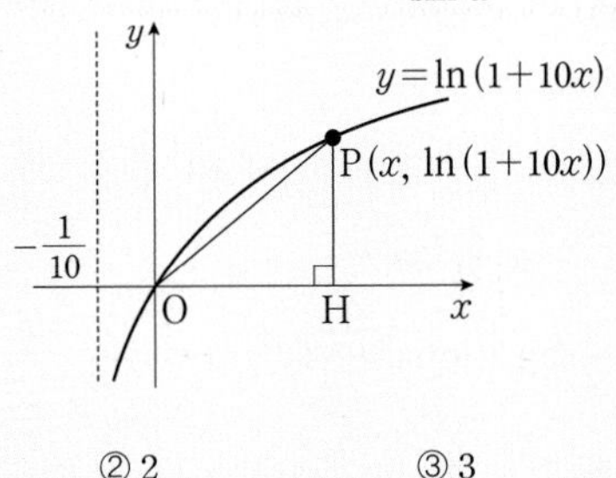

① 1　② 2　③ 3
④ 4　⑤ 5

STEP Ⓐ **△OHP의 넓이 $S(x)$ 구하기**

△OHP의 밑변 OH의 길이는 x, 높이 PH의 길이는 $\ln(1+10x)$이므로

넓이 $S(x)$는 $S(x)=\frac{1}{2}\times x\times\ln(1+10x)=\frac{x\ln(1+10x)}{2}$

STEP Ⓑ **삼각함수와 로그함수의 극한을 이용하여 극한값 구하기**

따라서 $\lim_{x\to0+}\frac{S(x)}{\sin^2x}=\lim_{x\to0+}\frac{x\ln(1+10x)}{2\sin^2x}$

$$=\lim_{x\to0+}\left\{\frac{\ln(1+10x)}{x}\times\frac{x^2}{\sin^2x}\times\frac{1}{2}\right\}$$

$$=\lim_{x\to0+}\left\{10\times\frac{\ln(1+10x)}{10x}\times\left(\frac{x}{\sin x}\right)^2\times\frac{1}{2}\right\}$$

$$=10\times1\times1^2\cdot\frac{1}{2}=5$$

0332

다음 물음에 답하여라.

(1) 좌표평면에서 다음 그림과 같이 원 $x^2+y^2=1$ 위의 점 P에 대하여 선분 OP가 x축의 양의 방향과 이루는 각의 크기를 $\theta\left(0<\theta<\frac{\pi}{4}\right)$라 하자. 점 P를 지나고 x축에 평행한 직선이 곡선 $y=e^x-1$과 만나는 점을 Q라 하고, 점 Q에서 x축에 내린 수선의 발을 R이라 하자. 선분 OP와 선분 QR의 교점을 T라 할 때, 삼각형 ORT의 넓이를 $S(\theta)$라 하자. $\lim_{\theta\to0+}\frac{S(\theta)}{\theta^3}=a$일 때, $60a$의 값을 구하여라.

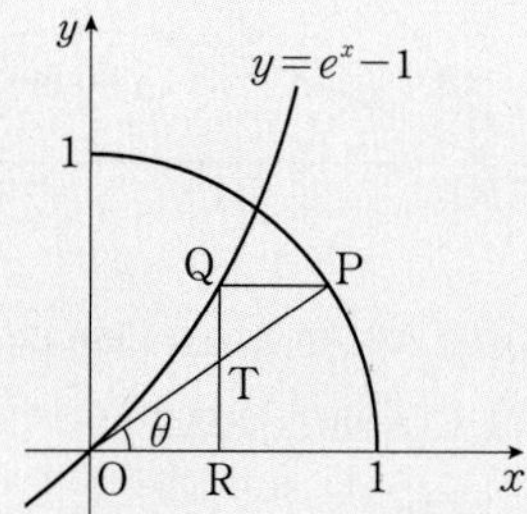

STEP A 세 점 Q, R, T의 좌표를 θ에 대한 식으로 나타내기

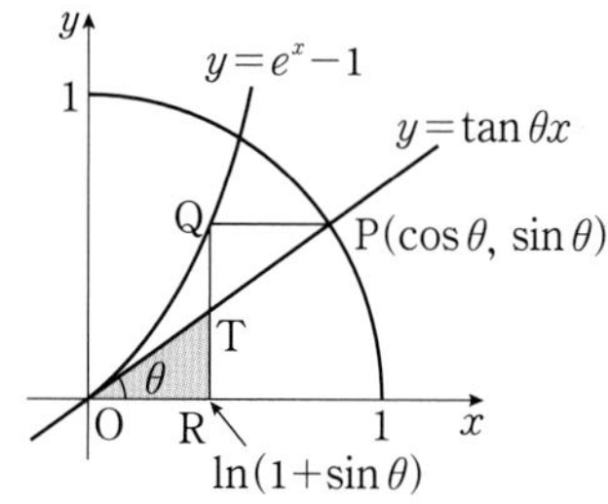

점 P의 좌표는 $(\cos\theta,\ \sin\theta)$이므로 Q의 좌표는 $(x_1,\ y_1)$이라 하자.

$y_1=\sin\theta$, $e^{x_1}-1=\sin\theta$

$\therefore\ x_1=\ln(\sin\theta+1)$

Q는 $(\ln(\sin\theta+1),\ \sin\theta)$, $\mathrm{R}(\ln(\sin\theta+1),\ 0)$

이때 T의 좌표를 $(x_2,\ y_2)$라 하면

$\overline{\mathrm{OP}}$의 직선의 방정식은 $y=\tan\theta x$이므로

$x_2=\ln(\sin\theta+1)$, $y_2=\tan\theta\ln(\sin\theta+1)$

즉 삼각형 ORT의 넓이 $S(\theta)$는

$S(\theta)=\frac{1}{2}\times\overline{\mathrm{OR}}\times\overline{\mathrm{TR}}=\frac{1}{2}\tan\theta\{\ln(\sin\theta+1)\}^2$

STEP B $\lim_{\theta\to0+}\frac{S(\theta)}{\theta^3}$의 값 구하기

$$\lim_{\theta\to0+}\frac{S(\theta)}{\theta^3}=\lim_{\theta\to0+}\frac{\frac{1}{2}\tan\theta\{\ln(\sin\theta+1)\}^2}{\theta^3}$$

$$=\lim_{\theta\to0+}\left[\frac{1}{2}\times\frac{\tan\theta}{\theta}\times\left\{\frac{\ln(\sin\theta+1)}{\sin\theta}\right\}^2\times\left\{\frac{\sin\theta}{\theta}\right\}^2\right]$$

$$=\frac{1}{2}\times1\times1^2\times1^2=\frac{1}{2}$$

따라서 $60a=30$

(2) 다음 그림과 같이 좌표평면에서 원 $x^2+y^2=1$과 곡선 $y=\ln(x+1)$이 제1사분면에서 만나는 점을 A라 하자.
점 B(1, 0)에 대하여 호 AB 위의 점 P에서 y축에 내린 수선의 발을 H, 선분 PH와 곡선 $y=\ln(x+1)$이 만나는 점을 Q라 하자.
$\angle\mathrm{POB}=\theta$라 할 때, 삼각형 OPQ의 넓이를 $S(\theta)$, 선분 HQ의 길이를 $L(\theta)$라 하자. $\lim_{\theta\to0+}\frac{S(\theta)}{L(\theta)}=k$일 때, $60k$의 값을 구하여라.
$\left(\text{단, } 0<\theta<\frac{\pi}{6}\text{이고 O는 원점이다.}\right)$

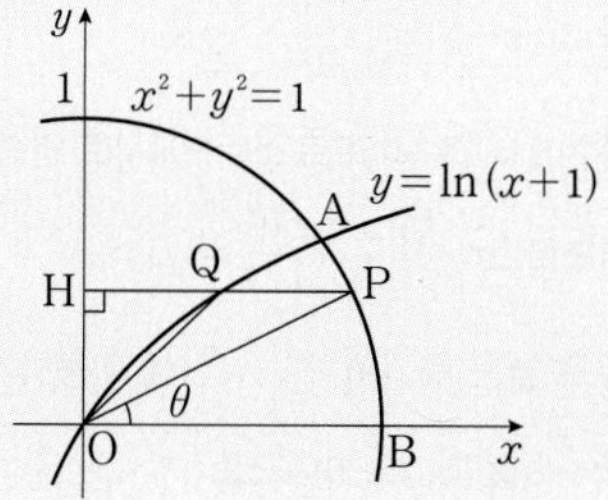

STEP A $S(\theta)$와 $L(\theta)$를 θ에 대한 식으로 나타내기

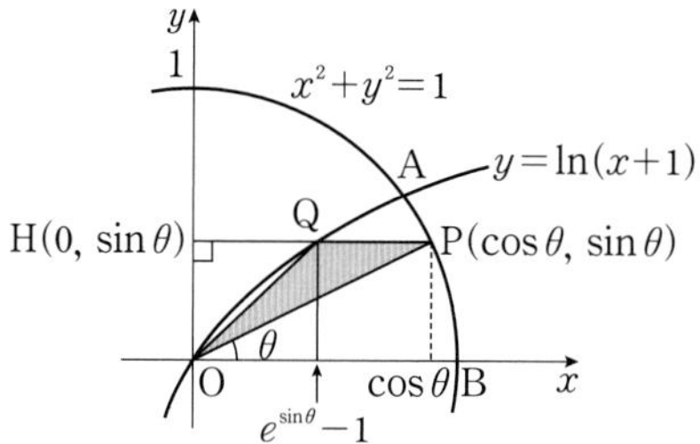

점 P가 원 $x^2+y^2=1$ 위의 점이므로 $\mathrm{P}(\cos\theta,\ \sin\theta)$

점 Q의 x좌표는 $\sin\theta=\ln(x+1)$에서 $x=e^{\sin\theta}-1$

이때 $\mathrm{Q}(e^{\sin\theta}-1,\ \sin\theta)$이므로

$S(\theta)=\frac{1}{2}\cdot\overline{\mathrm{PQ}}\cdot\overline{\mathrm{OH}}=\frac{1}{2}(\cos\theta-e^{\sin\theta}+1)\times\sin\theta$

한편 $\mathrm{H}(0,\ \sin\theta)$이므로 $L(\theta)=e^{\sin\theta}-1$

STEP B $\lim_{\theta\to0+}\frac{S(\theta)}{L(\theta)}$의 값 구하기

$$\lim_{\theta\to0+}\frac{S(\theta)}{L(\theta)}=\lim_{\theta\to0+}\frac{\frac{1}{2}(\cos\theta-e^{\sin\theta}+1)\cdot\sin\theta}{e^{\sin\theta}-1}$$

$$=\frac{1}{2}\times\lim_{\theta\to0+}(\cos\theta-e^{\sin\theta}+1)\times\lim_{\theta\to0+}\frac{\sin\theta}{e^{\sin\theta}-1}$$

$$=\frac{1}{2}\times(1-1+1)\times1$$

$$=\frac{1}{2}$$

$\therefore\ k=\frac{1}{2}$

따라서 $60k=60\cdot\frac{1}{2}=30$

0333

오른쪽 그림과 같이 반지름의 길이가 1인 사분원 위의 점 A에서 반지름 OB에 내린 수선의 발을 H라 하자.

$\angle\mathrm{AOB}=\theta$라 할 때, $\lim_{\theta\to0+}\frac{\overline{\mathrm{BH}}}{\theta^2}$의 값을 구하여라.

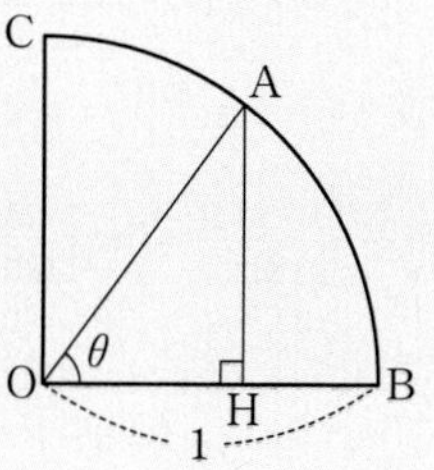

STEP A $\overline{\text{BH}}$의 길이를 θ에 대한 삼각함수로 나타내기

$\overline{\text{OA}}=1$에서 $\overline{\text{OH}}=\cos\theta$이므로

$\overline{\text{BH}}=\overline{\text{OB}}-\overline{\text{OH}}=1-\cos\theta$

STEP B $\lim_{x\to0}\frac{1-\cos x}{x^2}=\frac{1}{2}$임을 이용하여 극한값 계산하기

따라서 $\lim_{\theta\to0+}\frac{\overline{\text{BH}}}{\theta^2}=\lim_{\theta\to0+}\frac{1-\cos\theta}{\theta^2}$

$$=\lim_{\theta\to0+}\left(\frac{1-\cos^2\theta}{\theta^2}\times\frac{1}{1+\cos\theta}\right)$$

$$=\lim_{\theta\to0+}\left\{\left(\frac{\sin\theta}{\theta}\right)^2\times\frac{1}{1+\cos\theta}\right\}$$

$$=\frac{1}{2}$$

직각삼각형에서 변의 길이를 삼각함수로 나타내기

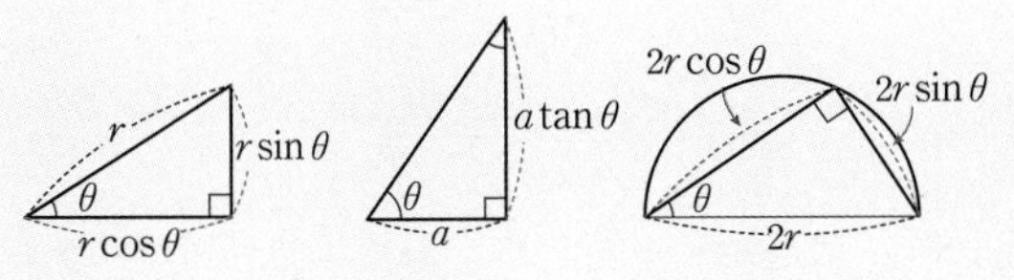

0334

다음 물음에 답하여라.

(1) 다음 그림과 같이 $\angle\text{B}=\frac{\pi}{2}$, $\angle\text{C}=\theta$, $\overline{\text{BC}}=a$인 직각삼각형 ABC가 있다. 꼭짓점 B에서 변 AC에 내린 수선의 발을 H라고 할 때, $\lim_{\theta\to0+}\frac{\overline{\text{AH}}}{a\theta(e^\theta-1)}$의 값은?

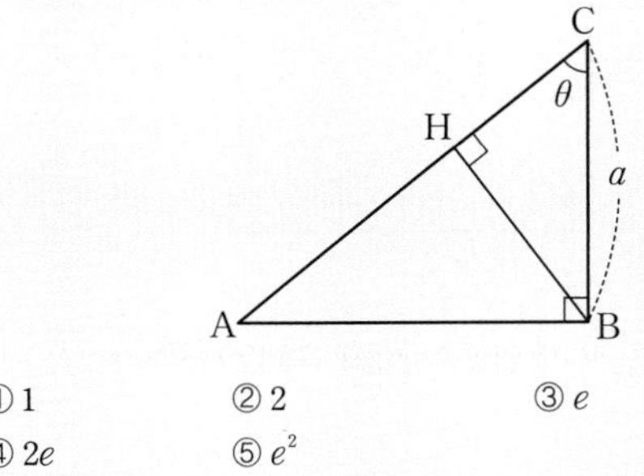

① 1 ② 2 ③ e
④ $2e$ ⑤ e^2

STEP A $\overline{\text{AH}}$의 길이를 θ에 대한 삼각함수로 나타내기

$\overline{\text{BH}}=a\sin\theta$, $\angle\text{HBA}=\theta$이므로

직각삼각형 AHB에서 $\overline{\text{AH}}=a\sin\theta\tan\theta$

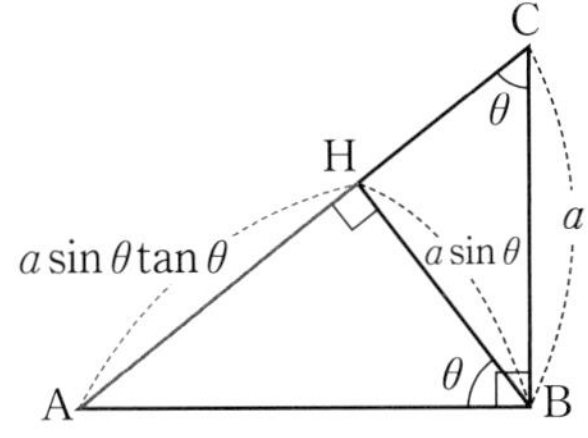

STEP B $\lim_{x\to0}\frac{\sin x}{x}=1$, $\lim_{x\to0}\frac{e^x-1}{x}=1$임을 이용하여 극한값 계산하기

따라서 $\lim_{\theta\to0+}\frac{\overline{\text{AH}}}{a\theta(e^\theta-1)}=\lim_{\theta\to0+}\frac{a\sin\theta\tan\theta}{a\theta(e^\theta-1)}$

$$=\lim_{\theta\to0+}\frac{\sin\theta}{\theta}\times\lim_{\theta\to0+}\frac{\tan\theta}{\theta}\times\lim_{\theta\to0+}\frac{\theta}{(e^\theta-1)}$$

$$=1\times1\times1=1$$

(2) 오른쪽 그림과 같은 직각삼각형 ABC에서 $\angle\text{A}=90°$, $\overline{\text{AB}}=2$이다. 꼭짓점 A로부터 빗변 BC에 내린 수선의 발을 H, $\angle\text{B}=\theta$라 할 때,

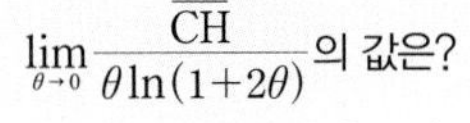

$\lim_{\theta\to0}\frac{\overline{\text{CH}}}{\theta\ln(1+2\theta)}$의 값은?

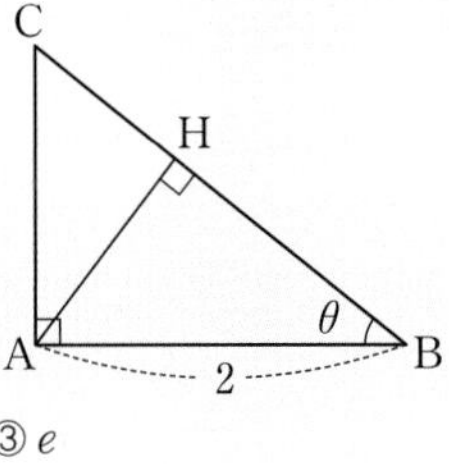

① 1 ② 2 ③ e
④ $2e$ ⑤ e^2

STEP A 직각삼각형에서 선분 CH의 길이를 θ에 대한 삼각함수로 나타내기

$\angle\text{B}=\theta$, $\overline{\text{AB}}=2$이므로 $\overline{\text{AC}}=2\tan\theta$

$\angle\text{CAH}=\theta$이므로

$\overline{\text{CH}}=\overline{\text{AC}}\sin\theta=2\tan\theta\sin\theta$

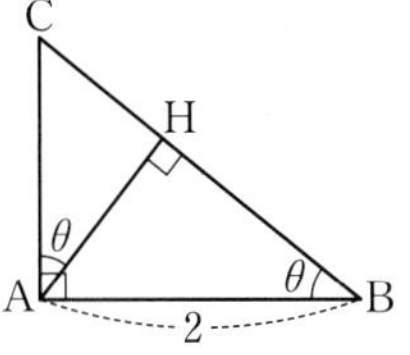

STEP B 삼각함수와 로그함수의 극한을 이용하여 극한값 구하기

따라서 $\lim_{\theta\to0}\frac{\overline{\text{CH}}}{\theta\cdot\ln(1+2\theta)}=\lim_{\theta\to0}\frac{2\tan\theta\sin\theta}{\theta\ln(1+2\theta)}$

$$=\lim_{\theta\to0}\left\{\frac{2\sin\theta}{\theta}\times\frac{\tan\theta}{\theta}\times\frac{2\theta}{\ln(1+2\theta)}\times\frac{1}{2}\right\}$$

$$=2\times1\times1\times\frac{1}{2}=1$$

0335

좌표평면에서 곡선 $y=\sin x$ 위의 점 $\text{P}(t, \sin t)$ $(0<t<\pi)$를 중심으로 하고, x축에 접하는 원을 C라 하자. 원 C가 x축에 접하는 점을 Q, 선분 OP와 만나는 점을 R라 하자.

$\lim_{t\to0+}\frac{\overline{\text{OQ}}}{\overline{\text{OR}}}=a+b\sqrt{2}$일 때, $a+b$의 값을 구하여라. (단, O는 원점이고, a, b는 정수이다.)

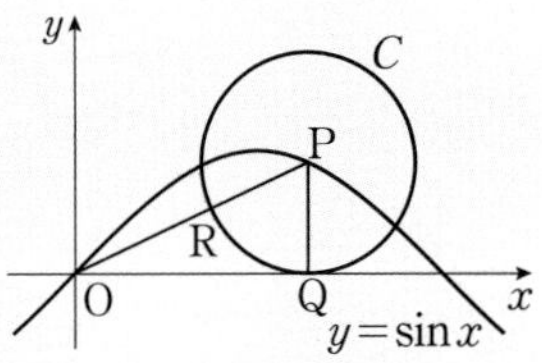

STEP A 원의 성질을 활용하여 $\overline{\text{OQ}}$, $\overline{\text{OR}}$을 삼각함수로 나타내기

직각삼각형 OQP에서 점 P의 좌표가 $(t, \sin t)$$(0<t<\pi)$이므로

점 Q의 좌표는 $(t, 0)$이다.

$\overline{\text{PR}}=\overline{\text{PQ}}=\sin t$, $\overline{\text{OR}}=\overline{\text{OP}}-\overline{\text{PR}}=\sqrt{t^2+\sin^2 t}-\sin t$

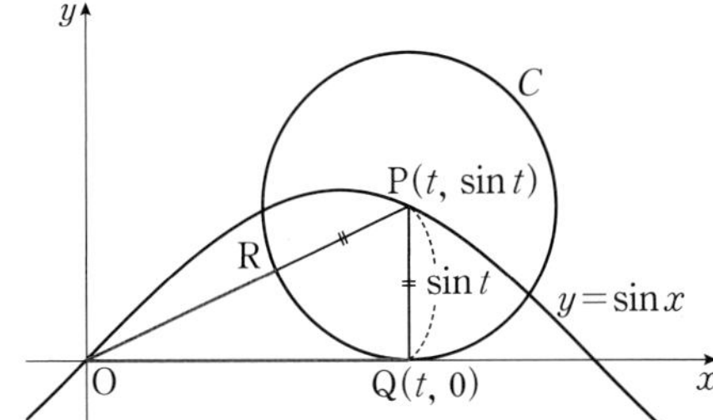

STEP B 삼각함수의 극한을 이용하여 $a+b$의 값 구하기

$\lim_{t\to0+}\frac{\overline{\text{OQ}}}{\overline{\text{OR}}}=\lim_{t\to0+}\frac{t}{\sqrt{t^2+\sin^2 t}-\sin t}$ ⬅ 분모를 유리화

$$=\lim_{t\to0+}\frac{t(\sqrt{t^2+\sin^2 t}+\sin t)}{(t^2+\sin^2 t)-\sin^2 t}$$

$$=\lim_{t\to0+}\frac{\sqrt{t^2+\sin^2 t}+\sin t}{t}$$

$$=\lim_{t\to0+}\left\{\sqrt{1+\left(\frac{\sin t}{t}\right)^2}+\frac{\sin t}{t}\right\}$$ ⬅ $\lim_{t\to0+}\frac{\sin t}{t}=1$

$$=\sqrt{1+1^2}+1=1+\sqrt{2}$$

따라서 $1+\sqrt{2}=a+b\sqrt{2}$에서 a, b가 정수이므로 $a=1$, $b=1$

$\therefore$ $a+b=1+1=2$

0336

다음 그림과 같이 반지름의 길이가 1이고 중심각의 크기가 $\frac{\pi}{2}$인 부채꼴 OAB가 있다. 호 AB 위의 점 P에 대하여 직선 OA에 수직이고 점 A를 지나는 직선이 직선 OP와 만나는 점을 Q라 하자.

$\angle AOP=\theta\left(0<\theta<\frac{\pi}{2}\right)$일 때, 삼각형 AQP의 넓이를 $S(\theta)$라 하자.

$\lim_{\theta\to0+}\frac{S(\theta)}{\theta^3}$의 값은?

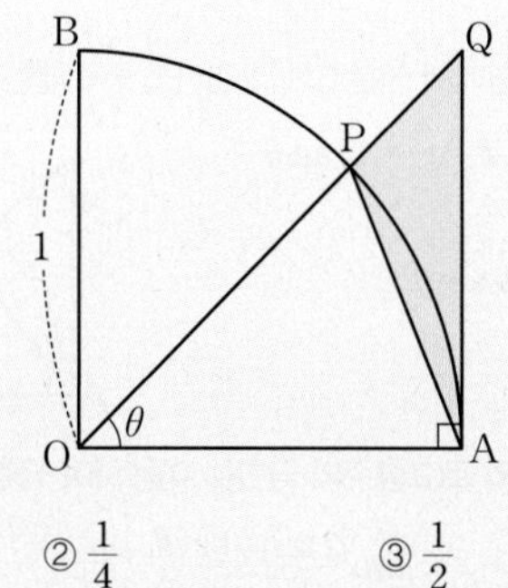

① $\frac{1}{5}$ ② $\frac{1}{4}$ ③ $\frac{1}{2}$
④ 4 ⑤ 5

STEP A 넓이 $S(\theta)$ 구하기

직각삼각형 OAQ에서 $\overline{AQ}=\tan\theta$

점 P에서 선분 OA에 내린 수선의 발을 H라 하면

$\overline{OH}=\cos\theta$, $\overline{AH}=1-\cos\theta$이므로 $S(\theta)=\frac{1}{2}\times\tan\theta(1-\cos\theta)$

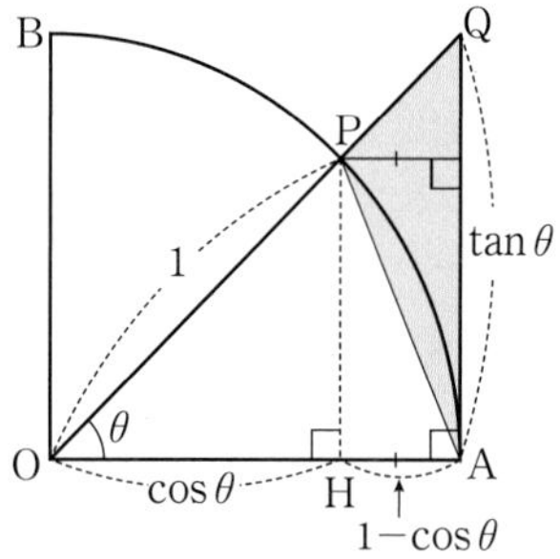

STEP B $\lim_{\theta\to0+}\frac{S(\theta)}{\theta^3}$ 구하기

따라서 $\lim_{\theta\to0+}\frac{S(\theta)}{\theta^3}=\lim_{\theta\to0+}\frac{\frac{1}{2}\times\tan\theta(1-\cos\theta)}{\theta^3}$

$=\lim_{\theta\to0+}\frac{\frac{1}{2}\times\tan\theta(1-\cos\theta)(1+\cos\theta)}{\theta^3(1+\cos\theta)}$

$=\lim_{\theta\to0+}\frac{\frac{1}{2}\times\tan\theta\sin^2\theta}{\theta^3(1+\cos\theta)}$

$=\lim_{\theta\to0+}\left\{\frac{1}{2}\times\frac{\tan\theta}{\theta}\times\left(\frac{\sin\theta}{\theta}\right)^2\times\frac{1}{1+\cos\theta}\right\}$

$=\frac{1}{2}\times1\times1^2\times\frac{1}{2}=\frac{1}{4}$

0337

다음 물음에 답하여라.

(1) 다음 그림과 같이 중심이 O이고 반지름의 길이가 1인 사분원 OAC 위의 한 점 B에서 선분 OA에 내린 수선의 발을 H라 하고, $\angle AOB=\theta$라 하자. 직선 OB와 점 A에서 접선과 만나는 점을 D라 하고, 사각형 BHAD의 넓이를 $S(\theta)$라 할 때, $\lim_{\theta\to0+}\frac{S(\theta)}{\theta^3}$의 값은? $\left(단, 0<\theta<\frac{\pi}{2}\right)$

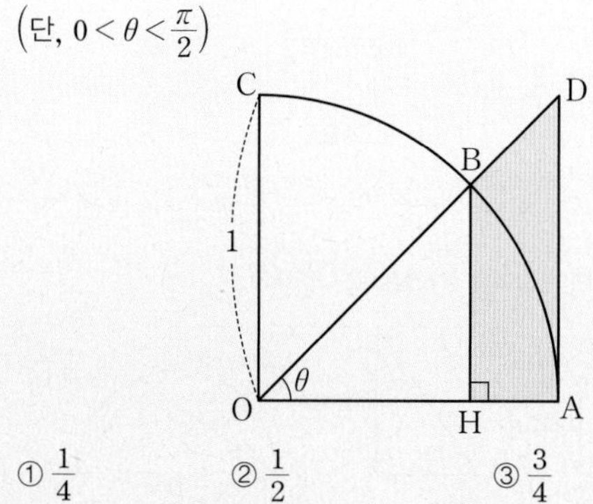

① $\frac{1}{4}$ ② $\frac{1}{2}$ ③ $\frac{3}{4}$
④ 1 ⑤ $\frac{5}{4}$

STEP A $\overline{BH}$의 길이를 θ에 대한 삼각함수로 나타내기

삼각형 BOH에서 $\overline{BH}=\sin\theta$, $\overline{OH}=\cos\theta$이므로

$\overline{AH}=1-\cos\theta$

삼각형 DOA에서 $\overline{DA}=\tan\theta$

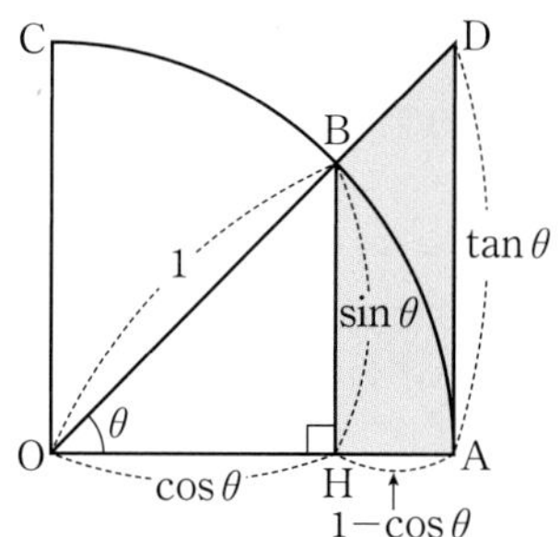

STEP B $\lim_{x\to0}\frac{1-\cos x}{x^2}=\frac{1}{2}$임을 이용하여 극한값 계산하기

$S(\theta)=\frac{1}{2}\times(\overline{BH}+\overline{DA})\times\overline{AH}$

$=\frac{1}{2}\times(\sin\theta+\tan\theta)(1-\cos\theta)$

$=\frac{1}{2}\times\frac{\sin\theta(\cos\theta+1)}{\cos\theta}\times(1-\cos\theta)$

$=\frac{1}{2}\times\frac{\sin\theta(1-\cos^2\theta)}{\cos\theta}$

$=\frac{1}{2}\times\frac{\sin^3\theta}{\cos\theta}$

따라서 $\lim_{\theta\to0+}\frac{S(\theta)}{\theta^3}=\lim_{\theta\to0+}\frac{\sin^3\theta}{2\cos\theta\times\theta^3}$

$=\frac{1}{2}\lim_{\theta\to0+}\frac{1}{\cos\theta}\times\lim_{\theta\to0+}\frac{\sin^3\theta}{\theta^3}$

$=\frac{1}{2}\times1\times1^3=\frac{1}{2}$

(2) 다음 그림과 같이 반지름의 길이가 1이고 중심각의 크기가 $\frac{\pi}{2}$인 부채꼴 OAB가 있다. 호 AB 위의 점 P에서 선분 OA에 내린 수선의 발을 H, 선분 PH와 선분 AB의 교점을 Q라 하자. $\angle POH=\theta$일 때, 삼각형 AQH의 넓이를 $S(\theta)$라 하자. $\lim_{\theta \to 0+}\frac{S(\theta)}{\theta^4}$의 값은? $\left(\text{단, } 0<\theta<\frac{\pi}{2}\right)$

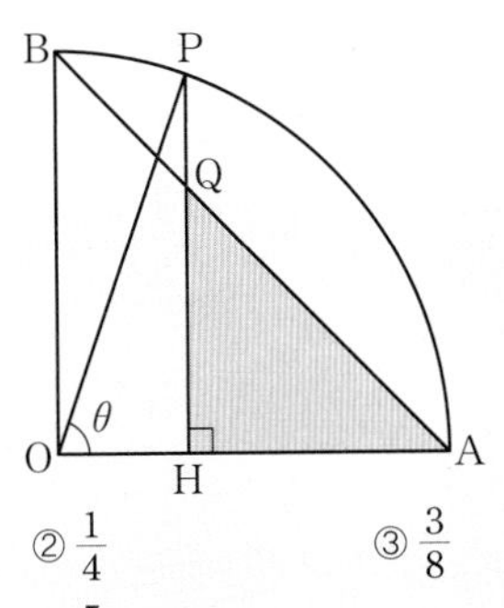

① $\frac{1}{8}$ ② $\frac{1}{4}$ ③ $\frac{3}{8}$
④ $\frac{1}{2}$ ⑤ $\frac{5}{8}$

STEP A 삼각함수를 이용하여 점 P의 좌표를 구하고 $S(\theta)$를 θ의 식으로 나타내기

다음 그림과 같이 직각삼각형 OPH에서 $\overline{OP}=1$, $\angle POH=\theta$이므로

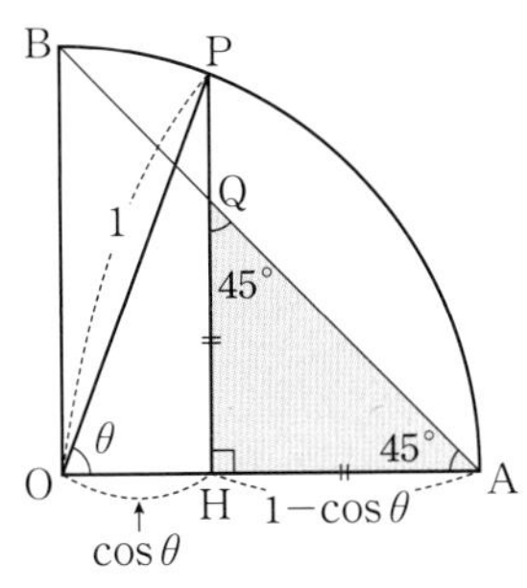

$\overline{OH}=\overline{OP}\cos\theta=\cos\theta$, $\overline{AH}=\overline{OA}-\overline{OH}=1-\cos\theta$

직각삼각형 OAB에서 $\overline{OA}=\overline{OB}$이므로

$\angle OAB=\angle OBA$ …… ㉠

이때 $\overline{OB} \mathbin{/\!/} \overline{PH}$이므로

$\angle OBA=\angle HQA$ …… ㉡

㉠, ㉡에서 $\angle HAQ=\angle HQA$

직각삼각형 HAQ에서 $\overline{HA}=\overline{HQ}$

즉 삼각형 AQH의 넓이 $S(\theta)$는 $S(\theta)=\frac{1}{2}\cdot\overline{AH}\cdot\overline{QH}=\frac{1}{2}(1-\cos\theta)^2$

STEP B $\lim_{\theta\to0+}\frac{S(\theta)}{\theta^4}$의 값 구하기

따라서 $\lim_{\theta\to0+}\frac{S(\theta)}{\theta^4}=\lim_{\theta\to0+}\frac{\frac{1}{2}(1-\cos\theta)^2}{\theta^4}$

$$=\lim_{\theta\to0+}\frac{(1-\cos\theta)^2(1+\cos\theta)^2}{2\theta^4(1+\cos\theta)^2}$$

$$=\lim_{\theta\to0+}\left\{\frac{(1-\cos^2\theta)^2}{2\theta^4}\times\frac{1}{(1+\cos\theta)^2}\right\}$$

$$=\lim_{\theta\to0+}\left\{\frac{\sin^4\theta}{2\theta^4}\times\frac{1}{(1+\cos\theta)^2}\right\}$$

$$=\lim_{\theta\to0+}\left\{\frac{1}{2}\left(\frac{\sin\theta}{\theta}\right)^4\times\frac{1}{(1+\cos\theta)^2}\right\}$$

$$=\frac{1}{2}\times1^4\times\frac{1}{(1+1)^2}=\frac{1}{8}$$

(3) 다음 그림과 같이 반지름의 길이가 1이고 중심각의 크기가 $\frac{\pi}{2}$인 부채꼴 OAB가 있다. 호 AB 위의 점 P에서 선분 OA에 내린 수선의 발을 H라 하고, 호 BP 위에 점 Q를 $\angle POH=\angle PHQ$가 되도록 잡는다. $\angle POH=\theta$일 때, 삼각형 OHQ의 넓이를 $S(\theta)$라 하자.

$\lim_{\theta\to0+}\frac{S(\theta)}{\theta}$의 값은? $\left(\text{단, } 0<\theta<\frac{\pi}{6}\right)$

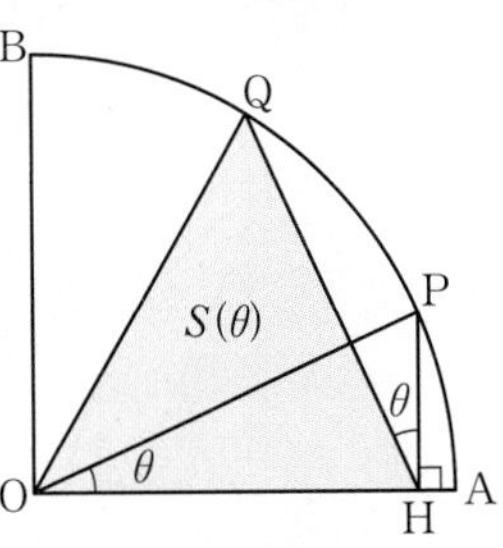

① $\frac{1+\sqrt{2}}{2}$ ② $\frac{2+\sqrt{2}}{2}$ ③ $\frac{3+\sqrt{2}}{2}$
④ $\frac{4+\sqrt{2}}{2}$ ⑤ $\frac{5+\sqrt{2}}{2}$

STEP A $\overline{OP}\perp\overline{QH}$임을 이용하여 $\overline{OR}$, $\overline{HR}$, $\overline{QR}$을 삼각함수로 표현하기

$\overline{OP}$와 $\overline{QH}$의 교점을 R이라 하면

$\angle PHQ=\theta$이므로 $\overline{OP}\perp\overline{QH}$

삼각형 OPH에서 $\overline{OH}=\cos\theta$

직각삼각형 OHR에서 $\overline{HR}=\cos\theta\sin\theta$, $\overline{OR}=\cos^2\theta$

직각삼각형 ORQ에서 피타고라스 정리에 의해

$\overline{QR}=\sqrt{1-(\cos^2\theta)^2}=\sqrt{1-\cos^4\theta}$

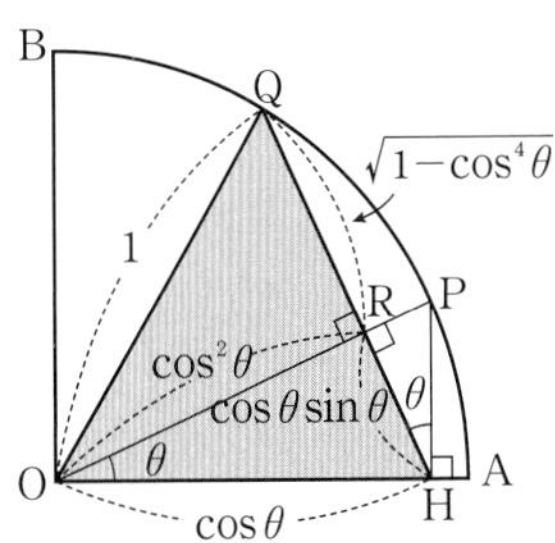

STEP B 삼각형 OHQ의 넓이 $S(\theta)$ 구하기

$\overline{HQ}=\overline{HR}+\overline{QR}=\sin\theta\cos\theta+\sqrt{1-\cos^4\theta}$이므로

삼각형 OHQ의 넓이는

$S(\theta)=\frac{1}{2}\times\overline{HQ}\times\overline{OR}$

$=\frac{1}{2}\times(\sin\theta\cos\theta+\sqrt{1-\cos^4\theta})\times\cos^2\theta$

STEP C $\lim_{\theta\to0+}\frac{S(\theta)}{\theta}$의 값 구하기

따라서

$$\lim_{\theta\to0+}\frac{S(\theta)}{\theta}=\lim_{\theta\to0+}\frac{(\sin\theta\cos\theta+\sqrt{1-\cos^4\theta})\times\cos^2\theta}{2\theta}$$

$$=\lim_{\theta\to0+}\frac{\left(\frac{\sin\theta\cos\theta}{\theta}+\sqrt{\frac{(1+\cos^2\theta)(1-\cos^2\theta)}{\theta^2}}\right)\times\cos^2\theta}{2}$$

$$=\frac{1+\sqrt{2}}{2}$$ ⬅ $\lim_{\theta\to0+}\frac{\sin\theta\cos\theta}{\theta}=1$, $\lim_{\theta\to0+}\frac{1-\cos^2\theta}{\theta^2}=\lim_{\theta\to0+}\frac{\sin^2\theta}{\theta^2}=1$

다른풀이 $S(\theta)=\frac{1}{2}\times\overline{OH}\times\overline{QR}$을 이용하여 풀이하기

STEP A 삼각함수의 성질을 이용하여 $\overline{OH}$, $\overline{QR}$의 길이 구하기

$\overline{OP}=1$이므로 $\overline{OH}=\cos\theta$

점 Q에서 선분 OA에 내린 수선의 발을 R라 하면

$S(\theta)=\frac{1}{2}\times\overline{OH}\times\overline{QR}=\frac{\cos\theta}{2}\times\overline{QR}$

한편 엇각의 성질에 의해 $\angle HQR=\theta$이므로

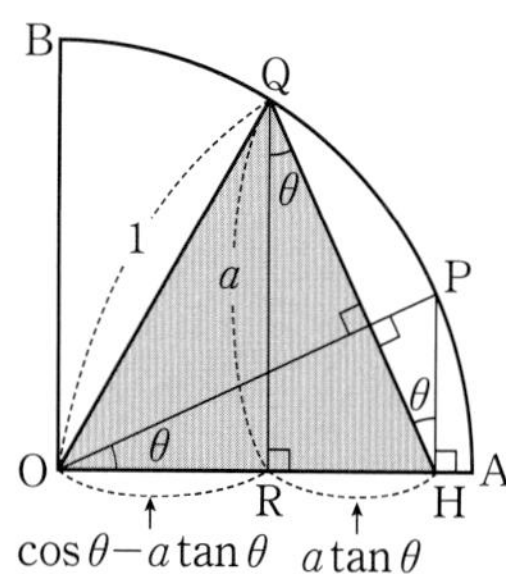

$\overline{QR}=a$라 하면 $\overline{RH}=\overline{QR}\times\tan\theta=a\tan\theta$

$\overline{OR}=\overline{OH}-\overline{RH}=\cos\theta-a\tan\theta$

이때 $\overline{QR}^2+\overline{OR}^2=1$이므로 $a^2+(\cos\theta-a\tan\theta)^2=1$

$(\tan^2\theta+1)a^2-2a\cos\theta\tan\theta+\cos^2\theta-1=0$

이때 $1+\tan^2\theta=\sec^2\theta$, $\tan\theta=\frac{\sin\theta}{\cos\theta}$, $\sin^2\theta+\cos^2\theta=1$이므로

위 등식은 $a^2\sec^2\theta-2a\sin\theta-\sin^2\theta=0$

위 등식의 양변에 $\cos^2\theta$를 곱하면

$a^2-2a\sin\theta\cos^2\theta-\sin^2\theta\cos^2\theta=0$

이때 $a>0$이므로 근의 공식에 의해

$a=\sin\theta\cos^2\theta+\sqrt{\sin^2\theta\cos^4\theta+\sin^2\theta\cos^2\theta}$

$a=\sin\theta\cos^2\theta+\sin\theta\cos\theta\sqrt{\cos^2\theta+1}$

STEP B $\lim_{\theta\to0+}\frac{S(\theta)}{\theta}$의 값 구하기

$S(\theta)=\frac{1}{2}a\cos\theta$

$=\frac{\sin\theta\cos^2\theta}{2}(\cos\theta+\sqrt{\cos^2\theta+1})$ ⬅ $S(\theta)=\frac{\cos\theta}{2}\times\overline{QR}$

따라서 $\lim_{\theta\to0+}\frac{S(\theta)}{\theta}=\lim_{\theta\to0+}\left\{\frac{\sin\theta\cos^2\theta}{2\theta}(\cos\theta+\sqrt{\cos^2\theta+1})\right\}$

$=\frac{1}{2}\lim_{\theta\to0+}\frac{\sin\theta}{\theta}\times\lim_{\theta\to0+}\{\cos^2\theta(\cos\theta+\sqrt{\cos^2\theta+1})\}$

$=\frac{1}{2}\times1\times\{1^2\times(1+\sqrt{1^2+1})\}$

$=\frac{1+\sqrt{2}}{2}$

0338

다음 그림과 같이 중심이 O이고 길이가 2인 선분 AB를 지름으로 하는 원 위의 점 P에서 선분 AB에 내린 수선의 발을 Q, 점 Q에서 선분 OP에 내린 수선의 발을 R, 점 O에서 선분 AP에 내린 수선의 발을 S라 하자. $\angle PAQ=\theta\left(0<\theta<\frac{\pi}{4}\right)$일 때, 삼각형 AOS의 넓이를 $f(\theta)$, 삼각형 PRQ의 넓이를 $g(\theta)$라 하자. $\lim_{\theta\to0+}\frac{\theta^2f(\theta)}{g(\theta)}=\frac{q}{p}$일 때, p^2+q^2의 값을 구하여라. (단, p와 q는 서로소인 자연수이다.)

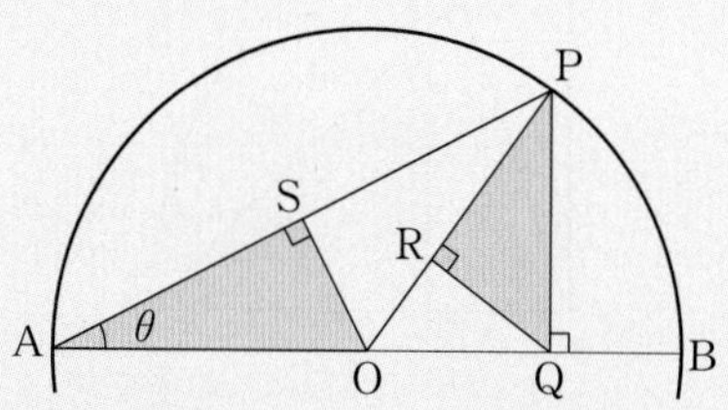

STEP A $f(\theta)$, $g(\theta)$를 θ로 나타내기

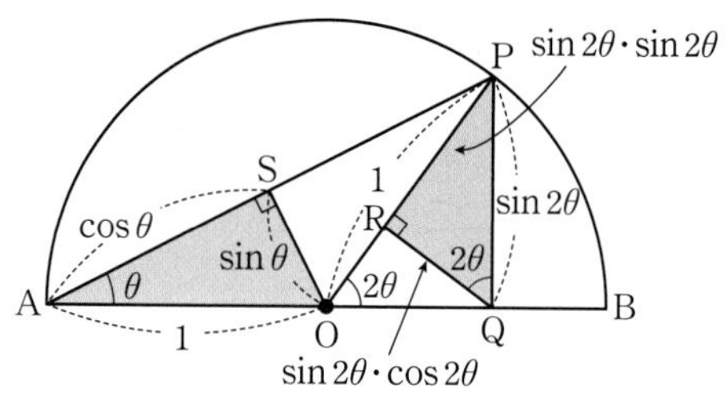

직각삼각형 AOS에서 $\overline{AO}=1$, $\angle SAO=\theta$

$\overline{AS}=\cos\theta$, $\overline{OS}=\sin\theta$이므로

$f(\theta)=\frac{1}{2}\cdot\sin\theta\cdot\cos\theta$ ······ ㉠

$\triangle OPQ$에서 $\angle POQ=2\theta$이므로 $\overline{PQ}=\sin2\theta$

직각삼각형 PRQ에서

$\overline{PR}=\sin2\theta\cdot\sin2\theta$, $\overline{QR}=\sin2\theta\times\cos2\theta$이므로

$g(\theta)=\frac{1}{2}\sin2\theta\cdot\cos2\theta\times\sin2\theta\cdot\sin2\theta$

$=\frac{1}{2}\sin^32\theta\cdot\cos2\theta$ ······ ㉡

STEP B $\lim_{\theta\to0+}\frac{\theta^2f(\theta)}{g(\theta)}$의 값 구하기

㉠, ㉡에서 $\lim_{\theta\to0+}\frac{\theta^2f(\theta)}{g(\theta)}=\lim_{\theta\to0+}\frac{\frac{1}{2}\theta^2\sin\theta\cos\theta}{\frac{1}{2}\sin^32\theta\cos2\theta}$

$=\lim_{\theta\to0+}\frac{\theta^2\sin\theta\cos\theta}{\sin^32\theta\cos2\theta}$

$=\lim_{\theta\to0+}\left(\frac{\theta^3\cdot\sin\theta}{\sin^32\theta\times\theta}\times\frac{\cos\theta}{\cos2\theta}\right)$

$=\lim_{\theta\to0+}\left\{\left(\frac{2\theta}{\sin2\theta}\right)^3\times\frac{1}{8}\times\frac{\sin\theta}{\theta}\times\frac{\cos\theta}{\cos2\theta}\right\}$

$=1\times\frac{1}{8}\times1\times1=\frac{1}{8}$

따라서 $p=8$, $q=1$이므로 $p^2+q^2=64+1=65$

0339

다음 그림과 같이 좌표평면에서 점 P가 원점 O를 출발하여 x축을 따라 양의 방향으로 이동할 때, 점 Q는 점 (0, 30)을 출발하여 $\overline{PQ}=30$을 만족시키며 y축을 따라 음의 방향으로 이동한다. $\angle OPQ=\theta \left(0<\theta<\frac{\pi}{2}\right)$일 때, 삼각형 OPQ의 내접원의 반지름의 길이를 $r(\theta)$라 하자.

이때 $\lim_{\theta\to0+}\frac{r(\theta)}{\theta}$의 값을 구하여라.

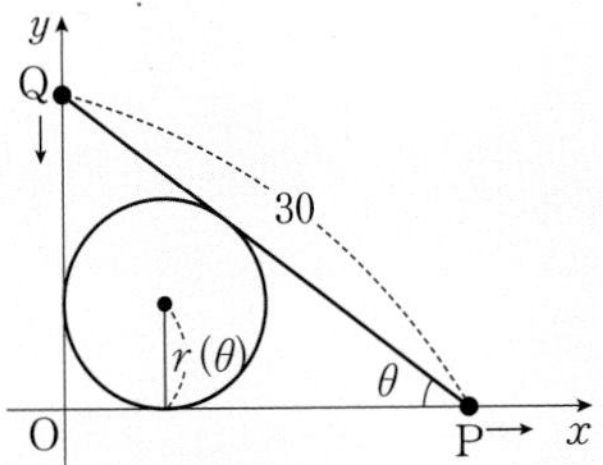

STEP Ⓐ 내접원의 반지름의 길이 구하기

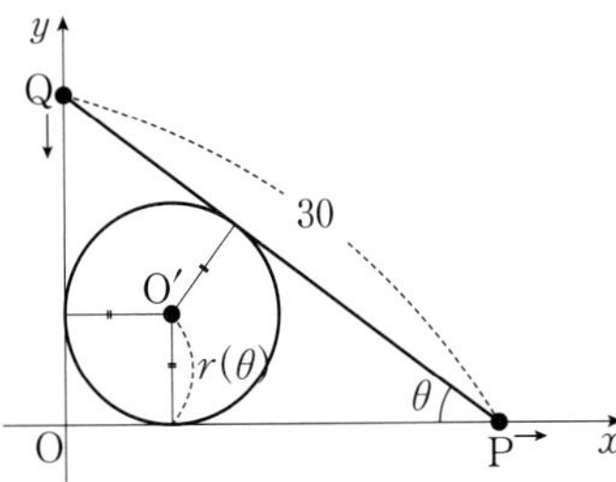

내접원의 중심을 O′이라 하면

$\triangle OPQ=\triangle O'OP+\triangle O'OQ+\triangle O'PQ$이므로

$\frac{1}{2}\times\overline{OP}\times\overline{OQ}=\frac{1}{2}\overline{OP}\times r(\theta)+\frac{1}{2}\overline{PQ}\times r(\theta)+\frac{1}{2}\overline{OQ}\times r(\theta)$

$=\frac{1}{2}(\overline{OP}+\overline{PQ}+\overline{OQ})\times r(\theta)$

이때 직각삼각형 OPQ에서 $\overline{OP}=30\cos\theta$, $\overline{OQ}=30\sin\theta$이므로

$\frac{1}{2}\times30\sin\theta\times30\cos\theta=\frac{1}{2}\times(30\cos\theta+30+30\sin\theta)\times r(\theta)$

$r(\theta)=\frac{30\sin\theta\cos\theta}{\sin\theta+\cos\theta+1}$

STEP Ⓑ 삼각함수의 극한 구하기

따라서 $\lim_{\theta\to0+}\frac{r(\theta)}{\theta}=\lim_{\theta\to0+}\frac{30\sin\theta\cos\theta}{\theta(\sin\theta+\cos\theta+1)}$

$=\lim_{\theta\to0+}\left(\frac{30\cos\theta}{\sin\theta+\cos\theta+1}\cdot\frac{\sin\theta}{\theta}\right)$

$=\frac{30}{2}\cdot1=15$

다른풀이 원 밖의 점에서 원에 그은 접선의 길이가 같음을 이용하여 풀이하기

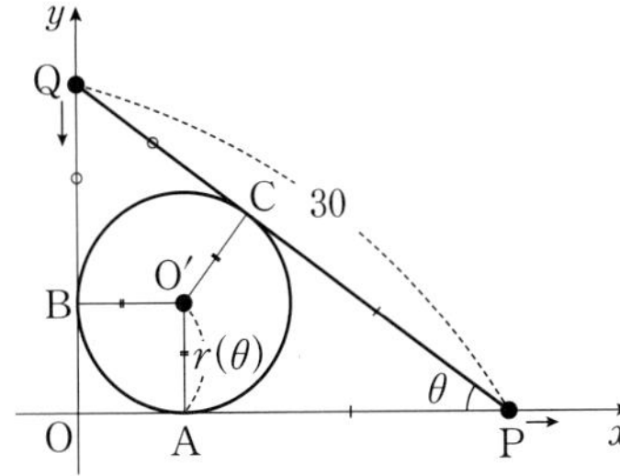

직각삼각형 OPQ에서 $\overline{OP}=30\cos\theta$, $\overline{OQ}=30\sin\theta$

$\overline{OA}=\overline{OB}=r(\theta)$이므로 $\overline{PA}=\overline{PC}=30\cos\theta-r(\theta)$

$\overline{BQ}=\overline{CQ}=30\sin\theta-r(\theta)$

이때 $\overline{PQ}=\overline{PC}+\overline{CQ}=30$이므로 $30\cos\theta-r(\theta)+30\sin\theta-r(\theta)=30$

$\therefore r(\theta)=15(\cos\theta+\sin\theta-1)$

따라서 $\lim_{\theta\to0+}\frac{r(\theta)}{\theta}=15\lim_{\theta\to0+}\left(\frac{\sin\theta}{\theta}+\frac{\cos\theta-1}{\theta}\right)=15(1+0)=15$

0340

다음 물음에 답하여라.

(1) 다음 그림과 같이 반지름의 길이가 1이고 중심각의 크기가 $\frac{\pi}{2}$인 부채꼴 OAB가 있다. 호 AB 위의 점 P에 대하여 점 B에서 선분 OP에 내린 수선의 발을 Q, 점 Q에서 선분 OB에 내린 수선의 발을 R라 하자. $\angle BOP=\theta$일 때, 삼각형 RQB에 내접하는 원의 반지름의 길이를 $r(\theta)$라 하자. $\lim_{\theta\to0+}\frac{r(\theta)}{\theta^2}$의 값은? $\left(\text{단, } 0<\theta<\frac{\pi}{2}\right)$

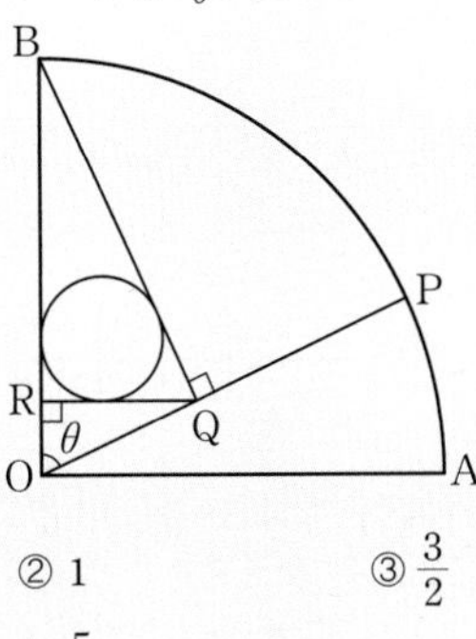

① $\frac{1}{2}$ ② 1 ③ $\frac{3}{2}$

④ 2 ⑤ $\frac{5}{2}$

STEP Ⓐ 각 변을 θ에 대한 식으로 나타내기

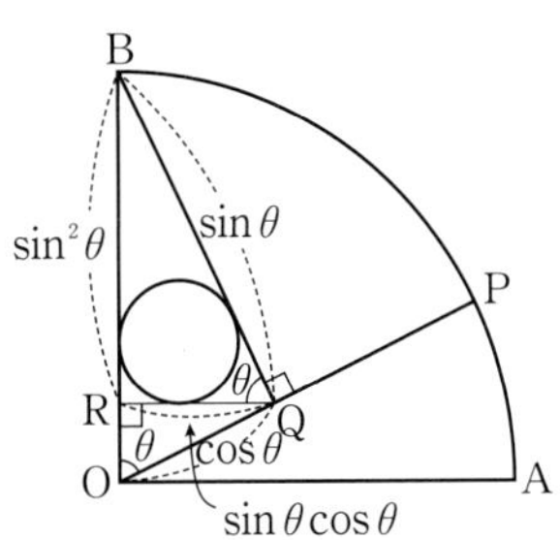

$\angle BOQ=\theta$, $\overline{OB}=1$이고 $\angle OQB=\frac{\pi}{2}$이므로 $\overline{BQ}=\sin\theta$

또, $\angle RQB=\frac{\pi}{2}-\angle QBR=\frac{\pi}{2}-\left(\frac{\pi}{2}-\theta\right)=\theta$, $\overline{BQ}=\sin\theta$이고

$\angle BRQ=\frac{\pi}{2}$이므로 $\overline{BR}=\sin^2\theta$, $\overline{RQ}=\sin\theta\cos\theta$

STEP Ⓑ 삼각형 RQB에 내접하는 원의 성질을 이용하여 반지름 구하기

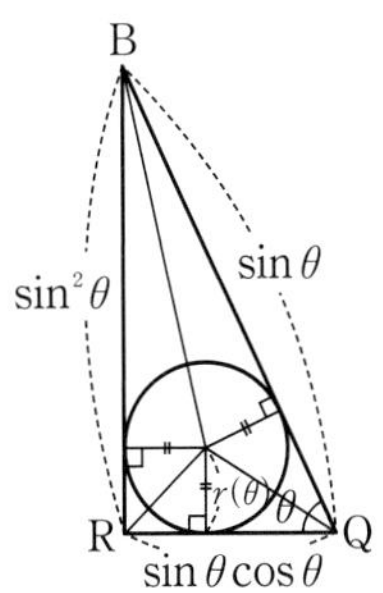

삼각형 RQB의 넓이는

$\frac{1}{2}\times\overline{BR}\times\overline{RQ}=\frac{1}{2}\times\sin^2\theta\times\sin\theta\cos\theta$ …… ㉠

삼각형 BRQ에 내접하는 원의 성질을 이용하여 삼각형의 넓이를 구하면

$\frac{1}{2}\times r(\theta)\times(\sin\theta+\sin\theta\cos\theta+\sin^2\theta)$ …… ㉡

㉠, ㉡에 의해서 $r(\theta)=\frac{\sin^2\theta\cos\theta}{1+\sin\theta+\cos\theta}$

STEP Ⓒ $\lim_{\theta\to0+}\frac{r(\theta)}{\theta^2}$의 값 구하기

따라서 $\lim_{\theta\to0+}\frac{r(\theta)}{\theta^2}=\lim_{\theta\to0+}\frac{\sin^2\theta\cos\theta}{\theta^2(1+\sin\theta+\cos\theta)}$

$=\lim_{\theta\to0+}\frac{\sin^2\theta}{\theta^2}\times\lim_{\theta\to0+}\frac{\cos\theta}{1+\sin\theta+\cos\theta}$

$=1\times\frac{1}{2}=\frac{1}{2}$

(2) 다음 그림과 같이 중심이 원점 O이고 반지름의 길이가 1인 원 C가 있다.
원 C가 x축의 양의 방향과 만나는 점을 A, 원 C 위에 있고 제 1사분면에 있는 점 P에서 x축에 내린 수선의 발을 H, $\angle \mathrm{POA}=\theta$라 하자.
삼각형 APH에 내접하는 원의 반지름의 길이를 $r(\theta)$라 할 때,
$\lim_{\theta \to 0+} \frac{r(\theta)}{\theta^2}$의 값은?

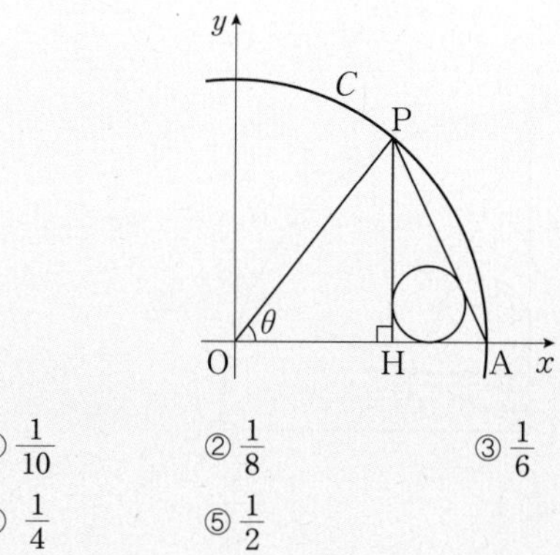

① $\frac{1}{10}$ ② $\frac{1}{8}$ ③ $\frac{1}{6}$
④ $\frac{1}{4}$ ⑤ $\frac{1}{2}$

STEP Ⓐ 삼각형에 내접하는 원의 반지름 $r(\theta)$를 삼각함수로 나타내기

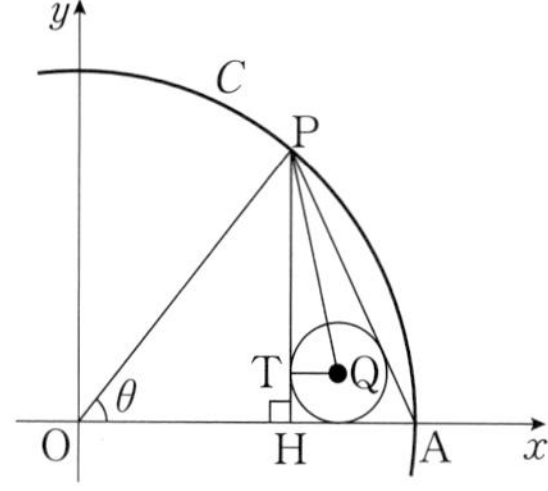

삼각형 OAP가 이등변삼각형이므로 $\angle \mathrm{OAP}=\angle \mathrm{OPA}=\frac{\pi}{2}-\frac{\theta}{2}$이고
삼각형 APH에서 $\angle \mathrm{APH}+\angle \mathrm{PAH}=\frac{\pi}{2}$이므로 $\angle \mathrm{APH}=\frac{\theta}{2}$
내접원의 중심을 Q라 하고
내접원과 선분 PH의 교점을 T라 하면 $\angle \mathrm{QPT}=\frac{\theta}{4}$
$\overline{\mathrm{PH}}=\sin\theta$이므로 삼각형 QPT에서 $\tan\frac{\theta}{4}=\frac{\overline{\mathrm{QT}}}{\overline{\mathrm{PT}}}=\frac{r(\theta)}{\sin\theta-r(\theta)}$
$\left(1+\tan\frac{\theta}{4}\right)r(\theta)=\sin\theta\tan\frac{\theta}{4}$이므로 $r(\theta)=\dfrac{\sin\theta\tan\frac{\theta}{4}}{1+\tan\frac{\theta}{4}}$

STEP Ⓑ $\lim_{\theta \to 0+} \frac{r(\theta)}{\theta^2}$의 값 구하기

따라서 $\lim_{\theta \to 0+} \frac{r(\theta)}{\theta^2}=\lim_{\theta \to 0+} \dfrac{\sin\theta\tan\frac{\theta}{4}}{\theta^2\left(1+\tan\frac{\theta}{4}\right)}$

$$=\lim_{\theta \to 0+}\left\{\frac{\sin\theta}{\theta}\times\frac{\tan\frac{\theta}{4}}{\frac{\theta}{4}}\times\frac{1}{4}\times\frac{1}{\left(1+\tan\frac{\theta}{4}\right)}\right\}$$

$$=1\times1\times\frac{1}{4}\times1=\frac{1}{4}$$

다른풀이 삼각형에 내접하는 원에서 $S=\frac{1}{2}(a+b+c)\cdot r$을 이용하여 원의 반지름을 구하여 풀이하기

$\triangle$POH에서 $\overline{\mathrm{OH}}=\cos\theta$, $\overline{\mathrm{PH}}=\sin\theta$
$\overline{\mathrm{AH}}=1-\cos\theta$이므로 직각삼각형 PHA에서 피타고라스 정리에서
$\overline{\mathrm{PA}}=\sqrt{\sin^2\theta+(1-\cos\theta)^2}=\sqrt{2(1-\cos\theta)}$
삼각형과 내접원의 성질을 이용하여 내접원의 반지름의 길이를 $r(\theta)$라 하면
$\triangle \mathrm{APH}=\frac{1}{2}\cdot(\triangle \mathrm{APH}$의 둘레의 길이$)\cdot r(\theta)$
$\triangle \mathrm{APH}=\frac{1}{2}r(\theta)(\overline{\mathrm{PH}}+\overline{\mathrm{AH}}+\overline{\mathrm{AP}})=\frac{1}{2}\cdot\overline{\mathrm{AH}}\cdot\overline{\mathrm{PH}}$
이므로
$\frac{1}{2}r(\theta)(\sin\theta+1-\cos\theta+\sqrt{2(1-\cos\theta)})=\frac{1}{2}\sin\theta\cdot(1-\cos\theta)$
$\therefore r(\theta)=\dfrac{\sin\theta(1-\cos\theta)}{\sin\theta+1-\cos\theta+\sqrt{2(1-\cos\theta)}}$
따라서 $\lim_{\theta \to 0+} \frac{r(\theta)}{\theta^2}=\lim_{\theta \to 0+} \dfrac{\sin\theta(1-\cos\theta)}{\theta^2(\sin\theta+1-\cos\theta+\sqrt{2(1-\cos\theta)})}$

$$=\lim_{\theta \to 0+}\frac{\frac{\sin\theta}{\theta}\cdot\frac{1-\cos\theta}{\theta^2}}{\frac{\sin\theta}{\theta}+\frac{1-\cos\theta}{\theta}+\sqrt{\frac{2(1-\cos\theta)}{\theta^2}}}$$

$$=\frac{1\cdot\frac{1}{2}}{1+0+1}=\frac{1}{4}$$

다른풀이 이등변삼각형 OPA에서 $\overline{\mathrm{PA}}=2\sin\frac{\theta}{2}$를 구하여 원의 반지름 구하기

내접원의 반지름의 길이를 $r(\theta)$라 하면
$\triangle \mathrm{APH}=\frac{1}{2}\cdot(\triangle \mathrm{APH}$의 둘레의 길이$)\cdot r(\theta)$
$\triangle \mathrm{APH}=\frac{1}{2}r(\theta)(\overline{\mathrm{PH}}+\overline{\mathrm{AH}}+\overline{\mathrm{AP}})=\frac{1}{2}\times\overline{\mathrm{AH}}\times\overline{\mathrm{PH}}$

$$\frac{\sin\theta+(1-\cos\theta)+2\sin\frac{\theta}{2}}{2}\times r(\theta)=\frac{1}{2}\sin\theta\times(1-\cos\theta)$$

$$\frac{1}{2}\left(2\sin\frac{\theta}{2}\cos\frac{\theta}{2}+2\sin^2\frac{\theta}{2}+2\sin\frac{\theta}{2}\right)r(\theta)=\frac{1}{2}\cdot2\sin\frac{\theta}{2}\cos\frac{\theta}{2}(1-\cos\theta)$$

따라서

$$\left(\cos\frac{\theta}{2}+\sin\frac{\theta}{2}+1\right)r(\theta)=(1-\cos\theta)\cos\frac{\theta}{2},\ r(\theta)=\frac{(1-\cos\theta)\cos\frac{\theta}{2}}{1+\cos\frac{\theta}{2}+\sin\frac{\theta}{2}}$$

이므로

$$\lim_{\theta \to 0+}\frac{r(\theta)}{\theta^2}=\lim_{\theta \to 0+}\frac{(1-\cos\theta)\cos\frac{\theta}{2}}{\theta^2\left(1+\cos\frac{\theta}{2}+\sin\frac{\theta}{2}\right)}$$

$$=\lim_{\theta \to 0+}\left\{\frac{\cos\frac{\theta}{2}}{1+\cos\frac{\theta}{2}+\sin\frac{\theta}{2}}\times\frac{\sin^2\theta}{\theta^2}\times\frac{1}{1+\cos\theta}\right\}$$

$$=\frac{1}{1+1+0}\times1^2\times\frac{1}{1+1}$$

$$=\frac{1}{4}$$

0341

다음 그림과 같이 길이가 2인 선분 AB를 지름으로 하는 반원이 있다. 호 AB 위의 한 점 P에 대하여 $\angle PAB=\theta$, 점 P에서 선분 AB에 내린 수선의 발을 H라 할 때, 삼각형 AHP에 내접하는 원의 넓이를 $S(\theta)$, 호 PB의 길이를 $l(\theta)$라 하자. $\lim_{\theta \to 0+} \frac{S(\theta)}{\pi\{l(\theta)\}^2}$의 값은? $\left(\text{단, } 0<\theta<\frac{\pi}{2}\right)$

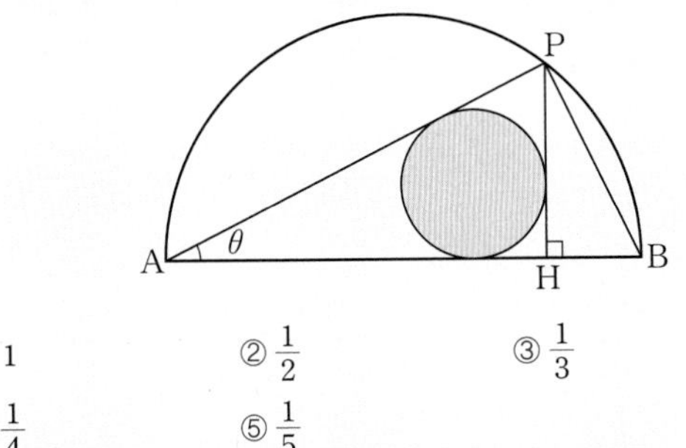

① 1 ② $\frac{1}{2}$ ③ $\frac{1}{3}$
④ $\frac{1}{4}$ ⑤ $\frac{1}{5}$

STEP A 삼각형에 내접하는 원의 반지름 $r(\theta)$를 삼각함수로 나타내기

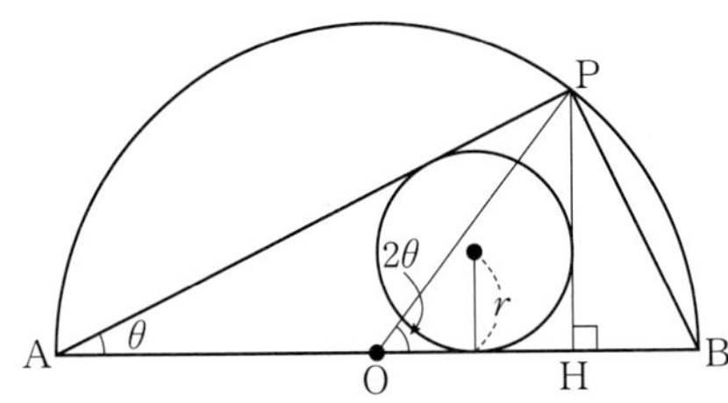

선분 AB의 중점을 O라 하면 $\overline{OA}=\overline{OB}=1$, $\angle POB=2\theta$이므로

부채꼴 OPB의 호의 길이 $l(\theta)$는 $l(\theta)=\overline{OB}\times 2\theta=1\times 2\theta=2\theta$

삼각형 ABP에서 $\angle APB=\frac{\pi}{2}$이므로 $\overline{PA}=\overline{AB}\cos\theta=2\cos\theta$

직각삼각형 AHP에서

$\overline{PH}=\overline{PA}\sin\theta=2\cos\theta\sin\theta$

$\overline{AH}=\overline{PA}\cos\theta=2\cos^2\theta$

(삼각형 AHP의 넓이) $=\frac{1}{2}\times\overline{AH}\times\overline{PH}$

$=\frac{1}{2}\times 2\cos^2\theta\times 2\cos\theta\times\sin\theta$

$=2\cos^3\theta\sin\theta$

삼각형 AHP의 내접원의 반지름의 길이를 r라 하면

(삼각형 AHP의 넓이) $=\frac{1}{2}\times(\overline{PA}+\overline{PH}+\overline{AH})\times r$

$=\frac{r}{2}(2\cos\theta+2\cos\theta\sin\theta+2\cos^2\theta)$

$=r\cos\theta(1+\sin\theta+\cos\theta)$

이때 $r\cos\theta(1+\sin\theta+\cos\theta)=2\cos^3\theta\sin\theta$에서

$r=\frac{2\cos^2\theta\sin\theta}{1+\sin\theta+\cos\theta}$이므로 삼각형 AHP의 내접원의 넓이 $S(\theta)$는

$S(\theta)=\pi\left(\frac{2\cos^2\theta\sin\theta}{1+\sin\theta+\cos\theta}\right)^2=\frac{4\pi\cos^4\theta\sin^2\theta}{(1+\sin\theta+\cos\theta)^2}$

STEP B $\lim_{\theta \to 0+}\frac{S(\theta)}{\pi\{l(\theta)\}^2}$의 값 구하기

따라서 $\lim_{\theta \to 0+}\frac{S(\theta)}{\pi\{l(\theta)\}^2}=\lim_{\theta \to 0+}\left\{\frac{4\pi\cos^4\theta\sin^2\theta}{(1+\sin\theta+\cos\theta)^2}\times\frac{1}{4\pi\theta^2}\right\}$

$=\lim_{\theta \to 0+}\left\{\frac{\cos^4\theta}{(1+\sin\theta+\cos\theta)^2}\times\left(\frac{\sin\theta}{\theta}\right)^2\right\}$

$=\frac{1^4}{2^2}\times 1^2=\frac{1}{4}$

0342

$\overline{AB}=8$, $\overline{AC}=\overline{BC}$, $\angle ABC=\theta$인 이등변삼각형 ABC가 있다.

다음 그림과 같이 선분 BC의 연장선 위에 $\overline{AC}=\overline{AD}$인 점 D를 잡는다. 삼각형 ABC에 내접하는 원의 반지름의 길이를 r_1, 삼각형 ACD에 내접하는 원의 반지름의 길이를 r_2라 할 때, $\lim_{\theta \to 0+}\frac{r_1r_2}{\theta^2}$의 값은?

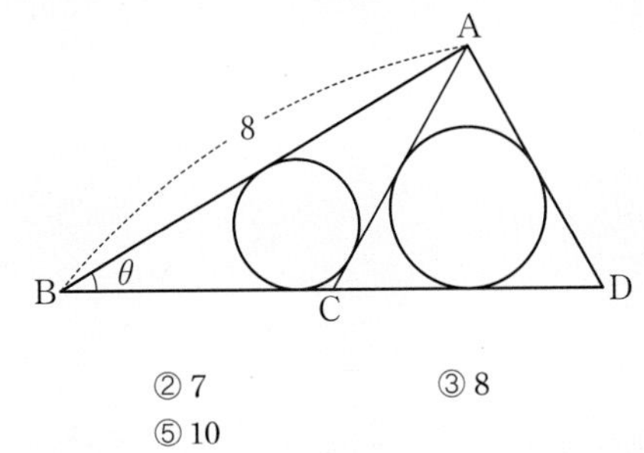

① 6 ② 7 ③ 8
④ 9 ⑤ 10

STEP A 삼각형에 내접하는 원의 반지름 r_1, r_2를 삼각함수로 나타내기

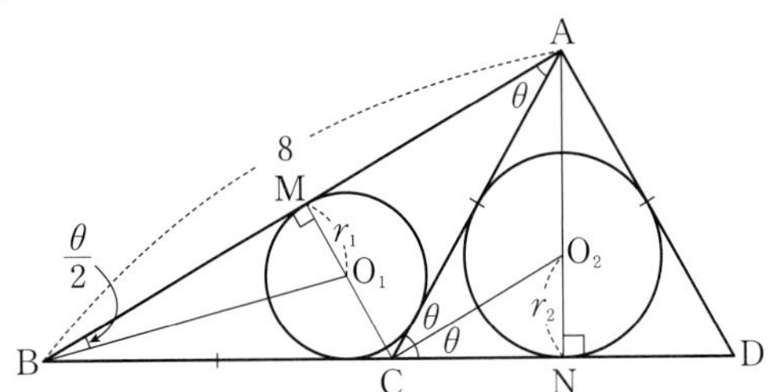

삼각형 ABC에 내접하는 원의 반지름의 길이가 r_1,

삼각형 ACD에 내접하는 원의 반지름의 길이가 r_2이므로

직각삼각형 BO_1M에서 $r_1=4\tan\frac{\theta}{2}$

직각삼각형 BCM에서 $\overline{BC}=\frac{4}{\cos\theta}=\overline{AC}$

직각삼각형 ACN에서 $\overline{CN}=\frac{4}{\cos\theta}\times\cos 2\theta$

직각삼각형 CNO_2에서 $r_2=\overline{CN}\tan\theta=\frac{4\tan\theta\cos 2\theta}{\cos\theta}$

STEP B $\lim_{\theta \to 0+}\frac{r_1r_2}{\theta^2}$의 값 구하기

따라서 $\lim_{\theta \to 0+}\frac{r_1r_2}{\theta^2}=\lim_{\theta \to 0+}\frac{16\tan\frac{\theta}{2}\tan\theta\cos 2\theta}{\theta^2\cos\theta}$

$=\lim_{\theta \to 0+}\left(16\times\frac{\tan\frac{\theta}{2}}{\frac{\theta}{2}}\times\frac{1}{2}\times\frac{\tan\theta}{\theta}\times\frac{\cos 2\theta}{\cos\theta}\right)$

$=16\times 1\times\frac{1}{2}\times 1\times 1=8$

0343

다음 물음에 답하여라.

(1) 다음 그림과 같이 길이가 2인 선분 AB를 지름으로 하고 중심이 O인 반원이 있다. 호 AB 위를 움직이는 점 P에 대하여 $\angle POB=\theta$일 때, 삼각형 PAO에 내접하는 원의 넓이를 $f(\theta)$라 하자. $\lim_{\theta\to0+}\frac{f(\theta)}{\theta^2}$의 값은? (단, $0<\theta<\pi$이다.)

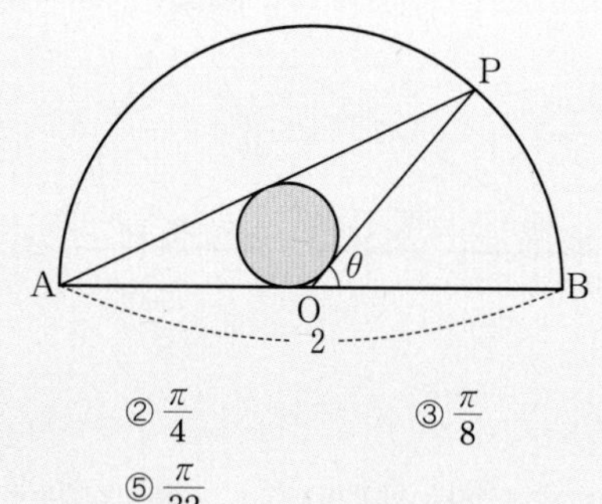

① $\frac{\pi}{2}$ ② $\frac{\pi}{4}$ ③ $\frac{\pi}{8}$
④ $\frac{\pi}{16}$ ⑤ $\frac{\pi}{32}$

STEP A 내접원의 넓이 $f(\theta)$를 θ로 나타내기

호 BP에 대한 원주각의 크기는 중심각의 크기의 $\frac{1}{2}$이므로 $\angle BAP=\frac{\theta}{2}$

또한, 선분 AB가 지름이므로 원 위의 점 P에 대하여 $\angle APB=\frac{\pi}{2}$

직각삼각형 ABP에서 $\overline{PA}=\overline{AB}\cos\frac{\theta}{2}=2\cos\frac{\theta}{2}$

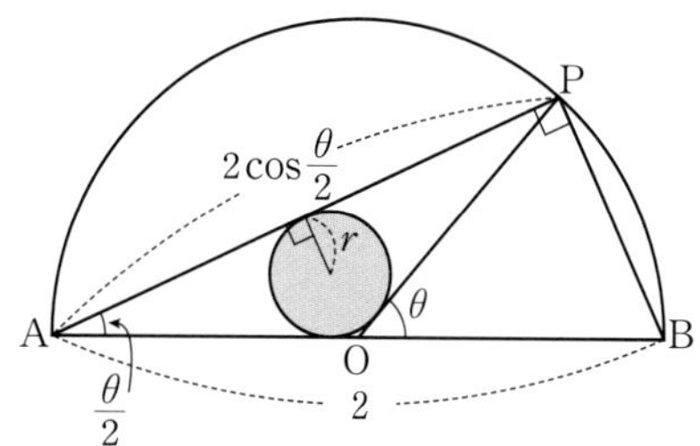

삼각형 OPA에 내접하는 원의 반지름의 길이를 r이라 하면

$\triangle AOP=\frac{1}{2}\times\overline{OA}\times\overline{OP}\times\sin(\angle AOP)$

$=\frac{1}{2}r(\overline{OA}+\overline{OP}+\overline{AP})$

즉 $\overline{OA}=\overline{OP}=1$, $\angle AOP=\pi-\theta$이므로

$\frac{1}{2}\times1\times1\times\sin(\pi-\theta)=\frac{1}{2}r\left(1+1+2\cos\frac{\theta}{2}\right)$

$\sin(\pi-\theta)=r\left(1+1+2\cos\frac{\theta}{2}\right)$

$\therefore r=\frac{\sin\theta}{2+2\cos\frac{\theta}{2}}$

이때 $f(\theta)=\pi r^2=\frac{\pi\sin^2\theta}{\left(2+2\cos\frac{\theta}{2}\right)^2}$

STEP B $\lim_{\theta\to0+}\frac{f(\theta)}{\theta^2}$의 값 구하기

따라서 $\lim_{\theta\to0+}\frac{f(\theta)}{\theta^2}=\lim_{\theta\to0+}\frac{\pi\sin^2\theta}{\theta^2\left(2+2\cos\frac{\theta}{2}\right)^2}$

$=\lim_{\theta\to0+}\frac{\sin^2\theta}{\theta^2}\times\lim_{\theta\to0+}\frac{\pi}{\left(2+2\cos\frac{\theta}{2}\right)^2}$

$=1^2\times\frac{\pi}{(2+2)^2}$

$=\frac{\pi}{16}$

다른풀이 내접원의 반지름 $\overline{QR}$을 구하여 풀이하기

삼각형 PAO에 내접하는 원의 중심을 Q라 하고

원 Q와 변 AP의 접점을 R이라 하면 $\overline{OR}\perp\overline{AP}$, $\overline{QR}\perp\overline{AP}$

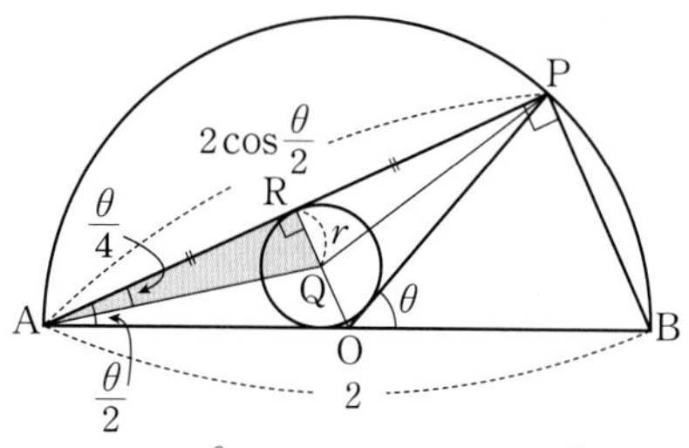

삼각형 AOR에서 $\angle RAO=\frac{\theta}{2}$이므로 $\overline{AR}=\overline{OA}\cos\frac{\theta}{2}=\cos\frac{\theta}{2}$

삼각형 AQR에서 $\angle RAQ=\frac{\theta}{4}$이므로 $\overline{QR}=\overline{AR}\tan\frac{\theta}{4}=\cos\frac{\theta}{2}\tan\frac{\theta}{4}$

그러므로 $f(\theta)=\pi\overline{QR}^2=\pi\cos^2\frac{\theta}{2}\tan^2\frac{\theta}{4}$

$\therefore \lim_{\theta\to0+}\frac{f(\theta)}{\theta^2}=\lim_{\theta\to0+}\frac{\pi\cos^2\frac{\theta}{2}\tan^2\frac{\theta}{4}}{\theta^2}=\lim_{\theta\to0+}\frac{\pi\cos^2\frac{\theta}{2}\tan^2\frac{\theta}{4}}{\left(\frac{\theta}{4}\right)^2\cdot16}$

$=\frac{\pi}{16}\lim_{\theta\to0+}\frac{\tan^2\frac{\theta}{4}}{\left(\frac{\theta}{4}\right)^2}\lim_{\theta\to0+}\cos^2\frac{\theta}{2}=\frac{\pi}{16}\cdot1^2\cdot1^2=\frac{\pi}{16}$

(2) 다음 그림과 같이 반지름의 길이가 1인 원에 외접하고 $\angle CAB=\angle BCA=\theta$인 이등변삼각형 ABC가 있다. 선분 AB의 연장선 위에 점 A가 아닌 점 D를 $\angle DCB=\theta$가 되도록 잡는다. 삼각형 BDC의 넓이를 $S(\theta)$라 할 때, $\lim_{\theta\to0+}\{\theta\times S(\theta)\}$의 값은? (단, $0<\theta<\frac{\pi}{4}$)

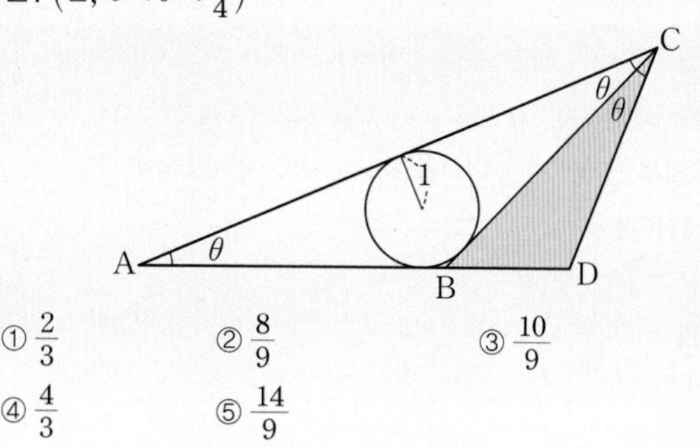

① $\frac{2}{3}$ ② $\frac{8}{9}$ ③ $\frac{10}{9}$
④ $\frac{4}{3}$ ⑤ $\frac{14}{9}$

STEP A $\overline{BC}$, $\overline{CD}$를 θ로 나타내기

내접원의 중심을 O, 선분 BO의 연장선이 선분 AC와 만나는 점을 M, 점 C에서 선분 AD의 연장선에 내린 수선의 발을 H라고 하자.
이등변 삼각형 ABC에서 선분 AC가 내접원과 접하므로
점 B에서 선분 AC에 내린 수선은 점 M과 만나므로 $\overline{AC}\perp\overline{BM}$

$\angle OAM=\frac{\theta}{2}$이므로 $\overline{OM}=\overline{AM}\cdot\tan\frac{\theta}{2}$에서 $\overline{AM}=\frac{1}{\tan\frac{\theta}{2}}$

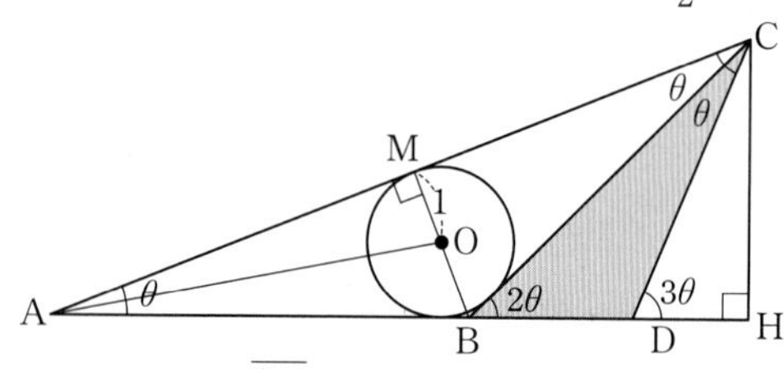

삼각형 ABM에서 $\overline{AB}=\frac{\overline{AM}}{\cos\theta}$이고 $\overline{AB}=\overline{BC}$이므로

$\overline{BC}=\frac{\overline{AM}}{\cos\theta}=\frac{1}{\cos\theta\tan\frac{\theta}{2}}$

$\triangle BCD$에서 $\angle CBD=2\theta$이므로 $\overline{CH}=\overline{BC}\sin2\theta=\frac{\sin2\theta}{\cos\theta\tan\frac{\theta}{2}}$

$\triangle CDH$에서 $\angle ADC=\pi-3\theta$이므로 $\angle CDH=3\theta$

$\overline{CD}=\frac{\overline{CH}}{\sin3\theta}=\frac{\sin2\theta}{\sin3\theta\cos\theta\tan\frac{\theta}{2}}$

STEP **B** $S(\theta)$의 값 구하기

$$S(\theta)=\frac{1}{2}\times\overline{BC}\times\overline{CD}\times\sin\theta$$
$$=\frac{1}{2}\cdot\frac{1}{\cos\theta\cdot\tan\frac{\theta}{2}}\cdot\frac{\sin 2\theta}{\sin 3\theta\cos\theta\tan\frac{\theta}{2}}\cdot\sin\theta$$
$$=\frac{\sin^2\theta}{\tan^2\frac{\theta}{2}\sin 3\theta\cos\theta}$$

STEP **C** $\lim_{\theta\to0+}\{\theta\times S(\theta)\}$의 값 구하기

$$\therefore \lim_{\theta\to0+}\{\theta\times S(\theta)\}=\lim_{\theta\to0+}\frac{\theta\sin^2\theta}{\tan^2\frac{\theta}{2}\sin 3\theta\cos\theta}$$
$$=\lim_{\theta\to0+}\left\{\left(\frac{\sin\theta}{\theta}\right)^2\cdot\left(\frac{\frac{\theta}{2}}{\tan\frac{\theta}{2}}\right)^2\cdot\frac{3\theta}{\sin 3\theta}\cdot\frac{1}{\cos\theta}\cdot\frac{4}{3}\right\}$$
$$=1^2\cdot1^2\cdot1\cdot1\cdot\frac{4}{3}=\frac{4}{3}$$

다른풀이 내접원의 반지름과 삼각형의 넓이에 대한 관계를 이용하여 풀이하기

STEP **A** 선분 BC, CD의 길이를 θ로 나타내기

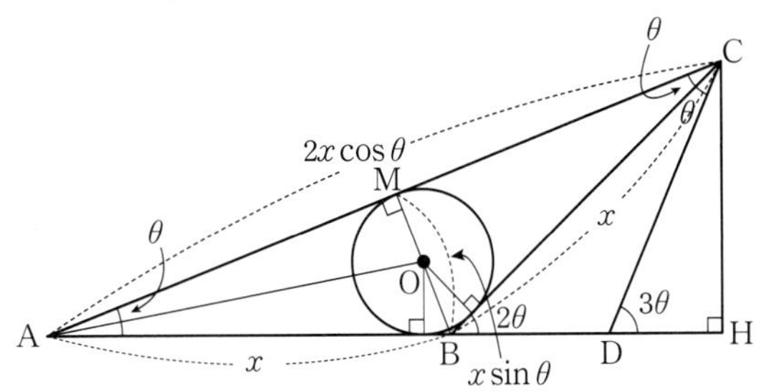

이때 $\overline{AB}=x$라 하면

$\overline{BC}=x$, $\overline{AC}=2\overline{AM}=2x\cos\theta$, $\overline{BM}=x\sin\theta$이고

삼각형 ABC에 내접하는 원의 반지름의 길이가 1이므로

$\triangle ABC=\frac{1}{2}\times\overline{AC}\times\overline{BM}=\frac{1}{2}\times1\times(\overline{AB}+\overline{BC}+\overline{AC})$에서

$\triangle ABC=\frac{1}{2}\cdot2x\cos\theta\cdot x\sin\theta=\frac{1}{2}\cdot1\cdot(x+x+2x\cos\theta)$

$x^2\sin\theta\cos\theta=x(1+\cos\theta)$

$\therefore x=\frac{2(1+\cos\theta)}{\sin 2\theta}$ ($\because x>0$, $\sin 2\theta=2\sin\theta\cos\theta$)

$\angle CBH=\theta+\theta=2\theta$이므로

$\overline{CH}=x\sin 2\theta=\frac{2(1+\cos\theta)}{\sin 2\theta}\cdot\sin 2\theta=2(1+\cos\theta)$

$\angle CDH=\theta+2\theta=3\theta$이므로 $\overline{CD}=\frac{\overline{CH}}{\sin 3\theta}=\frac{2(1+\cos\theta)}{\sin 3\theta}$

STEP **B** $S(\theta)$ 구하기

$$S(\theta)=\frac{1}{2}\times\overline{BC}\times\overline{CD}\times\sin\theta$$
$$=\frac{1}{2}\times\frac{2(1+\cos\theta)}{\sin 2\theta}\times\frac{2(1+\cos\theta)}{\sin 3\theta}\times\sin\theta$$
$$=\frac{(1+\cos\theta)^2}{\cos\theta\sin 3\theta}$$

STEP **C** $\lim_{\theta\to0+}\{\theta\times S(\theta)\}$의 값 구하기

따라서 $\lim_{\theta\to0+}\{\theta\cdot S(\theta)\}=\lim_{\theta\to0+}\left\{\frac{(1+\cos\theta)^2}{\cos\theta}\cdot\frac{3\theta}{\sin 3\theta}\cdot\frac{1}{3}\right\}$

$$=\frac{2^2}{1}\cdot1\cdot\frac{1}{3}=\frac{4}{3}$$

0344

다음 물음에 답하여라.

(1) 중심이 O이고, 두 점 A, B를 지름의 양 끝으로 하며 반지름의 길이가 1인 원 C가 있다. 그림과 같이 원 C 위의 점 P에 대하여 점 O를 지나고 직선 AP와 평행한 직선이 선분 PB와 만나는 점을 Q, 호 PB와 만나는 점을 R이라 하자. $\angle PAB=\theta\left(0<\theta<\frac{\pi}{2}\right)$라 하고, 점 Q와 점 R을 지름의 양 끝으로 하는 원의 넓이를 $S(\theta)$라 할 때, $\lim_{\theta\to0+}\frac{S(\theta)}{\theta^4}=\frac{q}{p}\pi$이다. $p+q$의 값을 구하여라.

(단, $\overline{QR}<1$이고, p와 q는 서로소인 정수이다.)

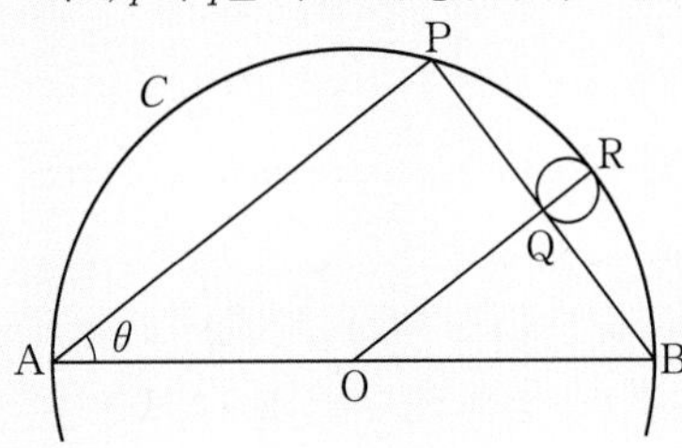

STEP **A** 지름 QR의 길이 구하여 $S(\theta)$를 θ에 대한 식으로 나타내기

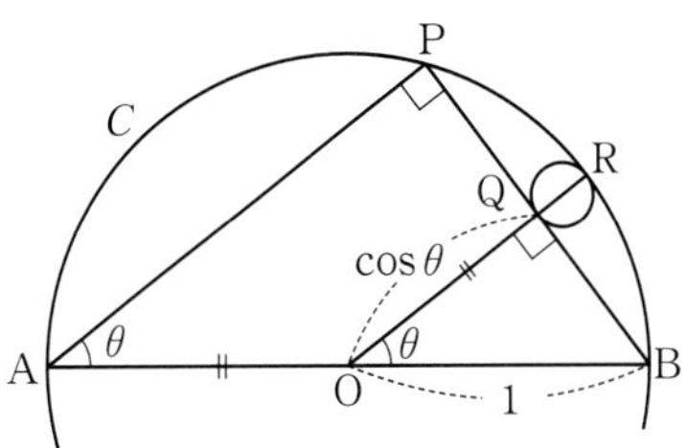

$\overline{AP}\,/\!/\,\overline{OQ}$이므로 $\angle QOB=\angle PAB=\theta$

$\triangle OQB$가 직각삼각형에서 $\overline{OB}=1$이므로 $\overline{OQ}=\overline{OB}\cos\theta=\cos\theta$

$\overline{QR}=\overline{OR}-\overline{OQ}=1-\cos\theta$이므로 $S(\theta)=\pi\left(\frac{\overline{QR}}{2}\right)^2=\pi\left(\frac{1-\cos\theta}{2}\right)^2$

STEP **B** $\lim_{\theta\to0+}\frac{S(\theta)}{\theta^4}$의 값 구하기

$$\therefore \lim_{\theta\to0+}\frac{S(\theta)}{\theta^4}=\frac{\pi}{4}\lim_{\theta\to0+}\frac{(1-\cos\theta)^2}{\theta^4}$$
$$=\frac{\pi}{4}\lim_{\theta\to0+}\frac{(1-\cos\theta)^2(1+\cos\theta)^2}{\theta^4(1+\cos\theta)^2}$$
$$=\frac{\pi}{4}\lim_{\theta\to0+}\frac{(1-\cos^2\theta)^2}{\theta^4(1+\cos\theta)^2}$$
$$=\frac{\pi}{4}\lim_{\theta\to0+}\frac{\sin^4\theta}{\theta^4}\times\lim_{\theta\to0+}\frac{1}{(1+\cos\theta)^2}$$
$$=\frac{\pi}{4}\times1\times\frac{1}{4}=\frac{1}{16}\pi$$

따라서 $p=16$, $q=1$이므로 $p+q=17$

(2) 다음 그림과 같이 원에 내접하고 한 변의 길이가 $2\sqrt{3}$인 정삼각형 ABC가 있다. 점 B를 포함하지 않는 호 AC 위의 점 P에 대하여 $\angle PBC=\theta$라 하고, 선분 PC를 한 변으로 하는 정삼각형에 내접하는 원의 넓이를 $S(\theta)$라 하자. $\lim_{\theta\to0+}\frac{S(\theta)}{\theta^2}=a\pi$일 때, $60a$의 값을 구하여라.

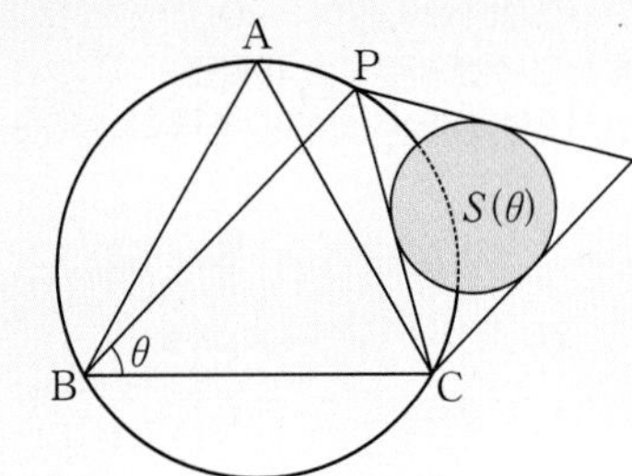

02 삼각함수의 미분

STEP A 정삼각형의 한 변의 길이 PC를 θ로 나타내기

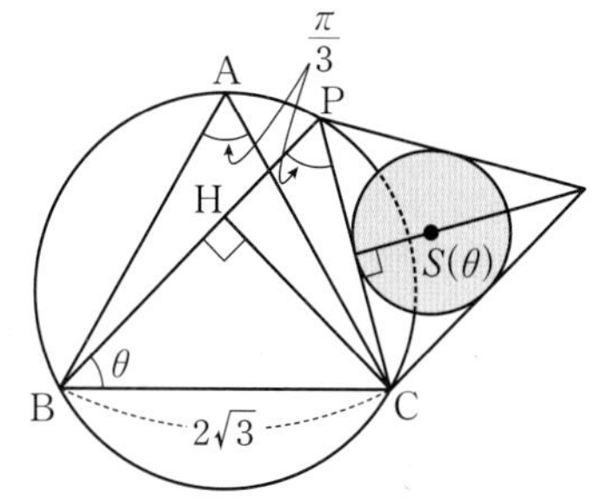

정삼각형 ABC에서 원주각의 성질에 의하여

$\angle BPC = \angle BAC = \frac{\pi}{3}$

$\overline{BC}=2\sqrt{3}$이므로 삼각형 PBC의 꼭짓점 C에서 선분 BP에 내린 수선의 발을 H라 하면 직각삼각형 HBC에서 $\overline{CH}=\overline{BC}\sin\theta=2\sqrt{3}\sin\theta$

또한, 직각삼각형 HCP에서 $\overline{PC}=\dfrac{\overline{CH}}{\sin\frac{\pi}{3}}=\dfrac{2\sqrt{3}\sin\theta}{\frac{\sqrt{3}}{2}}=4\sin\theta$

선분 PC를 한 변으로 하는 정삼각형의 넓이를 T라 하면

$T=\frac{\sqrt{3}}{4}\cdot\overline{PC}^2=\frac{\sqrt{3}}{4}\cdot(4\sin\theta)^2=4\sqrt{3}\sin^2\theta$

이때 선분 PC를 한 변으로 하는 정삼각형에 내접하는 원의 반지름의 길이를 r이라 하면

$T=3\left(\frac{1}{2}\cdot\overline{PC}\cdot r\right)=3\left(\frac{1}{2}\cdot 4\sin\theta\cdot r\right)=6r\sin\theta$

즉 $T=4\sqrt{3}\sin^2\theta=6r\sin\theta$이므로

$r=\frac{2\sqrt{3}}{3}\sin\theta\,(\because \sin\theta>0)$

$S(\theta)=\pi\cdot\left(\frac{2\sqrt{3}}{3}\sin\theta\right)^2=\frac{4}{3}\pi\sin^2\theta$

STEP B $\lim\limits_{\theta\to0+}\dfrac{S(\theta)}{\theta^2}$의 값 구하기

$$\lim_{\theta\to0+}\frac{S(\theta)}{\theta^2}=\lim_{\theta\to0+}\frac{\frac{4}{3}\pi\sin^2\theta}{\theta^2}=\lim_{\theta\to0+}\left(\frac{4}{3}\pi\cdot\frac{\sin^2\theta}{\theta^2}\right)=\frac{4}{3}\pi\cdot1^2=\frac{4}{3}\pi$$

따라서 $a=\frac{4}{3}$이므로 $60a=60\cdot\frac{4}{3}=80$

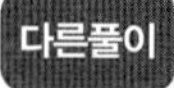

내접원의 반지름과 삼각형의 넓이에 대한 관계를 이용하여 내접원의 반지름의 길이를 풀이하기

STEP A 정삼각형의 한 변의 길이 PC를 이용하여 원의 반지름 구하기

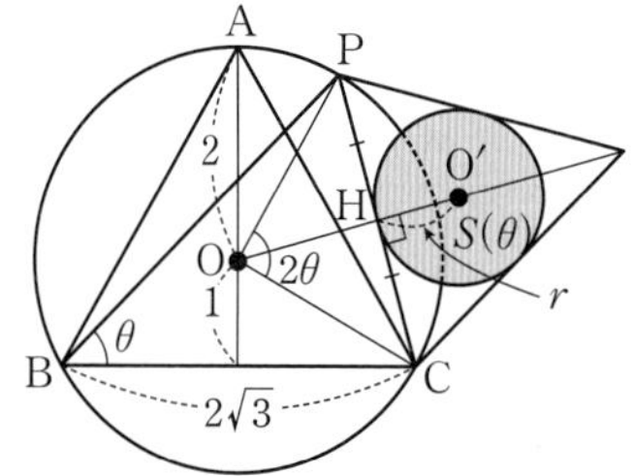

삼각형 ABC의 외접원의 중심을 O라 하면

원주각과 중심각의 크기의 관계에 의하여 $\angle POC=2\angle PBC=2\theta$

점 O에서 선분 PC에 내린 수선의 발을 H라 하면

이등변삼각형 POC에서 선분 OH는 선분 PC를 수직이등분하므로

$\angle POH=\theta$

한편 정삼각형 ABC의 한 변의 길이가 $2\sqrt{3}$이므로 높이는 $2\sqrt{3}\cdot\frac{\sqrt{3}}{2}=3$이고

정삼각형 ABC의 외접원의 중심이 무게중심이므로

삼각형 ABC의 외접원의 반지름의 길이는 $\overline{OA}=3\cdot\frac{2}{3}=2$

즉 $\overline{OP}=\overline{OA}=2$

이때 직각삼각형 POH에서 $\overline{PH}=\overline{OP}\sin\theta=2\sin\theta$이므로

$\overline{PC}=2\overline{PH}=4\sin\theta$

선분 PC를 한 변으로 하는 정삼각형은

높이가 $\frac{\sqrt{3}}{2}\cdot\overline{PC}=\frac{\sqrt{3}}{2}\cdot4\sin\theta=2\sqrt{3}\sin\theta$이고

내접원의 중심 O′이 정삼각형의 무게중심이므로

정삼각형에 내접하는 원의 반지름의 길이를 r이라 하면

$r=\frac{1}{3}\cdot2\sqrt{3}\sin\theta=\frac{2\sqrt{3}}{3}\sin\theta$

$S(\theta)=\pi\cdot\left(\frac{2\sqrt{3}}{3}\sin\theta\right)^2=\frac{4}{3}\pi\sin^2\theta$

STEP B $\lim\limits_{\theta\to0+}\dfrac{S(\theta)}{\theta^2}$의 값 구하기

$$\lim_{\theta\to0+}\frac{S(\theta)}{\theta^2}=\lim_{\theta\to0+}\frac{\frac{4}{3}\pi\sin^2\theta}{\theta^2}=\lim_{\theta\to0+}\left(\frac{4}{3}\pi\cdot\frac{\sin^2\theta}{\theta^2}\right)=\frac{4}{3}\pi\cdot1^2=\frac{4}{3}\pi$$

따라서 $a=\frac{4}{3}$이므로 $60a=60\cdot\frac{4}{3}=80$

0345

다음 그림과 같이 반지름의 길이가 1이고 중심각의 크기가 $\frac{\pi}{2}$인 부채꼴 OAB가 있다. 호 AB 위의 점 P에서 선분 OB에 내린 수선의 발을 Q라 하고 $\angle POA=\theta$라 하자. 부채꼴 OAP의 넓이를 $f(\theta)$, 삼각형 OPQ에 내접하는 원의 넓이를 $g(\theta)$라 할 때, $\lim\limits_{\theta\to0+}\dfrac{g(\theta)}{\theta\cdot f(\theta)}$의 값을 구하여라.

$\left(단,\ 0<\theta<\frac{\pi}{2}\right)$

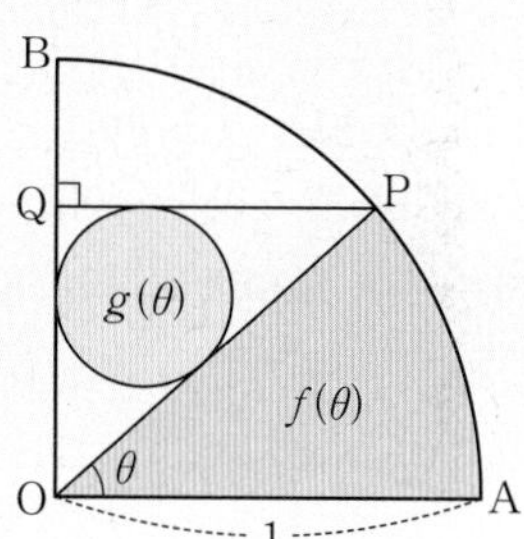

STEP A 부채꼴 OAP의 넓이 $f(\theta)$를 각각 θ에 대한 삼각함수로 나타내기

부채꼴 OAP의 넓이 $f(\theta)=\frac{1}{2}\cdot1^2\cdot\theta=\frac{1}{2}\theta$

STEP B 삼각형 OPQ에 내접하는 원의 넓이 $g(\theta)$를 θ에 대한 삼각함수로 나타내기

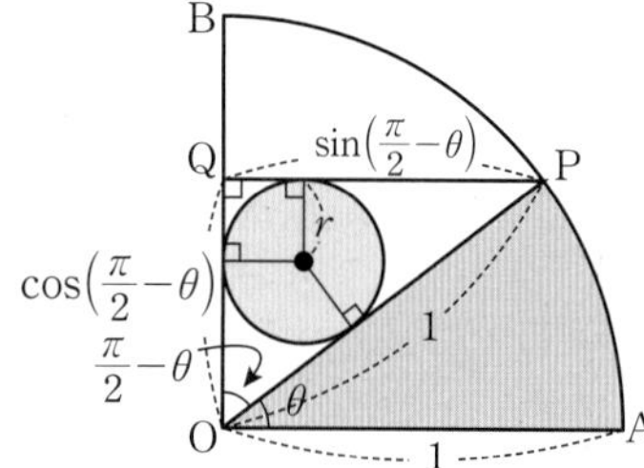

삼각형 OPQ에 내접하는 원의 반지름의 길이를 r이라 하면

직각삼각형 OQP에서

$\overline{OP}=1,\ \overline{OQ}=1\cdot\cos\left(\frac{\pi}{2}-\theta\right)=\sin\theta$

$\overline{QP}=1\cdot\sin\left(\frac{\pi}{2}-\theta\right)=\cos\theta$이므로 삼각형 OPQ의 넓이는

$\frac{1}{2}\times\overline{OQ}\times\overline{PQ}=\frac{1}{2}\times r\times(\overline{OQ}+\overline{QP}+\overline{OP})$

$\frac{1}{2}\times\sin\theta\times\cos\theta=\frac{1}{2}\times(\sin\theta+\cos\theta+1)\times r$

$\therefore r=\dfrac{\sin\theta\cos\theta}{\sin\theta+\cos\theta+1}$

STEP C 삼각함수의 극한을 이용하여 극한값 계산하기

삼각형 OPQ에 내접하는 원의 넓이 $g(\theta)=\frac{\sin^2\theta\cos^2\theta}{(\sin\theta+\cos\theta+1)^2}\pi$

따라서 $\lim_{\theta\to0+}\frac{g(\theta)}{\theta\cdot f(\theta)}=\lim_{\theta\to0+}\frac{2\pi\sin^2\theta\cos^2\theta}{\theta^2(\sin\theta+\cos\theta+1)^2}$

$=\lim_{\theta\to0+}\left\{2\pi\cdot\left(\frac{\sin\theta}{\theta}\right)^2\cdot\frac{\cos^2\theta}{(\sin\theta+\cos\theta+1)^2}\right\}$

$=2\pi\cdot1^2\cdot\frac{1}{4}=\frac{\pi}{2}$

0346

다음 물음에 답하여라.

(1) 다음 그림과 같이 지름의 길이가 2이고, 두 점 A, B를 지름의 양 끝점으로 하는 반원 위에 점 C가 있다. 삼각형 ABC의 내접원의 중심을 O, 중심 O에서 선분 AB와 선분 BC에 내린 수선의 발을 각각 D, E라 하자. $\angle ABC=\theta$이고, 호 AC의 길이를 l_1, 호 DE의 길이를 l_2라 할 때, $\lim_{\theta\to0}\frac{l_1}{l_2}$의 값을 구하여라. $\left(단,\ 0<\theta<\frac{\pi}{2}\right)$

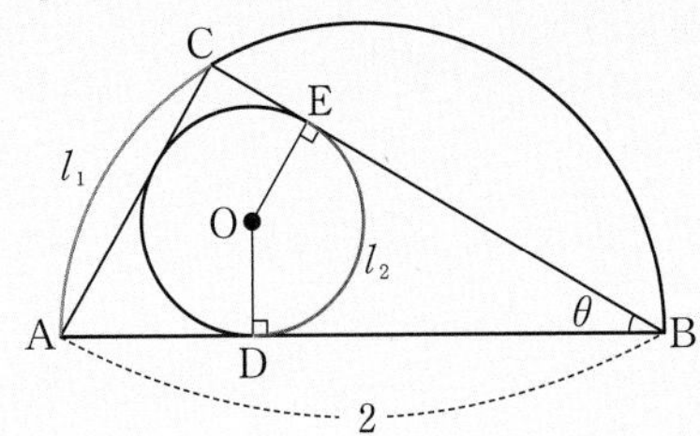

STEP A l_1, l_2를 θ로 나타내기

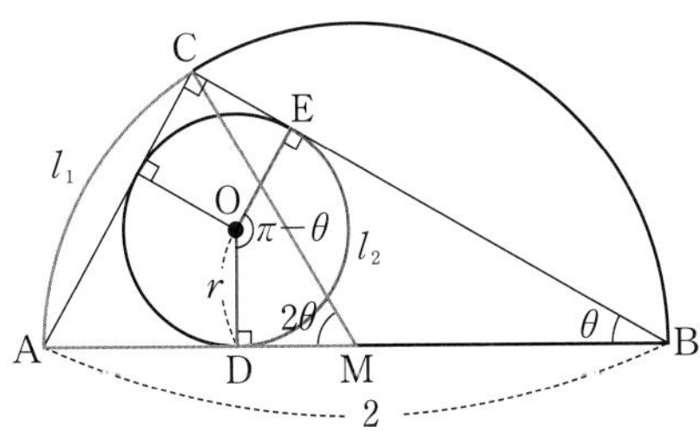

그림과 같이 $\overline{AB}$의 중점을 M이라 하면 점 M은 반원의 중심이므로

$\angle AMC=2\theta$

$\therefore\ l_1=1\cdot2\theta=2\theta$

직각삼각형 ABC에서 $\overline{AC}=2\sin\theta$, $\overline{BC}=2\cos\theta$이므로

삼각형 ABC 내접원의 반지름의 길이를 r이라 하면

$\triangle ABC$의 넓이에서

$\frac{1}{2}\overline{AC}\cdot\overline{BC}=\frac{1}{2}r(\overline{AB}+\overline{BC}+\overline{CA})$

$\frac{1}{2}\cdot2\sin\theta\cdot2\cos\theta=\frac{1}{2}r(2+2\cos\theta+2\sin\theta)$

$\therefore\ 2\sin\theta\cos\theta=r(1+\sin\theta+\cos\theta)$

$\therefore\ r=\frac{2\sin\theta\cos\theta}{1+\sin\theta+\cos\theta}$

이때 사각형 ODBE에서 $\angle DOE=\pi-\theta$이므로

$l_2=r(\pi-\theta)=\frac{2\sin\theta\cos\theta(\pi-\theta)}{1+\sin\theta+\cos\theta}$

내접원의 반지름의 길이와 삼각형의 넓이 $\triangle ABC=\frac{1}{2}r(a+b+c)$

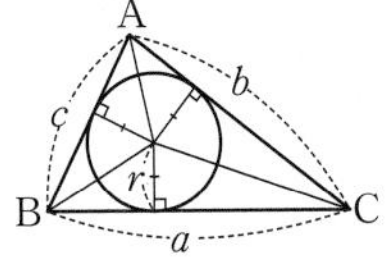

STEP B $\lim_{\theta\to0}\frac{l_1}{l_2}$의 값 구하기

따라서 $\lim_{\theta\to0}\frac{l_1}{l_2}=\lim_{\theta\to0}\frac{2\theta}{\frac{2\sin\theta\cos\theta\cdot(\pi-\theta)}{1+\sin\theta+\cos\theta}}$

$=\lim_{\theta\to0}\frac{2\theta(1+\sin\theta+\cos\theta)}{2\sin\theta\cos\theta(\pi-\theta)}$

$=\lim_{\theta\to0}\frac{\theta}{\sin\theta}\cdot\lim_{\theta\to0}\frac{1+\sin\theta+\cos\theta}{\cos\theta(\pi-\theta)}$

$=1\cdot\frac{1+0+1}{1\cdot\pi}=\frac{2}{\pi}$

다른풀이 $\overline{AC}+\overline{BC}$의 길이를 구하여 풀이하기

호 AC의 중심각의 크기는 2θ이므로 $l_1=1\times2\theta=2\theta$

내접원과 선분 AC의 접점을 F라 하면

$\overline{AF}+\overline{BE}=\overline{AD}+\overline{DB}=\overline{AB}=2$이고 $\overline{CE}+\overline{CF}=r+r=2r$이므로

$\overline{AC}+\overline{BC}=2+2r$ …… ㉠

그런데 직각삼각형 ABC에서

$\overline{AB}=2$, $\overline{AC}=2\sin\theta$, $\overline{BC}=2\cos\theta$이므로

$\overline{AC}+\overline{BC}=2\sin\theta+2\cos\theta$ …… ㉡

㉠, ㉡에서 $2+2r=2\sin\theta+2\cos\theta$

$\therefore\ r=\sin\theta+\cos\theta-1$

한편 사각형 ODBE에서 $\angle DOE=\pi-\theta$이므로

$l_2=r(\pi-\theta)=(\sin\theta+\cos\theta-1)(\pi-\theta)$

따라서 $\lim_{\theta\to0}\frac{l_1}{l_2}=\lim_{\theta\to0}\frac{2\theta}{(\sin\theta+\cos\theta-1)(\pi-\theta)}$

$=\lim_{\theta\to0}\frac{2\theta(\sin\theta+\cos\theta+1)}{\{(\sin\theta+\cos\theta)^2-1\}(\pi-\theta)}$

$=\lim_{\theta\to0}\frac{2\theta(\sin\theta+\cos\theta+1)}{2\sin\theta\cos\theta(\pi-\theta)}=\frac{2}{\pi}$

(2) 자연수 n에 대하여 중심이 원점 O이고 점 $P(2^n,\ 0)$을 지나는 원 C가 있다. 원 C 위에 점 Q를 호 PQ의 길이가 π가 되도록 잡는다. 점 Q에서 x축에 내린 수선의 발을 H라 할 때, $\lim_{n\to\infty}(\overline{OQ}\times\overline{HP})$의 값은?

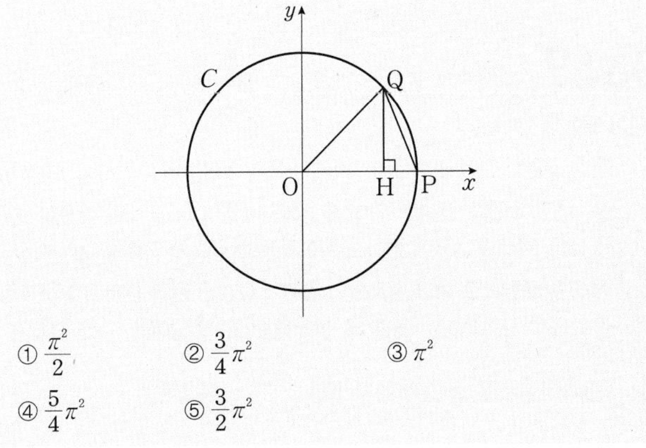

① $\frac{\pi^2}{2}$　② $\frac{3}{4}\pi^2$　③ π^2

④ $\frac{5}{4}\pi^2$　⑤ $\frac{3}{2}\pi^2$

STEP A 부채꼴의 중심각의 크기 구하기

반지름의 길이가 $\overline{OP}=2^n$인 원 C 위의 점 Q에 대하여 $\angle POQ=\theta$라 하면

(호 PQ의 길이)$=\overline{OP}\times\theta$이므로 $\pi=2^n\times\theta$　$\therefore\ \theta=\frac{\pi}{2^n}$

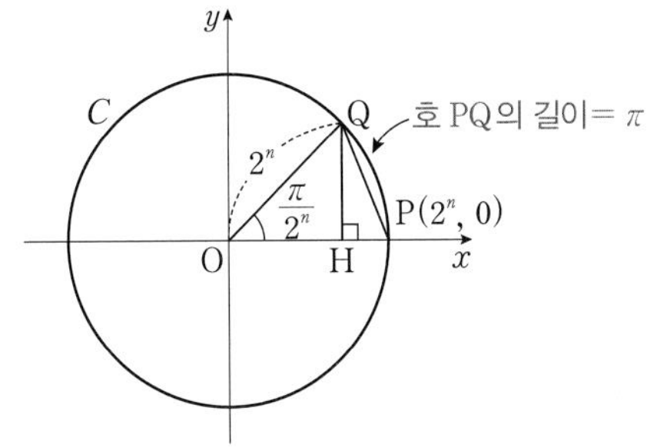

STEP B 주어진 식의 분자, 분모에 $1+\cos\frac{\pi}{2^n}$를 각각 곱한 후 $\lim_{x\to0}\frac{\sin x}{x}=1$임을 이용하여 구하기

$\overline{OQ}=\overline{OP}=2^n$이고

$$\overline{HP}=\overline{OP}-\overline{OH}=2^n-2^n\cos\frac{\pi}{2^n}=2^n\left(1-\cos\frac{\pi}{2^n}\right)$$

$$\begin{aligned}\lim_{n\to\infty}(\overline{OQ}\times\overline{HP})&=\lim_{n\to\infty}2^n\cdot2^n\left(1-\cos\frac{\pi}{2^n}\right)\\&=\lim_{n\to\infty}2^{2n}\left(1-\cos\frac{\pi}{2^n}\right)\\&=\lim_{n\to\infty}\frac{2^{2n}\left(1-\cos\frac{\pi}{2^n}\right)\left(1+\cos\frac{\pi}{2^n}\right)}{\left(1+\cos\frac{\pi}{2^n}\right)}\\&=\lim_{n\to\infty}\frac{2^{2n}\cdot\sin^2\frac{\pi}{2^n}}{\left(1+\cos\frac{\pi}{2^n}\right)}\\&=\lim_{n\to\infty}\pi^2\frac{1}{\left(1+\cos\frac{\pi}{2^n}\right)}\cdot\left(\frac{\sin\frac{\pi}{2^n}}{\frac{\pi}{2^n}}\right)^2\\&=\pi^2\cdot\frac{1}{2}\cdot1^2=\frac{\pi^2}{2}\end{aligned}$$

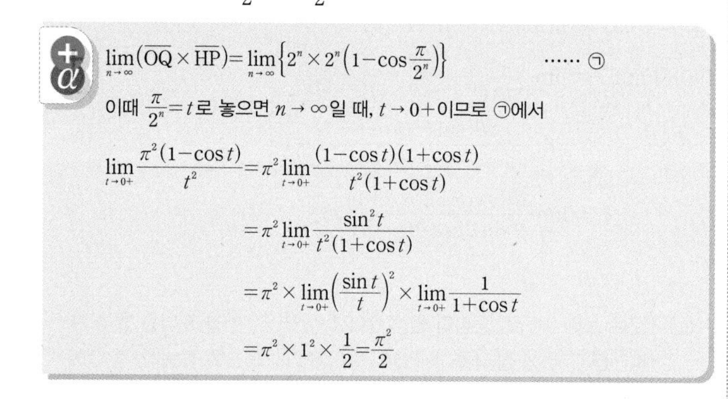

+α

$\lim_{n\to\infty}(\overline{OQ}\times\overline{HP})=\lim_{n\to\infty}\left\{2^n\times2^n\left(1-\cos\frac{\pi}{2^n}\right)\right\}$ …… ㉠

이때 $\frac{\pi}{2^n}=t$로 놓으면 $n\to\infty$일 때, $t\to0+$이므로 ㉠에서

$$\begin{aligned}\lim_{t\to0+}\frac{\pi^2(1-\cos t)}{t^2}&=\pi^2\lim_{t\to0+}\frac{(1-\cos t)(1+\cos t)}{t^2(1+\cos t)}\\&=\pi^2\lim_{t\to0+}\frac{\sin^2 t}{t^2(1+\cos t)}\\&=\pi^2\times\lim_{t\to0+}\left(\frac{\sin t}{t}\right)^2\times\lim_{t\to0+}\frac{1}{1+\cos t}\\&=\pi^2\times1^2\times\frac{1}{2}=\frac{\pi^2}{2}\end{aligned}$$

0347

다음 물음에 답하여라.

(1) 다음 그림과 같이 반지름의 길이가 1이고 중심각의 크기가 $\frac{\pi}{2}$인 부채꼴 OAB가 있다. 호 AB 위의 점 P에서 선분 OA에 내린 수선의 발을 H, 점 P에서 호 AB에 접하는 직선과 직선 OA의 교점을 Q라 하자. 점 Q를 중심으로 하고 반지름의 길이가 $\overline{QA}$인 원과 선분 PQ의 교점을 R라 하자. $\angle POA=\theta$일 때, 삼각형 OHP의 넓이를 $f(\theta)$, 부채꼴 QRA의 넓이를 $g(\theta)$라 하자. $\lim_{\theta\to0+}\frac{\sqrt{g(\theta)}}{\theta\times f(\theta)}$의 값은?

$\left(단,\ 0<\theta<\frac{\pi}{2}\right)$

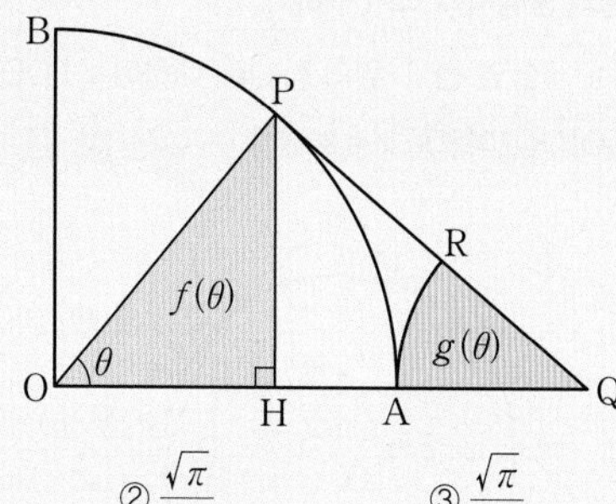

① $\frac{\sqrt{\pi}}{5}$ ② $\frac{\sqrt{\pi}}{4}$ ③ $\frac{\sqrt{\pi}}{3}$
④ $\frac{\sqrt{\pi}}{2}$ ⑤ $\sqrt{\pi}$

STEP A 도형의 성질을 활용하여 삼각형 OHP의 넓이 $f(\theta)$ 구하기

삼각형 OHP에서 $\overline{OP}=1$, $\angle POH=\theta$이므로

$\overline{PH}=\sin\theta$, $\overline{OH}=\cos\theta$

즉 $f(\theta)=\frac{1}{2}\sin\theta\cos\theta$

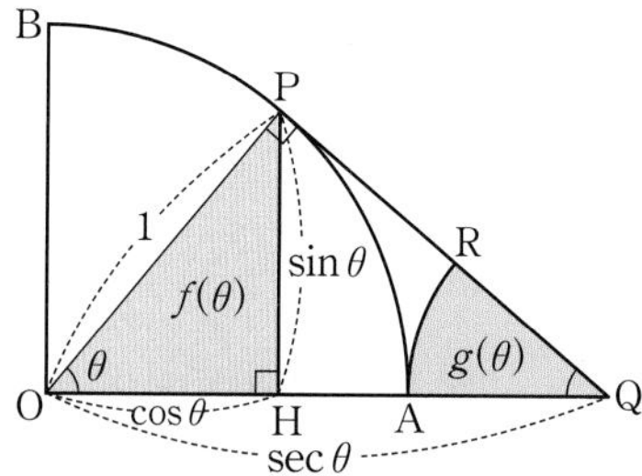

STEP B 부채꼴 QRA의 넓이 $g(\theta)$ 구하기

한편 $\angle OPQ=\frac{\pi}{2}$, $\overline{OQ}=\sec\theta$이므로

$\angle OQP=\frac{\pi}{2}-\theta$, $\overline{AQ}=\overline{OQ}-\overline{OA}=\sec\theta-1$

즉 $g(\theta)=\frac{1}{2}(\sec\theta-1)^2\left(\frac{\pi}{2}-\theta\right)$

STEP C $\lim_{\theta\to0+}\frac{\sqrt{g(\theta)}}{\theta\times f(\theta)}$의 값 구하기

따라서

$$\begin{aligned}\lim_{\theta\to0+}\frac{\sqrt{g(\theta)}}{\theta\times f(\theta)}&=\lim_{\theta\to0+}\frac{\sqrt{\frac{1}{2}(\sec\theta-1)^2\left(\frac{\pi}{2}-\theta\right)}}{\theta\times\frac{1}{2}\sin\theta\cos\theta}\\&=\lim_{\theta\to0+}\frac{(\sec\theta-1)\sqrt{\frac{\pi}{4}-\frac{\theta}{2}}}{\frac{1}{2}\theta\sin\theta\cos\theta}\quad\Leftarrow\sec\theta=\frac{1}{\cos\theta}\\&=\lim_{\theta\to0+}\frac{1-\cos\theta}{\theta^2}\times\frac{\theta}{\sin\theta}\times\frac{\sqrt{\frac{\pi}{4}-\frac{\theta}{2}}}{\frac{1}{2}\cos^2\theta}\quad\Leftarrow\lim_{\theta\to0+}\frac{1-\cos\theta}{\theta^2}=\frac{1}{2}\\&=\frac{1}{2}\times1\times\frac{\sqrt{\frac{\pi}{4}}}{\frac{1}{2}}=\frac{\sqrt{\pi}}{2}\end{aligned}$$

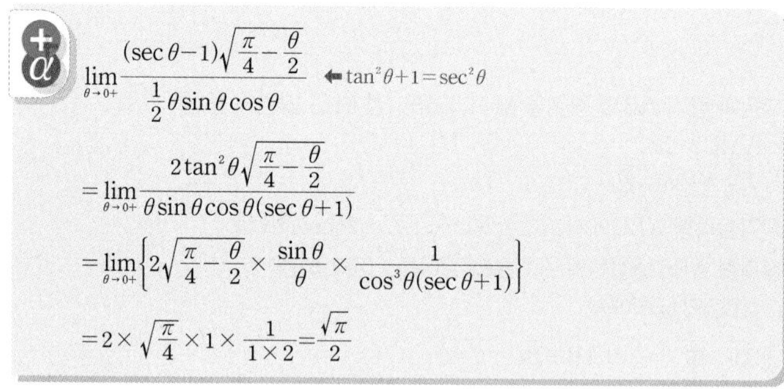

+α

$$\begin{aligned}\lim_{\theta\to0+}\frac{(\sec\theta-1)\sqrt{\frac{\pi}{4}-\frac{\theta}{2}}}{\frac{1}{2}\theta\sin\theta\cos\theta}&\quad\Leftarrow\tan^2\theta+1=\sec^2\theta\\&=\lim_{\theta\to0+}\frac{2\tan^2\theta\sqrt{\frac{\pi}{4}-\frac{\theta}{2}}}{\theta\sin\theta\cos\theta(\sec\theta+1)}\\&=\lim_{\theta\to0+}\left\{2\sqrt{\frac{\pi}{4}-\frac{\theta}{2}}\times\frac{\sin\theta}{\theta}\times\frac{1}{\cos^3\theta(\sec\theta+1)}\right\}\\&=2\times\sqrt{\frac{\pi}{4}}\times1\times\frac{1}{1\times2}=\frac{\sqrt{\pi}}{2}\end{aligned}$$

(2) 다음 그림과 같이 $\overline{AB}=1$, $\angle B=\frac{\pi}{2}$인 직각삼각형 ABC에서 $\angle C$를 이등분하는 직선과 선분 AB의 교점을 D, 중심이 A이고 반지름의 길이가 $\overline{AD}$인 원과 선분 AC의 교점을 E라 하자. $\angle A=\theta$일 때, 부채꼴 ADE의 넓이를 $S(\theta)$, 삼각형 BCE의 넓이를 $T(\theta)$라 하자. $\lim_{\theta\to0+}\frac{\{S(\theta)\}^2}{T(\theta)}$의 값은?

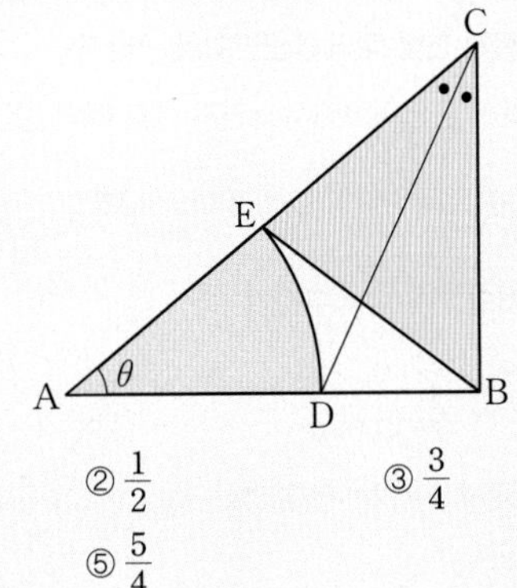

① $\frac{1}{4}$ ② $\frac{1}{2}$ ③ $\frac{3}{4}$
④ 1 ⑤ $\frac{5}{4}$

STEP A θ로 부채꼴 ADE의 넓이와 삼각형 BCE의 넓이를 표현하기

직각삼각형 ABC에서 $\overline{AB}=1$, $\angle CAB=\theta$이므로

$\overline{AC}=\frac{1}{\cos\theta}=\sec\theta$, $\overline{BC}=\tan\theta$

이때 직선 CD가 $\angle ACB$를 이등분하므로 $\overline{AD}:\overline{BD}=\overline{AC}:\overline{BC}$

즉 $\overline{AD}=1\times\frac{\sec\theta}{\sec\theta+\tan\theta}=\frac{1}{1+\sin\theta}$이므로

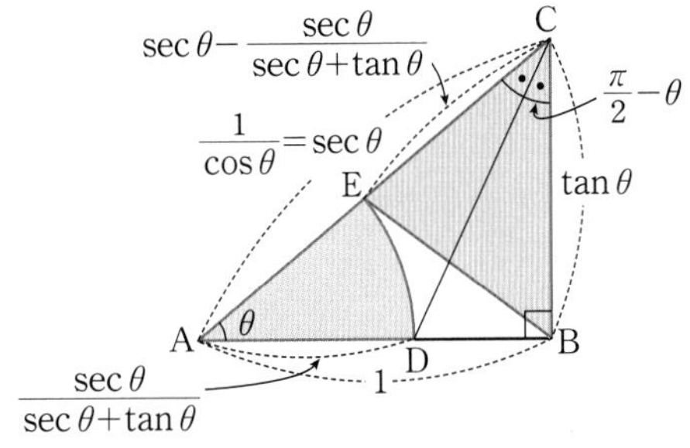

$S(\theta)=\frac{1}{2}\times\left(\frac{1}{1+\sin\theta}\right)^2\times\theta$ ⬅ $S(\theta)=\frac{1}{2}r^2\theta$

$=\frac{1}{2}\times\frac{\theta}{(1+\sin\theta)^2}$

한편 $\overline{CE}=\sec\theta-\frac{1}{1+\sin\theta}$이므로

$T(\theta)=\frac{1}{2}\times\tan\theta\times\left(\sec\theta-\frac{1}{1+\sin\theta}\right)\times\sin\left(\frac{\pi}{2}-\theta\right)$ ⬅ $T(\theta)=\frac{1}{2}ab\sin\theta$

$=\frac{1}{2}\times\tan\theta\times\left(\sec\theta-\frac{1}{1+\sin\theta}\right)\times\cos\theta$

$=\frac{1}{2}\sin\theta\left(\sec\theta-\frac{1}{1+\sin\theta}\right)$

STEP B $\lim_{\theta\to0+}\frac{\{S(\theta)\}^2}{T(\theta)}$의 값 구하기

따라서

$$\lim_{\theta\to0+}\frac{\{S(\theta)\}^2}{T(\theta)}=\lim_{\theta\to0+}\frac{\left\{\frac{1}{2}\times\frac{\theta}{(1+\sin\theta)^2}\right\}^2}{\frac{1}{2}\sin\theta\left(\sec\theta-\frac{1}{1+\sin\theta}\right)}$$

$$=\lim_{\theta\to0+}\left\{\frac{1}{2}\times\frac{\theta}{\sin\theta}\times\frac{\cos\theta}{(1+\sin\theta)^3}\times\frac{\theta}{\sin\theta+1-\cos\theta}\right\}$$

$$=\lim_{\theta\to0+}\left\{\frac{1}{2}\times\frac{\theta}{\sin\theta}\times\frac{\cos\theta}{(1+\sin\theta)^3}\times\frac{1}{\frac{\sin\theta}{\theta}+\frac{1-\cos\theta}{\theta}}\right\}$$

⬅ $\lim_{x\to0}\frac{1-\cos x}{x}=0$

$$=\frac{1}{2}\times1\times\frac{1}{1}\times\frac{1}{1+0}=\frac{1}{2}$$

각의 이등분의 성질

직선 CD가 $\angle ACB$를 이등분하면

$\overline{AC}:\overline{BC}=\overline{AD}:\overline{BD}$이 성립한다.

이때 $\overline{AC}=a$, $\overline{BC}=b$이고

$\overline{AB}=1$라 하면

$\overline{AD}=ak$, $\overline{BD}=bk$ (단, k는 비례상수)

$\overline{AB}=1$이므로

$\overline{AD}+\overline{BD}=ak+bk=k(a+b)=1$에서 $k=\frac{1}{a+b}$

따라서 $\overline{AD}=\frac{a}{a+b}$, $\overline{BD}=\frac{b}{a+b}$

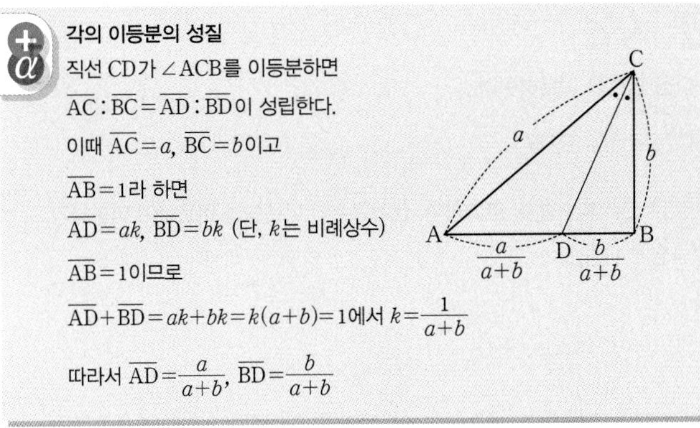

0348

다음 함수를 미분하여라.

(1) $y=e^{2x}-\cos x$

STEP A 지수함수, 로그함수, 삼각함수의 미분법을 이용하여 미분하기

$y'=2e^{2x}+\sin x$

(2) $y=e^{3x}(3\cos x+1)$

STEP A 지수함수, 로그함수, 삼각함수의 미분법을 이용하여 미분하기

$y'=(e^{3x})'(3\cos x+1)+e^{3x}(3\cos x+1)'$
$=3e^{3x}(3\cos x-\sin x+1)$

(3) $y=e^{-x}(\cos x+1)$

STEP A 지수함수, 로그함수, 삼각함수의 미분법을 이용하여 미분하기

$y'=(e^{-x})'(\cos x+1)+e^{-x}(\cos x+1)$
$=-e^{-x}(\sin x+\cos x+1)$

(4) $y=\sin^2 x-\cos^2 x$

STEP A 지수함수, 로그함수, 삼각함수의 미분법을 이용하여 미분하기

$y=\sin^2 x-\cos^2 x$에서 $y=\sin x\sin x-\cos x\cos x$이므로
$y'=(\sin x)'\sin x+\sin x(\sin x)'-(\cos x)'\cos x-\cos x(\cos x)'$
$=4\sin x\cos x$

0349

다음 물음에 답하여라.

(1) 곡선 $y=3-2\sin x$ 위의 점 $\left(\frac{\pi}{6}, 2\right)$에서의 접선의 기울기를 구하여라.

STEP A $x=\frac{\pi}{6}$에서 미분계수 구하기

$f(x)=3-2\sin x$로 놓으면 $f'(x)=-2\cos x$
이므로 $\left(\frac{\pi}{6}, 2\right)$에서의 접선의 기울기는 $f'\left(\frac{\pi}{6}\right)=-2\cos\frac{\pi}{6}=-\sqrt{3}$

(2) 곡선 $y=e^x\sin x$ 위의 점 $(0, 0)$에서의 접선의 기울기를 구하여라.

STEP A $x=0$에서 미분계수 구하기

$f(x)=e^x\sin x$로 놓으면 $f'(x)=e^x\sin x+e^x\cos x$
이므로 점 $(0, 0)$에서의 접선의 기울기는 $f'(0)=e^0\sin 0+e^0\cos 0=1$

(3) 곡선 $f(x)=e^x-x\sin x$ 위의 점 $(0, f(0))$에서의 접선의 기울기를 구하여라.

STEP A $x=0$에서 미분계수 구하기

$f(x)=e^x-x\sin x$에서
$f'(x)=e^x-(x)'\sin x-x(\sin x)'=e^x-\sin x-x\cos x$
이므로 점 $(0, f(0))$에서의 접선의 기울기는 $f'(0)=1-0-0=1$

0350

다음 물음에 답하여라.

(1) 함수 $f(x)=2\sin x$에 대하여 x의 값이 0에서 π까지 변할 때의 평균변화율과 $x=a$에서의 미분계수가 같을 때, 상수 a의 값을 구하여라. (단, $0<a<\pi$)

STEP A 0에서 π까지 변할 때의 평균변화율 구하기

함수 $f(x)=2\sin x$의 x의 값이 0에서 π까지 변할 때의 평균변화율
$\frac{f(\pi)-f(0)}{\pi-0}=\frac{0-0}{\pi}=0$ …… ㉠

STEP B $x=a$에서의 미분계수 구하기

$x=a$에서의 미분계수
$f'(x)=2\cos x$에서 $f'(a)=2\cos a$ …… ㉡
따라서 ㉠, ㉡에서 $2\cos a=0$이므로 $a=\frac{\pi}{2}$

(2) 닫힌구간 $[0, 2\pi]$에서 정의된 함수 $f(x)=e^x\cos x$에 대하여 $f'(x)=0$을 만족시키는 모든 실수 x의 값의 합을 구하여라.

STEP A $f(x)=e^x\cos x$의 도함수 구하기

$f'(x)=e^x\cos x-e^x\sin x=e^x(\cos x-\sin x)$이므로
$f'(x)=0$에서 $e^x>0$이므로 $\cos x=\sin x$
$\therefore x=\frac{\pi}{4}$ 또는 $x=\frac{5}{4}\pi$

STEP B $f'(x)=0$을 만족시키는 모든 실수 x의 값의 합 구하기

따라서 모든 실수 x의 값의 합은 $\frac{\pi}{4}+\frac{5}{4}\pi=\frac{3}{2}\pi$

0351

다음 물음에 답하여라.

(1) 함수 $f(x)=2x\cos x$일 때, $\lim_{h\to 0}\frac{f(\pi+h)-f(\pi-h)}{h}$의 값을 구하여라.

STEP A 미분계수의 정의를 이용하여 주어진 식 변형하기

$$\lim_{h\to 0}\frac{f(\pi+h)-f(\pi-h)}{h}=\lim_{h\to 0}\frac{f(\pi+h)-f(\pi)}{h}+\lim_{h\to 0}\frac{f(\pi-h)-f(\pi)}{-h}$$
$$=f'(\pi)+f'(\pi)=2f'(\pi)$$

STEP B 함수 $f(x)$를 미분한 후 미분계수 구하기

이때 $f(x)=2x\cos x$에서 $f'(x)=2\cos x+2x(-\sin x)$이므로 $f'(\pi)=-2$
따라서 구하는 극한값은 $2f'(\pi)=-4$

(2) 함수 $f(x)=x\sin x+\cos x$에 대하여 $\lim_{h\to 0}\frac{f(\pi+2h)-f(\pi+h)}{2h}$의 값을 구하여라.

STEP A 미분계수의 정의를 이용하여 주어진 식 변형하기

$$\lim_{h\to 0}\frac{f(\pi+2h)-f(\pi+h)}{2h}=\lim_{h\to 0}\frac{f(\pi+2h)-f(\pi)}{2h}-\frac{1}{2}\lim_{h\to 0}\frac{f(\pi+h)-f(\pi)}{h}$$
$$=f'(\pi)-\frac{1}{2}f'(\pi)=\frac{1}{2}f'(\pi)$$

STEP B 함수 $f(x)$를 미분한 후 미분계수 구하기

이때 $f(x)=x\sin x+\cos x$에서
$f'(x)=\sin x+x\cos x-\sin x=x\cos x$
따라서 구하는 극한값은 $\frac{1}{2}f'(\pi)=\frac{1}{2}\times\pi\cos\pi=-\frac{\pi}{2}$

0352

다음 물음에 답하여라.

(1) 함수 $f(x)=(1-\cos x)\sin x$에 대하여 $\lim_{h\to 0}\frac{f(\pi+2h)-f(\pi-h)}{3h}$의 값은?

① -2 ② -1 ③ 0
④ 1 ⑤ 2

STEP A 미분계수의 정의를 이용하여 주어진 식 변형하기

$\lim_{h\to 0}\frac{f(\pi+2h)-f(\pi-h)}{3h}$

$=\lim_{h\to 0}\frac{f(\pi+2h)-f(\pi)}{2h}\times\frac{2}{3}+\lim_{h\to 0}\frac{f(\pi-h)-f(\pi)}{-h}\times\frac{1}{3}$

$=\frac{2}{3}f'(\pi)+\frac{1}{3}f'(\pi)=f'(\pi)$

STEP B 함수 $f(x)$를 미분한 후 미분계수 구하기

$f(x)=(1-\cos x)\sin x$에서 $f'(x)=\sin^2 x-\cos^2 x+\cos x$

따라서 구하는 극한값은 $f'(\pi)=-2$

(2) 함수 $f(x)=(\sin x+2\cos x)\sin x$에 대하여

$\lim_{h\to 0}\frac{f\left(\frac{\pi}{4}+3h\right)-f\left(\frac{\pi}{4}-2h\right)}{h}$의 값은?

① 1 ② 2 ③ 3
④ 4 ⑤ 5

STEP A 미분계수의 정의를 이용하여 주어진 식 변형하기

$\lim_{h\to 0}\frac{f\left(\frac{\pi}{4}+3h\right)-f\left(\frac{\pi}{4}-2h\right)}{h}$

$=\lim_{h\to 0}\frac{f\left(\frac{\pi}{4}+3h\right)-f\left(\frac{\pi}{4}\right)+f\left(\frac{\pi}{4}\right)-f\left(\frac{\pi}{4}-2h\right)}{h}$

$=\lim_{h\to 0}\frac{f\left(\frac{\pi}{4}+3h\right)-f\left(\frac{\pi}{4}\right)}{3h}\times 3+\lim_{h\to 0}\frac{f\left(\frac{\pi}{4}-2h\right)-f\left(\frac{\pi}{4}\right)}{-2h}\times 2$

$=3f'\left(\frac{\pi}{4}\right)+2f'\left(\frac{\pi}{4}\right)=5f'\left(\frac{\pi}{4}\right)$

STEP B 함수 $f(x)$를 미분한 후 미분계수 구하기

$f(x)=(\sin x+2\cos x)\sin x$에서

$f'(x)=(\cos x-2\sin x)\sin x+(\sin x+2\cos x)\cos x$

따라서 구하는 극한값은

$5f'\left(\frac{\pi}{4}\right)=5\left\{\left(\frac{\sqrt{2}}{2}-\sqrt{2}\right)\times\frac{\sqrt{2}}{2}+\left(\frac{\sqrt{2}}{2}+\sqrt{2}\right)\times\frac{\sqrt{2}}{2}\right\}=5$

0353

함수 $f(x)=\lim_{h\to 0}\frac{x\cos(x+h)-x\cos x}{h}$에 대하여 $f'(\pi)$의 값은?

① 2 ② π ③ 2π
④ 3π ⑤ 4π

STEP A 도함수의 정의를 이용하여 주어진 식 변형하기

$f(x)=\lim_{h\to 0}\frac{x\cos(x+h)-x\cos x}{h}=x\lim_{h\to 0}\frac{\cos(x+h)-\cos x}{h}$

$=x(\cos x)'=-x\sin x$

STEP B 함수 $f(x)$를 미분한 후 미분계수 구하기

이때 $f(x)=-x\sin x$에서 $f'(x)=-\sin x-x\cos x$

따라서 $f'(\pi)=-\sin\pi-\pi\cos\pi=\pi$

0354

두 상수 a, b에 대하여 함수

$$f(x)=\begin{cases}3\sin x+2 & (x\le 0)\\ ax+b & (x>0)\end{cases}$$

가 $x=0$에서 미분가능할 때, a^2+b^2의 값을 구하여라.

STEP A 미분가능한 함수는 연속함수임을 이용하여 b의 값 구하기

함수 $f(x)$가 $x=0$에서 미분가능하면 함수 $f(x)$는 $x=0$에서 연속이므로 $f(0)=\lim_{x\to 0-}(3\sin x+2)=\lim_{x\to 0+}(ax+b)$

$\therefore b=2$

STEP B 미분계수의 정의를 이용하여 a의 값 구하기

함수 $f(x)$가 $x=0$에서 미분가능하므로 $f'(0)$의 값이 존재한다.

$\lim_{h\to 0-}\frac{f(0+h)-f(0)}{h}=\lim_{h\to 0-}\frac{3\sin h+2-2}{h}$

$=\lim_{h\to 0-}\frac{3\sin h}{h}=3$

$\lim_{h\to 0+}\frac{f(0+h)-f(0)}{h}=\lim_{h\to 0+}\frac{ah+2-2}{h}$

$=\lim_{h\to 0+}\frac{ah}{h}=a$

이므로 $a=3$

따라서 $a^2+b^2=3^2+2^2=13$

0355

다음 물음에 답하여라.

(1) 함수

$$f(x)=\begin{cases}\sin x+a\cos x & (x\ge 0)\\ be^{x-1} & (x<0)\end{cases}$$

이 $x=0$에서 미분가능할 때, 상수 a, b에 대하여 $a+b$의 값은?

① 1 ② e ③ $1+e$
④ $2e$ ⑤ $2e+1$

STEP A 미분가능한 함수는 연속함수임을 이용하여 b의 값 구하기

함수 $f(x)$가 $x=0$에서 미분가능하면 연속이므로

$\lim_{x\to 0+}f(x)=\lim_{x\to 0-}f(x)=f(0)$에서

$\lim_{x\to 0+}(\sin x+a\cos x)=\lim_{x\to 0-}be^{x-1}=a$

$\therefore a=\frac{b}{e}$ …… ㉠

STEP B 미분계수의 정의를 이용하여 a의 값 구하기

또, 함수 $f(x)$는 $x=0$에서 미분가능하려면

$\lim_{x\to 0+}\frac{f(x)-f(0)}{x}=\lim_{x\to 0-}\frac{f(x)-f(0)}{x}$이다.

$\lim_{x\to 0+}\frac{f(x)-f(0)}{x}=\lim_{x\to 0+}\frac{\sin x+a\cos x-a}{x}$

$=\lim_{x\to 0+}\frac{\sin x}{x}+\lim_{x\to 0+}\frac{a(\cos x-1)}{x}$ ← $\lim_{x\to 0+}\frac{\cos x-1}{x}=0$

$=1+0=1$

$\lim_{x\to 0-}\frac{f(x)-f(0)}{x}=\lim_{x\to 0-}\frac{be^{x-1}-be^{-1}}{x}$

$=\lim_{x\to 0-}\frac{be^{-1}(e^x-1)}{x}=be^{-1}$ ← $\lim_{x\to 0-}\frac{e^x-1}{x}=1$

즉 $1=be^{-1}$이므로 $b=e$

㉠에서 $a=1$

따라서 $a=1$, $b=e$이므로 $a+b=1+e$

(2) 함수

$$f(x)=\begin{cases} \pi\cos x & (x<0) \\ e^x+ax+b & (x\ge 0) \end{cases}$$

이 $x=0$에서 미분가능할 때, 상수 a, b에 대하여 $a-b$의 값은?

① $-\pi$ ② -1 ③ 1
④ π ⑤ $\pi+1$

STEP Ⓐ 미분가능한 함수는 연속함수임을 이용하여 b의 값 구하기

함수 $f(x)$가 $x=0$에서 미분가능하면 연속이므로

$\lim_{x\to0+}f(x)=\lim_{x\to0-}f(x)=f(0)$에서

$\lim_{x\to0-}\pi\cos x=\lim_{x\to0+}(e^x+ax+b)=1+b$

$\pi=1+b \quad \therefore b=\pi-1 \quad \cdots\cdots ㉠$

STEP Ⓑ 미분계수의 정의를 이용하여 a의 값 구하기

또, 함수 $f(x)$는 $x=0$에서 미분가능하려면

$\lim_{x\to0-}\frac{f(x)-f(0)}{x}=\lim_{x\to0+}\frac{f(x)-f(0)}{x}$이다.

$$\begin{aligned}\lim_{x\to0-}\frac{f(x)-f(0)}{x}&=\lim_{x\to0-}\frac{\pi\cos x-\pi}{x}\\&=\lim_{x\to0-}\frac{\pi(\cos x-1)}{x} \quad \leftarrow \lim_{x\to0-}\frac{\cos x-1}{x}=0\\&=0\end{aligned}$$

$$\begin{aligned}\lim_{x\to0+}\frac{f(x)-f(0)}{x}&=\lim_{x\to0+}\frac{e^x+ax+b-(1+b)}{x}\\&=\lim_{x\to0+}\frac{e^x+ax-1}{x}\\&=\lim_{x\to0+}\left(\frac{e^x-1}{x}+a\right) \quad \leftarrow \lim_{x\to0+}\frac{e^x-1}{x}=1\\&=1+a\end{aligned}$$

즉 $0=1+a$이므로 $a=-1$

따라서 $a=-1$, $b=\pi-1$이므로 $a-b=-1-(\pi-1)=-\pi$

0356

함수

$$f(x)=\begin{cases} x^2+ax+b & (x\ge 0) \\ c\sin x+2\cos x & (x<0) \end{cases}$$

이 $f(1)=4$이고 $x=0$에서 미분가능할 때, 세 상수 a, b, c의 합 $a+b+c$의 값은?

① 1 ② 2 ③ 3
④ 4 ⑤ 5

STEP Ⓐ 미분가능한 함수는 연속함수임을 이용하여 a, b의 값 구하기

$f(1)=1+a+b=4$에서 $a+b=3 \quad \cdots\cdots ㉠$

$f(x)$가 $x=0$에서 미분가능하면 $x=0$에서 연속이므로

$\lim_{x\to0+}f(x)=\lim_{x\to0-}f(x)=f(0)$

$\lim_{x\to0+}f(x)=\lim_{x\to0+}(x^2+ax+b)=b$

$\lim_{x\to0-}f(x)=\lim_{x\to0-}(c\sin x+2\cos x)=2$

$f(0)=b$이므로 $b=2$

$b=2$를 ㉠에 대입하면 $a=1$이므로

$$f(x)=\begin{cases} x^2+x+2 & (x\ge 0) \\ c\sin x+2\cos x & (x<0) \end{cases}$$

STEP Ⓑ 미분계수의 정의를 이용하여 c의 값 구하기

함수 $f(x)$가 $x=0$에서 미분가능하려면

$\lim_{x\to0+}\frac{f(x)-f(0)}{x}=\lim_{x\to0-}\frac{f(x)-f(0)}{x}$이다.

$\lim_{x\to0+}\frac{f(x)-f(0)}{x}=\lim_{x\to0+}\frac{x^2+x+2-2}{x}=\lim_{x\to0+}(x+1)=1$

$$\begin{aligned}\lim_{x\to0-}\frac{f(x)-f(0)}{x}&=\lim_{x\to0-}\frac{c\sin x+2\cos x-2}{x}\\&=\lim_{x\to0-}\frac{c\sin x}{x}+2\lim_{x\to0-}\frac{\cos x-1}{x}\\&=c\lim_{x\to0-}\frac{\sin x}{x}+2\lim_{x\to0-}\left(\frac{\cos x-1}{x}\times\frac{\cos x+1}{\cos x+1}\right)\\&=c\times1-2\lim_{x\to0-}\frac{\sin^2 x}{x(\cos x+1)}\\&=c-2\times0=c\end{aligned}$$

즉 $c=1$

STEP Ⓒ $a+b+c$의 값 구하기

따라서 $a+b+c=1+2+1=4$

FINAL EXERCISE
단원종합문제

BASIC

0357

다음 물음에 답하여라.

(1) $\cos\theta=\frac{1}{7}$일 때, $\sec^2\theta$의 값을 구하여라.

STEP Ⓐ $\sec\theta=\frac{1}{\cos\theta}$을 이용하여 구하기

$\sec^2\theta=\frac{1}{\cos^2\theta}=\frac{1}{\left(\frac{1}{7}\right)^2}=49$

(2) $\tan\theta=-3$일 때, $\sec^2\theta$의 값을 구하여라.

STEP Ⓐ $\sec^2\theta=1+\tan^2\theta$임을 이용하기

$\sec^2\theta=1+\tan^2\theta=1+(-3)^2=10$

0358

다음 물음에 답하여라.

(1) $\sin\theta-\cos\theta=\frac{1}{2}$일 때, $\sec\theta\csc\theta$의 값은?

① $\frac{8}{5}$　② 2　③ $\frac{8}{3}$
④ 4　⑤ 8

STEP Ⓐ $\sin^2\theta+\cos^2\theta=1$임을 이용하여 $\sin\theta\cos\theta$의 값 구하기

$\sin\theta-\cos\theta=\frac{1}{2}$의 양변을 제곱하면

$\sin^2\theta-2\sin\theta\cos\theta+\cos^2\theta=\frac{1}{4}$, $1-2\sin\theta\cos\theta=\frac{1}{4}$

$\therefore \sin\theta\cos\theta=\frac{3}{8}$

STEP Ⓑ $\sec\theta\csc\theta$의 값 구하기

따라서 $\sec\theta\csc\theta=\frac{1}{\cos\theta}\cdot\frac{1}{\sin\theta}=\frac{1}{\sin\theta\cos\theta}=\frac{8}{3}$

(2) $\sin\theta-\cos\theta=\frac{\sqrt{3}}{2}$일 때, $\tan\theta+\cot\theta$의 값은?

① 6　② 7　③ 8
④ 9　⑤ 10

STEP Ⓐ $\sin\theta-\cos\theta=\frac{\sqrt{3}}{2}$의 양변을 제곱하여 $\sin\theta\cos\theta$ 구하기

$\sin\theta-\cos\theta=\frac{\sqrt{3}}{2}$의 양변을 제곱하면

$(\sin\theta-\cos\theta)^2=\sin^2\theta-2\sin\theta\cos\theta+\cos^2\theta=1-2\sin\theta\cos\theta=\frac{3}{4}$

$\therefore \sin\theta\cos\theta=\frac{1}{8}$

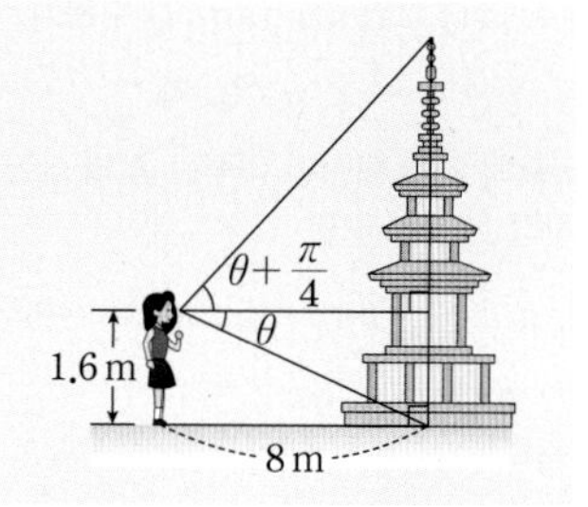

STEP Ⓑ $\tan\theta+\cot\theta$ 구하기

따라서 $\tan\theta+\cot\theta=\frac{\sin\theta}{\cos\theta}+\frac{\cos\theta}{\sin\theta}=\frac{\sin^2\theta+\cos^2\theta}{\sin\theta\cos\theta}=\frac{1}{\sin\theta\cos\theta}=8$

0359

$\cos(\alpha+\beta)=\frac{5}{7}$, $\cos\alpha\cos\beta=\frac{4}{7}$일 때, $\sin\alpha\sin\beta$의 값은?

① $-\frac{1}{7}$　② $-\frac{2}{7}$　③ $-\frac{3}{7}$
④ $-\frac{4}{7}$　⑤ $-\frac{5}{7}$

STEP Ⓐ 삼각함수의 덧셈정리를 이용하여 주어진 값 구하기

$\cos(\alpha+\beta)=\cos\alpha\cos\beta-\sin\alpha\sin\beta=\frac{5}{7}$

$\cos\alpha\cos\beta=\frac{4}{7}$를 대입하면 $\frac{5}{7}=\frac{4}{7}-\sin\alpha\sin\beta$

따라서 $\sin\alpha\sin\beta=\frac{4}{7}-\frac{5}{7}=-\frac{1}{7}$

0360

다음 물음에 답하여라.

(1) $\sin\alpha=\frac{3}{5}$일 때, $\cos\left(\alpha+\frac{\pi}{4}\right)$의 값은? $\left(단,\ 0<\alpha<\frac{\pi}{2}\right)$

① $\frac{\sqrt{2}}{10}$　② $\frac{\sqrt{2}}{5}$　③ $\frac{3\sqrt{2}}{10}$
④ $\frac{2\sqrt{2}}{5}$　⑤ $\frac{\sqrt{2}}{2}$

STEP Ⓐ 삼각함수의 덧셈정리와 삼각함수 사이의 관계를 이용하기

$\sin\alpha=\frac{3}{5}$이고 $0<\alpha<\frac{\pi}{2}$이므로

$\cos\alpha=\sqrt{1-\sin^2\alpha}=\sqrt{1-\left(\frac{3}{5}\right)^2}=\frac{4}{5}$

따라서 $\cos\left(\alpha+\frac{\pi}{4}\right)=\cos\alpha\cos\frac{\pi}{4}-\sin\alpha\sin\frac{\pi}{4}$

$=\frac{4}{5}\times\frac{\sqrt{2}}{2}-\frac{3}{5}\times\frac{\sqrt{2}}{2}=\frac{\sqrt{2}}{10}$

(2) $\sin^2\theta=\frac{4}{5}\left(0<\theta<\frac{\pi}{2}\right)$일 때, $\cos\left(\theta+\frac{\pi}{4}\right)=p$이다. $\frac{1}{p^2}$의 값은?

① 5　② 10　③ 15
④ 20　⑤ 25

STEP Ⓐ 삼각함수의 덧셈정리와 삼각함수 사이의 관계를 이용하여 p의 값 구하기

$\sin^2\theta=\frac{4}{5}$에서 $\sin\theta=\frac{2}{\sqrt{5}}$ $\left(\because 0<\theta<\frac{\pi}{2}\right)$

$\cos\theta=\sqrt{1-\sin^2\theta}=\sqrt{1-\frac{4}{5}}=\frac{1}{\sqrt{5}}$

$\cos\left(\theta+\frac{\pi}{4}\right)=\cos\theta\cos\frac{\pi}{4}-\sin\theta\sin\frac{\pi}{4}$

$=\frac{1}{\sqrt{5}}\cdot\frac{1}{\sqrt{2}}-\frac{2}{\sqrt{5}}\cdot\frac{1}{\sqrt{2}}$

$=-\frac{1}{\sqrt{10}}$

따라서 $p=-\frac{1}{\sqrt{10}}$이므로 $\frac{1}{p^2}=10$

0361

다음 물음에 답하여라.

(1) $(\sin 75^\circ - \cos 75^\circ)(\sin 105^\circ + \cos 105^\circ)$의 값은?

① -1　② $-\frac{1}{2}$　③ $\frac{1}{2}$　④ 1　⑤ $\frac{\sqrt{2}}{2}$

STEP Ⓐ 삼각함수의 덧셈정리와 삼각함수 사이의 관계를 이용하여 구하기

$(\sin 75^\circ - \cos 75^\circ)(\sin 105^\circ + \cos 105^\circ)$
$= \sin 75^\circ \sin 105^\circ + \sin 75^\circ \cos 105^\circ - \cos 75^\circ \sin 105^\circ - \cos 75^\circ \cos 105^\circ$
$= (\sin 75^\circ \cos 105^\circ - \cos 75^\circ \sin 105^\circ)$
$\quad - (\cos 75^\circ \cos 105 - \sin 75^\circ \sin 105^\circ)$
$= \sin(75^\circ - 105^\circ) - \cos(75^\circ + 105^\circ)$
$= \sin(-30^\circ) - \cos 180^\circ$
$= -\frac{1}{2} - (-1) = \frac{1}{2}$

다른풀이 삼각함수의 성질을 이용하여 풀이하기

(주어진 식)$= (\cos 15^\circ - \sin 15^\circ)(\cos 15^\circ - \sin 15^\circ)$
$= (\cos 15^\circ - \sin 15^\circ)^2$
$= \cos^2 15^\circ + \sin^2 15^\circ - 2\cos 15^\circ \sin 15^\circ$
$= 1 - \sin 30^\circ$
$= 1 - \frac{1}{2} = \frac{1}{2}$

(2) $(\sin 165^\circ - \cos 165^\circ)(\sin 105^\circ + \cos 105^\circ)$의 값은?

① $-\frac{\sqrt{3}}{2}$　② -1　③ $\frac{1}{2}$　④ 1　⑤ $\frac{\sqrt{3}}{2}$

STEP Ⓐ 삼각함수의 덧셈정리와 삼각함수 사이의 관계를 이용하여 구하기

$(\sin 165^\circ - \cos 165^\circ)(\sin 105^\circ + \cos 105^\circ)$
$= \sin 165^\circ \cos 105 - \cos 165^\circ \sin 105^\circ$
$\quad + \sin 165^\circ \sin 105 - \cos 165^\circ \cos 105^\circ$
$= \sin(165^\circ - 105^\circ) - \cos(165^\circ + 105^\circ)$
$= \sin 60^\circ - \cos 270^\circ$
$= \frac{\sqrt{3}}{2} - 0 = \frac{\sqrt{3}}{2}$

(3) 좌표평면 위의 두 점 $\mathrm{P}(\cos\alpha, \sin\alpha)$, $\mathrm{Q}(\cos\beta, \sin\beta)$ 사이의 거리가 $\sqrt{2}$일 때, $|\alpha-\beta|$의 값은? (단, $0<\alpha<\pi$, $0<\beta<\pi$)

① $\frac{\pi}{6}$　② $\frac{\pi}{3}$　③ $\frac{\pi}{2}$　④ $\frac{3}{4}\pi$　⑤ $\frac{2}{3}\pi$

STEP Ⓐ 삼각함수의 덧셈정리와 삼각함수 사이의 관계를 이용하여 구하기

두 점 $\mathrm{P}(\cos\alpha, \sin\alpha)$, $\mathrm{Q}(\cos\beta, \sin\beta)$ 사이의 거리가 $\sqrt{2}$이므로
$\sqrt{(\cos\beta - \cos\alpha)^2 + (\sin\beta - \sin\alpha)^2} = \sqrt{2}$
양변을 제곱하면
$2 - 2(\cos\alpha\cos\beta + \sin\alpha\sin\beta) = 2$
$\cos\alpha\cos\beta + \sin\alpha\sin\beta = 0$
$\therefore \cos(\alpha-\beta) = 0$
이때 $-\pi < \alpha-\beta < \pi$이므로 $\alpha-\beta = -\frac{\pi}{2}$ 또는 $\alpha-\beta = \frac{\pi}{2}$
따라서 $|\alpha-\beta| = \frac{\pi}{2}$

0362

다음 물음에 답하여라.

(1) $\sin\theta = \frac{1}{3}$일 때, $\sin 2\theta$의 값은? $\left(\text{단, } 0 < \theta < \frac{\pi}{2}\right)$

① $\frac{7\sqrt{2}}{18}$　② $\frac{4\sqrt{2}}{9}$　③ $\frac{\sqrt{2}}{2}$　④ $\frac{5\sqrt{2}}{9}$　⑤ $\frac{11\sqrt{2}}{18}$

STEP Ⓐ $\sin\theta = \frac{1}{3}$에서 $\cos\theta$ 구하기

$\sin\theta = \frac{1}{3}$에서

$\cos\theta = \sqrt{1-\sin^2\theta} = \sqrt{1-\left(\frac{1}{3}\right)^2} = \frac{2\sqrt{2}}{3} \left(\because 0<\theta<\frac{\pi}{2}\right)$

STEP Ⓑ 삼각함수의 덧셈정리를 이용하여 $\sin 2\theta$의 값 구하기

따라서 $\sin 2\theta = \sin(\theta+\theta)$
$= \sin\theta\cos\theta + \cos\theta\sin\theta$
$= 2\sin\theta\cos\theta$
$= 2 \cdot \frac{1}{3} \cdot \frac{2\sqrt{2}}{3}$
$= \frac{4\sqrt{2}}{9}$

(2) $\sin\theta = \frac{2}{3}$일 때, $\cos 2\theta$의 값은? $\left(\text{단, } 0 < \theta < \frac{\pi}{2}\right)$

① $\frac{1}{9}$　② $\frac{2}{9}$　③ $\frac{1}{3}$　④ $\frac{4}{9}$　⑤ $\frac{5}{9}$

STEP Ⓐ $\cos 2\theta = 1 - 2\sin^2\theta$을 이용하여 구하기

$\cos 2\theta = \cos(\theta+\theta)$
$= \cos\theta\cos\theta - \sin\theta\sin\theta$
$= \cos^2\theta - \sin^2\theta$
$= 1 - 2\sin^2\theta$
$= 1 - 2\left(\frac{2}{3}\right)^2 = \frac{1}{9}$
따라서 $\cos 2\theta = \frac{1}{9}$

(3) $\tan\theta = \frac{\sqrt{5}}{5}$일 때, $\cos 2\theta$의 값은?

① $\frac{\sqrt{6}}{3}$　② $\frac{\sqrt{5}}{3}$　③ $\frac{2}{3}$　④ $\frac{\sqrt{3}}{3}$　⑤ $\frac{\sqrt{2}}{3}$

STEP Ⓐ $\cos 2\theta = 2\cos^2\theta - 1$을 이용하여 구하기

$\sec^2\theta = 1 + \tan^2\theta = 1 + \left(\frac{\sqrt{5}}{5}\right)^2 = \frac{25+5}{25} = \frac{30}{25}$이므로
$\cos^2\theta = \frac{25}{30} = \frac{5}{6}$
따라서 $\cos 2\theta = 2\cos^2\theta - 1 = 2 \times \frac{5}{6} - 1 = \frac{2}{3}$

(4) $\tan\theta = \frac{1}{7}$일 때, $\sin 2\theta$의 값은?

① $\frac{1}{5}$　② $\frac{11}{50}$　③ $\frac{6}{25}$　④ $\frac{13}{50}$　⑤ $\frac{7}{25}$

STEP A $\tan\theta$을 이용하여 $\sin^2\theta$, $\cos^2\theta$의 값 구하기

$\tan\theta=\frac{1}{7}$이므로 $\sec^2\theta=1+\tan^2\theta=1+\frac{1}{49}=\frac{50}{49}$

$\cos^2\theta=\frac{1}{\sec^2\theta}=\frac{49}{50}$, $\sin^2\theta=1-\cos^2\theta=1-\frac{49}{50}=\frac{1}{50}$

STEP B $\tan\theta>0$일 때, $\sin\theta\cos\theta>0$임을 이용하여 $\sin 2\theta$ 구하기

$\sin 2\theta=2\sin\theta\cos\theta$이므로

$\sin^2 2\theta=4\sin^2\theta\cos^2\theta=4\cdot\frac{1}{50}\cdot\frac{49}{50}=\left(\frac{7}{25}\right)^2$

$\tan\theta=\frac{1}{7}>0$에서 θ는 제 1사분면 또는 제 3사분면이므로

두 사분면 모두 $\sin\theta\cos\theta>0$을 만족시킨다.

따라서 $\sin 2\theta=\frac{7}{25}$

다른풀이 $\tan\theta=\frac{\sin\theta}{\cos\theta}$를 이용하여 풀이하기

$\tan\theta=\frac{1}{7}$이므로 $\tan\theta=\frac{\sin\theta}{\cos\theta}=\frac{1}{7}$에서

$\cos\theta=7\sin\theta$ …… ㉠

$\sin^2\theta+\cos^2\theta=1$ …… ㉡

㉠, ㉡을 연립하여 풀면

$\sin\theta=\pm\frac{1}{5\sqrt{2}}$, $\cos\theta=\pm\frac{7}{5\sqrt{2}}$ (단, 복부호동순)

따라서 $\sin 2\theta=2\sin\theta\cos\theta=2\cdot\frac{1}{5\sqrt{2}}\cdot\frac{7}{5\sqrt{2}}=\frac{7}{25}$

0363

함수 $f(x)=\cos x\left(0<x<\frac{\pi}{2}\right)$의 역함수 $y=g(x)$에 대하여 $g\left(\frac{3}{5}\right)=\alpha$, $g\left(\frac{4}{5}\right)=\beta$일 때, $f(\alpha+\beta)$의 값은?

① 0 ② 1 ③ 2
④ 4 ⑤ 6

STEP A 역함수의 성질을 이용하여 $\cos\alpha$, $\cos\beta$ 구하기

$g\left(\frac{3}{5}\right)=\alpha$에서 $f(\alpha)=\cos\alpha=\frac{3}{5}$

$g\left(\frac{4}{5}\right)=\beta$에서 $f(\beta)=\cos\beta=\frac{4}{5}$

$0<\alpha<\frac{\pi}{2}$, $0<\beta<\frac{\pi}{2}$에서 $\sin\alpha>0$, $\sin\beta>0$이므로

$\sin\alpha=\sqrt{1-\left(\frac{3}{5}\right)^2}=\frac{4}{5}$, $\sin\beta=\sqrt{1-\left(\frac{4}{5}\right)^2}=\frac{3}{5}$

STEP B 삼각함수의 덧셈정리를 이용하여 값 구하기

따라서 $f(\alpha+\beta)=\cos(\alpha+\beta)=\cos\alpha\cos\beta-\sin\alpha\sin\beta$

$=\frac{3}{5}\times\frac{4}{5}-\frac{4}{5}\times\frac{3}{5}=0$

0364

x에 대한 이차방정식 $x^2-4x-2=0$의 두 근을 $\tan\alpha$, $\tan\beta$라고 할 때, $\sec^2(\alpha+\beta)$의 값을 구하여라. $\left(\text{단}, -\frac{\pi}{2}<\alpha<\frac{\pi}{2}, -\frac{\pi}{2}<\beta<\frac{\pi}{2}\right)$

STEP A 탄젠트의 덧셈정리를 이용하여 $\tan(\alpha+\beta)$의 값 구하기

이차방정식 $x^2-4x-2=0$의 두 근이 $\tan\alpha$, $\tan\beta$이므로

근과 계수의 관계에 의하여

$\tan\alpha+\tan\beta=4$, $\tan\alpha\tan\beta=-2$이므로

$\tan(\alpha+\beta)=\frac{\tan\alpha+\tan\beta}{1-\tan\alpha\tan\beta}=\frac{4}{1-(-2)}=\frac{4}{3}$

STEP B $\sec^2\theta=\tan^2\theta+1$을 이용하여 구하기

따라서 $\sec^2(\alpha+\beta)=\tan^2(\alpha+\beta)+1=\left(\frac{4}{3}\right)^2+1=\frac{25}{9}$

0365

두 각 α, β에 대해 $\alpha+\beta=\frac{\pi}{6}$를 만족할 때, $(\sqrt{3}+\tan\alpha)(\sqrt{3}+\tan\beta)$의 값은?

① $\sqrt{3}$ ② 3 ③ $2\sqrt{3}$
④ 4 ⑤ $4\sqrt{3}$

STEP A 탄젠트의 덧셈정리를 이용하여 $(\sqrt{3}+\tan\alpha)(\sqrt{3}+\tan\beta)$의 값 구하기

$\alpha+\beta=\frac{\pi}{6}$에서 $\tan(\alpha+\beta)=\frac{1}{\sqrt{3}}$이므로

$\tan(\alpha+\beta)=\frac{\tan\alpha+\tan\beta}{1-\tan\alpha\tan\beta}=\frac{1}{\sqrt{3}}$에서

$\sqrt{3}(\tan\alpha+\tan\beta)=1-\tan\alpha\tan\beta$

$\therefore (\sqrt{3}+\tan\alpha)(\sqrt{3}+\tan\beta)=3+\sqrt{3}(\tan\alpha+\tan\beta)+\tan\alpha\tan\beta$

$=3+1-\tan\alpha\tan\beta+\tan\alpha\tan\beta=4$

0366

다음 물음에 답하여라.

(1) 두 직선 $2x-y+3=0$, $mx-y+6=0$이 이루는 예각의 크기가 $\frac{\pi}{4}$가 되도록 하는 모든 상수 m의 값의 곱은?

① -3 ② -1 ③ $-\frac{1}{3}$
④ 1 ⑤ 3

STEP A 두 직선이 이루는 예각의 크기 구하기

두 직선 $y=2x+3$, $y=mx+6$이 x축의 양의 방향과 이루는 각의 크기를 각각 α, β라고 하면

$\tan\alpha=2$, $\tan\beta=m$

이때 $|\tan(\alpha-\beta)|=\tan\frac{\pi}{4}=1$이므로

$\left|\frac{\tan\alpha-\tan\beta}{1+\tan\alpha\tan\beta}\right|=1$, $\frac{2-m}{1+2m}=\pm1$

따라서 $m=-3$ 또는 $m=\frac{1}{3}$이므로 $(-3)\cdot\frac{1}{3}=-1$

(2) 좌표평면 위의 두 점 $(-1, 2)$, $(2, 1)$을 지나는 직선과 직선 $y=2x$가 이루는 예각의 크기를 θ라 할 때, $\tan\left(\theta+\frac{\pi}{4}\right)$의 값은?

① $-\frac{5}{3}$ ② $-\frac{4}{3}$ ③ -1
④ $-\frac{2}{3}$ ⑤ $-\frac{1}{3}$

STEP A 두 직선이 이루는 예각의 크기 구하기

두 점 $(-1, 2)$, $(2, 1)$을 지나는 직선과 직선 $y=2x$가 x축의 양의 방향과 이루는 각의 크기를 각각 α, β라 하면

$\tan\alpha=\frac{1-2}{2-(-1)}=-\frac{1}{3}$, $\tan\beta=2$이므로

$\tan\theta=|\tan(\alpha-\beta)|=\left|\frac{\tan\alpha-\tan\beta}{1+\tan\alpha\tan\beta}\right|=\left|\frac{-\frac{1}{3}-2}{1+\left(-\frac{1}{3}\right)\cdot 2}\right|=7$

STEP B 탄젠트의 덧셈정리를 이용하여 $\tan\left(\theta+\frac{\pi}{4}\right)$의 값 구하기

따라서 $\tan\left(\theta+\frac{\pi}{4}\right)=\frac{\tan\theta+\tan\frac{\pi}{4}}{1-\tan\theta\tan\frac{\pi}{4}}=\frac{7+1}{1-7\cdot 1}=-\frac{4}{3}$

0367

다음은 $\lim_{\theta \to 0}\frac{\sin\theta}{\theta}=1$임을 증명하는 과정이다.

(ⅰ) $\theta>0$일 때, 오른쪽 그림과 같이 반지름의 길이가 1이고, 중심이 O인 원 위에 $\angle AOB=\theta$인 두 점 A, B와 A에서 원 O에 그은 접선 이 반지름 OB의 연장선과 만나는 점을 C라고 하면

($\triangle$OAB)<(부채꼴 OAB)<($\triangle$OAC)

각각의 넓이를 구하여 위 부등식에 대입하면

$\frac{1}{2}$ (가) $<\frac{1}{2}\theta<\frac{1}{2}$ (나) …… ㉠

㉠을 정리하면 (다) $<\frac{\sin\theta}{\theta}<1$ …… ㉡

㉡의 각 변에 극한을 취하면 함수의 극한값의 대소에 의하여

$\lim_{\theta \to 0+}\frac{\sin\theta}{\theta}=1$

(ⅱ) $\theta<0$일 때, $\theta=-t$로 놓으면 $\lim_{\theta \to 0-}\frac{\sin\theta}{\theta}=\lim_{t \to 0+}\frac{\sin(-t)}{(-t)}=1$

(ⅰ), (ⅱ)에서 $\lim_{\theta \to 0}\frac{\sin\theta}{\theta}=1$

위의 증명 과정에서 (가), (나), (다)에 알맞은 것을 순서대로 적으면?

① $\sin\theta$, $\cos\theta$, $\tan\theta$ ② $\cos\theta$, $\sin\theta$, $\cos\theta$
③ $\sin\theta$, $\tan\theta$, $\cos\theta$ ④ $\cos\theta$, $\tan\theta$, $\cos\theta$
⑤ $\cos\theta$, $\tan\theta$, $\sin\theta$

STEP A 넓이를 이용하여 빈칸추론하기

$\triangle$OAB의 넓이는 $\frac{1}{2}\cdot1\cdot1\cdot\sin\theta=\frac{1}{2}\sin\theta$

부채꼴 OAB의 넓이는 $\frac{1}{2}\cdot1^2\cdot\theta=\frac{1}{2}\theta$

$\triangle$OAC의 넓이는 $\frac{1}{2}\cdot1\cdot\tan\theta=\frac{1}{2}\tan\theta$

$\therefore \frac{1}{2}\boxed{\sin\theta}<\frac{1}{2}\theta<\frac{1}{2}\boxed{\tan\theta}$

$\therefore \sin\theta<\theta<\tan\theta$

$\sin\theta>0$이므로 각 변을 $\sin\theta$로 나누면

$1<\frac{\theta}{\sin\theta}<\frac{1}{\cos\theta}$

양변의 역수를 취하면 $1>\frac{\sin\theta}{\theta}>\boxed{\cos\theta}$

이때 $\lim_{\theta \to 0+}\cos\theta=1$이므로 $\lim_{\theta \to 0+}\frac{\sin\theta}{\theta}=1$

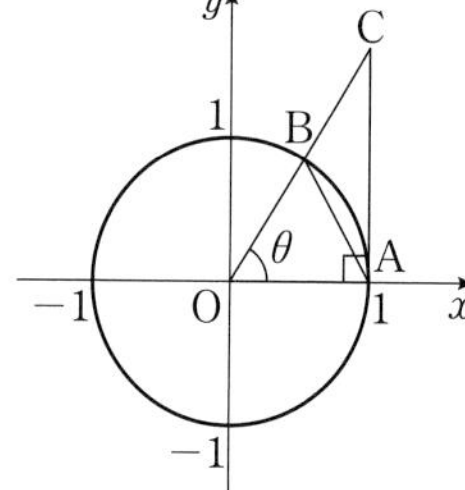

$\lim_{x \to 0}\sin x=\lim_{x \to 0}\tan x \fallingdotseq x$

x가 0에 가까워지면 곡선 $y=\sin x$, $y=\tan x$가 직선 $y=x$에 가까워진다.

즉 x가 0에 가까워지면 $\sin x$나 $\tan x$ 둘 다 x로 두고 풀어도 된다.

또한, $1-\cos x$ 대신 $\frac{1}{2}x^2$로 두고 풀어도 된다.

0368

$\lim_{x \to 0}\frac{\tan x}{xe^x}$의 값은?

① 1 ② 2 ③ 3
④ 4 ⑤ 5

STEP A $\lim_{x \to 0}\frac{\tan ax}{bx}=\frac{a}{b}$임을 이용하여 극한값을 구하기

$\lim_{x \to 0}\left(\frac{\tan x}{x}\times\frac{1}{e^x}\right)=\lim_{x \to 0}\frac{\tan x}{x}\times\lim_{x \to 0}\frac{1}{e^x}=1\times1=1$

0369

다음 물음에 답하여라.

(1) $\lim_{x \to 0}\frac{\ln(1+3x)}{\sin 2x}$의 값은?

① $\frac{1}{2}$ ② 1 ③ $\frac{3}{2}$
④ 2 ⑤ $\frac{5}{2}$

STEP A $\lim_{x \to 0}\frac{\ln(1+ax)}{bx}=\frac{a}{b}$, $\lim_{x \to 0}\frac{\sin ax}{bx}=\frac{a}{b}$임을 이용하여 극한값을 구하기

$\lim_{x \to 0}\frac{\ln(1+3x)}{\sin 2x}=\lim_{x \to 0}\left\{\frac{\ln(1+3x)}{3x}\times\frac{2x}{\sin 2x}\times\frac{3x}{2x}\right\}=1\times1\times\frac{3}{2}=\frac{3}{2}$

(2) $\lim_{x \to 0}\frac{\ln(1+5x)}{\sin 3x}$의 값은?

① 1 ② $\frac{4}{3}$ ③ $\frac{5}{3}$
④ 2 ⑤ $\frac{7}{3}$

STEP A $\lim_{x \to 0}\frac{\sin x}{x}=1$, $\lim_{x \to 0}\frac{\ln(1+x)}{x}=1$임을 이용하여 극한값을 구하기

$\lim_{x \to 0}\frac{\ln(1+5x)}{\sin 3x}=\lim_{x \to 0}\left\{\frac{\ln(1+5x)}{5x}\times\frac{3x}{\sin 3x}\times\frac{5}{3}\right\}$

$=\frac{5}{3}\times\lim_{x \to 0}\frac{\ln(1+5x)}{5x}\times\lim_{x \to 0}\frac{3x}{\sin 3x}=\frac{5}{3}\times1\times1=\frac{5}{3}$

0370

다음 물음에 답하여라.

(1) $\lim_{x \to 0}\frac{2x\sin x}{1-\cos x}$의 값은?

① 1 ② 2 ③ 3
④ 4 ⑤ 5

STEP A 삼각함수의 성질을 이용하여 극한값 구하기

$\lim_{x \to 0}\frac{2x\sin x}{1-\cos x}=\lim_{x \to 0}\frac{2x\sin x(1+\cos x)}{(1-\cos x)(1+\cos x)}=\lim_{x \to 0}\frac{2x\sin x(1+\cos x)}{1-\cos^2 x}$

$=\lim_{x \to 0}\frac{2x\sin x(1+\cos x)}{\sin^2 x}=\lim_{x \to 0}\left\{2\cdot\frac{x}{\sin x}\cdot(1+\cos x)\right\}$

$=2\cdot1\cdot(1+1)=4$

(2) $\lim_{\theta \to 0}\frac{\sec 2\theta-1}{\sec\theta-1}$의 값은?

① 1 ② 2 ③ 3
④ 4 ⑤ 5

STEP A $\lim_{x \to 0}\frac{\tan x}{x}=1$임을 이용하여 극한값을 구하기

$\lim_{\theta \to 0}\frac{\sec 2\theta-1}{\sec\theta-1}=\lim_{\theta \to 0}\frac{(\sec 2\theta-1)(\sec 2\theta+1)(\sec\theta+1)}{(\sec\theta-1)(\sec\theta+1)(\sec 2\theta+1)}$

$=\lim_{\theta \to 0}\frac{(\sec^2 2\theta-1)(\sec\theta+1)}{(\sec^2\theta-1)(\sec 2\theta+1)}$

$=\lim_{\theta \to 0}\frac{\tan^2 2\theta(\sec\theta+1)}{\tan^2\theta(\sec 2\theta+1)}$ ⬅ $1+\tan^2\theta=\sec^2\theta$

$=\lim_{\theta \to 0}\left\{\frac{\tan^2 2\theta}{(2\theta)^2}\cdot\frac{4\theta^2}{\tan^2\theta}\cdot\frac{\sec\theta+1}{\sec 2\theta+1}\right\}$

$=\lim_{\theta \to 0}\left(\frac{\tan 2\theta}{2\theta}\right)^2\cdot\lim_{\theta \to 0}4\left(\frac{\theta}{\tan\theta}\right)^2\cdot\lim_{\theta \to 0}\frac{\sec\theta+1}{\sec 2\theta+1}$

$=1\cdot4\cdot\frac{2}{2}=4$

다른풀이 $\sec\theta=\frac{1}{\cos\theta}$임을 이용하여 풀이하기

$$\lim_{\theta\to0}\frac{\sec2\theta-1}{\sec\theta-1}=\lim_{\theta\to0}\frac{\frac{1}{\cos2\theta}-1}{\frac{1}{\cos\theta}-1}$$
$$=\lim_{\theta\to0}\frac{(1-\cos2\theta)\cos\theta}{(1-\cos\theta)\cos2\theta}$$
$$=\lim_{\theta\to0}\left(\frac{1-\cos2\theta}{1-\cos\theta}\cdot\frac{\cos\theta}{\cos2\theta}\right)$$
$$=\lim_{\theta\to0}\left\{\frac{(1-\cos2\theta)(1+\cos2\theta)(1+\cos\theta)}{(1-\cos\theta)(1+\cos\theta)(1+\cos2\theta)}\cdot\frac{\cos\theta}{\cos2\theta}\right\}$$
$$=\lim_{\theta\to0}\left(\frac{\sin^2 2\theta}{\sin^2\theta}\cdot\frac{\cos\theta}{\cos2\theta}\cdot\frac{1+\cos\theta}{1+\cos2\theta}\right)$$
$$=\lim_{\theta\to0}\left(\frac{\sin2\theta}{\sin\theta}\right)^2\cdot\lim_{\theta\to0}\frac{\cos\theta}{\cos2\theta}\cdot\lim_{\theta\to0}\frac{1+\cos\theta}{1+\cos2\theta}$$
$$=2^2\cdot\frac{1}{1}\cdot\frac{2}{2}=4$$

0371

다음 물음에 답하여라.

(1) $\lim_{x\to0}\frac{e^{2x}-1}{\tan x}$의 값은?

① 4 ② 2 ③ 1
④ -1 ⑤ -2

STEP **A** $\lim_{x\to0}\frac{\tan x}{x}=1$, $\lim_{x\to0}\frac{e^x-1}{x}=1$임을 이용하여 극한값을 구하기

$$\lim_{x\to0}\frac{e^{2x}-1}{\tan x}=\lim_{x\to0}\frac{(e^x-1)(e^x+1)}{\tan x}$$
$$=\lim_{x\to0}\left\{\frac{e^x-1}{x}\times\frac{x}{\tan x}\times(e^x+1)\right\}$$
$$=\lim_{x\to0}\frac{e^x-1}{x}\cdot\lim_{x\to0}\frac{x}{\tan x}\cdot\lim_{x\to0}(e^x+1)$$
$$=1\cdot1\cdot(1+1)=2$$

다른풀이 $\lim_{x\to0}\frac{e^x-1}{x}=1$, $\lim_{x\to0}\frac{\tan x}{x}=1$임을 이용하여 풀이하기

$$\lim_{x\to0}\frac{e^{2x}-1}{\tan x}=\lim_{x\to0}\left(\frac{e^{2x}-1}{2x}\cdot\frac{2x}{\tan x}\right)=1\cdot2=2$$

(2) $\lim_{x\to0}\frac{e^{\sin x}-1}{\tan x}+\lim_{x\to\infty}\left(1+\frac{\sin x}{x}\right)^{\frac{3x}{\sin x}}$의 값은?

① $1+e$ ② $1+e^2$ ③ $1+e^3$
④ $2+e^3$ ⑤ $3+e^3$

STEP **A** $\lim_{x\to0}\frac{e^x-1}{x}=1$을 이용하여 극한값 구하기

$$\lim_{x\to0}\frac{e^{\sin x}-1}{\tan x}=\lim_{x\to0}\left(\frac{e^{\sin x}-1}{\sin x}\cdot\cos x\right)=1\cdot1=1$$

STEP **B** $\lim_{x\to\infty}\left(1+\frac{1}{x}\right)^x=e$을 이용하여 극한값 구하기

$$\lim_{x\to\infty}\left(1+\frac{\sin x}{x}\right)^{\frac{3x}{\sin x}}=\lim_{x\to\infty}\left(1+\frac{\sin x}{x}\right)^{\frac{x}{\sin x}\cdot3}=e^3$$

따라서 $\lim_{x\to0}\frac{e^{\sin x}-1}{\tan x}+\lim_{x\to\infty}\left(1+\frac{\sin x}{x}\right)^{\frac{3x}{\sin x}}=1+e^3$

0372

다음 물음에 답하여라.

(1) $\lim_{x\to0}(1+2\tan x)^{\cot x}$의 값은?

① $\frac{1}{2}e$ ② e ③ e^2
④ $3e^2$ ⑤ e^3

STEP **A** $\lim_{x\to0}(1+ax)^{\frac{1}{ax}}=e$임을 이용하여 구하기

$$\lim_{x\to0}(1+2\tan x)^{\cot x}=\lim_{x\to0}\left\{(1+2\tan x)^{\frac{1}{2\tan x}}\right\}^2=e^2$$

(2) $\lim_{x\to0}(1+\sin x)^{\frac{1}{2x}}$의 값은?

① $\frac{1}{2}$ ② 1 ③ $\sqrt{e}$
④ 2 ⑤ e

STEP **A** $\lim_{x\to0}(1+ax)^{\frac{1}{ax}}=e$임을 이용하여 구하기

$$\lim_{x\to0}(1+\sin x)^{\frac{1}{2x}}=\lim_{x\to0}\left\{(1+\sin x)^{\frac{1}{\sin x}}\right\}^{\frac{\sin x}{2x}}$$
$$=e^{\frac{1}{2}}=\sqrt{e}\ \Leftarrow \lim_{x\to0}\frac{\sin x}{2x}=\lim_{x\to0}\left(\frac{\sin x}{x}\cdot\frac{1}{2}\right)=\frac{1}{2}$$

0373

$\lim_{x\to1}\frac{a\sin(x^3-1)}{x^2-1}=6$일 때, 상수 a의 값은?

① 1 ② 2 ③ 3
④ 4 ⑤ 9

STEP **A** $\lim_{x\to0}\frac{\sin ax}{bx}=\frac{a}{b}$임을 이용하여 극한값을 구하기

$$\lim_{x\to1}\frac{a\sin(x^3-1)}{x^2-1}=a\lim_{x\to1}\left\{\frac{\sin(x^3-1)}{x^3-1}\cdot\frac{x^3-1}{x^2-1}\right\}$$
$$=a\lim_{x\to1}\frac{\sin(x^3-1)}{x^3-1}\times\lim_{x\to1}\frac{(x-1)(x^2+x+1)}{(x-1)(x+1)}$$
$$=a\times1\times\lim_{x\to1}\frac{x^2+x+1}{x+1}=\frac{3}{2}a$$

따라서 $\frac{3}{2}a=6$이므로 $a=4$

0374

다음 물음에 답하여라.

(1) $\lim_{x\to\frac{\pi}{2}}\frac{\cos^2x}{(2x-\pi)^2}$의 값은?

① $\frac{1}{4}$ ② $\frac{1}{2}$ ③ 1
④ 2 ⑤ 4

STEP **A** $x-\frac{\pi}{2}=t$로 놓은 후 $\lim_{t\to0}\frac{\sin t}{t}=1$을 이용하여 극한값 구하기

$\lim_{x\to\frac{\pi}{2}}\frac{\cos^2x}{(2x-\pi)^2}$에서 $x-\frac{\pi}{2}=t$라 놓으면

$x\to\frac{\pi}{2}$에서 $t\to0$이고 $x=\frac{\pi}{2}+t$이므로

$$\lim_{x\to\frac{\pi}{2}}\frac{\cos^2x}{(2x-\pi)^2}=\lim_{t\to0}\frac{\cos^2\left(\frac{\pi}{2}+t\right)}{4t^2}=\lim_{t\to0}\frac{\sin^2t}{4t^2}$$
$$=\lim_{t\to0}\frac{1}{4}\left(\frac{\sin t}{t}\right)^2=\frac{1}{4}\times1=\frac{1}{4}$$

(2) $\lim_{x \to \frac{\pi}{4}} \frac{\tan(4x-\pi)}{\cos 2x}$의 값은?

① -2 ② -1 ③ 0
④ 1 ⑤ 2

STEP A $x-\frac{\pi}{4}=t$로 놓은 후 $\lim_{t \to 0} \frac{\sin t}{t}=1$, $\lim_{t \to 0} \frac{\tan t}{t}=1$을 이용하여 극한값 구하기

$x-\frac{\pi}{4}=t$라 하면 $x \to \frac{\pi}{4}$일 때, $t \to 0$이고 $x=t+\frac{\pi}{4}$이므로

$$\lim_{x \to \frac{\pi}{4}} \frac{\tan(4x-\pi)}{\cos 2x}=\lim_{t \to 0} \frac{\tan 4t}{\cos\left(2t+\frac{\pi}{2}\right)}$$
$$=\lim_{t \to 0} \frac{\tan 4t}{-\sin 2t}$$
$$=\lim_{t \to 0}\left\{\frac{\tan 4t}{4t} \times \frac{2t}{\sin 2t} \times \frac{4}{2} \times (-1)\right\}$$
$$=\lim_{t \to 0} \frac{\tan 4t}{4t} \times \lim_{t \to 0} \frac{2t}{\sin 2t} \times \lim_{t \to 0} \frac{4}{2} \times \lim_{t \to 0}(-1)$$
$$=1 \times 1 \times 2 \times (-1)=-2$$

0375

다음 물음에 답하여라.

(1) $\lim_{x \to 0} \frac{ax+b}{\sin 3x}=4$가 성립하도록 하는 두 상수 a, b에 대하여 $\lim_{x \to 0} \frac{\tan(a+4)x}{(a+b)x}$의 값은?

① $\frac{1}{2}$ ② $\frac{2}{3}$ ③ 1
④ $\frac{4}{3}$ ⑤ 2

STEP A (분모)$\to 0$이고 극한값이 존재하므로 (분자)$\to 0$임을 이용하여 b의 값 구하기

$x \to 0$일 때, (분모)$\to 0$이고 극한값이 존재하므로 (분자)$\to 0$이어야 한다.
즉 $\lim_{x \to 0}(ax+b)=0$이므로 $b=0$

STEP B $\lim_{x \to 0} \frac{\sin x}{x}=1$을 이용하여 a의 값 구하기

$$\lim_{x \to 0} \frac{ax}{\sin 3x}=\lim_{x \to 0}\left(\frac{3x}{\sin 3x} \times \frac{a}{3}\right)=\frac{a}{3}=4\text{에서 } a=12$$

STEP C $\lim_{x \to 0} \frac{\tan ax}{bx}=\frac{a}{b}$를 이용하여 극한값 구하기

따라서 $\lim_{x \to 0} \frac{\tan(12+4)x}{(12+0)x}=\lim_{x \to 0}\left(\frac{\tan 16x}{16x} \times \frac{16}{12}\right)=\frac{4}{3}$

(2) $\lim_{x \to 0} \frac{\ln(x+b)}{\sin ax}=\frac{1}{5}$을 만족하는 상수 a, b에 대하여 $a+b$의 값은?

① 2 ② 3 ③ 4
④ 5 ⑤ 6

STEP A (분모)$\to 0$이고 극한값이 존재하므로 (분자)$\to 0$임을 이용하여 b의 값 구하기

$x \to 0$일 때, (분모)$\to 0$이고 극한값이 존재하므로 (분자)$\to 0$이어야 한다.
즉 $\lim_{x \to 0} \ln(x+b)=0$이므로 $b=1$

STEP B $\lim_{x \to 0} \frac{\sin x}{x}=1$, $\lim_{x \to 0} \frac{\ln(1+x)}{x}=1$을 이용하여 a의 값 구하기

$$\lim_{x \to 0} \frac{\ln(x+1)}{\sin ax}=\lim_{x \to 0}\left\{\frac{ax}{\sin ax} \times \frac{1}{a} \times \frac{\ln(x+1)}{x}\right\}=\frac{1}{a}=\frac{1}{5}$$
따라서 $a=5$, $b=1$이므로 $a+b=6$

0376

다음 물음에 답하여라.

(1) $\lim_{x \to 0} \frac{x\ln(1+ax)}{1-\cos 3x}=\frac{1}{3}$이 성립하도록 하는 상수 a의 값은?

① $\frac{1}{2}$ ② $\frac{2}{3}$ ③ 1
④ $\frac{3}{2}$ ⑤ 2

STEP A 주어진 식의 분자, 분모에 $1+\cos 3x$를 각각 곱한 후 $\lim_{x \to 0} \frac{\sin x}{x}=1$, $\lim_{x \to 0} \frac{\ln(1+x)}{x}=1$임을 이용하여 a의 값 구하기

$$\lim_{x \to 0} \frac{x\ln(1+ax)}{1-\cos 3x}=\lim_{x \to 0} \frac{x\ln(1+ax)(1+\cos 3x)}{(1-\cos 3x)(1+\cos 3x)}$$
$$=\lim_{x \to 0} \frac{x\ln(1+ax)(1+\cos 3x)}{1-\cos^2 3x}$$
$$=\lim_{x \to 0}\left\{\frac{x\ln(1+ax)}{\sin^2 3x} \times (1+\cos 3x)\right\}$$
$$=\lim_{x \to 0}\left\{\left(\frac{3x}{\sin 3x}\right)^2 \times \frac{\ln(1+ax)}{ax} \times \frac{a}{9} \times (1+\cos 3x)\right\}$$
$$=\frac{2a}{9}=\frac{1}{3}$$
따라서 $a=\frac{3}{2}$

(2) 두 상수 a, b에 대하여 $\lim_{x \to 0} \frac{(e^x-1)\ln(1+x)}{a+b\cos^2 x}=3$일 때, ab의 값은?

① -1 ② $-\frac{1}{3}$ ③ $-\frac{1}{9}$
④ $\frac{1}{9}$ ⑤ $\frac{1}{3}$

STEP A (분자)$\to 0$이면 (분모)$\to 0$임을 이용하여 a, b 관계식 구하기

$x \to 0$일 때, (분자)$\to 0$이고 0이 아닌 극한값이 존재하므로 (분모)$\to 0$이어야 한다.
즉 $\lim_{x \to 0}(a+b\cos^2 x)=a+b=0$ $\quad \therefore b=-a$

STEP B 삼각함수와 지수함수의 극한을 이용하여 a, b의 값 구하기

$$\lim_{x \to 0} \frac{(e^x-1)\ln(1+x)}{a(1-\cos^2 x)}=\lim_{x \to 0}\left\{\frac{x^2}{a\sin^2 x} \times \frac{(e^x-1)}{x} \times \frac{\ln(1+x)}{x}\right\}=\frac{1}{a}=3$$
따라서 $ab=\frac{1}{3} \cdot \left(-\frac{1}{3}\right)=-\frac{1}{9}$

0377

다음 물음에 답하여라.

(1) $\lim_{x \to 0} \frac{1-\cos kx}{2\sin^2 x}=1$을 만족하는 양수 k의 값은?

① 1 ② 2 ③ 3
④ 4 ⑤ 5

STEP A $\lim_{x \to 0} \frac{1-\cos kx}{x^2}=\frac{k^2}{2}$임을 이용하여 양수 k의 값 구하기

$$\lim_{x \to 0} \frac{1-\cos kx}{2\sin^2 x}=\lim_{x \to 0} \frac{x^2(1-\cos kx)}{2x^2\sin^2 x}=\lim_{x \to 0}\left\{\frac{x^2}{\sin^2 x} \cdot \frac{(1-\cos kx)}{2x^2}\right\}$$
$$=\lim_{x \to 0}\left\{\left(\frac{x}{\sin x}\right)^2 \frac{(1-\cos kx)(1+\cos kx)}{2x^2(1+\cos kx)}\right\}$$
$$=1 \cdot \lim_{x \to 0} \frac{\sin^2 kx}{2x^2(1+\cos kx)}$$
$$=\lim_{x \to 0}\left\{\frac{1}{2}\left(\frac{\sin kx}{x}\right)^2 \times \frac{1}{1+\cos kx}\right\}=\frac{1}{2} \times k^2 \times \frac{1}{2}=\frac{k^2}{4}$$
따라서 $k=2$ $(\because k>0)$

(2) $\lim_{x\to0}\frac{ax\sin x+b}{1-\cos x}=1$이 성립할 때, 상수 a, b에 대하여 $a+b$의 값은?

① -1 ② $-\frac{1}{2}$ ③ 0
④ $\frac{1}{2}$ ⑤ 1

STEP A (분모)→ 0이고 극한값이 존재하므로 (분자)→ 0임을 이용하여 b의 값 구하기

$x\to0$일 때, (분모)→ 0이고 극한값이 존재하므로 (분자)→ 0이어야 한다.
즉 $\lim_{x\to0}(ax\sin x+b)=0$이므로 $b=0$

STEP B 분모, 분자에 $1+\cos x$를 곱하여 $\lim_{x\to0}\frac{\sin x}{x}=1$임을 이용하여 a의 값 구하기

$b=0$을 주어진 식에 대입하면

$$\begin{aligned}\lim_{x\to0}\frac{ax\sin x}{1-\cos x}&=\lim_{x\to0}\frac{ax\sin x(1+\cos x)}{(1-\cos x)(1+\cos x)}\\&=\lim_{x\to0}\frac{ax\sin x(1+\cos x)}{\sin^2 x}\\&=a\lim_{x\to0}\left\{\frac{x}{\sin x}\times(1+\cos x)\right\}\\&=2a=1\end{aligned}$$

$\therefore a=\frac{1}{2}$

따라서 $a+b=\frac{1}{2}+0=\frac{1}{2}$

0378

다음 물음에 답하여라.

(1) $\lim_{x\to0}\frac{a-3\cos x}{x\tan x}=b$일 때, 두 실수 a, b에 대하여 $a+b$의 값은?

① $\frac{5}{2}$ ② $\frac{10}{3}$ ③ $\frac{7}{2}$
④ $\frac{9}{2}$ ⑤ $\frac{13}{3}$

STEP A (분모)→ 0이고 극한값이 존재하므로 (분자)→ 0임을 이용하여 a의 값 구하기

$x\to0$일 때, (분모)→ 0이고 극한값이 존재하므로 (분자)→ 0이어야 한다.
$\lim_{x\to0}(a-3\cos x)=a-3=0$이므로 $a=3$

STEP B 분모, 분자에 $1+\cos x$를 곱하여 $\lim_{x\to0}\frac{\sin x}{x}=1$, $\lim_{x\to0}\frac{\tan x}{x}=1$ 임을 이용하여 b의 값 구하기

$$\begin{aligned}\lim_{x\to0}\frac{3(1-\cos x)}{x\tan x}&=\lim_{x\to0}\frac{3\sin^2 x}{x\tan x(1+\cos x)}\\&=\lim_{x\to0}\left(\frac{\sin^2 x}{x^2}\times\frac{x}{\tan x}\times\frac{3}{1+\cos x}\right)\\&=1\times1\times\frac{3}{2}=\frac{3}{2}\end{aligned}$$

$\therefore b=\frac{3}{2}$

따라서 $a+b=3+\frac{3}{2}=\frac{9}{2}$

(2) 등식 $\lim_{x\to\pi}\frac{a\tan x+b}{x-\pi}=2$를 만족하는 두 상수 a, b에 대하여 $a+b$의 값은?

① -2 ② -1 ③ 0
④ 1 ⑤ 2

STEP A (분모)→ 0이고 극한값이 존재하므로 (분자)→ 0임을 이용하여 b의 값 구하기

$x\to\pi$일 때, (분모)→ 0이고 극한값이 존재하므로 (분자)→ 0이어야 한다.
$\lim_{x\to\pi}(a\tan x+b)=0$이므로 $b=0$

STEP B $x-\pi=t$로 놓은 후 $\lim_{x\to0}\frac{\tan x}{x}=1$임을 이용하여 a의 값 구하기

$x-\pi=t$로 놓으면 $x=\pi+t$이고 $x\to\pi$일 때, $t\to0$이므로

$$\begin{aligned}\lim_{x\to\pi}\frac{a\tan x}{x-\pi}&=\lim_{t\to0}\frac{a\tan(\pi+t)}{t}\\&=\lim_{t\to0}\frac{a\tan t}{t}=a=2\end{aligned}$$

따라서 $a=2$, $b=0$이므로 $a+b=2$

0379

다음 물음에 답하여라.

(1) 함수 $f(x)=\sin x-4x$에 대하여 $f'(0)$의 값은?

① -5 ② -4 ③ -3
④ -2 ⑤ -1

STEP A 삼각함수의 미분법을 이용하여 $f'(0)$의 값 구하기

$f(x)=\sin x-4x$에서 $f'(x)=\cos x-4$
따라서 $f'(0)=\cos0-4=1-4=-3$

(2) 함수 $f(x)=x^2\cos x-2x\sin x$에 대하여 $f'(\pi)$의 값은?

① -1 ② 0 ③ 1
④ $\frac{\pi}{2}$ ⑤ $\frac{\pi^2}{4}$

STEP A 삼각함수의 미분법을 이용하여 $f'(\pi)$의 값 구하기

$f(x)=x^2\cos x-2x\sin x$에서

$$\begin{aligned}f'(x)&=(2x\cos x-x^2\sin x)-(2\sin x+2x\cos x)\\&=-(x^2+2)\sin x\end{aligned}$$

따라서 $f'(\pi)=0$

0380

함수 $f(x)=a\sin x+b\cos x$일 때, $f\left(\frac{\pi}{6}\right)=1$, $f'\left(\frac{\pi}{6}\right)=\sqrt{3}$을 만족하는 실수 a, b에 대하여 $a-b$의 값은?

① 1 ② 2 ③ 3
④ 4 ⑤ 6

STEP A 삼각함수의 미분법을 이용하여 a, b의 값 구하기

$f(x)=a\sin x+b\cos x$에서 $f'(x)=a\cos x-b\sin x$

$f\left(\frac{\pi}{6}\right)=\frac{1}{2}a+\frac{\sqrt{3}}{2}b=1$ ……㉠

$f'\left(\frac{\pi}{6}\right)=\frac{\sqrt{3}}{2}a-\frac{1}{2}b=\sqrt{3}$ ……㉡

따라서 ㉠, ㉡에서 $a=2$, $b=0$이므로 $a-b=2$

0381

함수 $f(x)=\sin x+\cos x$에 대하여

$$\lim_{h\to 0}\frac{f(a+h)-f(a)}{h}=0$$

을 만족시키는 상수 a의 값은? (단, $0<a<\pi$)

① $\frac{\pi}{6}$ ② $\frac{\pi}{4}$ ③ $\frac{\pi}{3}$
④ $\frac{\pi}{2}$ ⑤ $\frac{2}{3}\pi$

STEP A 미분계수를 이용한 상수 a 구하기

$f(x)=\sin x+\cos x$에서 $f'(x)=(\sin x)'+(\cos x)'=\cos x-\sin x$

한편 $f'(a)=\lim_{h\to 0}\frac{f(a+h)-f(a)}{h}$이므로 $f'(a)=\cos a-\sin a=0$

즉 $\cos a=\sin a$

이때 $\frac{\sin a}{\cos a}=\tan a=1$이고 $0<a<\pi$이므로 $a=\frac{\pi}{4}$

0382

다음 물음에 답하여라.

(1) 함수 $f(x)=x^3\sin x$에 대하여 $\lim_{h\to 0}\frac{f\left(\frac{\pi}{2}+2h\right)-f\left(\frac{\pi}{2}-2h\right)}{h}$의 값은?

① 0 ② π ③ $2\pi^2$
④ $3\pi^2$ ⑤ $4\pi^2$

STEP A 미분계수의 정의를 이용하여 주어진 식 변형하기

$$\lim_{h\to 0}\frac{f\left(\frac{\pi}{2}+2h\right)-f\left(\frac{\pi}{2}-2h\right)}{h}$$

$$=\lim_{h\to 0}\frac{f\left(\frac{\pi}{2}+2h\right)-f\left(\frac{\pi}{2}\right)-\left\{f\left(\frac{\pi}{2}-2h\right)-f\left(\frac{\pi}{2}\right)\right\}}{h}$$

$$=\lim_{h\to 0}\left\{\frac{f\left(\frac{\pi}{2}+2h\right)-f\left(\frac{\pi}{2}\right)}{2h}\times 2+\frac{f\left(\frac{\pi}{2}-2h\right)-f\left(\frac{\pi}{2}\right)}{-2h}\times 2\right\}$$

$$=2f'\left(\frac{\pi}{2}\right)+2f'\left(\frac{\pi}{2}\right)$$

$$=4f'\left(\frac{\pi}{2}\right)$$

STEP B 함수 $f(x)$를 미분한 후 미분계수 구하기

$f(x)=x^3\sin x$에서 $f'(x)=3x^2\sin x+x^3\cos x$이므로

$f'\left(\frac{\pi}{2}\right)=3\left(\frac{\pi}{2}\right)^2\sin\frac{\pi}{2}+\left(\frac{\pi}{2}\right)^3\cos\frac{\pi}{2}=\frac{3\pi^2}{4}$

따라서 $4f'\left(\frac{\pi}{2}\right)=4\times\frac{3\pi^2}{4}=3\pi^2$

(2) 함수 $f(x)=x\cos x$일 때, $\lim_{h\to 0}\frac{f(\pi+h)-f(\pi-h)}{h}$의 값은?

① -3 ② -2 ③ -1
④ 0 ⑤ 1

STEP A 미분계수의 정의를 이용하여 주어진 식 변형하기

$$\lim_{h\to 0}\frac{f(\pi+h)-f(\pi-h)}{h}=\lim_{h\to 0}\left\{\frac{f(\pi+h)-f(\pi)}{h}+\frac{f(\pi-h)-f(\pi)}{-h}\right\}$$

$$=f'(\pi)+f'(\pi)=2f'(\pi)$$

STEP B 함수 $f(x)$를 미분한 후 미분계수 구하기

$f(x)=x\cos x$에서 $f'(x)=\cos x+x(-\sin x)=\cos x-x\sin x$

따라서 $\lim_{h\to 0}\frac{f(\pi+h)-f(\pi-h)}{h}=2f'(\pi)=2(\cos\pi-\pi\sin\pi)=-2$

NORMAL

0383

다음 물음에 답하여라.

(1) 삼각형 ABC의 세 내각의 크기를 A, B, C라 하자.

$$\cos A=\frac{\sqrt{3}}{3},\ \sin B=\frac{2\sqrt{2}}{3}$$

일 때, $\sin C$의 값은? $\left(\text{단, } 0<A<\frac{\pi}{2}\right)$

① $\frac{1}{3}$ ② $\frac{\sqrt{2}}{3}$ ③ $\frac{\sqrt{3}}{3}$
④ $\frac{2}{3}$ ⑤ $\frac{\sqrt{6}}{3}$

STEP A $\sin A$, $\cos B$의 값 구하기

$\cos A=\frac{\sqrt{3}}{3}$에서 $0<A<\frac{\pi}{2}$이므로

$\sin A=\sqrt{1-\cos^2 A}=\sqrt{1-\left(\frac{\sqrt{3}}{3}\right)^2}=\sqrt{\frac{2}{3}}=\frac{\sqrt{6}}{3}$

$\sin B=\frac{2\sqrt{2}}{3}$이고 $0<B<\frac{\pi}{2}$이므로

$\cos B=\sqrt{1-\sin^2 B}=\sqrt{1-\left(\frac{2\sqrt{2}}{3}\right)^2}=\sqrt{\frac{1}{9}}=\frac{1}{3}$

STEP B 삼각함수의 덧셈정리를 이용하여 $\sin C$의 값 구하기

삼각형 ABC에서 $A+B+C=\pi$이므로

$$\begin{aligned}\sin C&=\sin(\pi-A-B)\\&=\sin\{\pi-(A+B)\}\\&=\sin(A+B)\\&=\sin A\cos B+\cos A\sin B\\&=\frac{\sqrt{6}}{3}\times\frac{1}{3}+\frac{\sqrt{3}}{3}\times\frac{2\sqrt{2}}{3}\\&=\frac{\sqrt{6}+2\sqrt{6}}{9}\\&=\frac{3\sqrt{6}}{9}=\frac{\sqrt{6}}{3}\end{aligned}$$

(2) 삼각형 ABC의 세 내각의 크기 A, B, C에 대하여

$$\tan A=\frac{4}{3},\ \tan B=3$$

일 때, $\tan C$의 값은?

① $\frac{10}{9}$ ② $\frac{11}{9}$ ③ $\frac{4}{3}$
④ $\frac{13}{9}$ ⑤ $\frac{14}{9}$

STEP A 삼각함수의 덧셈정리를 이용하여 $\tan C$의 값 구하기

삼각형 ABC에서 $A+B+C=\pi$이므로 $C=\pi-(A+B)$

$$\begin{aligned}\tan C&=\tan(\pi-A-B)\\&=\tan\{\pi-(A+B)\}\\&=-\tan(A+B)\\&=-\frac{\tan A+\tan B}{1-\tan A\tan B}\\&=-\frac{\frac{4}{3}+3}{1-\frac{4}{3}\times 3}=\frac{13}{9}\end{aligned}$$

0384

$0<\alpha<\beta<\frac{\pi}{2}$인 두 수 α, β가

$$\sin\alpha\sin\beta=\frac{\sqrt{3}+1}{4},\ \cos\alpha\cos\beta=\frac{\sqrt{3}-1}{4}$$

을 만족시킬 때, $\cos(3\alpha+\beta)$의 값은?

① -1　② $-\frac{\sqrt{3}}{2}$　③ $-\frac{\sqrt{2}}{2}$

④ $-\frac{1}{2}$　⑤ 0

STEP Ⓐ 삼각함수의 덧셈정리를 이용하여 α, β 구하기

$0<\alpha<\beta<\frac{\pi}{2}$이므로 $0<\alpha+\beta<\pi$, $0<\beta-\alpha<\frac{\pi}{2}$

$\cos(\alpha+\beta)=\cos\alpha\cos\beta-\sin\alpha\sin\beta$

$=\frac{\sqrt{3}-1}{4}-\frac{\sqrt{3}+1}{4}=-\frac{1}{2}$

$\therefore\ \alpha+\beta=\frac{2}{3}\pi\ (\because 0<\alpha+\beta<\pi)$ …… ㉠

$\cos(\beta-\alpha)=\cos\alpha\cos\beta+\sin\alpha\sin\beta$

$=\frac{\sqrt{3}-1}{4}+\frac{\sqrt{3}+1}{4}=\frac{\sqrt{3}}{2}$

$\therefore\ \beta-\alpha=\frac{\pi}{6}\left(\because 0<\beta-\alpha<\frac{\pi}{2}\right)$ …… ㉡

㉠+㉡에서 $2\beta=\frac{5}{6}\pi$　$\therefore\ \beta=\frac{5}{12}\pi$

㉠−㉡에서 $2\alpha=\frac{\pi}{2}$　$\therefore\ \alpha=\frac{\pi}{4}$

즉 $3\alpha+\beta=\frac{3}{4}\pi+\frac{5}{12}\pi=\frac{7}{6}\pi$

STEP Ⓑ $\cos(3\alpha+\beta)$의 값 구하기

따라서 $\cos(3\alpha+\beta)=\cos\frac{7}{6}\pi=\cos\left(\pi+\frac{\pi}{6}\right)=-\cos\frac{\pi}{6}=-\frac{\sqrt{3}}{2}$

0385

$\tan\alpha=-\frac{5}{12}\left(\frac{3}{2}\pi<\alpha<2\pi\right)$이고 $0\le x<\frac{\pi}{2}$일 때, 부등식

$$\cos x\le\sin(x+\alpha)\le 2\cos x$$

를 만족시키는 x에 대하여 $\tan x$의 최댓값과 최솟값의 합은?

① $\frac{31}{12}$　② $\frac{37}{12}$　③ $\frac{43}{12}$

④ $\frac{49}{12}$　⑤ $\frac{55}{12}$

STEP Ⓐ 삼각함수의 덧셈정리를 이용하여 $\sin(x+\alpha)$의 값 구하기

$\frac{3}{2}\pi<\alpha<2\pi$에서 $\tan\alpha=-\frac{5}{12}$이므로

$\sin\alpha=-\frac{5}{13}$, $\cos\alpha=\frac{12}{13}$ ⬅ α는 제 4사분면

$\sin(x+\alpha)=\sin x\cos\alpha+\cos x\sin\alpha$

$=\frac{12}{13}\sin x-\frac{5}{13}\cos x$

$\cos x\le\frac{12}{13}\sin x-\frac{5}{13}\cos x\le 2\cos x$

STEP Ⓑ 양변을 $\cos x$로 나누어 $\tan x$의 범위 구하기

$0\le x<\frac{\pi}{2}$에서 $\cos x>0$이므로 양변을 $\cos x$로 나누면

$1\le\frac{12}{13}\tan x-\frac{5}{13}\le 2$

$\frac{3}{2}\le\tan x\le\frac{31}{12}$에서 최댓값은 $\frac{31}{12}$, 최솟값은 $\frac{3}{2}$

따라서 최댓값과 최솟값의 합은 $\frac{31}{12}+\frac{3}{2}=\frac{49}{12}$

0386

다음 그림과 같이 원 $x^2+y^2=1$ 위의 점 P_1에서의 접선이 x축과 만나는 점을 Q_1이라 할 때, 삼각형 P_1OQ_1의 넓이는 $\frac{1}{4}$이다. 점 P_1을 원점 O를 중심으로 $\frac{\pi}{4}$만큼 회전시킨 점을 P_2라 하고, 점 P_2에서의 접선이 x축과 만나는 점을 Q_2라 하자. 삼각형 P_2OQ_2의 넓이는? (단, 점 P_1은 제 1사분면 위의 점이다.)

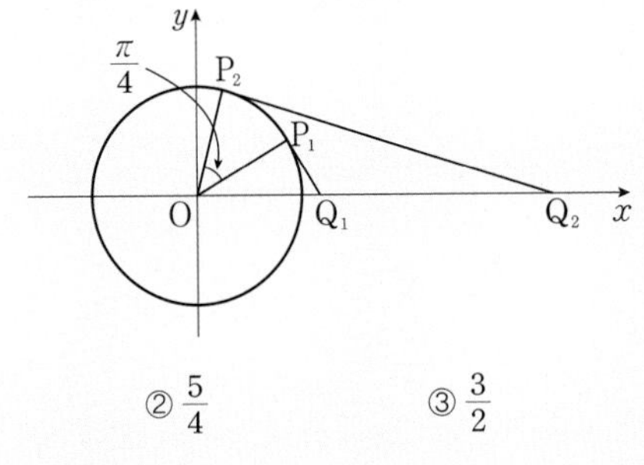

① 1　② $\frac{5}{4}$　③ $\frac{3}{2}$

④ $\frac{7}{4}$　⑤ 2

STEP Ⓐ $\angle P_1OQ_1=\theta$라 하고 삼각형 P_1OQ_1의 넓이가 $\frac{1}{4}$임을 이용하여 $\tan\theta$의 값 구하기

이때 $\angle Q_1OP_1=\theta$라 하면 삼각형 P_1OQ_1의 넓이가 $\frac{1}{4}$이므로

직각삼각형 P_1OQ_1의 넓이는 $\frac{1}{2}\cdot\overline{OP_1}\cdot\overline{P_1Q_1}=\frac{1}{2}\cdot 1\cdot\overline{P_1Q_1}=\frac{1}{4}$

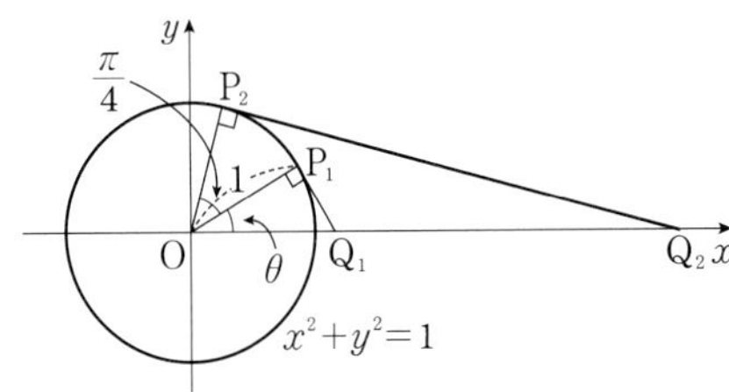

$\therefore\ \overline{P_1Q_1}=\frac{1}{2}$

STEP Ⓑ $\angle P_2OQ_2=\frac{\pi}{4}+\theta$를 이용하여 $\triangle P_2OQ_2$의 넓이 구하기

이때 $\tan\theta=\frac{\overline{P_1Q_1}}{\overline{OP_1}}=\frac{1}{2}$이고 $\angle P_2OQ_2=\frac{\pi}{4}+\theta$이므로

$\tan(\angle P_2OQ_1)=\tan\left(\frac{\pi}{4}+\theta\right)=\frac{\tan\frac{\pi}{4}+\tan\theta}{1-\tan\frac{\pi}{4}\tan\theta}=\frac{1+\frac{1}{2}}{1-1\times\frac{1}{2}}=3$

직각삼각형 P_2OQ_2에서 $\overline{P_2Q_2}=\overline{OP_2}\cdot\tan\left(\frac{\pi}{4}+\theta\right)=1\cdot 3=3$

따라서 $\triangle P_2OQ_2$의 넓이는 $\frac{1}{2}\cdot\overline{OP_2}\cdot\overline{P_2Q_2}=\frac{1}{2}\cdot 1\cdot 3=\frac{3}{2}$

다른풀이 원 위의 점에서 접선의 방정식을 이용하여 풀이하기

P_1과 x축과 이루는 각을 θ라 하면

원 위의 점 $P_1(\cos\theta,\ \sin\theta)$에서 접선은 $x\cos\theta+y\sin\theta=1$이 된다.

이때 $Q_1\left(\frac{1}{\cos\theta},\ 0\right)$이고 점 P_1의 y좌표는 $\sin\theta$

삼각형 P_1OQ_1의 넓이는

$\frac{1}{2}\cdot\overline{OQ_1}\cdot$(점 P_1의 y좌표)$=\frac{1}{2}\cdot\frac{1}{\cos\theta}\cdot\sin\theta=\frac{1}{2}\tan\theta$

즉 $\frac{1}{2}\tan\theta=\frac{1}{4}$　$\therefore\ \tan\theta=\frac{1}{2}$

따라서 $\triangle P_2OQ_2=\frac{1}{2}\cdot\overline{OP_2}\cdot\overline{P_2Q_2}=\frac{1}{2}\cdot 1\cdot\tan\left(\theta+\frac{\pi}{4}\right)$

$=\frac{1}{2}\cdot\frac{\tan\theta+\tan\frac{\pi}{4}}{1-\tan\theta\times\tan\frac{\pi}{4}}$

$=\frac{1}{2}\cdot\frac{1+\frac{1}{2}}{1-1\cdot\frac{1}{2}}=\frac{3}{2}$

0387

다음 그림과 같이 평면에 정삼각형 ABC와 $\overline{CD}=1$이고 $\angle ACD=\frac{\pi}{4}$인 점 D가 있다. 점 D와 직선 BC 사이의 거리는?
(단, 선분 CD는 삼각형 ABC의 내부를 지나지 않는다.)

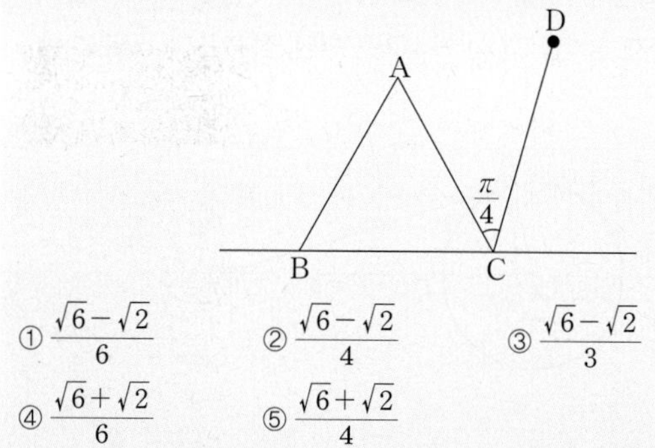

① $\frac{\sqrt{6}-\sqrt{2}}{6}$ ② $\frac{\sqrt{6}-\sqrt{2}}{4}$ ③ $\frac{\sqrt{6}-\sqrt{2}}{3}$
④ $\frac{\sqrt{6}+\sqrt{2}}{6}$ ⑤ $\frac{\sqrt{6}+\sqrt{2}}{4}$

STEP Ⓐ 점 D에서 직선 BC에 내린 수선의 발을 H라 할 때, $\overline{DH}$ 구하기

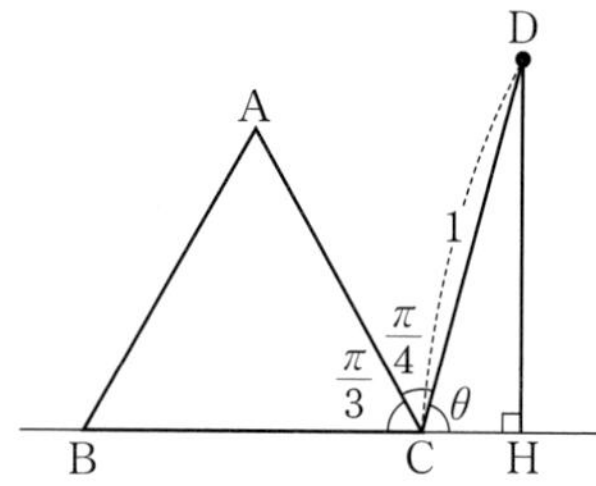

점 D에서 직선 BC에 내린 수선의 발을 H라 하면
점 D와 직선 BC 사이의 거리는 $\overline{DH}$의 길이와 같다.
$\angle DCH=\theta$라 하면
$\frac{\pi}{3}+\frac{\pi}{4}+\theta=\pi$이므로 $\theta=\pi-\left(\frac{\pi}{3}+\frac{\pi}{4}\right)$
$\therefore \overline{DH}=\overline{CD}\times\sin\theta$

STEP Ⓑ 삼각함수의 덧셈정리를 이용하여 $\overline{DH}$ 구하기

$\overline{CD}=1$이므로

$$\begin{aligned}\overline{DH}&=1\times\sin\left(\pi-\left(\frac{\pi}{3}+\frac{\pi}{4}\right)\right)\\&=\sin\left(\frac{\pi}{3}+\frac{\pi}{4}\right)\\&=\sin\frac{\pi}{3}\cos\frac{\pi}{4}+\cos\frac{\pi}{3}\sin\frac{\pi}{4}\\&=\frac{\sqrt{3}}{2}\times\frac{\sqrt{2}}{2}+\frac{1}{2}\times\frac{\sqrt{2}}{2}\\&=\frac{\sqrt{6}+\sqrt{2}}{4}\end{aligned}$$

따라서 구하는 거리는 $\frac{\sqrt{6}+\sqrt{2}}{4}$

0388

오른쪽 그림과 같이 선분 AB의 길이가 8, 선분 AD의 길이가 6인 직사각형 ABCD가 있다. 선분 AB를 1:3으로 내분하는 점을 E, 선분 AD의 중점을 F라 하자.
$\angle EFC=\theta$라 할 때, $\tan\theta$의 값은?

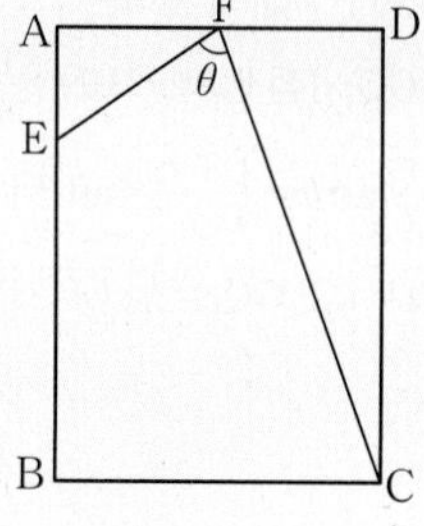

① $\frac{22}{7}$ ② $\frac{26}{7}$
③ $\frac{30}{7}$ ④ $\frac{34}{7}$
⑤ $\frac{38}{7}$

STEP Ⓐ 직각삼각형에서 $\tan\alpha$, $\tan\beta$의 값 구하기

다음 그림과 같이 점 F에서 선분 BC에 내린 수선의 발을 G, 점 E에서 선분 FG에 내린 수선의 발을 H라 하자.

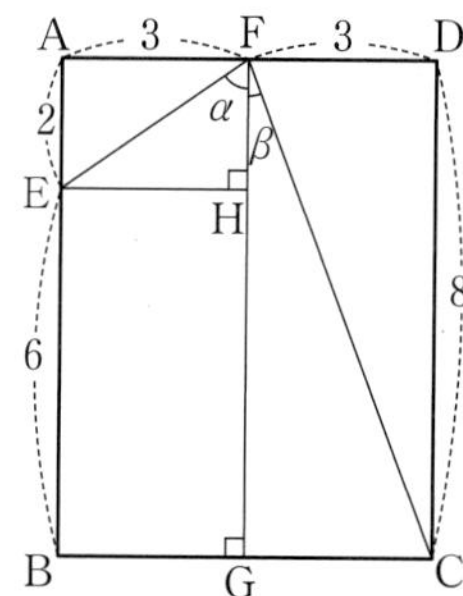

$\angle EFH=\alpha$, $\angle CFG=\beta$라 하면
$\tan\alpha=\frac{3}{2}$, $\tan\beta=\frac{3}{8}$

STEP Ⓑ 삼각함수의 덧셈정리를 이용하여 $\tan\theta$ 구하기

따라서 $\theta=\alpha+\beta$이므로

$$\tan\theta=\tan(\alpha+\beta)=\frac{\tan\alpha+\tan\beta}{1-\tan\alpha\tan\beta}=\frac{\frac{3}{2}+\frac{3}{8}}{1-\frac{3}{2}\times\frac{3}{8}}=\frac{30}{7}$$

다른풀이 벡터의 내적을 이용하여 풀이하기

점 F를 원점 O로 하면 좌표평면 위에 나타내면 다음 그림과 같다.

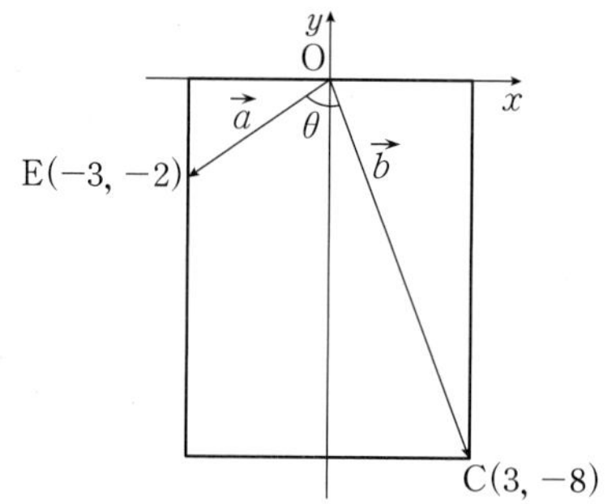

$\overrightarrow{OE}=\vec{a}$, $\overrightarrow{OC}=\vec{b}$라 하면 $\vec{a}=(-3, -2)$, $\vec{b}=(3, -8)$

$\angle EFC=\theta$이므로 $\cos\theta=\frac{\vec{a}\cdot\vec{b}}{|\vec{a}||\vec{b}|}=\frac{-9+16}{\sqrt{13}\sqrt{73}}=\frac{7}{\sqrt{13}\sqrt{73}}$

$\therefore \sec\theta=\frac{\sqrt{13}\sqrt{73}}{7}$

$1+\tan^2\theta=\sec^2\theta$에서

$\tan^2\theta=\sec^2\theta-1=\left(\frac{\sqrt{13}\sqrt{73}}{7}\right)^2-1=\frac{949}{49}-1=\frac{900}{49}$

따라서 $\cos\theta>0$에서 θ는 예각이므로 $\tan\theta=\frac{30}{7}$

0389

오른쪽 그림과 같이 $\angle CAB=\frac{\pi}{2}$이고 $\overline{AB}=8$인 직각삼각형 ABC와 변 BC를 한 변으로 하고 $\overline{BD}=\overline{DC}=13$인 이등변삼각형 BDC가 있다.
$\angle ABC=\alpha$, $\angle DCB=\beta$라 하자.
$\cos\alpha=\frac{4}{5}$일 때, $\tan(\alpha+\beta)$의 값은?
(단, 선분 AD는 선분 BC와 만난다.)

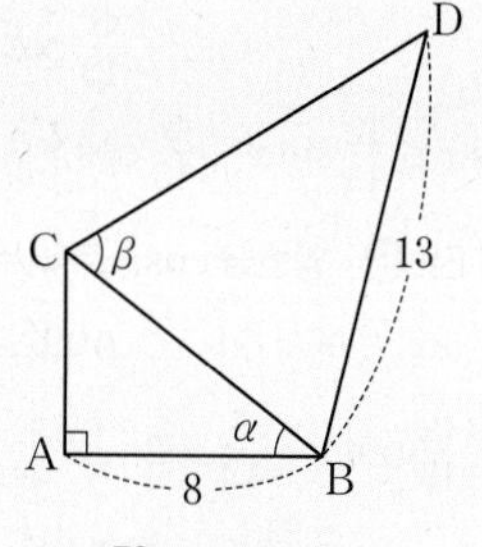

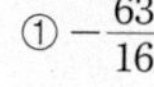

① $-\frac{63}{16}$ ② $-\frac{61}{16}$ ③ $-\frac{59}{16}$
④ $-\frac{57}{16}$ ⑤ $-\frac{55}{16}$

STEP A $\tan\alpha$의 값 구하기

$\cos\alpha=\frac{4}{5}$이고 $\overline{AB}=8$이므로

$\cos\alpha=\frac{\overline{AB}}{\overline{BC}}$에서 $\frac{4}{5}=\frac{8}{\overline{BC}}$, $\overline{BC}=10$

이때 $\overline{CA}=\sqrt{\overline{BC}^2-\overline{AB}^2}=\sqrt{10^2-8^2}=6$

이므로

$\tan\alpha=\frac{\overline{CA}}{\overline{AB}}=\frac{6}{8}=\frac{3}{4}$ …… ㉠

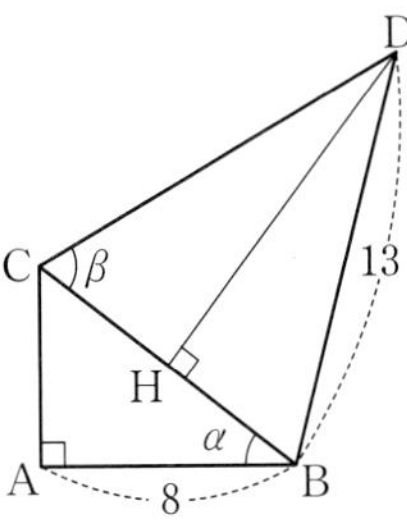
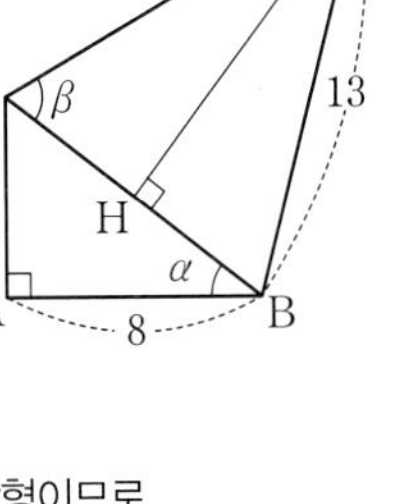

STEP B $\tan\beta$의 값 구하기

한편 삼각형 BDC는 $\overline{BD}=\overline{DC}=13$인 이등변삼각형이므로

점 D에서 변 BC에 내린 수선의 발을 H라 하면

점 H는 선분 BC의 중점이고 $\overline{CH}=5$이다.

이때 직각삼각형 DCH에서 $\overline{DC}=13$

$\overline{DH}=\sqrt{\overline{DC}^2-\overline{CH}^2}=\sqrt{13^2-5^2}=12$

$\tan\beta=\frac{\overline{DH}}{\overline{CH}}=\frac{12}{5}$ …… ㉡

STEP C $\tan(\alpha+\beta)$의 값 구하기

따라서 ㉠과 ㉡에서 $\tan(\alpha+\beta)=\frac{\tan\alpha+\tan\beta}{1-\tan\alpha\tan\beta}$

$=\frac{\frac{3}{4}+\frac{12}{5}}{1-\frac{3}{4}\times\frac{12}{5}}=-\frac{63}{16}$

0390

다음 물음에 답하여라.

(1) 지름 AB의 길이가 10인 원이 있다. 원 위의 점 P, Q에 대하여 $\overline{AP}=8$이고 $\angle QAB=2\angle PAB$이다. 선분 $\overline{AQ}$의 길이는?

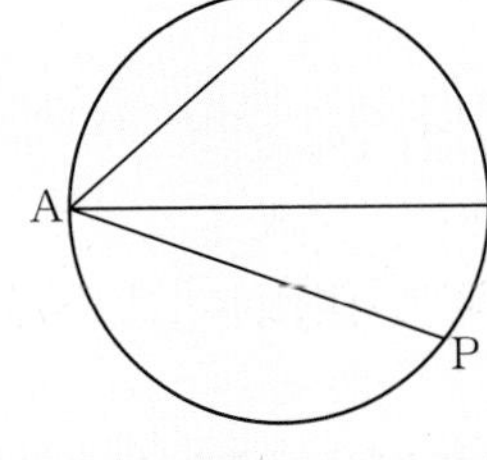

① $\frac{10}{5}$ ② $\frac{11}{5}$

③ $\frac{12}{5}$ ④ $\frac{13}{5}$

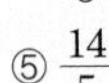

⑤ $\frac{14}{5}$

STEP A 지름에 대한 선분 AQ의 길이를 θ에 대한 식으로 나타내기

그림과 같이 $\angle PAB=\theta$라 하면

$\angle QAB=2\angle PAB$이므로

$\angle QAB=2\theta$

선분 AB가 원의 지름이므로

$\angle AQB=\angle APB=\frac{\pi}{2}$

삼각형 QAB에서

$\overline{AQ}=\overline{AB}\cos2\theta=10\cos2\theta$

삼각형 APB에서

$\cos\theta=\frac{\overline{AP}}{\overline{AB}}=\frac{8}{10}=\frac{4}{5}$

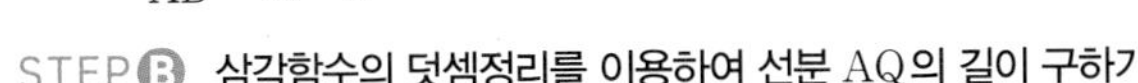

STEP B 삼각함수의 덧셈정리를 이용하여 선분 AQ의 길이 구하기

따라서 $\overline{AQ}=10\cos2\theta=10(2\cos^2\theta-1)$

$=10\left(2\cdot\frac{16}{25}-1\right)$

$=10\cdot\frac{7}{25}=\frac{14}{5}$

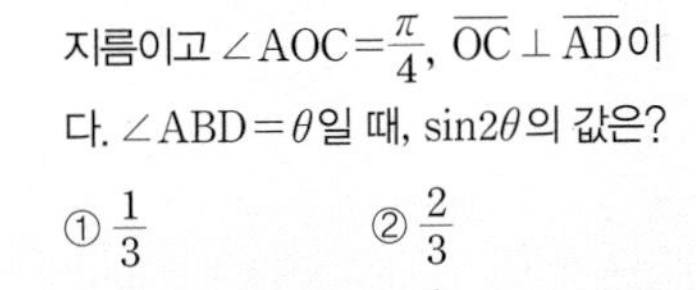

(2) 오른쪽 그림에서 선분 AB는 원 O의 지름이고 $\angle AOC=\frac{\pi}{4}$, $\overline{OC}\perp\overline{AD}$이다. $\angle ABD=\theta$일 때, $\sin2\theta$의 값은?

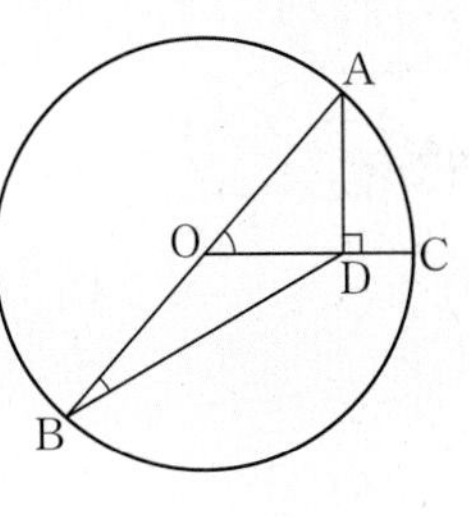

① $\frac{1}{3}$ ② $\frac{2}{3}$

③ $\frac{3}{4}$ ④ $\frac{3}{5}$

⑤ $\frac{4}{5}$

STEP A 원의 반지름의 길이를 1이라 할 때, 각 변의 길이 구하기

$\overline{OB}=1$이라 할 때, 점 D에서 선분 AB에 내린 수선의 발을 H라 하자.

△ODH도 역시 직각이등변삼각형이므로

$\overline{OH}=\overline{HD}=\frac{1}{2}$이고 $\overline{BH}=1+\frac{1}{2}=\frac{3}{2}$

또, △BHD도 직각삼각형이므로

$\overline{BD}=\sqrt{\left(\frac{3}{2}\right)^2+\left(\frac{1}{2}\right)^2}=\frac{\sqrt{10}}{2}$

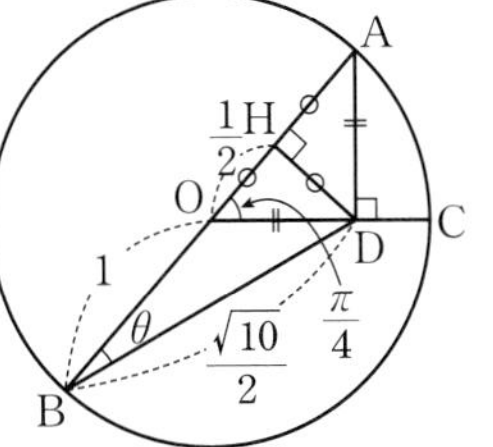

STEP B $\sin\theta$, $\cos\theta$의 값을 구하여 삼각함수의 덧셈정리를 이용하여 $\sin2\theta$의 값 구하기

△BHD에서 $\sin\theta=\frac{\overline{DH}}{\overline{BD}}=\frac{1}{\sqrt{10}}=\frac{\sqrt{10}}{10}$, $\cos\theta=\frac{\overline{BH}}{\overline{BD}}=\frac{3}{\sqrt{10}}=\frac{3\sqrt{10}}{10}$

따라서 $\sin2\theta=\sin(\theta+\theta)=\sin\theta\cos\theta+\cos\theta\sin\theta$

$=\frac{\sqrt{10}}{10}\cdot\frac{3\sqrt{10}}{10}+\frac{3\sqrt{10}}{10}\cdot\frac{\sqrt{10}}{10}$

$=\frac{3}{10}+\frac{3}{10}=\frac{6}{10}=\frac{3}{5}$

0391

$\lim_{x\to0}\frac{6^x-3^x-2^x+1}{a-\cos3x}=b\times(\ln2)\times(\ln3)$을 만족시키는 두 상수 a, b에 대하여 $a+b$의 값은? (단, $b\neq0$)

① $\frac{2}{9}$ ② $\frac{5}{9}$ ③ $\frac{8}{9}$

④ $\frac{11}{9}$ ⑤ $\frac{14}{9}$

STEP A (분자)→0이고 0이 아닌 극한값이 존재하므로 (분모)→0임을 이용하여 a의 값 구하기

$\lim_{x\to0}\frac{6^x-3^x-2^x+1}{a-\cos3x}=b\times(\ln2)\times(\ln3)$에서

$x\to0$일 때, (분자)→0이고 0이 아닌 극한값이 존재하므로 (분모)→0이어야 한다.

즉 $\lim_{x\to0}(a-\cos3x)=0$이므로 $a-\cos0=0$ $\therefore a=1$

STEP B $\lim_{x\to0}\frac{a^x-1}{x}=\ln a$임을 이용하여 극한값 구하기

$\lim_{x\to0}\frac{6^x-3^x-2^x+1}{1-\cos3x}$

$=\lim_{x\to0}\left\{\frac{3^x(2^x-1)-(2^x-1)}{(1-\cos3x)(1+\cos3x)}\times(1+\cos3x)\right\}$

$=\lim_{x\to0}\left\{\frac{(3^x-1)(2^x-1)}{\sin^23x}\times(1+\cos3x)\right\}$

$=\lim_{x\to0}\left\{\frac{3^x-1}{x}\times\frac{2^x-1}{x}\times\frac{1}{\left(\frac{\sin3x}{3x}\right)^2}\times\frac{x^2}{9x^2}\times(1+\cos3x)\right\}$

$=(\ln3)\times(\ln2)\times\frac{1}{1^2}\times\frac{1}{9}\times2$

$=\frac{2}{9}\times(\ln2)\times(\ln3)$

따라서 $a=1$, $b=\frac{2}{9}$이므로 $a+b=1+\frac{2}{9}=\frac{11}{9}$

0392

$\lim_{x \to 0} \frac{e^{1-\sin x}-e^{1-\tan x}}{\tan x-\sin x}$의 값은?

① $\frac{1}{e}$ ② $\frac{2}{e}$ ③ 1
④ e ⑤ $2e$

STEP Ⓐ 분자를 $e^{1-\tan x}$으로 묶어 정리하기

$$\lim_{x \to 0} \frac{e^{1-\sin x}-e^{1-\tan x}}{\tan x-\sin x}=\lim_{x \to 0} \frac{e^{1-\tan x}(e^{\tan x-\sin x}-1)}{\tan x-\sin x}$$
$$=\lim_{x \to 0}\left(e^{1-\tan x} \cdot \frac{e^{\tan x-\sin x}-1}{\tan x-\sin x}\right) \quad \cdots\cdots ㉠$$

STEP Ⓑ $\tan x-\sin x=t$로 치환하여 극한값 구하기

$\tan x-\sin x=t$로 놓으면 $x \to 0$일 때, $t \to 0$이므로
㉠에서

$$\lim_{x \to 0} \frac{e^{\tan x-\sin x}-1}{\tan x-\sin x}=\lim_{t \to 0} \frac{e^t-1}{t}=1$$

따라서 $\lim_{x \to 0}\left(e^{1-\tan x} \times \frac{e^{\tan x-\sin x}-1}{\tan x-\sin x}\right)=\lim_{x \to 0} e^{1-\tan x} \times \lim_{x \to 0} \frac{e^{\tan x-\sin x}-1}{\tan x-\sin x}$
$=e \times 1=e$

다른풀이 평균값 정리를 이용하여 풀이하기

$\lim_{x \to 0} \frac{e^{1-\sin x}-e^{1-\tan x}}{\tan x-\sin x}$는 $f(x)=e^x$의 구간 $[1-\tan x,\ 1-\sin x]$에서의 평균변화율이다.

$f(x)$는 구간 $[1-\tan x,\ 1-\sin x]$에서 연속이고 미분가능하므로 평균값 정리에 의해

$\frac{f(1-\sin x)-f(1-\tan x)}{(1-\sin x)-(1-\tan x)}=f'(c)$와 $1-\tan x < c < 1-\sin x$를 만족하는 c가 존재한다.

$\frac{e^{1-\sin x}-e^{1-\tan x}}{\tan x-\sin x}=e^c$에 양변에 극한을 취하면

$\lim_{x \to 0} \frac{e^{1-\sin x}-e^{1-\tan x}}{\tan x-\sin x}=\lim_{x \to 0} e^c$

$1-\tan x < c < 1-\sin x$에서 $\lim_{x \to 0}(1-\tan x)=1$, $\lim_{x \to 0}(1-\sin x)=1$

따라서 $\lim_{x \to 0} c=1$에서 $\lim_{x \to 0} e^c=e$

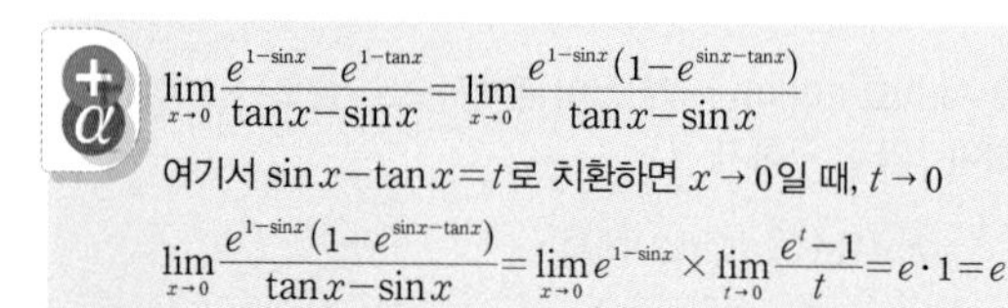

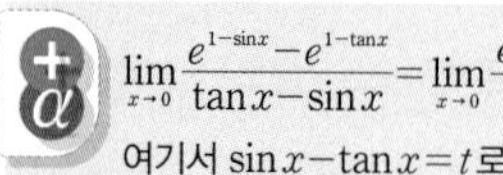

$\lim_{x \to 0} \frac{e^{1-\sin x}-e^{1-\tan x}}{\tan x-\sin x}=\lim_{x \to 0} \frac{e^{1-\sin x}(1-e^{\sin x-\tan x})}{\tan x-\sin x}$

여기서 $\sin x-\tan x=t$로 치환하면 $x \to 0$일 때, $t \to 0$

$\lim_{x \to 0} \frac{e^{1-\sin x}(1-e^{\sin x-\tan x})}{\tan x-\sin x}=\lim_{x \to 0} e^{1-\sin x} \times \lim_{t \to 0} \frac{e^t-1}{t}=e \cdot 1=e$

0393

함수 $f(x)=\begin{cases} \frac{\ln(1+x)}{\sin(ax+b)} & (x \neq 0) \\ \frac{1}{2} & (x=0) \end{cases}$가 $x=0$에서 연속일 때,

$a+b$의 값을 구하여라. $\left(단,\ 0 \le b < \frac{\pi}{2}\right)$

① 1 ② 2 ③ 3
④ 4 ⑤ 5

STEP Ⓐ 함수 $f(x)$가 $x=0$에서 연속이면 $\lim_{x \to 0} f(x)=f(0)$임을 이용하기

함수 $f(x)$가 $x=0$에서 연속이려면 $\lim_{x \to 0} f(x)=f(0)$

$\therefore \lim_{x \to 0} \frac{\ln(1+x)}{\sin(ax+b)}=\frac{1}{2} \quad \cdots\cdots ㉠$

STEP Ⓑ (분자)→ 0이고 0이 아닌 극한값이 존재하므로 (분모)→ 0임을 이용하여 a, b의 값 구하기

$x \to 0$일 때, (분자)→ 0이고 0이 아닌 극한값이 존재하므로 (분모)→ 0이어야 한다.

즉 $\lim_{x \to 0} \sin(ax+b)=0$이므로 $\sin b=0 \quad \therefore b=0\left(\because 0 \le b < \frac{\pi}{2}\right)$

$b=0$을 ㉠에 대입하면

$$\lim_{x \to 0} \frac{\ln(1+x)}{\sin ax}=\lim_{x \to 0}\left\{\frac{\ln(1+x)}{x} \times \frac{ax}{\sin ax} \times \frac{1}{a}\right\}=1 \times 1 \times \frac{1}{a}=\frac{1}{2}$$

$\therefore a=2$

따라서 $a+b=2+0=2$

0394

다음 물음에 답하여라.

(1) $0 \le x \le \pi$에서 정의된 함수

$$f(x)=\begin{cases} 2\cos x \tan x+a & \left(x \neq \frac{\pi}{2}\right) \\ 3a & \left(x=\frac{\pi}{2}\right) \end{cases}$$

가 $x=\frac{\pi}{2}$에서 연속일 때, 함수 $f(x)$의 최댓값과 최솟값의 합은? (단, a는 상수이다)

① $\frac{5}{2}$ ② 3 ③ $\frac{7}{2}$
④ 4 ⑤ $\frac{9}{2}$

STEP Ⓐ 함수 $f(x)$가 $x=\frac{\pi}{2}$에서 연속이면 $\lim_{x \to \frac{\pi}{2}} f(x)=f\left(\frac{\pi}{2}\right)$임을 이용하기

$\lim_{x \to \frac{\pi}{2}} f(x)=\lim_{x \to \frac{\pi}{2}}(2\cos x \tan x+a)$ ⬅ $0 \cdot \infty$이므로 변형

$=\lim_{x \to \frac{\pi}{2}}(2\sin x+a)$ ⬅ $\cos x \tan x=\cos x \cdot \frac{\sin x}{\cos x}=\sin x$

$=2+a$

함수 $f(x)$가 $x=\frac{\pi}{2}$에서 연속이므로 $f\left(\frac{\pi}{2}\right)=\lim_{x \to \frac{\pi}{2}} f(x)$

$3a=2+a \quad \therefore a=1$

STEP Ⓑ 삼각함수 $f(x)=2\sin x+1$의 최댓값과 최솟값 구하기

$0 \le x \le \pi$에서 함수 $f(x)=2\sin x+1$이고
$0 \le \sin x \le 1$이므로 $(0 \le x < \pi)$에서
함수 $f(x)$의 최댓값은 3, 최솟값은 1이다.
따라서 구하는 값은 $3+1=4$

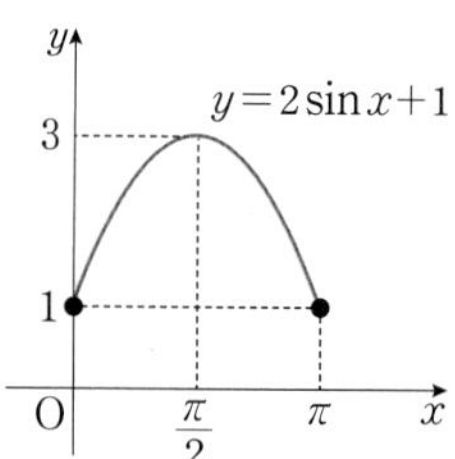

(2) 함수 $f(x)=\begin{cases} \frac{\sin x-a}{x-\frac{\pi}{2}} & \left(x \neq \frac{\pi}{2}\right) \\ b & \left(x=\frac{\pi}{2}\right) \end{cases}$가 $x=\frac{\pi}{2}$에서 연속일 때,

상수 a, b의 합 $a+b$를 구하여라.

STEP Ⓐ 함수 $f(x)$가 $x=\frac{\pi}{2}$에서 연속이면 $\lim_{x \to \frac{\pi}{2}} f(x)=f\left(\frac{\pi}{2}\right)$임을 이용하기

함수 $f(x)$가 $x=\frac{\pi}{2}$에서 연속이기 위한 조건은 $\lim_{x \to \frac{\pi}{2}} f(x)=f\left(\frac{\pi}{2}\right)$

즉 $\lim_{x \to \frac{\pi}{2}} \frac{\sin x-a}{x-\frac{\pi}{2}}=b \quad \cdots\cdots ㉠$

$x \to \frac{\pi}{2}$일 때, (분모)→ 0이고 극한값이 존재하므로 (분자)→ 0이어야 한다.

$\lim_{x \to \frac{\pi}{2}}(\sin x-a)=0$이므로 $\sin\frac{\pi}{2}-a=0 \quad \therefore a=1$

STEP Ⓑ $x-\frac{\pi}{2}=t$로 놓은 후 $\lim_{x \to 0}\frac{1-\cos x}{x}=0$임을 이용하기

$a=1$을 ㉠에 대입하면 $\lim_{x \to \frac{\pi}{2}}\frac{\sin x-1}{x-\frac{\pi}{2}}=b$

이때 $x-\frac{\pi}{2}=t$로 놓으면 $x \to \frac{\pi}{2}$일 때, $t \to 0$이므로

$$\lim_{x \to \frac{\pi}{2}}\frac{\sin x-1}{x-\frac{\pi}{2}}=\lim_{t \to 0}\frac{\sin\left(\frac{\pi}{2}+t\right)-1}{t}=\lim_{t \to 0}\frac{\cos t-1}{t}$$
$$=\lim_{t \to 0}\frac{(\cos t-1)(\cos t+1)}{t(\cos t+1)}=\lim_{t \to 0}\frac{-\sin^2 t}{t(\cos t+1)}$$
$$=\lim_{t \to 0}\left(\frac{\sin t}{t}\times\frac{-\sin t}{\cos t+1}\right)=1\cdot 0=0$$

$\therefore b=0$

따라서 $a+b=1$

0395

함수 $f(x)=\sin x$, $g(x)=e^x$에 대하여 [보기]에서 옳은 것만을 있는 대로 고른 것은? (단, e는 자연로그의 밑이다.)

ㄱ. $\lim_{x \to 0}\frac{f(f(x))}{x}=1$　　ㄴ. $\lim_{x \to 0}\frac{g(x)-f\left(\frac{\pi}{2}\right)}{f(x)}=1$

ㄷ. $\lim_{x \to 0}\frac{g(0)-f'(x)}{x^2}=1$

① ㄱ　② ㄷ　③ ㄱ, ㄴ
④ ㄴ, ㄷ　⑤ ㄱ, ㄴ, ㄷ

STEP Ⓐ 삼각함수의 극한의 진위판단하기

ㄱ. $f(x)=\sin x$일 때,

$$\lim_{x \to 0}\frac{f(f(x))}{x}=\lim_{x \to 0}\frac{f(\sin x)}{x}=\lim_{x \to 0}\frac{\sin(\sin x)}{x}$$
$$=\lim_{x \to 0}\left\{\frac{\sin(\sin x)}{\sin x}\times\frac{\sin x}{x}\right\}=1\cdot 1=1 \text{ [참]}$$

ㄴ. $f(x)=\sin x$, $g(x)=e^x$일 때,

$$\lim_{x \to 0}\frac{g(x)-f\left(\frac{\pi}{2}\right)}{f(x)}=\lim_{x \to 0}\frac{e^x-1}{\sin x}=\lim_{x \to 0}\left(\frac{e^x-1}{x}\times\frac{x}{\sin x}\right)=1 \text{ [참]}$$

ㄷ. $f'(x)=\cos x$, $g(x)=e^x$일 때,

$$\lim_{x \to 0}\frac{g(0)-f'(x)}{x^2}=\lim_{x \to 0}\frac{1-\cos x}{x^2}=\lim_{x \to 0}\frac{(1-\cos x)(1+\cos x)}{x^2(1+\cos x)}$$
$$=\lim_{x \to 0}\left\{\left(\frac{\sin x}{x}\right)^2\times\frac{1}{1+\cos x}\right\}=\frac{1}{2} \text{ [거짓]}$$

따라서 옳은 것은 ㄱ, ㄴ이다.

0396

다음 물음에 답하여라.

(1) 함수 $f(x)=\sin^2 x$일 때, $\lim_{x \to \pi}\frac{f'(x)}{x-\pi}$의 값은?

① 1　② 2　③ 3
④ 4　⑤ 5

STEP Ⓐ 삼각함수의 미분하기

$f(x)=\sin^2 x=\sin x\sin x$이므로

$f'(x)=\cos x\sin x+\sin x\cos x=2\sin x\cos x$

$$\lim_{x \to \pi}\frac{f'(x)}{x-\pi}=\lim_{x \to \pi}\frac{2\sin x\cos x}{x-\pi}$$

STEP Ⓑ $x-\pi=t$로 놓고 $\lim_{t \to 0}\frac{\sin t}{t}=1$을 이용하여 구하기

이때 $x-\pi=t$로 놓으면 $x \to \pi$일 때, $t \to 0$이고 $x=\pi+t$이므로

$$\lim_{x \to \pi}\frac{2\sin x\cos x}{x-\pi}=\lim_{t \to 0}\frac{2\sin(\pi+t)\cos(\pi+t)}{t}$$
$$=\lim_{t \to 0}\frac{2(-\sin t)(-\cos t)}{t}$$
$$=2\lim_{t \to 0}\left(\frac{\sin t}{t}\times\cos t\right)$$
$$=2\cdot 1\cdot 1=2$$

(2) 함수 $f(x)=x^2e^{-x}\sin x$일 때, $\lim_{x \to 0}\frac{f'(x)}{x^2}$의 값은?

① 1　② 2　③ 3
④ 4　⑤ 5

STEP Ⓐ 곱의 미분법을 이용하여 구하기

$f(x)=x^2e^{-x}\sin x$에서

$f'(x)=2xe^{-x}\sin x+x^2(-e^{-x})\sin x+x^2e^{-x}\cos x$

STEP Ⓑ $\lim_{x \to 0}\frac{\sin x}{x}=1$을 이용하여 구하기

따라서 $$\lim_{x \to 0}\frac{f'(x)}{x^2}=\lim_{x \to 0}\frac{2xe^{-x}\sin x-x^2e^{-x}\sin x+x^2e^{-x}\cos x}{x^2}$$
$$=\lim_{x \to 0}\left(2e^{-x}\times\frac{\sin x}{x}-e^{-x}\sin x+e^{-x}\cos x\right)$$
$$=2\times1\times1-1\times0+1\times1=3$$

0397

$0<x<\pi$일 때, $\frac{1}{3}x\sin^2\frac{x}{2}<\frac{1}{2}(x-\sin x)<\frac{2}{3}\sin^2\frac{x}{2}\tan\frac{x}{2}$이 성립한다. 이때 $\lim_{x \to 0+}\frac{x-\sin x}{x^3}$의 값은?

① $\frac{1}{2}$　② $\frac{1}{3}$　③ $\frac{1}{4}$
④ $\frac{1}{5}$　⑤ $\frac{1}{6}$

STEP Ⓐ 함수의 극한의 대소 관계에 의하여 극한값 구하기

주어진 부등식에서 $\frac{2}{x^3}$를 각각의 변에 곱하면

$$\frac{\frac{2}{3}x\sin^2\frac{x}{2}}{x^3}<\frac{x-\sin x}{x^3}<\frac{\frac{4}{3}\sin^2\frac{x}{2}\tan\frac{x}{2}}{x^3}$$

$$\frac{1}{6}\cdot\frac{\sin^2\frac{x}{2}}{\left(\frac{x}{2}\right)^2}<\frac{x-\sin x}{x^3}<\frac{1}{6}\cdot\frac{\sin^2\frac{x}{2}}{\left(\frac{x}{2}\right)^2}\cdot\frac{\tan\frac{x}{2}}{\frac{x}{2}}$$

이때 $$\lim_{x \to 0+}\left\{\frac{1}{6}\cdot\frac{\sin^2\frac{x}{2}}{\left(\frac{x}{2}\right)^2}\right\}=\frac{1}{6}\lim_{x \to 0+}\left(\frac{\sin\frac{x}{2}}{\frac{x}{2}}\right)^2=\frac{1}{6}\times1^2=\frac{1}{6}$$

$$\lim_{x \to 0+}\left\{\frac{1}{6}\cdot\frac{\sin^2\frac{x}{2}}{\left(\frac{x}{2}\right)^2}\times\frac{\tan\frac{x}{2}}{\frac{x}{2}}\right\}=\frac{1}{6}\lim_{x \to 0+}\left(\frac{\sin\frac{x}{2}}{\frac{x}{2}}\right)^2\times\lim_{x \to 0+}\frac{\tan\frac{x}{2}}{\frac{x}{2}}$$
$$=\frac{1}{6}\times1^2\times1=\frac{1}{6}$$

이므로 함수의 극한의 대소 관계에 의하여 $\lim_{x \to 0+}\frac{x-\sin x}{x^3}=\frac{1}{6}$

0398

함수

$$f(x)=\begin{cases}\sin x+\cos x & (x<0)\\ e^x+ax+b & (x\ge 0)\end{cases}$$

이 $x=0$에서 미분가능할 때, 상수 a, b에 대하여 $a-b$의 값은?

① $-\pi$ ② -1 ③ 0
④ 1 ⑤ π

STEP A 미분가능한 함수는 연속함수임을 이용하여 b의 값 구하기

함수 $f(x)$가 $x=0$에서 미분가능하면 연속이므로

$\lim\limits_{x\to 0+}f(x)=\lim\limits_{x\to 0-}f(x)=f(0)$에서

$\lim\limits_{x\to 0-}(\sin x+\cos x)=\lim\limits_{x\to 0+}(e^x+ax+b)=1+b$

$1=1+b \quad \therefore b=0 \quad \cdots\cdots ㉠$

STEP B 미분계수의 정의를 이용하여 a의 값 구하기

또, 함수 $f(x)$는 $x=0$에서 미분가능하려면

$\lim\limits_{x\to 0-}\dfrac{f(x)-f(0)}{x}=\lim\limits_{x\to 0+}\dfrac{f(x)-f(0)}{x}$이다.

$$\begin{aligned}\lim_{x\to 0-}\frac{f(x)-f(0)}{x}&=\lim_{x\to 0-}\frac{\sin x+\cos x-1}{x}\\&=\lim_{x\to 0-}\left(\frac{\sin x}{x}-\frac{1-\cos x}{x}\right) \quad \Leftarrow \lim_{x\to 0-}\frac{1-\cos x}{x}=0\\&=1\end{aligned}$$

$$\begin{aligned}\lim_{x\to 0+}\frac{f(x)-f(0)}{x}&=\lim_{x\to 0+}\frac{e^x+ax+b-(1+b)}{x}\\&=\lim_{x\to 0+}\frac{e^x+ax-1}{x}\\&=\lim_{x\to 0+}\left(\frac{e^x-1}{x}+a\right) \quad \Leftarrow \lim_{x\to 0+}\frac{e^x-1}{x}=1\\&=1+a\end{aligned}$$

즉 $1=1+a$이므로 $a=0$

따라서 $a=0$, $b=0$이므로 $a-b=0$

0399

오른쪽 그림과 같이 삼각형 ABC에서 $\overline{AB}=4$, $\overline{AC}=5$이고 $\angle BAC=\theta$이다. $\angle BAC$의 이등분선이 변 BC와 만나는 점을 D라 할 때, $\lim\limits_{\theta\to 0+}\overline{AD}$의 값은?

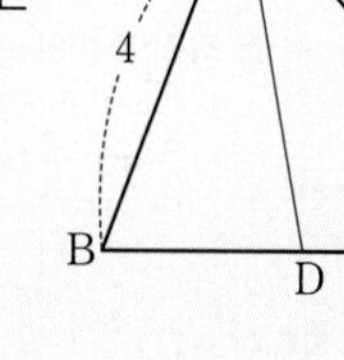

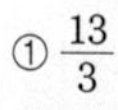
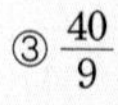

① $\dfrac{13}{3}$ ② $\dfrac{79}{18}$
③ $\dfrac{40}{9}$ ④ $\dfrac{9}{2}$
⑤ $\dfrac{41}{9}$

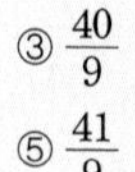

STEP A 삼각형의 넓이를 이용하여 선분 AD의 길이를 θ에 대하여 나타내기

(삼각형 ABC의 넓이)$=\dfrac{1}{2}\times 4\times 5\times\sin\theta=10\sin\theta$

(삼각형 ABD의 넓이)$=\dfrac{1}{2}\times 4\times\overline{AD}\times\sin\dfrac{\theta}{2}=2\overline{AD}\sin\dfrac{\theta}{2}$

(삼각형 ACD의 넓이)$=\dfrac{1}{2}\times 5\times\overline{AD}\times\sin\dfrac{\theta}{2}=\dfrac{5}{2}\overline{AD}\sin\dfrac{\theta}{2}$

(삼각형 ABC의 넓이)$=$(삼각형 ABD의 넓이)$+$(삼각형 ACD의 넓이)이므로

$10\sin\theta=\overline{AD}\left(2\sin\dfrac{\theta}{2}+\dfrac{5}{2}\sin\dfrac{\theta}{2}\right)$

$10\sin\theta=\overline{AD}\times\dfrac{9}{2}\sin\dfrac{\theta}{2}$

$\therefore \overline{AD}=\dfrac{10\sin\theta}{\dfrac{9}{2}\sin\dfrac{\theta}{2}}$

STEP B $\lim\limits_{\theta\to 0+}\overline{AD}$의 값 구하기

따라서

$$\lim_{\theta\to 0+}\overline{AD}=\lim_{\theta\to 0+}\frac{10\sin\theta}{\frac{9}{2}\sin\frac{\theta}{2}}=\lim_{\theta\to 0+}\frac{10\times\frac{\sin\theta}{\theta}}{\frac{9}{2}\times\frac{\sin\frac{\theta}{2}}{\frac{\theta}{2}}\times\frac{1}{2}}=\frac{10\times 1}{\frac{9}{2}\times 1\times\frac{1}{2}}=\frac{40}{9}$$

0400

다항함수 $g(x)$에 대하여 함수 $f(x)=e^{-x}\sin x+g(x)$가

$$\lim_{x\to 0}\frac{f(x)}{x}=1,\ \lim_{x\to\infty}\frac{f(x)}{x^2}=1$$

을 만족시킬 때, [보기]에서 옳은 것을 모두 고른 것은?

ㄱ. $g(0)=0$	ㄴ. $\lim\limits_{x\to\infty}\dfrac{g(x)}{x^2}=1$
ㄷ. $\lim\limits_{x\to 0}\dfrac{f(x)}{g(x)}=1$	

① ㄱ ② ㄴ ③ ㄱ, ㄴ
④ ㄴ, ㄷ ⑤ ㄱ, ㄴ, ㄷ

STEP A $f(x)=e^{-x}\sin x+g(x)$를 $\lim\limits_{x\to 0}\dfrac{f(x)}{x}=1$에 대입하여 $g(x)$에 대한 극한을 구하여 참임을 판단하기

ㄱ. $\lim\limits_{x\to 0}\dfrac{f(x)}{x}=1$에서

$x\to 0$일 때, (분모)$\to 0$이고 극한값이 존재하므로 (분자)$\to 0$이어야 한다.

$\therefore \lim\limits_{x\to 0}f(x)=0$

즉 $\lim\limits_{x\to 0}f(x)=\lim\limits_{x\to 0}\{e^{-x}\sin x+g(x)\}=0$이므로

$e^{-0}\sin 0+\lim\limits_{x\to 0}g(x)=0$이므로 $\lim\limits_{x\to 0}g(x)=0$

이때 $g(x)$는 다항함수이므로 $g(0)=0$ [참]

STEP B $f(x)=e^{-x}\sin x+g(x)$를 $\lim\limits_{x\to\infty}\dfrac{f(x)}{x^2}=1$에 대입하여 극한값을 구하여 참임을 판단하기

ㄴ. $\lim\limits_{x\to\infty}\dfrac{f(x)}{x^2}=1$이므로 $\lim\limits_{x\to\infty}\dfrac{e^{-x}\sin x+g(x)}{x^2}=1$

$\lim\limits_{x\to\infty}\dfrac{e^{-x}\sin x}{x^2}+\lim\limits_{x\to\infty}\dfrac{g(x)}{x^2}=1$

$x\to\infty$일 때, $e^{-x}\sin x\to 0$이므로 $\lim\limits_{x\to\infty}\dfrac{e^{-x}\sin x}{x^2}=0$

$\therefore \lim\limits_{x\to\infty}\dfrac{g(x)}{x^2}=1$ [참]

STEP C $\lim\limits_{x\to 0}\dfrac{f(x)}{g(x)}$가 존재하지 않음을 보여 거짓임을 판단하기

ㄷ. $g(x)$는 다항함수이고 $g(0)=0$

또, $\lim\limits_{x\to\infty}\dfrac{g(x)}{x^2}=1$이므로 $g(x)=x^2+ax$로 놓을수 있다.

이때 $\lim\limits_{x\to 0}\dfrac{f(x)}{x}=\lim\limits_{x\to 0}\dfrac{e^{-x}\sin x+x^2+ax}{x}=\lim\limits_{x\to 0}\left(\dfrac{e^{-x}\sin x}{x}+x+a\right)$

$=1+0+a=1$

$\therefore a=0$

즉 $g(x)=x^2$이므로 $\lim\limits_{x\to 0}\dfrac{f(x)}{g(x)}=\lim\limits_{x\to 0}\dfrac{f(x)}{x^2}=\lim\limits_{x\to 0}\left(\dfrac{f(x)}{x}\cdot\dfrac{1}{x}\right)$

그런데 $x\to 0$일 때, $\dfrac{1}{x}$의 극한값이 존재하지 않으므로 $\lim\limits_{x\to 0}\dfrac{f(x)}{g(x)}$의 극한값은 존재하지 않는다. [거짓]

따라서 옳은 것은 ㄱ, ㄴ이다.

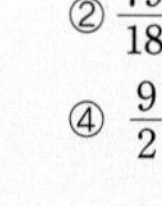

0401

그림과 같이 길이가 2인 선분 AB를 지름으로 하는 원 C_1과 점 B를 중심으로 하고 원 C_1 위의 점 P를 지나는 원 C_2가 있다.
원 C_1의 중심 O에서 원 C_2에 그은 두 접선의 접점을 각각 Q, R이라 하자.
$\angle PAB=\theta$일 때, 사각형 ORBQ의 넓이를 $S(\theta)$라 하자.
$\lim_{\theta\to 0+}\frac{S(\theta)}{\theta}$의 값은? $\left(단, 0<\theta<\frac{\pi}{6}\right)$

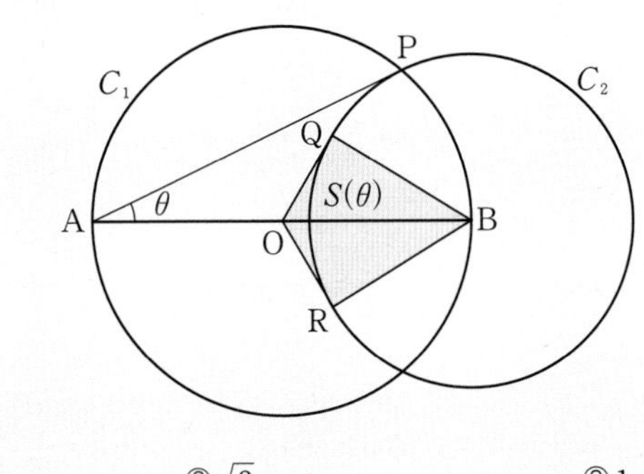

① 2　② $\sqrt{3}$　③ 1
④ $\frac{\sqrt{3}}{2}$　⑤ $\frac{1}{2}$

STEP Ⓐ 사각형 ORBQ의 넓이를 θ로 나타내기

$\overline{AB}=2$이므로 직각삼각형 ABP에서 $\overline{BP}=2\sin\theta$
두 선분 BP, BQ는 모두 원 C_2의 반지름이므로 $\overline{BP}=\overline{BQ}=2\sin\theta$
$\overline{OB}=1$이므로 피타고라스 정리에 의해
직각삼각형 OBQ에서 $\overline{OQ}=\sqrt{1-4\sin^2\theta}$

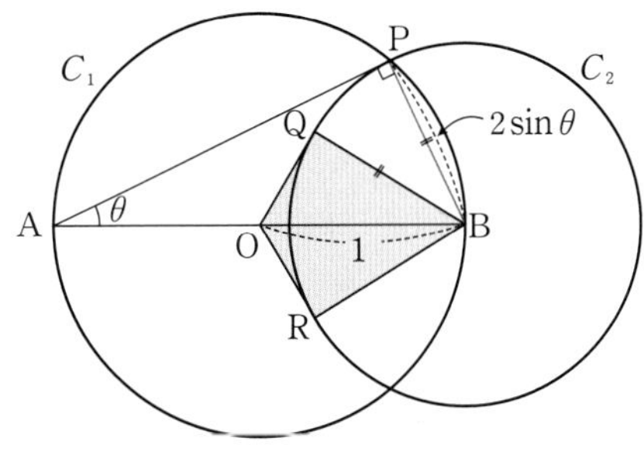

즉 사각형 ORBQ의 넓이는
$S(\theta)=2\times\frac{1}{2}\times2\sin\theta\sqrt{1-4\sin^2\theta}=2\sin\theta\sqrt{1-4\sin^2\theta}$

STEP Ⓑ $\lim_{\theta\to 0+}\frac{S(\theta)}{\theta}$의 값 구하기

따라서 $\lim_{\theta\to 0+}\frac{S(\theta)}{\theta}=\lim_{\theta\to 0+}\frac{2\sin\theta\sqrt{1-4\sin^2\theta}}{\theta}$
$=\lim_{\theta\to 0+}\left(\frac{2\sin\theta}{\theta}\times\sqrt{1-4\sin^2\theta}\right)$
$=2\times1\times1=2$

0402

다음 그림과 같이 양수 θ에 대하여 $\angle ABC=\angle ACB=\theta$이고 $\overline{BC}=2$인 이등변삼각형 ABC가 있다. 삼각형 ABC의 내접원의 중심을 O, 선분 AB와 내접원이 만나는 점을 D, 선분 AC와 내접원이 만나는 점을 E라 하자. 삼각형 OED의 넓이를 $S(\theta)$라 할 때, $\lim_{\theta\to 0+}\frac{S(\theta)}{\theta^3}$의 값은?

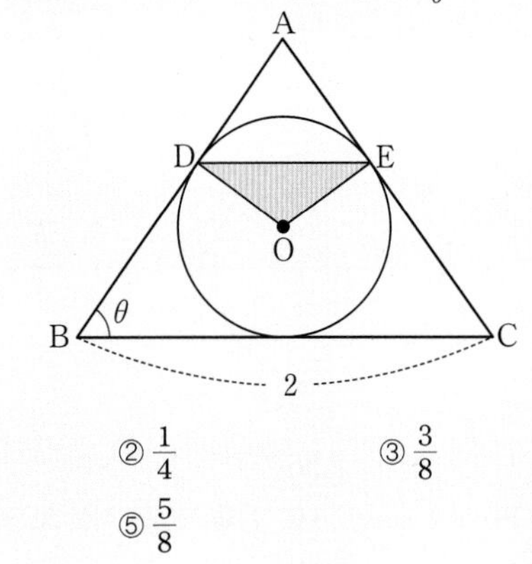

① $\frac{1}{8}$　② $\frac{1}{4}$　③ $\frac{3}{8}$
④ $\frac{1}{2}$　⑤ $\frac{5}{8}$

STEP Ⓐ 내접원의 반지름의 길이를 θ로 나타내기

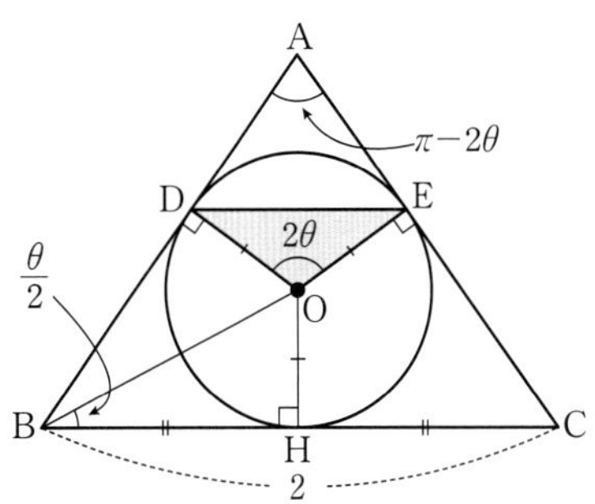

사각형 ADOE에서 $\angle DAE=\pi-2\theta$, $\angle ADO=\angle AEO=\frac{\pi}{2}$이므로
$\angle DOE=2\theta$
한편 O에서 선분 BC에 내린 수선의 발을 H라 하고
$\angle OBH=\frac{\theta}{2}$이므로 내접원의 반지름의 길이를 r이라 하면
$\tan\frac{\theta}{2}=\frac{\overline{OH}}{\overline{BH}}=\frac{r}{1}=r$
$\therefore S(\theta)=\triangle OED=\frac{1}{2}r^2\sin2\theta=\frac{1}{2}\tan^2\frac{\theta}{2}\cdot\sin2\theta$

STEP Ⓑ $\lim_{\theta\to 0+}\frac{S(\theta)}{\theta^3}$의 값 구하기

따라서 $\lim_{\theta\to 0+}\frac{S(\theta)}{\theta^3}=\lim_{\theta\to 0+}\frac{\frac{1}{2}\sin2\theta\tan^2\frac{\theta}{2}}{\theta^3}$
$=\lim_{\theta\to 0+}\left\{\frac{1}{2}\cdot\frac{\sin2\theta}{\theta}\cdot\frac{\tan^2\frac{\theta}{2}}{\left(\frac{\theta}{2}\right)^2}\cdot\frac{1}{4}\right\}$
$=\frac{1}{2}\cdot2\cdot\frac{1}{4}=\frac{1}{4}$

0403

좌표평면에서 중심이 원점 O이고 반지름의 길이가 1인 원 위의 점 P에서 의 접선이 x축과 만나는 점을 Q, 점 A(0, 1)과 점 P를 지나는 직선이 x축과 만나는 점을 R이라 하자. $\angle QOP=\theta$라 하고 삼각형 PQR의 넓이를 $S(\theta)$라고 하자. $\lim_{\theta\to0+}\frac{S(\theta)}{\theta^2}=\alpha$일 때, 100α의 값을 구하여라.
(단, 점 P는 제1사분면 위의 점이다.)

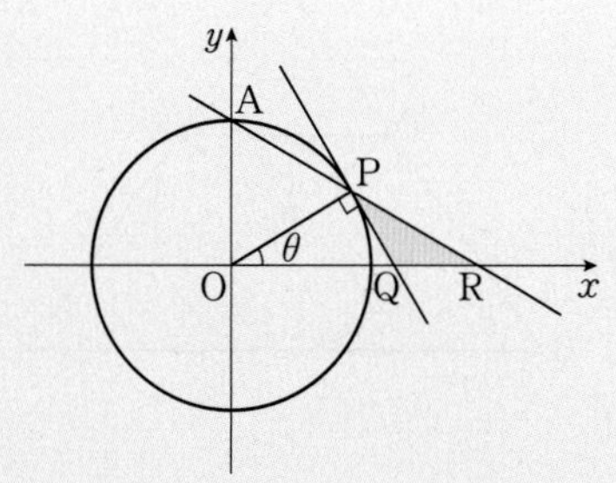

STEP A 두 점 $P(\cos\theta, \sin\theta)$, A(0, 1)을 지나는 직선 AP의 방정식 구하기

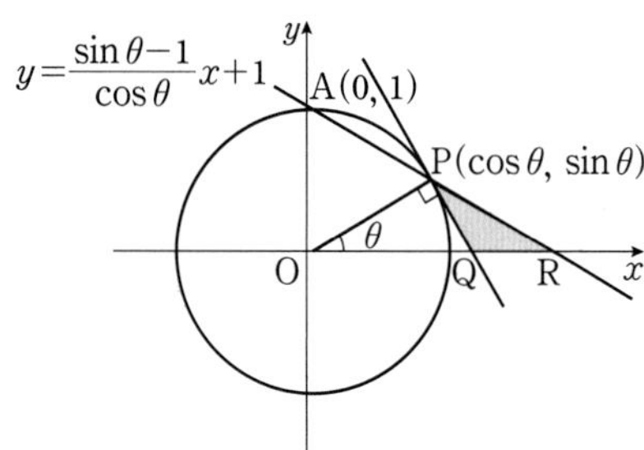

점 P의 좌표는 $P(\cos\theta, \sin\theta)$이고 $\overline{OP}=1$이므로

$\triangle$OPQ에서 $\cos\theta=\frac{\overline{OP}}{\overline{OQ}}$

$\therefore \overline{OQ}=\frac{1}{\cos\theta}$

두 점 A(0, 1), $P(\cos\theta, \sin\theta)$를 지나는 직선의 방정식은

$y-1=\frac{\sin\theta-1}{\cos\theta}x$, 즉 $y=\frac{\sin\theta-1}{\cos\theta}x+1$

STEP B 직선 AP의 방정식에서 x절편을 이용하여 $S(\theta)$ 구하기

점 R의 x좌표는 $y=0$일 때의 x의 값이므로

$\frac{\sin\theta-1}{\cos\theta}x=-1$에서 $x=\frac{\cos\theta}{1-\sin\theta}$이므로 $R\left(\frac{\cos\theta}{1-\sin\theta}, 0\right)$

$\overline{OR}=\frac{\cos\theta}{1-\sin\theta}$

$$S(\theta)=\frac{1}{2}\overline{QR}\cdot\sin\theta=\frac{1}{2}(\overline{OR}-\overline{OQ})\cdot\sin\theta$$
$$=\frac{1}{2}\cdot\left(\frac{\cos\theta}{1-\sin\theta}-\frac{1}{\cos\theta}\right)\cdot\sin\theta$$
$$=\frac{1}{2}\sin\theta\cdot\frac{\cos^2\theta-1+\sin\theta}{(1-\sin\theta)\cos\theta}$$
$$=\frac{1}{2}\sin\theta\cdot\frac{\sin\theta-\sin^2\theta}{(1-\sin\theta)\cos\theta}$$
$$=\frac{1}{2}\sin\theta\cdot\frac{\sin\theta(1-\sin\theta)}{\cos\theta(1-\sin\theta)}$$
$$=\frac{1}{2}\sin\theta\cdot\tan\theta$$

STEP C $\lim_{\theta\to0+}\frac{S(\theta)}{\theta^2}$의 값 구하기

$$\therefore \lim_{\theta\to0}\frac{S(\theta)}{\theta^2}=\lim_{\theta\to0}\left(\frac{1}{2}\cdot\frac{\sin\theta}{\theta}\cdot\frac{\tan\theta}{\theta}\right)=\frac{1}{2}\cdot1\cdot1=\frac{1}{2}=\alpha$$

따라서 $100\alpha=100\cdot\frac{1}{2}=50$

다른풀이 닮음을 이용하여 풀이하기

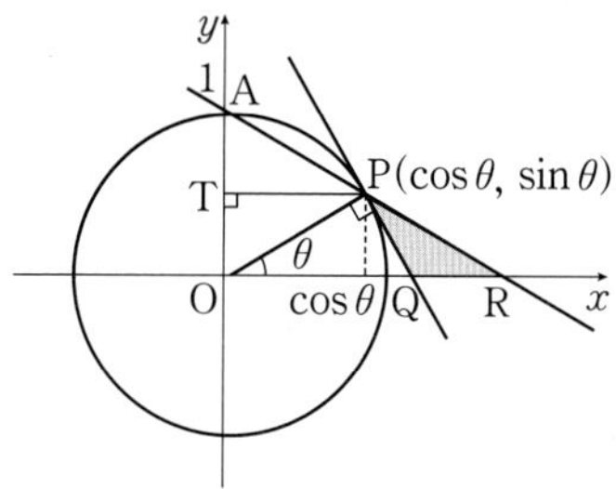

점 P에서 y축에 내린 수선의 발을 T라 하면
두 삼각형 $\triangle$ATP, $\triangle$AOR이 닮음을 이용하여

$\frac{\overline{AT}}{\overline{TP}}=\frac{\overline{AO}}{\overline{OR}}$ $\quad\therefore \overline{OR}=\frac{\overline{TP}\times\overline{AO}}{\overline{AT}}=\frac{\cos\theta}{1-\sin\theta}$

이때 $\overline{QR}=\overline{OR}-\overline{OQ}=\frac{\cos\theta}{1-\sin\theta}-\frac{1}{\cos\theta}=\tan\theta$

$S(\theta)=\frac{1}{2}\tan\theta\cdot\sin\theta$

따라서 $\lim_{\theta\to0}\frac{S(\theta)}{\theta^2}=\frac{1}{2}=\alpha$이므로 $100\alpha=50$

0404

다음 그림과 같이 둘레의 길이가 8이고, 중심각의 크기가 θ인 부채꼴 OAB의 점 B에서 선분 OA에 내린 수선의 발을 H라 하고 삼각형 BHA의 넓이를 $S(\theta)$라 하자. $\lim_{\theta\to0+}\frac{S(\theta)}{\theta^3}$의 값을 구하는 과정을 다음 단계로 서술하여라. $\left(단, 0<\theta<\frac{\pi}{2}\right)$

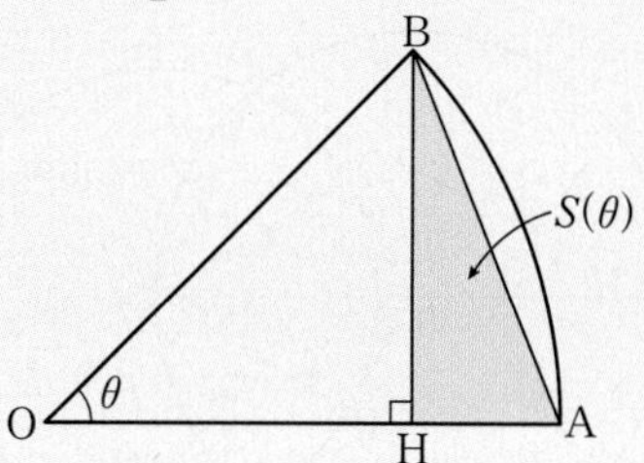

[1단계] 부채꼴의 반지름의 길이를 r이라 놓고 부채꼴의 둘레의 길이가 8임을 이용하여 r을 θ로 나타낸다.
[2단계] 직각삼각형 OHB에서 선분 BH, OH의 길이를 θ로 나타낸다.
[3단계] 선분 HA의 길이를 구하여 삼각형 BHA의 넓이 $S(\theta)$를 구한다.
[4단계] $\lim_{\theta\to0}(1-\cos\theta)=\lim_{\theta\to0}\frac{(1-\cos\theta)(1+\cos\theta)}{1+\cos\theta}=\lim_{\theta\to0}\frac{\sin^2\theta}{1+\cos\theta}$을 이용하여 $\lim_{\theta\to0+}\frac{S(\theta)}{\theta^3}$의 값을 구한다.

1단계	부채꼴의 반지름의 길이를 r이라 놓고 부채꼴의 둘레의 길이가 8임을 이용하여 r을 θ로 나타낸다.	◀ 20%

부채꼴의 반지름의 길이를 r이라 하면 부채꼴 OAB의 호의 길이는 $r\theta$이므로 부채꼴 OAB의 둘레의 길이는 $2r+r\theta$이다.

$2r+r\theta=8$에서 $r=\frac{8}{2+\theta}$

2단계	직각삼각형 OHB에서 선분 BH, OH의 길이를 θ로 나타낸다.	◀ 20%

직각삼각형 OHB에서

$\sin\theta=\frac{\overline{BH}}{r}$, $\cos\theta=\frac{\overline{OH}}{r}$이므로

$\overline{BH}=r\sin\theta=\frac{8\sin\theta}{2+\theta}$

$\overline{OH}=r\cos\theta$

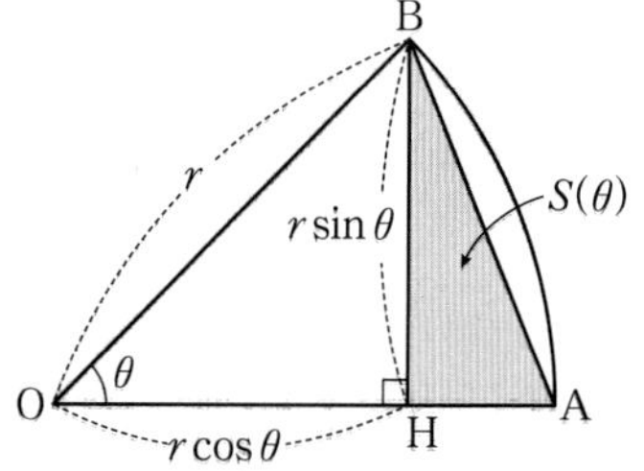

3단계	선분 HA의 길이를 구하여 삼각형 BHA의 넓이 $S(\theta)$를 구한다.	◀ 20%

$\overline{AH}=r-r\cos\theta=r(1-\cos\theta)=\dfrac{8(1-\cos\theta)}{2+\theta}$이므로

$S(\theta)=\dfrac{1}{2}\times\dfrac{8\sin\theta}{2+\theta}\times\dfrac{8(1-\cos\theta)}{2+\theta}$

4단계	$\lim\limits_{\theta\to0}(1-\cos\theta)=\lim\limits_{\theta\to0}\dfrac{(1-\cos\theta)(1+\cos\theta)}{1+\cos\theta}=\lim\limits_{\theta\to0}\dfrac{\sin^2\theta}{1+\cos\theta}$ 을 이용하여 $\lim\limits_{\theta\to0+}\dfrac{S(\theta)}{\theta^3}$의 값을 구한다.	◀ 40%

따라서 $\lim\limits_{\theta\to0+}\dfrac{S(\theta)}{\theta^3}=\lim\limits_{\theta\to0+}\left\{\dfrac{32\sin\theta(1-\cos\theta)}{\theta^3(2+\theta)^2}\times\dfrac{1+\cos\theta}{1+\cos\theta}\right\}$

$=\lim\limits_{\theta\to0+}\dfrac{32\sin\theta(1-\cos^2\theta)}{\theta^3(2+\theta)^2(1+\cos\theta)}$

$=\lim\limits_{\theta\to0+}\dfrac{32\sin^3\theta}{\theta^3(2+\theta)^2(1+\cos\theta)}$

$=\lim\limits_{\theta\to0+}\left\{\dfrac{32}{(2+\theta)^2(1+\cos\theta)}\times\dfrac{\sin^3\theta}{\theta^3}\right\}$

$=\dfrac{32}{2^2\times2}\times1^3=4$

0405

그림과 같이 길이가 2인 선분 AB를 지름으로 하고 중심이 O인 반원 위의 점 P에서 선분 AB에 내린 수선의 발을 Q라 하자.
$\angle PAB=\theta$라 할 때, 선분 AP와 호 AP에 동시에 접하는 가장 큰 원의 넓이를 $S(\theta)$, 삼각형 POQ의 내접원의 넓이를 $T(\theta)$라 하자.
$\lim\limits_{\theta\to0+}\dfrac{\theta^2\times T(\theta)}{S\left(\frac{\pi}{2}-\theta\right)}$의 값을 구하는 과정을 다음 단계로 서술하여라.

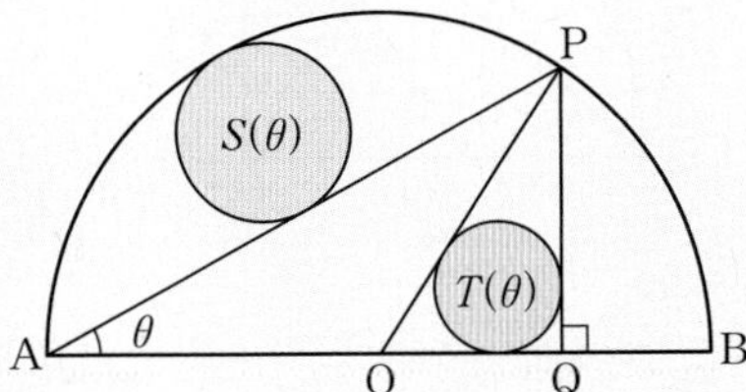

[1단계] 선분 AP와 호 AP에 동시에 접하는 가장 큰 원의 넓이 $S(\theta)$를 구한다. $\left(단, 0<\theta<\dfrac{\pi}{4}\right)$
[2단계] 삼각형 POQ의 내접원의 넓이 $T(\theta)$를 구한다.
[3단계] $\lim\limits_{\theta\to0}\dfrac{1}{(1-\cos\theta)}=\lim\limits_{\theta\to0}\dfrac{1+\cos\theta}{(1-\cos\theta)(1+\cos\theta)}=\lim\limits_{\theta\to0}\dfrac{1+\cos\theta}{\sin^2\theta}$을 이용하여 $\lim\limits_{\theta\to0+}\dfrac{\theta^2\times T(\theta)}{S\left(\frac{\pi}{2}-\theta\right)}$의 값을 구한다.

1단계	선분 AP와 호 AP에 동시에 접하는 가장 큰 원의 넓이 $S(\theta)$를 구한다.	◀ 30%

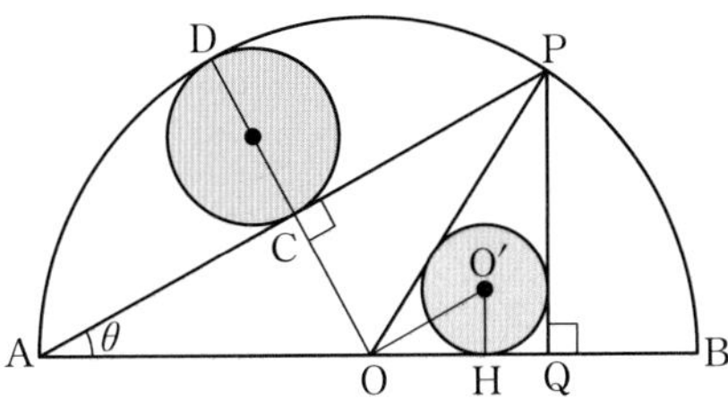

선분 AP와 호 AP에 동시에 접하는 가장 큰 원이 선분 AP와 접하는 점을 C, 호 AP와 접하는 점을 D라 하자.
$\overline{CO}=\sin\theta$, $\overline{CD}=1-\overline{CO}=1-\sin\theta$이므로

선분 AP와 호 AP에 동시에 접하는 가장 큰 원의 반지름의 길이는 $\dfrac{1-\sin\theta}{2}$

즉 $S(\theta)=\dfrac{\pi}{4}(1-\sin\theta)^2$이므로

$S\left(\dfrac{\pi}{2}-\theta\right)=\dfrac{\pi}{4}\left\{1-\sin\left(\dfrac{\pi}{2}-\theta\right)\right\}^2$

$=\dfrac{\pi}{4}(1-\cos\theta)^2$

2단계	삼각형 POQ의 내접원의 넓이 $T(\theta)$를 구한다.	◀ 30%

삼각형 POQ의 내접원의 중심을 O′,
점 O′에서 선분 OQ에 내린 수선의 발을 H라 하면
$\angle POQ=2\theta$, $\angle O'OH=\theta$
삼각형 POQ의 내접원의 반지름의 길이를 r이라 하면
$\overline{OH}=\dfrac{r}{\tan\theta}$, $\overline{HQ}=r$
$\overline{OQ}=\overline{OH}+\overline{HQ}=\dfrac{r}{\tan\theta}+r=\cos2\theta$, $r=\dfrac{\cos2\theta\tan\theta}{1+\tan\theta}$
$\therefore T(\theta)=\pi\left(\dfrac{\cos2\theta\tan\theta}{1+\tan\theta}\right)^2$

3단계	$\lim\limits_{\theta\to0}\dfrac{1}{(1-\cos\theta)}=\lim\limits_{\theta\to0}\dfrac{1+\cos\theta}{(1-\cos\theta)(1+\cos\theta)}=\lim\limits_{\theta\to0}\dfrac{1+\cos\theta}{\sin^2\theta}$ 을 이용하여 $\lim\limits_{\theta\to0+}\dfrac{\theta^2\times T(\theta)}{S\left(\frac{\pi}{2}-\theta\right)}$의 값을 구한다.	◀ 40%

따라서 $\lim\limits_{\theta\to0+}\dfrac{\theta^2\times T(\theta)}{S\left(\frac{\pi}{2}-\theta\right)}=\lim\limits_{\theta\to0+}\dfrac{\theta^2\times\dfrac{\pi\cos^2 2\theta\tan^2\theta}{(1+\tan\theta)^2}}{\dfrac{\pi}{4}(1-\cos\theta)^2}$

$=\lim\limits_{\theta\to0+}\dfrac{4\theta^2\cos^2 2\theta\tan^2\theta}{(1+\tan\theta)^2(1-\cos\theta)^2}$

$=\lim\limits_{\theta\to0+}\dfrac{4\theta^2\cos^2 2\theta\tan^2\theta(1+\cos\theta)^2}{(1+\tan\theta)^2\sin^4\theta}$

$=\lim\limits_{\theta\to0+}\left\{\dfrac{4\cos^2 2\theta(1+\cos\theta)^2}{(1+\tan\theta)^2}\times\dfrac{\theta^4}{\sin^4\theta}\times\dfrac{\tan^2\theta}{\theta^2}\right\}$

$=16$

TOUGH

0406

다음 그림과 같이 $\overline{AB}=1$, $\angle B=\frac{\pi}{2}$인 직각삼각형 ABC에서 선분 AB 위에 $\overline{AD}=\overline{CD}$가 되도록 점 D를 잡는다. 점 D에서 선분 AC에 내린 수선의 발을 E, 점 D를 지나고 직선 AC에 평행한 직선이 선분 BC와 만나는 점을 F라 하자. $\angle BAC=\theta$일 때, 삼각형 DEF의 넓이를 $S(\theta)$라 하자. $\lim_{\theta\to0+}\frac{S(\theta)}{\theta}$의 값은? $\left(단, 0<\theta<\frac{\pi}{4}\right)$

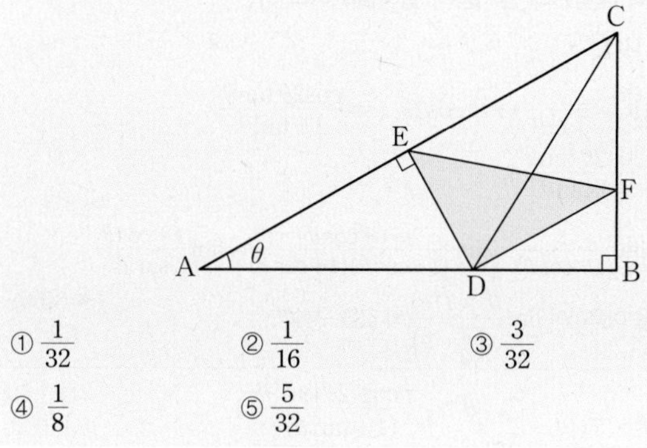

① $\frac{1}{32}$ ② $\frac{1}{16}$ ③ $\frac{3}{32}$
④ $\frac{1}{8}$ ⑤ $\frac{5}{32}$

STEP A 선분 DE를 θ로 나타내기

$\overline{AD}=\overline{CD}$이므로 삼각형 ADC는 이등변삼각형이고 $\overline{AE}=\overline{CE}$이다.
또한, 선분 AC와 선분 DF가 평행하므로 $\angle BDF=\theta$이고
삼각형 DEF는 직각삼각형이다.

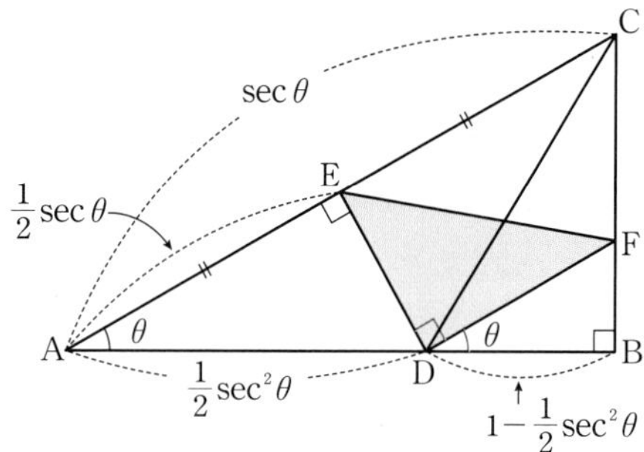

삼각형 ABC에서 $\overline{AC}=\sec\theta$이므로 $\overline{AE}=\frac{1}{2}\sec\theta$

삼각형 AED에서 $\overline{DE}=\overline{AE}\times\tan\theta=\frac{1}{2}\sec\theta\tan\theta$

STEP B 선분 DF를 θ로 나타내기

$\overline{AD}=\overline{AE}\times\sec\theta=\frac{1}{2}\sec^2\theta$이므로 $\overline{DB}=1-\frac{1}{2}\sec^2\theta$

삼각형 DBF에서 $\overline{DF}=\overline{DB}\times\sec\theta=\sec\theta\left(1-\frac{1}{2}\sec^2\theta\right)$

STEP C $\lim_{\theta\to0+}\frac{S(\theta)}{\theta}$의 값 구하기

$$S(\theta)=\frac{1}{2}\times\overline{DE}\times\overline{DF}$$
$$=\frac{1}{2}\times\frac{1}{2}\sec\theta\tan\theta\times\sec\theta\left(1-\frac{1}{2}\sec^2\theta\right)$$
$$=\frac{1}{4}\sec^2\theta\tan\theta\left(1-\frac{1}{2}\sec^2\theta\right)$$

따라서 $\lim_{\theta\to0+}\frac{S(\theta)}{\theta}=\lim_{\theta\to0+}\frac{\frac{1}{4}\sec^2\theta\tan\theta\left(1-\frac{1}{2}\sec^2\theta\right)}{\theta}$

$$=\lim_{\theta\to0+}\left\{\frac{1}{4}\sec^2\theta\cdot\left(\frac{\tan\theta}{\theta}\right)\left(1-\frac{1}{2}\sec^2\theta\right)\right\}$$
$$=\frac{1}{4}\cdot1\cdot1\cdot\left(1-\frac{1}{2}\right)$$ ⬅ $\lim_{\theta\to0+}\sec\theta=1$
$$=\frac{1}{8}$$

0407

다음 그림과 같이 길이가 4인 선분 AB를 한 변으로 하고, $\overline{AC}=\overline{BC}$, $\angle ACB=\theta$인 이등변삼각형 ABC가 있다. 선분 AB의 연장선 위에 $\overline{AC}=\overline{AD}$인 점 D를 잡고, $\overline{AC}=\overline{AP}$이고 $\angle PAB=2\theta$인 점 P를 잡는다. 삼각형 BDP의 넓이를 $S(\theta)$라 할 때, $\lim_{\theta\to0+}(\theta\cdot S(\theta))$의 값을 구하여라. $\left(단, 0<\theta<\frac{\pi}{6}\right)$

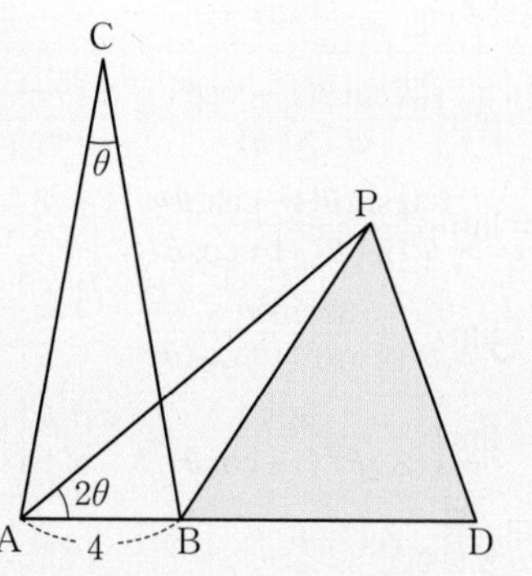

STEP A 사인법칙을 이용하여 $\overline{AC}$의 길이 구하기

이등변삼각형 ABC에서

$\overline{AB}=4$이고 $\angle ACB=\theta$이므로 $\angle CBA=\frac{\pi}{2}-\frac{\theta}{2}$

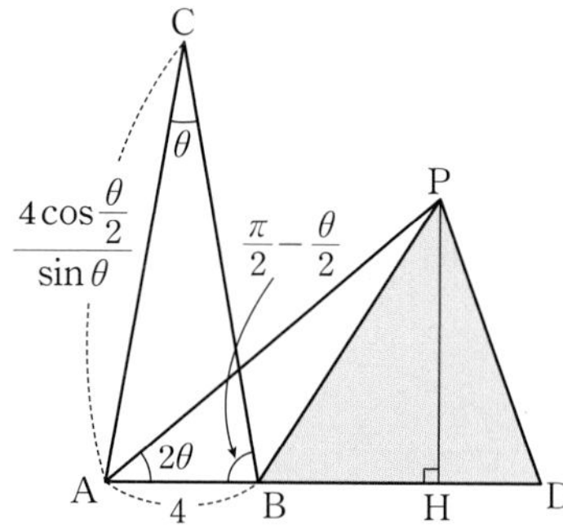

이때 사인법칙에 의하여

$\frac{\overline{AC}}{\sin\left(\frac{\pi}{2}-\frac{\theta}{2}\right)}=\frac{\overline{AB}}{\sin\theta}$, $\frac{\overline{AC}}{\cos\frac{\theta}{2}}=\frac{4}{\sin\theta}$이므로 $\overline{AC}=\frac{4\cos\frac{\theta}{2}}{\sin\theta}$

STEP B 삼각형 BPD에서 선분 $\overline{PH}$, $\overline{BD}$의 길이 구하기

또한, $\overline{AC}=\overline{AP}=\overline{AD}$이므로
점 P에서 선분 AD에 내린 수선의 발을 H라 하면
$\overline{PH}=\overline{AP}\sin2\theta$

$$=\frac{4\cos\frac{\theta}{2}}{\sin\theta}\cdot\sin2\theta=\frac{4\cos\frac{\theta}{2}\sin2\theta}{\sin\theta}$$ ⬅ $\sin2\theta=2\sin\theta\cos\theta$
$$=8\cos\frac{\theta}{2}\cos\theta$$

이고 $\overline{BD}=\overline{AD}-\overline{AB}=\frac{4\cos\frac{\theta}{2}}{\sin\theta}-4$ ⬅ $\sin\theta=\sin\left(\frac{\theta}{2}+\frac{\theta}{2}\right)=2\sin\frac{\theta}{2}\cos\frac{\theta}{2}$

$$=\frac{2}{\sin\frac{\theta}{2}}-4$$

STEP C $\lim_{\theta\to0+}(\theta\cdot S(\theta))$의 값 구하기

따라서 삼각형 BDP의 넓이는

$$S(\theta)=\frac{1}{2}\times\overline{BD}\times\overline{PH}=\frac{1}{2}\times\left(\frac{2}{\sin\frac{\theta}{2}}-4\right)\times8\cos\frac{\theta}{2}\cos\theta$$
$$=\left(\frac{1}{\sin\frac{\theta}{2}}-2\right)\times8\cos\frac{\theta}{2}\cos\theta$$

$$\therefore \lim_{\theta \to 0+}\{\theta \times S(\theta)\} = \lim_{\theta \to 0+}\left\{\left(\frac{\frac{\theta}{2}}{\sin\frac{\theta}{2}} \times 2 - 2\theta\right) \times 8\cos\frac{\theta}{2}\cos\theta\right\}$$
$$= (1 \times 2 - 0) \times 8 = 16$$

다른풀이 두 변과 끼인각이 주어진 삼각형의 넓이를 이용하여 풀이하기

STEP A $\overline{\text{AC}} = x$라 하고 x를 θ의 식으로 나타내기

다음 그림과 같이 점 C에서 선분 AB에 내린 수선의 발을 H라 하고 $\overline{\text{AC}} = x$라 하면

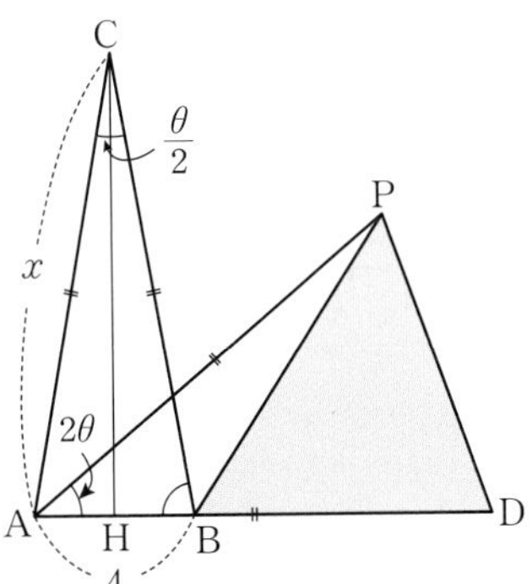

$\overline{\text{AH}} = \overline{\text{BH}} = 2$, $\overline{\text{AC}} = \overline{\text{BC}} = \overline{\text{AD}} = \overline{\text{AP}} = x$

삼각형 CAH에서 $\sin\frac{\theta}{2} = \frac{\overline{\text{AH}}}{\overline{\text{AC}}} = \frac{2}{x}$이므로 $\overline{\text{AC}} = x = \frac{2}{\sin\frac{\theta}{2}}$

STEP B $S(\theta)$를 x와 θ의 식으로 나타내기

삼각형 BDP의 넓이 $S(\theta)$는

$$S(\theta) = \triangle\text{ADP} - \triangle\text{ABP} = \frac{1}{2}x^2\sin 2\theta - \frac{1}{2}\cdot 4 \cdot x\sin 2\theta$$
$$= \frac{2\sin 2\theta}{\sin^2\frac{\theta}{2}} - \frac{4\sin 2\theta}{\sin\frac{\theta}{2}}$$

STEP C $\lim_{\theta \to 0+}(\theta \cdot S(\theta))$의 값 구하기

따라서 $\lim_{\theta \to 0+}(\theta S(\theta)) = \lim_{\theta \to 0+}\theta\left(\frac{2\sin 2\theta}{\sin^2\frac{\theta}{2}} - \frac{4\sin 2\theta}{\sin\frac{\theta}{2}}\right)$

$$= \lim_{\theta \to 0+}\left(\frac{2\theta\sin 2\theta}{\sin^2\frac{\theta}{2}} - \frac{4\theta\sin 2\theta}{\sin\frac{\theta}{2}}\right)$$
$$= \lim_{\theta \to 0+}\left(2 \cdot \frac{\theta}{\sin\frac{\theta}{2}} \cdot \frac{\sin 2\theta}{\sin\frac{\theta}{2}}\right) - \lim_{\theta \to 0+}\left(4\theta \cdot \frac{\sin 2\theta}{\sin\frac{\theta}{2}}\right)$$
$$= 2 \cdot 2 \cdot 4 - 4 \cdot 0 \cdot 4 = 16$$

0408

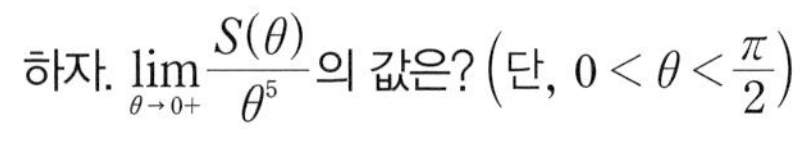

그림과 같이 한 변의 길이가 1인 마름모 ABCD가 있다.
점 C에서 선분 AB의 연장선에 내린 수선의 발을 E, 점 E에서 선분 AC에 내린 수선의 발을 F, 선분 EF와 선분 BC의 교점을 G라 하자.
$\angle\text{DAB} = \theta$일 때, 삼각형 CFG의 넓이를 $S(\theta)$라 하자.
$\lim_{\theta \to 0+}\frac{S(\theta)}{\theta^5}$의 값은? $\left(\text{단, } 0 < \theta < \frac{\pi}{2}\right)$

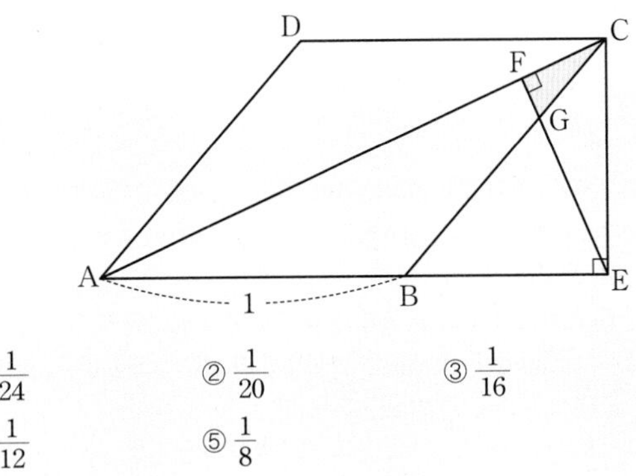

① $\frac{1}{24}$ ② $\frac{1}{20}$ ③ $\frac{1}{16}$
④ $\frac{1}{12}$ ⑤ $\frac{1}{8}$

STEP A 선분 CE의 길이 구하기

점 D에서 선분 AB에 내린 수선의 발을 H라 하자.
직각삼각형 AHD에서 $\overline{\text{AD}} = 1$이고 $\angle\text{DAH} = \angle\text{DAB} = \theta$이므로
$\overline{\text{DH}} = \sin\theta$, 즉 $\overline{\text{DH}} = \overline{\text{CE}} = \sin\theta$

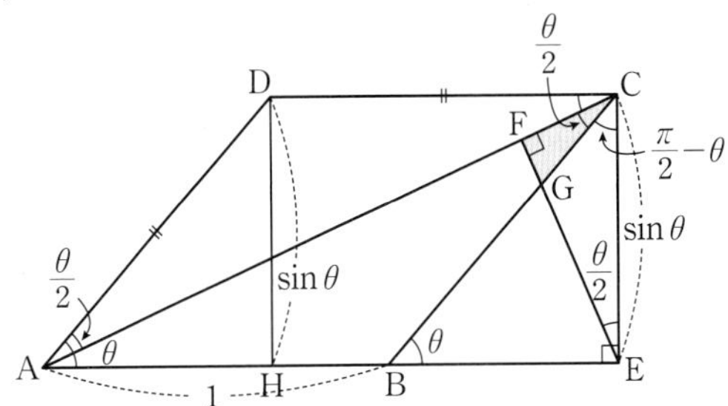

STEP B 삼각형 CFG의 넓이 $S(\theta)$ 구하기

$\overline{\text{DA}} /\!/ \overline{\text{CB}}$이므로 $\angle\text{DAB} = \angle\text{CBE} = \theta$
직각삼각형 CEB에서 $\angle\text{ECB} = \frac{\pi}{2} - \theta$이고 $\angle\text{FCG} = \frac{\theta}{2}$이므로
직각삼각형 CFE에서 $\angle\text{FCE} = \frac{\pi}{2} - \frac{\theta}{2}$
즉 $\angle\text{CEF} = \frac{\theta}{2}$
직각삼각형 CFG에서

$\overline{\text{CF}} = \overline{\text{CE}}\sin\frac{\theta}{2} = \sin\theta \cdot \sin\frac{\theta}{2}$ ⬅ $\sin\frac{\theta}{2} = \frac{\overline{\text{CF}}}{\overline{\text{CE}}}$

$\overline{\text{FG}} = \overline{\text{CF}}\tan\frac{\theta}{2} = \sin\theta \cdot \sin\frac{\theta}{2} \cdot \tan\frac{\theta}{2}$ ⬅ $\tan\frac{\theta}{2} = \frac{\overline{\text{FG}}}{\overline{\text{CF}}}$

$$S(\theta) = \frac{1}{2}\cdot\overline{\text{CF}}\cdot\overline{\text{FG}}$$
$$= \frac{1}{2}\sin\theta \cdot \sin\frac{\theta}{2} \cdot \sin\theta \cdot \sin\frac{\theta}{2} \cdot \tan\frac{\theta}{2}$$
$$= \frac{1}{2}\sin^2\theta \cdot \sin^2\frac{\theta}{2} \cdot \tan\frac{\theta}{2}$$

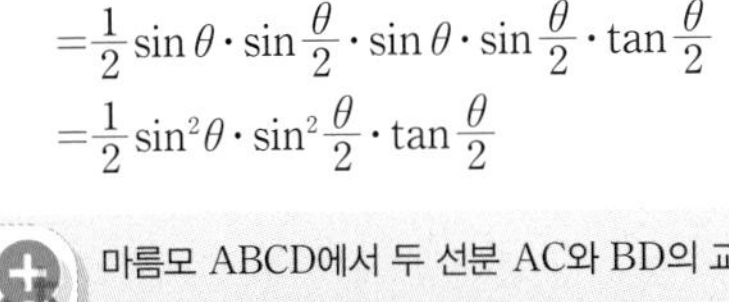

마름모 ABCD에서 두 선분 AC와 BD의 교점을 O라 하자.
$\overline{\text{AC}} \perp \overline{\text{BD}}$이므로 $\overline{\text{BO}} /\!/ \overline{\text{EF}}$
이때 $\angle\text{CEF} = \angle\text{BAO} = \frac{\theta}{2}$

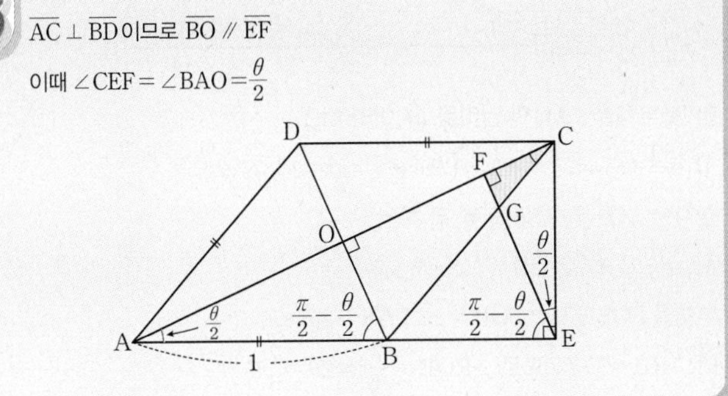

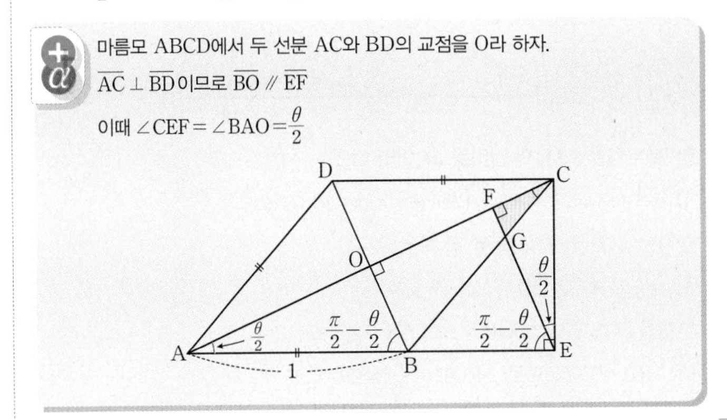

STEP C $\lim_{\theta\to0+}\frac{S(\theta)}{\theta^5}$의 값 구하기

따라서 $\lim_{\theta\to0+}\frac{S(\theta)}{\theta^5}=\lim_{\theta\to0+}\frac{\frac{1}{2}\sin^2\theta\cdot\sin^2\frac{\theta}{2}\cdot\tan\frac{\theta}{2}}{\theta^5}$

$=\frac{1}{16}\lim_{\theta\to0+}\left\{\left(\frac{\sin\theta}{\theta}\right)^2\cdot\left(\frac{\sin\frac{\theta}{2}}{\frac{\theta}{2}}\right)^2\cdot\frac{\tan\frac{\theta}{2}}{\frac{\theta}{2}}\right\}$

$=\frac{1}{16}\cdot1^2\cdot1^2\cdot1=\frac{1}{16}$

0409

다음 그림과 같이 길이가 2인 선분 AB를 지름으로 하는 반원의 호 AB 위에 점 P가 있다. 중심이 A이고 반지름의 길이가 $\overline{\mathrm{AP}}$인 원과 선분 AB의 교점을 Q라 하자.
호 PB 위에 점 R을 호 PR과 호 RB의 길이의 비가 3 : 7이 되도록 잡는다. 선분 AB의 중점을 O라 할 때, 선분 OR과 호 PQ의 교점을 T, 점 O에서 선분 AP에 내린 수선의 발을 H라 하자.
세 선분 PH, HO, OT와 호 TP로 둘러싸인 부분의 넓이를 S_1,
두 선분 RT, QB와 두 호 TQ, BR로 둘러싸인 부분의 넓이를 S_2라 하자.
$\angle\mathrm{PAB}=\theta$라 할 때, $\lim_{\theta\to0+}\frac{S_1-S_2}{\overline{\mathrm{OH}}}=a$이다.
$50a$의 값을 구하여라. $\left(\text{단, } 0<\theta<\frac{\pi}{4}\right)$

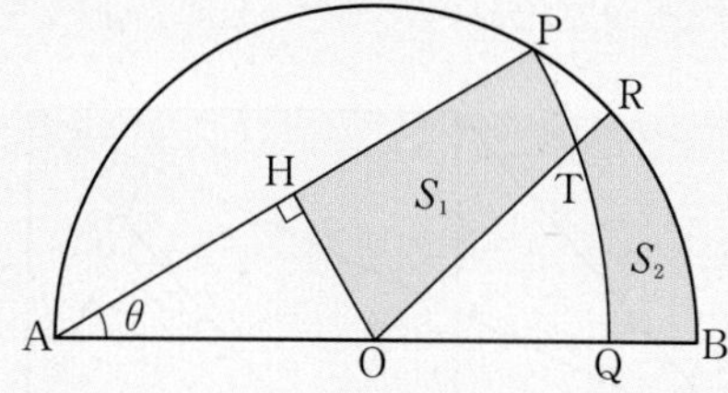

STEP A 선분 AP, AH, OH의 길이를 θ에 관한 삼각함수로 나타내기

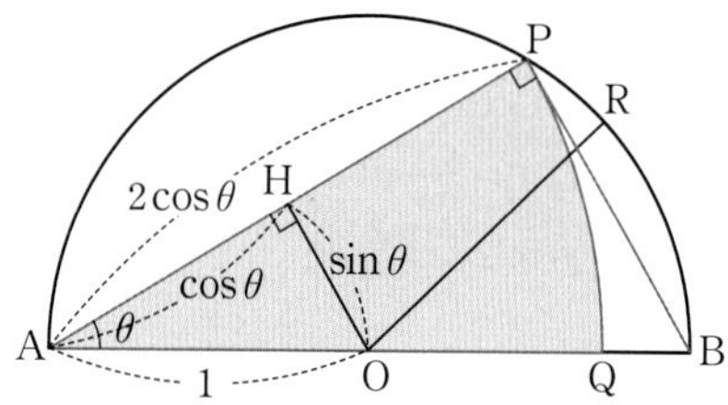

삼각형 ABP에서 $\angle\mathrm{APB}=\frac{\pi}{2}$이므로 $\overline{\mathrm{AP}}=\overline{\mathrm{AB}}\cos\theta=2\cos\theta$

직각삼각형 AOH에서 $\overline{\mathrm{AH}}=\overline{\mathrm{OA}}\cos\theta=\cos\theta$, $\overline{\mathrm{OH}}=\overline{\mathrm{OA}}\sin\theta=\sin\theta$

STEP B 부채꼴 PAQ, ROB의 넓이를 θ에 관한 식으로 나타내기

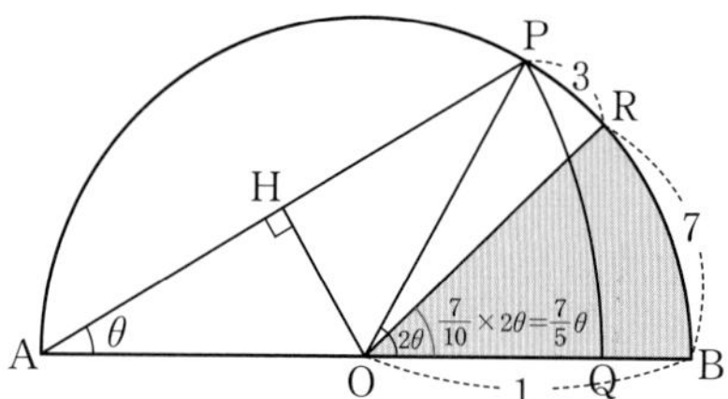

한편, 부채꼴 PAQ의 넓이를 M_1이라 하면

$M_1=\frac{1}{2}\times\overline{\mathrm{AP}}^2\times\theta=\frac{1}{2}\times(2\cos\theta)^2\times\theta=2\theta\cos^2\theta$

삼각형 AOH의 넓이를 M_2라 하면

$M_2=\frac{1}{2}\times\overline{\mathrm{AH}}\times\overline{\mathrm{OH}}=\frac{1}{2}\cos\theta\sin\theta$

부채꼴 POB에서 $\angle\mathrm{POB}=2\angle\mathrm{PAB}=2\theta$이고

$\overset{\frown}{\mathrm{PR}}:\overset{\frown}{\mathrm{RB}}=3:7$이므로 $\angle\mathrm{ROB}=\frac{7}{10}\times2\theta=\frac{7}{5}\theta$

부채꼴 ROB의 넓이를 M_3이라 하면

$M_3=\frac{1}{2}\times\overline{\mathrm{OB}}^2\times\frac{7}{5}\theta=\frac{1}{2}\times1^2\times\frac{7}{5}\theta=\frac{7}{10}\theta$

STEP C $\lim_{\theta\to0+}\frac{S_1-S_2}{\overline{\mathrm{OH}}}$의 극한값 구하기

$S_1-S_2=M_1-M_2-M_3=2\theta\cos^2\theta-\frac{1}{2}\cos\theta\sin\theta-\frac{7}{10}\theta$

이므로

$\lim_{\theta\to0+}\frac{S_1-S_2}{\overline{\mathrm{OH}}}=\lim_{\theta\to0+}\frac{2\theta\cos^2\theta-\frac{1}{2}\cos\theta\sin\theta-\frac{7}{10}\theta}{\sin\theta}$

$=2\lim_{\theta\to0+}\frac{\theta}{\sin\theta}\times\lim_{\theta\to0+}\cos^2\theta-\frac{1}{2}\lim_{\theta\to0+}\cos\theta-\frac{7}{10}\lim_{\theta\to0+}\frac{\theta}{\sin\theta}$

$=2\times1\times1^2-\frac{1}{2}\times1-\frac{7}{10}\times1=\frac{4}{5}$

따라서 $a=\frac{4}{5}$이므로 $50a=50\times\frac{4}{5}=40$

MAPL; YOUR MASTER PLAN

03 여러 가지 미분법

0410

다음 물음에 답하여라.

(1) 함수 $f(x)=\frac{ax^2+bx+3}{x+3}$에 대하여 $f'(0)=2$, $f'(-2)=2$일 때, $a+b$의 값을 구하여라.

STEP Ⓐ 몫의 미분법을 이용하여 a, b의 값 구하기

$f'(x)=\frac{(2ax+b)(x+3)-(ax^2+bx+3)\cdot 1}{(x+3)^2}=\frac{ax^2+6ax+3b-3}{(x+3)^2}$

$f'(0)=2$이므로 $\frac{3b-3}{9}=2 \quad \therefore b=7$

$f'(-2)=-8a+3b-3=-8a+18=2 \quad \therefore a=2$

따라서 $a=2$, $b=7$이므로 $a+b=2+7=9$

(2) 함수 $f(x)=-\frac{x+1}{x^2+1}$에 대하여 $\lim_{h\to 0}\frac{f(1+h)-f(1-h)}{h}$의 값을 구하여라.

STEP Ⓐ 몫의 미분법을 이용하여 $f'(1)$의 값 구하기

$f(x)=-\frac{x+1}{x^2+1}$에서

$f'(x)=-\left(\frac{x+1}{x^2+1}\right)'=-\frac{(x+1)'\times(x^2+1)-(x+1)\times(x^2+1)'}{(x^2+1)^2}$

$=-\frac{1\times(x^2+1)-(x+1)\times 2x}{(x^2+1)^2}=-\frac{x^2+1-2x^2-2x}{(x^2+1)^2}$

$=-\frac{-x^2-2x+1}{(x^2+1)^2}=\frac{x^2+2x-1}{(x^2+1)^2}$

$f'(1)=\frac{1+2-1}{2^2}=\frac{1}{2}$

STEP Ⓑ 미분계수의 변형을 이용하여 구하기

$\lim_{h\to 0}\frac{f(1+h)-f(1-h)}{h}=\lim_{h\to 0}\frac{f(1+h)-f(1)-f(1-h)+f(1)}{h}$

$=\lim_{h\to 0}\frac{f(1+h)-f(1)}{h}+\lim_{h\to 0}\frac{f(1-h)-f(1)}{-h}$

$=f'(1)+f'(1)=2f'(1)$

$=2\times\frac{1}{2}=1$

다른풀이 곱의 미분법을 이용하여 풀이하기

$f(x)=-\frac{x+1}{x^2+1}$에서 $(x^2+1)f(x)=-(x+1)$ …… ㉠

㉠의 양변을 x에 대하여 미분하면

$2xf(x)+(x^2+1)f'(x)=-1$ …… ㉡

㉡의 양변을 $x=1$에 대입하면 $2f(1)+2f'(1)=-1$

$f(1)=-1$이므로 $-2+2f'(1)=-1$

따라서 $f'(1)=\frac{1}{2}$이므로 $\lim_{h\to 0}\frac{f(1+h)-f(1-h)}{h}=2f'(1)=2\times\frac{1}{2}=1$

0411

다음 물음에 답하여라.

(1) 함수 $f(x)=\frac{\ln x}{x^2}$에 대하여 $\lim_{h\to 0}\frac{f(e+h)-f(e-2h)}{h}$의 값은?

① $-\frac{2}{e}$ ② $-\frac{3}{e^2}$ ③ $-\frac{1}{e}$
④ $-\frac{2}{e^2}$ ⑤ $-\frac{3}{e^3}$

STEP Ⓐ 몫의 미분법을 이용하여 $f'(e)$의 값 구하기

$f(x)=\frac{\ln x}{x^2}$에서 $f'(x)=\frac{\frac{1}{x}\times x^2-\ln x\times 2x}{x^4}=\frac{1-2\ln x}{x^3}$

이므로 $f'(e)=\frac{1-2\ln e}{e^3}=-\frac{1}{e^3}$

STEP Ⓑ 미분계수의 변형을 이용하여 구하기

$\lim_{h\to 0}\frac{f(e+h)-f(e-2h)}{h}=\lim_{h\to 0}\frac{\{f(e+h)-f(e)\}-\{f(e-2h)-f(e)\}}{h}$

$=\lim_{h\to 0}\frac{f(e+h)-f(e)}{h}-\lim_{h\to 0}\frac{f(e-2h)-f(e)}{h}$

$=f'(e)+2f'(e)=3f'(e)$

$=3\times\left(-\frac{1}{e^3}\right)=-\frac{3}{e^3}$

다른풀이 곱의 미분법을 이용하여 풀이하기

$f(x)=\frac{\ln x}{x^2}$에서 $x^2f(x)=\ln x$ …… ㉠

㉠의 양변을 x에 대하여 미분하면

$2xf(x)+x^2f'(x)=\frac{1}{x}$ …… ㉡

㉡의 양변을 $x=e$에 대입하면 $2ef(e)+e^2f'(e)=\frac{1}{e}$

$f(e)=\frac{1}{e^2}$이므로 $f'(e)=-\frac{1}{e^3}$

따라서 $\lim_{h\to 0}\frac{f(e+h)-f(e-2h)}{h}=3f'(e)=3\times\left(-\frac{1}{e^3}\right)=-\frac{3}{e^3}$

(2) 함수 $f(x)=\frac{\log_2 x}{x}$에 대하여 $\lim_{h\to 0}\frac{f(1+2h)-f(1-2h)}{h}$의 값은?

① $\frac{2}{\ln 2}$ ② $\frac{3}{\ln 2}$ ③ $\frac{4}{\ln 2}$
④ $\ln 2$ ⑤ $4\ln 2$

STEP Ⓐ 몫의 미분법을 이용하여 $f'(1)$의 값 구하기

$f(x)=\frac{\log_2 x}{x}$에서

$f'(x)=\frac{\frac{1}{x\ln 2}\times x-\log_2 x\times 1}{x^2}=\frac{\frac{1}{\ln 2}-\frac{\ln x}{\ln 2}}{x^2}=\frac{1-\ln x}{x^2\ln 2}$

이므로 $f'(1)=\frac{1}{\ln 2}$

STEP Ⓑ 미분계수의 변형을 이용하여 구하기

$\lim_{h\to 0}\frac{f(1+2h)-f(1-2h)}{h}$

$=\lim_{h\to 0}\frac{f(1+2h)-f(1)-\{f(1-2h)-f(1)\}}{h}$

$=\lim_{h\to 0}\frac{f(1+2h)-f(1)}{2h}\times 2+\lim_{h\to 0}\frac{f(1-2h)-f(1)}{-2h}\times 2$

$=2f'(1)+2f'(1)=4f'(1)$

$=\frac{4}{\ln 2}$

다른풀이 곱의 미분법을 이용하여 풀이하기

$f(x)=\frac{\log_2 x}{x}$에서 $xf(x)=\log_2 x$ …… ㉠

㉠의 양변을 x에 대하여 미분하면

$f(x)+xf'(x)=\frac{1}{x\ln 2}$ …… ㉡

㉡의 양변을 $x=1$에 대입하면 $f(1)+f'(1)=\frac{1}{\ln 2}$

$f(1)=0$이므로 $f'(1)=\frac{1}{\ln 2}$

따라서 $\lim_{h\to 0}\frac{f(1+2h)-f(1-2h)}{h}=4f'(1)=\frac{4}{\ln 2}$

0412

실수 전체의 집합에서 미분가능한 함수 $f(x)$에 대하여 함수 $g(x)$를

$$g(x)=\frac{f(x)}{e^{x-2}}$$

라 하자. $\lim_{x\to2}\frac{f(x)-3}{x-2}=5$일 때, $g'(2)$의 값은?

① 1 ② 2 ③ 3
④ 4 ⑤ 5

STEP Ⓐ 미분계수의 정의를 이용하여 $f(2)$, $f'(2)$ 구하기

$\lim_{x\to2}\frac{f(x)-3}{x-2}=5$에서

$x\to2$일 때, (분모)→ 0이고 극한값이 존재하므로 (분자)→ 0이어야 한다.

즉 $\lim_{x\to2}\{f(x)-3\}=0$

함수 $f(x)$가 실수 전체의 집합에서 미분가능하므로 실수 전체의 집합에서 연속이다.

$\lim_{x\to2}\{f(x)-3\}=f(2)-3=0$에서 $f(2)=3$ …… ㉠

$\lim_{x\to2}\frac{f(x)-3}{x-2}=\lim_{x\to2}\frac{f(x)-f(2)}{x-2}=f'(2)=5$ …… ㉡

STEP Ⓑ 몫의 미분법을 이용하여 $g'(2)$의 값 구하기

한편 $g(x)=\frac{f(x)}{e^{x-2}}$에서 $g'(x)=\frac{f'(x)\cdot e^{x-2}-e^{x-2}\cdot f(x)}{e^{2x-4}}$이므로

$x=2$을 대입하면 $g'(2)=\frac{f'(2)\cdot e^0-e^0\cdot f(2)}{e^0}$

따라서 ㉠, ㉡에서 $g'(2)=\frac{f'(2)\cdot1-1\cdot f(2)}{1}=5-3=2$

0413

다음 물음에 답하여라.

(1) 함수 $f(x)=\frac{1+\sec x}{\tan x}$에 대하여 $f'\left(\frac{\pi}{4}\right)$의 값을 구하여라.

STEP Ⓐ 삼각함수의 도함수 구하기

$f(x)=\frac{1+\sec x}{\tan x}=\frac{1}{\tan x}+\frac{\sec x}{\tan x}=\cot x+\csc x$이므로

$f'(x)=-\csc^2x-\csc x\cot x$

$\quad=-\csc x(\csc x+\cot x)$

STEP Ⓑ $f'\left(\frac{\pi}{4}\right)$의 값 구하기

따라서 $f'\left(\frac{\pi}{4}\right)=-\csc\frac{\pi}{4}\left(\csc\frac{\pi}{4}+\cot\frac{\pi}{4}\right)=-\sqrt{2}(\sqrt{2}+1)=-2-\sqrt{2}$

(2) 함수 $f(x)=a\tan x+\sec x$에 대하여 $f'\left(\frac{\pi}{3}\right)=-2\sqrt{3}$일 때, 상수 a의 값을 구하여라.

STEP Ⓐ 삼각함수의 도함수 구하기

$f(x)=a\tan x+\sec x$에서

$f'(x)=a\sec^2x+\sec x\tan x$

STEP Ⓑ $f'\left(\frac{\pi}{3}\right)$의 값 구하기

$f'\left(\frac{\pi}{3}\right)=a\sec^2\frac{\pi}{3}+\sec\frac{\pi}{3}\tan\frac{\pi}{3}$

$\quad=a\cdot2^2+2\cdot\sqrt{3}$

$\quad=4a+2\sqrt{3}$

따라서 $4a+2\sqrt{3}=-2\sqrt{3}$이므로 $a=-\sqrt{3}$

0414

다음 물음에 답하여라.

(1) 함수 $f(x)=2\sec x-\tan x$에 대하여 방정식 $f'(x)=0$을 만족시키는 실수 x의 값은? $\left(단, -\frac{\pi}{2}<x<\frac{\pi}{2}\right)$

① $-\frac{\pi}{3}$ ② $-\frac{\pi}{6}$ ③ 0
④ $\frac{\pi}{6}$ ⑤ $\frac{\pi}{3}$

STEP Ⓐ 삼각함수의 도함수 구하기

$f(x)=2\sec x-\tan x$에서 $f'(x)=2\sec x\tan x-\sec^2x$

STEP Ⓑ $f'(x)=0$을 만족하는 실수 x의 값 구하기

$f'(x)=0$에서 $2\sec x\tan x-\sec^2x=0$

$\frac{2\sin x}{\cos^2x}-\frac{1}{\cos^2x}=0$ …… ㉠

$-\frac{\pi}{2}<x<\frac{\pi}{2}$에서 $\cos x\neq0$이므로 ㉠의 양변에 $\cos^2x$를 곱하면

$2\sin x-1=0$

따라서 $\sin x=\frac{1}{2}$이므로 $x=\frac{\pi}{6}$ ← $-\frac{\pi}{2}<x<\frac{\pi}{2}$

(2) 함수 $f(x)=\tan x+\cot x$에 대하여 방정식 $f'(x)=0$을 만족시키는 실수 x의 값은? $\left(단, 0<x<\frac{\pi}{2}\right)$

① $\frac{\pi}{12}$ ② $\frac{\pi}{6}$ ③ $\frac{\pi}{4}$
④ $\frac{\pi}{3}$ ⑤ $\frac{5}{12}\pi$

STEP Ⓐ 삼각함수의 도함수 구하기

$f(x)=\tan x+\cot x$에서 $f'(x)=\sec^2x-\csc^2x$

STEP Ⓑ $f'(x)=0$을 만족하는 실수 x의 값 구하기

$f'(x)=0$에서 $(\sec x+\csc x)(\sec x-\csc x)=0$

$0<x<\frac{\pi}{2}$에서 $\sec x>0$, $\csc x>0$이므로

$\sec x=\csc x$, $\frac{1}{\cos x}=\frac{1}{\sin x}$

따라서 $\cos x=\sin x$에서 $x=\frac{\pi}{4}$

0415

정의역이 $\left\{x\middle|0<x<\frac{\pi}{2}\right\}$인 함수 $f(x)$가 정의역에 속하는 모든 실수 x에 대하여 $(\sec^2x+\tan x)f(x)=\tan^3x-1$을 만족시킬 때, $f'\left(\frac{\pi}{6}\right)$의 값은?

① $\frac{4}{3}$ ② $\frac{3}{2}$ ③ $\frac{5}{3}$
④ $\frac{11}{6}$ ⑤ 2

STEP Ⓐ 삼각함수 사이의 관계를 이용하여 $f(x)$ 구하기

$\sec^2x=1+\tan^2x$이므로

$f(x)=\frac{\tan^3x-1}{\sec^2x+\tan x}$

$\quad=\frac{\tan^3x-1}{\tan^2x+\tan x+1}$

$\quad=\frac{(\tan x-1)(\tan^2x+\tan x+1)}{\tan^2x+\tan x+1}$

$\quad=\tan x-1$

STEP Ⓑ 삼각함수의 도함수 구하기

따라서 $f'(x)=\sec^2x$이므로 $f'\left(\frac{\pi}{6}\right)=\left(\frac{2}{\sqrt{3}}\right)^2=\frac{4}{3}$

0416

실수 전체의 집합에서 미분가능한 두 함수 $f(x)$, $g(x)$가 다음 조건을 만족시킨다.

(가) $g(1)=2$, $g'(1)=2$
(나) 모든 실수 x에 대하여 $f(g(x))=2x+3$이다.

$f(2)+f'(2)$의 값을 구하여라.

STEP A 합성함수에서 $f(2)$의 값 구하기

$g(1)=2$이므로
$f(g(x))=2x+3$에 $x=1$을 대입하면 $f(g(1))=5$
즉 $f(2)=5$

STEP B 합성함수의 미분법을 이용하여 $f'(2)$ 구하기

$f(g(x))=2x+3$의 양변을 x에 대하여 미분하면
$f'(g(x))g'(x)=2$
이 식에 $x=1$을 대입하면 $f'(g(1))g'(1)=2$
$f'(2)\times 2=2$에서 $f'(2)=1$
따라서 $f(2)+f'(2)=5+1=6$

0417

다음 물음에 답하여라.

(1) 실수 전체의 집합에서 미분가능한 함수 $f(x)$가 모든 실수 x에 대하여
$$f(2x+1)=(x^2+1)^2$$
을 만족시킬 때, $f'(3)$의 값은?

① 1 ② 2 ③ 3
④ 4 ⑤ 5

STEP A 합성함수의 미분법을 이용하여 $f'(3)$ 구하기

$f(2x+1)=(x^2+1)^2$의 양변을 x에 대하여 미분하면
$f'(2x+1)\cdot 2=2(x^2+1)\cdot 2x$
$f'(2x+1)=2(x^2+1)x$ …… ㉠
㉠의 양변에 $x=1$을 대입하면 $f'(3)=2\cdot 2\cdot 1=4$

(2) 양의 실수 전체의 집합에서 정의된 미분가능한 함수 $f(x)$가
$$f(x^3)=2x^3-x^2+32x$$
를 만족시킬 때, $f'(1)$의 값은?

① 11 ② 12 ③ 13
④ 14 ⑤ 15

STEP A 합성함수의 미분법을 이용하여 $f'(1)$ 구하기

$f(x^3)=2x^3-x^2+32x$에서 양변을 x에 대하여 미분하면
$f'(x^3)\cdot 3x^2=6x^2-2x+32$
$x=1$을 대입하면
$3f'(1)=6-2+32=36$
따라서 $f'(1)=12$

다른풀이 $x^3=t$로 치환하여 $f'(1)$ 풀이하기

STEP A $x^3=t$로 치환하고 $f(t)$ 구하기

$x^3=t$라 하면
$x^2=t^{\frac{2}{3}}$, $x=t^{\frac{1}{3}}$이므로
$f(t)=2t-t^{\frac{2}{3}}+32t^{\frac{1}{3}}$

STEP B $f'(1)$ 구하기

$f(t)=2t-t^{\frac{2}{3}}+32t^{\frac{1}{3}}$의 양변을 t에 대하여 미분하면
$f'(t)=2-\frac{2}{3}t^{-\frac{1}{3}}+\frac{32}{3}t^{-\frac{2}{3}}$
따라서 $t=1$을 대입하면 $f'(1)=2-\frac{2}{3}+\frac{32}{3}=12$

0418

다음 물음에 답하여라.

(1) 두 함수 $f(x)=\frac{x}{x^2-2}$, $g(x)=x^2+2x-2$의 합성함수 $h(x)=(f\circ g)(x)$에 대하여 $h'(1)$의 값을 구하여라.

STEP A 몫의 미분법을 이용하여 $f'(x)$, $g'(x)$ 구하기

두 함수 $f(x)=\frac{x}{x^2-2}$, $g(x)=x^2+2x-2$에 대하여
$$f'(x)=\frac{(x)'(x^2-2)-x(x^2-2)'}{(x^2-2)^2}=\frac{x^2-2-2x^2}{(x^2-2)^2}=\frac{-x^2-2}{(x^2-2)^2}$$
$g'(x)=2x+2$

STEP B 합성함수의 미분법을 이용하여 $h'(1)$ 구하기

$h(x)=(f\circ g)(x)=f(g(x))$에서 $h'(x)=f'(g(x))g'(x)$이므로
$h'(1)=f'(g(1))g'(1)=f'(1)g'(1)$ ($\because g(1)=1$)
이때 $f'(1)=-3$, $g'(1)=4$이므로 $h'(1)=f'(1)g'(1)=-3\times 4=-12$

(2) 함수 $f(x)$가 미분가능하고 함수 $g(x)=\frac{x+2}{x^2+2}$일 때, 합성함수 $h(x)=(f\circ g)(x)$는 $h'(0)=12$를 만족한다. 이때 $f'(1)$의 값을 구하여라.

STEP A 몫의 미분법을 이용하여 $g'(x)$ 구하기

$$\text{또, } g'(x)=\frac{(x+2)'(x^2+2)-(x+2)(x^2+2)'}{(x^2+2)^2}=\frac{(x^2+2)-(x+2)\cdot 2x}{(x^2+2)^2}=\frac{-x^2-4x+2}{(x^2+2)^2}$$

STEP B 합성함수의 미분법을 이용하여 $f'(1)$ 구하기

$h(x)=(f\circ g)(x)=f(g(x))$에서 $h'(x)=f'(g(x))\cdot g'(x)$
$h'(0)=f'(g(0))\cdot g'(0)$
이때 $g(x)=\frac{x+2}{x^2+2}$에서 $g(0)=1$
따라서 $g'(0)=\frac{1}{2}$이므로 $h'(0)=f'(1)\cdot\frac{1}{2}=12$ $\therefore f'(1)=24$

0419

다음 물음에 답하여라.

(1) 미분가능한 두 함수 $f(x)$, $g(x)$가
$$\lim_{x\to -3}\frac{f(x)+3}{x+3}=4,\ \lim_{x\to -3}\frac{g(x)+3}{x+3}=1$$
을 만족시킬 때, 함수 $y=(f\circ g)(x)$의 $x=-3$에서의 미분계수를 구하여라.

STEP A 극한의 기본성질과 미분계수의 정의를 이용하여 미분계수 구하기

$\lim_{x\to -3}\frac{f(x)+3}{x+3}=4$에서
$x\to -3$일 때, (분모)$\to 0$이고 극한값이 존재하므로 (분자)$\to 0$이다.

$\lim_{x \to -3}\{f(x)+3\}=0$에서 $f(-3)=-3$

$\lim_{x \to -3}\frac{f(x)+3}{x+3}=\lim_{x \to -3}\frac{f(x)-f(-3)}{x-(-3)}=f'(-3)=4$

$\lim_{x \to -3}\frac{g(x)+3}{x+3}=1$에서

$x \to -3$일 때, (분모)$\to 0$이고 극한값이 존재하므로 (분자)$\to 0$이다.

즉 $\lim_{x \to -3}\{g(x)+3\}=0$에서 $g(-3)=-3$

$\lim_{x \to -3}\frac{g(x)+3}{x+3}=\lim_{x \to -3}\frac{g(x)-g(-3)}{x-(-3)}=g'(-3)=1$

STEP **B** 합성함수의 미분법을 이용하여 $x=-3$에서의 미분계수 구하기

$y=f(g(x))$에서 $y'=f'(g(x))g'(x)$

따라서 $x=-3$에서의 미분계수는

$f'(g(-3))g'(-3)=f'(-3)g'(-3)=4\cdot 1=4$

(2) 실수 전체의 집합에서 미분가능한 두 함수 $f(x)$, $g(x)$가

$$\lim_{x \to 3}\frac{f(x)-6}{x-3}=4,\ (g\circ f)(x)=12x-3$$

을 만족시킬 때, $g'(6)$값을 구하여라.

STEP **A** 극한의 기본성질과 미분계수의 정의를 이용하여 미분계수 구하기

$\lim_{x \to 3}\frac{f(x)-6}{x-3}=4$에서

$x \to 3$일 때, (분모)$\to 0$이고 극한값이 존재하므로 (분자)$\to 0$이다.

즉 $\lim_{x \to 3}\{f(x)-6\}=0$이므로 $f(3)=6$

$\lim_{x \to 3}\frac{f(x)-6}{x-3}=\lim_{x \to 3}\frac{f(x)-f(3)}{x-3}=f'(3)=4$

STEP **B** 합성함수의 미분법을 이용하여 $g'(6)$의 값 구하기

$(g\circ f)(x)=12x-3$의 양변을 x에 대하여 미분하면

$g'(f(x))f'(x)=12$

$x=3$을 대입하면 $g'(f(3))f'(3)=12$

따라서 $g'(6)\times 4=12$이므로 $g'(6)=3$

0420

다음 물음에 답하여라.

(1) 곡선 $y=f(x)$ 위의 점 $(1, 2)$에서의 접선의 기울기가 2이고,
곡선 $y=g(x)$ 위의 점 $(1, 1)$에서의 접선의 기울기가 4일 때,
$\lim_{x \to 1}\frac{f(g(x))-2}{x-1}$의 값은?

① 2 ② 4 ③ 6
④ 8 ⑤ 10

STEP **A** 두 곡선 $y=f(x)$, $y=g(x)$ 위의 점과 접선의 기울기 구하기

곡선 $y=f(x)$ 위의 점 $(1, 2)$에서의 접선의 기울기가 2이므로

$f(1)=2,\ f'(1)=2$

곡선 $y=g(x)$ 위의 점 $(1, 1)$에서의 접선의 기울기가 4이므로

$g(1)=1,\ g'(1)=4$

STEP **B** 합성함수의 미분법을 이용하여 구하기

$f(g(x))=h(x)$로 놓으면

$h(1)=f(g(1))=f(1)=2$

$\therefore \lim_{x \to 1}\frac{f(g(x))-2}{x-1}=\lim_{x \to 1}\frac{h(x)-h(1)}{x-1}=h'(1)$

따라서 $h'(x)=f'(g(x))g'(x)$이므로

$h'(1)=f'(g(1))g'(1)=f'(1)g'(1)=2\cdot 4=8$

다른풀이 미분계수의 변형을 이용하여 풀이하기

$f(g(1))=f(1)=2$이므로

$$\begin{aligned}\lim_{x \to 1}\frac{f(g(x))-2}{x-1}&=\lim_{x \to 1}\left\{\frac{f(g(x))-f(g(1))}{g(x)-g(1)}\cdot\frac{g(x)-g(1)}{x-1}\right\}\\&=\lim_{x \to 1}\frac{f(g(x))-f(g(1))}{g(x)-g(1)}\cdot\lim_{x \to 1}\frac{g(x)-g(1)}{x-1}\\&=f'(g(1))g'(1)\\&=f'(1)g'(1)\\&=2\cdot 4=8\end{aligned}$$

(2) 두 함수 $f(x)=(x^2-3)^2$, $g(x)=\frac{1}{x}$에 대하여
$\lim_{x \to 1}\frac{f(g(x))-4}{x-1}$의 값은?

① 2 ② 4 ③ 6
④ 8 ⑤ 10

STEP **A** 합성함수의 미분법을 이용하여 $h'(x)$ 구하기

$h(x)=f(g(x))$라 하고 x에 대하여 미분하면

$h'(x)=f'(g(x))g'(x)$

STEP **B** 미분계수의 정의를 이용하여 주어진 식의 값 구하기

$f(1)=(1-3)^2=4,\ g(1)=\frac{1}{1}=1$이므로

$h(1)=f(g(1))=f(1)=4$

즉 $\lim_{x \to 1}\frac{f(g(x))-4}{x-1}=\lim_{x \to 1}\frac{h(x)-h(1)}{x-1}=h'(1)$

이때 $f'(x)=2(x^2-3)\cdot(x^2-3)'$

$=2(x^2-3)\cdot 2x$

$=4x(x^2-3)$

$g'(x)=-\frac{1}{x^2}$

$f'(1)=4\times 1\times(1-3)=-8,\ g'(1)=-1$

따라서 $h'(1)=f'(g(1))g'(1)=f'(1)g'(1)=(-8)\times(-1)=8$

0421

열린구간 $(0, 5)$에서 미분가능한 두 함수 $f(x)$, $g(x)$의 그래프가 다음 그림과 같다. 합성함수

$$h(x)=(f\circ g)(x)$$

에 대하여 $h'(3)$의 값을 구하여라.

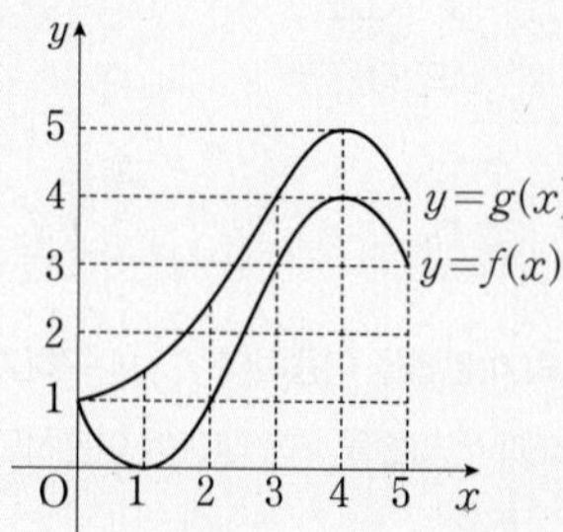

STEP **A** 합성함수의 미분법을 이용하여 $h'(3)$ 구하기

$h(x)=(f\circ g)(x)$에서 $h'(x)=f'(g(x))g'(x)$

$h'(3)=(f\circ g)'(3)=f'(g(3))g'(3)$

STEP **B** 그래프를 이용하여 구하기

그래프에서 $g(3)=4$이고 $g'(3)>0,\ f'(4)=0$

따라서 $f'(g(3))g'(3)=f'(4)g'(3)=0$

0422

다음 물음에 답하여라.

(1) 곡선 $y=\tan(\sin x)$ 위의 점 $(\pi,\ 0)$에서의 접선의 기울기를 구하여라.

STEP A 합성함수의 미분법을 이용하여 $x=\pi$에서 미분계수 구하기

$f(x)=\tan(\sin x)$로 놓고 x에 대하여 미분하면

$f'(x)=\sec^2(\sin x)\cdot\cos x$

따라서 점 $(\pi,\ 0)$에서의 접선의 기울기는

$f'(\pi)=\sec^2(\sin\pi)\cdot\cos\pi=1\cdot(-1)=-1$

(2) 함수 $f(x)=\frac{x}{2}+2\sin x$에 대하여 함수 $g(x)$를

$g(x)=(f\circ f)(x)$

라 할 때, $g'(\pi)$의 값을 구하여라.

STEP A 합성함수의 미분법을 이용하여 $g(x)=(f\circ f)(x)$를 미분하기

$g(x)=(f\circ f)(x)=f(f(x))$를 x에 대하여 미분하면

$g'(x)=f'(f(x))\times f'(x)$ …… ㉠

STEP B $g'(\pi)$의 값 구하기

$f(x)=\frac{x}{2}+2\sin x$에서 $f'(x)=\frac{1}{2}+2\cos x$이므로

$f(\pi)=\frac{\pi}{2},\ f'(\pi)=-\frac{3}{2},\ f'\left(\frac{\pi}{2}\right)=\frac{1}{2}$

따라서 ㉠에서

$g'(\pi)=f'(f(\pi))\times f'(\pi)=f'\left(\frac{\pi}{2}\right)\times f'(\pi)=\frac{1}{2}\times\left(-\frac{3}{2}\right)=-\frac{3}{4}$

0423

다음 물음에 답하여라.

(1) 미분가능한 함수 $f(x)$가 $f(\sin x)=\cos 2x+\tan x\left(0<x<\frac{\pi}{2}\right)$를 만족시킬 때, $f'\left(\frac{\sqrt{3}}{2}\right)$의 값은?

① $8-2\sqrt{3}$ ② $6-2\sqrt{3}$ ③ $2+2\sqrt{3}$
④ $3+3\sqrt{3}$ ⑤ $3+4\sqrt{3}$

STEP A 합성함수의 미분법 이용하기

$f(\sin x)=\cos 2x+\tan x$에서 양변을 x에 대하여 미분하면

$f'(\sin x)\cdot\cos x=-2\sin 2x+\sec^2 x$

$$f'(\sin x)=\frac{-2\sin 2x+\sec^2 x}{\cos x}=\frac{-4\sin x\cos x+\frac{1}{\cos^2 x}}{\cos x}=-4\sin x+\frac{1}{\cos^3 x}$$

STEP B $\sin x=\frac{\sqrt{3}}{2}$을 만족하는 $x=\frac{\pi}{3}$를 대입하기

이때 $\sin x=\frac{\sqrt{3}}{2}\left(0<x<\frac{\pi}{2}\right)$이면 $x=\frac{\pi}{3}$이므로 $\cos x=\frac{1}{2}$

따라서 $f'\left(\frac{\sqrt{3}}{2}\right)=-4\cdot\frac{\sqrt{3}}{2}+\frac{1}{\left(\frac{1}{2}\right)^3}=8-2\sqrt{3}$

(2) 함수 $f(x)$가 $f(\cos x)=\sin 2x+\tan x\left(0<x<\frac{\pi}{2}\right)$를 만족시킬 때, $f'\left(\frac{1}{2}\right)$의 값은?

① $-2\sqrt{3}$ ② $-\sqrt{3}$ ③ 0
④ $\sqrt{3}$ ⑤ $2\sqrt{3}$

STEP A 합성함수의 미분법 이용하기

$f(\cos x)=\sin 2x+\tan x$에서 양변을 x에 대하여 미분하면

$f'(\cos x)\cdot(-\sin x)=2\cos 2x+\sec^2 x$

STEP B $\cos x=\frac{1}{2}$을 만족하는 $x=\frac{\pi}{3}$를 대입하기

$0<x<\frac{\pi}{2}$에서 $\cos x=\frac{1}{2}$일 때, $x=\frac{\pi}{3}$이므로 위의 식에 $x=\frac{\pi}{3}$를 대입하면

$f'\left(\cos\frac{\pi}{3}\right)\left(-\sin\frac{\pi}{3}\right)=2\cos\frac{2\pi}{3}+\sec^2\frac{\pi}{3}$

$-\frac{\sqrt{3}}{2}f'\left(\frac{1}{2}\right)=2\left(-\frac{1}{2}\right)+4=3$

따라서 $f'\left(\frac{1}{2}\right)=-2\sqrt{3}$

0424

두 함수 $f(x)=\sin^2 x,\ g(x)=e^x$에 대하여 $\lim_{x\to\frac{\pi}{4}}\frac{g(f(x))-\sqrt{e}}{x-\frac{\pi}{4}}$의 값은?

① $\frac{1}{e}$ ② $\frac{1}{\sqrt{e}}$ ③ 1
④ $\sqrt{e}$ ⑤ e

STEP A 합성함수의 미분법을 이용하여 $h'(x)$ 구하기

$h(x)=g(f(x))$라 하고 x에 대하여 미분하면 $h'(x)=g'(f(x))f'(x)$

STEP B 미분계수의 정의를 이용하여 주어진 식의 값 구하기

$f\left(\frac{\pi}{4}\right)=\sin^2\frac{\pi}{4}=\left(\frac{\sqrt{2}}{2}\right)^2=\frac{1}{2},\ g\left(\frac{1}{2}\right)=e^{\frac{1}{2}}=\sqrt{e}$이므로

$h\left(\frac{\pi}{4}\right)=g\left(f\left(\frac{\pi}{4}\right)\right)=g\left(\frac{1}{2}\right)=\sqrt{e}$

즉 $\lim_{x\to\frac{\pi}{4}}\frac{g(f(x))-\sqrt{e}}{x-\frac{\pi}{4}}=\lim_{x\to\frac{\pi}{4}}\frac{h(x)-h\left(\frac{\pi}{4}\right)}{x-\frac{\pi}{4}}=h'\left(\frac{\pi}{4}\right)$

이때 $f(x)=\sin^2 x$에서 $f'(x)=2\sin x\cos x$

$g(x)=e^x$에서 $g'(x)=e^x$

따라서 $h'\left(\frac{\pi}{4}\right)=g'\left(f\left(\frac{\pi}{4}\right)\right)\cdot f'\left(\frac{\pi}{4}\right)=g'\left(\frac{1}{2}\right)\cdot f'\left(\frac{\pi}{4}\right)$

$=\sqrt{e}\cdot 2\sin\frac{\pi}{4}\cos\frac{\pi}{4}=\sqrt{e}\cdot 2\cdot\frac{\sqrt{2}}{2}\cdot\frac{\sqrt{2}}{2}$

$=\sqrt{e}$

0425

다음 물음에 답하여라.

(1) 함수 $f(x)=e^{-3x}\sin\frac{\pi}{4}x$에 대하여 $f'(-2)$의 값을 구하여라.

STEP A 합성함수의 미분법을 이용하여 $f'(-2)$ 구하기

$f'(x)=(e^{-3x})'\cdot\sin\frac{\pi}{4}x+e^{-3x}\cdot\left(\sin\frac{\pi}{4}x\right)'$

$=(-3e^{-3x})\cdot\sin\frac{\pi}{4}x+e^{-3x}\cdot\left(\frac{\pi}{4}\cos\frac{\pi}{4}x\right)$

$=e^{-3x}\left(-3\sin\frac{\pi}{4}x+\frac{\pi}{4}\cos\frac{\pi}{4}x\right)$

따라서 $f'(-2)=e^6\left\{-3\sin\left(-\frac{\pi}{2}\right)+\frac{\pi}{4}\cos\left(-\frac{\pi}{2}\right)\right\}=e^6\times 3=3e^6$

(2) 함수 $f(x)=e^{-x}$, $g(x)=\cos x$의 합성함수 $h(x)=(f\circ g)(x)$에 대하여 $h'\left(\frac{3}{2}\pi\right)$의 값을 구하여라.

STEP Ⓐ 합성함수의 미분법을 이용하여 $h'\left(\frac{3}{2}\pi\right)$ 구하기

$f(x)=e^{-x}$, $g(x)=\cos x$에서

$h(x)=(f\circ g)(x)=f(g(x))=f(\cos x)=e^{-\cos x}$이므로

$h'(x)=(e^{-\cos x})'=e^{-\cos x}(-\cos x)'=e^{-\cos x}\sin x$

따라서 $h'\left(\frac{3}{2}\pi\right)=e^{-\cos\frac{3}{2}\pi}\sin\frac{3}{2}\pi=e^{0}\cdot(-1)=-1$

0426

다음 물음에 답하여라.

(1) $f(x)=\sin 3x-e^{5x}$에 대하여 $\lim_{x\to 0}\frac{f(x)+1}{x}$의 값은?

① -2 ② 0 ③ 2
④ 4 ⑤ 6

STEP Ⓐ 합성함수의 미분법을 이용하여 $f'(x)$ 구하기

$f(x)=\sin 3x-e^{5x}$에서

$f'(x)=(3x)'\times\cos 3x-(5x)'\times e^{5x}=3\cos 3x-5e^{5x}$

STEP Ⓑ 미분계수를 이용하여 $\lim_{x\to 0}\frac{f(x)+1}{x}$의 값 구하기

$f(0)=\sin 0-e^{0}=-1$이므로 $\lim_{x\to 0}\frac{f(x)+1}{x}=\lim_{x\to 0}\frac{f(x)-f(0)}{x-0}=f'(0)$

따라서 $f'(0)=3\cos 0-5e^{0}=3-5=-2$

(2) 함수 $f(x)=e^{3x}\cos 2x$에 대하여 $\lim_{x\to\pi}\frac{f(x)-f(\pi)}{x^2-\pi^2}$의 값은?

① $\frac{e^{3\pi}}{2\pi}$ ② $\frac{e^{3\pi}}{\pi}$ ③ $\frac{3e^{3\pi}}{2\pi}$
④ $\frac{2e^{3\pi}}{\pi}$ ⑤ $\frac{3e^{3\pi}}{\pi}$

STEP Ⓐ 합성함수의 미분법을 이용하여 $f'(\pi)$ 구하기

$f'(x)=(e^{3x})'\cos 2x+e^{3x}(\cos 2x)'$

$=3e^{3x}\cos 2x+e^{3x}(-2\sin 2x)$

$=e^{3x}(3\cos 2x-2\sin 2x)$

이므로 $f'(\pi)=e^{3\pi}(3\cos 2\pi-2\sin 2\pi)=3e^{3\pi}$

STEP Ⓑ 미분계수 구하기

$\lim_{x\to\pi}\frac{f(x)-f(\pi)}{x^2-\pi^2}=\lim_{x\to\pi}\left\{\frac{f(x)-f(\pi)}{x-\pi}\cdot\frac{1}{x+\pi}\right\}=f'(\pi)\cdot\frac{1}{2\pi}$

따라서 $\lim_{x\to\pi}\frac{f(x)-f(\pi)}{x^2-\pi^2}=3e^{3\pi}\cdot\frac{1}{2\pi}=\frac{3e^{3\pi}}{2\pi}$

0427

다음 물음에 답하여라.

(1) 함수 $f(x)=\frac{2^x}{\ln 2}$과 실수 전체의 집합에서 미분가능한 함수 $g(x)$가 다음 조건을 만족시킬 때, $g(2)$의 값은?

(가) $\lim_{h\to 0}\frac{g(2+4h)-g(2)}{h}=8$

(나) 함수 $(f\circ g)(x)$의 $x=2$에서의 미분계수는 10이다.

① 1 ② $\log_2 3$ ③ 2
④ $\log_2 5$ ⑤ $\log_2 6$

STEP Ⓐ 미분계수의 정리를 이용하여 식 작성하기

조건 (가)에서

$\lim_{h\to 0}\frac{g(2+4h)-g(2)}{h}=\lim_{h\to 0}\frac{g(2+4h)-g(2)}{4h}\times 4=4g'(2)=8$

이므로 $g'(2)=2$

STEP Ⓑ 합성함수의 미분법을 이용하여 구하기

조건 (나)의 함수를 미분하면 $f'(g(x))\times g'(x)$이므로

$f'(g(2))\times g'(2)=2f'(g(2))=10$

$\therefore f'(g(2))=5$

그런데 $f'(x)=\frac{2^x}{\ln 2}\times\ln 2=2^x$이므로 $f'(g(2))=2^{g(2)}=5$

따라서 $g(2)=\log_2 5$

(2) 실수 전체의 집합에서 미분가능한 함수 $f(x)$와 함수 $g(x)=2^{2x}$이 모든 실수 x에 대하여

$f(g(x))=2^{3x}$

을 만족시킬 때, $f'(4)$의 값은?

① 2 ② 3 ③ 4
④ 5 ⑤ 6

STEP Ⓐ 합성함수의 미분법을 이용하여 $f'(4)$구하기

$f(g(x))=2^{3x}$의 양변을 x에 대하여 미분하면

$f'(g(x))g'(x)=2^{3x}\times 3\times\ln 2$ …… ㉠

이때 $g(1)=2^2=4$이므로 ㉠에 $x=1$을 대입하면

$f'(g(1))g'(1)=2^3\times 3\times\ln 2$

$f'(4)g'(1)=24\ln 2$

한편 $g'(x)=2^{2x}\times 2\times\ln 2$이므로 $g'(1)=2^2\times 2\times\ln 2=8\ln 2$

따라서 $f'(4)g'(1)=24\ln 2$에서 $f'(4)=\frac{24\ln 2}{8\ln 2}=3$

0428

다음 물음에 답하여라.

(1) 함수 $f(x)=\ln|\log_3 x|$일 때, $f'(e)$의 값을 구하여라.

STEP Ⓐ 로그함수의 합성함수 미분법을 이용하여 $f'(e)$의 값 구하기

$f'(x)=\frac{(\log_3 x)'}{\log_3 x}=\frac{\frac{1}{x\ln 3}}{\log_3 x}=\frac{1}{(x\ln 3)\log_3 x}=\frac{1}{x\ln x}$

$\therefore f'(e)=\frac{1}{e}$

(2) 함수 $f(x)=\ln|\sin^2 3x|$에 대하여 $f'\left(\frac{\pi}{9}\right)$의 값을 구하여라.

STEP Ⓐ 로그함수의 합성함수 미분법을 이용하여 $f'\left(\frac{\pi}{9}\right)$의 값 구하기

$f'(x)=\frac{(\sin^2 3x)'}{\sin^2 3x}=\frac{2\sin 3x\cdot(\sin 3x)'}{\sin^2 3x}$

$=\frac{2\sin 3x\cdot 3\cos 3x}{\sin^2 3x}$

$=\frac{6\cos 3x}{\sin 3x}$

$\therefore f'\left(\frac{\pi}{9}\right)=\frac{6\cos\frac{\pi}{3}}{\sin\frac{\pi}{3}}=\frac{6\cdot\frac{1}{2}}{\frac{\sqrt{3}}{2}}=2\sqrt{3}$

(3) 함수 $f(x)=\ln|\tan x+\cot x|$에 대하여 $f'\left(\frac{\pi}{3}\right)$의 값을 구하여라.

STEP A 로그함수의 합성함수 미분법을 이용하여 $f'\left(\frac{\pi}{3}\right)$의 값 구하기

$f(x)=\ln|\tan x+\cot x|$에서

$$f'(x)=\frac{(\tan x+\cot x)'}{\tan x+\cot x}=\frac{\sec^2 x-\csc^2 x}{\tan x+\cot x}$$
$$=\frac{(\tan^2 x+1)-(\cot^2 x+1)}{\tan x+\cot x}=\frac{\tan^2 x-\cot^2 x}{\tan x+\cot x}$$
$$=\frac{(\tan x-\cot x)(\tan x+\cot x)}{\tan x+\cot x}$$
$$=\tan x-\cot x$$

$$\therefore\ f'\left(\frac{\pi}{3}\right)=\tan\frac{\pi}{3}-\cot\frac{\pi}{3}=\sqrt{3}-\frac{1}{\sqrt{3}}=\sqrt{3}-\frac{\sqrt{3}}{3}=\frac{2\sqrt{3}}{3}$$

0429

오른쪽 그림과 같이 미분가능한 함수 $y=f(x)$의 그래프 위의 점 $\mathrm{A}(2,\ f(2))$에서의 접선이 원점을 지난다. 곡선 $y=\ln f(x)$ 위의 점 $\mathrm{B}(2,\ \ln f(2))$에서의 접선의 기울기는? (단, $f(x)>0$)

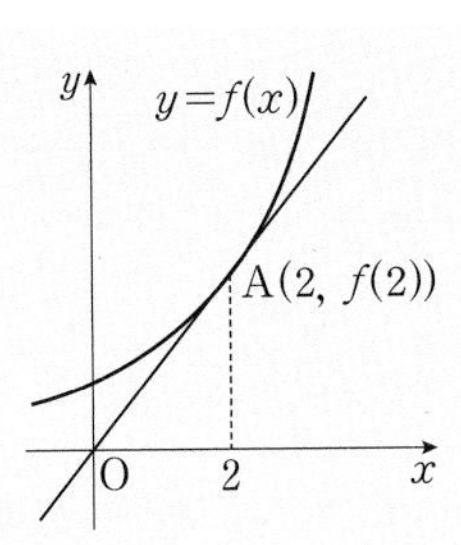

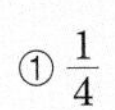

① $\frac{1}{4}$ ② $\frac{1}{2}$
③ 1 ④ 2
⑤ 4

STEP A 함수 $y=f(x)$의 그래프 위의 점 $\mathrm{A}(2,\ f(2))$에서의 접선의 기울기 구하기

함수 $y=f(x)$의 그래프 위의 점 $\mathrm{A}(2,\ f(2))$에서의 접선의 기울기는 $f'(2)$

한편 접선이 원점을 지나면 $f'(x)$는 두 점 $(0,\ 0)$, $\mathrm{A}(2,\ f(2))$를 지나는 직선의 기울기와 일치하므로 $f'(2)=\frac{f(2)-0}{2-0}$ $\quad\therefore\ f'(2)=\frac{1}{2}f(2)$

STEP B 로그함수의 합성함수 미분법을 이용하여 구하기

이때 $y=\ln f(x)$의 도함수는 $y'=\frac{f'(x)}{f(x)}$

따라서 점 $\mathrm{B}(2,\ \ln f(2))$에서의 접선의 기울기는 $\frac{f'(2)}{f(2)}=\frac{\frac{1}{2}f(2)}{f(2)}=\frac{1}{2}$

0430

열린구간 $\left(0,\ \frac{\pi}{2}\right)$에서 정의된 미분가능한 함수 $f(x)$는 다음 조건을 만족시킨다.

(가) $f'(x)=1+\{f(x)\}^2$
(나) $f\left(\frac{\pi}{4}\right)=1$

함수 $g(x)=\ln f'(x)$에 대하여 $g'\left(\frac{\pi}{4}\right)$의 값을 구하여라.

STEP A $g'(x)$를 구하기

$g(x)=\ln f'(x)$에서 $g'(x)=\frac{f''(x)}{f'(x)}$이고

$f'(x)=1+\{f(x)\}^2$의 양변을 x에 대하여 미분하면

$f''(x)=2f(x)f'(x)$이므로 $g'(x)=\frac{f''(x)}{f'(x)}=\frac{2f(x)f'(x)}{f'(x)}=2f(x)$

STEP B 주어진 조건을 이용하여 $g'\left(\frac{\pi}{4}\right)$의 값 구하기

따라서 $g'(x)=2f(x)$이므로 양변에 $x=\frac{\pi}{4}$를 대입하면

조건 (나)에서 $f\left(\frac{\pi}{4}\right)=1$이므로 $g'\left(\frac{\pi}{4}\right)=2f\left(\frac{\pi}{4}\right)=2\cdot 1=2$

다른풀이 $f''\left(\frac{\pi}{4}\right)$를 구하여 풀이하기

$g(x)=\ln f'(x)$에서 $g'(x)=\frac{f''(x)}{f'(x)}$이므로

조건 (가)에서 $f'(x)=1+\{f(x)\}^2$의 양변에 $x=\frac{\pi}{4}$를 대입하면

$f'\left(\frac{\pi}{4}\right)=1+\left\{f\left(\frac{\pi}{4}\right)\right\}^2=1+1=2$ ($\because$ 조건 (나)) …… ㉠

$f'(x)=1+\{f(x)\}^2$의 양변을 x에 대하여 미분하면

$f''(x)=2f(x)f'(x)$이고 양변에 $x=\frac{\pi}{4}$를 대입하면

$f''\left(\frac{\pi}{4}\right)=2f\left(\frac{\pi}{4}\right)f'\left(\frac{\pi}{4}\right)$

조건 (나)와 ㉠에 의해 $f''\left(\frac{\pi}{4}\right)=2\times1\times2=4$

따라서 $g'\left(\frac{\pi}{4}\right)=\frac{f''\left(\frac{\pi}{4}\right)}{f'\left(\frac{\pi}{4}\right)}=\frac{4}{2}=2$

참고 함수 $y=\tan x$는 주어진 조건을 만족시킨다.

0431

다음 물음에 답하여라.

(1) 함수 $f(x)=\ln(\ln x)\,(x>1)$에 대하여 $\lim\limits_{h\to0}\frac{f(e+h)-f(e-h)}{h}$의 값을 구하여라.

STEP A 미분계수의 정의를 이용하여 식 정리하기

$$\lim_{h\to0}\frac{f(e+h)-f(e-h)}{h}$$
$$=\lim_{h\to0}\left\{\frac{f(e+h)-f(e)+f(e)-f(e-h)}{h}\right\}$$
$$=\lim_{h\to0}\frac{f(e+h)-f(e)}{h}+\lim_{h\to0}\frac{f(e-h)-f(e)}{-h}$$
$$=f'(e)+f'(e)=2f'(e)$$

STEP B 로그함수의 합성함수 미분법을 이용하여 구하기

이때 $f(x)=\ln(\ln x)$에서 $f'(x)=\frac{(\ln x)'}{\ln x}=\frac{1}{x\ln x}$

따라서 $2f'(e)=2\cdot\frac{1}{e\ln e}=\frac{2}{e}$

(2) 함수 $f(x)=\ln(\tan x)\left(0<x<\frac{\pi}{2}\right)$에 대하여 $\lim\limits_{h\to0}\frac{f\left(\frac{\pi}{4}+2h\right)-f\left(\frac{\pi}{4}\right)}{h}$의 값을 구하여라.

STEP A 미분계수의 정의를 이용하여 식 정리하기

$$\lim_{h\to0}\frac{f\left(\frac{\pi}{4}+2h\right)-f\left(\frac{\pi}{4}\right)}{h}=2\lim_{h\to0}\frac{f\left(\frac{\pi}{4}+2h\right)-f\left(\frac{\pi}{4}\right)}{2h}=2f'\left(\frac{\pi}{4}\right)$$

STEP B 로그함수의 합성함수 미분법을 이용하여 구하기

$f(x)=\ln(\tan x)$에서 $f'(x)=\frac{(\tan x)'}{\tan x}=\frac{\sec^2 x}{\tan x}=\frac{1}{\sin x\cos x}$

따라서 $2f'\left(\frac{\pi}{4}\right)=\frac{2}{\sin\frac{\pi}{4}\cos\frac{\pi}{4}}=4$

0432

함수 $f(x)=\tan 2x+3\sin x$에 대하여 $\lim_{h\to 0}\frac{f(\pi+h)-f(\pi-h)}{h}$의 값은?

① -2 ② -4 ③ -6
④ -8 ⑤ -10

STEP Ⓐ 미분계수의 정의를 이용하여 식 정리하기

$\lim_{h\to 0}\frac{f(\pi+h)-f(\pi+h)}{h}$

$=\lim_{h\to 0}\left\{\frac{f(\pi+h)-f(\pi)}{h}+\frac{f(\pi-h)-f(\pi)}{-h}\right\}$

$=f'(\pi)+f'(\pi)$

$=2f'(\pi)$

STEP Ⓑ 삼각함수의 합성함수 미분법을 이용하여 구하기

$f(x)=\tan 2x+3\sin x$에서 $f'(x)=2\sec^2 2x+3\cos x$이므로

$f'(\pi)=2\sec^2 2\pi+3\cos\pi=2-3=-1$

따라서 $2f'(\pi)=-2$

0433

다음 물음에 답하여라.

(1) 함수 $f(x)=2^{1-x}$에 대하여 $\lim_{h\to 0}\frac{f(1+3h)-f(1-2h)}{h}$의 값을 구하여라.

STEP Ⓐ 미분계수의 정의를 이용하여 식 정리하기

$\lim_{h\to 0}\frac{f(1+3h)-f(1-2h)}{h}$

$=\lim_{h\to 0}\frac{f(1+3h)-f(1)+f(1)-f(1-2h)}{h}$

$=\lim_{h\to 0}\frac{f(1+3h)-f(1)}{3h}\cdot 3-\lim_{h\to 0}\frac{f(1-2h)-f(1)}{-2h}\cdot(-2)$

$=3f'(1)-(-2)f'(1)$

$=5f'(1)$

STEP Ⓑ 지수함수의 합성함수 미분법을 이용하여 구하기

$f(x)=2^{1-x}$에서 $f'(x)=2^{1-x}\ln 2\cdot(1-x)'=-2^{1-x}\ln 2$

따라서 $5f'(1)=5\cdot(-2^0\ln 2)=-5\ln 2$

(2) 함수 $f(x)=2^{\sin x}$에 대하여 $\lim_{h\to 0}\frac{f(\pi+h)-f(\pi-h)}{h}$의 값을 구하여라.

STEP Ⓐ 미분계수의 정의를 이용하여 식 정리하기

$\lim_{h\to 0}\frac{f(\pi+h)-f(\pi-h)}{h}$

$=\lim_{h\to 0}\frac{f(\pi+h)-f(\pi)+f(\pi)-f(\pi-h)}{h}$

$=\lim_{h\to 0}\frac{f(\pi+h)-f(\pi)}{h}+\lim_{h\to 0}\frac{f(\pi-h)-f(\pi)}{-h}$

$=f'(\pi)+f'(\pi)$

$=2f'(\pi)$

STEP Ⓑ 지수함수의 합성함수 미분법을 이용하여 구하기

$f(x)=2^{\sin x}$에서 $f'(x)=2^{\sin x}\cdot\ln 2\cdot(\sin x)'=2^{\sin x}\cdot\ln 2\cdot\cos x$

따라서 $2f'(\pi)=2\cdot 2^{\sin\pi}\cdot\ln 2\cdot\cos\pi=-2\ln 2$

0434

다음 극한값을 구하여라.

(1) $\lim_{x\to 0}\frac{1}{x}\ln\frac{e^x+e^{2x}+e^{3x}+\cdots+e^{10x}}{10}$

STEP Ⓐ 미분계수의 정의를 이용하여 식 정리하기

$f(x)=\ln(e^x+e^{2x}+e^{3x}+\cdots+e^{10x})$으로 놓으면 $f(0)=\ln 10$이므로

$\lim_{x\to 0}\frac{1}{x}\ln\frac{e^x+e^{2x}+e^{3x}+\cdots+e^{10x}}{10}$

$=\lim_{x\to 0}\frac{1}{x}\{\ln(e^x+e^{2x}+e^{3x}+\cdots+e^{10x})-\ln 10\}$

$=\lim_{x\to 0}\frac{f(x)-f(0)}{x}$

$=f'(0)$

STEP Ⓑ 로그함수의 합성함수 미분법을 이용하기

이때 $f(x)=\ln(e^x+e^{2x}+e^{3x}+\cdots+e^{10x})$를 x로 미분하면

$f'(x)=\frac{e^x+2e^{2x}+3e^{3x}+\cdots+10e^{10x}}{e^x+e^{2x}+e^{3x}+\cdots+e^{10x}}$

따라서 $f'(0)=\frac{1+2+3+\cdots+10}{10}=\frac{11}{2}$

(2) $\lim_{x\to 0}\frac{1}{x}\ln\frac{2^x+3^x+5^x}{3}$

STEP Ⓐ 미분계수의 정의를 이용하여 식 정리하기

$f(x)=\ln(2^x+3^x+5^x)$으로 놓으면 $f(0)=\ln 3$이므로

$\lim_{x\to 0}\frac{1}{x}\ln\frac{2^x+3^x+5^x}{3}=\lim_{x\to 0}\frac{\ln(2^x+3^x+5^x)-\ln 3}{x}$

$=\lim_{x\to 0}\frac{f(x)-f(0)}{x-0}=f'(0)$

STEP Ⓑ 로그함수의 합성함수 미분법을 이용하기

이때 $f(x)=\ln(2^x+3^x+5^x)$를 x로 미분하면

$f'(x)=\frac{2^x\ln 2+3^x\ln 3+5^x\ln 5}{2^x+3^x+5^x}$

따라서 $f'(0)=\frac{2^0\ln 2+3^0\ln 3+5^0\ln 5}{2^0+3^0+5^0}=\frac{\ln 2+\ln 3+\ln 5}{3}=\frac{\ln 30}{3}$

0435

$\lim_{x\to 1}\frac{1}{x-1}\ln\frac{x^2+x^4+x^6+\cdots+x^{2n}}{n}=15$를 만족하는 자연수 n의 값은?

① 10 ② 12 ③ 14
④ 16 ⑤ 20

STEP Ⓐ 미분계수의 정의를 이용하여 식 정리하기

$f(x)=\ln(x^2+x^4+x^6+\cdots+x^{2n})$으로 놓으면 $f(1)=\ln n$이므로

$\lim_{x\to 1}\frac{1}{x-1}\ln\frac{x^2+x^4+x^6+\cdots+x^{2n}}{n}=\lim_{x\to 1}\frac{f(x)-f(1)}{x-1}$

$=f'(1)$

STEP Ⓑ 로그함수의 합성함수 미분법을 이용하기

이때 $f(x)=\ln(x^2+x^4+x^6+\cdots+x^{2n})$를 x로 미분하면

$f'(x)=\frac{2x+4x^3+6x^5+\cdots+2nx^{2n-1}}{x^2+x^4+\cdots+x^{2n}}$이므로

$f'(1)=\frac{2+4+6+\cdots+2n}{n}=n+1=15$

따라서 $n=14$

0436

함수 $f(x)=\ln\left(\sum_{k=1}^{9}2^{kx}\right)-2\ln 3$에 대하여 $\lim_{x\to 0}\frac{f(x)}{x}$를 구하여라.

STEP Ⓐ 미분계수의 정의를 이용하여 식 정리하기

$f(x)=\ln\left(\sum_{k=1}^{9}2^{kx}\right)-2\ln 3$에서 $f(x)=\ln(2^x+2^{2x}+2^{3x}+\cdots+2^{9x})-\ln 3^2$

$f(0)=\ln 9-\ln 9=0$이므로 $\lim_{x\to 0}\frac{f(x)}{x}=\lim_{x\to 0}\frac{f(x)-f(0)}{x}=f'(0)$

STEP Ⓑ 로그함수의 합성함수 미분법을 이용하기

한편 $f'(x)=\frac{2^x\ln 2+2^{2x}\ln 2^2+\cdots+2^{9x}\ln 2^9}{2^x+2^{2x}+2^{3x}+\cdots+2^{9x}}$이므로

$f'(0)=\frac{1}{9}\cdot(\ln 2+\ln 2^2+\ln 2^3+\cdots+\ln 2^9)$

$=\frac{1}{9}\cdot(1+2+3+\cdots+9)\ln 2$

$=\frac{1}{9}\cdot\frac{9\cdot 10}{2}\cdot\ln 2=5\ln 2$

0437

함수 $f(x)=\begin{cases}\ln x & (x\geq 1)\\ a\tan\pi x+b & (x<1)\end{cases}$가 $x=1$에서 미분가능 하도록 상수 a, b를 구하여라.

STEP Ⓐ 함수 $f(x)$가 $x=1$에서 연속이기 위한 b의 값 구하기

함수 $f(x)$가 $x=1$에서 미분가능하므로 $x=1$에서 연속이고 미분계수가 존재한다.

(i) $x=1$에서 연속이므로 $\lim_{x\to 1+}\ln x=\lim_{x\to 1-}(a\tan\pi x+b)=f(1)$

$\ln 1=a\tan\pi+b$ $\therefore b=0$

STEP Ⓑ 함수 $f(x)$가 $x=1$에서 미분계수가 존재하기 위한 a의 값 구하기

(ii) $x=1$에서 미분계수가 존재하므로 $f'(x)=\begin{cases}\frac{1}{x} & (x>1)\\ \pi a\sec^2\pi x & (x<1)\end{cases}$

$\lim_{x\to 1+}\frac{1}{x}=\lim_{x\to 1-}\pi a\sec^2\pi x$, $1=\pi a$ $\therefore a=\frac{1}{\pi}$

따라서 $a-\frac{1}{\pi}$, $b-0$

0438

함수 $f(x)=\begin{cases}b\cos\frac{\pi}{2}x+2 & (x>1)\\ e^{x-1}+a & (x\leq 1)\end{cases}$가 $x=1$에서 미분가능 하도록 상수 a, b에 대하여 ab의 값을 구하여라.

STEP Ⓐ 함수 $f(x)$가 $x=1$에서 연속이기 위한 a의 값 구하기

$f(x)$가 $x=1$에서 미분가능하려면 $x=1$에서 연속이어야 하므로

(i) $x=1$에서 연속이므로

$\lim_{x\to 1+}\left(b\cos\frac{\pi}{2}x+2\right)=\lim_{x\to 1-}(e^{x-1}+a)=f(1)$

$2=1+a$ $\therefore a=1$

STEP Ⓑ 함수 $f(x)$가 $x=1$에서 미분계수가 존재하기 위한 b의 값 구하기

(ii) $x=1$에서 미분계수가 존재하므로

$f'(x)=\begin{cases}-\frac{\pi}{2}b\sin\frac{\pi}{2}x & (x>1)\\ e^{x-1} & (x<1)\end{cases}$

$\lim_{x\to 1+}\left(-\frac{\pi}{2}b\sin\frac{\pi}{2}x\right)=\lim_{x\to 1-}e^{x-1}$

$-\frac{\pi}{2}b=1$ $\therefore b=-\frac{2}{\pi}$

따라서 $a=1$, $b=-\frac{2}{\pi}$이므로 $ab=-\frac{2}{\pi}$

0439

다음 물음에 답하여라.

(1) 함수 $f(x)=\begin{cases}ax^2+1 & (x\leq 1)\\ \frac{bx-2}{x+1} & (x>1)\end{cases}$가 $x=1$에서 미분가능 하도록 상수 a, b의 값을 정할 때, $a+b$의 값은?

① -4 ② 2 ③ 3
④ 5 ⑤ 7

STEP Ⓐ 함수 $f(x)$가 $x=1$에서 연속이기 위한 a, b의 관계식 구하기

$f(x)$가 $x=1$에서 미분가능하므로

$x=1$에서 연속이고 미분계수가 존재한다.

(i) $x=1$에서 연속이므로

$\lim_{x\to 1+}\frac{bx-2}{x+1}=\lim_{x\to 1-}(ax^2+1)=f(1)$

$\frac{b-2}{2}=a+1$ $\therefore 2a-b=-4$ …… ㉠

STEP Ⓑ 함수 $f(x)$가 $x=1$에서 미분계수가 존재하기 위한 a의 값 구하기

(ii) $x=1$에서 미분계수가 존재하므로

$f'(x)=\begin{cases}2ax & (x<1)\\ \frac{b+2}{(x+1)^2} & (x>1)\end{cases}$에서 $\lim_{x\to 1+}f'(x)=\lim_{x\to 1-}f'(x)$

$2a=\frac{b+2}{4}$ $\therefore 8a-b=2$ …… ㉡

따라서 ㉠, ㉡을 연립하여 풀면 $a=1$, $b=6$이므로 $a+b=7$

(2) 함수 $f(x)=\begin{cases}ae^x+b & (x<0)\\ \sin(\tan x) & (x\geq 0)\end{cases}$가 $x=0$에서 미분가능 하도록 하는 상수 a, b에 대하여 ab의 값은?

① -2 ② -1 ③ 0
④ 1 ⑤ 2

STEP Ⓐ 함수 $f(x)$가 $x=0$에서 연속이기 위한 a, b의 관계식 구하기

함수 $f(x)$가 $x=0$에서 미분가능하므로

$x-0$에서 연속이고 미분가능하다.

(i) $x=0$에서 연속일 때,

$\lim_{x\to 0-}(ae^x+b)=\lim_{x\to 0+}\sin(\tan x)=f(0)$

$\therefore a+b=0$ …… ㉠

STEP Ⓑ 함수 $f(x)$가 $x=0$에서 미분계수가 존재하기 위한 a의 값 구하기

(ii) $x=0$에서 미분계수가 존재하므로

$f'(x)=\begin{cases}ae^x & (x<0)\\ \cos(\tan x)\sec^2 x & (x>0)\end{cases}$에서

$\lim_{x\to 0-}ae^x=\lim_{x\to 0+}\cos(\tan x)\sec^2 x$

$\therefore a=1$ …… ㉡

따라서 ㉠, ㉡에서 $a=1$, $b=-1$이므로 $ab=1\cdot(-1)=-1$

0440

다음 물음에 답하여라.

(1) 매개변수 t로 나타내어진 곡선 $x=t^3$, $y=t^2-at-2a^2$ 위의 $t=1$에 대응하는 점에서의 접선의 기울기가 -1일 때, 상수 a의 값을 구하여라.

STEP A 매개변수로 나타낸 곡선의 도함수 $\frac{dy}{dx}$ 구하기

$x=t^3$, $y=t^2-at-2a^2$에서 $\frac{dx}{dt}=3t^2$, $\frac{dy}{dt}=2t-a$

$$\frac{dy}{dx}=\frac{\frac{dy}{dt}}{\frac{dx}{dt}}=\frac{2t-a}{3t^2}$$

STEP B $t=1$일 때, 접선의 기울기가 -1임을 이용하여 a의 값 구하기

이때 $t=1$에 대응하는 점에서의 접선의 기울기가 -1이므로

$\frac{2\cdot1-a}{3\cdot1^2}=-1$, $\frac{2-a}{3}=-1$

따라서 $a=5$

(2) 매개변수 t로 나타내어진 곡선

$$x=t^2-at+2,\ y=t^3+at^2-at$$

에 대하여 $t=1$일 때의 점을 P라 하면 점 P에서의 접선의 x축의 양의 방향과 이루는 각의 크기가 $\frac{\pi}{4}$일 때, 상수 a의 값을 구하여라.

STEP A 매개변수로 나타낸 곡선의 도함수 $\frac{dy}{dx}$ 구하기

$x=t^2-at+2$, $y=t^3+at^2-at$에서 $\frac{dx}{dt}=2t-a$, $\frac{dy}{dt}=3t^2+2at-a$

$$\frac{dy}{dx}=\frac{3t^2+2at-a}{2t-a}$$

STEP B $t=1$일 때, 접선과 x축이 이루는 각이 $\frac{\pi}{4}$임을 이용하여 a의 값 구하기

점 P에서의 접선의 기울기는 $\tan\frac{\pi}{4}=1$이므로

$t=1$을 대입하면 $\frac{dy}{dx}=\frac{3+a}{2-a}$ (단, $a\neq2$)

따라서 $\frac{3+a}{2-a}=1$이므로 $a=-\frac{1}{2}$

(2) 매개변수 $t(t>0)$으로 나타내어진 함수 $x=t-\frac{2}{t}$, $y=t^2+\frac{2}{t^2}$에서 $t=1$일 때, $\frac{dy}{dx}$의 값은?

① $-\frac{2}{3}$ ② -1 ③ $-\frac{4}{3}$ ④ $-\frac{5}{3}$ ⑤ -2

STEP A 매개변수로 나타낸 곡선의 도함수 $\frac{dy}{dx}$ 구하기

$x=t-\frac{2}{t}$에서 $\frac{dx}{dt}=1+\frac{2}{t^2}$이고 $y=t^2+\frac{2}{t^2}$에서 $\frac{dy}{dt}=2t-\frac{4}{t^3}$

$$\therefore \frac{dy}{dx}=\frac{\frac{dy}{dt}}{\frac{dx}{dt}}=\frac{2t-\frac{4}{t^3}}{1+\frac{2}{t^2}}$$

STEP B $t=1$일 때, 접선의 기울기 구하기

따라서 $t=1$일 때, $\frac{dy}{dx}=\frac{2-4}{1+2}=-\frac{2}{3}$

(3) 매개변수 t로 나타내어진 곡선

$$x=e^{2t-6},\ y=t^2-t+5$$

에서 $t=3$일 때, $\frac{dy}{dx}$의 값을 구하여라.

① $\frac{1}{2}$ ② 1 ③ $\frac{3}{2}$ ④ 2 ⑤ $\frac{5}{2}$

STEP A 매개변수로 나타낸 곡선의 도함수 $\frac{dy}{dx}$ 구하기

$x=e^{2t-6}$에서 $\frac{dx}{dt}=2e^{2t-6}$이고 $y=t^2-t+5$에서 $\frac{dy}{dt}=2t-1$

$$\frac{dy}{dx}=\frac{\frac{dy}{dt}}{\frac{dx}{dt}}=\frac{2t-1}{2e^{2t-6}}$$

STEP B $t=3$일 때, 접선의 기울기 구하기

따라서 $t=3$일 때, $\frac{dy}{dx}=\frac{5}{2e^0}=\frac{5}{2}$

0441

다음 물음에 답하여라.

(1) 매개변수 $t(t>0)$으로 나타내어진 함수 $x=t^2+\ln t$, $y=t^3+6t$에서 $t=1$일 때, $\frac{dy}{dx}$의 값은?

① 1 ② $\frac{3}{2}$ ③ 2 ④ $\frac{5}{2}$ ⑤ 3

STEP A 매개변수의 미분법 구하기

$x=t^2+\ln t$에서 $\frac{dx}{dt}=2t+\frac{1}{t}$이고 $y=t^3+6t$에서 $\frac{dy}{dt}=3t^2+6$

$$\therefore \frac{dy}{dx}=\frac{\frac{dy}{dt}}{\frac{dx}{dt}}=\frac{3t^2+6}{2t+\frac{1}{t}}$$

STEP B $t=1$에서 접선의 기울기 구하기

따라서 $t=1$일 때, $\frac{dy}{dx}=\frac{3+6}{2+1}=3$

0442

매개변수 $t(t>0)$으로 나타내어진 함수

$$x=\ln t,\ y=\ln(t^2+1)$$

에 대하여 $\lim_{t\to\infty}\frac{dy}{dx}$의 값을 구하여라.

STEP A 매개변수로 나타낸 곡선의 도함수 $\frac{dy}{dx}$ 구하기

$x=\ln t$에서 $\frac{dx}{dt}=\frac{1}{t}$이고 $y=\ln(t^2+1)$에서 $\frac{dy}{dt}=\frac{2t}{t^2+1}$

$$\therefore \frac{dy}{dx}=\frac{\frac{dy}{dt}}{\frac{dx}{dt}}=\frac{2t^2}{t^2+1}$$

STEP B $\lim_{t\to\infty}\frac{dy}{dx}$의 값 구하기

따라서 $\lim_{t\to\infty}\frac{dy}{dx}=\lim_{t\to\infty}\frac{2t^2}{t^2+1}=2$

0443

다음 물음에 답하여라.

(1) 매개변수로 나타낸 곡선 $\begin{cases} x=2t^2+3 \\ y=t^4 \end{cases}$에 대하여 $t=-1$에 대응하는 곡선 위의 점에서의 접선이 $(a,\ 2)$를 지날 때, a의 값은?

① 2 ② 3 ③ 4
④ 6 ⑤ 8

STEP Ⓐ 매개변수로 나타낸 곡선의 도함수 $\dfrac{dy}{dx}$ 구하기

$\dfrac{dx}{dt}=4t$, $\dfrac{dy}{dt}=4t^3$이므로 $\dfrac{dy}{dx}=\dfrac{4t^3}{4t}=t^2$

STEP Ⓑ $t=-1$에서 접선의 방정식 구하기

$t=-1$일 때, 접선의 기울기를 구하면 1

$t=-1$일 때, x, y의 값을 각각 구하면 $x=5$, $y=1$

구하는 접선의 방정식은 $y-1=1\cdot(x-5)$, 즉 $x-y-4=0$

STEP Ⓒ 접선이 $(a,\ 2)$를 지날 때, a의 값 구하기

따라서 접선 $x-y-4=0$이 점 $(a,\ 2)$를 지나므로 $a-2-4=0$

$\therefore\ a=6$

(2) 매개변수로 나타낸 곡선 $\begin{cases} x=t \\ y=\sqrt{t}+1 \end{cases}$에 접하고 기울기가 $\dfrac{1}{2}$인 접선을 l이라 하자. 이 직선 l이 점 $(a,\ 0)$을 지날 때, a의 값은?

① -4 ② -3 ③ 0
④ 4 ⑤ 8

STEP Ⓐ 매개변수로 나타낸 곡선의 도함수 $\dfrac{dy}{dx}$ 구하기

$\dfrac{dx}{dt}=1$, $\dfrac{dy}{dt}=\dfrac{1}{2\sqrt{t}}$이므로 $\dfrac{dy}{dx}=\dfrac{1}{2\sqrt{t}}$

STEP Ⓑ 접선의 방정식 구하기

$t=k$에 대응하는 이 곡선 위의 점에서의 접선의 기울기가 $\dfrac{1}{2}$이라 하면

$\dfrac{1}{2\sqrt{k}}=\dfrac{1}{2}$, $k=1$

$t=1$일 때, $x=1$, $y=2$이므로 접선의 방정식은 $y-2=\dfrac{1}{2}(x-1)$

$y=\dfrac{1}{2}x+\dfrac{3}{2}$

STEP Ⓒ 접선이 $(a,\ 0)$를 지날 때, a의 값 구하기

따라서 직선 l이 점 $(a,\ 0)$을 지나므로 $0=\dfrac{a}{2}+\dfrac{3}{2}$ $\quad\therefore\ a=-3$

0444

매개변수로 나타낸 곡선 $\begin{cases} x=2-\sin\theta \\ y=1+\cos\theta \end{cases}$에 대하여 $\theta=\alpha$에 대응하는 곡선 위의 점에서의 접선이 직선 $y=-3x+1$과 수직일 때, $\csc^2\alpha$의 값은?

① 8 ② 9 ③ 10
④ 12 ⑤ 15

STEP Ⓐ 매개변수로 나타낸 함수의 미분법 구하기

$\dfrac{dx}{d\theta}=-\cos\theta$, $\dfrac{dy}{d\theta}=-\sin\theta$이므로 $\dfrac{dy}{dx}=\dfrac{-\sin\theta}{-\cos\theta}=\tan\theta$

STEP Ⓑ 직선 $y=-3x+1$과 수직일 때의 접선의 기울기 구하기

$\theta=\alpha$에 대응하는 곡선 위의 점에서의 접선이 직선 $y=-3x+1$과 수직일 때의 접선의 기울기를 구하면 $\tan\alpha=\dfrac{1}{3}$

즉 $\cot\alpha=3$

STEP Ⓒ $\csc^2\alpha$의 값 구하기

따라서 $\cot^2\alpha+1=\csc^2\alpha$이므로 $\csc^2\alpha=1+9=10$

0445

다음 물음에 답하여라.

(1) 매개변수로 나타낸 곡선 $\begin{cases} x=e^t\sin t \\ y=e^t\cos t \end{cases}$에 대하여 $t=\dfrac{\pi}{2}$에 대응하는 곡선 위의 점에서의 접선과 x축, y축으로 둘러싸인 부분의 넓이를 구하여라.

STEP Ⓐ 매개변수로 나타낸 함수의 미분법 구하기

$\dfrac{dx}{dt}=e^t\sin t+e^t\cos t=e^t(\sin t+\cos t)$

$\dfrac{dy}{dt}=e^t\cos t-e^t\sin t=e^t(\cos t-\sin t)$이므로

$\dfrac{dy}{dx}=\dfrac{e^t(\cos t-\sin t)}{e^t(\sin t+\cos t)}=\dfrac{\cos t-\sin t}{\sin t+\cos t}$

STEP Ⓑ $t=\dfrac{\pi}{2}$일 때, 접선의 방정식 구하기

$t=\dfrac{\pi}{2}$일 때, 접선의 기울기를 구하면 $\dfrac{-1}{1}=-1$

$t=\dfrac{\pi}{2}$일 때, x, y의 값을 각각 구하면 $x=e^{\frac{\pi}{2}}$, $y=0$

즉 구하는 접선의 방정식은 $y-0=-1\left(x-e^{\frac{\pi}{2}}\right)$, $y=-x+e^{\frac{\pi}{2}}$

STEP Ⓒ 접선과 x축, y축으로 둘러싸인 부분의 넓이 구하기

따라서 접선과 x축, y축으로 둘러싸인 부분의 넓이는 $\dfrac{1}{2}\times e^{\frac{\pi}{2}}\times e^{\frac{\pi}{2}}=\dfrac{e^{\pi}}{2}$

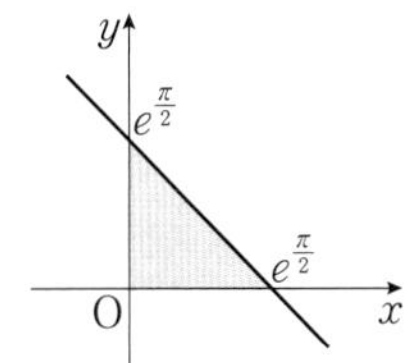

(2) 매개변수로 나타낸 곡선 $\begin{cases} x=t-\dfrac{1}{t} \\ y=t+\dfrac{1}{t} \end{cases}$에 대하여 $t=2$에 대응하는 곡선 위의 점에서의 접선과 x축, y축으로 둘러싸인 부분의 넓이를 구하여라.

STEP Ⓐ 매개변수로 나타낸 함수의 미분법 구하기

$\dfrac{dx}{dt}=1+\dfrac{1}{t^2}$, $\dfrac{dy}{dt}=1-\dfrac{1}{t^2}$이므로 $\dfrac{dy}{dx}=\dfrac{1-\dfrac{1}{t^2}}{1+\dfrac{1}{t^2}}=\dfrac{t^2-1}{t^2+1}$

STEP Ⓑ $t=2$일 때 접선의 방정식 구하기

$t=2$일 때의 접선의 기울기는 $\dfrac{2^2-1}{2^2+1}=\dfrac{3}{5}$

한편 $t=2$일 때, $x=2-\dfrac{1}{2}=\dfrac{3}{2}$, $y=2+\dfrac{1}{2}=\dfrac{5}{2}$이므로

접선의 방정식은

$y-\dfrac{5}{2}=\dfrac{3}{5}\left(x-\dfrac{3}{2}\right)$, $y=\dfrac{3}{5}x+\dfrac{8}{5}$

STEP Ⓒ 접선과 x축, y축으로 둘러싸인 부분의 넓이 구하기

따라서 접선과 x축, y축으로 둘러싸인 부분은 오른쪽 그림의 색칠한 부분과 같으므로 구하는 넓이는

$\dfrac{1}{2}\times\dfrac{8}{3}\times\dfrac{8}{5}=\dfrac{32}{15}$

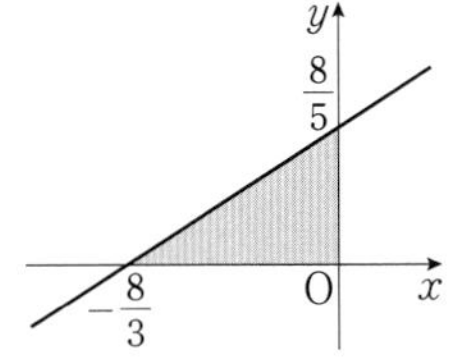

0446

다음 물음에 답하여라.

(1) 매개변수로 나타낸 함수

$x=2\cos t,\ y=2\sin t$

에 대하여 $t=\frac{\pi}{3}$에 대응하는 곡선 위의 점에서의 접선의 방정식을 구하여라.

STEP A 매개변수로 나타낸 함수의 미분법 구하기

$\frac{dx}{dt}=-2\sin t,\ \frac{dy}{dt}=2\cos t$이므로 $\frac{dy}{dx}=\frac{2\cos t}{-2\sin t}=-\cot t$

STEP B $t=\frac{\pi}{3}$일 때, 접선의 방정식 구하기

$t=\frac{\pi}{3}$일 때의 접선의 기울기를 구하면 $-\cot\frac{\pi}{3}=-\frac{1}{\sqrt{3}}$

$x,\ y$의 값을 각각 구하면

$x=2\cos\frac{\pi}{3}=2\times\frac{1}{2}=1$

$y=2\sin\frac{\pi}{3}=2\times\frac{\sqrt{3}}{2}=\sqrt{3}$

따라서 구하는 접선의 방정식은 $y-\sqrt{3}=-\frac{1}{\sqrt{3}}(x-1)$

$\therefore\ x+\sqrt{3}y-4=0$

다른풀이 원에서 접선의 방정식으로 풀이하기

$\cos t=\frac{x}{2},\ \sin t=\frac{y}{2}$이고 $\sin^2 t+\cos^2 t=1$이므로

주어진 함수를 음함수로 나타내면 $x^2+y^2=4$

양변을 x에 대하여 미분하면 $2x+2y\frac{dy}{dx}=0,\ \frac{dy}{dx}=-\frac{x}{y}$

한편 $t=\frac{\pi}{3}$일 때, $x=1,\ y=\sqrt{3}$이므로 접선의 기울기는 $-\frac{1}{\sqrt{3}}$이고

접선의 방정식은 $y=-\frac{1}{\sqrt{3}}(x-1)+\sqrt{3}$

따라서 $x+\sqrt{3}y-4=0$

(2) 매개변수 t로 나타내어진 곡선

$x=2\sqrt{2}\sin t+\sqrt{2}\cos t,\ y=\sqrt{2}\sin t+2\sqrt{2}\cos t$

가 있다. 이 곡선 위의 $t=\frac{\pi}{4}$에 대응하는 점에서의 접선의 y절편을 구하여라.

STEP A 매개변수로 나타낸 함수의 미분법 구하기

$x=2\sqrt{2}\sin t+\sqrt{2}\cos t$에서 $\frac{dx}{dt}=2\sqrt{2}\cos t-\sqrt{2}\sin t$

$y=\sqrt{2}\sin t+2\sqrt{2}\cos t$에서 $\frac{dy}{dt}=\sqrt{2}\cos t-2\sqrt{2}\sin t$

STEP B $t=\frac{\pi}{4}$일 때, 접선의 방정식 구하기

$t=\frac{\pi}{4}$일 때,

$x=2\sqrt{2}\sin\frac{\pi}{4}+\sqrt{2}\cos\frac{\pi}{4}=3$

$y=\sqrt{2}\sin\frac{\pi}{4}+2\sqrt{2}\cos\frac{\pi}{4}=3$

이고 $\frac{dx}{dt}=1,\ \frac{dy}{dt}=-1$이므로 접선의 기울기가 -1이다.

이때 접점이 $(3,\ 3)$이고 기울기가 -1인 접선의 방정식은

$y-3=-(x-3),\ y=-x+6$

따라서 y절편은 6

0447

매개변수로 나타낸 곡선

$\begin{cases}x=a\cos t\\ y=b\sin t\end{cases}$

에 대하여 $t=\frac{\pi}{4}$에 대응하는 곡선 위의 점에서의 접선의 방정식이 $y=2x+\sqrt{2}$이다. 두 상수 $a,\ b$의 합 $a+b$의 값은?

① $-\frac{1}{2}$ ② $\frac{1}{2}$ ③ 1
④ 2 ⑤ $\frac{3}{2}$

STEP A 매개변수로 나타낸 함수의 미분법 구하기

$\frac{dx}{dt}=-a\sin t,\ \frac{dy}{dt}=b\cos t$이므로 $\frac{dy}{dx}=-\frac{b}{a}\times\frac{\cos t}{\sin t}=-\frac{b}{a}\cot t$

STEP B $t=\frac{\pi}{4}$일 때, 접선의 방정식 구하기

$t=\frac{\pi}{4}$에 대응하는 곡선 위의 점에서의 접선의 기울기가 2이므로

$-\frac{b}{a}=2$

$\therefore\ b=-2a$ …… ㉠

$t=\frac{\pi}{4}$일 때, $x=\frac{a}{\sqrt{2}},\ y=\frac{b}{\sqrt{2}}$

점 $\left(\frac{a}{\sqrt{2}},\ \frac{b}{\sqrt{2}}\right)$가 직선 $y=2x+\sqrt{2}$ 위의 점이므로

$\frac{b}{\sqrt{2}}=2\times\frac{a}{\sqrt{2}}+\sqrt{2}$

$\therefore\ b=2a+2$ …… ㉡

따라서 ㉠, ㉡을 연립하여 풀면 $a=-\frac{1}{2},\ b=1$이므로 $a+b=\frac{1}{2}$

0448

매개변수 t로 나타낸 곡선

$x=\ln(t+1)+2,\ y=\frac{1}{3}t^3-\frac{1}{2}t^2+t+1$

위의 점 $(2,\ 1)$에서의 접선이 x축, y축과 만나는 점을 각각 A, B라 하자. $\overline{\mathrm{OA}}+\overline{\mathrm{OB}}$의 값은? (단, O는 원점)

① $\frac{3}{2}$ ② 2 ③ $\frac{5}{2}$
④ 3 ⑤ $\frac{7}{2}$

STEP A 매개변수로 나타낸 곡선의 도함수 $\frac{dy}{dx}$ 구하기

$x=\ln(t+1)+2,\ y=\frac{1}{3}t^3-\frac{1}{2}t^2+t+1$에서

$\frac{dx}{dt}=\frac{1}{t+1},\ \frac{dy}{dt}=t^2-t+1$이므로

$\frac{dy}{dx}=\frac{\frac{dy}{dt}}{\frac{dx}{dt}}=\frac{t^2-t+1}{\frac{1}{t+1}}=t^3+1$

STEP B 점 $(2,\ 1)$에서의 접선의 방정식 구하기

$x=2$일 때, $2=\ln(t+1)+2$에서 $\ln(t+1)=0$

즉 $t+1=1$이므로 $t=0$

$t=0$일 때, $\frac{dy}{dx}$의 값은 1이므로 곡선 위의 점 $(2,\ 1)$에서의 접선의 방정식은

$y-1=1\times(x-2)$

즉 $y=x-1$이므로 $\mathrm{A}(1,\ 0),\ \mathrm{B}(0,\ -1)$

따라서 $\overline{\mathrm{OA}}+\overline{\mathrm{OB}}=1+1=2$

0449

다음 물음에 답하여라.

(1) 곡선 $x^2-3xy+y^2=x$ 위의 점 $(1,\ 0)$에서의 접선의 기울기를 구하여라.

STEP A 음함수의 미분법을 이용하여 $\frac{dy}{dx}$ 구하기

$x^2-3xy+y^2=x$의 양변을 x에 대하여 미분하면

$2x-3y-3x\frac{dy}{dx}+2y\frac{dy}{dx}=1$

$(3x-2y)\frac{dy}{dx}=2x-3y-1$

$\frac{dy}{dx}=\frac{2x-3y-1}{3x-2y}$ (단, $3x\neq 2y$) …… ㉠

STEP B 점 $(1,\ 0)$에서 접선의 기울기 구하기

따라서 점 $(1,\ 0)$에서의 접선의 기울기는 ㉠ 위에 $x=1,\ y=0$을 대입하면

$\frac{dy}{dx}=\frac{1}{3}$

(2) 곡선 $5x+xy+y^2=5$ 위의 점 $(1,\ -1)$에서의 접선의 기울기를 구하여라.

STEP A 음함수의 미분법을 이용하여 $\frac{dy}{dx}$ 구하기

$5x+xy+y^2=5$의 양변을 x에 대하여 미분하면

$5+y+x\frac{dy}{dx}+2y\frac{dy}{dx}=0,\ (x+2y)\frac{dy}{dx}=-(5+y)$

$\frac{dy}{dx}=-\frac{5+y}{x+2y}$ (단, $x+2y\neq 0$) …… ㉠

STEP B 점 $(1,\ -1)$에서 접선의 기울기 구하기

따라서 구하는 접선의 기울기는 ㉠에 $x=1,\ y=-1$을 대입한 값과 같으므로

$-\frac{5+(-1)}{1+2\cdot(-1)}=4$

0450

다음 물음에 답하여라.

(1) 곡선 $2x+x^2y-y^3=2$ 위의 점 $(1,\ 1)$에서의 접선의 기울기를 구하여라.

STEP A 음함수의 미분법을 이용하여 $\frac{dy}{dx}$ 구하기

$2x+x^2y-y^3=2$의 양변을 x에 대하여 미분하면

$2+2xy+x^2\frac{dy}{dx}-3y^2\frac{dy}{dx}=0$이므로

$\frac{dy}{dx}=\frac{-2(xy+1)}{x^2-3y^2}$ (단, $x^2-3y^2\neq 0$)

STEP B 점 $(1,\ 1)$에서의 접선의 기울기 구하기

따라서 $x=1,\ y=1$일 때의 접선의 기울기는 $\frac{-2(1\cdot 1+1)}{1-3}=2$

(2) 곡선 $x^2+y^3-2xy+9x=19$ 위의 점 $(2,\ 1)$에서의 접선의 기울기를 구하여라.

STEP A 음함수의 미분법을 이용하여 $\frac{dy}{dx}$ 구하기

$x^2+y^3-2xy+9x=19$의 양변을 x에 대하여 미분하면

$2x+3y^2\frac{dy}{dx}-2y-2x\frac{dy}{dx}+9=0$

$\frac{dy}{dx}=\frac{2x-2y+9}{2x-3y^2}(2x-3y^2\neq 0)$

STEP B 점 $(2,\ 1)$에서의 접선의 기울기 구하기

따라서 $(2,\ 1)$에서의 접선의 기울기는 $\frac{2\cdot 2-2\cdot 1+9}{2\cdot 2-3\cdot 1}=11$

0451

다음 물음에 답하여라.

(1) 원 $x^2+y^2-ax+by=0$ 위의 점 $(1,\ 1)$에서의 접선의 기울기가 2일 때, 상수 $a,\ b$에 대하여 ab의 값은?

① -4 ② -2 ③ 4
④ 8 ⑤ 12

STEP A 원이 점 $(1,\ 1)$을 지날 때, $a,\ b$의 관계식 구하기

점 $(1,\ 1)$이 원 $x^2+y^2-ax+by=0$ 위의 점이므로

$1+1-a+b=0\quad \therefore a-b=2$ …… ㉠

STEP B 음함수의 미분법을 이용하여 $a,\ b$의 관계식 구하기

$x^2+y^2-ax+by=0$의 양변을 x에 대하여 미분하면

$2x+2y\frac{dy}{dx}-a+b\frac{dy}{dx}=0$

$\frac{dy}{dx}=-\frac{2x-a}{2y+b}$

점 $(1,\ 1)$에서 접선의 기울기는 $-\frac{2-a}{2+b}$이므로

$-\frac{2-a}{2+b}=2\quad \therefore a-2b=6$ …… ㉡

㉠, ㉡을 연립하면 $a=-2,\ b=-4$

따라서 $ab=(-2)\cdot(-4)=8$

(2) 곡선 $x^3+y^3+axy+b=0$ 위의 점 $(1,\ 2)$에서의 접선의 기울기가 $\frac{5}{8}$일 때, 상수 $a,\ b$에 대하여 ab의 값은?

① 2 ② 4 ③ 5
④ 6 ⑤ 8

STEP A 곡선이 점 $(1,\ 2)$을 지날 때, $a,\ b$의 관계식 구하기

점 $(1,\ 2)$가 곡선 $x^3+y^3+axy+b=0$ 위의 점이므로

$1+8+2a+b=0\quad \therefore 2a+b=-9$ …… ㉠

STEP B 음함수의 미분법을 이용하여 a의 관계식 구하기

$x^3+y^3+axy+b=0$의 양변을 x에 대하여 미분하면

$3x^2+3y^2\frac{dy}{dx}+\left(ay+ax\frac{dy}{dx}\right)=0,\ \frac{dy}{dx}=-\frac{3x^2+ay}{3y^2+ax}$

점 $(1,\ 2)$에서 접선의 기울기는 $-\frac{3+2a}{12+a}$이므로 $-\frac{3+2a}{12+a}=\frac{5}{8}$

$-24-16a=60+5a\quad \therefore a=-4$

㉠에서 $b=-1$

따라서 $a=-4,\ b=-1$이므로 $ab=(-4)\cdot(-1)=4$

0452

오른쪽 그림과 같이 곡선 $\sqrt{x}+\sqrt{y}=2$ 위의 점 $(1, 1)$에서의 접선이 x축, y축과 만나는 점을 각각 A, B라고 하자. 이때 삼각형 OAB의 넓이는?

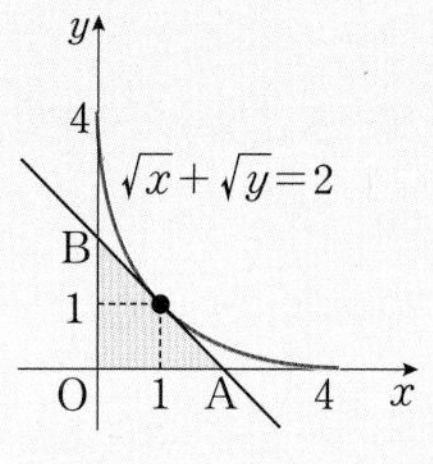

① 2 ② 3 ③ 4 ④ 5 ⑤ 6

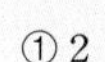

STEP Ⓐ 음함수의 미분법을 이용하여 점 $(1, 1)$에서의 접선의 방정식 구하기

$\sqrt{x}+\sqrt{y}=2$의 양변을 x에 대하여 미분하면

$\frac{1}{2\sqrt{x}}+\frac{1}{2\sqrt{y}}\frac{dy}{dx}=0$, $\frac{dy}{dx}=-\frac{\sqrt{y}}{\sqrt{x}}$ (단, $x\neq 0$)

점 $(1, 1)$에서의 접선의 기울기는 $-\frac{\sqrt{1}}{\sqrt{1}}=-1$

접선의 방정식은 $y-1=-(x-1)$, $y=-x+2$

STEP Ⓑ 삼각형 OAB의 넓이 구하기

따라서 접선이 x축, y축과 만나는 점의 좌표는 각각

A$(2, 0)$, B$(0, 2)$이므로 구하는 넓이는 $\frac{1}{2}\times 2\times 2=2$

0453

다음 물음에 답하여라.

(1) 곡선 $x^2-xy+y^2=1$ 위의 점 P$(1, 1)$에서의 접선과 x축, y축으로 둘러싸인 부분의 넓이는?

① $\frac{3}{4}$ ② $\frac{3}{2}$ ③ 1 ④ 2 ⑤ 4

STEP Ⓐ 음함수의 미분법을 이용하여 점 P$(1, 1)$에서 접선의 기울기 구하기

$x^2-xy+y^2=1$의 양변을 x에 대하여 미분하면

$\frac{d}{dx}(x^2)-\frac{d}{dx}(xy)+\frac{d}{dx}(y^2)=0$

$2x-\left(y+x\frac{dy}{dx}\right)+2y\frac{dy}{dx}=0$

$\frac{dy}{dx}=\frac{2x-y}{x-2y}(x-2y\neq 0)$이므로 점 P$(1, 1)$에서의 접선의 기울기는 -1

STEP Ⓑ 점 P$(1, 1)$에서의 접선의 방정식 구하기

접선의 방정식은 $y-1=-(x-1)$, $x+y-2=0$

따라서 접선이 x축, y축과 만나는 점의 좌표는 각각 $(2, 0)$, $(0, 2)$이므로

구하는 넓이는 $\frac{1}{2}\times 2\times 2=2$

(2) 곡선 $2x^2+y^2-4xy-1=0$ 위의 점 $(2, 1)$에서의 접선과 x축, y축으로 둘러싸인 부분의 넓이는?

① $\frac{1}{12}$ ② $\frac{1}{6}$ ③ $\frac{1}{3}$ ④ $\frac{1}{2}$ ⑤ 6

STEP Ⓐ 음함수의 미분법을 이용하여 점 $(2, 1)$에서 접선의 기울기 구하기

$2x^2+y^2-4xy+3=0$의 양변을 x에 대하여 미분하면

$\frac{d}{dx}(2x^2)+\frac{d}{dx}(y^2)-\frac{d}{dx}(4xy)+\frac{d}{dx}(3)=0$

$4x+2y\cdot\frac{dy}{dx}-4y-4x\cdot\frac{dy}{dx}=0$

$\frac{dy}{dx}=\frac{2y-2x}{y-2x}(y\neq 2x)$이므로 점 $(2, 1)$에서의 접선의 기울기는 $\frac{2}{3}$

STEP Ⓑ 점 $(2, 1)$에서의 접선의 방정식 구하기

접선의 방정식은 $y-1=\frac{2}{3}(x-2)$, $2x-3y-1=0$

따라서 접선이 x축, y축과 만나는 점의 좌표는 각각 $\left(\frac{1}{2}, 0\right)$, $\left(0, -\frac{1}{3}\right)$이므로

구하는 넓이는 $\frac{1}{2}\times\frac{1}{2}\times\frac{1}{3}=\frac{1}{12}$

0454

곡선 $x^2+5xy-2y^2+11=0$ 위의 점 $(1, 4)$에서의 접선과 x축 및 y축으로 둘러싸인 부분의 넓이는?

① 1 ② 2 ③ 3 ④ 4 ⑤ 5

STEP Ⓐ 음함수의 미분법을 이용하여 점 $(1, 4)$에서 접선의 기울기 구하기

$x^2+5xy-2y^2+11=0$의 양변을 x에 대하여 미분하면

$2x+5y+5x\frac{dy}{dx}-4y\frac{dy}{dx}=0$

$(5x-4y)\frac{dy}{dx}=-2x-5y$

$\therefore \frac{dy}{dx}=\frac{-2x-5y}{5x-4y}(5x-4y\neq 0)$

점 $(1, 4)$에서의 접선의 기울기는 $\frac{-2\cdot 1-5\cdot 4}{5\cdot 1-4\cdot 4}=\frac{-22}{-11}=2$

STEP Ⓑ 접선과 x축 및 y축으로 둘러싸인 부분의 넓이 구하기

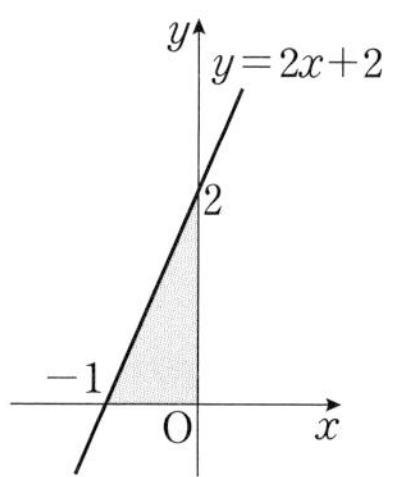

즉 기울기가 2이고 점 $(1, 4)$를 지나는 접선의 방정식은

$y-4=2(x-1)$에서 $y=2x+2$

이 직선의 x절편은 -1, y절편은 2

따라서 구하는 넓이는 $\frac{1}{2}\times 2\times|-1|=1$

0455

다음 물음에 답하여라.

(1) 곡선 $e^x-xe^y=y$ 위의 점 $(0, 1)$에서의 접선의 기울기는?

① $3-e$ ② $2-e$ ③ $1-e$ ④ $-e$ ⑤ $-1-e$

STEP Ⓐ 음함수의 미분법을 이용하여 $\frac{dy}{dx}$ 구하기

$e^x-xe^y=y$의 양변을 x에 대하여 미분하면

$e^x-e^y-xe^y\frac{dy}{dx}=\frac{dy}{dx}$이므로 $\frac{dy}{dx}=\frac{e^x-e^y}{xe^y+1}$

STEP Ⓑ 점 $(0, 1)$에서의 접선의 기울기 구하기

따라서 곡선 위의 점 $(0, 1)$에서의 접선의 기울기는 $\frac{e^0-e^1}{0\times e^1+1}=1-e$

(2) 곡선 $\pi x=\cos y+x\sin y$ 위의 점 $\left(0, \frac{\pi}{2}\right)$에서의 접선의 기울기는?

① $1-\frac{5}{2}\pi$ ② $1-2\pi$ ③ $1-\frac{3}{2}\pi$
④ $1-\pi$ ⑤ $1-\frac{\pi}{2}$

STEP Ⓐ **평면곡선의 접선의 기울기 구하기**

$\pi x=\cos y+x\sin y$의 양변을 x에 대하여 미분하면

$\pi=-\sin y\times\frac{dy}{dx}+\sin y+x\cos y\times\frac{dy}{dx}$

$\frac{dy}{dx}=\frac{\sin y-\pi}{\sin y-x\cos y}$ (단, $\sin y-x\cos y\neq 0$)

STEP Ⓑ **점 $\left(0, \frac{\pi}{2}\right)$에서의 접선의 기울기 구하기**

따라서 점 $\left(0, \frac{\pi}{2}\right)$에서의 접선의 기울기는 $\frac{\sin\frac{\pi}{2}-\pi}{\sin\frac{\pi}{2}-0\times\cos\frac{\pi}{2}}=1-\pi$

0456

다음 물음에 답하여라.

(1) 좌표평면에서 곡선 $y^3=\ln(5-x^2)+xy+4$ 위의 점 $(2, 2)$에서의 접선의 기울기는?

① $-\frac{3}{5}$ ② $-\frac{1}{2}$ ③ $-\frac{2}{5}$
④ $-\frac{3}{10}$ ⑤ $-\frac{1}{5}$

STEP Ⓐ **음함수의 미분법을 이용하여 $\frac{dy}{dx}$ 구하기**

$y^3=\ln(5-x^2)+xy+4$에서 x에 대하여 미분하면

$3y^2\frac{dy}{dx}=\frac{-2x}{5-x^2}+y+x\frac{dy}{dx}$

$(3y^2-x)\frac{dy}{dx}=\frac{-2x}{5-x^2}+y$

STEP Ⓑ **점 $(2, 2)$에서의 접선의 기울기 구하기**

$(2, 2)$를 대입하여 정리하면 $10\frac{dy}{dx}=-2$ $\therefore \frac{dy}{dx}=-\frac{1}{5}$

따라서 접선의 기울기는 $-\frac{1}{5}$

(2) 곡선 $e^y\ln x=2y+1$ 위의 점 $(e, 0)$에서의 접선의 방정식을 $y=ax+b$라 할 때, ab의 값은? (단, a, b는 상수이다.)

① $-2e$ ② $-e$ ③ -1
④ $-\frac{2}{e}$ ⑤ $-\frac{1}{e}$

STEP Ⓐ **음함수의 미분법에 의하여 점 $(e, 0)$에서 접선의 기울기 구하기**

음함수의 미분법에 의하여 곡선 $e^y\ln x=2y+1$을 x에 대하여 미분하면

$e^y\frac{dy}{dx}\times\ln x+e^y\times\frac{1}{x}=2\times\frac{dy}{dx}$

$\frac{dy}{dx}=-\frac{e^y}{x(e^y\ln x-2)}$ …… ㉠

㉠에 $x=e$, $y=0$을 대입하면 $\frac{dy}{dx}=-\frac{1}{e(1\times1-2)}=\frac{1}{e}$

STEP Ⓑ **점 $(e, 0)$에서의 접선의 방정식 구하기**

곡선 위의 점 $(e, 0)$에서의 접선의 방정식은 $y-0=\frac{1}{e}(x-e)$

즉 $y=\frac{1}{e}x-1$

따라서 $a=\frac{1}{e}$, $b=-1$이므로 $ab=-\frac{1}{e}$

0457

곡선 $e^x+e^y=e+1$ 위의 점 $\mathrm{P}(1, 0)$에서의 접선을 l_1이라 하고 점 P를 지나고 직선 l_1에 수직인 직선을 l_2라고 하자.
이때 두 직선 l_1과 l_2 및 y축으로 둘러싸인 부분의 넓이는?

① $\frac{1}{2}\left(e+\frac{1}{e}\right)$ ② $\frac{e}{2}$ ③ $e+\frac{1}{e}$
④ e ⑤ $2e$

STEP Ⓐ **음함수의 미분법을 이용하여 점 $\mathrm{P}(1, 0)$에서의 접선 l_1과 수직인 직선 l_2 구하기**

$e^x+e^y=e+1$의 양변을 x에 대하여 미분하면

$e^x+e^y\cdot\frac{dy}{dx}=0$, $\frac{dy}{dx}=-\frac{e^x}{e^y}$

점 $\mathrm{P}(1, 0)$에서의 접선 l_1의 기울기는 $-\frac{e^1}{e^0}=-e$이므로

접선 l_1의 방정식은 $y=-e(x-1)$

점 $\mathrm{P}(1, 0)$을 지나고 접선 l_1에 수직인 직선 l_2의 기울기는 $\frac{1}{e}$이므로

직선 l_2의 방정식은 $y=\frac{1}{e}(x-1)$

STEP Ⓑ **두 직선 l_1과 l_2 및 y축으로 둘러싸인 부분의 넓이 구하기**

두 직선 l_1, l_2를 좌표평면 위에 나타내면 오른쪽 그림과 같으므로 구하는 넓이는

$\frac{1}{2}\times\left(e+\frac{1}{e}\right)\times1=\frac{1}{2}\left(e+\frac{1}{e}\right)$

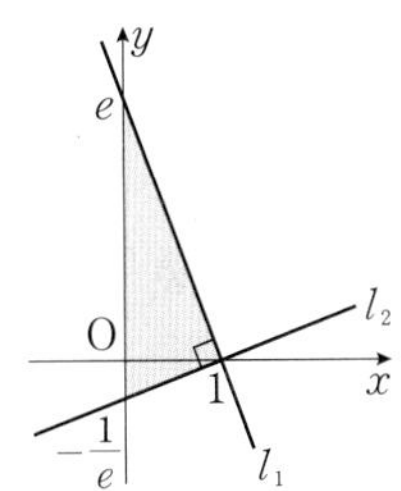

0458

다음 물음에 답하여라.

(1) 함수 $y=x^{\cos x}(x>0)$에 대하여 $x=\pi$에서 미분계수를 구하여라.

STEP Ⓐ **로그의 성질을 이용하여 주어진 식을 변형하기**

$y=x^{\cos x}$의 양변에 자연로그를 취하면

$\ln y=\ln x^{\cos x}=\cos x\ln x$

STEP Ⓑ **양변을 x에 대하여 미분하여 $x=\pi$에서 미분계수 구하기**

양변을 x에 대하여 미분하면

$\frac{y'}{y}=-\sin x\ln x+\cos x\cdot\frac{1}{x}$

$\therefore y'=x^{\cos x}\left(-\sin x\ln x+\frac{\cos x}{x}\right)$

따라서 $x=\pi$에서의 미분계수 $\pi^{-1}\left(-\frac{1}{\pi}\right)=-\frac{1}{\pi^2}$

(2) 함수 $f(x)=x^{\sin x}(x>0)$에 대하여 $\lim_{x\to\pi}\frac{f(x)-1}{x-\pi}$의 값을 구하여라.

STEP Ⓐ **로그의 성질을 이용하여 주어진 식을 변형하기**

$f(\pi)=\pi^{\sin\pi}=1$이므로

$\lim_{x\to\pi}\frac{f(x)-1}{x-\pi}=\lim_{x\to\pi}\frac{f(x)-f(\pi)}{x-\pi}=f'(\pi)$

$f(x)=x^{\sin x}$의 양변에 자연로그를 취하면

$\ln f(x)=\ln x^{\sin x}=\sin x\ln x$

STEP Ⓑ 양변을 x에 대하여 미분하여 $x=\pi$에서 미분계수 구하기

양변을 x에 대하여 미분하면

$$\frac{f'(x)}{f(x)}=\cos x\cdot\ln x+\sin x\cdot\frac{1}{x}$$

$$\therefore f'(x)=f(x)\left(\cos x\cdot\ln x+\sin x\cdot\frac{1}{x}\right)$$

$$=x^{\sin x}\left(\cos x\cdot\ln x+\sin x\cdot\frac{1}{x}\right)$$

따라서 $f'(\pi)=\pi^{\sin\pi}\left(\cos\pi\cdot\ln\pi+\sin\pi\cdot\frac{1}{\pi}\right)=-\ln\pi$

0459

다음 물음에 답하여라.

(1) 함수 $f(x)=\frac{(x-1)^2\sqrt{x+1}}{x+2}$에 대하여 $f'(0)$의 값은?

① -3 ② -2 ③ -1
④ 1 ⑤ 2

STEP Ⓐ 로그의 성질을 이용하여 주어진 식을 변형하기

$f(x)=\frac{(x-1)^2\sqrt{x+1}}{x+2}$의 양변의 절댓값에 자연로그를 취하면

$$\ln|f(x)|=\ln\left|\frac{(x-1)^2\sqrt{x+1}}{x+2}\right|$$

$$=2\ln|x-1|+\frac{1}{2}\ln|x+1|-\ln|x+2|$$

STEP Ⓑ 양변을 x에 대하여 미분하여 $f'(0)$의 값 구하기

위 등식의 양변을 x에 대하여 미분하면

$$\frac{f'(x)}{f(x)}=\frac{2}{x-1}+\frac{1}{2(x+1)}-\frac{1}{x+2}=\frac{3x^2+13x+8}{2(x+1)(x-1)(x+2)}$$

$$f'(x)=f(x)\cdot\frac{3x^2+13x+8}{2(x+1)(x-1)(x+2)}$$

따라서 $f(0)=\frac{1}{2}$이므로 $f'(0)=f(0)\cdot -2=-1$

(2) 함수 $f(x)=\frac{e^x\cos x}{1+\sin x}$에 대하여 $\lim_{x\to\pi}\frac{f(x)+e^\pi}{x-\pi}$의 값은?

① $-3e^\pi$ ② $-2e^\pi$ ③ 1
④ π ⑤ e^π

STEP Ⓐ 로그의 성질을 이용하여 주어진 식을 변형하기

$f(x)=\frac{e^x\cos x}{1+\sin x}$의 양변의 절댓값에 자연로그를 취하면

$$\ln|f(x)|=\ln\left|\frac{e^x\cos x}{1+\sin x}\right|=x+\ln|\cos x|-\ln|1+\sin x|$$

STEP Ⓑ 양변을 x에 대하여 미분하여 미분계수 구하기

위 등식의 양변을 x에 대하여 미분하면

$$\frac{f'(x)}{f(x)}=1+\frac{(\cos x)'}{\cos x}-\frac{(1+\sin x)'}{1+\sin x}=1-\frac{\sin x}{\cos x}-\frac{\cos x}{1+\sin x}$$

$$f'(x)=f(x)\left(1-\frac{\sin x}{\cos x}-\frac{\cos x}{1+\sin x}\right)$$

$$f'(x)=\frac{e^x\cos x}{1+\sin x}\left(1-\frac{\sin x}{\cos x}-\frac{\cos x}{1+\sin x}\right)\ \cdots\cdots ㉠$$

이때 $f(\pi)=-e^\pi$이고 $\lim_{x\to\pi}\frac{f(x)+e^\pi}{x-\pi}=\lim_{x\to\pi}\frac{f(x)-f(\pi)}{x-\pi}=f'(\pi)$

따라서 ㉠에 $x=\pi$를 대입하면

$$f'(\pi)=\frac{e^\pi\cdot(-1)}{1+0}\left(1-\frac{0}{-1}-\frac{-1}{1+0}\right)=-2e^\pi$$

(3) $e^{f(x)}=\sqrt{\frac{1+\cos x}{1-\cos x}}$를 만족하는 함수 $f(x)$에 대하여 $f'\left(\frac{\pi}{6}\right)$의 값은?

① -4 ② -2 ③ 0
④ 2 ⑤ 4

STEP Ⓐ 로그의 성질을 이용하여 주어진 식을 변형하기

$e^{f(x)}=\sqrt{\frac{1+\cos x}{1-\cos x}}$의 양변에 자연로그를 취하면

$$f(x)=\frac{1}{2}(\ln|1+\cos x|-\ln|1-\cos x|)$$

STEP Ⓑ 양변을 x에 대하여 미분하여 $f'\left(\frac{\pi}{6}\right)$의 값 구하기

양변을 x로 미분하면

$$f'(x)=\frac{1}{2}\left(\frac{-\sin x}{1+\cos x}-\frac{\sin x}{1-\cos x}\right)=\frac{1}{2}\left(\frac{-2\sin x}{1-\cos^2 x}\right)=\frac{-\sin x}{\sin^2 x}=-\csc x$$

따라서 $f'\left(\frac{\pi}{6}\right)=-2$

0460

함수 $f(x)=(\ln x)^x\ (x>1)$일 때, $\lim_{h\to 0}\frac{f(e+2h)-f(e-2h)}{h}$의 값을 구하여라.

STEP Ⓐ 미분계수를 변형하기

$$\lim_{h\to 0}\frac{f(e+2h)-f(e-2h)}{h}$$

$$=\lim_{h\to 0}\frac{f(e+2h)-f(e)-\{f(e-2h)-f(e)\}}{h}$$

$$=\lim_{h\to 0}\left\{\frac{f(e+2h)-f(e)}{2h}\times 2+\frac{f(e-2h)-f(e)}{-2h}\times 2\right\}$$

$$=2f'(e)+2f'(e)$$

$$=4f'(e)$$

STEP Ⓑ 합성함수 미분법을 이용하여 구하기

$f(x)=(\ln x)^x\ (x>1)$의 양변에 자연로그를 취하면

$\ln f(x)=\ln(\ln x)^x$에서 $\ln f(x)=x\ln(\ln x)$

양변을 x에 대하여 미분하면

$$\frac{f'(x)}{f(x)}=\ln(\ln x)+x\times\frac{\frac{1}{x}}{\ln x}=\ln(\ln x)+\frac{1}{\ln x}$$

$$\therefore f'(x)=f(x)\left\{\ln(\ln x)+\frac{1}{\ln x}\right\}=(\ln x)^x\left\{\ln(\ln x)+\frac{1}{\ln x}\right\}$$

$$\therefore f'(e)=(\ln e)^e\left\{\ln(\ln e)+\frac{1}{\ln e}\right\}=1$$

따라서 $\frac{f(e+2h)-f(e-2h)}{h}=4f'(e)=4$

0461

다음 물음에 답하여라.

(1) 함수 $f(x)=x^3+x$의 역함수를 $g(x)$라고 할 때, $f'(-1)\times g'(2)$의 값을 구하여라.

STEP Ⓐ 역함수의 미분법을 이용하여 $f'(-1)\cdot g'(2)$의 값 구하기

$f(x)$의 역함수 $g(x)$이므로 역함수의 미분법에 의하여

$g'(x)=\dfrac{1}{f'(g(x))}$

$g'(2)=\dfrac{1}{f'(g(2))}$이므로 $g(2)$의 값을 구해야 하므로

$g(2)=a$라고 하면 $f(a)=2$

$a^3+a=2$, $(a-1)(a^2+a+2)=0$

$\therefore a=1$

이때 $g(2)=1$이고 $f'(x)=3x^2+1$에서 $f'(-1)=4$, $f'(1)=4$

$g'(2)=\dfrac{1}{f'(1)}=\dfrac{1}{4}$

따라서 $f'(-1)\cdot g'(2)=4\cdot\dfrac{1}{4}=1$

(2) 실수 전체의 집합에서 증가하고 미분가능한 함수 $f(x)$가 $\lim\limits_{x\to1}\dfrac{f(x)-2}{x-1}=\dfrac{1}{3}$을 만족시킨다. $f(x)$의 역함수를 $g(x)$라 할 때, $g(2)+g'(2)$의 값을 구하여라.

STEP Ⓐ (분모)→0이고 극한값이 존재하므로 (분자)→0임을 이용하기

$\lim\limits_{x\to1}\dfrac{f(x)-2}{x-1}=\dfrac{1}{3}$에서

$x\to1$일 때, (분모)→0이고 극한값이 존재하므로 (분자)→0이어야 한다.

즉 $\lim\limits_{x\to1}\{f(x)-2\}=0$이므로 $f(1)-2=0$

$\therefore f(1)=2$

STEP Ⓑ 역함수의 미분법을 이용하여 $g(2)+g'(2)$의 값 구하기

또한, $f(1)=2$이므로 $g(2)=1$

함수 $f(x)$가 실수 전체에서 미분가능하므로

$\lim\limits_{x\to1}\dfrac{f(x)-2}{x-1}=\lim\limits_{x\to1}\dfrac{f(x)-f(1)}{x-1}=f'(1)=\dfrac{1}{3}$

$f(x)$의 역함수가 $g(x)$이므로 $f(g(x))=x$

의 양변을 x에 대하여 미분하면 $f'(g(x))g'(x)=1$

$g'(x)=\dfrac{1}{f'(g(x))}$

$g'(2)=\dfrac{1}{f'(g(2))}=\dfrac{1}{f'(1)}=\dfrac{1}{\frac{1}{3}}=3$

따라서 $g(2)+g'(2)=1+3=4$

0462

미분가능한 함수 $f(x)$의 역함수 $g(x)$가 $\lim\limits_{x\to1}\dfrac{g(x)-2}{x-1}=3$을 만족시킬 때, 미분계수 $f'(2)$의 값은?

① 1 ② $\dfrac{1}{2}$ ③ $\dfrac{1}{3}$ ④ $\dfrac{1}{4}$ ⑤ $\dfrac{1}{6}$

STEP Ⓐ (분모)→0이고 극한값이 존재하므로 (분자)→0임을 이용하기

$\lim\limits_{x\to1}\dfrac{g(x)-2}{x-1}=3$에서

$x\to1$일 때, (분모)→0이고 극한값이 존재하므로 (분자)→0이어야 한다.

즉 $\lim\limits_{x\to1}\{g(x)-2\}=0$이므로 $g(1)-2=0$

$\therefore g(1)=2$

STEP Ⓑ $f(x)$의 역함수가 $g(x)$이므로 $f'(x)=\dfrac{1}{g'(f(x))}$임을 이용하기

또한, $g(1)=2$이므로 $f(2)=1$

함수 $f(x)$가 실수 전체에서 미분가능하므로

$\lim\limits_{x\to1}\dfrac{g(x)-2}{x-1}=\lim\limits_{x\to1}\dfrac{g(x)-g(1)}{x-1}=g'(1)=3$

$f(x)$의 역함수가 $g(x)$이므로 $g(f(x))=x$

양변을 x에 대하여 미분하면 $g'(f(x))\cdot f'(x)=1$

$\therefore f'(x)=\dfrac{1}{g'(f(x))}$

따라서 $f'(2)=\dfrac{1}{g'(f(2))}=\dfrac{1}{g'(1)}=\dfrac{1}{3}$

0463

다음 물음에 답하여라.

(1) 모든 실수 x에 대하여 미분가능한 함수 $f(x)$의 역함수를 $g(x)$라 할 때, $g(x)$가

$$\lim_{n\to\infty}n\left\{g\left(2+\frac{2}{n}\right)-g\left(2-\frac{1}{n}\right)\right\}=\frac{1}{2}$$

를 만족하고 $f(5)=2$일 때, 미분계수 $f'(5)$의 값을 구하여라.

STEP Ⓐ 미분계수를 변형하여 $g'(2)$ 구하기

$\lim\limits_{n\to\infty}n\left\{g\left(2+\dfrac{2}{n}\right)-g\left(2-\dfrac{1}{n}\right)\right\}=\dfrac{1}{2}$에서

$\dfrac{1}{n}=h$라 하면 $n\to\infty$일 때, $h\to0$이다.

$\lim\limits_{n\to\infty}n\left\{g\left(2+\dfrac{2}{n}\right)-g\left(2-\dfrac{1}{n}\right)\right\}$

$=\lim\limits_{h\to0}\dfrac{g(2+2h)-g(2-h)}{h}$

$=\lim\limits_{h\to0}\dfrac{\{g(2+2h)-g(2)\}-\{g(2-h)-g(2)\}}{h}$

$=\lim\limits_{h\to0}\dfrac{g(2+2h)-g(2)}{2h}\cdot2+\lim\limits_{h\to0}\dfrac{g(2-h)-g(2)}{-h}$

$=2g'(2)+g'(2)$

$=3g'(2)=\dfrac{1}{2}$

$\therefore g'(2)=\dfrac{1}{6}$

STEP Ⓑ 역함수의 미분법을 이용하여 구하기

이때 $f(5)=2$이므로 역함수의 미분법에 의하여

$g'(2)=\dfrac{1}{f'(g(2))}$, $g'(2)=\dfrac{1}{f'(5)}=\dfrac{1}{6}$

따라서 $f'(5)=6$

(2) 함수 $f(x)=x^3+3x^2+4x+5$의 역함수 $g(x)$에 대하여

$$\lim_{n\to\infty}n\left\{g\left(1+\frac{1}{n}\right)-g\left(1-\frac{2}{n}\right)\right\}$$

의 값을 p라 할 때, $4p$의 값을 구하여라.

STEP Ⓐ 미분계수의 정의를 이용하여 주어진 식 정리하기

$\frac{1}{n}=h$라 하면 $n\to\infty$일 때, $h\to 0$이다.

$$\lim_{n\to\infty}n\left\{g\left(1+\frac{1}{n}\right)-g\left(1-\frac{2}{n}\right)\right\}$$
$$=\lim_{h\to 0}\frac{\{g(1+h)-g(1)\}-\{g(1-2h)-g(1)\}}{h}$$
$$=\lim_{h\to 0}\frac{g(1+h)-g(1)}{h}+2\lim_{h\to 0}\frac{g(1-2h)-g(1)}{-2h}$$
$$=g'(1)+2g'(1)=3g'(1)$$

STEP Ⓑ $f(x)$의 역함수가 $g(x)$이므로 $g'(x)=\frac{1}{f'(g(x))}$임을 이용하기

$g(1)=f^{-1}(1)=a$라 하면 $f(a)=1$이므로 $a^3+3a^2+4a+5=1$에서

$a^3+3a^2+4a+4=0$, $(a+2)(a^2+a+2)=0$

$\therefore a=-2(\because a^2+a+2>0)$, 즉 $g(1)=-2$

이때 $f'(x)=3x^2+6x+4$에서 $f'(-2)=3\cdot(-2)^2+6\cdot(-2)+4=4$

$f(x)$의 역함수가 $g(x)$이므로 $f(g(x))=x$

양변을 x에 대하여 미분하면 $f'(g(x))\cdot g'(x)=1$

$\therefore g'(x)=\frac{1}{f'(g(x))}$

$3g'(1)=3\cdot\frac{1}{f'(g(1))}=3\cdot\frac{1}{f'(-2)}=\frac{3}{4}$

따라서 $4p=3$

0464

다음 물음에 답하여라. (단, e는 자연로그의 밑이다.)

(1) 함수 $f(x)=(x-1)e^x\,(x>0)$의 역함수를 $g(x)$라 할 때, 곡선 $y=g(x)$ 위의 점 $(e^2,\ 2)$에서의 접선의 기울기를 구하여라.

STEP Ⓐ $f'(2)$의 값 구하기

함수 $f(x)=(x-1)e^x$을 x에 대하여 미분하면

$f'(x)=e^x+(x-1)e^x=xe^x$

$\therefore f'(2)=2e^2$ ...... ㉠

STEP Ⓑ $f(x)$의 역함수가 $g(x)$이므로 $g'(x)=\frac{1}{f'(g(x))}$임을 이용하기

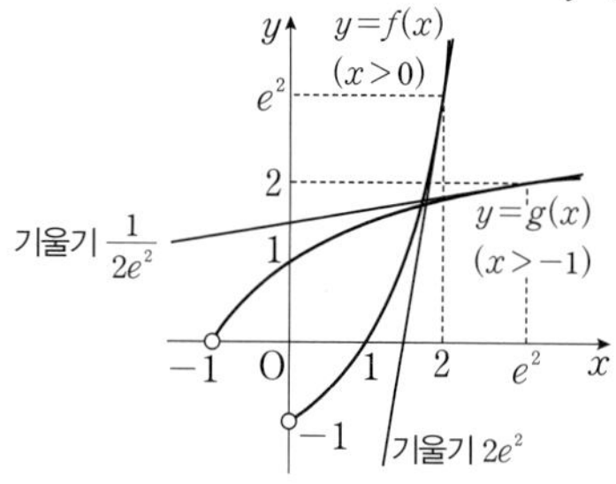

곡선 $y=g(x)$ 위의 점 $(e^2,\ 2)$에서의 접선의 기울기는 $g'(e^2)$

함수 $f(x)$의 역함수가 $g(x)$이므로 $g(f(x))=x$

양변을 x에 대하여 미분하면 $g'(f(x))\cdot f'(x)=1$

$\therefore g'(f(x))=\frac{1}{f'(x)}$ (단, $f'(x)\neq 0$)

$x=2$를 대입하면 $g'(f(2))=\frac{1}{f'(2)}$ $\quad\therefore g'(e^2)=\frac{1}{f'(2)}=\frac{1}{2e^2}(\because$ ㉠$)$

따라서 곡선 $y=g(x)$ 위의 점 $(e^2,\ 2)$에서의 접선의 기울기는 $g'(e^2)=\frac{1}{2e^2}$

(2) 구간 $(-1,\ \infty)$에서 정의된 함수 $f(x)=xe^x+e$의 역함수를 $g(x)$라 할 때, $60g'(e)$의 값을 구하여라.

STEP Ⓐ $f'(0)$의 값 구하기

$g(e)=a$라 하면 $f(a)=e$이므로

$f(a)=ae^a+e=e$, $ae^a=0$

$\therefore a=0$

이때 $f(x)=xe^x+e$에서 $f'(x)=(x+1)e^x$

$f'(0)=(0+1)e^0=1$

STEP Ⓑ $f(x)$의 역함수가 $g(x)$이므로 $g'(x)=\frac{1}{f'(g(x))}$임을 이용하기

$g'(e)=\frac{1}{f'(g(e))}=\frac{1}{f'(0)}=1$

따라서 $60g'(e)=60\times 1=60$

0465

다음 물음에 답하여라. (단, e는 자연로그의 밑이다.)

(1) 함수 $f(x)=e^{x^3+2x-2}$의 역함수를 $g(x)$라 할 때, $g'(e)$의 값은?

① $\frac{1}{e}$ ② $\frac{1}{3e}$ ③ $\frac{1}{5e}$
④ $\frac{1}{7e}$ ⑤ $\frac{1}{9e}$

STEP Ⓐ 역함수의 성질을 이용하여 $g(e)$의 값 구하기

$g(e)=t$라 하면 $f(t)=e$

$e^{t^3+2t-2}=e$에서 $t^3+2t-2=1$이므로

$t^3+2t-3=0$, $(t-1)(t^2+t+3)=0$

즉 $t=1$이므로 $g(e)=1$

STEP Ⓑ 역함수의 미분법을 이용하여 $g'(e)$의 값 구하기

$g(x)$가 $f(x)$의 역함수이므로 $f(g(x))=x$

양 변을 미분하면 $f'(g(x))g'(x)=1$

$g'(x)=\frac{1}{f'(g(x))}$

$f'(x)=(3x^2+2)e^{x^3+2x-2}$이므로 $f'(1)=5e$

따라서 $g'(e)=\frac{1}{f'(g(e))}=\frac{1}{f'(1)}=\frac{1}{5e}$

(2) 함수 $f(x)=\frac{1}{1+e^{-x}}$의 역함수를 $g(x)$라 할 때, $g'(f(-1))$의 값은?

① $\frac{1}{(1+e)^2}$ ② $\frac{e}{1+e}$ ③ $\left(\frac{1+e}{e}\right)^2$
④ $\frac{e^2}{1+e}$ ⑤ $\frac{(1+e)^2}{e}$

STEP Ⓐ 역함수의 미분법을 이해하기

$g(f(x))=x$에서 양변을 x로 미분하면

$g'(f(x))f'(x)=1$이므로 $g'(f(x))=\frac{1}{f'(x)}$

즉 $g'(f(-1))=\frac{1}{f'(-1)}$

STEP Ⓑ $g'(f(-1))$의 값 구하기

$f(x)=\frac{1}{1+e^{-x}}$에서 $f'(x)=\frac{e^{-x}}{(1+e^{-x})^2}$이므로 $f'(-1)=\frac{e}{(1+e)^2}$

따라서 $g'(f(-1))=\frac{1}{f'(-1)}=\frac{(1+e)^2}{e}$

0466

다음 물음에 답하여라. (단, e는 자연로그의 밑이다.)

(1) 함수 $f(x)=e^{x-1}$의 역함수 $g(x)$에 대하여

$\lim_{h\to0}\frac{g(1+h)-g(1-2h)}{h}$의 값은?

① $\frac{1}{3}$ ② $\frac{1}{e}$ ③ 1
④ e ⑤ 3

STEP A 미분계수의 정의를 이용하여 주어진 식 정리하기

$$\lim_{h\to0}\frac{g(1+h)-g(1-2h)}{h}$$
$$=\lim_{h\to0}\frac{\{g(1+h)-g(1)\}-\{g(1-2h)-g(1)\}}{h}$$
$$=\lim_{h\to0}\frac{g(1+h)-g(1)}{h}+2\lim_{h\to0}\frac{g(1-2h)-g(1)}{-2h}$$
$$=g'(1)+2g'(1)$$
$$=3g'(1)$$

STEP B $f(x)$의 역함수 $g(x)$이므로 $g'(x)=\frac{1}{f'(g(x))}$임을 이용하기

함수 $f(x)=e^{x-1}$에서 $e^{x-1}=1$일 때, $x=1$
즉 $g(1)=1$
함수 $f(x)$의 역함수가 $g(x)$이므로 $f(g(x))=x$
양변을 x에 대하여 미분하면
$f'(g(x))g'(x)=1$이므로 $g'(x)=\frac{1}{f'(g(x))}$
$x=1$를 대입하면
$g'(1)=\frac{1}{f'(g(1))}=\frac{1}{f'(1)}$
$f'(x)=e^{x-1}$에서 $f'(1)=e^{1-1}=1$
$\therefore g'(1)=\frac{1}{f'(1)}=1$

STEP C 주어진 값 구하기

따라서 $\lim_{h\to0}\frac{g(1+h)-g(1-2h)}{h}=3g'(1)=3$

함수 $f(x)=e^{x-1}$의 역함수 $g(x)=\ln x+1$이므로
$3g'(1)=3\cdot\frac{1}{1}=3$

(2) 함수 $f(x)=3e^{2x}+1$의 역함수 $g(x)$에 대하여

$\lim_{h\to0}\frac{g(4+3h)-g(4-3h)}{h}$의 값은?

① $\frac{1}{2}$ ② $\frac{1}{e}$ ③ 1
④ e ⑤ 3

STEP A 미분계수의 정의를 이용하여 주어진 식 정리하기

$$\lim_{h\to0}\frac{g(4+3h)-g(4-3h)}{h}$$
$$=\lim_{h\to0}\frac{\{g(4+3h)-g(4)\}-\{g(4-3h)-g(4)\}}{h}$$
$$=3\lim_{h\to0}\frac{g(4+3h)-g(4)}{3h}+3\lim_{h\to0}\frac{g(4-3h)-g(4)}{-3h}$$
$$=3g'(4)+3g'(4)$$
$$=6g'(4)$$

STEP B $f(x)$의 역함수 $g(x)$이므로 $g'(x)=\frac{1}{f'(g(x))}$임을 이용하기

함수 $f(x)=3e^{2x}+1$에서 $3e^{2x}+1=4$일 때, $x=0$
즉 $g(4)=0$
함수 $f(x)$의 역함수가 $g(x)$이므로 $f(g(x))=x$
양변을 x에 대하여 미분하면
$f'(g(x))g'(x)=1$이므로 $g'(x)=\frac{1}{f'(g(x))}$
$x=4$를 대입하면
$g'(4)=\frac{1}{f'(g(4))}=\frac{1}{f'(0)}$
$f(x)=3e^{2x}+1$에서 $f'(x)=6e^{2x}$이므로 $f'(0)=6$
$\therefore g'(4)=\frac{1}{f'(0)}=\frac{1}{6}$

STEP C 주어진 값 구하기

따라서 $\lim_{h\to0}\frac{g(4+3h)-g(4-3h)}{h}=6g'(4)=6\times\frac{1}{6}=1$

0467

다음 물음에 답하여라.

(1) $-\frac{\pi}{4}<x<\frac{\pi}{4}$에서 정의된 함수 $f(x)=\sin 2x$의 역함수를 $g(x)$라 할 때, $g'\left(\frac{1}{2}\right)$의 값은?

① $\frac{\sqrt{3}}{3}$ ② $\frac{\sqrt{2}}{2}$ ③ 1
④ $\sqrt{2}$ ⑤ $\sqrt{3}$

STEP A $f(x)$의 역함수 $g(x)$이므로 $g'(x)=\frac{1}{f'(g(x))}$임을 이용하기

$f(x)$의 역함수가 $g(x)$이므로 $f(g(x))=x$
양변을 x에 대하여 미분하면 $f'(g(x))g'(x)=1$
$\therefore g'(x)=\frac{1}{f'(g(x))}$

STEP B $g\left(\frac{1}{2}\right)$의 값 구하기

이때 $g\left(\frac{1}{2}\right)=\theta$이면 $f(\theta)=\frac{1}{2}$
$f(\theta)=\sin 2\theta=\frac{1}{2}$에서 $2\theta=\frac{\pi}{6}$
$\therefore \theta=\frac{\pi}{12}\left(\because 0\le\theta\le\frac{\pi}{2}\right)$
즉 $g\left(\frac{1}{2}\right)=\frac{\pi}{12}$

STEP C $f'\left(\frac{\pi}{12}\right)$의 값을 구하여 $g'\left(\frac{1}{2}\right)$의 값 구하기

$f'(x)=2\cos 2x$에서 $f'\left(\frac{\pi}{12}\right)=2\cos\frac{\pi}{6}=2\cdot\frac{\sqrt{3}}{2}=\sqrt{3}$

따라서 $g'\left(\frac{1}{2}\right)=\frac{1}{f'\left(g\left(\frac{1}{2}\right)\right)}=\frac{1}{f'\left(\frac{\pi}{12}\right)}=\frac{1}{\sqrt{3}}=\frac{\sqrt{3}}{3}$

다른풀이 음함수 미분법을 이용하여 역함수 풀이하기

$f(x)=\sin 2x$이므로 $f(x)$의 역함수 $g(x)$는 $x=\sin 2y$
양변을 각각 y에 대하여 미분하면
$\frac{dx}{dy}=2\cos 2y$, $\frac{dx}{dy}=2\sqrt{1-x^2}$이므로 $g'(x)=\frac{dy}{dx}=\frac{1}{2\sqrt{1-x^2}}$
따라서 $g'\left(\frac{1}{2}\right)=\frac{\sqrt{3}}{3}$

(2) $-\frac{\pi}{4}<x<\frac{\pi}{4}$에서 정의된 함수 $f(x)=\tan 2x$의 역함수를 $g(x)$라 할 때, $100\times g'(1)$의 값은?

① 10 ② 15 ③ 20
④ 25 ⑤ 30

STEP Ⓐ $f(x)$의 역함수 $g(x)$이므로 $g'(x)=\frac{1}{f'(g(x))}$임을 이용하기

$f(x)$의 역함수가 $g(x)$이므로 $g(f(x))=x$

이 식의 양변을 미분하면 $g'(f(x))f'(x)=1$ …… ㉠

이때 $g'(1)$을 구해야 하므로 $f(x)=1$에서

$f(x)=\tan 2x=1$이므로 $2x=\frac{\pi}{4}$ $\therefore x=\frac{\pi}{8}$

⬅ $f\left(\frac{\pi}{8}\right)=\tan\left(2\times\frac{\pi}{8}\right)=\tan\frac{\pi}{4}=1$

STEP Ⓑ 역함수의 미분법을 이용하여 $100\times g'(1)$의 값 구하기

이때 $f(x)=\tan 2x$에서 $f'(x)=2\sec^2 2x$이므로

$f'\left(\frac{\pi}{8}\right)=2\sec^2\frac{\pi}{4}=2\times(\sqrt{2})^2=4$

㉠에 $x=\frac{\pi}{8}$를 대입하면 $g'\left(f\left(\frac{\pi}{8}\right)\right)f'\left(\frac{\pi}{8}\right)=1$이므로 $g'(1)=\frac{1}{f'\left(\frac{\pi}{8}\right)}=\frac{1}{4}$

따라서 $100\times g'(1)=100\times\frac{1}{4}=25$

0468

함수 $f(x)=2x+\sin x$의 역함수를 $g(x)$라 할 때, 곡선 $y=g(x)$ 위의 점 $(4\pi, 2\pi)$에서의 접선의 기울기는 $\frac{q}{p}$이다. $p+q$의 값을 구하여라. (단, p와 q는 서로소인 자연수이다.)

STEP Ⓐ 역함수의 미분법을 이용하여 $g'(4\pi)$구하기

곡선 $y=g(x)$위의 점 $(4\pi, 2\pi)$에서의 접선의 기울기는 $g'(4\pi)$이다.

점 $(4\pi, 2\pi)$가 곡선 $y=g(x)$ 위의 점이므로 $g(4\pi)=2\pi$

함수 $f(x)$의 역함수가 $g(x)$이므로 $f(g(x))=x$

양변을 x에 대하여 미분하면 $f'(g(x))g'(x)=1$이므로

$g'(x)=\frac{1}{f'(g(x))}$

$x=4\pi$를 대입하면 $g'(4\pi)=\frac{1}{f'(g(4\pi))}=\frac{1}{f'(2\pi)}$

STEP Ⓑ 곡선 $y=g(x)$ 위의 점 $(4\pi, 2\pi)$에서의 접선의 기울기 구하기

$f(x)=2x+\sin x$에서 $f'(x)=2+\cos x$이므로

$f'(2\pi)=2+\cos 2\pi=2+1=3$

$g'(4\pi)=\frac{1}{f'(2\pi)}=\frac{1}{3}$

즉 곡선 $y=g(x)$ 위의 점 $(4\pi, 2\pi)$에서의 접선의 기울기는 $\frac{1}{3}$

따라서 $p=3$, $q=1$이므로 $p+q=3+1=4$

다른풀이 $g(f(x))=g(2x+\sin x)=x$를 이용하여 풀이하기

함수 $f(x)=2x+\sin x$의 역함수는 $g(x)$이므로

$g(f(x))=g(2x+\sin x)=x$이고 이 식의 양변을 x에 대하여 미분하면

$g'(2x+\sin x)\times(2x+\sin x)'=1$

$g'(2x+\sin x)\times(2+\cos x)=1$

$\therefore g'(2x+\sin x)=\frac{1}{2+\cos x}$ …… ㉠

㉠의 양변에 $x=2\pi$를 대입하면

$g'(4\pi)=\frac{1}{2+\cos 2\pi}=\frac{1}{2+1}=\frac{1}{3}$

곡선 $y=g(x)$ 위의 점 $(4\pi, 2\pi)$에서의 접선의 기울기는 $g'(4\pi)=\frac{1}{3}$

따라서 $p=3$, $q=1$이므로 $p+q=3+1=4$

0469

다음 물음에 답하여라.

(1) 함수 $f(x)=3e^{5x}+x+\sin x$의 역함수를 $g(x)$라 할 때, 곡선 $y=g(x)$는 점 $(3, 0)$을 지난다.

$\lim_{x\to 3}\frac{x-3}{g(x)-g(3)}$의 값을 구하여라.

STEP Ⓐ 역함수의 미분법을 이용하여 $g'(3)$구하기

곡선 $y=g(x)$가 점 $(3, 0)$을 지나므로 $g(3)=0$

즉 $f(0)=3$

함수 $f(x)$의 역함수가 $g(x)$이므로 $f(g(x))=x$

양변을 x에 대하여 미분하면

$f'(g(x))g'(x)=1$이므로 $g'(x)=\frac{1}{f'(g(x))}$

$x=3$를 대입하면

$g'(3)=\frac{1}{f'(g(3))}=\frac{1}{f'(0)}$

STEP Ⓑ 미분계수의 정의를 이용하여 극한값 구하기

$f(x)=3e^{5x}+x+\sin x$에서 $f'(x)=15e^{5x}+1+\cos x$이므로

$f'(0)=15+1+1=17$

따라서 $\lim_{x\to 3}\frac{x-3}{g(x)-g(3)}=\lim_{x\to 3}\frac{1}{\frac{g(x)-g(3)}{x-3}}$

$=\frac{1}{\lim_{x\to 3}\frac{g(x)-g(3)}{x-3}}$

$=\frac{1}{g'(3)}=f'(0)$

$=17$

(2) $x\geq\frac{1}{e}$에서 정의된 함수 $f(x)=3x\ln x$의 그래프가 점 $(e, 3e)$를 지난다. 함수 $f(x)$의 역함수를 $g(x)$라고 할 때,

$\lim_{h\to 0}\frac{g(3e+h)-g(3e-h)}{h}$의 값을 구하여라.

STEP Ⓐ 역함수의 미분법을 이용하여 $g'(3e)$ 구하기

함수 $f(x)=3x\ln x$의 그래프가 점 $(e, 3e)$를 지나므로 $g(3e)=e$

함수 $f(x)$의 역함수가 $g(x)$이므로 $f(g(x))=x$

양변을 x에 대하여 미분하면

$f'(g(x))g'(x)=1$이므로 $g'(x)=\frac{1}{f'(g(x))}$

$x=3e$를 대입하면

$g'(3e)=\frac{1}{f'(g(3e))}=\frac{1}{f'(e)}$

STEP Ⓑ 미분계수의 정의를 이용하여 극한값 구하기

$f(x)=3x\ln x$에서 $f'(x)=3\ln x+3x\times\frac{1}{x}=3\ln x+3$

이므로 $g'(3e)=\frac{1}{f'(g(3e))}=\frac{1}{f'(e)}=\frac{1}{6}$

따라서 $\lim_{h\to 0}\frac{g(3e+h)-g(3e-h)}{h}$

$=\lim_{h\to 0}\frac{g(3e+h)-g(3e)}{h}+\lim_{h\to 0}\frac{g(3e-h)-g(3e)}{-h}$

$=g'(3e)+g'(3e)=2g'(3e)$

$=2\cdot\frac{1}{6}=\frac{1}{3}$

0470

미분가능한 함수 $f(x)$의 역함수를 $g(x)$라 하자. 두 함수 $y=f(x)$, $y=g(x)$의 그래프가 기울기가 -1인 직선 l과 각각 $x=1$, $x=2$인 점에서 만나고 있다. $f'(1)=2$일 때, 함수 $g(2x)$의 $x=1$에서의 미분계수를 구하여라.

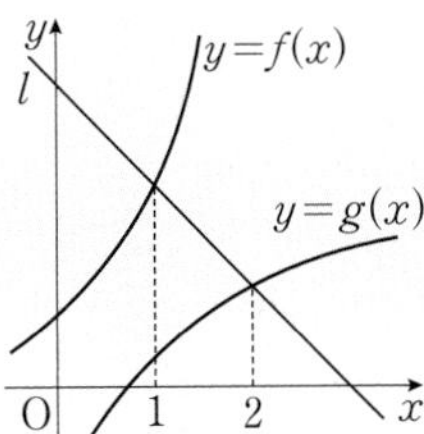

STEP A $f(x)$가 모든 실수에서 증가하는 함수이므로 역함수가 존재함을 이해하기

함수 $g(2x)$의 도함수는 $2g'(2x)$이므로 $x=1$에서의 미분계수는 $2g'(2)$

한편 $y=f(x)$, $y=g(x)$는 서로 역함수 관계이므로 두 함수의 그래프는 직선 $y=x$에 대하여 대칭이다.

STEP B $f(x)$의 역함수 $g(x)$에 대하여 합성함수의 미분법을 이용하기

이때 $f(1)=2$이면 $g(2)=1$

또, $f'(1)=2$에서 $g'(2)=\dfrac{1}{f'(1)}=\dfrac{1}{2}$

따라서 $2g'(2)=2\cdot\dfrac{1}{2}=1$

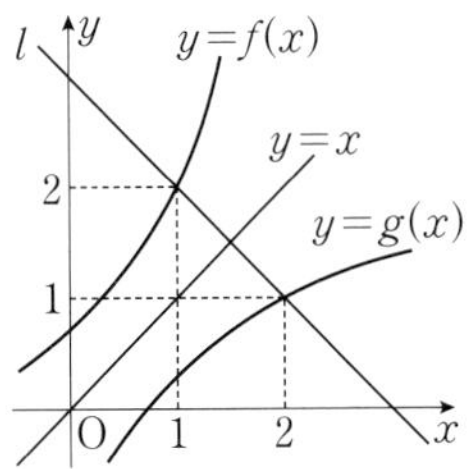

0471

실수 전체의 집합에서 증가하고 미분가능한 함수 $f(x)$가 있다.
곡선 $y=f(x)$ 위의 점 $(2, 1)$에서의 접선의 기울기는 1이다.
함수 $f(2x)$의 역함수를 $g(x)$라 할 때, 곡선 $y=g(x)$ 위의 점 $(1, a)$에서의 접선의 기울기는 b이다. $10(a+b)$의 값을 구하여라.

STEP A $f(x)$가 모든 실수에서 증가하는 함수이므로 역함수가 존재함을 이해하기

곡선 $y=f(x)$ 위의 점 $(2, 1)$에서의 접선의 기울기는 1이므로

$f(2)=1$이고 $f'(2)=1$

이때 $f(2x)$의 역함수가 $g(x)$이므로 $g(f(2x))=x$ …… ㉠

㉠의 양변에 $x=1$을 대입하면 $g(f(2))=1$

$g(1)=f(2)=1$

또한, 곡선 $y=g(x)$ 위의 점 $(1, a)$이므로 대입하면 $g(1)=a$

$\therefore a=1$

STEP B $f(2x)$의 역함수 $g(x)$에 대하여 합성함수의 미분법을 이용하기

㉠의 양변을 x에 대해 미분하면

$g'(f(2x))f'(2x)\cdot 2=1$ …… ㉡

㉡의 양변에 $x=1$을 대입하면

$2g'(f(2))f'(2)=1 \quad \therefore g'(1)=\dfrac{1}{2f'(2)}=\dfrac{1}{2}$

곡선 $y=g(x)$ 위의 점 $(1, a)$에서의 접선의 기울기는 b이므로

$g'(1)=b=\dfrac{1}{2}$

따라서 $10(a+b)=10\left(1+\dfrac{1}{2}\right)=15$

다른풀이 $h(x)=f(2x)$로 놓고 역함수의 미분법을 이용하여 풀이하기

$h(x)=f(2x)$라 하면 $h'(x)=2f'(2x)$이고 $g(x)=h^{-1}(x)$

이때 $h(1)=f(2)=1$이고 $h^{-1}(1)=1$이므로 $a=g(1)=h^{-1}(1)=1$

$h^{-1}(x)=y$라 하면 $h(y)=x$이고 역함수의 미분법 $\dfrac{dy}{dx}=\dfrac{1}{\frac{dx}{dy}}$

$g'(x)=\dfrac{d}{dx}h^{-1}(x)=\dfrac{1}{h'(y)}$

이때 $f'(2)=1$이므로 $g'(1)=\dfrac{1}{h'(1)}=\dfrac{1}{2f'(2)}=\dfrac{1}{2}$

$\therefore g'(1)=b=\dfrac{1}{2}$

따라서 $10(a+b)=10\left(1+\dfrac{1}{2}\right)=15$

0472

다음 물음에 답하여라.

(1) 함수 $f(x)=x^3-3x^2+4x-2$에 대하여 $f(x)$의 역함수가 $g(x)$일 때,
$\lim\limits_{x\to2}\dfrac{f(x)-g(x)}{(x-2)g(x)}$의 값은? (단, $g(x)\neq0$)

① $\dfrac{1}{4}$ ② $\dfrac{3}{4}$ ③ $\dfrac{11}{4}$
④ $\dfrac{15}{8}$ ⑤ $\dfrac{17}{8}$

STEP A $f(2)=g(2)$임을 구하기

$x\to2$일 때, (분모)$\to0$이고 극한값이 존재하므로 (분자)$\to0$이어야 한다.

즉 $\lim\limits_{x\to2}\{f(x)-g(x)\}=0$이므로 $f(2)=g(2)$

$f(x)$와 $g(x)$는 서로 역함수의 관계이므로

$f(2)=g(2)=2$ …… ㉠ ⬅ $y=f(x)$는 $(2, 2)$을 지난다.

STEP B 조건 (나)와 역함수의 미분법을 이용하여 구하기

$$\lim_{x\to2}\frac{f(x)-g(x)}{(x-2)g(x)}=\lim_{x\to2}\frac{f(x)-f(2)-g(x)+g(2)}{(x-2)g(x)}$$
$$=\frac{1}{g(2)}\times\lim_{x\to2}\left\{\frac{f(x)-f(2)}{x-2}-\frac{g(x)-g(2)}{x-2}\right\}$$
$$=\frac{1}{g(2)}\{f'(2)-g'(2)\}$$

이때 $g'(2)=\dfrac{1}{f'(g(2))}=\dfrac{1}{f'(2)}$

$f(x)=x^3-3x^2+4x-2$에서 $f'(x)=3x^2-6x+4$이므로

$f'(2)=12-12+4=4$

따라서 $\lim\limits_{x\to2}\dfrac{f(x)-g(x)}{(x-2)g(x)}=\dfrac{1}{g(2)}\{f'(2)-g'(2)\}=\dfrac{1}{2}\left(4-\dfrac{1}{4}\right)=\dfrac{15}{8}$

다른풀이 함수의 극한의 성질을 이용하여 풀이하기

함수 $f(x)=x^3-3x^2+4x-2$에서 $f(2)=2^3-3\cdot2^2+4\cdot2-2=2$

함수 $f(x)$의 역함수가 $g(x)$이므로 $g(2)=2$

$f'(x)=3x^2-6x+4$이므로 $f'(2)=3\cdot2^2-6\cdot2+4=4$

$\therefore g'(2)=\dfrac{1}{f'(2)}=\dfrac{1}{4}$

$$\lim_{x\to2}\frac{f(x)-g(x)}{(x-2)g(x)}=\lim_{x\to2}\frac{\frac{f(x)}{g(x)}-1}{x-2}=\lim_{x\to2}\frac{\frac{f(x)}{g(x)}-\frac{f(2)}{g(2)}}{x-2}\ (\because g(x)\neq0)$$

이므로 함수 $h(x)=\dfrac{f(x)}{g(x)}$로 놓으면

$$\lim_{x\to2}\frac{f(x)-g(x)}{(x-2)g(x)}=\lim_{x\to2}\frac{h(x)-h(2)}{x-2}=h'(2)$$

$$h'(x)=\frac{f'(x)g(x)-f(x)g'(x)}{\{g(x)\}^2}$$

따라서 $\lim\limits_{x\to2}\dfrac{f(x)-g(x)}{(x-2)g(x)}=h'(2)=\dfrac{f'(2)g(2)-f(2)g'(2)}{\{g(2)\}^2}$

$$=\frac{4\cdot2-2\cdot\frac{1}{4}}{4}=\frac{\frac{15}{2}}{4}=\frac{15}{8}$$

다른풀이 미분계수를 이용하여 풀이하기

$$\lim_{x\to2}\frac{f(x)-g(x)}{(x-2)g(x)}=\lim_{x\to2}\left[\frac{\{f(x)-2\}-\{g(x)-2\}}{x-2}\times\frac{1}{g(x)}\right]$$
$$=\left\{\lim_{x\to2}\frac{f(x)-f(2)}{x-2}-\lim_{x\to2}\frac{g(x)-g(2)}{x-2}\right\}\times\lim_{x\to2}\frac{1}{g(x)}$$
$$=\{f'(2)-g'(2)\}\times\frac{1}{g(2)}$$
$$=\left(4-\frac{1}{4}\right)\times\frac{1}{2}=\frac{15}{4}\times\frac{1}{2}=\frac{15}{8}$$

(2) 최고차항의 계수가 1인 삼차함수 $f(x)$의 역함수를 $g(x)$라 할 때, $g(x)$는 실수 전체의 집합에서 미분가능하고 $\lim_{x\to2}\frac{f(x)-g(x)}{(x-2)g(x)}=\frac{3}{4}$을 만족시킨다. $f(2)+g'(2)$의 값은?

① $-\frac{1}{2}$ ② 0 ③ $\frac{1}{2}$
④ $\frac{3}{2}$ ⑤ $\frac{5}{2}$

STEP Ⓐ $f(2)=g(2)$임을 구하기

$\lim_{x\to2}\frac{f(x)-g(x)}{(x-2)g(x)}=\frac{3}{4}$에서
$x\to2$일 때, (분모)$\to0$이므로 (분자)$\to0$이어야 한다.
즉 $\lim_{x\to2}\{f(x)-g(x)\}=0$에서 $f(2)=g(2)$

STEP Ⓑ 역함수의 미분법을 이용하여 구하기

또한, $f(x)$와 $g(x)$는 서로 역함수 관계에 있으므로
$f(2)=g(2)=2$

$$\lim_{x\to2}\frac{f(x)-g(x)}{(x-2)g(x)}=\lim_{x\to2}\frac{f(x)-f(2)-g(x)+g(2)}{(x-2)g(x)}$$
$$=\lim_{x\to2}\left\{\frac{f(x)-f(2)}{x-2}\cdot\frac{1}{g(x)}-\frac{g(x)-g(2)}{x-2}\cdot\frac{1}{g(x)}\right\}$$
$$=f'(2)\cdot\frac{1}{g(2)}-g'(2)\cdot\frac{1}{g(2)}$$
$$=\frac{1}{2}\{f'(2)-g'(2)\}$$
$$=\frac{3}{4}$$

이때 $g'(2)=\frac{1}{f'(g(2))}=\frac{1}{f'(2)}$이므로

$\frac{1}{2}\left\{f'(2)-\frac{1}{f'(2)}\right\}=\frac{3}{4}$, $\{2f'(2)+1\}\{f'(2)-2\}=0$

$\therefore f'(2)=-\frac{1}{2}$ 또는 $f'(2)=2$

그런데 삼차함수 $f(x)$의 삼차항의 계수는 양수이고 역함수가 존재하므로 모든 실수 x에 대하여 $f'(x)\geq0$이다.
즉 $f'(2)=2$

따라서 $f'(2)=2$, $g'(2)=\frac{1}{2}$이므로 $f(2)+g'(2)=2+\frac{1}{2}=\frac{5}{2}$

0473

함수 $f(x)=xe^{ax+b}$이
$$f'(0)=e,\ f''(0)=4e$$
를 만족시킬 때, $f(1)$의 값은? (단, a, b는 상수)

① $\frac{1}{e}$ ② 1 ③ e
④ e^2 ⑤ e^3

STEP Ⓐ $f'(0)=e$을 만족하는 b의 값 구하기

$f'(x)=(x)'e^{ax+b}+x(e^{ax+b})'=e^{ax+b}+axe^{ax+b}=e^{ax+b}(ax+1)$
이므로 $f'(0)=e$에서 $f'(0)=e^b=e$ $\therefore b=1$

STEP Ⓑ $f''(0)=4e$을 만족하는 a의 값 구하기

또한, $f''(x)=(e^{ax+b})'(ax+1)+e^{ax+b}(ax+1)'$
$=ae^{ax+b}(ax+1)+ae^{ax+b}$
$=ae^{ax+b}(ax+2)$
이므로 $f''(0)=4e$에서 $f''(0)=2ae^b=4e$
$b=1$이므로 $2ae=4e$ $\therefore a=2$

STEP Ⓒ $f(1)$의 값 구하기

따라서 $f(x)=xe^{2x+1}$이므로 $f(1)=e^3$

0474

다음 물음에 답하여라.

(1) 함수 $f(x)=e^{ax+b}\sin x$에 대하여 $f'(0)=1$, $f''(0)=2$일 때, 상수 a, b의 값을 구하여라.

STEP Ⓐ $f'(0)=2$을 만족하는 b의 값 구하기

$f'(x)=(e^{ax+b})'\sin x+e^{ax+b}(\sin x)'=ae^{ax+b}\sin x+e^{ax+b}\cos x$
이므로 $f'(0)=e^b=1$ $\therefore b=0$

STEP Ⓑ $f''(0)=4$을 만족하는 a의 값 구하기

$f''(x)=a(e^{ax+b})'\sin x+ae^{ax+b}(\sin x)'+(e^{ax+b})'\cos x+e^{ax+b}(\cos x)'$
$=a^2e^{ax+b}\sin x+ae^{ax+b}\cos x+ae^{ax+b}\cos x-e^{ax+b}\sin x$
이므로 $f''(0)=2ae^b=2a=2$ $\therefore a=1$
따라서 $a=1$, $b=0$

(2) 함수 $f(x)=x\ln(ax+b)$에 대하여 $f'(0)=2$, $f''(0)=4$일 때, 상수 a, b의 값을 구하여라.

STEP Ⓐ $f'(0)=2$을 만족하는 b의 값 구하기

$f(x)=x\ln(ax+b)$에서
$f'(x)=(x)'\ln(ax+b)+x\{\ln(ax+b)\}'=\ln(ax+b)+\frac{ax}{ax+b}$
$f'(0)=\ln b=2$ $\therefore b=e^2$

STEP Ⓑ $f''(0)=4$을 만족하는 a의 값 구하기

$f''(x)=\frac{a}{ax+b}+\frac{a\cdot(ax+b)-ax\cdot a}{(ax+b)^2}=\frac{a}{ax+b}+\frac{ab}{(ax+b)^2}$
$f''(0)=\frac{a}{b}+\frac{ab}{b^2}=\frac{2a}{b}=4$ $\therefore a=2b=2e^2$
따라서 $a=2e^2$, $b=e^2$

0475

다음 물음에 답하여라.

(1) 함수 $y=e^{-x}\cos x$에 대하여 등식

$y''+2y'+ay=0$

이 모든 실수 x에 대해 성립할 때, 상수 a의 값은?

① -2 ② -1 ③ 1
④ 2 ⑤ e

STEP Ⓐ $y'(x)$, $y''(x)$의 값 구하기

$y=e^{-x}\cos x$에서

$y'=(e^{-x})'\cos x+e^{-x}(\cos x)'$

$=-e^{-x}\cos x-e^{-x}\sin x$

$=-e^{-x}(\sin x+\cos x)$ …… ㉠

$y''=(-e^{-x})'(\sin x+\cos x)+(-e^{-x})(\sin x+\cos x)'$

$=e^{-x}(\sin x+\cos x)-e^{-x}(\cos x-\sin x)$

$=2e^{-x}\sin x$ …… ㉡

STEP Ⓑ 항등식의 성질을 이용하여 상수 a의 값 구하기

y와 ㉠, ㉡을 $y''+2y'+ay=0$에 대입하면

$2e^{-x}\sin x+2\{-e^{-x}(\sin x+\cos x)\}+ae^{-x}\cos x=(a-2)e^{-x}\cos x$

따라서 등식 $(a-2)e^{-x}\cos x=0$이 모든 실수 x에 대하여 성립하므로 $a=2$이어야 한다.

(2) 함수 $f(x)=e^{x}\cos 2x$에 대하여 등식

$f''(x)+af'(x)+5f(x)=0$

이 모든 실수 x에 대해 성립할 때, 상수 a의 값은?

① -2 ② -1 ③ 1
④ 2 ⑤ e

STEP Ⓐ $f'(x)$, $f''(x)$의 값 구하기

$f(x)=e^{x}\cos 2x$에서

$f'(x)=(e^{x})'\cos 2x+e^{x}(\cos 2x)'$

$=e^{x}\cos 2x-2e^{x}\sin 2x$

$=e^{x}(\cos 2x-2\sin 2x)$ …… ㉠

$f''(x)=(e^{x})'(\cos 2x-2\sin 2x)+e^{x}(\cos 2x-2\sin 2x)'$

$=e^{x}(\cos 2x-2\sin 2x)+e^{x}(-2\sin 2x-4\cos 2x)$

$=e^{x}(-4\sin 2x-3\cos 2x)$ …… ㉡

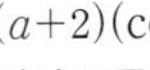 항등식의 성질을 이용하여 상수 a의 값 구하기

$f(x)$와 ㉠, ㉡을 $f''(x)+af'(x)+5f(x)=0$에 대입하면

$e^{x}(-4\sin 2x-3\cos 2x)+ae^{x}(\cos 2x-2\sin 2x)+5e^{x}\cos 2x=0$

$e^{x}\{(-2a-4)\sin 2x+(a+2)\cos 2x\}=0$

$\therefore e^{x}(a+2)(\cos 2x-2\sin 2x)=0$

이 등식이 모든 실수 x에 대하여 성립하므로 $a+2=0$

따라서 $a=-2$

단원종합문제 여러 가지 미분법

BASIC

0476

다음 물음에 답하여라.

(1) 함수 $f(x)=5e^{3x-3}$에 대하여 $f'(1)$의 값을 구하여라.

STEP Ⓐ 지수함수의 합성함수 미분법을 이용하여 구하기

$f(x)=5e^{3x-3}$의 양변을 x에 대하여 미분하면

$f'(x)=5e^{3x-3}(3x-3)'=15e^{3x-3}$

따라서 $f'(1)=15e^{0}=15$

(2) 함수 $f(x)=\cos x+4e^{2x}$에 대하여 $f'(0)$의 값을 구하여라.

STEP Ⓐ 지수함수의 합성함수 미분법을 이용하여 구하기

$f(x)=\cos x+4e^{2x}$에서 $f'(x)=-\sin x+8e^{2x}$

따라서 $f'(0)=0+8=8$

(3) 함수 $f(x)=\sin 3x-e^{5x}$에 대하여 $f'(0)$의 값을 구하여라.

STEP Ⓐ 지수함수의 합성함수 미분법을 이용하여 구하기

$f(x)=\sin 3x-e^{5x}$에서

$f'(x)=(3x)'\times\cos 3x-(5x)'\times e^{5x}=3\cos 3x-5e^{5x}$이므로

$f'(0)=3\cos 0-5e^{0}=3-5=-2$

0477

다음 물음에 답하여라.

(1) 함수 $f(x)=(2x^2-3)e^{-2x-4}$에 대하여 $f'(-2)$의 값은?

① -18 ② -16 ③ -14
④ -12 ⑤ -10

STEP Ⓐ 지수함수의 합성함수 미분법을 이용하여 구하기

$f(x)=(2x^2-3)e^{-2x-4}$의 양변을 x에 대하여 미분하면

$f'(x)=(2x^2-3)'\cdot e^{-2x-4}+(2x^2-3)\cdot(e^{-2x-4})'$

$=4xe^{-2x-4}+(2x^2-3)\cdot(-2)\cdot e^{-2x-4}$

$=(-4x^2+4x+6)e^{-2x-4}$

따라서 $f'(-2)=(-16-8+6)e^{0}=-18$

(2) 함수 $f(x)=(3x+e^{x})^3$에 대하여 $f'(0)$의 값은?

① 10 ② 12 ③ 14
④ 16 ⑤ 18

STEP Ⓐ 합성함수의 미분법을 이용하여 $f'(0)$의 값 구하기

$f(x)=(3x+e^{x})^3$에서 $f'(x)=3(3+e^{x})(3x+e^{x})^2$

$f'(0)=3\times 4\times 1=12$

0478

다음 물음에 답하여라.

(1) 함수 $f(x)=4\sin 7x$에 대하여 $f'(2\pi)$의 값을 구하여라.

STEP Ⓐ 삼각함수의 합성함수 미분법을 이용하여 구하기

$f(x)=4\sin 7x$에서 $f'(x)=28\cos 7x$

따라서 $f'(2\pi)=28\cos 14\pi=28\cdot 1=28$

(2) 함수 $f(x)=\ln(x^2+1)$에 대하여 $f'(1)$의 값을 구하여라.

STEP Ⓐ 로그함수의 합성함수 미분법을 이용하여 구하기

$f(x)=\ln(x^2+1)$이므로 $f'(x)=\dfrac{(x^2+1)'}{x^2+1}=\dfrac{2x}{x^2+1}$

따라서 $f'(1)=\dfrac{2}{1+1}=1$

(3) 함수 $f(x)=\ln(2x-1)$에 대하여 $f'(10)$의 값을 구하여라.

STEP Ⓐ 로그함수의 합성함수 미분법을 이용하여 구하기

$f(x)=\ln(2x-1)$의 양변을 x에 대하여 미분하면

$f'(x)=\dfrac{2}{2x-1}$이므로 $f'(10)=\dfrac{2}{19}$

0479

다음 물음에 답하여라. (단, $0<x<\dfrac{\pi}{2}$)

(1) 함수 $f(x)=\ln(\tan x)$에 대하여 $f'\left(\dfrac{\pi}{12}\right)$의 값을 구하여라.

STEP Ⓐ 로그함수의 합성함수 미분법을 이용하여 구하기

$f(x)=\ln(\tan x)$의 도함수를 $f'(x)$라 하면

$f'(x)=\dfrac{\sec^2 x}{\tan x}=\dfrac{1}{\sin x\cos x}=\dfrac{2}{\sin 2x}$

따라서 $f'\left(\dfrac{\pi}{12}\right)=\dfrac{2}{\sin\dfrac{\pi}{6}}=4$

(2) 함수 $f(x)=\ln(\cos^2 x)$에 대하여 $f'\left(\dfrac{\pi}{4}\right)$의 값을 구하여라.

STEP Ⓐ 로그함수의 합성함수 미분법을 이용하여 구하기

$f(x)=\ln(\cos^2 x)$의 도함수를 $f'(x)$라 하면

$f'(x)=\dfrac{(\cos^2 x)'}{\cos^2 x}=\dfrac{2\cos x\cdot(-\sin x)}{\cos^2 x}=-\dfrac{2\sin x}{\cos x}=-2\tan x$

따라서 $f'\left(\dfrac{\pi}{4}\right)=-2\tan\dfrac{\pi}{4}=-2$

(3) 함수 $f(x)=\ln(\sin^2 x)$에 대하여 $f'\left(\dfrac{\pi}{4}\right)$의 값을 구하여라.

STEP Ⓐ 로그함수의 합성함수 미분법을 이용하여 구하기

$f(x)=\ln(\sin^2 x)$의 도함수를 $f'(x)$라 하면

$f'(x)=\dfrac{2\sin x\cos x}{\sin^2 x}=\dfrac{2\cos x}{\sin x}$

따라서 $f'\left(\dfrac{\pi}{4}\right)=2$

(4) 함수 $f(x)=\log_2(\ln x^2)$에 대하여 $f'(e)$의 값을 구하여라.

STEP Ⓐ 로그함수의 합성함수 미분법을 이용하여 구하기

$f(x)=\log_2(\ln x^2)$의 도함수를 $f'(x)$라 하면

$f'(x)=\dfrac{(\ln x^2)'}{\ln x^2\ln 2}=\dfrac{\frac{2}{x}}{2\ln|x|\ln 2}=\dfrac{1}{x\ln|x|\ln 2}$

따라서 $f'(e)=\dfrac{1}{e\ln e\ln 2}=\dfrac{1}{e\ln 2}$

0480

다음 물음에 답하여라.

(1) 함수 $f(x)=\dfrac{x^2+2x+3}{2x}$의 $x=1$에서의 미분계수 $f'(1)$의 값을 구하면?

① -3 ② -2 ③ -1
④ 2 ⑤ 3

STEP Ⓐ 몫의 미분법을 이용하여 $f'(1)$의 값 구하기

$f(x)=\dfrac{x^2+2x+3}{2x}$의 양변을 x에 대하여 미분하면

$f'(x)=\dfrac{(2x+2)\cdot 2x-(x^2+2x+3)\cdot 2}{4x^2}=\dfrac{x^2-3}{2x^2}$

따라서 $f'(1)=\dfrac{1-3}{2}=-1$

(2) 함수 $f(x)=\dfrac{ax}{x+2}$에 대하여 $\lim\limits_{x\to1}\dfrac{f(x)-f(1)}{x^2-1}=3$일 때, 상수 a의 값은?

① 12 ② 18 ③ 24
④ 27 ⑤ 32

STEP Ⓐ 미분계수 변형하기

$\lim\limits_{x\to1}\dfrac{f(x)-f(1)}{x^2-1}=\lim\limits_{x\to1}\left\{\dfrac{f(x)-f(1)}{x-1}\cdot\dfrac{1}{x+1}\right\}=\dfrac{1}{2}\cdot f'(1)=3$

$\therefore\ f'(1)=6$

STEP Ⓑ 몫의 미분법을 이용하여 a의 값 구하기

$f(x)=\dfrac{ax}{x+2}$에서 $f'(x)=\dfrac{a\cdot(x+2)-ax\cdot 1}{(x+2)^2}=\dfrac{2a}{(x+2)^2}$

$f'(1)=\dfrac{2a}{9}=6$

따라서 $a=27$

0481

다음 물음에 답하여라.

(1) 함수 $f(x)=\frac{x^2+5}{x+1}$에 대하여 $\lim_{h\to0}\frac{f(3+3h)-f(3-h)}{h}$의 값은?

① 1 ② $\frac{3}{2}$ ③ 2
④ $\frac{5}{2}$ ⑤ 3

STEP A 미분계수의 변형을 이용하여 구하기

$\lim_{h\to0}\frac{f(3+3h)-f(3-h)}{h}$

$=\lim_{h\to0}\frac{\{f(3+3h)-f(3)\}-\{f(3-h)-f(3)\}}{h}$

$=\lim_{h\to0}\frac{f(3+3h)-f(3)}{3h}\cdot3-\lim_{h\to0}\frac{f(3-h)-f(3)}{-h}\cdot(-1)$

$=3f'(3)+f'(3)=4f'(3)$

STEP B 몫의 미분법을 이용하여 구하기

한편 $f'(x)=\frac{2x(x+1)-(x^2+5)}{(x+1)^2}=\frac{x^2+2x-5}{(x+1)^2}$

$f'(3)=\frac{3^2+2\times3-5}{(3+1)^2}=\frac{10}{16}=\frac{5}{8}$

따라서 $\lim_{h\to0}\frac{f(3+3h)-f(3-h)}{h}=4f'(3)=4\cdot\frac{5}{8}=\frac{5}{2}$

(2) 함수 $f(x)=\ln(2x+7)$에 대하여 $\lim_{h\to0}\frac{f(1+h)-f(1-h)}{h}$의 값은?

① $\frac{2}{9}$ ② $\frac{1}{3}$ ③ $\frac{4}{9}$
④ $\frac{5}{9}$ ⑤ $\frac{2}{3}$

STEP A 로그함수의 합성함수 미분법을 이용하여 구하기

$f(x)=\ln(2x+7)$에서

$f'(x)=\frac{(2x+7)'}{2x+7}=\frac{2}{2x+7}$이므로 $f'(1)=\frac{2}{2+7}=\frac{2}{9}$

STEP B 미분계수의 변형을 이용하여 구하기

따라서 $\lim_{h\to0}\frac{f(1+h)-f(1-h)}{h}=\lim_{h\to0}\frac{f(1+h)-f(1)+f(1)-f(1-h)}{h}$

$=\lim_{h\to0}\frac{f(1+h)-f(1)}{h}+\lim_{h\to0}\frac{f(1-h)-f(1)}{-h}$

$=f'(1)+f'(1)=2f'(1)$

$=2\times\frac{2}{9}=\frac{4}{9}$

(3) 함수 $f(x)=x\tan x$에 대하여 $\lim_{h\to0}\frac{f\left(\frac{\pi}{4}+h\right)-f\left(\frac{\pi}{4}-h\right)}{h}$의 값은?

① $\pi-2$ ② $\pi-1$ ③ π
④ $\pi+1$ ⑤ $\pi+2$

STEP A 삼각함수의 합성함수 미분법을 이용하여 구하기

$f(x)=x\tan x$에서 $f'(x)=\tan x+x\sec^2x$

STEP B 미분계수의 변형을 이용하여 구하기

$\lim_{h\to0}\frac{f\left(\frac{\pi}{4}+h\right)-f\left(\frac{\pi}{4}-h\right)}{h}=\lim_{h\to0}\frac{f\left(\frac{\pi}{4}+h\right)-f\left(\frac{\pi}{4}\right)-\left\{f\left(\frac{\pi}{4}-h\right)-f\left(\frac{\pi}{4}\right)\right\}}{h}$

$=\lim_{h\to0}\left\{\frac{f\left(\frac{\pi}{4}+h\right)-f\left(\frac{\pi}{4}\right)}{h}+\frac{f\left(\frac{\pi}{4}-h\right)-f\left(\frac{\pi}{4}\right)}{-h}\right\}$

$=2f'\left(\frac{\pi}{4}\right)=\pi+2$

0482

다음 물음에 답하여라.

(1) 모든 실수 x에 대하여 미분가능한 함수 $f(x)$가

$f(2x+1)=4x^2+2$

를 만족할 때, $f'(5)$의 값은?

① 2 ② 4 ③ 6
④ 8 ⑤ 10

STEP A 합성함수의 미분법을 이용하여 $f'(5)$의 값 구하기

$f(2x+1)=4x^2+2$의 양변을 x에 대하여 미분하면

$2\cdot f'(2x+1)=8x$

위의 식의 양변에 $x=2$를 대입하면 $2f'(5)=16$

따라서 $f'(5)=8$

(2) 모든 실수 x에 대하여 미분가능한 함수 $f(x)$가

$f(2x+3)=x^2+2x-4$

를 만족할 때, $f'(-1)$의 값은?

① -3 ② -2 ③ -1
④ 2 ⑤ 3

STEP A 합성함수의 미분법을 이용하여 $f'(-1)$ 구하기

$f(2x+3)=x^2+2x-4$의 양변을 x에 대하여 미분하면

$2f'(2x+3)=2x+2$ $\therefore f'(2x+3)=x+1$

따라서 위의 식의 양변에 $x=-2$를 대입하면 $f'(-1)=-2+1=-1$

0483

다음 물음에 답하여라.

(1) 실수 전체의 집합에서 미분가능한 함수 $f(x)$가 모든 실수 x에 대하여

$f(5x-1)=e^{x^2-1}$

을 만족시킬 때, $f'(4)$의 값은?

① $\frac{1}{10}$ ② $\frac{1}{5}$ ③ $\frac{3}{10}$
④ $\frac{2}{5}$ ⑤ $\frac{1}{2}$

STEP A 합성함수의 미분법 구하기

$f(5x-1)=e^{x^2-1}$의 양변을 x에 대하여 미분하면

$5f'(5x-1)=2xe^{x^2-1}$

STEP B $f'(4)$의 값 구하기

따라서 양변에 $x=1$을 대입하면 $5f'(4)=2\cdot1\cdot e^0$ $\therefore f'(4)=\frac{2}{5}$

(2) 실수 전체에서 미분가능한 함수 $f(x)$에 대하여

$f(3x-2)=\sin\pi x$

일 때, $f'(4)$의 값은?

① $\frac{\pi}{6}$ ② $\frac{\pi}{5}$ ③ $\frac{\pi}{4}$
④ $\frac{\pi}{3}$ ⑤ $\frac{\pi}{2}$

STEP A 합성함수의 미분법을 이용하여 $f'(4)$의 값 구하기

$f(3x-2)=\sin\pi x$에서 양변을 x로 미분하면

$3f'(3x-2)=\pi\cos\pi x$

$3x-2=4$에서 $x=2$

따라서 $3f'(4)=\pi\cos2\pi=\pi$이므로 $f'(4)=\frac{\pi}{3}$

0484

다음 물음에 답하여라.

(1) 함수

$$f(x)=\begin{cases} ax+4 (x \ge 1) \\ \dfrac{2x-b}{x+1} (x<1) \end{cases}$$

가 $x=1$에서 미분가능할 때, $a+b$의 값은?

① $-\dfrac{16}{3}$　② -5　③ $-\dfrac{14}{3}$　④ $\dfrac{14}{3}$　⑤ $\dfrac{16}{3}$

STEP Ⓐ $x=1$에서 연속임을 이용하여 a, b의 관계식 구하기

함수 $f(x)$는 $x=1$에서 연속이고 미분계수가 존재한다.

$x=1$에서 연속

$\lim_{x \to 1+}(ax+4)=\lim_{x \to 1-}\dfrac{2x-b}{x+1}=f(1)$

$a+4=\dfrac{2-b}{2}$이므로

$2a+8=2-b$에서 $2a+b=-6$ ⋯⋯ ㉠

STEP Ⓑ $x=1$에서 미분계수가 존재함을 이용하여 a, b의 관계식 구하기

함수 $f(x)$는 $x=1$에서 미분계수가 존재한다.

$f'(x)=\begin{cases} a (x>1) \\ \dfrac{2+b}{(x+1)^2} (x<1) \end{cases}$에서

$f'(1)=a=\dfrac{2+b}{4}$에서 $4a-b=2$⋯⋯ ㉡

따라서 ㉠, ㉡을 연립하여 풀면 $a=-\dfrac{2}{3}$, $b=-\dfrac{14}{3}$　$\therefore a+b=-\dfrac{16}{3}$

(2) 함수

$$f(x)=\begin{cases} ae^{-x}+1 (x>0) \\ b\sin\dfrac{\pi}{2}x-x (x \le 0) \end{cases}$$

이 모든 실수 x에서 미분가능할 때, 상수 a, b에 대하여 ab의 값은?

① $-\dfrac{4}{\pi}$　② $\dfrac{4}{\pi}$　③ 2　④ π　⑤ 2π

STEP Ⓐ $x=0$에서 연속임을 이용하여 a의 값 구하기

함수 $f(x)=\begin{cases} ae^{-x}+1 (x>0) \\ b\sin\dfrac{\pi}{2}x-x (x \le 0) \end{cases}$가 모든 실수 x에서 미분가능하므로

$x=0$에서도 미분가능하다.

$x=0$에서 연속이므로

$\lim_{x \to 0+}(ae^{-x}+1)=\lim_{x \to 0-}\left(b\sin\dfrac{\pi}{2}x-x\right)$

$a+1=0$　$\therefore a=-1$

STEP Ⓑ $x=0$에서 미분계수가 존재함을 이용하여 b의 값 구하기

$x=0$에서 미분계수가 존재하므로

$f'(x)=\begin{cases} -ae^{-x} (x>0) \\ b \cdot \dfrac{\pi}{2}\cos\dfrac{\pi}{2}x-1 (x<0) \end{cases}$

$\lim_{x \to 0+}(-ae^{-x})=\lim_{x \to 0-}\left(\dfrac{\pi}{2}b\cos\dfrac{\pi}{2}x-1\right)$

$-a=\dfrac{\pi}{2}b-1$ ⋯⋯ ㉠

$a=-1$을 ㉠에 대입하면 $b=\dfrac{4}{\pi}$

따라서 $a=-1$, $b=\dfrac{4}{\pi}$에 대하여 $ab=-\dfrac{4}{\pi}$

0485

다음 물음에 답하여라.

(1) 매개변수 $t(t>0)$으로 나타내어진 함수

$$x=t^2+1,\ y=\frac{2}{3}t^3+10t-1$$

에서 $t=1$일 때, $\dfrac{dy}{dx}$의 값은?

① 3　② 4　③ 5　④ 6　⑤ 8

STEP Ⓐ 매개변수로 나타낸 함수의 미분법을 이용하여 $\dfrac{dy}{dx}$ 구하기

$x=t^2+1$에서 $\dfrac{dx}{dt}=2t$

$y=\dfrac{2}{3}t^3+10t-1$에서 $\dfrac{dy}{dt}=2t^2+10$

$\therefore \dfrac{dy}{dx}=\dfrac{\frac{dy}{dt}}{\frac{dx}{dt}}=\dfrac{2t^2+10}{2t}$

따라서 $t=1$일 때, $\dfrac{dy}{dx}=\dfrac{12}{2}=6$

(2) 매개변수 t로 나타내어진 곡선

$$x=t^2+2,\ y=t^3+t-1$$

에서 $t=1$일 때, $\dfrac{dy}{dx}$의 값은?

① $\dfrac{1}{2}$　② 1　③ $\dfrac{3}{2}$　④ 2　⑤ $\dfrac{5}{2}$

STEP Ⓐ 매개변수로 나타낸 함수의 미분법을 이용하여 $\dfrac{dy}{dx}$ 구하기

$x=t^2+2$에서 $\dfrac{dx}{dt}=2t$

$y=t^3+t-1$에서 $\dfrac{dy}{dt}=3t^2+1$

$\therefore \dfrac{dy}{dx}=\dfrac{\frac{dy}{dt}}{\frac{dx}{dt}}=\dfrac{3t^2+1}{2t}$

따라서 $t=1$일 때, $\dfrac{dy}{dx}=2$

0486

다음 물음에 답하여라.

(1) 매개변수 $t(t>0)$로 나타내어진 함수 $x=t+2\sqrt{t}$, $y=4t^3$에 대하여

$t=1$일 때, $\frac{dy}{dx}$의 값은?

① 2 ② 4 ③ 6
④ 8 ⑤ 10

STEP A 매개변수로 나타낸 함수의 미분법을 이용하여 $\frac{dy}{dx}$ 구하기

$x=t+2\sqrt{t}$에서 $\frac{dx}{dt}=1+\frac{1}{\sqrt{t}}=\frac{\sqrt{t}+1}{\sqrt{t}}$

$y=4t^3$에서 $\frac{dy}{dt}=12t^2$ $\therefore \frac{dy}{dx}=\frac{\frac{dy}{dt}}{\frac{dx}{dt}}=\frac{12t^2}{\frac{\sqrt{t}+1}{\sqrt{t}}}=\frac{12t^2\sqrt{t}}{\sqrt{t}+1}$

따라서 $t=1$일 때, $\frac{dy}{dx}=6$

(2) 매개변수 $t(t>0)$으로 나타내어진 함수 $x=t+\sqrt{t}$, $y=t^3+\frac{1}{t}$에서

$t=1$일 때, $\frac{dy}{dx}$의 값은?

① $\frac{2}{3}$ ② 1 ③ $\frac{4}{3}$
④ $\frac{5}{3}$ ⑤ 2

STEP A 매개변수로 나타낸 함수의 미분법을 이용하여 $\frac{dy}{dx}$ 구하기

$\frac{dx}{dt}=1+\frac{1}{2\sqrt{t}}$, $\frac{dy}{dt}=3t^2-\frac{1}{t^2}$이므로 $\frac{dy}{dx}=\frac{\frac{dy}{dt}}{\frac{dx}{dt}}=\frac{3t^2-\frac{1}{t^2}}{1+\frac{1}{2\sqrt{t}}}$

따라서 $t=1$일 때, $\frac{dy}{dx}=\frac{4}{3}$

0487

다음 물음에 답하여라.

(1) 매개변수 t로 나타내어진 함수 $x=\frac{1}{3}t^3+\frac{1}{2}t^2-2t$, $y=\frac{1}{4}t^4-t$에

대하여 $\lim_{t\to1}\frac{dy}{dx}$의 값은?

① -2 ② -1 ③ 1
④ 2 ⑤ 3

STEP A 매개변수로 나타낸 함수의 미분법을 이용하여 $\frac{dy}{dx}$ 구하기

$\frac{dx}{dt}=t^2+t-2$, $\frac{dy}{dt}=t^3-1$이므로 $\frac{dy}{dx}=\frac{t^3-1}{t^2+t-2}$

STEP B $\lim_{t\to1}\frac{dy}{dx}$의 값 구하기

$\therefore \lim_{t\to1}\frac{dy}{dx}=\lim_{t\to1}\frac{t^3-1}{t^2+t-2}=\lim_{t\to1}\frac{(t-1)(t^2+t+1)}{(t-1)(t+2)}=\lim_{t\to1}\frac{t^2+t+1}{t+2}=1$

(2) 매개변수 t로 나타낸 함수 $x=t^3-3t^2$, $y=2t^3-9t^2+12t$에 대하여

$\lim_{t\to\infty}\frac{dy}{dx}$의 값은?

① 1 ② 2 ③ 3
④ 4 ⑤ 5

STEP A 매개변수로 나타낸 함수의 미분법을 이용하여 $\frac{dy}{dx}$ 구하기

$\frac{dx}{dt}=3t^2-6t$, $\frac{dy}{dt}=6t^2-18t+12$이므로

$\frac{dy}{dx}=\frac{6t^2-18t+12}{3t^2-6t}=2-\frac{2}{t}$ ($t\neq0$ 그리고 $t\neq2$)

STEP B $\lim_{t\to\infty}\frac{dy}{dx}$의 값 구하기

따라서 $\lim_{t\to\infty}\frac{dy}{dx}=\lim_{t\to\infty}\left(2-\frac{2}{t}\right)=2$

0488

다음 물음에 답하여라.

(1) 매개변수 θ로 나타내어진 함수

$$x=\tan\theta,\ y=\cos^2\theta\ \left(\text{단, } -\frac{\pi}{2}<\theta<\frac{\pi}{2}\right)$$

에 대하여 이 곡선 위의 점 $\left(1, \frac{1}{2}\right)$에서의 접선의 기울기는?

① -1 ② $-\frac{1}{2}$ ③ $\frac{1}{2}$
④ 1 ⑤ 2

STEP A 매개변수로 나타낸 함수의 미분법을 이용하여 $\frac{dy}{dx}$ 구하기

$x=\tan\theta$에서 $\frac{dx}{d\theta}=\sec^2\theta$

$y=\cos^2\theta$에서 $\frac{dy}{d\theta}=-2\cos\theta\sin\theta$

$\therefore \frac{dy}{dx}=\frac{\frac{dy}{d\theta}}{\frac{dx}{d\theta}}=\frac{-2\cos\theta\sin\theta}{\sec^2\theta}$

STEP B 곡선 위의 점 $\left(1, \frac{1}{2}\right)$에서의 접선의 기울기 구하기

$x=1$일 때, $1=\tan\theta$ $\therefore \theta=\frac{\pi}{4}\left(\because -\frac{\pi}{2}<\theta<\frac{\pi}{2}\right)$

따라서 $\theta=\frac{\pi}{4}$에서 접선의 기울기는 $\frac{-2\cos\frac{\pi}{4}\sin\frac{\pi}{4}}{\sec^2\frac{\pi}{4}}=-\frac{1}{2}$

(2) 매개변수 θ로 나타내어진 함수 $x=5\cos^3\theta$, $y=5\sin^3\theta$에 대하여

$\theta=\frac{\pi}{3}$일 때의 $\frac{dy}{dx}$의 값은?

① $-\sqrt{3}$ ② $-\frac{\sqrt{3}}{2}$ ③ 1
④ $\frac{\sqrt{3}}{2}$ ⑤ $\sqrt{3}$

STEP A 매개변수로 나타낸 곡선의 도함수 $\frac{dy}{dx}$ 구하기

$x=5\cos^3\theta$, $y=5\sin^3\theta$에서

$\frac{dx}{d\theta}=15\cos^2\theta(\cos\theta)'=15\cos^2\theta(-\sin\theta)=-15\sin\theta\cos^2\theta$

$\frac{dy}{d\theta}=15\sin^2\theta(\sin\theta)'=15\sin^2\theta\cos\theta$

$\therefore \frac{dy}{dx}=\frac{\frac{dy}{d\theta}}{\frac{dx}{d\theta}}=\frac{15\sin^2\theta\cos\theta}{-15\sin\theta\cos^2\theta}=-\tan\theta$

STEP B $\theta=\frac{\pi}{3}$일 때, 접선의 기울기 구하기

따라서 $\theta=\frac{\pi}{3}$일 때, $\frac{dy}{dx}$의 값은 $-\tan\frac{\pi}{3}=-\sqrt{3}$

0489

다음 물음에 답하여라.

(1) 매개변수 $t(0 \le t \le 2\pi)$로 나타낸 곡선 $x=\sin t$, $y=\sin 2t$에 대하여 $t=\frac{\pi}{3}$에 대응하는 점에서의 접선의 기울기는?

① -2 ② $-\frac{5}{3}$ ③ $-\frac{4}{3}$
④ -1 ⑤ $-\frac{2}{3}$

STEP Ⓐ 매개변수로 나타낸 함수의 미분법을 이용하여 $\frac{dy}{dx}$ 구하기

$\frac{dx}{dt}=\cos t$, $\frac{dy}{dt}=2\cos 2t$이므로

$\frac{dy}{dx}=\frac{\frac{dy}{dt}}{\frac{dx}{dt}}=\frac{2\cos 2t}{\cos t}$ (단, $\cos t \ne 0$) …… ㉠

따라서 $t=\frac{\pi}{3}$에 대응하는 점에서의 접선의 기울기는 ㉠에 $t=\frac{\pi}{3}$를 대입한 값과 같으므로 $\frac{2\cos\frac{2}{3}\pi}{\cos\frac{\pi}{3}}=\frac{2\times\left(-\frac{1}{2}\right)}{\frac{1}{2}}=-2$

(2) 매개변수 $t\left(\frac{\pi}{4}<t<\frac{3\pi}{4}\right)$로 나타낸 곡선 $x=e^t\cos t$, $y=e^t\sin t$에 대하여 $t=\frac{\pi}{2}$에 대응하는 점에서의 접선의 기울기는?

① -2 ② -1 ③ 0
④ 1 ⑤ 2

STEP Ⓐ 매개변수로 나타낸 함수의 미분법을 이용하여 $\frac{dy}{dx}$ 구하기

$x=e^t\cos t$, $y=e^t\sin t$에서

$\frac{dx}{dt}=e^t\cos t-e^t\sin t$, $\frac{dy}{dt}=e^t\sin t+e^t\cos t$

$\frac{dy}{dx}=\frac{\frac{dy}{dt}}{\frac{dx}{dt}}=\frac{e^t\sin t+e^t\cos t}{e^t\cos t-e^t\sin t}=\frac{\sin t+\cos t}{\cos t-\sin t}$ …… ㉠

따라서 $t=\frac{\pi}{2}$에 대응하는 점에서의 접선의 기울기는 ㉠에 $t=\frac{\pi}{2}$를 대입한 값과 같으므로 $\frac{1+0}{0-1}=-1$

0490

다음 물음에 답하여라.

(1) 좌표평면에서 곡선 $3x^3-xy^2=6$ 위의 점 $(2, 3)$에서의 접선의 기울기를 m이라 할 때, $40m$의 값은?.

① 60 ② 70 ③ 80
④ 90 ⑤ 100

STEP Ⓐ 음함수의 미분법을 이용하여 $\frac{dy}{dx}$ 구하기

$3x^3-xy^2=6$의 양변을 x에 대하여 미분하면

$9x^2-y^2-2xy\cdot\frac{dy}{dx}=0$, $9x^2-y^2=2xy\cdot\frac{dy}{dx}$

$\therefore \frac{dy}{dx}=\frac{9x^2-y^2}{2xy}$ $(x\ne 0,\ y\ne 0)$

STEP Ⓑ 점 $(2, 3)$에서의 접선의 기울기 구하기

점 $(2, 3)$에서의 접선의 기울기는 $\frac{9\cdot 2^2-3^2}{2\cdot 2\cdot 3}=\frac{27}{12}=\frac{9}{4}$

따라서 $m=\frac{9}{4}$ 이므로 $40m=40\times\frac{9}{4}=90$

(2) 곡선 $x^2+2ye^x+y^3=3$ 위의 점 $(0, 1)$에서의 접선의 기울기는?

① $-\frac{2}{5}$ ② $-\frac{1}{5}$ ③ 0
④ $\frac{1}{5}$ ⑤ $\frac{2}{5}$

STEP Ⓐ 음함수의 미분법을 이용하여 $\frac{dy}{dx}$ 구하기

$x^2+2ye^x+y^3=3$의 양변을 x에 대하여 미분하면

$2x+2\left(\frac{dy}{dx}\cdot e^x+ye^x\right)+3y^2\frac{dy}{dx}=0$

$\therefore \frac{dy}{dx}=\frac{-2x-2ye^x}{2e^x+3y^2}$

STEP Ⓑ 점 $(0, 1)$에서의 접선의 기울기 구하기

따라서 위의 점 $(0, 1)$에서의 접선의 기울기는 $\frac{-2\times 0-2\times 1\times 1}{2\times 1+3\times 1}=-\frac{2}{5}$

0491

다음 물음에 답하여라. (단, e는 자연로그의 밑이다.)

(1) 곡선 $e^x\sin y=\frac{\sqrt{2}}{2}\left(0<y<\frac{\pi}{2}\right)$에 대하여 $x=0$인 점에서의 접선의 기울기는?

① $-2e$ ② $-e$ ③ -2
④ -1 ⑤ $-\frac{1}{e}$

STEP Ⓐ 음함수의 미분법을 이용하여 $\frac{dy}{dx}$ 구하기

$e^x\sin y=\frac{\sqrt{2}}{2}$의 양변을 x에 대하여 미분하면

$\frac{d}{dx}(e^x\sin y)=e^x\sin y+e^x\cos y\cdot\frac{dy}{dx}=0$

$\therefore \frac{dy}{dx}=-\frac{\sin y}{\cos y}=-\tan y$

STEP Ⓑ $x=0$인 점에서의 접선의 기울기 구하기

이때 곡선 $e^x\sin y=\frac{\sqrt{2}}{2}$에서 $x=0$이면 $\sin y=\frac{\sqrt{2}}{2}$

따라서 $y=\frac{\pi}{4}$이므로 점 $\left(0, \frac{\pi}{4}\right)$에서의 접선의 기울기는 $-\tan\frac{\pi}{4}=-1$

(2) y가 x의 함수일 때, 곡선 $e^x\ln y=1$ 위의 점 $(0, e)$에서의 접선의 기울기는?

① $-e$ ② $-\frac{1}{e}$ ③ $\frac{1}{e}$
④ e ⑤ $2e$

STEP Ⓐ 음함수의 미분법을 이용하여 $\frac{dy}{dx}$ 구하기

$e^x\ln y=1$에서 $\ln y=e^{-x}$의 양변을 x에 대하여 미분하면

$\frac{1}{y}\frac{dy}{dx}=-e^{-x}$ $\therefore \frac{dy}{dx}=-y\cdot e^{-x}$ …… ㉠

STEP Ⓑ 점 $(0, e)$에서의 접선의 기울기 구하기

따라서 점 $(0, e)$에서의 접선의 기울기는 ㉠에 $x=0$, $y=e$를 대입하면

$-e\cdot e^0=-e$

(3) 곡선 $e^{3x}\ln y=2$ 위의 점 $(0, e^2)$에서의 접선의 기울기는?

① $-6e^2$ ② $-5e^2$ ③ $-4e^2$
④ $-3e^2$ ⑤ $-2e^2$

STEP A 음함수의 미분법을 이용하여 $\frac{dy}{dx}$ 구하기

$e^{3x}\ln y=2$에서 $\ln y=2e^{-3x}$의 양변을 x에 대하여 미분하면

$\frac{1}{y}\cdot\frac{dy}{dx}=-6e^{-3x}$

$\therefore \frac{dy}{dx}=-6e^{-3x}\cdot y$ ······ ㉠

STEP B 점 $(0, e^2)$에서의 접선의 기울기 구하기

따라서 점 $(0, e^2)$에서의 접선의 기울기는 ㉠에 $x=0$, $y=e^2$을 대입하면

$-6e^0\cdot e^2=-6e^2$

(4) 곡선 $xy-y^3\ln x=2$에 대하여 $x=1$일 때, $\frac{dy}{dx}$의 값은?

① 0 ② 2 ③ 4
④ 6 ⑤ 8

STEP A 음함수의 미분법을 이용하여 $\frac{dy}{dx}$ 구하기

$xy-y^3\ln x=2$에서 음함수의 미분법에 의하여

$y+x\frac{dy}{dx}-3y^2\frac{dy}{dx}\ln x-y^3\frac{1}{x}=0$

$\frac{dy}{dx}=\frac{\frac{y^3}{x}-y}{x-3y^2\ln x}$ (단, $x-3y^2\ln x\neq 0$)

STEP B $x=1$일 때, $\frac{dy}{dx}$의 값 구하기

따라서 $x=1$일 때, $y=2$이므로 $\frac{dy}{dx}=\frac{8-2}{1-0}=6$ ⬅ $1\cdot y-y^3\ln 1=2$

0492

다음 물음에 답하여라.

(1) 곡선 $2x^3+3y^3-axy^2+b=0$ 위의 점 $(0, 1)$에서의 $\frac{dy}{dx}$의 값이 1일 때, 상수 a, b의 곱 ab의 값은?

① -27 ② -18 ③ 12
④ 18 ⑤ 27

STEP A 음함수의 미분법을 이용하여 $\frac{dy}{dx}$ 구하기

$2x^3+3y^3-axy^2+b=0$의 양변을 x에 대하여 미분하면

$6x^2+9y^2\frac{dy}{dx}-ay^2-2axy\frac{dy}{dx}=0$

$(9y^2-2axy)\frac{dy}{dx}=ay^2-6x^2$

$\therefore \frac{dy}{dx}=\frac{ay^2-6x^2}{9y^2-2axy}$

STEP B 점 $(0, 1)$에서의 접선의 기울기가 1임을 이용하여 a, b의 값 구하기

$x=0$, $y=1$에서 $\frac{dy}{dx}$의 값이 1이므로 $\frac{a}{9}=1$

$\therefore a=9$

또, 곡선 $2x^2+3y^3-axy^2+b=0$이 점 $(0, 1)$을 지나므로 $3+b=0$

$\therefore b=-3$

따라서 $ab=-27$

(2) 곡선 $x^2+axy+y^2+b=0$ 위의 점 $(-3, 0)$에서의 $\frac{dy}{dx}$의 값이 3일 때, 상수 a, b의 곱 ab의 값은?

① 4 ② 6 ③ 8
④ 10 ⑤ 16

STEP A 음함수의 미분법을 이용하여 $\frac{dy}{dx}$ 구하기

$x^2+axy+y^2+b=0$의 양변을 x에 대하여 미분하면

$2x+a\left(y+x\frac{dy}{dx}\right)+2y\frac{dy}{dx}=0$

$(ax+2y)\frac{dy}{dx}=-(2x+ay)$

$\therefore \frac{dy}{dx}=-\frac{2x+ay}{ax+2y}$

STEP B 점 $(-3, 0)$에서의 접선의 기울기가 3임을 이용하여 a, b의 값 구하기

$x=-3$, $y=0$에서 $\frac{dy}{dx}$의 값이 3이므로

$-\frac{-6}{-3a}=3$에서 $a=-\frac{2}{3}$

$x^2+axy+y^2+b=0$ ······ ㉠

㉠이 점 $(-3, 0)$을 지나므로 $9+b=0$

$\therefore b=-9$

따라서 $ab=-\frac{2}{3}\times(-9)=6$

0493

다음 물음에 답하여라.

(1) 함수 $f(x)=x^3+x+1$의 역함수를 $g(x)$라 할 때, $g'(1)$의 값은?

① $\frac{1}{3}$ ② $\frac{2}{5}$ ③ $\frac{2}{3}$
④ $\frac{4}{5}$ ⑤ 1

STEP A 역함수의 미분법을 이용하여 미분계수 구하기

$f(x)$이 역함수는 $g(x)$이고

$f(0)=0+0+1=1$이므로 $g(1)=0$

$f(x)=x^3+x+1$에서 $f'(x)=3x^2+1$이므로 $f'(0)=1$

따라서 $f(g(x))=x$에서 $f'(g(x))g'(x)=1$이므로

$g'(1)=\frac{1}{f'(g(1))}=\frac{1}{f'(0)}=\frac{1}{1}=1$

(2) 함수 $f(x)=x^3-5x^2+9x-5$의 역함수를 $g(x)$라 할 때, 곡선 $y=g(x)$ 위의 점 $(4, g(4))$에서의 접선의 기울기는?

① $\frac{1}{18}$ ② $\frac{1}{12}$ ③ $\frac{1}{9}$
④ $\frac{5}{36}$ ⑤ $\frac{1}{6}$

STEP A $f(k)=4$를 만족하는 k의 값 구하기

$g(4)=k$라 하면 $f(k)=4$

$k^3-5k^2+9k-5=4$

$k^3-5k^2+9k-9=0$

$(k-3)(k^2-2k+3)=0$

k는 실수이므로 $k=3$ $\therefore g(4)=3$

STEP B 역함수의 미분법을 이용하여 $g'(4)$의 값 구하기

$f(x)=x^3-5x^2+9x-5$에서

$f'(x)=3x^2-10x+9$이므로 $f'(3)=6$

따라서 역함수의 미분법에 의하여 곡선 $y=g(x)$ 위의 점 $(4, g(4))$에서의

접선의 기울기는 $g'(4)=\frac{1}{f'(g(4))}=\frac{1}{f'(3)}=\frac{1}{6}$

0494

다음 물음에 답하여라.

(1) 함수 $f(x)=\dfrac{x^2-1}{x}(x>0)$의 역함수 $g(x)$에 대하여 $g'(0)$의 값은?

① $\dfrac{1}{4}$　② $\dfrac{1}{2}$　③ $\dfrac{3}{4}$
④ 1　⑤ $\dfrac{5}{4}$

STEP Ⓐ $f(x)$의 역함수가 $g(x)$이므로 $g'(x)=\dfrac{1}{f'(g(x))}$임을 이용하기

$f(x)$의 역함수가 $g(x)$이므로 $f(g(x))=x$

양변을 x에 대하여 미분하면 $f'(g(x))\cdot g'(x)=1$

$g'(x)=\dfrac{1}{f'(g(x))}$

STEP Ⓑ $g'(0)$의 값 구하기

$f(x)=\dfrac{x^2-1}{x}$에서 $f'(x)=\dfrac{2x\times x-(x^2-1)}{x^2}=\dfrac{x^2+1}{x^2}$이므로 $f'(1)=2$

또한, $f(1)=0$이므로 $g(0)=1$

따라서 $g'(0)=\dfrac{1}{f'(g(0))}=\dfrac{1}{f'(1)}=\dfrac{1}{2}$

$g(f(x))=x$의 양변을 x에 대하여 미분하면 $g'(f(x))\cdot f'(x)=1$

$g'(f(x))=\dfrac{1}{f'(x)}$

$f(x)=0$일 때, $x=1(\because x>0)$이므로 $g'(0)=\dfrac{1}{f'(1)}$

(2) 함수 $f(x)=e^x+\ln x$의 역함수를 $g(x)$라 할 때, $g'(e)$의 값은?

① $\dfrac{1}{e}$　② $\dfrac{1}{e+1}$　③ $\dfrac{e}{e+1}$
④ e　⑤ $e+1$

STEP Ⓐ $f'(1)$의 값 구하기

$g(e)=a$라 하면 $f(a)=e$

$e^a+\ln a=e$를 만족하는 $a=1$

이때 $f(x)=e^x+\ln x$에서 $f'(x)=e^x+\dfrac{1}{x}$이므로 $f'(1)=e+1$

STEP Ⓑ $f(x)$의 역함수가 $g(x)$이므로 $g'(x)=\dfrac{1}{f'(g(x))}$임을 이용하기

따라서 $g'(e)=\dfrac{1}{f'(g(e))}=\dfrac{1}{f'(1)}=\dfrac{1}{e+1}$

0495

다음 물음에 답하여라.

(1) 함수 $f(x)=x^3+3x$의 역함수를 $g(x)$라 할 때, $\lim\limits_{x\to4}\dfrac{g(x)-g(4)}{x-4}$의 값은?

① $\dfrac{1}{6}$　② $\dfrac{1}{5}$　③ $\dfrac{1}{4}$
④ $\dfrac{1}{3}$　⑤ $\dfrac{1}{2}$

STEP Ⓐ $f(k)=4$를 만족하는 k의 값 구하기

$\lim\limits_{x\to4}\dfrac{g(x)-g(4)}{x-4}=g'(4)$이므로

$g(4)=k$라 하면

$f(k)=4$이므로 $k^3+3k-4=0$

$(k-1)(k^2+k+4)=0$

$\therefore k=1$

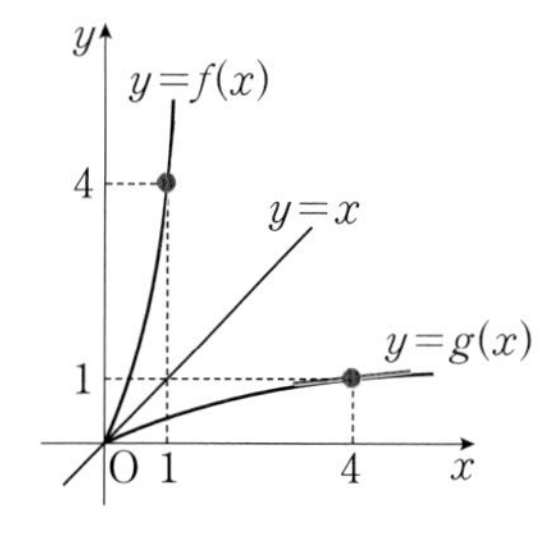

STEP Ⓑ 역함수의 미분법을 이용하여 $g'(4)$의 값 구하기

$f(x)=x^3+3x$에서 $f'(x)=3x^2+3$이므로 $f'(1)=6$

따라서 역함수의 미분법에 의하여 $\lim\limits_{x\to4}\dfrac{g(x)-g(4)}{x-4}=g'(4)=\dfrac{1}{f'(1)}=\dfrac{1}{6}$

(2) 함수 $f(x)=x^3-x^2+3x-1$의 역함수를 $g(x)$라고 할 때, $\lim\limits_{h\to0}\dfrac{g(2+3h)-g(2-h)}{h}$의 값은?

① $\dfrac{1}{4}$　② $\dfrac{1}{3}$　③ $\dfrac{1}{2}$
④ 1　⑤ 2

STEP Ⓐ $f(a)=3$을 만족하는 a의 값 구하기

$\lim\limits_{h\to0}\dfrac{g(2+3h)-g(2-h)}{h}$

$=\lim\limits_{h\to0}\dfrac{g(2+3h)-g(2)}{3h}\cdot3+\lim\limits_{h\to0}\dfrac{g(2-h)-g(2)}{-h}$

$=3g'(2)+g'(2)$

$=4g'(2)$

이므로 $g(2)=a$라 하면

$f(a)=2$에서 $a^3-a^2+3a-1=2$

$a^3-a^2+3a-3=(a-1)(a^2+3)=0$

$\therefore a=1(\because a^2+3>0)$

STEP Ⓑ 역함수의 미분법을 이용하여 $4g'(2)$의 값 구하기

즉 $f(1)=2$, $g(2)=1$

$f'(x)=3x^2-2x+3$이므로 $f'(1)=4$

$\therefore g'(2)=\dfrac{1}{f'(1)}=\dfrac{1}{4}$

따라서 $\lim\limits_{h\to0}\dfrac{g(2+3h)-g(2-h)}{h}=4g'(2)=4\cdot\dfrac{1}{4}=1$

0496

함수 $f(x)=\ln(e^x-1)$의 역함수를 $g(x)$라 할 때, 양수 a에 대하여 $\dfrac{1}{f'(a)}+\dfrac{1}{g'(a)}$의 값은?

① 2　② 4　③ 6
④ 8　⑤ 10

STEP Ⓐ 합성함수의 미분법을 이용하여 $f'(x)$ 구하기

$f(x)=\ln(e^x-1)$에서 $f'(x)=\dfrac{e^x}{e^x-1}$

STEP Ⓑ 역함수 $g(x)$에 대하여 $g(a)$의 값 구하기

$g(a)=k$라 하면

$f(k)=a$이므로 $f(k)=\ln(e^k-1)=a$

즉 $e^k-1=e^a$에서 $e^k=e^a+1$

$\therefore k=\ln(e^a+1)$

STEP Ⓒ $f(x)$의 역함수가 $g(x)$이므로 $g'(x)=\dfrac{1}{f'(g(x))}$임을 이용하기

$g(a)=\ln(e^a+1)$이므로

$g'(a)=\dfrac{1}{f'(g(a))}=\dfrac{1}{f'(\ln(e^a+1))}=\dfrac{1}{\dfrac{e^{\ln(e^a+1)}}{e^{\ln(e^a+1)}-1}}=\dfrac{e^a}{e^a+1}$

따라서 $\dfrac{1}{f'(a)}+\dfrac{1}{g'(a)}=\dfrac{e^a-1}{e^a}+\dfrac{e^a+1}{e^a}=\dfrac{2e^a}{e^a}=2$

다른풀이 역함수를 직접 구하여 풀이하기

STEP Ⓐ $\{\ln(f(x))\}'=\dfrac{f'(x)}{f(x)}$임을 이용하여 $f'(x)$ 구하기

$f(x)=\ln(e^x-1)$에서 $f'(x)=\dfrac{e^x}{e^x-1}$

STEP Ⓑ $f(x)$의 역함수 $g(x)$ 구하기

$y=\ln(e^x-1)$에서 x와 y를 바꾸면 $x=\ln(e^y-1)$

$e^y-1=e^x$이므로 $e^y=e^x+1$

$\therefore\ g(x)=\ln(e^x+1)$

$g(x)$를 x에 대하여 미분하면 $g'(x)=\dfrac{e^x}{e^x+1}$

STEP Ⓒ $f'(x)$와 $g'(x)$를 구하여 $x=a$ 대입하기

$f'(x)=\dfrac{e^x}{e^x-1}$, $g'(x)=\dfrac{e^x}{e^x+1}$

따라서 $\dfrac{1}{f'(a)}+\dfrac{1}{g'(a)}=\dfrac{e^a-1}{e^a}+\dfrac{e^a+1}{e^a}=\dfrac{2e^a}{e^a}=2$

0497

함수 $f(x)=xe^x\,(x>0)$의 역함수를 $g(x)$라 할 때, 곡선 $y=g(x)$는 점 $(e,\ 1)$을 지난다. $\lim\limits_{h\to0}\dfrac{g(e+h)-g(e)}{h}$의 값은?

① $\dfrac{1}{2e}$ ② $\dfrac{1}{e}$ ③ 1
④ e ⑤ $2e$

STEP Ⓐ 역함수의 미분법을 이용하여 $g'(e)$구하기

곡선 $y=g(x)$가 점 $(e,\ 1)$을 지나므로 $g(e)=1$

함수 $f(x)$의 역함수가 $g(x)$이므로 $f(g(x))=x$

양변을 x에 대하여 미분하면

$f'(g(x))g'(x)=1$이므로 $g'(x)=\dfrac{1}{f'(g(x))}$

$x=e$를 대입하면 $g'(e)=\dfrac{1}{f'(g(e))}=\dfrac{1}{f'(1)}$

$f(x)=xe^x\,(x>0)$에서 $f'(x)=e^x+xe^x=(x+1)e^x$

$f'(1)=2e$이므로 $g'(e)=\dfrac{1}{f'(g(e))}=\dfrac{1}{f'(1)}=\dfrac{1}{2e}$

STEP Ⓑ 미분계수의 정의를 이용하여 극한값 구하기

따라서 $\lim\limits_{h\to0}\dfrac{g(e+h)-g(e)}{h}=g'(e)=\dfrac{1}{f'(g(e))}=\dfrac{1}{f'(1)}=\dfrac{1}{2e}$

0498

다음 물음에 답하여라.

(1) 함수 $f(x)=\tan^3x\left(-\dfrac{\pi}{2}<x<\dfrac{\pi}{2}\right)$의 역함수를 $g(x)$라 할 때, 곡선 $y=g(x)$ 위의 점 $(1,\ g(1))$에서의 접선의 기울기는?

① $\dfrac{1}{6}$ ② $\dfrac{1}{3}$ ③ $\dfrac{1}{2}$
④ $\dfrac{2}{3}$ ⑤ $\dfrac{5}{6}$

STEP Ⓐ $g(1)=k$를 만족하는 k 구하기

$g(x)$가 함수 $f(x)$의 역함수이므로 $g(1)=k$라 하면 $f(k)=1$

$\tan^3k=1$에서 $\tan k=1$

$-\dfrac{\pi}{2}<k<\dfrac{\pi}{2}$에서 $k=\dfrac{\pi}{4}$

$\therefore\ g(1)=\dfrac{\pi}{4}$

STEP Ⓑ 점 $(1,\ g(1))$에서의 접선의 기울기 구하기

$f'(x)=3\tan^2x\sec^2x$에서

$f'\left(\dfrac{\pi}{4}\right)=3\left(\tan\dfrac{\pi}{4}\right)^2\left(\sec\dfrac{\pi}{4}\right)^2=3\times1^2\times(\sqrt{2})^2=6$

따라서 점 $(1,\ g(1))$에서의 접선의 기울기는 $g'(1)=\dfrac{1}{f'(g(1))}=\dfrac{1}{f'\left(\frac{\pi}{4}\right)}=\dfrac{1}{6}$

(2) $0\le x\le\dfrac{\pi}{2}$에서 정의된 함수 $f(x)=2\sin x+1$의 역함수를 $g(x)$라 할 때, $g'(2)$의 값은?

① $\dfrac{\sqrt{2}}{3}$ ② $\dfrac{1}{2}$ ③ $\dfrac{\sqrt{3}}{3}$
④ $\dfrac{\sqrt{2}}{2}$ ⑤ $\dfrac{\sqrt{3}}{2}$

STEP Ⓐ $f(x)$의 역함수 $g(x)$이므로 $g'(x)=\dfrac{1}{f'(g(x))}$임을 이용하기

$f(x)$의 역함수가 $g(x)$이므로 $f(g(x))=x$

양변을 x에 대하여 미분하면 $f'(g(x))g'(x)=1$

$\therefore\ g'(x)=\dfrac{1}{f'(g(x))}$

한편 $f'(x)=2\cos x$이고 $g(2)=\theta$라 하면 $f(\theta)=2$

$f(\theta)=2\sin\theta+1=2$에서 $\sin\theta=\dfrac{1}{2}$ $\quad\therefore\ \theta=\dfrac{\pi}{6}\left(\because\ 0\le\theta\le\dfrac{\pi}{2}\right)$

즉 $g(2)=\dfrac{\pi}{6}$

STEP Ⓑ $g'(2)$의 값을 구하기

따라서 $g'(2)=\dfrac{1}{f'(g(2))}=\dfrac{1}{f'\left(\frac{\pi}{6}\right)}=\dfrac{1}{2\cos\frac{\pi}{6}}=\dfrac{\sqrt{3}}{3}$

참고 $f(x)$의 역함수가 $g(x)$이고 $f\left(\dfrac{\pi}{6}\right)=2$이므로 $g(2)=\dfrac{\pi}{6}$일 때,

⇨ $f'\left(\dfrac{\pi}{6}\right)\cdot g'(2)=1$

0499

다음 물음에 답하여라.

(1) 함수 $f(x)=(x^2+2)e^{-x}$에 대하여 함수 $g(x)$가 미분가능하고

$$g\left(\frac{x+8}{10}\right)=f^{-1}(x),\ g(1)=0$$

을 만족시킬 때, $|g'(1)|$의 값을 구하여라.

STEP Ⓐ 역함수의 정의를 이용하여 $f(0)$구하기

$g\left(\dfrac{x+8}{10}\right)=f^{-1}(x)$, $g(1)=0$에서 $\dfrac{x+8}{10}=1$이면

$x=2$이므로 $g(1)=f^{-1}(2)=0$

즉 $f(0)=2$

STEP Ⓑ 역함수의 미분법을 이용하여 $g'(1)$ 구하기

$g\left(\dfrac{x+8}{10}\right)=f^{-1}(x)$에서 $f\left(g\left(\dfrac{x+8}{10}\right)\right)=x$

양변을 x에 대하여 미분하면

$f'\left(g\left(\dfrac{x+8}{10}\right)\right)\times g'\left(\dfrac{x+8}{10}\right)\times\dfrac{1}{10}=1$

이 식에 $x=2$를 대입하면

$f'(g(1))\times g'(1)=10$

$f'(0)\times g'(1)=10$ …… ㉠

한편 $f'(x)=2xe^{-x}-(x^2+2)e^{-x}=(2x-x^2-2)e^{-x}$

이므로 $f'(0)=-2$

㉠에서 $(-2)\times g'(1)=10$이므로 $g'(1)=-5$

따라서 $|g'(1)|=|-5|=5$

역함수의 미분법

$g\left(\frac{x+8}{10}\right)=f^{-1}(x)$의 양변을 x에 대하여 미분하면

$g'\left\{\left(\frac{x+8}{10}\right)\right\}\times\frac{1}{10}=\{f^{-1}(x)\}'$

이 식에 $x=2$를 대입하면

$g'\{(1)\}\times\frac{1}{10}=\{f^{-1}(1)\}'=\frac{1}{f'(g(1))}=\frac{1}{f'(0)}=\frac{1}{-2}$

$g'(1)=-5$

따라서 $|g'(1)|=|-5|=5$

(2) 함수 $f(x)=(x^2-2x+4)e^x$의 역함수를 $g(3x-10)$이라 할 때, $g'(2)$의 값을 구하여라.

STEP A 역함수의 미분법을 이용하여 $h'(4)$의 값 구하기

$g(3x-10)=h(x)$ …… ㉠

라 하자. $f(0)=4$에서 $h(4)=0$이므로

역함수의 미분법에 의하면 $h'(4)=\frac{1}{f'(h(4))}=\frac{1}{f'(0)}$

㉠의 양변에 $x=4$를 대입하면

$g(2)=h(4)$이므로 $g(2)=0$

㉠의 양변을 x에 대하여 미분하면

$3g'(3x-10)=h'(x)$ …… ㉡

㉡의 양변에 $x=4$를 대입하면

$3g'(2)=h'(4)$이므로 $3g'(2)=\frac{1}{f'(0)}$

STEP B $g'(2)$의 값 구하기

즉 $g'(2)=\frac{1}{3f'(0)}$

$f(x)=(x^2-2x+4)e^x$에서 $f'(x)=(2x-2)e^x+(x^2-2x+4)e^x$이므로

$f'(0)=-2+4=2$

따라서 $g'(2)=\frac{1}{3f'(0)}=\frac{1}{6}$

0500

다음 물음에 답하여라.

(1) 함수 $f(x)=(ax+b)\sin x$에 대하여 $f'(0)=1$, $f''(0)=4$일 때, 상수 a, b에 대하여 $a+b$의 값은?

① 1 ② 2 ③ 3
④ 4 ⑤ 5

STEP A $f'(0)=1$을 만족하는 b의 값 구하기

$f(x)=(ax+b)\sin x$에서 $f'(x)=a\sin x+(ax+b)\cos x$

$f'(0)=1$이므로 $a\sin 0+(a\times 0+b)\cos 0=1$에서 $b=1$

STEP B $f''(0)=4$를 만족하는 a의 값 구하기

$f'(x)=a\sin x+(ax+1)\cos x$에서

$f''(x)=a\cos x+a\cos x-(ax+1)\sin x=2a\cos x-(ax+1)\sin x$

$f''(0)=4$이므로 $2a\cos 0-(a\times 0+1)\sin 0=4$에서 $2a=4$, 즉 $a=2$

따라서 $a+b=2+1=3$

(2) 함수 $f(x)=(x-1)e^{ax+b}$에 대하여 $f'(1)=e$, $f''(1)=4e$일 때, 상수 a, b에 대하여 $a-b$의 값은?

① 1 ② 2 ③ 3
④ 4 ⑤ 5

STEP A $f'(1)=e$를 만족하는 b의 값 구하기

$f(x)=(x-1)e^{ax+b}$에서

$f'(x)=(x-1)'\times e^{ax+b}+(x-1)\times(e^{ax+b})'$

$=1\times e^{ax+b}+(x-1)\times e^{ax+b}\times a$

$=e^{ax+b}+a(x-1)e^{ax+b}$

$f'(1)=e$이므로 $e^{a+b}=e$

그러므로 $a+b=1$ …… ㉠

STEP B $f''(0)=4e$를 만족하는 a의 값 구하기

$f''(x)=e^{ax+b}\times a+a\{(x-1)'\times e^{ax+b}+(x-1)\times(e^{ax+b})'\}$

$=ae^{ax+b}+a\{1\times e^{ax+b}+(x-1)\times e^{ax+b}\times a\}$

$=ae^{ax+b}+ae^{ax+b}+a^2(x-1)e^{ax+b}$

$=2ae^{ax+b}+a^2(x-1)e^{ax+b}$

$f''(1)=4e$이므로 $2ae^{a+b}=4e$

$e^{a+b}=e$이므로 $2a=4$ $\therefore a=2$

㉠에서 $b=-1$

따라서 $a-b=2-(-1)=3$

0501

다음 물음에 답하여라.

(1) $f(x)=(x^2+2)e^{3x}$에 대하여 $\lim_{x\to 0}\frac{f'(x)-f'(0)}{x}$의 값은?

① 18 ② 20 ③ 22
④ 24 ⑤ 32

STEP A $f'(x)$, $f''(x)$의 값 구하기

$f(x)=(x^2+2)e^{3x}$에서

$f'(x)=2x\cdot e^{3x}+(x^2+2)\cdot 3e^{3x}=(3x^2+2x+6)e^{3x}$

$f''(x)=(6x+2)e^{3x}+(3x^2+2x+6)\cdot 3e^{3x}=(9x^2+12x+20)e^{3x}$

STEP B 미분계수의 정의를 이용하여 구하기

따라서 $\lim_{x\to 0}\frac{f'(x)-f'(0)}{x}=f''(0)=20$

(2) $f(x)=\frac{\ln x}{x}$에 대하여 $\lim_{h\to 0}\frac{f'(e+h)-f'(e)}{h}$의 값은?

① $-\frac{1}{e}$ ② $-\frac{1}{e^2}$ ③ $-\frac{1}{e^3}$
④ $-e^3$ ⑤ e^{-2}

STEP A $f'(x)$, $f''(x)$의 값 구하기

$f'(x)=\frac{(\ln x)'x-(\ln x)(x)'}{x^2}=\frac{1-\ln x}{x^2}$

$f''(x)=\frac{(1-\ln x)'x^2-(1-\ln x)(x^2)'}{(x^2)^2}$

$=\frac{-x-(1-\ln x)\times 2x}{x^4}$

$=\frac{2x\ln x-3x}{x^4}=\frac{2\ln x-3}{x^3}$

STEP B 미분계수의 정의를 이용하여 구하기

따라서 $\lim_{h\to 0}\frac{f'(e+h)-f'(e)}{h}=f''(e)=\frac{2\ln e-3}{e^3}=-\frac{1}{e^3}$

NORMAL

0502

다음 물음에 답하여라.

(1) 미분가능한 두 함수 $f(x)$, $g(x)$가

$\lim_{x\to-1}\frac{f(x)-2}{x+1}=1$, $\lim_{x\to-1}\frac{g(x)+3}{x+1}=2$를 만족시킬 때,

함수 $h(x)=\frac{f(x)}{g(x)}$에 대하여 $h'(-1)$의 값은?

① $-\frac{7}{9}$ ② $-\frac{3}{4}$ ③ $-\frac{1}{2}$
④ $\frac{1}{2}$ ⑤ $\frac{3}{4}$

STEP A 극한의 성질과 미분계수를 이용하여 $f(-1)$, $f'(-1)$ 구하기

$\lim_{x\to-1}\frac{f(x)-2}{x+1}=1$에서
$x\to-1$일 때, (분모)→ 0이고 극한값이 존재하므로 (분자)→ 0이어야 한다.
즉 $\lim_{x\to-1}\{f(x)-2\}=0$이므로 $f(-1)=2$

또한, $\lim_{x\to-1}\frac{f(x)-f(-1)}{x+1}=f'(-1)=1$

STEP B 극한의 성질과 미분계수를 이용하여 $g(-1)$, $g'(-1)$ 구하기

$\lim_{x\to-1}\frac{g(x)+3}{x+1}=2$
$x\to-1$일 때, (분모)→ 0이고 극한값이 존재하므로 (분자)→ 0이어야 한다.
즉 $\lim_{x\to-1}\{g(x)+3\}=0$이므로 $g(-1)=-3$

또한, $\lim_{x\to-1}\frac{g(x)-g(-1)}{x+1}=g'(-1)=2$

STEP C 몫의 미분법을 이용하여 $h'(-1)$의 값 구하기

$h(x)=\frac{f(x)}{g(x)}$에서 $h'(x)=\frac{f'(x)g(x)-f(x)g'(x)}{\{g(x)\}^2}$

따라서 $h'(-1)=\frac{f'(-1)g(-1)-f(-1)g'(-1)}{\{g(-1)\}^2}$

$=\frac{1\cdot(-3)-2\cdot2}{(-3)^2}=-\frac{7}{9}$

(2) 미분가능한 두 함수 $f(x)$, $g(x)$가

$$\lim_{x\to1}\frac{f(x)-5}{x-1}=3,\ \lim_{h\to0}\frac{g(5+h)-g(5)}{h}=2$$

를 만족시킬 때, 함수 $y=(g\circ f)(x)$의 $x=1$에서의 미분계수는?

① 3 ② 4 ③ 5
④ 6 ⑤ 7

STEP A 극한의 성질과 미분계수를 이용하여 $f(1)$, $f'(1)$ 구하기

$\lim_{x\to1}\frac{f(x)-5}{x-1}=3$에서
$x\to1$일 때, (분모)→ 0이고 극한값이 존재하므로 (분자)→ 0이어야 한다.
즉 $\lim_{x\to1}\{f(x)-5\}=0$ $\therefore f(1)=5$

이때 $\lim_{x\to1}\frac{f(x)-5}{x-1}=\lim_{x\to1}\frac{f(x)-f(1)}{x-1}=f'(1)$이므로 $f'(1)=3$

STEP B 미분계수의 정의를 이용하여 $g'(5)$ 구하기

또한, $\lim_{h\to0}\frac{g(5+h)-g(5)}{h}=2$에서 $g'(5)=2$

STEP C 합성함수의 미분법을 이용하여 $x=1$에서의 미분계수 구하기

$y=(g\circ f)(x)$에서 $y'=g'(f(x))f'(x)$
따라서 $x=1$에서의 미분계수는 $g'(f(1))f'(1)=g'(5)f'(1)=2\cdot3=6$

0503

다음 물음에 답하여라.

(1) 실수 전체의 집합에서 미분가능한 두 함수 $f(x)$, $g(x)$에 대하여 함수 $h(x)$를 $h(x)=(f\circ g)(x)$라 하자.

$$\lim_{x\to1}\frac{g(x)+1}{x-1}=2,\ \lim_{x\to1}\frac{h(x)-2}{x-1}=12$$

일 때, $f(-1)+f'(-1)$의 값은?

① 4 ② 5 ③ 6
④ 7 ⑤ 8

STEP A 함수의 극한의 성질과 미분계수의 정의를 이용하여 $g(1)$, $g'(1)$ 구하기

$\lim_{x\to1}\frac{g(x)+1}{x-1}=2$에서
$x\to1$일 때, (분모)→ 0이고 극한값이 존재하므로 (분자)→ 0이어야 한다.
즉 $\lim_{x\to1}\{g(x)+1\}=g(1)+1=0$ $\therefore g(1)=-1$

또, $\lim_{x\to1}\frac{g(x)+1}{x-1}=\lim_{x\to1}\frac{g(x)-g(1)}{x-1}=g'(1)=2$

STEP B 극한의 성질과 미분계수의 정의를 이용하여 $h(1)$, $h'(1)$ 구하기

$\lim_{x\to1}\frac{h(x)-2}{x-1}=12$에서
$x\to1$일 때, (분모)→ 0이고 극한값이 존재하므로 (분자)→ 0이어야 한다.
$\lim_{x\to1}\{h(x)-2\}=h(1)-2=0$ $\therefore h(1)=2$

또, $\lim_{x\to1}\frac{h(x)-2}{x-1}=\lim_{x\to1}\frac{h(x)-h(1)}{x-1}=h'(1)=12$

STEP C $f(-1)+f'(-1)$의 값 구하기

$h(x)=(f\circ g)(x)$에서 $x=1$일 때, $h(1)=f(g(1))=f(-1)=2$
$h'(x)=f'(g(x))g'(x)$에서 $x=1$일 때,
$h'(1)=f'(g(1))g'(1)=f'(-1)\times2=12$, 즉 $f'(-1)=6$
따라서 $f(-1)+f'(-1)=2+6=8$

(2) 실수 전체의 집합에서 미분가능한 두 함수 $f(x)$, $g(x)$에 대하여 함수 $h(x)$를 $h(x)=(g\circ f)(x)$라 할 때, 두 함수 $f(x)$, $h(x)$가 다음 조건을 만족시킨다.

(가) $f(1)=2$, $f'(1)=3$
(나) $\lim_{x\to1}\frac{h(x)-5}{x-1}=12$

$g(2)+g'(2)$의 값은?

① 5 ② 7 ③ 9
④ 11 ⑤ 13

STEP A 조건 (나)에서 극한값의 성질과 미분계수의 정의를 이용하여 구하기

조건 (나) $\lim_{x\to1}\frac{h(x)-5}{x-1}=12$에서
$x\to1$일 때, (분모)→ 0이고 극한값이 존재하므로 (분자)→ 0이어야 한다.
즉 $\lim_{x\to1}\{h(x)-5\}=0$이므로 $h(1)=5$

이때 $\lim_{x\to1}\frac{h(x)-h(1)}{x-1}=h'(1)=12$이므로 $h(1)=5$, $h'(1)=12$

STEP B $g(2)+g'(2)$의 값 구하기

$h(x)=(g\circ f)(x)=g(f(x))$에서 $h(1)=g(f(1))=g(2)=5$ ⬅ $f(1)=2$
$h(x)=g(f(x))$의 양변을 x에 대하여 미분하면
$h'(x)=g'(f(x))f'(x)$
$h'(1)=g'(f(1))f'(1)=3g'(2)=12$ ⬅ $f'(1)=3$
$\therefore g'(2)=4$
따라서 $g(2)+g'(2)=5+4=9$

0504

미분가능한 함수 $f(x)$에 대하여 $\lim_{x\to2}\frac{f(x)-4}{x-2}=6$이고

함수 $g(x)=x^2f(x)+\frac{f(x)}{x}$를 만족할 때, $\lim_{h\to0}\frac{g(2+2h)-g(2)}{h}$의 값을 구하여라.

STEP A 극한의 성질과 미분계수를 이용하여 $f(2)$, $f'(2)$ 구하기

$\lim_{x\to2}\frac{f(x)-4}{x-2}=6$에서

$x\to2$일 때, (분모)$\to0$이고 극한값이 존재하므로 (분자)$\to0$이어야 한다.

즉 $f(2)-4=0$ $\therefore f(2)=4$

이때 $\lim_{x\to2}\frac{f(x)-4}{x-2}=\lim_{x\to2}\frac{f(x)-f(2)}{x-2}=f'(2)$이므로 $f'(2)=6$

STEP B 곱의 미분법과 몫의 미분법을 이용하여 $g'(2)$ 구하기

$g(x)=x^2f(x)+\frac{f(x)}{x}$를 x로 미분하면

$g'(x)=2xf(x)+x^2f'(x)+\frac{xf'(x)-f(x)}{x^2}$

$g'(2)=4f(2)+4f'(2)+\frac{2f'(2)-f(2)}{4}=4\cdot4+4\cdot6+2=42$

STEP C $2g'(2)$ 구하기

따라서 $\lim_{h\to0}\frac{g(2+2h)-g(2)}{h}=\lim_{h\to0}\frac{g(2+2h)-g(2)}{2h}\cdot2=2g'(2)=84$

0505

다음 물음에 답하여라.

(1) 함수 $f(x)=\frac{1}{x-2}$에 대하여 $\lim_{h\to0}\frac{f(a+h)-f(a)}{h}=-\frac{1}{4}$을 만족시키는 양수 a의 값은?

① 4 ② $\frac{9}{2}$ ③ 5

④ $\frac{11}{2}$ ⑤ 6

STEP A 미분계수의 정의를 이용하여 a의 값 구하기

$\lim_{h\to0}\frac{f(a+h)-f(a)}{h}=f'(a)$이므로 $f'(a)=-\frac{1}{4}$

STEP B 몫의 미분법을 이용하여 $f'(x)$ 구하기

함수 $f(x)=\frac{1}{x-2}$에서 $f'(x)=-\frac{1}{(x-2)^2}$이므로

$f'(a)=-\frac{1}{(a-2)^2}=-\frac{1}{4}$

따라서 $(a-2)^2=4$에서 양수 a의 값은 4

(2) 함수 $f(x)=\frac{1}{x+3}$에 대하여 $\lim_{h\to0}\frac{f'(a+h)-f'(a)}{h}=2$를 만족시키는 실수 a의 값은?

① -2 ② -1 ③ 0
④ 1 ⑤ 2

STEP A 미분계수의 정의에서 $f''(a)=2$임을 이용하기

$\lim_{h\to0}\frac{f'(a+h)-f'(a)}{h}=f''(a)$이므로 $f''(a)=2$

STEP B 몫의 미분법을 이용하여 a의 값 구하기

$f(x)=\frac{1}{x+3}$에서 $f'(x)=-\frac{1}{(x+3)^2}$, $f''(x)=\frac{2}{(x+3)^3}$

따라서 $f''(a)=\frac{2}{(a+3)^3}=2$에서 $(a+3)^3=1$ $\therefore a=-2$

0506

미분가능한 함수 $y=f(x)$에 대하여

$$f(1)=2,\ f(2)=2,\ f'(1)=3,\ f'(2)=4$$

일 때, $\lim_{x\to1}\frac{f(f(x))-2}{x-1}$의 값은?

① 4 ② 6 ③ 8
④ 10 ⑤ 12

STEP A 미분계수의 정의를 이용하여 구하기

$f(f(x))=g(x)$로 놓으면 $f(1)=2$, $f(2)=2$이므로

$g(1)=f(f(1))=f(2)=2$

$\therefore \lim_{x\to1}\frac{f(f(x))-2}{x-1}=\lim_{x\to1}\frac{g(x)-g(1)}{x-1}=g'(1)$

STEP B 합성함수의 미분법을 이용하여 구하기

따라서 $g'(x)=f'(f(x))f'(x)$이므로

$g'(1)=f'(f(1))f'(1)=f'(2)\cdot f'(1)=4\times3=12$

0507

다항함수 $f(x)$가

$$\lim_{x\to0}\frac{x}{f(x)}=1,\ \lim_{x\to1}\frac{x-1}{f(x)}=2$$

를 만족시킬 때, $\lim_{x\to1}\frac{f(f(x))}{2x^2-x-1}$의 값은?

① $\frac{1}{6}$ ② $\frac{1}{3}$ ③ $\frac{1}{2}$

④ $\frac{2}{3}$ ⑤ $\frac{5}{6}$

STEP A 미분계수의 정의를 이용하여 $f(0)$, $f'(0)$, $f(1)$, $f'(1)$ 구하기

$\lim_{x\to0}\frac{x}{f(x)}=1$에서

$x\to0$일 때, (분자)$\to0$이므로 (분모)$\to0$이어야 한다.

즉 $\lim_{x\to0}f(x)=0$이므로 $f(0)=0$

$\lim_{x\to0}\frac{x}{f(x)}=\lim_{x\to0}\frac{x}{f(x)-f(0)}=\lim_{x\to0}\frac{1}{\frac{f(x)-f(0)}{x}}=\frac{1}{f'(0)}=1$

$\therefore f'(0)=1$

$\lim_{x\to1}\frac{x-1}{f(x)}=2$에서

$x\to1$일 때, (분자)$\to0$이므로 (분모)$\to0$이어야 한다.

즉 $\lim_{x\to1}f(x)=0$이므로 $f(1)=0$

$\lim_{x\to1}\frac{x-1}{f(x)}=\lim_{x\to1}\frac{x-1}{f(x)-f(1)}=\lim_{x\to1}\frac{1}{\frac{f(x)-f(1)}{x-1}}=\frac{1}{f'(1)}=2$

$\therefore f'(1)=\frac{1}{2}$

STEP B 미분계수의 정의와 합성함수의 미분법을 이용하여 구하기

따라서 $\lim_{x\to1}\frac{f(f(x))}{2x^2-x-1}=\lim_{x\to1}\frac{f(f(x))}{(x-1)(2x+1)}$

$=\lim_{x\to1}\frac{f(f(x))-f(f(1))}{(x-1)(2x+1)}$ ($\because f(f(1))=f(0)=0$)

$=\lim_{x\to1}\left\{\frac{f(f(x))-f(f(1))}{f(x)-f(1)}\cdot\frac{f(x)-f(1)}{x-1}\cdot\frac{1}{2x+1}\right\}$

$=f'(f(1))\cdot f'(1)\cdot\frac{1}{3}$

$=f'(0)\cdot\frac{1}{2}\cdot\frac{1}{3}=\frac{1}{6}$

다른풀이 함수의 극한의 성질을 이용하여 풀이하기

STEP A 주어진 식을 변형하기

$$\lim_{x\to1}\frac{f(f(x))}{2x^2-x-1}=\lim_{x\to1}\frac{f(f(x))}{(x-1)(2x+1)}$$
$$=\lim_{x\to1}\left\{\frac{f(f(x))}{f(x)}\cdot\frac{f(x)}{x-1}\cdot\frac{1}{2x+1}\right\}$$
$$=\lim_{x\to1}\frac{f(f(x))}{f(x)}\cdot\lim_{x\to1}\frac{1}{\frac{x-1}{f(x)}}\cdot\lim_{x\to1}\frac{1}{2x+1}$$

STEP B $f(x)=t$로 치환하여 미분계수의 정의를 이용하여 구하기

따라서 $x\to1$일 때, $f(x)\to0$이므로 $f(x)=t$로 치환하면

조건에서 $\lim_{t\to0}\frac{t}{f(t)}=1$, $\lim_{t\to1}\frac{t-1}{f(t)}=2$이므로

(주어진 식)$=\lim_{t\to0}\frac{f(t)}{t}\cdot\lim_{x\to1}\frac{1}{\frac{x-1}{f(x)}}\cdot\lim_{x\to1}\frac{1}{2x+1}=1\cdot\frac{1}{2}\cdot\frac{1}{3}=\frac{1}{6}$

다른풀이 다항함수 $f(x)$를 직접 구하여 풀이하기

$\lim_{x\to0}\frac{x}{f(x)}=1$에서 …… ㉠

$x\to0$일 때, (분자)→0이므로 (분모)→0이어야 한다.

$\lim_{x\to0}f(x)=0$이므로 $f(0)=0$

$\lim_{x\to1}\frac{x-1}{f(x)}=2$에서 …… ㉡

$x\to1$일 때, (분자)→0이므로 (분모)→0이어야 한다.

$\lim_{x\to1}f(x)=0$이므로 $f(1)=0$

즉 다항함수 $f(x)=ax(x-1)g(x)$ …… ㉢

(단, $g(x)$는 다항함수)로 놓으면

㉢을 ㉠에 대입하면

$$\lim_{x\to0}\frac{x}{f(x)}=\lim_{x\to0}\frac{x}{ax(x-1)g(x)}=\lim_{x\to0}\frac{1}{a(x-1)g(x)}=-\frac{1}{ag(0)}=1$$

$\therefore\ g(0)=-\frac{1}{a}$

또한, ㉢을 ㉡에 대입하면

$$\lim_{x\to1}\frac{x-1}{f(x)}=\lim_{x\to1}\frac{x-1}{ax(x-1)g(x)}=\lim_{x\to1}\frac{1}{axg(x)}=\frac{1}{ag(1)}=2$$

$\therefore\ g(1)=\frac{1}{2a}$

따라서 $f(f(x))=af(x)(f(x)-1)g(f(x))$

$$\therefore\ \lim_{x\to1}\frac{f(f(x))}{2x^2-x-1}=\lim_{x\to1}\frac{af(x)(f(x)-1)g(f(x))}{(x-1)(2x+1)}$$
$$=\lim_{x\to1}\frac{a\cdot ax(x-1)g(x)(f(x)-1)g(f(x))}{(x-1)(2x+1)}$$
$$=\lim_{x\to1}\frac{a^2xg(x)(f(x)-1)g(f(x))}{2x+1}$$
$$=\frac{a^2g(1)(f(1)-1)g(f(1))}{3}$$
$$=\frac{-a^2\cdot\frac{1}{2a}\cdot\left(-\frac{1}{a}\right)}{3}=\frac{1}{6}$$

0508

다음 물음에 답하여라.

(1) 함수 $f(x)=\ln(x^2-1)$에 대하여 $\sum_{n=2}^{\infty}\frac{f'(n)}{n}$의 값을 구하여라.

STEP A 로그함수의 합성함수 미분법을 이용하기

$f(x)=\ln(x^2-1)$의 양변을 x에 대하여 미분하면

$f'(x)=\frac{2x}{x^2-1}$이므로 $f'(n)=\frac{2n}{n^2-1}$

STEP B 급수의 성질을 이용하여 구하기

따라서

$$\sum_{n=2}^{\infty}\frac{f'(n)}{n}=\sum_{n=2}^{\infty}\frac{2}{n^2-1}$$
$$=\sum_{n=2}^{\infty}\frac{2}{(n-1)(n+1)}$$
$$=\sum_{n=2}^{\infty}\left(\frac{1}{n-1}-\frac{1}{n+1}\right)$$
$$=\lim_{n\to\infty}\sum_{k=2}^{n}\left(\frac{1}{k-1}-\frac{1}{k+1}\right)$$
$$=\lim_{n\to\infty}\left\{\left(1-\frac{1}{3}\right)+\left(\frac{1}{2}-\frac{1}{4}\right)+\cdots+\left(\frac{1}{n-2}-\frac{1}{n}\right)+\left(\frac{1}{n-1}-\frac{1}{n+1}\right)\right\}$$
$$=\lim_{n\to\infty}\left(1+\frac{1}{2}-\frac{1}{n}-\frac{1}{n+1}\right)=\frac{3}{2}$$

(2) 함수 $f(x)=\ln(x^2+2x)$에 대하여 급수 $\sum_{n=1}^{\infty}\frac{f'(n)}{n+1}$의 합을 구하여라.

STEP A 로그함수의 합성함수 미분법을 이용하기

$f(x)=\ln(x^2+2x)$를 x에 대하여 미분하면

$$f'(x)=\frac{(x^2+2x)'}{x^2+2x}=\frac{2x+2}{x^2+2x}=\frac{2(x+1)}{x(x+2)}$$

STEP B 급수의 성질을 이용하여 구하기

따라서

$$\sum_{n=1}^{\infty}\frac{f'(n)}{n+1}=\sum_{n=1}^{\infty}\frac{2}{n(n+2)}$$
$$=\lim_{n\to\infty}\sum_{k=1}^{n}\frac{2}{k(k+2)}$$
$$=\lim_{n\to\infty}\sum_{k=1}^{n}\left(\frac{1}{k}-\frac{1}{k+2}\right)$$
$$=\lim_{n\to\infty}\left\{\left(\frac{1}{1}-\frac{1}{3}\right)+\left(\frac{1}{2}-\frac{1}{4}\right)+\left(\frac{1}{3}-\frac{1}{5}\right)+\cdots+\left(\frac{1}{n-1}-\frac{1}{n+1}\right)+\left(\frac{1}{n}-\frac{1}{n+2}\right)\right\}$$
$$=\lim_{n\to\infty}\left(1+\frac{1}{2}-\frac{1}{n+1}-\frac{1}{n+2}\right)=\frac{3}{2}$$

0509

미분가능한 두 함수 $f(x)$, $g(x)$에 대하여 함수 $y=f(x)$의 그래프 위의 점 $(3, 1)$에서의 접선의 기울기가 5이고, 함수 $y=g(x)$ 위의 점 $(1, 3)$에서의 접선의 기울기가 3일 때, $\lim_{x\to1}\frac{f(g(x))-1}{x-1}$의 값은?

① 12 ② 13 ③ 14
④ 15 ⑤ 16

STEP A $f(3)$, $f'(3)$, $g(1)$, $g'(1)$의 값 구하기

곡선 $y=f(x)$의 그래프 위의 점 $(3, 1)$에서의 접선의 기울기가 5이므로

$f(3)=1$, $f'(3)=5$

또, 곡선 $y=g(x)$ 위의 점 $(1, 3)$에서의 접선의 기울기가 3이므로

$g(1)=3$, $g'(1)=3$

STEP B 합성함수의 미분법을 이용하여 구하기

$h(x)=f(g(x))$로 놓으면 $h(1)=f(g(1))=f(3)=1$이므로

$$\lim_{x\to1}\frac{f(g(x))-1}{x-1}=\lim_{x\to1}\frac{h(x)-h(1)}{x-1}=h'(1)$$

따라서 $h'(x)=f'(g(x))g'(x)$에서

$h'(1)=f'(g(1))g'(1)=f'(3)\cdot3=5\cdot3=15$

0510

함수 $f(x)=\dfrac{x^3}{x^2+1}$에 대하여

$$\lim_{h\to 0}\frac{1}{h}\sum_{k=1}^{n}\{f(1+kh)-f(1)\}=210$$

을 만족할 때, 자연수 n의 값은?

① 16 ② 17 ③ 18
④ 19 ⑤ 20

STEP Ⓐ 미분계수의 변형을 이용하여 식 정리하기

$$\lim_{h\to 0}\frac{1}{h}\sum_{k=1}^{n}\{f(1+kh)-f(1)\}=\lim_{h\to 0}\frac{1}{h}\left\{\sum_{k=1}^{n}f(1+kh)-\sum_{k=1}^{n}f(1)\right\}$$
$$=\lim_{h\to 0}\sum_{k=1}^{n}\frac{f(1+kh)-f(1)}{kh}\cdot k$$
$$=f'(1)\sum_{k=1}^{n}k$$

STEP Ⓑ 몫의 미분법을 이용하여 자연수 n의 값 구하기

$$f'(x)=\frac{3x^2(x^2+1)-x^3\cdot 2x}{(x^2+1)^2}=\frac{x^4+3x^2}{(x^2+1)^2}$$

$\therefore f'(1)=1$

이때 $\sum_{k=1}^{n}k=\dfrac{n(n+1)}{2}=210$이므로 $n^2+n=420$

$\therefore (n+21)(n-20)=0$

따라서 n은 자연수이므로 $n=20$

0511

다음 물음에 답하여라.

(1) 두 함수 $f(x)=\ln\dfrac{1}{x^2}$, $g(x)=\left(\ln\dfrac{1}{x}\right)^2$에 대하여 $h(x)=(f\circ g)(x)$라 할 때, $h'(e^2)$의 값은?

① $-\dfrac{2}{e^2}$ ② $-\dfrac{2}{e^3}$ ③ 0
④ $\dfrac{2}{e^3}$ ⑤ $\dfrac{2}{e^2}$

STEP Ⓐ 로그함수의 미분법을 이용하여 구하기

$f(x)=\ln\dfrac{1}{x^2}=-2\ln|x|$

$g(x)=\left(\ln\dfrac{1}{x}\right)^2=(-\ln x)^2=(\ln x)^2$에서 $f'(x)=-\dfrac{2}{x}$, $g'(x)=\dfrac{2}{x}\ln x$

STEP Ⓑ 합성함수의 미분법을 이용하여 구하기

이때 $h'(x)=(f\circ g)'(x)=f'(g(x))g'(x)$이므로

$h'(e^2)=f'(g(e^2))g'(e^2)=f'(4)\cdot\dfrac{4}{e^2}=\left(-\dfrac{1}{2}\right)\cdot\dfrac{4}{e^2}=-\dfrac{2}{e^2}$

(2) 함수 $f(x)=\dfrac{\ln x}{x}$와 미분가능한 함수 $g(x)$에 대하여 함수 $h(x)$를

$$h(x)=(g\circ f)(x),\ h'\left(\frac{1}{e}\right)=\frac{e^2}{4}$$

일 때, $g'(-e)$의 값은?

① $\dfrac{1}{8}$ ② $\dfrac{1}{4}$ ③ $\dfrac{1}{2}$
④ e ⑤ $2e$

STEP Ⓐ 몫의 미분법을 이용하여 구하기

$h(x)=g(f(x))$에서 $h'(x)=g'(f(x))f'(x)$ …… ㉠

$f(x)=\dfrac{\ln x}{x}$에서 $f\left(\dfrac{1}{e}\right)=-e$이고 $f'(x)=\dfrac{1-\ln x}{x^2}$

$\therefore f'\left(\dfrac{1}{e}\right)=\dfrac{1-\ln\frac{1}{e}}{\left(\frac{1}{e}\right)^2}=e^2(1-\ln e^{-1})=2e^2$

STEP Ⓑ 합성함수의 미분법을 이용하여 구하기

$h'\left(\dfrac{1}{e}\right)=\dfrac{e^2}{4}$이므로 ㉠에 $x=\dfrac{1}{e}$을 대입하면

$h'\left(\dfrac{1}{e}\right)=g'\left(f\left(\dfrac{1}{e}\right)\right)f'\left(\dfrac{1}{e}\right)$, $\dfrac{e^2}{4}=g'(-e)\cdot 2e^2$

따라서 $g'(-e)=\dfrac{1}{8}$

0512

다음 물음에 답하여라.

(1) 곡선 $e^x-e^y=y$ 위의 점 (a, b)에서의 접선의 기울기가 1일 때, $a+b$의 값은?

① $1+\ln(e+1)$ ② $2+\ln(e^2+2)$ ③ $3+\ln(e^3+3)$
④ $4+\ln(e^4+4)$ ⑤ $5+\ln(e^5+5)$

STEP Ⓐ 음함수의 미분법을 이용하여 접선의 기울기 구하기

점 (a, b)가 곡선 $e^x-e^y=y$ 위의 점이므로

$e^a-e^b=b$ …… ㉠

$e^x-e^y=y$의 양변을 x에 대해 미분하면

$e^x-e^y\dfrac{dy}{dx}=\dfrac{dy}{dx}$

$\therefore \dfrac{dy}{dx}=\dfrac{e^x}{1+e^y}$ …… ㉡

점 (a, b)에서의 접선의 기울기가 1이므로

㉡에 $x=a$, $y=b$를 대입하면 $\dfrac{e^a}{1+e^b}=1$

$e^a-e^b=1$ …… ㉢

㉠, ㉢에서 $b=1$이고

$e^a=e+1$에서 $a=\ln(1+e)$

따라서 $a+b=1+\ln(1+e)$

(2) 곡선 $x^3+x+y+y^3=4$ 위의 점 $\mathrm{P}(a, b)$에서의 접선의 기울기가 -1일 때, $a+b$의 값은?

① -2 ② -1 ③ 0
④ 1 ⑤ 2

STEP Ⓐ 음함수의 미분법을 이용하여 접선의 기울기가 -1인 접점의 좌표 구하기

$x^3+x+y+y^3=4$의 양변을 x에 대하여 미분하면

$3x^2+1+\dfrac{dy}{dx}+3y^2\dfrac{dy}{dx}=0$

$\therefore \dfrac{dy}{dx}=-\dfrac{3x^2+1}{3y^2+1}$

이때 $\dfrac{dy}{dx}=-\dfrac{3x^2+1}{3y^2+1}=-1$에서 $3x^2+1=3y^2+1$

$x^2-y^2=0$, $(x+y)(x-y)=0$

$\therefore y=x$ 또는 $y=-x$

(i) $y=-x$이면 등식 $x^3+x+y+y^3=4$를 만족시키는 두 실수 x, y는 존재하지 않는다.

(ii) $y=x$이면 $2x^3+2x=4$에서 $x^3+x-2=0$

$(x-1)(x^2+x+2)=0$

x는 실수이므로 $x=1$

(i), (ii)에서 $a=1$, $b=1$이므로 $a+b=2$

0513

다음 물음에 답하여라.

(1) 곡선 $e^x+e^{-y}=e+\frac{1}{3}$ 위의 점 $(1,\ k)$에서의 접선의 기울기는 m이다. mk의 값은?

① $e\ln 3$ ② $2e\ln 3$ ③ $3e\ln 3$
④ $4e\ln 3$ ⑤ $5e\ln 3$

STEP Ⓐ 음함수의 미분법을 이용하여 $\frac{dy}{dx}$ 구하기

곡선 $e^x+e^{-y}=e+\frac{1}{3}$이 점 $(1,\ k)$을 지나므로

$e+e^{-k}=e+\frac{1}{3}$에서 $e^{-k}=\frac{1}{3}$

즉 $e^k=3$이므로 $k=\ln 3$

$e^x+e^{-y}=e+\frac{1}{3}$의 양변을 x에 대하여 미분하면

$e^x-e^{-y}\frac{dy}{dx}=0$

$\frac{dy}{dx}=\frac{e^x}{e^{-y}}=e^xe^y$ …… ㉠

STEP Ⓑ 점 $(1,\ \ln 3)$에서의 접선의 기울기 구하기

곡선 $e^x+e^{-x}=e+\frac{1}{3}$ 위의 점 $(1,\ \ln 3)$에서의 접선의 기울기 m은

㉠에 $x=1,\ y=\ln 3$을 대입한 값과 같으므로 $m=e\times e^{\ln 3}=e\times 3^{\ln e}=3e$

따라서 $mk=3e\ln 3$

(2) 자연수 n에 대하여 곡선 $e^xy+x^2-xy^2=n$ 위의 점 $(0,\ n)$에서의 접선의 기울기를 $f(n)$이라 할 때, $\sum_{n=1}^{10}f(n)$의 값은?

① 310 ② 320 ③ 330
④ 340 ⑤ 350

STEP Ⓐ 음함수의 미분법을 이용하여 $\frac{dy}{dx}$ 구하기

$e^xy+x^2-xy^2=n$의 양변을 x에 대하여 미분하면

$e^xy+e^x\times\frac{dy}{dx}+2x-y^2-2xy\times\frac{dy}{dx}=0$

$\frac{dy}{dx}=\frac{y^2-2x-e^xy}{e^x-2xy}$ (단, $e^x-2xy\neq 0$)

STEP Ⓑ 점 $(0,\ n)$에서의 접선의 기울기 구하기

점 $(0,\ n)$에서의 접선의 기울기는

$\frac{n^2-2\times 0-e^0\times n}{e^0-2\times 0\times n}=n^2-n$이므로 $f(n)=n^2-n$

STEP Ⓒ $\sum_{n=1}^{10}f(n)$의 값 구하기

따라서 $\sum_{n=1}^{10}f(n)=\sum_{n=1}^{10}(n^2-n)=\sum_{n=1}^{10}n^2-\sum_{n=1}^{10}n$

$=\frac{10\cdot 11\cdot 21}{6}-\frac{10\cdot 11}{2}$

$=385-55=330$

0514

다음 물음에 답하여라.

(1) 실수 전체의 집합에서 미분가능한 함수 두 함수 $f(x),\ g(x)$가 있다. $f(x)$가 $g(x)$의 역함수이고 $f(1)=2,\ f'(1)=3$이다. 함수 $h(x)=xg(x)$라 할 때, $h'(2)$의 값은?

① 1 ② $\frac{4}{3}$ ③ $\frac{5}{3}$
④ 2 ⑤ $\frac{7}{3}$

STEP Ⓐ $f(x)$가 $g(x)$의 역함수이므로 $g'(x)=\frac{1}{f'(g(x))}$임을 이용하기

$f(x)$의 역함수가 $g(x)$이므로 $f(g(x))=x$

양변을 x에 대하여 미분하면 $f'(g(x))\cdot g'(x)=1$

$\therefore\ g'(x)=\frac{1}{f'(g(x))}$

이때 $f(1)=2$에서 $g(2)=1$이므로 $g'(2)=\frac{1}{f'(g(2))}=\frac{1}{f'(1)}=\frac{1}{3}$

STEP Ⓑ 곱의 미분법을 이용하여 $h'(2)$의 값 구하기

$h(x)=xg(x)$에서 $h'(x)=g(x)+xg'(x)$

따라서 $h'(2)=g(2)+2g'(2)=1+2\cdot\frac{1}{3}=\frac{5}{3}$

(2) 실수 전체의 집합에서 미분가능한 함수 $f(x)$가 다음 조건을 만족시킨다.

> (가) 모든 실수 x에 대하여 $f'(x)>0$이다.
> (나) $\lim_{x\to 4}\frac{f(x)-4}{x^2-16}=2$

함수 $f(x)$의 역함수를 $g(x)$라 할 때, 함수 $x^2g(x)$의 $x=4$에서의 미분계수의 값은?

① 16 ② 24 ③ 30
④ 33 ⑤ 38

STEP Ⓐ (분모)→ 0이고 극한값이 존재하므로 (분자)→ 0임을 이용하기

조건 (나)에서

$x\to 4$일 때, (분모)→ 0이고 극한값이 존재하므로 (분자)→ 0이어야 한다.

즉 $\lim_{x\to 4}\{f(x)-4\}=0$에서 $\lim_{x\to 4}f(x)=4$

함수 $f(x)$가 실수 전체의 집합에서 미분가능하므로 실수 전체의 집합에서 연속이다.

$\lim_{x\to 4}f(x)=f(4)$에서 $f(4)=4$이고 함수 $f(x)$의 역함수가 $g(x)$이므로 $g(4)=4$

STEP Ⓑ 역함수의 미분법을 이용하여 미분계수 $g'(4)$ 구하기

또, $\lim_{x\to 4}\frac{f(x)-4}{x^2-16}=\lim_{x\to 4}\frac{f(x)-f(4)}{(x-4)(x+4)}$

$=\lim_{x\to 4}\left\{\frac{f(x)-f(4)}{x-4}\times\frac{1}{x+4}\right\}$

$=f'(4)\times\frac{1}{8}$

이므로 $f'(4)\times\frac{1}{8}=2$에서 $f'(4)=16$

한편 $f(x)$의 역함수가 $g(x)$이므로 $f(g(x))=x$

이 식의 양변을 x에 대하여 미분하면

$f'(g(x))g'(x)=1$ …… ㉠

㉠에 $x=4$를 대입하면 $f'(4)g'(4)=1$

$f'(4)=16$이므로 $g'(4)=\frac{1}{16}$

STEP Ⓒ 곱의 미분법을 이용하여 $h'(4)$의 값 구하기

따라서 $h(x)=x^2g(x)$라 하면 $h'(x)=2xg(x)+x^2g'(x)$이므로

$h'(4)=8g(4)+16g'(4)=8\times 4+16\times\frac{1}{16}=33$

0515

다음 물음에 답하여라.

(1) 미분가능한 함수 $f(x)$가 다음 조건을 모두 만족시킨다.

(가) 모든 실수 x에 대하여 $f(-x)=-f(x)$이다.

(나) $\lim_{x\to1}\frac{f(x)-2}{x-1}=3$

함수 $f(x)$의 역함수를 $g(x)$라고 할 때, $g'(-2)$의 값은?

① $\frac{1}{5}$ ② $\frac{1}{4}$ ③ $\frac{1}{3}$
④ 2 ⑤ 4

STEP A 극한의 성질과 미분계수를 이용하여 $f(1)$, $f'(1)$, $g(2)$의 값 구하기

조건 (나)에서

$x\to1$일 때, (분모)→0이고 극한값이 존재하므로 (분자)→0이어야 한다.

즉 $\lim_{x\to1}\{f(x)-2\}=0$이므로 $\lim_{x\to1}f(x)=2$

함수 $f(x)$가 실수 전체의 집합에서 미분가능하므로 실수 전체의 집합에서 연속이다.

$\lim_{x\to1}f(x)=2$에서 $f(1)=2$이고 함수 $f(x)$의 역함수가 $g(x)$이므로

$g(2)=1$

$\lim_{x\to1}\frac{f(x)-2}{x-1}=\lim_{x\to1}\frac{f(x)-f(1)}{x-1}=f'(1)=3$

STEP B 역함수의 미분법을 이용하여 미분계수 $g'(-2)$ 구하기

$g(-2)=a$라고 하면 $f(a)=-2$

이때 조건 (가)에서 $f(-x)=-f(x)$이므로

$f(-1)=-f(1)=-2$에서 $a=-1$

$f(-x)=-f(x)$에서 $f(x)=-f(-x)$

양변을 x에 대하여 미분하면 $f'(x)=f'(-x)$

따라서 역함수의 미분법에 의하여

$g'(-2)=\frac{1}{f'(g(-2))}=\frac{1}{f'(-1)}=\frac{1}{f'(1)}=\frac{1}{3}$

(2) 실수 전체의 집합에서 미분가능하고 일대일 대응인 함수 $f(x)$에 대하여 곡선 $y=f(x)$를 직선 $y=x$에 대하여 대칭이동한 곡선 $y=g(x)$가 다음 조건을 만족시킨다.

(가) 모든 실수 x에 대하여 $g(x)=-g(-x)$이다.

(나) $\lim_{x\to1}\frac{2g(x)+4}{x-1}=1$

$\lim_{x\to2}\frac{f(x)+1}{x-2}$의 값은? (단, 모든 실수 x에 대하여 $f'(x)\neq0$이다.)

① $\frac{1}{4}$ ② $\frac{1}{2}$ ③ 1
④ 2 ⑤ 4

STEP A 조건을 만족하도록 하는 $g(1)$, $g'(1)$의 값 구하기

함수 $f(x)$가 일대일 대응이고 곡선 $y=g(x)$는 곡선 $y=f(x)$와 직선 $y=x$에 대하여 대칭이므로 함수 $g(x)$는 함수 $f(x)$의 역함수이다.

$f'(x)\neq0$이고 함수 $f(x)$가 미분가능하므로 함수 $g(x)$도 미분가능하다.

조건 (가)에서 $g(x)=-g(-x)$이므로 양변을 x에 대하여 미분하면

$g'(x)=g'(-x)$ …… ㉠

조건 (나)에서

$\lim_{x\to1}\frac{2g(x)+4}{x-1}=1$에서

$x\to1$일 때, (분모)→0이고 극한값이 존재하므로 (분자)→0이다.

즉 $\lim_{x\to1}\{2g(x)+4\}=0$이어야 하므로 함수 $g(x)$가 연속이므로

$2g(1)+4=0$에서 $g(1)=-2$

즉 $\lim_{x\to1}\frac{2g(x)+4}{x-1}=\lim_{x\to1}\frac{2g(x)-2g(1)}{x-1}=2g'(1)=1$에서 $g'(1)=\frac{1}{2}$

STEP B 역함수의 미분법을 이용하여 $f'(2)$ 구하기

조건 (가)에서 $g(1)=-g(-1)$이므로

$g(-1)=2$이고 ㉠에 의하여 $g'(-1)=\frac{1}{2}$

$g(-1)=2$에서 $f(2)=-1$

따라서 $\lim_{x\to2}\frac{f(x)+1}{x-2}=\lim_{x\to2}\frac{f(x)-f(2)}{x-2}=f'(2)=\frac{1}{g'(f(2))}=\frac{1}{g'(-1)}=2$

0516

모든 실수 x에서 미분가능하고 역함수가 존재하는 함수 $f(x)$에 대하여

$$\lim_{x\to1}\frac{f(x)-2}{x-1}=\frac{1}{2},\ \lim_{x\to2}\frac{f(x)-3}{x-2}=4$$

가 성립한다. 함수 $f(x)$의 역함수를 $g(x)$라 할 때, $\lim_{x\to3}\frac{g(g(x))-1}{x-3}$의 값은?

① $\frac{1}{4}$ ② $\frac{1}{2}$ ③ 1
④ 2 ⑤ 4

STEP A 미분계수의 정의를 이용하여 $f'(1)$, $f'(2)$ 구하기

$\lim_{x\to1}\frac{f(x)-2}{x-1}=\frac{1}{2}$에서

$x\to1$일 때, (분모)→0이고 극한값이 존재하므로 (분자)→0이어야 한다.

$\lim_{x\to1}\{f(x)-2\}=0$이므로 $f(1)-2=0$

$\therefore f(1)=2$

$\lim_{x\to1}\frac{f(x)-2}{x-1}=\lim_{x\to1}\frac{f(x)-f(1)}{x-1}=f'(1)=\frac{1}{2}$

$\lim_{x\to2}\frac{f(x)-3}{x-2}=4$에서

$x\to2$일 때, (분모)→0이고 극한값이 존재하므로 (분자)→0이어야 한다.

$\lim_{x\to2}\{f(x)-3\}=0$이므로 $f(2)-3=0$

$\therefore f(2)=3$

$\lim_{x\to2}\frac{f(x)-3}{x-2}=\lim_{x\to2}\frac{f(x)-f(2)}{x-2}=f'(2)=4$

STEP B 합성함수의 미분법을 이용하여 주어진 식을 정리하기

또한, 함수 $f(x)$의 역함수는 $g(x)$이므로

$f(1)=2$에서 $g(2)=1$이고

$f(2)=3$에서 $g(3)=2$

이때 $g(g(x))=h(x)$라 놓으면

$\lim_{x\to3}\frac{g(g(x))-1}{x-3}=\lim_{x\to3}\frac{h(x)-h(3)}{x-3}=h'(3)$

STEP C 역함수의 미분법을 이용하여 구하기

$h(x)=g(g(x))$를 x에 대하여 미분하면

$h'(x)=g'(g(x))g'(x)$

즉 $h'(3)=g'(g(3))g'(3)$이므로 $h'(3)=g'(2)g'(3)$

따라서 $h'(3)=g'(2)g'(3)=\frac{1}{f'(g(2))}\cdot\frac{1}{f'(g(3))}$

$=\frac{1}{f'(1)}\cdot\frac{1}{f'(2)}$

$=2\cdot\frac{1}{4}=\frac{1}{2}$

0517

$f(x)=x^3-x^2+x$로 정의된 함수 $f(x)$의 역함수 $g(x)$에 대하여

$\lim_{h\to0}\frac{\sum_{k=1}^{n}g(1+kh)-ng(1)}{h}=18$일 때, 자연수 n의 값을 구하여라.

STEP A 미분계수를 변형하여 구하기

$$\lim_{h\to0}\frac{\sum_{k=1}^{n}g(1+kh)-ng(1)}{h}=\lim_{h\to0}\frac{\sum_{k=1}^{n}\{g(1+kh)-g(1)\}}{h}$$
$$=\sum_{k=1}^{n}\lim_{h\to0}\left\{\frac{g(1+kh)-g(1)}{kh}\cdot k\right\}$$
$$=\sum_{k=1}^{n}\{g'(1)\cdot k\}$$
$$=g'(1)\cdot\frac{n(n+1)}{2}$$

STEP B 역함수의 미분법을 이용하여 자연수 n의 값 구하기

한편 $g(1)=a$이면 $f(a)=1$이므로 $a^3-a^2+a=1$, $(a-1)(a^2+1)=0$

$\therefore a=1(\because a^2+1>0)$

$f(g(x))=x$에서 $f'(g(x))g'(x)=1$

$\therefore g'(x)=\frac{1}{f'(g(x))}$

$g'(1)=\frac{1}{f'(g(1))}=\frac{1}{f'(1)}$

$f'(x)=3x^2-2x+1$에서 $f'(1)=2$이므로 $g'(1)=\frac{1}{2}$

$\frac{1}{2}\cdot\frac{n(n+1)}{2}=18$에서 $n(n+1)=72$, $n^2+n-72=0$

$(n-8)(n+9)=0$

따라서 자연수 n의 값은 8

0518

다음 물음에 답하여라.

(1) 함수 $f(x)=\ln(\tan x)\left(0<x<\frac{\pi}{2}\right)$의 역함수 $g(x)$에 대하여

$\lim_{h\to0}\frac{4g(8h)-\pi}{h}$의 값을 구하여라.

(2) 함수 $f(x)=\ln(\tan x)\left(0<x<\frac{\pi}{2}\right)$의 역함수 $g(x)$에 대하여

$\lim_{h\to0}\frac{\sum_{k=1}^{n}\{4g(kh)-\pi\}}{h}=72$일 때, 자연수 n의 값을 구하여라.

STEP A 로그함수의 합성함수 미분법을 구하기

$g(0)=a$로 놓으면 $f(a)=0$이므로 $\ln(\tan a)=0$

$\therefore a=\frac{\pi}{4}\left(\because 0<a<\frac{\pi}{2}\right)$, 즉 $g(0)=\frac{\pi}{4}$ ...... ㉠

$f(x)=\ln(\tan x)$에서

$f'(x)=\frac{1}{\tan x}\cdot\sec^2x \quad \therefore f'\left(\frac{\pi}{4}\right)=2$

STEP B 역함수의 미분법을 이용하여 구하기

이때 역함수의 미분법에 의하여 $f(x)$의 역함수가 $g(x)$이므로 $f(g(x))=x$ 양변을 x에 대하여 미분하면 $f'(g(x))\cdot g'(x)=1$

$\therefore g'(x)=\frac{1}{f'(g(x))}$

즉 $g'(0)=\frac{1}{f'(g(0))}=\frac{1}{f'\left(\frac{\pi}{4}\right)}=\frac{1}{2}$ ...... ㉡

STEP C 미분계수의 정의를 이용하여 주어진 식 구하기

따라서 ㉠, ㉡에서 $\lim_{h\to0}\frac{4g(8h)-\pi}{h}=\lim_{h\to0}\frac{4\left\{g(8h)-\frac{\pi}{4}\right\}}{8h}\times8$
$$=32\lim_{h\to0}\frac{g(8h)-g(0)}{8h}$$
$$=32g'(0)=32\cdot\frac{1}{2}=16$$

STEP A 역함수의 미분법을 이용하여 구하기

$f(x)=\ln(\tan x)$에서 $f'(x)=\frac{1}{\tan x}\cdot\sec^2x=\frac{1}{\cos^2x\tan x}$

$f\left(\frac{\pi}{4}\right)=\ln\left(\tan\frac{\pi}{4}\right)=0$에서 $g(0)=\frac{\pi}{4}\,(\because g(x)=f^{-1}(x))$

$g'(0)=\frac{1}{f'(g(0))}=\frac{1}{f'\left(\frac{\pi}{4}\right)}=\frac{1}{\frac{1}{\left(\frac{\sqrt{2}}{2}\right)^2\cdot1}}=\frac{1}{2}$

STEP B 자연수 n의 값 구하기

$$\lim_{h\to0}\frac{\sum_{k=1}^{n}\{4g(kh)-\pi\}}{h}=4\lim_{h\to0}\frac{\sum_{k=1}^{n}\left\{g(kh)-\frac{\pi}{4}\right\}}{h}$$
$$=4\lim_{h\to0}\sum_{k=1}^{n}\frac{g(kh)-g(0)}{h}$$
$$=4\sum_{k=1}^{n}k\lim_{h\to0}\frac{g(kh)-g(0)}{kh}$$
$$=4\sum_{k=1}^{n}kg'(0)$$
$$=4\times\frac{n(n+1)}{2}\times g'(0)$$
$$=2n(n+1)\times\frac{1}{2}$$
$$=n(n+1)=72$$

$n^2+n-72=0$, $(n-8)(n+9)=0$

따라서 자연수 $n=8$

0519

실수 전체의 집합에서 이계도함수를 갖는 함수 $f(x)$가 다음 조건을 만족시킨다.

(가) $f(1)=2$, $f'(1)=3$

(나) $\lim_{x\to1}\frac{f'(f(x))-1}{x-1}=3$

$f''(2)$의 값은?

① 1 ② 2 ③ 3
④ 4 ⑤ 5

STEP A (분모)→0이면 (분자)→0임을 이용하여 $f'(f(1))$의 값 구하기

조건 (나)에서 $\lim_{x\to1}\frac{f'(f(x))-1}{x-1}=3$

$x\to1$일 때, (분모)→0이고 극한값이 존재하므로 (분자)→0이어야 한다.

$\lim_{x\to1}\{f'(f(x))-1\}=0$이므로 $f'(f(1))-1=0$

$\therefore f'(f(1))=1$

STEP B 미분계수의 정의를 이용하여 구하기

$$\lim_{x\to1}\frac{f'(f(x))-1}{x-1}=\lim_{x\to1}\frac{f'(f(x))-f'(f(1))}{x-1}$$
$$=\lim_{x\to1}\left\{\frac{f'(f(x))-f'(f(1))}{f(x)-f(1)}\cdot\frac{f(x)-f(1)}{x-1}\right\}$$
$$=f''(f(1))f'(1)$$
$$=f''(2)\cdot3=3$$

따라서 $f''(2)=1$

0520

$x>1$인 모든 실수에서 정의된 두 함수

$$f(x)=x^{\ln x},\ g(x)=(\ln x)^x$$

에 대하여 $f'(e)-g'(e)$의 값은?

① 1　② 2　③ 3　④ 4　⑤ 5

STEP A 로그함수의 미분법을 이용하여 $f'(x)$, $g'(x)$ 구하기

$f(x)=x^{\ln x}$에서 $\ln f(x)=(\ln x)^2$

양변을 x에 대하여 미분하면

$$\frac{f'(x)}{f(x)}=\frac{2}{x}\ln x$$

즉 $f'(x)=f(x)\left(\frac{2}{x}\ln x\right)=x^{\ln x}\left(\frac{2}{x}\ln x\right)$

$g(x)=(\ln x)^x$에서 $\ln g(x)=x\ln(\ln x)$

양변을 x에 대하여 미분하면

$$\frac{g'(x)}{g(x)}=\ln(\ln x)+x\cdot\frac{1}{\ln x}\cdot\frac{1}{x}$$

$\therefore\ g'(x)=g(x)\left\{\ln(\ln x)+\frac{1}{\ln x}\right\}=(\ln x)^x\left\{\ln(\ln x)+\frac{1}{\ln x}\right\}$

STEP B $f'(e)-g'(e)$의 값 구하기

따라서 $f'(e)-g'(e)=2-1=1$

0521 서술형

다음 그림과 같이 길이가 5m인 막대가 지면에 수직인 벽에 걸쳐 있다. 지면과 닿아 있는 막대의 한쪽 끝과 벽으로부터의 거리가 xm일 때, 벽에 닿아 있는 다른 한 쪽 끝의 높이를 ym라 하자.
이 막대가 지면과 벽을 따라 미끄러질 때, 다음 단계로 서술하여라.
(단, 막대의 두께는 고려하지 않는다.)

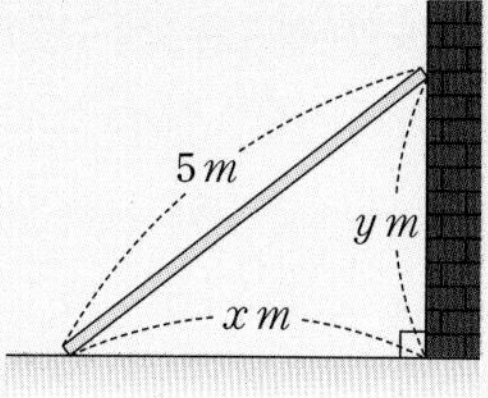

[1단계] x, y 사이의 관계식을 구하여라.

[2단계] $x=4$일 때, $\frac{dy}{dx}$의 값을 구하여라.

1단계 x, y 사이의 관계식을 구하여라. ◀ 20%

피타고라스 정리에 의하여

$x^2+y^2=25$ (단, $x>0$, $y>0$)

2단계 $x=4$일 때, $\frac{dy}{dx}$의 값을 구하여라. ◀ 80%

$x^2+y^2=25$의 각 항을 x에 대하여 미분하면

$2x+2y\frac{dy}{dx}=0$에서 $\frac{dy}{dx}=-\frac{x}{y}$

한편 $x^2+y^2=25$에서 $x=4$이면 $4^2+y^2=25$

$y>0$이므로 $y=3$

따라서 $x=4$일 때, $\frac{dy}{dx}=-\frac{4}{3}$

0522 서술형

매개변수로 나타낸 함수

$$x=t+t^3+t^5+\cdots+t^{199},\ y=t^2+t^4+t^6+\cdots t^{200}$$

에 대하여 $\lim_{t\to1}\frac{dy}{dx}$의 값을 구하는 과정을 다음 단계로 서술하여라.

[1단계] $\frac{dy}{dt}$, $\frac{dx}{dt}$의 값을 구한다.

[2단계] $\frac{dy}{dx}$의 값을 구한다.

[3단계] 시그마의 성질을 이용하여 $\lim_{t\to1}\frac{dy}{dx}$의 값을 구한다.

1단계 $\frac{dy}{dt}$, $\frac{dx}{dt}$의 값을 구한다. ◀ 40%

$$\frac{dx}{dt}=1+3t^2+5t^4+\cdots+199t^{198}$$

$$\frac{dy}{dt}=2t+4t^3+6t^5+\cdots+200t^{199}$$

2단계 $\frac{dy}{dx}$의 값을 구한다. ◀ 20%

$$\frac{dy}{dx}=\frac{\frac{dy}{dt}}{\frac{dx}{dt}}=\frac{2t+4t^3+6t^5+\cdots+200t^{199}}{1+3t^2+5t^4+\cdots+199t^{198}}$$

3단계 시그마의 성질을 이용하여 $\lim_{t\to1}\frac{dy}{dx}$의 값을 구한다. ◀ 40%

따라서 $\lim_{t\to1}\frac{dy}{dx}=\lim_{t\to1}\frac{2t+4t^3+6t^5+\cdots+200t^{199}}{1+3t^2+5t^4+\cdots+199t^{198}}$

$$=\frac{2+4+6+\cdots+200}{1+3+5+\cdots+199}$$

$$=\frac{\frac{100(2+200)}{2}}{\frac{100(1+199)}{2}}=\frac{101}{100}$$

0523 서술형

모든 실수 x에 대하여 미분가능한 함수 $f(x)$의 역함수를 $g(x)$라 하자.
$\lim_{x\to1}\frac{f(x)-2}{x-1}=3$일 때, $\lim_{x\to2}\frac{g(x)-1}{x-2}$의 값을 구하는 과정을 다음 단계로 서술하여라.

[1단계] $\lim_{x\to1}\frac{f(x)-2}{x-1}=3$에서 $f(1)$, $f'(1)$의 값을 구한다.

[2단계] $f(x)$의 역함수가 $g(x)$임을 이용하여 $g'(x)$를 구한다.

[3단계] $\lim_{x\to2}\frac{g(x)-1}{x-2}$의 값을 구한다.

1단계 $\lim_{x\to1}\frac{f(x)-2}{x-1}=3$에서 $f(1)$, $f'(1)$의 값을 구한다. ◀ 40%

$\lim_{x\to1}\frac{f(x)-2}{x-1}=3$에서

$x\to1$일 때, (분모)→0이고 극한값이 존재하므로 (분자)→0이어야 한다.

즉 $\lim_{x\to1}\{f(x)-2\}=0$에서 $f(1)=2$

함수 $f(x)$가 실수 전체에서 미분가능하므로

$$\lim_{x\to1}\frac{f(x)-2}{x-1}=\lim_{x\to1}\frac{f(x)-f(1)}{x-1}=f'(1)=3$$

2단계 $f(x)$의 역함수가 $g(x)$임을 이용하여 $g'(x)$를 구한다. ◀ 30%

$f(x)$의 역함수가 $g(x)$이므로

$f(g(x))=x$의 양변을 x에 대하여 미분하면

$f'(g(x))g'(x)=1$　$\therefore\ g'(x)=\frac{1}{f'(g(x))}$

3단계 $\lim_{x\to2}\frac{g(x)-1}{x-2}$의 값을 구한다. ◀ 30%

$\lim_{x\to2}\frac{g(x)-1}{x-2}$에서

$x\to2$일 때, (분모)→0이고 극한값이 존재하므로 (분자)→0이어야 한다.

즉 $\lim_{x\to2}\{g(x)-1\}=0$에서 $g(2)=1$

$\lim_{x\to2}\frac{g(x)-g(1)}{x-2}=g'(2)$

이때 $f(1)=2$이므로 $g(2)=1$

따라서 $g'(2)=\frac{1}{f'(g(2))}=\frac{1}{f'(1)}=\frac{1}{3}$

0524

서술형

실수 전체의 집합에서 증가하고 미분가능한 함수 $f(x)$가 다음 조건을 만족시킨다.

(가) $\lim_{x\to1}\frac{f(x)-2}{x-1}=3$

(나) $\lim_{x\to2}\frac{f(x)-4}{x-2}=5$

함수 $f(x)$의 역함수 $g(x)$에 대하여 함수 $h(x)$를 $h(x)=(g\circ g)(x)$라 할 때, $h'(4)$의 값을 구하는 과정을 다음 단계로 서술하여라.

[1단계] 조건 (가) $\lim_{x\to1}\frac{f(x)-2}{x-1}=3$에서 $f(1)$, $f'(1)$의 값을 구한다.

[2단계] 조건 (나) $\lim_{x\to2}\frac{f(x)-4}{x-2}=5$에서 $f(2)$, $f'(2)$의 값을 구한다.

[3단계] $f(x)$의 역함수가 $g(x)$임을 이용하여 $g'(x)$를 구한다.

[4단계] $h'(4)$의 값을 구한다.

1단계 조건 (가) $\lim_{x\to1}\frac{f(x)-2}{x-1}=3$에서 $f(1)$, $f'(1)$의 값을 구한다. ◀ 20%

$\lim_{x\to1}\frac{f(x)-2}{x-1}=3$에서

$x\to1$일 때, (분모)→0이고 극한값이 존재하므로 (분자)→0이어야 한다.

즉 $\lim_{x\to1}\{f(x)-2\}=0$에서 $f(1)=2$

함수 $f(x)$가 실수 전체에서 미분가능하므로

$\lim_{x\to1}\frac{f(x)-2}{x-1}=\lim_{x\to1}\frac{f(x)-f(1)}{x-1}=f'(1)=3$

2단계 조건 (나) $\lim_{x\to2}\frac{f(x)-4}{x-2}=5$에서 $f(2)$, $f'(2)$의 값을 구한다. ◀ 20%

$\lim_{x\to2}\frac{f(x)-4}{x-2}=5$에서

$x\to2$일 때, (분모)→0이고 극한값이 존재하므로 (분자)→0이어야 한다.

즉 $\lim_{x\to2}\{f(x)-4\}=0$에서 $f(2)=4$

함수 $f(x)$가 실수 전체에서 미분가능하므로

$\lim_{x\to2}\frac{f(x)-4}{x-2}=\lim_{x\to2}\frac{f(x)-f(2)}{x-2}=f'(2)=5$

3단계 $f(x)$의 역함수가 $g(x)$임을 이용하여 $g'(x)$를 구한다. ◀ 20%

$f(x)$의 역함수가 $g(x)$이므로 $f(g(x))=x$의 양변을 x에 대하여 미분하면

$f'(g(x))g'(x)=1 \quad \therefore g'(x)=\frac{1}{f'(g(x))}$

4단계 $h'(4)$의 값을 구한다. ◀ 40%

이때 [1단계]에서 $f(1)=2$이므로 $g(2)=1$

$\therefore g'(2)=\frac{1}{f'(g(2))}=\frac{1}{f'(1)}=\frac{1}{3}$

또한, [2단계]에서 $f(2)=4$이므로 $g(4)=2$

$\therefore g'(4)=\frac{1}{f'(g(4))}=\frac{1}{f'(2)}=\frac{1}{5}$

따라서 $h(x)=g(g(x))$에서 $h'(x)=g'(g(x))g'(x)$이므로

$h'(4)=g'(g(4))g'(4)=g'(2)g'(4)=\frac{1}{3}\times\frac{1}{5}=\frac{1}{15}$

0525

서술형

양의 실수 전체의 집합에서 정의된 함수 $f(x)=x^3+3x^2+1$의 역함수를 $g(x)$라 할 때, $\sum_{n=1}^{\infty}g'(n^3+3n^2+1)$의 값을 구하는 과정을 다음 단계로 서술하여라.

[1단계] $f(x)$의 역함수가 $g(x)$임을 이용하여 $g'(x)$를 구한다.

[2단계] $g'(n^3+3n^2+1)$을 구한다.

[3단계] $\sum_{n=1}^{\infty}g'(n^3+3n^2+1)$의 값을 구한다.

1단계 $f(x)$의 역함수가 $g(x)$임을 이용하여 $g'(x)$를 구한다. ◀ 20%

$f(x)$의 역함수가 $g(x)$이므로 $f(g(x))=x$의 양변을 x에 대하여 미분하면

$f'(g(x))g'(x)=1 \quad \therefore g'(x)=\frac{1}{f'(g(x))}$

2단계 $g'(n^3+3n^2+1)$을 구한다. ◀ 40%

곡선 $y=g(x)$가 점 $(n^3+3n^2+1,\ n)$을 지나므로

$g(n^3+3n^2+1)=n$ ($\because f(n)=n^3+3n^2+1$)

$f(x)=x^3+3x^2+1$에서

$f'(x)=3x^2+6x$이므로 $f'(n)=3n^2+6n$

$$g'(n^3+3n^2+1)=\frac{1}{f'(g(n^3+3n^2+1))}=\frac{1}{f'(n)}=\frac{1}{3n^2+6n}=\frac{1}{3n(n+2)}$$

3단계 $\sum_{n=1}^{\infty}g'(n^3+3n^2+1)$의 값을 구한다. ◀ 40%

$\sum_{n=1}^{\infty}g'(n^3+3n^2+1)=\sum_{n=1}^{\infty}\frac{1}{3n(n+2)}=\frac{1}{3}\sum_{n=1}^{\infty}\frac{1}{n(n+2)}$

$\sum_{n=1}^{\infty}\frac{1}{n(n+2)}$에서 $S_n=\sum_{k=1}^{n}\frac{1}{k(k+2)}$이라 하면

$$S_n=\frac{1}{2}\sum_{k=1}^{n}\left(\frac{1}{k}-\frac{1}{k+2}\right)$$
$$=\frac{1}{2}\left\{\left(\frac{1}{1}-\frac{1}{3}\right)+\left(\frac{1}{2}-\frac{1}{4}\right)+\left(\frac{1}{3}-\frac{1}{5}\right)+\cdots+\left(\frac{1}{n-1}-\frac{1}{n+1}\right)+\left(\frac{1}{n}-\frac{1}{n+2}\right)\right\}$$
$$=\frac{1}{2}\left(\frac{1}{1}+\frac{1}{2}-\frac{1}{n+1}-\frac{1}{n+2}\right)$$

이므로

$\lim_{n\to\infty}S_n=\lim_{n\to\infty}\frac{1}{2}\left(\frac{1}{1}+\frac{1}{2}-\frac{1}{n+1}-\frac{1}{n+2}\right)=\frac{1}{2}\left(\frac{1}{1}+\frac{1}{2}-0-0\right)=\frac{3}{4}$

따라서 $\sum_{n=1}^{\infty}g'(n^3+3n^2+1)=\frac{1}{3}\sum_{n=1}^{\infty}\frac{1}{n(n+2)}=\frac{1}{3}\times\frac{3}{4}=\frac{1}{4}$

TOUGH

0526

실수 전체의 집합에서 미분가능한 두 함수 $f(x)$와 $g(x)$가 다음 조건을 만족시킨다.

(가) $\lim_{h\to 0}\frac{f(g(1+h))-f(g(1-h))}{h}=16$

(나) $g'(1)=2,\ g(1)=2$

$f'(2)$의 값을 구하여라.

STEP A 조건 (가)에서 합성함수의 미분계수 구하기

조건 (가)에서

$$\lim_{h\to 0}\frac{f(g(1+h))-f(g(1-h))}{h}$$

$$=\lim_{h\to 0}\frac{f(g(1+h))-f(g(1))-\{f(g(1-h))-f(g(1))\}}{h}$$

$$=\lim_{h\to 0}\frac{f(g(1+h))-f(g(1))}{h}+\lim_{h\to 0}\frac{f(g(1-h))-f(g(1))}{-h}$$

$$=\lim_{h\to 0}\left\{\frac{f(g(1+h))-f(g(1))}{g(1+h)-g(1)}\times\frac{g(1+h)-g(1)}{h}\right\}$$

$$+\lim_{h\to 0}\left\{\frac{f(g(1-h)-f(g(1)))}{g(1-h)-g(1)}\times\frac{g(1-h)-g(1)}{-h}\right\}$$

$$=\lim_{h\to 0}\frac{f(g(1+h))-f(g(1))}{g(1+h)-g(1)}\times\lim_{h\to 0}\frac{g(1+h)-g(1)}{h}$$

$$+\lim_{h\to 0}\frac{f(g(1-h))-f(g(1))}{g(1-h)-g(1)}\times\lim_{h\to 0}\frac{g(1-h)-g(1)}{-h}$$

$=f'(g(1))g'(1)+f'(g(1))g'(1)$

$=2f'(g(1))g'(1)=16$

STEP B $f'(2)$의 값 구하기

즉 $f'(g(1))g'(1)=8$

따라서 $f'(2)\cdot 2=8$이므로 $f'(2)=4$

0527

다음 물음에 답하여라.

(1) 이차 이상의 다항함수 $f(x)$와 함수 $g(x)=e^{\sin x}$에 대하여

$(f\circ g)(0)=2,\ (f\circ g)'(0)=1$

이 성립한다. 다항식 $f(x)$를 $(x-1)^2$으로 나누었을 때의 나머지를 $\mathrm{R}(x)$라 할 때, $\mathrm{R}(3)$의 값을 구하여라.

STEP A 합성함수의 미분법을 이용하여 $f(1),\ f'(1)$의 값 구하기

$(f\circ g)(0)=2$에서 $f(g(0))=f(e^{\sin 0})=f(e^0)=f(1)=2$

또, $((f\circ g)'(x)=f'(g(x))g'(x)$이고 $g'(x)=e^{\sin x}\cos x$이므로

$(f\circ g)'(0)=1$에서 $f'(g(0))g'(0)=f'(1)=1$

STEP B 몫과 나머지를 임의로 두고 식 세우기

$f(x)$를 이차식 $(x-1)^2$으로 나누었을 때의 몫을 $\mathrm{Q}(x)$라 하면

나머지 $\mathrm{R}(x)$는 일차 이하의 다항식이므로

$f(x)=(x-1)^2\mathrm{Q}(x)+ax+b$ (a, b는 상수) …… ㉠

STEP C 합성함수의 미분법을 이용하여 나머지 구하기

㉠의 양변에 $x=1$을 대입하면

$f(1)=a+b\ \ \therefore a+b=2$ …… ㉡

㉠의 양변을 x에 대하여 미분하면

$f'(x)=2(x-1)\mathrm{Q}(x)+(x-1)^2\mathrm{Q}'(x)+a$

양변에 $x=1$을 대입하면 $f'(1)=a\ \ \therefore a=1$

$a=1$을 ㉡에 대입하면 $b=1$이므로 $\mathrm{R}(x)=x+1$

따라서 $\mathrm{R}(3)=3+1=4$

(2) 이차 이상의 다항함수 $f(x)$와 함수 $g(x)=e^{x^3+x+1}$이

$(f\circ g)(0)=3,\ (f\circ g)'(0)=e$

를 만족시킨다. 다항식 $f(x)$를 $(x-e)^2$으로 나누었을 때의 나머지를 $\mathrm{R}(x)$라 할 때, $\mathrm{R}(-3)$의 값을 구하여라.

STEP A 합성함수의 미분법을 이용하여 $f(e),\ f'(e)$의 값 구하기

$(f\circ g)(0)=3$에서 $f(g(0))=f(e)=3$

또, $(f\circ g)'(x)=f'(g(x))g'(x)$이고 $g'(x)=e^{x^3+x+1}(3x^2+1)$이므로

$(f\circ g)'(0)=e$에서 $f'(g(0))g'(0)=f'(e)\times e=e$

즉 $f'(e)=1$

STEP B 몫과 나머지를 임의로 두고 식 세우기

$f(x)$를 이차식 $(x-e)^2$으로 나누었을 때의 몫을 $\mathrm{Q}(x)$라 하고 $\mathrm{R}(x)=ax+b$ (a, b는 상수)라 하면

$f(x)=(x-e)^2\mathrm{Q}(x)+ax+b$ …… ㉠

로 놓을 수 있다.

STEP C 합성함수의 미분법을 이용하여 나머지 구하기

㉠의 양변에 $x=e$를 대입하면

$f(e)=ea+b$, 즉 $ea+b=3$ …… ㉡

㉠의 양변을 x에 대하여 미분하면

$f'(x)=2(x-e)\mathrm{Q}(x)+(x-e)^2\mathrm{Q}'(x)+a$

위 식의 양변에 $x=e$를 대입하면 $f'(e)=a$, 즉 $a=1$

$a=1$을 ㉡에 대입하면 $b=3-e$이므로 $\mathrm{R}(x)=x+3-e$

따라서 구하는 값은 $\mathrm{R}(-3)=-e$

0528

$f(x)=e^{ax}\cos bx$에 대하여

$f''(x)-6f'(x)+25f(x)=0$

이 성립하도록 실수 a, b의 값을 정할 때, $a+b$의 값은? (단, $b>0$)

① 5 ② 6 ③ 7 ④ 8 ⑤ 9

STEP A $f'(x),\ f''(x)$의 값 구하기

$f(x)=e^{ax}\cos bx$에서

$f'(x)=ae^{ax}\cos bx+e^{ax}(-b\sin bx)$

$=e^{ax}(a\cos bx-b\sin bx)$

$f''(x)=ae^{ax}(a\cos bx-b\sin bx)+e^{ax}(-ab\sin bx-b^2\cos bx)$

$=e^{ax}\{(a^2-b^2)\cos bx-2ab\sin bx\}$

STEP B 항등식의 계수비교법을 이용하여 a, b의 값 구하기

$f''(x)-6f'(x)+25f(x)=0$에서

$e^{ax}\{(a^2-b^2)\cos bx-2ab\sin bx\}-6e^{ax}(a\cos bx-b\sin bx)$

$+25e^{ax}\cos bx=0$

$e^{ax}\{(a^2-b^2-6a+25)\cos bx-2b(a-3)\sin bx\}=0$ …… ㉠

이때 모든 실수 x에 대하여 ㉠이 성립하려면 e^{ax}는 항상 양수이므로

$a^2-b^2-6a+25=0$이고 $-2b(a-3)=0$

$-2b(a-3)=0$에서 $a=3\ (\because b>0)$

$a^2-b^2-6a+25=0$에 $a=3$을 대입하면 $16-b^2=0$

$\therefore b=4\ (\because b>0)$

따라서 $a+b=3+4=7$

0529

최고차항의 계수가 1인 삼차함수 $f(x)$의 역함수를 $g(x)$라 할 때, $g(x)$가 다음 조건을 만족시킨다.

(가) $g(x)$는 실수 전체의 집합에서 미분가능하고 $g'(x) \le \frac{1}{3}$이다.

(나) $\lim_{x \to 3} \frac{f(x)-g(x)}{(x-3)g(x)} = \frac{8}{9}$

$f(1)$의 값은?

① -11 ② -9 ③ -7
④ -5 ⑤ -3

STEP Ⓐ $f(3)=g(3)$임을 구하기

삼차함수 $f(x)$의 역함수가 존재하므로 증가함수이어야 한다.

즉 $g(x)$도 증가함수이면서 조건 (가)에서 $0 < g'(x) \le \frac{1}{3}$

$\therefore f'(x) \ge 3$ ⬅ $g'(x)=\frac{1}{f'(g(x))} \le 3$, $g(x)$의 치역이 모든 실수이므로 $f'(x) \ge \frac{1}{3}$

조건 (나) $\lim_{x \to 3} \frac{f(x)-g(x)}{(x-3)g(x)} = \frac{8}{9}$에서

$x \to 3$일 때, (분모)$\to 0$이고 극한값이 존재하므로 (분자)$\to 0$이어야 한다.

즉 $\lim_{x \to 3}\{f(x)-g(x)\}=0$이므로 $f(3)-g(3)=0$

$\therefore f(3)=g(3)$

STEP Ⓑ 조건 (나)의 극한값 구하기

또한, $f(x)$와 $g(x)$는 서로 역함수의 관계이고 $f(x)$는 증가함수이므로

$f(3)=g(3)=3$ …… ㉠ ⬅ $y=f(x)$는 $(3, 3)$을 지난다.

또한,

$$\lim_{x \to 3} \frac{f(x)-g(x)}{(x-3)g(x)}$$

$$= \lim_{x \to 3} \frac{f(x)-f(3)-g(x)+g(3)}{(x-3)g(x)}$$

$$= \frac{1}{g(3)} \times \lim_{x \to 3}\left\{\frac{f(x)-f(3)}{x-3} - \frac{g(x)-g(3)}{x-3}\right\}$$

$$= \frac{1}{g(3)}\{f'(3)-g'(3)\} = \frac{8}{9}$$

STEP Ⓒ 조건 (나)와 역함수의 미분법을 이용하여 $f(1)$의 값 구하기

이때 $g'(3)=\frac{1}{f'(g(3))}=\frac{1}{f'(3)}$이므로 $\frac{1}{3}\left\{f'(3)-\frac{1}{f'(3)}\right\}=\frac{8}{9}$

$3\{f'(3)\}^2-8f'(3)-3=0$

$\{3f'(3)+1\}\{f'(3)-3\}=0$

$\therefore f'(3)=-\frac{1}{3}$ 또는 $f'(3)=3$

그런데 $f(x)$는 삼차함수의 계수가 양수이고 역함수가 존재하므로 $f'(x) \ge 3$

$f'(3)=3$ …… ㉡

또한, 오른쪽 그림에서 $y=f'(x)$가 이차함수이고 $f'(3) \ge 3$이므로 함수 $y=f'(x)$의 최솟값이 3, 그때 x의 값이 3이다.

즉 조건 (가)에 의하여 $f(x)$의 변곡점의 x좌표는 3이 되어야 한다.

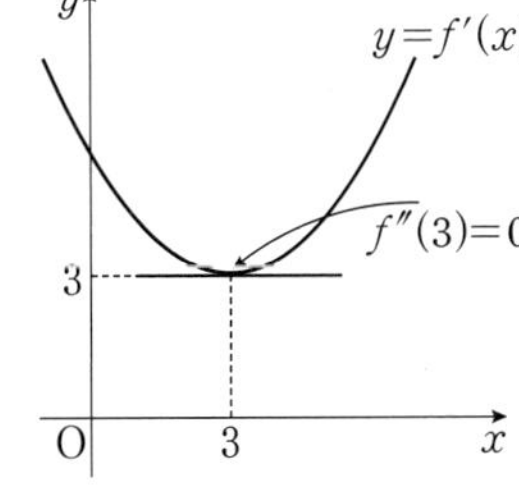

$f''(3)=0$ …… ㉢

최고차항이 1인 삼차함수 $f(x)=x^3+ax^2+bx+c$라 하면

$f'(x)=3x^2+2ax+b$, $f''(x)=6x+2a$

㉠, ㉡, ㉢에 의하여 $f(3)=27+9a+3b+c=3$

$f'(3)=27+6a+b=3$, $f''(3)=18+2a=0$

위의 식을 연립하면 $a=-9$, $b=30$, $c=-33$

따라서 $f(x)=x^3-9x^2+30x-33$이므로 $f(1)=1-9+30-33=-11$

> **+α** $f(x)$는 삼차함수의 계수가 양수이고 역함수가 존재하므로
> 조건 (가)에서 $g'(x) \le \frac{1}{3}$이므로 $f'(x) \ge 3$
> $f'(x) \ge 3$ $\therefore f'(3)=3$
> 즉 최고차항의 계수가 1인 삼차함수 $f(x)$의 도함수 $f'(x)$는 최고차항의 계수가 3이고 $f'(3)=3$이므로 $x=3$에서 최솟값 3을 갖는 이차함수이다.
> $\therefore f'(x)=3(x-3)^2+3=3x^2-18x+30$
> $f(x)=\int(3x^2-18x+30)dx$
> $=x^3-9x^2+30x+C$ (단, C는 적분상수)
> 이때 $f(3)=3$이므로 $C=-33$
> 따라서 $f(x)=x^3-9x^2+30x-33$이므로 $f(1)=-11$

다른풀이 $x=3$에서 삼중근을 가짐을 이용하여 풀이하기

삼차함수 $f(x)$는 최고차항의 계수가 1이고 증가함수이며

$f'(x) \ge 3$, $f'(3)=3$이고 $f(3)=3$이므로

곡선 $y=f(x)$ 위의 점 $(3, 3)$에서의 접선의 방정식은 $y-3=3(x-3)$

$\therefore y=3x-6$

이때 $f(x)-(3x-6)=(x-3)^3$이므로 $f(x)=(x-3)^3+(3x-6)$

따라서 $f(1)=(1-3)^3+(3-6)=-11$

다른풀이 삼차함수 $f(x)$를 정하여 풀이하기

$f(x)=x^3+ax^2+bx+c$ (단, a, b, c는 상수)

라 하면 $f'(x)=3x^2+2ax+b$

$f(3)=3$에서 $3=27+9a+3b+c$

$\therefore 9a+3b+c=-24$ …… ㉠

$f'(3)=3$에서 $3=27+6a+b$

$\therefore b=-24-6a$ …… ㉡

조건 (가)에서

$g'(x) \le \frac{1}{3}$이므로 역함수의 미분법에 의하여 $f'(x) \ge 3$

$f'(x) \ge 3$에서

$3x^2+2ax+b \ge 3$, $3x^2+2ax+b-3 \ge 0$

이 부등식이 항상 성립하려면 이차방정식 $3x^2+2ax+b-3=0$의 판별식을 D라 하면 $\frac{D}{4}=a^2-3(b-3) \le 0$

㉡을 대입하면

$a^2-3(-6a-27) \le 0$, $(a+9)^2 \le 0$

$\therefore a=-9$

㉠, ㉡에서 $b=30$, $c=-33$

$f(x)=x^3-9x^2+30x-33$

따라서 $f(1)=1-9+30-33=-11$

0530

$0 < t < 41$인 실수 t에 대하여 곡선 $y=x^3+2x^2-15x+5$와 직선 $y=t$가 만나는 세 점 중에서 x좌표가 가장 큰 점의 좌표를 $(f(t), t)$, x좌표가 가장 작은 점의 좌표를 $(g(t), t)$라 하자. $h(t)=t \times \{f(t)-g(t)\}$라 할 때, $h'(5)$의 값은?

① $\frac{79}{12}$ ② $\frac{85}{12}$ ③ $\frac{91}{12}$
④ $\frac{97}{12}$ ⑤ $\frac{103}{12}$

STEP Ⓐ 주어진 함수 $h(t)$를 이용하여 $h'(5)$의 값을 구하는 식 세우기

$h(t)=t \times \{f(t)-g(t)\}$이므로

$h'(t)=\{f(t)-g(t)\}+t \times \{f'(t)-g'(t)\}$

$t=5$를 대입하면

$h'(5)=\{f(5)-g(5)\}+5\{f'(5)-g'(5)\}$ …… ㉠

STEP B 곡선 $y=x^3+2x^2-15x+5$와 직선 $y=5$가 만나는 점의 x좌표 구하기

$y=x^3+2x^2-15x+5$에서 $y'=3x^2+4x-15=(3x-5)(x+3)$

$y'=0$에서 $x=-3$ 또는 $x=\frac{5}{3}$

y의 증가와 감소를 표로 나타내면 다음과 같다.

x	$\cdots$	-3	$\cdots$	$\frac{5}{3}$	$\cdots$
y'	$+$	0	$-$	0	$+$
y	↗	극대	↘	극소	↗

$x=-3$일 때, 극댓값은 41이고 $x=\frac{5}{3}$에서 극솟값 $-\frac{265}{27}$

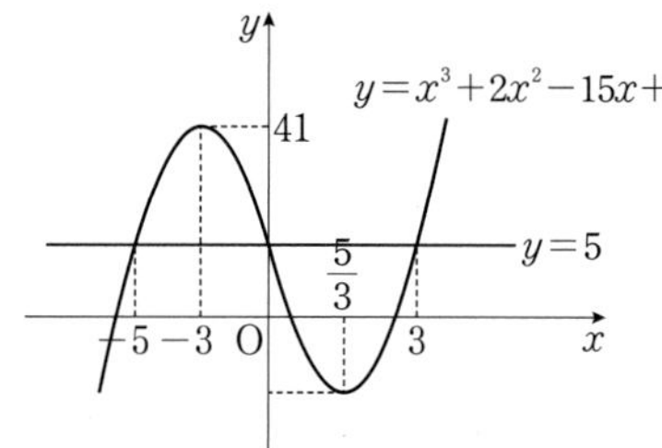

한편 $y=x^3+2x^2-15x+5$와 직선 $y=5$가 만나는 점의 x좌표는

$x^3+2x^2-15x+5=5$, $x(x^2+2x-15)=0$

$x(x+5)(x-3)=0$

$\therefore x=-5$ 또는 $x=0$ 또는 $x=3$

즉 $f(5)=3$, $g(5)=-5$ …… ㉡

STEP C 곡선 $y=x^3+2x^2-15x+5$와 $y=t$가 만나는 교점의 x좌표가 $f(t)$, $g(t)$임을 이용하여 $h'(5)$ 구하기

곡선 $y=x^3+2x^2-15x+5$와 직선 $y=t$가 만나는 교점의 x좌표는

$x^3+2x^2-15x+5=t$에서 $x^3+2x^2-15x+5-t=0$

이 방정식의 근이 $f(t)$, $g(t)$이므로

(ⅰ) 근이 $f(t)$일 때, $\{f(t)\}^3+2\{f(t)\}^2-15\{f(t)\}+5-t=0$

양변을 t에 대하여 미분하면

$3\{f(t)\}^2f'(t)+4\{f(t)\}f'(t)-15f'(t)-1=0$

$t=5$를 대입하면

$3\{f(5)\}^2f'(5)+4\{f(5)\}f'(5)-15f'(5)-1=0$

㉡에서 $f(5)=3$이므로 $27f'(5)+12f'(5)-15f'(5)-1=0$

$\therefore f'(5)=\frac{1}{24}$

(ⅱ) 근이 $g(t)$일 때, $\{g(t)\}^3+2\{g(t)\}^2-15\{g(t)\}+5-t=0$

양변을 t에 대하여 미분하면

$3\{g(t)\}^2g'(t)+4\{g(t)\}g'(t)-15g'(t)-1=0$

$t=5$를 대입하면

$3\{g(5)\}^2g'(5)+4\{g(5)\}g'(5)-15g'(5)-1=0$

㉡에서 $g(5)=-5$이므로 $75g'(5)-20g'(5)-15g'(5)-1=0$

$\therefore g'(5)=\frac{1}{40}$

따라서 ㉠에서 $h'(5)=\{3-(-5)\}+5\left(\frac{1}{24}-\frac{1}{40}\right)=8+\frac{1}{12}=\frac{97}{12}$

다른풀이 역함수의 미분법으로 풀이하기

STEP A 곡선 $y=x^3+2x^2-15x+5$와 직선 $y=5$가 만나는 점의 x좌표 구하기

$h(t)=t\cdot\{f(t)-g(t)\}$에서 $h'(t)=\{f(t)-g(t)\}+t\{f'(t)-g'(t)\}$

위 식에 $t=5$를 대입하면

$h'(5)=\{f(5)-g(5)\}+5\{f'(5)-g'(5)\}$

$x^3+2x^2-15x+5=5$, $x(x^2+2x-15)=0$

$x(x+5)(x-3)=0$

$\therefore x=-5$ 또는 $x=0$ 또는 $x=3$

즉 $f(5)=3$, $g(5)=-5$

STEP B 두 점 $(f(t), t)$, $(g(t), t)$가 곡선 $y=x^3+2x^2-15x+5$ 위의 점임을 이용하여 역함수 미분법에서 $h'(5)$ 구하기

한편 $p(x)=x^3+2x^2-15x+5$라 하면

$p'(x)=3x^2+4x-15$

이때 두 점 $(f(t), t)$, $(g(t), t)$는 함수 $y=p(x)$ 위의 점이므로

$p(f(t))=t$, $p(g(t))=t$

이때 함수 $p(t)$와 $f(t)$, 함수 $p(t)$와 $g(t)$는 각각 서로 역함수 관계이고

㉠에서 $f(5)=3$, $g(5)=-5$이므로

$f'(5)=\frac{1}{p'(3)}=\frac{1}{3\cdot3^2+4\cdot3-15}=\frac{1}{24}$

$g'(5)=\frac{1}{p'(-5)}=\frac{1}{3\cdot(-5)^2+4\cdot(-5)-15}=\frac{1}{40}$

따라서 $h'(5)=\{f(5)-g(5)\}+5\{f'(5)-g'(5)\}$

$=\{3-(-5)\}+5\left(\frac{1}{24}-\frac{1}{40}\right)$

$=8+\frac{1}{12}=\frac{97}{12}$

0531

함수 $f(x)=(x^2+ax+b)e^x$과 함수 $g(x)$가 다음 조건을 만족시킨다.

(가) $f(1)=e$, $f'(1)=e$

(나) 모든 실수 x에 대하여 $g(f(x))=f'(x)$이다.

함수 $h(x)=f^{-1}(x)g(x)$에 대하여 $h'(e)$의 값은? (단, a, b는 상수이다.)

① 1 ② 2 ③ 3 ④ 4 ⑤ 5

STEP A 조건 (가), (나)를 이용하여 상수 a, b 구하기

$f(1)=(1+a+b)e=e$에서

$a+b=0$ …… ㉠

$f'(x)=\{x^2+(a+2)x+a+b\}e^x$이므로

$f'(1)=\{1+(a+2)+a+b\}e=e$에서

$2a+b=-2$ …… ㉡

㉠, ㉡을 연립하여 풀면 $a=-2$, $b=2$

STEP B 역함수의 미분법을 이용하여 $(f^{-1})'(e)$의 값 구하기

$f(x)=(x^2-2x+2)e^x$에서 $f'(x)=x^2e^x$

$f''(x)=x(x+2)e^x$이므로 $f''(1)=3e$

이때 모든 실수 x에 대하여 $f'(x)\geq 0$이므로

함수 $f(x)$는 역함수가 존재한다.

$f(1)=e$에서 $f^{-1}(e)=1$이므로 역함수의 미분법에 의하여

$(f^{-1})'(e)=\frac{1}{f'(1)}=\frac{1}{e}$ ⬅ $(f^{-1})'(e)=\frac{1}{f'(f^{-1}(e))}$

STEP C $h(x)=f^{-1}(x)g(x)$의 곱의 미분법을 이용하여 $h'(e)$ 구하기

한편 $g(f(1))=f'(1)$이므로 $g(e)=e$

조건 (나)에서 $g(f(x))=f'(x)$의 양변을 x에 대하여 미분하면

$g'(f(x))f'(x)=f''(x)$ …… ㉢

㉢의 양변에 $x=1$을 대입하면

$g'(f(1))f'(1)=f''(1)$

$g'(e)\times e=3e$ $\therefore g'(e)=3$

따라서 $h'(e)=(f^{-1})'(e)g(e)+f^{-1}(e)g'(e)=\frac{1}{e}\times e+1\times 3=4$

04 도함수의 활용

0532

다음 물음에 답하여라.

(1) 곡선 $y=\ln(x-3)+1$ 위의 점 $(4, 1)$에서의 접선의 방정식이 $y=ax+b$일 때, 상수 a, b의 합 $a+b$의 값은?

① -2　② -1　③ 0
④ 1　⑤ 2

STEP A 로그함수의 미분법을 이용하여 $f'(x)$ 구하기

$f(x)=\ln(x-3)+1$이라 하면

$f'(x)=\dfrac{1}{x-3}$

STEP B 점 $(4, 1)$에서 접선의 방정식 구하기

점 $(4, 1)$에서의 접선의 기울기는 $f'(4)=\dfrac{1}{4-3}=1$이므로

접선의 방정식은 $y-1=1\cdot(x-4)$

$\therefore y=x-3$

따라서 $a=1$, $b=-3$이므로 $a+b=-2$

(2) $0<x<\frac{\pi}{2}$에서 정의된 함수 $f(x)=\ln(\tan x)$의 그래프와 x축이 만나는 점을 P라 하자. 곡선 $y=f(x)$ 위의 점 P에서의 접선의 y절편은?

① $-\pi$　② $-\frac{5}{6}\pi$　③ $-\frac{2}{3}\pi$
④ $-\frac{\pi}{2}$　⑤ $-\frac{\pi}{3}$

STEP A $y=f(x)$의 그래프와 x축이 만나는 점 P의 좌표 구하기

$f(x)=0$에서 $\ln(\tan x)=0$

$\therefore \tan x=1$

$0<x<\frac{\pi}{2}$에서 $x=\frac{\pi}{4}$이므로 점 P의 좌표는 $\left(\frac{\pi}{4}, 0\right)$

STEP B 점 $\left(\frac{\pi}{4}, 0\right)$에서 접선의 방정식 구하기

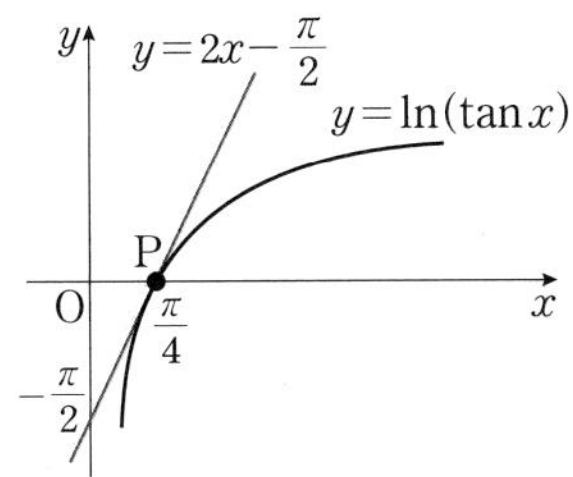

$f(x)=\ln(\tan x)$에서 $f'(x)=\dfrac{(\tan x)'}{\tan x}=\dfrac{\sec^2 x}{\tan x}$

$f'\left(\frac{\pi}{4}\right)=\dfrac{(\sqrt{2})^2}{1}=2$이므로

점 $P\left(\frac{\pi}{4}, 0\right)$에서의 접선의 방정식은 $y=2\left(x-\frac{\pi}{4}\right)$

$\therefore y=2x-\frac{\pi}{2}$

따라서 이 접선의 y절편은 $-\frac{\pi}{2}$

0533

다음 물음에 답하여라.

(1) 좌표평면에서 곡선 $y=e^{x-2}$ 위의 점 $(3, e)$에서의 접선이 x축, y축과 만나는 점을 각각 A, B라 하자. 삼각형 OAB의 넓이는? (단, O는 원점이다.)

① e　② $\frac{3}{2}e$　③ $2e$
④ $\frac{5}{2}e$　⑤ $3e$

STEP A 점 $(3, e)$에서의 접선의 방정식 구하기

함수 $f(x)=e^{x-2}$라 하면 $f'(x)=e^{x-2}$

곡선 위의 점 $(3, e)$에서의 접선의 기울기는 $f'(3)=e$이므로

접선의 방정식은 $y-e=e(x-3)$

$\therefore y=ex-2e$

STEP B 삼각형 OAB의 넓이 구하기

두 점 A, B의 좌표는 각각

$(2, 0)$, $(0, -2e)$

따라서 삼각형 OAB의 넓이는

$\frac{1}{2}\times2\times2e=2e$

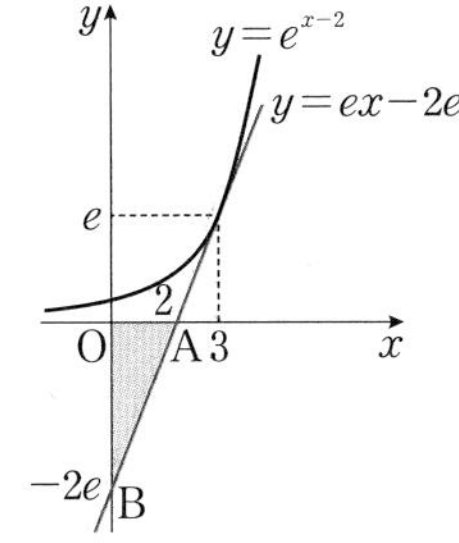

(2) 좌표평면에서 곡선 $y=\dfrac{1}{x-1}$ 위의 점 $\left(\frac{3}{2}, 2\right)$에서의 접선과 x축 및 y축으로 둘러싸인 부분의 넓이는?

① 8　② $\frac{17}{2}$　③ 9
④ $\frac{19}{2}$　⑤ 10

STEP A 도함수를 이용하여 접선의 방정식 구하기

함수 $f(x)=\dfrac{1}{x-1}$이라 하면 $f'(x)=-\dfrac{1}{(x-1)^2}$

점 $\left(\frac{3}{2}, 2\right)$에서의 접선의 기울기는 $f'\left(\frac{3}{2}\right)=-4$이므로

접선의 방정식은 $y=-4\left(x-\frac{3}{2}\right)+2$

$\therefore y=-4x+8$

STEP B 도형의 넓이 구하기

곡선 $y=\dfrac{1}{x-1}$ 위의 점 $\left(\frac{3}{2}, 2\right)$에서 의 접선과 x축 및 y축으로 둘러싸인 부분은 다음 그림과 같이 밑변의 길이가 2이고 높이가 8인 직각삼각형이다.

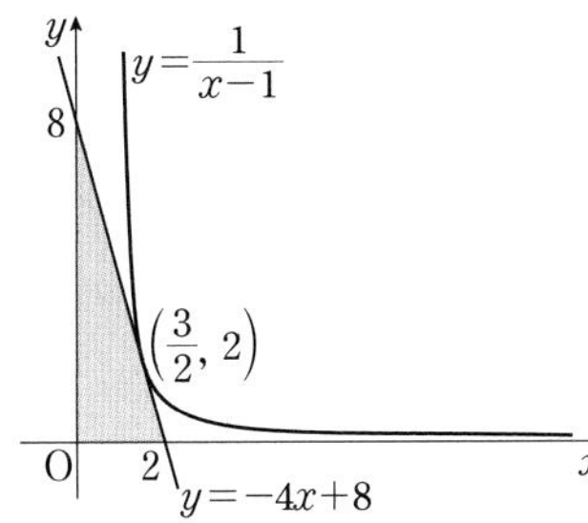

따라서 구하는 넓이는 $\frac{1}{2}\times2\times8=8$

0534

양의 실수 전체의 집합에서 미분가능한 함수 $f(x)$에 대하여 함수 $g(x)$를 $g(x)=f(x)\ln x^4$이라 하자. 곡선 $y=f(x)$ 위의 점 $(e, -e)$에서의 접선과 곡선 $y=g(x)$ 위의 점 $(e, -4e)$에서의 접선이 서로 수직일 때, $100f'(e)$의 값을 구하여라.

STEP A 곡선 $g(x)=f(x)\ln x^4$ 위의 점 $(e, -4e)$에서의 접선의 기울기 구하기

점 $(e, -e)$는 $y=f(x)$ 위의 점이므로 $f(e)=-e$

$y=f(x)$ 위의 점 $(e, -e)$에서의 접선의 기울기를 $f'(e)=a$라 하자.

$g(x)=f(x)\ln x^4$의 양변을 x에 대하여 미분하면

$g'(x)=f'(x)\cdot\ln x^4+f(x)\cdot\dfrac{4}{x}$

$y=g(x)$ 위의 점 $(e, -4e)$에서의 접선의 기울기는

$g'(e)=f'(e)\cdot\ln e^4+f(e)\cdot\dfrac{4}{e}$

$=a\cdot 4+(-e)\cdot\dfrac{4}{e}$

$=4a-4$

STEP B 두 접선이 서로 수직이므로 $f'(e)\cdot g'(e)=-1$임을 이용하여 $f'(e)$ 구하기

$x=e$에서 $f(x)$와 $g(x)$의 접선이 수직이므로

$f'(e)\times g'(e)=-1$

$a(4a-4)=-1$, $4a^2-4a+1=0$, $(2a-1)^2=0$

따라서 $a=\dfrac{1}{2}$이므로 $100f'(e)=100a=50$

0535

함수 $f(x)=e^x+x$의 역함수를 $g(x)$라고 할 때, 곡선 $y=g(x)$ 위의 점 $(1, 0)$에서의 접선과 x축 및 y축으로 둘러싸인 도형의 넓이를 구하여라.

STEP A 역함수의 미분법을 이용하여 $g'(1)$의 값 구하기

$f(x)=e^x+x$에서 $f'(x)=e^x+1$이고 역함수는 $g(x)$이므로

$f(g(x))=x$에서 $f'(g(x))\cdot g'(x)=1$

$\therefore\ g'(x)=\dfrac{1}{f'(g(x))}$

$y=g(x)$의 그래프 위의 점 $(1, 0)$에서의 접선의 기울기

$g'(1)=\dfrac{1}{f'(g(1))}=\dfrac{1}{f'(0)}=\dfrac{1}{2}$

STEP B $y=g(x)$의 점 $(1, 0)$에서 접선의 방정식 구하기

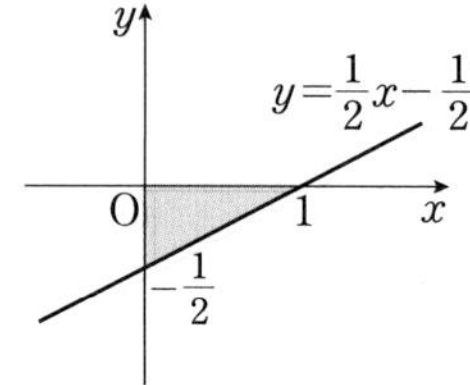

곡선 $y=g(x)$ 위의 점 $(1, 0)$에서의 접선의 기울기가 1이므로

접선의 방정식은 $y-0=\dfrac{1}{2}\cdot(x-1)$

$\therefore\ y=\dfrac{1}{2}x-\dfrac{1}{2}$

따라서 x축 $(1, 0)$ 및 y축 $\left(0, -\dfrac{1}{2}\right)$으로 둘러싸인 도형의 넓이는

$\dfrac{1}{2}\cdot\dfrac{1}{2}\cdot 1=\dfrac{1}{4}$

0536

다음 물음에 답하여라. (단, a, k는 상수)

(1) 함수 $f(x)=-x^2+2x-3(x\geq 1)$의 역함수를 $g(x)$라 할 때, 곡선 $y=g(x)$ 위의 점 $(-6, 3)$에서의 접선이 점 $(2, k)$를 지날 때, k의 값은?

① $\dfrac{1}{2}$ ② 1 ③ $\dfrac{3}{2}$ ④ 2 ⑤ $\dfrac{5}{2}$

STEP A 역함수의 미분법을 이용하여 $g'(-6)$의 값 구하기

$f(x)=-x^2+2x-3(x\geq 1)$에서 $f'(x)=-2x+2$이고

역함수는 $g(x)$이므로

$f(g(x))=x$에서 $f'(g(x))\cdot g'(x)=1$

$\therefore\ g'(x)=\dfrac{1}{f'(g(x))}$

$y=g(x)$의 그래프 위의 점 $(-6, 3)$에서의 접선의 기울기

$g'(-6)=\dfrac{1}{f'(g(-6))}=\dfrac{1}{f'(3)}=\dfrac{1}{-4}$

STEP B $y=g(x)$의 점 $(-6, 3)$에서 접선의 방정식 구하기

$y=g(x)$의 점 $(-6, 3)$에서 접선의 방정식은 $y-3=-\dfrac{1}{4}(x+6)$

$\therefore\ y=-\dfrac{1}{4}x+\dfrac{3}{2}$

따라서 이 접선이 $(2, k)$를 지나므로 대입하면 $k=-\dfrac{2}{4}+\dfrac{3}{2}=1$

(2) 함수 $f(x)=x^3+1$의 역함수를 $g(x)$라 할 때, 곡선 $y=g(x)$ 위의 한 점 $(2, a)$에서의 접선이 점 $(5, k)$를 지날 때, k의 값은?

① 1 ② 2 ③ 3 ④ 4 ⑤ 5

STEP A 함수 $f(x)$의 역함수 $g(x)$의 관계식에서 $g(2)$의 값 구하기

함수 $f(x)=x^3+1$의 역함수 $g(x)$ 위의 한 점이 $(2, a)$이므로

$g(2)=a$

즉 $f(a)=2$ ← 점 $(2, a)$의 직선 $y=x$에 대한 대칭점이 점 $(a, 2)$이므로 점 $(a, 2)$는 곡선 $f(x)=x^3+1$ 위의 점이다.

$a^3+1=2$, $a^3-1=0$, $(a-1)(a^2+a+1)=0$

$\therefore\ a=1\left(\because\ a^2+a+1=\left(a+\dfrac{1}{2}\right)^2+\dfrac{3}{4}>0\right)$

STEP B 역함수의 미분법을 이용하여 $g'(2)$의 값 구하기

$f(x)=x^3+1$에서 $f'(x)=3x^2$이고 역함수는 $g(x)$이므로

$f(g(x))=x$에서 $f'(g(x))\cdot g'(x)=1$

$\therefore\ g'(x)=\dfrac{1}{f'(g(x))}$

$y=g(x)$의 그래프 위의 점 $(2, 1)$에서의 접선의 기울기

$g'(2)=\dfrac{1}{f'(g(2))}=\dfrac{1}{f'(1)}=\dfrac{1}{3}$

STEP C $y=g(x)$의 점 $(2, 1)$에서 접선의 방정식 구하기

$y=g(x)$의 점 $(2, 1)$에서 접선의 방정식은 $y-1=\dfrac{1}{3}(x-2)$

즉 $y=\dfrac{1}{3}x+\dfrac{1}{3}$

따라서 이 접선이 $(5, k)$를 지나므로 대입하면 $k=\dfrac{5}{3}+\dfrac{1}{3}=2$

0537

다음 물음에 답하여라.

(1) 열린구간 $\left(0, \frac{\pi}{2}\right)$에서 정의된 함수 $f(x)=2\sin x$의 역함수를 $g(x)$라 할 때, 곡선 $y=g(x)$ 위의 점 $(\sqrt{3}, g(\sqrt{3}))$에서의 접선이 점 $\left(\frac{2}{3}\pi, a\right)$를 지난다. a의 값은?

① $\pi-\sqrt{3}$　② $\frac{\pi}{2}-\sqrt{3}$　③ $1-\frac{\pi}{6}$
④ $\sqrt{2}-\frac{\pi}{6}$　⑤ $\sqrt{3}-\frac{\pi}{6}$

STEP Ⓐ 함수 $f(x)$의 역함수 $g(x)$의 관계식에서 $g(\sqrt{3})$의 값 구하기

함수 $f(x)=2\sin x$의 역함수 $g(x)$ 위의 한 점이 $(\sqrt{3}, g(\sqrt{3}))$이므로
$g(\sqrt{3})=a$로 놓으면 $f(a)=\sqrt{3}$이므로
$2\sin a=\sqrt{3}$, $\sin a=\frac{\sqrt{3}}{2}$
$\therefore a=\frac{\pi}{3}\left(\because 0<a<\frac{\pi}{2}\right)$

STEP Ⓑ 역함수의 미분법을 이용하여 $g'(\sqrt{3})$의 값 구하기

$f(x)=2\sin x$에서 $f'(x)=2\cos x$이고 역함수는 $g(x)$이므로
$f(g(x))=x$에서 $f'(g(x))\cdot g'(x)=1$
$\therefore g'(x)=\frac{1}{f'(g(x))}$
$y=g(x)$의 그래프 위의 점 $(\sqrt{3}, g(\sqrt{3}))$에서의 접선의 기울기
$g'(\sqrt{3})=\frac{1}{f'(g(\sqrt{3}))}=\frac{1}{f'\left(\frac{\pi}{3}\right)}=\frac{1}{2\cos\frac{\pi}{3}}=1$

STEP Ⓒ $y=g(x)$의 점 $\left(\sqrt{3}, \frac{\pi}{3}\right)$에서 접선의 방정식 구하기

곡선 $y=g(x)$ 위의 점 $\left(\sqrt{3}, \frac{\pi}{3}\right)$에서의 접선의 기울기가 1이므로
접선의 방정식은 $y-\frac{\pi}{3}=(x-\sqrt{3})$　$\therefore y=x-\sqrt{3}+\frac{\pi}{3}$
따라서 이 접선이 점 $\left(\frac{2}{3}\pi, a\right)$를 지나므로 $a=\frac{2}{3}\pi-\sqrt{3}+\frac{\pi}{3}=\pi-\sqrt{3}$

(2) 함수 $f(x)=\ln(3x+1)$의 역함수를 $g(x)$라고 할 때, 곡선 $y=g(x)$ 위의 점 $(0, 0)$에서의 접선의 방정식이 $(3, a)$을 지날 때, a의 값은?

① -3　② -2　③ -1
④ 1　⑤ 2

STEP Ⓐ 역함수의 미분법을 이용하여 $g'(0)$의 값 구하기

$f(x)=\ln(3x+1)$에서 $f'(x)=\frac{3}{3x+1}$
함수 $y=f(x)$의 역함수는 $g(x)$이므로 $f(g(x))=x$
양변을 x에 대하여 미분하면 $f'(g(x))\cdot g'(x)=1$
$\therefore g'(x)=\frac{1}{f'(g(x))}$
$y=g(x)$의 그래프 위의 점 $(0, 0)$에서의 접선의 기울기는
$g'(0)=\frac{1}{f'(g(0))}=\frac{1}{f'(0)}=\frac{1}{3}$

STEP Ⓑ $y=g(x)$의 점 $(0, 0)$에서 접선의 방정식 구하기

곡선 $y=g(x)$ 위의 점 $(0, 0)$에서의 접선의 기울기가 $\frac{1}{3}$이므로
접선의 방정식은 $y-0=\frac{1}{3}(x-0)$　$\therefore y=\frac{1}{3}x$
따라서 접선이 $(3, a)$를 지나므로 $a=\frac{1}{3}\cdot 3=1$

0538

함수 $f(x)=\frac{2x}{x+1}$의 그래프 위의 두 점 $(0, 0)$, $(1, 1)$에서의 접선을 각각 l, m이라 하자. 두 직선 l, m이 이루는 예각의 크기를 θ라 할 때, $12\tan\theta$의 값을 구하여라.

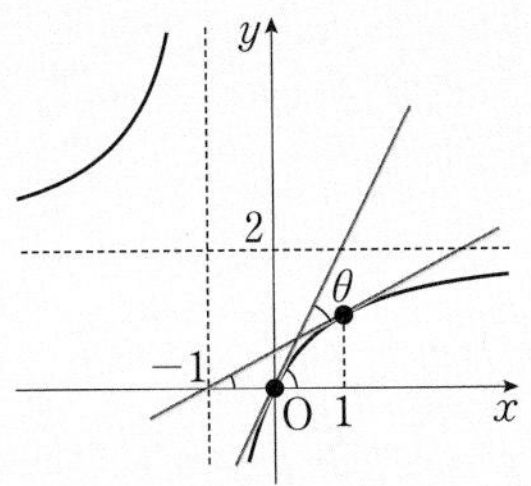

STEP Ⓐ 미분을 이용하여 두 점에서의 접선의 기울기 구하기

$f(x)=\frac{2x}{x+1}$에서 $f'(x)=\frac{2(x+1)-2x}{(x+1)^2}=\frac{2}{(x+1)^2}$이므로
두 점 $(0, 0)$, $(1, 1)$에서의 두 접선 l, m의 기울기는 $f'(0)=2$, $f'(1)=\frac{1}{2}$

STEP Ⓑ 탄젠트함수의 덧셈정리를 이용하여 $\tan\theta$의 값 구하기

두 직선 l, m이 x축의 양의 방향과 이루는 각의 크기를 θ_1, θ_2라 하면
$\tan\theta_1=2$, $\tan\theta_2=\frac{1}{2}$

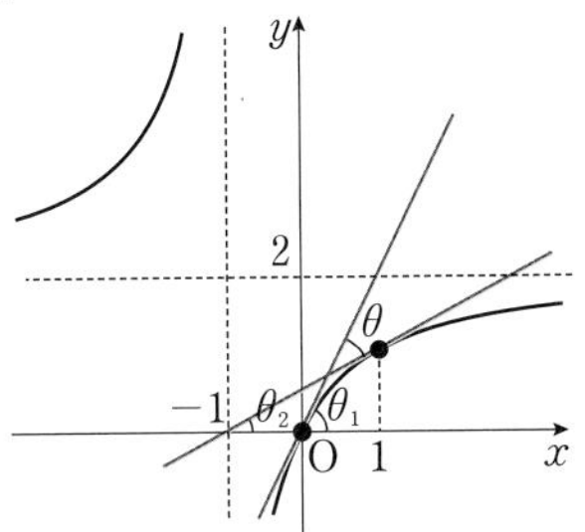

$\tan\theta=\tan(\theta_1-\theta_2)=\frac{\tan\theta_1-\tan\theta_2}{1+\tan\theta_1\tan\theta_2}=\frac{2-\frac{1}{2}}{1+2\cdot\frac{1}{2}}=\frac{3}{4}$

따라서 $12\tan\theta=9$

0539

오른쪽 그림과 같이 곡선 $y=\frac{1}{4}x^2$ 위의 두 점 $\mathrm{P}\left(\sqrt{2}, \frac{1}{2}\right)$, $\mathrm{Q}\left(a, \frac{a^2}{4}\right)$에서의 두 접선과 x축으로 둘러싸인 삼각형이 이등변삼각형일 때, a^2의 값을 구하여라. (단, $a>\sqrt{2}$)

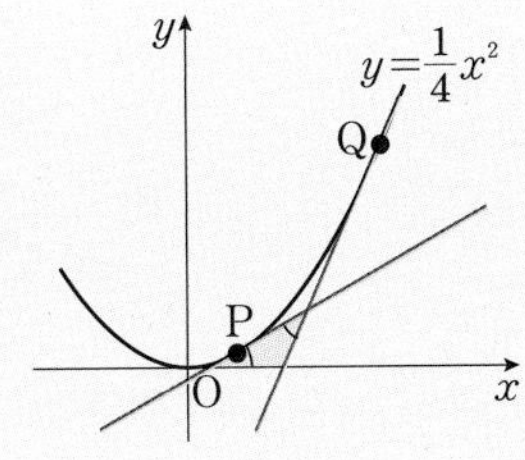

STEP Ⓐ 점 Q에서의 접선의 기울기가 $\tan 2\theta$임을 이해하기

다음 그림과 같이 곡선 $y=\frac{1}{4}x^2$ 위의 두 점 P, Q에서의 두 접선을 각각 l, m이라 하자.

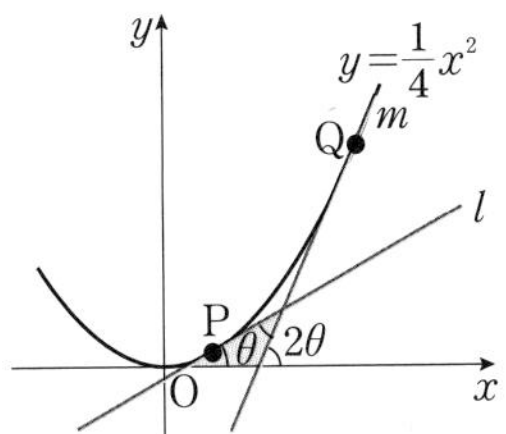

직선 l이 x축의 양의 방향과 이루는 각의 크기를 θ라 하면
직선 l과 직선 m이 이루는 예각의 크기도 θ이므로 직선 m이 x축과 이루는 각의 크기는 $\theta+\theta=2\theta$

STEP B 탄젠트함수의 덧셈정리를 이용하여 a의 값 구하기

$f(x)=\frac{1}{4}x^2$라 하면 $f'(x)=\frac{1}{2}x$이므로

$\tan\theta=$(직선 l의 기울기)

점 $P\left(\sqrt{2}, \frac{1}{2}\right)$에서의 접선의 기울기

$\tan\theta=f'(\sqrt{2})=\frac{1}{2}\times\sqrt{2}=\frac{\sqrt{2}}{2}$ …… ㉠

점 $Q\left(a, \frac{a^2}{4}\right)$에서의 접선의 기울기

$\tan 2\theta=f'(a)=\frac{1}{2}a$ …… ㉡

㉠, ㉡에서 $\tan 2\theta=\frac{2\tan\theta}{1-\tan^2\theta}=\frac{\sqrt{2}}{\frac{1}{2}}=2\sqrt{2}$

따라서 $2\sqrt{2}=\frac{1}{2}a$이므로 $a=4\sqrt{2}$ $\therefore a^2=32$

0540

오른쪽 그림과 같이 곡선 $y=e^x$ 위의 두 점 $A(t, e^t)$, $B(-t, e^{-t})$에서의 접선을 각각 l, m이라 하자. 두 직선 l과 m이 이루는 예각의 크기가 $\frac{\pi}{4}$일 때, 두 점 A, B를 지나는 직선의 기울기는? (단, $t>0$)

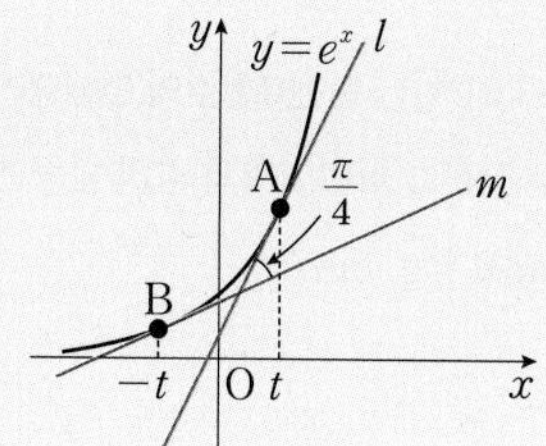

① $\frac{1}{\ln(1+\sqrt{2})}$ ② $\frac{1}{\ln 2}$
③ $\frac{4}{3\ln(1+\sqrt{2})}$ ④ $\frac{7}{6\ln 2}$
⑤ $\frac{3}{2\ln(1+\sqrt{2})}$

STEP A 도함수를 이용하여 곡선 $y=e^x$의 접선의 기울기 구하기

$y=e^x$에서 $y'=e^x$이므로

곡선 $y=e^x$ 위의 두 점 $A(t, e^t)$, $B(-t, e^{-t})$에서의

접선 l, m의 기울기는 각각 e^t, e^{-t}

STEP B 삼각함수의 덧셈정리를 이용하여 t의 값 구하기

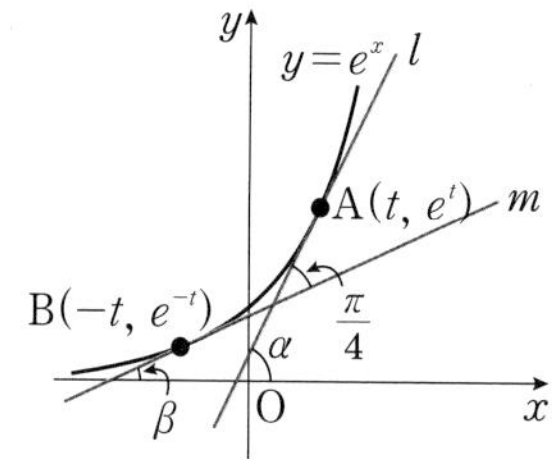

두 직선 l, m이 x축의 양의 방향과 이루는 각의 크기를 각각 α, β라 하면

$\tan\alpha=e^t$, $\tan\beta=e^{-t}$

$\tan\frac{\pi}{4}=\tan(\alpha-\beta)=\frac{\tan\alpha-\tan\beta}{1+\tan\alpha\tan\beta}=\frac{e^t-e^{-t}}{1+e^te^{-t}}=1$

즉 $e^t-e^{-t}=2$ …… ㉠

이때 ㉠의 양변에 e^t을 곱하면 $(e^t)^2-2e^t-1=0$

$e^t>0$이므로 $e^t=1+\sqrt{2}$ ← 이차방정식의 근의 공식

$\therefore t=\ln(1+\sqrt{2})$

STEP C 두 점 A, B를 지나는 직선의 기울기 구하기

따라서 두 점 $A(t, e^t)$, $B(-t, e^{-t})$을 지나는 직선 AB의 기울기는

$\frac{e^t-e^{-t}}{t-(-t)}=\frac{1}{\ln(1+\sqrt{2})}$ ← $e^t-e^{-t}=2$, $t=\ln(1+\sqrt{2})$

0541

다음 물음에 답하여라.

(1) 곡선 $y=\ln(x-1)$에 접하고 직선 $y=x-1$에 평행한 직선의 방정식을 구하여라.

STEP A 평행한 직선으로부터 직선의 기울기 구하기

직선 $y=x-1$에 평행하므로 직선의 기울기는 1이다.

STEP B 도함수를 이용하여 접점의 x좌표를 구한 후 접선의 방정식 구하기

$f(x)=\ln(x-1)$라 하면

접점의 좌표를 $(a, \ln(a-1))$로 놓으면

$f'(x)=\frac{1}{x-1}$에서 접선의 기울기가 1이므로

$f'(a)=\frac{1}{a-1}=1$

$\therefore a=2$

따라서 $f(2)=\ln 1=0$에서 접선의 접점의 좌표는 $(2, 0)$이고 기울기가 1이므로 직선의 방정식은 $y-0=1\cdot(x-2)$ $\therefore y=x-2$

(2) 곡선 $y=\sin 2x(0\le x\le\pi)$에 접하고 직선 $x-2y+2=0$에 수직인 직선의 방정식을 구하여라.

STEP A 수직인 직선으로부터 직선의 기울기 구하기

직선 $x-2y+2=0$, 즉 $y=\frac{1}{2}x+1$에 수직인 직선의 기울기가 -2이다.

STEP B 도함수를 이용하여 접점의 x좌표를 구한 후 접선의 방정식 구하기

$f(x)=\sin 2x$라 하면

접점의 좌표를 $(a, \sin 2a)$로 놓으면

$f'(x)=2\cos 2x$에서 접선의 기울기가 -2이므로

$f'(a)=2\cos 2a=-2$, $\cos 2a=-1$

$\therefore a=\frac{\pi}{2}$ ($\because 0\le a\le\pi$)

따라서 $f\left(\frac{\pi}{2}\right)=\sin\pi=0$에서 접선은 접점의 좌표가 $\left(\frac{\pi}{2}, 0\right)$이고 기울기가 -2이므로 직선의 방정식은 $y-0=-2\left(x-\frac{\pi}{2}\right)$ $\therefore y=-2x+\pi$

0542

직선 $y=-x+b$가 곡선 $y=x\ln x+ax$에 접하고 그 접점의 x좌표가 e일 때, 두 상수 a, b에 대하여 $a+b$의 값은?

① $-3-e$ ② e ③ $3+e$
④ $2+3e$ ⑤ $5+e$

STEP A $x=e$인 점에서의 접선의 기울기가 -1임을 이용하여 a의 값 구하기

$f(x)=x\ln x+ax$라 하면

$f'(x)=\ln x+x\cdot\frac{1}{x}+a=\ln x+1+a$

$x=e$인 점에서의 접선의 기울기가 -1이므로

$f'(e)=\ln e+1+a=-1$ $\therefore a=-3$

STEP B 점 $(e, -2e)$에서의 접선의 방정식 구하기

$f(x)=x\ln x-3x$에서 $f(e)=-2e$이므로

점 $(e, -2e)$에서의 접선의 방정식은 $y-(-2e)=-1\cdot(x-e)$

$\therefore y=-x-e$ $\therefore b=-e$

따라서 $a=-3$, $b=-e$이므로 $a+b=-3-e$

0543

다음 물음에 답하여라.

(1) 직선 $y=-4x$가 곡선 $y=\frac{1}{x-2}-a$에 접하도록 하는 모든 실수 a의 값의 합은?

① 10 ② 12 ③ 14
④ 16 ⑤ 18

STEP A 접선의 기울기가 -4인 접점의 좌표 구하기

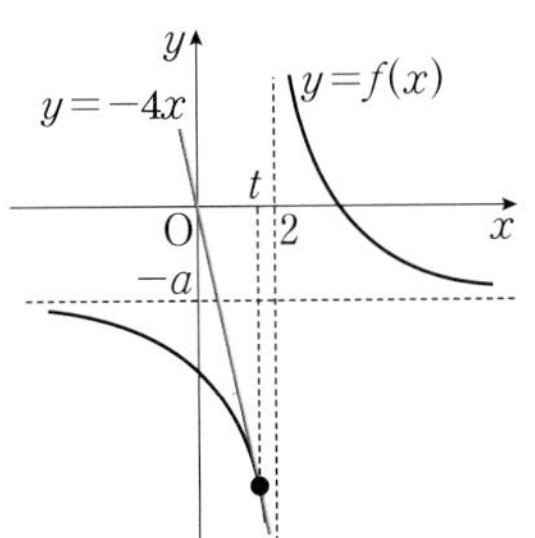

$f(x)=\frac{1}{x-2}-a$라 하면 $f'(x)=-\frac{1}{(x-2)^2}$

$y=-4x$와 접하는 점의 좌표를 $(t,\ f(t))$라 하면

$f'(t)=-\frac{1}{(t-2)^2}=-4$, $(t-2)^2=\frac{1}{4}$

$\therefore t=2-\frac{1}{2}=\frac{3}{2}$ 또는 $t=2+\frac{1}{2}=\frac{5}{2}$

즉 접점의 좌표는 $\left(\frac{3}{2},\ -6\right)$, $\left(\frac{5}{2},\ -10\right)$

STEP B 접점을 $y=\frac{1}{x-2}-a$에 대입하여 실수 a의 값 구하기

접점 $\left(\frac{3}{2},\ -6\right)$을 $y=\frac{1}{x-2}-a$에 대입하면 $-6=\frac{1}{\frac{3}{2}-2}-a$ $\quad\therefore a=4$

접점 $\left(\frac{5}{2},\ -10\right)$을 $y=\frac{1}{x-2}-a$에 대입하면 $-10=\frac{1}{\frac{5}{2}-2}-a$ $\quad\therefore a=12$

따라서 실수 a의 값의 합은 $12+4=16$

다른풀이 판별식을 이용하여 풀이하기

$y=-4x$를 $y=\frac{1}{x-2}-a$에 대입하여 정리하면 $-4x=\frac{1}{x-2}-a$

$4x^2-(8+a)x+(2a+1)=0$

이차방정식의 판별식을 D라 하면

$D=(8+a)^2-16(2a+1)=0$ $\quad\therefore a^2-16a+48=0$

$(a-4)(a-12)=0$ $\quad\therefore a=4$ 또는 $a=12$

따라서 두 개의 실수 a가 존재하고 그 합은 $4+12=16$

(2) 직선 $y=x+a$가 곡선 $y=x+\cos x$에 접할 때, 상수 a의 값은? $\left(\text{단, } -\frac{\pi}{2}<x<\frac{\pi}{2}\right)$

① 1 ② 2 ③ 3
④ 4 ⑤ 5

STEP A 접선의 기울기가 1인 접선의 방정식 구하기

$f(x)=x+\cos x$로 놓으면 $f'(x)=1-\sin x$

직선 $y=x+a$에 접하므로 접선의 기울기가 1이다.

접점의 좌표를 $(t,\ t+\cos t)$라 하면 접선의 기울기가 1이므로

$1-\sin t=1$, $\sin t=0$ $\quad\therefore t=0$

접점의 좌표는 $(0,\ 1)$이고 기울기가 1이므로

구하는 접선은 $y-1=1\cdot(x-0)$ $\quad\therefore y=x+1$

STEP B 상수 a의 값 구하기

따라서 이 직선이 직선 $y=x+a$와 일치하므로 $a=1$

0544

오른쪽 그림과 같이 곡선 $y=x+\ln x$의 위를 움직이는 점 P와 직선 $y=2x+1$ 위의 두 점 $\mathrm{A}\left(-\frac{1}{2},\ 0\right)$, $\mathrm{B}(0,\ 1)$를 꼭짓점으로 하는 삼각형 PAB의 넓이의 최솟값을 구하여라.

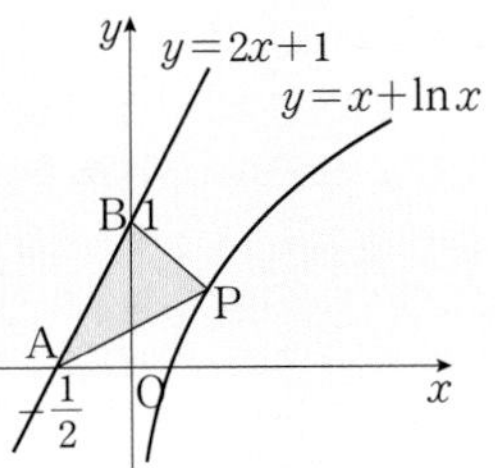

STEP A 삼각형 PAB의 넓이가 최소가 되는 점 P의 좌표 구하기

점 $\mathrm{P}(a,\ b)$에서 직선 AB까지의 거리가 최소가 되려면 곡선 $y=x+\ln x$ 위의 점 $(a,\ b)$에서의 접선의 기울기가 2로 같아야 한다.

$f(x)=x+\ln x$로 놓으면

$f'(x)=1+\frac{1}{x}$

점 P의 좌표를 $(a,\ a+\ln a)$로 놓으면

이 점에서 접선의 기울기는 $f'(a)=1+\frac{1}{a}=2$ $\quad\therefore a=1$

$\therefore \mathrm{P}(1,\ 1)$

STEP B 삼각형 PAB의 넓이의 최솟값 구하기

이때 점 $\mathrm{P}(1,\ 1)$와 직선 $y=2x+1$

즉 점 P와 $2x-y+1=0$ 사이의 거리는 $\frac{|2-1+1|}{\sqrt{2^2+(-1)^2}}=\frac{2}{\sqrt{5}}$

이때 두 점 $\mathrm{A}\left(-\frac{1}{2},\ 0\right)$, $\mathrm{B}(0,\ 1)$ 사이의 거리가 $\overline{\mathrm{AB}}=\frac{\sqrt{5}}{2}$

따라서 삼각형 PAB의 넓이의 최솟값은 $\frac{1}{2}\cdot\frac{\sqrt{5}}{2}\cdot\frac{2}{\sqrt{5}}=\frac{1}{2}$

0545

오른쪽 그림과 같이 곡선 $y=e^x+e^{-x}$ 위를 움직이는 점 $\mathrm{P}(a,\ b)$가 있다. 점 P와 두 점 $\mathrm{A}(0,\ -3)$, $\mathrm{B}(2,\ 0)$에 대하여 삼각형 PAB의 넓이가 최소가 되게 하는 상수 a의 값은?

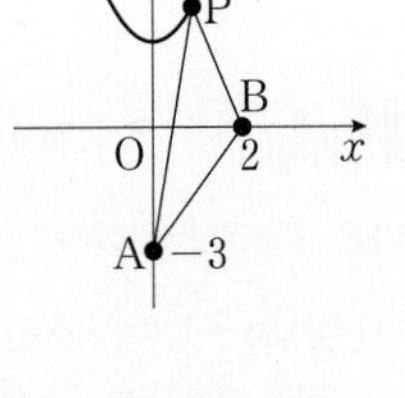

① $\frac{1}{e}$ ② $\ln 2$
③ 1 ④ $\ln 3$
⑤ $2\ln 2$

STEP A 점 P에서의 접선이 직선 AB에 평행할 때, 넓이는 최소임을 이용하기

삼각형 PAB의 넓이가 최소가 되려면 주어진 그림에서 변 AB는 고정되어 있으므로 곡선 위의 점 $\mathrm{P}(a,\ b)$에서 직선 AB까지의 거리가 최소가 되면 된다.

STEP B △PAB의 넓이가 최소가 되는 a의 값 구하기

즉 두 점 $\mathrm{A}(0,\ -3)$, $\mathrm{B}(2,\ 0)$을 지나는 직선의 기울기는 $\frac{0-(-3)}{2-0}=\frac{3}{2}$

곡선 $y=e^x+e^{-x}$ 위의 점 $(a,\ b)$에서의 접선의 기울기가 같을 때, 삼각형 PAB의 넓이가 최소가 된다.

$y'=e^x-e^{-x}$이므로 $e^a-e^{-a}=\frac{3}{2}$

양변에 $2e^a$을 곱하여 정리하면

$2(e^a)^2-3e^a-2=0$, $(2e^a+1)(e^a-2)=0$

$2e^a+1>0$이므로 $e^a=2$

따라서 $a=\ln 2$

0546

오른쪽 그림과 같이 함수 $y=\ln x+4$, $y=e^{x-4}$의 그래프의 두 교점의 x좌표를 각각 a, b라 하자. 일차함수 $y=-x+k$의 그래프가 $a\le x\le b$에서 두 함수의 그래프와 만나는 두 점 사이의 거리가 최대가 될 때, 상수 k의 값을 구하여라.

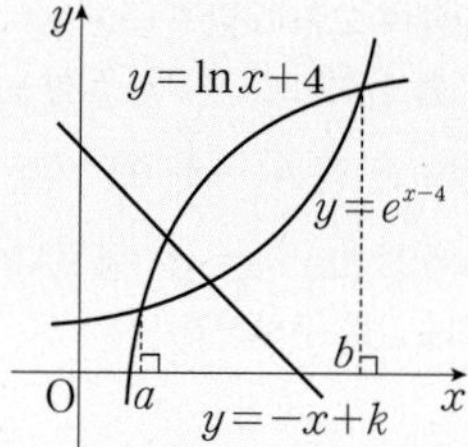

STEP Ⓐ 두 함수가 서로 역함수관계이므로 $y=x$에 대칭임을 이해하기

$y=e^{x-4}$에서 x와 y를 바꾸면 $x=e^{y-4}$

로그의 정의를 이용하면 $y-4=\ln x$

$\therefore\ y=\ln x+4$

즉 주어진 두 함수는 서로 역함수 관계이므로

두 함수의 그래프는 직선 $y=x$에 대하여 대칭이다.

STEP Ⓑ 직선 $y=-x+k$가 접선의 기울기가 1인 두 접선의 접점을 지날 때, 두 점 사이의 거리가 최대임을 이용하여 k 구하기

직선 $y=-x+k$와 $y=x$가 수직이므로

직선 $y=-x+k$와 두 함수 $y=f(x)$와 $y=g(x)$가 만나는 두 점 사이의 거리가 최대가 되려면 직선 $y=-x+k$가 $y=f(x)$, $y=g(x)$와 만나는 점에서 접선의 기울기가 1일 때이다.

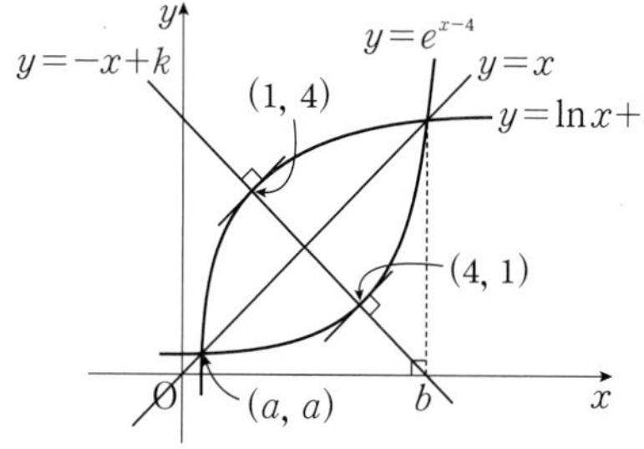

$f(x)=\ln x+4$에서 $f'(x)=\frac{1}{x}=1\quad\therefore\ x=1$

$g(x)=e^{x-4}$에서 $g'(x)=e^{x-4}=1\quad\therefore\ x=4$

따라서 $(1,\ 4)$, $(4,\ 1)$을 지나는 직선의 방정식은 $y=-x+5$이므로

k의 값은 5

0547

다음 물음에 답하여라.

(1) 점 $(0,\ -1)$에서 곡선 $y=\ln x+x$에 그은 접선이 점 $(a,\ 1)$을 지난다. 이때 a의 값을 구하여라.

STEP Ⓐ 접점의 좌표를 $(t,\ \ln t+t)$로 놓고 접선의 방정식 구하기

$f(x)=\ln x+x$로 놓으면 $f'(x)=\frac{1}{x}+1$이므로

접점을 $(t,\ \ln t+t)$로 놓으면 접선의 방정식은

$y=\left(\frac{1}{t}+1\right)(x-t)+\ln t+t\quad\cdots\cdots$ ㉠

STEP Ⓑ 이 접선이 점 $(0,\ -1)$을 지날 때, 접점의 x좌표 구하기

이 접선이 점 $(0,\ -1)$을 지나므로

$-1=\left(\frac{1}{t}+1\right)(0-t)+\ln t+t,\ \ln t=0$

$\therefore\ t=1$

㉠에 대입하면 $y=2(x-1)+0+1,\ y=2x-1$

STEP Ⓒ 상수 a의 값 구하기

따라서 이 직선이 $(a,\ 1)$을 지나므로 $1=2a-1\quad\therefore\ a=1$

(2) 점 $(0,\ 0)$에서 곡선 $y=\frac{\ln x}{x}\ (x>0)$에 그은 접선이 점 $\left(a,\ \frac{1}{2}\right)$을 지난다. 이때 a의 값을 구하여라.

STEP Ⓐ 접점의 좌표를 $\left(t,\ \frac{\ln t}{t}\right)$로 놓고 접선의 방정식 구하기

$f(x)=\frac{\ln x}{x}$로 놓으면 $f'(x)=\frac{1-\ln x}{x^2}$

접점의 좌표를 $\left(t,\ \frac{\ln t}{t}\right)$로 놓으면 접선의 방정식은

$y=\frac{1-\ln t}{t^2}(x-t)+\frac{\ln t}{t}\quad\cdots\cdots$ ㉠

STEP Ⓑ 이 접선이 점 $(0,\ 0)$을 지날 때, 접점의 x좌표 구하기

이 접선이 점 $(0,\ 0)$을 지나므로

$0=\frac{1-\ln t}{t^2}(0-t)+\frac{\ln t}{t},\ 0=-\frac{1-\ln t}{t}+\frac{\ln t}{t}$

$\frac{2\ln t-1}{t}=0,\ 2\ln t=1,\ \ln t=\frac{1}{2}\quad\therefore\ t=\sqrt{e}$

$t=\sqrt{e}$를 ㉠에 대입하면 $y=\frac{1}{2e}x$

STEP Ⓒ 상수 a의 값 구하기

따라서 이 직선이 점 $\left(a,\ \frac{1}{2}\right)$을 지나므로 $\frac{1}{2}=\frac{1}{2e}\cdot a\quad\therefore\ a=e$

0548

곡선 $y=3e^{x-1}$ 위의 점 A에서의 접선이 원점 O를 지날 때, 선분 OA의 길이는?

① $\sqrt{6}$ ② $\sqrt{7}$ ③ $2\sqrt{2}$
④ 3 ⑤ $\sqrt{10}$

STEP Ⓐ A의 좌표를 $(a,\ 3e^{a-1})$로 놓고 접선의 방정식 구하기

곡선 $y=3e^{x-1}$ 위의 점 A의 좌표를 $(a,\ 3e^{a-1})$로 놓으면

$y'=3e^{x-1}$이므로 접선의 기울기는 $3e^{a-1}$

점 A에서의 접선의 방정식은 $y=3e^{a-1}(x-a)+3e^{a-1}$

STEP Ⓑ 이 접선이 원점을 지남을 이용하여 점 A의 좌표 구하기

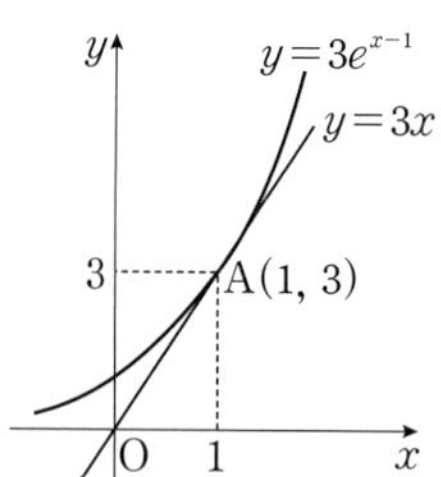

이 접선이 원점 $O(0,\ 0)$을 지나므로

$0=3e^{a-1}(-a)+3e^{a-1}\quad\therefore\ a=1$

따라서 $A(1,\ 3)$이므로 $\overline{OA}=\sqrt{1^2+3^2}=\sqrt{10}$

0549

다음 물음에 답하여라.

(1) 점 $(1, 0)$에서 곡선 $y=xe^x$에 그은 두 접선의 기울기를 m_1, m_2라고 할 때, m_1m_2의 값은?

① $\frac{1}{e}$ ② 1 ③ e
④ e^2 ⑤ e^3

STEP Ⓐ 접점의 좌표를 (a, ae^a)로 놓고 접선의 방정식 구하기

$y'=e^x+xe^x=e^x(x+1)$이므로
곡선 $y=xe^x$ 위의 점 (a, ae^a)을 지나는 접선의 방정식은
$y-ae^a=e^a(a+1)(x-a)$

STEP Ⓑ 이 접선이 점 $(1, 0)$을 지날 때, 접점의 x좌표를 근과 계수의 관계를 이용하기

이 접선이 점 $(1, 0)$을 지나므로 $-ae^a=e^a(a+1)(1-a)$
$e^a>0$이므로 $a^2-a-1=0$
위의 방정식의 두 근을 α, β라고 하면
이차방정식의 근과 계수의 관계를 이용하여 $\alpha+\beta=1$, $\alpha\beta=-1$

STEP Ⓒ m_1m_2의 값 구하기

따라서 두 접선의 기울기의 곱은
$m_1m_2=e^\alpha(\alpha+1)e^\beta(\beta+1)$
$=e^{\alpha+\beta}(\alpha\beta+\alpha+\beta+1)$
$=e^1(-1+1+1)=e$

(2) 원점에서 곡선 $y=(x+1)e^x$에 그은 서로 다른 두 접선의 기울기를 각각 m_1, m_2라고 할 때, m_1m_2의 값은?

① e^{-2} ② e^{-1} ③ 1
④ e ⑤ e^2

STEP Ⓐ 접점의 좌표를 $(t, (t+1)e^t)$로 놓고 접선의 방정식 구하기

$y=(x+1)e^x$에서 $y'=e^x+(x+1)e^x=(x+2)e^x$
곡선 $y=(x+1)e^x$ 위의 접점의 좌표를 $(t, (t+1)e^t)$이라 하면
접선의 기울기는 $(t+2)e^t$이므로 접선의 방정식은
$y-(t+1)e^t=(t+2)e^t(x-t)$

STEP Ⓑ 이 접선이 점 $(0, 0)$을 지날 때, 접점의 x좌표를 근과 계수의 관계를 이용하기

이 접선이 원점을 지나므로
$0-(t+1)e^t=(t+2)e^t(0-t)$
$(t^2+t-1)e^t=0$
$e^t>0$이므로 $t^2+t-1=0$ 
이차방정식 ㉠의 판별식을 D라 하면
$D=1^2-4\times1\times(-1)=5>0$이므로
이차방정식 ㉠은 서로 다른 두 실근을 갖는다.
이때 이차방정식 ㉠의 서로 다른 두 실근을 t_1, t_2라 하면
이차방정식의 근과 계수의 관계에 의하여
$t_1+t_2=-1$, $t_1t_2=-1$

STEP Ⓒ m_1m_2의 값 구하기

따라서 두 접선의 기울기를 $m_1=(t_1+2)e^{t_1}$, $m_2=(t_2+2)e^{t_2}$이므로
$m_{1\times}m_2=(t_1+2)(t_2+2)e^{t_1}e^{t_2}$
$=\{t_1t_2+2(t_1+t_2)+4\}e^{t_1+t_2}$
$=(-1-2+4)e^{-1}=e^{-1}$

0550

점 $(a, 0)$에서 곡선 $y=xe^{x-1}$에 서로 다른 두 개의 접선을 그을 수 있을 때, 실수 a의 값의 범위를 구하여라.

STEP Ⓐ 접점의 좌표를 (t, te^{t-1})로 놓고 접선의 방정식 구하기

$f(x)=xe^{x-1}$이라 하면
$f'(x)=e^{x-1}+xe^{x-1}=e^{x-1}(x+1)$
접점의 좌표를 (t, te^{t-1})이라 하면
구하는 접선의 방정식은
$y-te^{t-1}=e^{t-1}(t+1)(x-t)$
$\therefore y=e^{t-1}(t+1)x-t^2e^{t-1}$

STEP Ⓑ 이 접선이 점 $(a, 0)$을 지날 때, 접점의 이차방정식 구하기

이 접선이 점 $(a, 0)$을 지나므로
$0=e^{t-1}(t+1)a-t^2e^{t-1}$, $(t+1)a-t^2=0$
$t^2-at-a=0(\because e^{t-1}>0)$ …… ㉠

STEP Ⓒ 서로 다른 두 개의 접선을 그을 수 있을 때, 실수 a의 값의 범위 구하기

점 $(a, 0)$에서 곡선 $y=xe^{x-1}$에 서로 다른 두 개의 접선을 그을 수 있으려면
이차방정식 ㉠은 서로 다른 두 실근을 가져야 하므로
이차방정식 ㉠의 판별식을 D라 하면
$D=a^2-4(-a)>0$, $a(a+4)>0$
$\therefore a<-4$ 또는 $a>0$

0551

다음 물음에 답하여라.

(1) 점 $(a, 0)$에서 곡선 $y=xe^{-x}$에 오직 하나의 접선을 그을 수 있을 때, 실수 a값의 합은?

① 2 ② 4 ③ 5
④ 6 ⑤ 8

STEP Ⓐ 접점의 좌표를 (t, te^{-t})로 놓고 접선의 방정식 구하기

$f(x)=xe^{-x}$로 놓으면
$f'(x)=e^{-x}-xe^{-x}=e^{-x}(1-x)$
접점의 좌표를 (t, te^{-t})이라 하면
이 점에서의 접선의 기울기는 $f'(t)=e^{-t}(1-t)$이므로
접선의 방정식은 $y-te^{-t}=e^{-t}(1-t)(x-t)$

STEP Ⓑ 이 접선이 점 $(a, 0)$을 지날 때, 접점의 이차방정식 구하기

이 접선이 점 $(a, 0)$을 지나므로
$0-te^{-t}=e^{-t}(1-t)(a-t)$
$\therefore t^2-at+a=0(\because e^{-t}>0)$ …… ㉠

STEP Ⓒ 오직 하나의 접선을 그을 수 있을 때, 실수 a의 값 구하기

점 $(a, 0)$에서 오직 하나의 접선을 그을 수 있으려면
a에 대한 이차방정식 ㉠이 중근을 가져야 하므로 판별식을 D라고 하면
$D=a^2-4a=a(a-4)=0$
$\therefore a=0$ 또는 $a=4$
따라서 a의 합은 $0+4=4$

(2) 점 $(0, 0)$에서 곡선 $y=(x-a)e^{-x}(a\neq0)$에 단 하나의 접선을 그을 수 있을 때, 상수 a의 값은?

① -6　② -5　③ -4
④ 3　⑤ 6

STEP Ⓐ 접점의 좌표를 $(t, (t-a)e^{-t})$로 놓고 접선의 방정식 구하기

$f(x)=(x-a)e^{-x}$으로 놓으면

$f'(x)=e^{-x}-(x-a)e^{-x}=e^{-x}(1-x+a)$

접점의 좌표를 $(t, (t-a)e^{-t})$이라 하면

이 점에서의 접선의 기울기는 $f'(t)=e^{-t}(1-t+a)$

접선의 방정식은 $y-(t-a)e^{-t}=e^{-t}(1-t+a)(x-t)$

STEP Ⓑ 이 접선이 점 $(0, 0)$을 지날 때, 접점의 이차방정식 구하기

이 직선이 $(0, 0)$을 지나므로

$0-(t-a)e^{-t}=e^{-t}(1-t+a)(-t)$, $(t^2-at-a)e^{-t}=0$

$\therefore t^2-at-a=0\,(\because e^{-t}>0)$ …… ㉠

STEP Ⓒ 하나의 접선을 그을 수 있을 때, 상수 a의 값 구하기

이때 원점에서 주어진 곡선에 단 하나의 접선을 그을 수 있으려면 방정식 ㉠이 중근을 가져야 하므로 이차방정식 ㉠의 판별식을 D라 하면

$D=a^2+4a=0$, $a(a+4)=0$

따라서 $a=-4\,(\because a\neq0)$

0552

점 $(a, 0)$에서 곡선 $y=x^2e^x$에 서로 다른 세 개의 접선을 그을 수 있을 때, a의 값의 범위를 구하여라.

STEP Ⓐ 곡선 $y=x^2e^x$ 위의 점 (t, t^2e^t)에서의 접선의 방정식 구하기

$f(x)=x^2e^x$으로 놓으면

$f'(x)=2xe^x+x^2e^x=e^x(x^2+2x)$

접점의 좌표를 (t, t^2e^t)이라고 하면

이 점에서의 접선의 기울기는 $f'(t)=e^t(t^2+2t)$이므로

접선의 방정식은 $y-t^2e^t=e^t(t^2+2t)(x-t)$

STEP Ⓑ 점 $(a, 0)$에서 서로 다른 세 개의 접선을 그을 수 있는 a의 값 구하기

이 직선이 점 $(a, 0)$을 지나므로

$0-t^2e^t=e^t(t^2+2t)(a-t)$

$e^t\cdot t\{t^2-(a-1)t-2a\}=0$

$\therefore t\{t^2-(a-1)t-2a\}=0\,(\because e^t>0)$ …… ㉠

점 $(a, 0)$에서 곡선 $y=x^2e^x$에 서로 다른 세 개의 접선을 그을 수 있으려면 t에 대한 삼차방정식 ㉠이 서로 다른 세 실근을 가져야 하므로

즉 방정식 $t^2-(a-1)t-2a=0$이 0이 아닌 서로 다른 두 실근을 가져야 하므로

이 이차방정식의 판별식을 D라고 하면

$D=(a-1)^2+8a>0$, $a^2+6a+1>0$

$\therefore a<-3-2\sqrt{2}$ 또는 $a>-3+2\sqrt{2}$ …… ㉡

이때 이차방정식 $t^2-(a-1)t-2a=0$의 해가 0이 아니어야 하므로

$-2a\neq0$ $\therefore a\neq0$ …… ㉢

따라서 ㉡, ㉢에서 구하는 a의 값의 범위는

$\therefore a<-3-2\sqrt{2}$ 또는 $-3+2\sqrt{2}<a<0$ 또는 $a>0$

0553

다음 물음에 답하여라.

(1) 곡선 $y=\tan x$ 위의 점 $\left(\frac{\pi}{4}, 1\right)$에서의 접선이 곡선 $y=-x^2+a$에 접할 때, 상수 a의 값을 구하여라.

STEP Ⓐ 곡선 $y=\tan x$ 위의 점 $\left(\frac{\pi}{4}, 1\right)$에서 접선의 방정식 구하기

곡선 $y=\tan x$에서 $y'=\sec^2 x$이므로

점 $\left(\frac{\pi}{4}, 1\right)$에서의 접선의 기울기는 $\sec^2\frac{\pi}{4}=\frac{1}{\cos^2\frac{\pi}{4}}=(\sqrt{2})^2=2$

즉 점 $\left(\frac{\pi}{4}, 1\right)$에서의 접선의 방정식은

$y-1=2\left(x-\frac{\pi}{4}\right)$ $\therefore y=2x-\frac{\pi}{2}+1$ …… ㉠

STEP Ⓑ 판별식을 이용하여 a의 값 구하기

직선 ㉠이 곡선 $y=-x^2+a$에 접하므로

$2x-\frac{\pi}{2}+1=-x^2+a$

$x^2+2x-\frac{\pi}{2}+1-a=0$ …… ㉡

㉡이 중근을 가지므로 이 방정식의 판별식을 D라 하면

$\frac{D}{4}=1-\left(-\frac{\pi}{2}+1-a\right)=\frac{\pi}{2}+a=0$

따라서 $a=-\frac{\pi}{2}$

다른풀이 두 접선의 방정식이 일치함을 이용하여 풀이하기

STEP Ⓐ 곡선 $y=\tan x$ 위의 점 $\left(\frac{\pi}{4}, 1\right)$에서 접선의 방정식 구하기

곡선 $y=\tan x$에서 $y'=\sec^2 x$이므로

점 $\left(\frac{\pi}{4}, 1\right)$에서의 접선의 기울기는 $\sec^2\frac{\pi}{4}=\frac{1}{\cos^2\frac{\pi}{4}}=(\sqrt{2})^2=2$

즉 점 $\left(\frac{\pi}{4}, 1\right)$에서의 접선의 방정식은

$y-1=2\left(x-\frac{\pi}{4}\right)$ $\therefore y=2x-\frac{\pi}{2}+1$ …… ㉠

또, $y=-x^2+a$에 대하여 $y'=-2x$이므로

$-2x=2$ $\therefore x=-1$

$y=-x^2+a$ 위의 점 $(-1, -1+a)$에서의 접선의 방정식은

$y-(-1+a)=2(x+1)$ $\therefore y=2x+1+a$ …… ㉡

㉠, ㉡이 서로 일치하므로 $-\frac{\pi}{2}+1=1+a$

따라서 $a=-\frac{\pi}{2}$

(2) 곡선 $y=\ln x$ 위의 점 $(e, 1)$에서의 접선이 곡선 $y=x^2+a$에 접할 때, 상수 a의 값을 구하여라.

STEP Ⓐ 곡선 $y=\ln x$ 위의 점 $(e, 1)$에서 접선의 방정식 구하기

곡선 $y=\ln x$에서 $y'=\frac{1}{x}$이므로 점 $(e, 1)$에서의 접선의 기울기는 $\frac{1}{e}$

즉 점 $(e, 1)$에서의 접선의 방정식은

$y-1=\frac{1}{e}(x-e)$, $y=\frac{1}{e}x$ …… ㉠

STEP Ⓑ 판별식을 이용하여 a의 값 구하기

직선 ㉠이 곡선 $y=x^2+a$에 접하므로

$\frac{1}{e}x=x^2+a$, $x^2-\frac{1}{e}x+a=0$ …… ㉡

㉡이 중근을 가지므로 이 방정식의 판별식을 D라 하면

$D=\left(\frac{1}{e}\right)^2-4a=0$

따라서 $a=\frac{1}{4e^2}$

다른풀이 두 접선의 방정식이 일치함을 이용하여 풀이하기

곡선 $y=\ln x$에서 $y'=\frac{1}{x}$이므로 점 $(e, 1)$에서의 접선의 기울기는 $\frac{1}{e}$

즉 점 $(e, 1)$에서의 접선의 방정식은

$y-1=\frac{1}{e}(x-e)$, $y=\frac{1}{e}x$ …… ㉠

또, $y=x^2+a$에 대하여 $y'=2x$이므로

$2x=\frac{1}{e}$ $\quad\therefore x=\frac{1}{2e}$

$y=x^2+a$ 위의 점 $\left(\frac{1}{2e}, \frac{1}{4e^2}+a\right)$에서의 접선의 방정식은

$y-\left(\frac{1}{4e}+a\right)=\frac{1}{e}\left(x-\frac{1}{2e}\right)$, $y=\frac{1}{e}x-\frac{1}{4e^2}+a$ …… ㉡

㉠, ㉡이 서로 일치하므로 $0=-\frac{1}{4e^2}+a$

따라서 $a=\frac{1}{4e^2}$

0554

곡선 $y=e^x-1$ 위의 점 $(0, 0)$에서의 접선이 곡선 $y=\ln x+a$에 접할 때, 상수 a의 값은?

① $\frac{1}{e}$ ② $\frac{1}{2}$ ③ 1
④ e ⑤ $2e$

STEP A 곡선 $y=e^x-1$ 위의 점 $(0, 0)$에서의 접선의 방정식 구하기

$f(x)=e^x-1$로 놓으면 $f'(x)=e^x$

점 $(0, 0)$에서의 접선의 기울기는 $f'(0)=e^0=1$

이므로 접선의 방정식은 $y-0=1\cdot(x-0)$

$\therefore y=x$ …… ㉠

STEP B 접선 $y=x$가 곡선 $y=\ln x+a$에 접하도록 하는 상수 a 구하기

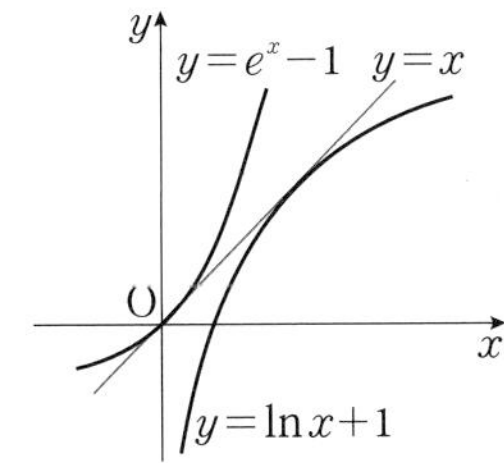

$g(x)=\ln x+a$라 놓으면 $g'(x)=\frac{1}{x}$이고

접점의 좌표를 $(t, \ln t+a)$라 하면

이 점에서의 접선의 기울기는 $f'(t)=\frac{1}{t}$

접선의 방정식은 $y-(\ln t+a)=\frac{1}{t}(x-t)$

$\therefore y=\frac{1}{t}x-1+\ln t+a$ …… ㉡

STEP C 두 접선이 일치하도록 하는 a의 값 구하기

㉠, ㉡이 서로 일치하므로 $\frac{1}{t}=1$, $-1+\ln t+a=0$

따라서 $t=1$을 $-1+\ln t+a=0$에 대입하면 $-1+\ln 1+a=0$

$\therefore a=1$

0555

다음 물음에 답하여라.

(1) 양수 k에 대하여 두 곡선 $y=ke^x+1$, $y=x^2-3x+4$가 점 P에서 만나고, 점 P에서 두 곡선에 접하는 두 직선이 서로 수직일 때, k의 값을 구하여라.

STEP A 두 곡선의 교점의 x좌표를 a로 놓고 관계식 구하기

두 곡선이 만나는 교점 점 P의 x좌표를 a라 하면

두 곡선 $y=ke^x+1$, $y=x^2-3x+4$가 점 P에서 만나므로

$ke^a+1=a^2-3a+4$ …… ㉠

STEP B 점 P에서 두 곡선에 접하는 두 직선이 서로 수직일 조건 구하기

또, $y=ke^x+1$에서 $y'=ke^x$이므로 점 P에서의 접선의 기울기는 ke^a

$y=x^2-3x+4$에서 $y'=2x-3$이므로 점 P에서 접선의 기울기는 $2a-3$

이 두 접선이 서로 수직이므로

$ke^a(2a-3)=-1$ …… ㉡

STEP C 교점의 x좌표를 구하여 k의 값 구하기

㉠에서 $ke^a=a^2-3a+3$이므로 ㉡에 대입하면

$(a^2-3a+3)(2a-3)=-1$

$2a^3-9a^2+15a-8=0$

$(a-1)(2a^2-7a+8)=0$

$a=1$ 또는 $2a^2-7a+8=0$ ← 판별식을 D라 하면 $D=(-7)^2-4\times2\times8<0$이므로 허근

이므로 $a=1$

따라서 ㉠에서 $k=\frac{a^2-3a+3}{e^a}$이므로 $a=1$을 대입하면 $k=\frac{1}{e}$

(2) 두 함수 $f(x)=ke^x$, $g(x)=x^3+5x^2+9x+7$에 대하여 두 곡선 $y=f(x)$, $y=g(x)$가 점 P에서 만나고, 점 P에서의 접선이 일치할 때, 모든 실수 k의 값의 곱의 값을 구하여라.

STEP A 두 곡선의 교점의 x좌표를 t로 놓고 관계식 구하기

점 P의 x좌표를 t라 하면

두 곡선 $y=f(x)$, $y=g(x)$가 점 P에서 만나므로 $f(t)=g(t)$에서

$ke^t=t^3+5t^2+9t+7$ …… ㉠

STEP B 점 P에서 두 곡선에 접하는 두 직선이 접하는 조건 구하기

또, 점 P에서의 접선이 일치하므로

$f'(t)=g'(t)$에서 $ke^t=3t^2+10t+9$ …… ㉡

STEP C 모든 실수 k의 값의 곱 구하기

㉠, ㉡에서 $t^3+5t^2+9t+7=3t^2+10t+9$

$t^3+2t^2-t-2=0$, $(t+2)(t+1)(t-1)=0$

$\therefore t=-2$ 또는 $t=-1$ 또는 $t=1$

이때 ㉡에서 $k=\frac{3t^2+10t+9}{e^t}$이므로

$t=-2$일 때, $k=e^2$

$t=-1$일 때, $k=2e$

$t=1$일 때, $k=\frac{22}{e}$

따라서 모든 실수 k의 값의 곱이 $e^2\times2e\times\frac{22}{e}=44e^2$

0556

다음 물음에 답하여라.

(1) 함수 $f(x)=\frac{e^x+e^{-x}}{2}$에 대하여 닫힌구간 $[-e, e]$에서 롤의 정리를 만족하는 상수 c의 값을 구하여라.

STEP A 롤의 정리를 만족하는 상수 c의 값 구하기

함수 $f(x)=\frac{e^x+e^{-x}}{2}$는 닫힌구간 $[-e, e]$에서 연속이고

열린구간 $(-e, e)$에서 미분가능하며 $f(-e)=f(e)=\frac{e^e+e^{-e}}{2}$이므로

$f'(c)=0$인 c가 구간 $(-e, e)$에 적어도 하나 존재한다.

$f'(x)=\frac{e^x-e^{-x}}{2}$이므로

$f'(c)=\frac{e^c-e^{-c}}{2}=0$, $e^c-e^{-c}=0$, $e^c=e^{-c}$

따라서 $c=0$

(2) 함수 $f(x)=\frac{1}{x}$에 대하여 닫힌구간 $[1, 3]$에서 평균값 정리를 만족시키는 상수 c의 값을 구하여라.

STEP A 평균값 정리를 만족시키는 상수 c의 값 구하기

함수 $f(x)=\frac{1}{x}$은 닫힌구간 $[1, 3]$에서 연속이고

열린구간 $(1, 3)$에서 미분가능하므로

$\frac{f(3)-f(1)}{3-1}=f'(c)$인 c가 구간 $(1, 3)$에서 적어도 하나 존재한다.

$f'(x)=-\frac{1}{x^2}$이므로 $\frac{\frac{1}{3}-1}{3-1}=-\frac{1}{c^2}$, $c^2=3$

따라서 $c=\sqrt{3}$ ($\because 1<c<3$)

0557

함수 $f(x)=\ln x^2$에 대하여 닫힌구간 $[1, e]$에서 $\frac{f(e)-f(1)}{e-1}=f'(c)$를 만족시키는 상수 c의 값은? (단, e는 자연로그의 밑이다.)

① $\frac{e}{2}$ ② $e-1$ ③ $\frac{e^2}{4}$

④ $\frac{e+1}{2}$ ⑤ $\frac{e+2}{2}$

STEP A 평균값 정리를 만족시키는 상수 c의 값 구하기

함수 $f(x)=\ln x^2$은 닫힌구간 $[1, e]$에서 연속이고

열린구간 $(1, e)$에서 미분가능하므로 평균값 정리에 의하여

$\frac{f(e)-f(1)}{e-1}=f'(c)$인 c가 열린구간 $(1, e)$에 적어도 하나 존재한다.

$f'(x)=\frac{2x}{x^2}=\frac{2}{x}$이므로 $\frac{2}{e-1}=\frac{2}{c}$

따라서 $c=e-1$

0558

다음 [보기]의 함수 중 $\frac{f(1)-f(-1)}{2}=f'(c)$인 c가 열린구간 $(-1, 1)$에 존재하는 것만을 있는 대로 골라라.

ㄱ. $f(x)=x|x|$
ㄴ. $f(x)=e^{|x|}$
ㄷ. $f(x)=|\sin x|$
ㄹ. $f(x)=\sqrt{x+2}$

STEP A 평균값 정리를 만족하는 것을 구하기

$\frac{f(1)-f(-1)}{2}=f'(c)$에서 $\frac{f(1)-f(-1)}{1-(-1)}=f'(c)$ …… ㉠

을 만족하는 c가 열린구간 $(-1, 1)$에서 반드시 존재하려면 함수 $f(x)$는 닫힌구간 $[-1, 1]$에서 연속이고 열린구간 $(-1, 1)$에서 미분가능해야 한다.

ㄱ. 함수 $f(x)=x|x|=\begin{cases} x^2 & (x\geq 0) \\ -x^2 & (x<0) \end{cases}$의 그래프가 오른쪽 그래프이므로 닫힌구간 $[-1, 1]$에서 연속이고 열린구간 $(-1, 1)$에서 미분가능하므로 ㉠을 만족하는 c가 구간 $(-1, 1)$에 적어도 하나 존재한다.

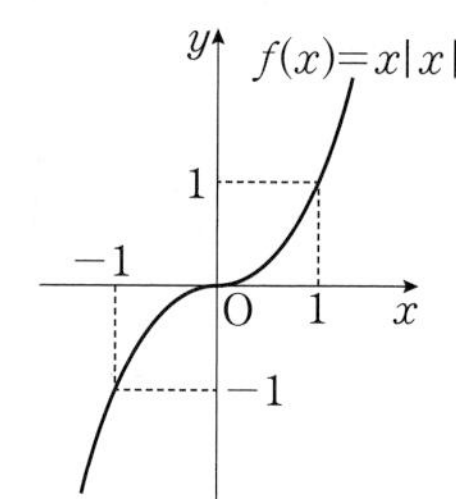

ㄴ. 함수 $f(x)=e^{|x|}=\begin{cases} e^x & (x\geq 0) \\ e^{-x} & (x<0) \end{cases}$의 그래프는 오른쪽 그림과 같으므로

함수 $f(x)$, $\lim_{x\to 0+}\frac{f(x)-f(0)}{x-0}$과 $\lim_{x\to 0-}\frac{f(x)-f(0)}{x-0}$이 다르므로

$x=0$에서 미분가능하지 않다.

㉠을 만족하는 c가 구간 $(-1, 1)$에 존재하지 않는다.

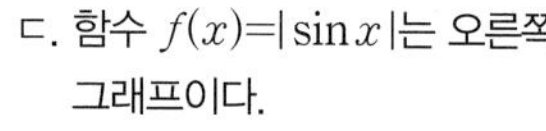

ㄷ. 함수 $f(x)=|\sin x|$는 오른쪽 그래프이다.

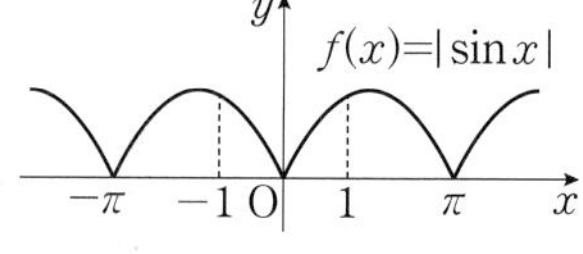

이때 함수 $f(x)$의 그래프는 $x=0$에서 뾰족점을 가지므로 함수 $f(x)$는 $x=0$에서 미분가능하지 않다.

따라서 함수 $f(x)$는 닫힌구간 $[-1, 1]$에서 연속이지만 열린구간 $(-1, 1)$에서 미분가능하지 않으므로 ㉠을 만족하는 c가 구간 $(-1, 1)$에 존재하지 않는다.

ㄹ. 함수 $f(x)=\sqrt{x+2}$는 닫힌구간 $[-1, 1]$에서 연속이고 열린구간 $(-1, 1)$에서 미분가능하므로 평균값의 정리에 의하여 ㉠을 만족하는 c가 구간 $(-1, 1)$에 적어도 하나 존재한다.

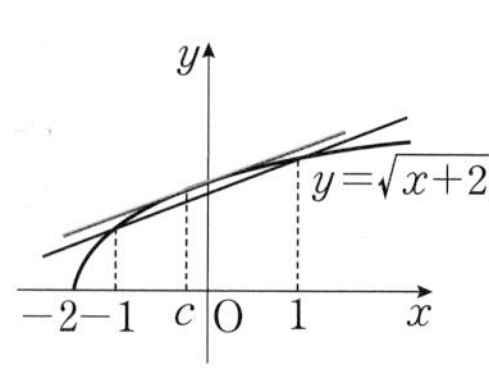

따라서 조건을 만족하는 함수는 ㄱ, ㄹ뿐이다.

0559

평균값 정리를 이용하여 다음 극한값을 구하여라.

(1) $\lim_{x \to 2} \frac{3^x - 3^2}{x-2}$

STEP Ⓐ **평균값 정리를 이용하여 다음 극한값 구하기**

$f(x)=3^x$이라고 하면 $f'(x)=3^x \ln 3$이다.

(ⅰ) $x>2$일 때,

$f(x)$는 구간 $[2, x]$에서 연속이고 구간 $(2, x)$에서 미분가능하므로 평균값 정리에 의하여

$\frac{3^x-3^2}{x-2}=3^c \ln 3$, $2<c<x$인 c가 적어도 하나 존재한다.

그런데 $x \to 2+$일 때, $c \to 2+$이므로

$\lim_{x \to 2+} \frac{3^x-3^2}{x-2}=\lim_{c \to 2+} 3^c \ln 3 = 9\ln 3$

(ⅱ) $x<2$일 때,

$f(x)$는 구간 $[x, 2]$에서 연속이고 구간 $(x, 2)$에서 미분가능하므로 평균값 정리에 의하여

$\frac{3^2-3^x}{2-x}=3^c \ln 3$, $x<c<2$인 c가 적어도 하나 존재한다.

그런데 $x \to 2-$일 때, $c \to 2-$이므로

$\lim_{x \to 2-} \frac{3^x-3^2}{x-2}=\lim_{c \to 2-} 3^c \ln 3 = 9\ln 3$

(ⅰ), (ⅱ)에서 $\lim_{x \to 2} \frac{3^x-3^2}{x-2}=9\ln 3$

(2) $\lim_{x \to 2+} \frac{\sin x - \sin 2}{x-2}$

STEP Ⓐ **평균값 정리를 이용하여 다음 극한값 구하기**

$f(x)=\sin x$라고 하면

$f'(x)=\cos x$이고 $x>2$일 때,

$f(x)$는 구간 $[2, x]$에서 연속이고 구간 $(2, x)$에서 미분가능하므로

평균값 정리에 의하여

$\frac{\sin x - \sin 2}{x-2}=\cos c\,(2<c<x)$인 c가 적어도 하나 존재한다.

그런데 $x \to 2+$일 때, $c \to 2+$이므로

$\lim_{x \to 2+} \frac{\sin x - \sin 2}{x-2}=\lim_{c \to 2+} \cos c = \cos 2$

0560

함수 $f(x)=x+\sin x$에 대하여 함수 $g(x)$를 $g(x)=(f \circ f)(x)$로 정의할 때, $g'(x)=1$인 x가 구간 $(0, \pi)$에 존재함을 증명하여라.

STEP Ⓐ **평균값 정리를 이용하여 증명하기**

$g(x)$는 구간 $[0, \pi]$에서 연속이고 구간 $(0, \pi)$에서 미분가능하므로

평균값 정리에서 $\frac{g(\pi)-g(0)}{\pi-0}=g'(c)$인 c가 $0<c<\pi$에서 존재한다.

그런데 $g(\pi)=f(f(\pi))=f(\pi)=\pi$, $g(0)=f(f(0))=f(0)=0$이므로

$g'(c)=1$, $0<c<\pi$인 c가 적어도 하나 존재한다.

따라서 $0<x<\pi$이므로 $g'(x)=1$인 x가 구간 $(0, \pi)$에 존재한다.

0561

$x>0$일 때, 부등식 $\frac{1}{x+1}<\ln(x+1)-\ln x<\frac{1}{x}$이 성립함을 평균값 정리를 이용하여 증명하여라.

STEP Ⓐ **평균값 정리를 이용하여 증명하기**

$x>0$일 때, 함수 $f(x)=\ln x$가 닫힌구간 $[x, x+1]$에서 연속이고

열린구간 $(x, x+1)$에서 미분가능하므로

$\frac{\ln(x+1)-\ln x}{(x+1)-x}=f'(c)$인 c가 열린구간 $(x, x+1)$에 적어도 하나 존재한다.

이때 $x<c<x+1$이므로 $\frac{1}{x+1}<\frac{1}{c}<\frac{1}{x}$

한편 $f(x)=\ln x$에서 $f'(x)=\frac{1}{x}$이므로 $f'(c)=\frac{1}{c}$

따라서 $\frac{1}{x+1}<\ln(x+1)-\ln x<\frac{1}{x}$이 성립한다.

0562

다음 물음에 답하여라.

(1) 실수 전체의 집합에서 함수 $f(x)=(x^2+2ax+11)e^x$이 증가하도록 하는 자연수 a의 최댓값은?

① 3 ② 4 ③ 5 ④ 6 ⑤ 7

STEP Ⓐ 함수 $f(x)$가 증가하므로 도함수 $f'(x)\geq 0$임을 이용하기

$f'(x)=(2x+2a)e^x+(x^2+2ax+11)e^x$

$=\{x^2+2(a+1)x+2a+11\}e^x$

실수 전체의 집합에서 함수 $f(x)$가 증가하므로

모든 실수 x에 대하여 $f'(x)=\{x^2+2(a+1)x+2a+11\}e^x\geq 0$

STEP Ⓑ 모든 실수 x에 대하여 $x^2+2(a+1)x+2a+11\geq 0$을 만족하는 a의 범위 구하기

$e^x>0$이므로 모든 실수 x에 대하여

$x^2+2(a+1)x+2a+11\geq 0$

이차방정식 $x^2+2(a+1)x+2a+11=0$의 판별식을 D라 하면

$\frac{D}{4}=(a+1)^2-(2a+11)=a^2-10\leq 0$

$\therefore -\sqrt{10}\leq a\leq\sqrt{10}$

따라서 구하는 자연수 a의 최댓값은 3

(2) 함수 $f(x)=(x^2+1)e^{ax}$이 모든 실수 x에 대하여 감소할 때, 실수 a의 최댓값은?

① -2 ② -1 ③ 1 ④ 2 ⑤ 3

STEP Ⓐ $f'(x)$ 구하기

$f(x)=(x^2+1)e^{ax}$에서

$f'(x)=2xe^{ax}+a(x^2+1)e^{ax}=e^{ax}(ax^2+2x+a)$

STEP Ⓑ 모든 실수 x에 대하여 $f'(x)\leq 0$이 성립하기 위한 조건 구하기

함수 $f(x)$는 실수 전체의 집합에 속하는 어떤 구간에서도 상수함수가 아니므로 함수 $f(x)$가 실수 전체의 집합에서 감소하려면 모든 실수 x에 대하여 $f'(x)\leq 0$이어야 한다.

$e^{ax}>0$이므로 모든 실수 x에 대하여 $ax^2+2x+a\leq 0$이어야 한다.

이차방정식 $ax^2+2x+a=0$의 판별식을 D라 하면 $a<0$이고

$\frac{D}{4}=1-a^2\leq 0$, $(1-a)(1+a)\leq 0$

$\therefore a\leq -1$ 또는 $a\geq 1$

따라서 $a<0$이므로 $a\leq -1$, 즉 a의 최댓값은 -1

0563

다음 물음에 답하여라.

(1) 함수 $f(x)=x-\ln(x^2+a)$가 실수 전체의 구간에서 증가할 때, 양수 a의 최솟값은?

① 1 ② 2 ③ 3 ④ 4 ⑤ 5

STEP Ⓐ $f'(x)$ 구하기

$f(x)=x-\ln(x^2+a)$에서 $x^2+a>0$이고

$f'(x)=1-\frac{2x}{x^2+a}=\frac{x^2-2x+a}{x^2+a}$

STEP Ⓑ 모든 실수 x에 대하여 $f'(x)\geq 0$이 성립하기 위한 조건 구하기

함수 $f(x)$는 실수 전체의 집합에 속하는 어떤 구간에서도 상수함수가 아니므로 함수 $f(x)$가 실수 전체의 집합에서 증가하려면 모든 실수 x에 대하여 $f'(x)\geq 0$이어야 한다.

양수 a에 대하여 $x^2+a>0$이므로 모든 실수 x에 대하여 $x^2-2x+a\geq 0$이어야 한다.

이차방정식 $x^2-2x+a=0$의 판별식을 D라 하면

$\frac{D}{4}=1-a\leq 0$

따라서 $a\geq 1$이므로 최솟값은 1

(2) 함수 $f(x)=ax+3\ln(x^2+1)$이 실수 전체의 집합에서 증가하도록 하는 양수 a의 최솟값은?

① 1 ② 2 ③ 3 ④ 4 ⑤ 5

STEP Ⓐ $f'(x)$ 구하기

$f(x)=ax+3\ln(x^2+1)$에서

$f'(x)=a+\frac{6x}{x^2+1}=\frac{ax^2+6x+a}{x^2+1}$

STEP Ⓑ 모든 실수 x에 대하여 $f'(x)\geq 0$이 성립하기 위한 조건 구하기

함수 $f(x)$는 실수 전체의 집합에 속하는 어떤 구간에서도 상수함수가 아니므로 함수 $f(x)$가 실수 전체의 집합에서 증가하려면 모든 실수 x에 대하여 $f'(x)\geq 0$이어야 한다.

$x^2+1>0$이므로 모든 실수 x에 대하여 $ax^2+6x+a\geq 0$이어야 한다.

이차방정식 $ax^2+6x+a=0$의 판별식을 D라 하면 $a>0$이고

$\frac{D}{4}=9-a^2\leq 0$, $(a+3)(a-3)\geq 0$

$\therefore a\leq -3$ 또는 $a\geq 3$

따라서 $a>0$이므로 $a\geq 3$, 즉 a의 최솟값은 3

0564

정의역이 실수 전체의 집합인 함수 $f(x)=\left(x^2-ax+\frac{5}{4}a\right)e^x$이 역함수를 가지도록 하는 실수 a의 범위를 구하여라. (단, e는 자연로그의 밑이다.)

STEP Ⓐ $f'(x)$ 구하기

$f(x)=\left(x^2-ax+\frac{5}{4}a\right)e^x$에서

$f'(x)=(2x-a)e^x+\left(x^2-ax+\frac{5}{4}a\right)e^x$

$=\left\{x^2+(2-a)x+\frac{a}{4}\right\}e^x$

STEP Ⓑ 함수 $f(x)$의 역함수가 존재하기 위한 조건 구하기

함수 $f(x)$의 역함수가 존재하려면 함수 $f(x)$가 일대일대응이어야 하므로 $x\to\infty$일 때, $f(x)\to\infty$이므로 $f(x)$는 증가이어야 한다.

즉 모든 실수 x에 대하여 $f'(x)\geq 0$이다.

$e^x>0$이므로 모든 실수 x에 대하여 $x^2+(2-a)x+\frac{a}{4}\geq 0$이어야 한다.

이차방정식 $x^2+(2-a)x+\frac{a}{4}=0$의 판별식을 D라 하면

$D=(2-a)^2-4\cdot\frac{a}{4}\leq 0$

$a^2-5a+4\leq 0$, $(a-1)(a-4)\leq 0$

따라서 $1\leq a\leq 4$

0565

함수 $f(x)=(x^2+kx)e^x$이 구간 $(-3,\ -2)$에서 감소하기 위한 상수 k값의 범위를 구하여라.

STEP **A** $f'(x)\le 0$일 조건 구하기

$f(x)=(x^2+kx)e^x$에서

$f'(x)=(2x+k)e^x+(x^2+kx)e^x=e^x\{x^2+(k+2)x+k\}$

함수 $f(x)$가 구간 $(-3,\ -2)$에서 감소하려면 이 구간에서 $f'(x)\le 0$

즉 $e^x\{x^2+(k+2)x+k\}\le 0$이어야 하는데 $e^x>0$이므로

이 구간에서 $x^2+(k+2)x+k\le 0$이면 된다.

STEP **B** 구간 $(-3,\ -2)$에서 $x^2+(k+2)x+k\le 0$이 성립하는 상수 k의 값의 범위 구하기

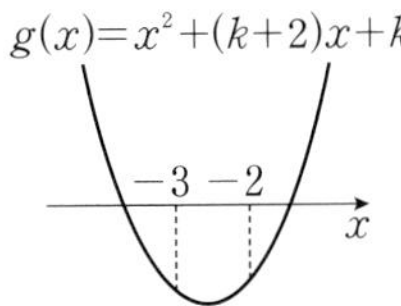

이때 $g(x)=x^2+(k+2)x+k$라 하면

$g(-3)\le 0$에서 $9-3k-6+k\le 0$

$\therefore k\ge\frac{3}{2}$ …… ㉠

$g(-2)\le 0$에서 $4-2k-4+k\le 0$

$\therefore k\ge 0$ …… ㉡

따라서 ㉠, ㉡으로부터 구하는 상수 k값의 범위는 $k\ge\frac{3}{2}$

0566

$f(0)=2,\ f(1)=3,\ f(2)=2,\ f(3)=1,$ $f'(1)=0,\ f'(3)=0$인 미분가능한 함수 $y=f(x)$의 그래프가 오른쪽 그림과 같다.
함수 $g(x)=(f\circ f)(x)$에 대하여 옳은 것 만을 [보기]에서 있는 대로 고른 것은?

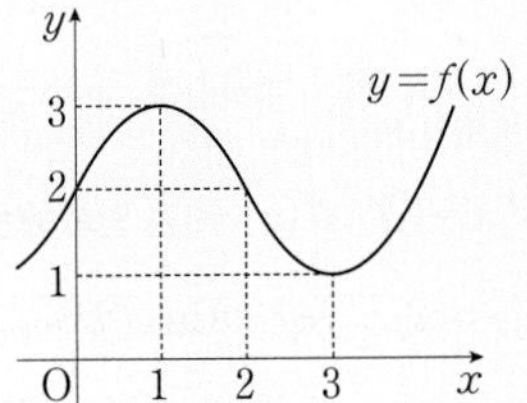

ㄱ. $g'(1)=0$
ㄴ. 함수 $g(x)$는 열린구간 $(0,\ 1)$에서 감소한다.
ㄷ. 함수 $g(x)$는 열린구간 $(1,\ 3)$에서 증가한다.

① ㄱ ② ㄷ ③ ㄱ, ㄴ
④ ㄴ, ㄷ ⑤ ㄱ, ㄴ, ㄷ

STEP **A** 함수의 증가와 감소일 조건을 구하여 [보기]의 참, 거짓 판단하기

함수 $g(x)=f(f(x))$에서 $g'(x)=f'(f(x))f'(x)$

ㄱ. $f(1)=3,\ f'(1)=0,\ f'(3)=0$이므로
$g'(1)=f'(f(1))f'(1)=f'(3)f'(1)=0$ [참]

ㄴ. $0<x<1$일 때, $f'(x)>0$
또, $0<x<1$일 때, $2<f(x)<3$이므로 $f'(f(x))<0$
즉 $g'(x)=f'(f(x))f'(x)<0$이므로 구간 $(0,\ 1)$에서 감소한다. [참]

ㄷ. $1<x<3$일 때, $f'(x)<0$
또, $1<x<3$일 때, $1<f(x)<3$이므로 $f'(f(x))<0$
즉 $g'(x)=f'(f(x))f'(x)>0$이므로 구간 $(1,\ 3)$에서 증가한다. [참]

따라서 옳은 것은 ㄱ, ㄴ, ㄷ이다.

0567

열린 구간 $(0,\ 5)$에서 미분가능한 두 함수 $f(x),\ g(x)$의 그래프가 오른쪽 그림과 같다. 합성함수 $h(x)=(f\circ g)(x)$에 대하여 옳은 것만을 [보기]에서 있는 대로 고른 것은?

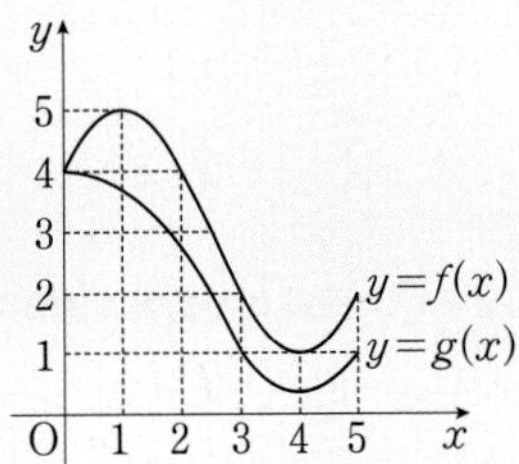

ㄱ. $h(3)=4$
ㄴ. $h'(2)\ge 0$
ㄷ. 함수 $h(x)$는 구간 $(3,\ 4)$에서 감소한다.

① ㄱ ② ㄴ ③ ㄷ
④ ㄱ, ㄴ ⑤ ㄴ, ㄷ

STEP **A** $h(x)=f(g(x))$에 $x=3$을 대입하여 거짓임을 판별하기

ㄱ. $h(3)=f(g(3))=f(1)=5$ [거짓]

STEP **B** $h'(x)=f'(g(x))g'(x)$에 $x=3$을 대입하여 참임을 판별하기

ㄴ. $h(x)=f(g(x))$에서 $h'(x)=f'(g(x))g'(x)$
$h'(2)=(f\circ g)'(2)=f'(g(2))g'(2)$
$2<g(2)<3$이므로 $f'(g(2))<0$이고 $g'(2)<0$이므로 $h'(2)\ge 0$ [참]

STEP **C** $3<x<4$에서 $h'(x)$의 부호를 조사하여 참임을 판별하기

ㄷ. $h'(x)=(f\circ g)'(x)=f'(g(x))g'(x)$에 대하여 구간 $(3,\ 4)$에서
$0<g(x)<1$이고 함수 $f(x)$는 구간 $(0,\ 1)$에서 증가하므로
$f'(g(x))>0$
구간 $(3,\ 4)$에서 함수 $g(x)$는 감소하므로 $g'(x)<0$
즉 $h'(x)=f'(g(x))g'(x)<0$이므로 구간 $(3,\ 4)$에서 감소이다. [참]

따라서 옳은 것은 ㄴ, ㄷ이다.

0568

다음 물음에 답하여라.

(1) 함수 $f(x)=(x^2-3)e^{-x}$의 극댓값과 극솟값을 각각 $a,\ b$라 할 때, ab의 값은?

① $-12e^2$ ② $-12e$ ③ $-\frac{12}{e}$
④ $-\frac{12}{e^2}$ ⑤ $-\frac{12}{e^3}$

STEP **A** 곱의 미분법을 이용하여 $f'(x)=0$을 만족하는 x의 값 구하기

$f'(x)=2x\times e^{-x}+(x^2-3)\times(-e^{-x})$
$=-(x^2-2x-3)e^{-x}$
$=-(x+1)(x-3)e^{-x}$

$f'(x)$에서 $x=-1$ 또는 $x=3$

함수 $f(x)$의 증가와 감소를 표로 나타내면 다음과 같다.

x	$\cdots$	-1	$\cdots$	3	$\cdots$
$f'(x)$	$-$	0	$+$	0	$-$
$f(x)$	↘	극소	↗	극대	↘

즉 함수 $f(x)$는 $x=-1$에서 극소이고 극솟값은 $b=f(-1)=-2e$

$x=3$에서 극대이고 극댓값은 $a=f(3)=6e^{-3}$

STEP **B** ab의 값 구하기

따라서 $ab=6e^{-3}\times(-2e)=-12e^{-2}=-\frac{12}{e^2}$

(2) 함수 $f(x)=(x^2-8)e^{-x+1}$의 극솟값 a와 극댓값 b를 갖는다. 두 수 a, b의 곱 ab의 값은?

① -34 ② -32 ③ -30
④ -28 ⑤ -26

STEP Ⓐ 곱의 미분법을 이용하여 $f'(x)=0$을 만족하는 x의 값 구하기

$f(x)=(x^2-8)e^{-x+1}$에서

$f'(x)=2xe^{-x+1}-(x^2-8)e^{-x+1}$
$=(-x^2+2x+8)e^{-x+1}$
$=-(x-4)(x+2)e^{-x+1}$

$f'(x)=0$에서 $x=-2$ 또는 $x=4$

STEP Ⓑ $f(x)$의 증가와 감소를 표로 나타내기

$f(x)$의 증가와 감소를 표로 나타내면 다음과 같다.

x	$\cdots$	-2	$\cdots$	4	$\cdots$
$f'(x)$	$-$	0	$+$	0	$-$
$f(x)$	↘	$-4e^3$	↗	$8e^{-3}$	↘

$x=-2$에서 극소, $x=4$에서 극대이므로

$a=f(-2)=-4e^3$

$b=f(4)=8e^{-3}$

STEP Ⓒ ab의 값 구하기

따라서 $ab=-4e^3\cdot 8e^{-3}=-32$

(2) 함수 $f(x)=x(\ln x)^3$은 $x=a$에서 극솟값 b를 가질 때, $a-b$의 값은?

① $20e^{-3}$ ② $22e^{-3}$ ③ $24e^{-3}$
④ $26e^{-3}$ ⑤ $28e^{-3}$

STEP Ⓐ 곱의 미분법을 이용하여 $f'(x)=0$을 만족하는 x의 값 구하기

$f(x)=x(\ln x)^3$에서 $x>0$

$f'(x)=(\ln x)^3+x\times 3(\ln x)^2\times \frac{1}{x}$
$=(\ln x)^2(\ln x+3)$

$f'(x)=0$에서 $x=e^{-3}$ 또는 $x=1$

STEP Ⓑ $f(x)$의 증가와 감소를 표로 나타내기

함수 $f(x)$의 증가와 감소를 표로 나타내면 다음과 같다.

x	(0)	$\cdots$	e^{-3}	$\cdots$	1	$\cdots$
$f'(x)$		$-$	0	$+$	0	$+$
$f(x)$		↘	극소	↗		↗

STEP Ⓒ $a-b$의 값 구하기

함수 $f(x)$가 $x=e^{-3}$에서 극소이고 극솟값은

$f(e^{-3})=e^{-3}\cdot(-3)^3=-27e^{-3}$

따라서 $a=e^{-3}$, $b=-27e^{-3}$이므로 $a-b=e^{-3}-(-27e^{-3})=28e^{-3}$

0569

다음 물음에 답하여라.

(1) 함수 $f(x)=\frac{\ln x}{2x}$가 $x=a$에서 극댓값 b를 가질 때, ab의 값은? (단, e는 자연로그의 밑이다.)

① $\frac{1}{2}$ ② 1 ③ e
④ $2e$ ⑤ e^2

STEP Ⓐ 몫의 미분법을 이용하여 $f'(x)=0$을 만족하는 x의 값 구하기

$f(x)=\frac{\ln x}{2x}$에서

$f'(x)=\frac{\frac{1}{x}\cdot 2x-\ln x\cdot 2}{(2x)^2}=\frac{2(1-\ln x)}{4x^2}$

$f'(x)=0$에서 $x=e$

STEP Ⓑ $f(x)$의 증가와 감소를 표로 나타내기

함수 $f(x)$의 증가와 감소를 표로 나타내면 다음과 같다.

x	(0)	$\cdots$	e	$\cdots$
$f'(x)$		$+$	0	$-$
$f(x)$		↗	극대	↘

STEP Ⓒ ab의 값 구하기

함수 $f(x)$는 $x=e$에서 극대이고 극댓값 $\frac{1}{2e}$을 가진다.

따라서 $a=e$, $b=\frac{1}{2e}$이므로 $ab=e\cdot\frac{1}{2e}=\frac{1}{2}$

0570

다음 물음에 답하여라.

(1) 함수 $f(x)=\frac{1}{2}x^2-6x+8\ln x$의 극댓값을 M, 극솟값을 m이라 할 때, $2M-m$의 값을 구하여라.

STEP Ⓐ $f'(x)=0$을 만족하는 x의 값 구하기

$f(x)=\frac{1}{2}x^2-6x+8\ln x$에서

$f'(x)=x-6+\frac{8}{x}=\frac{x^2-6x+8}{x}=\frac{(x-2)(x-4)}{x}$

$f'(x)=0$에서 $x=2$ 또는 $x=4$

STEP Ⓑ $f(x)$의 증가와 감소를 표로 나타내기

함수 $f(x)$의 증가와 감소를 표로 나타내면 다음과 같다.

x	(0)	$\cdots$	2	$\cdots$	4	$\cdots$
$f'(x)$		$+$	0	$-$	0	$+$
$f(x)$		↗	극대	↘	극소	↗

따라서 함수 $f(x)$는

$x=2$에서 극대이고 극댓값 $M=-10+8\ln 2$를 갖고

$x=4$에서 극소이고 극솟값 $m=-16+16\ln 2$를 갖는다.

$\therefore 2M-m=2(-10+8\ln 2)-(-16+16\ln 2)=-4$

(2) 함수 $f(x)=\dfrac{e^x}{x^2-x+1}$의 극댓값을 M, 극솟값을 m이라 할 때, mM의 값을 구하여라.

STEP A $f'(x)=0$을 만족하는 x의 값 구하기

$f(x)=\dfrac{e^x}{x^2-x+1}$에서

$$f'(x)=\frac{e^x(x^2-x+1)-e^x(2x-1)}{(x^2-x+1)^2}=\frac{e^x(x^2-3x+2)}{(x^2-x+1)^2}=\frac{e^x(x-2)(x-1)}{(x^2-x+1)^2}$$

$f'(x)=0$에서 $x=1$ 또는 $x=2$

STEP B $f(x)$의 증가와 감소를 표로 나타내기

함수 $f(x)$의 증가와 감소를 표로 나타내면 다음과 같다.

x	$\cdots$	1	$\cdots$	2	$\cdots$
$f'(x)$	$+$	0	$-$	0	$+$
$f(x)$	↗	극대	↘	극소	↗

함수 $f(x)$는 $x=1$에서 극대이고 $x=2$에서 극소이므로

따라서 $M=f(1)=e$, $m=f(2)=\dfrac{e^2}{3}$이므로 $mM=\dfrac{e^3}{3}$

0571

주어진 범위에서 다음 함수 $f(x)$의 극값을 구하여라.

(1) $f(x)=e^x\sin x\,(0\le x\le 2\pi)$

STEP A $f'(x)=0$을 만족하는 x의 값 구하기

$f(x)=e^x\sin x$에서

$f'(x)=e^x\sin x+e^x\cos x=e^x(\sin x+\cos x)$이므로

$f'(x)=0$에서 $\sin x=-\cos x$, $\tan x=-1$

$\therefore x=\dfrac{3}{4}\pi$ 또는 $x=\dfrac{7}{4}\pi$

STEP B $f(x)$의 증가와 감소를 표로 나타내기

함수 $f(x)$의 증가와 감소를 표로 나타내면 다음과 같다.

x	(0)	$\cdots$	$\frac{3}{4}\pi$	$\cdots$	$\frac{7}{4}\pi$	$\cdots$	(2π)
$f'(x)$		$+$	0	$-$	0	$+$	
$f(x)$	(0)	↗	극대	↘	극소	↗	(0)

$x=\dfrac{3}{4}\pi$일 때, 극댓값은 $f\left(\dfrac{3}{4}\pi\right)=\dfrac{\sqrt{2}}{2}e^{\frac{3}{4}\pi}$

$x=\dfrac{7}{4}\pi$일 때, 극솟값은 $f\left(\dfrac{7}{4}\pi\right)=-\dfrac{\sqrt{2}}{2}e^{\frac{7}{4}\pi}$

(2) $f(x)=\tan x-2x\left(-\dfrac{\pi}{2}<x<\dfrac{\pi}{2}\right)$

STEP A $f'(x)=0$을 만족하는 x의 값 구하기

$f(x)=\tan x-2x$에서 $f'(x)=\sec^2 x-2$이므로

$f'(x)=0$에서 $\sec x=\sqrt{2}\left(\because -\dfrac{\pi}{2}<x<\dfrac{\pi}{2}\right)$

$\therefore x=-\dfrac{\pi}{4}$ 또는 $x=\dfrac{\pi}{4}$

STEP B $f(x)$의 증가와 감소를 표로 나타내기

함수 $f(x)$의 증가와 감소를 표로 나타내면 다음과 같다.

x	$-\frac{\pi}{2}$	$\cdots$	$-\frac{\pi}{4}$	$\cdots$	$\frac{\pi}{4}$	$\cdots$	$\frac{\pi}{2}$
$f'(x)$		$+$	0	$-$	0	$+$	
$f(x)$		↗	극대	↘	극소	↗	

따라서 $x=-\dfrac{\pi}{4}$에서 극댓값 $f\left(-\dfrac{\pi}{4}\right)=-1+\dfrac{\pi}{2}$

$x=\dfrac{\pi}{4}$에서 극솟값 $f\left(\dfrac{\pi}{4}\right)=1-\dfrac{\pi}{2}$

0572

열린구간 $(0, 2\pi)$에서 정의된 함수 $f(x)=e^x(\sin x+\cos x)$의 극댓값을 M, 극솟값을 m이라 할 때, Mm의 값은?

① $-e^{2\pi}$ ② $-e^{\pi}$ ③ $\dfrac{1}{e^{3\pi}}$ ④ $\dfrac{1}{e^{2\pi}}$ ⑤ $\dfrac{1}{e^{\pi}}$

STEP A $f'(x)=0$을 만족하는 x의 값 구하기

$f(x)=e^x(\sin x+\cos x)$에서

$f'(x)=e^x(\sin x+\cos x)+e^x(\cos x-\sin x)$

$=2e^x\cos x$

$f'(x)=0$에서 $2e^x\cos x=0\,(0<x<2\pi)$

$\cos x=0\,(\because e^x>0)$

$\therefore x=\dfrac{\pi}{2}$ 또는 $x=\dfrac{3}{2}\pi$

STEP B $f(x)$의 증가와 감소를 표로 나타내기

함수 $f(x)$의 증가와 감소를 표로 나타내면 다음과 같다.

x	(0)	$\cdots$	$\frac{\pi}{2}$	$\cdots$	$\frac{3}{2}\pi$	$\cdots$	(2π)
$f'(x)$		$+$	0	$-$	0	$+$	
$f(x)$		↗	$e^{\frac{\pi}{2}}$	↘	$-e^{\frac{3}{2}\pi}$	↗	

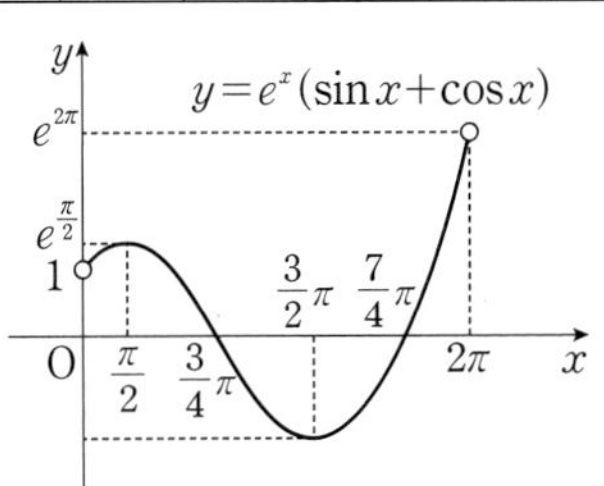

함수 $f(x)$는

$x=\dfrac{\pi}{2}$에서 극댓값 $M=e^{\frac{\pi}{2}}$

$x=\dfrac{3}{2}\pi$에서 극솟값 $m=-e^{\frac{3}{2}\pi}$

따라서 $Mm=e^{\frac{\pi}{2}}\times(-e^{\frac{3}{2}\pi})=-e^{2\pi}$

다른풀이 이계도함수를 이용하여 극대, 극소 풀이하기

$f'(x)=2e^x\cos x=0$에서 $x=\dfrac{\pi}{2}$ 또는 $x=\dfrac{3}{2}\pi$

이때 $f''(x)=2e^x(\cos x-\sin x)$이고

$f''\left(\dfrac{\pi}{2}\right)=-2e^{\frac{\pi}{2}}<0$, $f''\left(\dfrac{3}{2}\pi\right)=2e^{\frac{3}{2}\pi}>0$이므로

함수 $f(x)$는

$x=\dfrac{\pi}{2}$에서 극댓값 $M=e^{\frac{\pi}{2}}$이고 $x=\dfrac{3}{2}\pi$에서 극솟값 $m=-e^{\frac{3}{2}\pi}$

따라서 $Mm=-e^{2\pi}$

0573

열린구간 $(0, 2\pi)$에서 정의된 함수 $f(x)=\frac{\sin x}{e^{2x}}$가 $x=a$에서 극솟값을 가질 때, $\cos a$의 값은?

① $-\frac{2\sqrt{5}}{5}$　② $-\frac{\sqrt{5}}{5}$　③ 0
④ $\frac{\sqrt{5}}{5}$　⑤ $\frac{2\sqrt{5}}{5}$

STEP Ⓐ 몫의 미분법을 이용하여 $f'(x)$ 구하기

$f(x)=\frac{\sin x}{e^{2x}}=e^{-2x}\sin x$이므로

$f'(x)=-2e^{-2x}\sin x+e^{-2x}\cos x=e^{-2x}(-2\sin x+\cos x)$

$f''(x)=-2e^{-2x}(-2\sin x+\cos x)+e^{-2x}(-2\cos x-\sin x)$

$=e^{-2x}(3\sin x-4\cos x)$

STEP Ⓑ $f(x)$는 $x=a$에서 극솟값을 가지면 $f'(a)=0,\ f''(a)>0$임을 이용하기

이때 함수 $f(x)$는 $x=a$에서 극솟값을 가지므로

$f'(a)=0,\ f''(a)>0$ 이어야 한다.

이때 $e^{-2a}>0$이므로

$-2\sin a+\cos a=0$　…… ㉠

$3\sin a-4\cos a>0$　…… ㉡

이 성립해야 한다.

㉠에서 $\cos a=2\sin a$이므로 $\tan a=\frac{1}{2}$

㉠을 ㉡에 대입하면 $-5\sin a>0$, 즉 $\sin a<0$

$\tan a>0$이고 $\sin a<0$이므로 $\pi<a<\frac{3}{2}\pi$(제 3사분면)

STEP Ⓒ $\tan a=\frac{1}{2}$이고 $\sin a<0$을 이용하여 $\cos a$ 구하기

한편 $\sec^2 a=1+\tan^2 a=1+\left(\frac{1}{2}\right)^2=\frac{5}{4}$에서 $\cos a=\frac{1}{\sec a}=\pm\frac{2}{\sqrt{5}}$

따라서 $\cos a=-\frac{2\sqrt{5}}{5}\left(\because \pi<a<\frac{3}{2}\pi\right)$

다른풀이 a의 사분면을 정하여 풀이하기

미분가능한 함수 $f(x)$가 $x=a$에서 극값을 가지므로 $f'(a)=0$이어야 한다.

$f(x)=\frac{\sin x}{e^{2x}}=e^{-2x}\sin x$이므로

$f'(x)=-2e^{-2x}\sin x+e^{-2x}\cos x=-e^{-2x}(2\sin x-\cos x)$

이때 $-e^{-2a}(2\sin a-\cos a)=0$에서 $\tan a=\frac{1}{2}$

(i) $0<a<\frac{\pi}{2}$일 때,

$0<x<a$이면 $\sin x<\sin a$이고

$\cos x>\cos a$이므로 $2\sin x-\cos x<2\sin a-\cos a=0$

$\therefore f'(x)>0$

$a<x<\frac{\pi}{2}$이면 $\sin x>\sin a$이고 $\cos x<\cos a$이므로

$2\sin x-\cos x>2\sin a-\cos a=0$

$\therefore f'(x)<0$

즉 함수 $f(x)$는 $x=a$에서 극댓값을 갖는다.

(ii) $\pi<a<\frac{3}{2}\pi$일 때,

$\pi<x<a$이면 $\sin x>\sin a$이고

$\cos x<\cos a$이므로 $2\sin x-\cos x>2\sin a-\cos a=0$

$\therefore f'(x)<0$

$a<x<\frac{3\pi}{2}$이면 $\sin x<\sin a$이고 $\cos x>\cos a$이므로

$2\sin x-\cos x<2\sin a-\cos a=0$

$\therefore f'(x)>0$

즉 $x=a$에서 극솟값을 갖는다.

따라서 $\sec^2 a=1+\tan^2 a=\frac{5}{4}$에서 $\sec a=-\frac{\sqrt{5}}{2}\left(\because \pi<a<\frac{3}{2}\pi\right)$

$\therefore \cos a=-\frac{2\sqrt{5}}{5}$

0574

다음 물음에 답하여라.

(1) 함수 $f(x)=\frac{x+k}{x^2-x+1}$가 $x=0$에서 극솟값을 가질 때, 극댓값을 구하여라. (단, k는 상수이다.)

STEP Ⓐ $f'(0)=0$을 만족하는 실수 k 구하기

$f(x)=\frac{x+k}{x^2-x+1}$에서

$f'(x)=\frac{(x^2-x+1)-(x+k)(2x-1)}{(x^2-x+1)^2}=\frac{-(x^2+2kx-k-1)}{(x^2-x+1)^2}$

$x=0$에서 극솟값을 가지므로 $f'(0)=0$

$\frac{-(-k-1)}{1^2}=0$에서 $k=-1$

STEP Ⓑ 함수 $f(x)$의 극댓값 구하기

$f'(x)=-\frac{x(x-2)}{(x^2-x+1)^2}$

$f'(x)=0$에서 $x=0$ 또는 $x=2$

함수 $f(x)$의 증가와 감소를 표로 나타내면 다음과 같다.

x	…	0	…	2	…
$f'(x)$	$-$	0	$+$	0	$-$
$f(x)$	↘	극소	↗	극대	↘

따라서 함수 $f(x)$는 $x=2$에서 극대이므로 $f(x)$의 극댓값은

$f(2)=\frac{2-1}{4-2+1}=\frac{1}{3}$

(2) 함수 $f(x)=x^2+ax+b+4\ln(x+1)$이 $x=0$에서 극댓값 5를 가질 때, 함수 $f(x)$의 극솟값을 구하여라.

STEP Ⓐ $f(0)=5,\ f'(0)=0$을 이용하여 상수 $a,\ b$의 값 구하기

$f(x)=x^2+ax+b+4\ln(x+1)$에서

$f'(x)=2x+a+\frac{4}{x+1}$

함수 $f(x)$가 $x=0$에서 극댓값 5를 가지므로

$f(0)=5,\ f'(0)=0$

$f(0)=b+4\ln 1=b=5,\ f'(0)=a+4=0$

두 식을 연립하면 풀면 $a=-4,\ b=5$

STEP Ⓑ 함수 $f(x)$의 극솟값 구하기

$f'(x)=2x-4+\frac{4}{x+1}=\frac{(2x-4)(x+1)+4}{x+1}=\frac{2x(x-1)}{x+1}$

$f'(x)=0$에서 $x=0$ 또는 $x=1$

함수 $f(x)$의 증가와 감소를 표로 나타내면 다음과 같다.

x	(-1)	…	0	…	1	…
$f'(x)$		$+$	0	$-$	0	$+$
$f(x)$		↗	극대	↘	극소	↗

따라서 함수 $f(x)$는 $x=1$에서 극소이고 극솟값은 $f(1)=2+4\ln 2$

0575

다음 물음에 답하여라.

(1) 함수 $f(x)=\tan(\pi x^2+ax)$가 $x=\frac{1}{2}$에서 극솟값 k를 가질 때, k의 값은? (단, a는 상수이다.)

① $-\sqrt{3}$　② -1　③ $-\frac{\sqrt{3}}{3}$
④ 0　⑤ $\frac{\sqrt{3}}{3}$

STEP Ⓐ $f'\left(\frac{1}{2}\right)=0$을 만족하는 a의 값 구하기

$f(x)=\tan(\pi x^2+ax)$에서
$f'(x)=(2\pi x+a)\sec^2(\pi x^2+ax)$
$x=\frac{1}{2}$에서 극솟값을 가지므로 $f'\left(\frac{1}{2}\right)=(\pi+a)\sec^2\left(\frac{\pi}{4}+\frac{a}{2}\right)=0$
$\sec^2\left(\frac{\pi}{4}+\frac{a}{2}\right)\neq 0$이므로 $a=-\pi$

STEP Ⓑ $f\left(\frac{1}{2}\right)=k$의 값 구하기

따라서 $f(x)=\tan(\pi x^2-\pi x)$에서 극솟값 k는
$k=f\left(\frac{1}{2}\right)=\tan\left(\frac{\pi}{4}-\frac{\pi}{2}\right)=\tan\left(-\frac{\pi}{4}\right)=-1$

(2) 함수 $f(x)=\frac{1}{2}x^2-a\ln x(a>0)$의 극솟값이 0일 때, 상수 a의 값은?

① $\frac{1}{e}$　② $\frac{2}{e}$　③ $\sqrt{e}$
④ e　⑤ $2e$

STEP Ⓐ $f'(x)=0$을 만족하는 x의 값 구하기

$f(x)=\frac{1}{2}x^2-a\ln x(a>0)$에서 $f'(x)=x-\frac{a}{x}=\frac{x^2-a}{x}$
$f'(x)=0$에서 $x^2-a=0$, $x^2=a$
이때 로그의 진수 조건에 의하여 $x>0$이므로 $x=\sqrt{a}$

STEP Ⓑ 함수 $f(x)$의 증감표를 이용하여 $f(x)$의 극솟값 0임을 이용하여 a의 값 구하기

함수 $f(x)$의 증가와 감소를 표로 나타내면 다음과 같다.

x	(0)	$\cdots$	$\sqrt{a}$	$\cdots$
$f'(x)$		$-$	0	$+$
$f(x)$		↘	극소	↗

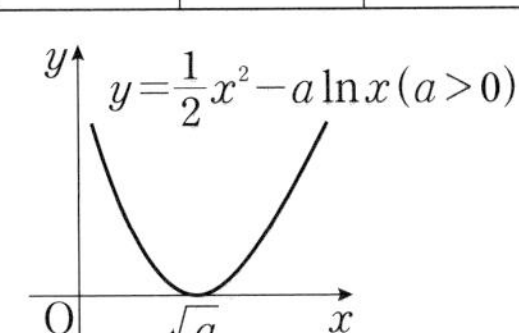

함수 $f(x)$는 $x=\sqrt{a}$에서 극소이고 극솟값이 0이므로
$f(\sqrt{a})=0$
즉 $f(\sqrt{a})=\frac{1}{2}a-a\ln\sqrt{a}=0$, $\frac{a}{2}-\frac{a}{2}\ln a=0$
$\frac{a}{2}(1-\ln a)=0$
따라서 $a>0$이므로 $1-\ln a=0$　$\therefore a=e$

0576

두 함수 $f(x)=e^x(x^2+ax+b)$, $g(x)=e^{-x}(x^2+ax+b)$는 각각 $x=-3$, $x=2$에서 극댓값을 갖는다. 두 함수 $f(x)$, $g(x)$의 극솟값을 각각 m_1, m_2라 할 때, m_1+m_2의 값을 구하여라. (단, a, b는 상수이다.)

STEP Ⓐ $f'(-3)=0$, $g'(2)=0$임을 이용하여 a, b 구하기

$f(x)=e^x(x^2+ax+b)$에서 $f'(x)=e^x(x^2+ax+b)+e^x(2x+a)$
$g(x)=e^{-x}(x^2+ax+b)$에서 $g'(x)=-e^{-x}(x^2+ax+b)+e^{-x}(2x+a)$
두 함수 $f(x)$, $g(x)$가 각각 $x=-3$, $x=2$에서 극댓값을 가지므로
$f'(-3)=e^{-3}(3-2a+b)=0$
$\therefore -2a+b+3=0$　…… ㉠
$g'(2)=e^{-2}(-a-b)=0$
$\therefore -a-b=0$　…… ㉡
㉠, ㉡을 연립하면 $a=1$, $b=-1$

STEP Ⓑ $f(x)$, $g(x)$의 증가와 감소를 표로 나타내어 극솟값 구하기

이때 $f'(x)=e^x(x^2+3x)=0$에서 $x=-3$ 또는 $x=0$
함수 $f(x)$의 증가와 감소를 표로 나타내면 다음과 같다.

x	$\cdots$	-3	$\cdots$	0	$\cdots$
$f'(x)$	$+$	0	$-$	0	$+$
$f(x)$	↗	극대	↘	극소	↗

$x=0$에서 극솟값 $f(0)=e^0\cdot(-1)=-1$
또한, $g'(x)=-e^{-x}(x-2)(x+1)=0$에서 $x=-1$ 또는 $x=2$
함수 $g(x)$의 증가와 감소를 표로 나타내면 다음과 같다.

x	$\cdots$	-1	$\cdots$	2	$\cdots$
$g'(x)$	$-$	0	$+$	0	$-$
$g(x)$	↘	극소	↗	극대	↘

$x=-1$에서 극솟값 $g(-1)=e^1\cdot(-1)=-e$
따라서 $m_1+m_2=-1-e$

0577

다음 물음에 답하여라.

(1) 함수 $f(x)=\ln x+\frac{k}{x}-x$가 극댓값과 극솟값을 모두 갖기 위한 실수 k값의 범위를 구하여라.

STEP Ⓐ $f'(x)$ 구하기

$f(x)=\ln x+\frac{k}{x}-x(x>0)$에서
$f'(x)=\frac{1}{x}-\frac{k}{x^2}-1=\frac{-x^2+x-k}{x^2}$

STEP Ⓑ 이차방정식의 두 근 이 모두 양수일 조건 구하기

$f'(x)=0$에서 $x^2>0$이므로 $-x^2+x-k=0$
여기서 함수 $f(x)$가 $x>0$에서 극댓값과 극솟값을 모두 가지려면 $x^2-x+k=0$이 $x>0$에서 서로 다른 두 양수인 실근을 가져야 한다.
즉 $x^2-x+k=0$이 서로 다른 두 양의 실근 α, β을 가지려면
(ⅰ) $D=1-4k>0$　$\therefore k<\frac{1}{4}$
(ⅱ) 두 근의 합 $\alpha+\beta=1>0$
(ⅲ) 두 근의 곱 $\alpha\beta=k>0$
(ⅰ)~(ⅲ)에서 상수 k값의 범위는 $0<k<\frac{1}{4}$

04 도함수의 활용

(2) 함수 $f(x)=(x^2-6x+k)e^x$이 극값을 갖지 않을 때, 상수 k값의 범위를 구하여라.

STEP A $f'(x)$ 구하기

$f(x)=(x^2-6x+k)e^x$에서

$f'(x)=(2x-6)e^x+(x^2-6x+k)e^x$

$=(x^2-4x+k-6)e^x$

STEP B 이차방정식의 중근과 허근을 가질 조건 구하기

$f'(x)=0$에서 $e^x>0$이므로

$x^2-4x+k-6=0$ ...... ㉠

함수 $f(x)$가 극값을 갖지 않으려면 이차방정식 ㉠이 중근 또는 허근을 가져야 한다.

이차방정식 ㉠의 판별식을 D라 하면

$\frac{D}{4}=4-k+6\le 0$

따라서 $k\ge 10$

함수 $f(x)=ax+\sin x$가 극값을 갖지 않기 위한 a의 값의 범위를 구하여라.

설명

$f(x)=ax+\sin x$에서 $f'(x)=a+\cos x$

$f(x)$가 극값을 갖지 않으려면 방정식 $f'(x)=0$이 실근을 갖지 않거나 $f'(x)=0$의 실근의 좌우에서 $f'(x)$의 부호가 바뀌지 않아야 한다.

$f'(x)=0$에서 $\cos x=-a$

(ⅰ) 방정식 $\cos x=-a$가 실근을 갖지 않는 a의 값의 범위는

$a<-1$ 또는 $a>1$

(ⅱ) $a=-1$일 때, $f'(x)=\cos x-1\le 0$이고

$a=1$일 때, $f'(x)=\cos x+1\ge 0$이므로

$f'(x)=0$을 만족시키는

x의 값의 좌우에서 $f'(x)$의 부호가 바뀌지 않는다.

따라서 (ⅰ), (ⅱ)에서 구하는 a의 값의 범위는 $a\le -1$ 또는 $a\ge 1$

참고 $f'(x)=a+\cos x$이므로

함수 $f(x)$가 극값을 갖지 않도록 하려면 모든 실수 x에 대하여

$a+\cos x\ge 0$ 또는 $a+\cos x\le 0$이어야 한다.

$a+\cos x\ge 0$일 때, $a\ge 1$

$a+\cos x\le 0$일 때, $a\le -1$

따라서 $a\le -1$ 또는 $a\ge 1$

0578

다음 물음에 답하여라.

(1) 함수 $f(x)=\ln(2x+4)+kx^2$의 역함수가 존재할 때, k의 범위는?

① $0\le k\le \frac{1}{4}$ ② $0\le k\le \frac{1}{2}$ ③ $-1\le k\le \frac{1}{4}$
④ $k\ge \frac{1}{4}$ ⑤ $k\ge \frac{1}{2}$

STEP A $f'(x)$ 구하기

$f'(x)=\frac{2}{2x+4}+2kx=\frac{2kx^2+4kx+1}{x+2}$

$f'(x)=0$에서

$x+2>0$이므로 $2kx^2+4kx+1=0$ ...... ㉠

STEP B 이차방정식의 중근 또는 허근을 가질 조건 구하기

함수 $f(x)$의 역함수가 존재하려면 $f(x)$가 극값을 갖지 않아야 하므로 이차방정식 ㉠이 중근 또는 허근을 가져야 한다.

이때 이차방정식 ㉠의 판별식을 D라 하면

$\frac{D}{4}=4k^2-2k\le 0$

따라서 $0\le k\le \frac{1}{2}$

(2) 함수 $f(x)=\sin x+ax+1$이 극값을 가질 때, 상수 a의 범위는?

① $a>-1$ ② $a<1$ ③ $-1<a<1$
④ $a\le -1$ ⑤ $a\ge 1$

STEP A $f'(x)$ 구하기

$f(x)=\sin x+ax+1$에서 $f'(x)=\cos x+a$

$f'(x)=0$에서 $\cos x+a=0$

STEP B 극값을 가질 조건 구하기

$\therefore a=-\cos x$

$-1\le \cos x\le 1$이므로 $-1\le a\le 1$

이때 $a=-1$ 또는 $a=1$일 때에는 $f'(x)=0$이 되는 x의 값의 좌우에서 부호가 바뀌지 않으므로 함수 $f(x)$가 극값을 가지는 a의 값의 범위는

$-1<a<1$

(3) 함수 $f(x)=ax-2\cos x$가 극값을 갖지 않기 위한 a의 값의 범위는?

① $a>-2$ ② $a<2$
③ $-2<a<2$ ④ $a\le -2$ 또는 $a\ge 2$
⑤ $a\ge 2$

STEP A $f'(x)$ 구하기

$f(x)=ax-2\cos x$에서 $f'(x)=a+2\sin x$

$f(x)$가 극값을 갖지 않으려면 방정식 $f'(x)=0$이 실근을 갖지 않거나 $f'(x)=0$의 실근의 좌우에서 $f'(x)$의 부호가 바뀌지 않아야 한다.

$f'(x)=0$에서 $\sin x=-\frac{a}{2}$

STEP B 극값을 갖지 않기 위한 a의 범위 구하기

(ⅰ) 방정식 $\sin x=-\frac{a}{2}$가 실근을 갖지 않는 a의 값의 범위는

$-\frac{a}{2}<-1$ 또는 $-\frac{a}{2}>1$이므로 $a>2$ 또는 $a<-2$

(ⅱ) $-\frac{a}{2}=-1$일 때, $f'(x)=a+2\sin x\ge 0$이고

$-\frac{a}{2}=1$일 때, $f'(x)=a+2\sin x\le 0$이므로

$f'(x)=0$을 만족시키는 x의

값의 좌우에서 $f'(x)$의 부호가 바뀌지 않는다.

(ⅰ), (ⅱ)에서 구하는 a의 값의 범위는 $a\ge 2$ 또는 $a\le -2$

참고 $f'(x)=a+2\sin x$이므로

함수 $f(x)$가 극값을 갖지 않도록 하려면 모든 실수 x에 대하여

$a+2\sin x\ge 0$ 또는 $a+2\sin x\le 0$이어야 한다.

$a+2\sin x\ge 0$일 때, $a\ge 2$

$a+2\sin x\ge 0$일 때, $a\le -2$

따라서 $a\ge 2$ 또는 $a\le -2$

0579

함수 $f(x)=e^{-x}(\ln x-2)$가 $x=a$에서 극값을 가질 때,
다음 중 a가 속하는 구간은?

① $(1, e)$ ② (e, e^2) ③ (e^2, e^3)
④ (e^3, e^4) ⑤ (e^4, e^5)

STEP A $f'(x)=0$이 극값을 가질 조건 구하기

함수 $f(x)=e^{-x}(\ln x-2)$의 정의역은 $x>0$이고

$f(x)=e^{-x}(\ln x-2)$가 $x=a$에서 극값을 가지므로 $f'(a)=0$이어야 한다.

$f'(x)=-e^{-x}(\ln x-2)+e^{-x}\cdot\frac{1}{x}=e^{-x}\left(\frac{1}{x}+2-\ln x\right)$

모든 실수 x에 대하여 $e^{-x}>0$이므로

$g(x)=\frac{1}{x}+2-\ln x$라 하면 $g(a)=0$이어야 한다.

$g'(x)=-\frac{1}{x^2}-\frac{1}{x}=-\frac{1+x}{x^2}<0\ (\because x>0)$

이므로 함수 $g(x)$는 $x>0$에서 연속이고 감소한다.

STEP B 사잇값의 정리를 이용하여 a가 속하는 구간 구하기

$g(1)=1-\ln 1+2=3>0$

$g(e)=\frac{1}{e}-\ln e+2=\frac{1}{e}+1>0$

$g(e^2)=\frac{1}{e^2}-\ln e^2+2=\frac{1}{e^2}>0$

$g(e^3)=\frac{1}{e^3}-\ln e^3+2=\frac{1}{e^3}-1<0$

이때 $g(e^2)g(e^3)<0$이므로 사잇값의 정리에 의하여

$g(c)=0$인 실수 c가 열린구간 $(e^2,\ e^3)$에 오직 하나 존재한다.

따라서 $x=a$에서 극값을 가질 때, a가 속하는 구간은 $(e^2,\ e^3)$

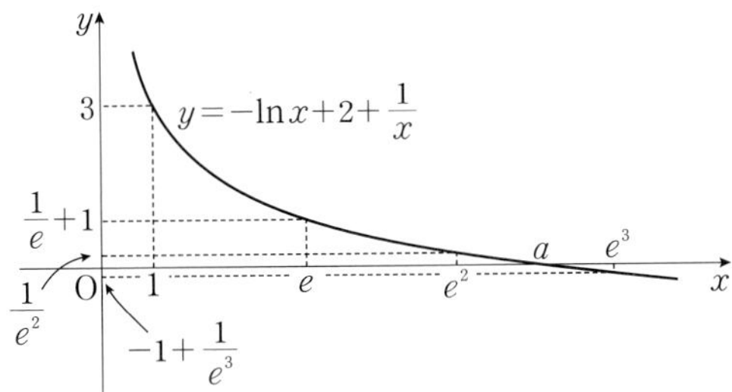

다른풀이 두 함수의 그래프의 교점을 이용하여 풀이하기

STEP A $f'(x)=0$인 극값을 가질 조건 구하기

$f'(x)=-e^{-x}(\ln x-2)+e^{-x}\cdot\frac{1}{x}=e^{-x}\left(\frac{1}{x}+2-\ln x\right)$

모든 실수 x에 대하여 $e^{-x}>0$이므로 $g(x)=\frac{1}{x}+2-\ln x$라 하면

$g(a)=0$이고 $x=a\ (a>0)$의 좌우에서 $g(x)$의 부호가 반대가 되어야 한다.

STEP B 두 그래프의 교점을 이용하여 a가 속하는 범위 구하기

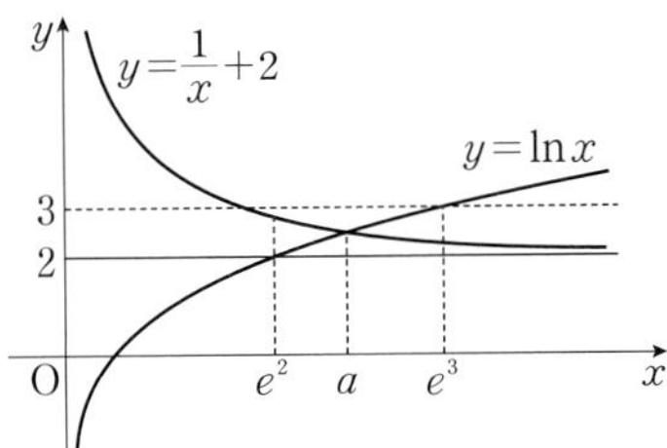

즉 $x>0$에서 두 함수 $y=\frac{1}{x}+2$와 $y=\ln x$의 그래프를 나타내면

두 함수의 교점이 $x=a$

$\ln x=2$일 때,

즉 $x=e^2$에서 $\frac{1}{x}+2>\ln x$이므로 $g(e^2)=\frac{1}{e^2}+2-\ln e^2>0$

$\ln x=3$일 때,

즉 $x=e^3$에서 $\frac{1}{x}+2<\ln x$이므로 $g(e^3)=\frac{1}{e^3}+2-\ln e^3>0$

따라서 구간 $(e^2,\ e^3)$에서 임의의 값 a에 대하여 $g(a)=0$

즉 $f'(a)=0$이고 $f'(e^2)>0,\ f'(e^3)<0$이므로

$x=a$에서 함수 $f(x)$가 극값을 가진다.

0580

함수 $y=f(x)$의 도함수 $y=f'(x)$의 그래프가 다음과 같을 때,
함수 $y=f(x)$의 그래프에 대한 설명으로 옳은 것은?

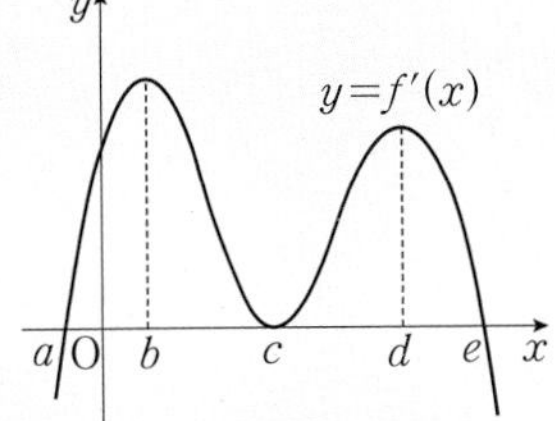

① $y=f(x)$의 그래프는 $x=b$에서 극댓값을 갖는다.
② $y=f(x)$의 그래프는 극값을 3개 갖는다.
③ $y=f(x)$의 그래프는 $x=e$에서 극솟값을 갖는다.
④ $y=f(x)$의 그래프는 $x=c$에서 변곡점을 갖는다.
⑤ $y=f(x)$의 그래프는 $d<x<e$에서 감소한다.

STEP A 도함수 $y=f'(x)$의 그래프에서 [보기]의 참, 거짓 판별하기

주어진 $y=f'(x)$의 그래프에 의하여 다음을 알 수 있다.

$f'(a)=0$이고

$x<a$에서 $f'(x)<0$, $a<x<c$에서 $f'(x)>0$이므로

$y=f(x)$의 그래프는 $x=a$에서 극솟값을 갖는다.

또, $f'(e)=0$이고

$c<x<e$에서 $f'(x)>0$, $x>e$에서 $f'(x)<0$이므로

$y=f(x)$의 그래프는 $x=e$에서 극댓값을 갖는다.

한편 $y=f'(x)$의 그래프가 $x=b$와 $x=d$에서 극대이므로

$f''(b)=0$, $f''(d)=0$이고 $f''(x)$의 부호가 $(+)$에서 $(-)$로 바뀐다.

또, $y=f'(x)$의 그래프가 $x=c$에서 극소이므로 $f''(c)=0$이고

$f''(x)$의 부호가 $(-)$에서 $(+)$로 바뀐다.

$y=f(x)$의 그래프는 $x=b$, $x=c$, $x=d$에서 변곡점을 갖는다.

즉 $y=f(x)$의 그래프의 개형은 다음 그림과 같다.

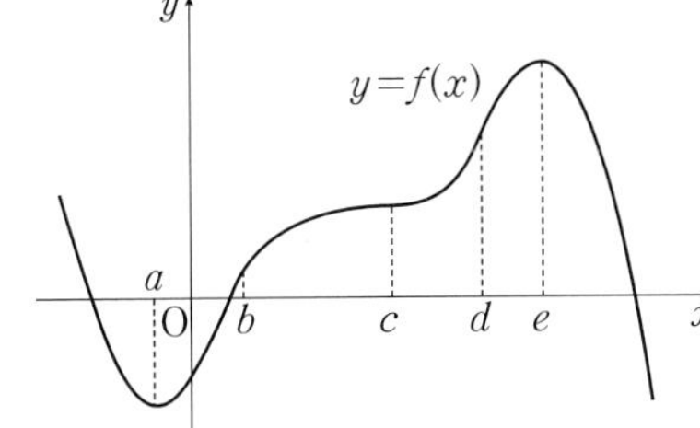

따라서 옳은 것은 ④이다.

04 도함수의 활용

0581

다음 그림은 열린구간 $(-3, 3)$에서 연속인 함수 $f(x)$의 도함수 $y=f'(x)$의 그래프일 때, [보기]에서 옳은 것만을 있는 대로 고른 것은?

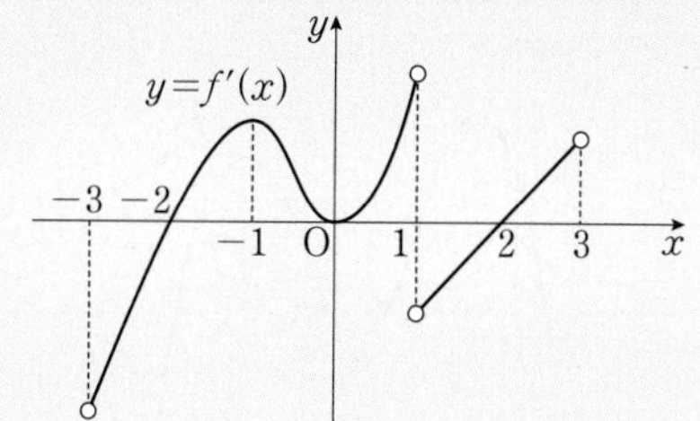

ㄱ. 함수 $f(x)$는 열린구간 $(-3, -1)$에서 증가한다.
ㄴ. 함수 $f(x)$가 극값을 가지는 점은 3개이다.
ㄷ. 곡선 $y=f(x)$는 열린구간 $(-3, 1)$에서 2개의 변곡점을 갖는다.

① ㄱ ② ㄴ ③ ㄱ, ㄷ
④ ㄴ, ㄷ ⑤ ㄱ, ㄴ, ㄷ

STEP Ⓐ 도함수 $y=f'(x)$의 그래프에서 [보기]의 참, 거짓 판별하기

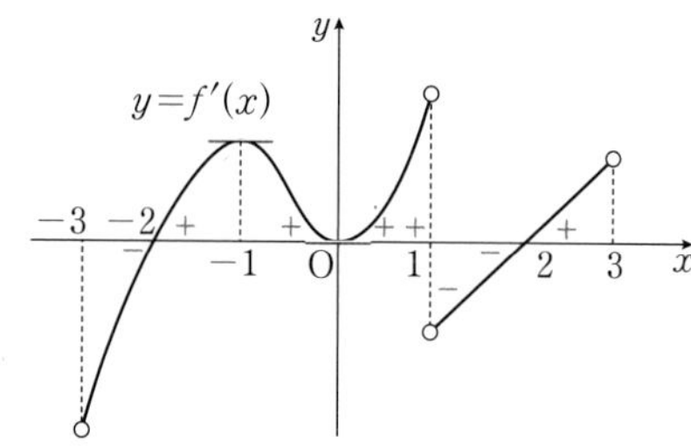

ㄱ. 주어진 도함수 $y=f'(x)$의 그래프로부터 열린구간 $(-3, -2)$에서 $f'(x)<0$이므로 함수 $f(x)$는 감소하고 열린구간 $(-2, -1)$에서 $f'(x)>0$이므로 함수 $f(x)$는 증가한다. [거짓]

ㄴ. $x=-2$의 좌우에서 $f'(x)$의 부호가 음에서 양으로 바뀌므로 함수 $f(x)$는 $x=-2$에서 극솟값을 갖는다.
$x=1$의 좌우에서 $f'(x)$의 부호가 양에서 음으로 바뀌므로 함수 $f(x)$는 $x=1$에서 극댓값을 갖는다.
$x=2$의 좌우에서 $f'(x)$의 부호가 음에서 양으로 바뀌므로 함수 $f(x)$는 $x=2$에서 극솟값을 갖는다.
즉 $-3<x<3$에서 함수 $f(x)$는 3개의 극값을 갖는다. [참]

ㄷ. $f''(x)=0$이 되는 x의 값이 열린구간 $(-3, 1)$에서 2개가 존재하고 이 값을 기준으로 $f''(x)$의 부호가 바뀌므로 주어진 구간에서 변곡점은 2개이다. [참]

따라서 옳은 것은 ㄴ, ㄷ이다.

참고 연속함수 $f(x)$에서 미분가능하지 않은 점도 변곡점이 될 수 있다.
하지만 곡선 $y=f(x)$의 경우 $f'(x)$의 불연속인 점 $x=1$의 좌우에서 $f''(x)$의 부호가 바뀌지 않으므로 $x=1$에서는 변곡점을 갖지 않는다.

0582

다음 그림은 5차 다항함수 $f(x)$의 도함수 $f'(x)$의 그래프이다. 다음 중 옳은 것을 모두 고른 것은? (단, $f'(4)=0$이고 $f''(1)=f''(4)=f''(6)=0$이다.)

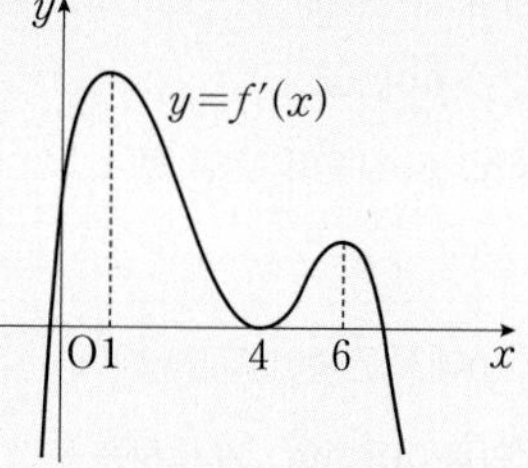

ㄱ. $f(x)$는 서로 다른 세 점에서 극값을 갖는다.
ㄴ. $4<x_1<x_2<6$인 x_1, x_2에 대하여 $f\left(\frac{x_1+x_2}{2}\right)<\frac{f(x_1)+f(x_2)}{2}$이다.
ㄷ. $f(0)=0$일 때, 양의 실수 a에 대하여 $y=f(x)$의 그래프와 $y=a$의 그래프가 서로 다른 두 점에서 만나면 $f(x)$의 극댓값은 a이다.

① ㄱ ② ㄴ ③ ㄷ
④ ㄱ, ㄴ ⑤ ㄴ, ㄷ

STEP Ⓐ 함수 $f(x)$의 증가와 감소를 표로 나타내기

다음 그림과 같이 $y=f'(x)$의 그래프가 x축과 만나는 점의 x좌표를 각각 α, 4, β라 하면 함수 $f(x)$의 증가와 감소를 표로 나타내면 다음과 같다.

x	$\cdots$	α	$\cdots$	1	$\cdots$	4	$\cdots$	6	$\cdots$	β	$\cdots$
$f'(x)$	$-$	0	$+$	$+$	$+$	0	$+$	$+$	$+$	0	$-$
$f''(x)$	$+$	$+$	$+$	0	$-$	0	$+$	0	$-$	$-$	$-$
$f(x)$	↘	극소	↗	변곡점	↗	변곡점	↗	변곡점	↗	극대	

ㄱ. $x=\alpha$, $x=\beta$에서 $f'(x)$의 부호가 바뀌는 x값이 두 개이므로 극값은 두 점에서 만들어진다. [거짓]

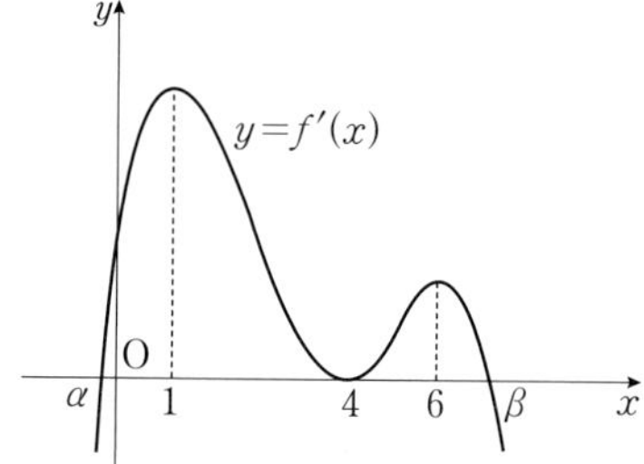

STEP Ⓑ $y=f'(x)$의 그래프에서 이계도함수의 부호를 이용하여 볼록의 방향 구하기

ㄴ. $4<x<6$에서 $y=f'(x)$의 그래프가 증가하므로 $f'(x)$의 도함수 $f''(x)>0$이다.
즉 $4<x<6$에서 $f(x)$는 아래로 볼록이므로
$f\left(\frac{x_1+x_2}{2}\right)<\frac{f(x_1)+f(x_2)}{2}$이다. [참]

STEP Ⓒ $y=f'(x)$의 그래프에서 $y=f(x)$의 그래프 유추하기

ㄷ. $f(0)=0$일 때, $y=f(x)$의 그래프의 개형은 그림과 같다.

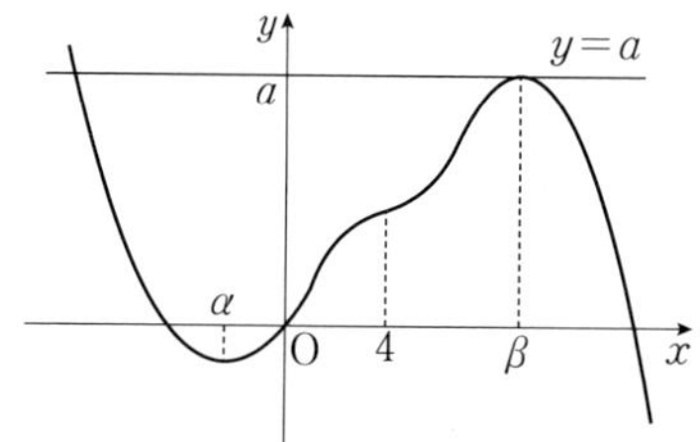

즉 $y=f(x)$의 그래프와 직선 $y=a$가 서로 다른 두 점에서 만나려면 $y=a$의 그래프가 $y=f(x)$의 그래프의 극대 또는 극소인 점을 지나야 한다.

$a>0$이므로 $f(x)$의 극댓값은 a가 된다. [참]

따라서 옳은 것은 ㄴ, ㄷ이다.

곡선 $y=f(x)$가 임의의 실수 $x_1<x_2$에 대하여

① $y=f(x)$의 그래프가 아래로 볼록

$\Longleftrightarrow f\left(\frac{x_1+x_2}{2}\right)<\frac{f(x_1)+f(x_2)}{2}$

② $y=f(x)$의 그래프가 위로 볼록

$\Longleftrightarrow f\left(\frac{x_1+x_2}{2}\right)>\frac{f(x_1)+f(x_2)}{2}$

0583

다음 곡선의 오목, 볼록을 조사하고 변곡점을 구하여라.

(1) $y=x^2(\ln x-2)$

STEP A 곡선 $y=f(x)$는 위로 볼록하기 위한 조건 구하기

$f(x)=x^2(\ln x-2)$라 놓으면

$f'(x)=2x(\ln x-2)+x^2\cdot\frac{1}{x}=x(2\ln x-3)$

$f''(x)=2\ln x-3+x\cdot\frac{2}{x}=2\ln x-1$

$f''(x)=0$에서 $2\ln x-1=0$

$\therefore x=e^{\frac{1}{2}}=\sqrt{e}$

x	(0)	$\cdots$	$\sqrt{e}$	$\cdots$
$f''(x)$		$-$	0	$+$
$f(x)$		⌒	$-\frac{3}{2}e$	◡

$x<\sqrt{e}$이면 $f''(x)<0$이므로 위로 볼록

$x>\sqrt{e}$이면 $f''(x)>0$이므로 아래로 볼록

또, $x=\sqrt{e}$의 좌우에서 $f''(x)$의 부호가 바뀌므로 변곡점의 좌표는 $\left(\sqrt{e}, -\frac{3}{2}e\right)$이다.

(2) $y=x+2\sin x(0<x<2\pi)$

STEP A 곡선 $y=f(x)$는 위로 볼록하기 위한 조건 구하기

$f(x)=x+2\sin x$로 놓으면

$f'(x)=1+2\cos x$, $f''(x)=-2\sin x$

$f''(x)=0$에서 $\sin x=0$

$\therefore x=\pi$

x	$\cdots$	π	$\cdots$
$f''(x)$	$-$	0	$+$
$f(x)$	⌒	π	◡

이때 $0<x<\pi$이면 $f''(x)<0$이므로 위로 볼록

$\pi<x<2\pi$이면 $f''(x)>0$이므로 아래로 볼록

또, $x=\pi$의 좌우에서 y''의 부호가 바뀌므로 변곡점의 좌표는 (π, π)이다.

(3) $y=\frac{1}{x^2+1}$

STEP A 곡선 $y=f(x)$는 위로 볼록하기 위한 조건 구하기

$f(x)=\frac{1}{x^2+1}$로 놓으면

$f'(x)=\frac{-2x}{(x^2+1)^2}$

$f''(x)=\frac{-2(x^2+1)^2-2(-2x)(x^2+1)\cdot 2x}{(x^2+1)^4}=\frac{6x^2-2}{(x^2+1)^3}$

$f''(x)=2(3x^2-1)=0$에서 $x=-\frac{1}{\sqrt{3}}$ 또는 $x=\frac{1}{\sqrt{3}}$

x	$\cdots$	$-\frac{1}{\sqrt{3}}$	$\cdots$	$\frac{1}{\sqrt{3}}$	$\cdots$
$f''(x)$	$+$	0	$-$	0	$+$
$f(x)$	◡	$\frac{3}{4}$	⌒	$\frac{3}{4}$	◡

$x<-\frac{1}{\sqrt{3}}$ 또는 $x>\frac{1}{\sqrt{3}}$이면 $f''(x)>0$이므로 아래로 볼록

$-\frac{1}{\sqrt{3}}<x<\frac{1}{\sqrt{3}}$이면 $f''(x)<0$이므로 위로 볼록하고

또, $x=-\frac{1}{\sqrt{3}}$, $x=\frac{1}{\sqrt{3}}$ 각각의 좌우에서 $f''(x)$의 부호가 바뀌므로

변곡점의 좌표는 $\left(-\frac{\sqrt{3}}{3}, \frac{3}{4}\right)$, $\left(\frac{\sqrt{3}}{3}, \frac{3}{4}\right)$이다.

0584

함수 $f(x)=x^2-4\sin x$가 서로 다른 임의의 두 실수 x_1, x_2에 대하여

$$f\left(\frac{x_1+x_2}{2}\right)>\frac{f(x_1)+f(x_2)}{2}$$

를 만족시키기 위한 x값의 범위는? (단, $0<x<2\pi$)

① $\left(\frac{7}{6}\pi, \frac{11}{6}\pi\right)$ ② $\left(\frac{\pi}{6}, \frac{5}{6}\pi\right)$ ③ $\left(\frac{\pi}{3}, \frac{2}{3}\pi\right)$
④ $\left(0, \frac{2}{3}\pi\right)$ ⑤ $\left(\frac{\pi}{2}, \frac{5}{6}\pi\right)$

STEP A 곡선 $y=f(x)$는 위로 볼록하기 위한 조건 구하기

함수 $f(x)=x^2-4\sin x$가 임의의 실수 x_1, x_2에 대하여

$f\left(\frac{x_1+x_2}{2}\right)>\frac{f(x_1)+f(x_2)}{2}$이므로

곡선 $y=f(x)$는 위로 볼록하다.

$f'(x)=2x-4\cos x$에서 $f''(x)=2+4\sin x$

곡선이 위로 볼록하면 $f''(x)<0$이므로

$2+4\sin x<0$, $\sin x<-\frac{1}{2}$

따라서 $\frac{7}{6}\pi<x<\frac{11}{6}\pi$임으로 열린구간은 $\left(\frac{7}{6}\pi, \frac{11}{6}\pi\right)$이다.

0585

함수 $f(x)$의 이계도함수가 존재하고 곡선 $y=f(x)$가 아래로 볼록할 때, 다음 [보기] 중 옳은 것은?

ㄱ. $f(x)>0$이면 곡선 $y=\{f(x)\}^2$도 아래로 볼록하다.
ㄴ. 곡선 $y=e^{f(x)}$은 위로 볼록하다.
ㄷ. $f(x)\neq 0$이면 곡선 $y=\frac{1}{f(x)}$도 아래로 볼록하다.

① ㄱ ② ㄴ ③ ㄷ
④ ㄱ, ㄴ ⑤ ㄴ, ㄷ

STEP Ⓐ **곡선 $y=f(x)$가 아래로 볼록임을 이용하기**

곡선 $y=f(x)$가 아래로 볼록하므로 $f''(x)>0$

STEP Ⓑ **[보기]의 진위판단하기**

ㄱ. $y=\{f(x)\}^2$에서
$y'=2f(x)f'(x)$, $y''=2\{f'(x)\}^2+2f(x)f''(x)>0$이므로
곡선 $y=\{f(x)\}^2$은 아래로 볼록하다. [참]

ㄴ. $y=e^{f(x)}$에서
$y'=f'(x)e^{f(x)}$, $y''=f''(x)e^{f(x)}+\{f'(x)\}^2e^{f(x)}>0$이므로
곡선 $y=e^{f(x)}$은 아래로 볼록하다. [거짓]

ㄷ. $h(x)=\frac{1}{f(x)}$이라 하자.
$h'(x)=\frac{-\{f'(x)\}}{\{f(x)\}^2}$, $h''(x)=\frac{2\{f'(x)\}^2-f''(x)\cdot f(x)}{\{f(x)\}^3}$
$f(x)$의 부호가 미정이고, $f'(x)$와 $f''(x)$의 값에 따라 양, 음이 결정되기 때문에 모든 실수 x에 대하여 성립하지 않는다. [거짓]

반례 곡선 $y=x^2+1$은 $y'=2x$, $y''=2>0$이므로 아래로 볼록하지만
곡선 $y=\frac{1}{x^2+1}$은 $y'=\frac{-2x}{(x^2+1)^2}$, $y''=\frac{6x^2-2}{(x^2+1)^3}$이므로
$-\frac{\sqrt{3}}{3}<x<\frac{\sqrt{3}}{3}$에서 $y''<0$
곡선 $y=f(x)$가 아래로 볼록하고 $f(x)\neq 0$이지만
곡선 $y=\frac{1}{f(x)}$은 아래로 볼록하지 않다. [거짓]

따라서 옳은 것은 ㄱ이다.

0586

다음 물음에 답하여라.

(1) 곡선 $y=e^x-e^{-x}+1$의 변곡점에서 접선의 방정식을 구하여라.

STEP Ⓐ **$f'(x)$, $f''(x)$ 구하기**

$f(x)=e^x-e^{-x}+1$로 놓으면
$f'(x)=e^x+e^{-x}$
$f''(x)=e^x-e^{-x}$

STEP Ⓑ **변곡점의 좌표 구하기**

$f''(x)=0$에서 $e^x-e^{-x}=0$이므로
$e^{2x}=1$에서 $x=0$
$x=0$의 좌우에서 $f''(x)$의 부호가 바뀌고 $f(0)=1$이므로
곡선 $y=f(x)$의 변곡점의 좌표는 $(0, 1)$

STEP Ⓒ **접선의 방정식 구하기**

곡선 $y=f(x)$의 변곡점 $(0, 1)$에서의 접선의 기울기는
$f'(0)=2$이므로 접선의 방정식은 $y-1=2(x-0)$
따라서 $y=2x+1$

(2) 함수 $f(x)=ax^2+bx-\ln x$가 $x=1$에서 극대이고 변곡점의 x좌표가 $\frac{1}{2}$일 때, 함수 $f(x)$의 극솟값을 구하여라.

STEP Ⓐ **$x=1$에서 극대가 되도록 하는 a, b의 관계식 구하기**

$f(x)=ax^2+bx-\ln x$에서
$f'(x)=2ax+b-\frac{1}{x}$, $f''(x)=2a+\frac{1}{x^2}$
$x=1$에서 극대이므로 $f'(1)=2a+b-1=0$ …… ㉠

STEP Ⓑ **$f''(x)=0$에서 변곡점의 좌표로부터 a의 값 구하기**

변곡점의 x좌표가 $\frac{1}{2}$이므로 $f''\left(\frac{1}{2}\right)=2a+4=0$
$\therefore a=-2$ …… ㉡
㉡을 ㉠에 대입하면 $2\cdot(-2)+b-1=0$ $\therefore b=5$

STEP Ⓒ **함수 $f(x)$의 극솟값 구하기**

$f(x)=-2x^2+5x-\ln x$
$f'(x)=-4x+5-\frac{1}{x}=-\frac{4x^2-5x+1}{x}=-\frac{(4x-1)(x-1)}{x}$
$f'(x)=0$에서 $x=\frac{1}{4}$ 또는 $x=1$
함수 $f(x)$의 증가와 감소를 표로 나타내면 다음과 같다.

x	(0)	…	$\frac{1}{4}$	…	1	…
$f'(x)$		$-$	0	$+$	0	$-$
$f(x)$		↘	$\frac{9}{8}+\ln 4$	↗	3	↘

따라서 $f(x)$의 극솟값은 $f\left(\frac{1}{4}\right)=-2\left(\frac{1}{4}\right)^2+5\cdot\frac{1}{4}-\ln\frac{1}{4}=\frac{9}{8}+\ln 4$

0587

다음 물음에 답하여라.

(1) 좌표평면에서 점 $(2, a)$가 곡선 $y=\frac{2}{x^2+b}(b>0)$의 변곡점일 때, $\frac{b}{a}$의 값은? (단, a, b는 상수이다.)

① 12 ② 24 ③ 36
④ 72 ⑤ 96

STEP Ⓐ **y', y'' 구하기**

변곡점 $(2, a)$는 곡선 $y=\frac{2}{x^2+b}(b>0)$ 위의 점이므로
$\frac{2}{b+4}=a$ …… ㉠
또한, $y=\frac{2}{x^2+b}(b>0)$에서 $y'=\frac{-4x}{(x^2+b)^2}$

$$y''=-\frac{4(x^2+b)^2-4x\times 2(x^2+b)\times 2x}{(x^2+b)^4}$$
$$=-\frac{4(x^2+b)\{(x^2+b)-4x^2\}}{(x^2+b)^4}$$
$$=\frac{4(3x^2-b)}{(x^2+b)^3}$$

STEP Ⓑ **이계도함수에 $x=2$을 대입하여 a, b의 값 구하기**

이때 변곡점의 x좌표 중 하나가 $x=2$이므로
$\frac{4(12-b)}{(4+b)^3}=0$ $\therefore b=12$
즉 $b=12$이므로 ㉠에 대입하여 정리하면 $a=\frac{1}{8}$
따라서 $\frac{b}{a}=\frac{12}{\frac{1}{8}}=12\cdot 8=96$

(2) 곡선 $y=\left(\ln\frac{1}{ax}\right)^2$의 변곡점이 직선 $y=2x$ 위에 있을 때, 양수 a의 값은?

① e　② $\frac{5}{4}e$　③ $\frac{3}{2}e$

④ $\frac{7}{4}e$　⑤ $2e$

STEP Ⓐ 변형한 후 y', y'' 구하기

$f(x)=(-\ln ax)^2=(\ln ax)^2$로 놓으면

$f'(x)=2\ln ax\times\frac{a}{ax}=\frac{2\ln ax}{x}$

$f''(x)=\frac{\frac{2}{x}\cdot x-2\ln ax}{x^2}=\frac{2(1-\ln ax)}{x^2}$

STEP Ⓑ y''의 부호가 바뀔 때, 변곡점이 생김을 이용하여 변곡점의 좌표 구하기

$f''(x)=0$에서

$1-\ln ax=0$일 때, $x=\frac{e}{a}$

$x<\frac{e}{a}$일 때, $f''(x)>0$이고

$x>\frac{e}{a}$일 때, $f''(x)<0$이다.

이때 $x=\frac{e}{a}$의 좌우에서 y''의 부호가 바뀌므로 변곡점의 좌표는 $\left(\frac{e}{a}, 1\right)$

STEP Ⓒ 변곡점이 직선 $y=2x$ 위에 있음을 이용하여 a의 값 구하기

변곡점 $\left(\frac{e}{a}, 1\right)$이 직선 $y=2x$ 위에 있으므로 $1=\frac{2e}{a}$

따라서 $a=2e$

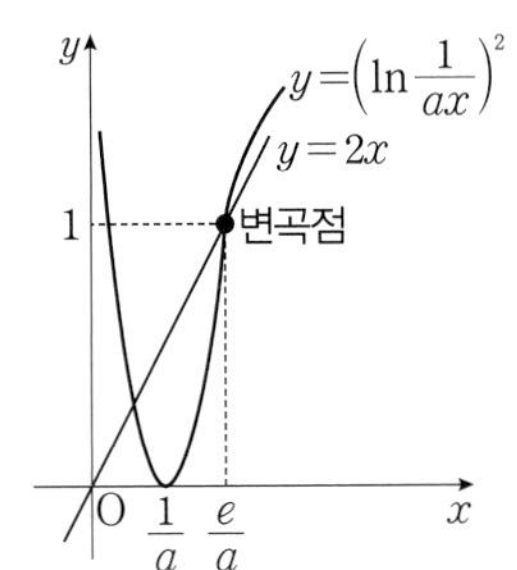

0588

좌표평면에서 곡선 $y=\cos^n x\left(0<x<\frac{\pi}{2}, n=2, 3, 4, \cdots\right)$의 변곡점의 y좌표를 a_n이라 할 때, $\lim_{n\to\infty}a_n$의 값은?

① $\frac{1}{e^2}$　② $\frac{1}{e}$　③ $\frac{1}{\sqrt{e}}$

④ $\frac{1}{2e}$　⑤ $\frac{1}{\sqrt{2e}}$

STEP Ⓐ $y''=0$이 되는 $\cos^2 x$ 구하기

$y=\cos^n x$에서

$y'=n\cos^{n-1}x\cdot(-\sin x)$

$\quad=-n\cos^{n-1}x\sin x$

$y''=n(n-1)\cos^{n-2}x\sin^2 x-n\cos^{n-1}x\cos x$

$\quad=n(n-1)\cos^{n-2}x(1-\cos^2 x)-n\cos^{n-1}x\cos x$

$\quad=n(n-1)\cos^{n-2}x-n(n-1)\cos^n x-n\cos^n x$

$\quad=n(n-1)\cos^{n-2}x-n^2\cos^n x$

$\quad=n\cos^{n-2}x(n-1-n\cos^2 x)$

$0<x<\frac{\pi}{2}$에서 $0<\cos x<1$이고 $n\ge 2$이므로

$y''=0$에서 $n-1-n\cos^2 x=0$

$\therefore \cos^2 x=1-\frac{1}{n}$

STEP Ⓑ $\lim_{n\to\infty}a_n$의 값 구하기

이때 $y=\cos^n x$에서 변곡점의 y좌표가 a_n이므로

$a_n=y=\cos^n x=(\cos^2 x)^{\frac{n}{2}}=\left(1-\frac{1}{n}\right)^{\frac{n}{2}}$

따라서 $\lim_{n\to\infty}a_n=\lim_{n\to\infty}\left(1-\frac{1}{n}\right)^{\frac{n}{2}}$

$=\lim_{n\to\infty}\left\{\left(1-\frac{1}{n}\right)^{-n}\right\}^{-\frac{1}{2}}$

$=\lim_{n\to\infty}\left\{\left(1+\left(-\frac{1}{n}\right)\right)^{-n}\right\}^{-\frac{1}{2}}$

$=e^{-\frac{1}{2}}$

$=\frac{1}{\sqrt{e}}$

0589

곡선 $y=\sin^2 x(0\le x\le\pi)$의 두 변곡점을 각각 A, B라 할 때, 점 A에서의 접선과 점 B에서의 접선이 만나는 점의 y좌표는 $p+q\pi$이다. $40(p+q)$의 값을 구하여라. (단, p, q는 유리수이다.)

STEP Ⓐ $f''(x)=0$인 x 구하기

$f(x)=\sin^2 x$라고 하면

$f'(x)=2\sin x\cos x$

$f''(x)=2\cos x\cos x+2\sin x(-\sin x)$

$\quad=2(\cos^2 x-\sin^2 x)$

$\quad=2(\cos^2 x-1+\cos^2 x)$

$\quad=2(2\cos^2 x-1)$

$f''(x)=0$에서 $\cos^2 x=\frac{1}{2}$

$\therefore \cos x=\frac{1}{\sqrt{2}}$ 또는 $\cos x=-\frac{1}{\sqrt{2}}$

즉 $0\le x\le\pi$이므로 $x=\frac{\pi}{4}$ 또는 $x=\frac{3}{4}\pi$

STEP Ⓑ 두 점 A, B에서 접선의 방정식 구하기

이때 두 변곡점 $A\left(\frac{\pi}{4}, \frac{1}{2}\right)$, $B\left(\frac{3}{4}\pi, \frac{1}{2}\right)$이므로

점 $A\left(\frac{\pi}{4}, \frac{1}{2}\right)$에서의 접선의 기울기는 $f'\left(\frac{\pi}{4}\right)=1$이므로

접선의 방정식은 $y-\frac{1}{2}=1\left(x-\frac{\pi}{4}\right)$

$\therefore l_1 : y=x-\frac{\pi}{4}+\frac{1}{2}$

점 $B\left(\frac{3}{4}\pi, \frac{1}{2}\right)$에서의 접선의 기울기는 $f'\left(\frac{3}{4}\pi\right)=-1$이므로

접선의 방정식은 $y-\frac{1}{2}=-1\left(x-\frac{3}{4}\pi\right)$

$\therefore l_2 : y=-x+\frac{3}{4}\pi+\frac{1}{2}$

STEP Ⓒ 두 접선의 교점의 y좌표 구하기

두 접선 l_1, l_2의 교점의 y좌표는

$x=y+\frac{\pi}{4}-\frac{1}{2}$, $x=-y+\frac{3}{4}\pi+\frac{1}{2}$에서

$y+\frac{\pi}{4}-\frac{1}{2}=-y+\frac{3}{4}\pi+\frac{1}{2}$

$2y=\frac{\pi}{2}+1$이므로 $y=\frac{1}{2}+\frac{\pi}{4}$

따라서 $p=\frac{1}{2}$, $q=\frac{1}{4}$이므로 $40\left(\frac{1}{2}+\frac{1}{4}\right)=30$

0590

함수 $f(x)=x^2+ax+b\left(0<b<\frac{\pi}{2}\right)$에 대하여 함수 $g(x)=\sin(f(x))$가 다음 조건을 만족시킨다.

(가) 모든 실수 x에 대하여 $g'(-x)=-g'(x)$이다.
(나) 점 $(k,\ g(k))$는 곡선 $y=g(x)$의 변곡점이고, $2kg(k)=\sqrt{3}g'(k)$ 이다.

두 상수 $a,\ b$에 대하여 $a+b$의 값은?

① $\frac{\pi}{3}-\frac{\sqrt{3}}{2}$ ② $\frac{\pi}{3}-\frac{\sqrt{3}}{3}$ ③ $\frac{\pi}{3}-\frac{\sqrt{3}}{6}$
④ $\frac{\pi}{2}-\frac{\sqrt{3}}{3}$ ⑤ $\frac{\pi}{2}-\frac{\sqrt{3}}{6}$

STEP Ⓐ 조건 (가)를 만족하는 상수 a의 값 구하기

$g(x)=\sin(x^2+ax+b)$이므로
$g'(x)=(2x+a)\cos(x^2+ax+b)$
조건 (가)에서 모든 실수 x에 대하여
$(-2x+a)\cos(x^2-ax+b)=-(2x+a)\cos(x^2+ax+b)$
$x=0$을 대입하면 $a\cos b=-a\cos b$
$\therefore\ 2a\cos b=0$
$0<b<\frac{\pi}{2}$에서 $\cos b\neq 0$이므로 $a=0$

STEP Ⓑ 조건 (나)를 만족하는 상수 b의 값 구하기

$g(x)=\sin(x^2+b)$
$g'(x)=2x\cos(x^2+b)$
$g''(x)=2\cos(x^2+b)-4x^2\sin(x^2+b)$
조건 (나)에서 점 $(k,\ g(k))$는 곡선 $y=g(x)$의 변곡점이므로 $g''(k)=0$
$g''(k)=2\cos(k^2+b)-4k^2\sin(k^2+b)=0$ …… ㉠
$k=0$이면 $0<b<\frac{\pi}{2}$에서 $\cos b\neq 0$이므로 ㉠이 성립하지 않고
$\cos(k^2+b)=0$이면 ㉠에서 $\sin(k^2+b)=0$이므로
$\sin^2(k^2+b)+\cos^2(k^2+b)=1$이 성립하지 않는다.
즉 $k\neq 0,\ \cos(k^2+b)\neq 0$이므로
㉠에서 $\tan(k^2+b)=\frac{1}{2k^2}$ …… ㉡
조건 (나) $2kg(k)=\sqrt{3}g'(k)$에서
$2k\sin(k^2+b)=2\sqrt{3}k\cos(k^2+b)$
$\tan(k^2+b)=\sqrt{3}$ …… ㉢
㉡, ㉢에서 $\frac{1}{2k^2}=\sqrt{3}$
$k^2=\frac{\sqrt{3}}{6}$
㉢에서 $\tan\left(\frac{\sqrt{3}}{6}+b\right)=\sqrt{3}$이고 $0<b<\frac{\pi}{2}$이므로 $\frac{\sqrt{3}}{6}+b=\frac{\pi}{3}$
$\therefore\ b=\frac{\pi}{3}-\frac{\sqrt{3}}{6}$

STEP Ⓒ $a+b$의 값 구하기

따라서 $a+b=0+\left(\frac{\pi}{3}-\frac{\sqrt{3}}{6}\right)=\frac{\pi}{3}-\frac{\sqrt{3}}{6}$

미분가능한 함수 $g(x)$ 에 대하여

① $g(-x)=g(x)$이면 $g'(-x)=-g'(x)$ (역은 성립한다.)
② $g(-x)=-g(x)$이면 $g'(-x)=g'(x)$ (역은 성립하지 않는다.)

조건 (가)에서 $g'(-x)=-g'(x)$이면 $g(-x)=g(x)$이 성립하므로
$\sin(f(-x))=\sin(f(x))$
즉 $\sin(x^2-ax+b)=\sin(x^2+ax+b)$이므로 $a=0$

0591

이차함수 $f(x)$에 대하여 함수 $g(x)=f(x)e^{-x}$이 다음 조건을 만족한다.

(가) 점 $(1,\ g(1))$과 점 $(4,\ g(4))$는 곡선 $y=g(x)$의 변곡점이다.
(나) 점 $(0,\ k)$에서 곡선 $y=g(x)$에 그은 접선의 개수가 3인 k의 값의 범위는 $-1<k<0$이다.

$g(-2)\times g(4)$의 값을 구하여라.

STEP Ⓐ $f(x)=ax^2+bx+c\,(a\neq 0)$로 놓고 주어진 두 조건을 만족하는 식을 정리하기

$g(x)=f(x)e^{-x}$에서 $g'(x)=\{f'(x)-f(x)\}e^{-x}$
$g''(x)=\{f''(x)-2f'(x)+f(x)\}e^{-x}$
$f(x)=ax^2+bx+c\,(a\neq 0)$라 하면
$f'(x)=2ax+b,\ f''(x)=2a$이므로
$g''(x)=\{ax^2+bx+c-2(2ax+b)+2a\}e^{-x}$
$=\{ax^2+(b-4a)x+2a-2b+c\}e^{-x}$
조건 (가)에서 $(1,\ g(1)),\ (4,\ g(4))$가 변곡점이므로
방정식 $g''(x)=0$의 두 근이 $x=1,\ x=4$이므로
이차방정식 $ax^2+(b-4a)x+2a-2b+c=0$은 $x=1,\ x=4$를 두 근으로 갖는다.
즉 근과 계수의 관계에서
$1+4=\frac{4a-b}{a},\ 1\cdot 4=\frac{2a-2b+c}{a}$이므로
$4a-b=5a,\ 2a-2b+c=4a$
$a+b=0,\ 2a+2b-c=0$
$b=-a,\ c=0$
즉 $f(x)=ax^2-ax$이고 $g(x)=(ax^2-ax)e^{-x}$

STEP Ⓑ 점 $(0,\ k)$에서 곡선 $y=g(x)$에 그은 접선의 방정식 구하기

한편 곡선 $y=g(x)$ 위의 점 $\mathrm{T}(t,\ g(t))$에서 그은 접선의 방정식은
$y-g(t)=g'(t)(x-t)$
이 접선이 점 $(0,\ k)$를 지나므로
$k-g(t)=g'(t)(0-t)$에서
$k=g(t)+g'(t)(0-t)$
$=(at^2-at)e^{-t}-\{(2at-a)e^{-t}-(at^2-at)e^{-t}\}t$
$=ae^{-t}(t^2-t-2t^2+t+t^3-t^2)$
$=ae^{-t}(t^3-2t^2)$

STEP Ⓒ 조건 (나)를 만족하는 함수 $g(x)$ 구하기

$h(t)=a(t^3-2t^2)e^{-t}$로 놓으면
조건 (나)에 의하여 함수 $y=h(t)$의 그래프와 직선 $y=k$가 서로 다른 세 점에서 만나도록 하는 실수 k의 값의 범위가 $-1<k<0$이어야 한다.
이때 $h(t)=a(t^3-2t^2)e^{-t}$의 그래프의 개형은
$h'(t)=a(3t^2-4t)e^{-t}-a(t^3-2t^2)e^{-t}$
$=a(-t^3+5t^2-4t)e^{-t}$
$=-at(t-1)(t-4)e^{-t}$
$h'(t)=0$에서
$t=0$ 또는 $t=1$ 또는 $t=4$
(ⅰ) $a<0$일 때,
$h(t)$의 증가와 감소를 표로 나타내면 다음과 같다.

t	$\cdots$	0	$\cdots$	1	$\cdots$	4	$\cdots$
$h'(t)$	$-$	0	$+$	0	$-$	0	$+$
$h(t)$	↘	극소	↗	극대	↘	극소	↗

함수 $y=h(t)$의 그래프의 개형은 다음과 같고 문제의 조건을 만족시키지 않는다.

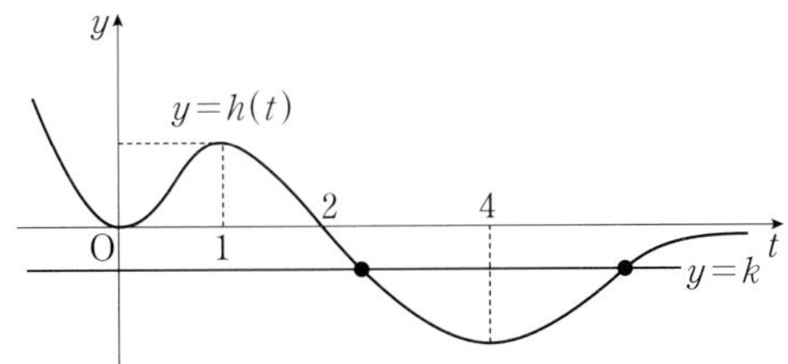

(ii) $a>0$일 때, ⬅ (i)과 x축 대칭

$h(t)$의 증가와 감소를 표로 나타내면 다음과 같다.

t	$\cdots$	0	$\cdots$	1	$\cdots$	4	$\cdots$
$h'(t)$	$+$	0	$-$	0	$+$	0	$-$
$h(t)$	↗	극대	↘	극소	↗	극대	↘

함수 $y=h(t)$의 그래프의 개형은 다음과 같고 함수 $y=h(t)$의 그래프와 직선 $y=k$가 $-1<k<0$에서 서로 다른 세 점에서 만나도록 하는 $h(1)=-1$이어야 한다.

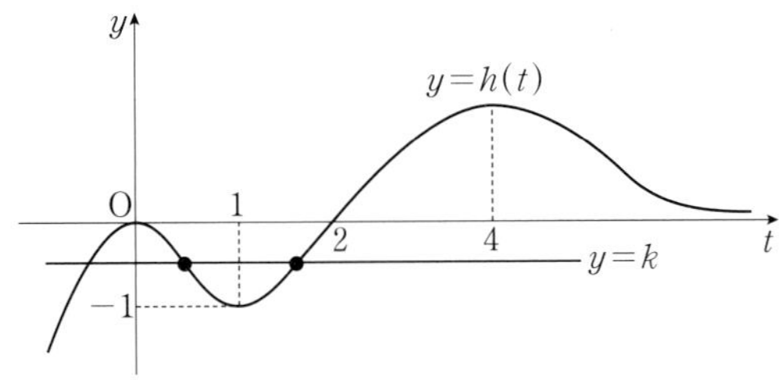

$h(1)=-ae^{-1}=-1$에서 $a=e$

따라서 $g(x)=(ex^2-ex)e^{-x}$이므로 $g(-2)\times g(4)=6\cdot e^3\cdot 12\cdot e^{-3}=72$

0592

다음 함수의 그래프의 개형을 그려라.

(1) $f(x)=\dfrac{x}{x^2+1}$

STEP A 그래프의 개형을 그리는 순서로 그리기

함수 $f(x)$의 정의역은 실수 전체의 집합이다.

모든 실수 x에 대하여 $f(-x)=-f(x)$이므로

함수 $y=f(x)$의 그래프는 원점에 대하여 대칭이다.

$f(0)=0$이므로 원점을 지난다.

$f(x)=\dfrac{x}{x^2+1}$에서

$f'(x)=\dfrac{x^2+1-x\cdot 2x}{(x^2+1)^2}=\dfrac{-x^2+1}{(x^2+1)^2}=\dfrac{-(x+1)(x-1)}{(x^2+1)^2}$이므로

$f'(x)=0$에서 $x=-1$ 또는 $x=1$

$$f''(x)=\frac{-2x(x^2+1)^2-(-x^2+1)\cdot 2(x^2+1)\cdot 2x}{(x^2+1)^4}$$

$$=\frac{-2x(x^2+1)-4x(-x^2+1)}{(x^2+1)^3}=\frac{2x(x^2-3)}{(x^2+1)^3}$$

$$=\frac{2x(x+\sqrt{3})(x-\sqrt{3})}{(x^2+1)^3}$$

$f''(x)=0$에서 $x=-\sqrt{3}$ 또는 $x=0$ 또는 $x=\sqrt{3}$

함수 $f(x)$의 증가, 감소 및 오목, 볼록을 표로 나타내면 다음과 같다.

x	$\cdots$	$-\sqrt{3}$	$\cdots$	-1	$\cdots$	0	$\cdots$	1	$\cdots$	$\sqrt{3}$	$\cdots$
$f'(x)$	$-$	$-$	$-$	0	$+$	$+$	$+$	0	$-$	$-$	$-$
$f''(x)$	$-$	0	$+$	$+$	$+$	0	$-$	$-$	$-$	0	$+$
$f(x)$	↘	$-\frac{\sqrt{3}}{4}$	↘	$-\frac{1}{2}$	↗	0	↗	$\frac{1}{2}$	↘	$\frac{\sqrt{3}}{4}$	↘

이때 $\lim_{x\to-\infty}\dfrac{x}{x^2+1}=0$, $\lim_{x\to\infty}\dfrac{x}{x^2+1}=0$이므로 x축이 점근선이다.

따라서 극소점 $\left(-1, -\dfrac{1}{2}\right)$과 극대점 $\left(1, \dfrac{1}{2}\right)$

변곡점 $\left(-\sqrt{3}, -\dfrac{\sqrt{3}}{4}\right)$, $(0, 0)$, $\left(\sqrt{3}, \dfrac{\sqrt{3}}{4}\right)$이고 그래프의 개형을 그리면 다음 그림과 같다.

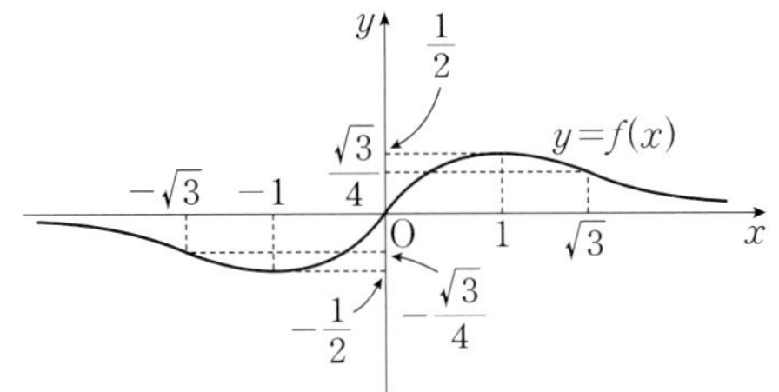

(2) $f(x)=\dfrac{x-1}{x^2}$

STEP A 그래프의 개형을 그리는 순서로 그리기

정의역은 $x\neq 0$인 실수 전체의 집합이다.

$f'(x)=\dfrac{x^2-2x(x-1)}{x^4}=\dfrac{-x+2}{x^3}=0$에서 $x=2$

$f''(x)=\dfrac{-x^3-3x^2(-x+2)}{x^6}=\dfrac{2x-6}{x^4}=0$에서 $x=3$

함수 $f(x)$의 증가와 감소를 표로 나타내면 다음과 같다.

x	$\cdots$	0	$\cdots$	2	$\cdots$	3	$\cdots$
$f'(x)$	$-$		$+$	0	$-$	$-$	$-$
$f''(x)$	$-$		$-$	$-$	$-$	0	$+$
$f(x)$	↘		↗	$\frac{1}{4}$ (극대)	↘	$\frac{2}{9}$ (변곡점)	↘

한편 $\lim_{x\to\infty}f(x)=0$, $\lim_{x\to-\infty}f(x)=0$이므로 함수 $f(x)$의 그래프를 그리면 다음 그림과 같다.

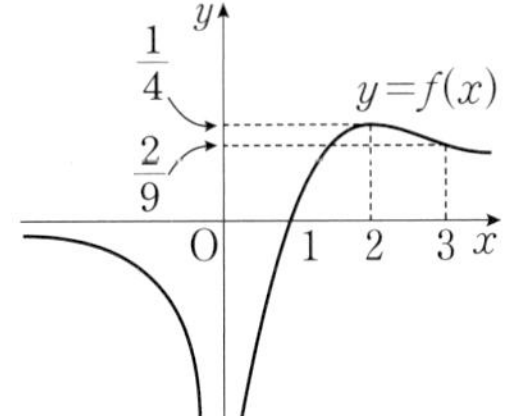

(3) $f(x)=4\sqrt{x}-x$

STEP A 그래프의 개형을 그리는 순서로 그리기

$f(x)=4\sqrt{x}-x$에서 $x\geq 0$이고

$f'(x)=\dfrac{2}{\sqrt{x}}-1=\dfrac{2-\sqrt{x}}{\sqrt{x}}$, $f''(x)=-x^{-\frac{3}{2}}=-\dfrac{1}{\sqrt{x^3}}$

$f'(x)=0$에서 $2-\sqrt{x}=0$이므로 $x=4$

$f''(x)=-\dfrac{1}{\sqrt{x^3}}<0$이므로 위로 볼록

함수 $f(x)$의 증가, 감소 및 오목, 볼록을 표로 나타내면 다음과 같다.

x	0	$\cdots$	4	$\cdots$
$f'(x)$		$+$	0	$-$
$f''(x)$		$-$	$-$	$-$
$f(x)$	0	↗	4	↘

이때 $\lim_{x\to\infty}(4\sqrt{x}-x)=\lim_{x\to\infty}\left(\frac{4}{\sqrt{x}}-1\right)=-\infty$이므로 함수 $f(x)=4\sqrt{x}-x$의 그래프의 개형은 다음 그림과 같다.

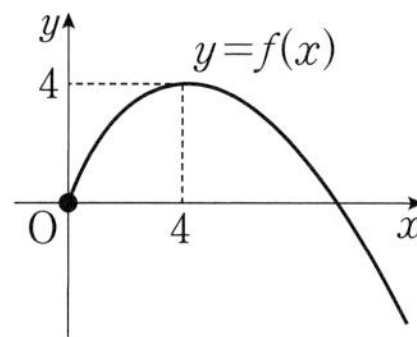

0593

다음 함수의 그래프의 개형을 그려라.

(1) $f(x)=xe^x$

STEP A 그래프의 개형을 그리는 순서로 그리기

$f(x)=xe^x$에서 $f'(x)=e^x+xe^x=(1+x)e^x$

$f''(x)=e^x+(1+x)e^x=(2+x)e^x$

$f'(x)=0$에서 $x=-1$이고 $f''(x)=0$에서 $x=-2$

함수 $f(x)$의 증가, 감소 및 오목, 볼록을 표로 나타내면 다음과 같다.

x	$\cdots$	-2	$\cdots$	-1	$\cdots$
$f'(x)$	$-$	$-$	$-$	0	$+$
$f''(x)$	$-$	0	$+$	$+$	$+$
$f(x)$	↘	$-\frac{2}{e^2}$	↘	$-\frac{1}{e}$	↗

이때 $\lim_{x\to\infty}xe^x=\infty$, $\lim_{x\to-\infty}xe^x=0$이므로 함수 $f(x)=xe^x$의 그래프의 개형은 다음 그림과 같다.

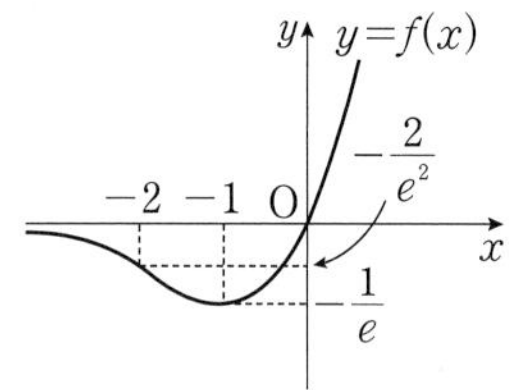

(2) $f(x)=x\ln x$

STEP A 그래프의 개형을 그리는 순서로 그리기

$f(x)=x\ln x$에서 $x>0$이고 $f'(x)=\ln x+1$, $f''(x)=\frac{1}{x}$

$f'(x)=0$에서 $\ln x=-1=\ln\frac{1}{e}$이므로 $x=\frac{1}{e}$

$f''(x)=\frac{1}{x}>0$이므로 $f(x)$는 아래로 볼록이다.

함수 $f(x)$의 증가, 감소 및 오목, 볼록을 표로 나타내면 다음과 같다.

x	(0)	$\cdots$	$\frac{1}{e}$	$\cdots$
$f'(x)$		$-$	0	$+$
$f''(x)$		$+$	$+$	$+$
$f(x)$		↘	$-\frac{1}{e}$	↗

이때

$\lim_{x\to0+}x\ln x=0$, $\lim_{x\to\infty}x\ln x=\infty$

이므로

함수 $f(x)=x\ln x$의 그래프의 개형은 오른쪽 그림과 같다.

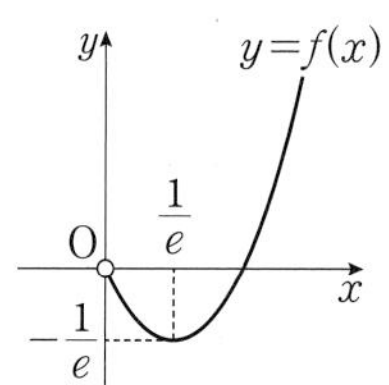

(3) $f(x)=(\ln x)^2$

STEP A 그래프의 개형을 그리는 순서로 그리기

$f'(x)=\frac{2\ln x}{x}$, $f''(x)=\frac{2(1-\ln x)}{x^2}$

$f'(x)=0$에서 $\ln x=0$ $\quad\therefore x=1$

$f''(x)=0$에서 $1-\ln x=0$ $\quad\therefore x=e$

함수 $f(x)$의 증가, 감소 및 오목, 볼록을 표로 나타내면 다음과 같다.

x	(0)	$\cdots$	1	$\cdots$	e	$\cdots$	$+\infty$
$f'(x)$		$-$	0	$+$	$+$	$+$	
$f''(x)$		$+$	$+$	$+$	0	$-$	
$f(x)$	$+\infty$	↘	0	↗	1	↗	$+\infty$

따라서 극소점 $(1, 0)$, 변곡점 $(e, 1)$이고

$\lim_{x\to0+}(\ln x)^2=\infty$, $\lim_{x\to\infty}(\ln x)^2=\infty$이므로 개형은 다음 그림과 같다.

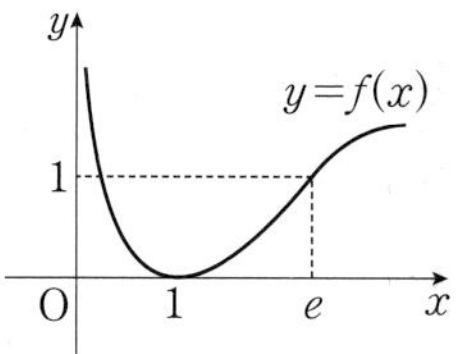

(4) $y=\ln(x^2+2)$

STEP A 그래프의 개형을 그리는 순서로 그리기

$f'(x)=\frac{2x}{x^2+2}$, $f''(x)=\frac{2(x^2+2)-2x\cdot2x}{(x^2+2)^2}=\frac{-2x^2+4}{(x^2+2)^2}$

$f'(x)=0$에서 $x=0$

$f''(x)=0$에서 $-2x^2+4=0$

$\therefore x=-\sqrt{2}$ 또는 $x=\sqrt{2}$

함수 $f(x)$의 증가, 감소 및 오목, 볼록을 표로 나타내면 다음과 같다.

x	$\cdots$	$-\sqrt{2}$	$\cdots$	0	$\cdots$	$\sqrt{2}$	$\cdots$
$f'(x)$	$-$		$-$	0	$+$		$+$
$f''(x)$	$-$	0	$+$		$+$	0	$-$
$f(x)$	↘	$\ln4$	↘	$\ln2$	↗	$\ln4$	↗

극소점 $(0, \ln2)$, 변곡점 $(-\sqrt{2}, \ln4)$, $(\sqrt{2}, \ln4)$이고

$\lim_{x\to\infty}\ln(x^2+2)=\infty$, $\lim_{x\to-\infty}\ln(x^2+2)=\infty$

따라서 그래프의 개형은 다음 그림과 같다.

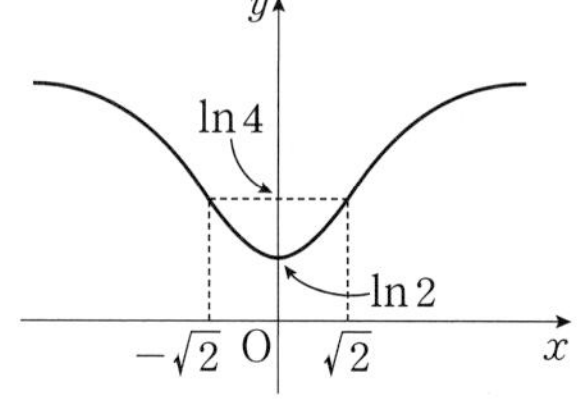

(5) $f(x)=x-\ln x$

STEP A 그래프의 개형을 그리는 순서로 그리기

$f'(x)=1-\frac{1}{x}$이므로 $f'(x)=0$에서 $x=1$

$f''(x)=\frac{1}{x^2}$이므로 $f''(x)>0$

함수 $f(x)$의 증가, 감소 및 오목, 볼록을 표로 나타내면 다음과 같다.

x	0	$\cdots$	1	$\cdots$
$f'(x)$		$-$	0	$+$
$f''(x)$		$+$	$+$	$+$
$f(x)$		↘	1	↗

또, $\lim_{x\to 0+}(x-\ln x)=\infty$, $\lim_{x\to\infty}(x-\ln x)=\infty$이므로

함수 $y=x-\ln x$의 그래프는 다음 그림과 같다.

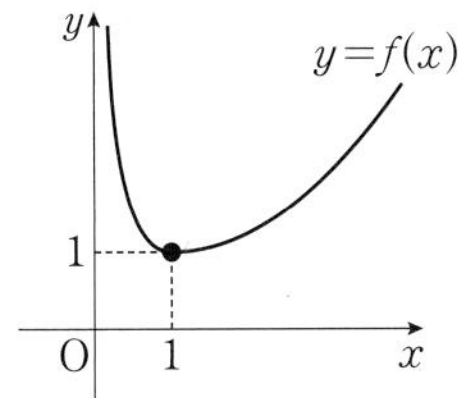

(6) $f(x)=\frac{e^x}{x}$

STEP A 그래프의 개형을 그리는 순서로 그리기

$f'(x)=\frac{xe^x-e^x}{x^2}=\frac{(x-1)e^x}{x^2}=0$에서 $x=1$

$f''(x)=\frac{x^3e^x-2x(x-1)e^x}{x^4}=\frac{(x^2-2x+2)e^x}{x^3}$

모든 실수 x에 대하여 $x^2-2x+2=(x-1)^2+1>0$이므로

$x>0$일 때, $f''(x)>0$이고 $x<0$일 때, $f''(x)<0$

함수 $f(x)$의 증가, 감소 및 오목, 볼록을 표로 나타내면 다음과 같다.

x	$\cdots$	0	$\cdots$	1	$\cdots$
$f'(x)$	$-$		$-$	0	$+$
$f''(x)$	$-$		$+$	$+$	$+$
$f(x)$	↘		↘	e	↗

한편 $\lim_{x\to-\infty}f(x)=0$이므로 함수 $y=f(x)$의 그래프는 다음 그림과 같다.

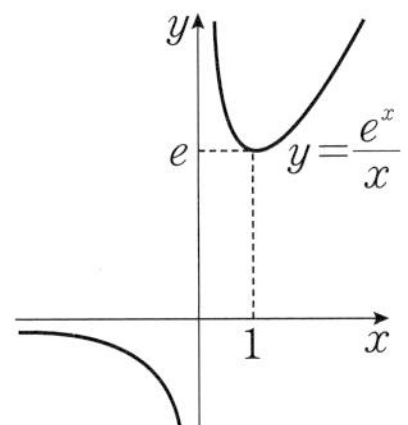

(7) $f(x)=x+2\sin x(0<x<2\pi)$

STEP A 그래프의 개형을 그리는 순서로 그리기

$f(x)=x+2\sin x$에서 $f'(x)=1+2\cos x$이므로

$f'(x)=0$에서 $\cos x=-\frac{1}{2}$

$\therefore\ x=\frac{2}{3}\pi$ 또는 $x=\frac{4}{3}\pi$ ⬅ $0\le x\le 2\pi$

$f''(x)=-\sin x$에서 $f''(x)=0$이므로 $x=\pi$

함수 $f(x)$의 증가, 감소 및 오목, 볼록을 표로 나타내면 다음과 같다.

x	$\cdots$	$\frac{2}{3}\pi$	$\cdots$	π	$\cdots$	$\frac{4}{3}\pi$	$\cdots$
$f'(x)$	$+$	0	$-$	$-$	$-$	0	$+$
$f''(x)$	$-$	$-$	$-$	0	$+$	$+$	$+$
$f(x)$	↗	극대	↘	변곡점	↘	극소	↗

$x=\frac{2}{3}\pi$에서 극대이고 극댓값은

$f\left(\frac{2}{3}\pi\right)=\frac{2}{3}\pi+2\sin\frac{2}{3}\pi=\frac{2}{3}\pi+\sqrt{3}$

$x=\frac{4}{3}\pi$에서 극소이고 극솟값은

$f\left(\frac{4}{3}\pi\right)=\frac{4}{3}\pi+2\sin\frac{4}{3}\pi=\frac{4}{3}\pi-\sqrt{3}$

$x=\pi$에서 $f(\pi)=\pi+2\sin\pi=\pi$

이므로 변곡점은 $(\pi,\ \pi)$

따라서 $0<x<2\pi$에서 그래프의 개형은 다음 그림과 같다.

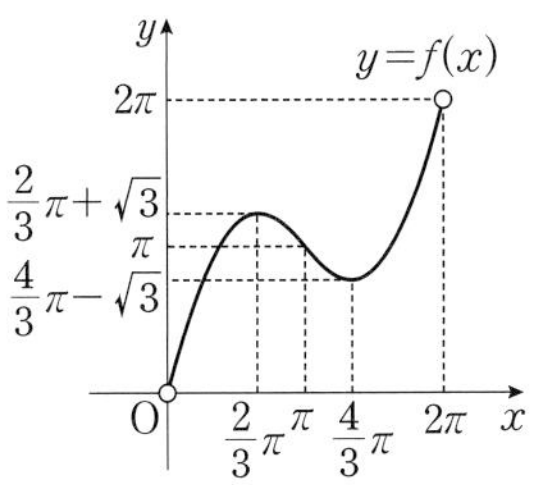

04 도함수의 활용

0594

다음 함수의 주어진 구간에서 최댓값과 최솟값을 구하여라.

(1) $f(x)=\dfrac{x}{x^2-x+1}$ $[-2, 2]$

STEP Ⓐ $f'(x)$를 구하여 $f(x)$의 증가와 감소를 표로 나타내기

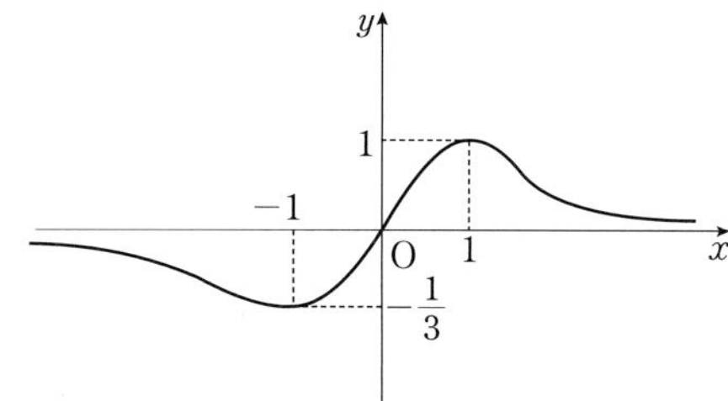

$f'(x)=\dfrac{(x^2-x+1)-x(2x-1)}{(x^2-x+1)^2}$

$=\dfrac{-x^2+1}{(x^2-x+1)^2}=\dfrac{-(x+1)(x-1)}{(x^2-x+1)^2}$

$f'(x)=0$에서 $x=-1$ 또는 $x=1$

함수 $f(x)$의 증가와 감소를 표로 나타내면 다음과 같다.

x	-2	$\cdots$	-1	$\cdots$	1	$\cdots$	2
$f'(x)$		$-$	0	$+$	0	$-$	
$f(x)$	$-\frac{2}{7}$	↘	$-\frac{1}{3}$	↗	1	↘	$\frac{2}{3}$

STEP Ⓑ 최댓값, 최솟값 구하기

따라서 함수 $f(x)$의 최댓값은 $f(1)=1$, 최솟값은 $f(-1)=-\dfrac{1}{3}$

(2) $f(x)=x\sqrt{4-x^2}$ $[-2, 2]$

STEP Ⓐ $f'(x)$를 구하여 $f(x)$의 증가와 감소를 표로 나타내기

$f(x)=x\sqrt{4-x^2}$에서 $-2\le x\le 2$이고

$f'(x)=\sqrt{4-x^2}+x\times\dfrac{-2x}{2\sqrt{4-x^2}}$

$=\dfrac{(4-x^2)-x^2}{\sqrt{4-x^2}}=\dfrac{-2(x^2-2)}{\sqrt{4-x^2}}$

$f'(x)=0$에서 $x^2-2=0$

$\therefore x=-\sqrt{2}$ 또는 $x=\sqrt{2}$

함수 $f(x)$의 증가와 감소를 표로 나타내면 다음과 같다.

x	-2	$\cdots$	$-\sqrt{2}$	$\cdots$	$\sqrt{2}$	$\cdots$	2
$f'(x)$		$-$	0	$+$	0	$-$	
$f(x)$	0	↘	-2	↗	2	↘	0

STEP Ⓑ 최댓값, 최솟값 구하기

따라서 함수 $f(x)$의 최댓값은 $f(\sqrt{2})=2$, 최솟값은 $f(-\sqrt{2})=-2$

0595

함수 $f(x)=x+\sqrt{1-x^2}$의 최댓값을 M, 최솟값을 m이라 할 때, $M+m$의 값은?

① $\sqrt{2}-1$ ② $\sqrt{2}+1$ ③ $\sqrt{3}-1$
④ $\sqrt{3}+1$ ⑤ $\sqrt{3}+2$

STEP Ⓐ $f'(x)$를 구하여 $f(x)$의 증가와 감소를 표로 나타내기

$f(x)=x+\sqrt{1-x^2}$에서 (근호 안의 식의 값)≥ 0이므로

$1-x^2\ge 0$

$\therefore -1\le x\le 1$

$f'(x)=1-\dfrac{2x}{2\sqrt{1-x^2}}=\dfrac{\sqrt{1-x^2}-x}{\sqrt{1-x^2}}$

$f'(x)=0$

즉 $\sqrt{1-x^2}-x=0$에서 $\sqrt{1-x^2}=x$, $1-x^2=x^2$

$\therefore x=\dfrac{\sqrt{2}}{2}$ ($\because 0\le x\le 1$) ⇐ $\sqrt{1-x^2}=x\ge 0$

함수 $f(x)$의 증가와 감소를 표로 나타내면 다음과 같다.

x	-1	$\cdots$	$\frac{\sqrt{2}}{2}$	$\cdots$	1
$f'(x)$		$+$	0	$-$	0
$f(x)$	-1	↗	$\sqrt{2}$	↘	1

STEP Ⓑ 최댓값, 최솟값 구하기

함수 $f(x)$는 $x=\dfrac{\sqrt{2}}{2}$일 때, 최댓값 $\sqrt{2}$이고 $x=-1$일 때, 최솟값 -1

따라서 $M+m=\sqrt{2}-1$

0596

양수 a에 대하여 닫힌구간 $[-a, a]$에서 함수 $f(x)=\dfrac{x-5}{(x-5)^2+36}$의 최댓값을 M, 최솟값을 m이라 할 때, $M+m=0$이 되도록 하는 a의 최솟값을 구하여라.

STEP Ⓐ $f'(x)=0$을 만족하는 x의 값 구하기

$f(x)=\dfrac{x-5}{(x-5)^2+36}$에서

$f'(x)=\dfrac{1\cdot\{(x-5)^2+36\}-(x-5)\cdot 2(x-5)}{\{(x-5)^2+36\}^2}$

$=\dfrac{36-(x-5)^2}{\{(x-5)^2+36\}^2}$

$=\dfrac{(1+x)(11-x)}{\{(x-5)^2+36\}^2}$

(분모)>0이므로 $f'(x)=0$에서 $x=11$ 또는 $x=-1$

STEP Ⓑ 함수 $f(x)$의 증가와 감소를 표로 나타내기

함수 $f(x)$의 증가와 감소를 표로 나타내면 다음과 같다.

x	$\cdots$	-1	$\cdots$	11	$\cdots$
$f'(x)$	$-$	0	$+$	0	$-$
$f(x)$	↘	극소	↗	극대	↘

$f(5)=0$, $x=-1$에서 극솟값 $-\dfrac{1}{12}$이고 $x=11$에서 극댓값 $\dfrac{1}{12}$

$\lim_{x\to\pm\infty}f(x)=0$이므로 $y=0$을 점근선으로 한다.

함수 $y=f(x)$의 그래프의 개형은 다음과 같다.

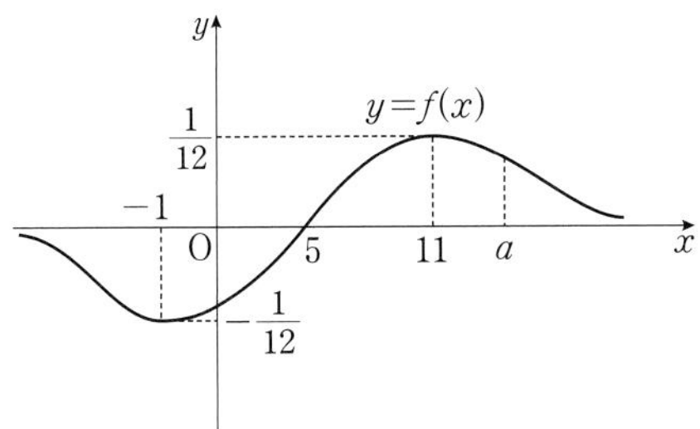

STEP C (최댓값)+(최솟값)=0이 되기 위한 a의 최솟값 구하기

즉 $x=-1$에서 최솟값 $-\frac{1}{12}$이고 $x=11$에서 최댓값 $\frac{1}{12}$을 가지고

$[-a,\ a]$에서 (최댓값)+(최솟값)=0이 되려면

$-a \le -1,\ a \ge 11$인 범위에서, 즉 $a \ge 1,\ a \ge 11$

$\therefore\ a \ge 11$

따라서 a의 최솟값은 11

$y=\frac{x}{x^2+36}$의 그래프를 x축으로 5만큼 평행이동하면

$y=\frac{x-5}{(x-5)^2+36}$

다른풀이 치환을 이용하여 풀이하기

STEP A $x-5=t$로 치환하여 $y=f(t)$의 그래프의 개형 그리기

닫힌구간 $[-a,\ a]$에서 정의된 함수 $f(x)=\frac{x-5}{(x-5)^2+36}$에서 $x-5=t$로

치환하면 구하는 함수의 최댓값과 최솟값은 닫힌구간 $[-a-5,\ a-5]$에서

정의된 함수 $f(t)=\frac{t}{t^2+36}$의 최댓값, 최솟값과 같다.

$f(t)$를 t에 대해 미분하면

$$f'(t)=\frac{t^2+36-t\cdot 2t}{(t^2+36)^2}=\frac{36-t^2}{(t^2+36)^2}=\frac{(6+t)(6-t)}{(t^2+36)^2}$$

$f'(t)=0$에서 $t=-6$ 또는 $t=6$이므로

함수 $f(t)$의 증가와 감소를 나타내는 표는 다음과 같다.

t	$\cdots$	-6	$\cdots$	6	$\cdots$
$f'(t)$	$-$	0	$+$	0	$-$
$f(t)$	↘	극소	↗	극대	↘

$f(0)=0,\ \lim_{t\to\infty}f(t)=\lim_{t\to-\infty}f(t)=0$이므로

함수 $y=f(t)$의 그래프의 개형은 다음 그림과 같다.

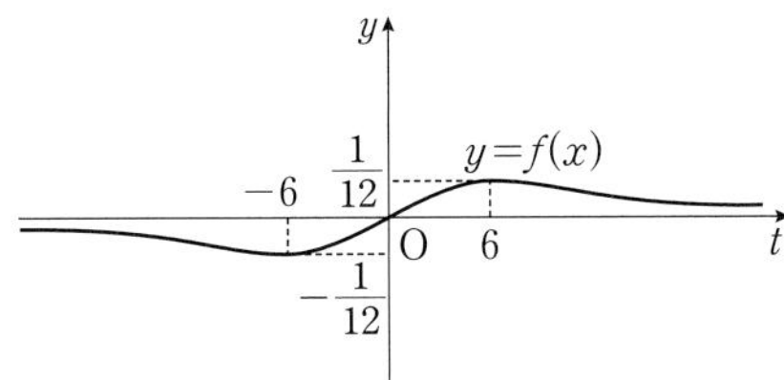

STEP B (최댓값)+(최솟값)=0이 되기 위한 a의 최솟값 구하기

즉 $t=-6$에서 최솟값 $-\frac{1}{12}$이고 $t=6$에서 최댓값 $\frac{1}{12}$을 가지고

$[-a-5,\ a-5]$에서 (최댓값)+(최솟값)=0이 되려면

$-a-5 \le -6,\ a-5 \ge 6$인 범위에서, 즉 $a \ge 1,\ a \ge 11$

$\therefore\ a \ge 11$

따라서 a의 최솟값은 11

0597

다음 함수의 주어진 구간에서 최댓값과 최솟값을 구하여라.

(1) $f(x)=(x^2-2)e^{-2x}$ $[0,\ 3]$

STEP A $f'(x)=0$인 x의 값 구하기

$f'(x)=2xe^{-2x}-2(x^2-2)e^{-2x}$

$=-2(x^2-x-2)e^{-2x}$

$=-2(x+1)(x-2)e^{-2x}$

$f'(x)=0$에서 $x=2$ ($\because\ 0 \le x \le 3$)

STEP B 함수 $f(x)$의 증가와 감소를 표로 나타내기

함수 $f(x)$의 증가와 감소를 표로 나타내면 다음과 같다.

x	0	$\cdots$	2	$\cdots$	3
$f'(x)$		$+$	0	$-$	
$f(x)$	-2	↗	$\frac{2}{e^4}$	↘	$\frac{7}{e^6}$

STEP C 최댓값과 최솟값 구하기

함수 $f(x)$는 $x=2$에서 극대이고 극댓값은 $f(2)=\frac{2}{e^4}$

따라서 $f(0)=-2,\ f(3)=\frac{7}{e^6}$이므로 함수 $f(x)$의 최댓값은 $\frac{2}{e^4}$

최솟값은 -2를 갖는다.

(2) $f(x)=3x-x\ln x$ $[1,\ e^3]$

STEP A $f'(x)=0$인 x의 값 구하기

$f'(x)=3-\left(\ln x+x\cdot\frac{1}{x}\right)=2-\ln x$

$f'(x)=0$에서 $\ln x=2$ $\quad\therefore\ x=e^2$

STEP B 함수 $f(x)$의 증가와 감소를 표로 나타내기

함수 $f(x)$의 증가와 감소를 표로 나타내면 다음과 같다.

x	1	$\cdots$	e^2	$\cdots$	e^3
$f'(x)$		$+$	0	$-$	
$f(x)$	3	↗	e^2	↘	0

STEP C 최댓값과 최솟값 구하기

따라서 함수 $f(x)$는 $x=e^2$에서 극대이고 극댓값은 $f(e^2)=e^2$

$f(1)=3,\ f(e^3)=0$이므로 함수 $f(x)$의 최댓값은 e^2, 최솟값은 0을 갖는다.

(3) $f(x)=x^2e^{-x}$ $[-1,\ 3]$

STEP A $f'(x)=0$인 x의 값 구하기

$f(x)=x^2e^{-x}$에서 $f'(x)=2xe^{-x}-x^2e^{-x}=x(2-x)e^{-x}$

$f'(x)=0$에서 $x=0$ 또는 $x=2$

STEP B 함수 $f(x)$의 증가와 감소를 표로 나타내기

함수 $f(x)$의 증가와 감소를 표로 나타내면 다음과 같다.

x	-1	$\cdots$	0	$\cdots$	2	$\cdots$	3
$f'(x)$		$-$	0	$+$	0	$-$	
$f(x)$	e	↘	0	↗	$4e^{-2}$	↘	$9e^{-3}$

STEP C 최댓값과 최솟값 구하기

함수 $f(x)$는 $x=0$에서 극소이고 극솟값은 $f(0)=0$

$x=2$에서 극대이고 극댓값은 $f(2)=4e^{-2}$

따라서 $f(-1)=e,\ f(3)=9e^{-3}$이므로 함수 $f(x)$의 최댓값은 $f(-1)=e$

최솟값은 $f(0)=0$을 갖는다.

0598

어떤 사건이 일어날 확률이 p일 때, 이 사건에 대한 불확실 정도를 나타내는 값, 즉 엔트로피 S를 다음과 같이 정의한다.

$$S=-k\{p\ln p+(1-p)\ln(1-p)\}\ (k\text{는 양의 상수})$$

이때 엔트로피 S가 최대가 되는 p의 값은?

① $\frac{1}{4}$ ② $\frac{1}{3}$ ③ $\frac{1}{2}$
④ $\frac{3}{5}$ ⑤ $\frac{5}{6}$

STEP A $S'=0$이 되는 p의 값 구하기

$S=-k\{p\ln p+(1-p)\ln(1-p)\}$를 p에 대하여 미분하면

$S'=-k\left\{\ln p+p\cdot\frac{1}{p}-\ln(1-p)+(1-p)\cdot\left(-\frac{1}{1-p}\right)\right\}$

$=-k\{\ln p-\ln(1-p)\}$

$=-k\ln\frac{p}{1-p}$

$S'=0$에서 $\frac{p}{1-p}=1$이므로 $p=1-p$

$\therefore p=\frac{1}{2}$

또한, 로그의 진수 조건에 의하여 $p>0,\ 1-p>0$

$\therefore 0<p<1$

STEP B S의 증감표를 이용하여 S가 최대가 되도록 하는 p의 값 구하기

$0<p<1$에서 S의 증가와 감소를 표로 나타내면 다음과 같다.

p	(0)	$\cdots$	$\frac{1}{2}$	$\cdots$	(1)
S'		+	0	−	
S		↗	극대	↘	

따라서 S는 $0<p<1$에서 $p=\frac{1}{2}$일 때, 극댓값인 동시에 최댓값 $-k\ln\frac{1}{2}$을 갖는다.

0599

자연수 n에 대하여 함수 $f(x)=x^n\ln x$의 최솟값을 $g(n)$이라 하자. $g(n)\le-\frac{1}{6e}$을 만족시키는 모든 n의 값의 합을 구하여라.

STEP A $f(x)$의 증감표를 작성하여 그래프 그리기

$f(x)=x^n\ln x$에서

$f'(x)=nx^{x-1}\ln x+x^n\cdot\frac{1}{x}=x^{n-1}(n\ln x+1)$

$f'(x)=0$에서 $n\ln x+1=0$

$\therefore x=e^{-\frac{1}{n}}\ (\because x>0)$

함수 $f(x)$의 증가와 감소를 표로 나타내면 다음과 같다.

x	(0)	$\cdots$	$e^{-\frac{1}{n}}$	$\cdots$
$f'(x)$		−	0	+
$f(x)$		↘	극소	↗

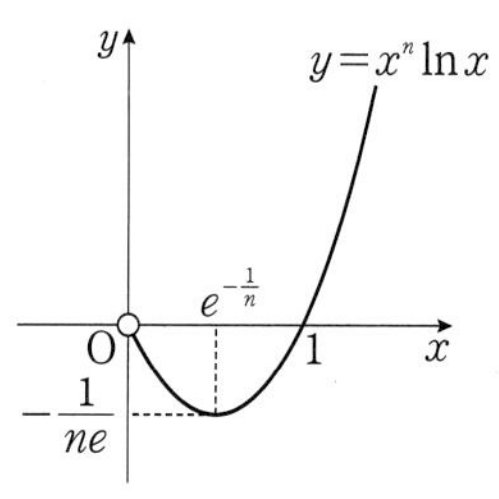

즉 $x=e^{-\frac{1}{n}}$에서 극소이면서 최소이므로

최솟값은 $g(n)=f(e^{-\frac{1}{n}})=-\frac{1}{ne}$

STEP B $g(n)\le-\frac{1}{6e}$을 만족하는 n의 값의 합 구하기

$g(n)\le-\frac{1}{6e}$에서 $-\frac{1}{ne}\le-\frac{1}{6e}$, $\frac{1}{n}\ge\frac{1}{6}$이므로 $n\le6$

따라서 자연수 n값의 합은 $1+2+3+4+5+6=21$

0600

다음 함수의 주어진 구간에서 최댓값과 최솟값을 구하여라.

(1) $f(x)=x-2\sin x\ [0,\ \pi]$

STEP A $f'(x)=0$인 x의 값 구하기

$f(x)=x-2\sin x$에서 $f'(x)=1-2\cos x$

$f'(x)=0$에서 $\cos x=\frac{1}{2}$이므로 $x=\frac{\pi}{3}$

STEP B 함수 $f(x)$의 증가와 감소를 표로 나타내기

구간 $[0,\ \pi]$에서 함수 $f(x)$의 증가와 감소를 나타내면 다음과 같다.

x	0	$\cdots$	$\frac{\pi}{3}$	$\cdots$	π
$f'(x)$	0	−	0	+	0
$f(x)$	0	↘	$\frac{\pi}{3}-\sqrt{3}$	↗	π

STEP C 최댓값과 최솟값 구하기

따라서 $x=\frac{\pi}{3}$일 때, 최솟값 $\frac{\pi}{3}-\sqrt{3}$이고 $x=\pi$일 때, 최댓값 π를 가진다.

(2) $f(x)=(1-\cos x)\cos x\ [0,\ \pi]$

STEP A $f'(x)=0$인 x의 값 구하기

$f(x)=(1-\cos x)\cos x$에서

$f'(x)=\sin x\cos x+(1-\cos x)(-\sin x)$

$=\sin x(2\cos x-1)$

$f'(x)=0$에서 $\sin x=0$ 또는 $\cos x=\frac{1}{2}$

$\therefore x=0$ 또는 $x=\frac{\pi}{3}$ 또는 $x=\pi$

STEP B 함수 $f(x)$의 증가와 감소를 표로 나타내기

구간 $[0,\ 2\pi]$에서 함수 $f(x)$의 증가와 감소를 나타내면 다음과 같다.

x	0	$\cdots$	$\frac{\pi}{3}$	$\cdots$	π
$f'(x)$	0	+	0	−	0
$f(x)$	0	↗	$\frac{1}{4}$	↘	-2

STEP C 최댓값과 최솟값 구하기

따라서 함수 $f(x)$는 $x=\frac{\pi}{3}$에서 최댓값 $\frac{1}{4}$이고 $x=\pi$에서 최솟값 -2를 가진다.

참고 $f''(x)=4\cos^2x-\cos x-2$이므로

$f''(0)=1>0,\ f''\left(\frac{\pi}{3}\right)=-\frac{3}{2}<0,\ f''(\pi)=3>0$

따라서 극댓값은 $f\left(\frac{\pi}{3}\right)=\frac{1}{4}$이고 극솟값은 $f(\pi)=-2$이므로

최댓값은 $\frac{1}{4}$, 최솟값은 -2

0601

열린구간 $(0, \pi)$에서 함수 $f(x)=\dfrac{e^x}{\sin x}$의 최솟값을 구하면?

① $e^{\frac{\pi}{4}}$　② $\sqrt{2}e^{\frac{\pi}{4}}$　③ $e^{\frac{\pi}{6}}$
④ $\sqrt{2}e^{\frac{\pi}{6}}$　⑤ $e^{\frac{\pi}{2}}$

STEP A $f'(x)=0$인 x의 값 구하기

$f(x)=\dfrac{e^x}{\sin x}$에서

$f'(x)=\dfrac{e^x\sin x-e^x\cos x}{(\sin x)^2}=\dfrac{e^x(\sin x-\cos x)}{(\sin x)^2}$

$f'(x)=0$에서 $\sin x=\cos x$이므로 $x=\dfrac{\pi}{4}$

STEP B 함수 $f(x)$의 증가와 감소를 표로 나타내기

$(0, \pi)$에서 함수 $f(x)$의 증가와 감소를 표로 나타내면 다음과 같다.

x	(0)	$\cdots$	$\frac{\pi}{4}$	$\cdots$	(π)
$f'(x)$		$-$	0	$+$	
$f(x)$		↘	$\sqrt{2}e^{\frac{\pi}{4}}$	↗	

STEP C 최솟값 구하기

따라서 함수 $f(x)$는 $x=\dfrac{\pi}{4}$에서 극솟값인 동시에

최솟값 $f\left(\dfrac{\pi}{4}\right)=\dfrac{e^{\frac{\pi}{4}}}{\sin\frac{\pi}{4}}=\sqrt{2}e^{\frac{\pi}{4}}$을 갖는다.

0602

$0\le x\le 2\pi$에서 함수 $f(x)=\sin x(1+\cos x)$의 최댓값을 M, 최솟값을 m이라 할 때, $M+m$의 값은?

① -2　② -1　③ 0
④ 1　⑤ 3

STEP A $f'(x)=0$인 x의 값 구하기

$$\begin{aligned}f'(x)&=\cos x(1+\cos x)+\sin x(-\sin x)\\&=\cos x+\cos^2x-\sin^2x\\&=2\cos^2x+\cos x-1\\&=(2\cos x-1)(\cos x+1)\end{aligned}$$

$f'(x)=0$에서 $\cos x=\dfrac{1}{2}$ 또는 $\cos x=-1$

$\therefore x=\dfrac{\pi}{3}$ 또는 $x=\dfrac{5}{3}\pi$ 또는 $x=\pi$

STEP B 함수 $f(x)$의 증가와 감소를 표로 나타내기

함수 $f(x)$의 증가와 감소를 나타내면 다음과 같다.

x	0	$\cdots$	$\frac{\pi}{3}$	$\cdots$	π	$\cdots$	$\frac{5}{3}\pi$	$\cdots$	2π
$f'(x)$		$+$	0	$-$	0	$-$	0	$+$	
$f(x)$	0	↗	$\frac{3\sqrt{3}}{4}$	↘	0	↘	$-\frac{3\sqrt{3}}{4}$	↗	0

STEP C 최댓값과 최솟값 구하기

따라서 $f(x)$는 $x=\dfrac{\pi}{3}$일 때, 최댓값 $M=\dfrac{3\sqrt{3}}{4}$

$x=\dfrac{5}{3}\pi$일 때, 최솟값 $m=-\dfrac{3\sqrt{3}}{4}$을 가지므로 $M+m=0$

0603

다음 물음에 답하여라.

(1) 닫힌구간 $[1, 3]$에서 함수 $y=ax^2e^{-x}$의 최댓값이 $8e^{-2}$일 때, 상수 a의 값을 구하여라.

STEP A $f'(x)=0$인 x의 값 구하기

$f(x)=ax^2e^{-x}$라 하면

$f'(x)=a(2xe^{-x}-x^2e^{-x})=ax(2-x)e^{-x}$

$f'(x)=0$에서 $x=2\,(\because 1\le x\le 3)$

STEP B 함수 $f(x)$의 증가와 감소를 표로 나타내기

닫힌구간 $[1, 3]$에서 함수 $f(x)$의 증가와 감소를 표로 나타내면 다음과 같다.

x	1	$\cdots$	2	$\cdots$	3
$f'(x)$		$+$	0	$-$	
$f(x)$	ae^{-1}	↗	$4ae^{-2}$	↘	$9ae^{-3}$

STEP C 최댓값이 $8e^{-2}$일 때, 상수 a의 값 구하기

따라서 $a>0$이므로 함수 $f(x)$는 $x=2$에서 최댓값을 가지므로

$f(2)=\dfrac{4a}{e^2}=4ae^{-2}=8e^{-2}\quad\therefore a=2$

(2) 함수 $f(x)=x\ln x-2x+a$의 최솟값이 0일 때, 상수 a의 값을 구하여라.

STEP A $f'(x)=0$인 x의 값 구하기

$f(x)=x\ln x-2x+a$에서 $f'(x)=\ln x+1-2=\ln x-1$

$f'(x)=0$에서 $x=e$

STEP B 함수 $f(x)$의 증가와 감소를 표로 나타내기

함수 $f(x)$의 증가와 감소를 표로 나타내면 다음과 같다.

x	(0)	$\cdots$	e	$\cdots$
$f'(x)$		$-$	0	$+$
$f(x)$		↘	$-e+a$	↗

STEP C 최솟값이 0일 때, 상수 a의 값 구하기

함수 $f(x)$는 $x=e$일 때, 극소이면서 최소이므로 최솟값은 $-e+a$

따라서 $-e+a=0$이므로 $a=e$

0605

다음 물음에 답하여라.

(1) $0 \le x \le \pi$에서 함수 $f(x)=\sin 2x+x+a$의 최댓값을 M, 최솟값을 m이라 할 때, $M+m=3\pi$가 되도록 하는 상수 a의 값을 구하여라.

STEP A $f'(x)=0$인 x의 값 구하기

$f(x)=\sin 2x+x+a$에서 $f'(x)=2\cos 2x+1$

$f'(x)=0$에서 $\cos 2x=-\frac{1}{2}$

함수 $y=\cos 2x(0 \le x \le \pi)$의 그래프와 직선 $y=-\frac{1}{2}$은 다음과 같다.

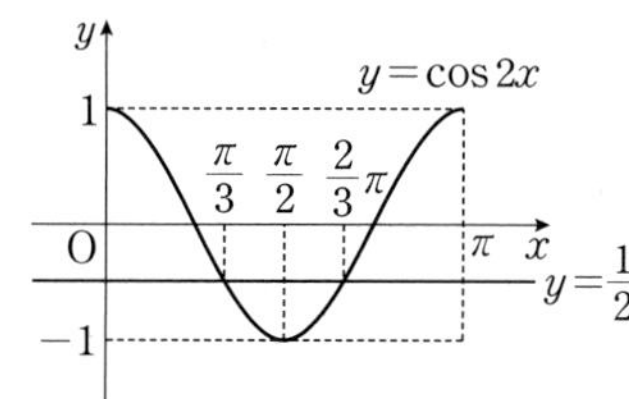

즉 $\cos 2x=-\frac{1}{2}$의 해는 $x=\frac{\pi}{3}$ 또는 $x=\frac{2}{3}\pi$

STEP B $f(x)$의 증가와 감소를 표로 나타내기

닫힌구간 $[0, \pi]$에서 함수 $f(x)$의 증가와 감소를 표로 나타내면 다음과 같다.

x	0	$\cdots$	$\frac{\pi}{3}$	$\cdots$	$\frac{2}{3}\pi$	$\cdots$	π
$f'(x)$		+	0	−	0	+	
$f(x)$	a	↗	극대	↘	극소	↗	$\pi+a$

STEP C 최댓값 M, 최솟값 m을 구하기

함수 $f(x)$는 $x=\frac{\pi}{3}$에서

극댓값 $f\left(\frac{\pi}{3}\right)=\sin\frac{2}{3}\pi+\frac{\pi}{3}+a=\frac{\sqrt{3}}{2}+\frac{\pi}{3}+a$를 가지고

$x=\frac{2}{3}\pi$에서

극솟값 $f\left(\frac{2}{3}\pi\right)=\sin\frac{4}{3}\pi+\frac{2}{3}\pi+a=-\frac{\sqrt{3}}{2}+\frac{2}{3}\pi+a$를 갖는다.

$f(0)=\sin 0+0+a=a$

$f(\pi)=\sin 2\pi+\pi+a=\pi+a$이므로

$a<-\frac{\sqrt{2}}{3}+\frac{2}{3}\pi+a<\frac{\sqrt{3}}{2}+\frac{\pi}{3}+a<\pi+a$이므로

함수 $f(x)$의 최댓값은 $M=\pi+a$, 최솟값은 $m=a$

따라서 $M+m=\pi+a+a=\pi+2a=3\pi$이므로 $a=\pi$

(2) $0 \le x \le \frac{\pi}{4}$에서 함수 $f(x)=ax+a\cos 2x(a>0)$의 최솟값이 $\frac{\pi}{2}$일 때, 최댓값을 구하여라.

STEP A $f'(x)=0$인 x의 값 구하기

$f'(x)=a-2a\sin 2x=a(1-2\sin 2x)$

$f'(x)=0$에서 $\sin 2x=\frac{1}{2}$

$0 \le x \le \frac{\pi}{4}$에서 $0 \le 2x \le \frac{\pi}{2}$이므로 $2x=\frac{\pi}{6}$

$\therefore x=\frac{\pi}{12}$

STEP B 함수 $f(x)$의 증가와 감소를 표로 나타내기

함수 $f(x)$의 증가와 감소를 표로 나타내면 다음과 같다.

x	0	$\cdots$	$\frac{\pi}{12}$	$\cdots$	$\frac{\pi}{4}$
$f'(x)$		+	0	−	
$f(x)$	a	↗	$\frac{a}{12}\pi+\frac{\sqrt{3}}{2}a$	↘	$\frac{a}{4}\pi$

STEP C 최솟값이 $\frac{\pi}{2}$일 때, 상수 a의 값을 구한 후 최댓값 구하기

이때 $f(x)$의 최솟값이 $f\left(\frac{\pi}{4}\right)=\frac{a}{4}\pi$이므로 $\frac{a}{4}\pi=\frac{\pi}{2}$

$\therefore a=2$

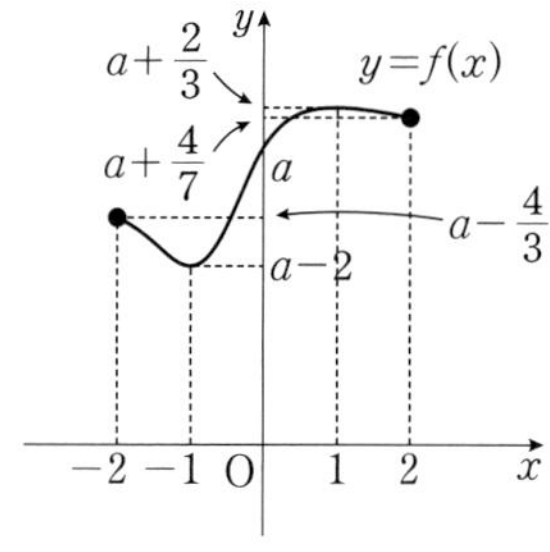

따라서 $f(x)$의 최댓값은 $f\left(\frac{\pi}{12}\right)=\frac{2}{12}\pi+\frac{\sqrt{3}}{2}\cdot 2=\frac{\pi}{6}+\sqrt{3}$

0606

다음 물음에 답하여라.

(1) 곡선 $y=e^{-x}$ 위의 제1사분면에 있는 점 A에서의 접선이 x축, y축과 만나는 점을 각각 B, C라 하자. 삼각형 OBC의 넓이의 최댓값을 구하여라. (단, O는 원점이다.)

STEP Ⓐ **곡선 $y=e^{-x}$ 위의 점 $A(t, e^{-t})$에서 접선의 방정식 구하기**

$f(x)=e^{-x}$으로 놓으면 $f'(x)=-e^{-x}$

제1사분면에 있는 점 A의 좌표를 $A(t, e^{-t})(t>0)$으로 놓으면

곡선 $y=e^{-x}$ 위의 점 A에서의 접선의 기울기는 $f'(t)=-e^{-t}$이므로

접선의 방정식은 $y-e^{-t}=-e^{-t}(x-t)$, 즉 $y=-e^{-t}x+e^{-t}(t+1)$

STEP Ⓑ **삼각형 OBC의 넓이 구하기**

접선 $y=-e^{-t}x+e^{-t}(t+1)$이 x축과 만나는 점 B의 좌표는 $0=-e^{-t}x+e^{-t}(t+1)$에서

$x=t+1$이므로 $B(t+1, 0)$

접선 $y=-e^{-t}x+e^{-t}(t+1)$이 y축과 만나는 점 C의 좌표는

$y=-e^{-t}\times 0+e^{-t}(t+1)$에서 $y=e^{-t}(t+1)$

이므로 $C(0, e^{-t}(t+1))$

삼각형 OBC의 넓이를 $S(t)$로 놓으면

$S(t)=\frac{1}{2}\times\overline{OB}\times\overline{OC}=\frac{1}{2}\times(t+1)\times e^{-t}(t+1)=\frac{1}{2}e^{-t}(t+1)^2$

STEP Ⓒ **함수 $S(t)$의 증가와 감소를 표로 나타내어 최댓값 구하기**

$S'(t)=\frac{1}{2}\{-e^{-t}(t+1)^2+e^{-t}\times 2(t+1)\}$

$=-\frac{1}{2}e^{-t}(t+1)(t+1-2)$

$=-\frac{1}{2}e^{-t}(t+1)(t-1)$

$S'(t)=0$에서 $t>0$이고 $e^{-t}>0$이므로 $t=1$

구간 $(0, \infty)$에서 함수 $S(t)$의 증가와 감소를 표로 나타내면 다음과 같다.

t	(0)	$\cdots$	1	$\cdots$
$S'(t)$		+	0	−
$S(t)$		↗	극대	↘

함수 $S(t)$는 $t=1$에서 극대이면서 최대이므로

함수 $S(t)$의 최댓값은 $S(1)=\frac{1}{2}e^{-1}(1+1)^2=\frac{2}{e}$

따라서 삼각형 OBC의 넓이의 최댓값은 $\frac{2}{e}$

(2) 곡선 $y=\ln x$ 위의 점 $(a, \ln a)$에서의 접선과 x축, y축으로 둘러싸인 삼각형의 넓이의 최댓값을 구하여라. (단, $0<a<e$이다.)

STEP Ⓐ **곡선 $y=\ln x$ 위의 점 $(a, \ln a)$에서의 접선과 삼각형의 넓이 구하기**

$y'=\frac{1}{x}$이므로 점 $(a, \ln a)$에서의

접선의 방정식은 $y-\ln a=\frac{1}{a}(x-a)$

$x=0$을 대입하면 $y=\ln a-1$

$y=0$을 대입하면 $x=a(1-\ln a)$

접선이 y축, x축과 만나는 점을 각각 A, B라고 하면 $0<a<e$이므로

$\overline{OA}=|\ln a-1|=1-\ln a$

$\overline{OB}=|a(1-\ln a)|=a(1-\ln a)$

삼각형 OAB의 넓이를 $S(a)$라 하면

$S(a)=\frac{1}{2}\times\overline{OA}\times\overline{OB}=\frac{1}{2}a(\ln a-1)^2\,(0<a<e)$

STEP Ⓑ **삼각형의 넓이의 최댓값 구하기**

$S'(a)=\frac{1}{2}\left\{(\ln a-1)^2+a\times 2(\ln a-1)\times\frac{1}{a}\right\}$

$=\frac{1}{2}\{(\ln a)^2-1\}=\frac{1}{2}(\ln a+1)(\ln a-1)$

$S'(a)=0$에서 $\ln a=-1$ 또는 1

$0<a<e$이므로 $a=\frac{1}{e}$

함수 $S(a)$의 증가와 감소를 표로 나타내면 다음과 같다.

a	(0)	$\cdots$	$\frac{1}{e}$	$\cdots$	(e)
S'		+	0	−	
S		↗	$\frac{2}{e}$	↘	

따라서 $a=\frac{1}{e}$일 때, $S(a)$는 최대이고 최댓값은

$S\left(\frac{1}{e}\right)=\frac{1}{2}\cdot\frac{1}{e}\left(\ln\frac{1}{e}-1\right)^2=\frac{2}{e}$

0607

곡선 $y=2e^{-x}$ 위의 점 $P(t, 2e^{-t})(t>0)$에서 y축에 내린 수선의 발을 A라 하고, 점 P에서의 접선이 y축과 만나는 점을 B라 하자.
삼각형 APB의 넓이가 최대가 되도록 하는 t의 값은?

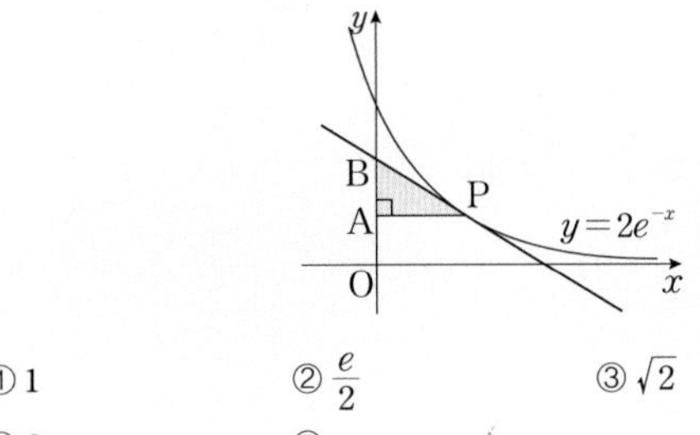

① 1　② $\frac{e}{2}$　③ $\sqrt{2}$
④ 2　⑤ e

STEP Ⓐ **곡선 $y=2e^{-x}$ 위의 점 $P(t, 2e^{-t})$에서 접선의 방정식 구하기**

$f(x)=2e^{-x}$으로 놓으면 $f'(x)=-2e^{-x}$

곡선 $y=2e^{-x}$ 위의 점 $P(t, 2e^{-t})(t>0)$에서의 접선의 기울기는

$f'(t)=-2e^{-t}$이므로 곡선 $y=f(x)$ 위의 점 $P(t, 2e^{-t})(t>0)$에서의

접선의 방정식은 $y-2e^{-t}=-2e^{-t}(x-t)$

즉 $y=-2e^{-t}x+2e^{-t}(t+1)$

STEP Ⓑ **삼각형 APB의 넓이 구하기**

이 접선이 y축과 만나는 점 B의 좌표는 $B(0, 2e^{-t}(t+1))$

점 P에서 y축에 내린 수선의 발 A의 좌표는 $A(0, 2e^{-t})$

삼각형 APB의 넓이를 $S(t)$라 하면

$S(t)=\frac{1}{2}\times\overline{AP}\times\overline{AB}=\frac{1}{2}\times t\times 2te^{-t}=t^2e^{-t}$

STEP Ⓒ **함수 $S(t)$의 증가와 감소를 표로 나타내어 최대가 되는 t의 값 구하기**

$S'(t)=2te^{-t}+t^2\times(-e^{-t})=t(2-t)e^{-t}$

$S'(t)=0$에서 $t>0$이고 $e^{-t}>0$이므로 $t=2$

구간 $(0, \infty)$에서 함수 $S(t)$의 증가와 감소를 표로 나타내면 다음과 같다.

t	(0)	$\cdots$	2	$\cdots$
$S'(t)$		+	0	−
$S(t)$		↗	극대	↘

따라서 함수 $S(t)$는 $t=2$에서 극대이면서 최대이므로 삼각형 APB의 넓이가 최대가 되도록 하는 t의 값은 2

0608

다음 물음에 답하여라.

(1) 다음 그림과 같이 두 곡선 $y=e^{x}(x<0)$, $y=e^{-x}(x\geq 0)$ 위에 두 꼭짓점이 각각 놓여 있고, 나머지 두 꼭짓점은 x축 위에 놓여있는 직사각형의 넓이의 최댓값은?

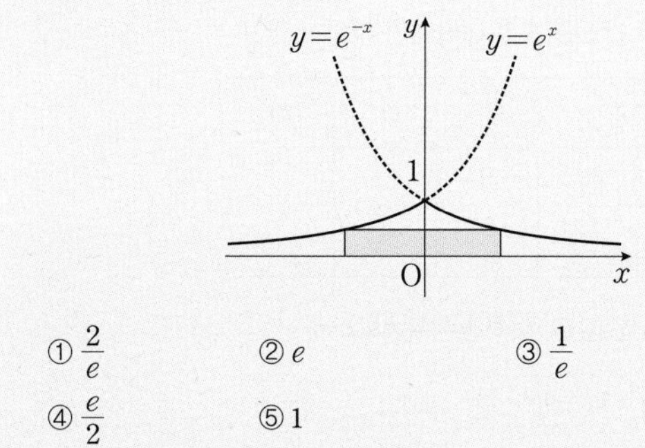

① $\frac{2}{e}$ ② e ③ $\frac{1}{e}$
④ $\frac{e}{2}$ ⑤ 1

STEP Ⓐ 직사각형 넓이 $S(a)$ 구하기

다음 그림과 같이 제1사분면에 있는 직사각형의 꼭짓점을 $P(a,\ e^{-a})(a>0)$이라 한다.

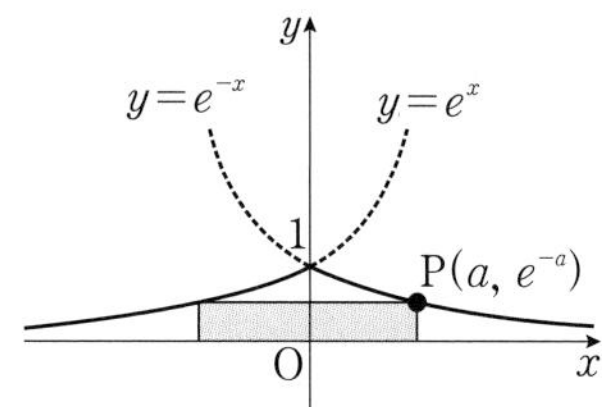

직사각형의 넓이를 $S(a)$라고 하면

$S(a)=2ae^{-a}$

$S'(a)=2e^{-a}-2ae^{-a}=-2(a-1)e^{-a}$

$S'(a)=0$에서 $a=1$

STEP Ⓑ 함수 $S(a)$의 증가와 감소를 표로 나타내어 최댓값 구하기

$S(a)$의 증가와 감소를 표로 나타내면 다음과 같다.

a	(0)	$\cdots$	1	$\cdots$
$S'(a)$		+	0	−
$S(a)$		↗	$\frac{2}{e}$	↘

따라서 $S(a)$의 최댓값은 $S(1)=\frac{2}{e}$이므로 직사각형의 넓이의 최댓값은 $\frac{2}{e}$

(2) 다음 그림과 같이 두 꼭짓점은 x축 위에 있고, 다른 두 꼭짓점은 곡선 $y=e^{-\frac{x^2}{2}}$ 위에 있는 직사각형의 넓이의 최댓값은?

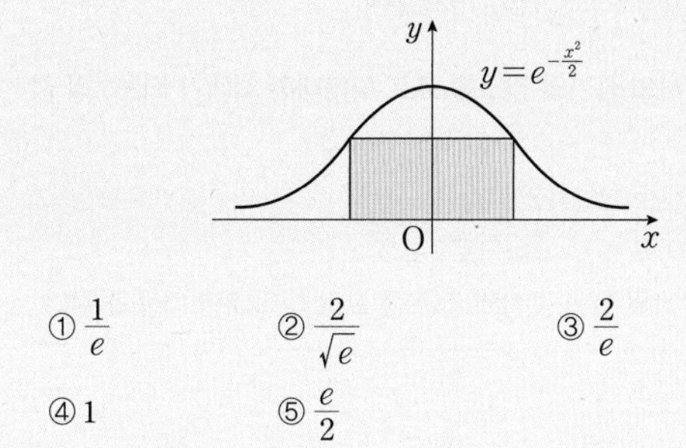

① $\frac{1}{e}$ ② $\frac{2}{\sqrt{e}}$ ③ $\frac{2}{e}$
④ 1 ⑤ $\frac{e}{2}$

STEP Ⓐ 직사각형 넓이 $S(a)$ 구하기

곡선 $y=e^{-\frac{x^2}{2}}$은 y축에 대하여 대칭인 곡선이므로 직사각형도 y축 대칭이다.

그림과 같이 제1사분면에 있는 직사각형의 꼭짓점을 $P\left(a,\ e^{-\frac{a^2}{2}}\right)$이라 하자.

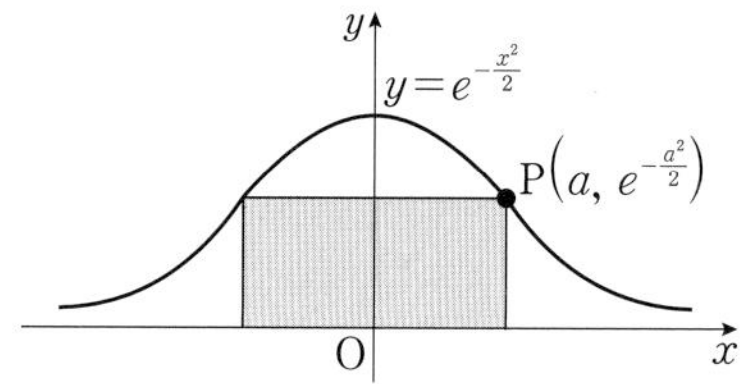

직사각형의 넓이를 $S(a)$라고 하면

$S(a)=2ae^{-\frac{a^2}{2}}(a>0)$

$S'(a)=2e^{-\frac{a^2}{2}}+2ae^{-\frac{a^2}{2}}(-a)=2(1-a^2)e^{-\frac{a^2}{2}}$

$S'(a)=0$에서 $a=1(\because a>0)$

STEP Ⓑ 함수 $S(a)$의 증가와 감소를 표로 나타내어 최댓값 구하기

함수 $S(x)$의 증가와 감소를 표로 나타내면 다음과 같다.

a	(0)	$\cdots$	1	$\cdots$
$S'(a)$		+	0	−
$S(a)$		↗	$\frac{2}{\sqrt{e}}$	↘

따라서 $S(a)$의 최댓값은 $S(1)=\frac{2}{\sqrt{e}}$

0609

어느 공장에서 필요한 물을 끌어오기 위해 수로를 설치하려고 한다. 수로의 단면은 다음 그림과 같이 각 변의 길이가 1m이고, 바닥면과 옆면이 이루는 각을 θ라고 할 때, 단면의 넓이의 최댓값을 구하여라.

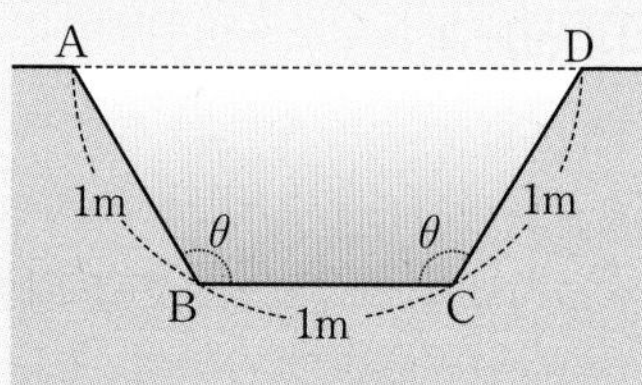

STEP Ⓐ 사다리꼴의 넓이 $S(\theta)$ 구하기

다음 그림과 같이 꼭짓점 B, C에서 변 AD에 내린 수선의 발을 각각 E, F라 하자.

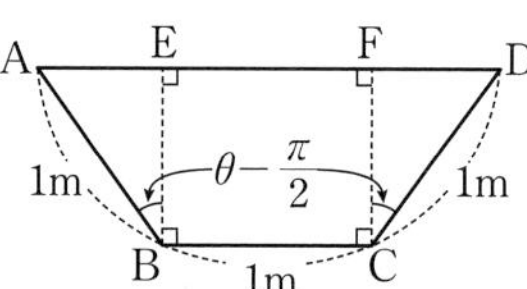

$\angle ABE=\angle DCF=\theta-\frac{\pi}{2}$이므로

$\overline{AE}=\overline{DF}=\sin\left(\theta-\frac{\pi}{2}\right)=-\cos\theta$

$\overline{BE}=\overline{CF}=\cos\left(\theta-\frac{\pi}{2}\right)=\sin\theta$

수로의 단면의 넓이를 $S(\theta)$라 하면

$S(\theta)=$(사다리꼴 ABCD의 넓이)

$=\frac{1}{2}\times(2-2\cos\theta)\times\sin\theta$

$=\sin\theta(1-\cos\theta)$

$S'(\theta)=\cos\theta(1-\cos\theta)+\sin\theta\sin\theta$

$=\cos\theta-\cos^2\theta+\sin^2\theta$

$=-2\cos^2\theta+\cos\theta+1$

$S'(\theta)=0$에서 $2\cos^2\theta-\cos\theta-1=0$, $(2\cos\theta+1)(\cos\theta-1)=0$

그런데 $\frac{\pi}{2}<\theta<\pi$이므로 $\cos\theta=-\frac{1}{2}$, 즉 $\theta=\frac{2\pi}{3}$

함수 $S(\theta)$의 증가와 감소를 표로 나타내면 다음과 같다.

θ	$\frac{\pi}{2}$	$\cdots$	$\frac{2\pi}{3}$	$\cdots$	π
$S'(\theta)$		$+$	0	$-$	
$S(\theta)$		↗	$\frac{3\sqrt{3}}{4}$	↘	

따라서 수로의 단면의 넓이는 $\theta=\frac{2}{3}\pi$일 때, 극대이고 최대이므로 구하는 넓이의 최댓값은 $\frac{3\sqrt{3}}{4}\text{m}^2$

0610

다음 그림과 같은 사각기둥의 물통에서 등변사다리꼴 ABCD에 대하여 $\overline{AB}=\overline{BC}=\overline{CD}=1$, $\overline{AE}=8$이고, 꼭짓점 B, C에서 선분 AD에 내린 수선의 발을 각각 M, N이라 할 때, $\angle ABM=\angle DCN=\theta$이다. 물통의 부피의 최댓값이 V일 때, V^2의 값을 구하여라.

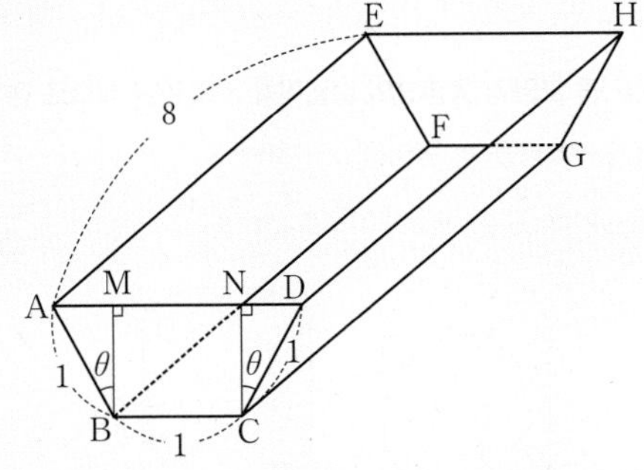

STEP A 물통의 부피 $V(\theta)$ 구하기

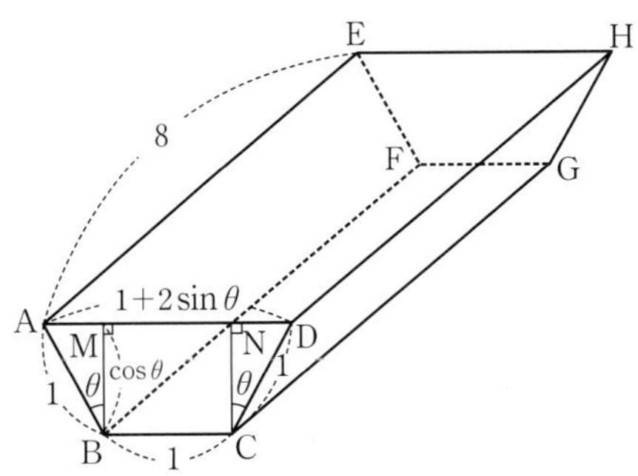

물통의 단면인 사다리꼴 ABCD에서

$\overline{AD}=\overline{AM}+\overline{MN}+\overline{ND}$
$=\sin\theta+1+\sin\theta$
$=1+2\sin\theta$

$\overline{MB}=\cos\theta$이므로 사다리꼴 ABCD의 넓이는

$\frac{1}{2}\cdot(1+\overline{AD})\cdot\overline{MB}=\frac{1}{2}(2+2\sin\theta)\cos\theta$
$=\cos\theta(1+\sin\theta)$

이때 물통의 부피를 $V(\theta)$라 하면 $V(\theta)=8\cos\theta(1+\sin\theta)$

STEP B 부피 $V(\theta)$의 증감표를 이용하여 최댓값 V 구하기

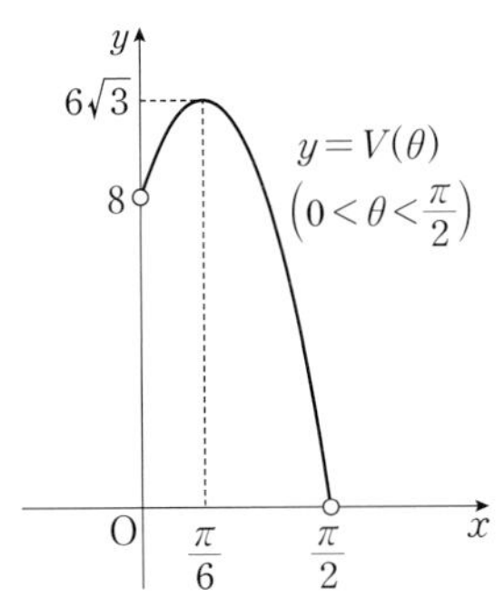

$V'(\theta)=-8\sin\theta(1+\sin\theta)+8\cos^2\theta$
$=-8\sin\theta-8\sin^2\theta+8(1-\sin^2\theta)$
$=-8(2\sin^2\theta+\sin\theta-1)$
$=-8(2\sin\theta-1)(\sin\theta+1)$

$0<\sin\theta<1\left(\because 0<\theta<\frac{\pi}{2}\right)$이므로

$V'(\theta)=0$에서 $\sin\theta=\frac{1}{2}$

$\therefore \theta=\frac{\pi}{6}$

$V(\theta)$의 증가와 감소를 표로 나타내면 다음과 같다.

θ	(0)	$\cdots$	$\frac{\pi}{6}$	$\cdots$	$\left(\frac{\pi}{2}\right)$
$V'(\theta)$		$+$	0	$-$	
$V(\theta)$		↗	극대	↘	

즉 $\theta=\frac{\pi}{6}$일 때, $V(\theta)$는 극대이며 최댓값을 갖는다.

$\therefore V\left(\frac{\pi}{6}\right)=8\left(1+\sin\frac{\pi}{6}\right)\cos\frac{\pi}{6}=8\left(1+\frac{1}{2}\right)\cdot\frac{\sqrt{3}}{2}=6\sqrt{3}$

따라서 $V^2=108$

0611

철판을 이용하여 부피가 $128\pi\text{cm}^3$인 원기둥 모양의 통조림 한 통을 만들려고 한다. 사용되는 철판의 넓이가 최소가 되도록 하는 밑면의 반지름의 길이와 높이를 구하여라. (단, 철판의 두께는 고려하지 않는다.)

STEP A 원기둥 모양의 물탱크의 겉넓이를 x에 관한 식으로 정리하기

부피가 $128\pi\text{cm}^3$인 원기둥의 밑면의 반지름의 길이를 $x\text{cm}(x>0)$ 높이를 $h\text{cm}(h>0)$라 하면 부피 V는

$V=\pi x^2h=128\pi$에서 $h=\frac{128}{x^2}$

원기둥의 겉넓이를 $f(x)$라 하면

$f(x)=2\times\pi x^2+2\pi xh=2\pi x^2+\frac{256}{x}\pi$

STEP B 철판의 넓이 $f(x)$의 증가와 감소를 표로 나타내기

$f'(x)=4\pi x-\frac{256}{x^2}\pi=4\pi\times\frac{(x-4)(x^2+4x+16)}{x^2}$

$f'(x)=0$에서 $x=4$

$x>0$일 때, 함수 $f(x)$의 증가와 감소를 표로 나타내면 다음과 같다.

x	(0)	$\cdots$	4	$\cdots$
$f'(x)$		$-$	0	$+$
$f(x)$		↘	96π (극소)	↗

STEP C 철판의 넓이가 최소가 되도록 하는 밑면의 반지름의 길이와 높이 구하기

따라서 함수 $f(x)$는 $x=4$에서 최솟값을 가지므로 구하는 밑면의 반지름의 길이는 4 cm, 높이는 $\frac{128}{4^2}=8\text{cm}$

0612

플라스틱을 사용하여 다음 그림과 같이 뚜껑이 없고 부피가 32인 직육면체 모양의 상자를 만들려고 한다. 사용되는 플라스틱의 넓이가 최소가 되도록 하는 x의 값은? (단, 플라스틱의 두께는 무시한다.)

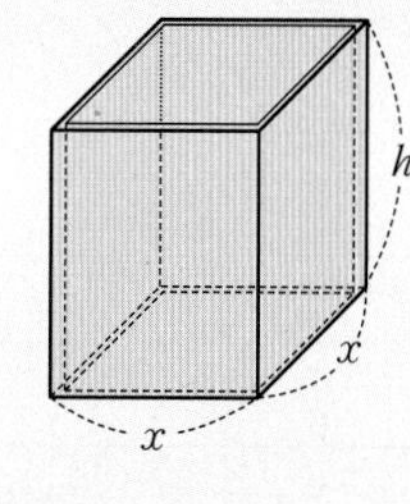

① 1　② 2　③ 3
④ 4　⑤ 6

STEP Ⓐ **원기둥 모양의 물탱크의 겉넓이를 x에 관한 식으로 정리하기**

직육면체의 부피가 32이므로

$x^2h=32 \quad \therefore h=\frac{32}{x^2}$

플라스틱의 겉넓이를 $S(x)$라고 하면

$S(x)=4xh+x^2=\frac{128}{x}+x^2=\frac{x^3+128}{x}$

$S'(x)=\frac{2(x-4)(x^2+4x+16)}{x^2}$

$S'(x)=0$에서 $x=4$

STEP Ⓑ **철판의 넓이 $S(x)$의 증가와 감소를 표로 나타내기**

함수 $S(x)$의 증가와 감소를 표로 나타내면 다음과 같다.

x	0	$\cdots$	4	$\cdots$
$S'(x)$		$-$	0	$+$
$S(x)$		↘	48	↗

따라서 $S(x)$는 $x=4$일 때, 최솟값 $S(4)=48$을 가지므로 플라스틱의 넓이가 최소일 때, $x=4$

0613

사각형 모양의 철판 세 장을 구입하여, 두 장은 원 모양으로 오려 아랫면과 윗면으로, 나머지 한 장은 몸통으로 하여 다음 그림과 같은 원기둥 모양의 보일러를 제작하려 한다. 철판은 사각형의 가로와 세로의 길이를 임의로 정해서 구입할 수 있고, 철판의 가격은 1m^2당 1만 원이다.

보일러의 부피가 64m^3가 되도록 만들기 위해 필요한 철판을 구입하는데 드는 최소 비용은? (단위는 만 원)

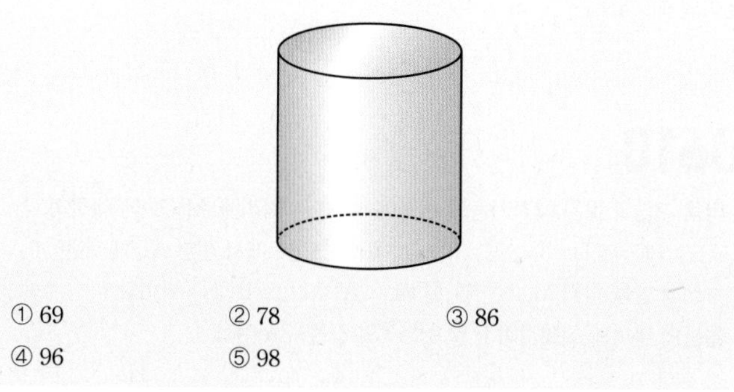

① 69　② 78　③ 86
④ 96　⑤ 98

STEP Ⓐ **원기둥 모양의 물탱크의 겉넓이를 x에 관한 식으로 정리하기**

원기둥의 밑면의 반지름을 x, 높이를 h라 하면

원기둥의 부피는 $V=\pi x^2h=64\text{m}^3$이므로 $\pi h=\frac{64}{x^2}$

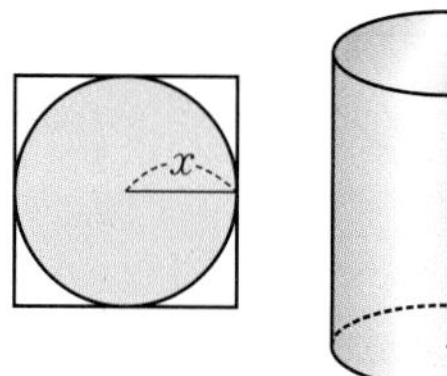

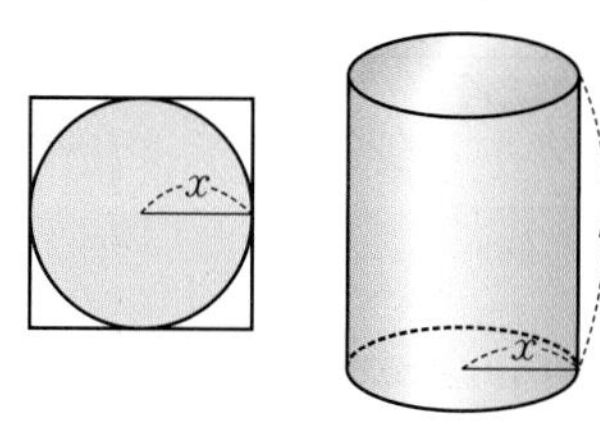

원기둥을 만드는 데 필요한 두 장의 정사각형과 한 장의 직사각형 철판의 총 넓이 $S(x)$는

$S(x)=(2x)^2\cdot 2+2\pi xh=8x^2+2x\cdot\frac{64}{x^2}=8x^2+\frac{128}{x}$

$S'(x)=16x-\frac{128}{x^2}=\frac{16x^3-128}{x^2}=\frac{16(x-2)(x^2+2x+4)}{x^2}$

$S'(x)=0$에서 $x=2$

STEP Ⓑ **철판의 넓이 $f(x)$의 증가와 감소를 표로 나타내기**

$S(x)$의 증가와 감소를 표로 나타내면 다음과 같다.

x	(0)	$\cdots$	2	$\cdots$
$S'(x)$		$-$	0	$+$
$S(x)$		↘	96	↗

STEP Ⓒ **철판의 넓이가 최소가 되도록 하는 밑면의 반지름의 길이와 높이 구하기**

함수 $f(x)$는 $x=2$에서 극소이면서 최소이므로

최솟값은 $S(2)=8\cdot 4+\frac{128}{2}=96(\text{m}^2)$

따라서 최소 비용은 $96\cdot 1=96$(만 원)

도함수의 활용

BASIC

0614

다음 물음에 답하여라. (단, e는 자연로그의 밑이다.)

(1) 곡선 $y=e^{3-x}$ 위의 점 $(3, 1)$에서의 접선 및 x축, y축으로 둘러싸인 도형의 넓이는?

① 1 ② 2 ③ 4
④ 8 ⑤ $3e$

STEP A 곡선 위의 점 $(3, 1)$에서의 접선의 방정식 구하기

$f(x)=e^{3-x}$으로 놓으면

$f'(x)=e^{3-x}(3-x)'=-e^{3-x}$이므로 접선의 기울기는

$f'(3)=-e^{3-3}=-e^{0}=-1$

점 $(3, 1)$에서의 접선의 방정식은 $y-1=-(x-3)$

$\therefore y=-x+4$

STEP B 접선 및 x축, y축으로 둘러싸인 도형의 넓이 구하기

따라서 접선의 x절편과 y절편은 각각 4이므로 구하는 도형의 넓이는

$\frac{1}{2}\cdot4\cdot4=8$

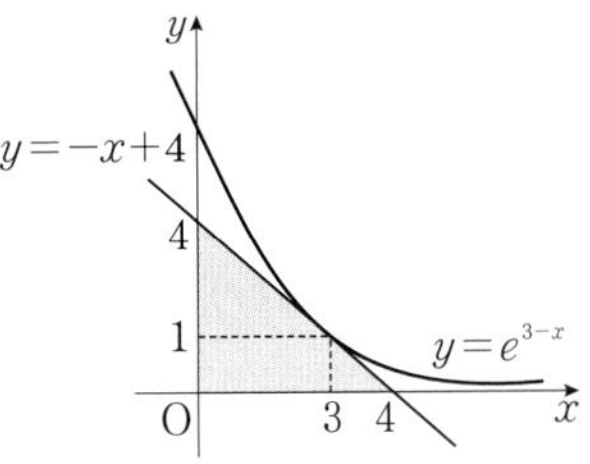

(2) 곡선 $y=e^{x^3}$ 위의 점 $(1, e)$에서의 접선과 x축 및 y축으로 둘러싸인 부분의 넓이는?

① $\frac{1}{3}e$ ② $\frac{1}{2}e$ ③ $\frac{2}{3}e$
④ e ⑤ $2e$

STEP A 곡선 위의 점 $(1, e)$에서의 접선의 방정식 구하기

$f(x)=e^{x^3}$으로 놓으면

$f'(x)=e^{x^3}\cdot3x^2$이므로 접선의 기울기는 $f'(1)=3e$

점 $(1, e)$에서의 접선의 방정식은 $y-e=3e(x-1)$

$\therefore y=3ex-2e$

STEP B 접선 및 x축, y축으로 둘러싸인 도형의 넓이 구하기

따라서 접선의 x절편과 y절편이 각각 $\frac{2}{3}$, $-2e$이므로 도형의 넓이는

$\frac{1}{2}\cdot\frac{2}{3}\cdot2e=\frac{2}{3}e$

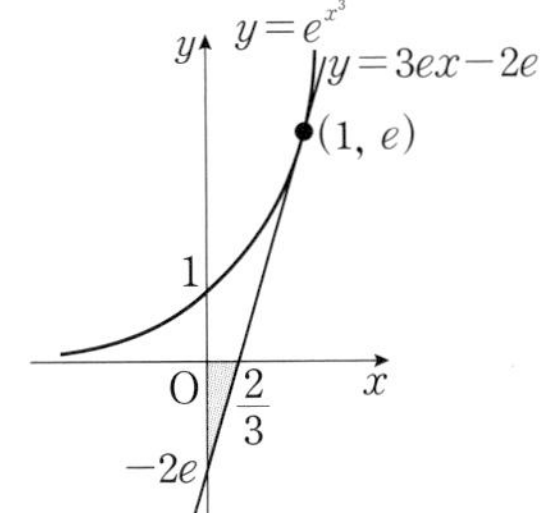

0615

다음 물음에 답하여라. (단, e는 자연로그의 밑이다.)

(1) 곡선 $y=x\ln x$ 위의 점 (e, e)에서의 접선, x축과 y축으로 둘러싸인 도형의 넓이는?

① $\frac{e}{4}$ ② $\frac{e^2}{4}$ ③ $\frac{e^2}{2}$
④ e^2 ⑤ $4e^2$

STEP A 곡선 위의 점 (e, e)에서의 접선의 방정식 구하기

$f(x)=x\ln x$로 놓으면 $f'(x)=\ln x+x\cdot\frac{1}{x}=\ln x+1$

곡선 $y=f(x)$ 위의 점 (e, e)에서의 접선의 기울기는

$f'(e)=\ln e+1=2$이므로 접선의 방정식은 $y-e=2(x-e)$

즉 $y=2x-e$

STEP B 접선 및 x축, y축으로 둘러싸인 도형의 넓이 구하기

이 접선이 x축과 만나는 점의 좌표는

$0=2x-e$에서 $x=\frac{e}{2}$이므로 $\left(\frac{e}{2}, 0\right)$

이 접선이 y축과 만나는 점의 좌표는

$y=2\cdot0-e$에서 $y=-e$이므로

$(0, -e)$

따라서 삼각형 의 넓이는

$\frac{1}{2}\times|-e|\times\left|\frac{e}{2}\right|=\frac{e^2}{4}$

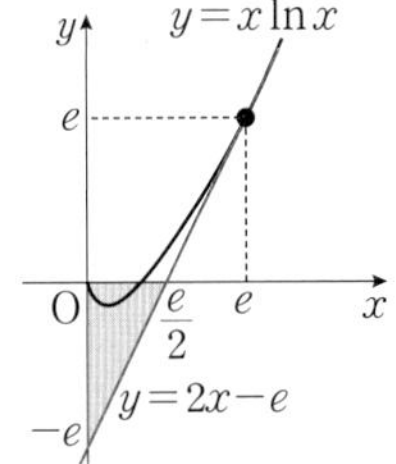

(2) 곡선 $y=\sqrt{7x}$ 위의 점 $(7, 7)$에서의 접선이 x축과 만나는 점을 A, y축과 만나는 점을 B라 하자. 삼각형 OBA의 넓이는? (단, O는 원점이다.)

① $\frac{23}{2}$ ② $\frac{47}{4}$ ③ 12
④ $\frac{49}{4}$ ⑤ $\frac{25}{2}$

STEP A 곡선 위의 점 $(7, 7)$에서의 접선의 방정식 구하기

$f(x)=\sqrt{7x}$로 놓으면

$f'(x)=\frac{7}{2\sqrt{7x}}=\frac{\sqrt{7}}{2\sqrt{x}}$

곡선 $y=f(x)$ 위의 점 $(7, 7)$에서의 접선의 기울기는

$f'(7)=\frac{\sqrt{7}}{2\sqrt{7}}=\frac{1}{2}$이므로 접선의 방정식은

$y-7=\frac{1}{2}(x-7)$, 즉 $y=\frac{1}{2}x+\frac{7}{2}$

STEP B 삼각형 OBA의 넓이 구하기

이 접선이 x축과 만나는 점 A의 좌표는

$0=\frac{1}{2}x+\frac{7}{2}$에서 $x=-7$이므로 $A(-7, 0)$

이 접선이 y축과 만나는 점 B의 좌표는

$y=\frac{1}{2}\times0+\frac{7}{2}$에서 $y=\frac{7}{2}$이므로 $B\left(0, \frac{7}{2}\right)$

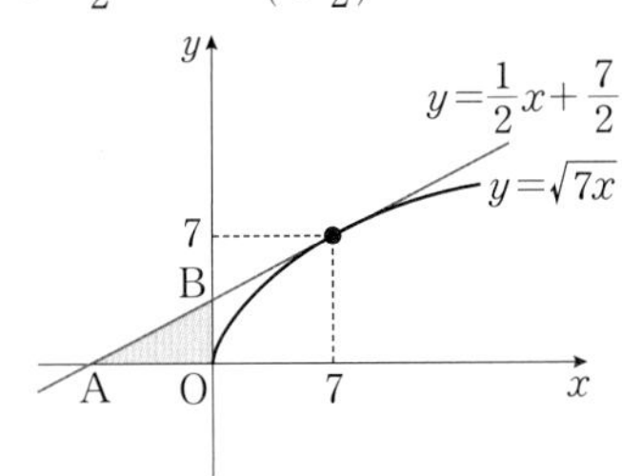

따라서 삼각형 OBA의 넓이는

$\frac{1}{2}\times\overline{OA}\times\overline{OB}=\frac{1}{2}\times|-7|\times\left|\frac{7}{2}\right|=\frac{7^2}{4}=\frac{49}{4}$

0616

다음 물음에 답하여라. (단, e는 자연로그의 밑이다.)

(1) 곡선 $y=2e^{x-3}+1$ 위의 점 $(3,\ 3)$에서의 접선이 점 $(a,\ 1)$을 지날 때, 상수 a의 값은?

① -2 ② -1 ③ 0
④ 1 ⑤ 2

STEP A 곡선 위의 점 $(3,\ 3)$에서의 접선의 방정식 구하기

$f(x)=2e^{x-3}+1$로 놓으면

$f'(x)=2e^{x-3}$

곡선 $y=f(x)$위의 점 $(3,\ 3)$에서의 접선의 기울기는

$f'(3)=2e^{3-3}=2e^0=2$이므로 접선의 방정식은

$y-3=2(x-3)$, 즉 $y=2x-3$

STEP B 점 $(a,\ 1)$을 지날 때, 상수 a의 값 구하기

따라서 이 접선이 $(a,\ 1)$을 지나므로 $1=2a-3$ $\quad\therefore a=2$

(2) 곡선 $f(x)=\dfrac{\sin x}{x}$ 위의 점 $(\pi,\ 0)$에서의 접선이 점 $(3\pi,\ k)$를 지날 때, 상수 k의 값은?

① -2 ② -1 ③ 0
④ 1 ⑤ 2

STEP A 곡선 위의 점 $(\pi,\ 0)$에서의 접선의 방정식 구하기

$f(x)=\dfrac{\sin x}{x}$에서

$f'(x)=\dfrac{\cos x\times x-\sin x}{x^2}$이므로 $f'(\pi)=-\dfrac{\pi}{\pi^2}=-\dfrac{1}{\pi}$

점 $(\pi,\ 0)$을 지나고 기울기가 $-\dfrac{1}{\pi}$인 직선의 방정식은

$y-0=-\dfrac{1}{\pi}(x-\pi)$ $\quad\therefore y=-\dfrac{1}{\pi}x+1$

STEP B 접선이 점 $(3\pi,\ k)$를 지날 때, 상수 k의 값 구하기

따라서 직선 $y=-\dfrac{1}{\pi}x+1$이 점 $(3\pi,\ k)$를 지나므로

$k=-\dfrac{1}{\pi}\times 3\pi+1$ $\quad\therefore k=-2$

(3) 곡선 $y=xe^{2x}+\sin 3x-4$ 위의 점 $(0,\ -4)$에서의 접선과 x축과의 교점의 좌표가 $(a,\ 0)$일 때, 상수 a의 값은?

① -2 ② -1 ③ 0
④ 1 ⑤ 2

STEP A 곡선 위의 점 $(0,\ -4)$에서의 접선의 방정식 구하기

함수 $f(x)=xe^{2x}+\sin 3x-4$로 놓으면

$f'(x)=e^{2x}+2xe^{2x}+3\cos 3x$

점 $(0,\ -4)$에서의 접선의 기울기는 $f'(0)=e^0+0+3\cos 0=4$

이때 접선의 방정식은 $y-(-4)=4(x-0)$

$\therefore y=4x-4$

STEP B 접선이 점 $(a,\ 0)$를 지날 때, 상수 a의 값 구하기

이 접선이 점 $(a,\ 0)$을 지나므로 대입하면 $0=4a-4$

따라서 $a=1$

0617

다음 물음에 답하여라.

(1) 곡선 $f(x)=e^{x+a}$의 그래프 위의 점 $(-1,\ b)$에서의 접선의 기울기가 e일 때, 상수 a, b의 곱 ab값은?

① $-2e$ ② e ③ $2e$
④ $3e$ ⑤ $5e$

STEP A 곡선 위의 점 $(-1,\ b)$에서의 접선의 기울기를 이용하여 a의 값 구하기

$f(x)=e^{x+a}$에서 $f'(x)=(x+a)'e^{x+a}=e^{x+a}$

곡선 $y=f(x)$ 위의 점 $(-1,\ b)$에서의 접선의 기울기가 e이므로

$f'(-1)=e^{-1+a}=e$에서 $-1+a=1$, 즉 $a=2$

$\therefore f(x)=e^{x+2}$

STEP B 곡선에 점 $(-1,\ b)$을 대입하여 b의 값 구하기

또, $f(-1)=b$에서 $e^{-1+2}=b$ $\quad\therefore b=e$

따라서 $ab=2e$

(2) 곡선 $y=(x^2+a)e^{-x}$ 위의 점 $(0,\ 4)$에서의 접선의 기울기가 b일 때, ab의 값은? (단, a, b는 상수이다.)

① -24 ② -20 ③ -16
④ -12 ⑤ -8

STEP A 곡선에 점 $(0,\ 4)$을 대입하여 a의 값 구하기

$f(x)=(x^2+a)e^{-x}$이라 하면

점 $(0,\ 4)$는 곡선 $y=f(x)$ 위의 점이므로

$4=(0+a)e^{-0}$에서 $a=4$

STEP B 곡선 위의 점 $(0,\ 4)$에서의 접선의 기울기를 이용하여 b의 값 구하기

즉 $f(x)=(x^2+4)e^{-x}$이므로

$f'(x)=2xe^{-x}-(x^2+4)e^{-x}=-(x^2-2x+4)e^{-x}$

곡선 $y=f(x)$ 위의 점 $(0,\ 4)$에서의 접선의 기울기는

$f'(0)=-4e^{-0}=-4$이므로 $b=-4$

따라서 $ab=4\times(-4)=-16$

0618

곡선 $y=\ln x$ 위의 점 $(a,\ \ln a)$에서의 접선이 원 $x^2+y^2-2y-3=0$의 넓이를 이등분할 때, a의 값은?

① e ② $2e$ ③ $4e$
④ e^2 ⑤ e^3

STEP A 곡선 위의 점 $(a,\ \ln a)$에서의 접선의 방정식 구하기

$y=\ln x$에서 $y'=\dfrac{1}{x}$이므로

점 $(a,\ \ln a)$에서의 접선의 방정식은

$y-\ln a=\dfrac{1}{a}(x-a)$, $y=\dfrac{1}{a}x-1+\ln a$ $\quad\cdots\cdots$ ㉠

STEP B 접선이 원의 중심을 지날 때, a의 값 구하기

원 $x^2+y^2-2y-3=0$

즉 $x^2+(y-1)^2=4$의 중심의 좌표는 $(0,\ 1)$이다.

따라서 직선 ㉠이 점 $(0,\ 1)$을 지날 때, 이 원의 넓이를 이등분하므로

$1=-1+\ln a$, $\ln a=2$ $\quad\therefore a=e^2$

0619

곡선 $y=\cos 2x(0 \le x \le \pi)$에 접하고 직선 $x+2y+2=0$에 수직인 직선의 방정식은?

① $y=2x-\frac{3}{2}\pi$ ② $y=2x-\frac{\pi}{2}$ ③ $y=2x$
④ $y=2x+\frac{\pi}{2}$ ⑤ $y=2x+\frac{3}{2}\pi$

STEP A 주어진 직선으로부터 구하는 수직인 직선의 기울기 구하기

직선 $y=-\frac{1}{2}x-1$과 수직인 직선의 기울기를 m이라 하면
$m=2$

STEP B 도함수를 이용하여 접점의 x좌표를 구한 후 접선의 방정식 구하기

$y'=-2\sin 2x=2$에서 $\sin 2x=-1$이므로
$2x=\frac{3}{2}\pi(0 \le x \le \pi)$ $\therefore x=\frac{3}{4}\pi$
따라서 점 $\left(\frac{3}{4}\pi, 0\right)$을 지나고 기울기가 2인 직선의 방정식은
$y-0=2\left(x-\frac{3}{4}\pi\right)$ $\therefore y=2x-\frac{3}{2}\pi$

0620

다음 물음에 답하여라.

(1) 곡선 $y=e^x+1$ 위의 점 $(0, 2)$를 지나고 이 점에서의 접선과 수직인 직선과 x축 및 y축으로 둘러싸인 도형의 넓이는?

① $\frac{1}{2}$ ② $\frac{3}{2}$ ③ 2
④ $\frac{5}{2}$ ⑤ 4

STEP A 두 접선이 수직이므로 기울기의 곱이 -1임을 이용하여 구하기

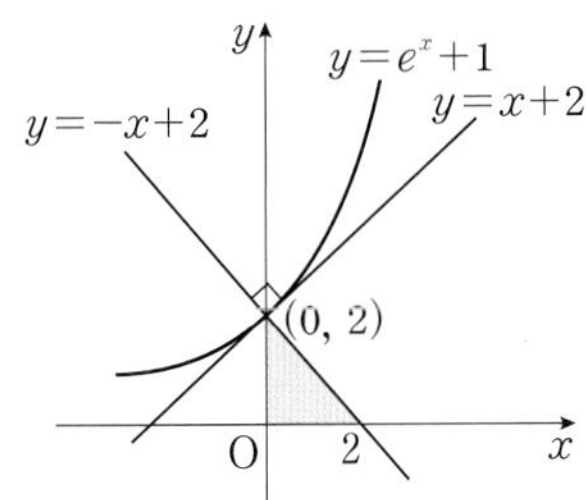

$f(x)=e^x+1$로 놓으면 $f'(x)=e^x$
이때 점 $(0, 2)$에서 접선의 기울기는 $f'(0)=e^0=1$이므로
접선에 수직인 직선의 기울기는 -1
점 $(0, 2)$에서 수직인 접선의 방정식은 $y-2=-(x-0)$
$\therefore y=-x+2$
따라서 x절편과 y절편이 각각 2이므로 도형의 넓이는 $\frac{1}{2}\cdot 2\cdot 2=2$

(2) 곡선 $y=x-x\ln x$ 위의 점 $(e, 0)$을 지나고, 이 점에서의 접선에 수직인 직선의 방정식이 $(e-1, a)$를 지날 때, a의 값은?

① $-e$ ② -1 ③ 0
④ 1 ⑤ e

STEP A 두 접선이 수직이므로 기울기의 곱이 -1임을 이용하여 구하기

$f(x)=x-x\ln x$로 놓으면
$f'(x)=1-\left(\ln x+x\cdot\frac{1}{x}\right)=-\ln x$
이때 점 $(e, 0)$에서 접선의 기울기는 $f'(e)=-\ln e=-1$이므로
접선에 수직인 직선의 기울기는 1
구하는 접선에 수직인 직선의 방정식은
$y-0=1\cdot(x-e)$, $y=x-e$ …… ㉠
따라서 이 직선이 $(e-1, a)$를 지나므로 ㉠에 대입하면 $a=e-1-e$
$\therefore a=-1$

0621

곡선 $y=\ln(x-7)$에 접하고 기울기가 1인 직선이 x축, y축과 만나는 점을 각각 A, B라 할 때, 삼각형 AOB의 넓이를 구하여라.
(단, O는 원점이다.)

STEP A 기울기가 1인 접선의 접점을 구하여 접선의 방정식 구하기

$y=\ln(x-7)$에 대하여 $y'=\frac{1}{x-7}$
곡선 $y=\ln(x-7)$에 접하는 직선의 기울기가 1일 때,
접점의 x좌표를 a라 하면
$\frac{1}{a-7}=1$이므로 $a=8$
즉 접점의 좌표는 $(8, 0)$
기울기가 1이고 점 $(8, 0)$을 지나는 직선의 방정식은 $y=x-8$

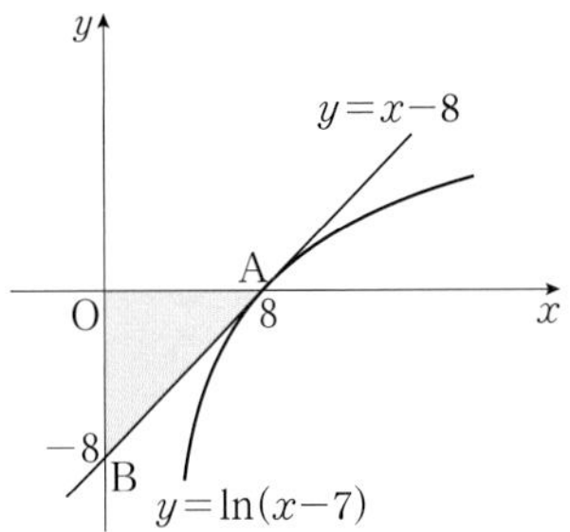

STEP B 삼각형 AOB의 넓이 구하기

이 직선이 x축, y축과 만나는 점은 각각 $A(8, 0)$, $B(0, -8)$
따라서 삼각형 AOB의 넓이는 $\frac{1}{2}\cdot\overline{OA}\cdot\overline{OB}=\frac{1}{2}\cdot 8\cdot 8=32$

0622

다음 물음에 답하여라.

(1) 직선 $y=2x$가 곡선 $y=a\ln x$에 접할 때, a의 값은?

① e　② $2e$　③ $3e$
④ $4e$　⑤ $5e$

STEP **A** 접점의 좌표를 $(t,\ a\ln t)$로 놓고 접선의 기울기가 2임을 이용하기

$f(x)=a\ln x$로 놓으면

$f'(x)=\frac{a}{x}$

접점의 좌표를 $(t,\ a\ln t)$라고 하면 접선의 기울기는

$f'(t)=\frac{a}{t}=2$이므로 $a=2t$　...... ㉠

STEP **B** 접선의 방정식을 구한 후 a의 값 구하기

기울기가 2이고 점 $(t,\ 2t\ln t)$에서 접점의 방정식은 $y-2t\ln t=2(x-t)$

$y=2x-2t+2t\ln t$

이 접선이 $y=2x$와 일치하므로 $-2t+2t\ln t=0$에서 $-2t\ln t=-2t$

$t\neq0$이므로 $\ln t=1$에서 $t=e$

따라서 t의 값을 ㉠에 대입하면 $a=2e$

(2) 직선 $y=2x+a$가 곡선 $y=x-\cos x$에 접할 때, 상수 a의 값은? (단, $0\leq x\leq\pi$)

① $-\pi$　② $-\frac{\pi}{2}$　③ -1
④ $\frac{\pi}{2}$　⑤ π

STEP **A** 접점의 좌표를 $(t,\ t-\cos t)$로 놓고 접선의 기울기가 2임을 이용하기

$f(x)=x-\cos x$로 놓으면

$f'(x)=1+\sin t$

접점의 좌표를 $(t,\ t-\cos t)$라고 하면

접선의 기울기는 $f'(t)=1+\sin t=2,\ \sin t=1\quad\therefore\ t=\frac{\pi}{2}$

STEP **B** 접선의 방정식을 구한 후 a의 값 구하기

즉 접점이 $\left(\frac{\pi}{2},\ \frac{\pi}{2}\right)$이므로 접선의 방정식은 $y-\frac{\pi}{2}=2\left(x-\frac{\pi}{2}\right)$

따라서 접선이 $y=2x-\frac{\pi}{2}$이므로 $a=-\frac{\pi}{2}$

0623

다음 물음에 답하여라.

(1) 두 곡선 $y=ax^2$, $y=e^x$이 서로 접할 때, 상수 a의 값은?

① $\frac{e^2}{4}$　② $\frac{e^2}{2}$　③ e^2
④ $\frac{1}{2e^2}$　⑤ $\frac{1}{2e^3}$

STEP **A** 두 곡선 $y=f(x)$, $y=g(x)$이 점 $x=t$에서 공통인 접선을 가지므로 $f(t)=g(t)$, $f'(t)=g'(t)$임을 이용하여 t의 값 구하기

$f(x)=ax^2$, $g(x)=e^x$으로 놓으면

$f'(x)=2ax$, $g'(x)=e^x$

이때 두 곡선이 $x=t$에서 서로 접한다고 하면

$f(t)=g(t)$에서 $at^2=e^t$　...... ㉠

$f'(t)=g'(t)$에서 $2at=e^t$　...... ㉡

㉠, ㉡을 연립하면 $at^2=2at$이므로 $at(t-2)=0$

따라서 $t=2$이므로 $a=\frac{e^2}{4}$　⬅ $e^t=at^2>0$

(2) 두 곡선 $y=ax^2$, $y=\ln x$가 서로 접할 때, 상수 a의 값은?

① e^2　② e　③ 1
④ $\frac{1}{2e}$　⑤ $\frac{1}{2e^3}$

STEP **A** 두 곡선 $y=f(x)$, $y=g(x)$이 점 $x=t$에서 공통인 접선을 가지므로 $f(t)=g(t)$, $f'(t)=g'(t)$임을 이용하여 t의 값 구하기

$f(x)=ax^2$, $g(x)=\ln x$로 놓으면

$f'(x)=2ax$, $g'(x)=\frac{1}{x}$

이때 두 곡선이 $x=t$에서 서로 접한다고 하면

$f(t)=g(t)$에서 $at^2=\ln t$　...... ㉠

$f'(t)=g'(t)$에서 $2at=\frac{1}{t}$　...... ㉡

㉡에서 $at^2=\frac{1}{2}$이므로 ㉠에 대입하면

$\ln t=\frac{1}{2}\quad\therefore\ t=\sqrt{e}$

따라서 ㉡에서 $a=\frac{1}{2t^2}$이므로 $a=\frac{1}{2e}$

0624

두 곡선 $y=a+\cos x$, $y=\sin^2 x$가 $x=t\ (0<t<\pi)$에서 공통인 접선을 가질 때, 상수 a의 값은?

① $-\frac{5}{4}$　② -1　③ 0
④ 1　⑤ $\frac{5}{4}$

STEP **A** 두 곡선 $y=f(x)$, $y=g(x)$이 점 $x=t$에서 공통인 접선을 가지므로 $f(t)=g(t)$, $f'(t)=g'(t)$임을 이용하여 t의 값 구하기

$f(x)=a+\cos x$, $g(x)=\sin^2 x$로 놓으면

$f'(x)=-\sin x$, $g'(x)=2\sin x\cos x$

두 곡선이 $x=t$에서 공통인 접선을 가지므로

$f(t)=g(t)$에서 $a+\cos t=\sin^2 t$

$\therefore\ a=\sin^2 t-\cos t$　...... ㉠

$f'(t)=g'(t)$에서 $-\sin t=2\sin t\cos t$

$\sin t(1+2\cos t)=0$에서 $\cos t=-\frac{1}{2}\ (\because\ 0<t<\pi)$

$\therefore\ t=\frac{2}{3}\pi$

STEP **B** 상수 a의 값 구하기

따라서 $t=\frac{2}{3}\pi$이므로 ㉠에 대입하면 $a=\sin^2\frac{2}{3}\pi-\cos\frac{2}{3}\pi=\frac{3}{4}+\frac{1}{2}=\frac{5}{4}$

참고 $\cos t=-\frac{1}{2}$에서

$a=\sin^2 t-\cos t=1-\cos^2 t-\cos t=1-\left(-\frac{1}{2}\right)^2-\left(-\frac{1}{2}\right)=\frac{5}{4}$

0625

다음 물음에 답하여라.

(1) 함수 $f(x)=e^{x+1}(x^2+3x+1)$이 구간 (a, b)에서 감소할 때, $b-a$의 최댓값은?

① 1　② 2　③ 3　④ 4　⑤ 5

STEP A 함수 $f(x)$가 감소하므로 도함수 $f'(x)<0$임을 이용하기

함수 $f(x)$의 도함수 $f'(x)$는

$f'(x)=e^{x+1}(x^2+3x+1)+e^{x+1}(2x+3)$

$=e^{x+1}(x^2+5x+4)$

함수 $f(x)$가 감소하려면 $f'(x)<0$

STEP B $x^2+5x+4<0$의 x의 범위 구하기

$e^{x+1}(x^2+5x+4)<0$에서 $e^{x+1}>0$이므로 $x^2+5x+4<0$

즉 $(x+4)(x+1)<0$에서 $-4<x<-1$

따라서 함수 $f(x)$는 $-4<x<-1$에서 감소하므로 $b-a$의 최댓값은 3

(2) 함수 $f(x)=8x-26\ln x-\dfrac{15}{x}$가 감소하는 구간에 속하는 자연수 x의 개수는?

① 1　② 2　③ 3　④ 4　⑤ 5

STEP A $f'(x)$ 구하기

$f(x)=8x-26\ln x-\dfrac{15}{x}$에서

$f'(x)=8-\dfrac{26}{x}+\dfrac{15}{x^2}=\dfrac{8x^2-26x+15}{x^2}=\dfrac{(4x-3)(2x-5)}{x^2}$

STEP B $f'(x)=0$인 x의 값을 경계로 하여 $f'(x)$의 부호 조사

$f'(x)=0$에서 $(4x-3)(2x-5)=0$

$\therefore x=\dfrac{3}{4}$ 또는 $x=\dfrac{5}{2}$

구간 $(0, \infty)$에서 함수 $f(x)$의 증가와 감소를 표로 나타내면 다음과 같다.

x	(0)	$\cdots$	$\frac{3}{4}$	$\cdots$	$\frac{5}{2}$	$\cdots$
$f'(x)$		+	0	−	0	+
$f(x)$		↗	극대	↘	극소	↗

STEP C $f(x)$가 증가하는 구간과 감소하는 구간 구하기

따라서 함수 $f(x)$는 열린구간 $\left(\dfrac{3}{4}, \dfrac{5}{2}\right)$에서 감소하므로 열린구간 $\left(\dfrac{3}{4}, \dfrac{5}{2}\right)$에 속하는 자연수 x의 값은 1, 2이므로 자연수 x의 개수는 2개이다.

(3) 열린구간 $(0, 2\pi)$에서 정의된 함수 $f(x)=e^{-x}\sin x$가 열린구간 (a, b)에서 감소할 때, $b-a$의 최댓값은?

① $\dfrac{\pi}{4}$　② $\dfrac{\pi}{2}$　③ $\dfrac{3}{4}\pi$　④ π　⑤ $\dfrac{5}{4}\pi$

STEP A $f'(x)$ 구하기

$f(x)=e^{-x}\sin x$에서

$f'(x)=-e^{-x}\sin x+e^{-x}\cos x=e^{-x}(-\sin x+\cos x)$

STEP B $f'(x)=0$인 x의 값을 경계로 하여 $f'(x)$의 부호 조사

$f'(x)=0$에서 $e^{-x}>0$이므로 $-\sin x+\cos x=0$

즉 $\sin x=\cos x$

$0<x<2\pi$이므로 $x=\dfrac{\pi}{4}$ 또는 $x=\dfrac{5}{4}\pi$

$0<x<2\pi$에서 함수 $f(x)$의 증가와 감소를 표로 나타내면 다음과 같다.

x	(0)	$\cdots$	$\frac{\pi}{4}$	$\cdots$	$\frac{5}{4}\pi$	$\cdots$	(2π)
$f'(x)$		+	0	−	0	+	
$f(x)$		↗	극대	↘	극소	↗	

STEP C $f(x)$가 증가하는 구간과 감소하는 구간 구하기

따라서 함수 $f(x)$의 감소하는 구간은 $\left(\dfrac{\pi}{4}, \dfrac{5}{4}\pi\right)$이므로 열린구간 (a, b)에서 감소할 때, $b-a$의 최댓값은 $\dfrac{5}{4}\pi-\dfrac{\pi}{4}=\pi$

0626

다음 물음에 답하여라.

(1) 함수 $f(x)=ax+\ln(x^2+9)$가 실수 전체의 집합에서 증가할 때, 상수 a의 최솟값은?

① 1　② $\dfrac{1}{2}$　③ $\dfrac{1}{3}$　④ $\dfrac{1}{4}$　⑤ $\dfrac{1}{5}$

STEP A $f'(x)$ 구하기

$f'(x)=a+\dfrac{2x}{x^2+9}=\dfrac{ax^2+2x+9a}{x^2+9}$

STEP B 모든 실수 x에서 $f'(x)\ge0$을 만족하는 a의 범위 구하기

함수 $f(x)$가 모든 실수 x에서 증가하면 $f'(x)\ge0$

이때 $x^2+9>0$이므로 $ax^2+2x+9a\ge0$가 성립한다.

이차방정식 $ax^2+2x+9a=0$의 판별식을 D라고 하면

$D\le0$, $a>0$이어야 하므로 ⬅ $a=0$일 때, $2x\ge0$이므로 조건을 만족하지 않는다.

$\dfrac{D}{4}=1-9a^2\le0$, $(3a+1)(3a-1)\ge0$

$\therefore a\ge\dfrac{1}{3}$

따라서 a의 최솟값은 $\dfrac{1}{3}$

(2) 함수 $f(x)=(x^2-ax+3a-4)e^{-x}$이 실수 전체의 집합에서 감소하도록 하는 정수 a의 개수는?

① 6　② 7　③ 8　④ 9　⑤ 10

STEP A $f'(x)$ 구하기

$f'(x)=(2x-a)e^{-x}-(x^2-ax+3a-4)e^{-x}$

$=-\{x^2-(a+2)x+4a-4\}e^{-x}$

STEP B 모든 실수 x에서 $f'(x)\le0$을 만족하는 a의 범위 구하기

임의의 구간에 대하여 그 구간의 모든 점에서 $f'(x)=0$이 되는 경우는 없으므로 모든 실수 x에 대하여 $f'(x)\le0$이어야 하고

$e^{-x}>0$이므로 $x^2-(a+2)x+4a-4\ge0$

이때 이차방정식 $x^2-(a+2)x+4a-4=0$의 판별식을 D라 하면

$D=(a+2)^2-4(4a-4)\le0$

$(a-2)(a-10)\le0$

$\therefore 2\le a\le10$

따라서 정수 a의 값은 2, 3, 4, $\cdots$, 10이고 그 개수는 9개이다.

(3) 함수 $f(x)=\frac{-x^2+kx+2}{x-1}$가 실수 전체의 집합에서 감소하기 위한 상수 k의 최솟값은?

① $-\frac{1}{5}$　② $-\frac{1}{4}$　③ $-\frac{1}{3}$
④ $-\frac{1}{2}$　⑤ -1

STEP Ⓐ $f'(x)$ 구하기

$$f'(x)=\frac{(-2x+k)(x-1)-(-x^2+kx+2)\cdot 1}{(x-1)^2}$$
$$=\frac{-2x^2+(k+2)x-k+x^2-kx-2}{(x-1)^2}$$
$$=\frac{-x^2+2x-(k+2)}{(x-1)^2} \quad \cdots\cdots ㉠$$

STEP Ⓑ 모든 실수 x에서 $f'(x)\le 0$을 만족하는 a의 범위 구하기

함수 $f(x)$가 모든 실수 x에서 감소하면 $f'(x)\le 0$이다.
㉠에서 $x\ne 1$이면 분모는 항상 양수이므로 (분자)≤ 0이어야 한다.
$-x^2+2x-(k+2)\le 0$에서 $x^2-2x+(k+2)\ge 0$ ⋯⋯ ㉡
모든 x에 대하여 ㉡이 항상 성립해야 하므로
이차방정식 $x^2-2x+(k+2)=0$의 판의 판별식을 D라고 하면
$\frac{D}{4}=1-(k+2)\le 0$, $1-k-2\le 0$
따라서 $k\ge -1$이므로 최솟값은 -1

0627

함수 $f(x)=\frac{2x}{x^2+1}$는 $x=a$에서 극솟값 b를 갖고 $x=c$에서 극댓값 d를 갖는다. 이때 $abcd$의 값을 구하면?

① 1　② 2　③ 3
④ 4　⑤ 5

STEP Ⓐ 몫의 미분법을 이용하여 $f'(x)=0$인 x의 값 구하기

$f(x)=\frac{2x}{x^2+1}$에서
$$f'(x)=\frac{2(x^2+1)-2x\cdot 2x}{(x^2+1)^2}$$
$$=\frac{-2x^2+2}{(x^2+1)^2}$$
$$=\frac{-2(x+1)(x-1)}{(x^2+1)^2}$$
$f'(x)=0$에서 $x=-1$ 또는 $x=1$

STEP Ⓑ 함수 $f(x)$의 증가와 감소를 표로 나타내기

함수 $f(x)$의 증가와 감소를 표로 나타내면 다음과 같다.

x	$\cdots$	-1	$\cdots$	1	$\cdots$
$f'(x)$	$-$	0	$+$	0	$-$
$f(x)$	↘	극소	↗	극대	↘

STEP Ⓒ 극댓값과 극솟값 구하기

함수 $f(x)$는
$x=-1$에서 극소이고 극솟값은 $f(-1)=-1$
$x=1$에서 극대이고 극댓값은 $f(1)=1$
따라서 $a=-1$, $b=-1$, $c=1$, $d=1$이므로 $abcd=(-1)\cdot(-1)\cdot 1\cdot 1=1$

0628

함수 $f(x)=\frac{\ln x-1}{x}$의 최댓값은?

① 0　② $\frac{1}{e^2}$　③ $\frac{1}{e}$
④ 1　⑤ e

STEP Ⓐ 몫의 미분법을 이용하여 $f'(x)=0$인 x의 값 구하기

$f(x)=\frac{\ln x-1}{x}\,(x>0)$에서 $f'(x)=\frac{\frac{1}{x}\cdot x-(\ln x-1)\cdot 1}{x^2}=\frac{2-\ln x}{x^2}$

$f'(x)=0$에서 $x=e^2$

STEP Ⓑ 함수 $f(x)$의 증가와 감소를 표로 나타내기

$x>0$에서 함수 $f(x)$의 증가와 감소를 표로 나타내면 다음과 같다.

x	(0)	$\cdots$	e^2	$\cdots$
$f'(x)$		$+$	0	$-$
$f(x)$		↗	극대	↘

따라서 함수 $f(x)$는 $x=e^2$에서 극대이면서 최대이므로 $f(x)$의 최댓값은
$f(e^2)=\frac{\ln e^2-1}{e^2}=\frac{1}{e^2}$

0629

함수 $f(x)=|x|e^x$의 극댓값과 극솟값의 합은?

① $\frac{1}{2e}$　② $\frac{1}{e}$　③ 1
④ e　⑤ $2e$

STEP Ⓐ 곱의 미분법을 이용하여 $f'(x)=0$인 x의 값 구하기

(ⅰ) $x\ge 0$일 때,
$f(x)=xe^x$에서 $f'(x)=e^x+xe^x=(x+1)e^x$
$f'(x)>0$이므로 $f(x)$는 증가함수이다.
(ⅱ) $x<0$일 때,
$f(x)=-xe^x$에서 $f'(x)=-e^x-xe^x=-(x+1)e^x$
$f'(x)=0$에서 $x=-1$

STEP Ⓑ 함수 $f(x)$의 증가와 감소를 표로 나타내기

함수 $f(x)$의 증가와 감소를 표로 나타내면 다음과 같다.

x	$\cdots$	-1	$\cdots$	(0)
$f'(x)$	$+$	0	$-$	
$f(x)$	↗	$\frac{1}{e}$	↘	

또, $\lim_{x\to-\infty}(-xe^x)=0$이므로 점근선은 x축이다.

STEP Ⓒ 극댓값과 극솟값 구하기

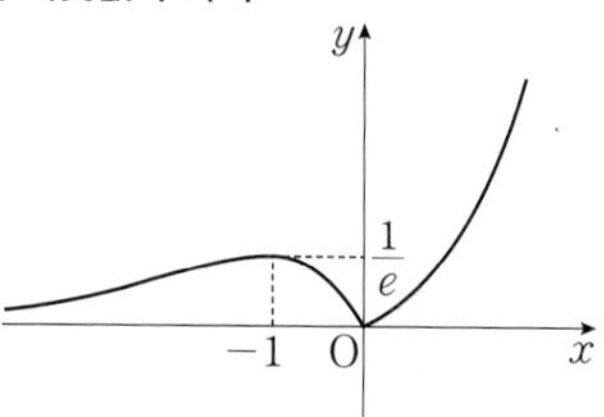

(ⅰ), (ⅱ)에서 함수 $y=f(x)$의 그래프는 위의 그림과 같으므로
함수 $f(x)$는 $x=-1$에서 극댓값 $\frac{1}{e}$, $x=0$에서 극솟값 0을 가진다.
따라서 구하는 극댓값과 극솟값의 합은 $\frac{1}{e}+0=\frac{1}{e}$

0630

함수 $f(x)=x^2-3x+\ln x$가 $x=a$에서 극솟값 b를 가질 때, ab의 값은?

① -2 ② -1 ③ 0
④ 1 ⑤ 2

STEP Ⓐ $f'(x)=0$의 값 구하기

$f(x)=x^2-3x+\ln x$에서 $x>0$

$f'(x)=2x-3+\frac{1}{x}=\frac{(2x-1)(x-1)}{x}$

$f'(x)=0$에서 $x=\frac{1}{2}$ 또는 $x=1$

STEP Ⓑ 함수 $f(x)$의 증가와 감소를 표로 나타내어 a, b의 값 구하기

함수 $f(x)$의 증가와 감소를 표로 나타내면 다음과 같다.

x	(0)	$\cdots$	$\frac{1}{2}$	$\cdots$	1	$\cdots$
$f'(x)$		$+$	0	$-$	0	$+$
$f(x)$		↗	극대	↘	극소	↗

함수 $f(x)$는 $x=1$에서 극솟값 -2

따라서 $a=1$, $b=-2$이므로 $ab=-2$

다른풀이 이계도함수를 이용하여 풀이하기

$f''(x)=2-\frac{1}{x^2}$이므로

$f''\left(\frac{1}{2}\right)=2-4=-2<0$, $f''(1)=2-1=1>0$

함수 $f(x)$는 $x=1$에서 극솟값 -2를 가지므로 $a=1$, $b=-2$

따라서 $ab=-2$

0631

다음 물음에 답하여라.

(1) 함수 $f(x)=\cos x+x\sin x(0<x<2\pi)$는 $x=\alpha$에서 극솟값 β를 갖는다. 이때 $\alpha\beta$의 값은?

① $-\frac{9}{4}\pi^2$ ② $-\frac{3}{4}\pi^2$ ③ $-\frac{1}{4}\pi^2$
④ π^2 ⑤ $\frac{3}{4}\pi^2$

STEP Ⓐ $f'(x)=0$인 x의 값 구하기

$f(x)=\cos x+x\sin x$에서

$f'(x)=-\sin x+\sin x+x\cos x=x\cos x$

$f'(x)=0$에서 $\cos x=0(\because x>0)$

$\therefore x=\frac{\pi}{2}$ 또는 $x=\frac{3}{2}\pi(\because 0<x<2\pi)$

STEP Ⓑ 함수 $f(x)$의 증가와 감소를 표로 나타내기

함수 $f(x)$의 증가와 감소를 표로 나타내면 다음과 같다.

x	(0)	$\cdots$	$\frac{\pi}{2}$	$\cdots$	$\frac{3}{2}\pi$	$\cdots$	(2π)
$f'(x)$		$+$	0	$-$	0	$+$	
$f(x)$		↗	극대	↘	극소	↗	

STEP Ⓒ 극솟값 구하기

함수 $f(x)$는 $x=\frac{3}{2}\pi$에서 극소이고 극솟값 $f\left(\frac{3}{2}\pi\right)=-\frac{3}{2}\pi$

따라서 $\alpha=\frac{3}{2}\pi$, $\beta=-\frac{3}{2}\pi$이므로 $\alpha\beta=-\frac{9}{4}\pi^2$

(2) 함수 $f(x)=x-2\sin x(0\le x\le 2\pi)$의 모든 극값의 합은?

① 0 ② π ③ $\frac{3}{2}\pi$
④ 2π ⑤ $\frac{5}{2}\pi$

STEP Ⓐ $f'(x)=0$인 x의 값 구하기

$f(x)=x-2\sin x$에서 $f'(x)=1-2\cos x$

$0\le x\le 2\pi$이므로 $f'(x)=0$에서 $x=\frac{\pi}{3}$ 또는 $x=\frac{5}{3}\pi$

STEP Ⓑ 함수 $f(x)$의 증가와 감소를 표로 나타내기

함수 $f(x)$의 증가와 감소를 표로 나타내면 다음과 같다.

x	0	$\cdots$	$\frac{\pi}{3}$	$\cdots$	$\frac{5}{3}\pi$	$\cdots$	2π
$f'(x)$		$-$	0	$+$	0	$-$	
$f(x)$	0	↘	극소	↗	극대	↘	2π

STEP Ⓒ 극댓값과 극솟값 구하기

$x=\frac{\pi}{3}$에서 극솟값 $f\left(\frac{\pi}{3}\right)=\frac{\pi}{3}-\sqrt{3}$

$x=\frac{5}{3}\pi$에서 극댓값 $f\left(\frac{5}{3}\pi\right)=\frac{5}{3}\pi+\sqrt{3}$

따라서 모든 극값의 합은 $\frac{\pi}{3}-\sqrt{3}+\frac{5}{3}\pi+\sqrt{3}=2\pi$

(3) 함수 $f(x)=e^{\sin x}(0\le x\le 2\pi)$의 극댓값은?

① $\frac{1}{e}$ ② $\frac{1}{\sqrt{e}}$ ③ 1
④ $\sqrt{e}$ ⑤ e

STEP Ⓐ $f'(x)=0$인 x의 값 구하기

$f(x)=e^{\sin x}$에서

$f'(x)=e^{\sin x}\times(\sin x)'=e^{\sin x}\cos x$

$e^{\sin x}>0$이므로 $f'(x)=0$에서 $\cos x=0$

$0\le x\le 2\pi$이므로 $x=\frac{\pi}{2}$ 또는 $x=\frac{3}{2}\pi$

STEP Ⓑ 함수 $f(x)$의 증가와 감소를 표로 나타내기

$0\le x\le 2\pi$에서 함수 $f(x)$의 증가와 감소를 표로 나타내면 다음과 같다.

x	$\cdots$	$\frac{\pi}{2}$	$\cdots$	$\frac{3\pi}{2}$	$\cdots$
$f'(x)$	$+$	0	$-$	0	$+$
$f(x)$	↗	극대	↘	극소	↗

STEP Ⓒ 극댓값 구하기

따라서 함수 $f(x)$는 $x=\frac{\pi}{2}$에서 극대이므로 $f(x)$의 극댓값은

$f\left(\frac{\pi}{2}\right)=e^{\sin\frac{\pi}{2}}=e^1=e$

0632

다음 물음에 답하여라.

(1) 함수 $f(x)=\frac{x^2+ax+b}{x+1}$가 $x=2$에서 극솟값 1을 가질 때,
함수 $f(x)$의 극댓값은?

① -13 ② -11 ③ -9
④ -7 ⑤ -5

STEP A $f(2)=1$, $f'(2)=0$을 이용하여 상수 a, b의 값 구하기

$f(x)=\frac{x^2+ax+b}{x+1}$에서 $x\neq-1$이고

$f'(x)=\frac{(2x+a)(x+1)-(x^2+ax+b)\cdot 1}{(x+1)^2}$

$=\frac{x^2+2x+a-b}{(x+1)^2}$

이때 함수 $f(x)$는 $x=2$에서 극솟값 1을 가지므로

$f(2)=1$, $f'(2)=0$

$f(2)=\frac{4+2a+b}{3}=1$, $f'(2)=\frac{8+a-b}{9}=0$

두 식을 연립하면 풀면 $a=-3$, $b=5$

STEP B 함수 $f(x)$의 극댓값 구하기

$f(x)=\frac{x^2-3x+5}{x+1}$

$f'(x)=\frac{x^2+2x-8}{(x+1)^2}=\frac{(x+4)(x-2)}{(x+1)^2}$

$f'(x)=0$에서 $x=-4$ 또는 $x=2$

함수 $f(x)$의 증가와 감소를 표로 나타내면 다음과 같다.

x	$\cdots$	-4	$\cdots$	(-1)	$\cdots$	2	$\cdots$
$f'(x)$	$+$	0	$-$		$-$	0	$+$
$f(x)$	↗	극대	↘		↘	극소	↗

따라서 함수 $f(x)$는 $x=-4$에서 극대이고 극댓값 $f(-4)=-11$을 갖는다.

(2) 함수 $f(x)=3\ln x+ax-\frac{b}{x}$가 $x=1$에서 극솟값 -1을 가질 때,
상수 a, b에 대하여 ab의 값은?

① -4 ② -3 ③ -2
④ 2 ⑤ 3

STEP A $f(1)=-1$, $f'(1)=0$을 이용하여 상수 a, b의 값 구하기

$f(x)=3\ln x+ax-\frac{b}{x}$에서 $f'(x)=\frac{3}{x}+a+\frac{b}{x^2}$

함수 $f(x)$가 $x=1$에서 극솟값 -1을 가지므로

$f(1)=-1$, $f'(1)=0$

$f(1)=a-b=-1$ …… ㉠

$f'(1)=3+a+b=0$에서 $a+b=-3$ …… ㉡

㉠, ㉡을 연립하여 풀면 $a=-2$, $b=-1$

따라서 $ab=2$

0633

다음 물음에 답하여라.

(1) 함수 $f(x)=(x^2+ax+a)e^{-x}$ (단, $a>2$)의 극솟값이 0일 때,
상수 a의 값은?

① 2 ② 3 ③ 4
④ 5 ⑤ 6

STEP A $f'(x)=0$인 x의 값 구하기

$f'(x)=-x(x+a-2)e^{-x}$

$f'(x)=0$에서 $x=0$ 또는 $x=2-a$

STEP B 함수 $f(x)$의 증가와 감소를 표로 나타내기

함수 $f(x)$의 증가와 감소를 표로 나타내면 다음과 같다.

x	$\cdots$	$2-a$	$\cdots$	0	$\cdots$
$f'(x)$	$-$	0	$+$	0	$-$
$f(x)$	↘	극소	↗	극대	↘

STEP C 극솟값이 0임을 이용하여 상수 a의 값 구하기

$f(x)$는 $a>2$이므로

$x=2-a$에서 극소이고 극솟값이 0이므로

$f(2-a)=\{(2-a)^2+a(2-a)+a\}e^{-(2-a)}=0$

따라서 $e^{-(2-a)}>0$이므로 $(2-a)^2+a(2-a)+a=0$ $\therefore a=4$

(2) 함수 $f(x)=x^2-2\ln x+a$가 극솟값 3을 가질 때, 상수 a의 값은?

① 1 ② 2 ③ 3
④ 4 ⑤ 5

STEP A $f'(x)=0$인 x의 값 구하기

$f'(x)=2x-\frac{2}{x}=2\left(x-\frac{1}{x}\right)$

$=2\cdot\frac{x^2-1}{x}$

$=\frac{2(x-1)(x+1)}{x}$

로그에서 (진수)>0이므로 $x>0$

$f'(x)=0$에서 $x=1$

STEP B 함수 $f(x)$의 증가와 감소를 표로 나타내기

함수 $f(x)$의 증가와 감소를 표로 나타내면 다음과 같다.

x	(0)	$\cdots$	1	$\cdots$
$f'(x)$		$-$	0	$+$
$f(x)$		↘	극소	↗

함수 $f(x)$는 $x=1$에서 극소이고 극솟값이 3이므로

$f(1)=3$에서 $1+a=3$

따라서 $a=2$

0634

미분가능한 함수 $y=f(x)$에 대한 설명이다. [보기] 중 옳은 것을 모두 고르면?

> ㄱ. 함수 $f'(x)\geq 0$이면 함수 $f(x)$는 증가한다.
> ㄴ. 함수 $f(x)$가 $x=a$에서 극값을 가지면 $f'(a)=0$이다.
> ㄷ. $f''(x)<0$이면 곡선 $y=f(x)$는 이 구간에서 위로 볼록이다.
> ㄹ. $f'(a)=0$이면 점 $(a,\ f(a))$는 곡선 $y=f(x)$의 변곡점이다.

① ㄱ　② ㄴ　③ ㄴ, ㄷ
④ ㄱ, ㄷ, ㄹ　⑤ ㄴ, ㄷ, ㄹ

STEP Ⓐ 미분가능한 함수의 [보기]의 참, 거짓 판단하기

ㄱ. **반례** $f(x)=3$에서 $f'(x)=0\geq 0$이지만
　$f(x)$가 증가하는 것은 아니다. [거짓]

ㄴ. 함수 $y=f(x)$가 미분가능하므로 $x=a$에서 극값을 가지면
　$f'(a)=0$이다. [참]

ㄷ. 함수 $y=f(x)$가 미분가능 하므로 $f''(x)<0$이면
　곡선 $y=f(x)$는 이 구간에서 위로 볼록이다. [참]

ㄹ. **반례** $f(x)=x^4$에서 $f''(x)=12x^2$이므로 $f''(0)=0$이지만
　$x=0$의 좌우에서 $f''(x)$의 부호가 바뀌지 않으므로
　$(0,\ 0)$은 변곡점이 아니다. [거짓]

따라서 옳은 것은 ㄴ, ㄷ이다.

0635

다항함수 $y=f(x)$에 대하여 $y=f'(x)$의 그래프가 다음 그림과 같을 때, [보기]에서 옳은 것만을 모두 고르면?

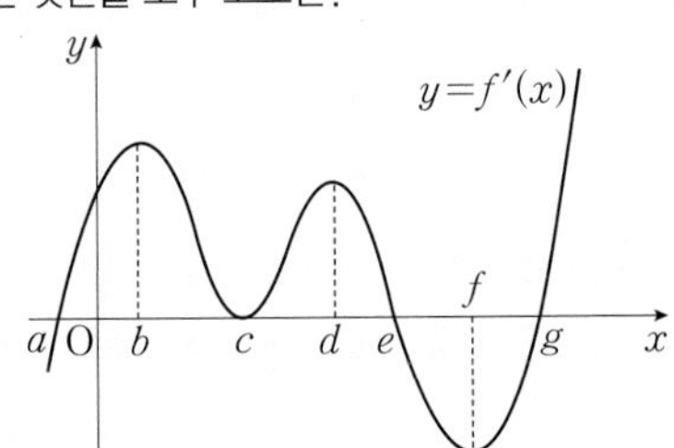

> ㄱ. $b<x<d$에서 $f(x)$는 증가한다.
> ㄴ. 극값을 가지는 점은 2개이다.
> ㄷ. 변곡점의 개수는 4이다.

① ㄱ　② ㄱ, ㄴ　③ ㄱ, ㄷ
④ ㄴ, ㄷ　⑤ ㄱ, ㄴ, ㄷ

STEP Ⓐ $y=f'(x)$에서 [보기]의 참, 거짓 판단하기

$y=f(x)$의 그래프의 개형은 다음과 같다.

x	⋯	a	⋯	b	⋯	c	⋯	d	⋯	e	⋯	f	⋯	g	⋯
$f'(x)$	−	0	+	+	+	0	+	+	+	0	−	−	−	0	+
$f''(x)$	+	+	+	0	−	0	+	0	−	−	−	0	+	+	+
$f(x)$		극소		변곡점		변곡점		변곡점		극대		변곡점		극소	

ㄱ. $b<x<d$에서 $f'(x)\geq 0$이므로 $f(x)$는 증가한다. [참]

ㄴ. $x=a,\ e,\ g$에서 극값을 가지므로 극값을 가지는 점은 3개이다. [거짓]

ㄷ. $y=f'(x)$의 그래프에서 $f''(x)=0$을 만족하는 $x=b,\ c,\ d,\ f$로 변곡점의 개수는 4개이다. [참]

따라서 옳은 것은 ㄱ, ㄷ이다.

0636

다음 물음에 답하여라.

(1) 함수 $f(x)=xe^x$에 대하여 곡선 $y=f(x)$의 변곡점의 좌표가 $(a,\ b)$일 때, 두 수 $a,\ b$의 곱 ab의 값은?

① $4e^2$　② e　③ $\frac{1}{e}$
④ $\frac{4}{e^2}$　⑤ $\frac{9}{e^3}$

STEP Ⓐ 이계도함수 $f''(x)=0$인 x의 좌표 구하기

$f(x)=xe^x$에서 $f'(x)=e^x+xe^x=(x+1)e^x$

$f''(x)=e^x+(x+1)e^x=(x+2)e^x$

$f''(x)=0$에서 $(x+2)e^x=0$　$\therefore\ x=-2$

이때 $x=-2$의 좌우에서 $f''(x)$의 부호가 변하므로

곡선 $y=f(x)$의 변곡점의 좌표는 $(-2,\ f(-2))$

STEP Ⓑ 변곡점의 좌표 $(a,\ b)$ 구하기

$f(-2)=-2e^{-2}=-\frac{2}{e^2}$이므로 변곡점의 좌표는 $\left(-2,\ -\frac{2}{e^2}\right)$

따라서 $a=-2,\ b=-\frac{2}{e^2}$이므로 $ab=\frac{4}{e^2}$

(2) 함수 $f(x)=x(\ln x)^2$은 $x=a$에서 극소이고, 곡선 $y=f(x)$의 변곡점의 좌표가 $(b,\ c)$일 때, $a+b-c$의 값은?

① 1　② 2　③ 3
④ 4　⑤ 5

STEP Ⓐ $f'(x)=0$에서 극소가 되는 a의 값 구하기

$f(x)=x(\ln x)^2$에서

$$f'(x)=(\ln x)^2+2x\times\ln x\times\frac{1}{x}$$
$$=(\ln x)^2+2\ln x$$
$$=(2+\ln x)\ln x$$

$f'(x)=0$에서 $\ln x=-2$ 또는 $\ln x=0$이므로

$x=e^{-2}$ 또는 $x=1$

함수 $f(x)$의 증가와 감소를 표로 나타내면 다음과 같다.

x	(0)	⋯	e^{-2}	⋯	1	⋯
$f'(x)$		+	0	−	0	+
$f(x)$		↗	극대	↘	극소	↗

함수 $f(x)$는 $x=e^{-2}$에서 극대이고 $x=1$에서 극소이다.

그러므로 $a=1$

STEP Ⓑ $f''(x)=0$에서 변곡점의 좌표로부터 $b,\ c$의 값 구하기

$f'(x)=(2+\ln x)\ln x$에서

$$f''(x)=\frac{1}{x}\times\ln x+(2+\ln x)\times\frac{1}{x}=\frac{2(1+\ln x)}{x}$$

$f''(x)=0$에서 $\ln x=-1$이므로 $x=e^{-1}$

$x=e^{-1}$의 좌우에서 $f''(x)$의 부호가 바뀌므로

곡선 $y=f(x)$의 변곡점의 좌표는 $(e^{-1},\ e^{-1})$

따라서 $a=1,\ b=e^{-1},\ c=e^{-1}$이므로 $a+b-c=1+e^{-1}-e^{-1}=1$

0637

다음 물음에 답하여라.

(1) 함수 $f(x)=xe^{-x}$에 대하여 곡선 $y=f(x)$의 변곡점에서의 접선의 기울기는?

① $-e^2$　② $-e$　③ -1

④ $-\frac{1}{e}$　⑤ $-\frac{1}{e^2}$

STEP A 이계도함수 $f''(x)=0$인 x의 좌표 구하기

$f(x)=xe^{-x}$에서 $f'(x)=e^{-x}-xe^{-x}=(1-x)e^{-x}$

$f''(x)=-e^{-x}-(1-x)e^{-x}=(x-2)e^{-x}$

$f''(x)=0$에서 $x=2$

STEP B 변곡점에서 접선의 기울기 구하기

$x=2$의 좌우에서 $f''(x)$의 부호가 바뀌므로 점 A의 x좌표는 2이다.

따라서 구하는 접선의 기울기는 $f'(2)=(1-2)\times e^{-2}=-\frac{1}{e^2}$

(2) 곡선 $y=\frac{1}{3}x^3+2\ln x$의 변곡점에서의 접선의 기울기는?

① 1　② $\sqrt{2}$　③ -2

④ $2\sqrt{2}$　⑤ 3

STEP A 이계도함수 $f''(x)=0$인 x의 좌표 구하기

$f(x)=\frac{1}{3}x^3+2\ln x\,(x>0)$이라 하면

$f'(x)=x^2+\frac{2}{x}$, $f''(x)=2x-\frac{2}{x^2}=\frac{2x^3-2}{x^2}$

$f''(x)=0$에서 $x=1$

STEP B 변곡점에서 접선의 기울기 구하기

$0<x<1$일 때 $f''(x)<0$, $x>1$일 때 $f''(x)>0$이므로

$x=1$에서 변곡점을 갖는다.

따라서 변곡점 $\left(1, \frac{1}{3}\right)$에서의 접선의 기울기는 $x=1$을 $f'(1)=1^2+\frac{2}{1}=3$

(3) 곡선 $y=2\ln(x^2+1)$의 두 변곡점에서의 접선의 기울기의 곱은?

① -12　② -10　③ -8

④ -6　⑤ -4

STEP A 이계도함수가 존재하는 함수 $f(x)$에 대하여 $f''(a)=0$이고 $x=a$의 좌우에서 $f''(x)$의 부호가 바뀌면 점 $(a,\ f(a))$는 곡선 $y=f(x)$의 변곡점임을 이용하기

$f(x)=2\ln(x^2+1)$이라 하면

$f'(x)=\frac{4x}{x^2+1}$, $f''(x)=\frac{4(x^2+1)-4x\cdot 2x}{(x^2+1)^2}=\frac{-4(x+1)(x-1)}{(x^2+1)^2}$

$f''(x)=0$에서 $x=-1$ 또는 $x=1$

이때 $x=-1$, $x=1$의 좌우에서 $f''(x)$의 부호가 바뀌므로

두 변곡점의 좌표는 $(-1,\ 2\ln 2)$, $(1,\ 2\ln 2)$

STEP B 두 변곡점에서의 접선의 기울기의 곱 구하기

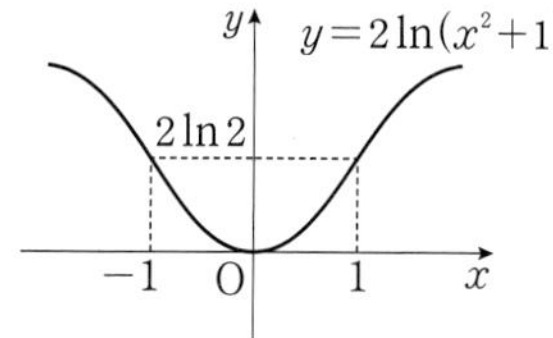

따라서 두 변곡점에서의 접선의 기울기의 곱은

$f'(-1)\times f'(1)=(-2)\times 2=-4$

참고 $f'(x)=0$에서 $x=0$이므로 함수 $f(x)$의 증가와 감소, 곡선 $y=f(x)$의 오목과 볼록을 표로 나타내면 다음과 같다.

x	$\cdots$	-1	$\cdots$	0	$\cdots$	1	$\cdots$
$f'(x)$	$-$	$-$	$-$	0	$+$	$+$	$+$
$f''(x)$	$-$	0	$+$	$+$	$+$	0	$-$
$f(x)$	↘	변곡점	↘	(극소)	↗	변곡점	↗

함수 $f(x)=\ln(x^2+1)^2$에 대하여 곡선 $y=f(x)$의 두 변곡점 사이의 거리를 구하면 곡선 $y=f(x)$의 변곡점의 좌표는 $(-1,\ \ln 4)$, $(1,\ \ln 4)$이므로 두 점 사이의 거리는 2이다.

(4) 곡선 $y=4\sin x+x^2\,(0<x<\pi)$의 서로 다른 두 변곡점에서의 접선의 기울기의 합은?

① π　② $\frac{4}{3}\pi$　③ $\frac{5}{3}\pi$

④ 2π　⑤ $\frac{7}{3}\pi$

STEP A $f'(x)$, $f''(x)$ 구한 후 변곡점의 x좌표 구하기

$f(x)=4\sin x+x^2$이라 하면

$f'(x)=4\cos x+2x$, $f''(x)=-4\sin x+2$

$f''(x)=0$에서

$\sin x=\frac{1}{2}\,(0<x<\pi)$에서 $x=\frac{\pi}{6}$ 또는 $x=\frac{5}{6}\pi$이고

$x=\frac{\pi}{6}$의 좌우와 $x=\frac{5}{6}\pi$의 좌우에서 이계도함수의 부호가 바뀌므로

변곡점의 x좌표는 $x=\frac{\pi}{6}$ 또는 $\frac{5}{6}\pi$

STEP B 변곡점에서 접선의 기울기 구하기

즉 변곡점에서의 접선의 기울기는

$x=\frac{\pi}{6}$일 때, $f'\left(\frac{\pi}{6}\right)=4\cos\frac{\pi}{6}+2\times\frac{\pi}{6}=2\sqrt{3}+\frac{\pi}{3}$

$x=\frac{5}{6}\pi$일 때, $f'\left(\frac{5}{6}\pi\right)=4\cos\frac{5}{6}\pi+2\times\frac{5}{6}\pi=-2\sqrt{3}+\frac{5}{3}\pi$

따라서 기울기의 합은 $\left(2\sqrt{3}+\frac{\pi}{3}\right)+\left(-2\sqrt{3}+\frac{5}{3}\pi\right)=2\pi$

0638

다음 물음에 답하여라.

(1) 곡선 $y=\ln(4x^2+2)$의 두 변곡점을 A, B라 할 때, 삼각형 OAB의 넓이는? (단, O는 원점이다.)

① $\ln 2$　② $\sqrt{2}\ln 2$　③ $\sqrt{3}\ln 2$

④ $2\ln 2$　⑤ $\sqrt{5}\ln 2$

STEP A 이계도함수가 존재하는 함수 $f(x)$에 대하여 $f''(a)=0$이고 $x=a$의 좌우에서 $f''(x)$의 부호가 바뀌면 점 $(a,\ f(a))$는 곡선 $y=f(x)$의 변곡점임을 이용하기

$f(x)=\ln(4x^2+2)$이라 하면

$f'(x)=\frac{8x}{4x^2+2}=\frac{4x}{2x^2+1}$

$f''(x)=\frac{4(2x^2+1)-4x\times 4x}{(2x^2+1)^2}=-\frac{4(2x^2-1)}{(2x^2+1)^2}$

$f''(x)=0$에서 $2x^2-1=0$　$\therefore x=-\frac{\sqrt{2}}{2}$ 또는 $x=\frac{\sqrt{2}}{2}$

이때 $x=-\frac{\sqrt{2}}{2}$, $x=\frac{\sqrt{2}}{2}$의 좌우에서 $f''(x)$의 부호가 바뀌므로

두 변곡점 A, B의 좌표는 $\left(-\frac{\sqrt{2}}{2},\ 2\ln 2\right)$, $\left(\frac{\sqrt{2}}{2},\ 2\ln 2\right)$

STEP B 삼각형 OAB의 넓이 구하기

따라서 삼각형 OAB의 넓이는 $\frac{1}{2}\times\left\{\frac{\sqrt{2}}{2}-\left(-\frac{\sqrt{2}}{2}\right)\right\}\times 2\ln 2=\sqrt{2}\ln 2$

(2) 곡선 $f(x)=2\ln x+\frac{2}{x}$의 변곡점에서의 접선이 x축, y축과 만나는 점을 각각 A, B라 할 때, 삼각형 OAB의 넓이는? (단, O는 원점이다.)

① $(\ln 2)^2$ ② $2(\ln 2)^2$ ③ $3(\ln 2)^2$
④ $4(\ln 2)^2$ ⑤ $5(\ln 2)^2$

STEP A $f'(x)$, $f''(x)$ 구한 후 변곡점의 좌표 구하기

$f(x)=2\ln x+\frac{2}{x}$에서 $x>0$이고

$f'(x)=\frac{2}{x}-\frac{2}{x^2}$

$f''(x)=-\frac{2}{x^2}+\frac{4}{x^3}=\frac{-2x+4}{x^3}$

$f''(x)=0$에서 $x=2$

$0<x<2$에서 $f''(x)>0$이고 $x>2$에서 $f''(x)<0$이므로

곡선 $y=f(x)$의 변곡점의 좌표는 $(2,\ 2\ln 2+1)$

STEP B 변곡점에서 접선의 방정식 구하기

곡선 $y=f(x)$ 위의 점 $(2,\ 2\ln 2+1)$에서의 접선의 기울기는

$f'(2)=1-\frac{1}{2}=\frac{1}{2}$이므로 접선의 방정식은

$y-(2\ln 2+1)=\frac{1}{2}(x-2)\quad\therefore y=\frac{1}{2}x+2\ln 2$

STEP C 삼각형 OAB의 넓이를 구하기

따라서 $A(-4\ln 2,\ 0)$, $B(0,\ 2\ln 2)$이므로 삼각형 OAB의 넓이는

$\frac{1}{2}\times 4\ln 2\times 2\ln 2=4(\ln 2)^2$

0639

함수 $f(x)=ax^2+b\cos x+c$에 대하여 점 $\left(\frac{\pi}{2},\ 1\right)$은 곡선 $y=f(x)$의 변곡점이고, 점 $\left(\frac{\pi}{2},\ 1\right)$에서의 곡선 $y=f(x)$의 접선은 직선 $y=2x$에 평행하다. 이때 $a+b+c$의 값은?

① -2 ② -1 ③ 0
④ 1 ⑤ 2

STEP A $f\left(\frac{\pi}{2}\right)=1$, $f''\left(\frac{\pi}{2}\right)=0$을 만족하는 a, c의 값 구하기

점 $\left(\frac{\pi}{2},\ 1\right)$이 곡선 $y=f(x)$의 변곡점으로

$f''\left(\frac{\pi}{2}\right)=0$이고 $f\left(\frac{\pi}{2}\right)=1$

$f'(x)=2ax-b\sin x$ …… ㉠

$f''(x)=2a-b\cos x$ …… ㉡

$f''\left(\frac{\pi}{2}\right)=0$이므로 ㉡에 $x=\frac{\pi}{2}$를 대입하면 $a=0$

$a=0$이고 $f\left(\frac{\pi}{2}\right)=1$이므로 $\frac{\pi^2}{4}a+b\cos\frac{\pi}{2}+c=1$

$\therefore c=1$

STEP B $f'\left(\frac{\pi}{2}\right)=2$임을 이용하여 b의 값 구하기

한편 점 $\left(\frac{\pi}{2},\ 1\right)$에서의 $y=f(x)$의 접선이 직선 $y=2x$에 평행하므로

$f'\left(\frac{\pi}{2}\right)=2$

즉 ㉠에 $x=\frac{\pi}{2}$를 대입하면 $a\pi-b\sin\frac{\pi}{2}=2\quad\therefore b=-2$

따라서 $a=0$, $b=-2$, $c=1$이므로 $a+b+c=-1$

0640

다음 물음에 답하여라.

(1) 곡선 $y=x^2(\ln x-1)$이 위로 볼록한 x의 값의 범위는?

① $0<x<\sqrt{e}$ ② $0<x<e$ ③ $0<x<e^2$
④ $0<x<\frac{1}{\sqrt{e}}$ ⑤ $0<x<\frac{1}{e}$

STEP A $f'(x)$, $f''(x)$ 구하기

$f(x)=x^2(\ln x-1)$에서

$f'(x)=2x(\ln x-1)+x^2\cdot\frac{1}{x}=x(2\ln x-1)$

$f''(x)=2\ln x-1+x\cdot\frac{2}{x}=2\ln x+1$

STEP B $f''(x)<0$인 x의 값의 범위 구하기

$f''(x)<0$이면 곡선 $y=f(x)$가 위로 볼록하므로

$2\ln x+1<0$, $\ln x<-\frac{1}{2}$

따라서 $0<x<e^{-\frac{1}{2}}$이므로 $0<x<\frac{1}{\sqrt{e}}$

(2) 열린구간 $(0,\ \pi)$에서 곡선 $y=3x-\cos 2x$가 위로 볼록한 구간을 $(a,\ b)$라 할 때, $b-a$의 최댓값은?

① $\frac{\pi}{3}$ ② $\frac{5}{12}\pi$ ③ $\frac{\pi}{2}$
④ $\frac{7}{12}\pi$ ⑤ $\frac{2}{3}\pi$

STEP A $f'(x)$, $f''(x)$ 구하기

$y=3x-\cos 2x\,(0<x<\pi)$에서 $y'=3+2\sin 2x$

$y''=4\cos 2x$

STEP B $f''(x)<0$인 x의 값의 범위 구하기

곡선이 위로 볼록이어야 하므로

$4\cos 2x<0$, 즉 $\cos 2x<0$

$0<2x<2\pi$에서 부등식 $\cos 2x<0$의 해를 구하면

$\frac{\pi}{2}<2x<\frac{3}{2}\pi$, 즉 $\frac{\pi}{4}<x<\frac{3}{4}\pi$

STEP C $b-a$의 최댓값 구하기

따라서 $b-a$의 최댓값은 $\frac{3}{4}\pi-\frac{\pi}{4}=\frac{\pi}{2}$

0641

다음 물음에 답하여라.

(1) 닫힌구간 $[-2, 4]$에서 함수 $f(x)=2xe^{-\frac{1}{2}x}$의 최댓값을 M, 최솟값을 m이라 할 때, Mm의 값은?

① -18 ② -16 ③ -14
④ -12 ⑤ -10

STEP Ⓐ $f'(x)=0$인 x의 값 구하기

$f(x)=2xe^{-\frac{1}{2}x}$에서

$f'(x)=2\cdot e^{-\frac{1}{2}x}+2x\left(-\frac{1}{2}e^{-\frac{1}{2}x}\right)=(2-x)e^{-\frac{1}{2}x}$

$f'(x)=0$에서 $e^{-\frac{1}{2}x}>0$이므로 $2-x=0$, 즉 $x=2$

STEP Ⓑ 함수 $f(x)$의 증가와 감소를 표로 나타내기

닫힌구간 $[-2, 4]$에서 함수 $f(x)$의 증가와 감소를 표로 나타내면 다음과 같다.

x	-2	$\cdots$	2	$\cdots$	4
$f'(x)$		$+$	0	$-$	
$f(x)$	$-4e$	↗	극대	↘	$8e^{-2}$

STEP Ⓒ 최댓값과 최솟값 구하기

함수 $f(x)$는 $x=2$에서 극대이므로 함수 $f(x)$의 극댓값은 $f(2)=4e^{-1}$

$f(-2)=-4e$이고 $f(4)=8e^{-2}$이므로 함수 $f(x)$의 최댓값은 $4e^{-1}$이고 최솟값은 $-4e$

따라서 $M=4e^{-1}$, $m=-4e$이므로 $Mm=4e^{-1}\times(-4e)=-16$

(2) 닫힌구간 $[1, e^2]$에서 $f(x)=x\ln x-2x$의 최댓값을 M, 최솟값을 m이라 할 때, $M+m$의 값은?

① $-2e$ ② $-e$ ③ 0
④ e ⑤ $2e$

STEP Ⓐ $f'(x)=0$인 x의 값 구하기

$f(x)=x\ln x-2x$에서

$f'(x)=\ln x+x\cdot\frac{1}{x}-2$, $f'(x)=\ln x-1$

$f'(x)=0$에서 $x=e$

STEP Ⓑ 함수 $f(x)$의 증가와 감소를 표로 나타내기

닫힌구간 $[1, e^2]$에서 함수 $f(x)$의 증가와 감소를 표로 나타내면 다음과 같다.

x	1	$\cdots$	e	$\cdots$	e^2
$f'(x)$		$-$	0	$+$	
$f(x)$	-2	↘	$-e$	↗	0

STEP Ⓒ 최댓값과 최솟값 구하기

함수 $f(x)$는 $x=e$에서 극소이고 극솟값은 $f(e)=-e$

$f(1)=-2$, $f(e^2)=0$이므로 함수 $f(x)$의 최댓값은 0, 최솟값은 $-e$

따라서 $M=0$, $m=-e$이므로 $M+m=0+(-e)=-e$

NORMAL

0642

미분가능한 함수 $f(x)$와 함수 $g(x)=\sin x$에 대하여 합성함수 $y=(g\circ f)(x)$의 그래프 위의 점 $(1, (g\circ f)(1))$에서의 접선이 원점을 지난다.

$$\lim_{x\to1}\frac{f(x)-\frac{\pi}{6}}{x-1}=k$$

일 때, 상수 k에 대하여 $30k^2$의 값을 구하여라.

STEP Ⓐ 극한값의 성질과 미분계수를 이용하여 $f(1)$, $f'(1)$의 값 구하기

$\lim_{x\to1}\frac{f(x)-\frac{\pi}{6}}{x-1}=k$에서

$x\to1$일 때, (분모)$\to0$이고 극한값이 존재하므로 (분자)$\to0$이어야 한다.

즉 $\lim_{x\to1}\left\{f(x)-\frac{\pi}{6}\right\}=0$이므로 $f(1)=\frac{\pi}{6}$

이때 $\lim_{x\to1}\frac{f(x)-f(1)}{x-1}=f'(1)=k$

STEP Ⓑ 점 $(1, (g\circ f)(1))$에서 접선이 원점을 지남을 이용하여 상수 k 구하기

$(g\circ f)(1)=g(f(1))=g\left(\frac{\pi}{6}\right)=\sin\frac{\pi}{6}=\frac{1}{2}$이고

$y=(g\circ f)(x)$에서 $y'=g'(f(x))f'(x)$이고

$g'(x)=\cos x$이므로 $x=1$에서 접선의 기울기는

$g'(f(1))f'(1)=g'\left(\frac{\pi}{6}\right)\cdot k=k\cos\frac{\pi}{6}=\frac{\sqrt{3}}{2}k$

즉 $y=(g\circ f)(x)$의 그래프 위의 점 $\left(1, \frac{1}{2}\right)$에서 접선의 방정식은

$y-\frac{1}{2}=g'(f(1))\cdot f'(1)(x-1)$

$\therefore y=\frac{\sqrt{3}}{2}k(x-1)+\frac{1}{2}$

이때 이 접선이 원점을 지나므로 $0=-\frac{\sqrt{3}}{2}k+\frac{1}{2}$

$\therefore k=\frac{1}{\sqrt{3}}$

따라서 $30k^2=30\times\frac{1}{3}=10$

0643

실수 전체의 집합에서 미분가능한 두 함수 $f(x)$, $g(x)$에 대하여

$$\lim_{x\to1}\frac{f(x)-7}{x-1}=3,\ \lim_{x\to7}\frac{g(x)-5}{x-7}=6$$

일 때, 합성함수 $y=(g\circ f)(x)$의 그래프 위의 $x=1$에서의 접선의 방정식은 $y=ax+b$이다. 상수 a, b에 대하여 $a+b$의 값은?

① 5 ② 6 ③ 7
④ 8 ⑤ 9

STEP Ⓐ 극한의 성질과 미분계수를 이용하여 $f(1)$, $f'(1)$의 값 구하기

$\lim_{x\to1}\frac{f(x)-7}{x-1}=3$에서

$x\to1$일 때, (분모)$\to0$이고 극한값이 존재하므로 (분자)$\to0$이어야 한다.

즉 $\lim_{x\to1}\{f(x)-7\}=0$이므로 $f(1)=7$

또한, $\lim_{x\to1}\frac{f(x)-7}{x-1}=\lim_{x\to1}\frac{f(x)-f(1)}{x-1}=f'(1)=3$

STEP B 극한의 성질과 미분계수를 이용하여 $g(7)$, $g'(7)$의 값 구하기

$\lim_{x \to 7} \frac{g(x)-5}{x-7}=6$에서

$x \to 7$일 때, (분모)$\to 0$이고 극한값이 존재하므로 (분자)$\to 0$이어야 한다.

즉 $\lim_{x \to 7}\{g(x)-5\}$이므로 $g(7)=5$

또한, $\lim_{x \to 7} \frac{g(x)-5}{x-7}=\lim_{x \to 7} \frac{g(x)-g(7)}{x-7}=g'(7)=6$

STEP C 합성함수의 미분법을 이용하여 $x=1$에서 접선의 방정식 구하기

$y'=\{(g \circ f)(x)\}'$

$=\{g(f(x))\}'$

$=g'(f(x))f'(x)$

합성함수 $y=(g \circ f)(x)$의 $x=1$에서의 미분계수는

$g'(f(1))f'(1)=g'(7)f'(1)=6 \times 3=18$

$(g \circ f)(1)=g(f(1))=g(7)=5$이고

합성함수 $y=(g \circ f)(x)$의 그래프 위의 점 $(1, (g \circ f)(1))$

즉 $(1, 5)$에서의 접선의 기울기는 18이므로 접선의 방정식은

$y-5=18(x-1)$, 즉 $y=18x-13$

따라서 $a=18$, $b=-13$이므로 $a+b=18+(-13)=5$

0644

미분가능한 함수 $f(x)$에 대하여 $\lim_{x \to 0} \frac{f(x)-3}{x}=1$일 때,
곡선 $g(x)=e^{-x}f(x)$ 위의 점 $(0, g(0))$에서의 접선의 방정식은?

① $y=-2x$ ② $y=-2x+1$ ③ $y=-2x+2$
④ $y=-2x+3$ ⑤ $y=-2x+4$

STEP A 극한의 성질과 미분계수를 이용하여 $f(0)$, $f'(0)$의 값 구하기

$\lim_{x \to 0} \frac{f(x)-3}{x}=1$에서

$x \to 0$일 때, (분모)$\to 0$이고 극한값이 존재하므로 (분자)$\to 0$이어야 한다.

즉 $\lim_{x \to 0}\{f(x)-3\}=0$에서 $f(0)=3$

또한, $\lim_{x \to 0} \frac{f(x)-3}{x}=\lim_{x \to 0} \frac{f(x)-f(0)}{x}=f'(0)=1$

STEP B 곡선 $y=g(x)$ 위의 점 $(0, g(0))$에서의 접선의 방정식 구하기

$g(x)=e^{-x}f(x)$에서 $g(0)=e^0 \cdot f(0)=1 \cdot 3=3$

$g'(x)=-e^{-x}f(x)+e^{-x}f'(x)$이므로

$x=0$에서 접선의 기울기는

$g'(0)=-e^0f(0)+e^0f'(0)=-1 \cdot 3+1 \cdot 1=-2$

따라서 접선의 방정식은 $(0, 3)$을 지나고 기울기가 -2이므로

$y-3=-2 \cdot (x-0)$ $\therefore y=-2x+3$

0645

실수 전체의 집합에서 미분가능한 함수 $f(x)$에 대하여 곡선 $y=f(x)$ 위의 점 $(4, f(4))$에서의 접선 l이 다음 조건을 만족시킨다.

(가) 직선 l은 제 2사분면을 지나지 않는다.
(나) 직선 l과 x축 및 y축으로 둘러싸인 도형은 넓이가 2인 직각이등변삼각형이다.

함수 $g(x)=xf(2x)$에 대하여 $g'(2)$의 값은?

① 3 ② 4 ③ 5
④ 6 ⑤ 7

STEP A 조건 (가), (나)를 만족하는 접선 l의 방정식 구하기

조건 (가)에서 직선 l이 제 2사분면을 지나지 않고
조건 (나)에서 직선 l과 x축 및 y축으로 둘러싸인 도형인 직각이등변삼각형의 넓이가 2이므로 아래 그림과 같이 직선 l의 x절편과 y절편은 각각 $2, -2$

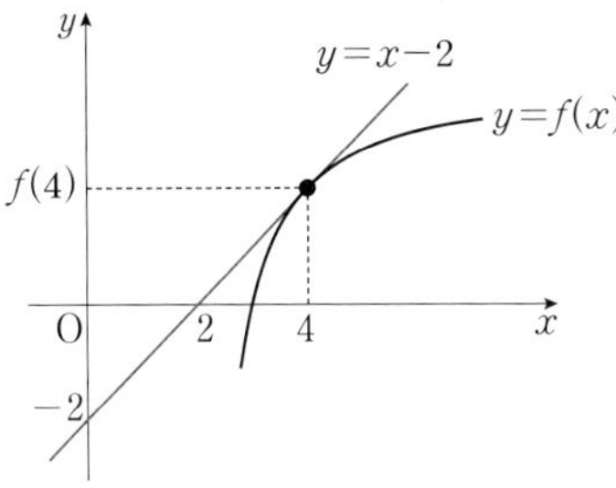

함수 $y=f(x)$ 위의 점 $(4, f(4))$에서의 접선 l은 기울기가 1이고

점 $(2, 0)$을 지나므로 직선 l의 방정식은 $y=x-2$

즉 $f(4)=2$, $f'(4)=1$ ⬅ $x=4$일 때, $y=x-2$에 대입하면 $y=2$

STEP B 곱의 미분법을 이용하여 $g'(2)$의 값 구하기

$g(x)=xf(2x)$에서 $g'(x)=f(2x)+2xf'(2x)$

따라서 $g'(2)=f(4)+4f'(4)=2+4 \cdot 1=6$

0646

함수 $f(x)=x^3+7$의 역함수를 $g(x)$라 할 때, 곡선 $y=g(x)$ 위의 점 $(8, g(8))$을 지나고, 곡선 $y=g(x)$ 위의 점 $(8, g(8))$에서의 접선과 수직인 직선의 방정식은 $y=ax+b$이다. 상수 a, b에 대하여 $a+b$의 값은?

① 20 ② 22 ③ 24
④ 26 ⑤ 28

STEP A 곡선 $y=g(x)$위의 점 $(8, g(8))$에서 $g(8)$의 값 구하기

$f(x)=x^3+7$에서 $f'(x)=3x^2$

$g(x)$가 $f(x)$의 역함수이므로 $g(8)=k$로 놓으면 $f(k)=8$

$f(x)=x^3+7$이므로 $f(k)=8$에서 $k^3+7=8$

$k^3=1$, $(k-1)(k^2+k+1)=0$

k는 실수이므로 $k=1$, 즉 $g(8)=1$

STEP B 역함수의 미분법을 이용하여 점 $(8, g(8))$에서 기울기 구하기

$f'(1)=3$이므로 곡선 $y=g(x)$ 위의 점 $(8, g(8))$

즉 $(8, 1)$에서의 접선의 기울기는

$g'(8)=\frac{1}{f'(g(8))}=\frac{1}{f'(1)}=\frac{1}{3}$

STEP C 곡선 $y=g(x)$위의 점 $(8, g(8))$에서의 접선과 수직인 직선의 방정식 구하기

곡선 $y=g(x)$ 위의 점 $(8, g(8))$

즉 $(8, 1)$에서의 접선과 수직인 직선의 기울기는 -3이므로

구하는 직선의 방정식은 $y-1=-3(x-8)$, 즉 $y=-3x+25$

따라서 $a=-3$, $b=25$이므로 $a+b=-3+25=22$

함수 $f(x)$의 역함수를 $g(x)$라 할 때,
함수 $y=f(x)$의 그래프와 그 역함수 $y=g(x)$의 그래프는
직선 $y=x$에 대하여 서로 대칭이다.
곡선 $y=f(x)$ 위의 점 $P(p, q)$에서의 접선 l의 기울기는 $f'(p)$이고
곡선 $y=g(x)$ 위의 점 $Q(q, p)$에서의 접선 m의 기울기는 $g'(q)$이다.
$f(p)=q$에서 $g(q)=p$이므로
$g'(q)=\frac{1}{f'(g(q))}=\frac{1}{f'(p)}$
따라서 두 직선 l, m의 기울기는 서로 역수인 관계에 있다.

다른풀이 두 직선의 기울기는 서로 역수인 관계임을 이용하여 풀이하기

STEP Ⓐ 곡선 $y=g(x)$ 위의 점 $(8,\ g(8))$에서의 접선의 기울기 구하기

$g(8)=k$로 놓으면 $f(k)=8$

$k^3+7=8$

$k^3=1,\ (k-1)(k^2+k+1)=0$

k는 실수이므로 $k=1$

곡선 $y=g(x)$ 위의 점 $(8,\ g(8))$, 즉 $(8,\ 1)$에서의 접선의 기울기는

곡선 $y=f(x)$ 위의 점 $(1,\ 8)$에서의 접선의 기울기의 역수이다.

$f(x)=x^3+7$에서 $f'(x)=3x^2$이므로

곡선 $y=f(x)$ 위의 점 $(1,\ 8)$에서의 접선의 기울기는 $f'(1)=3$

STEP Ⓑ $(8,\ 1)$에서의 접선과 수직인 직선의 기울기 구하기

곡선 $y=g(x)$ 위의 점 $(8,\ 1)$에서의 접선의 기울기는 $\frac{1}{3}$이므로

곡선 $y=g(x)$ 위의 점 $(8,\ g(8))$, 즉 $(8,\ 1)$에서의 접선과 수직인 직선의 기울기는 -3

STEP Ⓒ 곡선 $y=g(x)$ 위의 점 $(8,\ g(8))$에서의 접선과 수직인 직선의 방정식 구하기

그러므로 곡선 $y=g(x)$ 위의 점 $(8,\ g(8))$

즉 $(8,\ 1)$에서의 접선과 수직인 직선의 방정식은

$y-1=-3(x-8)$, 즉 $y=-3x+25$

따라서 $a=-3,\ b=25$이므로 $a+b=-3+25=22$

0647

다음 그림과 같이 곡선 $y=\ln(1+x)$ 위의 원점이 아닌 점 $\mathrm{P}(t,\ \ln(1+t))$를 지나고 직선 OP에 수직인 직선 l이 x축과 만나는 점의 좌표를 $(f(t),\ 0)$이라 할 때, $\lim_{t\to 0}\frac{f(t)}{t}$의 값은? (단, O는 원점이다.)

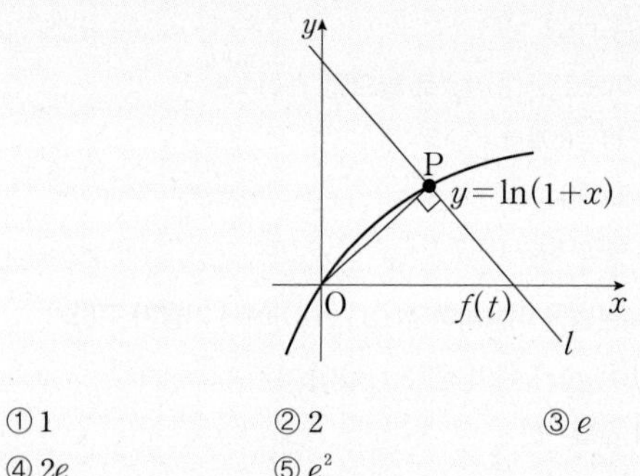

① 1 ② 2 ③ e
④ $2e$ ⑤ e^2

STEP Ⓐ 직선 OP에 수직인 직선 l의 방정식 구하기

점 P의 좌표가 $\mathrm{P}(t,\ \ln(1+t))$이므로

직선 OP의 기울기는 $\frac{\ln(1+t)}{t}$

점 $\mathrm{P}(t,\ \ln(1+t))$를 지나고 직선 OP에 수직인 직선 l의 방정식은

$y-\ln(1+t)=-\frac{t}{\ln(1+t)}(x-t)$

STEP Ⓑ $\lim_{x\to 0}\frac{\ln(1+x)}{x}=1$임을 이용하여 극한값 구하기

이때 직선 l이 x축과 만나는 점의 x좌표가 $f(t)$이므로

$0-\ln(1+t)=-\frac{t}{\ln(1+t)}\{f(t)-t\}$

$\therefore\ f(t)=\frac{\{\ln(1+t)\}^2}{t}+t$

따라서 $\lim_{t\to 0}\frac{f(t)}{t}=\lim_{t\to 0}\left\{\frac{\ln(1+t)}{t}\right\}^2+1=1^2+1=2$

0648

다음 그림과 같이 곡선 $y=\sin x\,(0<x<\pi)$ 위의 점 $\mathrm{A}(t,\ \sin t)$를 지나고 점 A에서의 접선에 수직인 직선이 x축과 만나는 점을 B라 할 때, $\lim_{t\to 0+}\frac{\overline{\mathrm{OB}}}{t}$의 값은?

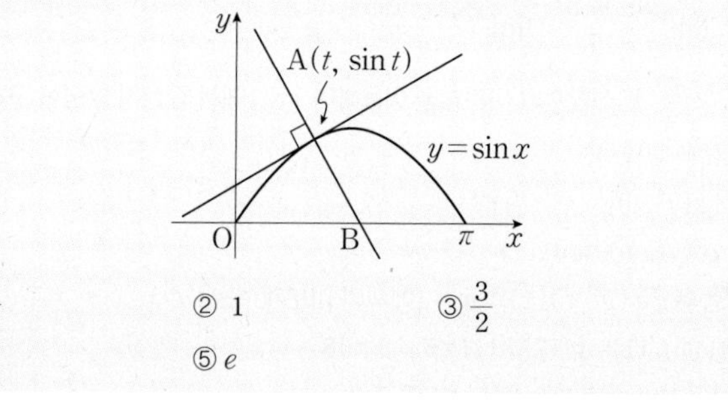

① $\frac{1}{2}$ ② 1 ③ $\frac{3}{2}$
④ 2 ⑤ e

STEP Ⓐ 점 A에서의 접선에 수직인 직선의 방정식 구하기

곡선 $f(x)=\sin x$라 하면

곡선 위의 점 $\mathrm{A}(t,\ \sin t)$에서 접선의 기울기는

$f'(t)=\cos t$

점 $\mathrm{A}(t,\ \sin t)$에서의 접선에 수직인 직선의 방정식은

$y-\sin t=-\frac{1}{\cos t}(x-t)$

STEP Ⓑ $\lim_{x\to 0}\frac{\sin x}{x}=1$임을 이용하여 극한값 구하기

이때 직선 x축과 만나는 점의 x좌표는 $0-\sin t=-\frac{1}{\cos t}(x-t)$

$x=\sin t\cos t+t$

따라서 $\overline{\mathrm{OB}}=\sin t\cos t+t$이므로

$\lim_{t\to 0+}\frac{\overline{\mathrm{OB}}}{t}=\lim_{t\to 0+}\frac{\sin t\cos t+t}{t}=\lim_{t\to 0+}\frac{\sin t}{t}\cdot\cos t+1$

$=1\cdot 1+1=2$

0649

다음 물음에 답하여라.

(1) 0이 아닌 실수 a에 대하여 점 $(0,\ a)$를 지나는 직선 l이 곡선 $y=\ln x$에 접할 때, 직선 l의 x절편을 $f(a)$라 하자. $\lim_{a\to 0}\frac{f(a)+ae}{2ea^2}$의 값을 구하여라.

STEP Ⓐ 접점의 좌표를 $(t,\ (t+1)e^t)$로 놓고 접선의 방정식 구하기

$y=\ln x$에서 $y'=\frac{1}{x}$이므로 접점의 좌표를 $(t,\ \ln t)$라 하면

직선 l의 방정식은 $y-\ln t=\frac{1}{t}(x-t)$

$\therefore\ y=\frac{1}{t}x-1+\ln t$ …… ㉠

STEP Ⓑ 이 접선이 점 $(0,\ a)$를 지날 때, 접점의 x좌표 구하기

㉠이 점 $(0,\ a)$를 지나므로 $a=-1+\ln t,\ \ln t=a+1$

$\therefore\ t=e^{a+1}$

STEP Ⓒ 직선 l의 x절편 $f(a)$를 구한 후 극한값 구하기

직선 l의 방정식은 ㉠에서 $y=\frac{1}{e^{a+1}}x+a$이므로

x절편은 $-ae^{a+1}$

따라서 $f(a)=-ae^{a+1}$이므로

$\lim_{a\to 0}\frac{f(a)+ae}{2ea^2}=\lim_{a\to 0}\frac{-ae^{a+1}+ae}{2ea^2}=-\lim_{a\to 0}\frac{e^a-1}{2a}=-\frac{1}{2}$

(2) 양수 a에 대하여 점 $(\ln a,\ 0)$에서 곡선 $y=e^x$에 그은 접선의 접점을 $(f(a),\ g(a))$라 할 때, $\lim_{a\to 0+}\frac{f(a+1)-1}{g(a)}$의 값을 구하여라.

STEP Ⓐ 접점의 좌표를 $(f(a),\ g(a))$로 놓고 접선의 방정식 구하기

$y=e^x$에서 $y'=e^x$이므로 점 $(f(a),\ g(a))$에서의 접선의 방정식은

$y-g(a)=e^{f(a)}(x-f(a))$

$\therefore\ y=e^{f(a)}x-e^{f(a)}f(a)+g(a)$ …… ㉠

STEP Ⓑ 이 접선이 점 $(\ln a,\ 0)$을 지날 때, 접점의 좌표 구하기

이때 $g(a)=e^{f(a)}$이고 ㉠이 점 $(\ln a,\ 0)$을 지나므로

$e^{f(a)}\ln a-e^{f(a)}f(a)+e^{f(a)}=0$

$\ln a-f(a)+1=0\ (\because\ e^{f(a)}\neq 0)$

$\therefore\ f(a)=\ln a+1,\ g(a)=e^{\ln a+1}=e^{\ln a}\cdot e=ae$

STEP Ⓒ 극한값 구하기

$$\therefore\ \lim_{a\to 0+}\frac{f(a+1)-1}{g(a)}=\lim_{a\to 0+}\frac{\{\ln(a+1)+1\}-1}{ae}$$
$$=\lim_{a\to 0+}\frac{\ln(a+1)}{ea}=\frac{1}{e}\lim_{a\to 0+}\frac{\ln(a+1)}{a}$$
$$=\frac{1}{e}\times 1=\frac{1}{e}$$

0650

곡선 $y=\frac{1}{x+2}$ 위의 점 $(-3,\ -1)$에서의 접선이 곡선 $y=-\sqrt{2x+k}$에 접할 때, 상수 k의 값은?

① -7 ② $-\frac{13}{2}$ ③ $-\frac{11}{4}$
④ 7 ⑤ 11

STEP Ⓐ 곡선 위의 점 $(-3,\ -1)$에서의 접선의 방정식 구하기

$f(x)=\frac{1}{x+2}$로 놓으면 $f'(x)=-\frac{1}{(x+2)^2}$

이 곡선의 $x=-3$에서의 접선의 기울기는 $f'(-3)=-1$이므로

접선의 방정식은 $y+1=-(x+3)$

$\therefore\ y=-x-4$

STEP Ⓑ 직선 $y=-x-4$가 곡선 $y=-\sqrt{2x+k}$에 접하는 상수 k의 값 구하기

직선 $y=-x-4$가 곡선 $y=-\sqrt{2x+k}$에 접하므로

접점의 x좌표를 $x=t$라 하면 기울기는 $-\frac{1}{\sqrt{2t+k}}=-1$

$\sqrt{2t+k}=1$ …… ㉠

접점 $(t,\ -\sqrt{2t+k})$에서 접선의 방정식은

$y+\sqrt{2t+k}=-(x-t)$

$y=-x+t-\sqrt{2t+k}$이므로 $t-\sqrt{2t+k}=-4$ …… ㉡

㉠, ㉡에서 $t-1=-4$이므로 $t=-3$

따라서 ㉠에서 $\sqrt{-6+k}=1$이므로 $k=7$

직선 $y=-x-4$가 곡선 $y=-\sqrt{2x+k}$에 접하므로

방정식 $-x-4=-\sqrt{2x+k}$가 중근을 가진다.

즉 $x^2+6x+16-k=0$이 중근을 가져야 하므로

이 이차방정식의 판별식을 D라 하면

$\frac{D}{4}=9-(16-k)=0\quad\therefore\ k=7$

0651

$x>0$에서 함수 $f(x)$가 미분가능하고 $\sqrt{x}\le f(x)\le e^x$이다.
$f(1)=1$이고 $f(2)=e^2$일 때, $f'(1)+f'(2)$의 값은?

① $\frac{1}{2}+e$ ② $\frac{1}{2}+e^2$ ③ $1+e$
④ $1+e^2$ ⑤ $2+e^2$

STEP Ⓐ $\sqrt{x}\le f(x)\le e^x$을 그래프 위치로 이해하기

조건에서 함수 $f(x)$가 $x>0$에서 미분가능하고

$f(1)=1$이고 $f(2)=e^2$이므로 함수 $f(x)$는 점 $(1,\ 1)$와 $(2,\ e^2)$을 지나고

조건에서 $\sqrt{x}\le f(x)\le e^x$이므로 다음 그림과 같이 함수 $f(x)$의 그래프는 두 곡선 $y=\sqrt{x}$와 $y=e^x$ 사이에 있다.

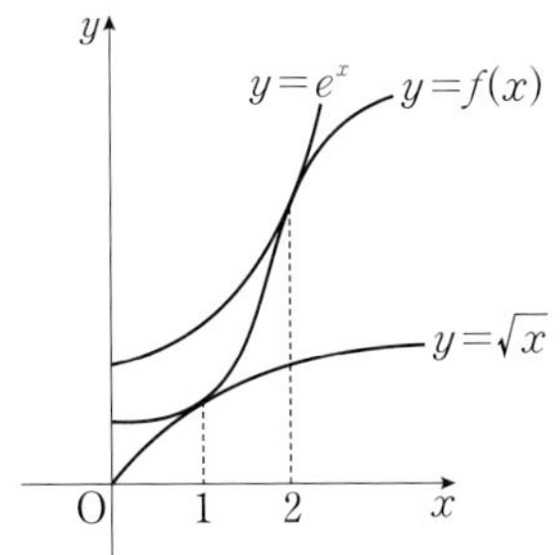

STEP Ⓑ 함수 $f(x)$가 두 점 $(1,\ 1)$, $(2,\ e^2)$에서 접함을 이용하여 구하기

함수 $f(x)$가 점 $(1,\ 1)$을 지나며 곡선 $y=\sqrt{x}$에 접하므로 $f'(1)=\frac{1}{2}$이고

함수 $f(x)$가 점 $(2,\ e^2)$을 지나며 곡선 $y=e^x$에 접하므로 $f'(2)=e^2$

따라서 $f'(1)+f'(2)=\frac{1}{2}+e^2$

0652

원점에서 곡선 $y=\frac{x-a}{e^x}$에 접선을 하나도 그을 수 없도록 하는 모든 정수 a의 값의 합은?

① -10 ② -6 ③ -3
④ -1 ⑤ 6

STEP Ⓐ 곡선 위의 점 $(t,\ (t-a)e^{-t})$에서의 접선의 방정식 구하기

$y=\frac{x-a}{e^x}=(x-a)e^{-x}$이므로

$y'=e^{-x}+(x-a)(-e^{-x})=-(x-a-1)e^{-x}$

곡선 위의 점 $(t,\ (t-a)e^{-t})$에서의 접선의 방정식은

$y-(t-a)e^{-t}=-(t-a-1)e^{-t}(x-t)$ …… ㉠

STEP Ⓑ 원점에서 곡선에 접선을 하나도 그을 수 없도록 하는 a의 범위 구하기

㉠이 원점을 지나므로 $-(t-a)e^{-t}=t(t-a-1)e^{-t}$

$-t+a=t^2-at-t$

$t^2-at-a=0$ …… ㉡

이때 주어진 곡선에 접선을 그을 수 없으므로

㉡을 만족시키는 실수 t가 존재하지 않아야 한다.

즉 ㉡의 판별식을 D라고 할 때, $D<0$이어야 하므로

$D=(-a)^2+4a=a(a+4)<0$

$\therefore\ -4<a<0$

따라서 정수 a는 $-3,\ -2,\ -1$이므로 합은 $-3+(-2)+(-1)=-6$

0653

다음 그림과 같이 곡선 $y=e^{\frac{x}{2}}$ 위의 점 $\mathrm{A}(0, 1)$에서의 접선과 x축의 양의 방향이 이루는 각의 크기를 θ라 할 때, 점 $\mathrm{B}\left(a, e^{\frac{a}{2}}\right)$에서의 접선과 x축의 양의 방향이 이루는 각의 크기가 2θ가 되기 위한 a의 값은? (단, $a>0$)

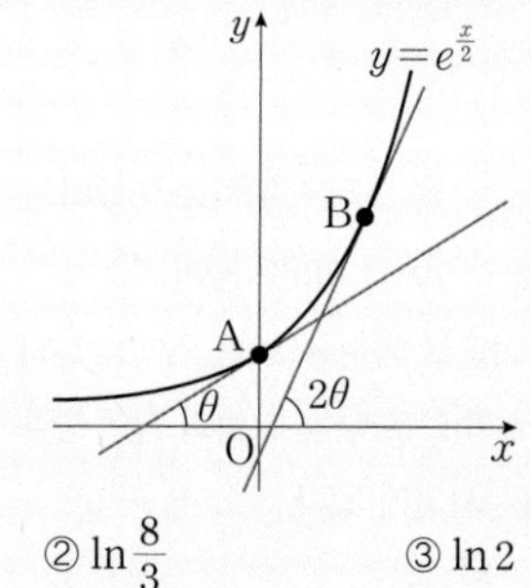

① $\ln\frac{3}{2}$ ② $\ln\frac{8}{3}$ ③ $\ln 2$
④ $3\ln\frac{3}{2}$ ⑤ $2\ln\frac{8}{3}$

STEP Ⓐ 두 점 $\mathrm{A}(0, 1)$, $\mathrm{B}\left(a, e^{\frac{a}{2}}\right)$에서 접선의 기울기 구하기

$f(x)=e^{\frac{x}{2}}$로 놓으면 $f'(x)=\frac{1}{2}e^{\frac{x}{2}}$

점 $\mathrm{A}(0, 1)$에서의 접선과 x축의 양의 방향이 이루는 각의 크기가 θ이므로

$f'(0)=\frac{1}{2}=\tan\theta$

또한, 점 $\mathrm{B}\left(a, e^{\frac{a}{2}}\right)$에서의 접선과 x축의 양의 방향이 이루는 각의 크기가 2θ이므로 $f'(a)=\frac{1}{2}e^{\frac{a}{2}}=\tan 2\theta$ …… ㉠

STEP Ⓑ 탄젠트함수의 덧셈정리를 이용하기

또한, $\tan 2\theta=\frac{2\tan\theta}{1-\tan^2\theta}=\frac{1}{1-\frac{1}{4}}=\frac{4}{3}$이므로

㉠에서 $\frac{1}{2}e^{\frac{a}{2}}=\frac{4}{3}$, $e^{\frac{a}{2}}=\frac{8}{3}$ $\therefore \frac{a}{2}=\ln\frac{8}{3}$

따라서 $a=2\ln\frac{8}{3}$

0654

두 함수 $f(x)=\frac{1}{x}$, $g(x)=\frac{k}{x}(k>1)$에 대하여 좌표평면에서 직선 $x=2$가 두 곡선 $y=f(x)$, $y=g(x)$와 만나는 점을 각각 P, Q라 하자.
곡선 $y=f(x)$에 대하여 점 P에서의 접선을 l, 곡선 $y=g(x)$에 대하여 점 Q에서의 접선을 m이라고 하자. 두 직선 l, m이 이루는 예각의 크기가 $\frac{\pi}{4}$일 때, 상수 k에 대하여 $3k$의 값을 구하여라.

STEP Ⓐ $x=2$에서 두 곡선 $y=f(x)$, $y=g(x)$의 접선의 기울기 구하기

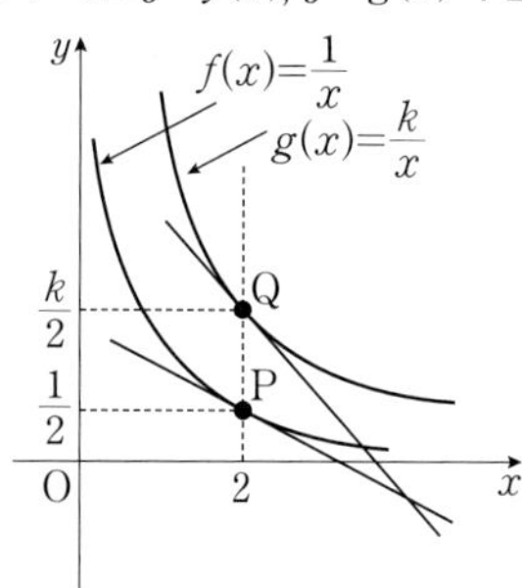

함수 $f(x)=\frac{1}{x}$ 위의 점 $\mathrm{P}\left(2, \frac{1}{2}\right)$에서 접선의 기울기는

$f'(x)=-\frac{1}{x^2}$이므로 $f'(2)=-\frac{1}{4}$

함수 $g(x)=\frac{k}{x}$ 위의 점 $\mathrm{Q}\left(2, \frac{k}{2}\right)$에서 접선의 기울기는

$g'(x)=-\frac{k}{x^2}$이므로 $g'(2)=-\frac{k}{4}$

STEP Ⓑ 삼각함수의 덧셈정리를 이용하여 상수 k 구하기

두 직선 l, m이 이루는 예각의 크기가 $\frac{\pi}{4}$이므로

$\tan\frac{\pi}{4}=\left|\frac{f'(2)-g'(2)}{1+f'(2)g'(2)}\right|=\left|\frac{4k-4}{16+k}\right|=1$

$k>1$이므로 $\left|\frac{4k-4}{16+k}\right|=\frac{4k-4}{16+k}=1$ $\therefore k=\frac{20}{3}$

따라서 $3k=20$

0655

함수 $f(x)=x+a\cos x\,(a>1)$가 $0<x<2\pi$에서 극솟값이 0일 때, 함수 $f(x)$의 극댓값은?

① 1 ② $\frac{\pi}{2}$ ③ π
④ $\frac{3}{2}\pi$ ⑤ $\pi+1$

STEP Ⓐ $f'(x)=0$을 만족하는 x의 값 구하기

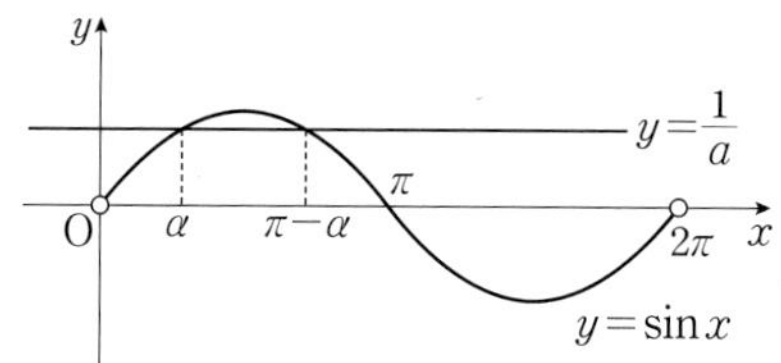

$f'(x)=1-a\sin x$이므로

$f'(x)=0$에서 $\sin x=\frac{1}{a}$ …… ㉠

$0<x<2\pi$에서 방정식의 ㉠의 근을 곡선 $y=\sin x$와 직선 $y=\frac{1}{a}(a>1)$이 만나는 점의 x좌표 중 $0<x<\frac{\pi}{2}$인 값을 α라 하면

$f'(x)=0$에서 $x=\alpha$ 또는 $x=\pi-\alpha$

STEP Ⓑ $f(x)$의 증가와 감소를 표로 나타내기

열린구간 $(0, 2\pi)$에서 함수 $f(x)$의 증가와 감소를 표로 나타내면 다음과 같다.

x	(0)	$\cdots$	α	$\cdots$	$\pi-\alpha$	$\cdots$	(2π)
$f'(x)$		+	0	−	0	+	
$f(x)$		↗	극대	↘	극소	↗	

STEP Ⓒ $f(x)$의 극솟값 0임을 이용하여 극댓값 구하기

함수 $f(x)$의 극솟값이 0이므로

$f(\pi-\alpha)=(\pi-\alpha)+a\cos(\pi-\alpha)=0$ ⬅ $\cos(\pi-\alpha)=-\cos\alpha$

$\therefore \pi=\alpha+a\cos\alpha$ …… ㉡

따라서 함수 $f(x)$는 $x=\alpha$에서 극댓값은 $f(\alpha)=\alpha+a\cos\alpha$

㉡에서 $\pi=\alpha+a\cos\alpha$이므로 $f(\alpha)=\pi$

0656

함수 $f(x)=\frac{3x+a}{x^2+1}$가 $x=3$에서 극값을 가질 때, 함수 $f(x)$의 극댓값을 M, 극솟값을 m이라 하자. $M+m$의 값은? (단, a는 상수이다.)

① -1 ② -2 ③ -3
④ -4 ⑤ -5

STEP A 몫의 미분법을 이용하여 $x=3$에서 극값을 가질 때, 상수 a의 값 구하기

$f(x)=\frac{3x+a}{x^2+1}$에서 $f'(x)=\frac{3(x^2+1)-(3x+a)\cdot 2x}{(x^2+1)^2}=\frac{-3x^2-2ax+3}{(x^2+1)^2}$

함수 $f(x)$가 $x=3$에서 극값을 가지므로

$f'(3)=\frac{-27-6a+3}{100}=0,\ 6a=-24 \quad \therefore a=-4$

STEP B 몫의 미분법을 이용하여 $f'(x)=0$을 만족하는 x의 값 구하기

$f'(x)=\frac{-3x^2+8x+3}{(x^2+1)^2}=\frac{-(3x+1)(x-3)}{(x^2+1)^2}$

$f'(x)=0$에서 $x=-\frac{1}{3}$ 또는 $x=3$

STEP C $f(x)$의 증가와 감소를 표로 나타내어 $M+m$의 값 구하기

함수 $f(x)$의 증가와 감소를 표로 나타내면 다음과 같다.

x	$\cdots$	$-\frac{1}{3}$	$\cdots$	3	$\cdots$
$f'(x)$	$-$	0	$+$	0	$-$
$f(x)$	↘	극소	↗	극대	↘

$f(x)=\frac{3x-4}{x^2+1}$에서 극댓값은 $M=f(3)=\frac{1}{2}$, 극솟값 $m=f\left(-\frac{1}{3}\right)=-\frac{9}{2}$

따라서 $M+m=\frac{1}{2}+\left(-\frac{9}{2}\right)=-4$

0657

함수 $f(x)=xe^{2x}-(4x+a)e^x$이 $x=-\frac{1}{2}$에서 극댓값을 가질 때, $f(x)$의 극솟값은? (단, a는 상수이다.)

① $1-\ln 2$ ② $2-2\ln 2$ ③ $3-3\ln 2$
④ $4-4\ln 2$ ⑤ $5-5\ln 2$

STEP A $x=-\frac{1}{2}$에서 극댓값을 가짐을 이용하여 a의 값 구하기

$f(x)=xe^{2x}-(4x+a)e^x$에서 $f'(x)=(2x+1)e^{2x}-(4x+a+4)e^x$

함수 $f(x)$가 $x=-\frac{1}{2}$에서 극댓값을 가지므로

$f'\left(-\frac{1}{2}\right)=0-(-2+a+4)e^{-\frac{1}{2}}=0,\ (a+2)e^{-\frac{1}{2}}=0 \quad \therefore a=-2$

STEP B $f'(x)=0$을 만족하는 x의 값 구하기

$f'(x)=(2x+1)e^{2x}-(4x+2)e^x=(2x+1)e^x(e^x-2)$

$f'(x)=0$에서 $x=-\frac{1}{2}$ 또는 $x=\ln 2$ ⬅ $e^x=2$에서 $x=\ln 2$

STEP C $f(x)$의 증가와 감소를 표로 나타내어 극솟값 구하기

함수 $f(x)$의 증가와 감소를 표로 나타내면 다음과 같다.

x	$\cdots$	$-\frac{1}{2}$	$\cdots$	$\ln 2$	$\cdots$
$f'(x)$	$+$	0	$-$	0	$+$
$f(x)$	↗	극대	↘	극소	↗

따라서 $x=\ln 2$에서 극소이고 극솟값은 $f(\ln 2)=4-4\ln 2$

0658

함수 $f(x)=(x^2-ax+a)e^{-x}$의 극솟값을 $g(a)$라 할 때, $g(a)$의 최댓값은? (단, $a<2$)

① $-e$ ② -1 ③ $\frac{1}{e}$
④ e ⑤ $\frac{e}{2}$

STEP A 함수 $f(x)$의 극솟값 $g(a)$구하기

$f(x)=(x^2-ax+a)e^{-x}$에서

$f'(x)=(2x-a)e^{-x}-(x^2-ax+a)e^{-x}$

$=-e^{-x}\{x^2-(a+2)x+2a\}$

$=-e^{-x}(x-a)(x-2)$

$f'(x)=0$에서 $x=a$ 또는 $x=2$

$a<2$에서 함수 $f(x)$의 증가와 감소를 나타내면 다음과 같다.

x	$\cdots$	a	$\cdots$	2	$\cdots$
$f'(x)$	$-$	0	$+$	0	$-$
$f(x)$	↘	ae^{-a}	↗	$(4-a)e^{-2}$	↘

함수 $f(x)$는 $x=a$에서 극솟값 ae^{-a}을 가진다.

STEP B $g(a)$의 최댓값 구하기

이때 $g(a)=ae^{-a}$이므로 $g'(a)=e^{-a}-ae^{-a}=e^{-a}(1-a)$

$g'(a)=0$에서 $a=1$

$a<2$에서 함수$f(x)$의 증가와 감소를 표로 나타내면 다음과 같다.

a	$\cdots$	1	$\cdots$	(2)
$g'(a)$	$+$	0	$-$	
$g(a)$	↗	$\frac{1}{e}$	↘	$\left(\frac{2}{e^2}\right)$

따라서 함수 $g(a)$는 $a=1$일 때, 최댓값 $\frac{1}{e}$을 가진다.

0659

다음 [보기]의 함수 중 최솟값을 갖는 함수를 모두 고른 것은?

ㄱ. $y=\frac{e^x}{\sin x}(0<x<\pi)$
ㄴ. $y=x\ln x-2x(x>0)$
ㄷ. $y=e^x+e^{-x}$

① ㄱ ② ㄴ ③ ㄷ
④ ㄴ, ㄷ ⑤ ㄱ, ㄴ, ㄷ

STEP A 함수 y의 증가와 감소를 표로 나타내어 극솟값 구하기

ㄱ. $y=\frac{e^x}{\sin x}$에서 $y'=\frac{e^x\sin x-e^x\cos x}{\sin^2 x}=\frac{e^x(\sin x-\cos x)}{\sin^2 x}$

$y'=0$에서 $\sin x-\cos x=0$

$\therefore \tan x=1$

$0<x<\pi$이므로 $x=\frac{\pi}{4}$

함수 y의 증가와 감소를 표로 나타내면 다음과 같다.

x	(0)	$\cdots$	$\frac{\pi}{4}$	$\cdots$	(π)
y'		$-$	0	$+$	
y		↘	$\sqrt{2}e^{\frac{\pi}{4}}$	↗	

함수 y는 $x=\frac{\pi}{4}$일 때, 최솟값 $\sqrt{2}e^{\frac{\pi}{4}}$을 갖는다.

ㄴ. $y=x\ln x-2x$에서 $y'=\ln x+x\cdot\frac{1}{x}-2=\ln x-1$

$y'=0$에서 $x=e$

함수 y의 증가와 감소를 표로 나타내면 다음과 같다.

x	(0)	$\cdots$	e	$\cdots$
y'		$-$	0	$+$
y		↘	$-e$	↗

함수 $y=x\ln x-2x$는 $x=e$에서 극소이고 최소이므로 최솟값은 $-e$이다.

ㄷ. $y=e^x+e^{-x}$에서 $y'=e^x-e^{-x}$

$y'=0$에서 $x=0$

함수 y의 증가와 감소를 표로 나타내면 다음과 같다.

x	$\cdots$	0	$\cdots$
y'	$-$	0	$+$
y	↘	2	↗

함수 $y=e^x+e^{-x}$은 $x=0$에서 극소이고 최소이므로 최솟값은 2이다.

따라서 ㄱ, ㄴ, ㄷ 모두 최솟값을 갖는다.

0660

다항함수 $y=f(x)$의 그래프가 다음 그림과 같을 때, 함수 $y=\{f(x)\}^2$이 극대 또는 극소가 되는 점은 모두 몇 개인가?
(단, $f(x)$는 $x=b$, $x=c$, $x=d$에서 극값을 가진다.)

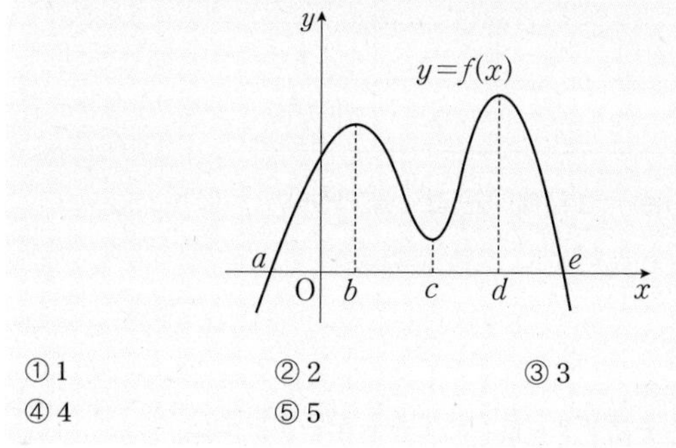

① 1 ② 2 ③ 3
④ 4 ⑤ 5

STEP Ⓐ $g(x)=\{f(x)\}^2$에서 $g'(x)=0$인 x의 값 구하기

$g(x)=\{f(x)\}^2$으로 놓으면

$g'(x)=2f(x)f'(x)$

$g'(x)=0$인 x의 값은 $f(x)=0$ 또는 $f'(x)=0$인 x의 값과 같다.

(ⅰ) 주어진 함수 $y=f(x)$의 그래프를 이용하면

$f(x)=0$인 x의 값은 $x=a$ 또는 $x=e$

(ⅱ) 함수 $f(x)$는 $x=b$, $x=c$, $x=d$에서 극값을 가지므로

$f'(x)=0$인 x의 값은 $x=b$ 또는 $x=c$ 또는 $x=d$

함수 $f(x)$의 그래프의 개형에서 최고차항의 계수가 음수이므로 삼차함수 $y=f'(x)$의 그래프의 개형은 다음 그림과 같다.

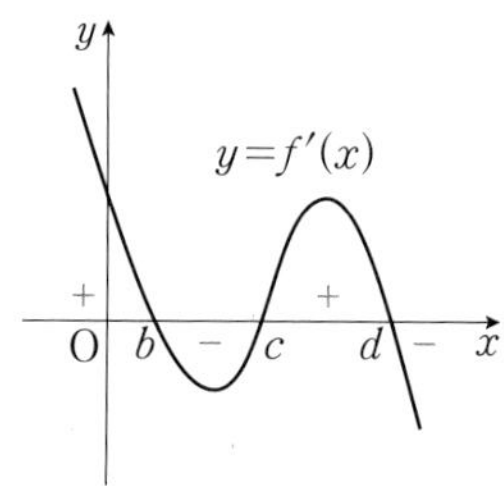

(ⅰ), (ⅱ)로부터 $g'(x)=0$인 x의 값은

$x=a$ 또는 $x=b$ 또는 $x=c$ 또는 $x=d$ 또는 $x=e$

STEP Ⓑ 함수 $f(x)$의 증가와 감소를 표로 나타내어 구하기

함수 $f(x)$의 증가와 감소를 표로 나타내면 다음과 같다.

x	$\cdots$	a	$\cdots$	b	$\cdots$	c	$\cdots$	d	$\cdots$	e	$\cdots$
$f(x)$	$-$	0	$+$	$+$	$+$	$+$	$+$	$+$	$+$	0	$-$
$f'(x)$	$+$	$+$	$+$	0	$-$	0	$+$	0	$-$	$-$	$-$
$g'(x)$	$-$	0	$+$	0	$-$	0	$+$	0	$-$	0	$+$
$g(x)$	↘	극소	↗	극대	↘	극소	↗	극대	↘	극소	↗

따라서 함수 $y=g(x)$가 극대 또는 극소가 되는 점은 모두 5개이다.

0661

함수 $f(x)=x+\sin x$에 대하여 함수 $g(x)$를

$$g(x)=(f\circ f)(x)$$

로 정의할 때, [보기]에서 옳은 것을 모두 고른 것은?

> ㄱ. 함수 $f(x)$의 그래프는 열린구간 $(0, \pi)$에서 위로 볼록하다.
> ㄴ. 함수 $g(x)$는 열린구간 $(0, \pi)$에서 증가한다.
> ㄷ. $g'(x)=1$인 실수 x가 열린구간 $(0, \pi)$에 존재한다.

① ㄱ ② ㄷ ③ ㄱ, ㄴ
④ ㄴ, ㄷ ⑤ ㄱ, ㄴ, ㄷ

STEP Ⓐ 이계도함수 $f''(x)$의 부호를 결정하여 참임을 판별하기

ㄱ. $f(x)=x+\sin x$에서

$f'(x)=1+\cos x$, $f''(x)=-\sin x$

$0<x<\pi$에서 $0<\sin x<1$

$\therefore -1<f''(x)<0$

즉 함수 $f(x)$의 그래프는

$0<x<\pi$에서 위로 볼록하다. [참]

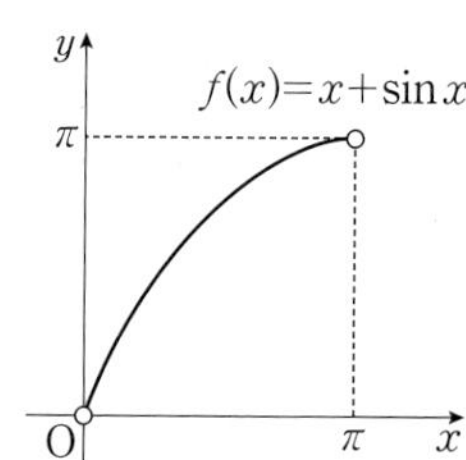

STEP Ⓑ $g'(x)$의 부호를 결정하여 참임을 판별하기

ㄴ. $g(x)=(f\circ f)(x)=f(f(x))$에서

$g'(x)=f'(f(x))\cdot f'(x)=\{1+\cos f(x)\}(1+\cos x)$

$0<x<\pi$에서 $-1<\cos x<1$

$0<f(x)<\pi$에서 $\cos f(x)>0$

이므로 $1+\cos f(x)>0$, $1+\cos x>0$

$\therefore g'(x)>0$

즉 함수 $g(x)$는 $0<x<\pi$에서 증가한다. [참]

STEP Ⓒ 평균값의 정리에 의하여 참임을 판별하기

ㄷ. 함수 $g(x)$는 닫힌구간 $[0, \pi]$에서 연속이고 열린구간 $(0, \pi)$에서 미분가능하며 $g(0)=f(f(0))=f(0)=0$

$g(\pi)=f(f(\pi))=f(\pi)=\pi$이므로 평균값의 정리에 의하여

$g'(x)=\frac{g(\pi)-g(0)}{\pi-0}=\frac{\pi}{\pi}=1$인 x가 $(0, \pi)$에서 적어도 하나 존재한다.

[참]

따라서 옳은 것은 ㄱ, ㄴ, ㄷ이다.

0662

함수 $f(x)=xe^x$에 대한 다음 설명 중 옳은 것을 모두 고르면?

ㄱ. $f(x)$는 $x=-1$에서 극솟값을 갖는다.
ㄴ. $\lim_{x\to-\infty}f(x)=0$
ㄷ. $x<-2$인 범위에서 $y=f(x)$의 그래프는 아래로 볼록하다.

① ㄱ ② ㄴ ③ ㄷ
④ ㄱ, ㄴ ⑤ ㄴ, ㄷ

STEP A $f'(x)$, $f''(x)$ 구하기

$f(x)=xe^x$에서 $f'(x)=e^x+xe^x=(1+x)e^x$
$f''(x)=e^x+(1+x)e^x=(2+x)e^x$
$f'(x)=0$에서 $x=-1$, $f''(x)=0$에서 $x=-2$

STEP B 함수 $f(x)$의 증가와 감소, 오목과 볼록을 표로 나타내기

함수 $f(x)$의 증가와 감소, 오목과 볼록을 표로 나타내면 다음과 같다.

x	$\cdots$	-2	$\cdots$	-1	$\cdots$
$f'(x)$	$-$	$-$	$-$	0	$+$
$f''(x)$	$-$	0	$+$	$+$	$+$
$f(x)$	↘	$-\frac{2}{e^2}$	↘	$-\frac{1}{e}$	↗

이때 $\lim_{x\to\infty}xe^x=\infty$, $\lim_{x\to-\infty}xe^x=0$이므로 함수 $f(x)=xe^x$의 그래프의 개형은 다음 그림과 같다.

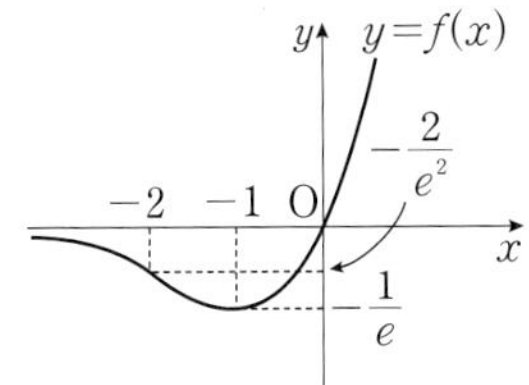

STEP C [보기]의 참, 거짓 판단하기

ㄱ. $x=-1$에서 $f(x)$는 극솟값을 갖는다. [참]
ㄴ. $x=-t$라 하면
$\lim_{x\to-\infty}f(x)=\lim_{x\to-\infty}xe^x=\lim_{t\to\infty}(-te^{-t})=\lim_{t\to\infty}\frac{-t}{e^t}=0$
즉 $\lim_{x\to-\infty}f(x)=0$ [참]
ㄷ. $f''(x)=e^x+(x+1)e^x=(x+2)e^x$
$x<-2$이면 $f''(x)<0$이므로 $y=f(x)$의 그래프는 위로 볼록하다. [거짓]

따라서 옳은 것은 ㄱ, ㄴ이다.

0663

함수 $f(x)=e^{-2x^2}$에 대한 다음 [보기]의 설명 중 옳은 것을 모두 골라라.

ㄱ. $y=f(x)$의 그래프는 y축에 대하여 대칭이다.
ㄴ. 치역은 $\{y\mid y\le 1\}$이다.
ㄷ. $y=f(x)$의 그래프는 구간 $\left(-\frac{1}{4}, \frac{1}{4}\right)$에서 아래로 볼록이다.
ㄹ. $y=f(x)$의 그래프의 변곡점은 2개이다.

① ㄱ, ㄴ ② ㄱ, ㄷ ③ ㄱ, ㄹ
④ ㄴ, ㄷ ⑤ ㄱ, ㄴ, ㄷ, ㄹ

STEP A $f'(x)$, $f''(x)$ 구하기

$f'(x)=-4xe^{-2x^2}$
$f''(x)=-4e^{-2x^2}+(-4x)\cdot(-4xe^{-2x^2})$
$=4e^{-2x^2}(4x^2-1)$
$=4e^{-2x^2}(2x+1)(2x-1)$
$f'(x)=0$에서 $x=0$
$f''(x)=0$에서 $x=-\frac{1}{2}$ 또는 $x=\frac{1}{2}$

STEP B 함수 $f(x)$의 증가와 감소, 오목과 볼록을 표로 나타내기

함수 $f(x)$의 증가와 감소, 오목과 볼록을 표로 나타내면 다음과 같다.

x	$\cdots$	$-\frac{1}{2}$	$\cdots$	0	$\cdots$	$\frac{1}{2}$	$\cdots$
$f'(x)$	$+$	$+$	$+$	0	$-$	$-$	$-$
$f''(x)$	$+$	0	$-$	$-$	$-$	0	$+$
$f(x)$	↗	$\frac{1}{\sqrt{e}}$	↗	1	↘	$\frac{1}{\sqrt{e}}$	↘

$\lim_{x\to\infty}e^{-2x^2}=0$, $\lim_{x\to-\infty}e^{-2x^2}=0$이므로 x축이 점근선이다.
따라서 함수 $f(x)=e^{-2x^2}$의 그래프는 다음 그림과 같다.

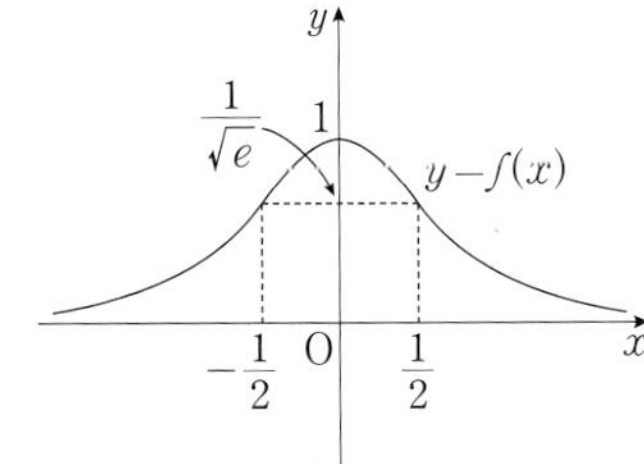

STEP C [보기]의 참, 거짓 판단하기

ㄱ. 모든 실수 x에 대하여 $f(-x)=e^{-2(-x)^2}=e^{-2x^2}=f(x)$이므로 $y=f(x)$의 그래프는 y축에 대하여 대칭이다. [참]
ㄴ. 치역은 $\{y\mid 0<y\le 1\}$이다. [거짓]
ㄷ. 구간 $\left(-\frac{1}{2}, \frac{1}{2}\right)$에서 $f''(x)<0$이므로 이 구간에서 $y=f(x)$는 위로 볼록이다. [거짓]
ㄹ. 변곡점은 $\left(-\frac{1}{2}, \frac{1}{\sqrt{e}}\right)$, $\left(\frac{1}{2}, \frac{1}{\sqrt{e}}\right)$이다. [참]

따라서 옳은 것은 ㄱ, ㄹ이다.

0664

함수 $f(x)=x\ln x$에 대한 설명으로 옳은 것만을 [보기]에서 있는 대로 고른 것은? (단, $\lim_{x\to 0+} x\ln x=0$)

> ㄱ. 곡선 $y=f(x)$는 구간 $(0, \infty)$에서 아래로 볼록하다.
> ㄴ. 함수 $f(x)$는 $x=e$에서 최솟값을 갖는다.
> ㄷ. 방정식 $f(x)=k$가 서로 다른 두 실근을 갖도록 하는 정수 k가 존재한다.

① ㄱ　② ㄱ, ㄴ　③ ㄱ, ㄷ
④ ㄴ, ㄷ　⑤ ㄱ, ㄴ, ㄷ

STEP Ⓐ $f'(x)$, $f''(x)$ 구하기

$f(x)=x\ln x$에서 $f'(x)=\ln x+x\cdot\frac{1}{x}=\ln x+1$, $f''(x)=\frac{1}{x}$

STEP Ⓑ [보기]의 참, 거짓 판단하기

ㄱ. $x>0$에서 $f''(x)=\frac{1}{x}>0$이므로

$y=f(x)$는 구간 $(0, \infty)$에서 아래로 볼록하다. [참]

ㄴ. $f'(x)=0$에서 $\ln x+1=0$ $\therefore x=\frac{1}{e}$

함수 $f(x)$의 증가와 감소를 표로 나타내면 다음과 같다.

x	(0)	$\cdots$	$\frac{1}{e}$	$\cdots$
$f'(x)$		$-$	0	$+$
$f(x)$		↘	극소	↗

함수 $f(x)$는 $x=\frac{1}{e}$일 때, 극소이면서 최소이고 최솟값은

$f\left(\frac{1}{e}\right)=\frac{1}{e}\ln\frac{1}{e}=-\frac{1}{e}$ [거짓]

ㄷ. ㄴ에서 함수 $f(x)$는 $x=\frac{1}{e}$에서

최솟값 $-\frac{1}{e}$을 갖는다.

또한, $\lim_{x\to\infty}f(x)=\infty$, $\lim_{x\to 0+}f(x)=0$

이므로 함수 $y=f(x)$의 그래프는

오른쪽 그림과 같다.

즉 방정식 $f(x)=k$가 서로 다른 두 실근을 갖도록 하는 실수 k의

값의 범위는 $-\frac{1}{e}<k<0$이므로 정수 k는 존재하지 않는다. [거짓]

따라서 옳은 것은 ㄱ이다.

0665

함수 $f(x)=x^2(1+2\ln x)$의 그래프에 대한 설명으로 옳은 것만을 [보기]에서 있는 대로 고른 것은? (단, e는 자연로그의 밑이다.)

> ㄱ. 치역은 $\left\{y \mid y\ge -\frac{1}{e^2}\right\}$이다.
> ㄴ. 곡선 $y=f(x)$는 x축과 서로 다른 두 점에서 만난다.
> ㄷ. 곡선 $y=f(x)$는 x가 증가하면 $x=\frac{1}{e^2}$의 좌우에서 곡선의 모양이 위로 볼록에서 아래로 볼록으로 바뀐다.

① ㄱ　② ㄷ　③ ㄱ, ㄷ
④ ㄴ, ㄷ　⑤ ㄱ, ㄴ, ㄷ

STEP Ⓐ $f'(x)$, $f''(x)$ 구하기

$f(x)=x^2(1+2\ln x)$에서

$f'(x)=2x(1+2\ln x)+x^2\cdot\frac{2}{x}=4x+4x\ln x=4x(1+\ln x)$

$f'(x)=0$에서 $x=\frac{1}{e}$ $(\because x>0)$

$f''(x)=4(1+\ln x)+4x\cdot\frac{1}{x}=4(2+\ln x)$

$f''(x)=0$에서 $x=\frac{1}{e^2}$

STEP Ⓑ 함수 $f(x)$의 증가와 감소, 오목과 볼록을 표로 나타내기

함수 $f(x)$의 증가와 감소, 오목과 볼록을 표로 나타내면 다음과 같다.

x	(0)	$\cdots$	$\frac{1}{e^2}$	$\cdots$	$\frac{1}{e}$	$\cdots$
$f'(x)$		$-$	$-$	$-$	0	$+$
$f''(x)$		$-$	0	$+$	$+$	$+$
$f(x)$		↘	$-\frac{3}{e^4}$	↘	$-\frac{1}{e^2}$	↗

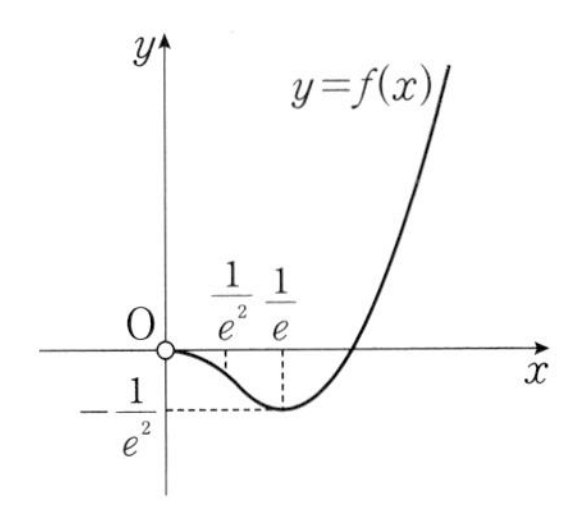

이때 $\lim_{x\to\infty}x^2(1+2\ln x)=\infty$

$x=\frac{1}{e}$에서 극소이고 극솟값은

$f\left(\frac{1}{e}\right)=-\frac{1}{e^2}$

변곡점 $\left(\frac{1}{e^2}, -\frac{3}{e^4}\right)$이므로

그래프의 개형은 오른쪽 그림과 같다.

STEP Ⓒ [보기]의 참, 거짓 판단하기

ㄱ. 함수 $f(x)$는 $x=\frac{1}{e}$일 때,

극소이면서 최소이므로 최솟값은 $f\left(\frac{1}{e}\right)=\frac{1}{e^2}(1-2)=-\frac{1}{e^2}$

또, $\lim_{x\to\infty}f(x)=\infty$이므로 함수 $f(x)$의 치역은 $\left\{y \mid y\ge -\frac{1}{e^2}\right\}$ [참]

ㄴ. $x>0$에서 곡선 $y=f(x)$는 x축과 한 점에서 만난다. [거짓]

ㄷ. $f''(x)=4(1+\ln x)+4x\cdot\frac{1}{x}=4(2+\ln x)$

$f''(x)=0$에서 $x=\frac{1}{e^2}$이므로 곡선 $y=f(x)$는 x가 증가하면서

$x=\frac{1}{e^2}$의 좌우에서 곡선의 모양이 위로 볼록에서 아래로 볼록으로 바뀐다. [참]

따라서 옳은 것은 ㄱ, ㄷ이다.

0666

함수 $f(x)=\ln(1+x^2)$에 대하여 [보기]에서 옳은 것만을 있는 대로 고른 것은?

> ㄱ. $f'(-n)+f'(n)=0$
> ㄴ. 곡선 $y=f(x)$는 열린구간 $(-1, 1)$에서 위로 볼록하다.
> ㄷ. 곡선 $y=f(x)$의 두 변곡점에서의 접선은 서로 수직이다.

① ㄱ　② ㄷ　③ ㄱ, ㄷ
④ ㄴ, ㄷ　⑤ ㄱ, ㄴ, ㄷ

STEP Ⓐ $f'(x)$, $f''(x)$을 구하여 [보기]의 참, 거짓 판단하기

ㄱ. $f(x)=\ln(1+x^2)$에서 $f'(x)=\frac{2x}{1+x^2}$이므로

$f'(-n)+f'(n)=\frac{-2n}{1+n^2}+\frac{2n}{1+n^2}=0$ [참]

ㄴ. $f''(x)=\frac{2(1+x^2)-2x\cdot 2x}{(1+x^2)^2}=\frac{-2(x-1)(x+1)}{(1+x^2)^2}$

$f''(x)=0$에서 $x=-1$ 또는 $x=1$

곡선 $y=f(x)$을 다음 표와 같이 나타내면

$y=f(x)$는 열린구간 $(-1, 1)$에서 위로 볼록하다. [거짓]

x	$\cdots$	-1	$\cdots$	1	$\cdots$
$f''(x)$	$-$	0	$+$	0	$-$
$f(x)$	위로 볼록	변곡점	아래로 볼록	변곡점	위로 볼록

ㄷ. $x=-1$과 $x=1$의 좌우에서 $f''(x)$의 부호가 바뀌고,
$f(-1)=\ln 2$, $f(1)=\ln 2$이므로
곡선 $y=f(x)$의 변곡점의 좌표는 $(-1, \ln 2)$, $(1, \ln 2)$
곡선 $y=f(x)$의 변곡점 $(-1, \ln 2)$에서의 접선의 기울기는 $f'(-1)=-1$
곡선 $y=f(x)$의 변곡점 $(1, \ln 2)$에서의 접선의 기울기는 $f'(1)=1$
이므로 곡선 $y=f(x)$의 두 변곡점에서의 접선은 서로 수직이다. [참]
따라서 옳은 것은 ㄱ, ㄷ이다.

0667

함수 $f(x)=3x+k\ln(x^2+1)$에 대하여 [보기]에서 옳은 것만을 있는 대로 고른 것은? (단, k는 상수이다.)

ㄱ. $f'(0)=3$
ㄴ. 함수 $f(x)$가 실수 전체의 집합에서 증가하도록 하는 정수 k의 개수는 7이다.
ㄷ. $k\neq 0$일 때, 곡선 $y=f(x)$의 두 변곡점 사이의 거리는 $2\sqrt{10}$이다.

① ㄱ ② ㄷ ③ ㄱ, ㄴ
④ ㄴ, ㄷ ⑤ ㄱ, ㄴ, ㄷ

STEP A $f'(x)$, $f''(x)$을 이용하여 참, 거짓 판단하기

ㄱ. $f(x)=3x+k\ln(x^2+1)$에서
$f'(x)=3+\dfrac{2kx}{x^2+1}$이므로 $f'(0)=3+0=3$ [참]
ㄴ. 함수 $f(x)$는 실수 전체의 집합에 속하는 어떤 구간에서도 상수함수가 아니므로 함수 $f(x)$가 실수 전체의 집합에서 증가하려면 모든 실수 x에 대하여 $f'(x)\geq 0$이어야 한다.
$f'(x)=3+\dfrac{2kx}{x^2+1}=\dfrac{3x^2+2kx+3}{x^2+1}\geq 0$
$x^2+1>0$이므로 모든 실수 x에 대하여 $3x^2+2kx+3\geq 0$
이차방정식 $3x^2+2kx+3=0$의 판별식을 D라 하면
$\dfrac{D}{4}=k^2-9\leq 0$, $(k+3)(k-3)\leq 0$
$\therefore -3\leq k\leq 3$
즉 정수 k는 $-3, -2, -1, 0, 1, 2, 3$이고 그 개수는 7개이다. [참]
ㄷ. $f'(x)=3+\dfrac{2kx}{x^2+1}$이므로
$f''(x)=\dfrac{2k(x^2+1)-2kx\times 2x}{(x^2+1)^2}$
$=\dfrac{-2kx^2+2k}{(x^2+1)^2}$
$=\dfrac{-2k(x+1)(x-1)}{(x^2+1)^2}$
$k\neq 0$이므로 $f''(x)=0$에서 $x=-1$ 또는 $x=1$
$x=-1$의 좌우에서 $f''(x)$의 부호가 바뀌므로
점 $(-1, f(-1))$, 즉 $(-1, -3+k\ln 2)$는 곡선 $y=f(x)$의 변곡점이다.
또, $x=1$의 좌우에서 $f''(x)$의 부호가 바뀌므로
점 $(1, f(1))$, 점 $(1, 3+k\ln 2)$는 곡선 $y=f(x)$의 변곡점이다.
즉 변곡점 사이의 거리는
$\sqrt{\{1-(-1)\}^2+\{(3+k\ln 2)-(-3+k\ln 2)\}^2}=\sqrt{4+36}=2\sqrt{10}$ [참]
따라서 옳은 것은 ㄱ, ㄴ, ㄷ이다.

0668

함수 $f(x)=(x^2+ax)e^{-x}$의 그래프에 대하여 [보기]에서 옳은 것만을 있는 대로 고른 것은? (단, a는 실수이다.)

ㄱ. $2f'(0)+f''(0)=2$
ㄴ. $a>1$이면 $0<x<2$에서 함수 $y=f(x)$의 그래프는 위로 볼록하다.
ㄷ. 함수 $y=f(x)$의 그래프의 변곡점은 2개이다.

① ㄱ ② ㄴ ③ ㄱ, ㄴ
④ ㄱ, ㄷ ⑤ ㄱ, ㄴ, ㄷ

STEP A $f'(x)$, $f''(x)$을 이용하여 진위판단하기

$f(x)=(x^2+ax)e^{-x}$에서
$f'(x)=(2x+a)e^{-x}-(x^2+ax)e^{-x}$
$=-\{x^2+(a-2)x-a\}e^{-x}$
$f''(x)=-(2x+a-2)e^{-x}+\{x^2+(a-2)x-a\}e^{-x}$
$=\{x^2+(a-4)x-2(a-1)\}e^{-x}$
ㄱ. $2f'(0)+f''(0)=2a+(2-2a)=2$ [참]
ㄴ. $f''(x)=\{x^2+(a-4)x-2(a-1)\}e^{-x}$에서
$e^{-x}>0$이므로 $g(x)=x^2+(a-4)x-2(a-1)$이라 하면
$a>1$일 때, $g(0)=2-2a<0$이고 $g(2)=-2<0$이므로
$0<x<2$에서 $g(x)<0$
즉 $f''(x)<0$이므로 $0<x<2$에서 함수 $y=f(x)$의 그래프는 위로 볼록하다. [참]
ㄷ. $f''(x)=0$에서 $e^{-x}>0$이므로
$x^2+(a-4)x-2(a-1)=0$이 이차방정식의 판별식을 D라 하면
$D=(a-4)^2+8(a-1)=a^2+8>0$
이므로 항상 서로 다른 두 실근을 갖는다.
$x^2+(a-4)x-2(a-1)=0$의 서로 다른 두 실근을 α, β라 하면
$x=\alpha$와 $x=\beta$의 좌우에서 이계도함수의 부호가 바뀌므로
항상 2개의 변곡점을 갖는다. [참]
따라서 옳은 것은 ㄱ, ㄴ, ㄷ이다.

0669

곡선 $y=\ln x^2$ 위의 점 $(a, \ln a^2)$에서 그은 접선이 x축, y축과 만나는 점을 각각 P, Q라 할 때, △POQ의 넓이의 최댓값은? (단, $0<a<e$)

① $\dfrac{1}{e}$ ② $\dfrac{2}{e}$ ③ 1
④ $\dfrac{4}{e}$ ⑤ e

STEP A 곡선 $y=\ln x^2$ 위의 점 $(a, \ln a^2)$에서의 접선과 삼각형의 넓이 구하기

$y'=\dfrac{2}{x}$이므로 점 $(a, \ln a^2)$에서의
접선의 기울기는 $\dfrac{2}{a}$이므로
접선의 방정식은
$y-\ln a^2=\dfrac{2}{a}(x-a)$
$\therefore y=\dfrac{2}{a}x-2+2\ln a$

이 접선의 x절편은 $a(1-\ln a)>0$,
y절편은 $-2+2\ln a<0$ ($\because a<e$)
삼각형 OPQ의 넓이를 $S(a)$라 하면
$S(a)=a(1-\ln a)^2$ …… ㉠

STEP B 삼각형의 넓이의 최댓값 구하기

$S'(a)=(1-\ln a)^2+2a(1-\ln a)\cdot\left(-\frac{1}{a}\right)$

$=-(1-\ln a)(1+\ln a)$

$S'(a)=0$에서 $a=\frac{1}{e}$ ($\because a<e$)

$S(a)$의 증가와 감소를 표로 나타내면 다음과 같다.

a	0	$\cdots$	$\frac{1}{e}$	$\cdots$	e
$S'(a)$		+	0	−	
$S(a)$		↗	$\frac{4}{e}$	↘	

따라서 $S(a)$는 $a=\frac{1}{e}$에서 극대이고 최대이므로 $\triangle$POQ의 넓이의 최댓값은 $\frac{4}{e}$

0670

다음 그림과 같이 두 꼭짓점은 x축 위에 있고 다른 두 꼭짓점은 곡선 $y=\frac{3}{x^2+4}$ 위에 있는 직사각형의 넓이의 최댓값은?

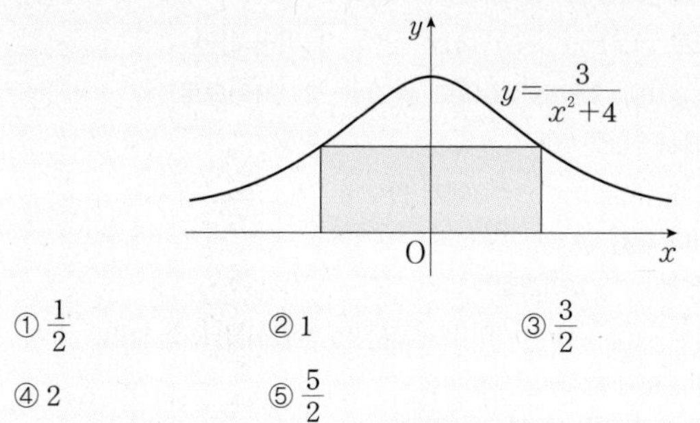

① $\frac{1}{2}$ ② 1 ③ $\frac{3}{2}$
④ 2 ⑤ $\frac{5}{2}$

STEP A 직사각형 넓이 $f(t)$ 구하기

제1사분면에서 직사각형과 곡선 $y=\frac{3}{x^2+4}$이 만나는 점의 좌표를 $\left(t, \frac{3}{t^2+4}\right)$으로 놓으면 직사각형의 넓이 $f(t)$는

$f(t)=2t\times\frac{3}{t^2+4}=\frac{6t}{t^2+4}$ $(t>0)$

$f'(t)=\frac{6(t^2+4)-6t\times 2t}{(t^2+4)^2}=\frac{-6(t+2)(t-2)}{(t^2+4)^2}$

$f'(t)=0$에서 $t=-2$ 또는 $t=2$

STEP B 함수 $f(t)$의 증가와 감소를 표로 나타내어 최댓값 구하기

$t>0$에서 $f(t)$의 증가와 감소를 표로 나타내면 다음과 같다.

t	(0)	$\cdots$	2	$\cdots$
$f'(t)$		+	0	−
$f(t)$		↗	극대	↘

함수 $f(t)$는 $t=2$에서 극대면서 최대이다.

따라서 직사각형의 넓이의 최댓값은 $f(2)=\frac{12}{4+4}=\frac{3}{2}$

0671

다음 그림과 같이 x축 위를 움직이는 동점 P와 y축 위에 두 점 A(0, 1), B(0, 3)이 있다. $\angle$APB$=\theta$라 할 때, θ가 최대일 때의 x의 값은? (단, $x>0$)

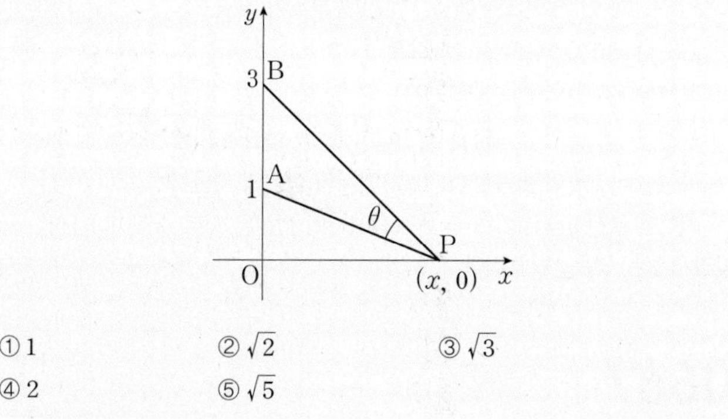

① 1 ② $\sqrt{2}$ ③ $\sqrt{3}$
④ 2 ⑤ $\sqrt{5}$

STEP A 탄젠트의 덧셈정리를 이용하여 $\tan\theta$를 x에 관한 식으로 정리하기

오른쪽 그림에서 $\angle$APO$=\alpha$라 하면

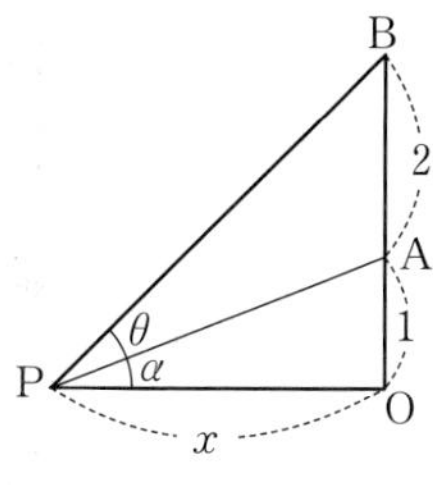

$\tan(\theta+\alpha)=\frac{3}{x}$, $\tan\alpha=\frac{1}{x}$이므로

$\tan\theta=\tan\{(\theta+\alpha)-\alpha\}$

$=\frac{\tan(\theta+\alpha)-\tan\alpha}{1+\tan(\theta+\alpha)\tan\alpha}$

$=\frac{\frac{3}{x}-\frac{1}{x}}{1+\frac{3}{x}\cdot\frac{1}{x}}=\frac{2x}{x^2+3}$

STEP B $f'(x)=0$인 x의 값 구하기

$f(x)=\frac{2x}{x^2+3}$라 하면

$f'(x)=\frac{2(x^2+3)-4x^2}{(x^2+3)^2}=\frac{-2x^2+6}{(x^2+3)^2}$

$f'(x)=0$에서 $x=\sqrt{3}$ ($\because x>0$)

STEP C 함수 $f(x)$의 증가와 감소를 표로 나타내어 구하기

함수 $f(x)$의 증가와 감소를 표로 나타내면 다음과 같다.

x	(0)	$\cdots$	$\sqrt{3}$	$\cdots$
$f'(x)$		+	0	−
$f(x)$		↗	극대	↘

따라서 $x=\sqrt{3}$일 때, 극대이며 최대이다.

다른풀이 산술평균과 기하평균의 관계를 이용하여 풀이하기

$\tan\theta=\frac{2x}{x^2+3}=\frac{2}{x+\frac{3}{x}}$에서 분자가 2로 고정되어 있으므로

$\tan\theta$의 값이 최대가 되려면 분모 $x+\frac{3}{x}$의 값이 최소가 되어야 한다.

$x>0$일 때, $\frac{3}{x}>0$이므로 산술평균과 기하평균의 관계에 의해

$x+\frac{3}{x}\geq 2\sqrt{x\cdot\frac{3}{x}}=2\sqrt{3}$이고 등호는 $x=\frac{3}{x}$일 때, 성립한다.

따라서 $x=\sqrt{3}$일 때, $\tan\theta$의 최댓값은 $\frac{2}{2\sqrt{3}}=\frac{\sqrt{3}}{3}$

0672

다음 그림에서 부채꼴 OPQ는 반지름의 길이가 1인 사분원이고 선분 AB는 반지름 OP에 평행하며, □ABCD는 정사각형이다.
$\angle AOB=\theta\left(0<\theta<\frac{\pi}{2}\right)$라고 할 때, 색칠한 부분의 넓이 S가 최대가 되도록 하는 선분 AB의 길이를 구하여라.

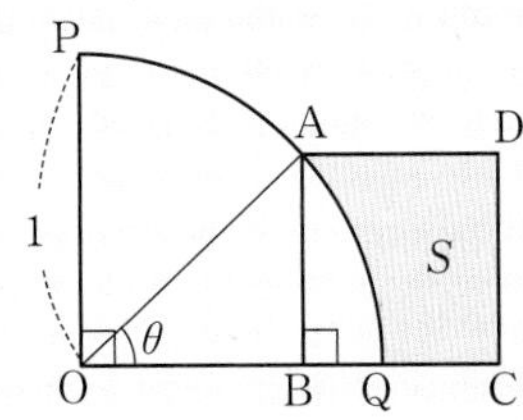

STEP Ⓐ **색칠한 부분의 넓이 $S(\theta)$을 θ에 관한 식으로 나타내기**

직각삼각형 OAB에서 $\overline{AB}=\sin\theta$, $\overline{OB}=\cos\theta$

$S(\theta)=\triangle OAB+\square ABCD-$(부채꼴 OAQ의 넓이)

$=\frac{1}{2}\sin\theta\cos\theta+\sin^2\theta-\frac{1}{2}\theta$

STEP Ⓑ **$0<\theta<\frac{\pi}{2}$에서 $S'(\theta)=0$인 삼각함수의 값 구하기**

$S'(\theta)=\frac{1}{2}\{\cos\theta\cos\theta+\sin\theta(-\sin\theta)\}+2\sin\theta\cos\theta-\frac{1}{2}$

$=\frac{1}{2}\{(1-\sin^2\theta)-\sin^2\theta\}+2\sin\theta\cos\theta-\frac{1}{2}$

$=\sin\theta(2\cos\theta-\sin\theta)$

$S'(\theta)=0$에서 $0<\theta<\frac{\pi}{2}$이므로 $2\cos\theta-\sin\theta=0$ $\quad\therefore \tan\theta=2$

STEP Ⓒ **넓이 $S(\theta)$가 최대가 되도록 하는 선분 AB의 길이 구하기**

즉 $\tan\theta=2$를 만족하는 θ의 값을 α라고 하면
$S(\theta)$는 $\theta=\alpha$에서 극대이고 최대이므로 $\tan\alpha=2$

$1+\tan^2\alpha=\sec^2\alpha$에서 $\sec^2\alpha=5$

따라서 $\cos\alpha=\frac{1}{\sqrt{5}}$이므로 $\overline{AB}=\sin\alpha=\frac{2\sqrt{5}}{5}$

0673

서술형

다음 그림과 같이 곡선 $y=\ln x$ 위의 점 $P(t, \ln t)$에서의 접선이 x축과 만나는 점을 Q라 하고, 점 P에서 x축에 내린 수선의 발을 R라고 할 때, $\lim_{t\to\infty}\frac{\overline{PQ}}{\overline{QR}}$의 값을 구하는 과정을 다음 단계로 서술하여라. (단, $t>1$)

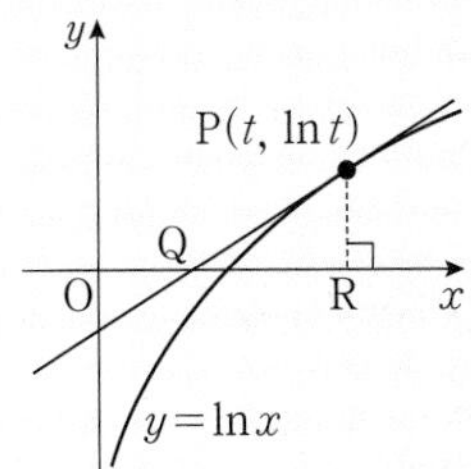

[1단계] 점 $P(t, \ln t)$에서의 접선의 방정식을 구한다.
[2단계] 두 선분 PQ, QR의 길이를 각각 t에 대한 식으로 나타낸다.
[3단계] $\lim_{t\to\infty}\frac{\overline{PQ}}{\overline{QR}}$의 값을 구한다.

1단계 점 $P(t, \ln t)$에서의 접선의 방정식을 구한다. ◀ 40%

곡선 $y=\ln x$ 위의 점 $P(t, \ln t)(t>1)$에서의 접선의 기울기는 $\frac{1}{t}$이므로

접선의 방정식은 $y-\ln t=\frac{1}{t}(x-t)$

$y=\frac{1}{t}x-1+\ln t$ …… ㉠

2단계 두 선분 PQ, QR의 길이를 각각 t에 대한 식으로 나타낸다. ◀ 40%

직선 ㉠이 x축과 만나는 점 Q의 좌표는 $(t-t\ln t, 0)$
점 P에서 x축에 내린 수선의 발 R의 좌표는 $(t, 0)$
$\overline{PQ}=\sqrt{(t\ln t)^2+(\ln t)^2}=\ln t\sqrt{t^2+1}$ ($\because \ln t>0$)
$\overline{QR}=t-(t-t\ln t)=t\ln t$

3단계 $\lim_{t\to\infty}\frac{\overline{PQ}}{\overline{QR}}$의 값을 구한다. ◀ 20%

따라서 $\lim_{t\to\infty}\frac{\overline{PQ}}{\overline{QR}}=\lim_{t\to\infty}\frac{\ln t\sqrt{t^2+1}}{t\ln t}=\lim_{t\to\infty}\frac{\sqrt{t^2+1}}{t}=1$

0674

서술형

곡선 $y=\ln(x+1)$ 위의 점 $P(1, \ln 2)$에서의 접선을 l_1이라 하고, 점 $P(1, \ln 2)$를 지나면서 접선 l_1에 수직인 직선을 l_2라 하자.
두 직선 l_1, l_2가 y축과 만나는 점을 각각 A, B라 할 때, 삼각형 APB의 넓이를 구하는 과정을 다음 단계로 서술하여라.

[1단계] 곡선 $y=\ln(x+1)$ 위의 점 $P(1, \ln 2)$에서의 접선의 방정식 l_1을 구한다.
[2단계] 곡선 $y=\ln(x+1)$ 위의 점 $P(1, \ln 2)$를 지나면서 접선 l_1에 수직인 직선 l_2을 구한다.
[3단계] 두 직선 l_1, l_2가 y축과 만나는 점 A, B의 좌표를 구하여 삼각형 APB의 넓이를 구한다.

1단계 곡선 $y=\ln(x+1)$ 위의 점 $P(1, \ln 2)$에서의 접선의 방정식 l_1을 구한다. ◀ 30%

곡선 $f(x)=\ln(x+1)$라 놓으면 $f'(x)=\frac{1}{x+1}$

점 $P(1, \ln 2)$에서의 접선의 기울기는 $f'(1)=\frac{1}{2}$

접선 l_1의 방정식은 $y-\ln 2=\frac{1}{2}(x-1)$

$y=\frac{1}{2}x+\ln 2-\frac{1}{2}$

2단계 곡선 $y=\ln(x+1)$ 위의 점 $P(1, \ln 2)$를 지나면서 접선 l_1에 수직인 직선 l_2을 구한다. ◀ 30%

직선 l_1에 수직인 직선의 기울기는 -2이므로
직선 l_2의 방정식은 $y-\ln 2=-2(x-1)$
$y=-2x+\ln 2+2$

3단계 두 직선 l_1, l_2가 y축과 만나는 점 A, B의 좌표를 구하여 삼각형 APB의 넓이를 구한다. ◀ 40%

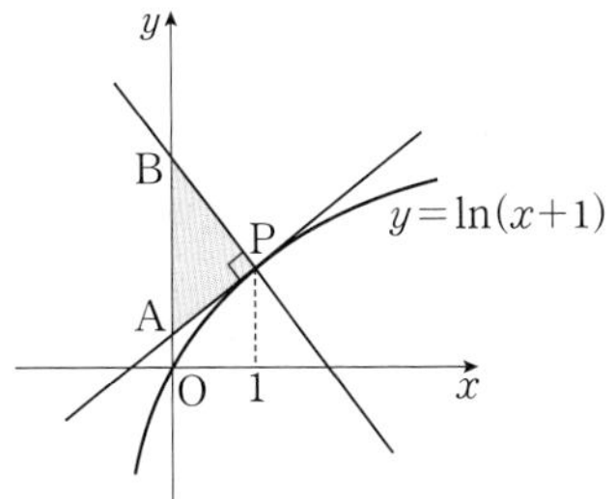

두 직선 l_1, l_2가 y축과 만나는 점이 각각 $A\left(0, \ln 2-\frac{1}{2}\right)$, $B(0, \ln 2+2)$이고
이때의 삼각형 APB의 넓이 S는
$S=\frac{1}{2}\cdot 1\cdot\left\{(\ln 2+2)-\left(\ln 2-\frac{1}{2}\right)\right\}=\frac{5}{4}$

04 도함수의 활용

0675

서술형

x축 위의 점 $(a, 0)$에서 곡선 $y=e^{-x^2}$에 그을 수 있는 접선의 개수를 실수 a의 범위에 따라 구하는 과정을 다음 단계로 서술하여라.

[1단계] 접선의 접점의 x좌표를 t라고 할 때, 접선의 방정식을 구한다.
[2단계] 점 $(a, 0)$을 접선의 방정식에 대입하여 t에 대한 이차방정식을 구한다.
[3단계] 점 $(a, 0)$에서 곡선 $y=e^{-x^2}$에 서로 다른 두 개의 접선, 한 개의 접선, 접선을 그을 수 없도록 하는 a의 범위를 각각 구하여라.

1단계 접선의 접점의 x좌표를 t라고 할 때, 접선의 방정식을 구한다. ◀ 30%

$f(x)=e^{-x^2}$이라 하면 $f'(x)=-2xe^{-x^2}$

접점의 좌표를 (t, e^{-t^2})이라고 하면

접선의 방정식은 $y-e^{-t^2}=-2te^{-t^2}(x-t)$

$y=-2te^{-t^2}x+(2t^2+1)e^{-t^2}$

2단계 점 $(a, 0)$을 접선의 방정식에 대입하여 t에 대한 이차방정식을 구한다. ◀ 30%

접선 $y=-2te^{-t^2}x+(2t^2+1)e^{-t^2}$이 점 $(a, 0)$을 지나므로

$0=-2te^{-t^2}a+(2t^2+1)e^{-t^2}$, $e^{-t^2}(2t^2-2at+1)=0$

$2t^2-2at+1=0$ …… ㉠

3단계 점 $(a, 0)$에서 곡선 $y=e^{-x^2}$에 서로 다른 두 개의 접선, 한 개의 접선, 접선을 그을 수 없도록 하는 a의 범위를 각각 구하여라. ◀ 40%

이차방정식 ㉠의 판별식을 D라고 하면

$D=4a^2-8=4(a+\sqrt{2})(a-\sqrt{2})$ …… ㉡

(i) 서로 다른 두 개의 접선을 그을 수 있을 때, 실수 a의 값의 범위는
이차방정식 ㉠이 서로 다른 두 실근을 가질 때이므로
㉡에서 $(a+\sqrt{2})(a-\sqrt{2})>0$, 즉 $a<-\sqrt{2}$ 또는 $a>\sqrt{2}$

(ii) 한 개의 접선을 그을 수 있을 때, 실수 a의 값의 범위는
이차방정식 ㉠이 중근을 가질 때이므로
㉡에서 $(a+\sqrt{2})(a-\sqrt{2})=0$, 즉 $a=-\sqrt{2}$ 또는 $a=\sqrt{2}$
즉 두 점 $(-\sqrt{2}, 0)$, $(\sqrt{2}, 0)$에서는 각각 한 개의 접선을 그을 수 있다.

(iii) 접선을 그을 수 없을 때, 실수 a의 값의 범위는
이차방정식 ㉠이 허근을 가질 때이므로
㉡에서 $(a+\sqrt{2})(a-\sqrt{2})<0$, 즉 $-\sqrt{2}<a<\sqrt{2}$

0676

서술형

함수

$$f(x)=\frac{1}{3}x-\ln(2x^2+n)$$

이 극값을 갖지 않도록 하는 자연수 n의 최솟값 구하는 과정을 다음 단계로 서술하여라.

[1단계] 합성함수의 미분법을 이용하여 $f'(x)$를 구한다.
[2단계] 극값을 갖지 않을 조건을 구한다.
[3단계] 자연수 n의 최솟값을 구한다.

1단계 합성함수의 미분법을 이용하여 $f'(x)$를 구한다. ◀ 30%

$f(x)=\frac{1}{3}x-\ln(2x^2+n)$에서 $f'(x)=\frac{1}{3}-\frac{4x}{2x^2+n}=\frac{2x^2-12x+n}{6x^2+3n}$

2단계 극값을 갖지 않을 조건을 구한다. ◀ 50%

이때 $6x^2+3n>0$이므로 함수 $f(x)$가 극값을 갖지 않으려면

$f'(x)=0$, 즉 $2x^2-12x+n=0$이 중근 또는 허근을 가져야 한다.

이차방정식 $2x^2-12x+n=0$의 판별식을 D라 하면

$\frac{D}{4}=36-2n\le 0$에서 $n\ge 18$

3단계 자연수 n의 최솟값을 구한다. ◀ 20%

따라서 구하는 자연수 n의 최솟값은 18

0677

서술형

$-2\le x\le 2$에 대하여 함수

$$f(x)=(2x^2-3x)e^x$$

의 최댓값과 최솟값을 구하는 과정을 다음 단계로 서술하여라.

[1단계] 곱의 미분법을 이용하여 $f'(x)=0$를 만족하는 x의 값을 구한다.
[2단계] 닫힌구간 $[-2, 2]$에서 함수 $f(x)$의 증가와 감소를 표로 나타낸다.
[3단계] 함수 $f(x)$의 최댓값과 최솟값을 구한다.

1단계 곱의 미분법을 이용하여 $f'(x)=0$를 만족하는 x의 값을 구한다. ◀ 30%

$f(x)=(2x^2-3x)e^x$에서

$f'(x)=(4x-3)e^x+(2x^2-3x)e^x$

$=(2x^2+x-3)e^x$

$=(2x+3)(x-1)e^x$

$f'(x)=0$에서 $x=-\frac{3}{2}$ 또는 $x=1$

2단계 닫힌구간 $[-2, 2]$에서 함수 $f(x)$의 증가와 감소를 표로 나타낸다. ◀ 30%

닫힌구간 $[-2, 2]$에서 함수 $f(x)$의 증가와 감소를 표로 나타내면 다음과 같다.

x	-2	$\cdots$	$-\frac{3}{2}$	$\cdots$	1	$\cdots$	2
$f'(x)$		$+$	0	$-$	0	$+$	
$f(x)$	$\frac{14}{e^2}$	↗	$\frac{9}{\sqrt{e^3}}$	↘	$-e$	↗	$2e^2$

3단계 함수 $f(x)$의 최댓값과 최솟값을 구한다. ◀ 40%

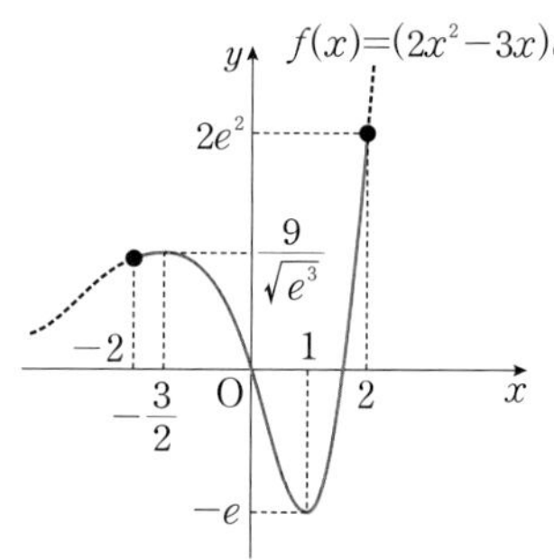

따라서 함수 $f(x)$는

$x=2$일 때, 최댓값 $2e^2$,

$x=1$일 때, 최솟값 $-e$를 가진다.

0678 서술형

곡선 $y=e^{-x}$의 제1사분면 위의 점 (t, e^{-t})에서의 접선이 x축, y축과 만나는 점을 각각 P, Q라 하자. 삼각형 OPQ의 넓이의 최댓값을 구하는 과정을 다음 단계로 서술하여라. (단, O는 원점)

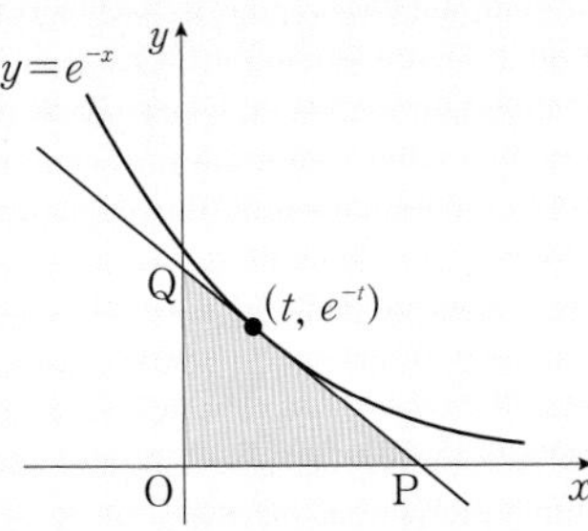

[1단계] 곡선 위의 점 (t, e^{-t})에서의 접선의 방정식을 구한다.
[2단계] 삼각형 OPQ의 넓이를 t에 대한 함수로 나타낸다.
[3단계] 삼각형 OPQ의 넓이의 최댓값을 구한다.

1단계 곡선 위의 점 (t, e^{-t})에서의 접선의 방정식을 구한다. ◀ 30%

$f(x)=e^{-x}$이라 하면 $f'(x)=-e^{-x}$
점 (t, e^{-t})에서의 접선의 기울기는 $f'(t)=-e^{-t}$이므로
접선의 방정식은 $y-e^{-t}=-e^{-t}(x-t)$
즉 $y=-e^{-t}x+(t+1)e^{-t}$ …… ㉠

2단계 삼각형 OPQ의 넓이를 t에 대한 함수로 나타낸다. ◀ 30%

㉠에 $y=0$, $x=0$을 각각 대입하여 두 점 P, Q의 좌표를 구하면
$\mathrm{P}(t+1, 0)$, $\mathrm{Q}(0, (t+1)e^{-t})$
이때 삼각형 OPQ의 넓이를 $f(t)$이라 하면
$f(t)=\frac{1}{2}\times(t+1)\times(t+1)e^{-t}=\frac{1}{2}(t+1)^2e^{-t}\ (t>0)$

3단계 삼각형 OPQ의 넓이의 최댓값을 구한다. ◀ 40%

$f'(t)=(t+1)e^{-t}+\frac{1}{2}(t+1)^2(-e^{-t})=\frac{(t+1)(1-t)}{2}e^{-t}$
$t>0$일 때, $f'(t)=0$에서 $t=1$
이때 함수 $f(t)$의 증가와 감소를 표로 나타내면 다음과 같다.

t	(0)	…	1	…
$f'(t)$		+	0	−
$f(t)$		↗	극대	↘

함수 $f(t)$는 $t=1$에서 극대이고 최대이므로 최댓값은 $f(1)=\frac{2}{e}$

따라서 삼각형 OPQ의 넓이의 최댓값은 $\frac{2}{e}$

TOUGH

0679

실수 k에 대하여 함수 $f(x)$는
$$f(x)=\begin{cases} x^2+k & (x\le 2) \\ \ln(x-2) & (x>2) \end{cases}$$
이다. 실수 t에 대하여 직선 $y=x+t$와 함수 $y=f(x)$의 그래프가 만나는 점의 개수를 $g(t)$라 하자. 함수 $g(t)$가 $t=a$에서 불연속인 a의 값이 한 개일 때, k의 값은?

① -2　② $-\frac{9}{4}$　③ $-\frac{5}{2}$
④ $-\frac{11}{4}$　⑤ -3

STEP Ⓐ $x>2$일 때, $y=f(x)$와 $y=x+t$의 교점의 개수 구하기

$x>2$일 때, $f(x)=\ln(x-2)$와 $y=x+t$의 교점의 개수는
두 함수가 접할 때를 기준으로 달라진다.
$f'(x)=\frac{1}{x-2}$에서 $f'(3)=1$이고 $f(3)=0$이므로
$f(x)=\ln(x-2)$는 $(3, 0)$에서 $y=x-3$에 접한다.
아래 그래프를 이용하여 t의 범위에 따른 $f(x)=\ln(x-2)$와 $y=x+t$의 교점의 개수는

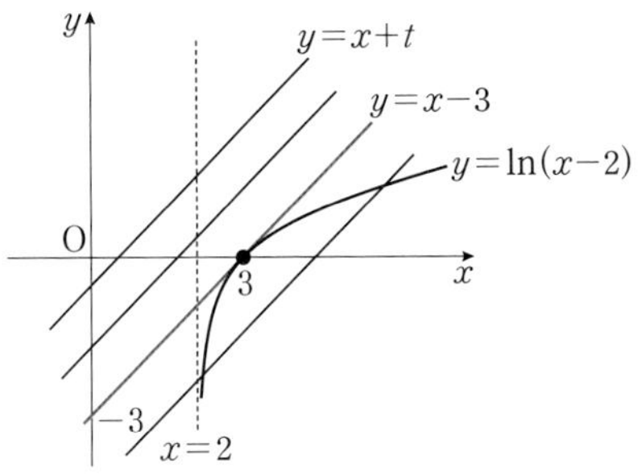

$t<-3$일 때, 교점의 개수는 2개
$t=-3$일 때, 교점의 개수는 1개
$t>-3$일 때, 교점의 개수는 0개임을 알 수 있다.

STEP Ⓑ $x\le 2$일 때, $y=f(x)$와 $y=x+t$의 교점의 개수 구하기

$x\le 2$일 때, $f(x)=x^2+k$와 $y=x+t$의 교점의 개수는
두 함수가 접할 때를 기준으로 달라진다.
$f'(x)=2x$에서 $f'\left(\frac{1}{2}\right)=1$이고 $f\left(\frac{1}{2}\right)=\frac{1}{4}+k$이므로
$f(x)=x^2+k$는 $\left(\frac{1}{2}, k+\frac{1}{4}\right)$에서 $y=x+k-\frac{1}{4}$에 접한다.
또한, $(2, k+4)$를 지나고 기울기가 1인 직선의 방정식은 $y=x+k+2$이므로
아래 그래프를 이용하여 t의 범위에 따른 $y=f(x)$와 $y=x+t$의 교점의 개수는

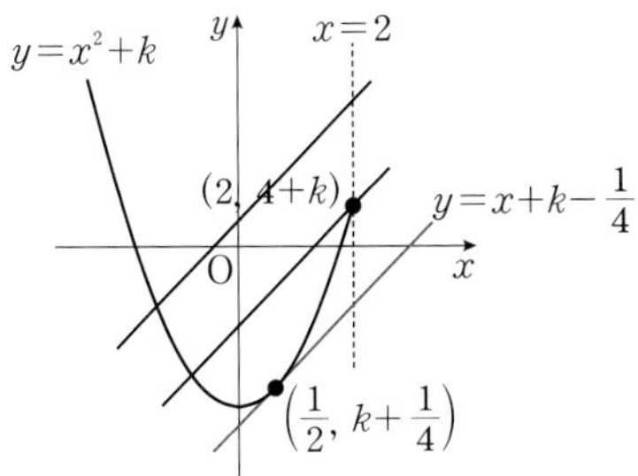

$t<k-\frac{1}{4}$일 때, 교점의 개수는 0개
$t=k-\frac{1}{4}$일 때, 교점의 개수는 1개
$k-\frac{1}{4}<t\le k+2$일 때, 교점의 개수는 2개
$t>k+2$일 때, 교점의 개수는 1개임을 알 수 있다.

STEP C $g(t)$가 한 점에서만 불연속이 되기 위해서는 곡선 $y=x^2+k$와 직선 $y=x-3$이 접함을 이용하여 k의 값 구하기

이차함수 부분에서 $t=k-\frac{1}{4}$일 때, 교점의 개수는 1개에서

$k-\frac{1}{4}<t\le k+2$일 때, 교점의 개수는 2개로 교점의 개수가 바뀌므로

$g(t)$가 한 점에서만 불연속이 되기 위해서는 로그함수와 이차함수의 중간부분에서 교점의 개수가 바뀌지 않도록 하려면 $y=x+t$가 적당한 t에 대하여 $y=x^2+k$와 $y=\ln(x-2)$의 공통접선이 되어야 한다.

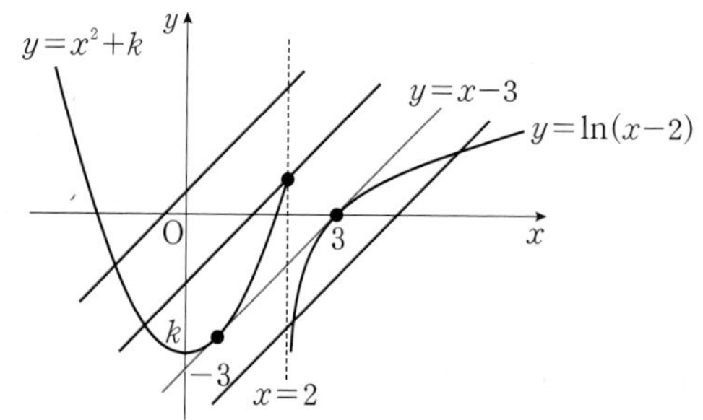

즉 그림과 같이 기울기가 1인 직선 $y=x+t$에 대하여 주어진 조건을 만족시키려면 곡선 $y=\ln(x-2)$에 접하고 기울기가 1인 직선이 곡선 $y=x^2+k$에 접해야 한다.

점 $(3,\ 0)$에서 접선의 방정식은 $y=x-3$

$y=x^2+k$, $y=x-3$의 그래프가 서로 접하므로 두 함수를 연립하면

$x^2+k=x-3$, $x^2-x+3+k=0$

이차방정식이 중근을 가져야 하므로

$x^2-x+3+k=0$의 판별식 $D=1-4(3+k)=0$

따라서 $k=-\frac{11}{4}$

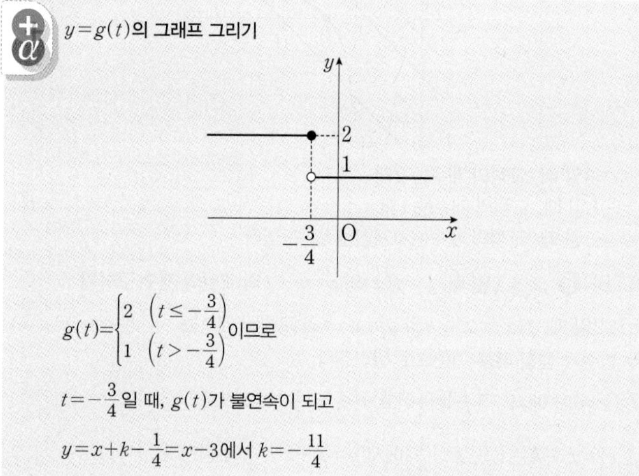

$g(t)=\begin{cases}2 & \left(t\le-\frac{3}{4}\right)\\ 1 & \left(t>-\frac{3}{4}\right)\end{cases}$이므로

$t=-\frac{3}{4}$일 때, $g(t)$가 불연속이 되고

$y=x+k-\frac{1}{4}=x-3$에서 $k=-\frac{11}{4}$

0680

2 이상의 자연수 n에 대하여 실수 전체의 집합에서 정의된 함수

$$f(x)=e^{x+1}\{x^2+(n-2)x-n+3\}+ax$$

가 역함수를 갖도록 하는 실수 a의 최솟값을 $g(n)$이라 하자.
$1\le g(n)\le 8$을 만족시키는 모든 n의 값의 합은?

① 43 ② 46 ③ 49
④ 52 ⑤ 55

STEP A 함수 $f(x)$가 역함수를 가질 조건 구하기

함수 $f(x)$가 역함수를 가지려면 $f(x)$가 일대일 대응이어야 한다.

함수 $f(x)$가 실수 전체에서 증가하거나 실수 전체에서 감소해야 한다.

즉 함수 $f(x)$는 모든 실수 x에서 $f'(x)\ge 0$ 또는 $f'(x)\le 0$을 만족해야 한다.

$f(x)$를 x에 대하여 미분하면

$f'(x)=e^{x+1}\{x^2+(n-2)x-n+3\}+e^{x+1}\{2x+(n-2)\}+a$

$\quad=e^{x+1}(x^2+nx+1)+a$

이때 $\lim_{x\to\infty}f'(x)=\infty$이고 $\lim_{x\to-\infty}f'(x)=a$이므로

$f(x)$가 역함수를 갖기 위해선 $f'(x)\ge 0$이어야 한다.

STEP B $y=f'(x)$의 그래프의 개형을 이용하여 a의 최솟값 $g(n)$ 구하기

$f''(x)=e^{x+1}(x^2+nx+1)+e^{x+1}(2x+n)$

$f''(x)=e^{x+1}(x^2+(n+2)x+n+1)$

$\quad=e^{x+1}(x+1)\{x+(n+1)\}$

$f''(x)=0$에서 $x=-(n+1)$ 또는 $x=-1$

n이 자연수이므로 $-(n+1)<-1$

함수 $f'(x)$의 증가와 감소를 표로 나타내면 다음과 같다.

x	$\cdots$	$-(n+1)$	$\cdots$	-1	$\cdots$
$f''(x)$	$+$	0	$-$	0	$+$
$f'(x)$	↗	극대	↘	극소	↗

함수 $f'(x)$의 그래프의 개형은 다음 그림과 같다.

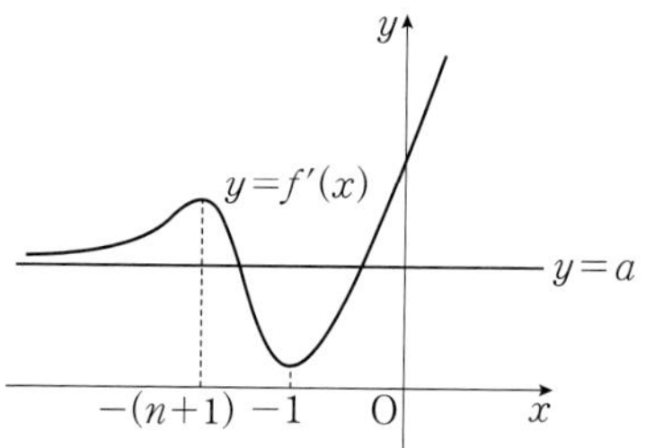

n이 2 이상의 자연수이므로

함수 $f'(x)$는 $x=-1$에서 극소이며 최솟값이므로

$f'(-1)=e^0\{(-1)^2+n(-1)+1\}+a$

$\quad=2-n+a\ge 0$

$\therefore a\ge n-2$

이때 실수 a의 최솟값 $g(n)$은 $g(n)=n-2$

STEP C $1\le g(n)\le 8$을 만족시키는 모든 n의 값의 합 구하기

$1\le g(n)\le 8$에서 $1\le n-2\le 8$

$\therefore 3\le n\le 10$

따라서 구하는 모든 n의 값의 합은 $3+4+5+\cdots+10=\frac{8(3+10)}{2}=52$

0681

양수 a와 실수 b에 대하여 함수 $f(x)=ae^{3x}+be^{x}$이 다음 조건을 만족시킬 때, $f(0)$의 값은?

(가) $x_1<\ln\frac{2}{3}<x_2$를 만족시키는 모든 실수 x_1, x_2에 대하여 $f''(x_1)f''(x_2)<0$이다.

(나) 구간 $[k, \infty)$에서 함수 $f(x)$의 역함수가 존재하도록 하는 실수 k의 최솟값을 m이라 할 때, $f(2m)=-\frac{80}{9}$이다.

① -15　② -12　③ -9
④ -6　⑤ -3

STEP Ⓐ **조건 (가)에서 곡선 $y=f(x)$가 변곡점을 가질 조건 구하기**

$f'(x)=3ae^{3x}+be^{x}$, $f''(x)=9ae^{3x}+be^{x}$

조건 (가)에서 곡선 $y=f(x)$가 $x=\ln\frac{2}{3}$에서 변곡점을 가지므로

$f''\left(\ln\frac{2}{3}\right)=0$, $9a\times\left(\frac{2}{3}\right)^3+b\times\frac{2}{3}=0$

$\frac{8a+2b}{3}=0$에서 $b=-4a$

이때 $a>0$이므로 $b<0$

STEP Ⓑ **조건 (나)에서 $f(2m)=-\frac{80}{9}$를 만족하는 a의 값 구하기**

한편 $f'(x)=3ae^{3x}-4ae^{x}=ae^{x}(3e^{2x}-4)$

$f'(x)=0$에서 $e^{2x}=\frac{4}{3}$이므로

함수 $f(x)$는 $x<\frac{1}{2}\ln\frac{4}{3}$에서 감소하고

$x>\frac{1}{2}\ln\frac{4}{3}$에서 증가한다.

조건 (나)에서 $m=\frac{1}{2}\ln\frac{4}{3}$이므로 $e^{2m}=\frac{4}{3}$

$$\begin{aligned}f(2m)&=ae^{6m}-4ae^{2m}\\&=a\times(e^{2m})^3-4a\times e^{2m}\\&=a\times\left(\frac{4}{3}\right)^3-4a\times\frac{4}{3}\\&=-\frac{80}{27}a\end{aligned}$$

$-\frac{80}{27}a=-\frac{80}{9}$에서 $a=3$

따라서 $f(0)=a+b=a+(-4a)=-3a=-9$

0682

다음 그림과 같이 좌표평면에 점 $A(1, 0)$을 중심으로 하고 반지름의 길이가 1인 원이 있다. 원 위의 점 Q에 대하여 $\angle AOQ=\theta\left(0<\theta<\frac{\pi}{3}\right)$라 할 때, 선분 OQ 위에 $\overline{PQ}=1$인 점 P를 정한다.

점 P의 y좌표가 최대가 될 때, $\cos\theta=\frac{a+\sqrt{b}}{8}$이다.

$a+b$의 값을 구하여라. (단, O는 원점이고, a와 b는 자연수이다.)

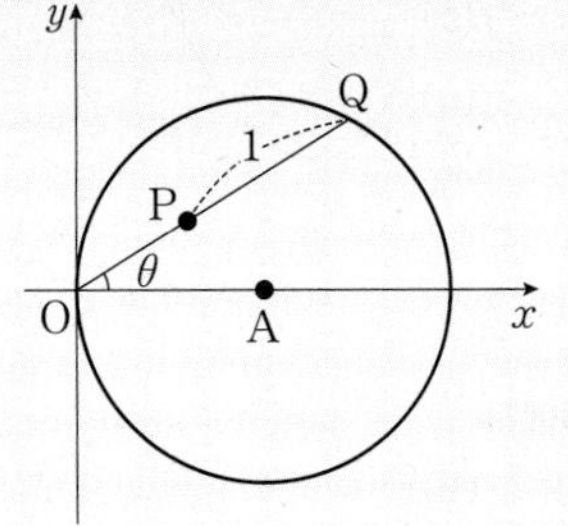

STEP Ⓐ **$\overline{OP}$의 길이를 θ로 나타내기**

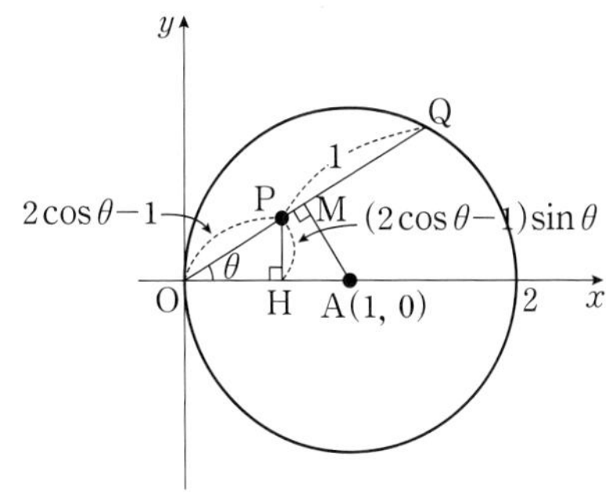

A에서 OQ에 내린 수선의 발을 M이라 하자.

$\overline{OM}=\overline{OA}\cos\theta=\cos\theta$

$\overline{OM}=\overline{QM}$이므로 $\overline{OQ}=2\overline{OM}=2\cos\theta$

$\therefore\ \overline{OP}=\overline{OQ}-\overline{PQ}=2\cos\theta-1$

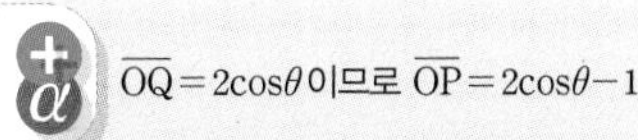
$\overline{OQ}=2\cos\theta$이므로 $\overline{OP}=2\cos\theta-1$

STEP Ⓑ **점 P의 y좌표가 최대가 되는 $\cos\theta$의 값 구하기**

P에서 x축에 내린 수선의 발을 H라 하면

P의 y좌표는 선분 PH의 길이와 같다.

즉 $\overline{PH}=(2\cos\theta-1)\sin\theta$

$f(\theta)=(2\cos\theta-1)\sin\theta$라 하면

$$\begin{aligned}f'(\theta)&=-2\sin\theta\cdot\sin\theta+(2\cos\theta-1)\cos\theta\\&=-2\sin^2\theta+(2\cos\theta-1)\cos\theta\\&=4\cos^2\theta-\cos\theta-2\end{aligned}$$

$f'(\theta)=0$에서 $4\cos^2\theta-\cos\theta-2=0$

$\therefore\ \cos\theta=\frac{1\pm\sqrt{33}}{8}$

$0<\theta<\frac{\pi}{3}$에서 $\frac{1}{2}<\cos\theta<1$이므로

$\cos\theta=\frac{1+\sqrt{33}}{8}$일 때, $f(\theta)$는 극댓값을 가지며 최댓값이 된다.

따라서 $a=1$, $b=33$이므로 $a+b=1+33=34$

$f'(\theta)=\cos\theta-\frac{1+\sqrt{33}}{8}$에서 $\cos\theta=\frac{1+\sqrt{33}}{8}\fallingdotseq\frac{3.3}{4}$

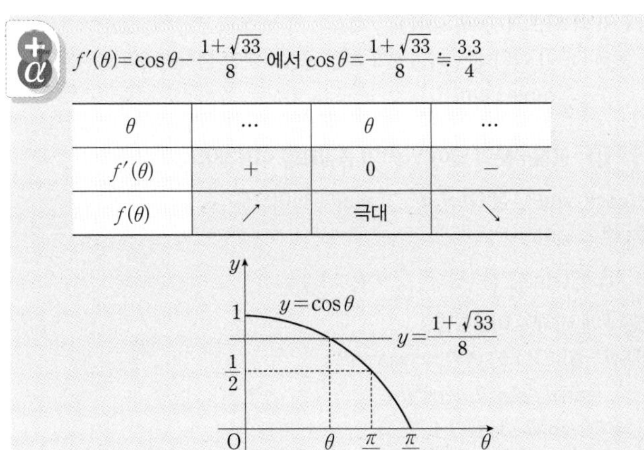

θ	$\cdots$	θ	$\cdots$
$f'(\theta)$	$+$	0	$-$
$f(\theta)$	↗	극대	↘

0683

다음 그림과 같이 좌표평면 위에 네 점 A(1, 0), B(3, 0), C(3, 2), D(1, 2)를 꼭짓점으로 하는 정사각형 ABCD가 있다. 한 변의 길이가 2인 정사각형 EFGH의 두 대각선의 교점이 원 $x^2+y^2=1$ 위에 있을 때, 두 정사각형의 내부의 공통부분의 넓이의 최댓값은?
(단, 정사각형의 모든 변은 x축 또는 y축에 수직이다.)

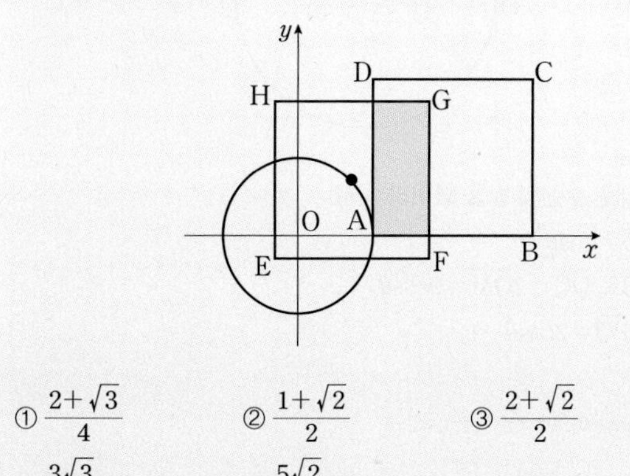

① $\frac{2+\sqrt{3}}{4}$　② $\frac{1+\sqrt{2}}{2}$　③ $\frac{2+\sqrt{2}}{2}$
④ $\frac{3\sqrt{3}}{4}$　⑤ $\frac{5\sqrt{2}}{4}$

STEP A 정사각형 EFGH의 두 대각선의 교점이 원 $x^2+y^2=1$ 위에 있으므로 교점의 좌표를 θ로 나타내기

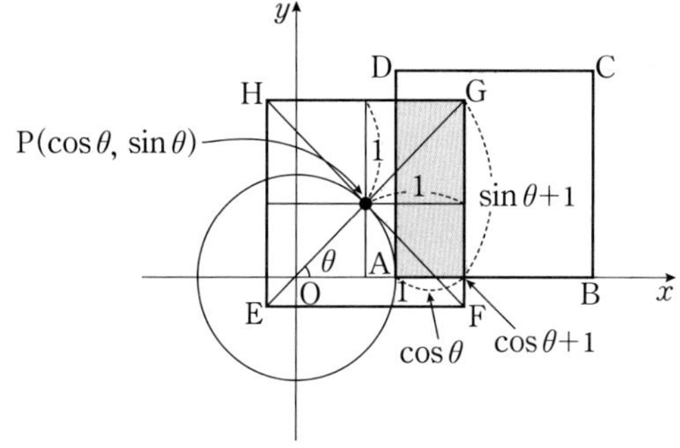

정사각형 EFGH의 두 대각선의 교점을 P라 하자.
동경 OP가 x축의 양의 방향과 이루는 각의 크기를 θ라 하면
교점 P의 좌표는 P$(\cos\theta, \sin\theta)$
한편 동경 OP가 나타내는 각을 θ라 하면 공통부분이 생기는 θ의 범위는
$-\frac{\pi}{2}<\theta<\frac{\pi}{2}$이어야 한다.

STEP B 공통부분의 넓이 $S(\theta)$의 증감표를 이용하여 최댓값 구하기

점 P$(\cos\theta, \sin\theta)$, 점 G$(\cos\theta+1, \sin\theta+1)$이므로
공통부분의 넓이
$S(\theta)=\cos\theta(\sin\theta+1)$ $\left(단, -\frac{\pi}{2}<\theta<\frac{\pi}{2}\right)$
양변을 θ에 대하여 미분하면

$$\begin{aligned}S'(\theta)&=(-\sin\theta)(1+\sin\theta)+\cos\theta\cos\theta\\&=-\sin\theta-\sin^2\theta+\cos^2\theta\\&=-2\sin^2\theta-\sin\theta+1\\&=-(\sin\theta+1)(2\sin\theta-1)\end{aligned}$$

$S'(\theta)=0$에서
$\sin\theta=-1$ 또는 $\sin\theta=\frac{1}{2}$
$\therefore \theta=\frac{\pi}{6}\left(\because -\frac{\pi}{2}<\theta<\frac{\pi}{2}\right)$
함수 $S(\theta)$의 증가와 감소를 표로 나타내면 다음과 같다.

θ	$\left(-\frac{\pi}{2}\right)$	$\cdots$	$\frac{\pi}{6}$	$\cdots$	$\left(\frac{\pi}{2}\right)$
$S'(\theta)$		$+$	0	$-$	
$S(\theta)$		↗	극대	↘	

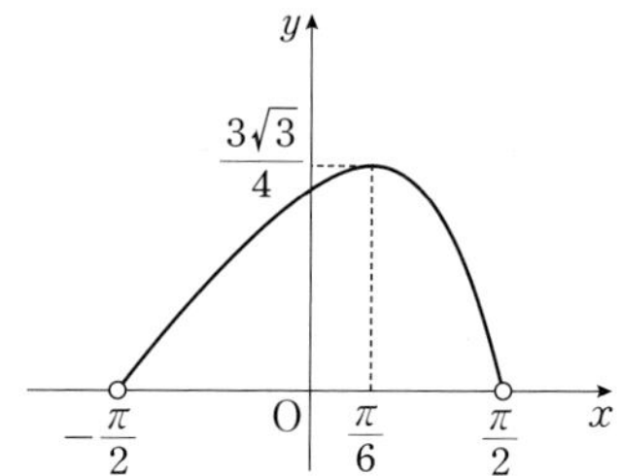

$S(\theta)$는 $\theta=\frac{\pi}{6}$에서 극대이고 최댓값을 갖는다.
따라서 최댓값은 $S\left(\frac{\pi}{6}\right)=\cos\frac{\pi}{6}\left(\sin\frac{\pi}{6}+1\right)=\frac{\sqrt{3}}{2}\cdot\left(\frac{1}{2}+1\right)=\frac{3\sqrt{3}}{4}$

0684

다항함수 $f(x)$에 대하여 다음 표는 x의 값에 따른 $f(x)$, $f'(x)$, $f''(x)$의 변화 중 일부를 나타낸 것이다.

x	$x<1$	$x=1$	$1<x<3$	$x=3$
$f'(x)$		0		1
$f''(x)$	$+$		$+$	0
$f(x)$		$\frac{\pi}{2}$		π

함수 $g(x)=\sin(f(x))$에 대하여 옳은 것만을 [보기]에서 있는 대로 고른 것은?

ㄱ. $g'(3)=-1$
ㄴ. $1<a<b<3$이면 $-1<\frac{g(b)-g(a)}{b-a}<0$이다.
ㄷ. 점 P(1, 1)은 곡선 $y=g(x)$의 변곡점이다.

① ㄱ　② ㄷ　③ ㄱ, ㄴ
④ ㄴ, ㄷ　⑤ ㄱ, ㄴ, ㄷ

STEP A 주어진 표를 이용하여 참, 거짓 판단하기

x	$x<1$	$x=1$	$1<x<3$	$x=3$
$f'(x)$	$-$	0	$+$	1
$f''(x)$	$+$		$+$	0
$f(x)$	↘	$\frac{\pi}{2}$	↗	π

위의 표에서 $x<1$, $1<x<3$일 때, $f''(x)>0$이므로
$f'(x)$는 증가하고 이 구간에서 $f(x)$의 그래프는 아래로 볼록하다.
또한, $x=1$일 때, $f'(x)=0$이므로 $x=1$의 좌우에서 $f(x)$의 부호가 $-$에서 $+$로 바뀌게 된다.
따라서 $f(x)$는 $x=1$에서 극솟값을 갖고 그래프는 아래로 볼록하다.

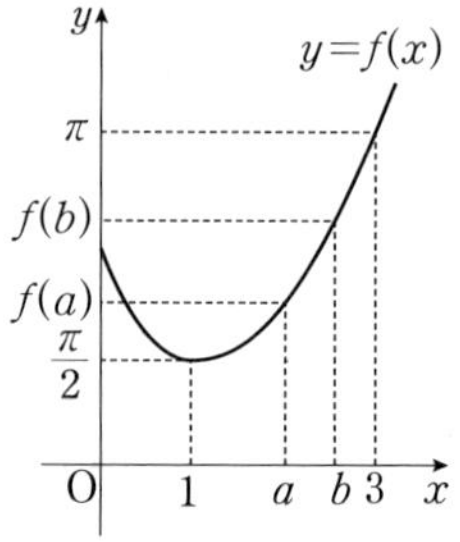

ㄱ. $g(x)=\sin(f(x))$에서
$g'(x)=\cos(f(x))\cdot f'(x)$
$\therefore g'(3)=\cos(f(3))\cdot f'(3)=\cos\pi\cdot f'(3)=(-1)\cdot 1=-1$ [참]

ㄴ. 함수 $y=f(x)$가 다항함수이고 $y=\sin x$가 미분가능함수이므로 함수 $g(x)=\sin(f(x))$가 $[1, 3]$에서 연속이고 $(1, 3)$에서 미분가능이므로

평균값 정리에 의하여 $\frac{g(b)-g(a)}{b-a}=g'(c)\,(1<a<c<b<3)$를 만족하는 실수 c가 구간 (a, b)에 적어도 하나 존재한다.

이때 $g'(c)=f'(c)\cos f(c)$이고 그림에서 $1<x<3$일 때,

$\frac{\pi}{2}<f(x)<\pi$에서 $-1<\cos f(c)<0$이고 $0<f'(c)<1$

즉 $-1<f'(c)\cos f(c)<0$이므로 $-1<\frac{g(b)-g(a)}{b-a}<0$ [참]

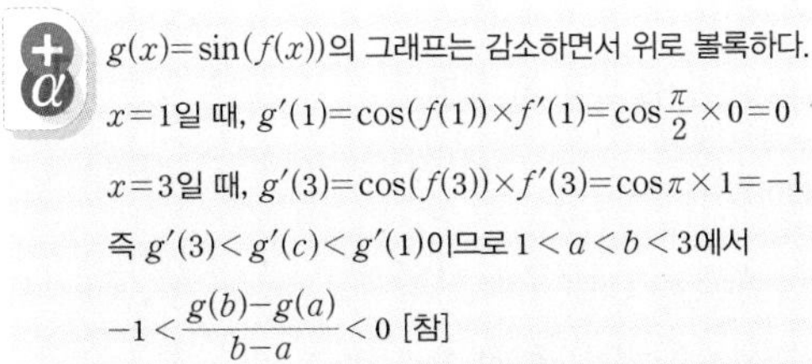

+α $g(x)=\sin(f(x))$의 그래프는 감소하면서 위로 볼록하다.

$x=1$일 때, $g'(1)=\cos(f(1))\times f'(1)=\cos\frac{\pi}{2}\times 0=0$

$x=3$일 때, $g'(3)=\cos(f(3))\times f'(3)=\cos\pi\times 1=-1$

즉 $g'(3)<g'(c)<g'(1)$이므로 $1<a<b<3$에서

$-1<\frac{g(b)-g(a)}{b-a}<0$ [참]

STEP B **점 $P(1, 1)$이 곡선 $y=g(x)$의 변곡점이려면 $g''(1)=0$이고 $g''(x)$의 부호가 $x=1$의 좌우에서 바뀌어야 함을 이용하기**

ㄷ. $g'(x)=f'(x)\cos(f(x))$에서

$g''(x)=f''(x)\cos(f(x))-\{f'(x)\}^2\sin(f(x))$

$x=1$일 때, $g''(1)=f''(1)\cos(f(1))-\{f'(1)\}^2\sin(f(1))$

$=f''(1)\cos\frac{\pi}{2}-0\cdot\sin\frac{\pi}{2}=0$

$x\to 1-$일 때, $f(x)\to\frac{\pi}{2}+$, $g''(x)<0$

$x\to 1+$일 때, $f(x)\to\frac{\pi}{2}+$, $g''(x)<0$

x	$\cdots$	1	$\cdots$
$g''(x)$	$-$	0	$-$

즉 $x=1$의 좌우에서 $g''(x)$의 부호가 바뀌지 않으므로 점 $P(1, 1)$은 변곡점이 아니다. [거짓]

따라서 옳은 것은 ㄱ, ㄴ이다.

0685

양의 실수 t에 대하여 곡선 $y=t^3\ln(x-t)$가 곡선 $y=2e^{x-a}$과 오직 한 점에서 만나도록 하는 실수 a의 값을 $f(t)$라 하자.

$\left\{f'\left(\frac{1}{3}\right)\right\}^2$의 값을 구하여라.

STEP A **두 곡선이 한 점에서 만나도록 하는 관계식을 구하기**

$g(x)=t^3\ln(x-t)$, $h(x)=2e^{x-a}$이라 하면

$g'(x)=\frac{t^3}{x-t}$, $h'(x)=2e^{x-a}$

곡선 $y=g(x)$는 위로 볼록하고 곡선 $y=h(x)$는 아래로 볼록하므로 곡선 $y=t^3\ln(x-t)$와 곡선 $y=2e^{x-a}$한 점에서 만나려면 두 곡선은 교점에서 접한다.

즉 두 곡선 위의 교점에서의 접선의 기울기가 서로 같다.

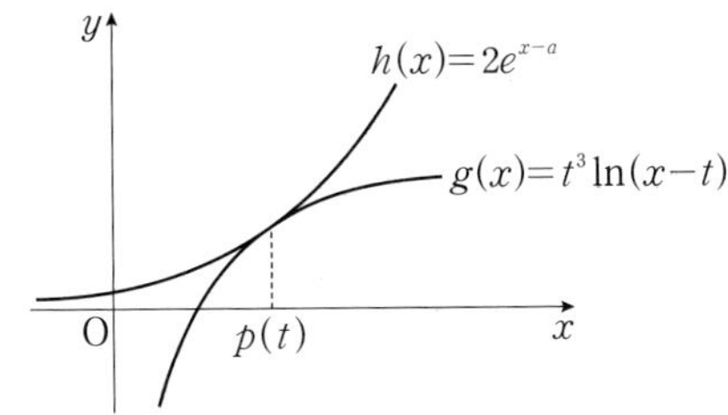

이때 두 그래프가 접하는 교점의 x좌표를 $p(t)\,(p(t)>t)$라 하면

$g(p(t))=h(p(t))$에서 $t^3\ln\{p(t)-t\}=2e^{p(t)-a}$ …… ㉠

이고

$g'(p(t))=h'(p(t))$에서 $\frac{t^3}{p(t)-t}=2e^{p(t)-a}$ …… ㉡

㉠, ㉡을 연립하여 풀면 $t^3\ln\{p(t)-t\}=\frac{t^3}{p(t)-t}$

t가 양의 실수이므로 $\ln\{p(t)-t\}=\frac{1}{p(t)-t}$

STEP B **$p(t)-t=c$로 놓고 c가 상수임을 보이기**

즉 $\{p(t)-t\}\ln\{p(t)-t\}=1$

이때 $p(t)-t=c$로 놓으면 $c\ln c=1$을 만족하는 c는 두 곡선 $y=\ln x$, $y=\frac{1}{x}$의 교점이므로 유일한 상수이다.

← $x\ln x=1$에서 $\ln x=\frac{1}{x}$을 만족하는 $x=c$

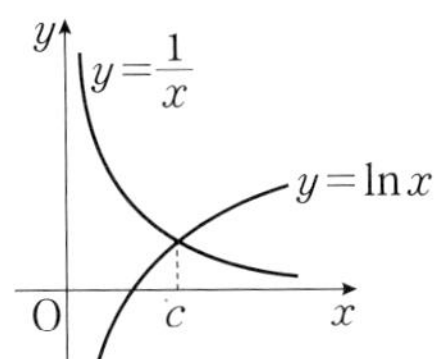

STEP C **$a=f(t)$인 식을 작성하기**

㉡에서 $\frac{t^3}{p(t)-t}=2e^{p(t)-a}$의 양변에 자연로그를 취하면

$3\ln t-\ln\{p(t)-t\}=\ln 2+p(t)-a$에서

$a=-3\ln t+\ln\{p(t)-t\}+\ln 2+p(t)$

$=-3\ln t+\ln c+\ln 2+t+c$ ← $p(t)-t=c$에서 $p(t)=t+c$

$\therefore a=f(t)=-3\ln t+\ln c+\ln 2+t+c$

STEP D **$\left\{f'\left(\frac{1}{3}\right)\right\}^2$의 값 구하기**

$f(t)=-3\ln t+\ln c+\ln 2+t+c$의 양변을 t에 대하여 미분하면

$f'(t)=-\frac{3}{t}+1$ ← c는 상수

$f'\left(\frac{1}{3}\right)=-9+1=-8$

따라서 $\left\{f'\left(\frac{1}{3}\right)\right\}^2=(-8)^2=64$

부정적분을 이용하여 풀이하기

$\ln\{p(t)-t\}=\frac{1}{p(t)-t}$의 양변을 t에 대하여 미분하면

$\frac{p'(t)-1}{p(t)-t}=\frac{-p'(t)+1}{\{p(t)-t\}^2}$

$\frac{p'(t)-1}{p(t)-t}\left\{1+\frac{1}{p(t)-t}\right\}=0$

즉 $p'(t)=1\,(\because p(t)-t>0)$

$\therefore p(t)=t+C$ (단, C는 적분상수이고 $C>0$)

㉡에 대입하면

$\frac{t^3}{C}=2e^{t+C-a}$ ← $\frac{t^3}{p(t)-t}=2e^{p(t)-a}$

$e^{t+C-a}=\frac{t^3}{2C}$

$t+C-a=\ln\frac{t^3}{2C}$

$\therefore a=f(t)=t+C-\ln\frac{t^3}{2C}$

양변을 t에 대하여 미분하면

$f'(t)=1-\frac{\frac{3t^2}{2C}}{\frac{t^3}{2C}}=1-\frac{3}{t}$이므로 $f'\left(\frac{1}{3}\right)=-8$

따라서 $\left\{f'\left(\frac{1}{3}\right)\right\}^2=(-8)^2=64$

0686

함수 $f(x)=kx^2e^{-x}(k>0)$과 실수 t에 대하여 곡선 $y=f(x)$ 위의 점 $(t,\ f(t))$에서 x축까지의 거리와 y축까지의 거리 중 크지 않은 값을 $g(t)$라 하자. 함수 $g(t)$가 한 점에서만 미분가능하지 않도록 하는 k의 최댓값은?

① $\frac{1}{e}$　　② $\frac{1}{\sqrt{e}}$　　③ $\frac{e}{2}$

④ $\sqrt{e}$　　⑤ e

STEP A 함수 $f(x)$의 증가와 감소를 나타내기

$f(x)=kx^2e^{-x}(k>0)$에서

$f'(x)=2kxe^{-x}-kx^2e^{-x}$

$\quad =kx(2-x)e^{-x}$

$f'(x)=0$을 만족하는 $x=0,\ x=2$

함수의 증가와 감소를 나타내는 표는 다음과 같다.

x	$\cdots$	0	$\cdots$	2	$\cdots$
$f'(x)$	$-$	0	$+$	0	$-$
$f(x)$	↘	0	↗	$\frac{4k}{e^2}$	↘

또, $\lim\limits_{x\to\infty}f(x)=\lim\limits_{x\to\infty}\frac{kx^2}{e^x}=0,\ \lim\limits_{x\to-\infty}f(x)=\lim\limits_{x\to-\infty}kx^2e^{-x}=\infty$이므로

함수 $y=f(x)$의 그래프는 다음 그림과 같다.

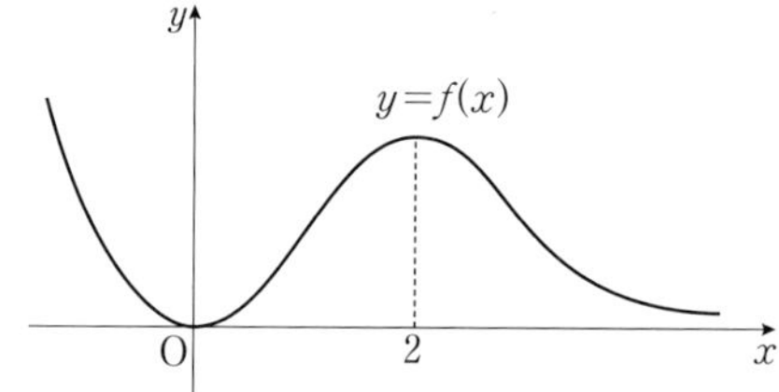

STEP B $y=|x|,\ y=f(x)$의 그래프를 이용하여 함수 $g(t)$ 추론하기

곡선 $y=f(x)$ 위의 점 $(t,\ f(t))$에서 x축까지의 거리와 y축까지의 거리 중 크지 않은 값(작거나 같다)이 $g(t)$이므로

$|t|$와 $|f(t)|$의 값 중 작거나 같은 것을 $g(t)$의 값으로 한다.

곡선 $y=f(x)$와 직선 $y=x,\ y=-x$와 만나는 교점을 찾는다.

즉 좌표평면에서 $y=|t|,\ y=|f(t)|$의 그래프 중 아랫부분에 위치하는 것을 $y=g(t)$의 그래프로 한다.

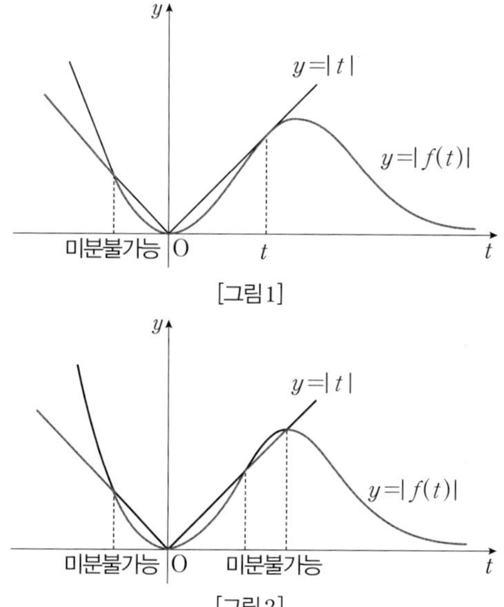

[그림1]

[그림2]

위 그림에서 굵은 실선이 $y=g(t)$의 그래프이다.

$y=g(t)$가 미분가능하지 않은 점이 하나만 존재하는 것은 [그림1]와 같은 꼴이므로 $t<0$일 때,

$y=f(t)$와 $y=-t$의 교점에서 미분가능하지 않으므로

$t>0$에서 곡선 $y=f(t)$와 $y=t$가 만나지 않거나 접하여야 한다.

STEP C 조건을 만족하는 k의 최댓값 구하기

위의 그림과 같이 두 그래프가 접할 때, k의 값이 최대이다.

접점의 t좌표를 $a(a>0)$라 하면

$f(a)=a,\ f'(a)=1$이므로

$f(a)=ka^2e^{-a}=a$　　⋯⋯ ㉠

$f'(a)=ka(2-a)e^{-a}=1$　　⋯⋯ ㉡

㉠에서 $kae^{-a}=1$이고 이것을 ㉡에 대입하면

$2-a=1\quad \therefore a=1$

$a=1$을 ㉠에 대입하면

$ke^{-1}=1\quad \therefore k=e$

따라서 구하는 k의 최댓값은 $k=e$

다른풀이 두 그래프의 위치 관계를 이용하여 풀이하기

함수 $g(t)$가 한 점에서만 미분가능하지 않으려면 [그림1]과 같이

제1사분면 $(t>0)$에서 함수 $g(t)$는 모든 점에서 미분가능해야 한다.

즉 제1사분면에서 $y=f(t)$의 그래프가 $y=|t|$의 그래프보다 아래쪽에 있거나 접해야 하므로 $f(t)\le|t|$

즉 $kt^2e^{-t}\le t(\because t>0)$의 양변에 $\frac{e^t}{t}$을 곱하면

$kt\le e^t$　　⋯⋯ ㉠

이때 $h(t)=e^t-kt(t>0)$라 하면

$h'(t)=e^t-k$

$h'(t)=0$에서 $t=\ln k$

함수 $g(x)$의 증가와 감소를 표로 나타내면 다음과 같다.

t	(0)	$\cdots$	t	$\cdots$
$h'(t)$		$-$	0	$+$
$h(t)$		↘	극소	↗

함수 $h(t)$는 $t=\ln k$에서 극소이면서 최소이다.

이때 $h(\ln k)\ge0$이면 모든 양수 t에 대하여 ㉠이 성립한다.

$e^{\ln k}-k\ln k\ge0,\ k-k\ln k\ge0,\ \ln k\le1$

$\therefore 0<k\le e(\because k>0)$

따라서 구하는 k의 최댓값은 e

0687

양수 t에 대하여 구간 $[1,\ \infty)$에서 정의된 함수 $f(x)$가

$$f(x)=\begin{cases}\ln x & (1\le x<e)\\ -t+\ln x & (x\ge e)\end{cases}$$

일 때, 다음 조건을 만족시키는 일차함수 $g(x)$ 중에서 직선 $y=g(x)$의 기울기의 최솟값을 $h(t)$라 하자.

> 1 이상의 모든 실수 x에 대하여 $(x-e)\{g(x)-f(x)\}\ge0$이다.

미분가능한 함수 $h(t)$에 대하여 양수 a가 $h(a)=\frac{1}{e+2}$을 만족시킨다.

$h'\left(\frac{1}{2e}\right)\times h'(a)$의 값은?

① $\frac{1}{(e+1)^2}$　　② $\frac{1}{e(e+1)}$　　③ $\frac{1}{e^2}$

④ $\frac{1}{(e-1)(e+1)}$　　⑤ $\frac{1}{e(e-1)}$

STEP A 각각의 구간에서 $g(x),\ f(x)$의 그래프 그리기

함수 $f(x)$의 그래프는 다음과 같다.

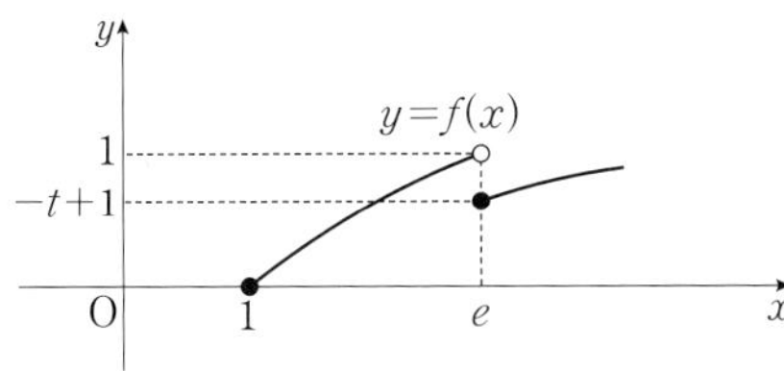

일차함수 $g(x)$가 1 이상의 모든 실수 x에 대하여

$(x-e)\{g(x)-f(x)\} \geq 0$을 만족해야 하므로

$1 \leq x < e$일 때, $g(x) \leq f(x)$이고 ⬅ $x-e<0$이면 $g(x)-f(x) \leq 0$

$x \geq e$일 때, $g(x) \geq f(x)$이어야 한다. ⬅ $x-e \geq 0$이면 $g(x)-f(x) \geq 0$

STEP B 원점에서 $y=\ln x$에 그은 접선의 방정식 구하기

이때 원점에서 곡선 $y=\ln x$에 그은 접선의 방정식은 접점이 $(e, 1)$이고

기울기가 $\frac{1}{e}$인 직선이므로 접선은 $y=\frac{1}{e}x$

곡선 $y=\ln x$를 y축으로 $-t$만큼 평행이동하여 점 $(1, 0)$에서

곡선 $y=-t+\ln x$에 그은 기울기가 $\frac{1}{e}$인 접선은 $y=\frac{1}{e}(x-1)=\frac{1}{e}x-\frac{1}{e}$

이므로 접점은 $\left(e, 1-\frac{1}{e}\right)$, 즉 $t=\frac{1}{e}$

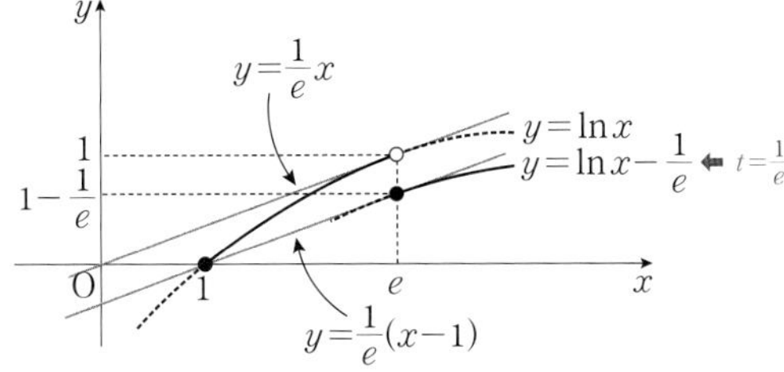

STEP C 직선 $y=g(x)$의 기울기의 최솟값 $h(t)$ 구하기

일차함수 $g(x)$의 기울기의 최솟값 $h(t)$는 다음과 같다.

(i) 점 $(1, 0)$에서 곡선 $y=-t+\ln x\,(x \geq e)$에 그은 접선이 존재하지 않을 때, 즉 $0<t<\frac{1}{e}$

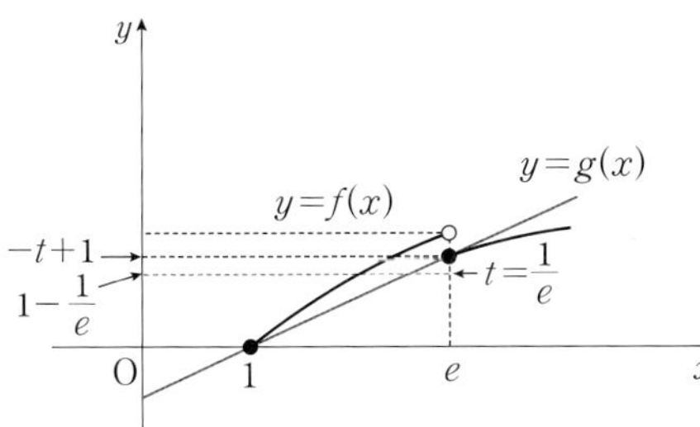

두 점 $(1, 0)$, $(e, -t+1)$을 지나는 직선의 기울기가 $h(t)$

즉 $h(t)=\frac{-t+1}{e-1}=-\frac{1}{e-1}t+\frac{1}{e-1}$

이때 $h'(t)=\frac{-1}{e-1}$이므로 $h'\left(\frac{1}{2e}\right)=\frac{-1}{e-1}$

(ii) 점 $(1, 0)$에서 곡선 $y=-t+\ln x\,(x \geq e)$에 그은 접선이 존재할 때, 즉 $t \geq \frac{1}{e}$

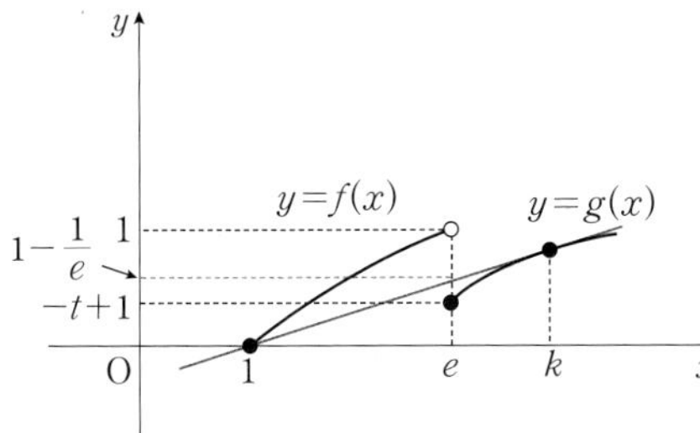

그 접선이 기울기가 $h(t)$

이때 $f'(x)=\frac{1}{x}\,(x \neq e)$이므로 접점의 x좌표를 k라 하면

$h(t)=\frac{1}{k}$

(i), (ii)에서 $h(t)=\begin{cases} -\frac{1}{e-1}t+\frac{1}{e-1} & \left(0<t<\frac{1}{e}\right) \\ \frac{1}{k} & \left(t \geq \frac{1}{e}\right) \end{cases}$

STEP D $t \geq \frac{1}{e}$에서 최소의 기울기 $h(t)$를 t에 관한 식으로 유도하기

한편 접점 $(k, -t+\ln k)$에서 접선의 방정식은

$y-(-t+\ln k)=\frac{1}{k}(x-k)$

이 접선이 점 $(1, 0)$을 지나므로

$t-\ln k=\frac{1}{k}(1-k)$, $t-\ln k=\frac{1}{k}-1$ ...... ㉠

이때 $h(t)=\frac{1}{k}$이므로 $k=\frac{1}{h(t)}$

위 식을 ㉠에 대입하면

$t-\ln\frac{1}{h(t)}=h(t)-1$, $t+\ln h(t)=h(t)-1$

$\therefore h(t)=\ln h(t)+t+1$

위 등식의 양변을 t에 대하여 미분하면

$h'(t)=\frac{h'(t)}{h(t)}+1$이므로 $h'(t)=\frac{h(t)}{h(t)-1}$

STEP E $h'\left(\frac{1}{2e}\right)$, $h'(a)$의 값 구하기

양수 a에 대하여 $h(a)=\frac{1}{e+2}$이므로 ⬅ $h(a)=\frac{1}{e+2}<\frac{1}{e}=h\left(\frac{1}{e}\right)$이므로 $a>\frac{1}{e}$

즉 $h'(a)=\frac{h(a)}{h(a)-1}=\frac{\frac{1}{e+2}}{\frac{1}{e+2}-1}=\frac{-1}{e+1}$

따라서 $h'\left(\frac{1}{2e}\right)\times h'(a)=\frac{-1}{e-1}\times\frac{-1}{e+1}=\frac{1}{(e-1)(e+1)}$

$t \geq \frac{1}{e}$에서 최소의 기울기 $h(t)$를 t에 관한 식으로 유도하면

점 $(1, 0)$와 접점 $(k, -t+\ln k)$를 지나는 직선의 기울기는

$h(t)=\frac{\ln k-t}{k-1}$이므로 기울기가 $h(t)=\frac{1}{k}$과 같게 되는 관계식은

$h(t)=\frac{\ln k-t}{k-1}=\frac{1}{k}$

$\ln k-t=\frac{1}{k}(k-1)=1-\frac{1}{k}$ ...... ㉠

이때 $h(t)=\frac{1}{k}$에서 $k=\frac{1}{h(t)}$이므로 ㉠에 대입하면

$\ln\frac{1}{h(t)}-t=1-h(t)$, $-\ln h(t)-t=1-h(t)$

$\therefore h(t)=\ln h(t)+t+1$

위 등식의 양변을 t에 대하여 미분하면

$h'(t)=\frac{h'(t)}{h(t)}+1$이므로 $h'(t)=\frac{h(t)}{h(t)-1}$

0688

다음 방정식이 서로 다른 두 실근을 갖도록 하는 실수 k의 값의 범위를 구하여라.

(1) $x-\sqrt{2x+1}+k=0$

STEP Ⓐ 방정식을 상수 k와 x에 대한 식 $f(x)$로 분리하고 $f'(x)=0$인 x의 값 구하기

$x-\sqrt{2x+1}+k=0$이 서로 다른 두 실근을 가지려면
$\sqrt{2x+1}-x=k$에서 두 함수 $y=\sqrt{2x+1}-x$과 $y=k$의 그래프가
$x \geq -\frac{1}{2}$($\therefore \sqrt{2x+1} \geq 0$)에서 서로 다른 두 점에서 만나면 된다.
$f(x)=\sqrt{2x+1}-x$라 하면

$f'(x)=\frac{1}{\sqrt{2x+1}}-1=\frac{1-\sqrt{2x+1}}{\sqrt{2x+1}}$

$f'(x)=0$에서 $x=0$

STEP Ⓑ 함수 $f(x)$의 증가와 감소를 조사하고 그래프 그리기

함수 $f(x)$의 증가와 감소를 표로 나타내면 다음과 같다.

x	$-\frac{1}{2}$	$\cdots$	0	$\cdots$
$f'(x)$		$+$	0	$-$
$f(x)$	$\frac{1}{2}$	↗	1	↘

STEP Ⓒ 곡선 $y=f(x)$와 직선 $y=k$의 교점이 2개일 k의 값의 범위 구하기

따라서 방정식 $x-\sqrt{2x+1}+k=0$가 서로 다른 두 실근을 가지려면 곡선 $y=f(x)$와 직선 $y=k$가 오른쪽 그림과 같이 서로 다른 두 점에서 만나야 하므로 $\frac{1}{2} \leq k < 1$

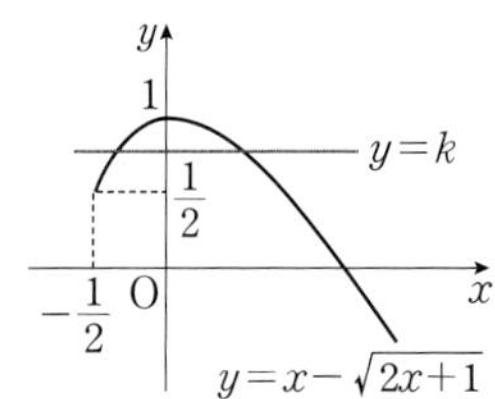

(2) $e^x+e^{-x}=k$

STEP Ⓐ 방정식을 상수 k와 x에 대한 식 $f(x)$로 분리하고 $f'(x)=0$인 x의 값 구하기

$e^x+e^{-x}=k$에서 주어진 방정식의 실근의 개수는
곡선 $y=e^x+e^{-x}$과 직선 $y=k$의 교점의 개수와 같다.
$f(x)=e^x+e^{-x}$이라 하면

$f'(x)=e^x-e^{-x}=e^x-\frac{1}{e^x}=\frac{e^{2x}-1}{e^x}$

$f'(x)=0$에서 $e^{2x}=1$이므로 $x=0$

STEP Ⓑ 함수 $f(x)$의 증가와 감소를 조사하고 그래프 그리기

함수 $f(x)$의 증가와 감소를 표로 나타내면 다음과 같다.

x	$\cdots$	0	$\cdots$
$f'(x)$	$-$	0	$+$
$f(x)$	↘	2	↗

$\lim_{x\to-\infty}f(x)=\infty$, $\lim_{x\to\infty}f(x)=\infty$
이므로
$y=f(x)$의 그래프는 오른쪽 그림과 같다.

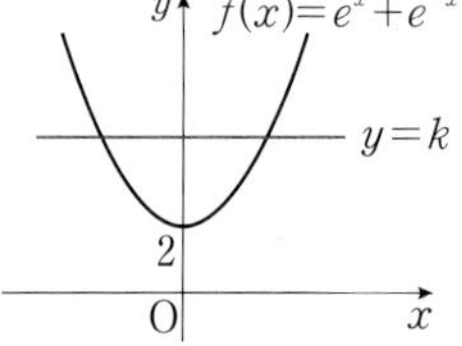

STEP Ⓒ 곡선 $y=f(x)$와 직선 $y=k$의 교점이 2개일 k의 값의 범위 구하기

따라서 곡선 $y=f(x)$와 직선 $y=k$가 서로 다른 두 점에서 만나는 k의 값의 범위는 $k>2$

같은 문제 다른 표현

방정식 $e^{2x}+1=ke^x$이 서로 다른 두 실근을 갖도록 하는 상수 k의 값의 범위를 구하여라.

방정식 $e^{2x}+1=ke^x$의 양변을 e^x로 나누면 $e^x+e^{-x}=k$이므로
방정식 $e^x+e^{-x}=k$의 서로 다른 두 실근을 구하는 문제가 된다.

0689

x에 관한 방정식

$2\sin x=x+k$ $(0 \leq x \leq \pi)$

이 서로 다른 두 개의 실근을 가질 때, 실수 k의 값의 범위를 구하여라.

STEP Ⓐ 방정식을 상수 k와 x에 대한 식 $f(x)$로 분리하고 $f'(x)=0$인 x의 값 구하기

방정식 $2\sin x=x+k$의 서로 다른 두 실근을 가지려면
곡선 $y=2\sin x-x$와 직선 $y=k$가 서로 다른 두 점에서 만나면 된다.
$f(x)=2\sin x-x$라 하면
$f'(x)=2\cos x-1$
$f'(x)=0$에서 $\cos x=\frac{1}{2}$
$\therefore x=\frac{\pi}{3}$($\because 0 \leq x \leq \pi$)

STEP Ⓑ 함수 $f(x)$의 증가와 감소를 조사하고 그래프 그리기

함수의 증가와 감소를 표로 나타내면 다음과 같다.

x	0	$\cdots$	$\frac{\pi}{3}$	$\cdots$	π
$f'(x)$		$+$	0	$-$	
$f(x)$	0	↗	$\sqrt{3}-\frac{\pi}{3}$	↘	$-\pi$

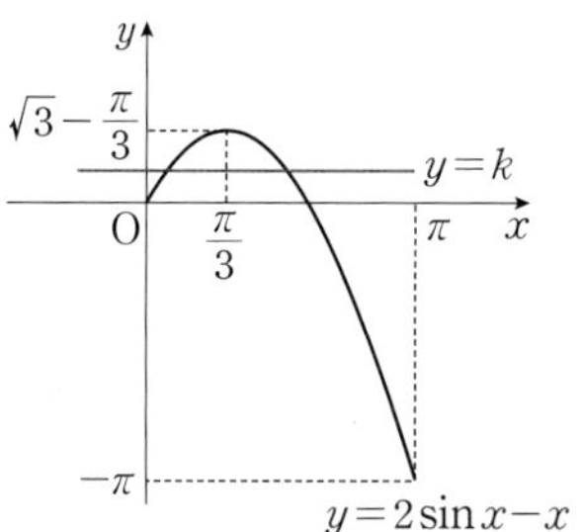

STEP Ⓒ 곡선 $y=f(x)$와 직선 $y=k$의 교점이 2개일 k의 값의 범위 구하기

따라서 곡선 $y=f(x)$와 직선 $y=k$가 서로 다른 두 점에서 만나는 k의 값의 범위는 $0 \leq k < \sqrt{3}-\frac{\pi}{3}$

0690

닫힌구간 $[0, 2\pi]$에서 x에 대한 방정식

$\sin x-x\cos x-k=0$

의 서로 다른 실근의 개수가 2가 되도록 하는 모든 정수 k의 값의 합은?

① -6 ② -3 ③ 0 ④ 3 ⑤ 6

STEP A 방정식을 상수 k와 x에 대한 식 $f(x)$로 분리하고 $f'(x)=0$인 x의 값 구하기

방정식 $\sin x-x\cos x-k=0$의 서로 다른 실근의 개수가 2이므로 곡선 $y=\sin x-x\cos x$와 $y=k$가 서로 다른 두 교점을 가진다.

함수 $f(x)=\sin x-x\cos x$라 하면

$f'(x)=\cos x-(\cos x-x\sin x)=x\sin x$

$f'(x)=0$에서 $x=0$ 또는 $x=\pi$ 또는 $x=2\pi$

STEP B 함수 $f(x)$의 증가와 감소를 조사하고 그래프를 그린다.

구간 $[0, 2\pi]$에서 함수 $f(x)$의 증가와 감소를 표로 나타내면 다음과 같다.

x	0	$\cdots$	π	$\cdots$	2π
$f'(x)$	0	+	0	−	0
$f(x)$	0	↗	극대	↘	-2π

$x=\pi$에서 극댓값 $f(\pi)=\pi$이고 $f(0)=0$, $f(2\pi)=-2\pi$이므로 $y=f(x)$의 그래프는 오른쪽과 같고 $y=k$가 서로 다른 두 교점을 가지려면 $0\le k<\pi$

따라서 정수 k는 0, 1, 2, 3이므로 합은 $0+1+2+3=6$

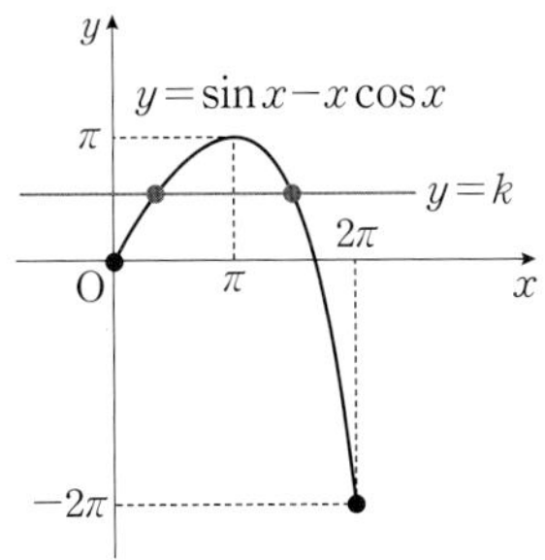

0691

방정식 $e^x=x+a$가 서로 다른 두 실근을 가지도록 하는 실수 a의 값의 범위는?

① $a=1$　② $a>1$　③ $a<1$
④ $a>2$　⑤ $a<2$

STEP A $y=e^x$와 $y=x+a$이 서로 다른 두 점에서 만나기 위한 조건 구하기

방정식 $e^x=x+a$이 서로 다른 두 실근을 가지려면 $y=e^x$와 $y=x+a$이 서로 다른 두 점에서 만나면 된다.

즉 두 그래프가 서로 다른 두 점에서 만나려면 직선 $y=x+a$이 $y=e^x$에 접하면서 기울기가 1인 접선보다 위에 위치하면 된다.

STEP B $y=e^x$에 접하면서 기울기가 1인 접선의 방정식 구하기

$y=e^x$에 접하면서 기울기가 1인 직선의 접점을 (t, e^t)라 하면

$y'=e^t$에서 접선의 기울기가 1이므로 $e^t=1$ $\therefore t=0$

점 $(0, 1)$에서 접선의 방정식은

$y-1=1\cdot(x-0)$

즉 접선의 방정식은 $y=x+1$

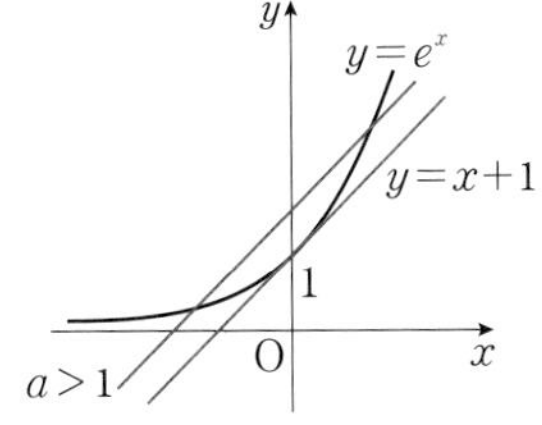

STEP C 곡선 $y=f(x)$와 직선 $y=x+a$의 교점이 2개일 a의 값의 범위 구하기

따라서 곡선 $y=e^x$와 직선 $y=x+a$가 서로 다른 두 점에서 만나는 a의 값의 범위는 직선 $y=x+a$이 직선 $y=x+1$보다 위에 위치해야 하므로 $a>1$

다른풀이 두 곡선 $y=e^x-x$와 $y=a$가 서로 다른 두 점에서 만나도록 풀이하기

방정식 $e^x=x+a$이 서로 다른 두 실근을 가지려면 $y=e^x-x$와 $y=a$이 서로 다른 두 점에서 만나면 된다.

$f(x)=e^x-x$이라 하면 $f'(x)=e^x-1$

$f'(x)=0$에서 $x=0$

함수 $f(x)$의 증가와 감소를 표로 나타내면 다음과 같다.

x	$\cdots$	0	$\cdots$
$f'(x)$	−	0	+
$f(x)$	↘	1	↗

또, $\lim_{x\to\infty}f(x)=\infty$, $\lim_{x\to-\infty}f(x)=\infty$

이므로 함수 $y=f(x)$의 그래프는 오른쪽 그림과 같다.

따라서 함수 $f(x)=e^x-x$와 $y=a$가 서로 다른 두 교점을 가지려면 $a>1$

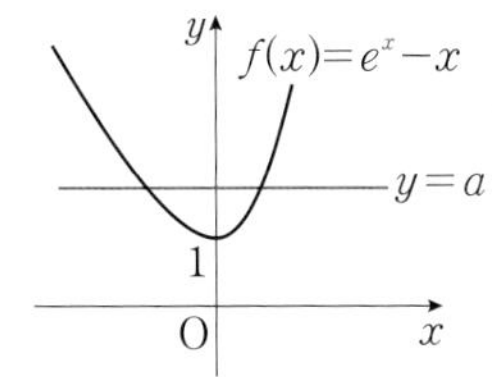

0692

실수 x에 대한 방정식 $e^x=kx$의 서로 다른 실근의 개수를 $f(k)$라 하자. 실수 k에 대한 방정식 $f(k)=a^k$이 실근을 갖게 하는 양의 실수 a의 범위는? (단 $a\ne1$)

① $0<a<e^2$　② $1<a<2^{\frac{1}{e}}$　③ $a>2^{\frac{1}{e}}$
④ $a>e^2$　⑤ $2^{\frac{1}{e}}<a<2^e$

STEP A $f(x)=\frac{e^x}{x}$로 놓고 그래프 그리기

$x=0$은 방정식 $e^x=kx$의 근이 아니므로 $x\ne0$

양변을 x로 나누면 $\frac{e^x}{x}=k$　…… ㉠

이때 방정식 ㉠의 실근은 두 함수 $y=\frac{e^x}{x}$, $y=k$의 그래프의 교점의 x좌표와 같다.

$g(x)=\frac{e^x}{x}$으로 놓으면 $g'(x)=\frac{e^x(x-1)}{x^2}$

$g'(x)=0$에서 $x=1$

함수 $g(x)$의 증가와 감소를 표로 나타내면 다음과 같다.

x	$\cdots$	(0)	$\cdots$	1	$\cdots$
$g'(x)$	−		−	0	+
$g(x)$	↘		↘	e	↗

$\lim_{x\to0+}g(x)=\infty$, $\lim_{x\to0-}g(x)=-\infty$,

$\lim_{x\to\infty}g(x)=\infty$, $\lim_{x\to-\infty}g(x)=0$

이므로 함수 $y=g(x)$의 그래프의 개형은 오른쪽 그림과 같다.

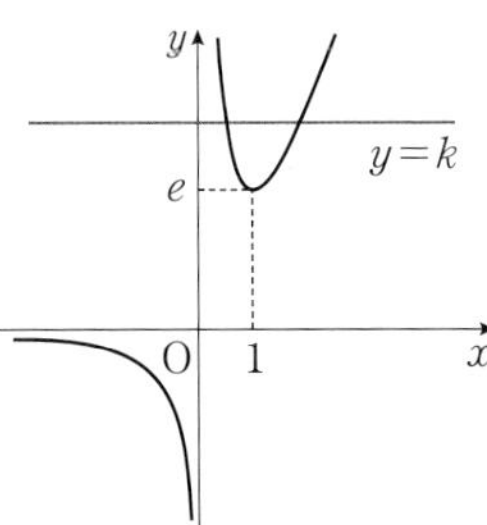

STEP B $f(k)$를 구하여 실근의 갖게 하는 양의 실수 a의 범위 구하기

즉 방정식 $e^x=kx$의 서로 다른 실근의 개수는

$k>e$일 때 2개, $k=e$일 때 1개,

$0\le k<e$일 때 0개, $k<0$일 때 1개

이므로 함수 $y=f(k)$의 그래프는 오른쪽 그림과 같다.

지수함수 $y=a^k$은 $(0, 1)$을 지나므로

y, $y=a^k$, 2, 1, $y=f(k)$, O, e, k

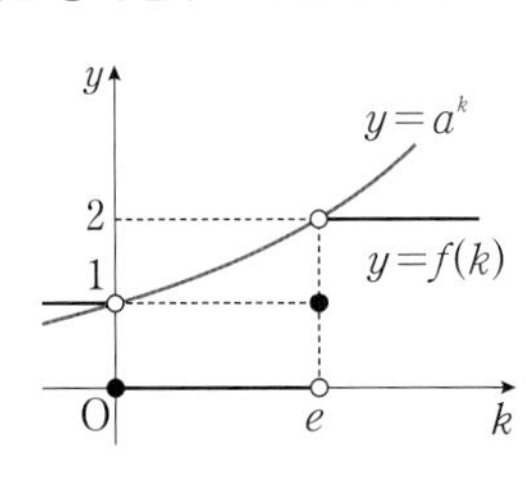

(i) $0<a<1$이면 주어진 방정식은 실근을 갖지 않는다.

(ii) $a>1$이면 점 $(e, 2)$를 지날 때, $2=a^e$　$\therefore a=2^{\frac{1}{e}}$

따라서 실근을 가지려면 $1<a<2^{\frac{1}{e}}$

함수 $y=f(k)$가 불연속인 k의 값은 $k=0$ 또는 $k=e$

0693

$-\pi < x < \pi$일 때, 방정식 $\sin x = kx$가 서로 다른 세 실근을 갖도록 하는 상수 k의 값의 범위는?

① $0 < k < \frac{1}{2}$ ② $0 < k < 1$ ③ $0 < k < 2$
④ $\frac{1}{2} < k < 1$ ⑤ $1 < k < 2$

STEP Ⓐ $\sin x = kx$의 실근의 개수는 곡선 $y = \sin x$와 직선 $y = kx$의 교점의 개수임을 이용하기

구간 $-\pi < x < \pi$에서 방정식 $\sin x = kx$가 서로 다른 세 실근을 가지려면 함수 $y = \sin x$의 그래프와 직선 $y = kx$의 교점이 3개이어야 하므로
함수 $f(x) = \sin x\,(-\pi < x < \pi)$의 그래프와 직선 $y = kx$는 다음 그림과 같다.

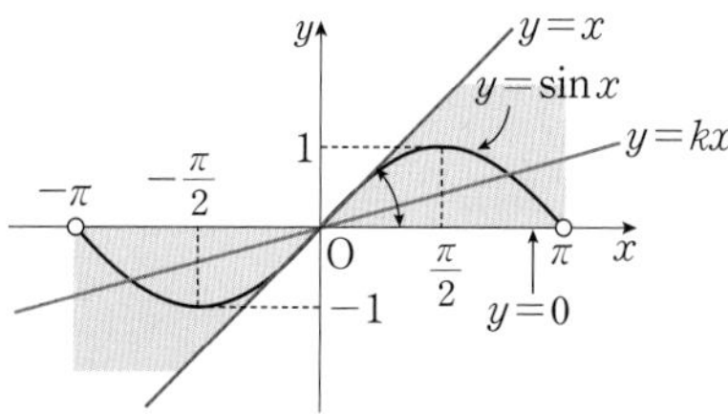

STEP Ⓑ 곡선 $y = \sin x$ 위의 점 $(0, 0)$에서의 접선의 기울기를 구하여 상수 k의 범위 구하기

한편 $f'(x) = \cos x$에서 $f'(0) = 1$이므로 곡선 $y = \sin x$ 위의 점 $(0, 0)$에서의 접선의 기울기는 1이다.
따라서 방정식 $\sin x = kx$가 서로 다른 세 실근을 갖도록 하는 상수 k의 값의 범위는 $0 < k < 1$

0694

x에 대한 방정식 $\frac{\ln x}{x} = a$가 오직 하나의 실근을 갖도록 하는 양수 a의 값을 구하여라.

STEP Ⓐ $\frac{\ln x}{x} = a$의 실근의 개수는 곡선 $y = \frac{\ln x}{x}$와 곡선 $y = a$의 교점의 개수임을 이용하기

방정식 $\frac{\ln x}{x} = a$가 오직 하나의 실근을 가지려면 곡선 $y = \frac{\ln x}{x}$와 상수함수 $y = a$가 한 점에서 만나야 한다.

$f(x) = \frac{\ln x}{x}$로 놓으면 $f'(x) = \frac{\frac{1}{x}\cdot x - \ln x \cdot 1}{x^2} = \frac{1 - \ln x}{x^2}$

$f'(x) = 0$에서 $x = e$

함수 $f(x)$의 증가와 감소를 표로 나타내면 다음과 같다.

x	(0)	$\cdots$	e	$\cdots$
$f'(x)$		$+$	0	$-$
$f(x)$		↗	$\frac{1}{e}$	↘

$x = e$에서 극대이고 극댓값 $f(e) = \frac{1}{e}$

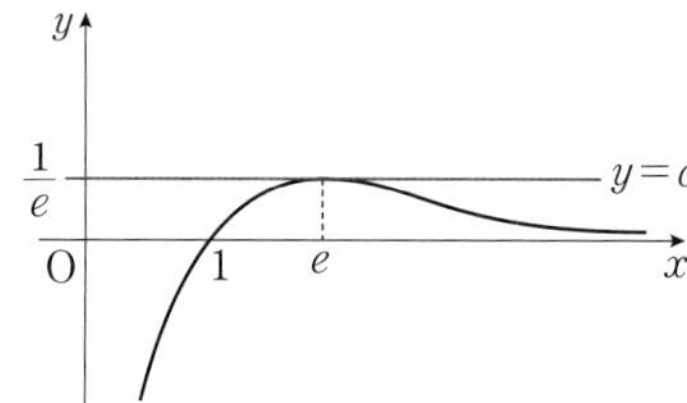

따라서 곡선 $y = \frac{\ln x}{x}$와 상수함수 $y = a$가 한 점에서 만나기 위해서는 양수 $a = \frac{1}{e}$이어야 한다.

$\frac{\ln x}{x} = a$의 실근의 개수는 곡선 $f(x) = \ln x - ax$과 x축과의 교점의 개수임을 이용하기

주어진 곡선과 직선이 오직 한 점에서 만나려면 방정식 $\ln x = ax$
즉 $\ln x - ax = 0$이 한 개의 실근을 가져야 한다.

$f(x) = \ln x - ax$로 놓으면 $f'(x) = \frac{1}{x} - a$

$f'(x) = 0$에서 $x = \frac{1}{a}$

함수 $y = f(x)$의 증가 감소를 표로 나타내면 다음과 같다.

x	(0)	$\cdots$	$\frac{1}{a}$	$\cdots$
$f'(x)$		$+$	0	$-$
$f(x)$		↗	$-\ln a - 1$	↘

함수 $f(x)$는 $x = \frac{1}{a}$에서 극대이고 극댓값 $-\ln a - 1$을 갖는다.
따라서 방정식 $f(x) = 0$이 오직 한 개의 실근을 가지려면
$-\ln a - 1 = 0$이어야 하므로 $\ln a = -1$ $\therefore a = \frac{1}{e}$

$\frac{\ln x}{x} = a$의 실근의 개수는 곡선 $y = \ln x$와 직선 $y = ax$의 교점의 개수임을 이용하여 풀이하기

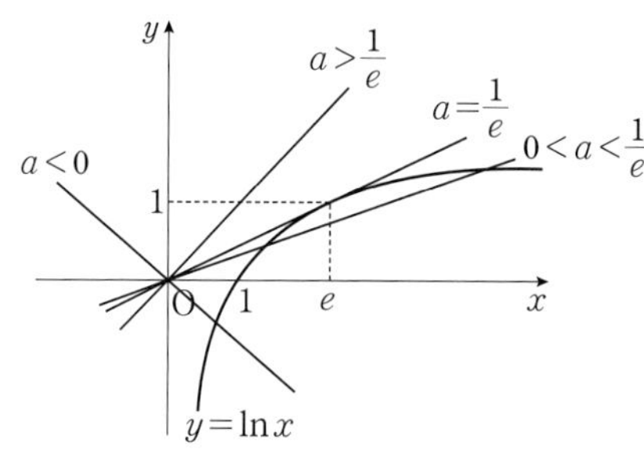

방정식 $\ln x = ax$의 실근의 개수는
$y = \ln x$ …… ㉠
$y = ax$ …… ㉡
의 그래프의 교점의 개수와 같다.
곡선 ㉠ 위의 점 $(a, \ln a)$에서의 접선의 방정식은

$y - \ln a = \frac{1}{a}(x - a)$

이 직선이 원점을 지나려면 $0 - \ln a = \frac{1}{a}(0 - a)$

$\therefore a = e$

따라서 원점을 지나는 ㉠의 접선의 방정식은 $y = \frac{1}{e}x$

방정식 $\ln x = ax$가 오직 한 개의 실근을 가지려면 $a = \frac{1}{e}$

0695

다음 물음에 답하여라.

(1) 방정식 $\ln x = x + a$가 서로 다른 두 실근을 가지도록 하는 실수 a의 값의 범위는?

① $a = -1$ ② $a > 1$ ③ $a < -1$
④ $a > -1$ ⑤ $a < 1$

STEP Ⓐ 곡선 $y = \ln x$와 직선 $y = x + a$의 교점이 두 개일 조건 이해하기

$\ln x = x + a$가 서로 다른 두 실근을 가지려면 곡선 $y = \ln x$와 직선 $y = x + a$가 오른쪽 그림과 같이 서로 다른 두 점에서 만나야 한다.

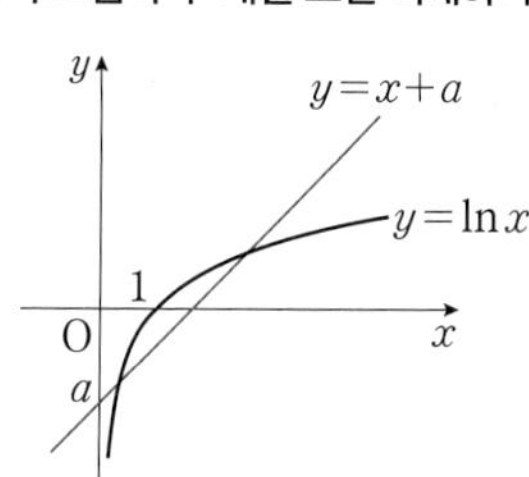

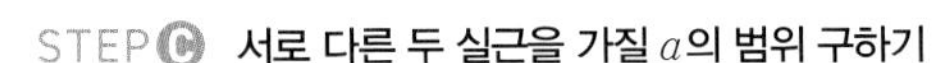

STEP Ⓑ $y=\ln x$에 접하면서 기울기가 1인 접선의 방정식 구하기

$y=\ln x$에 접하면서 기울기가 1인 직선의 접점을 $(t,\ \ln t)$라 하면

$y'=\frac{1}{x}$에서 접선의 기울기가 1이므로

$\frac{1}{t}=1 \quad \therefore t=1$

점 $(1,\ 0)$에서 접선의 방정식은

$y-0=1\cdot(x-1)$

즉 접선의 방정식은 $y=x-1$

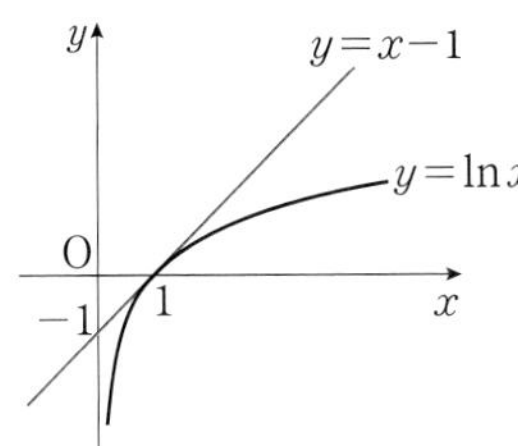

STEP Ⓒ 서로 다른 두 실근을 가질 a의 범위 구하기

따라서 $a=-1$일 때, 방정식 $\ln x=x+a$는 중근을 가지므로 서로 다른 두 실근을 가지려면 $a<-1$이다.

다른풀이 방정식을 상수 a와 x에 대한 식 $f(x)$로 분리하여 풀이하기

주어진 방정식의 실근은 두 함수 $y=\ln x-x$, $y=a$의 그래프의 교점의 x좌표와 같다.

$f(x)=\ln x-x$로 놓으면 $f'(x)=\frac{1}{x}-1$

$f'(x)=0$에서 $x=1$

함수 $f(x)$의 증가와 감소를 표로 나타내고 그래프를 그리면 다음과 같다.

x	(0)	$\cdots$	1	$\cdots$
$f'(x)$		$+$	0	$-$
$f(x)$		↗	-1	↘

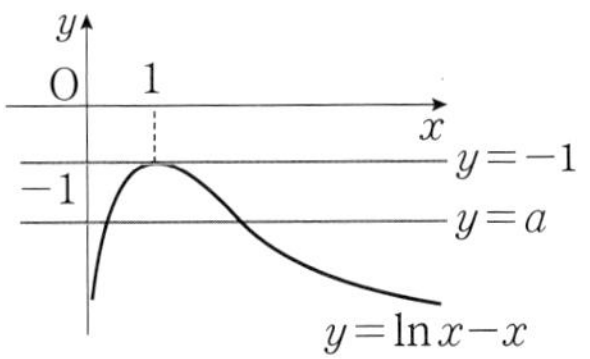

또, $\lim_{x\to0+}f(x)=-\infty$이고

$\lim_{x\to\infty}f(x)=-\infty$이다.

따라서 주어진 방정식의 서로 다른 두 실근을 가지려면 $a<-1$

(2) 방정식 $\ln x=ax+1$가 서로 다른 두 실근을 가지도록 하는 실수 a의 값의 범위는?

① $0<a<\frac{1}{e}$ ② $a>1$ ③ $0<a<\frac{1}{e^2}$
④ $a>e^2$ ⑤ $1<a<e$

STEP Ⓐ 곡선 $y=\ln x$와 직선 $y=ax+1$의 교점이 두 개일 조건 이해하기

방정식 $\ln x=ax+1$가 서로 다른 두 실근을 가지려면
곡선 $y=\ln x$와 직선 $y=ax+1$가 서로 다른 두 점에서 만나야 한다.

STEP Ⓑ $y=\ln x$에 접하면서 점 $(0,\ 1)$을 지나는 접선의 방정식 구하기

$y=\ln x$에 접하는 접점을 $(t,\ \ln t)$라 하면

$y'=\frac{1}{x}$에서 접선의 기울기가 $\frac{1}{t}$이므로

접선의 방정식은 $y-\ln t=\frac{1}{t}(x-t)$

이 접선이 점 $(0,\ 1)$을 지나므로 $1-\ln t=\frac{1}{t}(0-t)$

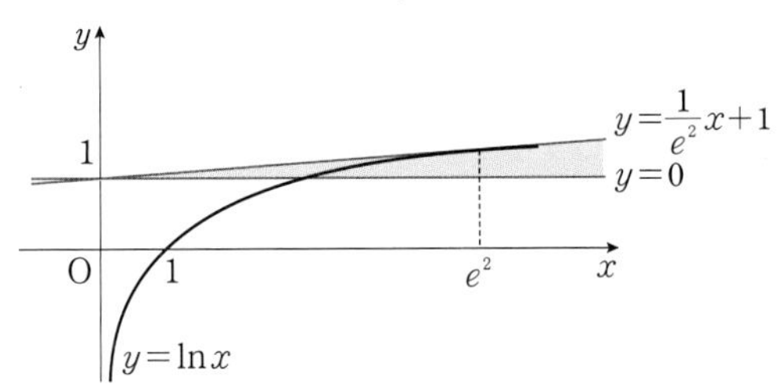

$\ln t=2 \quad \therefore t=e^2$

즉 $y=\ln x$에 접하는 접선의 방정식은 $y=\frac{1}{e^2}x+1$

STEP Ⓒ 서로 다른 두 실근을 가질 a의 범위 구하기

따라서 방정식 $\ln x=ax+1$가 서로 다른 두 실근을 가지려면 $0<a<\frac{1}{e^2}$

0696

x에 대한 두 방정식 $\ln x=kx$와 $e^x=kx$가 모두 실근을 갖지 않을 때, 상수 k값의 범위를 구하여라.

STEP Ⓐ 원점에서 두 함수 $y=\ln x$, $y=e^x$에 그은 접선의 방정식 구하기

$f(x)=\ln x$, $g(x)=e^x$이라고 할 때, 원점 O에서 $f(x)$, $g(x)$에 그은 접선은 다음 그림과 같다.

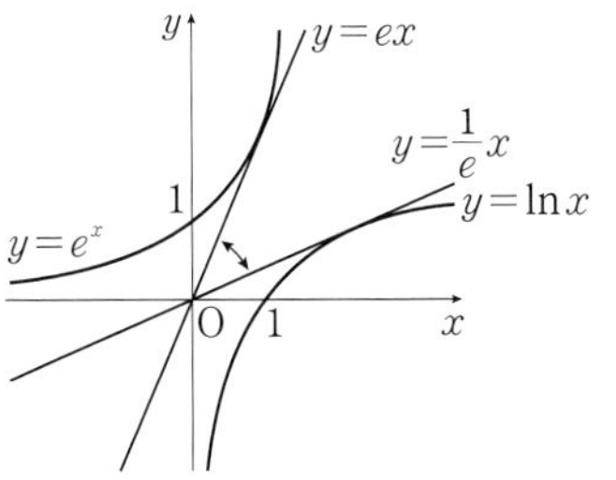

(ⅰ) $f'(x)=\frac{1}{x}$이므로 $y=f(x)$ 위의 점 $(a,\ \ln a)$에서의 접선의 방정식은

$y-\ln a=\frac{1}{a}(x-a), y=\frac{1}{a}x+\ln a-1$

이 직선이 점 $(0,\ 0)$을 지나므로 $0=\ln a-1 \quad \therefore a=e$

즉 접선의 기울기는 $\frac{1}{e}$이다.

(ⅱ) $g'(x)=e^x$이므로 $y=g(x)$ 위의 점 $(a,\ e^a)$에서의 접선의 방정식은

$y-e^a=e^a(x-a)$

이 직선이 점 $(0,\ 0)$을 지나므로 $-e^a=e^a(-a) \quad \therefore a=1$

즉 접선의 기울기는 e이다.

STEP Ⓑ 두 방정식이 실근을 갖지 않을 상수 k의 범위 구하기

(ⅰ), (ⅱ)에 의하여 직선 $y=k$가 두 곡선 $y=\ln x$, $y=e^x$와 만나지 않을 조건은 $\frac{1}{e}<k<e$

같은문제 다른표현

직선 $y=ax$가 두 곡선 $y=e^x$, $y=\ln x$와 모두 만나지 않을 때, 양수 a의 값의 범위를 구하여라.

(ⅰ) 직선 $y=kx$(k는 상수)와 곡선 $y=e^x$의 접점의 좌표를 $(t,\ e^t)$이라 하면 접선의 방정식은 $y=e^tx+(1-t)e^t$

이 접선이 직선 $y=kx$와 일치하므로 $e^t=k$, $(1-t)e^t=0$

즉 $t=1$이므로 $k=e$

(ⅱ) 직선 $y=kx$(k는 상수)와 곡선 $y=\ln x$의 접점의 좌표를 $(t,\ \ln t)$라고 하면 접선의 방정식은

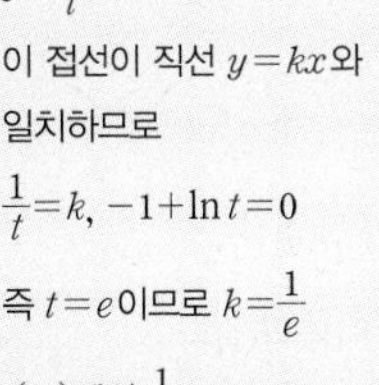

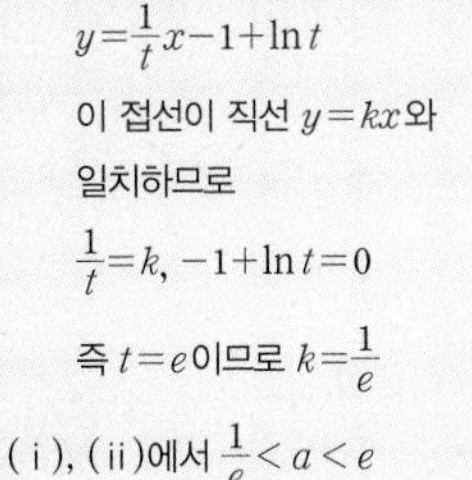

$y=\frac{1}{t}x-1+\ln t$

이 접선이 직선 $y=kx$와 일치하므로

$\frac{1}{t}=k$, $-1+\ln t=0$

즉 $t=e$이므로 $k=\frac{1}{e}$

(ⅰ), (ⅱ)에서 $\frac{1}{e}<a<e$

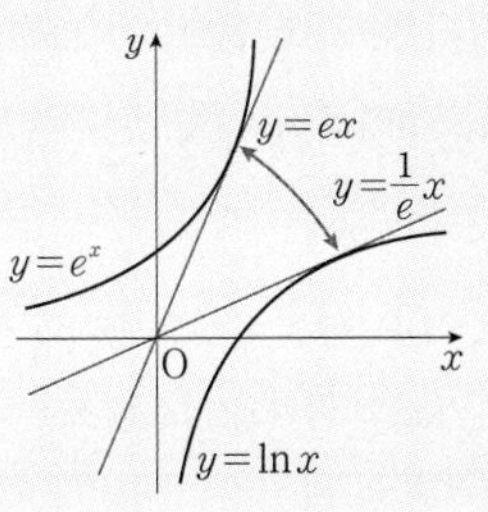

0697

$x>0$일 때, 부등식 $x-\ln ax \geq 0$이 성립하도록 양수 a의 값의 범위를 구하여라.

STEP Ⓐ $f(x)=x-\ln ax$로 놓고 $f'(x)=0$인 x의 값 구하기

$f(x)=x-\ln ax$로 놓으면

진수조건으로부터 $x>0$이므로 $a>0$ …… ㉠

$f'(x)=1-\dfrac{a}{ax}=\dfrac{x-1}{x}=0$에서 $x=1$

STEP Ⓑ 함수 $f(x)$의 증가와 감소를 조사하고 그래프를 그리기

함수 $f(x)$의 증가와 감소를 표로 나타내면 다음과 같다.

x	(0)	$\cdots$	1	$\cdots$
$f'(x)$		$-$	0	$+$
$f(x)$		↘	$1-\ln a$	↗

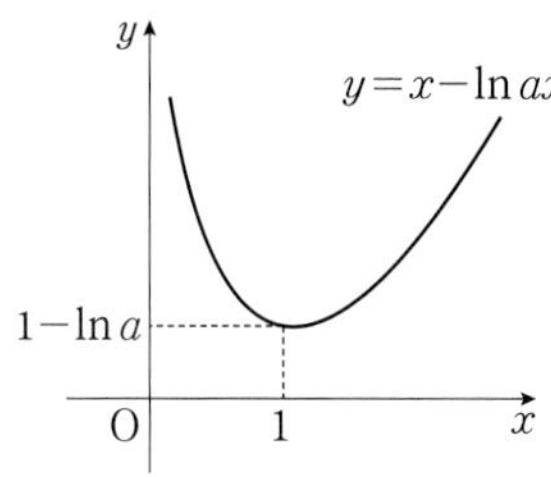

즉 $x>0$에서 $x=1$에서 극소인 동시에 최소이므로

함수 $f(x)$의 최솟값은 $f(1)=1-\ln a$이므로 $1-\ln a \geq 0$

$\therefore \ln a \leq 1 \quad \therefore a \leq e$ …… ㉡

따라서 ㉠과 ㉡에서 $0<a\leq e$

0698

다음 물음에 답하여라.

(1) 모든 실수 x에 대하여 부등식 $e^{2x} \geq ax$이기 위한 상수 a의 최댓값은? (단, $a>0$)

① 1 ② 2 ③ e
④ $2e$ ⑤ e^2

STEP Ⓐ $f(x)=e^{2x}-ax$로 놓고 $f'(x)=0$인 x의 값 구하기

$e^{2x}\geq ax$에서 $e^{2x}-ax\geq 0$

$f(x)=e^{2x}-ax$로 놓으면 $f'(x)=2e^{2x}-a$

$f'(x)=0$에서 $e^x=\sqrt{\dfrac{a}{2}}$

$\therefore x=\ln\sqrt{\dfrac{a}{2}}$

STEP Ⓑ 함수 $f(x)$의 증가와 감소를 조사하기

함수 $f(x)$의 증가와 감소를 표로 나타내면 다음과 같다.

x	$\cdots$	$\ln\sqrt{\dfrac{a}{2}}$	$\cdots$
$f'(x)$	$-$	0	$+$
$f(x)$	↘	$\dfrac{a}{2}-a\ln\sqrt{\dfrac{a}{2}}$	↗

따라서 함수 $f(x)$는 $x=\ln\sqrt{\dfrac{a}{2}}$일 때, 극소이면서 최소이므로

최솟값은 $f\left(\ln\sqrt{\dfrac{a}{2}}\right)=\dfrac{a}{2}-a\ln\sqrt{\dfrac{a}{2}}\geq 0,\ \ln\sqrt{\dfrac{a}{2}}\leq\dfrac{1}{2}$

이때 a는 양수이므로 $\ln\dfrac{a}{2}\leq 1,\ \dfrac{a}{2}\leq e \quad \therefore 0<a\leq 2e$

따라서 양수 a의 최댓값은 $2e$

다른풀이 접선의 방정식을 이용하여 풀이하기

함수 $f(x)=e^{2x}$ 위의 점 $(a,\ e^{2a})$에서

접선의 방정식은 $y-e^{2a}=2e^{2a}(x-a)$

이 접선이 원점을 지나므로

$-e^{2a}=-a\cdot 2e^{-2a} \quad \therefore a=\dfrac{1}{2}$

즉 접선의 방정식은 $g(x)=2ex$

따라서 $f(x)\geq g(x)$이기 위한 상수 a의 최댓값은 오른쪽 그림에서와 같이 $2e$

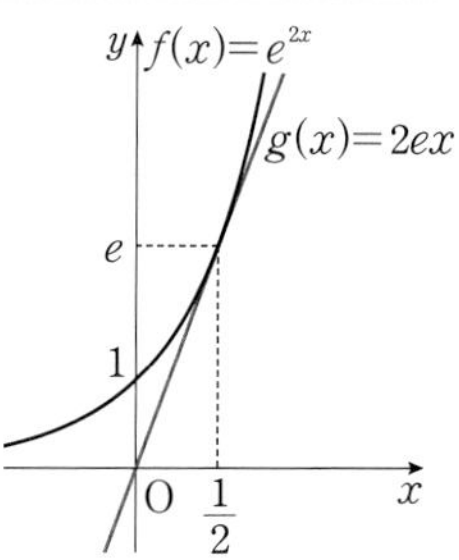

(2) 모든 실수 x에 대하여 부등식 $\dfrac{x}{e^{2x}}\leq k$가 성립하도록 하는 실수 k의 최솟값은?

① $\dfrac{4}{e^4}$ ② $\dfrac{1}{8e^{\frac{1}{4}}}$ ③ $\dfrac{1}{4e^{\frac{1}{2}}}$
④ $\dfrac{1}{2e}$ ⑤ $\dfrac{2}{e^2}$

STEP Ⓐ $f(x)=\dfrac{x}{e^{2x}}$로 놓고 $f'(x)=0$인 x의 값 구하기

$f(x)=\dfrac{x}{e^{2x}}$로 놓으면 $f'(x)=\dfrac{1\cdot e^{2x}-x\cdot 2e^{2x}}{e^{4x}}=\dfrac{1-2x}{e^{2x}}$

$f'(x)=0$에서 $1-2x=0$이므로 $x=\dfrac{1}{2}$

STEP Ⓑ 함수 $f(x)$의 증가와 감소를 조사하고 그래프를 그리기

함수 $f(x)$의 증가와 감소를 표로 나타내면 다음과 같다.

x	$\cdots$	$\dfrac{1}{2}$	$\cdots$
$f'(x)$	$+$	0	$-$
$f(x)$	↗	극대	↘

함수 $f(x)$는 $x=\dfrac{1}{2}$에서 극대이면서 최대이므로 함수 $f(x)$의 최댓값은

$f\left(\dfrac{1}{2}\right)=\dfrac{1}{2e}$

$f(x)=\dfrac{x}{e^{2x}}\leq\dfrac{1}{2e}$이므로 $k\geq\dfrac{1}{2e}$

따라서 실수 k의 최솟값은 $\dfrac{1}{2e}$

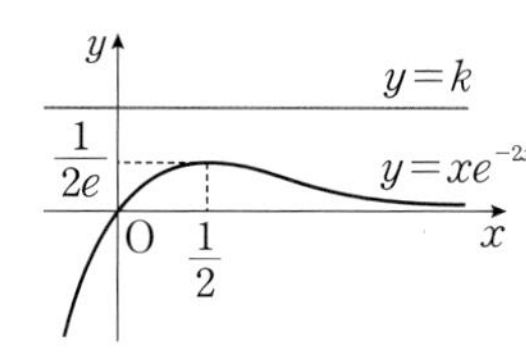

0699

모든 양의 실수 x에 대하여 부등식 $(\ln x)^2-4\ln x\geq k$가 성립하도록 하는 실수 k의 최댓값은?

① -1 ② -2 ③ -3
④ -4 ⑤ -5

STEP Ⓐ $f(x)=(\ln x)^2-4\ln x$로 놓고 $f'(x)=0$인 x의 값 구하기

$f(x)=(\ln x)^2-4\ln x$로 놓으면

$f'(x)=2\ln x\cdot\dfrac{1}{x}-\dfrac{4}{x}=\dfrac{2\ln x-4}{x}=\dfrac{2(\ln x-2)}{x}$

$f'(x)=0$에서 $\ln x=2$이므로 $x=e^2$

STEP Ⓑ 함수 $f(x)$의 증가와 감소를 조사하기

구간 $(0,\ \infty)$에서 함수 $f(x)$의 증가와 감소를 표로 나타내면 다음과 같다.

x	(0)	$\cdots$	e^2	$\cdots$
$f'(x)$		$-$	0	$+$
$f(x)$		↘	극소	↗

함수 $f(x)$는 $x=e^2$에서 극소이면서 최소이므로
함수 $f(x)$의 최솟값은 $f(e^2)=(\ln e^2)^2-4\ln e^2=4-8=-4$
모든 양의 실수 x에 대하여 $f(x)\geq k$가 성립하도록 하려면
함수 $f(x)$의 최솟값 $f(e^2)$은 k 이상이어야 한다.
따라서 $k\leq -4$이므로 실수 k의 최댓값은 -4

0700

$1\leq x\leq 3$인 모든 실수 x에 대하여 부등식

$$\alpha x\leq \ln x\leq \beta x$$

가 성립하도록 실수 α, β를 정할 때, $\beta-\alpha$의 최솟값을 구하여라.

STEP **A** 세 곡선 $y=\alpha x$, $y=\ln x$, $y=\beta x$의 위치관계 구하기

$1\leq x\leq 3$에서 $\alpha x\leq \ln x\leq \beta x$가 성립하려면
직선 $y=\alpha x$보다 곡선 $y=\ln x$이 위에 있고
곡선 $y=\ln x$보다 직선 $y=\beta x$가 위에 있도록 하면 된다.

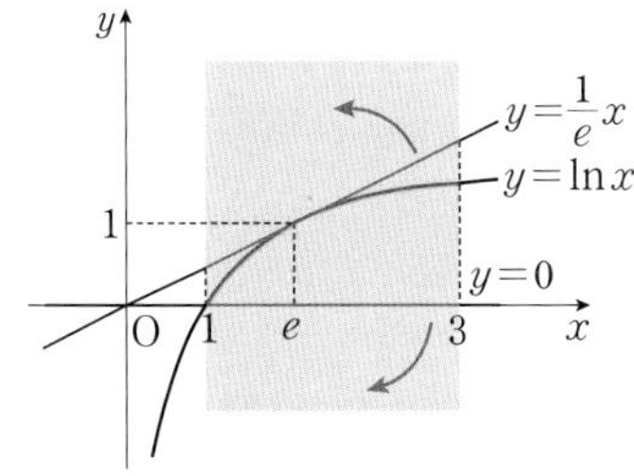

STEP **B** $\beta-\alpha$의 최솟값 구하기

곡선 $y=\ln x$와 직선 $y=\beta x$가 점 $(e, 1)$에서 접하므로

$\beta\geq\frac{1}{e}$ …… ㉠

원점과 점 $(1, 0)$을 지나는 직선은 $y=0$이므로

$\alpha\leq 0$ …… ㉡

따라서 $\beta-\alpha$의 최솟값은 $\frac{1}{e}-0=\frac{1}{e}$

다른풀이 $f(x)=\frac{\ln x}{x}$의 그래프를 이용하여 풀이하기

부등식의 각 변을 x로 나누면 $\alpha\leq\frac{\ln x}{x}\leq\beta$

$f(x)=\frac{\ln x}{x}$로 놓으면 $f'(x)=\frac{1-\ln x}{x^2}$

$f'(x)=0$에서 $x=e$

$1\leq x\leq 3$에서 함수 $f(x)$의 증가와 감소를 표로 나타내고
함수 $y=f(x)$의 그래프를 그리면 다음과 같다.

x	1	$\cdots$	e	$\cdots$	3
$f'(x)$	+	+	0	−	−
$f(x)$	0	↗	$\frac{1}{e}$	↘	$\frac{\ln 3}{3}$

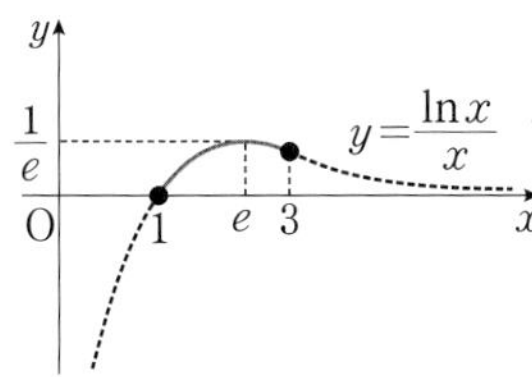

$1\leq x\leq 3$에서 $0\leq\frac{\ln x}{x}\leq\frac{1}{e}$

따라서 $\alpha\leq 0$, $\beta\geq\frac{1}{e}$이므로 $\beta-\alpha$의 최솟값은 $\frac{1}{e}-0=\frac{1}{e}$

0701

모든 실수 x에 대하여 부등식

$$x^2-\cos x\geq k$$

을 만족시키는 실수 k의 최댓값은?

① -2 ② -1 ③ 0
④ 1 ⑤ 2

STEP **A** $f(x)=x^2-\cos x-k$로 놓고 $f'(x)>0$임을 보이기

$x^2-\cos x\geq k$에서 $x^2-\cos x-k\geq 0$
$f(x)=x^2-\cos x-k$로 놓으면
$f'(x)=2x+\sin x$
$f''(x)=2+\cos x$
이때 $-1\leq\cos x\leq 1$이므로 $1\leq\cos x+2\leq 3$
모든 실수 x에 대하여 $f''(x)>0$이므로 $f'(x)$는 증가하고
$f'(0)=0$이다. ⬅ $f'(0)=2\cdot 0+\sin 0=0$

STEP **B** 함수 $f(x)$의 최솟값 구하기

즉 $x=0$에서 $f'(x)$의 부호가 음에서 양으로 바뀌므로
함수 $f(x)$는 $x=0$에서 극소이면서 최소이므로
최솟값은 $f(0)=0-1-k=-1-k$
모든 실수 x에 대하여 주어진 부등식이 성립하려면 $-1-k\geq 0$
$\therefore k\leq -1$
따라서 실수 k의 최댓값은 -1

0702

$x>0$인 모든 실수 x에 대하여 부등식

$$\cos x+\frac{1}{2}x^2>k$$

가 항상 성립할 때, 실수 k의 최댓값은?

① -2 ② -1 ③ 0
④ 1 ⑤ 2

STEP **A** $f(x)=\cos x+\frac{1}{2}x^2-k$로 놓고 $f'(x)>0$임을 이용하기

$\cos x+\frac{1}{2}x^2>k$에서 $\cos x+\frac{1}{2}x^2-k>0$이므로

$f(x)=\cos x+\frac{1}{2}x^2-k$로 놓으면

$f'(x)=-\sin x+x$
$f''(x)=-\cos x+1$
이때 $-1\leq\cos x\leq 1$이므로 $0\leq -\cos x+1\leq 2$
$x>0$일 때, $f''(x)\geq 0$이므로 $x>0$에서 $f'(x)$는 증가한다.
즉 $f'(x)>0$

STEP **B** $x>0$에서 함수 $f(x)$가 증가함을 이용하여 최댓값 구하기

또, $x>0$일 때, $f'(x)>0$이므로 함수 $f(x)$는 증가한다.
즉 $x>0$에서 $f(x)>0$이 성립하기 위해서는 $f(0)=1-k\geq 0$
$\therefore k\leq 1$
따라서 실수 k의 최댓값은 1

0703

좌표평면 위를 움직이는 점 $P(x, y)$의 시각 t에서의 위치가

$$x=2t-2\sin t,\ y=-2\cos t$$

일 때, 다음을 구하여라.

(1) 점 P의 시각 $t=\frac{\pi}{2}$에서 속도의 크기를 구하여라.

STEP A 점 P의 속도의 크기 구하기

$x=2t-2\sin t,\ y=-2\cos t$를 t에 대하여 미분하면

$\frac{dx}{dt}=2-2\cos t,\ \frac{dy}{dt}=2\sin t$이므로

점 P의 시각 t에서의 속도는 $(2-2\cos t,\ 2\sin t)$

따라서 점 P의 시각 $t=\frac{\pi}{2}$에서의 속도 $\left(2-2\cos\frac{\pi}{2},\ 2\sin\frac{\pi}{2}\right)=(2, 2)$이므로

속도의 크기는 $\sqrt{2^2+2^2}=2\sqrt{2}$

(2) 점 P의 시각 $t=\frac{\pi}{2}$에서 가속도의 크기를 구하여라.

STEP A 점 P의 가속도의 크기 구하기

$\frac{d^2x}{dt^2}=2\sin t,\ \frac{d^2y}{dt^2}=2\cos t$이므로

점 P의 시각 t에서의 가속도 $(2\sin t,\ 2\cos t)$

따라서 점 P의 시각 $t=\frac{\pi}{2}$에서의 가속도는 $\left(2\sin\frac{\pi}{2},\ 2\cos\frac{\pi}{2}\right)=(2, 0)$이므로

가속도의 크기는 $\sqrt{2^2+0^2}=2$

0704

좌표평면 위를 움직이는 점 P의 시각 $t(t>0)$에서의 위치 (x, y)가

$$x=t-\frac{2}{t},\ y=2t+\frac{1}{t}$$

이다. 시각 $t=1$에서 점 P의 속도의 크기는?

① $2\sqrt{2}$ ② 3 ③ $\sqrt{10}$
④ $\sqrt{11}$ ⑤ $2\sqrt{3}$

STEP A 점 P의 속도 구하기

$x=t-\frac{2}{t},\ y=2t+\frac{1}{t}$에서 $\frac{dx}{dt}=1+\frac{2}{t^2},\ \frac{dy}{dt}=2-\frac{1}{t^2}$이므로

점 P의 시각 $t(t>0)$에서의 속도는 $\left(1+\frac{2}{t^2},\ 2-\frac{1}{t^2}\right)$

STEP B 시각 $t=1$에서 점 P의 속도의 크기 구하기

시각 $t=1$에서 점 P의 속도는 $(3, 1)$이다.

따라서 시각 $t=1$에서 점 P의 속도의 크기는 $\sqrt{3^2+1^2}=\sqrt{10}$

0705

다음 물음에 답하여라.

(1) 좌표평면 위를 움직이는 점 $P(x, y)$의 시각 t에서의 위치가

$$x=2t+1,\ y=t-\frac{1}{3}t^3$$

일 때, 점 P의 속도의 크기가 2일 때의 가속도의 크기는?

① 1 ② 2 ③ 3
④ 4 ⑤ 5

STEP A 점 P의 속도의 크기가 2일 때, 시간 구하기

$\frac{dx}{dt}=2,\ \frac{dy}{dt}=1-t^2$이므로 점 P의 시각 t에서의 속도는 $(2,\ 1-t^2)$

점 P의 속도의 크기가 2이므로 $\sqrt{2^2+(1-t^2)^2}=2$

$t^4-2t^2+5=4,\ (t^2-1)^2=0$

$t>0$이므로 $t=1$

STEP B 가속도의 크기를 구하기

$\frac{d^2x}{dt^2}=0,\ \frac{d^2y}{dt^2}=-2t$이므로 점 P의 시각 t에서의 가속도는 $(0,\ -2t)$

따라서 $t=1$에서의 가속도의 크기는 $\sqrt{0^2+(-2\cdot1)^2}=2$

(2) 좌표평면 위를 움직이는 점 $P(x, y)$에서 시각 t에서의 위치가

$$x=e^t\cos t,\ y=e^t\sin t$$

일 때, 점 P의 속도의 크기가 $\sqrt{2}e$일 때, 가속도의 크기는?

① e ② $e+1$ ③ $2e$
④ $2(e+1)$ ⑤ $3e$

STEP A 점 P의 속도의 크기가 $\sqrt{2}e$일 때, 시간 구하기

$\frac{dx}{dt}=e^t(\cos t-\sin t),\ \frac{dy}{dt}=e^t(\sin t+\cos t)$이므로

점 P의 시각 t에서의 속도는 $(e^t(\cos t-\sin t),\ e^t(\sin t+\cos t))$

점 P의 속도의 크기가 $\sqrt{2}e$이므로

$e^t\sqrt{(\cos t-\sin t)^2+(\sin t+\cos t)^2}=\sqrt{2}e^t$

$\sqrt{2}e=\sqrt{2}e^t\quad\therefore t=1$

STEP B 가속도의 크기를 구하기

$\frac{d^2x}{dt^2}=-2e^t\sin t,\ \frac{d^2y}{dt^2}=2e^t\cos t$이므로

점 P의 시각 t에서의 가속도는 $(-2e^t\sin t,\ 2e^t\cos t)$

따라서 $t=1$에서의 가속도의 크기는 $2e^t\sqrt{\sin^2 t+\cos^2 t}=2e$

0706

다음 물음에 답하여라.

(1) 좌표평면 위를 움직이는 점 P의 시각 t에서의 위치 (x, y)가

$$x=\sqrt{3}t,\ y=t^2-t$$

이다. 점 P의 속도의 크기가 최소일 때, 점 P의 위치를 구하여라.

STEP A 점 P의 속도 구하기

$x=\sqrt{3}t,\ y=t^2-t$에서 $\frac{dx}{dt}=\sqrt{3},\ \frac{dy}{dt}=2t-1$

점 P의 속도의 크기는

$\sqrt{\left(\frac{dx}{dt}\right)^2+\left(\frac{dy}{dt}\right)^2}=\sqrt{(\sqrt{3})^2+(2t-1)^2}=\sqrt{4t^2-4t+4}=\sqrt{4\left(t-\frac{1}{2}\right)^2+3}$

STEP B 속도의 크기가 최소일 때, 점 P의 위치 구하기

이므로 점 P의 속도의 크기가 최소인 시각은 $t=\frac{1}{2}$

따라서 점 P의 위치는 $\left(\frac{\sqrt{3}}{2},\ -\frac{1}{4}\right)$

(2) 좌표평면 위를 움직이는 점 P의 시각 $t\,(t>0)$에서의 위치 $(x,\ y)$가

$$x=\sin 2t,\ y=\cos 2t-t$$

이다. 점 P의 속력의 최댓값을 구하여라.

STEP A 좌표평면에서 속력 구하기

$\dfrac{dx}{dt}=2\cos 2t,\ \dfrac{dy}{dt}=-2\sin 2t-1$이므로

시각 t에서의 점 P의 속도를 $\vec{v}$라 하면

$|\vec{v}|=\sqrt{(2\cos 2t)^2+(-2\sin 2t-1)^2}$

$=\sqrt{4\cos^2 2t+4\sin^2 2t+4\sin 2t+1}$

$=\sqrt{4\sin 2t+5}$

STEP B 속력의 최댓값 구하기

따라서 점 P의 속력은 $\sin 2t=1$일 때 최댓값 $\sqrt{4+5}=3$을 갖는다.

0707

다음 물음에 답하여라.

(1) 좌표평면 위를 움직이는 점 $\mathrm{P}(x,\ y)$의 시각 t에서의 위치는

$$x=t-2\cos t,\ y=2-\sqrt{3}\sin t$$

이다. 점 P의 속도의 크기가 최대일 때, 점 P의 가속도의 크기는?

① 1 ② $\sqrt{2}$ ③ $\sqrt{3}$
④ 2 ⑤ $\sqrt{5}$

STEP A 점 P의 속도의 크기가 최대가 되는 값 구하기

$\dfrac{dx}{dt}=1+2\sin t,\ \dfrac{dy}{dt}=-\sqrt{3}\cos t$이므로 점 P의 속도의 크기는

$\sqrt{\left(\dfrac{dx}{dt}\right)^2+\left(\dfrac{dy}{dt}\right)^2}=\sqrt{(1+2\sin t)^2+(-\sqrt{3}\cos t)^2}$

$=\sqrt{1+4\sin t+4\sin^2 t+3\cos^2 t}$

$=\sqrt{1+4\sin t+4\sin^2 t+3(1-\sin^2 t)}$

$=\sqrt{\sin^2 t+4\sin t+4}$

$=\sqrt{(\sin t+2)^2}$

$=\sin t+2\le 3\ (\because -1\le \sin t\le 1)$

점 P의 속도의 크기는 $\sin t=1$일 때, 최대이다.

STEP B 점 P의 가속도의 크기 구하기

따라서 $\dfrac{d^2x}{dt^2}=2\cos t,\ \dfrac{d^2y}{dt^2}=\sqrt{3}\sin t$이므로 점 P의 가속도의 크기는

$\sqrt{\left(\dfrac{d^2x}{dt^2}\right)^2+\left(\dfrac{d^2y}{dt^2}\right)^2}=\sqrt{(2\cos t)^2+(\sqrt{3}\sin t)^2}$

$=\sqrt{4\cos^2 t+3\sin^2 t}$

$=\sqrt{4-4\sin^2 t+3\sin^2 t}$

$=\sqrt{4-\sin^2 t}$

$=\sqrt{3}\ (\because \sin t=1)$

(2) 좌표평면 위를 움직이는 점 P의 시각 $t\,(t\ge 0)$에서의 위치 $(x,\ y)$가

$$x=1-\cos 4t,\ y=\frac{1}{4}\sin 4t$$

이다. 점 P의 속력이 최대일 때, 점 P의 가속도의 크기는?

① 1 ② 2 ③ 3
④ 4 ⑤ 5

STEP A 점 P의 속력이 최대가 되는 값 구하기

$x=1-\cos 4t$에서 $\dfrac{dx}{dt}=4\sin 4t$

$y=\dfrac{1}{4}\sin 4t$에서 $\dfrac{dy}{dt}=\cos 4t$

점 P의 시각 t에서 속도는 $(4\sin 4t,\ \cos 4t)$이므로

점 P의 속력은

$\sqrt{\left(\dfrac{dx}{dt}\right)^2+\left(\dfrac{dy}{dt}\right)^2}=\sqrt{16\sin^2 4t+\cos^2 4t}=\sqrt{15\sin^2 4t+1}$

이때 속력이 최대가 되기 위해서는 $\sin^2 4t=1$

즉 $\cos^2 4t=0$

STEP B 점 P의 가속도의 크기 구하기

또한, $\dfrac{d^2x}{dt^2}=16\cos 4t,\ \dfrac{d^2y}{dt^2}=-4\sin 4t$

점 P의 시각 t에서 가속도는 $(16\cos 4t,\ -4\sin 4t)$이므로

점 P의 가속도의 크기는

$\sqrt{\left(\dfrac{d^2x}{dt^2}\right)^2+\left(\dfrac{d^2y}{dt^2}\right)^2}=\sqrt{256\cos^2 4t+16\sin^2 4t}$

따라서 속력이 최대, 즉 $\sin^2 4t=1,\ \cos^2 4t=0$일 때, 점 P의 가속도의 크기는 $\sqrt{256\times 0+16\times 1}=4$

0708

다음 물음에 답하여라.

(1) 좌표평면 위를 움직이는 점 P의 시각 t에서의 위치 $(x,\ y)$가

$$x=t^3+t,\ y=t\ln t-t$$

이다. 점 P의 시각 t에서의 가속도의 크기의 최솟값은?

① $2\sqrt{2}$ ② 3 ③ $2\sqrt{3}$
④ 4 ⑤ $2\sqrt{5}$

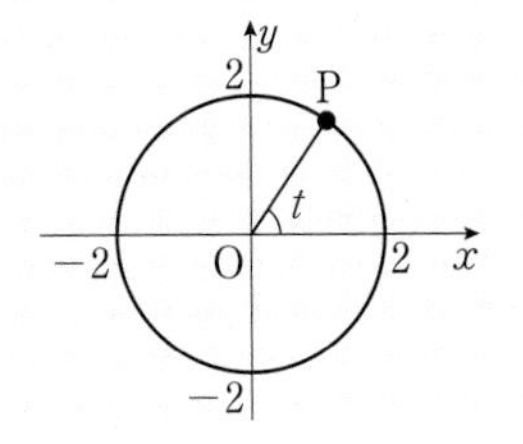

STEP A 점 P의 시각 t에서의 속도 가속도 구하기

$\dfrac{dx}{dt}=3t^2+1,\ \dfrac{dy}{dt}=\ln t+t\times\dfrac{1}{t}-1=\ln t$

$\dfrac{d^2x}{dt^2}=6t,\ \dfrac{d^2y}{dt^2}=\dfrac{1}{t}$이므로

점 P의 시각 t에서의 가속도는 $\left(6t,\ \dfrac{1}{t}\right)$

STEP B 가속도의 크기의 최솟값 구하기

점 P의 시각 t에서의 가속도의 크기는

$\sqrt{\left(\dfrac{d^2x}{dt^2}\right)^2+\left(\dfrac{d^2y}{dt^2}\right)^2}=\sqrt{(6t)^2+\left(\dfrac{1}{t}\right)^2}=\sqrt{36t^2+\dfrac{1}{t^2}}$

산술평균과 기하평균의 관계에 의하여

$36t^2+\dfrac{1}{t^2}\ge 2\sqrt{36t^2\times\dfrac{1}{t^2}}=12$ (단, 등호는 $t=\dfrac{\sqrt{6}}{6}$일 때 성립)

따라서 점 P의 가속도의 크기의 최솟값은 $\sqrt{12}=2\sqrt{3}$

(2) 좌표평면 위를 움직이는 점 P의 시각 $t\left(0<t<\frac{\pi}{2}\right)$에서의 위치 (x, y)가

$$x=t+\sin t\cos t,\ y=\tan t$$

이다. $0<t<\frac{\pi}{2}$에서의 점 P의 속력의 최솟값은?

① 1　② $\sqrt{3}$　③ 2
④ $2\sqrt{2}$　⑤ $2\sqrt{3}$

STEP Ⓐ 점 P의 시각 t에서의 속도 구하기

점 P의 시각 $t\left(0<t<\frac{\pi}{2}\right)$에서의

$x=t+\sin t\cos t$에서 $\frac{dx}{dt}=1+\cos^2 t-\sin^2 t=2\cos^2 t$ ⬅ $1-\sin^2 t=\cos^2 t$

$y=\tan t$에서 $\frac{dy}{dt}=\sec^2 t$

이므로 속도는 $\left(\frac{dx}{dt}, \frac{dy}{dt}\right)=(2\cos^2 t, \sec^2 t)$

STEP Ⓑ P의 시각 t에서의 속력 구하기

P의 시각 t에서의 속력은

$\sqrt{\left(\frac{dx}{dt}\right)^2+\left(\frac{dy}{dt}\right)^2}=\sqrt{(2\cos^2 t)^2+(\sec^2 t)^2}$

STEP Ⓒ 산술평균과 기하평균을 이용하여 점 P의 속력의 최솟값 구하기

이때, $4\cos^4 t>0$, $\sec^4 t>0$이므로 산술평균과 기하평균에 의하여

$$\begin{aligned}4\cos^4 t+\sec^4 t &\geq 2\sqrt{4\cos^4 t\times\sec^4 t}\\ &=2\sqrt{4\cos^4 t\times\frac{1}{\cos^4 t}}\\ &=4\end{aligned}$$

(단, 등호는 $4\cos^4 t=\sec^4 t$일 때 성립한다.)

따라서 P의 시각 t에서의 속력 $\sqrt{4\cos^4 t+\sec^4 t}$의 최솟값은 $\sqrt{4}=2$

(3) 좌표평면 위를 움직이는 점 P의 시각 $t\ (t>0)$에서의 위치 (x, y)가

$$x=2\sqrt{t+1},\ y=t-\ln(t+1)$$

이다. 점 P의 속력의 최솟값은?

① $\frac{\sqrt{3}}{8}$　② $\frac{\sqrt{6}}{8}$　③ $\frac{\sqrt{3}}{4}$
④ $\frac{\sqrt{6}}{4}$　⑤ $\frac{\sqrt{3}}{2}$

STEP Ⓐ 점 P의 시각 t에서의 속도 구하기

$x=2\sqrt{t+1}$에서 $\frac{dx}{dt}=\frac{1}{\sqrt{t+1}}$

$y=t-\ln(t+1)$에서 $\frac{dy}{dt}=1-\frac{1}{t+1}$

점 P의 속도는 $\left(\frac{1}{\sqrt{t+1}}, \frac{t}{t+1}\right)$이므로 속력은 $\sqrt{\frac{1}{t+1}+\frac{t^2}{(t+1)^2}}$

STEP Ⓑ 속력의 최솟값 구하기

$$\begin{aligned}\frac{1}{t+1}+\frac{t^2}{(t+1)^2}=\frac{t+1+t^2}{(t+1)^2}&=\frac{t^2+2t+1-t}{t^2+2t+1}\\ &=1-\frac{t}{t^2+2t+1}\\ &=1-\frac{1}{t+2+\frac{1}{t}}\end{aligned}$$

이때 $t>0$이므로 $t+\frac{1}{t}+2\geq 2\sqrt{t\cdot\frac{1}{t}}+2=4$ ⬅ 산술평균과 기하평균

$\frac{t}{t^2+2t+1}=\frac{1}{t+\frac{1}{t}+2}\leq\frac{1}{4}\ \left(\because t+\frac{1}{t}\geq 2\right)$

따라서 속력의 최솟값은 $\sqrt{1-\frac{1}{4}}=\frac{\sqrt{3}}{2}$

다른풀이 이차함수의 완전제곱식을 이용하여 풀이하기

STEP Ⓐ 평면 위의 운동에서의 속력 구하기

$x=2\sqrt{t+1}$에서 $\frac{dx}{dt}=\frac{1}{\sqrt{t+1}}$

$y=t-\ln(t+1)$에서 $\frac{dy}{dt}=1-\frac{1}{t+1}$

점 P의 속도는 $\left(\frac{1}{\sqrt{t+1}}, 1-\frac{1}{t+1}\right)$이므로

시각 t에서의 점 P의 속력은

$$\begin{aligned}&\sqrt{\left(\frac{1}{\sqrt{t+1}}\right)^2+\left(1-\frac{1}{t+1}\right)^2}\\ &=\sqrt{\frac{1}{(t+1)^2}-\frac{1}{t+1}+1}\\ &=\sqrt{\left(\frac{1}{t+1}-\frac{1}{2}\right)^2+\frac{3}{4}}\end{aligned}$$ ⬅ $\sqrt{\left(A-\frac{1}{2}\right)^2+\frac{3}{4}}$

STEP Ⓑ 속력의 최솟값 구하기

따라서 $t=1$일 때 점 P의 속력의 최솟값은 $\sqrt{\frac{3}{4}}=\frac{\sqrt{3}}{2}$

다른풀이 유리함수의 극대, 극소 이용하여 풀이하기

점 P의 속도 $\left(\frac{1}{\sqrt{t+1}}, \frac{t}{t+1}\right)$

시각 t에서의 점 P의 속력은

$\sqrt{\left(\frac{1}{\sqrt{t+1}}\right)^2+\left(\frac{t}{t+1}\right)^2}=\sqrt{\frac{t+1+t^2}{(t+1)^2}}$

$f(t)=\frac{t+1+t^2}{(t+1)^2}=\frac{t^2+t+1}{t^2+2t+1}$라 하면

$$\begin{aligned}f'(t)&=\frac{(2t+1)(t^2+2t+1)-(t^2+t+1)(2t+2)}{(t^2+2t+1)^2}\\ &=\frac{t^2-1}{(t^2+2t+1)^2}\end{aligned}$$

$f'(t)=0$에서 $t=1\ (\because t>0)$

함수 $f(t)$의 증가와 감소를 표로 나타내면 다음과 같다.

t	$\cdots$	1	$\cdots$
$f'(t)$	$-$	0	$+$
$f(t)$	↘	극소	↗

따라서 $f(t)$는 $t=1$일 때, 극소이면서 최소이므로

점 P의 속력의 최솟값은 $|v(1)|=\sqrt{\frac{1^2+1+1}{(1+1)^2}}=\frac{\sqrt{3}}{2}$

0709

원점 O를 중심으로 하고 반지름의 길이가 2인 원 위를 움직이는 점 P가 있다.
시각 t에 대하여 동경 OP가 나타내는 각의 크기가 t일 때, 시각 t에서의 점 P의 속도의 크기와 가속도의 크기를 구하여라.

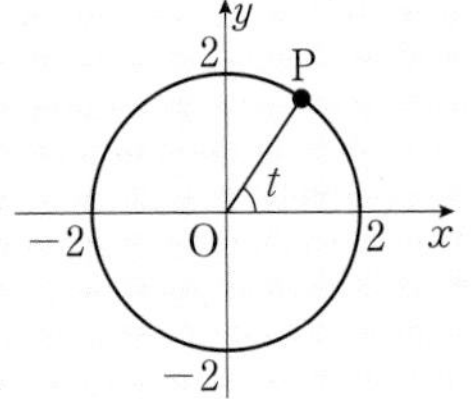

STEP Ⓐ **점 P의 시각 t에서의 속도의 크기 구하기**

점 P의 위치 $(x,\ y)$는 동경 OP의 길이가 2이고 동경 OP가 나타내는 각의 크기가 t이므로

$x=2\cos t,\ y=2\sin t$에서

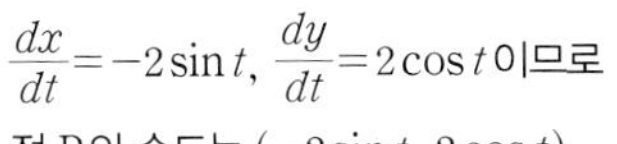

$\dfrac{dx}{dt}=-2\sin t,\ \dfrac{dy}{dt}=2\cos t$이므로

점 P의 속도는 $(-2\sin t,\ 2\cos t)$

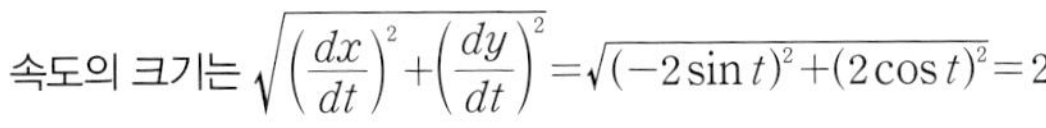

속도의 크기는 $\sqrt{\left(\dfrac{dx}{dt}\right)^2+\left(\dfrac{dy}{dt}\right)^2}=\sqrt{(-2\sin t)^2+(2\cos t)^2}=2$

STEP Ⓑ **점 P의 시각 t에서의 가속도의 크기 구하기**

또, $\dfrac{d^2x}{dt^2}=-2\cos t,\ \dfrac{d^2y}{dt^2}=-2\sin t$에서 점 P의 가속도는 $(-2\cos t,\ -2\sin t)$이므로 가속도의 크기는

$\sqrt{\left(\dfrac{d^2x}{dt^2}\right)^2+\left(\dfrac{d^2y}{dt^2}\right)^2}=\sqrt{(-2\cos t)^2+(-2\sin t)^2}=2$

0710

원점 O를 중심으로 하고 반지름의 길이가 3인 원 위를 움직이는 점 P가 있다.
시각 t에 대하여 동경 OP가 나타내는 각의 크기가 $-2t$일 때,
$t=\dfrac{\pi}{2}$에서의 점 P의 가속도는?

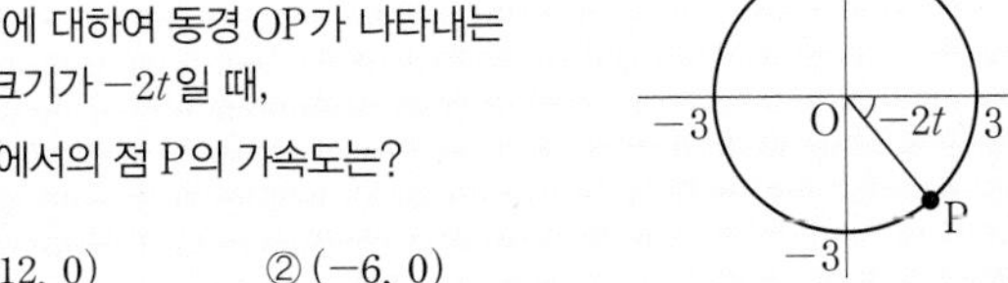

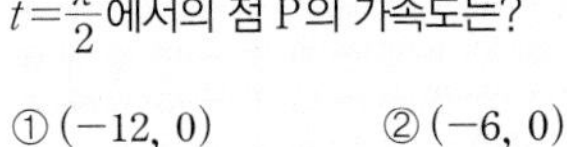

① $(-12,\ 0)$ ② $(-6,\ 0)$
③ $(-3,\ 0)$ ④ $(6,\ 0)$
⑤ $(12,\ 0)$

STEP Ⓐ **점 P의 시각 t에서의 속도의 크기 구하기**

점 P의 위치 $(x,\ y)$는 동경 OP의 길이가 3이고 동경 OP가 나타내는 각의 크기가 $-2t$이므로

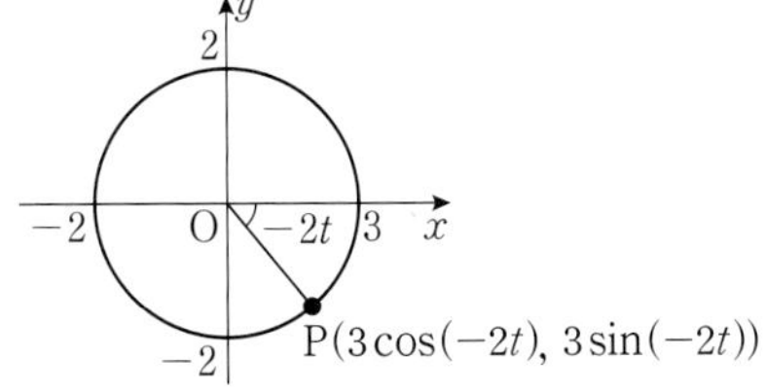

$x=3\cos(-2t)=3\cos 2t,\ y=3\sin(-2t)=-3\sin 2t$에서

$\dfrac{dx}{dt}=-6\sin 2t,\ \dfrac{dy}{dt}=-6\cos 2t$이고 $\dfrac{d^2x}{dt^2}=-12\cos 2t,\ \dfrac{d^2y}{dt^2}=12\sin 2t$

이므로 점 P의 가속도는 $(-12\cos 2t,\ 12\sin 2t)$

STEP Ⓑ **$t=\dfrac{\pi}{2}$에서의 점 P의 가속도 구하기**

$t=\dfrac{\pi}{2}$에서의 점 P의 가속도는 $(-12\cos\pi,\ 12\sin\pi)$

따라서 $(12,\ 0)$

단원종합문제

FINAL EXERCISE

도함수의 활용

BASIC

0711

방정식 $e^x=kx$에 대한 [보기]의 설명에서 옳은 것만을 있는 대로 고른 것은? (단, k는 상수)

> ㄱ. $k>e$이면 서로 다른 실근의 개수는 2이다.
> ㄴ. $0\le k<e$이면 서로 다른 실근의 개수는 2이다.
> ㄷ. $k<0$ 또는 $k=e$이면 서로 다른 실근의 개수는 1이다.

① ㄱ ② ㄱ, ㄴ ③ ㄱ, ㄷ
④ ㄴ, ㄷ ⑤ ㄱ, ㄴ, ㄷ

STEP Ⓐ **방정식을 상수 k와 x에 대한 식 $f(x)$로 분리하고 $f'(x)=0$인 x의 값 구하기**

$e^x=kx$에서 $x\ne 0$이므로 $k=\dfrac{e^x}{x}$

$f(x)=\dfrac{e^x}{x}$이라고 하면 곡선 $y=\dfrac{e^x}{x}$과 직선 $y=k$의 교점의 개수가 방정식 $e^x=kx$의 서로 다른 실근의 개수이다.

$f'(x)=\dfrac{(x-1)e^x}{x^2}$이므로 $f'(x)=0$에서 $x=1$

STEP Ⓑ **함수 $f(x)$의 증가와 감소를 조사하고 그래프 그려 [보기]의 참, 거짓 판별하기**

함수 $f(x)$의 증가와 감소를 표로 나타내면 다음과 같다.

x	$\cdots$	(0)	$\cdots$	1	$\cdots$
$f'(x)$	$-$		$-$	0	$+$
$f(x)$	↘		↘	e	↗

$\lim_{x\to-\infty}f(x)=0,\ \lim_{x\to\infty}f(x)=\infty,\ \lim_{x\to0-}f(x)=-\infty,\ \lim_{x\to0+}f(x)=\infty$

이므로 함수 $y=f(x)$의 그래프는 다음 그림과 같다.

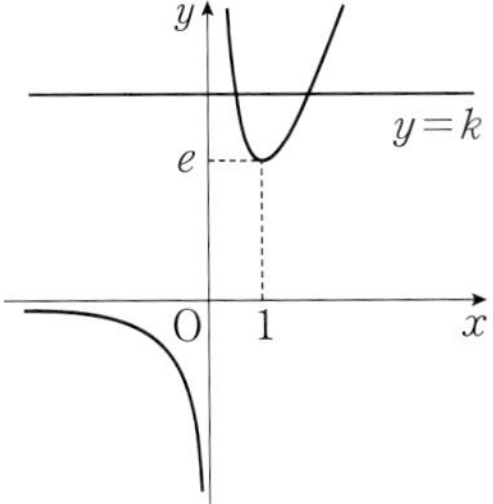

ㄱ. $k>e$이면 서로 다른 실근의 개수는 2이다. [참]
ㄴ. $0\le k<e$이면 서로 다른 실근의 개수는 0이다. [거짓]
ㄷ. $k<0$ 또는 $k=e$이면 서로 다른 실근의 개수는 1개이다. [참]
따라서 옳은 것은 ㄱ, ㄷ이다.

0712

방정식 $xe^x-k=0$이 서로 다른 두 개의 실근을 갖도록 하는 상수 k의 값의 범위를 구하여라.

① $-e<k<-\frac{1}{e}$ ② $-\frac{1}{e}<k<0$ ③ $0<k<\frac{1}{e}$
④ $\frac{1}{e}<k<e$ ⑤ $k>e$

STEP Ⓐ $f(x)=xe^x$로 놓고 $f'(x)=0$인 x의 값 구하기

$xe^x=k$에서 $f(x)=xe^x$이라 하면

$f'(x)=e^x+xe^x=(1+x)e^x$

$f'(x)=0$에서 $x=-1$

STEP Ⓑ 함수 $f(x)$의 증가와 감소를 조사하기

함수 $f(x)$의 증가와 감소를 표로 나타내면 다음과 같다.

x	$\cdots$	-1	$\cdots$
$f'(x)$	$-$	0	$+$
$f(x)$	↘	$-\frac{1}{e}$	↗

한편 $\lim_{x\to-\infty}xe^x=0$, $\lim_{x\to\infty}xe^x=\infty$ 이므로
그래프의 개형은 오른쪽 그림과 같다.

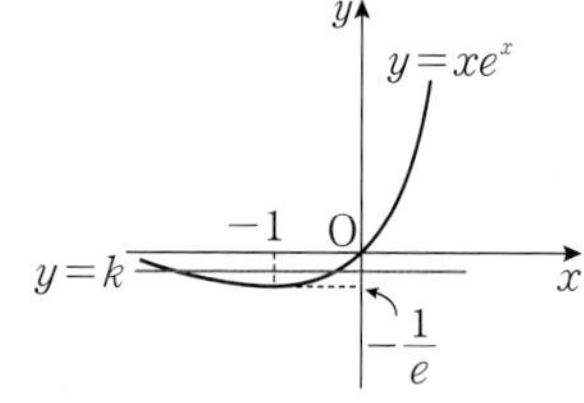

STEP Ⓒ 방정식이 서로 다른 두 개의 실근을 가질 k의 값의 범위 구하기

따라서 방정식 $xe^x-k=0$이 서로 다른 두 실근을 가지려면 $-\frac{1}{e}<k<0$

0713

x에 대한 방정식 $\ln x=x+k$가 오직 한 개의 실근을 가질 때, 실수 k의 값은?

① -3 ② -2 ③ -1
④ 0 ⑤ 1

STEP Ⓐ 곡선 $y=\ln x$와 직선 $y=x+k$의 교점이 한 개일 조건 이해하기

방정식 $\ln x=x+k$가 오직 한 개의 실근을 가지려면 오른쪽 그림과 같이 곡선 $y=\ln x$와 직선 $y=x+k$가 접해야 한다.

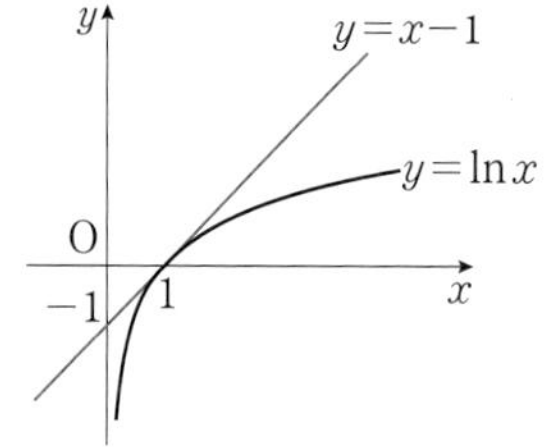

STEP Ⓑ $y=\ln x$에 접하면서 기울기가 1인 접선의 방정식 구하기

$y=\ln x$에 접하면서 기울기가 1인 직선의 접점을 $(t,\ \ln t)$라 하면

$y'=\frac{1}{x}$에서 접선의 기울기가 1이므로 $\frac{1}{t}=1$

$\therefore t=1$

점 $(1,\ 0)$에서 접선의 방정식은 $y-0=1\cdot(x-1)$

즉 접선의 방정식은 $y=x-1$

STEP Ⓒ 오직 한 개의 실근을 가질 k의 범위 구하기

따라서 $k=-1$일 때, 방정식 $\ln x=x+k$는 중근을 가진다.

다른풀이 방정식을 상수 k와 x에 대한 식 $f(x)$로 분리하여 풀이하기

주어진 방정식의 실근은 두 함수 $y=\ln x-x$, $y=k$의 그래프의 교점의 x좌표와 같다.

$f(x)=\ln x-x$로 놓으면 $f'(x)=\frac{1}{x}-1$

$f'(x)=0$에서 $x=1$

함수 $f(x)$의 증가와 감소를 표로 나타내고 그래프를 그리면 다음과 같다.

x	(0)	$\cdots$	1	$\cdots$
$f'(x)$		$+$	0	$-$
$f(x)$		↗	-1	↘

또, $\lim_{x\to0+}f(x)=-\infty$이고
$\lim_{x\to\infty}f(x)=-\infty$이다.
따라서 주어진 방정식의 한 개의 실근을 가지려면 $k=-1$

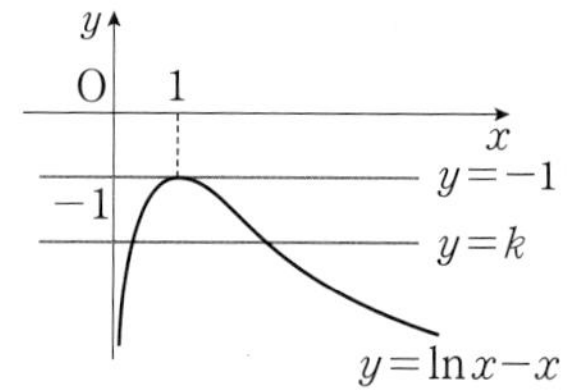

0714

$x>0$인 모든 실수 x에 대하여 $\ln x<ax$가 성립하도록 하는 상수 a의 값의 범위는?

① $a>1$ ② $a\ge1$ ③ $a>\frac{1}{e}$
④ $a\ge\frac{1}{e}$ ⑤ $a>e$

STEP Ⓐ $f(x)=\frac{\ln x}{x}$로 놓고 $f'(x)=0$인 x의 값 구하기

$\ln x<ax$에서 $x>0$이므로 $\frac{\ln x}{x}<a$

이때 $f(x)=\frac{\ln x}{x}$로 놓으면 $f(x)$의 최댓값은 a보다 작아야 한다.

$f'(x)=\frac{\frac{1}{x}\cdot x-\ln x\cdot1}{x^2}=\frac{1-\ln x}{x^2}$

$f'(x)=0$에서 $1-\ln x=0$

$\therefore x=e$

STEP Ⓑ 함수 $f(x)$의 증가와 감소를 조사하기

함수 $f(x)$의 증가와 감소를 표로 나타내면 다음과 같다.

x	(0)	$\cdots$	e	$\cdots$
$f'(x)$		$+$	0	$-$
$f(x)$		↗	$\frac{1}{e}$	↘

이때 $\lim_{x\to0+}\frac{\ln x}{x}=-\infty$, $\lim_{x\to\infty}\frac{\ln x}{x}=0$이므로

$y=\frac{\ln x}{x}$의 그래프의 다음 그림과 같다.

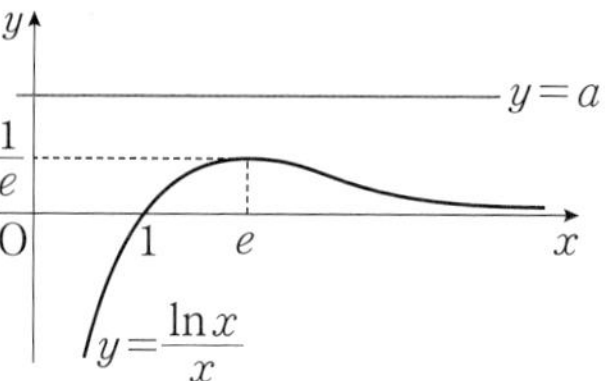

따라서 $f(x)$의 최댓값은 $\frac{1}{e}$이므로 $a>\frac{1}{e}$

0715

$0<x<\frac{\pi}{4}$인 모든 x에 대하여 부등식 $\tan 2x \ge ax$를 만족하는 a의 최댓값은?

① $\frac{1}{2}$　② 1　③ $\frac{3}{2}$
④ 2　⑤ $\frac{5}{2}$

STEP A $x=0$에서 $y=\tan 2x$에 그은 접선의 기울기 구하기

$y=\tan 2x$, $y=ax$로 놓으면 두 그래프는 다음 그림과 같다.

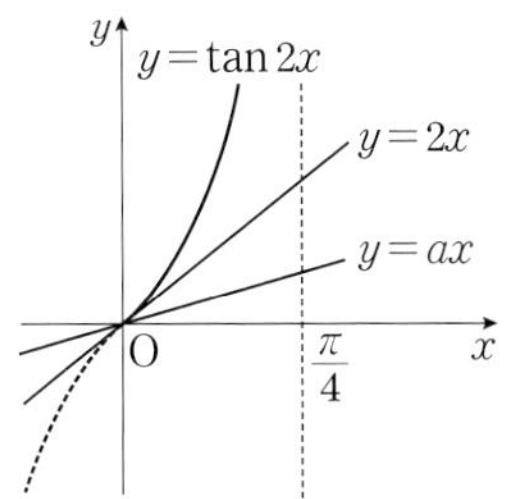

두 그래프가 모두 점 $(0, 0)$을 지나므로 $f(x)=\tan 2x$라 하면

$f'(x)=2\sec^2 2x$

원점에서의 접선의 기울기는 $f'(0)=2\sec^2 0=2$

STEP B $0<x<\frac{\pi}{4}$에서 함수 $y=\tan 2x$의 그래프가 직선 $y=ax$보다 위에 존재하기 위한 a의 범위 구하기

이때 $0<x<\frac{\pi}{4}$인 모든 x에 대하여 직선 $y=ax$의 기울기는

곡선 $y=\tan 2x$의 $x=0$에서의 접선의 기울기보다 작거나 같아야 하므로

$a \le 2$

따라서 a의 최댓값은 2

0716

수직선 위를 움직이는 점 P의 시각 t에서의 위치 $x=f(t)$가

$$f(t)=a\sin\frac{\pi}{2}t+b\cos\frac{\pi}{2}t$$

이다. $t=3$에서의 속도가 $-\pi$이고 가속도가 $\frac{\pi^2}{2}$일 때, 상수 a, b에 대하여 $a+b$의 값은?

① $-\pi$　② -1　③ 0
④ 1　⑤ π

STEP A 시각 t에서의 점 P의 속도와 가속도 구하기

점 P의 시각 t에서의 속도와 가속도를 각각 $v(t)$, $a(t)$라고 하면

$v(t)=f'(t)=\frac{\pi a}{2}\cos\frac{\pi}{2}t-\frac{\pi b}{2}\sin\frac{\pi}{2}t$

$a(t)=f''(t)=-\frac{\pi^2 a}{4}\sin\frac{\pi}{2}t-\frac{\pi^2 b}{4}\cos\frac{\pi}{2}t$

STEP B $t=3$에서의 속도와 가속도 구하기

$t=3$에서의 속도는

$v(3)=\frac{\pi a}{2}\cos\frac{3}{2}\pi-\frac{\pi b}{2}\sin\frac{3}{2}\pi=\frac{\pi b}{2}$

이므로 $\frac{\pi b}{2}=-\pi$　$\therefore b=-2$

$t=3$에서의 가속도는

$a(3)=-\frac{\pi^2 a}{4}\sin\frac{3}{2}\pi-\frac{\pi^2 b}{4}\cos\frac{3}{2}\pi=\frac{\pi^2 a}{4}$

이므로 $\frac{\pi^2 a}{4}=\frac{\pi^2}{2}$　$\therefore a=2$

따라서 $a=2$, $b=-2$이므로 $a+b=2+(-2)=0$

0717

수직선 위를 움직이는 점 P의 좌표 x가 시각 t의 함수

$$x=\ln(t^2+4)$$

로 나타난다. 점 P의 가속도가 0일 때의 속도는?

① -1　② $-\frac{1}{2}$　③ 0
④ $\frac{1}{2}$　⑤ 1

STEP A 점 P의 가속도가 0일 때, 시각 구하기

시각 t에서의 점 P의 속도를 v, 가속도를 a라고 하면

$v=\frac{dx}{dt}=\frac{2t}{t^2+4}$

$a=\frac{dv}{dt}=\frac{2(t^2+4)-2t\cdot t}{(t^2+4)^2}=-\frac{2t^2-8}{(t^2+4)^2}=-\frac{2(t+2)(t-2)}{(t^2+4)^2}$

$a=0$에서 $t=2\,(\because t>0)$

STEP B 속도 구하기

따라서 점 P의 $t=2$일 때의 속도는 $\frac{2\cdot 2}{2^2+4}=\frac{1}{2}$

0718

수직선 위를 움직이는 점 P의 시각 t에서의 위치 $x(t)$가

$$x(t)=t+\frac{20}{\pi^2}\cos(2\pi t)$$

이다. 점 P의 시각 $t=\frac{1}{3}$에서의 가속도의 크기를 구하여라.

STEP A 점 P의 시각 $t=\frac{1}{3}$에서의 가속도의 크기 구하기

$x(t)=t+\frac{20}{\pi^2}\cos(2\pi t)$에서

$x'(t)=1-\frac{40}{\pi}\sin(2\pi t)$

$x''(t)=-80\cos(2\pi t)$

따라서 시각 $t=\frac{1}{3}$에서의 점 P의 가속도의 크기는

$\left|x''\left(\frac{1}{3}\right)\right|=\left|-80\cos\frac{2}{3}\pi\right|=40$

0719

다음 물음에 답하여라.

(1) 좌표평면 위를 움직이는 점 P의 시각 t에서 위치 (x, y)가

$$x=2t,\ y=2t-\frac{1}{2}t^2$$

이다. 속도의 크기가 2일 때, 점 P의 속도를 (a, b)라 할 때, $a+b$의 값은?

① 1　② 2　③ 3
④ 4　⑤ 5

STEP A 점 P의 속도의 크기가 2일 때, 시각 t 구하기

$\frac{dx}{dt}=2$, $\frac{dy}{dt}=2-t$이므로

시각 t에서 점 P의 속도는 $(2, 2-t)$

속도의 크기가 2이므로 $\sqrt{2^2+(2-t)^2}=2$

$t^2-4t+4=0$, $(t-2)^2=0$　$\therefore t=2$

STEP B $a+b$의 값 구하기

따라서 $t=2$일 때, 점 P의 속도는 $(2, 0)$이므로 $a+b=2$

(2) 좌표평면 위를 움직이는 점 P의 시각 $t(0<t<\pi)$에서의 위치 (x, y)가

$$x=2t+\sin t,\ y=\cos t$$

이다. 점 P의 속도의 크기가 $\sqrt{3}$인 순간의 점 P의 가속도가 (a, b)일 때, ab의 값은?

① $-\frac{\sqrt{3}}{4}$　② $-\frac{1}{4}$　③ 0
④ $\frac{1}{4}$　⑤ $\frac{\sqrt{3}}{4}$

STEP A 점 P의 속도와 가속도 구하기

$x=2t+\sin t,\ y=\cos t$에서

$\frac{dx}{dt}=2+\cos t,\ \frac{dy}{dt}=-\sin t$

$\frac{d^2x}{dt^2}=-\sin t,\ \frac{d^2y}{dt^2}=-\cos t$

STEP B 가속도의 크기를 구하기

점 P의 속도의 크기는

$\sqrt{\left(\frac{dx}{dt}\right)^2+\left(\frac{dy}{dt}\right)^2}=\sqrt{(2+\cos t)^2+(-\sin t)^2}=\sqrt{5+4\cos t}$

시각 $t=t_0(0<t_0<\pi)$에서의 점 P의 속력을 $\sqrt{3}$이라 하면

$\sqrt{5+4\cos t_0}=\sqrt{3}$에서 $\cos t_0=-\frac{1}{2}$

$0<t_0<\pi$이므로 $t_0=\frac{2}{3}\pi$

STEP C 점 P의 가속도 구하기

점 P의 가속도는 $(-\sin t,\ -\cos t)$이므로

시각 $t_0=\frac{2}{3}\pi$에서의 점 P의 가속도는 $\left(-\frac{\sqrt{3}}{2},\ \frac{1}{2}\right)$

따라서 $ab=\left(-\frac{\sqrt{3}}{2}\right)\times\frac{1}{2}=-\frac{\sqrt{3}}{4}$

0720

좌표평면 위를 움직이는 점 P의 시각 t에서의 위치 (x, y)가

$$x=t^3-t^2+at,\ y=t^2+bt$$

이다. 시각 $t=2$에서의 점 P의 속도가 $(10, 2)$일 때, ab의 값은? (단, a, b는 상수이다.)

① -4　② -2　③ 0
④ 2　⑤ 4

STEP A 시각 t에서의 점 P의 속도 구하기

$\frac{dx}{dt}=3t^2-2t+a,\ \frac{dy}{dt}=2t+b$이므로

시각 $t=2$에서의 점 P의 속도는 $(8+a,\ 4+b)$

STEP B 시각 $t=2$에서의 점 P의 속도 구하기

시각 $t=2$에서의 점 P의 속도가 $(10, 2)$이므로

$8+a=10,\ 4+b=2$에서 $a=2,\ b=-2$

따라서 $ab=2\times(-2)=-4$

0721

다음 물음에 답하여라.

(1) 좌표평면 위를 움직이는 점 $P(x, y)$의 시각 t에서의 위치가

$$x=t+\sin t,\ y=3+\cos t$$

일 때, 점 P의 시각 $t=\frac{\pi}{3}$에서의 속도의 크기는?

① $\sqrt{2}$　② $\sqrt{3}$　③ 2
④ $2\sqrt{2}$　⑤ $2\sqrt{3}$

STEP A 시각 t에서의 점 P의 속도 구하기

$\frac{dx}{dt}=1+\cos t,\ \frac{dy}{dt}=-\sin t$이므로

점 P의 시각 t에서의 속도는 $(1+\cos t,\ -\sin t)$

STEP B 시각 $t=\frac{\pi}{3}$에서의 점 P의 속도의 크기 구하기

따라서 $t=\frac{\pi}{3}$일 때의 속도는 $\left(\frac{3}{2},\ -\frac{\sqrt{3}}{2}\right)$이므로 속도의 크기는

$\sqrt{\left(\frac{3}{2}\right)^2+\left(-\frac{\sqrt{3}}{2}\right)^2}=\sqrt{3}$

(2) 좌표평면 위를 움직이는 점 P의 시각 t에서의 위치 (x, y)가

$$x=t+2\cos t,\ y=\sin 2t$$

이다. 점 P의 시각 $t=\frac{\pi}{3}$에서의 가속도의 크기는?

① $2\sqrt{2}$　② 3　③ $2\sqrt{3}$
④ $\sqrt{13}$　⑤ $3\sqrt{2}$

STEP A 시각 t에서의 점 P의 속도와 가속도 구하기

$x=t+2\cos t,\ y=\sin 2t$에서

$\frac{dx}{dt}=1-2\sin t,\ \frac{dy}{dt}=2\cos 2t$이므로

속도는 $(1-2\sin t,\ 2\cos 2t)$

$\frac{d^2x}{dt^2}=-2\cos t,\ \frac{d^2y}{dt^2}=-4\sin 2t$이므로

가속도는 $(-2\cos t,\ -4\sin 2t)$

가속도의 크기는 $\sqrt{\left(\frac{d^2x}{dt^2}\right)^2+\left(\frac{d^2y}{dt^2}\right)^2}=\sqrt{(-2\cos t)^2+(-4\sin 2t)^2}$

STEP B 시각 $t=\frac{\pi}{3}$에서의 가속도의 크기 구하기

따라서 점 P의 시각 $t=\frac{\pi}{3}$에서의 가속도의 크기는

$\sqrt{4\cos^2\frac{\pi}{3}+16\sin^2\frac{2\pi}{3}}=\sqrt{4\times\left(\frac{1}{2}\right)^2+16\cdot\left(\frac{\sqrt{3}}{2}\right)^2}=\sqrt{13}$

0722

좌표평면 위를 움직이는 점 P의 시각 $t(t>0)$에서의 위치 (x, y)가

$$x=4\ln(t+1),\ y=t^2+at$$

이다. 점 P의 시각 $t=1$에서의 속도의 크기가 $2\sqrt{5}$일 때, 양수 a의 값은?

① 1　② 2　③ 3
④ 4　⑤ 5

STEP A 시각 t에서의 점 P의 속도 구하기

$x=4\ln(t+1),\ y=t^2+at$에서

$\frac{dx}{dt}=\frac{4}{t+1},\ \frac{dy}{dt}=2t+a$

점 P의 시각 t에서의 속도는 $\left(\frac{4}{t+1},\ 2t+a\right)$

STEP B 시각 $t=1$에서의 점 P의 속도의 크기 구하기

$t=1$에서의 속도는 $(2,\ 2+a)$이므로

속도의 크기는 $\sqrt{2^2+(2+a)^2}=\sqrt{a^2+4a+8}$

$\sqrt{a^2+4a+8}=2\sqrt{5}$

$a^2+4a+8=20,\ a^2+4a-12=0$

$(a+6)(a-2)=0$

따라서 $a>0$이므로 $a=2$

0723

좌표평면 위를 움직이는 점 P의 시각 $t(0<t<\pi)$에서의 위치 $\mathrm{P}(x,\ y)$가

$$x=\cos t+2,\ y=3\sin t+1$$

이다. 시각 $t=\frac{\pi}{6}$에서 점 P의 속력은?

① $\sqrt{5}$ ② $\sqrt{6}$ ③ $\sqrt{7}$
④ $2\sqrt{2}$ ⑤ 3

STEP A 시각 t에서의 점 P의 속도 구하기

$x=\cos t+2$에서 $\frac{dx}{dt}=-\sin t$

$y=3\sin t+1$에서 $\frac{dy}{dt}=3\cos t$

시각 t에서 점 P의 속도는 $(-\sin t,\ 3\cos t)$이다.

STEP B 시각 $t=\frac{\pi}{6}$에서 점 P의 속력 구하기

$t=\frac{\pi}{6}$일 때, 점 P의 속도는 $\left(-\sin\frac{\pi}{6},\ 3\cos\frac{\pi}{6}\right)$

따라서 $\left(-\frac{1}{2},\ \frac{3\sqrt{3}}{2}\right)$이므로 속력은 $\sqrt{\left(-\frac{1}{2}\right)^2+\left(\frac{3\sqrt{3}}{2}\right)^2}=\sqrt{\frac{28}{4}}=\sqrt{7}$

0724

다음 물음에 답하여라.

(1) 좌표평면 위를 움직이는 점 P의 시각 t에서의 위치 $(x,\ y)$가

$$x=e^t\cos t,\ y=e^t\sin t$$

이다. 점 P의 속도의 크기가 $\sqrt{2}e^3$일 때의 시각은?

① 1 ② 2 ③ 3
④ 4 ⑤ 5

STEP A 점 P의 속도의 크기가 $\sqrt{2}e^3$일 때의 시각 구하기

$\frac{dx}{dt}=e^t(\cos t-\sin t),\ \frac{dy}{dt}=e^t(\sin t+\cos t)$이므로

점 P의 시각 t에서의 속도는 $(e^t(\cos t-\sin t),\ e^t(\sin t+\cos t))$

점 P의 속도의 크기가 $\sqrt{2}e^3$이므로

$e^t\sqrt{(\cos t-\sin t)^2+(\sin t+\cos t)^2}=\sqrt{2}e^t$

$\sqrt{2}e^t=\sqrt{2}e^3$

따라서 $t=3$

(2) 좌표평면 위를 움직이는 점 $\mathrm{P}(x,\ y)$의 시각 t에서의 위치가

$$x=e^t\cos t,\ y=e^t\sin t(0\le t\le 2\pi)$$

이다. 점 P의 시각 $t=2$에서의 속도의 크기, 가속도의 크기를 각각 $a,\ b$라 할 때, $\frac{b}{a}$의 값은?

① $\sqrt{2}$ ② $\sqrt{3}$ ③ 2
④ $2\sqrt{2}$ ⑤ 3

STEP A 시각 $t=2$에서의 점 P의 속도의 크기 구하기

$\frac{dx}{dt}=e^t\cos t-e^t\sin t,\ \frac{dy}{dt}=e^t\sin t+e^t\cos t$에서

속도는 $(e^t\cos t-e^t\sin t,\ e^t\sin t+e^t\cos t)$이므로

속도의 크기는

$$\sqrt{\left(\frac{dx}{dt}\right)^2+\left(\frac{dy}{dt}\right)^2}=\sqrt{(e^t\cos t-e^t\sin t)^2+(e^t\sin t+e^t\cos t)^2}$$
$$=\sqrt{e^{2t}\cdot 2(\cos^2 t+\sin^2 t)}$$
$$=\sqrt{2}e^t$$

$t=2$에서의 속도의 크기는 $a=\sqrt{2}e^2$

STEP B 시각 $t=2$에서의 점 P의 가속도의 크기 구하기

$\frac{d^2x}{dt^2}=(e^t\cos t-e^t\sin t)-(e^t\sin t+e^t\cos t)=-2e^t\sin t$

$\frac{d^2y}{dt^2}=(e^t\sin t+e^t\cos t)+(e^t\cos t-e^t\sin t)=2e^t\cos t$

가속도는 $(-2e^t\sin t,\ 2e^t\cos t)$이므로

가속도의 크기는

$$\sqrt{\left(\frac{d^2x}{dt^2}\right)^2+\left(\frac{d^2y}{dt^2}\right)^2}=\sqrt{(-2e^t\sin t)^2+(2e^t\cos t)^2}$$
$$=\sqrt{4e^{2t}(\sin^2 t+\cos^2 t)}$$
$$=2e^t$$

$t=2$에서의 가속도의 크기는 $b=2e^2$

따라서 $\frac{b}{a}=\frac{2e^2}{\sqrt{2}e^2}=\sqrt{2}$

0725

다음 물음에 답하여라.

(1) 좌표평면 위를 움직이는 점 P의 시각 t에서의 위치 (x,y)가

$$x=e^{-t}\cos t,\ y=e^{-t}\sin t$$

이다. 시각 $t=2$에서 점 P의 속도의 크기는?

① $\frac{1}{e}$ ② $\frac{\sqrt{2}}{e}$ ③ $\frac{\sqrt{3}}{e}$
④ $\frac{\sqrt{2}}{e^2}$ ⑤ $\frac{\sqrt{3}}{e^2}$

STEP A 시각 $t=2$에서의 점 P의 속도의 크기 구하기

$x=e^{-t}\cos t,\ y=e^{-t}\sin t$에서

$\frac{dx}{dt}=-e^{-t}(\cos t+\sin t),\ \frac{dy}{dt}=-e^{-t}(\sin t-\cos t)$이므로

속도는 $(-e^{-t}(\cos t+\sin t),\ -e^{-t}(\sin t-\cos t))$

속도의 크기는

$$\sqrt{\left(\frac{dx}{dt}\right)^2+\left(\frac{dy}{dt}\right)^2}=\sqrt{\{-e^{-t}(\sin t+\cos t)\}^2+\{-e^{-t}(\sin t-\cos t)\}^2}$$
$$=\sqrt{2e^{-2t}}$$
$$=\sqrt{2}e^{-t}$$

따라서 $t=2$일 때, 점 P의 속도의 크기는 $\sqrt{2}e^{-2}=\frac{\sqrt{2}}{e^2}$

(2) 좌표평면 위를 움직이는 점 P의 시각 t에서의 위치 (x, y)가

$$x=e^{2t}\cos t,\ y=e^{2t}\sin t$$

이다. 점 P의 시각 t에서의 가속도의 크기가 me^{2t}일 때, 상수 m의 값은?

① 2　② 3　③ 4
④ 5　⑤ 6

STEP Ⓐ 시각 t에서의 점 P의 속도와 가속도 구하기

$\frac{dx}{dt}=2e^{2t}\cos t-e^{2t}\sin t=e^{2t}(2\cos t-\sin t)$,

$\frac{dy}{dt}=2e^{2t}\sin t+e^{2t}\cos t=e^{2t}(2\sin t+\cos t)$

이므로

$\frac{d^2x}{dt^2}=2e^{2t}(2\cos t-\sin t)+e^{2t}(-2\sin t-\cos t)=e^{2t}(-4\sin t+3\cos t)$,

$\frac{d^2y}{dt^2}=2e^{2t}(2\sin t+\cos t)+e^{2t}(2\cos t-\sin t)=e^{2t}(3\sin t+4\cos t)$

STEP Ⓑ 가속도의 크기 구하기

점 P의 시각 t에서의 가속도는

$(e^{2t}(-4\sin t+3\cos t),\ e^{2t}(3\sin t+4\cos t))$이므로

가속도의 크기는

$$\sqrt{\left(\frac{d^2x}{dt^2}\right)^2+\left(\frac{d^2y}{dt^2}\right)^2}=\sqrt{e^{4t}(-4\sin t+3\cos t)^2+e^{4t}(3\sin t+4\cos t)^2}$$
$$=5e^{2t}$$

따라서 $m=5$

0726

좌표평면 위를 움직이는 점 P의 시각 $t(t\geq 0)$에서의 위치 (x, y)가

$$x=3t-\sin t,\ y=4-\cos t$$

이다. 점 P의 속력의 최댓값을 M, 최솟값을 m이라 할 때, $M+m$의 값은?

① 3　② 4　③ 5
④ 6　⑤ 7

STEP Ⓐ 점 P의 속도 구하기

$x=3t-\sin t,\ y=4-\cos t$에서

$\frac{dx}{dt}=3-\cos t,\ \frac{dy}{dt}=\sin t$이므로

점 P의 시각 t에서 속도는 $\left(\frac{dx}{dt}, \frac{dy}{dt}\right)=(3-\cos t, \sin t)$

STEP Ⓑ 점 P의 속력의 최댓값 M, 최솟값 m을 구하기

점 P의 시각 t에서 속력

$$\sqrt{(3-\cos t)^2+\sin^2 t}=\sqrt{9-6\cos t+\cos^2 t+\sin^2 t}$$
$$=\sqrt{10-6\cos t}$$

이때 $-1\leq\cos t\leq 1$이므로 속력의 최댓값 M은 $\cos t=-1$일 때,

$M=\sqrt{10-6\times(-1)}=4$

또, 속력의 최솟값 m은 $\cos t=1$일 때, $m=\sqrt{10-6\times(1)}=2$

따라서 $M+m=4+2=6$

0727

다음 물음에 답하여라.

(1) 수평면과 $60°$의 각을 이루는 방향으로 초속 20m로 차 올린 축구공의 t초 후의 위치를 (x, y)로 나타낼 때,

$$x=10t,\ y=10\sqrt{3}t-5t^2$$

이라고 한다. 축구공이 지면에 떨어질 때의 속력은? (단위는 m/s)

① 10　② 15　③ 20
④ 25　⑤ 30

STEP Ⓐ 축구공이 지면에 떨어질 때, 시각 구하기

$\frac{dx}{dt}=10,\ \frac{dy}{dt}=10\sqrt{3}-10t$이므로

시각 t에서 축구공의 속도는 $(10, 10\sqrt{3}-10t)$

축구공이 바닥에 떨어질 때, $y=0$이므로

$10\sqrt{3}t-5t^2=0,\ 5t(2\sqrt{3}-t)=0$

$\therefore t=2\sqrt{3}$

STEP Ⓑ $t=2\sqrt{3}$일 때의 속력 구하기

$t=2\sqrt{3}$일 때, 축구공의 속도는 $(10, -10\sqrt{3})$

따라서 속력은 $\sqrt{10^2+(-10\sqrt{3})^2}=20$(m/s)

(2) 지면으로부터 $45°$의 각을 이루는 방향으로 비스듬하게 던진 야구공의 시각 t에서의 위치를 (x, y)로 나타낼 때,

$$x=10t,\ y=10t-5t^2$$

이라고 한다. 야구공이 지면으로부터 가장 높은 위치에 있는 순간의 속력은? (단위는 m/s)

① 10　② 15　③ 20
④ 25　⑤ 30

STEP Ⓐ 지면으로부터 가장 높은 위치에 있는 시각 구하기

$y=10t-5t^2=-5(t-1)^2+5$에서

y는 $t=1$일 때, 최대이므로 야구공을 던진 후 야구공이 지면으로부터 가장 높은 위치에 있는 순간의 시각은 $t=1$

STEP Ⓑ $t=1$일 때의 속력 구하기

$\frac{dx}{dt}=10,\ \frac{dy}{dt}=10-10t$이므로

시각 t에서의 속도는 $(10, 10-10t)$이므로

$t=1$일 때의 속도는 $(10, 0)$

따라서 $t=1$일 때의 속력은 $\sqrt{10^2+0^2}=10$

NORMAL

0728

x에 관한 방정식

$$\ln x - x + 20 - n = 0$$

이 서로 다른 두 개의 실근을 갖도록 하는 자연수 n의 개수는?

① 12　　② 14　　③ 16
④ 18　　⑤ 20

STEP A 방정식을 상수 n과 x에 대한 식 $f(x)$로 분리하고 $f'(x)=0$인 x의 값 구하기

방정식 $\ln x - x + 20 - n = 0$이 서로 다른 두 실근을 가지려면
$\ln x - x + 20 = n$에서 두 함수 $y=\ln x - x + 20$과 $y=n$의 그래프가 서로 다른 두 점에서 만나면 된다.
$f(x)=\ln x - x + 20$이라 하면
$f'(x)=\dfrac{1}{x}-1\,(x>0)$
$f'(x)=0$에서 $x=1$

STEP B 함수 $f(x)$의 증가와 감소를 조사하고 그래프 그리기

$x>0$에서 $f(x)$의 증가와 감소를 표로 나타내면 다음과 같다.

x	(0)	$\cdots$	1	$\cdots$
$f'(x)$		$+$	0	$-$
$f(x)$		↗	극대	↘

즉 함수 $f(x)$은 $x=1$일 때, 극댓값 19를 갖고
$\lim\limits_{x\to 0+}(\ln x - x + 20) = -\infty$,
$\lim\limits_{x\to \infty}(\ln x - x + 20) = -\infty$이므로
$y=\ln x - x + 20$의 그래프는 오른쪽 그림과 같다.

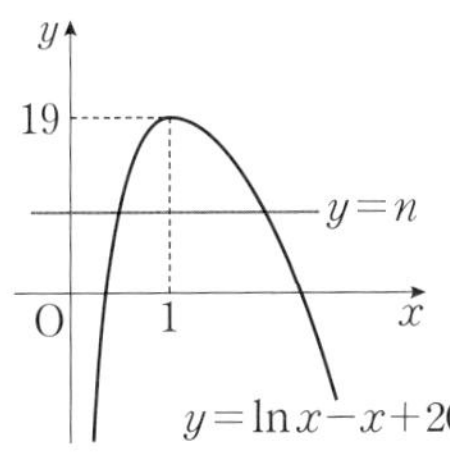

STEP C 두 함수 $y=\ln x - x + 20$과 $y=n$의 그래프가 서로 다른 두 점에서 만날 때, n의 범위 구하기

두 함수 $y=\ln x - x + 20$과 $y=n$의 그래프가 서로 다른 두 점에서 만나려면 $n<19$이어야 한다.
따라서 $n<19$를 만족하는 자연수 n의 개수는 18

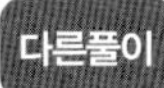

두 곡선 $y=\ln x$, $y=x+n-20$이 서로 다른 두 점에서 만나도록 풀이하기

STEP A $y=\ln x$와 $y=x-20+n$이 서로 다른 두 점에서 만나기 위한 조건 구하기

방정식 $\ln x - x + 20 - n = 0$이 서로 다른 두 실근을 가지려면
$y=\ln x$와 $y=x-20+n$이 서로 다른 두 점에서 만나면 된다.
이때 두 그래프가 서로 다른 두 점에서 만나려면 직선 $y=x-20+n$이 $y=\ln x$에 접하면서 기울기가 1인 접선보다 아래에 위치하면 된다.

STEP B $y=\ln x$에 접하면서 기울기가 1인 접선의 방정식 구하기

$y=\ln x$에 접하면서 기울기가 1인 직선의 접점을 $(t,\ \ln t)$라 하면
$y'=\dfrac{1}{x}$에서 접선의 기울기가 1이므로
$\dfrac{1}{t}=1$　$\therefore t=1$
점 $(1,\ 0)$에서 접선의 방정식은
$y-0=1\cdot(x-1)$
즉 접선의 방정식은 $y=x-1$

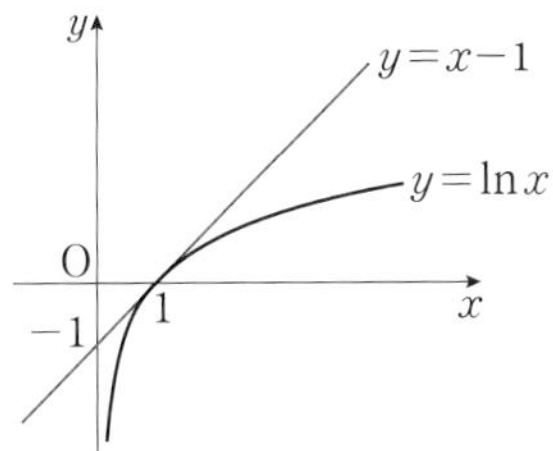

STEP C 곡선 $y=f(x)$와 직선 $y=k$의 교점이 2개일 k의 값의 범위 구하기

곡선 $y=\ln x$와 직선 $y=x-20+n$가 서로 다른 두 점에서 만나는 k의 값의 범위는 직선 $y=x-20+n$이 직선 $y=x-1$보다 아래에 위치해야 하므로
$-20+n<-1$　$\therefore n<19$
따라서 구하는 자연수의 개수는 18개이다.

0729

x에 대한 방정식

$$(x^2-3)e^x=k$$

가 서로 다른 세 실근을 갖도록 하는 모든 실수 k의 값의 범위는 $\alpha<k<\beta$이다. $\alpha+\beta$의 값은? (단, $\lim\limits_{x\to-\infty}x^2e^x=0$)

① $\dfrac{6}{e^3}$　　② $\dfrac{4}{e^3}$　　③ $\dfrac{6}{e^2}$
④ $\dfrac{4}{e^2}$　　⑤ $\dfrac{6}{e}$

STEP A 방정식을 상수 k와 x에 대한 식 $f(x)$로 분리하고 $f'(x)=0$인 x의 값 구하기

방정식 $(x^2-3)e^x=k$이 서로 다른 세 실근을 가지려면
곡선 $y=(x^2-3)e^x$와 $y=k$의 그래프가 서로 다른 세 점에서 만나면 된다.
$f(x)=(x^2-3)e^x$라 하면
$f'(x)=2xe^x+(x^2-3)e^x$
$\quad=e^x(x^2+2x-3)$
$\quad=e^x(x+3)(x-1)$
모든 실수 x에 대하여 $e^x>0$이므로
$f'(x)=0$에서 $x=-3$ 또는 $x=1$

STEP B 함수 $f(x)$의 증가와 감소를 조사하고 그래프 그리기

함수 $f(x)$의 증가와 감소를 표로 나타내면 다음과 같다.

x	$\cdots$	-3	$\cdots$	1	$\cdots$
$f'(x)$	$+$	0	$-$	0	$+$
$f(x)$	↗	극대	↘	극소	↗

이때 $\lim\limits_{x\to-\infty}x^2e^x=0$이므로
$\lim\limits_{x\to-\infty}(x^2-3)e^x=\lim\limits_{x\to-\infty}x^2e^x-3\lim\limits_{x\to-\infty}e^x=0$
또한, $\lim\limits_{x\to\infty}f(x)=\infty$이고 $f(-3)=\dfrac{6}{e^3}$, $f(1)=-2e$이므로
함수 $y=f(x)$의 그래프의 개형은 그림과 같다.

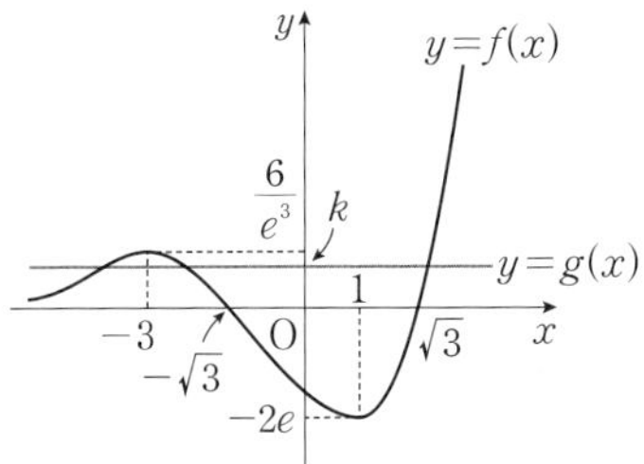

STEP C 곡선 $y=f(x)$와 직선 $y=k$의 교점이 3개일 k의 값의 범위 구하기

방정식 $(x^2-3)e^x=k$이 서로 다른 세 실근을 갖기 위해서는
두 함수 $y=f(x)$, $y=k$의 그래프의 교점의 개수가 3이어야 하므로
이를 만족시키는 모든 실수 k의 값의 범위는 $0<k<\dfrac{6}{e^3}$
따라서 $\alpha=0$, $\beta=\dfrac{6}{e^3}$이므로 $\alpha+\beta=\dfrac{6}{e^3}$

0730

방정식 $(e^x-x-3)^2=k$이 서로 다른 세 실근을 갖도록 하는 상수 k의 값은?

① 2　② 4　③ 6
④ 8　⑤ 9

STEP Ⓐ $f(x)=e^x-x-3$로 놓고 $f'(x)=0$인 x의 값 구하기

$(e^x-x-3)^2 \geq 0$이므로 $k \geq 0$

$(e^x-x-3)^2=k$에서 $e^x-x-3=\pm\sqrt{k}$

한편 $f(x)=e^x-x-3$이라 하면 $f'(x)=e^x-1$

$f'(x)=0$에서 $x=0$

STEP Ⓑ 함수 $f(x)$의 증가와 감소를 조사하고 그래프 그리기

함수 $f(x)$의 증가와 감소를 표로 나타내고 그래프의 개형을 그리면 다음과 같다.

x	$\cdots$	0	$\cdots$
$f'(x)$	$-$	0	$+$
$f(x)$	↘	-2	↗

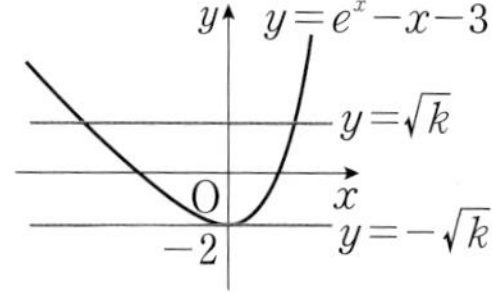

또, $\lim_{x\to-\infty}f(x)=\infty$, $\lim_{x\to\infty}f(x)=\infty$

STEP Ⓒ 곡선 $f(x)$와 직선 $y=\pm\sqrt{k}$의 교점이 3개인 k의 값 구하기

그림과 같이 직선 $y=-\sqrt{k}$가 점 $(0, -2)$를 지날 때,

함수 $y=f(x)$의 그래프와 직선 $y=\pm\sqrt{k}$는 서로 다른 세 점에서 만난다.

따라서 $-\sqrt{k}=-2$에서 $k=4$

0731

다음 물음에 답하여라.

(1) $x>0$일 때, 부등식 $2x \geq \ln x+k$가 성립하도록 하는 상수 k의 최댓값은?

① $1-\ln 2$　② $1+\ln 2$　③ $\ln 3$
④ $2+\ln 3$　⑤ $4+2\ln 2$

STEP Ⓐ $f(x)=2x-\ln x$로 놓고 $f'(x)=0$의 x의 값 구하기

$2x \geq \ln x+k$에서 $2x-\ln x \geq k$

$f(x)=2x-\ln x$로 놓으면 $f'(x)=2-\frac{1}{x}$

$f'(x)=0$에서 $x=\frac{1}{2}$

STEP Ⓑ 함수 $f(x)$의 증가와 감소를 조사하고 그래프 그리기

함수 $f(x)$의 증가와 감소를 표로 나타내면 다음과 같다.

x	(0)	$\cdots$	$\frac{1}{2}$	$\cdots$
$f'(x)$		$-$	0	$+$
$f(x)$		↘	$1-\ln\frac{1}{2}$	↗

$\lim_{x\to0+}(2x-\ln x)=\infty$,

$\lim_{x\to\infty}(2x-\ln x)=\infty$이므로

$f(x)=2x-\ln x$의 그래프는 오른쪽 그림과 같다.

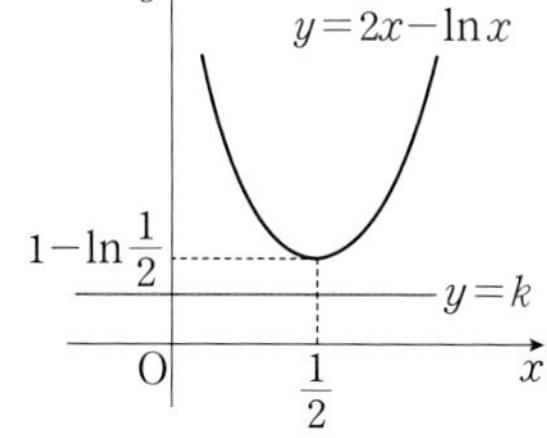

$f(x)=2x-\ln x$의 최솟값이

$1-\ln\frac{1}{2}=1+\ln 2$이므로 $k \leq 1+\ln 2$

따라서 구하는 상수 k의 최댓값은 $1+\ln 2$

(2) $x>1$인 모든 실수 x에 대하여 부등식 $2x+k \geq \ln(x-1)$이 성립하도록 하는 실수 k의 최솟값은?

① $-4-2\ln 2$　② $-1-\ln 2$　③ $-1-\ln 3$
④ $-2-\ln 3$　⑤ $-3-\ln 2$

STEP Ⓐ $f(x)=2x+k-\ln(x-1)$로 놓고 $f'(x)=0$의 x의 값 구하기

$f(x)=2x+k-\ln(x-1)$이라고 하면

$f'(x)=2-\frac{1}{x-1}=\frac{2x-3}{x-1}$이므로

$f'(x)=0$에서 $x=\frac{3}{2}$

STEP Ⓑ 함수 $f(x)$의 증가와 감소를 조사하고 최솟값 구하기

$x>1$일 때, 함수 $f(x)$의 증가와 감소를 표로 나타내면 다음과 같다.

x	(1)	$\cdots$	$\frac{3}{2}$	$\cdots$
$f'(x)$		$-$	0	$+$
$f(x)$		↘	$3+k+\ln 2$ (극소)	↗

$x>1$일 때, 함수 $f(x)$는 $x=\frac{3}{2}$에서

최솟값 $3+k+\ln 2$를 가지므로 $3+k+\ln 2 \geq 0$

$k \geq -3-\ln 2$

따라서 실수 k의 최솟값은 $-3-\ln 2$

0732

원점을 동시에 출발하여 수직선 위를 움직이는 두 점 P, Q의 시각 t에서의 위치 x_P, x_Q는 다음과 같다.

$$x_P=t^2-at,\ x_Q=\ln(t^2-t+1)$$

두 점 P, Q가 서로 반대 방향으로 움직이는 시각 t의 범위가 $\frac{1}{2}<t<2$일 때, 실수 a의 값은?

① 2　② $\frac{5}{2}$　③ 3
④ $\frac{7}{2}$　⑤ 4

STEP Ⓐ 두 점 P, Q의 속도 구하기

두 점 P, Q의 시각 t에서의 속도를 각각 v_P, v_Q라 하면

$v_P=\frac{dx_P}{dt}=2t-a$, $v_Q=\frac{dx_Q}{dt}=\frac{2t-1}{t^2-t+1}$

STEP Ⓑ 두 점 P, Q가 움직이는 방향이 서로 반대 방향이 되도록 하는 a 구하기

두 점 P, Q가 움직이는 방향이 서로 반대 방향이 되려면 $v_Pv_Q<0$이므로

$v_Pv_Q=\frac{(2t-a)(2t-1)}{t^2-t+1}<0$

$\therefore (2t-a)(2t-1)<0\ (\because t^2-t+1>0)$ …… ㉠

㉠의 해가 $\frac{1}{2}<t<2$이므로 $\frac{a}{2}=2$

따라서 $a=4$

0733

정의역이 $\{x|x>0\}$인 미분가능한 함수 $y=f(x)$의 도함수 $y=f'(x)$의 그래프가 다음 그림과 같고 다음 조건을 만족시킨다.

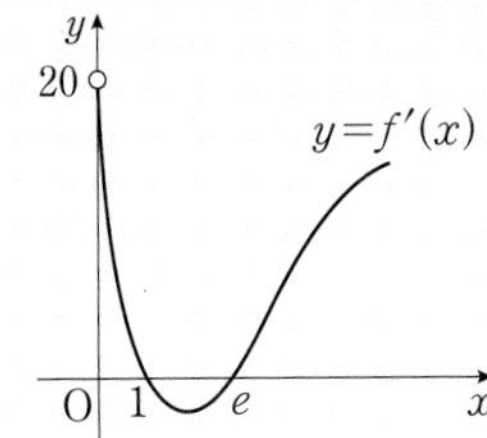

(가) $\lim_{x \to 0+} f(x)=2$, $f(e)=0$

(나) $x>e$에서 $f'(x)>0$이다.

x에 대한 방정식 $f(x)=k$가 서로 다른 두 실근을 갖도록 하는 모든 자연수 k의 값의 합이 14일 때, x에 대한 방정식 $f(x)=m$이 서로 다른 세 실근을 갖도록 하는 모든 자연수 m의 값의 합은?

① 28 ② 32 ③ 38
④ 42 ⑤ 52

STEP Ⓐ $f(x)=k$가 서로 다른 두 실근을 갖도록 하는 모든 자연수 k의 값의 합이 14일 때, 극댓값 구하기

주어진 조건에 의하여 함수 $y=f(x)$의 그래프의 개형은 그림과 같다.

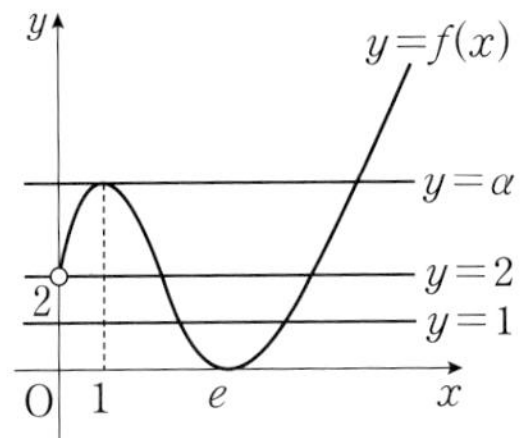

함수 $f(x)$의 $x=1$에서의 극댓값을 α라 하면 방정식 $f(x)=k$가 서로 다른 두 실근을 가지려면 그림에서 $k=1$, $k=2$, $k=\alpha$

$1+2+\alpha=14$ $\therefore \alpha=11$

STEP Ⓑ 방정식 $f(x)=m$이 서로 다른 세 실근을 갖도록 하는 모든 자연수 m의 값의 합 구하기

이때 극댓값이 $\alpha=11$이므로 방정식 $f(x)=m$이 서로 다른 세 실근을 갖도록 하는 모든 자연수 m은 $3, 4, 5, \cdots, 9, 10$이므로

그 합은 $\frac{8(3+10)}{2}=52$

0734 서술형

방정식 $x-2=\ln x$의 서로 다른 실근의 개수를 다음과 같은 방법으로 서술하여라.

[방법1] 곡선 $y=x-2-\ln x$과 x축 $(y=0)$의 교점의 개수를 구한다.

$f(x)=x-2-\ln x$라고 하면

$f'(x)=1-\frac{1}{x}$

$f'(x)=0$에서 $x=1$

$x>0$일 때, 함수 $f(x)$의 증가와 감소를 표로 나타내면 다음과 같다.

x	(0)	$\cdots$	1	$\cdots$
$f'(x)$		$-$	0	$+$
$f(x)$		↘	-1	↗

또, $\lim_{x \to 0+} f(x)=\infty$, $\lim_{x \to \infty} f(x)=\infty$이므로

함수 $y=f(x)$의 그래프는 다음 그림과 같다.

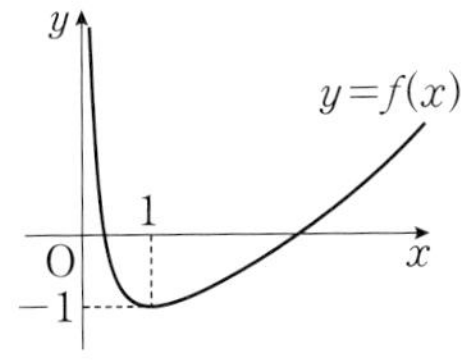

따라서 함수 $f(x)=x-2-\ln x$의 그래프와 x축의 교점은 2개이므로 주어진 방정식의 서로 다른 실근의 개수는 2

[방법2] 곡선 $y=x-\ln x$과 상수함수 $y=2$의 교점의 개수를 구한다.

방정식 $x-2=\ln x$를 $x-\ln x=2$로 놓으면
이 방정식의 실근의 개수는
함수 $y=x-\ln x$의 그래프와 직선 $y=2$의 교점의 개수와 같다.

$f(x)=x-\ln x$라고 하면

$f'(x)=1-\frac{1}{x}$

$f'(x)-0$에서 $x=1$

$x>0$일 때, 함수 $f(x)$의 증가와 감소를 표로 나타내면 다음과 같다.

x	(0)	$\cdots$	1	$\cdots$
$f'(x)$		$-$	0	$+$
$f(x)$		↘	1	↗

또, $\lim_{x \to 0+} f(x)=\infty$, $\lim_{x \to \infty} f(x)=\infty$이므로

함수 $y=f(x)$의 그래프는 다음 그림과 같다.

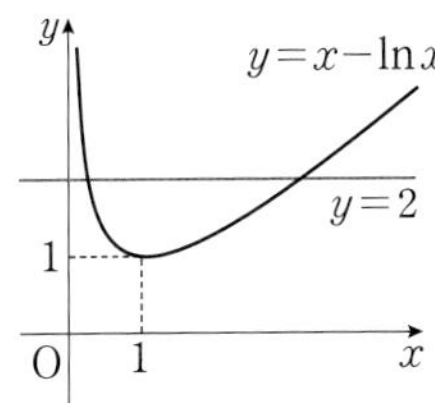

따라서 함수 $y=f(x)$의 그래프는 직선 $y=2$와 서로 다른 두 점에서 만나므로
방정식 $x-2=\ln x$의 서로 다른 실근의 개수는 2

0735

서술형

방정식 $e^x-\frac{e}{x}=0$의 실근에 대하여 다음 단계로 서술하여라.

[1단계] 주어진 방정식은 $x=1$을 근으로 가짐을 보인다.

[2단계] 함수 $y=e^x-\frac{e}{x}$의 그래프와 x축이 만나는 점의 개수를 조사한다.

[3단계] 1, 2단계에서 방정식 $e^x-\frac{e}{x}=0$의 실근이 1뿐임을 서술하여라.

1단계 주어진 방정식은 $x=1$을 근으로 가짐을 보인다. ◀ 20%

주어진 방정식에 $x=1$을 대입하면 $e-e=0$이므로
주어진 방정식은 $x=1$을 근으로 갖는다.

2단계 함수 $y=e^x-\frac{e}{x}$의 그래프와 x축이 만나는 점의 개수를 조사한다. ◀ 50%

$f(x)=e^x-\frac{e}{x}$이라 하면

$f'(x)=e^x+\frac{e}{x^2}$이므로 $f'(x)>0\left(\because e^x>0, \frac{e}{x^2}>0\right)$

함수 $f(x)$는 실수 전체에서 증가하고 $f(1)=0$이므로

함수 $f(x)=e^x-\frac{e}{x}$의 그래프와 x축의 교점은 1개이다.

3단계 1, 2단계에서 방정식 $e^x-\frac{e}{x}=0$의 실근이 1뿐임을 서술하여라. ◀ 30%

주어진 방정식이 $x=1$을 근으로 갖고, 함수 $y=e^x-\frac{e}{x}$의 그래프는 x축과

오직 한 점에서 만나므로 방정식 $e^x-\frac{e}{x}=0$의 실근은 1뿐이다.

0736

서술형

모든 실수 x에 대하여 부등식 $e^{-x}\geq -x+1$이 성립함을 다음 방법으로 서술하여라.

[방법1] $f(x)=e^{-x}+x-1$의 최솟값을 구하여 서술하여라.

$f(x)=e^{-x}+x-1$의 최솟값 이용하기

$f(x)=e^{-x}+x-1$이라 하면 $f'(x)=-e^{-x}+1$

$f'(x)=0$에서 $x=0$

함수 $f(x)$의 증가와 감소를 표로 나타내면 다음과 같다.

x	$\cdots$	0	$\cdots$
$f'(x)$	$-$	0	$+$
$f(x)$	↘	0	↗

따라서 모든 실수 x에 대하여
$f(x)=e^{-x}+x-1\geq 0$, 즉
부등식 $e^{-x}\geq -x+1$이 성립한다.

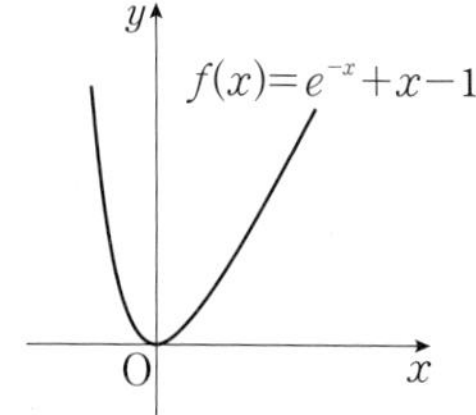

[방법2] 곡선 $y=e^{-x}-1$과 직선 $y=-x$을 그려 서술하여라.

곡선 $y=e^{-x}-1$과 직선 $y=-x$ 이용하기

$f(x)=e^{-x}-1$이라 하면

$f'(x)=-e^{-x}$

곡선 위의 점 $(a, e^{-a}-1)$에서의 접선의 기울기는

$f'(a)=-e^{-a}$이고 기울기가 -1일 때의 a의 값을 구하면

$-e^{-a}=-1$에서 $a=0$

따라서 곡선 $y=e^{-x}-1$ 위의 점 $(0, 0)$에서
기울기가 -1인 접선의 방정식을 구하면
$y=-x$
그러므로 곡선 $y=e^{-x}-1$과 직선
$y=-x$는 오른쪽 그림과 같으므로
모든 실수 x에 대하여 $e^{-x}-1\geq -x$,
즉 부등식 $e^{-x}\geq -x+1$이 성립한다.

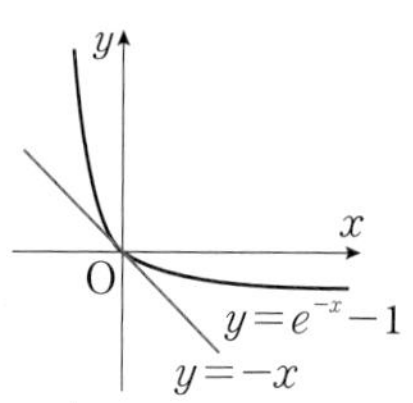

0737

서술형

$x\geq 0$에서 부등식 $x^2-3+ke^{-x}\geq 0$이 성립하도록 하는 실수 k의 최솟값을 구하는 과정을 다음 단계로 서술하여라.

[1단계] $x^2-3+ke^{-x}\geq 0$의 양변에 e^x을 곱하여 $(x^2-3)e^x\geq -k$로 정리하여 $f(x)=(x^2-3)e^x$로 놓고 함수 $f(x)$의 증가와 감소를 표로 나타낸다.

[2단계] $x\geq 0$에서 함수 $f(x)$의 최솟값을 구한다.

[3단계] 실수 k의 최솟값을 구한다.

1단계 $x^2-3+ke^{-x}\geq 0$의 양변에 e^x을 곱하여 $(x^2-3)e^x\geq -k$로 정리하여 $f(x)=(x^2-3)e^x$로 놓고 함수 $f(x)$의 증가와 감소를 표로 나타낸다. ◀ 60%

부등식 $x^2-3+ke^{-x}\geq 0$의 양변에 e^x을 곱하면

$(x^2-3)e^x+k\geq 0$, $(x^2-3)e^x\geq -k$

$f(x)=(x^2-3)e^x$이라 하면

$f'(x)=2xe^x+(x^2-3)e^x=(x^2+2x-3)e^x$

$f'(x)=0$에서 $x^2+2x-3=0$, $(x+3)(x-1)=0$

$\therefore x=-3$ 또는 $x=1$

$x\geq 0$일 때, 함수 $f(x)$의 증가와 감소를 표로 나타내면 다음과 같다.

x	0	$\cdots$	1	$\cdots$
$f'(x)$		$-$	0	$+$
$f(x)$	-3	↘	극소	↗

2단계 $x\geq 0$에서 함수 $f(x)$의 최솟값을 구한다. ◀ 20%

$x\geq 0$일 때, 함수 $f(x)$는 $x=1$에서 극소이고 최소이므로
최솟값은 $f(1)=-2e$를 갖는다.

3단계 실수 k의 최솟값을 구한다. ◀ 20%

부등식 $(x^2-3)e^x\geq -k$가 성립하기 위해서는 $-2e\geq -k$ $\quad\therefore k\geq 2e$

따라서 실수 k의 최솟값은 $2e$

0738

서술형

수직선 위를 움직이는 점 P의 시각 t에서의 위치 $x=f(t)$가 $f(t)=\sin t+3\cos t$일 때, 다음 단계로 서술하여라.

[1단계] $t=\frac{3}{4}\pi$에서의 점 P의 속도를 구한다,

[2단계] $t=\frac{3}{4}\pi$에서의 점 P의 가속도를 구하여라.

[3단계] 점 P가 운동 방향을 바꾸는 시각을 α라 할 때, $\tan\alpha$의 값을 구한다. (단, $0<\alpha<\pi$)

1단계 $t=\frac{3}{4}\pi$에서의 점 P의 속도를 구한다, ◀ 30%

점 P의 시각 t에서의 속도를 $v(t)$라 하면

$v(t)=f'(t)=\cos t-3\sin t$

$t=\frac{3}{4}\pi$에서의 점 P의 속도는

$v\left(\frac{3}{4}\pi\right)=\cos\frac{3}{4}\pi-3\sin\frac{3}{4}\pi=-\frac{\sqrt{2}}{2}-\frac{3\sqrt{2}}{2}=-2\sqrt{2}$

2단계	$t=\frac{3}{4}\pi$에서의 점 P의 가속도를 구하여라.	◀ 30%

점 P의 시각 t에서의 가속도를 $a(t)$라 하면

$a(t)=f''(t)=-\sin t-3\cos t$

$t=\frac{3}{4}\pi$에서의 점 P의 가속도는

$a\left(\frac{3}{4}\pi\right)=-\sin\frac{3}{4}\pi-3\cos\frac{3}{4}\pi=-\frac{\sqrt{2}}{2}+\frac{3\sqrt{2}}{2}=\sqrt{2}$

3단계	점 P가 운동 방향을 바꾸는 시각을 α라 할 때, $\tan\alpha$의 값을 구한다. (단, $0<\alpha<\pi$)	◀ 40%

함수 $f(t)$가 미분가능하므로 점 P가 운동방향을 바꾸는 시각 α에 대하여

$v(\alpha)=0$이므로

$v(\alpha)=\cos\alpha-3\sin\alpha=0$에서 $\cos\alpha=3\sin\alpha$

$\frac{\sin\alpha}{\cos\alpha}=\frac{1}{3}$

따라서 구하는 값은 $\tan\alpha=\frac{\sin\alpha}{\cos\alpha}=\frac{1}{3}$

0739

서술형

좌표평면 위를 움직이는 점 P의 시각 t에서의 위치 (x, y)가

$$x=1-\cos 3t,\ y=\frac{1}{3}\sin 3t$$

이다. 점 P에 대하여 다음 단계로 서술하여라.

[1단계] 점 P의 속도를 구한다.
[2단계] 점 P의 속도의 크기의 최댓값을 구한다.
[3단계] 점 P의 가속도를 구한다.
[4단계] 점 P의 가속도의 크기의 최댓값을 구한다.

1단계	점 P의 속도를 구한다.	◀ 20%

$x=1-\cos 3t,\ y=\frac{1}{3}\sin 3t$에서

$\frac{dx}{dt}=3\sin 3t,\ \frac{dy}{dt}=\cos 3t$이므로

점 P의 시각 t에서의 속도는 $(3\sin 3t,\ \cos 3t)$이다.

2단계	점 P의 속도의 크기의 최댓값을 구한다.	◀ 30%

점 P의 시각 t에서의 속력은

$\sqrt{\left(\frac{dx}{dt}\right)^2+\left(\frac{dy}{dt}\right)^2}=\sqrt{9\sin^2 3t+\cos^2 3t}$

$=\sqrt{8\sin^2 3t+(\sin^2 3t+\cos^2 3t)}$

$=\sqrt{8\sin^2 3t+1}$

따라서 $0\le\sin^2 3t\le 1$이므로 속도의 크기의 최댓값은 $\sqrt{8+1}=\sqrt{9}=3$

3단계	점 P의 가속도를 구한다.	◀ 20%

$\frac{d^2x}{dt^2}=9\cos 3t,\ \frac{d^2y}{dt^2}=-3\sin 3t$이므로

점 P의 시각 t에서의 가속도는 $(9\cos 3t,\ -3\sin 3t)$

4단계	점 P의 가속도의 크기의 최댓값을 구한다.	◀ 30%

점 P의 시각 t에서의 가속도의 크기는

$\sqrt{\left(\frac{d^2x}{dt^2}\right)^2+\left(\frac{d^2y}{dt^2}\right)^2}=\sqrt{81\cos^2 3t+9\sin^2 3t}$

$=\sqrt{72\cos^2 3t+9(\sin^2 3t+\cos^2 3t)}$

$=\sqrt{72\cos^2 3t+9}$

따라서 $0\le\cos^2 3t\le 1$이므로 가속도의 크기의 최댓값은 $\sqrt{72+9}=\sqrt{81}=9$

TOUGH

0740

다음은 모든 실수 x에 대하여 $2x-1\ge ke^{x^2}$을 성립시키는 실수 k의 최댓값을 구하는 과정이다.

$f(x)=(2x-1)e^{-x^2}$이라 하자.

$f'(x)=($ (가) $)\times e^{-x^2}$

$f'(x)=0$에서 $x=-\frac{1}{2}$ 또는 $x=1$

함수 $f(x)$의 증가와 감소를 조사하면 함수 $f(x)$의 극솟값은 (나) 이다. 또한, $\lim_{x\to\infty}f(x)=0,\ \lim_{x\to-\infty}f(x)=0$이므로

함수 $y=f(x)$의 그래프의 개형을 그리면 함수 $f(x)$의 최솟값은 (나) 이다.

따라서 $2x-1\ge ke^{x^2}$을 성립시키는 실수 k의 최댓값은 (나) 이다.

위의 (가)에 알맞은 식을 $g(x)$, (나)에 알맞은 수를 p라 할 때, $g(2)\times p$의 값은?

① $\frac{10}{e}$ ② $\frac{15}{e}$ ③ $\frac{20}{\sqrt[4]{e}}$ ④ $\frac{25}{\sqrt[4]{e}}$ ⑤ $\frac{30}{\sqrt[4]{e}}$

STEP **A** $f(x)=(2x-1)e^{-x^2}$의 그래프를 그려서 빈칸 추론하기

$f(x)=(2x-1)e^{-x^2}$이라 하자.

$f'(x)=2e^{-x^2}+(2x-1)e^{-x^2}\cdot(-2x)$

$=(\boxed{-4x^2+2x+2})\times e^{-x^2}$

$=-2(2x+1)(x-1)e^{-x^2}$

$f'(x)=0$에서 $x=-\frac{1}{2}$ 또는 $x=1$

함수 $f(x)$의 증가와 감소를 표로 나타내면 다음과 같다.

x	$\cdots$	$-\frac{1}{2}$	$\cdots$	1	$\cdots$
$f'(x)$	$-$	0	$+$	0	$-$
$f(x)$	↘	$-\frac{2}{\sqrt[4]{e}}$	↗	$\frac{1}{e}$	↘

이므로 함수 $f(x)$의 극솟값은 $\boxed{-\frac{2}{\sqrt[4]{e}}}$이다.

함수 $y=f(x)$의 그래프의 개형을 그리면

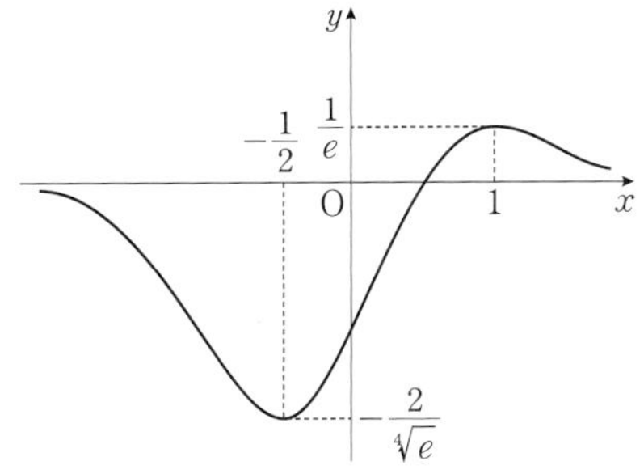

이므로 함수 $f(x)$의 최솟값은 $\boxed{-\frac{2}{\sqrt[4]{e}}}$이다.

$(2x-1)e^{-x^2}\ge-\frac{2}{\sqrt[4]{e}}$이므로 $k\le-\frac{2}{\sqrt[4]{e}}$

따라서 $2x-1\ge ke^{x^2}$을 성립시키는 실수 k의 최댓값은 $\boxed{-\frac{2}{\sqrt[4]{e}}}$이다.

$\therefore\ g(x)=-4x^2+2x+2,\ p=-\dfrac{2}{\sqrt[4]{e}}$

따라서 $g(2)\cdot p=\dfrac{20}{\sqrt[4]{e}}$

0741

$x>0$인 모든 실수 x에 대하여 부등식

$$e^x>k+x+\frac{x^2}{2}$$

이 성립하도록 하는 상수 k의 최댓값을 구하여라.

STEP Ⓐ 부등식을 $f(x)>k$의 꼴로 정리하여 $f'(x)=0$인 x의 값 구하기

$e^x>k+x+\dfrac{x^2}{2}$에서 $e^x-x-\dfrac{x^2}{2}>k$

$f(x)=e^x-x-\dfrac{x^2}{2}$으로 놓으면

$f'(x)=e^x-1-x,\ f''(x)=e^x-1$

$x>0$에서 $f''(x)>0$이므로 $f'(x)$는 증가이다.

또, $x=0$일 때, $f'(x)=0$이므로 $x>0$일 때, $f'(x)>0$이다.

즉 이 구간에서 $f(x)$도 증가이다.

STEP Ⓑ 함수 $f(x)$의 증가함을 조사하기

이때 $x=0$일 때, $f(x)=1$이므로 $x>0$일 때, $f(x)>1$

즉 $f(x)=e^x-x-\dfrac{x^2}{2}$의 그래프는 다음 그림과 같으므로 $k\le1$

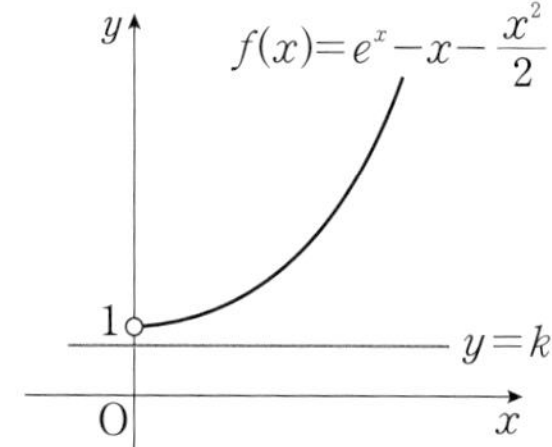

따라서 구하는 실수 k의 최댓값은 1

0742

함수 $f(x)=\dfrac{\ln x^2}{x}$의 극댓값을 α라 하자. 함수 $f(x)$와 자연수 n에 대하여 x에 대한 방정식 $f(x)-\dfrac{\alpha}{n}x=0$의 서로 다른 실근의 개수를 a_n이라 할 때, $\sum\limits_{n=1}^{10}a_n$의 값을 구하여라.

STEP Ⓐ 함수 $f(x)$의 증감표를 이용하여 그래프 그리기

함수 $f(x)=\dfrac{\ln x^2}{x}$의 정의역을 나누면 다음과 같다.

(i) $x>0$일 때,

$f(x)=\dfrac{\ln x^2}{x}$에서 $f(x)=\dfrac{2\ln x}{x}$이므로 $f'(x)=\dfrac{2-2\ln x}{x^2}$

$f'(x)=0$에서 $x=e$

함수 $f(x)$의 증가와 감소를 표로 나타내면 다음과 같다.

x	0	$\cdots$	e	$\cdots$
$f'(x)$		$+$	0	$-$
$f(x)$		↗	$\dfrac{2}{e}$	↘

$x=e$에서 극댓값 $f(e)=\alpha=\dfrac{2}{e}$이고

$\lim\limits_{x\to\infty}\dfrac{2\ln x}{x}=0,\ \lim\limits_{x\to0+}\dfrac{2\ln x}{x}=-\infty$

(ii) $x<0$일 때,

$x<0$인 모든 실수 x에 대하여 $f(-x)=-f(x)$가 성립하므로 $f(x)$는 원점에 대하여 대칭이다.

(i), (ii)에 의하여 $y=f(x)$의 그래프는 그림과 같다.

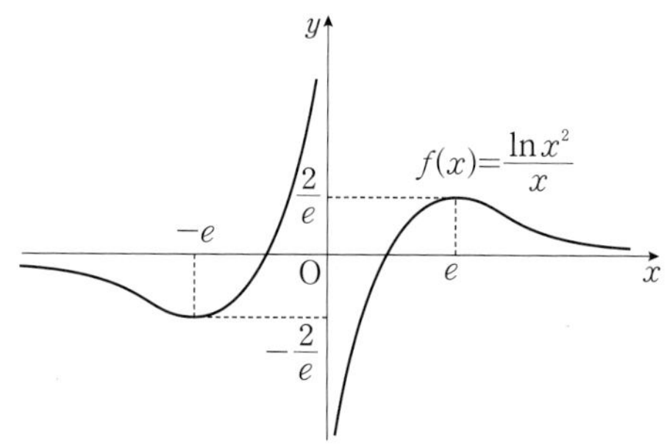

STEP Ⓑ $f(x)$의 접선 중 원점을 지나는 직선의 방정식 구하기

이때 $y=\dfrac{\alpha}{n}x=\dfrac{2}{en}x$는 원점을 지나는 직선이고 원점에서

곡선 $y=\dfrac{2\ln x}{x}$에 그은 접선의 접점을 $(t,\ f(t))$라 하면

접선의 방정식은 $y=\dfrac{2-2\ln t}{t^2}(x-t)+\dfrac{2\ln t}{t}$이고

이 접선이 원점 $(0,\ 0)$을 지나므로 $0=\dfrac{2-2\ln t}{t^2}(0-t)+\dfrac{2\ln t}{t}$

$\therefore\ t=\sqrt{e}$

즉 접점은 $\left(\sqrt{e},\ \dfrac{1}{\sqrt{e}}\right)$이고 접선의 방정식은 $y=\dfrac{1}{e}x$

STEP Ⓒ $y=\dfrac{2}{ne}x$의 n의 값의 범위에 따른 교점의 개수 구하기

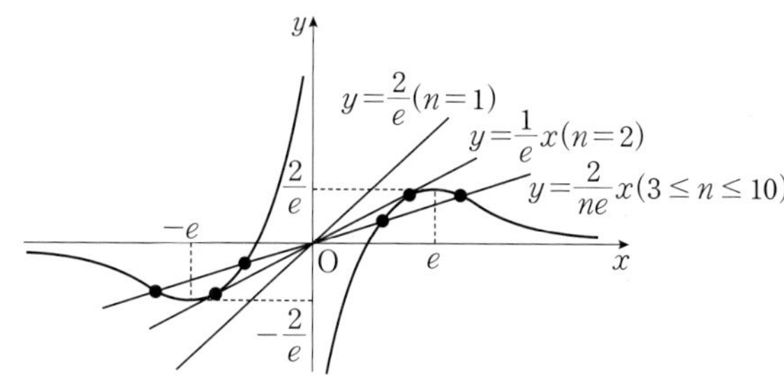

$n=1$일 때, 직선 $y=\dfrac{2}{e}x$와 함수 $f(x)$의 그래프의 교점의 개수는 0

$\therefore\ a_1=0$

$n=2$일 때, 직선 $y=\dfrac{1}{e}x$와 함수 $f(x)$의 그래프의 교점의 개수는 2

$\therefore\ a_2=2$

$3\le n\le10$일 때, 직선 $y=\dfrac{2}{en}x$와 함수 $f(x)$의 그래프의 교점의 개수는 4

$\therefore\ a_n=4$

따라서 $\sum\limits_{n=1}^{10}a_n=0+2+4\times8=34$

주의 $\dfrac{\ln x^2}{x}\ne\dfrac{2\ln x}{x}$ ($\because$ 진수의 범위가 다르다.)

다른풀이 방정식 $\ln x^2=\dfrac{2}{en}x^2$의 실근의 개수로 풀이하기

$f(x)$의 극댓값이 $\dfrac{2}{e}$이므로 $f(x)-\dfrac{2}{en}x=0$

$\dfrac{\ln x^2}{x}-\dfrac{2}{en}x=0$에서 $\ln x^2=\dfrac{2}{en}x^2$이므로

실근은 $y=\ln x^2$와 $y=\dfrac{2}{en}x^2$의 교점의 x좌표와 같다.

이때 곡선 $y=\ln x^2$와 곡선 $y=\dfrac{2}{en}x^2$이 접할 때,

x의 좌표가 $x=e^{\frac{1}{2}}$이므로 접점의 y좌표가 $\dfrac{2}{n}$

다음 그래프와 같이 자연수 n의 값에 따라 교점의 개수(실근의 개수)가 결정된다.

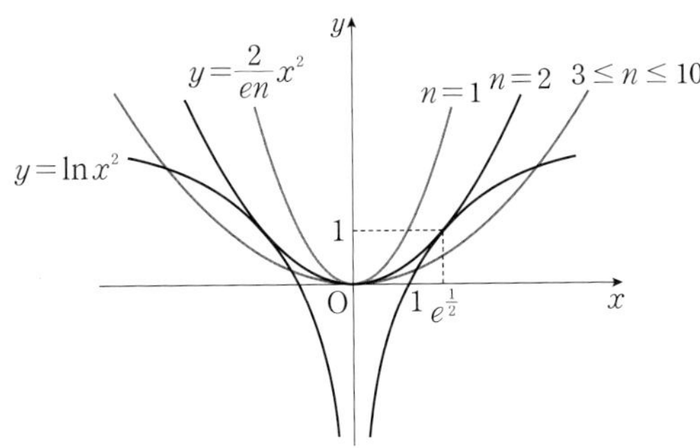

따라서 $\sum_{n=1}^{10} a_n=0+2+4\times 8=34$

0743

좌표평면 위를 움직이는 점 $\mathrm{P}(x, y)$의 시각 t에서의 위치가

$$x=t+\sin t,\ y=2\cos t$$

일 때, 점 P의 속도의 크기가 최대가 되는 시각에서의 가속도의 크기는?

① $\frac{\sqrt{3}}{3}$ ② 1 ③ $\frac{2\sqrt{3}}{3}$
④ $\sqrt{3}$ ⑤ $\frac{4\sqrt{3}}{3}$

STEP Ⓐ **미분을 이용하여 점 P의 속도의 크기 구하기**

$\frac{dx}{dt}=1+\cos t,\ \frac{dy}{dt}=-2\sin t$에서

점 P의 시각 t에서의 속도의 크기는

$$\sqrt{\left(\frac{dx}{dt}\right)^2+\left(\frac{dy}{dt}\right)^2}=\sqrt{(1+\cos t)^2+(-2\sin t)^2}$$
$$=\sqrt{-3\cos^2 t+2\cos t+5}$$

STEP Ⓑ **$x=\cos t$로 치환하여 이차함수의 최대가 되는 $\cos t$의 값 구하기**

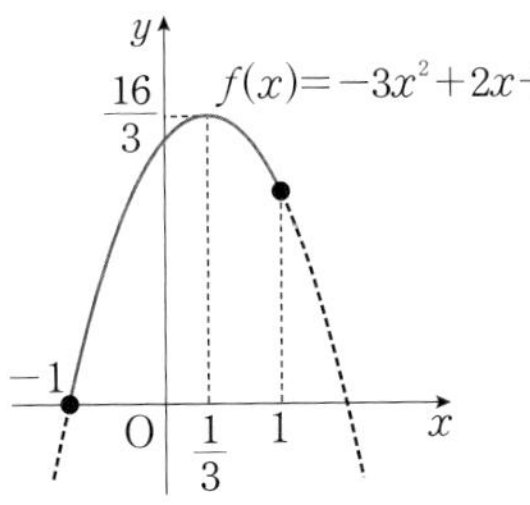

$f(t)=-3\cos^2 t+2\cos t+5$라 하고

$x=\cos t(-1\le x\le 1)$로 놓으면

$$f(x)=-3x^2+2x+5$$
$$=-3\left(x-\frac{1}{3}\right)^2+\frac{16}{3}$$

이므로 점 P의 속도의 크기가 최대가 될 때는 $x=\frac{1}{3}$, 즉 $\cos t=\frac{1}{3}$

STEP Ⓒ **가속도의 크기 구하기**

이때 $\frac{d^2x}{dt^2}=-\sin t,\ \frac{d^2y}{dt^2}=-2\cos t$이므로

점 P의 시각 t에서의 가속도의 크기는

$$\sqrt{\left(\frac{d^2x}{dt^2}\right)^2+\left(\frac{d^2y}{dt^2}\right)^2}=\sqrt{\sin^2 t+4\cos^2 t}=\sqrt{3\cos^2 t+1}$$

따라서 $\cos t=\frac{1}{3}$일 때, 가속도의 크기는 $\sqrt{3\times\left(\frac{1}{3}\right)^2+1}=\frac{2\sqrt{3}}{3}$

0744

좌표평면 위를 움직이는 점 P의 시각 t에서의 좌표 (x, y)가

$$x=e^{-t}\cos t,\ y=e^{-t}\sin t$$

로 나타내어질 때, [보기]에서 옳은 것만을 있는 대로 고른 것은? (단, O는 원점이다.)

ㄱ. 시각 $t=\pi$일 때, 점 P는 x축 위에 있다.

ㄴ. $\sum_{t=1}^{\infty}\overline{\mathrm{OP}}=\frac{1}{e-1}$

ㄷ. 점 P의 가속도의 크기는 속력의 $\sqrt{2}$배이다.

① ㄱ ② ㄴ ③ ㄷ
④ ㄱ, ㄷ ⑤ ㄱ, ㄴ, ㄷ

STEP Ⓐ **점 $\mathrm{P}(x, y)$에서 참임을 판별하기**

ㄱ. $t=\pi$일 때, $x=e^{-\pi}\cos\pi=-e^{-\pi}$, $y=e^{-\pi}\sin\pi=0$이므로

시각 $t=\pi$일 때, 점 P의 좌표는 $(-e^{-\pi}, 0)$이므로

점 P는 x축 위에 있다. [참]

ㄴ. $\overline{\mathrm{OP}}=\sqrt{(e^{-t}\cos t)^2+(e^{-t}\sin t)^2}$

$=e^{-t}\sqrt{\cos^2 t+\sin^2 t}$

$=e^{-t}$

즉 $\sum_{t=1}^{\infty}\overline{\mathrm{OP}}=\sum_{t=1}^{\infty}e^{-t}=\sum_{t=1}^{\infty}\left(\frac{1}{e}\right)^t=\frac{\frac{1}{e}}{1-\frac{1}{e}}=\frac{1}{e-1}$ [참]

STEP Ⓑ **가속도의 크기를 구하여 참임을 판별하기**

ㄷ. $\frac{dx}{dt}=(e^{-t})'\cos t+e^{-t}(\cos t)'$

$=-e^{-t}\cos t-e^{-t}\sin t$

$=-e^{-t}(\cos t+\sin t)$

$\frac{d^2x}{dt^2}=(-e^{-t})'(\cos t+\sin t)+(-e^{-t})(\cos t+\sin t)'$

$=e^{-t}(\cos t+\sin t)-e^{-t}(-\sin t+\cos t)$

$=2e^{-t}\sin t$

$\frac{dy}{dt}=(e^{-t})'\sin t+e^{-t}(\sin t)'$

$=-e^{-t}\sin t+e^{-t}\cos t$

$=-e^{-t}(\sin t-\cos t)$

$\frac{d^2y}{dt^2}=(-e^{-t})'(\sin t-\cos t)+(-e^{-t})(\sin t-\cos t)'$

$=e^{-t}(\sin t-\cos t)-e^{-t}(\cos t+\sin t)$

$=-2e^{-t}\cos t$

이므로 점 P의 시각 t에서의 속력은

$$\sqrt{\left(\frac{dx}{dt}\right)^2+\left(\frac{dy}{dt}\right)^2}=\sqrt{\{-e^{-t}(\cos t+\sin t)\}^2+\{-e^{-t}(\sin t-\cos t)\}^2}$$
$$=e^{-t}\sqrt{2(\sin^2 t+\cos^2 t)}$$
$$=\sqrt{2}e^{-t}$$

이고 점 P의 시각 t에서의 가속도의 크기는

$$\sqrt{\left(\frac{d^2x}{dt^2}\right)^2+\left(\frac{d^2y}{dt^2}\right)^2}=\sqrt{(2e^{-t}\sin t)^2+(-2e^{-t}\cos t)^2}$$
$$=2e^{-t}\sqrt{\sin^2 t+\cos^2 t}$$
$$=2e^{-t}$$

즉 점 P의 가속도의 크기는 속력의 $\sqrt{2}$배이다. [참]

따라서 옳은 것은 ㄱ, ㄴ, ㄷ이다.

MAPL ; YOURMASTERPLAN
01 부정적분

0745

다음 물음에 답하여라.

(1) 점 (1, 2)를 지나는 곡선 $y=f(x)$ 위의 임의의 점 (x, y)에서의 접선의 기울기가 $\frac{1}{x}+\sqrt{x}$일 때, 함수 $f(e)$를 구하여라.

STEP Ⓐ $f'(x)$를 적분하여 $f(x)$ 구하기

곡선 $y=f(x)$ 위의 임의의 점 (x, y)에서의 접선의 기울기가 $f'(x)$이므로

$f'(x)=\frac{1}{x}+\sqrt{x}$

$f(x)=\int f'(x)dx=\int\left(\frac{1}{x}+\sqrt{x}\right)dx=\ln|x|+\frac{2}{3}x^{\frac{3}{2}}+C$

STEP Ⓑ 주어진 함숫값을 이용하여 적분상수 C를 구하기

곡선 $y=f(x)$가 점 (1, 2)를 지나므로

$f(1)=\frac{2}{3}+C=2 \quad \therefore C=\frac{4}{3}$

$\therefore f(x)=\ln|x|+\frac{2}{3}x^{\frac{3}{2}}+\frac{4}{3}$

따라서 $f(e)=1+\frac{2}{3}e^{\frac{3}{2}}+\frac{4}{3}=\frac{2}{3}e\sqrt{e}+\frac{7}{3}$

(2) 곡선 $y=f(x)$ 위의 임의의 점 (x, y)에서의 접선의 기울기가 $1-\frac{1}{x}$이고 이 곡선이 점 (1, 0)을 지날 때, $f(e)$의 값을 구하여라.

STEP Ⓐ 함수 $f'(x)$의 부정적분 $f(x)$ 구하기

곡선 $y=f(x)$ 위의 임의의 점 (x, y)에서의 접선의 기울기가 $f'(x)$이므로

$f'(x)=1-\frac{1}{x}$

$f(x)=\int\left(1-\frac{1}{x}\right)dx=x-\ln|x|+C$

STEP Ⓑ 주어진 함숫값을 이용하여 적분상수 C를 구하기

곡선 $y=f(x)$가 점 (1, 0)을 지나므로

$f(1)=1-0+C=0 \quad \therefore C=-1$

따라서 $f(x)=x-\ln|x|-1$이므로 $f(e)=e-2$

0746

미분가능한 함수 $f(x)$의 한 부정적분 $F(x)$에 대하여

$$F(x)=xf(x)-x^2+2x,\ f(1)=0$$

일 때, $f\left(\frac{1}{e}\right)$의 값은? (단, $x\neq0$)

① $\frac{2}{e}$ ② $\frac{2}{e^2}$ ③ $\frac{3}{e^3}$
④ $2e^2$ ⑤ $3e^2$

STEP Ⓐ 주어진 식의 양변을 미분하여 $f'(x)$ 구하기

$F(x)=xf(x)-x^2+2x$의 양변을 x에 대하여 미분하여 정리하면

$f(x)=f(x)+xf'(x)-2x+2$

$f'(x)=2-\frac{2}{x}$

STEP Ⓑ $f'(x)$를 적분하여 $f(x)$ 구하기

$f(x)=\int\left(2-\frac{2}{x}\right)dx=2x-2\ln|x|+C$

STEP Ⓒ 주어진 함숫값과 연속성을 이용하여 적분상수 C의 값 구하기

이때 $f(1)=2+C=0$에서 $C=-2$이므로 $f(x)=2x-2\ln|x|-2$

따라서 $f\left(\frac{1}{e}\right)=\frac{2}{e}+2-2=\frac{2}{e}$

0747

연속함수 $f(x)$의 도함수 $f'(x)$가

$$f'(x)=\begin{cases}\frac{1}{x^2} & (x<-1)\\ 3x^2+1 & (x>-1)\end{cases}$$

이고 $f(-2)=\frac{1}{2}$일 때, $f(0)$의 값은?

① 1 ② 2 ③ 3
④ 4 ⑤ 5

STEP Ⓐ 함수 $f'(x)$의 부정적분 $f(x)$ 구하기

$f'(x)=\begin{cases}\frac{1}{x^2} & (x<-1)\\ 3x^2+1 & (x>-1)\end{cases}$에서

$f(x)=\begin{cases}-\frac{1}{x}+C_1 & (x\le-1)\\ x^3+x+C_2 & (x>-1)\end{cases}$ (C_1, C_2는 적분상수)

STEP Ⓑ 주어진 조건을 이용하여 적분상수 C_1, C_2의 값 구하기

이때 $f(-2)=\frac{1}{2}+C_1=\frac{1}{2}$이므로 $C_1=0$ …… ㉠

함수 $f(x)$는 $x=-1$에서 연속이므로

$\lim_{x\to-1-}f(x)=1+C_1$, $\lim_{x\to-1+}f(x)=-2+C_2$에서 $1+C_1=-2+C_2$

㉠을 대입하면 $C_2=3$

$\therefore f(x)=\begin{cases}-\frac{1}{x} & (x\le-1)\\ x^3+x+3 & (x>-1)\end{cases}$

STEP Ⓒ $f(0)$의 값 구하기

$x=0$일 때, $f(x)=x^3+x+3$

따라서 $f(0)=3$

0748

다음 물음에 답하여라.

(1) 곡선 $y=f(x)$ 위의 점 (x, y)에서의 접선의 기울기가 e^x-2x이고 이 곡선이 점 (0, 5)를 지날 때, 함수 $f(1)$을 구하여라.

STEP Ⓐ 함수 $f'(x)$의 부정적분 $f(x)$ 구하기

곡선 $y=f(x)$ 위의 임의의 점 (x, y)에서의 접선의 기울기가 $f'(x)$이므로

$f'(x)=e^x-2x$

$f(x)=\int f'(x)dx=\int(e^x-2x)dx=e^x-x^2+C$

STEP Ⓑ 주어진 함숫값을 이용하여 적분상수 C를 구하기

이때 점 (0, 5)를 지나므로 $f(0)=1+C=5$

$\therefore C=4$

따라서 $f(x)=e^x-x^2+4$이므로 $f(1)=e+3$

(2) 곡선 $y=f(x)$ 위의 점 (x, y)에서의 접선의 기울기가 $\frac{xe^x-1}{x}$이고 이 곡선이 점 $(1, e)$를 지날 때, 함수 $f(-1)$을 구하여라.

STEP A 함수 $f'(x)$의 부정적분 $f(x)$ 구하기

곡선 $y=f(x)$ 위의 임의의 점 (x, y)에서의 접선의 기울기가 $f'(x)$이므로

$f'(x)=\frac{xe^x-1}{x}=e^x-\frac{1}{x}$

$f(x)=\int\left(e^x-\frac{1}{x}\right)dx=e^x-\ln|x|+C$

STEP B 주어진 함숫값을 이용하여 적분상수 C를 구하기

이때 점 $(1, e)$를 지나므로 $f(1)=e+C=e$ $\therefore C=0$

따라서 $f(x)=e^x-\ln|x|$이므로 $f(-1)=e^{-1}-\ln|-1|=\frac{1}{e}$

0749

미분가능한 함수 $f(x)$에 대하여

$$\int f(x)dx=xf(x)+(x-1)e^x-5x^2,\ f(0)=5$$

를 만족할 때, $f(1)$의 값은?

① $10-e$ ② $14-e$ ③ $16-e$
④ $12+e$ ⑤ $15+e$

STEP A 주어진 식의 양변을 미분하여 $f'(x)$ 구하기

$\int f(x)dx=xf(x)+(x-1)e^x-5x^2$의 양변을 x에 대하여 미분하여 정리하면

$f(x)=f(x)+xf'(x)+e^x+(x-1)e^x-10x$

$xf'(x)=10x-xe^x$

즉 $x\neq0$일 때, $f'(x)=10-e^x$

STEP B $f'(x)$를 적분하여 $f(x)$ 구하기

$f(x)=\int(10-e^x)dx=10x-e^x+C$ (단, $x\neq0$이고 C는 적분상수)

STEP C 주어진 함숫값과 연속성을 이용하여 적분상수 C의 값 구하기

함수 $f(x)$가 미분가능하므로 $f(x)$는 연속함수이고

$f(0)=\lim_{x\to0}f(x)=\lim_{x\to0}(10x-e^x+C)=-1+C$

$f(0)=5$이므로 $-1+C=5$ $\therefore C=6$

따라서 $f(x)=10x-e^x+6$이므로 $f(1)=16-e$

0750

함수 $f(x)$가 모든 실수에서 연속일 때, 도함수 $f'(x)$가

$$f'(x)=\begin{cases}e^{x-1} & (x\leq1)\\ \frac{1}{x} & (x>1)\end{cases}$$

이다. $f(-1)=e+\frac{1}{e^2}$일 때, $f(e)$의 값은?

① $e-2$ ② $e-1$ ③ e
④ $e+1$ ⑤ $e+2$

STEP A 함수 $f'(x)$의 부정적분 $f(x)$ 구하기

(i) $x\leq1$일 때, $f'(x)=e^{x-1}$이므로

$f(x)=\int e^{x-1}dx=e^{x-1}+C_1$ (C_1은 적분상수)

(ii) $x>1$일 때, $f'(x)=\frac{1}{x}$이므로

$f(x)=\int\frac{1}{x}dx=\ln x+C_2$ (C_2는 적분상수)

STEP B 연속조건을 이용하여 적분상수 C_1, C_2의 값 구하기

$f(x)$는 실수 전체의 집합에서 연속이므로

$\lim_{x\to1-}f(x)=\lim_{x\to1+}f(x)$

$\lim_{x\to1-}f(x)=\lim_{x\to1-}(e^{x-1}+C_1)=1+C_1$

$\lim_{x\to1+}f(x)=\lim_{x\to1+}(\ln x+C_2)=C_2$

$1+C_1=C_2$

$f(-1)=e+\frac{1}{e^2}$에서 $\frac{1}{e^2}+C_1=e+\frac{1}{e^2}$이므로

$C_1=e$, $C_2=e+1$

따라서 $f(e)=\ln e+(e+1)=e+2$

0751

다음 물음에 답하여라.

(1) 함수 $f(x)=\int\frac{\cos^2x}{1-\sin x}dx$에 대하여 $f(0)=1$일 때, $f(\pi)$의 값을 구하여라.

STEP A $\cos^2x=1-\sin^2x$로 변형하여 분모와 같은 인수를 약분한 후 적분하기

$$\begin{aligned}f(x)&=\int\frac{\cos^2x}{1-\sin x}dx\\&=\int\frac{1-\sin^2x}{1-\sin x}dx\\&=\int\frac{(1+\sin x)(1-\sin x)}{1-\sin x}dx\\&=\int(1+\sin x)dx\\&=x-\cos x+C\end{aligned}$$

STEP B 주어진 함숫값을 이용하여 적분상수 C를 구하기

이때 $f(0)=1$에서 $-1+C=1$ $\therefore C=2$

따라서 $f(x)=x-\cos x+2$이므로 $f(\pi)=\pi-\cos\pi+2=\pi+3$

(2) 함수 $f(x)$의 도함수 $f'(x)$가 $f'(x)=\frac{1-\cos^2x}{1-\sin^2x}$이고, $f(0)=0$을 만족할 때, $f\left(\frac{\pi}{4}\right)$의 값을 구하여라.

STEP A $\cos^2x=1-\sin^2x$로 변형하여 적분하기

$$\begin{aligned}f(x)&=\int\frac{1-\cos^2x}{1-\sin^2x}dx\\&=\int\frac{1-\cos^2x}{\cos^2x}dx\\&=\int\left(\frac{1}{\cos^2x}-1\right)dx\\&=\int(\sec^2x-1)dx\\&=\tan x-x+C\end{aligned}$$

STEP B 주어진 함숫값을 이용하여 적분상수 C를 구하기

이때 $f(0)=0$이므로 $\tan0-0+C=0$ $\therefore C=0$

따라서 $f(x)=\tan x-x$이므로 $f\left(\frac{\pi}{4}\right)=\tan\frac{\pi}{4}-\frac{\pi}{4}=1-\frac{\pi}{4}$

0752

점 $\left(\frac{\pi}{4}, \sqrt{2}\right)$을 지나는 함수 $y=f(x)$의 그래프가 있다.

이 그래프 위의 점 $(x, f(x))$에서의 접선의 기울기가 $f'(x)=\frac{1}{1+\cos x}$

일 때, $f\left(\frac{\pi}{6}\right)$의 값은?

① $-\sqrt{2}+3$　② $-\sqrt{3}+1$　③ $-\sqrt{3}+3$
④ $\sqrt{3}+1$　⑤ $\sqrt{3}+3$

STEP A $f'(x)$를 적분하여 $f(x)$ 구하기

$$\int\frac{1}{1+\cos x}dx=\int\frac{1-\cos x}{(1+\cos x)(1-\cos x)}dx$$
$$=\int\frac{1-\cos x}{1-\cos^2 x}dx$$
$$=\int\frac{1-\cos x}{\sin^2 x}dx$$
$$=\int\left(\frac{1}{\sin^2 x}-\frac{1}{\sin x}\cdot\frac{\cos x}{\sin x}\right)dx$$
$$=\int(\csc^2 x-\csc x\cot x)dx$$
$$=-\cot x+\csc x+C$$

STEP B 주어진 함숫값을 이용하여 적분상수 C의 값 구하기

$y=f(x)$가 $\left(\frac{\pi}{4}, \sqrt{2}\right)$을 지나므로 대입하면

$f\left(\frac{\pi}{4}\right)=-\cot\frac{\pi}{4}+\csc\frac{\pi}{4}+C=\sqrt{2}$

즉 $-1+\sqrt{2}+C=\sqrt{2}$　$\therefore C=1$

따라서 $f(x)=-\cot x+\csc x+1$이고

$f\left(\frac{\pi}{6}\right)=-\cot\frac{\pi}{6}+\csc\frac{\pi}{6}+1=-\sqrt{3}+2+1=-\sqrt{3}+3$

0753

모든 실수에서 미분가능한 함수 $f(x)$와 그 부정적분 중의 하나인 $F(x)$에 대하여

$$F(x)=xf(x)+x\cos x-\sin x,\ f(\pi)=1$$

일 때, $f(0)$의 값은?

① -3　② -2　③ -1
④ 0　⑤ 1

STEP A 주어진 식의 양변을 미분하여 $f'(x)$ 구하기

$F(x)=xf(x)+x\cos x-\sin x$의 양변을 x에 대하여 미분하여 정리하면

$f(x)=f(x)+xf'(x)-x\sin x$

$xf'(x)=x\sin x$

즉 $x\neq 0$일 때, $f'(x)=\sin x$

STEP B $f'(x)$를 적분하여 $f(x)$ 구하기

$f(x)=\int\sin x dx=-\cos x+C$ (단, $x\neq 0$이고 C는 적분상수이다.)

STEP C 주어진 함숫값과 연속성을 이용하여 적분상수 C의 값 구하기

이때 $f(\pi)=1$이므로 $C=0$

함수 $f(x)$가 미분가능하므로 $f(x)$는 연속함수이다.

따라서 $f(x)=-\cos x$이므로 $f(0)=\lim_{x\to 0}(-\cos x)=-\cos 0=-1$

0754

다음 물음에 답하여라. (단, C는 적분상수)

(1) 함수 $f(x)$에 대하여 $f'(x)=\frac{2x-1}{x^2-x+1}$, $f(-1)=\ln 3$일 때, $f(1)$의 값을 구하여라.

STEP A $\int\frac{f'(x)}{f(x)}dx=\ln|f(x)|+C$를 이용하여 적분하기

$f'(x)=\frac{2x-1}{x^2-x+1}$이므로

$f(x)=\int\frac{2x-1}{x^2-x+1}dx=\ln(x^2-x+1)+C$

STEP B 주어진 함숫값을 이용하여 적분상수 C를 구하기

$f(-1)=\ln 3+C=\ln 3$　$\therefore C=0$

따라서 $f(x)=\ln(x^2-x+1)$이므로 $f(1)=\ln 1=0$

(2) $\int\frac{5}{x^2+x-6}dx=\ln\left|\frac{x+a}{x+b}\right|+C$를 만족하는 상수 a, b에 대하여 $b-a$의 값을 구하여라.

STEP A 부분분수로 분해하기

$x^2+x-6=(x-2)(x+3)$이므로

$\frac{5}{x^2+x-6}=\frac{p}{x-2}+\frac{q}{x+3}$로 놓고

양변을 $(x-2)(x+3)$을 곱하여 정리하면

$5=(p+q)x+3p-2q$

위 식은 x에 대한 항등식이므로

$p+q=0$, $3p-2q=5$

$\therefore p=1$, $q=-1$

$\frac{5}{x^2+x-6}=\frac{1}{x-2}-\frac{1}{x+3}$

STEP B $\int\frac{f'(x)}{f(x)}dx=\ln|f(x)|+C$를 이용하여 적분하기

$$\int\frac{5}{x^2+x-6}dx=\int\left(\frac{1}{x-2}-\frac{1}{x+3}\right)dx$$
$$=\ln|x-2|-\ln|x+3|+C$$
$$=\ln\left|\frac{x-2}{x+3}\right|+C$$

따라서 $a=-2$, $b=3$이므로 $b-a=3-(-2)=5$

0755

다음 물음에 답하여라.

(1) 함수 $f'(x)$가 $(2+\cos x)f'(x)=\sin x$를 만족시킨다. $f(0)=0$일 때, 함수 $f(\pi)$의 값은?

① 1　② $\ln 2$　③ $\ln 3$
④ $\ln(e+1)$　⑤ 3

STEP A $\int\frac{f'(x)}{f(x)}dx=\ln|f(x)|+C$를 이용하여 적분하기

$f'(x)=\frac{\sin x}{2+\cos x}$이므로

$f(x)=\int\frac{\sin x}{2+\cos x}dx=-\int\frac{-\sin x}{2+\cos x}dx=-\ln(2+\cos x)+C$

STEP B 주어진 함숫값을 이용하여 적분상수 C를 구하기

$f(0)=0$이므로 $C=\ln 3$

따라서 $f(x)=-\ln(2+\cos x)+\ln 3$이므로 $f(\pi)=-\ln(2-1)+\ln 3=\ln 3$

(2) $f(0)=\ln 2$를 만족하는 함수 $f(x)$의 도함수 $f'(x)$가

$f'(x)=\frac{3^x\ln 3}{3^x+1}$일 때, 함수 $f(1)$의 값은?

① $\ln 2$ ② $2\ln 2$ ③ $3\ln 2$
④ $2\ln 3$ ⑤ $2\ln 5$

STEP Ⓐ $\int\frac{f'(x)}{f(x)}dx=\ln|f(x)|+C$를 이용하여 적분하기

$f(x)=\int\frac{3^x\ln 3}{3^x+1}dx=\int\frac{(3^x+1)'}{3^x+1}dx=\ln|3^x+1|+C$

STEP Ⓑ 주어진 함숫값을 이용하여 적분상수 C를 구하기

$f(0)=\ln 2+C=\ln 2$이므로 $C=0$

$\therefore f(x)=\ln|3^x+1|$

따라서 $f(1)=\ln 4=2\ln 2$

0756

연속함수 $f(x)$가 다음 조건을 만족시킨다.

(가) $x\neq 0$인 실수 x에 대하여 $\{f(x)\}^2f'(x)=\frac{2x}{x^2+1}$

(나) $f(0)=0$

$\{f(1)\}^3$의 값은?

① $2\ln 2$ ② $3\ln 2$ ③ $1+2\ln 2$
④ $4\ln 2$ ⑤ $1+3\ln 2$

STEP Ⓐ 치환적분법을 이해하여 함수의 값 구하기

조건 (가)에서

$\{f(x)\}^2f'(x)=\frac{2x}{x^2+1}$의 양변을 각각 x에 대하여 적분하면

$\int\{f(x)\}^2f'(x)dx=\int\frac{2x}{x^2+1}dx$

$f(x)=t$라 할 때, $f'(x)=\frac{dt}{dx}$이므로

$\int\{f(x)\}^2f'(x)dx=\int t^2dt=\frac{1}{3}t^3+C_1$

$=\frac{1}{3}\{f(x)\}^3+C_1$ (C_1은 적분상수)

$\int\frac{2x}{x^2+1}dx=\ln(x^2+1)+C_2$ (C_2는 적분상수)

$\therefore \{f(x)\}^3=3\ln(x^2+1)+C$ (C는 적분상수) ⬅ $C=3C_2-C_1$

STEP Ⓑ 적분상수 C를 구하여 $\{f(1)\}^3$의 값 구하기

조건 (나)에서 $f(0)=0$이므로 $C=0$

따라서 $\{f(x)\}^3=3\ln(x^2+1)$이므로 $\{f(1)\}^3=3\ln 2$

0757

다음 물음에 답하여라.

(1) 함수 $f(x)=\int(x-1)\sqrt{x^2-2x+4}\,dx$, $f(0)=-\frac{1}{3}$을 만족시킬 때,

$f(4)$의 값을 구하여라.

STEP Ⓐ $x^2-2x+4=t$로 치환하여 적분하기

$f(x)=\int(x-1)\sqrt{x^2-2x+4}\,dx$에서

$x^2-2x+4=t$로 놓고 양변을 x에 관하여 미분하면

$2x-2=\frac{dt}{dx}$, 즉 $(x-1)dx=\frac{1}{2}dt$

$f(x)=\int(x-1)\sqrt{x^2-2x+4}\,dx$

$=\frac{1}{2}\int\sqrt{t}\,dt=\frac{1}{3}t\sqrt{t}+C$

$=\frac{1}{3}(x^2-2x+4)\sqrt{x^2-2x+4}+C$

STEP Ⓑ 주어진 함숫값을 이용하여 적분상수 C를 구하기

이때 $f(0)=\frac{1}{3}\cdot 4\cdot 2+C=-\frac{1}{3}$ $\therefore C=-3$

따라서 $f(4)=\frac{1}{3}\cdot 12\cdot\sqrt{12}-3=8\sqrt{3}-3$

(2) 함수 $f(x)=\int\frac{x}{\sqrt{x^2+5}}dx$에 대하여 $f(2)=-1$일 때,

$f(\sqrt{11})$의 값을 구하여라.

STEP Ⓐ $x^2+5=t$로 치환하여 적분하기

$f(x)=\int\frac{x}{\sqrt{x^2+5}}dx$에서

$x^2+5=t$로 놓고 양변을 x에 관하여 미분하면

$2x=\frac{dt}{dx}$이므로 $xdx=\frac{1}{2}dt$

$f(x)=\int\frac{x}{\sqrt{x^2+5}}dx=\int\frac{1}{\sqrt{t}}\cdot\frac{1}{2}dt=\sqrt{t}+C=\sqrt{x^2+5}+C$

STEP Ⓑ 주어진 함숫값을 이용하여 적분상수 C를 구하기

이때 $f(2)=\sqrt{9}+C=-1$ $\therefore C=-4$

따라서 $f(x)=\sqrt{x^2+5}-4$이므로 $f(\sqrt{11})=\sqrt{11+5}-4=0$

0758

함수 $f(x)=\int\frac{x+1}{\sqrt{x^2+2x+3}}dx$에 대하여 $f(3)=3\sqrt{2}$일 때,

$f(1)$의 값은?

① $\sqrt{2}$ ② $\sqrt{3}$ ③ 2
④ $\sqrt{5}$ ⑤ $\sqrt{6}$

STEP Ⓐ $x^2+2x+3=t$로 치환하여 적분하기

$x^2+2x+3=t$로 놓고 양변을 x에 관하여 미분하면

$2(x+1)=\frac{dt}{dx}$, 즉 $(x+1)dx=\frac{1}{2}dt$

$f(x)=\int\frac{x+1}{\sqrt{x^2+2x+3}}dx=\frac{1}{2}\int\frac{1}{\sqrt{t}}dt$

$=\sqrt{t}+C=\sqrt{x^2+2x+3}+C$

STEP Ⓑ 주어진 함숫값을 이용하여 적분상수 C를 구하기

$f(3)=3\sqrt{2}$이므로 $f(3)=3\sqrt{2}+C=3\sqrt{2}$ $\therefore C=0$

따라서 $f(x)=\sqrt{x^2+2x+3}$이므로 $f(1)=\sqrt{6}$

0759

미분가능한 함수 $f(x)$가

$$\lim_{h\to 0}\frac{f(x+h)-f(x)}{h}=x\sqrt{x^2+1},\ f(0)=\frac{1}{3}$$

을 만족시킬 때, $f(2\sqrt{2})$의 값은?

① 3　② 4　③ 6
④ 9　⑤ 12

STEP Ⓐ $x^2+1=t$로 치환하여 적분하기

$f'(x)=\lim_{h\to 0}\frac{f(x+h)-f(x)}{h}=x\sqrt{x^2+1}$

$f(x)=\int f'(x)dx=\int x\sqrt{x^2+1}\,dx$

$x^2+1=t$로 놓고 양변을 x에 관하여 미분하면

$2x=\frac{dt}{dx}$, 즉 $2xdx=dt$

$\int x\sqrt{x^2+1}\,dx=\frac{1}{2}\int\sqrt{t}\,dt=\frac{1}{3}t\sqrt{t}+C$

$=\frac{1}{3}(x^2+1)\sqrt{x^2+1}+C$

STEP Ⓑ 주어진 함숫값을 이용하여 적분상수 C를 구하기

$f(0)=\frac{1}{3}$이므로 $C=0$

따라서 $f(x)=\frac{1}{3}(x^2+1)\sqrt{x^2+1}$이므로 $f(2\sqrt{2})=\frac{1}{3}\cdot 9\cdot 3=9$

0760

다음 물음에 답하여라.

(1) $f(x)=\int(\sin^3x+1)\cos x\,dx$에 대하여 $f(\pi)=1$일 때, $f\left(\frac{\pi}{2}\right)$의 값을 구하여라.

STEP Ⓐ $\sin x=t$로 치환하여 적분하기

$\sin x=t$로 놓고 양변을 x에 관하여 미분하면

$\cos x=\frac{dt}{dx}$, 즉 $\cos x\,dx=dt$

$f(x)=\int(\sin^3x+1)\cos x\,dx=\int(t^3+1)dt$

$=\frac{1}{4}t^4+t+C=\frac{1}{4}\sin^4x+\sin x+C$

STEP Ⓑ 주어진 함숫값을 이용하여 적분상수 C를 구하기

$f(\pi)=1$이므로 $C=1$

따라서 $f(x)=\frac{1}{4}\sin^4x+\sin x+1$이므로 $f\left(\frac{\pi}{2}\right)=\frac{9}{4}$

(2) $f(x)=\int\frac{\cos^3x}{1-\sin x}dx$에 대하여 $f(\pi)=\frac{1}{2}$일 때, $f\left(\frac{\pi}{2}\right)$의 값을 구하여라.

STEP Ⓐ $\cos^3x=\cos^2x\cos x=(1-\sin^2x)\cos x$로 변형하여 $1+\sin x=t$로 치환하여 적분하기

$f(x)=\int\frac{\cos^3x}{1-\sin x}dx=\int\frac{(1-\sin^2x)\cos x}{1-\sin x}dx$

$=\int(1+\sin x)\cos x\,dx$

이때 $1+\sin x=t$로 놓고 양변을 x에 관하여 미분하면

$\cos x=\frac{dt}{dx}$, 즉 $\cos x\,dx=dt$

$\int(1+\sin x)\cos x\,dx=\int t\,dt=\frac{1}{2}t^2+C$

$=\frac{1}{2}(1+\sin x)^2+C$

STEP Ⓑ 주어진 함숫값을 이용하여 적분상수 C를 구하기

이때 $f(\pi)=\frac{1}{2}+C=\frac{1}{2}$　∴ $C=0$

따라서 $f(x)=\frac{1}{2}(1+\sin x)^2$이므로 $f\left(\frac{\pi}{2}\right)=2$

0761

함수 $f(x)$에 대하여

$$f(x)=\int(1-\sin^2x)\sin 2x\,dx,\ f(\pi)=0$$

일 때, $f\left(\frac{\pi}{2}\right)$의 값은?

① $\frac{1}{3}$　② $\frac{1}{2}$　③ $\frac{3}{5}$
④ $\frac{4}{5}$　⑤ $\frac{5}{6}$

STEP Ⓐ $\sin 2x=2\sin x\cos x$로 변형하여 $\cos x=t$로 치환하여 적분하기

$f(x)=\int(1-\sin^2x)\sin 2x\,dx$

$=\int 2(1-\sin^2x)\sin x\cos x\,dx$

$\sin x=t$로 놓고 양변을 x에 대하여 미분하면

$\cos x=\frac{dt}{dx}$, 즉 $\cos x\,dx=dt$

$f(x)=\int 2(1-t^2)t\,dt$

$=\int(2t-2t^3)dt$

$=t^2-\frac{1}{2}t^4+C$

$=\sin^2x-\frac{1}{2}\sin^4x+C$

STEP Ⓑ 주어진 함숫값을 이용하여 적분상수 C를 구하기

이때 $f(\pi)=0-0+C=0$　∴ $C=0$

따라서 $f(x)=\sin^2x-\frac{1}{2}\sin^4x$이므로 $f\left(\frac{\pi}{2}\right)=1-\frac{1}{2}=\frac{1}{2}$

0762

$-\frac{\pi}{2}\le x\le\frac{\pi}{2}$에서 정의된 미분가능한 함수

$$f'(x)=\frac{\sec^2x}{1+\tan x},\ f(0)=0$$

일 때, $f\left(\frac{\pi}{4}\right)$의 값을 구하여라.

STEP Ⓐ $1+\tan x=t$로 치환하여 적분하기

$f(x)=\int\frac{\sec^2x}{1+\tan x}dx$

$1+\tan x=t$로 놓고 양변을 x에 대하여 미분하면

$\sec^2x=\frac{dt}{dx}$, 즉 $\sec^2x\,dx=dt$

$f(x)=\int\frac{\sec^2x}{1+\tan x}dx$

$=\int\frac{1}{t}dt=\ln|t|+C$ (단, C는 적분상수)

$=\ln|1+\tan x|+C$

STEP Ⓑ 주어진 함숫값을 이용하여 적분상수 C를 구하기

이때 $f(0)=0$이므로 $0+C=0$　∴ $C=0$

따라서 $f(x)=\ln|1+\tan x|$이므로 $f\left(\frac{\pi}{4}\right)=\ln\left|1+\tan\frac{\pi}{4}\right|=\ln 2$

0763

구간 $\left[-\frac{\pi}{2}, \frac{\pi}{2}\right]$에서 정의된 함수 $f(x)$의 도함수 $f'(x)$가

$$f'(x)=\tan x+\tan^2 x+\tan^3 x$$

이다. $f(0)=\frac{\pi}{4}$일 때, $f\left(\frac{\pi}{4}\right)$의 값은?

① $\frac{1}{2}$ ② $\frac{2}{3}$ ③ 1
④ $\frac{3}{2}$ ⑤ 2

STEP Ⓐ $1+\tan^2 x=\sec^2 x$임을 이용하여 $f(x)$ 구하기

$1+\tan^2 x=\sec^2 x$이므로

$$\begin{aligned}f(x)&=\int(\tan x+\tan^2 x+\tan^3 x)dx\\&=\int\tan^2 x dx+\int(\tan x+\tan^3 x)dx\\&=\int(\sec^2 x-1)dx+\int\tan x(1+\tan^2 x)dx\\&=\tan x-x+\int\tan x\sec^2 x dx\end{aligned}$$

STEP Ⓑ 치환적분을 이용하여 적분하기

$\int\tan x\sec^2 x dx$에서 $\tan x=t$로 놓으면

$\frac{dt}{dx}=\sec^2 x$, 즉 $\sec^2 x dx=dt$

$\int\tan x\sec^2 x dx=\int t dt=\frac{1}{2}t^2+C$ (단, C는 적분상수)

STEP Ⓒ 주어진 함숫값을 이용하여 적분상수를 구하여 $f\left(\frac{\pi}{4}\right)$ 구하기

이때 $f(x)=\tan x-x+\frac{1}{2}\tan^2 x+C$이고 $f(0)=\frac{\pi}{4}$이므로 $f(0)=C=\frac{\pi}{4}$

따라서 $f(x)=\tan x-x+\frac{1}{2}\tan^2 x+\frac{\pi}{4}$이므로

$f\left(\frac{\pi}{4}\right)=1-\frac{\pi}{4}+\frac{1}{2}+\frac{\pi}{4}=\frac{3}{2}$

0764

구간 $[0, \pi]$에서 정의된 함수 $f(x)$의 도함수 $f'(x)$가

$$f'(x)=\cot^2 x+\cot^4 x$$

이다. $f\left(\frac{\pi}{4}\right)=-\frac{1}{3}$일 때, $f\left(\frac{\pi}{6}\right)$의 값은?

① $-\frac{\sqrt{3}}{3}$ ② -1 ③ $\frac{\sqrt{3}}{3}$
④ 1 ⑤ $-\sqrt{3}$

STEP Ⓐ $1+\cot^2 x=\csc^2 x$임을 이용하여 $f(x)$ 구하기

$1+\cot^2 x=\csc^2 x$이므로

$$\begin{aligned}f(x)&=\int(\cot^2 x+\cot^4 x)dx\\&=\int\cot^2 x(1+\cot^2 x)dx\\&=\int\cot^2 x\csc^2 x dx\end{aligned}$$

STEP Ⓑ 치환적분을 이용하여 적분하기

$\cot x=t$로 놓으면

$\frac{dt}{dx}=-\csc^2 x$, 즉 $-\csc^2 x dx=dt$

$$\begin{aligned}f(x)&=\int\cot^2 x\csc^2 x dx\\&=\int\cot^2 x(-\csc^2 x)dx\\&=-\int t^2 dt=-\frac{1}{3}t^3+C \text{ (단, } C\text{는 적분상수)}\end{aligned}$$

STEP Ⓒ 적분상수를 구하여 $f\left(\frac{\pi}{6}\right)$ 구하기

이때 $f(x)=-\frac{1}{3}\cot^3 x+C$이고 $f\left(\frac{\pi}{4}\right)=-\frac{1}{3}$이므로

$f\left(\frac{\pi}{4}\right)=-\frac{1}{3}+C=-\frac{1}{3}$이므로 $C=0$

따라서 $f(x)=-\frac{1}{3}\cot^3 x$이므로 $f\left(\frac{\pi}{6}\right)=-\frac{1}{3}\cdot(\sqrt{3})^3=-\sqrt{3}$

0765

곡선 $y=f(x)$ 위의 점 (x, y)에서의 접선의 기울기가 $\tan x+\tan^3 x$라 하고 이 곡선이 점 $(0, 0)$을 지날 때, $f\left(\frac{\pi}{3}\right)$의 값을 구하여라.

$\left(\text{단, } -\frac{\pi}{2}<x<\frac{\pi}{2}\right)$

STEP Ⓐ $1+\tan^2 x=\sec^2 x$임을 이용하여 $f(x)$ 구하기

$f'(x)=\tan x+\tan^3 x$이므로

$$\begin{aligned}f(x)&=\int(\tan x+\tan^3 x)dx\\&=\int\tan x(1+\tan^2 x)dx\\&=\int\tan x\sec^2 x dx\end{aligned}$$

STEP Ⓑ 치환적분을 이용하여 적분하기

$\tan x=t$로 놓고 양변을 x에 대하여 미분하면

$\sec^2 x=\frac{dt}{dx}$, 즉 $\sec^2 x dx=dt$

$\therefore f(x)=\int t dt=\frac{1}{2}t^2+C=\frac{1}{2}\tan^2 x+C$

이때 점 $(0, 0)$을 지나므로 $f(0)=C=0$

STEP Ⓒ 적분상수를 구하여 $f\left(\frac{\pi}{3}\right)$ 구하기

따라서 $f(x)=\frac{1}{2}\tan^2 x$이므로 $f\left(\frac{\pi}{3}\right)=\frac{1}{2}\cdot(\sqrt{3})^2=\frac{3}{2}$

0766

다음 물음에 답하여라.

(1) 함수 $f(x)=\int 6xe^{x^2+1}dx$에 대하여 $f(0)=3e$일 때, $f(1)$의 값을 구하여라.

STEP Ⓐ $x^2+1=t$로 치환하여 적분하기

$x^2+1=t$라 놓고 양변을 x에 대하여 미분하면

$2xdx=dt$이므로

$$\begin{aligned}f(x)&=\int 6xe^{x^2+1}dx\\&=\int 3e^t dt\\&=3e^t+C\\&=3e^{x^2+1}+C\end{aligned}$$

STEP Ⓑ 주어진 함숫값을 이용하여 적분상수 C를 구하기

이때 $f(0)=3e+C=3e$ $\therefore C=0$

따라서 $f(x)=3e^{x^2+1}$이므로 $f(1)=3e^2$

(2) 함수 $f(x)=\int \frac{\sin(\ln x)}{x}dx$에 대하여 $f(e^{\pi})=1$일 때, $f(e^{2\pi})$의 값을 구하여라.

STEP Ⓐ $\ln x=t$로 치환하여 적분하기

$\ln x=t$로 놓고 양변을 x에 대하여 미분하면

$\frac{1}{x}dx=dt$이므로

$f(x)=\int \sin t dt=-\cos t+C=-\cos(\ln x)+C$

STEP Ⓑ 주어진 함숫값을 이용하여 적분상수 C를 구하기

이때 $f(e^{\pi})=1$이므로 $-\cos(\ln e^{\pi})+C=1+C=1$ $\quad \therefore C=0$

따라서 $f(x)=-\cos(\ln x)$이므로 $f(e^{2\pi})=-\cos(\ln e^{2\pi})=-\cos 2\pi=-1$

0767

다음 물음에 답하여라.

(1) 함수 $f(x)=\int \frac{1}{x\sqrt{\ln x+7}}dx$에 대하여 $f(e^2)=8$일 때, $f(e^{18})$의 값은?

① 12 ② 10 ③ 9
④ 8 ⑤ 7

STEP Ⓐ $\ln x+7=t$로 치환하여 적분하기

$\ln x+7=t$라 놓고 양변을 x에 대하여 미분하면

$\frac{1}{x}dx=dt$이므로

$$f(x)=\int \frac{1}{\sqrt{t}}dt=\int t^{-\frac{1}{2}}dt$$
$$=2t^{\frac{1}{2}}+C$$
$$=2\sqrt{t}+C$$
$$=2\sqrt{\ln x+7}+C$$

STEP Ⓑ 주어진 함숫값을 이용하여 적분상수 C를 구하기

이때 $f(e^2)=2\sqrt{\ln e^2+7}+C=6+C=8$ $\quad \therefore C=2$

따라서 $f(x)=2\sqrt{\ln x+7}+2$이므로

$f(e^{18})=2\sqrt{\ln e^{18}+7}+2=2\sqrt{25}+2=12$

(2) 함수 $f(x)=\int \frac{2x\ln(1+x^2)}{1+x^2}dx$에 대하여 $f(0)=3$일 때, $f(\sqrt{e^2-1})$의 값은?

① 1 ② 2 ③ 3
④ 4 ⑤ 5

STEP Ⓐ $\ln(1+x^2)=t$로 치환하여 적분하기

$\ln(1+x^2)=t$라 놓고 양변을 x에 대하여 미분하면

$\frac{2x}{1+x^2}=\frac{dt}{dx}$, 즉 $\frac{2x}{1+x^2}dx=dt$

$$f(x)=\int \frac{2x\ln(1+x^2)}{1+x^2}dx$$
$$=\int t dt=\frac{1}{2}t^2+C$$
$$=\frac{1}{2}\{\ln(1+x^2)\}^2+C$$

STEP Ⓑ 주어진 함숫값을 이용하여 적분상수 C를 구하기

이때 $f(0)=3$이므로 $C=3$

따라서 $f(x)=\frac{1}{2}\{\ln(1+x^2)\}^2+3$이므로 $f(\sqrt{e^2-1})=5$

0768

실수 전체의 집합에서 미분 가능한 함수 $f(x)$에 대하여

$$\lim_{h\to 0}\frac{f(x+h)-f(x-h)}{h}=4xe^{x^2},\ f(0)=2$$

일 때, $f(\sqrt{2})$의 값은?

① e^2-2 ② e^2-1 ③ e^2
④ e^2+1 ⑤ e^2+2

STEP Ⓐ 미분계수의 정의를 이용하여 식을 변형하기

$$\lim_{h\to 0}\frac{f(x+h)-f(x-h)}{h}$$
$$=\lim_{h\to 0}\frac{f(x+h)-f(x)-f(x-h)+f(x)}{h}$$
$$=\lim_{h\to 0}\frac{f(x+h)-f(x)}{h}+\lim_{h\to 0}\frac{f(x-h)-f(x)}{h}$$
$$=f'(x)+f'(x)$$
$$=2f'(x)$$

즉 $2f'(x)=4xe^{x^2}$이므로 $f'(x)=2xe^{x^2}$

STEP Ⓑ $x^2=t$로 치환하여 적분하기

$f(x)=\int 2xe^{x^2}dx$

$x^2=t$로 놓으면 $\frac{dt}{dx}=2x$이므로

$$f(x)=\int 2xe^{x^2}dx$$
$$=\int e^t dt$$
$$=e^t+C=e^{x^2}+C \text{ (단, } C\text{는 적분상수)}$$

STEP Ⓒ 주어진 함숫값을 이용하여 적분상수 C를 구하기

$f(0)=1+C=2$에서 $C=1$이므로

$f(x)=e^{x^2}+1$

따라서 $f(\sqrt{2})=e^2+1$

0769

다음 물음에 답하여라.

(1) 함수 $h(x)=\int xe^{-x}dx$에 대하여 $h(0)=-1$일 때, $h(1)$의 값을 구하여라.

STEP A 다항함수와 지수함수의 곱인 부분적분을 이용하여 적분하기

$f(x)=x,\ g'(x)=e^{-x}$로 놓으면

$f'(x)=1,\ g(x)=-e^{-x}$이므로

$$h(x)=\int xe^{-x}dx=-xe^{-x}-\int 1\cdot(-e^{-x})dx$$
$$=-xe^{-x}-e^{-x}+C$$

STEP B 주어진 함숫값을 이용하여 적분상수 C를 구하기

이때 $h(0)=-1+C=-1 \quad \therefore C=0$

따라서 $h(x)=-(x+1)e^{-x}$이므로 $h(1)=-2e^{-1}$

(2) 함수 $h(x)=\int x\sin 2x dx$에 대하여 $h(0)=\frac{1}{4}$일 때, $h\left(\frac{\pi}{4}\right)$의 값을 구하여라.

STEP A 다항함수와 삼각함수의 곱인 부분적분을 이용하여 적분하기

$f(x)=x,\ g'(x)=\sin 2x$로 놓으면

$f'(x)=1,\ g(x)=-\frac{1}{2}\cos 2x$이므로

$$h(x)=\int x\sin 2x dx=-\frac{1}{2}x\cos 2x-\int\left(-\frac{1}{2}\cos 2x\right)dx$$
$$=-\frac{1}{2}x\cos 2x+\frac{1}{4}\sin 2x+C$$

STEP B 주어진 함숫값을 이용하여 적분상수 C를 구하기

이때 $h(0)=C=\frac{1}{4}$이므로 $h(x)=-\frac{1}{2}x\cos 2x+\frac{1}{4}\sin 2x+\frac{1}{4}$

따라서 $h\left(\frac{\pi}{4}\right)=\frac{1}{4}+\frac{1}{4}=\frac{1}{2}$

0770

미분가능한 함수 $f(x)$의 부정적분 하나를 $F(x)$라 할 때,

$$F(x)=xf(x)-x^2e^{-x},\ f(1)=0$$

을 만족한다. $f(-1)$의 값은? $\left(\text{단, } F(x)=\int f(x)dx\right)$

① $-2e$ ② $-3e^{-2}$ ③ e
④ $2e$ ⑤ $3e^2$

STEP A 양변을 미분하여 $f'(x)$ 구하기

$F'(x)=f(x)$이므로 주어진 식의 양변을 미분하면

$f(x)=f(x)+xf'(x)-(2-x)xe^{-x}$

$f'(x)=(2-x)e^{-x}$

STEP B 다항함수와 지수함수의 곱인 부분적분을 이용하여 적분하기

양변을 적분하면 $f(x)=\int(2-x)e^{-x}dx$에서

$u(x)=2-x,\ v'(x)=e^{-x}$로 놓으면 $u'(x)=-1,\ v(x)=-e^{-x}$

$$f(x)=(x-2)e^{-x}-\int e^{-x}dx$$
$$=(x-2)e^{-x}+e^{-x}+C$$
$$=(x-1)e^{-x}+C$$

STEP C 주어진 함숫값을 이용하여 적분상수 C를 구하기

이때 $f(1)=0$이므로 $C=0$

따라서 $f(x)=(x-1)e^{-x}$이므로 $f(-1)=-2e$

0771

미분가능한 함수 $f(x)$가

$$\int f(x)dx=xf(x)-x^2\sin x,\ f(0)=0$$

일 때, 함수 $f(\pi)$의 값을 구하여라.

STEP A 양변을 미분하여 $f'(x)$ 구하기

주어진 식의 양변을 미분하면

$f(x)=f(x)+xf'(x)-2x\sin x-x^2\cos x$

$f'(x)=2\sin x+x\cos x$

STEP B 다항함수와 삼각함수의 곱인 부분적분을 이용하여 적분하기

양변을 적분하면

$$f(x)=\int(2\sin x+x\cos x)dx$$
$$=-2\cos x+x\sin x-\int\sin x dx$$
$$=-2\cos x+x\sin x+\cos x+C$$
$$=-\cos x+x\sin x+C$$

STEP C 주어진 함숫값을 이용하여 적분상수 C를 구하기

$f(0)=-1+C=0$에서 $C=1$

$\therefore f(x)=-\cos x+x\sin x+1$

따라서 $f(\pi)=-\cos\pi+\pi\sin\pi+1=1+1=2$

0772

함수 $h(x)$가 $h(x)=\int(x+1)\ln x dx$이고 $h(1)=-\frac{5}{4}$일 때, $h(e)$의 값을 구하여라.

STEP A 다항함수와 로그함수의 곱인 부분적분을 이용하여 적분하기

$f(x)=\ln x,\ g'(x)=x+1$로 놓으면

$f'(x)=\frac{1}{x},\ g(x)=\frac{1}{2}x^2+x$이므로

$$h(x)=\int(x+1)\ln x dx$$
$$=\left(\frac{1}{2}x^2+x\right)\ln x-\int\left(\frac{1}{2}x^2+x\right)\frac{1}{x}dx$$
$$=\frac{1}{2}x^2\ln x+x\ln x-\int\left(\frac{1}{2}x+1\right)dx$$
$$=\frac{1}{2}x^2\ln x+x\ln x-\frac{1}{4}x^2-x+C$$

STEP B 주어진 함숫값을 이용하여 적분상수 C를 구하기

이때 $h(1)=-\frac{5}{4}$이므로 $C=0$

따라서 $h(x)=\frac{1}{2}x^2\ln x+x\ln x-\frac{1}{4}x^2-x$이므로

$$h(e)=\frac{e^2}{2}+e-\frac{e^2}{4}-e=\frac{e^2}{4}$$

0773

다음 물음에 답하여라.

(1) 함수 $f(x)$의 도함수가 $f'(x)=(\ln x)^2$이고 $f(1)=2$일 때, $f(e)$의 값은?

① $\frac{1}{e}$ ② 1 ③ e
④ $2e$ ⑤ $e+2$

STEP Ⓐ 다항함수와 로그함수의 곱인 부분적분을 이용하여 적분하기

$f(x)=\int(\ln x)^2dx$에서 $u(x)=(\ln x)^2$, $v'(x)=1$로 놓으면

$u'(x)=2(\ln x)\cdot\frac{1}{x}$, $v(x)=x$이므로

$$f(x)=\int(\ln x)^2dx$$
$$=(\ln x)^2\cdot x-\int(2\ln x)\cdot\frac{1}{x}\cdot xdx$$
$$=x(\ln x)^2-2\int\ln xdx$$

이때 $\int\ln xdx=x\ln x-x+C_1$이므로

$$f(x)=x(\ln x)^2-2(x\ln x-x+C_1)$$
$$=x(\ln x)^2-2x\ln x+2x+C$$

STEP Ⓑ 주어진 함숫값을 이용하여 적분상수 C를 구하기

이때 $f(1)=2$이므로 $2+C=2$ $\therefore C=0$

따라서 $f(x)=x(\ln x)^2-2x\ln x+2x$이므로 $f(e)=e-2e+2e=e$

(2) 점 $(1, 0)$을 지나는 곡선 $y=f(x)(x>0)$ 위의 임의의 점 (x, y)에서의 접선의 기울기가 $\frac{\ln x}{x^2}$일 때, $f(e)$의 값은?

① $\frac{e-2}{e}$ ② $\frac{e-1}{e}$ ③ 1
④ $\frac{e+1}{e}$ ⑤ $\frac{e+2}{e}$

STEP Ⓐ 다항함수와 로그함수의 곱인 부분적분을 이용하여 적분하기

곡선 $y=f(x)$ 위의 점 (x, y)에서의 접선의 기울기가 $\frac{\ln x}{x^2}$이므로

$f'(x)=\frac{\ln x}{x^2}$, $f(x)=\int f'(x)dx=\int\frac{\ln x}{x^2}dx$

$u(x)=\ln x$, $v'(x)=\frac{1}{x^2}$로 놓으면

$u'(x)=\frac{1}{x}$, $v(x)=-\frac{1}{x}$이므로

$$\int\frac{\ln x}{x^2}dx=(\ln x)\times\left(-\frac{1}{x}\right)-\int\left\{\frac{1}{x}\times\left(-\frac{1}{x}\right)\right\}dx$$
$$=-\frac{\ln x}{x}+\int\frac{1}{x^2}dx$$
$$=-\frac{\ln x}{x}-\frac{1}{x}+C \text{ (단, } C\text{는 적분상수)}$$

STEP Ⓑ 주어진 함숫값을 이용하여 적분상수 C를 구하기

이때 곡선 $y=f(x)$가 점 $(1, 0)$을 지나므로

$f(1)=0$에서 $-1+C=0$, $C=1$

따라서 $f(x)=-\frac{\ln x}{x}-\frac{1}{x}+1$이므로 $f(e)=-\frac{1}{e}-\frac{1}{e}+1=\frac{e-2}{e}$

0774

양의 실수를 정의역으로 하는 두 함수 $f(x)=x$, $h(x)=\ln x$에 대하여 다음 두 조건을 모두 만족하는 함수 $g(x)$가 있다. 이때 $g(e)$의 값은?

(가) $f'(x)g(x)+f(x)g'(x)=h(x)$
(나) $g(1)=-1$

① -2 ② -1 ③ 0
④ 1 ⑤ 2

STEP Ⓐ 곱의 미분법을 이용하여 조건 (가)를 적분하기

$f(x)g(x)$를 x에 대하여 미분하면 $\{f(x)g(x)\}'=f'(x)g(x)+f(x)g'(x)$이므로 조건 (가)에서 $\{f(x)g(x)\}'=h(x)$

양변을 x에 대하여 적분하면 $f(x)g(x)=\int h(x)dx$

STEP Ⓑ 부분적분을 이용하여 $g(e)$의 값 구하기

$f(x)=x$, $h(x)=\ln x$를 대입하면 $xg(x)=\int\ln xdx$

부분적분법을 이용하여 정리하면

$xg(x)=\int\ln xdx=x\ln x-x+C$ …… ㉠

양변에 $x=1$을 대입하면 $1\cdot g(1)=-1+C=-1$ $\therefore C=0$

㉠에 대입하면 $xg(x)=x\ln x-x$

$x>0$이므로 x로 양변을 나누면 $g(x)=\ln x-1$

따라서 $g(e)=0$

0775

$\int e^{2x}\sin xdx=e^{2x}(a\sin x+b\cos x)+C$가 성립할 때, 상수 a, b에 대하여 $a+b$의 값을 구하여라. (단, C는 적분상수)

STEP Ⓐ (지수함수)×(삼각함수)꼴의 부분적분법 구하기

$f(x)=\sin x$, $g'(x)=e^{2x}$로 놓으면 $f'(x)=\cos x$, $g(x)=\frac{1}{2}e^{2x}$

$\int e^{2x}\sin xdx=\frac{1}{2}e^{2x}\sin x-\frac{1}{2}\int e^{2x}\cos xdx$ …… ㉠

$\int e^{2x}\cos xdx$를 한 번 더 적용하면

$\int e^{2x}\cos xdx=\frac{1}{2}e^{2x}\cos x+\frac{1}{2}\int e^{2x}\sin xdx$ …… ㉡

㉡을 ㉠에 대입하여 정리하면

$$\int e^{2x}\sin xdx=\frac{1}{2}e^{2x}\sin x-\frac{1}{2}\left(\frac{1}{2}e^{2x}\cos x+\frac{1}{2}\int e^{2x}\sin xdx\right)$$

$\frac{5}{4}\int e^{2x}\sin xdx=\frac{1}{2}e^{2x}\sin x-\frac{1}{4}e^{2x}\cos x$이므로

$$\int e^{2x}\sin xdx=e^{2x}\left(\frac{2}{5}\sin x-\frac{1}{5}\cos x\right)+C$$

STEP Ⓑ $a+b$의 값 구하기

따라서 $a=\frac{2}{5}$, $b=-\frac{1}{5}$이므로 $a+b=\frac{1}{5}$

다른풀이 $f(x)=\sin x$, $g'(x)=e^{2x}$로 놓고 부분적분하여 풀이하기

$f(x)=\sin x$, $g'(x)=e^{2x}$로 놓으면 $f'(x)=\cos x$, $g(x)=2e^{2x}$

$$\int e^{2x}\sin xdx=-e^{2x}\cos x+2\int e^{2x}\cos xdx$$
$$=-e^{2x}\cos x+2\left(e^{2x}\sin x-2\int e^{2x}\sin xdx\right)$$

$5\int e^{2x}\sin xdx=e^{2x}(2\sin x-\cos x)$

즉 $\int e^{2x}\sin xdx=e^{2x}\left(\frac{2}{5}\sin x-\frac{1}{5}\cos x\right)+C$

따라서 $a=\frac{2}{5}$, $b=-\frac{1}{5}$이므로 $a+b=\frac{1}{5}$

0776

함수 $f(x)=\int e^{-x}\sin x dx$에 대하여 $f(0)=-\frac{1}{2}$일 때, 함수 $f(\pi)$의 값은?

① $\frac{1}{2}$ ② $\frac{1}{e}$ ③ $\frac{1}{2}e^{-\pi}$
④ e^{π} ⑤ $2e^{\pi}$

STEP Ⓐ 지수함수와 삼각함수의 곱인 부분적분을 이용하여 적분하기

$$f(x)=\int e^{-x}\sin x dx$$
$$=-e^{-x}\sin x+\int e^{-x}\cos x dx$$
$$=-e^{-x}\sin x+\left\{-e^{-x}\cos x-\int(e^{-x}\sin x)dx\right\}$$
$$=-e^{-x}(\sin x+\cos x)-\int e^{-x}\sin x dx$$
$$=-e^{-x}(\sin x+\cos x)-f(x)$$
$$\therefore f(x)=-\frac{1}{2}e^{-x}(\sin x+\cos x)+C$$

STEP Ⓑ 주어진 함숫값을 이용하여 적분상수 C를 구하기

이때 $f(0)=-\frac{1}{2}+C=-\frac{1}{2}$이므로 $C=0$

따라서 $f(x)=-\frac{1}{2}e^{-x}(\sin x+\cos x)$이므로 $f(\pi)=\frac{1}{2}e^{-\pi}$

0777

미분가능한 함수 $f(x)$에 대하여
$$\lim_{h\to 0}\frac{f(x+h)-f(x-h)}{h}=2e^{x}\cos x,\ f(0)=\frac{1}{2}$$
일 때, $f(\pi)$의 값은?

① $-\frac{1}{2}$ ② $-\frac{1}{e}$ ③ $-\frac{1}{2}e^{\pi}$
④ e^{π} ⑤ $2e^{\pi}$

STEP Ⓐ 미분계수의 정의를 이용하여 변형하기

$$\lim_{h\to 0}\frac{f(x+h)-f(x-h)}{h}=\lim_{h\to 0}\frac{f(x+h)-f(x)\ \ \{f(x-h)-f(x)\}}{h}$$
$$\lim_{h\to 0}\frac{f(x+h)-f(x)}{h}+\lim_{h\to 0}\frac{f(x-h)-f(x)}{-h}=2f'(x)$$

STEP Ⓑ 지수함수와 삼각함수의 곱인 부분적분을 이용하여 적분하기

$2f'(x)=2e^{x}\cos x$이므로 $f'(x)=e^{x}\cos x$

$$f(x)=\int e^{x}\cos x dx$$
$$=e^{x}\cos x-\int e^{x}(-\sin x)dx$$
$$=e^{x}\cos x+\int e^{x}\sin x dx$$
$$=e^{x}\cos x+e^{x}\sin x-\int e^{x}\cos x dx$$
$$=e^{x}\cos x+e^{x}\sin x-f(x)$$
$$\therefore f(x)=\frac{1}{2}e^{x}(\cos x+\sin x)+C$$

STEP Ⓒ 주어진 함숫값을 이용하여 적분상수 C를 구하기

이때 $f(0)=\frac{1}{2}$이므로 $C=0$

따라서 $f(x)=\frac{1}{2}e^{x}(\cos x+\sin x)$이므로 $f(\pi)=\frac{1}{2}e^{\pi}(-1+0)=-\frac{1}{2}e^{\pi}$

0778

다음 물음에 답하여라.

(1) 실수 전체의 집합에서 미분가능한 함수 $f(x)$가 0이 아닌 모든 실수 x에 대하여
$$f(x)+xf'(x)=x^{2}e^{x}$$
을 만족시킨다. $f(1)=e$일 때, $f(2)$의 값은?

① $\frac{e}{2}$ ② e ③ $2e$
④ e^{2} ⑤ $2e^{2}$

STEP Ⓐ 곱의 미분법을 이용하여 x에 대하여 적분하기

함수 $f(x)$에 대하여 $f(x)+xf'(x)=\frac{d}{dx}\{xf(x)\}=x^{2}e^{x}$이므로

$$xf(x)=\int x^{2}e^{x}dx$$

STEP Ⓑ 다항함수와 지수함수의 곱인 부분적분을 이용하여 적분하기

$$xf(x)=\int x^{2}e^{x}dx$$
$$=x^{2}e^{x}-\int 2xe^{x}dx$$
$$=x^{2}e^{x}-\left(2xe^{x}-\int 2e^{x}dx\right)$$
$$=x^{2}e^{x}-2xe^{x}+2e^{x}+C$$
$=e^{x}(x^{2}-2x+2)+C$ (C는 적분상수)

STEP Ⓒ $f(1)=e$를 이용하여 적분상수 C를 구하여 $f(2)$ 계산하기

이때 $f(1)=e+C=e$이므로 $C=0$

따라서 $xf(x)=e^{x}(x^{2}-2x+2)$

이때 $x=2$를 대입하면 $2f(2)=2e^{2}$이므로 $f(2)=e^{2}$

(2) $x>0$에서 미분가능한 함수 $f(x)$에 대하여
$$f(x)+xf'(x)=x\cos x$$
을 만족시킨다. $f\left(\frac{\pi}{2}\right)=1$일 때, $f(\pi)$의 값은?

① $-\frac{2}{\pi}$ ② $-\frac{1}{\pi}$ ③ 0
④ $\frac{1}{\pi}$ ⑤ $\frac{2}{\pi}$

STEP Ⓐ 곱의 미분법을 이용하여 x에 대하여 적분하기

$\{xf(x)\}'=f(x)+xf'(x)$이므로

$$xf(x)=\int\{f(x)+xf'(x)\}dx=\int x\cos x dx$$

STEP Ⓑ 다항함수와 삼각함수의 곱인 부분적분을 이용하여 적분하기

$\int x\cos x dx$에서 $u(x)=x$, $v'(x)=\cos x$로 놓으면

$u'(x)=1$, $v(x)=\sin x$이므로

$$\int x\cos x dx=x\sin x-\int \sin x dx$$
$=x\sin x+\cos x+C$ (단, C는 적분상수)

$\therefore xf(x)=x\sin x+\cos x+C$

STEP Ⓒ $f\left(\frac{\pi}{2}\right)=1$을 이용하여 적분상수 C를 구하여 $f(\pi)$ 계산하기

$f\left(\frac{\pi}{2}\right)=1$이므로 $\frac{\pi}{2}f\left(\frac{\pi}{2}\right)=\frac{\pi}{2}\sin\frac{\pi}{2}+\cos\frac{\pi}{2}+C$

$\frac{\pi}{2}=\frac{\pi}{2}+C$이므로 $C=0$

따라서 $\pi f(\pi)=\pi\sin\pi+\cos\pi$에서 $f(\pi)=-\frac{1}{\pi}$

0779

$x>1$에서 정의된 함수 $f(x)$에 대하여

$$f(x)+xf'(x)=\frac{1}{x\ln x},\ f(e)=1$$

을 만족할 때, $f(e^2)$값을 구하여라. (단, e는 자연로그의 밑이다.)

STEP Ⓐ 곱의 미분법을 이용하여 적분하기

$f(x)+xf'(x)=\frac{1}{x\ln x}$에서

$\frac{d}{dx}\{xf(x)\}=\frac{1}{x\ln x}$이므로 $xf(x)=\int\frac{1}{x\ln x}dx$

STEP Ⓑ $\ln x=t$로 치환하여 적분하기

$\ln x=t$로 놓으면 $\frac{1}{x}dx=dt$이므로

$$\begin{aligned}xf(x)&=\int\frac{1}{x\ln x}dx=\int\frac{1}{t}dt\\&=\ln|t|+C\\&=\ln(\ln x)+C\ (\because \ln x>0)\end{aligned}$$

STEP Ⓒ 주어진 함숫값을 이용하여 적분상수 C의 값 구하기

$f(e)=1$에서 $e\cdot1=C\quad\therefore C=e$

따라서 $f(x)=\frac{\ln(\ln x)+e}{x}$이므로 $f(e^2)=\frac{\ln2+e}{e^2}$

0780

실수 전체의 집합에서 미분가능한 함수 $f(x)$가 다음 조건을 만족시킨다.

(가) $f(1)=0$

(나) 0이 아닌 모든 실수 x에 대하여 $\frac{xf'(x)-f(x)}{x^2}=xe^x$이다.

$f(3)\times f(-3)$의 값을 구하여라.

STEP Ⓐ 몫의 미분법을 이용하여 적분하기

조건 (나)에서

$\frac{xf'(x)-f(x)}{x^2}=\left(\frac{f(x)}{x}\right)'=xe^x$이므로 $\int\left(\frac{f(x)}{x}\right)'=\int xe^xdx$

STEP Ⓑ 다항함수와 지수함수의 곱을 부분적분을 이용하여 구하기

$$\begin{aligned}\frac{f(x)}{x}&=\int xe^xdx\\&=xe^x-\int e^xdx\\&=(x-1)e^x+C\ (C\text{는 적분상수})\end{aligned}$$

STEP Ⓒ 주어진 함숫값을 이용하여 적분상수 C의 값 구하기

$f(1)=0$이므로 $C=0$

즉 $f(x)=x(x-1)e^x$이므로 $f(3)=6e^3,\ f(-3)=12e^{-3}$

따라서 $f(3)\times f(-3)=72$

0781

실수 전체의 집합에서 연속인 함수 $f(x)$에 대하여

$$f'(x)=\begin{cases}2\cos x & (x>0)\\ \sin x+a & (x<0)\end{cases}$$

이다. $f(\pi)=\pi, f(-\pi)=2$일 때, $f(-2\pi)$의 값은? (단, a는 상수이다.)

① -5π ② -4π ③ -3π
④ -2π ⑤ $-\pi$

STEP Ⓐ 함수 $f'(x)$의 부정적분을 이용하여 $f(x)$ 구하기

$f'(x)=\begin{cases}2\cos x & (x>0)\\ \sin x+a & (x<0)\end{cases}$에서

$f(x)=\begin{cases}2\sin x+C_1 & (x>0)\\ -\cos x+ax+C_2 & (x<0)\end{cases}$ (C_1, C_2는 적분상수)

STEP Ⓑ 연속함수를 이용하여 적분상수 C_1, C_2의 값 구하기

$f(\pi)=\pi$이므로 $2\sin\pi+C_1=\pi\quad\therefore C_1=\pi$

$f(-\pi)=2$이므로 $-\cos(-\pi)-a\pi+C_2=2$

$\therefore C_2=a\pi+1$ …… ㉠

또, 함수 $f(x)$는 $x=0$에서 연속이므로

$\lim_{x\to0+}(2\sin x+C_1)=\lim_{x\to0-}(-\cos x+ax+C_2)$

$C_1=-1+C_2$

그런데 $C_1=\pi$이므로 $C_2=\pi+1$ …… ㉡

㉠, ㉡에서 $a\pi+1=\pi+1$이므로 $a=1$

$\therefore f(x)=\begin{cases}2\sin x+\pi & (x>0)\\ -\cos x+x+\pi+1 & (x<0)\end{cases}$

STEP Ⓒ $f(-2\pi)$ 구하기

따라서 $x<0$일 때, $f(x)=-\cos x+x+\pi+1$이므로

$f(-2\pi)=-\cos(-2\pi)-2\pi+\pi+1=-\pi$

0782

함수 $f(x)$가 $x=0$에서 연속이고,

$$f'(x)=\begin{cases}2xe^x & (x>0)\\ \cos x & (x<0)\end{cases},\ f(1)=1$$

을 만족시킬 때, $f(0)+f\left(-\frac{\pi}{6}\right)$의 값은?

① -3 ② $-\frac{5}{2}$ ③ -2
④ $-\frac{3}{2}$ ⑤ -1

STEP Ⓐ 함수 $f'(x)$의 부정적분을 이용하여 $f(x)$ 구하기

(ⅰ) $x>0$일 때, $f'(x)=2xe^x$이므로

$$\begin{aligned}f(x)&=\int2xe^xdx=2xe^x-2\int e^xdx\\&=2xe^x-2e^x+C_1\ (\text{단, }C_1\text{는 적분상수})\end{aligned}$$

(ⅱ) $x<0$일 때, $f'(x)=\cos x$이므로

$f(x)=\int\cos xdx=\sin x+C_2$ (단, C_2는 적분상수)

$\therefore f(x)=\begin{cases}2xe^x-2e^x+C_1 & (x\ge0)\\ \sin x+C_2 & (x<0)\end{cases}$

STEP Ⓑ 연속함수를 이용하여 적분상수 C_1, C_2의 값 구하기

이때 $f(1)=1$이므로 $f(1)=2e-2e+C_1=1\quad\therefore C_1=1$

함수 $f(x)$가 $x=0$에서 연속이므로

$\lim_{x\to0+}f(x)=\lim_{x\to0-}f(x)=f(0)$을 만족시킨다.

$\lim_{x\to0+}f(x)=\lim_{x\to0+}(2xe^x-2e^x+1)=-2+1=-1$

$\lim_{x\to0-}f(x)=\lim_{x\to0-}(\sin x+C_2)=C_2$

즉 $-1=C_2$

$\therefore f(x)=\begin{cases}2xe^x-2e^x+1 & (x\ge0)\\ \sin x-1 & (x<0)\end{cases}$

STEP Ⓒ $f(0)+f\left(-\frac{\pi}{6}\right)$ 구하기

따라서 $f(0)+f\left(-\frac{\pi}{6}\right)=-1+\left\{\sin\left(-\frac{\pi}{6}\right)-1\right\}=-\frac{5}{2}$

0783

실수 전체의 집합에서 연속인 함수 $f(x)$의 도함수 $f'(x)$가

$$f'(x)=\begin{cases} 2x+3 & (x<1) \\ \ln x & (x>1) \end{cases}$$

이다. $f(e)=2$일 때, $f(-6)$의 값은?

① 9 ② 11 ③ 13
④ 15 ⑤ 17

STEP Ⓐ 함수 $f'(x)$의 부정적분을 이용하여 $f(x)$ 구하기

(i) $x<1$일 때, $f'(x)=2x+3$이므로

$f(x)=\int(2x+3)dx=x^2+3x+C_1$ (단, C_1는 적분상수)

(ii) $x>1$일 때, $f'(x)=\ln x$이므로

$f(x)=\int \ln x dx=x\ln x-x+C_2$ (단, C_2는 적분상수)

$\therefore f(x)=\begin{cases} x^2+3x+C_1 & (x<1) \\ x\ln x-x+C_2 & (x>1) \end{cases}$

STEP Ⓑ 연속함수를 이용하여 적분상수 C_1, C_2의 값 구하기

이때 $f(e)=2$이므로 $f(e)=e\ln e-e+C_2=2$ $\therefore C_2=2$

함수 $f(x)$가 실수 전체의 집합에서 연속이므로 $x=1$에서도 연속이다.

즉 $\lim_{x\to1+}f(x)=\lim_{x\to1-}f(x)=f(1)$을 만족시킨다.

$\lim_{x\to1+}f(x)=\lim_{x\to1+}(x\ln x-x+C_2)=-1+2=1$

$\lim_{x\to1-}f(x)=\lim_{x\to1-}(x^2+3x+C_1)=1+3+C_1$

$1=1+3+C_1$이므로 $C_1=-3$

$f(x)=\begin{cases} x^2+3x-3 & (x\le1) \\ x\ln x-x+2 & (x>1) \end{cases}$

STEP Ⓒ $f(-6)$ 구하기

따라서 $f(x)=x^2+3x-3$이므로 $f(-6)=36-18-3=15$

부정적분

BASIC

0784

함수 $f(x)$의 도함수가 $f'(x)=\frac{1}{x}$이고 $f(1)=10$일 때, $f(e^3)$의 값은?

① 10 ② 11 ③ 12
④ 13 ⑤ 14

STEP Ⓐ 유리함수의 부정적분 구하기

$f'(x)=\frac{1}{x}$에서

$f(x)=\int f'(x)dx=\int\frac{1}{x}dx=\ln|x|+C$ (단, C는 적분상수)

STEP Ⓑ $f(1)=10$을 이용하여 적분상수 C 구하기

$f(1)=10$이므로 $C=10$

따라서 $f(x)=\ln|x|+10$에서 $f(e^3)=\ln e^3+10=3+10=13$

0785

함수 $f(x)$가

$$f(x)=\int\frac{1}{1+\tan^2x}dx+\int\frac{1}{1+\cot^2x}dx$$

일 때, $f(3)-f(2)$의 값을 구하여라.

STEP Ⓐ 삼각함수의 부정적분을 이용하여 구하기

$1+\tan^2x=\sec^2x$, $1+\cot^2x=\csc^2x$이므로

$f(x)=\int\frac{1}{\sec^2x}dx+\int\frac{1}{\csc^2x}dx$

$=\int(\cos^2x+\sin^2x)dx$

$=\int dx=x+C$

따라서 $f(3)-f(2)=(3+C)-(2+C)=1$

0786

다음 물음에 답하여라.

(1) 함수 $f(x)$에 대하여 $f(x)=\int(xe^x+\ln x)dx$일 때,

$\lim_{h\to0}\frac{f(1+2h)-f(1)}{h}$의 값은?

① 2 ② e ③ $2e$
④ $3e$ ⑤ $5e$

STEP Ⓐ 미분계수의 정의를 이용하여 변형하기

$\lim_{h\to0}\frac{f(1+2h)-f(1)}{h}=\lim_{h\to0}\left\{\frac{f(1+2h)-f(1)}{2h}\times2\right\}=2f'(1)$

STEP Ⓑ 양변을 x로 미분하여 $f'(x)$ 구하기

따라서 $f(x)=\int(xe^x+\ln x)dx$의 양변을 x로 미분하면

$f'(x)=xe^x+\ln x$이므로 $2f'(1)=2e$

(2) 함수 $f(x)=\int \sin 2x \sin x dx$에 대하여

$\lim_{h \to 0} \frac{f\left(\frac{\pi}{6}+h\right)-f\left(\frac{\pi}{6}-h\right)}{h}$의 값은?

① $\frac{1}{2}$　② $\sqrt{2}$　③ $\frac{\sqrt{3}}{2}$　④ 2　⑤ $2\sqrt{2}$

STEP Ⓐ 미분계수의 정의를 이용하여 변형하기

$$\begin{aligned}&\lim_{h \to 0} \frac{f\left(\frac{\pi}{6}+h\right)-f\left(\frac{\pi}{6}-h\right)}{h}\\&=\lim_{h \to 0} \frac{\left\{f\left(\frac{\pi}{6}+h\right)-f\left(\frac{\pi}{6}\right)\right\}-\left\{f\left(\frac{\pi}{6}-h\right)-f\left(\frac{\pi}{6}\right)\right\}}{h}\\&=\lim_{h \to 0} \frac{f\left(\frac{\pi}{6}+h\right)-f\left(\frac{\pi}{6}\right)}{h}+\lim_{h \to 0} \frac{f\left(\frac{\pi}{6}-h\right)-f\left(\frac{\pi}{6}\right)}{-h}\\&=f'\left(\frac{\pi}{6}\right)+f'\left(\frac{\pi}{6}\right)\\&=2f'\left(\frac{\pi}{6}\right)\end{aligned}$$

STEP Ⓑ 양변을 x로 미분하여 $f'(x)$ 구하기

따라서 $f(x)=\int \sin 2x \sin x dx$의 양변을 x로 미분하면

$f'(x)=\sin 2x \sin x$이므로

$2f'\left(\frac{\pi}{6}\right)=2\sin\left(2\cdot\frac{\pi}{6}\right)\sin\frac{\pi}{6}=2\cdot\frac{\sqrt{3}}{2}\cdot\frac{1}{2}=\frac{\sqrt{3}}{2}$

0787

함수 $f(x)=\ln 4\int(2^x-4^x)dx$에 대하여 $f(0)=1$일 때, $\sum_{n=1}^{\infty} f(-n)$의 값은?

① $\frac{3}{2}$　② $\frac{4}{3}$　③ $\frac{5}{4}$　④ 1　⑤ $\frac{5}{3}$

STEP Ⓐ 지수함수의 부정적분 구하기

$f(x)=\ln 4\int(2^x-4^x)dx$에서 $f(x)=\ln 4\left(\frac{2^x}{\ln 2}-\frac{4^x}{\ln 4}\right)+C$

$\therefore f(x)=2\cdot 2^x-4^x+C$

STEP Ⓑ 주어진 함숫값을 이용하여 적분상수 C의 값 구하기

이때 $f(0)=1$에서 $C=0$

$\therefore f(x)=2\cdot 2^x-4^x$

STEP Ⓒ 등비급수를 이용하여 구하기

따라서 $\sum_{n=1}^{\infty} f(-n)=\sum_{n=1}^{\infty}\left\{2\cdot\left(\frac{1}{2}\right)^n-\left(\frac{1}{4}\right)^n\right\}$

$$=\frac{1}{1-\frac{1}{2}}-\frac{\frac{1}{4}}{1-\frac{1}{4}}=2-\frac{1}{3}=\frac{5}{3}$$

0788

함수 $f(x)$에 대하여

$$f'(x)=2\tan^2 x-2,\ f(0)=\pi$$

일 때, $f\left(\frac{\pi}{4}\right)$의 값은?

① 1　② 2　③ 3　④ 4　⑤ 5

STEP Ⓐ 지수함수의 부정적분 구하기

$f'(x)=2\tan^2 x-2$이므로

$$\begin{aligned}f(x)&=\int(2\tan^2 x-2)dx=\int\{2(\tan^2 x+1)-4\}dx\\&=\int(2\sec^2 x-4)dx\\&=2\tan x-4x+C\ (\text{단, } C\text{는 적분상수})\end{aligned}$$

STEP Ⓑ 주어진 함숫값을 이용하여 적분상수 C의 값 구하기

이때 $f(0)=\pi$이므로 $C=\pi$

따라서 $f(x)=2\tan x-4x+\pi$이므로

$f\left(\frac{\pi}{4}\right)=2\tan\frac{\pi}{4}-4\cdot\frac{\pi}{4}+\pi=2-\pi+\pi=2$

0789

다음 물음에 답하여라.

(1) 곡선 $y=f(x)$ 위의 점 (x, y)에서의 접선의 기울기가 $\tan^2 x$이고 이 곡선이 점 $(0, 1)$을 지날 때, $f\left(\frac{\pi}{4}\right)$의 값은?

① $2+\pi$　② $2-\frac{\pi}{4}$　③ $2+\frac{\pi}{4}$　④ $3-\frac{\pi}{4}$　⑤ $3+\frac{\pi}{4}$

STEP Ⓐ 삼각함수의 부정적분 구하기

$f'(x)=\tan^2 x$이므로

$f(x)=\int \tan^2 x dx=\int(\sec^2 x-1)dx=\tan x-x+C$

STEP Ⓑ 주어진 함숫값을 이용하여 적분상수 C의 값 구하기

곡선 $y=f(x)$가 $(0, 1)$을 지나므로 $f(0)=1$　$\therefore C=1$

따라서 $f(x)=\tan x-x+1$이므로 $f\left(\frac{\pi}{4}\right)=2-\frac{\pi}{4}$

(2) 원점을 지나는 곡선 $y=f(x)$ 위의 임의의 점 (x, y)에서의 접선의 기울기가 $\frac{2x}{1+x^2}$일 때, $f(2)$의 값은?

① $\ln 2$　② $\ln 3$　③ $2\ln 2$　④ $\ln 5$　⑤ $\ln 6$

STEP Ⓐ $\int\frac{f'(x)}{f(x)}dx=\ln|f(x)|+C$를 이용하기

$f'(x)=\frac{2x}{1+x^2}$이므로

$$\begin{aligned}f(x)&=\int\frac{2x}{1+x^2}dx=\int\frac{(1+x^2)'}{1+x^2}dx\\&=\ln|1+x^2|+C\ (\text{단, } C\text{는 적분상수})\end{aligned}$$

STEP Ⓑ 주어진 함숫값을 이용하여 적분상수 C의 값 구하기

이때 $1+x^2>0$이므로 $f(x)=\ln(1+x^2)+C$

곡선 $y=f(x)$가 원점을 지나므로 $f(0)=\ln 1+C=0$에서 $C=0$

따라서 $f(x)=\ln(1+x^2)$이므로 $f(2)=\ln(1+4)=\ln 5$

0790

다음 물음에 답하여라.

(1) 함수 $f(x)$에 대하여 $f(x)=\int \frac{2x+3}{x^2+3x+1}dx$, $f(0)=0$일 때, $f(2)$의 값은?

① $\ln 2$ ② $\ln 4$ ③ $\ln 8$
④ $\ln 10$ ⑤ $\ln 11$

STEP Ⓐ $\int \frac{f'(x)}{f(x)}dx=\ln|f(x)|+C$를 이용하기

$f(x)=\int \frac{2x+3}{x^2+3x+1}dx$에서 $x^2+3x+1=t$로 놓으면

양변을 x에 대하여 미분하면 $(2x+3)dx=dt$이므로

$f(x)=\int \frac{2x+3}{x^2+3x+1}dx=\int \frac{1}{t}dt=\ln|t|+C$

$f(x)=\ln|x^2+3x+1|+C$

STEP Ⓑ 주어진 함숫값을 이용하여 적분상수 C의 값 구하기

이때 $f(0)=\ln 1+C=0$에서 $C=0$

따라서 $f(x)=\ln|x^2+3x+1|$에서 $f(2)=\ln 11$

(2) 함수 $f(x)$의 도함수 $f'(x)$가 $(e^x+1)f'(x)=e^x$, $f(0)=\ln 2$일 때, $f(2)$의 값은? (단, e는 자연로그의 밑이다.)

① 1 ② $\ln(e+1)$ ③ $\ln(e^2-1)$
④ 2 ⑤ $\ln(e^2+1)$

STEP Ⓐ $\int \frac{f'(x)}{f(x)}dx=\ln|f(x)|+C$를 이용하기

$f'(x)=\frac{e^x}{e^x+1}$이므로 $f(x)=\int \frac{e^x}{e^x+1}dx=\ln|e^x+1|+C$

이때 $e^x+1>0$이므로 $f(x)=\ln(e^x+1)+C$

STEP Ⓑ 주어진 함숫값을 이용하여 적분상수 C의 값 구하기

이때 $f(0)=\ln 2+C=\ln 2$에서 $C=0$

따라서 $f(x)=\ln(e^x+1)$이므로 $f(2)=\ln(e^2+1)$

0791

곡선 $y=f(x)$ 위의 점 (x, y)에서의 접선의 기울기가 $e^{\sin x}\cos x$라고 한다. 이 곡선이 점 $(0, 1)$을 지날 때, $f\left(\frac{\pi}{2}\right)$의 값은?

① $e-1$ ② e ③ $2e$
④ $2e-1$ ⑤ $3e$

STEP Ⓐ $\sin x=t$로 치환하여 적분하기

$f'(x)=e^{\sin x}\cos x$이므로 $f(x)=\int e^{\sin x}\cos x dx$

$\sin x=t$로 놓고 양변을 x에 대하여 미분하면

$\cos x dx=dt$

$$\int e^{\sin x}\cos x dx=\int e^t dt=e^t+C=e^{\sin x}+C$$

STEP Ⓑ 주어진 함숫값을 이용하여 적분상수 C의 값 구하기

$y=f(x)$가 점 $(0, 1)$을 지나므로 $f(0)=1+C=1$ $\therefore C=0$

따라서 $f(x)=e^{\sin x}$이므로 $f\left(\frac{\pi}{2}\right)=e$

0792

다음 물음에 답하여라.

(1) 함수 $f(x)$에 대하여 $f(x)=\int(1-\sin^3 x)\sin 2x dx$이고 $f(0)=\frac{7}{5}$일 때, $f\left(\frac{\pi}{2}\right)$의 값은?

① $\frac{1}{5}$ ② $\frac{2}{5}$ ③ $\frac{7}{5}$
④ $\frac{9}{5}$ ⑤ 2

STEP Ⓐ $\sin x=t$로 치환하여 적분하기

$$f(x)=\int(1-\sin^3 x)\sin 2x dx=\int(1-\sin^3 x)2\sin x\cos x dx$$

$\sin x=t$로 놓고 양변을 x에 대하여 미분하면

$\cos x dx=dt$

$$f(x)=2\int(1-t^3)t dt=2\int(t-t^4)dt=t^2-\frac{2}{5}t^5+C$$

$\therefore f(x)=\sin^2 x-\frac{2}{5}\sin^5 x+C$

STEP Ⓑ 주어진 함숫값을 이용하여 적분상수 C의 값 구하기

이때 $f(0)=\frac{7}{5}$이므로 $f(0)=C=\frac{7}{5}$

따라서 $f(x)=\sin^2 x-\frac{2}{5}\sin^5 x+\frac{7}{5}$이므로 $f\left(\frac{\pi}{2}\right)=1-\frac{2}{5}+\frac{7}{5}=2$

(2) $0\le x\le 2\pi$에서 정의된 함수 $f(x)=\int \sin 2x\cos x dx$에 대하여 $f(\pi)=\frac{2}{3}$일 때, $f\left(\frac{\pi}{3}\right)$의 값은?

① $-\frac{1}{6}$ ② $-\frac{1}{12}$ ③ $-\frac{1}{10}$
④ $\frac{1}{3}$ ⑤ $\frac{1}{2}$

STEP Ⓐ $\sin x=t$로 치환하여 적분하기

$$f(x)=\int \sin 2x\cos x dx=\int(2\sin x\cos x\cos x)dx=2\int \sin x\cos^2 x dx$$

$\cos x=t$로 놓고 양변을 x에 대하여 미분하면

$-\sin x dx=dt$

$$f(x)=2\int \sin x\cos^2 x dx=-2\int t^2 dt=-\frac{2}{3}t^3+C=-\frac{2}{3}\cos^3 x+C$$ (단, C는 적분상수)

STEP Ⓑ 주어진 함숫값을 이용하여 적분상수 C의 값 구하기

이때 $f(\pi)=\frac{2}{3}+C=\frac{2}{3}$이므로 $C=0$

따라서 $f(x)=-\frac{2}{3}\cos^3 x$이므로 $f\left(\frac{\pi}{3}\right)=-\frac{2}{3}\cdot\left(\frac{1}{2}\right)^3=-\frac{1}{12}$

0793

다음 물음에 답하여라.

(1) 함수 $f(x)$에 대하여

$$f(x)=\int\frac{\sqrt{\ln x}}{x}dx,\ f(1)=0$$

일 때, $f(e^9)$의 값은?

① 12 ② 14 ③ 16
④ 18 ⑤ 20

STEP Ⓐ $\ln x=t$로 치환하여 적분하기

$f(x)=\int\frac{\sqrt{\ln x}}{x}dx$에서 $\ln x=t$로 놓으면 $\frac{1}{x}dx=dt$

$f(x)=\int\frac{\sqrt{\ln x}}{x}dx=\int\sqrt{t}\,dt=\frac{2}{3}t^{\frac{3}{2}}+C=\frac{2}{3}(\ln x)^{\frac{3}{2}}+C$

STEP Ⓑ 주어진 함숫값을 이용하여 적분상수 C의 값 구하기

이때 $f(1)=0$에서 $C=0$

따라서 $f(x)=\frac{2}{3}(\ln x)^{\frac{3}{2}}$이므로 $f(e^9)=\frac{2}{3}(\ln e^9)^{\frac{3}{2}}=\frac{2}{3}(3^2\ln e)^{\frac{3}{2}}=\frac{2}{3}\cdot 3^3=18$

(2) 함수 $f(x)$에 대하여

$$xf'(x)=2\ln x,\ f(1)=3$$

을 만족시킬 때, $f(e^5)$의 값은?

① 18 ② 25 ③ 28
④ 32 ⑤ 64

STEP Ⓐ $\ln x=t$로 치환하여 적분하기

$xf'(x)=2\ln x$에서 $f'(x)=\frac{2\ln x}{x}$이므로 $f(x)=\int\frac{2\ln x}{x}dx$

$\ln x=t$로 놓으면 $\frac{1}{x}dx=dt$

$\therefore\ f(x)=\int 2t\,dt=t^2+C=(\ln x)^2+C$

STEP Ⓑ 주어진 함숫값을 이용하여 적분상수 C의 값 구하기

그런데 $f(1)=3$이므로 $f(1)=C=3$

따라서 $f(x)=(\ln x)^2+3$이므로 $f(e^5)=(\ln e^5)^2+3=25+3=28$

0794

다음 물음에 답하여라.

(1) 함수 $f(x)$에 대하여

$$f(x)=\int\frac{e^x}{\sqrt{e^x+3}}dx,\ f(0)=2$$

일 때, $f(\ln 6)$의 값은?

① 2 ② 3 ③ 4
④ 5 ⑤ 6

STEP Ⓐ $e^x+3=t$로 치환하여 적분하기

$e^x+3=t$로 놓으면 $e^x dx=dt$이므로

$f(x)=\int\frac{e^x}{\sqrt{e^x+3}}dx=\int\frac{1}{\sqrt{t}}dt$

$=2\sqrt{t}+C=2\sqrt{e^x+3}+C$

STEP Ⓑ 주어진 함숫값을 이용하여 적분상수 C의 값 구하기

이때 $f(0)=2$이므로 $4+C=2\quad\therefore\ C=-2$

$\therefore\ f(x)=2\sqrt{e^x+3}-2$

따라서 $f(\ln 6)=2\sqrt{e^{\ln 6}+3}-2=2\sqrt{9}-2=4$

(2) 실수 전체의 집합에서 미분가능한 함수 $f(x)$에 대하여 $f'(x)=2xe^{-x^2}$이고 $f(0)=1$일 때, $f(1)$의 값은?

① $2-\frac{1}{e}$ ② $2-\frac{1}{e^2}$ ③ 2
④ $2+\frac{1}{e^2}$ ⑤ $2+\frac{1}{e}$

STEP Ⓐ $x^2=t$로 치환하여 적분하기

$f(x)=\int 2xe^{-x^2}dx$에서 $x^2=t$로 놓으면

$\frac{dt}{dx}=2x$이므로

$f(x)=\int 2xe^{-x^2}dx=\int e^{-t}dt$

$=-e^{-t}+C$

$=-e^{-x^2}+C$ (단, C는 적분상수)

STEP Ⓑ 주어진 함숫값을 이용하여 적분상수 C의 값 구하기

$f(0)=-1+C=1$이므로 $C=2$

따라서 $f(x)=-e^{-x^2}+2$이므로 $f(1)=-e^{-1}+2=2-\frac{1}{e}$

0795

함수 $f(x)$에 대하여

$$xf'(x)+f(x)=\ln x+1,\ f(1)=0$$

일 때, $f(e^2)$의 값은?

① 1 ② 2 ③ 3
④ 4 ⑤ 5

STEP Ⓐ $\{xf(x)\}'=f(x)+xf'(x)$임을 이용하여 적분하기

$xf'(x)+f(x)=\ln x+1$에서 $\{xf(x)\}'=\ln x+1$

$xf(x)=\int(\ln x+1)dx$

$=(x\ln x-x)+x+C$

$=x\ln x+C$

STEP Ⓑ 주어진 함숫값을 이용하여 적분상수 C의 값 구하기

$xf(x)=x\ln x+C$의 양변에 $x=1$을 대입하면

$1\cdot f(1)=1\cdot\ln 1+C$에서 $f(1)=C=0$

따라서 $xf(x)=x\ln x$에서 $f(x)=\ln x$이므로 $f(e^2)=\ln e^2=2$

NORMAL

0796

실수 전체의 집합에서 미분가능한 함수 $f(x)$가

$$f(x)>0,\ f(x)=f'(x)$$

를 만족시킨다. $f(1)=1$일 때, $f(2)$의 값은?

① $\frac{1}{e^2}$　② $\frac{1}{e}$　③ 1
④ e　⑤ e^2

STEP Ⓐ $\int \frac{f'(x)}{f(x)}dx=\ln|f(x)|+C$를 이용하기

$f(x)>0$, $f(x)=f'(x)$이므로 $\frac{f'(x)}{f(x)}=1$

양변을 x에 대하여 적분하면

$$\int \frac{f'(x)}{f(x)}dx=\int 1dx$$

$\therefore \ln|f(x)|=x+C$ (단, C는 적분상수)

이때 $f(x)>0$이므로 $\ln f(x)=x+C$, $f(x)=e^{x+C}$

STEP Ⓑ 함숫값을 이용하여 적분상수를 구하고 $f(2)$의 값 구하기

그런데 $f(1)=1$이므로 $e^{1+C}=1$에서 $C=-1$

따라서 $f(x)=e^{x-1}$이므로 $f(2)=e^{2-1}=e$

0797

함수 $f(x)$의 한 부정적분 $F(x)$에 대하여

$$F(x)=xf(x)-x-\ln x,\ f(1)=3$$

일 때, $f(e^{-4})$의 값은?

① $-3e^3$　② $-e^4$　③ $-e^3$
④ e　⑤ e^2

STEP Ⓐ 주어진 식의 양변을 미분하여 $f'(x)$ 구하기

$F(x)=xf(x)-x-\ln x$의 양변을 x에 대하여 미분하면

$f(x)=f(x)+xf'(x)-1-\frac{1}{x}$

$f'(x)=\frac{1}{x}+\frac{1}{x^2}$

STEP Ⓑ 유리함수의 부정적분 구하기

$$f(x)=\int\left(\frac{1}{x}+\frac{1}{x^2}\right)dx=\ln|x|-\frac{1}{x}+C$$

STEP Ⓒ 주어진 함숫값을 이용하여 적분상수 C의 값 구하기

이때 $f(1)=3$이므로 $-1+C=3$　$\therefore C=4$

따라서 $f(x)=\ln|x|-\frac{1}{x}+4$이므로 $f(e^{-4})=-4-\frac{1}{e^{-4}}+4=-e^4$

0798

미분가능한 두 함수 $f(x)$, $g(x)$에 대하여 다음 조건을 만족할 때, $g(\ln 2)$의 값은?

(가) $\frac{d}{dx}\{f(x)+g(x)\}=e^x$, $\frac{d}{dx}\{f(x)-g(x)\}=e^{-x}$
(나) $f(0)=0$, $g(0)=0$

① $\frac{1}{4}$　② $\frac{1}{2}$　③ 1
④ $e-1$　⑤ e

STEP Ⓐ $f(x)$, $g(x)$의 식 작성하기

조건 (가)에서

$f'(x)+g'(x)=e^x$　…… ㉠
$f'(x)-g'(x)=e^{-x}$　…… ㉡

㉠+㉡에서 $f'(x)=\frac{1}{2}(e^x+e^{-x})$

$f(x)=\int\frac{1}{2}(e^x+e^{-x})dx=\frac{1}{2}(e^x-e^{-x})+C_1$

$f(0)=0$이므로 $C_1=0$

$\therefore f(x)=\frac{1}{2}(e^x-e^{-x})$

㉠−㉡에서 $g'(x)=\frac{1}{2}(e^x-e^{-x})$

$g(x)=\int\frac{1}{2}(e^x-e^{-x})dx=\frac{1}{2}(e^x+e^{-x})+C_2$

$g(0)=0$이므로 $C_2=-1$

$\therefore g(x)=\frac{1}{2}(e^x+e^{-x})-1$

STEP Ⓑ $g(\ln 2)$의 값 구하기

따라서 $g(\ln 2)=\frac{1}{2}(e^{\ln 2}+e^{-\ln 2})-1=\frac{1}{2}\left(2+\frac{1}{2}\right)-1=\frac{1}{4}$

0799

다음 물음에 답하여라.

(1) 미분가능한 함수 $f(x)$에 대하여

$$f'(x)=3^x+a\cos x,\ \lim_{x\to 0}\frac{f(x)}{x}=4$$

일 때, $f(\pi)$의 값은? (단, a는 상수)

① $3^\pi+1$　② $\ln 3(3^\pi-1)$　③ $\ln 3(3^\pi+1)$
④ $\frac{1}{\ln 3}(3^\pi-1)$　⑤ $\frac{1}{\ln 3}(3^\pi+1)$

STEP Ⓐ 미분계수의 정의와 함수의 극한의 성질을 이용하여 a 구하기

$\lim_{x\to 0}\frac{f(x)}{x}=4$에서

$x\to 0$일 때, (분모)→0이고 극한값이 존재하므로 (분자)→0이어야 한다.

즉 $\lim_{x\to 0}f(x)=0$이므로 $f(0)=0$

또한, $\lim_{x\to 0}\frac{f(x)}{x}=\lim_{x\to 0}\frac{f(x)-f(0)}{x}=f'(0)=4$

$f'(x)=3^x+a\cos x$이므로 $f'(0)=1+a=4$　$\therefore a=3$

STEP Ⓑ 지수함수와 삼각함수 적분하기

$$f(x)=\int f'(x)dx=\int(3^x+3\cos x)dx=\frac{3^x}{\ln 3}+3\sin x+C$$

STEP Ⓒ 주어진 함숫값을 이용하여 적분상수 C를 구하기

$f(0)=\frac{1}{\ln 3}+C=0$　$\therefore C=-\frac{1}{\ln 3}$

따라서 $f(x)=\frac{3^x}{\ln 3}+3\sin x-\frac{1}{\ln 3}$이므로 $f(\pi)=\frac{1}{\ln 3}(3^\pi-1)$

(2) 미분가능한 함수 $f(x)$에 대하여

$$f'(x)=\frac{kx}{x^2+1},\ \lim_{x\to1}\frac{f(x)}{x-1}=k+2$$

일 때, $f(\sqrt{e-1})$의 값은? (단, k는 상수)

① $\ln 2-2$ ② $2\ln 2-1$ ③ $2\ln 2-2$
④ $\ln 2+1$ ⑤ $2\ln 2+2$

STEP A 미분계수의 정의와 함수의 극한의 성질을 이용하여 k 구하기

$\lim_{x\to1}\frac{f(x)}{x-1}=k+2$에서

$x\to1$일 때, (분모)$\to0$이고 극한값이 존재하므로 (분자)$\to0$이어야 한다.

즉 $\lim_{x\to1}f(x)=0$이므로 $f(1)=0$

또한, $\lim_{x\to1}\frac{f(x)-f(1)}{x-1}=f'(1)=k+2$

이때 $f'(1)=\frac{k}{2}=k+2$ $\therefore k=-4$

STEP B $\int\frac{f'(x)}{f(x)}dx=\ln|f(x)|+C$를 이용하여 적분하기

$f'(x)=\frac{-4x}{x^2+1}$에서

$f(x)=\int\frac{-4x}{x^2+1}dx=-2\int\frac{2x}{x^2+1}dx=-2\ln|x^2+1|+C$

STEP C 함숫값을 이용하여 적분상수를 구하고 $f(\sqrt{e-1})$의 값 구하기

$f(1)=-2\ln 2+C=0$이므로 $C=2\ln 2$

$\therefore f(x)=-2\ln|x^2+1|+2\ln 2$

따라서 $f(\sqrt{e-1})=-2\ln|(\sqrt{e-1})^2+1|+2\ln 2=2\ln 2-2$

0800

다음 물음에 답하여라.

(1) 실수 전체의 집합에서 미분가능한 함수 $f(x)$가 다음 조건을 만족시킬 때, 실수 a의 값은?

(가) $f'(x)=(2x+1)\sqrt{x^2+x+4}$
(나) 함수 $y=f(x)$의 그래프는 두 점 $(0,\ 0)$, $(3,\ a)$를 지난다.

① $\frac{16}{3}$ ② $\frac{32}{3}$ ③ $\frac{64}{3}$
④ $\frac{112}{3}$ ⑤ $\frac{128}{3}$

STEP A $x^2+x+4=t$로 치환하여 부정적분 하기

조건(가)에서

$f(x)=\int(2x+1)\sqrt{x^2+x+4}\,dx$

$x^2+x+4=t$로 놓으면 $(2x+1)dx=dt$이므로

$$\begin{aligned}f(x)&=\int(2x+1)\sqrt{x^2+x+4}\,dx\\&=\int\sqrt{t}\,dt=\int t^{\frac{1}{2}}dt\\&=\frac{2}{3}t\sqrt{t}+C=\frac{2}{3}(x^2+x+4)\sqrt{x^2+x+4}+C\end{aligned}$$

STEP B 함숫값을 이용하여 적분상수를 구하고 $f(3)$의 값 구하기

$f(0)=\frac{2}{3}\times4\times\sqrt{4}+C=0$에서 $C=-\frac{16}{3}$

$f(x)=\frac{2}{3}(x^2+x+4)\sqrt{x^2+x+4}-\frac{16}{3}$

따라서 $f(3)=\frac{2}{3}\times16\times\sqrt{16}-\frac{16}{3}=\frac{112}{3}$

(2) 실수 전체의 집합에서 미분가능한 함수 $f(x)$가 다음 조건을 만족시킬 때, $f(\sqrt{a})$의 값은?

(가) $\lim_{x\to0}\frac{f(x)}{x}=3$
(나) $f'(x)=(x+1)\sqrt{x^2+2x+a}$ (단, a는 상수이다.)

① $10\sqrt{6}-9$ ② $12\sqrt{6}-3$ ③ $14\sqrt{6}-9$
④ $16\sqrt{6}-9$ ⑤ $18\sqrt{6}-3$

STEP A 함수의 극한의 성질과 미분계수의 정의를 이용하여 구하기

조건 (가)에서 $\lim_{x\to0}\frac{f(x)}{x}=3$

$x\to0$일 때, (분모)$\to0$이고 극한값이 존재하므로 (분자)$\to0$이어야 한다.

즉 $\lim_{x\to0}f(x)=0$이므로 $f(0)=0$

또한, $\lim_{x\to0}\frac{f(x)}{x}=\lim_{x\to0}\frac{f(x)-f(0)}{x}=f'(0)=3$

$\therefore f(0)=0,\ f'(0)=3$

STEP B $x^2+x+4=t$로 치환하여 부정적분하기

조건 (나)에서 $f'(0)=\sqrt{a}=3$이므로 $a=9$

$f(x)=\int(x+1)\sqrt{x^2+2x+9}\,dx$

$x^2+2x+9=t$로 놓으면 $\frac{dt}{dx}=2x+2=2(x+1)$이므로

$$\begin{aligned}\int(x+1)\sqrt{x^2+2x+9}\,dx&=\int\frac{1}{2}\sqrt{t}\,dt=\int\frac{1}{2}t^{\frac{1}{2}}dt\\&=\frac{1}{2}\cdot\frac{2}{3}t^{\frac{3}{2}}+C\ (\text{단, }C\text{는 적분상수})\\&=\frac{1}{3}t\sqrt{t}+C\end{aligned}$$

$\therefore f(x)=\frac{1}{3}(x^2+2x+9)\sqrt{x^2+2x+9}+C$

STEP C 함숫값을 이용하여 적분상수를 구하고 $f(\sqrt{a})$의 값 구하기

$f(0)=0$이므로

$\frac{1}{3}\times9\times\sqrt{9}+C=0$에서 $C=-9$

따라서 $f(x)=\frac{1}{3}(x^2+2x+9)\sqrt{x^2+2x+9}-9$이므로

$f(\sqrt{a})=f(3)=\frac{1}{3}\cdot24\cdot\sqrt{24}-9=16\sqrt{6}-9$

0801

다음 물음에 답하여라.

(1) 미분가능한 함수 $f(x)$가 다음 조건을 만족시킬 때, $f(0)$의 값은?

(가) $\lim_{h\to0}\frac{f(x+h)-f(x-h)}{h}=2xe^{x^2}$
(나) $\lim_{x\to1}f(x)=e$

① $\frac{1}{2}e-1$ ② $\frac{1}{2}e-\frac{1}{2}$ ③ $\frac{1}{2}e$
④ $\frac{1}{2}e+\frac{1}{2}$ ⑤ $\frac{1}{2}e+1$

STEP A 미분계수의 정의를 이용하여 변형하기

조건(가)에서 함수 $f(x)$는 미분가능한 함수이므로

$$\begin{aligned}\lim_{h\to0}\frac{f(x+h)-f(x-h)}{h}&=\lim_{h\to0}\frac{f(x+h)-f(x)}{h}+\lim_{h\to0}\frac{f(x-h)-f(x)}{-h}\\&=f'(x)+f'(x)\\&=2f'(x)\end{aligned}$$

STEP B $x^2=t$로 치환하여 부정적분 하기

즉 $2f'(x)=2xe^{x^2}$에서 $f'(x)=xe^{x^2}$

$\therefore f(x)=\int xe^{x^2}dx$

$x^2=t$로 놓으면 $2xdx=dt$이므로

$f(x)=\int xe^{x^2}dx=\frac{1}{2}\int e^t dt$

$=\frac{1}{2}\int e^t dt=\frac{1}{2}e^t+C$

$=\frac{1}{2}e^{x^2}+C$ (단, C는 적분상수)

STEP C 함숫값을 이용하여 적분상수를 구하고 $f(0)$의 값 구하기

조건 (나)에서 함수 $f(x)$는 모든 실수에서 연속이므로

$\lim_{x\to1}f(x)=f(1)=\frac{1}{2}e+C=e \quad \therefore C=\frac{1}{2}e$

따라서 $f(x)=\frac{1}{2}e^{x^2}+\frac{1}{2}e$이므로 $f(0)=\frac{1}{2}e^0+\frac{1}{2}e=\frac{1}{2}e+\frac{1}{2}$

(2) 함수 $f(x)$가 다음 조건을 만족시킬 때, $f(1)$의 값은?
(단, e는 자연로그의 밑이다.)

(가) $\lim_{h\to0}\frac{f(x+h)-f(x)}{h}=x^2e^{-x}$

(나) $f(-1)=-e$

① $-5e^{-1}$ ② $-2e^{-1}$ ③ $-e^{-1}$
④ 0 ⑤ $5e^{-1}$

STEP A 다항함수와 지수함수의 곱인 부분적분을 이용하기

$\lim_{h\to0}\frac{f(x+h)-f(x)}{h}=f'(x)=x^2e^{-x}$이므로

$f(x)=\int x^2e^{-x}dx$

$=-x^2e^{-x}-\int(-2xe^{-x})dx$

$=-x^2e^{-x}+\int 2xe^{-x}dx$

$=-x^2e^{-x}-2xe^{-x}-\int(-2e^{-x})dx$

$=-x^2e^{-x}-2xe^{-x}-2e^{-x}+C$

$=-(x^2+2x+2)e^{-x}+C$

STEP B 함숫값을 이용하여 적분상수를 구하고 $f(1)$의 값 구하기

이때 $f(-1)=-e+C=-e$이므로 $C=0$

따라서 $f(x)=-(x^2+2x+2)e^{-x}$이므로 $f(1)=-5e^{-1}$

0802

$0<x<2\pi$에서 정의된 미분가능한 함수 $f(x)$가

$$\lim_{h\to0}\frac{f(x+h)-f(x-h)}{h}=2x\sin x,\ f(\pi)=\pi$$

를 만족시킬 때, $f\left(\frac{\pi}{2}\right)$의 값은?

① $\frac{1}{2}$ ② 1 ③ $\frac{3}{2}$
④ 2 ⑤ $\frac{5}{2}$

STEP A 미분계수의 정의를 이용하여 변형하기

$\lim_{h\to0}\frac{f(x+h)-f(x-h)}{h}=\lim_{h\to0}\frac{f(x+h)-f(x)}{h}+\lim_{h\to0}\frac{f(x-h)-f(x)}{-h}$

$=f'(x)+f'(x)$

$=2f'(x)=2x\sin x$

$\therefore f'(x)=x\sin x$

STEP B 함숫값을 이용하여 적분상수를 구하고 $f\left(\frac{\pi}{2}\right)$의 값 구하기

이때 $u(x)=x,\ v'(x)=\sin x$로 놓으면

$u'(x)=1,\ v(x)=-\cos x$이므로

$f(x)=\int x\sin x dx$

$=-x\cos x-\int(-\cos x)dx$

$=-x\cos x+\sin x+C$ (단, C는 적분상수)

이때 $f(\pi)=-\pi$이므로 $f(\pi)=-\pi\cos\pi+\sin\pi+C=\pi \quad \therefore C=0$

$f(x)=-x\cos x+\sin x$이므로 $f\left(\frac{\pi}{2}\right)=1$

0803

$x>0$에서 정의된 미분가능한 함수 $f(x)$가 다음 조건을 만족시킬 때, $f(1)$의 값은?

(가) $\lim_{h\to0}\frac{f(x+2h)-f(x-h)}{h}=3x^2\ln x$

(나) $f(e)=\frac{2}{9}e^3$

① $\frac{1}{9}e^3$ ② $-\frac{2}{9}$ ③ $-\frac{1}{9}$
④ $\frac{2}{9}(e^3-1)$ ⑤ $\frac{1}{3}(e^3-1)$

STEP A 미분계수의 정의를 이용하여 변형하기

$\lim_{h\to0}\frac{f(x+2h)-f(x-h)}{h}$

$=\lim_{h\to0}\frac{f(x+2h)-f(x)+f(x)-f(x-h)}{h}$

$=\lim_{h\to0}\left\{\frac{f(x+2h)-f(x)}{h}-\frac{f(x-h)-f(x)}{h}\right\}$

$=2\lim_{h\to0}\frac{f(x+2h)-f(x)}{2h}+\lim_{h\to0}\frac{f(x-h)-f(x)}{-h}$

$=2f'(x)+f'(x)$

$=3f'(x)$

$=3x^2\ln x$

STEP B 다항함수와 로그함수의 곱인 부분적분을 이용하기

$f'(x)=x^2\ln x$

$u=\ln x,\ v'=x^2$으로 놓으면 $u'=\frac{1}{x},\ v=\frac{1}{3}x^3$이므로

$f(x)=\int x^2\ln x dx$

$=\frac{1}{3}x^3\ln x-\int\frac{1}{3}x^3\cdot\frac{1}{x}dx$

$=\frac{1}{3}x^3\ln x-\int\frac{1}{3}x^2dx$

$=\frac{1}{3}x^3\ln x-\frac{1}{9}x^3+C$ (단, C는 적분상수)

STEP C 함숫값을 이용하여 적분상수를 구하고 $f(1)$의 값 구하기

$f(e)=\frac{1}{3}e^3-\frac{1}{9}e^3+C=\frac{2}{9}e^3$이므로 $C=0$

따라서 $f(x)=\frac{1}{3}x^3\ln x-\frac{1}{9}x^3$이므로 $f(1)=-\frac{1}{9}$

0804

다음 물음에 답하여라.

(1) 미분가능한 함수 $f(x)$의 한 부정적분 $F(x)$가

$$F(x)=xf(x)-x^2e^{2x},\ f(0)=\frac{1}{4}$$

을 만족할 때, $f(2)$의 값은?

① $\frac{5}{2}e^4-\frac{1}{4}$ ② $\frac{5}{2}e^4-\frac{1}{2}$ ③ $\frac{5}{2}e^4$
④ $\frac{5}{2}e^4+\frac{1}{4}$ ⑤ $\frac{5}{2}e^4+\frac{1}{2}$

STEP Ⓐ 양변을 x에 대하여 미분하여 $f'(x)$ 구하기

$F'(x)=f(x)$이므로

$F(x)=xf(x)-x^2e^{2x}$의 양변을 x에 대하여 미분하면

$f(x)=f(x)+xf'(x)-2xe^{2x}-2x^2e^{2x}$

$f'(x)=2e^{2x}+2xe^{2x}=2e^{2x}(1+x)$

STEP Ⓑ 다항함수와 지수함수의 곱인 부분적분을 이용하여 $f(x)$ 구하기

$f(x)=\int 2e^{2x}(1+x)dx$에서

$u(x)=1+x,\ v'(x)=2e^{2x}$로 놓으면 $u'(x)=1,\ v(x)=e^{2x}$

$f(x)=\int 2e^{2x}(1+x)dx$

$=e^{2x}(1+x)-\int e^{2x}dx$

$=e^{2x}(1+x)-\frac{1}{2}e^{2x}+C$

STEP Ⓒ 함숫값을 이용하여 적분상수를 구하고 $f(2)$의 값 구하기

$f(0)=\frac{1}{4}$이므로 $C=-\frac{1}{4}$

따라서 $f(x)=\frac{1}{2}e^{2x}+xe^{2x}-\frac{1}{4}$이므로 $f(2)=\frac{5}{2}e^4-\frac{1}{4}$

(2) 집합 $\{x|x>0\}$에서 정의된 미분가능한 함수 $f(x)$의 한 부정적분 $F(x)$가

$$F(x)=xf(x)+x^2\ln x,\ f(e)=-e$$

를 만족할 때, $f(1)$의 값은?

① $\frac{1}{e}$ ② $\frac{2}{e}$ ③ 1
④ e ⑤ $2e$

STEP Ⓐ 양변을 x에 대하여 미분하여 $f'(x)$ 구하기

$F(x)=xf(x)+x^2\ln x$의 양변을 x에 대하여 미분하면

$f(x)=f(x)+xf'(x)+2x\ln x+x^2\cdot\frac{1}{x}$

$xf'(x)=x(-2\ln x-1)$

$\therefore\ f'(x)=-2\ln x-1$

STEP Ⓑ 다항함수와 로그함수의 곱인 부분적분을 이용하여 $f(x)$ 구하기

$f(x)=\int(-2\ln x-1)dx$

$=-2\int\ln x dx-\int dx$

$=-2\left(x\ln x-\int x\cdot\frac{1}{x}dx\right)-\int dx$

$=-2(x\ln x-x)-x+C$

$=-2x\ln x+x+C$ (단, C는 적분상수)

STEP Ⓒ 함숫값을 이용하여 적분상수를 구하고 $f(1)$의 값 구하기

$f(e)=-2e+e+C=-e$에서 $C=0$

따라서 $f(x)=-2x\ln x+x$이므로 $f(1)=1$

0805

$0<x<2\pi$에서 정의된 함수 $f(x)$에 대하여 $f'(x)=\sin 2x-\sin x$이고, $f(x)$의 극솟값이 -1일 때, $f(x)$의 극댓값은?

① $\frac{2}{3}$ ② 1 ③ $\frac{5}{4}$
④ $\frac{4}{3}$ ⑤ $\frac{5}{2}$

STEP Ⓐ 함수 $f(x)$의 증감표를 작성하여 극대, 극소가 되는 x의 값 구하기

$f'(x)=\sin 2x-\sin x$

$=2\sin x\cos x-\sin x$

$=\sin x(2\cos x-1)$

이므로 $f'(x)=0$에서

$\sin x=0$ 또는 $\cos x=\frac{1}{2}$이므로

$x=\frac{\pi}{3}$ 또는 $x=\pi$ 또는 $x=\frac{5}{3}\pi$

함수 $f(x)$의 증가와 감소를 표로 나타내면 다음과 같다.

x	(0)	$\cdots$	$\frac{\pi}{3}$	$\cdots$	π	$\cdots$	$\frac{5}{3}\pi$	$\cdots$	(2π)
$f'(x)$		+	0	−	0	+	0	−	
$f(x)$		↗	극대	↘	극소	↗	극대	↘	

함수 $f(x)$는

$x=\pi$에서 극소이고 극솟값이 -1이므로 $f(\pi)=-1$

STEP Ⓑ 삼각함수 적분하기

$f(x)=\int(\sin 2x-\sin x)dx$

$=-\frac{1}{2}\cos 2x+\cos x+C$

STEP Ⓒ 주어진 함숫값을 이용하여 적분상수 C를 구하기

$f(x)$의 극솟값이 -1이므로 $f(\pi)=-\frac{1}{2}-1+C=-1$

$\therefore\ C=\frac{1}{2}$

따라서 $f(x)=-\frac{1}{2}\cos 2x+\cos x+\frac{1}{2}$이므로 $f(x)$의 극댓값은

$f\left(\frac{\pi}{3}\right)=f\left(\frac{5}{3}\pi\right)=\frac{5}{4}$

0806

다음 물음에 답하여라.

(1) 양의 실수 전체의 집합에서 정의된 미분가능한 함수 $f(x)$에 대하여 $f'(x)=x\ln x$이고 $f(x)$의 극솟값이 0일 때, $f(e)$의 값은?

① $\frac{e^2}{4}$ ② $\frac{e^2+1}{4}$ ③ $\frac{e^2+2}{4}$
④ $\frac{e^2+3}{4}$ ⑤ $\frac{e^2+4}{4}$

STEP Ⓐ 함수 $f(x)$의 증감표를 작성하여 극대, 극소가 되는 x의 값 구하기

$f'(x)=x\ln x$

$f'(x)=0$에서 $x>0$이므로 $\ln x=0$ $\quad\therefore\ x=1$

함수 $f(x)$의 증가와 감소를 표로 나타내면 다음과 같다.

x	(0)	$\cdots$	1	$\cdots$
$f'(x)$		−	0	+
$f(x)$		↘	극소	↗

함수 $f(x)$는 $x=1$에서 극소이고 극솟값은 $f(1)=0$

STEP Ⓑ 다항함수와 로그함수의 곱인 부분적분을 이용하여 적분하기

$\int x\ln x dx$에서

$u(x)=\ln x$, $v'(x)=x$로 놓으면

$u'(x)=\frac{1}{x}$, $v(x)=\frac{1}{2}x^2$이므로

$f(x)=\int f'(x)dx=\int x\ln x dx$

$=\frac{1}{2}x^2\ln x-\int\left(\frac{1}{x}\cdot\frac{1}{2}x^2\right)dx$

$=\frac{1}{2}x^2\ln x-\int\frac{1}{2}xdx$

$=\frac{1}{2}x^2\ln x-\frac{1}{4}x^2+C$ (단, C는 적분상수)

STEP Ⓒ 주어진 함숫값을 이용하여 적분상수 C를 구하기

$f(1)=-\frac{1}{4}+C=0$에서 $C=\frac{1}{4}$

따라서 $f(x)=\frac{1}{2}x^2\ln x-\frac{1}{4}x^2+\frac{1}{4}$이므로

$f(e)=\frac{1}{2}e^2-\frac{1}{4}e^2+\frac{1}{4}=\frac{e^2+1}{4}$

(2) 미분가능한 함수 $f(x)$에 대하여 $f'(x)=(x-2)\ln x$이고 극댓값이 $\frac{3}{4}$일 때, $f(x)$의 극솟값은?

① $-\ln 2$ ② $1-2\ln 2$ ③ $2-2\ln 2$
④ $2-\ln 2$ ⑤ $1-\ln 2$

STEP Ⓐ 함수 $f(x)$의 증감표를 작성하여 극대, 극소가 되는 x의 값 구하기

$f'(x)=(x-2)\ln x$

$f'(x)=0$에서 $x=1$ 또는 $x=2$

함수 $f(x)$의 증가와 감소를 표로 나타내면 다음과 같다.

x	(0)	$\cdots$	1	$\cdots$	2	
$f'(x)$		+	0	−	0	+
$f(x)$		↗	극대	↘	극소	↗

$x=1$에서 극대이고 극댓값이 $\frac{3}{4}$이므로 $f(1)=\frac{3}{4}$

STEP Ⓑ 다항함수와 로그함수의 곱인 부분적분을 이용하여 적분하기

$f(x)=\int(x-2)\ln x dx$

$=\left(\frac{1}{2}x^2-2x\right)\ln x-\int\left(\frac{1}{2}x^2-2x\right)\frac{1}{x}dx$

$=\left(\frac{1}{2}x^2-2x\right)\ln x-\int\left(\frac{1}{2}x-2\right)dx$

$=\left(\frac{1}{2}x^2-2x\right)\ln x-\frac{1}{4}x^2+2x+C$

STEP Ⓒ 주어진 함숫값을 이용하여 적분상수 C를 구하기

이때 $f(1)=-\frac{1}{4}+2+C=\frac{3}{4}$이므로 $C=-1$

$f(x)=\left(\frac{1}{2}x^2-2x\right)\ln x-\frac{1}{4}x^2+2x-1$이므로

극솟값은 $f(2)=-2\ln 2-1+4-1=2-2\ln 2$

0807 서술형

다항함수 $f(x)$가 다음 두 조건을 만족시킨다.

(가) $\lim_{x\to\infty}\frac{f(x)}{x^2+3x-4}=1$

(나) $\lim_{x\to 3}\frac{f(x)}{x-3}=4$

이때 $F(x)=\int(x-1)\{f(x)\}^3dx$라 할 때, $F(1)-F(-1)$의 값을 구하는 과정을 다음 단계로 서술하여라.

[1단계] 조건 (가), (나)를 만족하는 다항함수 $f(x)$를 구한다.
[2단계] $f(x)=t$로 치환하여 함수 $F(x)$를 구한다.
[3단계] $F(1)-F(-1)$의 값을 구한다.

1단계 조건 (가), (나)를 만족하는 다항함수 $f(x)$를 구한다. ◀ 40%

조건 (가) $\lim_{x\to\infty}\frac{f(x)}{x^2+3x-4}=1$에서

$x\to\infty$일 때, 극한값이 존재하고 분모의 최고차항인 이차항의 계수가 1이므로 $f(x)$는 이차식이고 이차항의 계수가 1이다.

조건 (나) $\lim_{x\to 3}\frac{f(x)}{x-3}=4$에서

$x\to 3$일 때, (분모)→0이고 극한값이 존재하므로 (분자)→0이어야 한다.

즉 $\lim_{x\to 3}f(x)=0$에서 $f(3)=0$이므로 $f(x)$는 $x-3$을 인수로 갖는다.

이때 $f(x)=(x-3)(x+a)$로 놓으면

$\lim_{x\to 3}\frac{(x-3)(x+a)}{x-3}=\lim_{x\to 3}(x+a)=3+a=4$

$\therefore a=1$

즉 $f(x)=(x-3)(x+1)=x^2-2x-3$

2단계 $f(x)=t$로 치환하여 함수 $F(x)$를 구한다. ◀ 40%

이때 $F(x)=\int(x-1)\{f(x)\}^3dx=\int(x-1)\{x^2-2x-3\}^3dx$

$x^2-2x-3=t$로 놓고 양변을 x에 대하여 미분하면

$2x-2=\frac{dt}{dx}$, 즉 $(x-1)dx=\frac{1}{2}dt$

$\int(x-1)(x^2-2x-3)^3dx=\frac{1}{2}\int t^3dt=\frac{1}{8}t^4+C$

$=\frac{1}{8}(x^2-2x-3)^4+C$

3단계 $F(1)-F(-1)$의 값을 구한다. ◀ 20%

$\therefore F(x)=\frac{1}{8}(x^2-2x-3)^4+C$

따라서 $F(1)-F(-1)=(32+C)-(0+C)=32$

0808
서술형

함수 $f(x)$에 대하여

$$f'(x)=(1-\cos x)^2\sin x\text{이고, } f\left(\frac{\pi}{2}\right)=0$$

일 때, $f(\pi)$의 값을 구하는 과정을 다음 단계로 서술하여라.

[1단계] $1-\cos x=t$로 치환하여 함수 $f(x)$를 적분상수 C에 대하여 나타낸다.

[2단계] $f\left(\frac{\pi}{2}\right)=0$을 만족하는 C의 값을 구한다.

[3단계] 함수 $f(x)$를 구한 후 $f(\pi)$의 값을 구한다.

1단계 $1-\cos x=t$로 치환하여 함수 $f(x)$를 적분상수 C에 대하여 나타낸다. ◀ 50%

$1-\cos x=t$로 놓으면 $\sin x dx=dt$이므로

$$f(x)=\int f'(x)dx=\int(1-\cos x)^2\sin x dx$$
$$=\int t^2 dt=\frac{1}{3}t^3+C$$
$$=\frac{1}{3}(1-\cos x)^3+C$$

2단계 $f\left(\frac{\pi}{2}\right)=0$을 만족하는 C의 값을 구한다. ◀ 20%

$f\left(\frac{\pi}{2}\right)=0$이므로 $\frac{1}{3}+C=0$

$\therefore C=-\frac{1}{3}$

3단계 함수 $f(x)$를 구한 후 $f(\pi)$의 값을 구한다. ◀ 30%

따라서 $f(x)=\frac{1}{3}(1-\cos x)^3-\frac{1}{3}$이므로 $f(\pi)=\frac{7}{3}$

0809
서술형

미분가능한 함수 $f(x)$에 대하여 $\int f(x)dx=xf(x)-x^2e^{-x}$이고, $f(1)=0$일 때, $f(4)$의 값을 구하는 과정을 다음 단계로 서술하여라.

[1단계] 양변을 미분하여 함수 $f(x)$를 적분상수 C에 대하여 나타낸다.

[2단계] $f(1)=0$을 만족하는 C의 값을 구한다.

[3단계] 함수 $f(x)$를 구한 후 $f(4)$의 값을 구한다.

1단계 양변을 미분하여 함수 $f(x)$를 적분상수 C에 대하여 나타낸다. ◀ 50%

$\int f(x)dx=xf(x)-x^2e^{-x}$에서 양변을 x에 대하여 미분하면

$f(x)=f(x)+xf'(x)+x(x-2)e^{-x}$

이므로 $f'(x)=(2-x)e^{-x}$

즉 $f(x)=\int(2-x)e^{-x}dx$

$$=-(2-x)e^{-x}-\int e^{-x}dx$$
$$=(x-1)e^{-x}+C$$

2단계 $f(1)=0$을 만족하는 C의 값을 구한다. ◀ 20%

$f(1)=0$이므로 $0=0+C$

$\therefore C=0$

3단계 함수 $f(x)$를 구한 후 $f(4)$의 값을 구한다. ◀ 30%

따라서 $f(x)=(x-1)e^{-x}$이므로 $f(4)=3e^{-4}$

0810
서술형

함수 $f(x)$에 대하여 $f'(x)=e^{-x}\cos x$이고 $f(x)$의 극댓값이 $\frac{1}{2}e^{-\frac{\pi}{2}}$일 때, 방정식 $f(x)=0$의 해를 구하는 과정을 다음 단계로 서술하여라.
(단, $0\le x<\pi$)

[1단계] $0\le x<\pi$에서 함수 $f(x)$의 증감표를 작성하여 극대가 되는 x의 값을 구한다.

[2단계] 지수함수와 삼각함수의 곱인 부분적분을 이용하여 $f(x)$를 적분상수 C에 대하여 나타낸다.

[3단계] $f(x)$의 극댓값이 $\frac{1}{2}e^{-\frac{\pi}{2}}$임을 이용하여 C의 값을 구한다.

[4단계] $0\le x<\pi$에서 방정식 $f(x)=0$의 해를 구한다.

1단계 $0\le x<\pi$에서 함수 $f(x)$의 증감표를 작성하여 극대가 되는 x의 값을 구한다. ◀ 30%

$f'(x)=e^{-x}\cos x$이므로

$f'(x)=0$에서 $x=\frac{\pi}{2}$ ($\because 0\le x<\pi$)

함수 $f(x)$의 증가와 감소를 표로 나타내면 다음과 같다.

x	(0)	$\cdots$	$\frac{\pi}{2}$	$\cdots$
$f'(x)$		+	0	−
$f(x)$		↗	극대	↘

함수 $f(x)$는 $x=\frac{\pi}{2}$에서 극대이고 극댓값이 $\frac{1}{2}e^{-\frac{\pi}{2}}$이므로

$f\left(\frac{\pi}{2}\right)=\frac{1}{2}e^{-\frac{\pi}{2}}$

2단계 지수함수와 삼각함수의 곱인 부분적분을 이용하여 $f(x)$를 적분상수 C에 대하여 나타낸다. ◀ 30%

$f'(x)=e^{-x}\cos x$에서

$$f(x)=\int e^{-x}\cos x dx$$
$$=-e^{-x}\cos x-\int e^{-x}\sin x dx$$
$$=-e^{-x}\cos x-\left(-e^{-x}\sin x+\int e^{-x}\cos x dx\right)$$
$$=e^{-x}(\sin x-\cos x)-\int e^{-x}\cos x dx$$
$$=e^{-x}(\sin x-\cos x)-f(x)$$

$\therefore f(x)=\frac{1}{2}e^{-x}(\sin x-\cos x)+C$

3단계 $f(x)$의 극댓값이 $\frac{1}{2}e^{-\frac{\pi}{2}}$임을 이용하여 C의 값을 구한다. ◀ 20%

$f\left(\frac{\pi}{2}\right)=\frac{1}{2}e^{-\frac{\pi}{2}}$이므로

$f\left(\frac{\pi}{2}\right)=\frac{1}{2}e^{-\frac{\pi}{2}}\left(\sin\frac{\pi}{2}-\cos\frac{\pi}{2}\right)+C=\frac{1}{2}e^{-\frac{\pi}{2}}$

$\therefore C=0$

4단계 $0\le x<\pi$에서 방정식 $f(x)=0$의 해를 구한다. ◀ 20%

$f(x)=\frac{1}{2}e^{-x}(\sin x-\cos x)$이므로

방정식 $f(x)=0$의 근은 $\sin x-\cos x=0$, $\tan x=1$

따라서 $0\le x<\pi$에서 $x=\frac{\pi}{4}$

TOUGH

0811

$-\frac{\pi}{2}<x<\frac{\pi}{2}$에서 정의된 미분가능한 함수 $f(x)$는

$$\lim_{h\to 0}\frac{f(x+2h)-f(x)}{h}=\tan x+\tan^3 x$$

를 만족시킨다. 다음은 $f\left(\frac{\pi}{4}\right)=\frac{1}{4}$일 때, 함수 $f(x)$를 구하는 과정이다.

$\lim_{h\to 0}\frac{f(x+2h)-f(x)}{h}=$ (가) $\times f'(x)$이므로

$f'(x)=\frac{1}{2}(\tan x+\tan^3 x)$

$f(x)=\frac{1}{2}\int \tan x(1+\tan^2 x)dx$

$=\frac{1}{2}\int(\tan x\times$ (나) $)dx$

$=$ (다) $\times\tan^2 x+C$

이때 $f\left(\frac{\pi}{4}\right)=\frac{1}{4}$이므로 $C=$ (라)

따라서 $f(x)=$ (마)

이때 (가), (나), (다), (라), (마)에 들어갈 수와 식을 a, $g(x)$, b, c, $h(x)$라 할 때, $a+b+c+\left\{g\left(\frac{\pi}{3}\right)h\left(\frac{\pi}{4}\right)\right\}$의 값을 구하여라.

STEP A 치환적분의 빈칸추론하기

$\lim_{h\to 0}\frac{f(x+2h)-f(x)}{h}=\boxed{2}\times f'(x)$이므로

$f'(x)=\frac{1}{2}(\tan x+\tan^3 x)$

$f(x)=\frac{1}{2}\int \tan x(1+\tan^2 x)dx$

$=\frac{1}{2}\int(\tan x\times\boxed{\sec^2 x})dx$

$\tan x=t$로 놓으면 $\sec^2 x dx=dt$이므로

$f(x)=\frac{1}{2}\int t dt=\frac{1}{4}t^2+C$

$=\boxed{\frac{1}{4}}\times\tan^2 x+C$

이때 $f\left(\frac{\pi}{4}\right)=\frac{1}{4}\times\tan^2\frac{\pi}{4}+C=\frac{1}{4}$이므로 $C=\boxed{0}$

따라서 $f(x)=\boxed{\frac{1}{4}\tan^2 x}$

STEP B $a+b+c+\left\{g\left(\frac{\pi}{3}\right)h\left(\frac{\pi}{4}\right)\right\}$의 값 구하기

따라서 $a=2$, $b=\frac{1}{4}$, $c=0$, $g\left(\frac{\pi}{3}\right)=\sec^2\frac{\pi}{3}=4$, $h\left(\frac{\pi}{4}\right)=\frac{1}{4}\tan^2\frac{\pi}{4}=\frac{1}{4}$

이므로 $a+b+c+\left\{g\left(\frac{\pi}{3}\right)h\left(\frac{\pi}{4}\right)\right\}=2+\frac{1}{4}+0+4\times\frac{1}{4}=\frac{13}{4}$

0812

양의 실수 전체의 집합에서 정의되고 미분가능한 함수 $f(x)$가

$$\int\{xf'(x)+f(x)+\ln x\}dx=(x+1)f(x),\ f(1)=-1$$

을 만족시킬 때, $f(e)$의 값은?

① $-e$ ② -1 ③ 0
④ 1 ⑤ e

STEP A 양변을 x로 미분하여 $f'(x)$ 구하기

$\int\{xf'(x)+f(x)+\ln x\}dx=(x+1)f(x)$의 양변을 x에 대하여 미분하면

$xf'(x)+f(x)+\ln x=f(x)+(x+1)f'(x)$

$\therefore f'(x)=\ln x$

STEP B 다항함수와 로그함수의 곱을 적분하여 $f(x)$ 구하기

$f(x)=\int f'(x)dx$

$=\int \ln x dx$

$=x\ln x-x+C$ (단, C는 적분상수)

STEP C 주어진 함숫값을 이용하여 적분상수의 값 구하기

$f(1)=-1$이므로 $f(1)=1\cdot\ln 1-1+C=-1$에서 $C=0$

따라서 $f(x)=x\ln x-x$이므로 $f(e)=e\ln e-e=0$

0813

다음 물음에 답하여라.

(1) $x>0$에서 정의된 함수 $f(x)$가

$$f(x)+xf'(x)=(\ln x)^2,\ f(1)=2$$

를 만족할 때, $f(e)$의 값은?

① $\frac{1}{e}$ ② 1 ③ e
④ e^2 ⑤ e^3

STEP A $\frac{d}{dx}\{xf(x)\}=xf'(x)+f(x)$임을 이용하기

$xf'(x)+f(x)=(\ln x)^2$에서 양변을 적분하면

$\int\{xf'(x)+f(x)\}dx=\int(\ln x)^2 dx$

STEP B 다항함수와 로그함수인 경우 부분적분하기

$xf(x)=\int(\ln x)^2 dx$

$\int(\ln x)^2 dx$에서 $u(x)=(\ln x)^2$, $v'(x)=1$로 놓으면

$u'(x)=\frac{2}{x}\ln x$, $v(x)=x$이므로

$\int(\ln x)^2 dx=x(\ln x)^2-2\int\ln x dx$

$=x(\ln x)^2-2(x\ln x-x)+C$

$=x(\ln x)^2-2x\ln x+2x+C$

$\therefore xf(x)=x(\ln x)^2-2x\ln x+2x+C$

STEP C 함숫값을 이용하여 적분상수를 구하고 $f(e)$의 값 구하기

이때 $f(1)=2$이므로 $C=0$

따라서 $f(x)=(\ln x)^2-2\ln x+2$이므로 $f(e)=1^2-2+2=1$

(2) $x>0$에서 정의된 미분가능한 함수 $f(x)$가 모든 양의 실수 x에 대하여

$$f(x)+xf'(x)=\frac{1}{x}+3\sqrt{x},\ f(1)=2$$

를 만족할 때, $f(e)$의 값은? (단, e는 자연로그의 밑이다.)

① $\frac{1}{e}$ ② $\frac{1}{e}+\sqrt{e}$ ③ $\frac{1}{e}+2\sqrt{e}$

④ $\frac{1}{e}+3\sqrt{e}$ ⑤ $e+3\sqrt{e}$

STEP A 곱의 미분법을 이용하여 적분하기

$f(x)+xf'(x)=\frac{1}{x}+3\sqrt{x}$에서

$\frac{d}{dx}\{xf(x)\}=f(x)+xf'(x)=\frac{1}{x}+3\sqrt{x}$이므로

$xf(x)=\int\left(\frac{1}{x}+3\sqrt{x}\right)dx$

STEP B 부정적분 하여 $xf(x)$ 구하기

$xf(x)=\int\left(\frac{1}{x}+3\sqrt{x}\right)dx=\ln x+2x\sqrt{x}+C$

STEP C 주어진 함숫값을 이용하여 적분상수 C의 값 구하기

$f(1)=2$이므로 $f(1)=2+C=2 \quad \therefore C=0$

즉 $xf(x)=\ln x+2x\sqrt{x}$이므로 $f(x)=\frac{1}{x}(\ln x+2x\sqrt{x})$

따라서 $f(e)=\frac{1}{e}(\ln e+2e\sqrt{e})=\frac{1}{e}+2\sqrt{e}$

0814

실수 전체의 집합에서 미분가능한 함수 $f(x)$가 다음 조건을 만족시킬 때, $f(-1)$의 값은?

(가) 모든 실수 x에 대하여
$2\{f(x)\}^2f'(x)=\{f(2x+1)\}^2f'(2x+1)$이다.

(나) $f\left(-\frac{1}{8}\right)=1,\ f(6)=2$

① $\frac{\sqrt[3]{3}}{6}$ ② $\frac{\sqrt[3]{3}}{3}$ ③ $\frac{\sqrt[3]{3}}{2}$

④ $\frac{2\sqrt[3]{3}}{3}$ ⑤ $\frac{5\sqrt[3]{3}}{6}$

STEP A 합성함수의 미분법을 이용하여 부정적분 계산하기

$y=\frac{2}{3}\{f(x)\}^3$의 양변을 x로 미분하면

$y'=2\{f(x)\}^2f'(x)$이고

$y=\frac{1}{3}\{f(2x+1)\}^3\times\frac{1}{2}$의 양변을 x로 미분하면

$y'=\{f(2x+1)\}^2f'(2x+1)$이므로

조건 (가)에서

$\int 2\{f(x)\}^2f'(x)dx=\int\{f(2x+1)\}^2f'(2x+1)dx$

이므로

$\frac{2}{3}\{f(x)\}^3=\frac{1}{3}\{f(2x+1)\}^3\times\frac{1}{2}+C$ (단, C는 적분상수)

$\{f(2x+1)\}^3=4\{f(x)\}^3+C'\ (C'=-6C)$ …… ㉠

㉠에 $x=-1$을 대입하면

$\{f(-1)\}^3=4\{f(-1)\}^3+C'$에서

$C'=-3\{f(-1)\}^3$ …… ㉡

STEP B 조건 (나)를 이용하여 C'의 값을 구하고 $f(-1)$의 값 구하기

조건 (나)에서

㉠에 $x=-\frac{1}{8}$을 대입하면

$\left\{f\left(\frac{3}{4}\right)\right\}^3=4\left\{f\left(-\frac{1}{8}\right)\right\}^3+C'=4+C'$

㉠에 $x=\frac{3}{4}$을 대입하면

$\left\{f\left(\frac{5}{2}\right)\right\}^3=4\left\{f\left(\frac{3}{4}\right)\right\}^3+C'=4(4+C')+C'=16+5C'$

㉠에 $x=\frac{5}{2}$를 대입하면

$\{f(6)\}^3=4\left\{f\left(\frac{5}{2}\right)\right\}^3+C'=4(16+5C')+C'=64+21C'$

즉 $2^3=64+21C'$

$C'=-\frac{8}{3}$ …… ㉢

㉡, ㉢에서 $-3\{f(-1)\}^3=-\frac{8}{3}$

$\therefore \{f(-1)\}^3=\frac{8}{9}$

따라서 $f(-1)=\sqrt[3]{\frac{8}{9}}=\sqrt[3]{\frac{8\cdot 3}{27}}=\frac{2\sqrt[3]{3}}{3}$

다른풀이 구간 $[-1,\ a]$에서 정적분을 이용하여 풀이하기

STEP A 구간 $[-1,\ a]$으로 조건 (가)의 양변을 정적분하기

조건 (가)의 양변을 구간 $[-1,\ a]$에서 정적분하면

← 두 함수 $\{f(x)\}^3$, $\{f(2x+1)\}^3$에 $x=-1$을 대입하면 $\{f(-1)\}^3$로 함숫값이 같다.

$\int_{-1}^{a}2\{f(x)\}^2f'(x)dx=\int_{-1}^{a}\{f(2x+1)\}^2f'(2x+1)dx$

$\left[\frac{2}{3}\{f(x)\}^3\right]_{-1}^{a}=\left[\frac{1}{6}\{f(2x+1)\}^3\right]_{-1}^{a}$

$\frac{2}{3}\{f(a)\}^3-\frac{2}{3}\{f(-1)\}^2=\frac{1}{6}\{f(2a+1)\}^3-\frac{1}{6}\{f(-1)\}^3$

$\therefore 4\{f(a)\}^3-\{f(2a+1)\}^3=3\{f(-1)\}^3$ …… ㉠

STEP B 조건 (나)를 이용하여 $f(-1)$을 구하기

㉠에 $x=-\frac{1}{8}$을 대입하면

$4\left\{f\left(-\frac{1}{8}\right)\right\}^3-\left\{f\left(\frac{3}{4}\right)\right\}^3=3\{f(-1)\}^3$ …… ㉡

㉠에 $x=\frac{3}{4}$을 대입하면

$4\left\{f\left(\frac{3}{4}\right)\right\}^3-\left\{f\left(\frac{5}{2}\right)\right\}^3=3\{f(-1)\}^3$ …… ㉢

㉠에 $x=\frac{5}{2}$를 대입하면

$4\left\{f\left(\frac{5}{2}\right)\right\}^3-\{f(6)\}^3=3\{f(-1)\}^3$ …… ㉣

이때 ㉡, ㉢에서

$4\left[4\left\{f\left(-\frac{1}{8}\right)\right\}^3-3\{f(-1)\}^3\right]-\left\{f\left(\frac{5}{2}\right)\right\}^3=3\{f(-1)\}^3$

← ㉡에서 $\left\{f\left(\frac{3}{4}\right)\right\}^3=\left\{f\left(-\frac{1}{8}\right)\right\}^3-3\{f(-1)\}^3$

즉 $16\left\{f\left(-\frac{1}{8}\right)\right\}^3-\left\{f\left(\frac{5}{2}\right)\right\}^3=15\{f(-1)\}^3$ …… ㉤

㉤을 ㉣에 대입하면

$4\left[16\left\{f\left(-\frac{1}{8}\right)\right\}^3-15\{f(-1)\}^3\right]-\{f(6)\}^3=3\{f(-1)\}^3$

← ㉤에서 $\left\{f\left(\frac{5}{2}\right)\right\}^3=16\left\{f\left(-\frac{1}{8}\right)\right\}^3-15\{f(-1)\}^3$

$64\left\{f\left(-\frac{1}{8}\right)\right\}^3-\{f(6)\}^3=63\{f(-1)\}^3$

조건 (다)에서 $f\left(-\frac{1}{8}\right)=1,\ f(6)=2$이므로

$64\cdot 1^3-8=63\{f(-1)\}^3$

$\therefore \{f(-1)\}^3=\frac{8}{9}$

따라서 $f(-1)=\sqrt[3]{\frac{8}{9}}=\sqrt[3]{\frac{8\cdot 3}{27}}=\frac{2\sqrt[3]{3}}{3}$

02 정적분

0815

다음 정적분의 값을 구하여라.

(1) $\displaystyle\int_2^3 \frac{1}{x(x-1)}dx$

STEP A 유리함수의 정적분의 값 구하기

$$\int_2^3 \frac{1}{x(x-1)}dx = \int_2^3\left(\frac{1}{x-1}-\frac{1}{x}\right)dx$$
$$=\Big[\ln|x-1|-\ln|x|\Big]_2^3$$
$$=2\ln 2-\ln 3=\ln\frac{4}{3}$$

(2) $\displaystyle\int_0^{\frac{\pi}{4}} \frac{1}{1-\sin^2 x}dx$

STEP A 삼각함수의 정적분의 값 구하기

$$\int_0^{\frac{\pi}{4}} \frac{1}{1-\sin^2 x}dx = \int_0^{\frac{\pi}{4}} \frac{1}{\cos^2 x}dx = \int_0^{\frac{\pi}{4}} \sec^2 x\,dx$$
$$=\Big[\tan x\Big]_0^{\frac{\pi}{4}}=\tan\frac{\pi}{4}-\tan 0=1$$

(3) $\displaystyle\int_0^{\frac{\pi}{4}}(\sin x\cos 2x+\cos x\sin 2x)dx$

STEP A 삼각함수의 정적분의 값 구하기

$$\int_0^{\frac{\pi}{4}}(\sin x\cos 2x+\cos x\sin 2x)dx=\int_0^{\frac{\pi}{4}}\{\sin(x+2x)\}dx$$
$$=\int_0^{\frac{\pi}{4}}(\sin 3x)dx=\Big[-\frac{1}{3}\cos 3x\Big]_0^{\frac{\pi}{4}}$$
$$=-\frac{1}{3}\left(-\frac{\sqrt{2}}{2}-1\right)=\frac{\sqrt{2}}{6}+\frac{1}{3}$$

0816

다음 물음에 답하여라.

(1) $\displaystyle\int_2^4 2e^{2x-4}dx=k$일 때, $\ln(k+1)$의 값은?

① 1　② 2　③ 3　④ 4　⑤ 5

STEP A 지수함수의 정적분을 이용하여 구하기

$$\int_2^4 2e^{2x-4}dx=\Big[e^{2x-4}\Big]_2^4=e^4-1=k$$

따라서 $\ln(k+1)=\ln(e^4-1+1)=\ln e^4=4$

다른풀이 평행이동을 이용한 정적분의 성질을 이용하여 풀이하기

$$\int_2^4 2e^{2x-4}dx=\int_2^4 2e^{2(x-2)}dx=\int_0^2 2e^{2x}dx$$
$$=\Big[e^{2x}\Big]_0^2=e^4-1$$

따라서 $k=e^4-1$이므로 $\ln(k+1)=\ln e^4=4$

+α $2\displaystyle\int_2^4 e^{2x-4}dx$에서 $2x-4=t$로 놓으면 $2dx=dt$
$x=2$일 때 $t=0$, $x=4$일 때 $t=4$
$2\displaystyle\int_2^4 e^{2x-4}dx=\int_0^4 e^t dt=\Big[e^t\Big]_0^4=e^4-e^0=e^4-1$

(2) $\displaystyle\int_0^4(5x-3)\sqrt{x}\,dx$의 값은?

① 47　② 48　③ 49　④ 50　⑤ 51

STEP A 무리함수의 정적분을 이용하여 구하기

$$\int_0^4(5x-3)\sqrt{x}\,dx=\int_0^4\left(5x^{\frac{3}{2}}-3x^{\frac{1}{2}}\right)dx=\Big[2x^{\frac{5}{2}}-2x^{\frac{3}{2}}\Big]_0^4=64-16=48$$

0817

함수 $f(x)=e^{2x}-e^x$에 대하여

$$\int_{\ln 2}^{\ln 5}f(x)dx-\int_{\ln 3}^{\ln 5}f(x)dx+\int_0^{\ln 2}f(x)dx$$

의 값을 구하여라.

STEP A 정적분의 성질을 이용하여 지수함수의 정적분의 값 구하기

$$\int_{\ln 2}^{\ln 5}f(x)dx-\int_{\ln 3}^{\ln 5}f(x)dx+\int_0^{\ln 2}f(x)dx$$
$$=\int_{\ln 2}^{\ln 5}f(x)dx+\int_{\ln 5}^{\ln 3}f(x)dx+\int_0^{\ln 2}f(x)dx$$
$$=\int_0^{\ln 3}f(x)dx=\int_0^{\ln 3}(e^{2x}-e^x)dx$$
$$=\Big[\frac{1}{2}e^{2x}-e^x\Big]_0^{\ln 3}=\left(\frac{9}{2}-3\right)-\left(\frac{1}{2}-1\right)=2$$

0818

다음 정적분의 값을 구하여라.

(1) $\displaystyle\int_{-1}^1|2^x-1|dx$

STEP A 절댓값 안의 식이 양인 구간과 음인 구간을 나누어 적분하기

$f(x)=|2^x-1|$이라 하면

$$f(x)=\begin{cases}-2^x+1 & (x<0)\\ 2^x-1 & (x\ge 0)\end{cases}$$

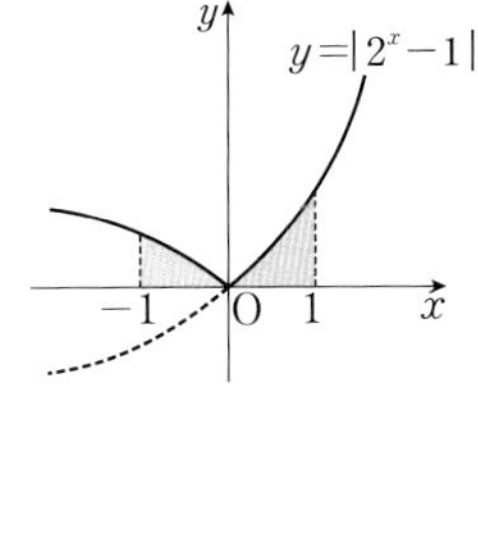

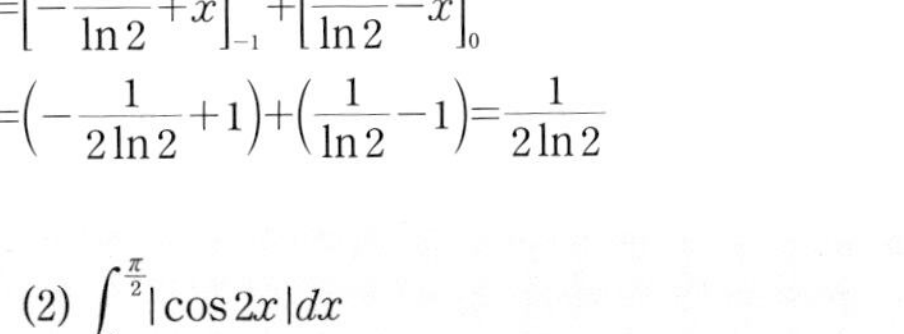

$$\int_{-1}^1|2^x-1|dx$$
$$=\int_{-1}^0(-2^x+1)dx+\int_0^1(2^x-1)dx$$
$$=\Big[-\frac{2^x}{\ln 2}+x\Big]_{-1}^0+\Big[\frac{2^x}{\ln 2}-x\Big]_0^1$$
$$=\left(-\frac{1}{2\ln 2}+1\right)+\left(\frac{1}{\ln 2}-1\right)=\frac{1}{2\ln 2}$$

(2) $\displaystyle\int_0^{\frac{\pi}{2}}|\cos 2x|dx$

STEP A 절댓값 안의 식이 양인 구간과 음인 구간을 나누어 적분하기

$f(x)=|\cos 2x|$이라 하면

$$f(x)=\begin{cases}\cos 2x & \left(0\le x\le\frac{\pi}{4}\right)\\ -\cos 2x & \left(\frac{\pi}{4}<x\le\frac{\pi}{2}\right)\end{cases}$$

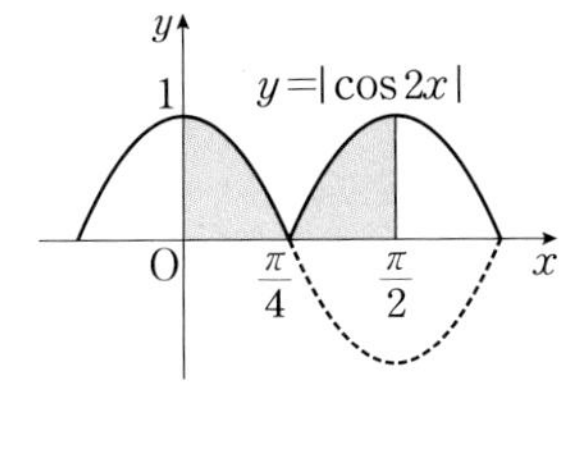

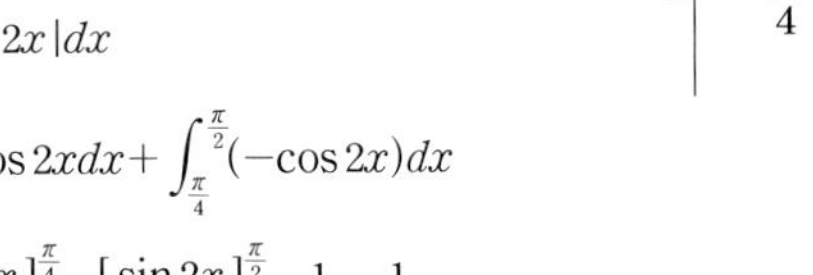

$$\int_0^{\frac{\pi}{2}}|\cos 2x|dx$$
$$=\int_0^{\frac{\pi}{4}}\cos 2x\,dx+\int_{\frac{\pi}{4}}^{\frac{\pi}{2}}(-\cos 2x)dx$$
$$=\Big[\frac{\sin 2x}{2}\Big]_0^{\frac{\pi}{4}}-\Big[\frac{\sin 2x}{2}\Big]_{\frac{\pi}{4}}^{\frac{\pi}{2}}=\frac{1}{2}+\frac{1}{2}=1$$

참고 그림에서 색칠된 부분의 넓이가 같으므로 $\displaystyle\int_0^{\frac{\pi}{2}}|\cos 2x|dx=2\int_0^{\frac{\pi}{4}}\cos 2x\,dx$

(3) $\int_{\frac{1}{e}}^{e}|\ln x|dx$

STEP Ⓐ 절댓값 안의 식이 양인 구간과 음인 구간을 나누어 적분하기

$f(x)=|\ln x|$이라 하면

$f(x)=\begin{cases}-\ln x & \left(\frac{1}{e}\le x\le 1\right)\\ \ln x & (1<x\le e)\end{cases}$

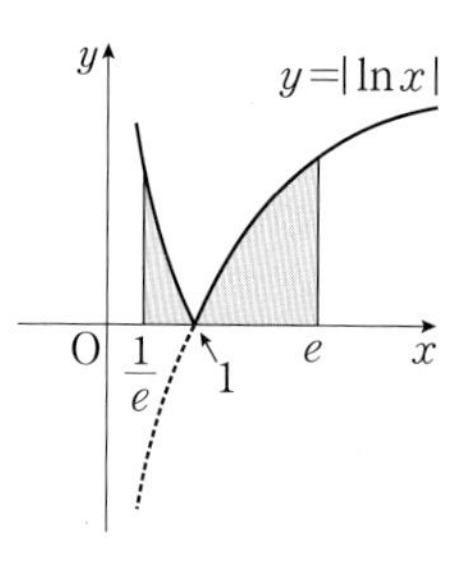

$\int_{\frac{1}{e}}^{e}|\ln x|dx$

$=\int_{\frac{1}{e}}^{1}(-\ln x)dx+\int_{1}^{e}\ln x dx$

$=\left[-\left(x\ln x-x\right)\right]_{\frac{1}{e}}^{1}+\left[x\ln x-x\right]_{1}^{e}$

$=2-\frac{2}{e}$

참고 $\int \ln x dx=x\ln x-x+c$

0819

다음 정적분의 값을 구하여라.

(1) $\int_{0}^{\frac{\pi}{2}}|\cos x-\sin x|dx$

STEP Ⓐ 닫힌구간 $\left[0,\ \frac{\pi}{2}\right]$에서 방정식 $\cos x-\sin x=0$의 해를 구하기

$\sin x-\cos x=0$에서 $\sin x=\cos x$이므로

$\tan x=1 \quad \therefore\ x=\frac{\pi}{4}$

STEP Ⓑ 닫힌구간 $\left[0,\ \frac{\pi}{2}\right]$에서 $|\cos x-\sin x|$을 만족시키는 구간 구하기

$|\cos x-\sin x|=\begin{cases}\cos x-\sin x & \left(0\le x\le\frac{\pi}{4}\right)\\ -\cos x+\sin x & \left(\frac{\pi}{4}<x\le\frac{\pi}{2}\right)\end{cases}$

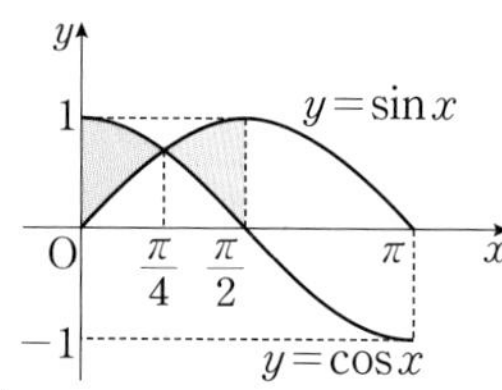

STEP Ⓒ 정적분 $\int_{0}^{\frac{\pi}{2}}|\cos x-\sin x|dx$의 값 구하기

$\int_{0}^{\frac{\pi}{2}}|\cos x-\sin x|dx=\int_{0}^{\frac{\pi}{4}}(\cos x-\sin x)dx+\int_{\frac{\pi}{4}}^{\frac{\pi}{2}}(-\cos x+\sin x)dx$

$=\left[\sin x+\cos x\right]_{0}^{\frac{\pi}{4}}+\left[-\sin x-\cos x\right]_{\frac{\pi}{4}}^{\frac{\pi}{2}}$

$=\left\{\left(\frac{\sqrt{2}}{2}+\frac{\sqrt{2}}{2}\right)-1\right\}+\left\{-1-\left(-\frac{\sqrt{2}}{2}-\frac{\sqrt{2}}{2}\right)\right\}$

$=2\sqrt{2}-2$

(2) $\int_{0}^{\pi}|\sin x+\cos x|dx$

STEP Ⓐ 닫힌구간 $[0,\ \pi]$에서 방정식 $\sin x+\cos x=0$의 해를 구하기

$\sin x+\cos x=0$에서 $\sin x=-\cos x$이므로

$\tan x=-1 \quad \therefore\ x=\frac{3}{4}\pi$

STEP Ⓑ 닫힌구간 $[0,\ \pi]$에서 $\sin x+\cos x\ge 0$, $\sin x+\cos x\le 0$을 만족시키는 구간 구하기

$|\sin x+\cos x|=\begin{cases}\sin x+\cos x & \left(0\le x\le\frac{3}{4}\pi\right)\\ -\sin x-\cos x & \left(\frac{3}{4}\pi<x\le\pi\right)\end{cases}$

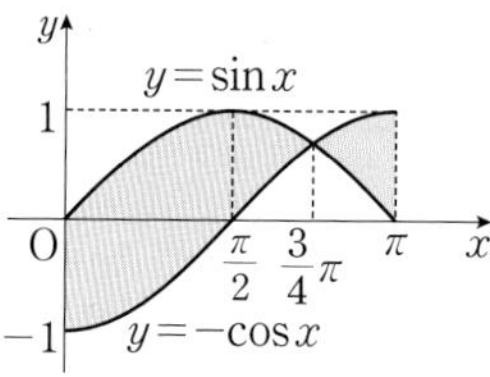

STEP Ⓒ 정적분 $\int_{0}^{\pi}|\sin x+\cos x|dx$의 값 구하기

$\int_{0}^{\pi}|\sin x+\cos x|dx$

$=\int_{0}^{\frac{3}{4}\pi}(\sin x+\cos x)dx+\int_{\frac{3}{4}\pi}^{\pi}(-\sin x-\cos x)dx$

$=\left[-\cos x+\sin x\right]_{0}^{\frac{3}{4}\pi}+\left[\cos x-\sin x\right]_{\frac{3}{4}\pi}^{\pi}$

$=\left\{\left(\frac{\sqrt{2}}{2}+\frac{\sqrt{2}}{2}\right)-(-1+0)\right\}+\left\{(-1-0)-\left(-\frac{\sqrt{2}}{2}-\frac{\sqrt{2}}{2}\right)\right\}$

$=\sqrt{2}+1-1+\sqrt{2}=2\sqrt{2}$

0820

오른쪽 그림은 함수 $y=e^{x}$의 그래프를 x축 방향으로 a만큼, y축으로 b만큼 평행이동한 함수 $y=f(x)$의 그래프와 점근선을 나타낸 것이다.
다음 물음에 답하여라.

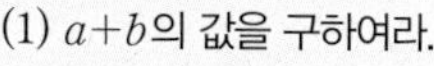

(1) $a+b$의 값을 구하여라.

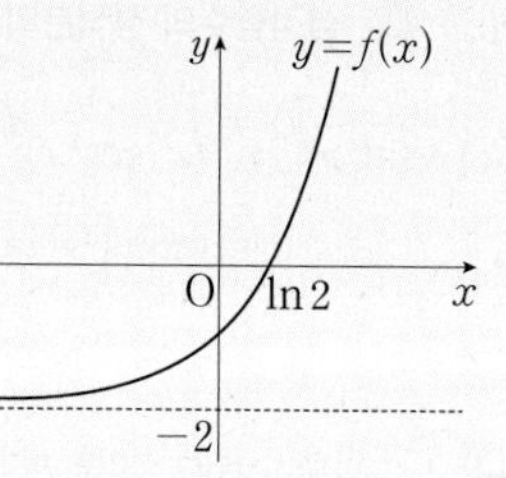

STEP Ⓐ 점근선과 x축과의 교점을 이용하여 a, b의 값 구하기

함수 $y=e^{x}$의 그래프를 x축 방향으로 a만큼, y축으로 b만큼 평행이동한 함수는 $f(x)=e^{x-a}+b$

이때 점근선이 $y=-2$이므로 $b=-2$

$f(x)=e^{x-a}-2$

또한, $f(\ln 2)=0$에서 $e^{\ln 2-a}-2=0$이므로 $e^{\ln 2-a}=2 \quad \therefore\ a=0$

따라서 $a+b=0-2=-2$

(2) 정적분 $\int_{0}^{1}|f(x)|dx$의 값을 구하여라.

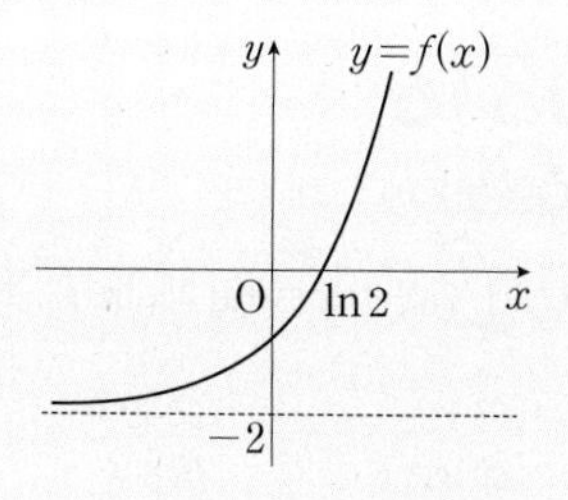

STEP Ⓐ 절댓값 안의 식이 양인 구간과 음인 구간을 나누어 적분하기

$|f(x)|=|e^{x}-2|$

$=\begin{cases}-e^{x}+2 & (0\le x\le \ln 2)\\ e^{x}-2 & (\ln 2\le x\le 1)\end{cases}$

$\int_{0}^{1}|f(x)|dx$

$=\int_{0}^{1}|e^{x}-2|dx$

$=\int_{0}^{\ln 2}(-e^{x}+2)dx+\int_{\ln 2}^{1}(e^{x}-2)dx$

$=\left[-e^{x}+2x\right]_{0}^{\ln 2}+\left[e^{x}-2x\right]_{\ln 2}^{1}$

$=\{(-e^{\ln 2}+2\ln 2)-(-1)\}+\{(e-2)-(e^{\ln 2}-2\ln 2)\}$

$=-2+2\ln 2+1+e-2-2+2\ln 2$

$=4\ln 2+e-5$

0821

다음 정적분의 값을 구하여라.

(1) $2\int_0^1 xe^{-x^2}dx$

STEP A $x^2=t$로 치환하여 정적분의 값 구하기

$x^2=t$로 놓으면 $2xdx=dt$, $xdx=\frac{1}{2}dt$이고

$x=0$일 때 $t=0$, $x=1$일 때 $t=1$

$$2\int_0^1 xe^{-x^2}dx=2\int_0^1 e^{-t}\cdot\frac{1}{2}dt=\int_0^1 e^{-t}dt=\left[-e^{-t}\right]_0^1$$
$$=-\frac{1}{e}+1=\frac{e-1}{e}$$

(2) $\int_1^{e^2}\frac{1}{x(\ln x+2)^2}dx$

STEP A $\ln x+2=t$로 치환하여 정적분의 값 구하기

$\ln x+2=t$로 놓으면 $\frac{1}{x}dx=dt$이고

$x=1$일 때 $t=2$, $x=e^2$일 때 $t=4$

$$\int_1^{e^2}\frac{1}{x(\ln x+2)^2}dx=\int_2^4\frac{1}{t^2}dt=\left[-\frac{1}{t}\right]_2^4=\frac{1}{4}$$

(3) $\int_0^{\sqrt{3}}\frac{x}{\sqrt{x^2+1}}dx$

STEP A $x^2+1=t$로 치환하여 정적분의 값 구하기

$x^2+1=t$로 놓으면 $2xdx=dt$이고

$x=0$일 때 $t=1$, $x=\sqrt{3}$일 때 $t=4$이므로

$$\int_0^{\sqrt{3}}\frac{x}{\sqrt{x^2+1}}dx=\frac{1}{2}\int_1^4\frac{1}{\sqrt{t}}dt=\frac{1}{2}\left[2\sqrt{t}\right]_1^4=1$$

다른풀이 $\sqrt{x^2+1}=t$로 치환하여 풀이하기

$\sqrt{x^2+1}=t$로 놓으면 $x^2+1=t^2$이고 $2xdx=2tdt$

또, $x=\sqrt{3}$일 때 $t=2$, $x=0$일 때, $t=1$이므로

$$\int_1^2\frac{1}{t}\cdot tdt=\int_1^2 1dt=\left[t\right]_1^2=2-1=1$$

0822

다음 물음에 답하여라.

(1) $\int_0^{\sqrt{3}}2x\sqrt{x^2+1}dx$의 값은?

① 4 ② $\frac{13}{3}$ ③ $\frac{14}{3}$
④ 5 ⑤ $\frac{16}{3}$

STEP A $x^2+1=t$로 치환하여 정적분의 값 구하기

$x^2+1=t$로 놓으면 $2xdx=dt$이고

$x=0$일 때 $t=1$, $x=\sqrt{3}$일 때 $t=4$이므로

$$\int_0^{\sqrt{3}}2x\sqrt{x^2+1}dx=\int_1^4\sqrt{t}dt=\left[\frac{2}{3}t^{\frac{3}{2}}\right]_1^4$$
$$=\frac{16}{3}-\frac{2}{3}=\frac{14}{3}$$

(2) $\int_1^{\sqrt{2}}x^3\sqrt{x^2-1}dx$의 값은?

① $\frac{7}{15}$ ② $\frac{8}{15}$ ③ $\frac{3}{5}$
④ $\frac{2}{3}$ ⑤ $\frac{11}{15}$

STEP A $\sqrt{x^2-1}=t$로 치환하여 정적분의 값 구하기

$\sqrt{x^2-1}=t$로 놓으면 $x^2=t^2+1$

양변을 x에 대하여 미분하면 $2xdx=2tdt$이고

$x=1$일 때, $t=0$이고 $x=\sqrt{2}$일 때, $t=1$

따라서 $\int_1^{\sqrt{2}}x^3\sqrt{x^2-1}dx=\int_0^1(t^2+1)t^2dt=\int_0^1(t^4+t^2)dt$

$$=\left[\frac{1}{5}t^5+\frac{1}{3}t^3\right]_0^1=\frac{1}{5}+\frac{1}{3}=\frac{8}{15}$$

다른풀이 $x^2-1=t$로 치환하여 풀이하기

$\int_1^{\sqrt{2}}x^3\sqrt{x^2-1}dx$에서 $x^2-1=t$로 놓으면

양변을 x에 대하여 미분하면 $2xdx=dt$이고

$x=1$일 때 $t=0$, $x=\sqrt{2}$일 때 $t=1$

따라서 $\int_1^{\sqrt{2}}x^3\sqrt{x^2-1}dx$ ← $\int_1^{\sqrt{2}}x^2\cdot\sqrt{x^2-1}\cdot xdx$

$$=\int_0^1\frac{1}{2}(t+1)\sqrt{t}dt=\frac{1}{2}\int_0^1\left(t^{\frac{3}{2}}+t^{\frac{1}{2}}\right)dt$$
$$=\frac{1}{2}\left[\frac{2}{5}t^{\frac{5}{2}}+\frac{2}{3}t^{\frac{3}{2}}\right]_0^1=\frac{1}{2}\left(\frac{2}{5}+\frac{2}{3}\right)$$
$$=\frac{1}{2}\cdot\frac{16}{15}=\frac{8}{15}$$

0823

다음 물음에 답하여라.

(1) 1보다 큰 실수 a에 대하여

$$f(a)=\int_1^a\frac{\sqrt{\ln x}}{x}dx$$

라 할 때, $f(a^4)$과 같은 것은?

① $4f(a)$ ② $8f(a)$ ③ $12f(a)$
④ $16f(a)$ ⑤ $20f(a)$

STEP A $\ln x=t$로 치환하여 치환적분법을 이용하기

$\ln x=t$로 놓으면 $\frac{1}{x}dx=dt$이고

$x=1$일 때 $t=0$, $x=a$일 때 $t=\ln a$이므로

$$f(a)=\int_0^{\ln a}\sqrt{t}dt=\left[\frac{2}{3}t^{\frac{3}{2}}\right]_0^{\ln a}=\frac{2}{3}(\ln a)^{\frac{3}{2}}$$

따라서 $f(a^4)=\frac{2}{3}(\ln a^4)^{\frac{3}{2}}=\frac{2}{3}\cdot 4^{\frac{3}{2}}(\ln a)^{\frac{3}{2}}=8f(a)$

(2) 실수 전체의 집합에서 연속인 함수 $f(x)$에 대하여

$$\int_1^{e^2}\frac{f(1+2\ln x)}{x}dx=5$$

일 때, $\int_1^5 f(x)dx$의 값은?

① 6 ② 7 ③ 8
④ 9 ⑤ 10

STEP A $1+2\ln x=t$로 치환하여 치환적분법을 이용하기

$1+2\ln x=t$라 하면 $\frac{2}{x}dx=dt$

$x=1$일 때 $t=1$, $x=e^2$일 때 $t=5$

따라서 $\int_1^{e^2}\frac{f(1+2\ln x)}{x}dx=\frac{1}{2}\int_1^5 f(t)dt=5$이므로 $\int_1^5 f(x)dx=10$

0824

다음 정적분의 값을 구하여라.

(1) $\int_0^{\frac{\pi}{2}}(\sin^3 x+1)\cos x dx$

STEP A $\sin x=t$로 치환하여 치환적분법을 이용하기

$\sin x=t$로 놓으면 $\cos x dx=dt$이고

$x=0$일 때 $t=0$, $x=\frac{\pi}{2}$일 때 $t=1$이므로

$\int_0^{\frac{\pi}{2}}(\sin^3 x+1)\cos x dx=\int_0^1(t^3+1)dt=\left[\frac{1}{4}t^4+t\right]_0^1=\frac{5}{4}$

(2) $\int_0^{\frac{\pi}{2}}\frac{\cos^3 x}{1-\sin x}dx$

STEP A $\cos^3 x=\cos^2 x\cdot\cos x$을 이용하여 변형하기

$\int_0^{\frac{\pi}{2}}\frac{\cos^3 x}{1-\sin x}dx=\int_0^{\frac{\pi}{2}}\frac{\cos^2 x\cos x}{1-\sin x}dx$

$=\int_0^{\frac{\pi}{2}}\frac{(1-\sin^2 x)\cos x}{1-\sin x}dx$

$=\int_0^{\frac{\pi}{2}}(1+\sin x)\cos x dx$

STEP B $1+\sin x=t$로 치환하여 치환적분법을 이용하기

$1+\sin x=t$로 놓으면 $\cos x dx=dt$이고

$x=0$일 때 $t=1$, $x=\frac{\pi}{2}$일 때 $t=2$이므로

$\int_0^{\frac{\pi}{2}}(1+\sin x)\cos x dx=\int_1^2 t dt=\left[\frac{1}{2}t^2\right]_1^2=\frac{3}{2}$

(3) $\int_0^{\frac{\pi}{4}}\cos^3 x dx$

STEP A $\cos^3 x=\cos^2 x\cdot\cos x$을 이용하여 변형하기

$\cos^2 x=1-\sin^2 x$이므로

$\int_0^{\frac{\pi}{4}}\cos^3 x dx=\int_0^{\frac{\pi}{4}}\cos^2 x\cdot\cos x dx$

$=\int_0^{\frac{\pi}{4}}(1-\sin^2 x)\cos x dx$

STEP B $\sin x=t$로 치환하여 치환적분법을 이용하기

$\sin x=t$로 놓으면 $\cos x dx=dt$이고

$x=0$일 때 $t=0$, $x=\frac{\pi}{4}$일 때 $t=\frac{\sqrt{2}}{2}$이므로

$\int_0^{\frac{\pi}{4}}(1-\sin^2 x)\cos x dx=\int_0^{\frac{\sqrt{2}}{2}}(1-t^2)dt=\left[t-\frac{1}{3}t^3\right]_0^{\frac{\sqrt{2}}{2}}=\frac{5}{12}\sqrt{2}$

0825

다음 정적분의 값을 구하여라.

(1) 정적분 $\int_0^{\frac{\pi}{2}}\sin 2x(\sin x+1)dx$의 값은?

① $\frac{1}{3}$ ② $\frac{2}{3}$ ③ 1
④ $\frac{4}{3}$ ⑤ $\frac{5}{3}$

STEP A $\sin 2x=2\sin x\cos x$을 이용하여 변형하기

$\int_0^{\frac{\pi}{2}}\sin 2x(\sin x+1)dx=\int_0^{\frac{\pi}{2}}2\sin x\cos x(\sin x+1)dx$

STEP B $\sin x=t$로 치환하여 치환적분법을 이용하기

$\sin x=t$로 치환하면 $\cos x dx=dt$

$x=0$일 때 $t=0$, $x=\frac{\pi}{2}$일 때 $t=1$이므로

$\int_0^{\frac{\pi}{2}}\sin 2x(\sin x+1)dx=\int_0^1(2t^2+2t)dt=\left[\frac{2t^3}{3}+t^2\right]_0^1=\frac{5}{3}$

(2) $\int_0^{\frac{\pi}{2}}(\cos x+3\cos^3 x)dx$의 값은?

① $\frac{1}{2}$ ② 1 ③ $\frac{3}{2}$
④ 2 ⑤ 3

STEP A $\cos x+3\cos^3 x=\cos x(4-3\sin^2 x)$로 정리하기

$\int_0^{\frac{\pi}{2}}(\cos x+3\cos^3 x)dx=\int_0^{\frac{\pi}{2}}\cos x(1+3\cos^2 x)dx$

$=\int_0^{\frac{\pi}{2}}\cos\{1+3(1-\sin^2 x)\}dx$

$=\int_0^{\frac{\pi}{2}}\cos x(4-3\sin^2 x)dx$

STEP B $\sin x=t$로 치환하여 치환적분법을 이용하기

여기서 $\sin x=t$로 놓으면 $\cos x dx=dt$

$x=0$일 때, $t=0$이고 $x=\frac{\pi}{2}$일 때, $t=1$

따라서 $\int_0^{\frac{\pi}{2}}\cos x(4-3\sin^2 x)dx=\int_0^1(4-3t^2)dt=\left[4t-t^3\right]_0^1=3$

다른풀이 $\cos^3 x=(1-\sin^2 x)\cos x$임을 이용하여 풀이하기

$\int_0^{\frac{\pi}{2}}(\cos x+3\cos^3 x)dx=\int_0^{\frac{\pi}{2}}\cos x dx+3\int_0^{\frac{\pi}{2}}\cos^3 x dx$

$=\left[\sin x\right]_0^{\frac{\pi}{2}}+3\int_0^{\frac{\pi}{2}}(1-\sin^2 x)\cos x dx$

$=1+3\int_0^1(1-t^2)dt$

$=1+3\left[t-\frac{t^3}{3}\right]_0^1=1+2=3$

← $\sin x=t$로 치환하면 $\cos x dx=dt$이고 $x=0$일 때 $t=0$, $x=\frac{\pi}{2}$일 때 $t=1$

(3) $\int_0^{\frac{\pi}{2}}\sqrt{\cos x-\cos^3 x}\,dx$의 값은?

① $\frac{1}{3}$ ② $\frac{2}{3}$ ③ 1
④ $\frac{4}{3}$ ⑤ $\frac{5}{3}$

STEP A $\cos x-\cos^3 x=\cos x\sin^2 x$을 이용하여 변형하기

$\int_0^{\frac{\pi}{2}}\sqrt{\cos x-\cos^3 x}\,dx=\int_0^{\frac{\pi}{2}}\sqrt{\cos x(1-\cos^2 x)}\,dx$

$=\int_0^{\frac{\pi}{2}}\sqrt{\cos x\sin^2 x}\,dx$

$=\int_0^{\frac{\pi}{2}}\sin x\sqrt{\cos x}\,dx$ …… ㉠

← $\sqrt{\cos x\sin^2 x}=|\sin x|\sqrt{\cos x}=\sin x\sqrt{\cos x}\left(\because 0<x<\frac{x}{2}\right)$

STEP B $\cos x=t$로 치환하여 치환적분법을 이용하기

㉠에서 $\cos x=t$로 놓으면 $-\sin x dx=dt$이고

$x=0$일 때, $t=1$이고 $x=\frac{\pi}{2}$일 때, $t=0$

따라서 $\int_0^{\frac{\pi}{2}}\sin x\sqrt{\cos x}\,dx=-\int_1^0\sqrt{t}\,dt=\int_0^1\sqrt{t}\,dt=\left[\frac{2}{3}t^{\frac{3}{2}}\right]_0^1=\frac{2}{3}$

0826

$\int_{e^2}^{e^3}\frac{a+\ln x}{x}dx=\int_0^{\frac{\pi}{2}}(1+\sin x)\cos x dx$가 성립할 때, 상수 a의 값은?

① -2 ② -1 ③ 0
④ 1 ⑤ 2

STEP Ⓐ $\ln x=s$로 치환하여 치환적분법을 이용하기

$\int_{e^2}^{e^3}\frac{a+\ln x}{x}dx$에서 $\ln x=s$로 놓으면 $\frac{1}{x}dx=ds$

$x=e^2$일 때 $s=2$, $x=e^3$일 때 $s=3$이므로

$\int_{e^2}^{e^3}\frac{a+\ln x}{x}dx=\int_2^3(a+s)ds=\left[as+\frac{1}{2}s^2\right]_2^3=a+\frac{5}{2}$ …… ㉠

STEP Ⓑ $\sin x=t$로 치환하여 치환적분법을 이용하기

$\int_0^{\frac{\pi}{2}}(1+\sin x)\cos x dx$에서 $\sin x=t$로 놓으면 $\cos x dx=dt$

$x=0$일 때 $t=0$, $x=\frac{\pi}{2}$일 때 $t=1$이므로

$\int_0^{\frac{\pi}{2}}(1+\sin x)\cos x dx=\int_0^1(1+t)dt=\left[t+\frac{1}{2}t^2\right]_0^1=\frac{3}{2}$ …… ㉡

㉠, ㉡에서 $a+\frac{5}{2}=\frac{3}{2}$ $\therefore a=-1$

따라서 a의 값은 -1

0827

다음 정적분의 값을 구하여라.

(1) $\int_1^3\frac{x}{x^2+1}dx$

STEP Ⓐ $x^2+1=t$로 치환하여 치환적분법을 이용하기

$x^2+1=t$로 놓으면 $2xdx=dt$

$x=1$일 때 $t=2$, $x=3$일 때 $t=10$이므로

$\int_1^3\frac{x}{x^2+1}dx=\int_2^{10}\frac{1}{2}\cdot\frac{1}{t}dt=\frac{1}{2}\left[\ln t\right]_2^{10}=\frac{1}{2}(\ln 10-\ln 2)=\frac{1}{2}\ln 5$

(2) $\int_0^{\pi}\frac{\sin x}{2+\cos x}dx$

STEP Ⓐ $2+\cos x=t$로 치환하여 치환적분법을 이용하기

$2+\cos x=t$로 놓으면 $-\sin x dx=dt$

$x=0$일 때 $t=3$, $x=\pi$일 때 $t=1$이므로

$\int_0^{\pi}\frac{\sin x}{2+\cos x}dx=\int_3^1-\frac{1}{t}dt=\int_1^3\frac{1}{t}dt=\left[\ln t\right]_1^3=\ln 3$

(3) $\int_0^{\frac{\pi}{3}}\tan x dx$

STEP Ⓐ $\cos x=t$로 치환하여 치환적분법을 이용하기

$\int_0^{\frac{\pi}{3}}\tan x dx=\int_0^{\frac{\pi}{3}}\frac{\sin x}{\cos x}dx$에서

$\cos x=t$로 놓으면 $-\sin x dx=dt$이고

$x=0$일 때 $t=1$, $x=\frac{\pi}{3}$일 때 $t=\frac{1}{2}$이므로

$\int_0^{\frac{\pi}{3}}\tan x dx=\int_0^{\frac{\pi}{3}}\frac{\sin x}{\cos x}dx=-\int_1^{\frac{1}{2}}\frac{1}{t}dt=-\left[\ln|t|\right]_1^{\frac{1}{2}}=-\ln\frac{1}{2}=\ln 2$

참고 $\int_0^{\frac{\pi}{3}}\tan x dx=\int_0^{\frac{\pi}{3}}\frac{\sin x}{\cos x}dx=-\int_0^{\frac{\pi}{3}}\frac{(-\sin x)}{\cos x}dx$

$=-\int_0^{\frac{\pi}{3}}\frac{(\cos x)'}{\cos x}dx$

$=-\left[\ln|\cos x|\right]_0^{\frac{\pi}{3}}$

$=-\ln\frac{1}{2}=\ln 2$

0828

다음 물음에 답하여라.

(1) 정적분 $\int_e^{e^2}\frac{1}{x\ln x}dx$의 값은?

① -1 ② $-\ln 2$ ③ $\ln 2$
④ 1 ⑤ 2

STEP Ⓐ $\ln x=t$로 치환하여 치환적분법을 이용하기

$\ln x=t$로 놓으면 $\frac{1}{x}dx=dt$

$x=e$일 때 $t=1$, $x=e^2$일 때 $t=2$이므로

$\int_e^{e^2}\frac{1}{x\ln x}dx=\int_1^2\frac{1}{t}dt=\left[\ln t\right]_1^2=\ln 2$

(2) $\int_{\frac{\pi}{6}}^{\frac{\pi}{3}}\frac{1}{(2\sqrt{3}+\tan x)\cos^2 x}dx$의 값은?

① $\frac{1}{3}\ln 3$ ② $\frac{1}{2}\ln 3$ ③ 1
④ $\ln\frac{8}{7}$ ⑤ $\ln\frac{9}{7}$

STEP Ⓐ $\tan x=t$로 치환하여 치환적분법을 이용하기

$\frac{1}{(2\sqrt{3}+\tan x)\cos^2 x}=\frac{\sec^2 x}{2\sqrt{3}+\tan x}$

$\tan x=t$로 놓으면 $\sec^2 x=\frac{dt}{dx}$이고

$x=\frac{\pi}{6}$일 때 $t=\frac{\sqrt{3}}{3}$, $x=\frac{\pi}{3}$일 때 $t=\sqrt{3}$

$\therefore \int_{\frac{\pi}{6}}^{\frac{\pi}{3}}\frac{1}{(2\sqrt{3}+\tan x)\cos^2 x}dx=\int_{\frac{\sqrt{3}}{3}}^{\sqrt{3}}\frac{1}{2\sqrt{3}+t}dt=\left[\ln|2\sqrt{3}+t|\right]_{\frac{\sqrt{3}}{3}}^{\sqrt{3}}$

$=\ln 3\sqrt{3}-\ln\frac{7\sqrt{3}}{3}=\ln\left(3\sqrt{3}\times\frac{3}{7\sqrt{3}}\right)$

$=\ln\frac{9}{7}$

0829

다음 물음에 답하여라.

(1) $f(x)=e^{-2x}$, $g(x)=\frac{1}{1+x}$일 때, $\int_0^{\ln 3}g(f(x))dx$의 값은?

① 1 ② $\ln 2$ ③ $\ln 5$
④ $\ln\sqrt{2}$ ⑤ $\ln\sqrt{5}$

STEP Ⓐ $g(f(x))$의 식 작성하기

$g(f(x))=\frac{1}{1+f(x)}=\frac{1}{1+e^{-2x}}=\frac{e^{2x}}{e^{2x}+1}$

STEP Ⓑ $\int\frac{f'(x)}{f(x)}dx=\ln|f(x)|+C$를 이용하여 정적분하기

따라서 $\int_0^{\ln 3}g(f(x))dx=\int_0^{\ln 3}\frac{e^{2x}}{e^{2x}+1}dx=\frac{1}{2}\int_0^{\ln 3}\frac{2e^{2x}}{e^{2x}+1}dx$

$=\frac{1}{2}\left[\ln(e^{2x}+1)\right]_0^{\ln 3}=\ln\sqrt{5}$ ⬅ $e^{2\ln 3}=3^{2\ln e}=3^2$

(2) 함수 $f(x)$가

$f(x)=\int_0^x\frac{1}{1+e^{-t}}dt$

일 때, $(f\circ f)(a)=\ln 5$를 만족시키는 실수 a의 값은?

① $\ln 11$ ② $\ln 13$ ③ $\ln 15$
④ $\ln 17$ ⑤ $\ln 19$

02 정적분

STEP Ⓐ $\int \frac{f'(x)}{f(x)}dx=\ln|f(x)|+C$을 이용하여 정적분 하기

$f(x)=\int_0^x \frac{1}{1+e^{-t}}dt$

$=\int_0^x \frac{e^t}{e^t+1}dt$ ⬅ $\frac{1}{1+e^{-t}}$의 분자와 분모에 각각 e^t을 곱한다.

$=\Big[\ln(e^t+1)\Big]_0^x$ ⬅ $e^t+1=s$로 치환하면 $\int_2^{e^x+1}\frac{1}{s}dx=\Big[\ln s\Big]_2^{e^x+1}$

$=\ln(e^x+1)-\ln 2$

STEP Ⓑ $(f\circ f)(a)=\ln 5$를 만족하는 a의 값 구하기

$(f\circ f)(a)=f(f(a))=\ln(e^{f(a)}+1)-\ln 2=\ln 5$

$\ln(e^{f(a)}+1)=\ln 10$

$e^{f(a)}+1=10,\ e^{f(a)}=9\quad \therefore f(a)=\ln 9$

이때 $f(a)=\ln(e^a+1)-\ln 2$이므로 $\ln(e^a+1)-\ln 2=\ln 9$

$\ln(e^a+1)=\ln 18$

따라서 $e^a=17$이므로 $a=\ln 17$

다른풀이 $e^t+1=s$로 치환하여 정적분 하여 풀이하기

$f(x)=\int_0^t \frac{1}{1+e^{-t}}dt=\int_0^x \frac{e^t}{e^t+1}dt$에서 $e^t+1=s$로 놓으면

$\frac{ds}{dt}=e^t$이고 $t=0$일 때 $s=2$, $t=x$일 때 $s=e^x+1$이므로

$f(x)=\int_2^{e^x+1}\frac{1}{s}ds=\Big[\ln|s|\Big]_2^{e^x+1}=\ln(e^x+1)-\ln 2=\ln\frac{e^x+1}{2}$

$f(f(a))=\ln 5$에서 $f(a)=k$로 놓으면

$f(k)=\ln\frac{e^k+1}{2}=\ln 5$

$\frac{e^k+1}{2}=5,\ e^k=9\quad \therefore k=\ln 9$

$f(a)=\ln 9$에서 $\ln\frac{e^a+1}{2}=\ln 9$

$\frac{e^a+1}{2}=9,\ e^a=17$

따라서 $a=\ln 17$

0830

$\int_{-2}^{2}\frac{1}{x^2+4}dx-\int_0^{\frac{3}{2}}\frac{1}{\sqrt{9-x^2}}dx$의 값은?

① $\frac{\pi}{12}$ ② $\frac{\pi}{6}$ ③ $\frac{\pi}{4}$
④ $\frac{\pi}{3}$ ⑤ $\frac{5}{12}\pi$

STEP Ⓐ $x=2\tan\theta$로 치환하여 치환적분법을 이용하기

$x=2\tan\theta\left(-\frac{\pi}{2}<\theta<\frac{\pi}{2}\right)$로 놓으면 $\frac{dx}{d\theta}=2\sec^2\theta$이고

$x=-2$일 때 $\theta=-\frac{\pi}{4}$, $x=2$일 때 $\theta=\frac{\pi}{4}$이므로

$\int_{-2}^{2}\frac{1}{x^2+4}dx=\int_{-\frac{\pi}{4}}^{\frac{\pi}{4}}\frac{1}{4(\tan^2\theta+1)}\times 2\sec^2\theta d\theta$

$=\int_{-\frac{\pi}{4}}^{\frac{\pi}{4}}\frac{1}{2}d\theta=\Big[\frac{1}{2}\theta\Big]_{-\frac{\pi}{4}}^{\frac{\pi}{4}}=\frac{\pi}{4}$

STEP Ⓑ $x=3\sin\theta$로 놓고 치환적분을 이용하여 정적분의 값 구하기

$x=3\sin\theta\left(-\frac{\pi}{2}\le\theta\le\frac{\pi}{2}\right)$로 놓으면

$\frac{dx}{d\theta}=3\cos\theta$, 즉 $dx=3\cos\theta d\theta$이고

$x=0$일 때 $\theta=0$, $x=\frac{3}{2}$일 때 $\theta=\frac{\pi}{6}$이므로

$\int_0^{\frac{3}{2}}\frac{1}{\sqrt{9-x^2}}dx=\int_0^{\frac{\pi}{6}}\frac{3\cos\theta}{\sqrt{9-9\sin^2\theta}}d\theta=\int_0^{\frac{\pi}{6}}\frac{3\cos\theta}{\sqrt{9\cos^2\theta}}d\theta$

$=\int_0^{\frac{\pi}{6}}\frac{3\cos\theta}{3\cos\theta}d\theta=\int_0^{\frac{\pi}{6}}d\theta=\Big[\theta\Big]_0^{\frac{\pi}{6}}=\frac{\pi}{6}$

STEP Ⓒ 주어진 값 구하기

따라서 $\int_{-2}^{2}\frac{1}{x^2+4}dx-\int_0^{\frac{3}{2}}\frac{1}{\sqrt{9-x^2}}dx=\frac{\pi}{4}-\frac{\pi}{6}=\frac{\pi}{12}$

0831

정적분 $\int_0^a \frac{1}{x^2+a^2}dx=\frac{\pi}{12}$일 때, 양수 a의 값은?

① 1 ② 2 ③ 3
④ 4 ⑤ 5

STEP Ⓐ $x=a\tan\theta$로 놓고 치환적분을 이용하여 정적분의 값 구하기

$x=a\tan\theta\left(-\frac{\pi}{2}<\theta<\frac{\pi}{2}\right)$로 놓으면 $\frac{dx}{d\theta}=\sec^2\theta$

즉 $dx=a\sec^2\theta d\theta$이고

$x=0$일 때 $\theta=0$, $x=a$일 때 $\theta=\frac{\pi}{4}$이므로

$\int_0^a \frac{1}{x^2+a^2}dx=\int_0^{\frac{\pi}{4}}\frac{1}{a^2(1+\tan^2\theta)}\cdot a\sec^2\theta d\theta$

$=\frac{1}{a}\int_0^{\frac{\pi}{4}}\frac{\sec^2\theta}{\sec^2\theta}d\theta=\frac{1}{a}\int_0^{\frac{\pi}{4}}1d\theta$

$=\frac{1}{a}\Big[\theta\Big]_0^{\frac{\pi}{4}}=\frac{\pi}{4a}$

따라서 $\frac{\pi}{4a}=\frac{\pi}{12}$이므로 $a=3$

0832

다음 정적분의 값을 구하여라.

(1) $\int_{\sqrt{2}}^{2}\frac{x}{\sqrt{x^2-1}}dx$

STEP Ⓐ $x=\sec\theta$로 놓고 치환적분을 이용하여 정적분의 값 구하기

$x=\sec\theta\left(-\frac{\pi}{2}<\theta<\frac{\pi}{2}\right)$로 놓으면 $\frac{dx}{d\theta}=\sec\theta\tan\theta$

즉 $dx=\sec\theta\tan\theta d\theta$이고

$x=\sqrt{2}$일 때 $\theta=\frac{\pi}{4}$, $x=2$일 때 $\theta=\frac{\pi}{3}$이므로

$\int_{\sqrt{2}}^{2}\frac{x}{\sqrt{x^2-1}}dx=\int_{\frac{\pi}{4}}^{\frac{\pi}{3}}\frac{\sec\theta}{\sqrt{\sec^2x-1}}\cdot\sec\theta\tan\theta d\theta$

$=\int_{\frac{\pi}{4}}^{\frac{\pi}{3}}\frac{\sec\theta}{\tan\theta}\cdot\sec\theta\tan\theta d\theta$

$=\int_{\frac{\pi}{4}}^{\frac{\pi}{3}}\sec^2\theta d\theta=\Big[\tan x\Big]_{\frac{\pi}{4}}^{\frac{\pi}{3}}=\sqrt{3}-1$

(2) $\int_0^{\frac{\pi}{2}}\frac{\sin x}{1+\cos^2x}dx$

STEP Ⓐ $\cos x=t$로 놓고 치환하여 정리하기

$\cos x=t$로 놓으면 $-\sin xdx=dt$이고

$x=0$일 때 $t=1$, $x=\frac{\pi}{2}$일 때 $t=0$이므로

$\int_0^{\frac{\pi}{2}}\frac{\sin x}{1+\cos^2x}dx=-\int_1^0\frac{1}{1+t^2}dt=\int_0^1\frac{1}{1+t^2}dt$

STEP Ⓑ $t=\tan\theta$로 놓고 치환적분을 이용하여 정적분의 값 구하기

이때 $t=\tan\theta\left(-\frac{\pi}{2}<\theta<\frac{\pi}{2}\right)$로 놓으면 $dt=\sec^2\theta d\theta$

$t=0$일 때 $\theta=0$, $t=1$일 때 $\theta=\frac{\pi}{4}$이므로

$\int_0^1\frac{1}{1+t^2}dt=\int_0^{\frac{\pi}{4}}\frac{\sec^2\theta}{1+\tan^2\theta}d\theta=\int_0^{\frac{\pi}{4}}\frac{\sec^2\theta}{\sec^2\theta}d\theta=\int_0^{\frac{\pi}{4}}1d\theta=\Big[\theta\Big]_0^{\frac{\pi}{4}}=\frac{\pi}{4}$

0833

다음 물음에 답하여라.

(1) $0\le x\le 6$에서 정의된 함수 $f(x)$의 그래프가 오른쪽 그림과 같을 때, $\int_1^2 f(3x-2)dx$의 값을 구하여라.

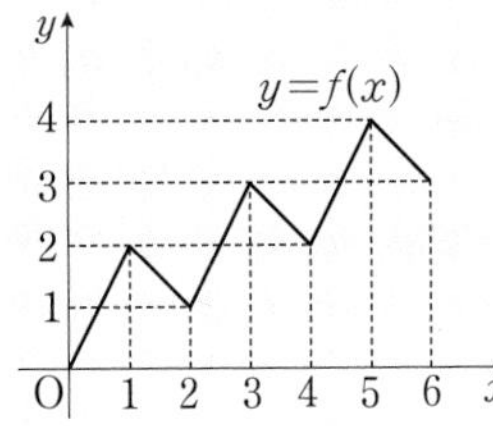

STEP Ⓐ $3x-2=t$로 치환하여 치환적분법을 이용하여 정리하기

$3x-2=t$로 놓으면 $3dx=dt$

$x=1$일 때 $t=1$, $x=2$일 때 $t=4$

$\int_1^2 f(3x-2)dx=\frac{1}{3}\int_1^4 f(t)dt$

STEP Ⓑ 넓이를 이용하여 정적분 계산하기

따라서 닫힌구간 $[1, 4]$에서 함수 $y=f(x)$의 그래프와 x축 사이의 넓이를 구하면 되므로 $\frac{1}{3}\int_1^4 f(t)dt=2$

(2) $0\le x\le 4$에서 정의된 함수 $f(x)$의 그래프가 오른쪽 그림과 같을 때, $\int_1^4 \frac{f(\sqrt{x}+1)}{2\sqrt{x}}dx$의 값을 구하여라.

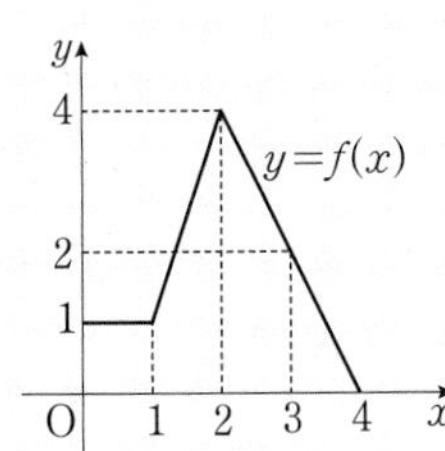

STEP Ⓐ $3x-2=t$로 치환하여 치환적분법을 이용하여 정리하기

$\int_1^4 \frac{f(\sqrt{x}+1)}{2\sqrt{x}}dx$에서 $\sqrt{x}+1=t$로 놓으면

$\frac{1}{2\sqrt{x}}dx=dt$

$x=1$일 때 $t=2$, $x=4$일 때 $t=3$이므로

$\int_1^4 \frac{f(\sqrt{x}\,|\,1)}{2\sqrt{x}}dx=\int_2^3 f(t)dt$

STEP Ⓑ 넓이를 이용하여 정적분 계산하기

따라서 닫힌구간 $[2, 3]$에서 함수 $y=f(x)$의 그래프와 x축 사이의 넓이를 구하면 되므로 $\int_1^4 \frac{f(\sqrt{x}+1)}{2\sqrt{x}}dx=\frac{1}{2}\cdot(2+4)\cdot 1=3$

$\int_e^{e^2} f(\ln x+1)\frac{1}{x}dx$와 같은 문제이다.

해설

$\ln x+1=t$로 놓으면 $\frac{1}{x}dx=dt$

$x=e$일 때 $t=2$, $x=e^2$일 때 $t=3$이므로

$\int_e^{e^2} f(\ln x+1)\frac{1}{x}dx=\int_2^3 f(t)dt$

따라서 닫힌구간 $[2, 3]$에서 함수 $y=f(x)$의 그래프와 x축 사이의 넓이를 구하면 되므로 $\int_1^4 \frac{f(\sqrt{x}+1)}{2\sqrt{x}}dx=\frac{1}{2}\cdot(2+4)\cdot 1=3$

0834

연속함수 $f(x)$의 그래프가 오른쪽 그림과 같다. 이 곡선과 x축으로 둘러싸인 두 부분 A, B의 넓이가 각각 α, β일 때, 정적분

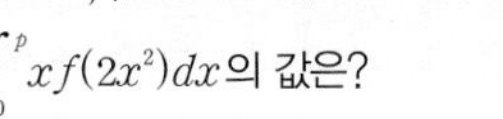

$\int_0^p xf(2x^2)dx$의 값은?

$\left(\text{단, } p>\frac{1}{2}\right)$

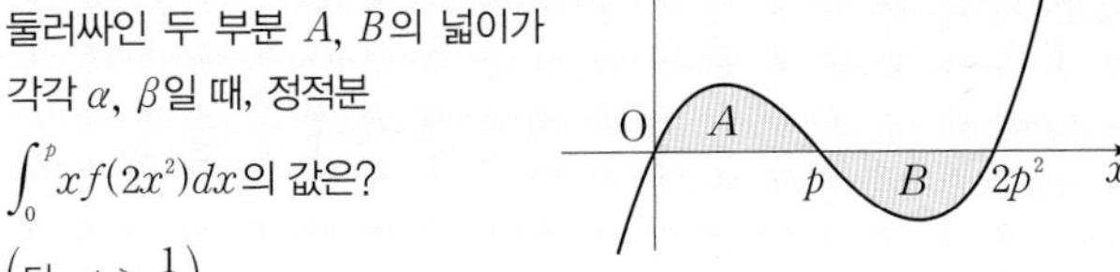

① $\frac{1}{2}(\alpha+\beta)$ ② $\frac{1}{2}(\alpha-\beta)$ ③ $\alpha+\beta$

④ $\frac{1}{4}(\alpha+\beta)$ ⑤ $\frac{1}{4}(\alpha-\beta)$

STEP Ⓐ $2x^2=t$로 치환하여 치환적분법을 이용하여 정리하기

$\int_0^p xf(2x^2)dx$에서 $2x^2=t$로 놓으면 $xdx=\frac{1}{4}dt$이고

$x=0$이면 $t=0$이고 $x=p$이면 $t=2p^2$

$\therefore \int_0^p xf(2x^2)dx=\frac{1}{4}\int_0^{2p^2} f(t)dt$

STEP Ⓑ 넓이를 이용하여 정적분 계산하기

$A=\int_0^p |f(x)|dx=\int_0^p f(x)dx=\alpha$

$B=\int_p^{2p^2} |f(x)|dx=-\int_p^{2p^2} f(x)dx=-\beta$

따라서 $\frac{1}{4}\int_0^{2p^2} f(t)dt=\frac{1}{4}\left\{\int_0^p f(x)dx-\int_p^{2p^2} f(x)dx\right\}=\frac{1}{4}(\alpha-\beta)$

0835

오른쪽 그림은 $0\le x\le 5$에서 정의된 함수 $y=f(x)$의 그래프이다.

이때 $\int_0^{\frac{\pi}{2}} f(5\sin x+1)\cos x dx$의 값은?

① $\frac{3}{4}$ ② $\frac{4}{5}$

③ 2 ④ 4

⑤ 5

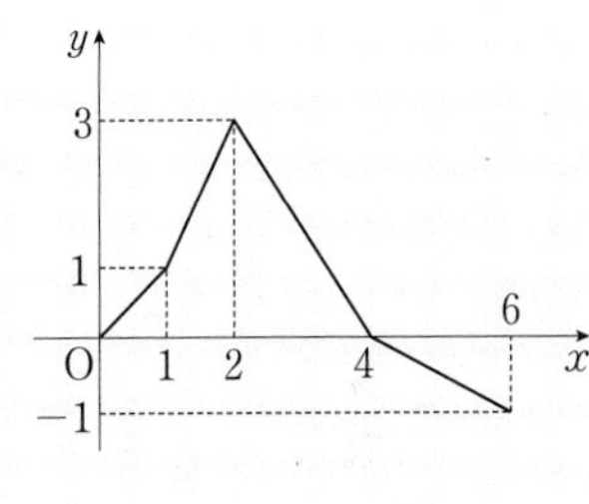

STEP Ⓐ $5\sin x+1=t$로 치환하여 정적분 정리하기

$\int_0^{\frac{\pi}{2}} f(5\sin x+1)\cos x dx$에서 $5\sin x+1=t$로 놓으면

$\cos x dx=\frac{1}{5}dt$

또, $x=0$일 때, $t=1$이고 $x=\frac{\pi}{2}$이면 $t=6$

$\int_0^{\frac{\pi}{2}} f(5\sin x+1)\cos x dx=\frac{1}{5}\int_1^6 f(t)dt$

STEP Ⓑ 넓이를 이용하여 정적분 계산하기

이때 $\int_1^6 f(t)dt$는 오른쪽 그림의 A의 넓이에서 B의 넓이를 뺀 것과 같으므로

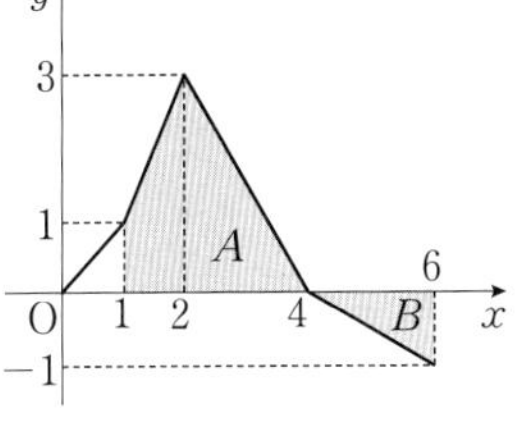

$\int_1^6 f(t)dt$

$=\frac{1}{2}\cdot(1+3)\cdot 1+\frac{1}{2}\cdot 2\cdot 3-\frac{1}{2}\cdot 1\cdot 2$

$=2+3-1=4$

따라서 $\frac{1}{5}\int_1^6 f(t)dt=\frac{1}{5}\cdot 4=\frac{4}{5}$

0836

다음 정적분의 값을 구하여라.

(1) $\int_0^{\frac{\pi}{2}} x\cos 2x dx$

STEP A $f(x)=x,\ g'(x)=\cos 2x$로 놓고 부분적분법을 이용하기

$f(x)=x,\ g'(x)=\cos 2x$로 놓으면

$f'(x)=1,\ g(x)=\frac{1}{2}\sin 2x$이므로

$$\int_0^{\frac{\pi}{2}} x\cos 2x dx=\left[\frac{1}{2}x\sin 2x\right]_0^{\frac{\pi}{2}}-\int_0^{\frac{\pi}{2}} 1\cdot\left(\frac{1}{2}\sin 2x\right)dx$$
$$=0-\frac{1}{2}\int_0^{\frac{\pi}{2}}\sin 2x dx$$
$$=-\frac{1}{2}\left[-\frac{1}{2}\cos 2x\right]_0^{\frac{\pi}{2}}=-\frac{1}{2}$$

(2) $\int_0^{\pi} 4x\sin x\cos x dx$

STEP A $f(x)=x,\ g'(x)=\sin 2x$로 놓고 부분적분법을 이용하기

$4x\sin x\cos x=2x\sin 2x$이므로

$\int_0^{\pi} 4x\sin x\cos x dx=2\int_0^{\pi} x\sin 2x dx$에서

$f(x)=x,\ g'(x)=\sin 2x$로 놓으면

$f'(x)=1,\ g(x)=-\frac{1}{2}\cos 2x$이므로

$$2\int_0^{\pi} x\sin 2x dx=2\left\{\left[-\frac{1}{2}x\cos 2x\right]_0^{\pi}-\int_0^{\pi}\left(-\frac{1}{2}\cos 2x\right)dx\right\}$$
$$=-\pi+\left[\frac{1}{2}\sin 2x\right]_0^{\pi}=-\pi$$

(3) $\int_{-1}^{0}(2x+1)e^{-x}dx$

STEP A $f(x)=2x+1,\ g'(x)=e^{-x}$로 놓고 부분적분을 이용하기

$f(x)=2x+1,\ g'(x)=e^{-x}$로 놓으면

$f'(x)=2,\ g(x)=-e^{-x}$이므로

$$\int_{-1}^{0}(2x+1)e^{-x}dx=\left[-(2x+1)e^{-x}\right]_{-1}^{0}-\int_{-1}^{0}2(-e^{-x})dx$$
$$=(-1-e)+2\int_{-1}^{0}e^{-x}dx=-1-e-2\left[e^{-x}\right]_{-1}^{0}$$
$$=-1-e-2(1-e)$$
$$=e-3$$

0837

다음 물음에 답하여라.

(1) $\int_0^{\pi} x\cos(\pi-x)dx$의 값은?

① 1 ② 2 ③ $\pi-1$
④ π ⑤ $\pi+2$

STEP A $f(x)=x,\ g'(x)=-\cos x$로 놓고 부분적분법을 이용하기

$\cos(\pi-x)=-\cos x$이므로

$\int_0^{\pi} x\cos(\pi-x)dx=\int_0^{\pi} x(-\cos x)dx$에서

$f(x)=x,\ g'(x)=-\cos x$로 놓으면

$f'(x)=1,\ g(x)=-\sin x$이므로

$$\int_0^{\pi} x\cos(\pi-x)dx=\int_0^{\pi} x(-\cos x)dx$$
$$=\left[x(-\sin x)\right]_0^{\pi}-\int_0^{\pi}1\cdot(-\sin x)dx$$
$$=0+\left[-\cos x\right]_0^{\pi}$$
$$=-\cos\pi+\cos 0=2$$

다른풀이 $u(x)=x,\ v'(x)=\cos(\pi-x)$로 놓고 풀이하기

$u(x)=x,\ v'(x)=\cos(\pi-x)$라 하면

$u'(x)=1,\ v(x)=-\sin(\pi-x)$이므로

부분적분을 이용하면

$$\int_0^{\pi} x\cos(\pi-x)dx=\left[-x\sin(\pi-x)\right]_0^{\pi}+\int_0^{\pi}\sin(\pi-x)dx$$
$$=(-\pi\sin 0)-0+\left[\cos(\pi-x)\right]_0^{\pi}$$
$$=1-(-1)=2$$

(2) $\int_0^{\frac{\pi}{2}}(x+1)\cos x dx$의 값은?

① $\frac{\pi}{4}$ ② $\frac{\pi}{2}$ ③ $\frac{3}{4}\pi$
④ π ⑤ $\frac{5}{4}\pi$

STEP A $f(x)=x+1,\ g'(x)=\cos x$로 놓고 부분적분법을 이용하기

$f(x)=x+1,\ g'(x)=\cos x$로 놓으면

$f'(x)=1,\ g(x)=\sin x$이므로

$$\int_0^{\frac{\pi}{2}}(x+1)\cos x dx=\left[(x+1)\sin x\right]_0^{\frac{\pi}{2}}-\int_0^{\frac{\pi}{2}}\sin x dx$$
$$=\left(\frac{\pi}{2}+1\right)-\left[-\cos x\right]_0^{\frac{\pi}{2}}$$
$$=\frac{\pi}{2}+1-1=\frac{\pi}{2}$$

0838

$\int_{-1}^{1}|x|e^{x}dx$의 값은?

① $2(e+1)$ ② $2(1-e^{-1})$ ③ $2(e-e^{-1})$
④ $2(e^{-1}-e)$ ⑤ $2(e+e^{-1})$

STEP A 구간을 나누어 절댓값을 정리하기

$$\int_{-1}^{1}|x|e^{x}dx=\int_{-1}^{0}(-xe^{x})dx+\int_0^{1}xe^{x}dx$$
$$=-\int_{-1}^{0}xe^{x}dx+\int_0^{1}xe^{x}dx$$

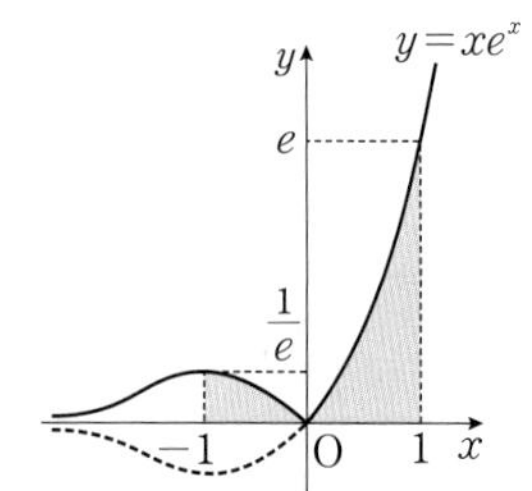

STEP B $f(x)=x,\ g'(x)=e^{x}$로 놓고 부분적분법을 이용하기

따라서 $f(x)=x,\ g'(x)=e^{x}$로 놓으면

$f'(x)=1,\ g(x)=e^{x}$이므로

$$-\int_{-1}^{0}xe^{x}dx+\int_0^{1}xe^{x}dx=-\left\{\left[xe^{x}\right]_{-1}^{0}-\int_{-1}^{0}e^{x}dx\right\}+\left\{\left[xe^{x}\right]_0^{1}-\int_0^{1}e^{x}dx\right\}$$
$$=-\left(e^{-1}-\left[e^{x}\right]_{-1}^{0}\right)+\left(e-\left[e^{x}\right]_0^{1}\right)$$
$$=-e^{-1}+(1-e^{-1})+e-(e-1)$$
$$=2-2e^{-1}$$
$$=2(1-e^{-1})$$

0839

다음 정적분의 값을 구하여라.

(1) $\int_0^1 x^2 e^{2x} dx$

STEP Ⓐ $f(x)=x^2$, $g'(x)=e^{2x}$로 놓고 부분적분법을 이용하기

$f(x)=x^2$, $g'(x)=e^{2x}$로 놓으면

$f'(x)=2x$, $g(x)=\frac{1}{2}e^{2x}$

$\int_0^1 x^2 e^{2x} dx=\left[\frac{1}{2}x^2 e^{2x}\right]_0^1-\int_0^1 xe^{2x}dx$

$=\frac{1}{2}e^2-\int_0^1 xe^{2x}dx$ …… ㉠

STEP Ⓑ $u(x)=x$, $v'(x)=e^{2x}$로 놓고 부분적분법을 이용하기

㉠의 $\int_0^1 xe^{2x}dx$에서 $u(x)=x$, $v'(x)=e^{2x}$라 하면

$u'(x)=1$, $v(x)=\frac{1}{2}e^{2x}$

$\int_0^1 xe^{2x}dx=\left[\frac{1}{2}xe^{2x}\right]_0^1-\int_0^1 \frac{1}{2}e^{2x}dx$

$=\frac{1}{2}e^2-\left[\frac{1}{4}e^{2x}\right]_0^1$

$=\frac{1}{2}e^2-\frac{1}{4}(e^2-1)$ …… ㉡

따라서 ㉡을 ㉠에 대입하면 $\int_0^1 x^2e^{2x}dx=\frac{1}{4}(e^2-1)$

(2) $\int_0^\pi x^2 \sin x dx$

STEP Ⓐ $f(x)=x^2$, $g'(x)=\sin x$로 놓고 부분적분법을 이용하기

$f(x)=x^2$, $g'(x)=\sin x$로 놓으면

$f'(x)=2x$, $g(x)=-\cos x$

$\int_0^\pi x^2\sin x dx=\left[-x^2\cos x\right]_0^\pi-\int_0^\pi(-2x\cos x)dx$

$=\pi^2+\int_0^\pi 2x\cos x dx$ …… ㉠

STEP Ⓑ $u(x)=2x$, $v'(x)=\cos x$로 놓고 부분적분법을 이용하기

㉠의 $\int_0^\pi 2x\cos x dx$에서 $u(x)=2x$, $v'(x)=\cos x$라 하면

$u'(x)=2$, $v(x)=\sin x$

$\int_0^\pi 2x\cos x dx=\left[2x\sin x\right]_0^\pi-\int_0^\pi 2\sin x dx$

$=0-\left[-2\cos x\right]_0^\pi=-4$ …… ㉡

따라서 ㉡을 ㉠에 대입하면 $\int_0^\pi x^2\sin x dx=\pi^2-4$

0840

정적분 $\int_1^{e^\pi}\cos(\ln x)dx$의 값을 구하여라.

STEP Ⓐ $\ln x=t$로 놓고 치환적분법을 이용하기

$\ln x=t$라 하면 $x=e^t$

양변을 x에 대하여 미분하면 $dx=e^t dt$

$x=1$일 때 $t=0$, $x=e^\pi$일 때 $t=\pi$이므로

$\int_1^{e^\pi}\cos(\ln x)dx=\int_0^\pi e^t\cos t dt$

STEP Ⓑ $f(t)=\cos t$, $g'(t)=e^t$로 놓고 부분적분법 이용하기

$f(t)=\cos t$, $g'(t)=e^t$로 놓으면

$f'(t)=-\sin t$, $g(t)=e^t$

$\int_0^\pi e^t\cos t dt=\left[e^t\cos t\right]_0^\pi-\int_0^\pi e^t(-\sin t)dt$

$=-e^\pi-1+\int_0^\pi e^t\sin t dt$ …… ㉠

STEP Ⓒ $u(t)=\sin t$, $v'(t)=e^t$로 놓고 부분적분법 이용하기

$\int_0^\pi e^t\sin t dt$에서 $u(t)=\sin t$, $v'(t)=e^t$로 놓으면

$u'(t)=\cos t$, $v(t)=e^t$

$\int_0^\pi e^t\sin t dt=\left[e^t\sin t\right]_0^\pi-\int_0^\pi e^t\cos t dt$

$=-\int_0^\pi e^t\cos t dt$ …… ㉡

㉡을 ㉠에 대입하면 $\int_0^\pi e^t\cos t dt=-e^\pi-1-\int_0^\pi e^t\cos t dt$

따라서 $2\int_0^\pi e^t\cos t dt=-e^\pi-1$이므로 $\int_0^\pi e^t\cos t dt=-\frac{e^\pi+1}{2}$

0841

다음 정적분의 값을 구하여라.

(1) $\int_0^1 \ln(x+1)dx$

STEP Ⓐ $f(x)=\ln(x+1)$, $g'(x)=1$로 놓고 부분적분법 이용하기

$f(x)=\ln(x+1)$, $g'(x)=1$로 놓으면

$f'(x)=\frac{1}{x+1}$, $g(x)=x$이므로

$\int_0^1\ln(x+1)dx=\left[x\ln(x+1)\right]_0^1-\int_0^1\frac{x}{x+1}dx$

$=\ln 2-\int_0^1\left(1-\frac{1}{x+1}\right)dx$

$=\ln 2-\left[x-\ln(x+1)\right]_0^1$

$=2\ln 2-1$

참고 $\int_0^1\ln(1+x)dx=\left[(x+1)\ln(1+x)-x\right]_0^1=2\ln 2-1$

(2) $\int_e^{e^2} x\ln x dx$

STEP Ⓐ $f(x)=\ln x$, $g'(x)=x$로 놓고 부분적분법 이용하기

$f(x)=\ln x$, $g'(x)=x$로 놓으면

$f'(x)=\frac{1}{x}$, $g(x)=\frac{1}{2}x^2$이므로

$\int_e^{e^2}x\ln x dx=\left[\frac{1}{2}x^2\ln x\right]_e^{e^2}-\int_e^{e^2}\frac{1}{x}\cdot\frac{1}{2}x^2dx=\left(e^4-\frac{1}{2}e^2\right)-\left[\frac{1}{4}x^2\right]_e^{e^2}$

$=\left(e^4-\frac{1}{2}e^2\right)-\left(\frac{1}{4}e^4-\frac{1}{4}e^2\right)=\frac{3}{4}e^4-\frac{1}{4}e^2$

(3) $\int_1^e(\ln x)^2dx$

STEP Ⓐ $f(x)=(\ln x)^2$, $g'(x)=1$로 놓고 부분적분법 이용하기

$f(x)=(\ln x)^2$, $g'(x)=1$로 놓으면

$f'(x)=\frac{2\ln x}{x}$, $g(x)=x$이므로

$\int_1^e(\ln x)^2dx=\left[x(\ln x)^2\right]_1^e-\int_1^e x\cdot\frac{2\ln x}{x}dx$

$=e-2\int_1^e\ln x dx=e-2\left(\left[x\ln x\right]_1^e-\int_1^e x\cdot\frac{1}{x}dx\right)$

$=-e+2\int_1^e dx=-e+2\left[x\right]_1^e=e-2$

0842

다음 물음에 답하여라.

(1) $\int_1^e x^3 \ln x dx$의 값은?

① $\frac{3e^4}{16}$ ② $\frac{3e^4+1}{16}$ ③ $\frac{3e^4+2}{16}$
④ $\frac{3e^4+3}{16}$ ⑤ $\frac{3e^4+4}{16}$

STEP Ⓐ $f(x)=\ln x$, $g'(x)=x^3$로 놓고 부분적분법 이용하기

$f(x)=\ln x$, $g'(x)=x^3$로 놓으면

$f'(x)=\frac{1}{x}$, $g(x)=\frac{1}{4}x^4$이므로

$$\begin{aligned}\int_1^e x^3 \ln x dx &= \left[\frac{1}{4}x^4 \ln x\right]_1^e - \int_1^e \left(\frac{1}{4}x^4 \cdot \frac{1}{x}\right)dx\\ &= \left(\frac{1}{4}e^4 - \frac{1}{4}\ln 1\right) - \left[\frac{1}{16}x^4\right]_1^e\\ &= \frac{1}{4}e^4 - \left(\frac{1}{16}e^4 - \frac{1}{16}\right)\\ &= \frac{3e^4+1}{16}\end{aligned}$$

(2) $\int_1^e x(1-\ln x)dx$의 값은?

① $\frac{1}{4}(e^2-7)$ ② $\frac{1}{4}(e^2-6)$ ③ $\frac{1}{4}(e^2-5)$
④ $\frac{1}{4}(e^2-4)$ ⑤ $\frac{1}{4}(e^2-3)$

STEP Ⓐ 정적분의 성질을 이용하여 정리하기

$\int_1^e x(1-\ln x)dx = \int_1^e (x - x\ln x)dx = \int_1^e xdx - \int_1^e x\ln xdx$

$\int_1^e xdx = \left[\frac{1}{2}x^2\right]_1^e = \frac{1}{2}e^2 - \frac{1}{2}$

STEP Ⓑ $f(x)=\ln x$, $g'(x)=x$로 놓고 부분적분법 이용하기

$\int_1^e x\ln xdx$에서 $f(x)=\ln x$, $g'(x)=x$로 놓으면

$f'(x)=\frac{1}{x}$, $g(x)=\frac{1}{2}x^2$이므로

$$\begin{aligned}\int_1^e x\ln xdx &= \left[\frac{1}{2}x^2\ln x\right]_1^e - \int_1^e \frac{1}{2}xdx\\ &= \left(\frac{1}{2}e^2 - 0\right) - \left[\frac{1}{4}x^2\right]_1^e\\ &= \frac{1}{2}e^2 - \left(\frac{1}{4}e^2 - \frac{1}{4}\right)\\ &= \frac{1}{4}e^2 + \frac{1}{4}\end{aligned}$$

따라서 $\int_1^e xdx - \int_1^e x\ln xdx = \left(\frac{1}{2}e^2 - \frac{1}{2}\right) - \left(\frac{1}{4}e^2 + \frac{1}{4}\right)$

$= \frac{1}{4}e^2 - \frac{3}{4} = \frac{1}{4}(e^2-3)$

다른풀이 $f(x)=1-\ln x$, $g'(x)=x$로 놓고 부분적분 풀이하기

$f(x)=1-\ln x$, $g'(x)=x$로 놓으면

$f'(x)=-\frac{1}{x}$, $g(x)=\frac{1}{2}x^2$이므로

$$\begin{aligned}\int_1^e x(1-\ln x)dx &= \left[\frac{1}{2}x^2(1-\ln x)\right]_1^e - \int_1^e \left(\frac{1}{2}x^2\right)\left(-\frac{1}{x}\right)dx\\ &= -\frac{1}{2} + \int_1^e \frac{1}{2}xdx\\ &= -\frac{1}{2} + \left[\frac{1}{4}x^2\right]_1^e\\ &= -\frac{1}{2} + \left(\frac{1}{4}e^2 - \frac{1}{4}\right)\\ &= \frac{1}{4}e^2 - \frac{3}{4} = \frac{1}{4}(e^2-3)\end{aligned}$$

(3) $\int_e^{e^2} \frac{\ln x - 1}{x^2}dx$의 값은?

① $\frac{e+2}{e^2}$ ② $\frac{e+1}{e^2}$ ③ $\frac{1}{e}$
④ $\frac{e-1}{e^2}$ ⑤ $\frac{e-2}{e^2}$

STEP Ⓐ 부분적분법을 이용하여 정적분의 값 구하기

$\int_e^{e^2} \frac{\ln x - 1}{x^2}dx$에서 $f(x)=\ln x - 1$, $g'(x)=\frac{1}{x^2}$로 놓으면

$f'(x)=\frac{1}{x}$, $g(x)=-\frac{1}{x}$이므로

$$\begin{aligned}\int_e^{e^2} \frac{\ln x-1}{x^2}dx &= \left[-\frac{\ln x-1}{x}\right]_e^{e^2} + \int_e^{e^2} \frac{1}{x^2}dx\\ &= \left[-\frac{\ln x-1}{x}\right]_e^{e^2} + \left[-\frac{1}{x}\right]_e^{e^2}\\ &= -\frac{1}{e^2} + \left(-\frac{1}{e^2} + \frac{1}{e}\right)\\ &= \frac{e-2}{e^2}\end{aligned}$$

다른풀이 치환적분을 이용하여 풀이하기

$\ln x = t$로 놓으면 $\frac{1}{x}dx = dt$

$x=e^2$일 때, $t=2$이고 $x=e$일 때, $t=1$

$$\begin{aligned}\int_e^{e^2} \frac{\ln x-1}{x^2}dx &= \int_1^2 \frac{t-1}{x}dt\\ &= \int_1^2 \frac{t-1}{e^t}dt \quad \leftarrow \ln x = t\text{에서 } x=e^t\\ &= \int_1^2 (t-1)e^{-t}dt\\ &= \left[-(t-1)e^{-t}\right]_1^2 + \int_1^2 e^{-t}dt\\ &= -e^{-2} + \left[-e^{-t}\right]_1^2\\ &= -2e^{-2} + e^{-1}\\ &= -\frac{2}{e^2} + \frac{1}{e}\\ &= \frac{e-2}{e^2}\end{aligned}$$

0843

$\int_0^1 (1+2e^{-x})dx - \int_1^e \frac{\ln x}{x^2}dx$의 값을 구하여라.

STEP Ⓐ 정적분을 계산하기

$\int_0^1 (1+2e^{-x})dx = \left[x - 2e^{-x}\right]_0^1 = \left(1 - \frac{2}{e}\right) - (0-2) = 3 - \frac{2}{e}$

STEP Ⓑ $f(x)=\ln x$, $g'(x)=\frac{1}{x^2}$로 놓고 부분적분법을 이용하기

$\int_1^e \frac{\ln x}{x^2}dx$에서 $f(x)=\ln x$, $g'(x)=\frac{1}{x^2}$로 놓으면

$f'(x)=\frac{1}{x}$, $g(x)=-\frac{1}{x}$이므로

$$\begin{aligned}\int_1^e \frac{\ln x}{x^2}dx &= \left[-\frac{\ln x}{x}\right]_1^e - \int_1^e \left(-\frac{1}{x^2}\right)dx\\ &= -\frac{1}{e} - \left[\frac{1}{x}\right]_1^e\\ &= -\frac{1}{e} - \left(\frac{1}{e} - 1\right)\\ &= -\frac{2}{e} + 1\end{aligned}$$

따라서 $\int_0^1 (1+2e^{-x})dx - \int_1^e \frac{\ln x}{x^2}dx = 3 - \frac{2}{e} - \left(1 - \frac{2}{e}\right) = 2$

0844

연속함수 $f(x)$는 다음 두 조건을 만족한다.

(가) $-1 \le x < 1$일 때, $f(x)=\dfrac{e^{x}+e^{-x}}{2}$

(나) 임의의 실수 x에 대하여 $f(x)=f(x+2)$

정적분 $\displaystyle\int_{1}^{5} f(x)dx$의 값을 구하여라.

STEP Ⓐ 조건을 만족하는 현수선의 그래프 그리기

조건 (가), (나)를 만족하는 함수 $y=f(x)$의 그래프는 다음 그림과 같다.

⬅ $f(-x)=f(x)$이므로 $f(x)$는 우함수이고 $f(x+2)=f(x)$는 주기함수이다.

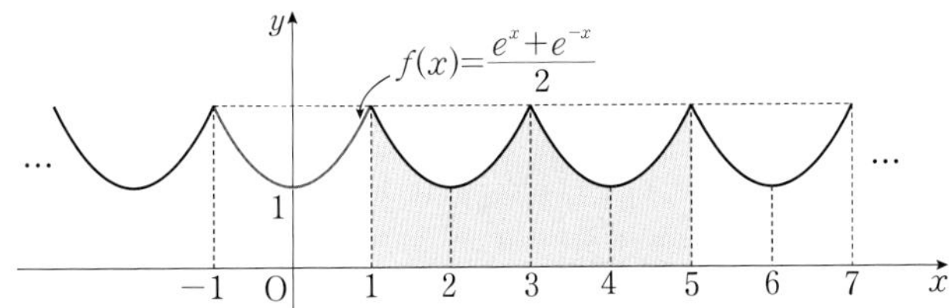

즉 $\displaystyle\int_{1}^{5} f(x)dx=4\int_{0}^{1}\frac{e^{x}+e^{-x}}{2}$

STEP Ⓑ 정적분을 이용하여 구하기

따라서 $\displaystyle 4\int_{0}^{1} f(x)dx=4\int_{0}^{1}\frac{e^{x}+e^{-x}}{2}dx$

$\displaystyle =2\int_{0}^{1}(e^{x}+e^{-x})dx$

$\displaystyle =2\Big[e^{x}-e^{-x}\Big]=2\Big(e-\frac{1}{e}\Big)$

0845

연속함수 $f(x)$가 다음 조건을 만족시킨다.

(가) 모든 실수 x에 대하여 $f(x-1)=f(x+1)$이다.

(나) $\displaystyle\int_{1}^{\frac{3}{2}} f(2x)dx=7,\ \int_{1}^{\frac{4}{3}} f(3x)dx=1$

$\displaystyle\int_{2001}^{2012} f(x)dx$의 값은?

① 65 ② 71 ③ 82
④ 88 ⑤ 99

STEP Ⓐ 조건 (나)에서 $2x=t$, $3x=s$로 치환하여 정적분 정리하기

조건 (나)에 의하여

$\displaystyle\int_{1}^{\frac{3}{2}} f(2x)dx=7$에서 $2x=t$로 놓으면 $2dx=dt$이고

$x=1$일 때, $t=2$이고 $x=\dfrac{3}{2}$일 때, $t=3$이므로

$\displaystyle\int_{1}^{\frac{3}{2}} f(2x)dx=\int_{2}^{3}\frac{1}{2}f(t)dt=\frac{1}{2}\int_{2}^{3} f(t)dt=7$

$\displaystyle\therefore \int_{2}^{3} f(t)dt=14$ …… ㉠

또, $\displaystyle\int_{1}^{\frac{4}{3}} f(3x)dx=1$에서 $3x=s$로 놓으면 $3dx=ds$이고

$x=1$일 때, $s=3$이고 $x=\dfrac{4}{3}$일 때, $s=4$이므로

$\displaystyle\int_{1}^{\frac{4}{3}} f(3x)dx=\int_{3}^{4}\frac{1}{3}f(s)ds=\frac{1}{3}\int_{3}^{4} f(s)ds=1$

$\displaystyle\therefore \int_{3}^{4} f(s)ds=3$ …… ㉡

$\displaystyle\therefore \int_{2}^{4} f(x)dx=\int_{2}^{3} f(x)dx+\int_{3}^{4} f(x)dx=17$

STEP Ⓑ 함수 $f(x)$가 $f(x)=f(x+2)$를 이용하여 정적분 계산하기

조건 (가)에서 모든 실수 x에 대하여 $f(x-1)=f(x+1)$

즉 $f(x)=f(x+2)$에서 $f(x)$는 주기함수이므로

$\displaystyle\int_{1}^{2} f(x)dx=\int_{3}^{4} f(x)dx=3$

$\displaystyle\int_{2}^{12} f(x)dx=\int_{2}^{4} f(x)dx+\int_{4}^{6} f(x)dx+\cdots+\int_{10}^{12} f(x)dx$

$\displaystyle =5\int_{2}^{4} f(x)dx=5\cdot 17=85$

따라서 $\displaystyle\int_{2001}^{2012} f(x)dx=\int_{2\times 1000+1}^{2\times 1000+12} f(x)dx=\int_{1}^{12} f(x)dx$

$\displaystyle =\int_{1}^{2} f(x)dx+\int_{2}^{12} f(x)dx$

$\displaystyle =\int_{1}^{2} f(x)dx+5\int_{2}^{4} f(x)dx$

$=3+85=88$

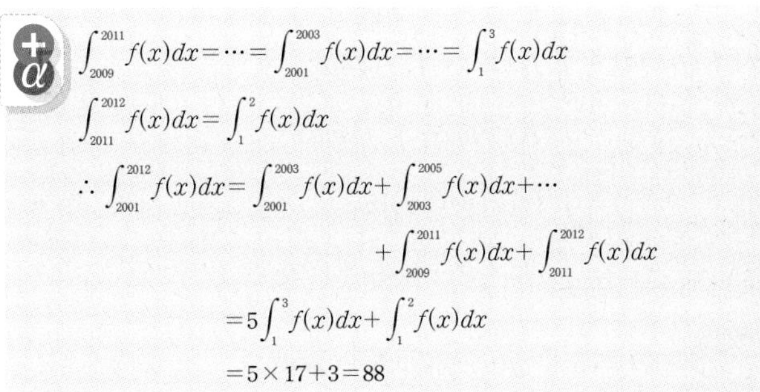

$\displaystyle\int_{2009}^{2011} f(x)dx=\cdots=\int_{2001}^{2003} f(x)dx=\cdots=\int_{1}^{3} f(x)dx$

$\displaystyle\int_{2011}^{2012} f(x)dx=\int_{1}^{2} f(x)dx$

$\displaystyle\therefore \int_{2001}^{2012} f(x)dx=\int_{2001}^{2003} f(x)dx+\int_{2003}^{2005} f(x)dx+\cdots$

$\displaystyle +\int_{2009}^{2011} f(x)dx+\int_{2011}^{2012} f(x)dx$

$\displaystyle =5\int_{1}^{3} f(x)dx+\int_{1}^{2} f(x)dx$

$=5\times 17+3=88$

0846

모든 실수 x에 대하여 연속인 함수 $f(x)$가 다음 조건을 만족시킨다.

(가) 모든 실수 x에 대하여 $f(x+2)=f(x)$이다.

(나) $0 \le x \le 1$일 때, $f(x)=\sin \pi x+1$이다.

(다) $1 < x < 2$일 때, $f'(x) \ge 0$이다.

$\displaystyle\int_{0}^{6} f(x)dx=p+\frac{q}{\pi}$일 때, $p+q$의 값을 구하여라. (단, p, q는 정수이다.)

STEP Ⓐ 주기함수 $f(x)$의 그래프를 $1 < x < 2$에서 그리기

(가)와 (나)에서 $f(2)=f(0)=1$, $f(1)=1$

$0 \le x \le 1$에서 함수 $f(x)=\sin \pi x+1$

$1 < x < 2$에서 $f'(x) \ge 0$이므로 $f'(x)=0$ 또는 $f'(x)>0$

즉 $f(x)$는 상수함수 또는 증가하는 함수이다.

이때 $f(x)$는 연속이고 $f(1)=1$, $f(2)=1$이므로

$f(x)$는 $1 < x < 2$에서 상수함수이다.

즉 $1 < x < 2$에서 $f(x)=1$이므로 함수 $f(x)$의 그래프는 다음 그림과 같다.

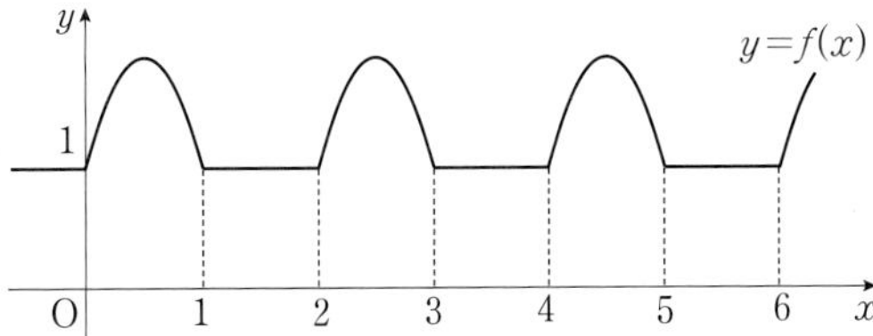

STEP Ⓑ 조건을 만족하는 정적분 계산하기

$\displaystyle\int_{0}^{6} f(x)dx=3\int_{0}^{2} f(x)dx=3\int_{0}^{1} f(x)dx+3\int_{1}^{2} f(x)dx$

$\displaystyle =3\int_{0}^{1}(\sin \pi x+1)dx+3\int_{1}^{2} 1dx$

$\displaystyle =3\Big[-\frac{1}{\pi}\cos \pi x+x\Big]_{0}^{1}+3=6+\frac{6}{\pi}$

따라서 $p=6$, $q=6$이고 $p+q=12$

0847

다음 물음에 답하여라.

(1) 모든 실수 x에서 미분가능한 함수 $f(x)$가

$$f(x)+f(-x)=\cos\frac{x}{2}$$

를 만족시킬 때, $\int_{-\pi}^{\pi}f(x)dx$의 값을 구하여라.

STEP Ⓐ $-x=t$로 치환하여 $\int_{-\pi}^{0}f(x)dx=\int_{0}^{\pi}f(-x)dx$임을 구하기

$-x=t$로 놓으면 $-dx=dt$이고

$x=-\pi$일 때 $t=\pi$, $x=0$일 때 $t=0$이므로

$$\int_{-\pi}^{0}f(x)dx=\int_{\pi}^{0}\{-f(-t)\}dt=\int_{0}^{\pi}f(-x)dx$$

STEP Ⓑ 정적분의 분할을 이용하여 $\int_{-\pi}^{\pi}f(x)dx$의 값 구하기

따라서 $\int_{-\pi}^{\pi}f(x)dx=\int_{-\pi}^{0}f(x)dx+\int_{0}^{\pi}f(x)dx$

$$=\int_{0}^{\pi}f(-x)dx+\int_{0}^{\pi}f(x)dx$$

$$=\int_{0}^{\pi}\{f(x)+f(-x)\}dx$$

$$=\int_{0}^{\pi}\cos\frac{x}{2}dx=\left[2\sin\frac{x}{2}\right]_{0}^{\pi}=2$$

다른풀이 $f(x)=\cos\frac{x}{2}-f(-x)$임을 이용하여 풀이하기

$$\int_{-\pi}^{\pi}f(x)dx=\int_{-\pi}^{\pi}\left\{\cos\frac{x}{2}-f(-x)\right\}dx$$

$$=\int_{-\pi}^{\pi}\cos\frac{x}{2}dx-\int_{-\pi}^{\pi}f(-x)dx \quad \cdots\cdots ㉠$$

한편 $\int_{-\pi}^{\pi}f(-x)dx$에서 $-x=t$라고 하면 $-dx=dt$이고

$x=-\pi$일 때 $t=\pi$, $x=\pi$일 때 $t=-\pi$이므로

$$\int_{-\pi}^{\pi}f(-x)dx=\int_{\pi}^{-\pi}f(t)(-1)dt=\int_{-\pi}^{\pi}f(t)dt \quad \cdots\cdots ㉡$$

따라서 ㉡을 ㉠에 대입하면

$\int_{-\pi}^{\pi}f(x)dx=\left[2\sin\frac{x}{2}\right]_{-\pi}^{\pi}-\int_{-\pi}^{\pi}f(x)dx$이므로

$2\int_{-\pi}^{\pi}f(x)dx=4 \quad \therefore \int_{-\pi}^{\pi}f(x)dx=2$

(2) 닫힌구간 $\left[-\frac{\pi}{4}, \frac{\pi}{4}\right]$에서 연속인 함수 $f(x)$가

$$f(x)+f(-x)=\tan^2x$$

를 만족시킬 때, $\int_{-\frac{\pi}{4}}^{\frac{\pi}{4}}f(x)dx$의 값을 구하여라.

STEP Ⓐ $-x=t$로 치환하여 $\int_{-\frac{\pi}{4}}^{0}f(x)dx=\int_{0}^{\frac{\pi}{4}}f(-x)dx$임을 구하기

$$\int_{-\frac{\pi}{4}}^{\frac{\pi}{4}}f(x)dx=\int_{-\frac{\pi}{4}}^{0}f(x)dx+\int_{0}^{\frac{\pi}{4}}f(x)dx$$

$\int_{-\frac{\pi}{4}}^{0}f(x)dx$에서 $-x=t$로 놓으면 $-dx=dt$이고

$x=-\frac{\pi}{4}$일 때 $t=\frac{\pi}{4}$, $x=0$일 때 $t=0$이므로

$$\int_{-\frac{\pi}{4}}^{0}f(x)dx=\int_{\frac{\pi}{4}}^{0}f(-t)(-1)dt=\int_{0}^{\frac{\pi}{4}}f(-x)dx$$

STEP Ⓑ 정적분의 분할을 이용하여 $\int_{-\frac{\pi}{4}}^{\frac{\pi}{4}}f(x)dx$의 값 구하기

$$\int_{-\frac{\pi}{4}}^{\frac{\pi}{4}}f(x)dx=\int_{-\frac{\pi}{4}}^{0}f(x)dx+\int_{0}^{\frac{\pi}{4}}f(x)dx=\int_{0}^{\frac{\pi}{4}}f(-x)dx+\int_{0}^{\frac{\pi}{4}}f(x)dx$$

$$=\int_{0}^{\frac{\pi}{4}}\{f(x)+f(-x)\}dx=\int_{0}^{\frac{\pi}{4}}\tan^2xdx=\int_{0}^{\frac{\pi}{4}}(\sec^2x-1)dx$$

$$=\left[\tan x-x\right]_{0}^{\frac{\pi}{4}}=\left(1-\frac{\pi}{4}\right)-0=\frac{4-\pi}{4}$$

다른풀이 $f(x)=\tan^2x-f(-x)$임을 이용하여 풀이하기

$$\int_{-\frac{\pi}{4}}^{\frac{\pi}{4}}f(x)dx=\int_{-\frac{\pi}{4}}^{\frac{\pi}{4}}\{\tan^2x-f(-x)\}dx$$

$$=\int_{-\frac{\pi}{4}}^{\frac{\pi}{4}}\tan^2xdx-\int_{-\frac{\pi}{4}}^{\frac{\pi}{4}}f(-x)dx \quad \cdots\cdots ㉠$$

한편 $\int_{-\frac{\pi}{4}}^{\frac{\pi}{4}}f(-x)dx$에서 $-x=t$라고 하면 $-dx=dt$이고

$x=-\frac{\pi}{4}$일 때 $t=\frac{\pi}{4}$, $x=\frac{\pi}{4}$일 때 $t=-\frac{\pi}{4}$이므로

$$\int_{-\frac{\pi}{4}}^{\frac{\pi}{4}}f(-x)dx=\int_{\frac{\pi}{4}}^{-\frac{\pi}{4}}f(t)(-1)dt=\int_{-\frac{\pi}{4}}^{\frac{\pi}{4}}f(t)dt \quad \cdots\cdots ㉡$$

㉡을 ㉠에 대입하면

$$\int_{-\frac{\pi}{4}}^{\frac{\pi}{4}}f(x)dx=\int_{-\frac{\pi}{4}}^{\frac{\pi}{4}}\tan^2xdx-\int_{-\frac{\pi}{4}}^{\frac{\pi}{4}}f(x)dt$$

$$2\int_{-\frac{\pi}{4}}^{\frac{\pi}{4}}f(x)dx=\int_{-\frac{\pi}{4}}^{\frac{\pi}{4}}\tan^2xdx=\int_{-\frac{\pi}{4}}^{\frac{\pi}{4}}(\sec^2x-1)dx$$

$$=\left[\tan x-x\right]_{-\frac{\pi}{4}}^{\frac{\pi}{4}}=\left(1-\frac{\pi}{4}\right)-\left(-1+\frac{\pi}{4}\right)$$

$$=2-\frac{\pi}{2}=\frac{4-\pi}{2}$$

따라서 $\int_{-\frac{\pi}{4}}^{\frac{\pi}{4}}f(x)dx=\frac{4-\pi}{4}$

0848

함수 $f(x)=x^2e^x$에 대하여 정적분

$$\int_{0}^{\frac{1}{2}}\{f(x)+f(1-x)\}dx$$

의 값은? (단, e는 자연로그의 밑이다.)

① $e-2$ ② $e-1$ ③ $e+\frac{1}{2}$

④ $2e$ ⑤ e^2+1

STEP Ⓐ $1-x=t$로 놓고 치환적분하기

$$\int_{0}^{\frac{1}{2}}\{f(x)+f(1-x)\}dx=\int_{0}^{\frac{1}{2}}f(x)dx+\int_{0}^{\frac{1}{2}}f(1-x)dx$$

$\int_{0}^{\frac{1}{2}}f(1-x)dx$에서 $1-x=t$로 놓으면 $-dx=dt$이고

$x=0$일 때 $t=1$, $x=\frac{1}{2}$일 때 $t=\frac{1}{2}$이므로

$$\int_{0}^{\frac{1}{2}}f(1-x)dx=\int_{1}^{\frac{1}{2}}f(t)(-dt)=\int_{\frac{1}{2}}^{1}f(t)dt=\int_{\frac{1}{2}}^{1}f(x)dx$$

STEP Ⓑ 피적분함수가 같은 경우 정적분 성질을 이용하여 정리하기

$$\int_{0}^{\frac{1}{2}}\{f(x)+f(1-x)\}dx=\int_{0}^{\frac{1}{2}}f(x)dx+\int_{\frac{1}{2}}^{1}f(x)dx$$

$$=\int_{0}^{1}f(x)dx=\int_{0}^{1}x^2e^xdx$$

STEP Ⓒ $f(x)=x^2$, $g'(x)=e^x$로 놓고 부분적분법을 이용하기

$f(x)=x^2$, $g'(x)=e^x$로 놓으면

$f'(x)=2x$, $g(x)=e^x$

$$\int_{0}^{1}x^2e^xdx=\left[x^2e^x\right]_{0}^{1}-\int_{0}^{1}2xe^xdx=e-\int_{0}^{1}2xe^xdx \quad \cdots\cdots ㉠$$

$\int_{0}^{1}2xe^xdx$에서 $u(x)=2x$, $v'(x)=e^x$로 놓으면

$u'(x)=2$, $v(x)=e^x$

$$\int_{0}^{1}2xe^xdx=\left[2xe^x\right]_{0}^{1}-\int_{0}^{1}2e^xdx=2e-\left[2e^x\right]_{0}^{1}$$

$$=2e-(2e-2)=2 \quad \cdots\cdots ㉡$$

따라서 ㉡을 ㉠에 대입하면 $\int_{0}^{1}x^2e^xdx=e-2$

0849

연속함수 $f(x)$에 대하여

$$f(x)+f(-x)=x^2\left(e^x+\frac{1}{e^x}\right)$$

이 성립할 때, $\int_{-1}^{1}f(x)dx$의 값을 구하여라.

STEP Ⓐ $-x=t$로 치환하여 $\int_{-1}^{0}f(x)dx=\int_{0}^{1}f(-x)dx$임을 구하기

$\int_{-1}^{1}f(x)dx=\int_{-1}^{0}f(x)dx+\int_{0}^{1}f(x)dx$

$\int_{-1}^{0}f(x)dx$에서 $x=-t$로 놓으면 $dx=-dt$이고

$x=-1$일 때 $t=1$, $x=0$일 때 $t=0$이므로

$\int_{-1}^{0}f(x)dx=\int_{1}^{0}-f(-t)dt=\int_{0}^{1}f(-t)dt$

STEP Ⓑ $\int_{-1}^{1}f(x)dx$의 값 구하기

따라서 $\int_{-1}^{1}f(x)dx=\int_{0}^{1}f(-x)dx+\int_{0}^{1}f(x)dx$

$=\int_{0}^{1}\{f(-x)+f(x)\}dx$

$=\int_{0}^{1}(x^2e^x+x^2e^{-x})dx$

$=\int_{0}^{1}x^2e^xdx+\int_{0}^{1}x^2e^{-x}dx$

$=e-5e^{-1}=e-\frac{5}{e}$

다른풀이 $\int_{-1}^{1}\{f(x)+f(-x)\}dx=2\int_{-1}^{1}f(x)dx$임을 이용하여 풀이하기

$f(x)+f(-x)=x^2\left(e^x+\frac{1}{e^x}\right)$의 양변을 구간 $[-1, 1]$에서 정적분하면

$\int_{-1}^{1}\{f(x)+f(-x)\}dx=\int_{-1}^{1}\left\{x^2\left(e^x+\frac{1}{e^x}\right)\right\}dx$

$=\int_{-1}^{1}(x^2e^x+x^2e^{-x})dx$

즉 $\int_{-1}^{1}\{f(x)+f(-x)\}dx=2\int_{-1}^{1}f(x)dx$

$\int_{-1}^{1}(x^2e^x+x^2e^{-x})dx$

$=\int_{-1}^{1}x^2e^xdx+\int_{-1}^{1}x^2e^{-x}dx$

$=\left[x^2e^x\right]_{-1}^{1}-\int_{-1}^{1}2x\cdot e^xdx+\left[x^2(-e^{-x})\right]_{-1}^{1}+\int_{-1}^{1}2x\cdot e^{-x}dx$

$=2(e-5e^{-1})$

따라서 $2\int_{-1}^{1}f(x)dx=2(e-5e^{-1})$이므로 $\int_{-1}^{1}f(x)dx=e-5e^{-1}$

0850

다음 등식을 만족하는 연속함수 $f(x)$를 구하여라.

(1) $f(x)=\cos x+\int_{0}^{\frac{\pi}{3}}f(t)\sin t dt$

STEP Ⓐ $\int_{0}^{\frac{\pi}{3}}f(t)\sin tdt$의 값이 상수임을 이용하여 $f(x)$의 식 정하기

$\int_{0}^{\frac{\pi}{3}}f(t)\sin tdt=k$($k$는 상수) …… ㉠

로 놓으면 $f(x)=\cos x+k$ …… ㉡

STEP Ⓑ $f(t)\sin t$를 적분하여 k의 값을 구하여 $f(x)$ 작성하기

㉡을 ㉠에 대입하면

$\int_{0}^{\frac{\pi}{3}}(\cos t+k)\sin tdt=k$

$\int_{0}^{\frac{\pi}{3}}(\cos t+k)\sin tdt=\int_{0}^{\frac{\pi}{3}}\sin t\cos tdt+k\int_{0}^{\frac{\pi}{3}}\sin tdt$

$\sin t=\theta$로 놓으면 $\cos tdt=d\theta$이고

$t=0$일 때 $\theta=0$, $t=\frac{\pi}{3}$일 때 $\theta=\frac{\sqrt{3}}{2}$이므로

$\int_{0}^{\frac{\pi}{3}}\sin t\cos tdt+k\int_{0}^{\frac{\pi}{3}}\sin tdt=\int_{0}^{\frac{\sqrt{3}}{2}}\theta d\theta+k\left[-\cos t\right]_{0}^{\frac{\pi}{3}}$

$=\left[\frac{1}{2}\theta^2\right]_{0}^{\frac{\sqrt{3}}{2}}+\frac{1}{2}k$

$=\frac{3}{8}+\frac{1}{2}k$

따라서 $\frac{3}{8}+\frac{1}{2}k=k$이므로 $k=\frac{3}{4}$ $\therefore f(x)=\cos x+\frac{3}{4}$

(2) $f(x)=\frac{2}{x^2+1}+\int_{0}^{1}tf(t)dt$

STEP Ⓐ $\int_{0}^{1}tf(t)dt$의 값이 상수임을 이용하여 $f(x)$의 식 정하기

$\int_{0}^{1}tf(t)dt=k$(k는 상수) …… ㉠

로 놓으면 $f(x)=\frac{2}{x^2+1}+k$ …… ㉡

STEP Ⓑ $tf(t)$를 적분하여 k의 값을 구하여 $f(x)$작성하기

㉡을 ㉠에 대입하면

$\int_{0}^{1}tf(t)dt=\int_{0}^{1}t\left(\frac{2}{t^2+1}+k\right)dt$

$=\int_{0}^{1}\left(\frac{2t}{t^2+1}+kt\right)dt$

$=\left[\ln(t^2+1)\right]_{0}^{1}+\left[\frac{1}{2}kt^2\right]_{0}^{1}$

$=\ln 2+\frac{1}{2}k$

즉 $k=\ln 2+\frac{1}{2}k$이므로 $k=2\ln 2$

따라서 $f(x)=\frac{2}{x^2+1}+2\ln 2$

0851

다음 물음에 답하여라.

(1) 미분가능한 함수 $f(x)$가

$$f(x)=\sin x+\int_0^{\pi} tf'(t)dt$$

를 만족시킬 때, $f\left(\frac{\pi}{2}\right)$의 값은?

① -2 ② -1 ③ 0
④ 1 ⑤ 2

STEP Ⓐ $\int_0^{\pi} tf'(t)dt$의 값이 상수임을 이용하여 $f(x)$의 식 정하기

$\int_0^{\pi} tf'(t)dt=k$ (k는 상수) …… ㉠

로 놓으면 $f(x)=\sin x+k$이므로

$f'(x)=\cos x$ …… ㉡

STEP Ⓑ $tf'(t)$를 적분하여 k의 값을 구하여 $f\left(\frac{\pi}{2}\right)$의 값 구하기

㉡을 ㉠에 대입하면

$$\int_0^{\pi} tf'(t)dt=\int_0^{\pi} t\cos t dt$$
$$=\Big[t\sin t\Big]_0^{\pi}-\int_0^{\pi}\sin t dt$$
$$=0+\Big[\cos t\Big]_0^{\pi}$$
$$=-1-1=-2$$

$\therefore k=-2$

따라서 $f(x)=\sin x-2$이므로 $f\left(\frac{\pi}{2}\right)=1-2=-1$

(2) 함수 $f(x)$가

$$f(x)=x\cos x+\int_0^{\frac{\pi}{2}} f(t)dt$$

를 만족시킬 때, $f\left(\frac{\pi}{2}\right)$의 값은?

① -4 ② -2 ③ -1
④ $-\frac{1}{2}$ ⑤ $-\frac{1}{4}$

STEP Ⓐ $\int_0^{\frac{\pi}{2}} f(t)dt$의 값이 상수임을 이용하여 $f(x)$의 식 정하기

$\int_0^{\frac{\pi}{2}} f(t)dt=k$($k$는 상수) …… ㉠

로 놓으면 $f(x)=x\cos x+k$ …… ㉡

STEP Ⓑ $f(t)$를 적분하여 k의 값을 구하여 $f\left(\frac{\pi}{2}\right)$의 값 구하기

㉡을 ㉠에 대입하면

$$\int_0^{\frac{\pi}{2}} f(t)dt=\int_0^{\frac{\pi}{2}}(t\cos t+k)dt$$
$$=\Big[t\sin t\Big]_0^{\frac{\pi}{2}}-\int_0^{\frac{\pi}{2}}\sin t dt+\Big[kx\Big]_0^{\frac{\pi}{2}}$$
$$=\frac{\pi}{2}+\Big[\cos t\Big]_0^{\frac{\pi}{2}}+\frac{\pi}{2}k$$
$$=\frac{\pi}{2}-1+\frac{\pi}{2}k$$

즉 $\frac{\pi}{2}-1+\frac{\pi}{2}k=k$ $\therefore k=-1$

따라서 $f(x)=x\cos x-1$이므로 $f\left(\frac{\pi}{2}\right)=-1$

0852

연속함수 $f(x)$가

$$f(x)=e^{x^2}+\int_0^1 tf(t)dt$$

를 만족시킬 때, $\int_0^1 xf(x)dx$의 값은?

① $e-2$ ② $\frac{e-1}{2}$ ③ $\frac{e}{2}$
④ $e-1$ ⑤ $\frac{e+1}{2}$

STEP Ⓐ $\int_0^1 tf(t)dt$의 값이 상수임을 이용하여 $f(x)$의 식 정하기

$\int_0^1 tf(t)dt=k$(k는 상수) …… ㉠

로 놓으면 $f(x)=e^{x^2}+k$ …… ㉡

㉡을 ㉠에 대입하면

STEP Ⓑ $t^2=s$로 놓고 치환적분법을 이용하여 s 구하기

$\int_0^1(te^{t^2}+kt)dt=k$

$\int_0^1 te^{t^2}dt+\int_0^1 ktdt=k$ …… ㉢

$\int_0^1 te^{t^2}dt$에서 $t^2=s$라 하면 $2tdt=ds$이고

$t=0$일 때 $s=0$, $t=1$일 때 $s=1$이므로

$\int_0^1 te^{t^2}dt=\frac{1}{2}\int_0^1 e^s ds=\frac{1}{2}\Big[e^s\Big]_0^1=\frac{1}{2}(e-1)$

㉢에서 $\frac{1}{2}(e-1)+\Big[\frac{1}{2}kt^2\Big]_0^1=k$

$\frac{1}{2}(e-1)+\frac{1}{2}k=k$

따라서 $\frac{1}{2}k=\frac{1}{2}(e-1)$에서 $k=e-1$이므로 $\int_0^1 xf(x)dx=e-1$

0853

다음 물음에 답하여라. (단, a는 상수이다.)

(1) 연속함수 $f(x)$가 모든 실수 x에 대하여

$$\int_0^x f(t)dt=e^x+ax+a$$

를 만족시킬 때, $f(\ln 2)$의 값은?

① 1 ② 2 ③ e
④ 3 ⑤ $2e$

STEP Ⓐ $\int_0^0 f(t)dt=0$을 이용하여 a의 값 구하기

$\int_0^x f(t)dt=e^x+ax+a$ …… ㉠

㉠의 양변에 $x=0$을 대입하면 $0=e^0+a=1+a$ $\therefore a=-1$

STEP Ⓑ 주어진 식에 a의 값을 대입한 후 양변을 미분하여 $f(x)$ 구하기

$a=-1$을 대입하면 $\int_0^x f(t)dt=e^x-x-1$

양변을 x에 대하여 미분하면 $f(x)=e^x-1$

따라서 $f(\ln 2)=e^{\ln 2}-1=2-1=1$

(2) 양의 실수 전체의 집합에서 연속인 함수 $f(x)$가

$$\int_1^x f(t)dt=x^2-a\sqrt{x}(x>0)$$

을 만족시킬 때, $f(1)$의 값은?

① 1 ② $\frac{3}{2}$ ③ 2
④ $\frac{5}{2}$ ⑤ 3

STEP **A** $\int_1^1 f(t)dt=0$을 이용하여 a의 값 구하기

$\int_1^x f(t)dt=x^2-a\sqrt{x}\ (x>0)$ ······ ㉠

㉠의 양변에 $x=1$을 대입하면

$0=1-a \quad \therefore a=1$

STEP **B** 주어진 식에 a의 값을 대입한 후 양변을 미분하여 $f(x)$ 구하기

$a=1$을 대입하면

$\int_1^x f(t)dt=x^2-\sqrt{x}$

양변을 x에 대하여 미분하면

$f(x)=2x-\frac{1}{2\sqrt{x}}$

따라서 $f(1)=2-\frac{1}{2}=\frac{3}{2}$

(3) 연속함수 $f(x)$가 모든 실수 x에 대하여

$$\int_0^x f(t)dt=\cos 2x+ax^2+a$$

를 만족시킬 때, $f\left(\frac{\pi}{2}\right)$의 값은?

① $-\frac{3}{2}\pi$ ② $-\pi$ ③ $-\frac{\pi}{2}$
④ 0 ⑤ $\frac{\pi}{2}$

STEP **A** $\int_0^0 f(t)dt=0$을 이용하여 a의 값 구하기

$\int_0^x f(t)dt=\cos 2x+ax^2+a$ ······ ㉠

㉠의 양변에 $x=0$을 대입하면

$\cos 0+a\cdot 0^2+a=0 \quad \therefore a=-1$

STEP **B** 주어진 식에 a의 값을 대입한 후 양변을 미분하여 $f(x)$ 구하기

$a=-1$을 대입하면 $\int_0^x f(t)dt=\cos 2x-x^2-1$

㉠의 양변에 x에 대하여 미분하면

$f(x)=-2\sin 2x-2x$

따라서 $f\left(\frac{\pi}{2}\right)=-2\sin\pi-\pi=-\pi$

0854

다음 물음에 답하여라.

(1) 실수 전체의 집합에서 미분가능한 함수 $f(x)$가

$$xf(x)=3^x+a+\int_0^x tf'(t)dt$$

를 만족시킬 때, $f(a)$의 값은? (단, a는 상수이다.)

① $\frac{\ln 2}{6}$ ② $\frac{\ln 2}{3}$ ③ $\frac{\ln 2}{2}$
④ $\frac{\ln 3}{3}$ ⑤ $\frac{\ln 3}{2}$

STEP **A** $\int_0^0 f(t)dt=0$을 이용하여 a의 값 구하기

$xf(x)=3^x+a+\int_0^x tf'(t)dt$ ······ ㉠

㉠의 양변에 $x=0$을 대입하면

$0=1+a \quad \therefore a=-1$

STEP **B** 주어진 식에 a의 값을 대입한 후 양변을 미분하여 $f(x)$ 구하기

㉠의 양변을 x에 대하여 미분하면

$f(x)+xf'(x)=3^x\ln 3+xf'(x) \quad \therefore f(x)=3^x\ln 3$

STEP **C** $f(a)$의 값 구하기

따라서 $f(-1)=\frac{\ln 3}{3}$

(2) 실수 전체의 집합에서 미분가능한 함수 $f(x)$가 모든 실수 x에 대하여

$$xf(x)=x^2e^{-x}+\int_1^x f(t)dt$$

를 만족시킬 때, $f(2)$의 값은?

① $\frac{1}{e}$ ② $\frac{e+1}{e^2}$ ③ $\frac{e+2}{e^2}$
④ $\frac{e+3}{e^2}$ ⑤ $\frac{e+4}{e^2}$

STEP **A** 양변을 x에 대하여 미분하여 $f'(x)$ 구하기

$xf(x)=x^2e^{-x}+\int_1^x f(t)dt$ ······ ㉠

㉠ 양변을 x에 대하여 미분하면

$f(x)+xf'(x)=2xe^{-x}-x^2e^{-x}+f(x)$

$f'(x)=2e^{-x}-xe^{-x}$

$f(x)=\int(2e^{-x}-xe^{-x})dx$

$=-2e^{-x}+xe^{-x}-\int e^{-x}dx$

$=-2e^{-x}+xe^{-x}+e^{-x}+C$ (단, C는 적분상수)

$=(x-1)e^{-x}+C$

STEP **B** 주어진 식에 $x=1$을 대입하여 적분상수 구하기

㉠의 양변에 $x=1$을 대입하면

$1\cdot f(1)=1\cdot e^{-1}+\int_1^1 f(t)dt \quad \therefore f(1)=e^{-1}$

즉 $f(1)=(1-1)e^{-1}+C$이므로 $C=e^{-1}$

$\therefore f(x)=(x-1)e^{-x}+e^{-1}$

STEP **C** $f(2)$ 구하기

따라서 $f(x)=(x-1)e^{-x}+e^{-1}$이므로 $f(2)=e^{-2}+e^{-1}=\frac{e+1}{e^2}$

0855

다음 물음에 답하여라.

(1) $x>0$에서 정의되고, 미분가능한 함수 $f(x)$가

$$xf(x)-x=\int_1^x f(t)dt$$

를 만족시킬 때, $f\left(\frac{1}{e}\right)+f(e)$의 값은?

① -2 ② -1 ③ 2
④ 3 ⑤ 4

STEP **A** $\int_1^1 f(t)dt=0$을 이용하여 $f(1)$의 값 구하기

$xf(x)-x=\int_1^x f(t)dt$ ······ ㉠

㉠의 양변에 $x=1$을 대입하면

$f(1)-1=\int_1^1 f(t)dt=0 \quad \therefore f(1)=1$

STEP **B** 주어진 식의 양변을 x에 대하여 미분하여 $f'(x)$ 구하기

㉠에서 양변을 x에 대하여 미분하면

$f(x)+xf'(x)-1=f(x)$

$xf'(x)=1 \quad \therefore f'(x)=\frac{1}{x}$

STEP **C** $f'(x)$를 적분하여 적분상수를 구한 후 $f(x)$ 구하기

$f(x)=\int f'(x)dx=\int\frac{1}{x}dx=\ln x+C$ (단, C는 적분상수)

$f(1)=\ln 1+C=1 \quad \therefore C=1$

따라서 $f(x)=\ln x+1$이므로 $f\left(\frac{1}{e}\right)+f(e)=\left(\ln\frac{1}{e}+1\right)+(\ln e+1)=2$

(2) 양의 실수 전체의 집합에서 정의된 미분 가능한 함수 $f(x)$가

$$xf(x)=x\ln x+\int_e^x f(t)dt$$

를 만족시킬 때, $f(e^3)$의 값은?

① 4 ② 5 ③ 6
④ 7 ⑤ 8

STEP Ⓐ $\int_e^e f(t)dt=0$을 이용하여 $f(e)$의 값 구하기

$xf(x)=x\ln x+\int_e^x f(t)dt$ …… ㉠

㉠의 양변에 $x=e$를 대입하면

$ef(e)=e\ln e+\int_e^e f(t)dt=e+0 \quad \therefore f(e)=1$

STEP Ⓑ 주어진 식의 양변을 x에 대하여 미분하여 $f'(x)$ 구하기

㉠의 양변을 x에 대하여 미분하면

$f(x)+xf'(x)=\ln x+1+f(x) \quad \therefore f'(x)=\frac{\ln x}{x}+\frac{1}{x}$

STEP Ⓒ $f'(x)$를 적분하여 적분상수를 구한 후 $f(x)$ 구하기

$f(x)=\int f'(x)dx=\int\left(\frac{\ln x}{x}+\frac{1}{x}\right)dx$

$=\int\frac{\ln x}{x}dx+\int\frac{1}{x}dx$

$\int\frac{\ln x}{x}dx$에서 $\ln x=t$로 놓으면 $\frac{1}{x}dx=dt$이므로

$\int\frac{\ln x}{x}dx=\int tdt=\frac{1}{2}t^2+C_1$ (단, C_1은 적분상수)

$=\frac{1}{2}(\ln x)^2+C_1$

$f(x)=\frac{1}{2}(\ln x)^2+\ln x+C$ (단, C는 적분상수)

$f(e)=\frac{1}{2}+1+C$이므로 $\frac{3}{2}+C=1$에서 $C=-\frac{1}{2}$

따라서 $f(x)=\frac{1}{2}(\ln x)^2+\ln x-\frac{1}{2}$이므로 $f(e^3)=\frac{1}{2}\times 3^2+3-\frac{1}{2}=7$

(3) $x>0$에서 정의되고, 미분가능한 함수 $f(x)$가

$$x^2f(x)=x^3e^x+2\int_1^x tf(t)dt$$

를 만족시킬 때, $f(2)$의 값은?

① e^2-1 ② $4e^2-1$ ③ $4e^2-2e$
④ $4e^2+1$ ⑤ $4e^2+2e$

STEP Ⓐ $\int_1^1 f(t)dt=0$을 이용하여 $f(1)$의 값 구하기

$x^2f(x)=x^3e^x+2\int_1^x tf(t)dt$ …… ㉠

㉠의 양변에 $x=1$을 대입하면

$f(1)=e+2\int_1^1 tf(t)dt=e+0=e \quad \therefore f(1)=e$

STEP Ⓑ 주어진 식의 양변을 x에 대하여 미분하여 $f'(x)$ 구하기

㉠의 양변을 x에 대하여 미분하면

$2xf(x)+x^2f'(x)=3x^2e^x+x^3e^x+2xf(x)$

$x^2f'(x)=3x^2e^x+x^3e^x \quad \therefore f'(x)=3e^x+xe^x$

STEP Ⓒ $f'(x)$를 적분하여 적분상수를 구한 후 $f(x)$ 구하기

$\therefore f(x)=\int(3e^x+xe^x)dx$

$=3\int e^xdx+\int xe^xdx$

$=3e^x+(xe^x-e^x)+C$

$=(x+2)e^x+C$ …… ㉠

$f(1)=e$이므로 $f(1)=3e+C=e \quad \therefore C=-2e$

따라서 $f(x)=(x+2)e^x-2e$ 이므로 $f(2)=4e^2-2e$

0856

미분가능한 함수 $f(x)$가

$$\int_0^x(x-t)f(t)dt=e^x-ax-b$$

를 만족할 때, 다음 물음에 답하여라.

(1) 상수 a, b의 값을 구하여라.

STEP Ⓐ $\int_0^0 f(x)dx=0$을 이용하여 b의 값 구하기

주어진 등식의 양변에 $x=0$을 대입하면

$0=1-b \quad \therefore b=1$ …… ㉠

STEP Ⓑ 주어진 식의 양변을 미분하여 정리하기

주어진 식의 좌변을 정리하면

$\int_0^x(x-t)f(t)dt=x\int_0^x f(t)dt-\int_0^x tf(t)dt$이므로

$x\int_0^x f(t)dt-\int_0^x tf(t)dt=e^x-ax-b$

위의 양변을 x에 대하여 미분하면

$(x)'\int_0^x f(t)dt+x\left(\int_0^x f(t)dt\right)'-\left(\int_0^x tf(t)dt\right)'=e^x-a$

$\int_0^x f(t)dt+xf(x)-xf(x)=e^x-a$

$\therefore \int_0^x f(t)dt=e^x-a$ …… ㉡

STEP Ⓒ $\int_0^0 f(x)dx=0$을 이용하여 a의 값 구하기

㉡에 $x=0$을 대입하면

$0=1-a \quad \therefore a=1$

따라서 $a=1$, $b=1$

(2) $\int_0^1 f(x)dx$의 값을 구하여라.

STEP Ⓐ 양변을 미분하여 $f(x)$의 값 구하기

$\int_0^x f(t)dt=e^x-1$이므로

양변을 x에 대하여 미분하면 $f(x)=e^x$

STEP Ⓑ $\int_0^1 f(x)dx$의 값 구하기

따라서 $\int_0^1 f(x)dx=\int_0^1 e^xdx=\left[e^x\right]_0^1=e-1$

참고 $\int_0^x f(t)dt=e^x-1$이므로 $x=1$을 대입하면 $\int_0^1 f(t)dt=e-1$

0857

다음 물음에 답하여라.

(1) 실수 전체의 집합에서 연속인 함수 $f(x)$가 모든 실수 x에 대하여

$$\int_1^x (x-t)f(t)dt = e^{x-1} + ax^2 - 3x + 1$$

을 만족시킬 때, $f(a)$의 값은? (단, a는 상수이다.)

① -3 ② -1 ③ 0
④ 1 ⑤ 3

STEP Ⓐ $\int_1^1 f(t)dt = 0$임을 이용하여 a 구하기

주어진 등식에 양변에 $x=1$을 대입하면
$0 = e^0 + a - 3 + 1 \quad \therefore a = 1$

STEP Ⓑ 좌변을 정리하여 양변을 미분하여 $f(a)$의 값 구하기

주어진 식의 좌변을 정리하면
$\int_1^x (x-t)f(t)dt = x\int_1^x f(t)dt - \int_1^x tf(t)dt$이므로
$x\int_1^x f(t)dt - \int_1^x tf(t)dt = e^{x-1} + x^2 - 3x + 1 (\because a=1)$
양변을 x에 대하여 미분하면
$\int_1^x f(t)dt + xf(x) - xf(x) = e^{x-1} + 2x - 3$
$\therefore \int_1^x f(t)dt = e^{x-1} + 2x - 3$ …… ㉠
㉠의 양변을 x에 대하여 미분하면 $f(x) = e^{x-1} + 2$
따라서 $f(1) = e^0 + 2 = 1 + 2 = 3$

(2) 실수 전체의 집합에서 연속인 함수 $f(x)$가 모든 실수 x에 대하여

$$x\int_0^x f(t)dt - \int_0^x tf(t)dt = ae^{2x} - 4x + b$$

를 만족시킬 때, $f(a)f(b)$의 값은? (단, a, b는 상수이다.)

① 24 ② 36 ③ 42
④ 52 ⑤ 64

STEP Ⓐ 원래의 식과 미분한 식에 $x=0$을 대입하여 a, b의 값 구하기

$x\int_0^x f(t)dt - \int_0^x tf(t)dt = ae^{2x} - 4x + b$ …… ㉠
㉠의 양변에 $x=0$을 대입하면
$0 = a + b$ …… ㉡
㉠의 양변을 x에 대하여 미분하면
$\int_0^x f(t)dt + xf(x) - xf(x) = 2ae^{2x} - 4$
즉 $\int_0^x f(t)dt = 2ae^{2x} - 4$ …… ㉢
㉢의 양변에 $x=0$을 대입하면
$0 = 2a - 4 \quad \therefore a = 2$
㉡에서 $b = -2$

STEP Ⓑ $f(a)f(b)$의 값 구하기

$\int_0^x f(t)dt = 4e^{2x} - 4$의 양변을 x에 대하여 미분하면 $f(x) = 8e^{2x}$
따라서 $f(a)f(b) = f(2)f(-2) = (8e^4) \times (8e^{-4}) = 64e^{4-4} = 64$

0858

연속함수 $f(x)$에 대하여

$$f(x) = xe^x + x + \int_0^x (x-t)f'(t)dt$$

를 만족할 때, $f'(2) - f(2)$의 값을 구하여라.

STEP Ⓐ $\int_0^0 f(x)dx = 0$을 이용하여 $f(0)$의 값 구하기

주어진 등식의 양변에 $x=0$을 대입하면
$f(0) = 0$

STEP Ⓑ 양변을 미분하여 $f'(x)$의 값 구하기

주어진 식의 우변을 정리하면
$f(x) = xe^x + x + \int_0^x (x-t)f'(t)dt$
$\quad = xe^x + x + x\int_0^x f'(t)dt - \int_0^x tf'(t)dt$
양변을 x에 관하여 미분하면
$f'(x) = e^x + xe^x + 1 + (x)'\int_0^x f'(t)dt + x\left(\int_0^x f'(t)dt\right)' - \left(\int_0^x tf'(t)dt\right)'$
$\quad = (x+1)e^x + 1 + \int_0^x f'(t)dt + xf'(x) - xf'(x)$
$\quad = (x+1)e^x + 1 + \left[f(t)\right]_0^x$
$\quad = (x+1)e^x + 1 + f(x) - f(0)$

STEP Ⓒ $f'(2) - f(2)$의 값 구하기

$f'(x) = (x+1)e^x + 1 + f(x)$이므로 $f'(x) - f(x) = (x+1)e^x + 1$
따라서 $f'(2) - f(2) = 3e^2 + 1$

0859

함수 $f(x) = \int_0^x \frac{1}{1+t^6}dt$에 대하여 상수 a가 $f(a) = \frac{1}{2}$을 만족시킬 때,
$\int_0^a \frac{e^{f(x)}}{1+x^6}dx$의 값은?

① $\frac{\sqrt{e}-1}{2}$ ② $\sqrt{e}-1$ ③ 1
④ $\frac{\sqrt{e}+1}{2}$ ⑤ $\sqrt{e}+1$

STEP Ⓐ 함수 $f(x)$를 미분하여 $\int_0^a \frac{e^{f(x)}}{1+x^6}dx$에 대입하기

$f(x) = \int_0^x \frac{1}{1+t^6}dt$의 양변을 x에 대하여 미분하면
$f'(x) = \frac{1}{1+x^6}$이므로
$\int_0^a \frac{e^{f(x)}}{1+x^6}dx = \int_0^a e^{f(x)} \cdot \frac{1}{1+x^6}dx = \int_0^a e^{f(x)}f'(x)dx$

STEP Ⓑ $f(x) = t$로 치환하여 주어진 정적분 구하기

따라서 $f(x) = t$로 놓으면 $f'(x)dx = dt$이고
$x=0$일 때, $t = f(0) = \int_0^0 \frac{1}{1+t^6}dt = 0$
$x=a$일 때, $t = f(a) = \frac{1}{2}$이므로 $\int_0^a e^{f(x)}f'(x)dx = \int_0^{\frac{1}{2}} e^t dt = \left[e^t\right]_0^{\frac{1}{2}} = \sqrt{e} - 1$

다른풀이 $e^{f(x)} = t$로 치환하여 풀이하기

$f(x) = \int_0^x \frac{1}{1+t^6}dt$이므로 양변을 x에 대하여 미분하면
$f'(x) = \frac{1}{1+x^6}$
$e^{f(x)} = t$로 놓으면 $f'(x)e^{f(x)}dx = dt$
즉 $\frac{e^{f(x)}}{1+x^6}dx = dt$
$\int_0^a \frac{e^{f(x)}}{1+x^6}dx = \int_0^a e^{f(x)} \cdot f'(x)dx$
또한, $x=a$에서 $t = e^{f(a)} = e^{\frac{1}{2}} = \sqrt{e}$
$x=0$에서 $t = e^{f(0)} = e^0 = 1 \left(\because f(0) = \int_0^0 \frac{1}{1+t^6}dt = 0\right)$
따라서 $\int_0^a \frac{e^{f(x)}}{1+x^6}dx = \int_1^{\sqrt{e}} 1dt = \sqrt{e} - 1$

0860

다음 물음에 답하여라.

(1) 연속함수 $f(x)$가

$$\int_0^x f(x-t)dt=1+\cos x$$

를 만족할 때, $f\left(\frac{\pi}{2}\right)$의 값은?

① -1　② 0　③ $\frac{1}{2}$
④ 1　⑤ 2

STEP A $x-t=u$로 치환하여 식을 정리하기

$x-t=u$로 놓으면 $-dt=du$ ⬅ t에 대하여 미분하면

또, $t=0$일 때 $u=x$, $t=x$일 때 $u=0$이므로

$\int_0^x f(x-t)dt=-\int_x^0 f(u)du=\int_0^x f(u)du$

STEP B 양변을 x에 대하여 미분하여 $f(x)$ 구하기

즉 $\int_0^x f(u)du=1+\cos x$이므로

양변을 x에 대하여 미분하면

$f(x)=-\sin x$

따라서 $f\left(\frac{\pi}{2}\right)=-\sin\frac{\pi}{2}=-1$

(2) 실수 전체의 집합에서 연속인 함수 $f(x)$가

$$\int_0^x f(x-t)dt=e^{2x}+e^x-2$$

를 만족시킬 때, $f(\ln 3)$의 값은?

① 18　② 19　③ 20
④ 21　⑤ 22

STEP A $x-t=u$로 치환하여 식을 정리하기

$\int_0^x f(x-t)dt=e^{2x}+e^x-2$에서

$x-t=u$로 놓으면 $-dt=du$ ⬅ t에 대하여 미분하면

또, $t=0$일 때 $u=x$, $t=x$일 때 $u=0$이므로

$\int_0^x f(x-t)dt=-\int_x^0 f(u)du=\int_0^x f(u)du$

STEP B 양변을 x에 대하여 미분하여 $f(x)$ 구하기

즉 $\int_0^x f(u)du=e^{2x}+e^x-2$이므로 양변을 x에 대하여 미분하면

$f(x)=2e^{2x}+e^x$

따라서 $f(\ln 3)=2e^{2\ln 3}+e^{\ln 3}=2\times 9+3=21$

0861

다음 물음에 답하여라.

(1) 양의 실수 전체의 집합에서 미분가능한 두 함수 $f(x)$와 $g(x)$가 다음 조건을 만족시킨다.

(가) 모든 양의 실수 x에 대하여 $g(x)=\int_1^x \frac{f(t^2+1)}{t}dt$
(나) $\int_2^5 f(x)dx=16$

$g(2)=3$일 때, $\int_1^2 xg(x)dx$의 값은?

① 2　② 4　③ 6
④ 8　⑤ 10

STEP A 조건 (가)에서 $g(1)$, $g'(x)$의 값 구하기

조건 (가)에서

$g(x)=\int_1^x \frac{f(t^2+1)}{t}dt$의 양변에 $x=1$을 대입하면 $g(1)=0$

또한, 양변을 x애 대하여 $g'(x)=\frac{f(x^2+1)}{x}$

STEP B 부분적분을 이용하여 $\int_1^2 xg(x)dx$의 식 정리하기

$u'(x)=x$, $v(x)=g(x)$라 하면

$u(x)=\frac{1}{2}x^2$, $v'(x)=g'(x)$

$$\begin{aligned}\int_1^2 xg(x)dx&=\left[\frac{1}{2}x^2g(x)\right]_1^2-\int_1^2\frac{1}{2}x^2g'(x)dx\\&=2g(2)-\frac{1}{2}g(1)-\int_1^2\left\{\frac{1}{2}x^2\cdot\frac{f(x^2+1)}{x}\right\}dx\\&=2\cdot 3-\frac{1}{2}\cdot 0-\frac{1}{2}\int_1^2 xf(x^2+1)dx\end{aligned}$$

STEP C $x^2+1=t$로 치환하여 $\int_1^2 xg(x)dx$의 값 구하기

이때 $x^2+1=t$라 하면 $2xdx=dt$이고

$x=1$일 때, $t=2$이고 $x=2$일 때, $t=5$

$\int_1^2 xf(x^2+1)dx=\frac{1}{2}\int_2^5 f(t)dt=\frac{1}{2}\times 16$ ($\because$ 조건 (나)에서)

따라서 $\int_1^2 xg(x)dx=6-\frac{1}{2}\left\{\frac{1}{2}\int_2^5 f(t)dt\right\}=6-\frac{1}{4}\times 16=2$

(2) 연속함수 $y=f(x)$의 그래프가 원점에 대하여 대칭이고, 모든 실수 x에 대하여

$$f(x)=\frac{\pi}{2}\int_1^{x+1} f(t)dt$$

이다. $f(1)=1$일 때, $\pi^2\int_0^1 xf(x+1)dx$의 값은?

① $2(\pi-2)$　② $2\pi-3$　③ $2(\pi-1)$
④ $2\pi-1$　⑤ 2π

STEP A 주어진 식을 미분하여 $f(x+1)$과 $f'(x)$의 관계식 구하기

$f(x)=\frac{\pi}{2}\int_1^{x+1} f(t)dt$ …… ㉠

㉠의 양변에 x에 대하여 미분하면

$f'(x)=\frac{\pi}{2}f(x+1)$

즉 $f(x+1)=\frac{2}{\pi}f'(x)$이므로

$\pi^2\int_0^1 xf(x+1)dx=\pi^2\int_0^1\left\{x\cdot\frac{2}{\pi}f'(x)\right\}dx=2\pi\int_0^1 xf'(x)dx$

STEP B 부분적분법을 이용하여 $\int_0^1 f(x)dx$의 값 구하여 주어진 식 계산하기

$\int_0^1 xf'(x)dx$에서 $u=x$, $v'=f'(x)$로 놓으면

$u'=1$, $v=f(x)$이므로

$\int_0^1 xf'(x)dx=\left[xf(x)\right]_0^1-\int_0^1 f(x)dx=f(1)-\int_0^1 f(x)dx$

$y=f(x)$의 그래프가 연속이고 원점에 대하여 대칭이므로

$f(0)=0$, $f(-1)=-f(1)=-1$

㉠에서 $x=-1$을 대입하면

$f(-1)=\frac{\pi}{2}\int_1^0 f(t)dt=-\frac{\pi}{2}\int_0^1 f(t)dt=-1$

$\therefore \int_0^1 f(x)dx=\frac{2}{\pi}$

따라서 $\pi^2\int_0^1 xf(x+1)dx=2\pi\cdot\left\{f(1)-\int_0^1 f(x)dx\right\}$

$=2\pi\cdot\left(1-\frac{2}{\pi}\right)=2(\pi-2)$

다른풀이 원점에 대하여 대칭을 이용하여 풀이하기

STEP A 미분을 이용하여 $f(x+1)$과 $f'(x)$의 관계식 구하기

$f(x)=\frac{\pi}{2}\int_{1}^{x+1}f(t)dt$ …… ㉠

㉠의 양변을 x에 대하여 미분하면

$f'(x)=\frac{\pi}{2}f(x+1)$ $\therefore f(x+1)=\frac{2}{\pi}f'(x)$

STEP B $y=f(x)$의 그래프가 원점에 대하여 대칭이라는 것과 부분적분법을 이용하기

$$\pi^2\int_0^1 xf(x+1)dx=\pi^2\int_0^1\left\{x\times\frac{2}{\pi}f'(x)\right\}dx$$
$$=2\pi\int_0^1 xf'(x)dx$$
$$=2\pi\left\{\Big[xf(x)\Big]_0^1-\int_0^1 f(x)dx\right\}$$
$$=2\pi\left\{f(1)-\int_0^1 f(x)dx\right\}$$

㉠의 양변에 $x=-1$을 대입하면

$f(-1)=\frac{\pi}{2}\int_1^0 f(t)dt=-\frac{\pi}{2}\int_0^1 f(t)dt$

함수 $y=f(x)$의 그래프가 원점에 대하여 대칭이므로

$f(-1)=-f(1)=-1$

즉 $-\frac{\pi}{2}\int_0^1 f(t)dt=-1$이므로 $\int_0^1 f(t)dt=\frac{2}{\pi}$

따라서 $\pi^2\int_0^1 xf(x+1)dx=2\pi\left\{f(1)-\int_0^1 f(x)dx\right\}$

$$=2\pi\left(1-\frac{2}{\pi}\right)=2(\pi-2)$$

0862

연속함수 $f(x)$가

$$\int_0^x tf(x-t)dt=-2\sin 2x+kx$$

를 만족시킬 때, 상수 k의 값은?

① 2 ② 4 ③ 6
④ 8 ⑤ 10

STEP A $x-t=z$로 치환하여 치환적분법을 이용하여 정리하기

$x-t=z$로 놓으면 $-dt=dz$이고

$t=0$일 때, $z=x$이고 $t=x$일 때, $z=0$

$$\int_0^x tf(x-t)dt=-\int_x^0(x-z)f(z)dz$$
$$=\int_0^x(x-z)f(z)dz$$
$$=x\int_0^x f(z)dz-\int_0^x zf(z)dz$$

$\therefore x\int_0^x f(z)dz-\int_0^x zf(z)dz=-2\sin 2x+kx$ …… ㉠

㉠의 양변을 x에 대하여 미분하면

$\int_0^x f(z)dz+xf(x)-xf(x)=-4\cos 2x+k$

$\therefore \int_0^x f(z)dz=-4\cos 2x+k$ …… ㉡

STEP B k 값 구하기

㉡의 양변에 $x=0$을 대입하면 $0=-4+k$

따라서 $k=4$

0863

함수 $f(x)=\frac{1}{1+x}$에 대하여

$$F(x)=\int_0^x tf(x-t)dt\,(x\geq 0)$$

일 때, $F'(a)=\ln 10$을 만족시키는 상수 a의 값을 구하여라.

STEP A $x-t=z$로 치환하여 치환적분법을 이용하여 $F'(x)$ 구하기

$F(x)=\int_0^x tf(x-t)dt\,(x\geq 0)$에서 $x-t=z$로 놓으면

양변을 t에 대하여 미분하면 $-dt=dz$

$t=0$일 때, $z=x$이고 $t=x$일 때, $z=0$

$$F(x)=\int_x^0(x-z)f(z)\cdot(-1)dz=\int_0^x(x-z)f(z)dz$$
$$=x\int_0^x f(z)dz-\int_0^x zf(z)dz$$

$$F'(x)=\int_0^x f(z)dz+xf(x)-xf(x)=\int_0^x f(z)dz=\int_0^x\frac{1}{1+z}dz$$
$$=\Big[\ln|1+z|\Big]_0^x=\ln(1+x)\,(\because x\geq 0)$$

STEP B $F'(a)=\ln 10$을 만족하는 a 구하기

$F'(a)=\ln 10$에서 $\ln(1+a)=\ln 10$, $1+a=10$

따라서 $a=9$

다른풀이 대칭성을 이용하여 정적분 풀이하기

$F(x)=\int_0^x tf(x-t)dt\,(x\geq 0)$

함수 $y=tf(x-t)$의 그래프를 직선 $t=\frac{x}{2}$에 대하여 대칭이동하면

함수 $y=(x-t)f(t)$의 그래프이므로

$$F(x)=\int_0^x tf(x-t)dt$$
$$=\int_0^x(x-t)f(t)dt$$
$$=x\int_0^x f(t)dt-\int_0^x tf(t)dt$$ …… ㉠

㉠의 양변을 x에 대하여 미분하면

$F'(x)=\int_0^x f(t)dt+xf(x)-xf(x)=\int_0^x f(t)dt$

$F'(a)=\int_0^a\frac{1}{1+t}dt=\Big[\ln|1+t|\Big]_0^a=\ln(1+a)$

$F'(a)=\ln 10$에서 $\ln(1+a)=\ln 10$, $1+a=10$

따라서 $a=9$

함수의 그래프의 대칭성을 이용한 정적분

닫힌구간 $[0, a]$에서 연속인 함수 $f(x)$에 대하여 $y=f(a-x)$와 $y=f(x)$의 그래프가 직선 $x=\frac{a}{2}$에 대하여 대칭이고 적분구간이 $[0, a]$이기 때문에 다음이 성립한다.

$$\int_0^a f(a-x)dx=\int_0^a f(x)dx$$

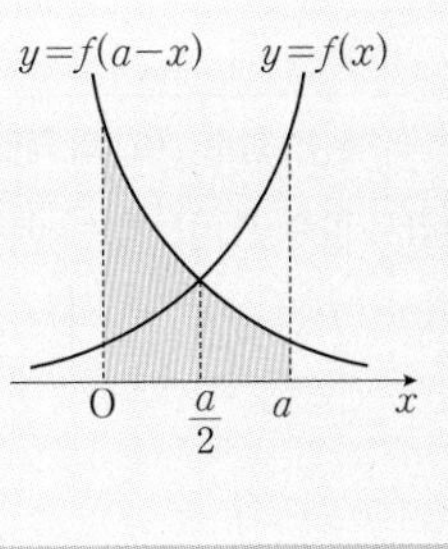

다른풀이 $f(x)$를 대입하여 정적분하여 풀이하기

$$F(x)=\int_0^x tf(x-t)dt=\int_0^x\frac{t}{1+x-t}dt$$
$$=\int_0^x\left(-1-\frac{x+1}{t-x-1}\right)dt$$
$$=\Big[-t-(x+1)\ln|t-x-1|\Big]_0^x$$
$$=-x+(x+1)\ln(x+1)\,(\because x\geq 0)$$

양변을 x에 대하여 미분하면

$F'(x)=-1+\ln(x+1)+(x+1)\cdot\frac{1}{x+1}=\ln(x+1)$

$F'(a)=\ln(a+1)=\ln 10$

따라서 $a+1=10$이므로 $a=9$

0864

실수 전체의 집합에서 연속인 함수 $f(x)$가 모든 실수 t에 대하여

$$\int_0^2 xf(tx)dx=4t^2$$

을 만족시킬 때, $f(2)$의 값은?

① 1 ② 2 ③ 3
④ 4 ⑤ 5

STEP Ⓐ $tx=y$로 치환하여 식을 변형하기

$\int_0^2 xf(tx)dx=4t^2$에서 $tx=y$로 놓으면

$tdx=dy$에서 $dx=\frac{dy}{t}$

$x=0$일 때, $y=0$이고 $x=2$일 때, $y=2t$

$\int_0^2 xf(tx)dx=\int_0^{2t}\frac{y}{t}f(y)\frac{dy}{t}=\frac{1}{t^2}\int_0^{2t}yf(y)dy=4t^2$

$\therefore \int_0^{2t}yf(y)dy=4t^4$

STEP Ⓑ 양변을 t에 대하여 미분하여 $f(2)$의 값 구하기

양변을 t에 대하여 미분하면

$2tf(2t)\cdot(2t)'=16t^3$

따라서 $f(2t)=4t^2$이므로 $f(2)=4$

0865

다음 함수 $f(x)$의 극댓값을 구하여라.

(1) $f(x)=\int_1^x(1-\ln t)dt$ (단, $x>0$)

STEP Ⓐ 함수 $f(x)$의 증가와 감소를 표로 나타내기

$f(x)=\int_1^x(1-\ln t)dt$의 양변을 x에 대하여 미분하면

$f'(x)=1-\ln x$

$f'(x)=0$에서 $x=e$

함수 $f(x)$의 증가와 감소를 표로 나타내면 다음과 같다.

x	(0)	$\cdots$	e	$\cdots$
$f'(x)$		$+$	0	$-$
$f(x)$		↗	극대	↘

STEP Ⓑ 함수 $f(x)$의 극댓값 구하기

따라서 함수 $f(x)$는 $x=e$에서 극대이고 극댓값은

$f(e)=\int_1^e(1-\ln t)dt=\Big[t-t\ln t+t\Big]_1^e=e-2$

(2) $f(x)=\int_0^x(1-t)e^t dt$

STEP Ⓐ 함수 $f(x)$의 증가와 감소를 표로 나타내기

$f(x)=\int_0^x(1-t)e^t dt$의 양변을 x에 대하여 미분하면

$f'(x)=(1-x)e^x$

$f'(x)=0$에서 $x=1$

함수 $f(x)$의 증가와 감소를 표로 나타내면 다음과 같다.

x	$\cdots$	1	$\cdots$
$f'(x)$	$+$	0	$-$
$f(x)$	↗	극대	↘

STEP Ⓑ 함수 $f(x)$의 극댓값 구하기

따라서 함수 $f(x)$는 $x=1$일 때, 극대이고 극댓값은

$f(1)=\int_0^1(1-t)e^t dt=\Big[(1-t)e^t\Big]_0^1+\int_0^1 e^t dt=e-2$

0866

다음 물음에 답하여라.

(1) 함수 $f(x)=\int_0^x(a+b\cos t)\sin t dt$가 $x=\frac{\pi}{2}$에서 극댓값 1을 가질 때, 상수 a, b에 대하여 $a+b$의 값은?

① 0 ② 2 ③ 4
④ 6 ⑤ 10

STEP Ⓐ 함수 $f(x)$가 $x=\frac{\pi}{2}$에서 극댓값 1을 가지므로 $f'\left(\frac{\pi}{2}\right)=0$임을 이용하여 a의 값 구하기

$f(x)=\int_0^x(a+b\cos t)\sin t dt$ …… ㉠

의 양변을 x에 대하여 미분하면

$f'(x)=(a+b\cos x)\sin x$ …… ㉡

주어진 조건에서 함수 $f(x)$가 $x=\frac{\pi}{2}$에서 극댓값 1을 가지므로

$f'\left(\frac{\pi}{2}\right)=0$, $f\left(\frac{\pi}{2}\right)=1$

$x=\frac{\pi}{2}$를 ㉡에 대입하면 $f'\left(\frac{\pi}{2}\right)=a=0$

STEP Ⓑ 함수 $f(x)$가 $x=\frac{\pi}{2}$에서 극댓값 1을 가지므로 $f\left(\frac{\pi}{2}\right)=1$임을 이용하여 b의 값 구하기

$x=\frac{\pi}{2}$를 ㉠에 대입하면

$f\left(\frac{\pi}{2}\right)=\int_0^{\frac{\pi}{2}}(a+b\cos t)\sin t dt=\int_0^{\frac{\pi}{2}}b\cos t\sin t dt=\int_0^{\frac{\pi}{2}}\frac{1}{2}b\sin 2t dt$

$=\Big[-\frac{1}{4}b\cos 2t\Big]_0^{\frac{\pi}{2}}=\frac{1}{2}b=1$

$\therefore b=2$

따라서 $a+b=0+2=2$

(2) $x>0$에서 정의된 미분가능한 함수

$$f(x)=\int_x^e\frac{(\ln t)^3}{t}dt$$

는 $x=a$에서 극댓값 b를 갖는다. 두 상수 a, b에 대하여 $4ab$의 값은?

① $\frac{1}{4}$ ② $\frac{3}{4}$ ③ 1
④ $\frac{5}{4}$ ⑤ $\frac{3}{2}$

STEP Ⓐ 함수 $f(x)$의 증가와 감소를 표로 나타내기

$f(x)=\int_x^e\frac{(\ln t)^3}{t}dt=-\int_e^x\frac{(\ln t)^3}{t}dt$ …… ㉠

㉠의 양변을 x에 대하여 미분하면

$f'(x)=-\frac{(\ln x)^3}{x}$

$f'(x)=0$에서 $\ln x=0$

$\therefore x=1$

$f(x)$의 증가와 감소를 표로 나타내면 다음과 같다.

x	(0)	$\cdots$	1	$\cdots$
$f'(x)$		$+$	0	$-$
$f(x)$		↗	극대	↘

$f(x)$는 $x=1$에서 극댓값 $f(1)$을 갖는다.

STEP B 치환적분법을 이용하여 $f(1)$ 구하기

이때 $f(1)=\int_{1}^{e}\frac{(\ln t)^3}{t}dt$에서 $\ln t=u$로 놓으면 $\frac{1}{t}dt=du$이고

$t=1$일 때, $u=0$이고 $t=e$일 때, $u=1$

$f(1)=\int_{1}^{e}\frac{(\ln t)^3}{t}dt=\int_{0}^{1}u^3du=\left[\frac{1}{4}u^4\right]_0^1=\frac{1}{4}$

따라서 $a=1$, $b=\frac{1}{4}$이므로 $4ab=1$

0867

함수 $f(x)=\int_{0}^{x}(1+2\cos t)\sin t\,dt$의 극댓값은? (단, $0<x<\pi$)

① -2 ② -1 ③ $-\frac{1}{2}$

④ $\frac{1}{2}$ ⑤ $\frac{9}{4}$

STEP A 함수 $f(x)$의 증가와 감소를 표로 나타내기

$f(x)=\int_{0}^{x}(1+2\cos t)\sin t\,dt$에서 양변을 x에 대하여 미분하면

$f'(x)=(1+2\cos x)\sin x$

$0<x<\pi$이므로 $f'(x)=0$일 때, $\cos x=-\frac{1}{2}$ $\therefore x=\frac{2}{3}\pi$

함수 $f(x)$의 증가와 감소를 표로 나타내면 다음과 같다.

x	(0)	$\cdots$	$\frac{2}{3}\pi$	$\cdots$	(π)
$f'(x)$	0	+	0	−	
$f(x)$		↗	극대	↘	

STEP B 함수 $f(x)$의 극댓값 구하기

함수 $f(x)$의 극댓값은 $f\left(\frac{2}{3}\pi\right)=\int_{0}^{\frac{2}{3}\pi}(1+2\cos t)\sin t\,dt$

$\cos t=u$로 놓으면 $-\sin t\,dt=du$이고

$t=0$일 때 $u=1$, $t=\frac{2}{3}\pi$일 때 $u=-\frac{1}{2}$

$f\left(\frac{2}{3}\pi\right)=\int_{1}^{-\frac{1}{2}}(1+2u)(-1)du=\int_{-\frac{1}{2}}^{1}(1+2u)du=\left[u+u^2\right]_{-\frac{1}{2}}^{1}=\frac{9}{4}$

0868

$0\le x\le 2\pi$에서 함수 $f(x)=\int_{0}^{x}t\sin t\,dt$의 최댓값과 최솟값을 구하여라.

STEP A 함수 $f(x)$의 증가와 감소를 표로 나타내기

양변을 미분하면 $f'(x)=x\sin x\,(0\le x\le 2\pi)$

$f'(x)=0$에서 $x=0$ 또는 π 또는 2π

함수 $f(x)$의 증가와 감소를 표로 나타내면 다음과 같다.

x	0	$\cdots$	π	$\cdots$	2π
$f'(x)$		+	0	−	
$f(x)$		↗	극대	↘	

STEP B 함수 $f(x)$의 최댓값과 최솟값 구하기

즉 구간 $[0, 2\pi]$에서 함수 $f(x)$의 최댓값은 극댓값인 $f(\pi)$이고

최솟값은 경계의 값인 $f(0)$와 $f(2\pi)$ 중 더 작은 값이다.

$f(0)=\int_{0}^{0}t\sin t\,dt=0$

$f(\pi)=\int_{0}^{\pi}t\sin t\,dt=\left[-t\cos t+\sin t\right]_0^{\pi}=\pi$

$f(2\pi)=\int_{0}^{2\pi}t\sin t\,dt=\left[-t\cos t+\sin t\right]_0^{2\pi}=-2\pi$

따라서 $x=\pi$일 때 최댓값 π, $x=2\pi$일 때 최솟값 -2π

0869

다음 물음에 답하여라.

(1) $x>0$일 때, 함수 $f(x)=\int_{1}^{x}(t-t\ln t)dt$의 최댓값은?

① $\frac{1}{4}(e^2-3)$ ② $\frac{1}{4}(e^2-2)$ ③ $\frac{1}{4}(e^2-1)$

④ $\frac{1}{2}(e^2-3)$ ⑤ $\frac{1}{2}(e^2-2)$

STEP A 함수 $f(x)$의 증가와 감소를 표로 나타내기

$f(x)=\int_{1}^{x}(t-t\ln t)dt$의 양변을 x에 대하여 미분하면

$f'(x)=x-x\ln x=x(1-\ln x)$

$f'(x)=0$에서 $x=e\,(\because x>0)$

함수 $f(x)$의 증가와 감소를 표로 나타내면 다음과 같다.

x	(0)	$\cdots$	e	$\cdots$
$f'(x)$		+	0	−
$f(x)$		↗	극대	↘

STEP B 함수 $f(x)$의 최댓값 구하기

따라서 함수 $f(x)$는 $x=e$에서 극대이고 최대이므로 최댓값은

$f(e)=\int_{1}^{e}(t-t\ln t)dt=\int_{1}^{e}t\,dt-\int_{1}^{e}t\ln t\,dt$

$=\left[\frac{1}{2}t^2\right]_1^e-\left[\frac{1}{2}t^2\ln t\right]_1^e+\int_{1}^{e}\left(\frac{1}{2}t^2\cdot\frac{1}{t}\right)dt$

$=\frac{1}{2}(e^2-1)-\frac{1}{2}e^2+\left[\frac{1}{4}t^2\right]_1^e$

$=\frac{1}{4}(e^2-3)$

(2) 실수 전체의 집합에서 정의된 함수

$$f(x)=\int_{0}^{x}\frac{2t-1}{t^2-t+1}dt$$

의 최솟값은?

① $\ln\frac{1}{2}$ ② $\ln\frac{2}{3}$ ③ $\ln\frac{3}{4}$

④ $\ln\frac{4}{5}$ ⑤ $\ln\frac{5}{6}$

STEP A 양변을 x에 대하여 미분하여 $f'(x)=0$인 x의 값 구하기

$f(x)=\int_{0}^{x}\frac{2t-1}{t^2-t+1}dt$의 양변을 x에 대하여 미분하면

$f'(x)=\frac{2x-1}{x^2-x+1}$

$f'(x)=\frac{2x-1}{x^2-x+1}=0$에서 $x=\frac{1}{2}\,(\because x^2-x+1>0)$

$f(x)$의 증가와 감소를 표로 나타내면 다음과 같다.

x	$\cdots$	$\frac{1}{2}$	$\cdots$
$f'(x)$	−	0	+
$f(x)$	↘	극소	↗

$f(x)$는 $x=\frac{1}{2}$에서 극소이면서 최소이다.

STEP B $f(x)$의 최솟값 구하기

따라서 최솟값은 $f\left(\frac{1}{2}\right)$이므로

$f\left(\frac{1}{2}\right)=\int_{0}^{\frac{1}{2}}\frac{2t-1}{t^2-t+1}dt=\int_{0}^{\frac{1}{2}}\frac{(t^2-t+1)'}{t^2-t+1}dt$

$=\left[\ln|t^2-t+1|\right]_0^{\frac{1}{2}}=\ln\frac{3}{4}$

02 정적분

0870

자연수 n에 대하여 양의 실수 전체의 집합에서 정의된 함수

$$f(x)=\int_1^x \frac{n-\ln t}{t}dt$$

의 최댓값을 $g(n)$이라 하자. $\sum_{n=1}^{12} g(n)$의 값을 구하여라.

STEP Ⓐ 함수 $f(x)$의 증가와 감소를 표로 나타내기

$f(x)=\int_1^x \frac{n-\ln t}{t}dt$의 양변을 x에 대하여 미분하면

$f'(x)=\frac{n-\ln x}{x}$

$f'(x)=0$에서 $x=e^n$

함수 $f(x)$의 증가와 감소를 표로 나타내면 다음과 같다.

x	(0)	$\cdots$	e^n	$\cdots$
$f'(x)$		+	0	−
$f(x)$		↗	극대	↘

함수 $f(x)$는 $x=e^n$에서 극대이고 최대이므로 최댓값은

$g(n)=f(e^n)=\int_1^{e^n} \frac{n-\ln t}{t}dt$

STEP Ⓑ 치환적분법을 이용하여 $g(n)$의 값 구하기

$n-\ln t=s$라 하면 $-\frac{1}{t}dt=ds$이고

$t=1$일 때, $s=n$이고 $t=e^n$일 때, $s=0$

$g(n)=\int_n^0 (-s)ds=\left[-\frac{1}{2}s^2\right]_n^0=\frac{1}{2}n^2$

STEP Ⓒ 시그마의 성질을 이용하여 $\sum_{n=1}^{12} g(n)$의 값 구하기

따라서 $\sum_{n=1}^{12} g(n)=\sum_{n=1}^{12}\frac{n^2}{2}=\frac{1}{2}\sum_{n=1}^{12}n^2=\frac{1}{2}\cdot\frac{12\cdot13\cdot25}{6}=325$

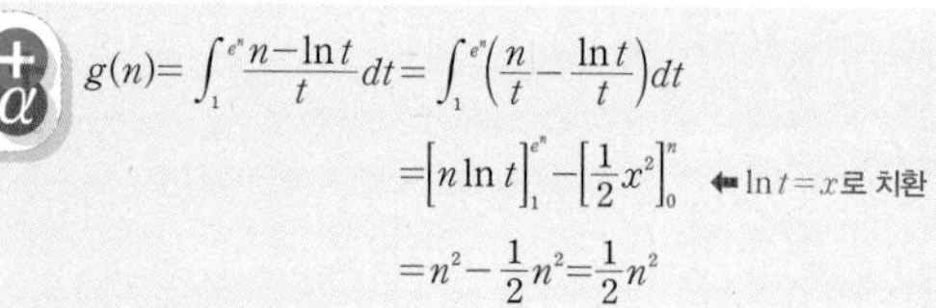

$g(n)=\int_1^{e^n}\frac{n-\ln t}{t}dt=\int_1^{e^n}\left(\frac{n}{t}-\frac{\ln t}{t}\right)dt$

$=\left[n\ln t\right]_1^{e^n}-\left[\frac{1}{2}x^2\right]_0^n$ ← $\ln t=x$로 치환

$=n^2-\frac{1}{2}n^2=\frac{1}{2}n^2$

0871

다음 극한값을 구하여라.

(1) $\lim_{h\to0}\frac{1}{h}\int_{\frac{\pi}{2}-h}^{\frac{\pi}{2}+h} x\sin x dx$

STEP Ⓐ 피적분함수의 부정적분 구하기

$f(x)=x\sin x$로 놓고 $f(x)$의 부정적분 중 하나를 $F(x)$라 하면

$\int_{\frac{\pi}{2}-h}^{\frac{\pi}{2}+h} f(x)dx=\left[F(x)\right]_{\frac{\pi}{2}-h}^{\frac{\pi}{2}+h}=F\left(\frac{\pi}{2}+h\right)-F\left(\frac{\pi}{2}-h\right)$

STEP Ⓑ 미분계수의 정의를 이용하여 구하기

따라서

$$\lim_{h\to0}\frac{1}{h}\int_{\frac{\pi}{2}-h}^{\frac{\pi}{2}+h} x\sin x dx=\lim_{h\to0}\frac{F\left(\frac{\pi}{2}+h\right)-F\left(\frac{\pi}{2}-h\right)}{h}$$

$$=\lim_{h\to0}\frac{F\left(\frac{\pi}{2}+h\right)-F\left(\frac{\pi}{2}\right)}{h}+\lim_{h\to0}\frac{F\left(\frac{\pi}{2}-h\right)-F\left(\frac{\pi}{2}\right)}{-h}$$

$$=F'\left(\frac{\pi}{2}\right)+F'\left(\frac{\pi}{2}\right)=2F'\left(\frac{\pi}{2}\right)=2f\left(\frac{\pi}{2}\right)$$

$$=2\times\frac{\pi}{2}\times\sin\frac{\pi}{2}=2\times\frac{\pi}{2}=\pi$$

(2) $\lim_{x\to1}\frac{1}{x-1}\int_1^{x^2}(t^2+2\cos\pi t)e^t dt$

STEP Ⓐ 피적분함수의 부정적분 구하기

$f(t)=(t^2+2\cos\pi t)e^t$로 놓고 $f(x)$의 부정적분 중 하나를 $F(x)$라 하면

$\int_1^{x^2} f(t)dt=\left[F(t)\right]_1^{x^2}=F(x^2)-F(1)$

STEP Ⓑ 미분계수의 정의를 이용하여 구하기

따라서 $\lim_{x\to1}\frac{1}{x-1}\int_1^{x^2}(t^2+2\cos\pi t)e^t dt=\lim_{x\to1}\frac{F(x^2)-F(1)}{x-1}$

$=\lim_{x\to1}\frac{F(x^2)-F(1)}{x^2-1}\cdot(x+1)$

$=2F'(1)=2f(1)$

$=2\times(1+2\cos\pi)e=-2e$

0872

함수 $f(x)=x^2e^x$에 대하여 $\lim_{x\to1}\frac{1}{x-1}\int_1^x\{f(t)\}^2f'(t)dt$의 값은?

① e^3 ② $2e^3$ ③ $3e^3$
④ $4e^3$ ⑤ $5e^3$

STEP Ⓐ 미분계수의 정의를 이용하여 식 정리하기

$g(t)=\{f(t)\}^2f'(t)$로 놓고 $g(t)$의 부정적분 중 하나를 $G(t)$라 하면

$\lim_{x\to1}\frac{1}{x-1}\int_1^x\{f(t)\}^2f'(t)dt=\lim_{x\to1}\frac{1}{x-1}\int_1^x g(t)dt$

$=\lim_{x\to1}\frac{1}{x-1}\left[G(t)\right]_1^x$

$=\lim_{x\to1}\frac{G(x)-G(1)}{x-1}$

$=G'(1)=g(1)=\{f(1)\}^2f'(1)$ ...... ㉠

STEP Ⓑ $f(1)$, $f'(1)$를 이용하여 식의 값 구하기

$f'(x)=2xe^x+x^2e^x$이므로 $f(1)=e$, $f'(1)=2e+e=3e$

따라서 ㉠에서 $\lim_{x\to1}\frac{1}{x-1}\int_1^x\{f(t)\}^2f'(t)dt=e^2\cdot3e=3e^3$

0873

함수 $f(x)=a\cos(\pi x^2)$에 대하여

$$\lim_{x\to0}\left\{\frac{x^2+1}{x}\int_1^{x+1}f(t)dt\right\}=3$$

일 때, $f(a)$의 값은? (단, a는 상수이다.)

① 1 ② $\frac{3}{2}$ ③ 2
④ $\frac{5}{2}$ ⑤ 3

STEP Ⓐ 정적분과 미분계수의 정의를 이용하여 $f(1)=3$임을 구하기

$f(t)$의 한 부정적분을 $F(t)$라 하면

$\lim_{x\to0}\left\{\frac{x^2+1}{x}\int_1^{x+1}f(t)dt\right\}=\lim_{x\to0}\left\{\frac{x^2+1}{x}\left[F(t)\right]_1^{x+1}\right\}$

$=\lim_{x\to0}\left\{(x^2+1)\times\frac{F(x+1)-F(1)}{x}\right\}$

$=\lim_{x\to0}(x^2+1)\times\lim_{x\to0}\frac{F(x+1)-F(1)}{x+1-1}$

$=(0+1)\times F'(1)=f(1)=3$

STEP Ⓑ a의 값을 구하여 $f(a)$의 값 구하기

이때 $f(x)=a\cos(\pi x^2)$에서 $f(1)=a\cos\pi=3$ $\therefore a=-3$

따라서 $f(x)=-3\cos(\pi x^2)$이므로 $f(-3)=-3\cos9\pi=3$

FINAL EXERCISE

단원종합문제

BASIC

0874

다음 물음에 답하여라.

(1) $\int_{1}^{16}\frac{1}{x\sqrt{x}}dx$의 값은?

① $\frac{3}{2}$ ② $\frac{4}{3}$ ③ $\frac{5}{4}$
④ $\frac{6}{5}$ ⑤ $\frac{7}{6}$

STEP A 무리함수의 정적분을 이용하여 구하기

$$\int_{1}^{16}\frac{1}{x\sqrt{x}}dx=\int_{1}^{16}x^{-\frac{3}{2}}dx=\left[-2x^{-\frac{1}{2}}\right]_{1}^{16}=\left[-\frac{2}{\sqrt{x}}\right]_{1}^{16}=\frac{3}{2}$$

(2) $\int_{0}^{4}(5x-3)\sqrt{x}\,dx$의 값은?

① 47 ② 48 ③ 49
④ 50 ⑤ 51

STEP A 무리함수의 정적분을 이용하여 구하기

$$\int_{0}^{4}(5x-3)\sqrt{x}\,dx=\int_{0}^{4}\left(5x^{\frac{3}{2}}-3x^{\frac{1}{2}}\right)dx=\left[2x^{\frac{5}{2}}-2x^{\frac{3}{2}}\right]_{0}^{4}=48$$

0875

다음 물음에 답하여라.

(1) $\int_{0}^{\ln 3}e^{x+3}dx$의 값은?

① $\frac{e^3}{2}$ ② e^3 ③ $\frac{3}{2}e^3$
④ $2e^3$ ⑤ $\frac{5}{2}e^3$

STEP A 지수함수의 정적분을 이용하여 구하기

$$\int_{0}^{\ln 3}e^{x+3}dx=\left[e^{x+3}\right]_{0}^{\ln 3}=e^{\ln 3+3}-e^3=e^{\ln 3}\times e^3-e^3=3e^3-e^3=2e^3$$

(2) $\int_{0}^{1}2e^{2x}dx$의 값은?

① e^2-1 ② e^2+1 ③ e^2+2
④ $2e^2-1$ ⑤ $2e^2+1$

STEP A 지수함수의 정적분을 이용하여 구하기

$$\int_{0}^{1}2e^{2x}dx=\left[e^{2x}\right]_{0}^{1}=e^2-1$$

다른풀이 $2x=t$로 치환하여 풀이하기

$2x=t$로 놓으면 $2dx=dt$
$x=0$일 때 $t=0$, $x=1$일 때 $t=2$

$$\int_{0}^{1}2e^{2x}dx=\int_{0}^{2}e^t dt=\left[e^t\right]_{0}^{2}=e^2-1$$

0876

다음 물음에 답하여라.

(1) $\int_{0}^{\frac{\pi}{6}}\cos 3x dx$의 값은?

① $\frac{1}{6}$ ② $\frac{1}{4}$ ③ $\frac{1}{3}$
④ $\frac{5}{12}$ ⑤ $\frac{1}{2}$

STEP A 삼각함수의 정적분을 이용하여 구하기

$$\int_{0}^{\frac{\pi}{6}}\cos 3x dx=\left[\frac{1}{3}\sin 3x\right]_{0}^{\frac{\pi}{6}}=\frac{1}{3}$$

(2) $\int_{\frac{\pi}{4}}^{\frac{\pi}{2}}(1+\cot^2 x)dx$의 값은?

① 0 ② 1 ③ $\sqrt{2}$
④ 2 ⑤ $2\sqrt{2}$

STEP A 삼각함수의 정적분을 이용하여 구하기

$$\int_{\frac{\pi}{4}}^{\frac{\pi}{2}}(1+\cot^2 x)dx=\int_{\frac{\pi}{4}}^{\frac{\pi}{2}}\csc^2 x dx=\left[-\cot x\right]_{\frac{\pi}{4}}^{\frac{\pi}{2}}=1$$ ⬅ $\cot\frac{\pi}{2}=0$

0877

다음 물음에 답하여라.

(1) $a_n=(\ln 3)\int_{0}^{n}3^x dx$ (단, n은 0 또는 자연수)일 때, $\sum_{n=0}^{\infty}\frac{1}{1+a_n}$의 값은?

① $\frac{1}{3}$ ② $\frac{2}{3}$ ③ 1
④ $\frac{3}{2}$ ⑤ $\frac{5}{2}$

STEP A 지수함수의 정적분 계산하기

$$a_n=(\ln 3)\int_{0}^{n}3^x dx=(\ln 3)\left[\frac{3^x}{\ln 3}\right]_{0}^{n}=3^n-1$$

STEP B 등비급수의 합 구하기

$$\sum_{n=0}^{\infty}\frac{1}{1+a_n}=\sum_{n=0}^{\infty}\frac{1}{1+(3^n-1)}=\sum_{n=0}^{\infty}\left(\frac{1}{3}\right)^n=\frac{1}{1-\frac{1}{3}}=\frac{3}{2}$$

(2) 자연수 n에 대하여 $a_n=\int_{n}^{n+1}4^x dx$라 할 때, $\sum_{n=1}^{\infty}\frac{1}{a_n}$의 값은?

① $\frac{\ln 2}{9}$ ② $\frac{\ln 3}{9}$ ③ $\frac{2\ln 2}{9}$
④ $\frac{\ln 3}{3}$ ⑤ $\frac{2\ln 2}{3}$

STEP A 지수함수의 정적분 계산하기

$$a_n=\int_{n}^{n+1}4^x dx=\left[\frac{4^x}{\ln 4}\right]_{n}^{n+1}=\frac{4^{n+1}}{\ln 4}-\frac{4^n}{\ln 4}=\frac{3\cdot 4^n}{\ln 4}$$

STEP B 등비급수의 합 구하기

$$\sum_{n=1}^{\infty}\frac{1}{a_n}=\sum_{n=1}^{\infty}\frac{\ln 4}{3\cdot 4^n}=\frac{\ln 4}{3}\sum_{n=1}^{\infty}\left(\frac{1}{4}\right)^n=\frac{\ln 4}{3}\cdot\frac{\frac{1}{4}}{1-\frac{1}{4}}=\frac{2\ln 2}{9}$$

0878

다음 물음에 답하여라.

(1) $\int_0^{\ln 2}\frac{e^{3x}}{e^x+1}dx-\int_{\ln 2}^0\frac{1}{e^t+1}dt$의 값은?

① $\frac{1}{2}$ ② $\ln 2$ ③ $\frac{1}{2}+\ln 2$
④ $1+\ln 2$ ⑤ $2+2\ln 2$

STEP Ⓐ 정적분의 성질을 이용하여 지수함수의 정적분 계산하기

$$\int_0^{\ln 2}\frac{e^{3x}}{e^x+1}dx-\int_{\ln 2}^0\frac{1}{e^t+1}dt$$
$$=\int_0^{\ln 2}\frac{e^{3x}}{e^x+1}dx+\int_0^{\ln 2}\frac{1}{e^t+1}dt$$
$$=\int_0^{\ln 2}\frac{e^{3x}+1}{e^x+1}dx$$
$$=\int_0^{\ln 2}\frac{(e^x+1)(e^{2x}-e^x+1)}{e^x+1}dx$$
$$=\int_0^{\ln 2}(e^{2x}-e^x+1)dx$$
$$=\left[\frac{1}{2}e^{2x}-e^x+x\right]_0^{\ln 2}$$
$$=\frac{1}{2}+\ln 2$$

(2) 함수 $f(x)=4x\ln x$에 대하여

$$\int_e^{2e}f(x)dx-\int_{e^2}^{2e}f(x)dx+\int_1^e f(x)dx$$

를 구하면?

① e^4+1 ② e^4+7 ③ e^4+9
④ $3e^4+1$ ⑤ $3e^4+7$

STEP Ⓐ 정적분의 성질을 이용하여 정리하기

$$\int_e^{2e}f(x)dx-\int_{e^2}^{2e}f(x)dx+\int_1^e f(x)dx$$
$$=\int_e^{2e}f(x)dx+\int_{2e}^{e^2}f(x)dx+\int_1^e f(x)dx$$
$$=\int_1^e f(x)dx+\int_e^{2e}f(x)dx+\int_{2e}^{e^2}f(x)dx$$
$$=\int_1^{e^2}f(x)dx$$
$$=\int_1^{e^2}4x\ln x\,dx$$

STEP Ⓑ 다항함수와 로그함수의 곱을 부분적분하여 정적분 계산하기

$$\int_1^{e^2}4x\ln x\,dx=\left[2x^2\ln x\right]_1^{e^2}-\int_1^{e^2}\left(2x^2\cdot\frac{1}{x}\right)dx$$
$$=4e^4-\left[x^2\right]_1^{e^2}=3e^4+1$$

0879

함수 $f(x)=xe^x$에 대하여 $\int_0^1 f(x)dx$의 값은?

① 1 ② 2 ③ e
④ $e+1$ ⑤ $e+2$

STEP Ⓐ 다항함수와 지수함수의 곱인 부분적분 계산하기

$$\int_0^1 f(x)dx=\int_0^1 xe^x dx=\left[xe^x\right]_0^1-\int_0^1 e^x dx$$
$$=e-\left[e^x\right]_0^1=e-(e-1)=1$$

0880

다음 물음에 답하여라.

(1) 함수 $f(x)=a\ln x+b$가

$$f'(1)=3,\ \int_1^e f(x)dx=2e+1$$

을 만족시킬 때, 두 상수 a, b에 대하여 $a+b$의 값은?

① 3 ② 4 ③ 5
④ 6 ⑤ 7

STEP Ⓐ $f'(1)=3$을 이용하여 a의 값 구하기

$f(x)=a\ln x+b$에서 $f'(x)=\frac{a}{x}$이므로

$f'(1)=a=3$

STEP Ⓑ 부분적분을 이용하여 b의 값 구하기

$$\int_1^e f(x)dx=\int_1^e(3\ln x+b)dx$$
$$=\left[3(x\ln x-x)+bx\right]_1^e$$
$$=be-(-3+b)$$

즉 $be-(-3+b)=2e+1$이므로 $b=2$

따라서 $a=3$, $b=2$이므로 $a+b=5$

(2) 함수 $f(x)=ax\ln x+b$가 다음 두 조건을 만족할 때, 상수 a, b에 대하여 $a+4b$의 값은?

(가) $\lim_{x\to e}\frac{f(x)-f(e)}{x-e}=2$

(나) $\int_1^e f(x)dx=\frac{1}{4}e(e+1)$

① 2 ② 4 ③ 6
④ 8 ⑤ 10

STEP Ⓐ 미분계수의 정리를 이용하여 a의 값 구하기

조건 (가) $f(x)=ax\ln x+b$에서 $f'(x)=a\ln x+a$

$\therefore \lim_{x\to e}\frac{f(x)-f(e)}{x-e}=f'(e)=2a=2 \quad \therefore a=1$

$\therefore f(x)=x\ln x+b$

STEP Ⓑ 다항함수와 로그함수의 곱을 부분적분하여 정적분 계산하기

조건 (나) $\int_1^e(x\ln x+b)dx$에서 $f(x)=\ln x$, $g'(x)=x$로 놓으면

$f'(x)=\frac{1}{x}$, $g(x)=\frac{1}{2}x^2$이므로

$$\int_1^e(x\ln x+b)dx=\int_1^e x\ln x\,dx+\int_1^e b\,dx$$
$$=\left[\frac{1}{2}x^2\ln x\right]_1^e-\int_1^e\frac{1}{2}x\,dx+\left[bx\right]_1^e$$
$$=\frac{1}{2}e^2-\frac{1}{4}e^2+\frac{1}{4}+be-b$$
$$=\frac{1}{4}e^2+be+\frac{1}{4}-b$$

$\frac{1}{4}e^2+be+\frac{1}{4}-b$의 값이 $\frac{1}{4}e(e+1)$이므로 $b=\frac{1}{4}$

STEP Ⓒ $a+4b$의 값 구하기

따라서 $a=1$, $b=\frac{1}{4}$에서 $a+4b=2$

0881

다음 물음에 답하여라. (단, e는 자연로그의 밑)

(1) 정적분 $\int_0^1 2xe^{x^2}dx$의 값은?

① $e-1$ ② e ③ $e+1$
④ e^2-1 ⑤ e^2

STEP Ⓐ $x^2=t$로 치환하여 치환적분법 이용하기

$x^2=t$로 놓으면 $2xdx=dt$이고
$x=0$일 때 $t=0$, $x=1$일 때 $t=1$

$\therefore \int_0^1 2xe^{x^2}dx=\int_0^1 e^t dt=\left[e^t\right]_0^1=e-1$

(2) 정적분 $\int_0^1 (xe^{x^2}-2)dx$의 값은?

① $e-1$ ② $e-3$ ③ $\frac{1}{2}(e-1)$
④ $\frac{1}{2}(e-5)$ ⑤ $\frac{1}{2}e+1$

STEP Ⓐ $x^2=t$로 치환하여 치환적분법 이용하기

$x^2=t$로 놓으면 $2xdx=dt$이고
$x=0$일 때 $t=0$, $x=1$일 때 $t=1$

$$\therefore \int_0^1 (xe^{x^2}-2)dx=\int_0^1 xe^{x^2}dx-\int_0^1 2dx$$
$$=\int_0^1 \frac{1}{2}e^t dt-\left[2x\right]_0^1$$
$$=\frac{1}{2}(e-5)$$

0882

다음 물음에 답하여라. (단, n은 자연수)

(1) 정적분 $\int_e^{e^3}\frac{\ln x}{x}dx$의 값은?

① 1 ② 2 ③ 3
④ 4 ⑤ 5

STEP Ⓐ $\ln x=t$로 치환하여 치환적분법 이용하기

$\ln x=t$라 하면 $\frac{1}{x}dx=dt$이고
$x=e$일 때 $t=1$, $x=e^3$일 때 $t=3$이므로

$\therefore \int_e^{e^3}\frac{\ln x}{x}dx=\int_1^3 tdt=\left[\frac{1}{2}t^2\right]_1^3=4$

(2) $\int_1^{e^2}\frac{(\ln x)^3}{x}dx$의 값은?

① $2\ln 2$ ② 2 ③ $4\ln 2$
④ 4 ⑤ $6\ln 2$

STEP Ⓐ $\ln x=t$로 치환하여 정적분 계산하기

$\ln x=t$로 놓으면 $\frac{1}{x}dx=dt$
$x=1$일 때, $t=0$이고 $x=e^2$일 때, $t=2$

$\therefore \int_1^{e^2}\frac{(\ln x)^3}{x}dx=\int_0^2 t^3dt=\left[\frac{1}{4}t^4\right]_0^2=4$

0883

다음 물음에 답하여라. (단, n은 자연수)

(1) $S_n=\int_1^{e^n}\frac{\ln x}{x}dx$일 때, $\sum_{n=1}^{\infty}\frac{1}{\sqrt{S_nS_{n+1}}}$의 값은?

① $\frac{1}{2}$ ② 1 ③ $\frac{4}{3}$
④ 2 ⑤ 4

STEP Ⓐ $\ln x=t$로 치환하여 치환적분법 이용하기

$\ln x=t$로 놓으면 $\frac{1}{x}dx=dt$이고
$x=1$일 때 $t=0$, $x=e^n$일 때 $t=n$이므로

$S_n=\int_0^n tdt=\left[\frac{1}{2}t^2\right]_0^n=\frac{1}{2}n^2$

STEP Ⓑ 급수 구하기

$S_{n+1}=\frac{1}{2}(n+1)^2$

$$\therefore \sum_{n=1}^{\infty}\frac{1}{\sqrt{S_nS_{n+1}}}=\sum_{n=1}^{\infty}\frac{2}{n(n+1)}$$
$$=\lim_{n\to\infty}\sum_{k=1}^{n}2\left(\frac{1}{k}-\frac{1}{k+1}\right)$$
$$=\lim_{n\to\infty}2\left(1-\frac{1}{n+1}\right)=2$$

(2) $a_n=\int_1^e\frac{(\ln x)^n}{x}dx$라 할 때, $\sum_{n=1}^{\infty}a_na_{n+1}$의 값은?

① $\frac{1}{3}$ ② $\frac{1}{2}$ ③ $\frac{2}{3}$
④ 1 ⑤ $\frac{4}{3}$

STEP Ⓐ $\ln x=t$로 치환하여 치환적분법 이용하기

$\ln x=t$로 놓으면 $\frac{1}{x}=\frac{dt}{dx}$이고
$x=1$일 때 $t=0$, $x=e$일 때 $t=1$이므로

$a_n=\int_1^e\frac{(\ln x)^n}{x}dx=\int_0^1 t^ndt=\left[\frac{1}{n+1}t^{n+1}\right]_0^1=\frac{1}{n+1}$

STEP Ⓑ 급수 구하기

$$\therefore \sum_{n=1}^{\infty}a_na_{n+1}=\sum_{n=1}^{\infty}\frac{1}{(n+1)(n+2)}$$
$$=\sum_{n=1}^{\infty}\left(\frac{1}{n+1}-\frac{1}{n+2}\right)$$
$$=\lim_{n\to\infty}\left(\frac{1}{2}-\frac{1}{n+2}\right)=\frac{1}{2}$$

0884

다음 물음에 답하여라.

(1) 정적분 $\int_1^{e^2}\frac{3}{x(1+\ln x)^2}dx$의 값은?

① 1 ② 2 ③ e
④ $e+1$ ⑤ $3e$

STEP Ⓐ $1+\ln x=t$로 치환하여 정적분 계산하기

$1+\ln x=t$로 놓으면 $\frac{1}{x}dx=dt$이고
$x=1$일 때 $t=1$, $x=e^2$일 때 $t=3$이므로

$\therefore \int_1^{e^2}\frac{3}{x(1+\ln x)^2}dx=\int_1^3\frac{3}{t^2}dt=\left[-\frac{3}{t}\right]_1^3=2$

(2) 정적분 $\int_1^e \frac{2\ln x}{x+x(\ln x)^2}dx$의 값은? (단, e는 자연로그의 밑이다.)

① $\frac{1}{2}\ln 2$　② $\ln 2$　③ $\frac{3}{2}\ln 2$
④ $2\ln 2$　⑤ $\frac{5}{2}\ln 2$

STEP A $\ln x=t$로 치환하여 정적분 계산하기

$\ln x=t$로 놓으면 $\frac{1}{x}dx=dt$이고

$x=1$일 때 $t=0$, $x=e$일 때 $t=1$이므로

$$\int_1^e \frac{2\ln x}{x+x(\ln x)^2}dx=\int_1^e \frac{2\ln x}{1+(\ln x)^2}\cdot\frac{1}{x}dx$$
$$=\int_0^1 \frac{2t}{1+t^2}dt=\Big[\ln(1+t^2)\Big]_0^1=\ln 2$$

(3) 정적분 $\int_0^1 (e^{x^2}\times 2^x)(2x+\ln 2)dx$의 값은?

① $e-2$　② $e-1$　③ $2e-2$
④ $2e-1$　⑤ $2e+1$

STEP A $2^x=e^{x\ln 2}$임을 이용하여 식 정리하기

$$\int_0^1 (e^{x^2}\times 2^x)(2x+\ln 2)dx=\int_0^1 (e^{x^2}\times e^{x\ln 2})(2x+\ln 2)dx$$
$$=\int_0^1 e^{x^2+x\ln 2}(2x+\ln 2)dx$$

STEP B $x^2+x\ln 2=t$로 치환하여 정적분 계산하기

이때 $x^2+x\ln 2=t$로 놓으면 $(2x+\ln 2)dx=dt$이고

$x=0$일 때 $t=0$, $x=1$일 때 $t=1+\ln 2$이므로

$$\int_0^1 e^{x^2+x\ln 2}(2x+\ln 2)dx=\int_0^{1+\ln 2} e^t dt=\Big[e^t\Big]_0^{1+\ln 2}$$
$$=e^{1+\ln 2}-1=e^{\ln 2e}-1$$
$$=2e-1$$

0885

다음 물음에 답하여라.

(1) 정적분 $\int_0^\pi (1-\cos^3 x)\cos x\sin x dx$의 값은?

① 0　② $-\frac{1}{5}$　③ $-\frac{2}{5}$
④ $-\frac{3}{5}$　⑤ $-\frac{4}{5}$

STEP A $\cos x=t$로 치환하여 치환적분법을 이용하기

$\cos x=t$로 놓으면 $-\sin x dx=dt$이고

$x=0$일 때 $t=1$, $x=\pi$일 때 $t=-1$이므로

$$\int_0^\pi (1-\cos^3 x)\cos x\sin x dx=\int_1^{-1}(1-t^3)t(-dt)=\int_{-1}^1 (1-t^3)tdt$$
$$=\int_{-1}^1 (t-t^4)dt=2\int_0^1 (-t^4)dt$$
$$=2\Big[-\frac{t^5}{5}\Big]_0^1=-\frac{2}{5}$$

(2) $\int_0^1 \frac{\sin\frac{\pi}{3}x}{\cos^2\frac{\pi}{3}x}dx$의 값은?

① $\frac{1}{\pi}$　② $\frac{2}{\pi}$　③ $\frac{3}{\pi}$
④ $\frac{4}{\pi}$　⑤ $\frac{5}{\pi}$

STEP A $\frac{\pi}{3}x=t$로 치환하여 치환적분법을 이용하기

$\int_0^1 \frac{\sin\frac{\pi}{3}x}{\cos^2\frac{\pi}{3}x}dx$에서 $\frac{\pi}{3}x=t$로 놓으면 $\frac{dt}{dx}=\frac{\pi}{3}$이고

$x=0$일 때 $t=0$, $x=1$일 때 $t=\frac{\pi}{3}$이므로

$$\int_0^1 \frac{\sin\frac{\pi}{3}x}{\cos^2\frac{\pi}{3}x}dx=\frac{3}{\pi}\int_0^{\frac{\pi}{3}}\frac{\sin t}{\cos^2 t}dt$$
$$=\frac{3}{\pi}\int_0^{\frac{\pi}{3}}\sec t\tan t dt$$
$$=\frac{3}{\pi}\Big[\sec t\Big]_0^{\frac{\pi}{3}}=\frac{3}{\pi}\Big(\sec\frac{\pi}{3}-\sec 0\Big)$$
$$=\frac{3}{\pi}(2-1)=\frac{3}{\pi}$$

다른풀이 $\cos\frac{\pi}{3}x=t$로 치환하여 풀이하기

$\int_0^1 \frac{\sin\frac{\pi}{3}x}{\cos^2\frac{\pi}{3}x}dx$에서 $\cos\frac{\pi}{3}x=t$로 놓으면 $\frac{dt}{dx}=-\frac{\pi}{3}\sin\frac{\pi}{3}x$이고

$x=0$일 때 $t=\cos 0=1$, $x=1$일 때 $t=\cos\frac{\pi}{3}=\frac{1}{2}$이므로

$$\int_0^1 \frac{\sin\frac{\pi}{3}x}{\cos^2\frac{\pi}{3}x}dx=-\frac{3}{\pi}\int_1^{\frac{1}{2}}\frac{1}{t^2}dt=\frac{3}{\pi}\int_{\frac{1}{2}}^1\frac{1}{t^2}dt$$
$$=\frac{3}{\pi}\Big[-\frac{1}{t}\Big]_{\frac{1}{2}}^1=\frac{3}{\pi}(-1+2)=\frac{3}{\pi}$$

0886

다음 정적분의 값을 구하여라.

(1) $\int_0^{\frac{\pi}{2}}\frac{\sin 2x}{1+\cos^2 x}dx$

STEP A $1+\cos^2 x=t$로 치환하여 정적분 계산하기

$\int_0^{\frac{\pi}{2}}\frac{\sin 2x}{1+\cos^2 x}dx$에서 $1+\cos^2 x=t$로 놓으면

$\frac{dt}{dx}=-2\cos x\sin x=-\sin 2x$, $-\sin 2x dx=dt$

$x=0$일 때 $t=2$, $x=\frac{\pi}{2}$일 때 $t=1$이므로

$$\int_0^{\frac{\pi}{2}}\frac{\sin 2x}{1+\cos^2 x}dx=\int_2^1\Big(-\frac{1}{t}\Big)dt=\int_1^2\frac{1}{t}dt=\Big[\ln|t|\Big]_1^2=\ln 2-\ln 1=\ln 2$$

(2) $\int_0^{\frac{\pi}{2}}\frac{\sin^3 x}{1-\cos x}dx$

STEP A $\sin^3 x=\sin^2 x\sin x$임을 이용하여 식 정리하기

$$\int_0^{\frac{\pi}{2}}\frac{\sin^3 x}{1-\cos x}dx=\int_0^{\frac{\pi}{2}}\frac{\sin^2 x\sin x}{1-\cos x}dx$$
$$=\int_0^{\frac{\pi}{2}}\frac{(1-\cos^2 x)\sin x}{1-\cos x}dx$$
$$=\int_0^{\frac{\pi}{2}}(1+\cos x)\sin x dx$$

STEP B $1+\cos x=t$로 치환하여 정적분 계산하기

$1+\cos x=t$로 놓으면 $-\sin x dx=dt$

$x=0$일 때 $t=2$, $x=\frac{\pi}{2}$일 때 $t=1$이므로

$$\int_0^{\frac{\pi}{2}}(1+\cos x)\sin x dx=\int_2^1 -t dt=\int_1^2 t dt=\Big[\frac{1}{2}t^2\Big]_1^2=2-\frac{1}{2}=\frac{3}{2}$$

0887

다음 물음에 답하여라.

(1) $\int_0^{\frac{\pi}{k}} x\cos kx\,dx=-\frac{1}{8}$을 만족시키는 양수 k의 값은?

① 1　② 2　③ 3
④ 4　⑤ 5

STEP **A** $f(x)=x,\ g'(x)=\cos kx$로 놓고 부분적분법을 이용하기

$f(x)=x,\ g'(x)=\cos kx$로 놓으면

$f'(x)=1,\ g(x)=\frac{1}{k}\sin kx$이므로

$$\int_0^{\frac{\pi}{k}} x\cos kx\,dx=\left[x\cdot\frac{1}{k}\sin kx\right]_0^{\frac{\pi}{k}}-\int_0^{\frac{\pi}{k}}\frac{1}{k}\sin kx\,dx$$
$$=0-\left[-\frac{1}{k^2}\cos kx\right]_0^{\frac{\pi}{k}}$$
$$=-\frac{2}{k^2}$$

이때 $-\frac{2}{k^2}=-\frac{1}{8}$에서 $k^2=16$

따라서 $k>0$이므로 $k=4$

(2) $\int_0^{3\pi}|x\sin x|dx=k\pi$를 만족시키는 상수 k의 값은?

① 4　② 5　③ 6
④ 8　⑤ 9

STEP **A** $f(x)=x,\ g'(x)=\sin x$로 놓고 부분적분법을 이용하기

$\int x\sin x\,dx$에서 $f(x)=x,\ g'(x)=\sin x$로 놓으면

$f'(x)=1,\ g(x)=-\cos x$이므로

$$\int x\sin x\,dx=-x\cos x-\int\{1\cdot(-\cos x)\}dx$$
$$=-x\cos x+\int\cos x\,dx$$
$$=-x\cos x+\sin x+C\ (\text{단, } C\text{는 적분상수})$$

이므로

$$\int_0^{\pi}|x\sin x|dx=\int_0^{\pi}x\sin x\,dx$$
$$=\left[-x\cos x+\sin x\right]_0^{\pi}$$
$$=(\pi+0)-(0+0)=\pi$$

$$\int_{\pi}^{2\pi}|x\sin x|dx=-\int_{\pi}^{2\pi}x\sin x\,dx$$
$$=-\left[-x\cos x+\sin x\right]_{\pi}^{2\pi}$$
$$=-\{(-2\pi+0)-(\pi+0)\}=3\pi$$

$$\int_{2\pi}^{3\pi}|x\sin x|dx=\int_{2\pi}^{3\pi}x\sin x\,dx$$
$$=\left[-x\cos x+\sin x\right]_{2\pi}^{3\pi}$$
$$=(3\pi+0)-(-2\pi+0)=5\pi$$

STEP **B** 구간을 나누어 정적분 하기

따라서 $\int_0^{3\pi}|x\sin x|dx$

$$=\int_0^{\pi}|x\sin x|dx+\int_{\pi}^{2\pi}|x\sin x|dx+\int_{2\pi}^{3\pi}|x\sin x|dx$$
$$=\pi+3\pi+5\pi=9\pi$$

$\therefore k=9$

0888

다음 물음에 답하여라.

(1) 연속함수 $f(x)$의 그래프가 x축과 만나는 세 점의 x좌표는 0, 3, 4이다. 오른쪽 그림과 같이 곡선 $y=f(x)$와 x축으로 둘러싸인 두 부분 A, B의 넓이가 각각 6, 2일 때, $\int_0^2 f(2x)dx$의 값은?

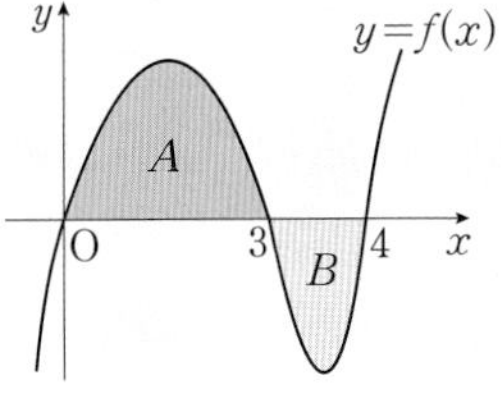

① 2　② 4　③ 6
④ 8　⑤ 10

STEP **A** $2x=t$로 치환하여 정적분 계산하기

$2x=t$로 놓으면 $2dx=dt$이고

$x=0$일 때 $t=0$, $x=2$일 때 $t=4$이므로

$$\int_0^2 f(2x)dx=\frac{1}{2}\int_0^4 f(t)dt=\frac{1}{2}\left\{\int_0^3 f(x)dx+\int_3^4 f(x)dx\right\}$$
$$=\frac{1}{2}\{6+(-2)\}=2$$

(2) 오른쪽 그림과 같이 곡선 $y=f(x)$와 x축으로 둘러싸인 두 도형을 각각 A, B라고 하자. A의 넓이가 1, B의 넓이가 3일 때, 정적분 $\int_0^9 \frac{f(\sqrt{x})}{\sqrt{x}}dx$의 값은?

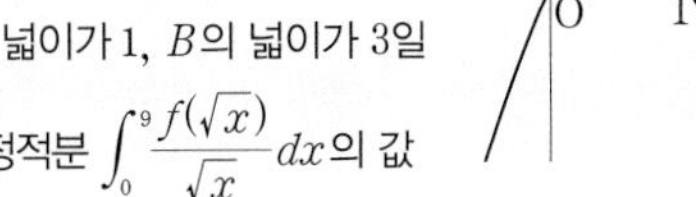

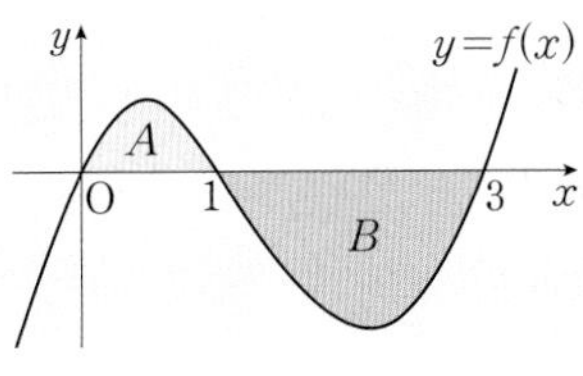

① -4　② -3　③ -1
④ 3　⑤ 4

STEP **A** $\sqrt{x}=t$로 치환하여 정적분 계산하기

$\sqrt{x}=t$로 놓으면 $\frac{1}{2\sqrt{x}}dx=dt$이고

$x=0$일 때 $t=0$, $x=9$일 때 $t=3$이므로

$$\int_0^9\frac{f(\sqrt{x})}{\sqrt{x}}dx=\int_0^3 2f(t)dt=2\int_0^3 f(x)dx$$
$$=2\left\{\int_0^1 f(x)dx+\int_1^3 f(x)dx\right\}\quad\cdots\cdots\ ㉠$$

이때 $\int_0^1 f(x)dx=1,\ \int_1^3 f(x)dx=-3$이므로 ㉠에 대입하면

$$\int_0^9\frac{f(\sqrt{x})}{\sqrt{x}}dx=2(1-3)=-4$$

0889

다음 물음에 답하여라.

(1) 오른쪽 그림은 미분가능한 함수 $f(x)$의 그래프이다. $f(0)=0,\ f(2)=3$이고, $y=f(x)$와 x축 및 직선 $x=2$로 둘러싸인 부분의 넓이가 1일 때, 정적분 $\int_0^2 2xf'(x)dx$의 값을 구하여라.

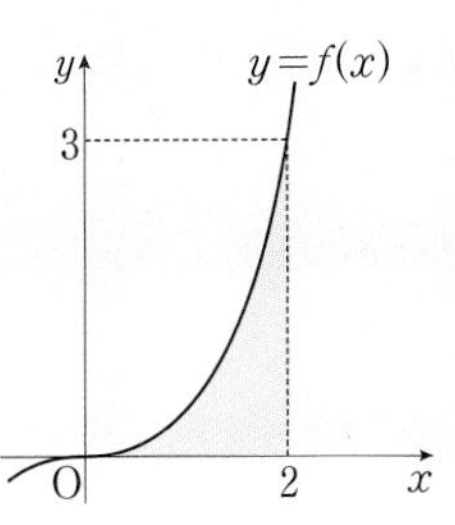

STEP **A** 부분적분을 이용하여 구하기

$$\int_0^2 2xf'(x)dx=2\int_0^2 xf'(x)dx=2\left[xf(x)\right]_0^2-2\int_0^2 f(x)dx$$

$\int_0^2 f(x)dx=1$이므로 $\int_0^2 2xf'(x)dx=2\times2f(2)-2\times1=12-2=10$

(2) 두 점 $(0, 0)$, $(1, 1)$을 지나는 미분가능한 함수 $y=f(x)$의 그래프가 오른쪽 그림과 같다. 곡선 $y=f(x)$와 x축 및 직선 $x=1$로 둘러싸인 부분의 넓이를 $\frac{1}{4}$이라 할 때, $\int_0^1 f'(\sqrt{x})dx$의 값을 구하여라.

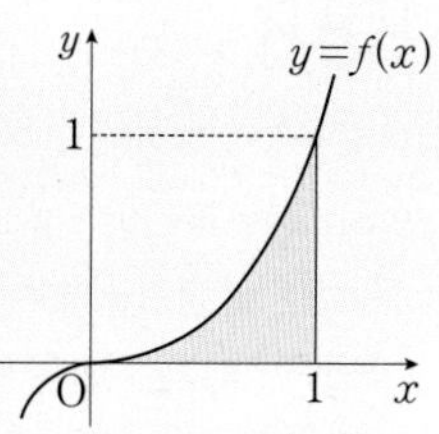

STEP Ⓐ 치환적분법을 이용하여 주어진 식 정리하기

$\sqrt{x}=t$로 놓으면 $\frac{1}{2\sqrt{x}}dx=dt$이고

$x=0$일 때, $t=0$이고 $x=1$일 때, $t=1$

$$\int_0^1 f'(\sqrt{x})dx=\int_0^1 f'(\sqrt{x})\cdot 2x\cdot\frac{1}{2\sqrt{x}}dx$$
$$=2\int_0^1 tf'(t)dt$$

STEP Ⓑ 부분적분법을 이용하여 정적분 계산하기

$\int_0^1 tf'(t)dt$에서 $u(t)=t$, $v'(t)=f'(t)$로 놓으면

$u'(t)=1$, $v(t)=f(t)$이므로

$$\int_0^1 tf'(t)dt=\Big[tf(t)\Big]_0^1-\int_0^1 f(t)dt=f(1)-\frac{1}{4}$$

따라서 $\int_0^1 f'(\sqrt{x})dx=2\int_0^1 tf'(t)dt$

$$=2\left\{f(1)-\frac{1}{4}\right\}$$
$$=2\left(1-\frac{1}{4}\right)=\frac{3}{2}\ (\because f(1)=1)$$

0890

$\int_1^e\left(\frac{1}{4}+x\ln x\right)dx$의 값은?

① $\frac{e^2-2e}{4}$ ② $\frac{e^2-e}{4}$ ③ $\frac{e^2}{4}$
④ $\frac{e^2+e}{4}$ ⑤ $\frac{e^2+2e}{4}$

STEP Ⓐ 로그함수의 부분적분 계산하기

$f(x)=\ln x$, $g'(x)=x$로 놓으면 $f'(x)=\frac{1}{x}$, $g(x)=\frac{1}{2}x^2$이므로

$$\int_1^e\left(\frac{1}{4}+x\ln x\right)dx=\int_1^e\frac{1}{4}dx+\int_1^e x\ln x dx$$
$$=\int_1^e\frac{1}{4}dx+\int_1^e f(x)g'(x)dx$$
$$=\left[\frac{1}{4}x\right]_1^e+\Big[f(x)g(x)\Big]_1^e-\int_1^e f'(x)g(x)dx$$
$$=\left[\frac{1}{4}x\right]_1^e+\left[(\ln x)\times\frac{1}{2}x^2\right]_1^e-\int_1^e\left(\frac{1}{x}\times\frac{1}{2}x^2\right)dx$$
$$=\left(\frac{e}{4}-\frac{1}{4}\right)+\left(\frac{1}{2}e^2-0\right)-\int_1^e\frac{1}{2}xdx$$
$$=\left(\frac{e}{4}-\frac{1}{4}\right)+\frac{1}{2}e^2-\left[\frac{1}{4}x^2\right]_1^e$$
$$=\left(\frac{e}{4}-\frac{1}{4}\right)+\frac{e^2}{2}-\left(\frac{e^2}{4}-\frac{1}{4}\right)$$
$$=\frac{e^2+e}{4}$$

0891

정적분 $\int_0^{\frac{\pi}{2}}e^{-x}(\sin x+\cos x)dx$를 구하면?

① 1 ② 2 ③ 3
④ 4 ⑤ 5

STEP Ⓐ 지수함수와 삼각함수의 곱인 부분적분 구하기

$$\int_0^{\frac{\pi}{2}}e^{-x}(\sin x+\cos x)dx$$
$$=\Big[e^{-x}(-\cos x+\sin x)\Big]_0^{\frac{\pi}{2}}-\int_0^{\frac{\pi}{2}}e^{-x}(\cos x-\sin x)dx$$
$$=e^{-\frac{\pi}{2}}+1-\Big[e^{-x}(\sin x+\cos x)\Big]_0^{\frac{\pi}{2}}-\int_0^{\frac{\pi}{2}}e^{-x}(\sin x+\cos x)dx$$
$$=2-\int_0^{\frac{\pi}{2}}e^{-x}(\sin x+\cos x)dx$$

따라서 $2\int_0^{\frac{\pi}{2}}e^{-x}(\sin x+\cos x)dx=2$이므로 $\int_0^{\frac{\pi}{2}}e^{-x}(\sin x+\cos x)dx=1$

다른풀이 부분적분을 이용하여 구하기

$\int_0^{\frac{\pi}{2}}e^{-x}\sin xdx$에서 $f(x)=e^{-x}$, $g'(x)=\sin x$로 놓으면

$f'(x)=-e^{-x}$, $g(x)=-\cos x$

$$\int_0^{\frac{\pi}{2}}e^{-x}\sin xdx=\Big[-e^{-x}\cos x\Big]_0^{\frac{\pi}{2}}-\int_0^{\frac{\pi}{2}}e^{-x}\cos xdx=1-\int_0^{\frac{\pi}{2}}e^{-x}\cos xdx$$

따라서 $\int_0^{\frac{\pi}{2}}e^{-x}\sin xdx+\int_0^{\frac{\pi}{2}}e^{-x}\cos xdx=1$이므로

$$\int_0^{\frac{\pi}{2}}e^{-x}(\sin x+\cos x)dx=1$$

0892

정적분 $\int_{-a}^{a}\frac{1}{a^2+x^2}dx=\frac{\pi}{6}$일 때, 상수 a의 값은?

① 1 ② 2 ③ 3
④ 4 ⑤ 5

STEP Ⓐ $x=a\tan\theta$로 치환하여 정적분 계산하기

$x=a\tan\theta=g(\theta)\left(-\frac{\pi}{2}<\theta<\frac{\pi}{2}\right)$로 놓으면

$g'(\theta)=a\sec^2\theta$이고 $x=-a$일 때 $\theta=-\frac{\pi}{4}$, $x=a$일 때 $\theta=\frac{\pi}{4}$이므로

$$\int_{-a}^{a}\frac{1}{a^2+x^2}dx=\int_{-\frac{\pi}{4}}^{\frac{\pi}{4}}\frac{1}{a^2+a^2\tan^2\theta}\cdot a\sec^2\theta d\theta$$
$$=\int_{-\frac{\pi}{4}}^{\frac{\pi}{4}}\frac{1}{a^2\sec^2\theta}\cdot a\sec^2\theta d\theta$$
$$=\left[\frac{1}{a}\theta\right]_{-\frac{\pi}{4}}^{\frac{\pi}{4}}=\frac{\pi}{2a}$$

따라서 $\frac{\pi}{2a}=\frac{\pi}{6}$에서 $a=3$

0893

다음 물음에 답하여라.

(1) $\lim_{x\to0}\frac{1}{x}\int_{1-x}^{1+2x}(\sin\pi t+\cos\pi t)dt$의 값은?

① -6 ② -5 ③ -4
④ -3 ⑤ -2

STEP Ⓐ 미분계수의 정리를 이용한 정적분 계산

$f(t)=\sin\pi t+\cos\pi t$로 놓고 $F'(x)=f(x)$라 하면

$$\lim_{x\to0}\frac{1}{x}\int_{1-x}^{1+2x}f(t)dt=\lim_{x\to0}\frac{F(1+2x)-F(1-x)}{x}$$
$$=\lim_{x\to0}\frac{F(1+2x)-F(1)-F(1-x)+F(1)}{x}$$
$$=\lim_{x\to0}2\cdot\frac{F(1+2x)-F(1)}{2x}+\lim_{x\to0}\frac{F(1-x)-F(1)}{-x}$$
$$=2F'(1)+F'(1)=3F'(1)=3f(1)$$
$$=3(\sin\pi+\cos\pi)=-3$$

(2) $\lim_{h\to0}\frac{1}{h}\int_{\frac{\pi}{2}-h}^{\frac{\pi}{2}+h} x\sin x dx$의 값을 α라고 할 때, $\tan\left(\alpha+\frac{\pi}{3}\right)$의 값은?

① $\frac{1}{\sqrt{3}}$ ② 1 ③ $\frac{2\sqrt{3}}{3}$
④ $\sqrt{3}$ ⑤ $\frac{4\sqrt{3}}{3}$

STEP A 미분계수의 정리를 이용한 정적분 계산

$\int x\sin x dx=F(x)$로 놓으면 $F'(x)=x\sin x$

$$\lim_{h\to0}\frac{1}{h}\int_{\frac{\pi}{2}-h}^{\frac{\pi}{2}+h} x\sin x dx=\lim_{h\to0}\frac{F\left(\frac{\pi}{2}+h\right)-F\left(\frac{\pi}{2}-h\right)}{h}$$
$$=2F'\left(\frac{\pi}{2}\right)=2\times\frac{\pi}{2}\sin\frac{\pi}{2}=\pi$$

STEP B $\tan\left(\alpha+\frac{\pi}{3}\right)$의 값 구하기

따라서 $\alpha=\pi$이므로 $\tan\left(\alpha+\frac{\pi}{3}\right)=\tan\left(\pi+\frac{\pi}{3}\right)=\tan\frac{\pi}{3}=\sqrt{3}$

0894

다음 물음에 답하여라.

(1) 함수 $f(x)=\sin\frac{\pi}{3}x+2$에 대하여
$$a=\lim_{x\to0}\frac{1}{x}\int_2^{2+x}f(t)dt,\ b=\lim_{x\to1}\frac{1}{x-1}\int_1^{x^2}f(t)dt$$
을 만족하는 상수 a, b에 대하여 $2a-b$의 값은?

① -2 ② -1 ③ 0
④ $\sqrt{2}$ ⑤ $\sqrt{3}$

STEP A 미분계수의 정리를 이용한 정적분 계산

$f(t)$의 한 부정적분을 $F(t)$라 하면

$$a=\lim_{x\to0}\frac{1}{x}\int_2^{2+x}f(t)dt=\lim_{x\to0}\frac{F(x+2)-F(2)}{x}$$
$$=F'(2)=f(2)=\sin\frac{2}{3}\pi+2$$
$$=\frac{\sqrt{3}}{2}+2$$
$$b=\lim_{x\to1}\frac{1}{x-1}\int_1^{x^2}f(t)dt=\lim_{x\to1}\frac{F(x^2)-F(1)}{x^2-1}\cdot(x+1)$$
$$=2F'(1)=2f(1)=2\left(\sin\frac{\pi}{3}+2\right)$$
$$=2\left(\frac{\sqrt{3}}{2}+2\right)=\sqrt{3}+4$$

따라서 $2a-b=2\left(\frac{\sqrt{3}}{2}+2\right)-(\sqrt{3}+4)=0$

(2) 함수 $f(x)=\sin\frac{\pi}{4}x+1$에 대하여
$$\lim_{x\to0}\frac{1}{x}\int_2^{2+x}f(t)dt=\alpha,\ \lim_{x\to2}\frac{1}{x-2}\int_4^{x^2}f(t)dt=\beta$$
일 때, $\alpha+\beta$의 값은?

① 4 ② 6 ③ 8
④ 10 ⑤ 12

STEP A 미분계수의 정리를 이용한 정적분 계산

$f(x)$의 부정적분 중 하나를 $F(x)$라 하면

$\int f(x)dx=F(x)+C$ (단, C는 적분상수)

$$\lim_{x\to0}\frac{1}{x}\int_2^{2+x}f(t)dt=\lim_{x\to0}\frac{F(2+x)-F(2)}{x}=F'(2)=f(2)$$
$$=\sin\frac{\pi}{2}+1=2$$

이므로 $\alpha=2$

한편 $x\to2$일 때, $x^2\to4$이므로

$$\lim_{x\to2}\frac{1}{x-2}\int_4^{x^2}f(t)dt=\lim_{x\to2}\frac{F(x^2)-F(4)}{x-2}$$
$$=\lim_{x\to2}\left\{\frac{F(x^2)-F(4)}{(x-2)(x+2)}\times(x+2)\right\}$$
$$=\lim_{x\to4}\frac{F(x^2)-F(4)}{x^2-4}\times\lim_{x\to2}(x+2)$$
$$=4F'(4)=4f(4)$$
$$=4(\sin\pi+1)=4$$

이므로 $\beta=4$

따라서 $\alpha+\beta=2+4=6$

0895

다음 물음에 답하여라.

(1) 함수 $f(x)$가
$$f(x)=x+2\int_1^e\frac{f(t)}{t}dt$$
를 만족할 때 $f(2e)$의 값은? (단, e는 자연로그의 밑이다.)

① 1 ② 2 ③ e
④ $2e$ ⑤ e^2

STEP A $\int_1^e\frac{f(t)}{t}dt$의 값이 상수임을 이용하여 $f(x)$의 식 정하기

$\int_1^e\frac{f(t)}{t}dt=k$ (k는 상수) …… ㉠

로 놓으면 $f(x)=x+2k$

STEP B $\frac{f(t)}{t}$를 적분하여 k의 값을 구하여 $f(x)$ 작성하기

이것을 ㉠에 대입하면

$$\int_1^e\frac{f(t)}{t}dt=\int_1^e\left(1+\frac{2k}{t}\right)dt=\Big[t+2k\ln t\Big]_1^e=e+2k-1=k$$

$\therefore k=1-e$

따라서 $f(x)=x+2-2e$이므로 $f(2e)=2$

(2) 함수 $f(x)$가
$$f(x)=\ln x+\int_1^e f(t)dt$$
를 만족할 때 $f(1)$의 값은? (단, e는 자연로그의 밑이다.)

① $2-e$ ② $\frac{1}{2-e}$ ③ $\frac{1}{e+2}$
④ $\frac{1}{2}$ ⑤ $\frac{1}{e-1}$

STEP A $\int_1^e f(t)dt$의 값이 상수임을 이용하여 $f(x)$의 식 정하기

$\int_1^e f(t)dt=k$ (k는 상수) …… ㉠

로 놓으면 $f(x)=\ln x+k$

STEP B $f(t)$를 적분하여 k의 값을 구하여 $f(x)$ 작성하기

이것을 ㉠에 대입하면

$$\int_1^e f(t)dt=\int_1^e(\ln t+k)dt=\Big[t\ln t-t+kt\Big]_1^e$$
$$=(e\ln e-e+ek)-(\ln1-1+k)$$
$$=ek+1-k$$

즉 $k=ek+1-k$에서 $(2-e)k=1$ $\therefore k=\frac{1}{2-e}$

따라서 $f(x)=\ln x+\frac{1}{2-e}$이므로 $f(1)=\frac{1}{2-e}$

(3) 함수 $f(x)$가

$$f(x)=e^x+\int_0^1 tf(t)dt$$

를 만족할 때 $f(0)$의 값은? (단, e는 자연로그의 밑이다.)

① 1 ② 2 ③ e
④ 3 ⑤ $e+1$

STEP Ⓐ $\int_0^1 tf(t)dt$의 값이 상수임을 이용하여 $f(x)$의 식 정하기

$\int_0^1 tf(t)dt=k$(k는 상수) …… ㉠

으로 놓으면 $f(x)=e^x+k$ …… ㉡

STEP Ⓑ $tf(t)$를 적분하여 k의 값을 구하여 $f(x)$ 작성하기

㉡을 ㉠에 대입하면

$$\begin{aligned}\int_0^1 tf(t)dt&=\int_0^1 t(e^t+k)dt\\&=\int_0^1 te^t dt+k\int_0^1 tdt\\&=\Big[te^t\Big]_0^1-\int_0^1 e^t dt+k\Big[\frac{1}{2}t^2\Big]_0^1\\&=1+\frac{k}{2}\end{aligned}$$

즉 $k=1+\frac{k}{2}$이므로 $k=2$

따라서 $f(x)=e^x+2$이므로 $f(0)=e^0+2=3$

0896

다음 물음에 답하여라.

(1) 양의 실수 전체의 집합에서 정의된 미분 가능한 함수 $f(x)$가

$$xf(x)=x^2\ln x+\int_1^x f(t)dt$$

를 만족시킬 때, $f(e)$의 값은?

① $e-1$ ② e ③ $e+1$
④ $e+2$ ⑤ $2e$

STEP Ⓐ $\int_1^1 f(t)dt=0$을 이용하여 $f(1)$의 값 구하기

$xf(x)=x^2\ln x+\int_1^x f(t)dt$ …… ㉠

㉠의 양변에 $x=1$을 대입하면

$f(1)=\ln 1+\int_1^1 f(t)dt=0$

$\therefore f(1)=0$

STEP Ⓑ 주어진 식의 양변을 x에 대하여 미분하여 $f'(x)$ 구하기

주어진 등식의 양변을 x에 대하여 미분하면

$f(x)+xf'(x)=2x\ln x+x^2\cdot\frac{1}{x}+f(x)$

$xf'(x)=2x\ln x+x$

$\therefore f'(x)=2\ln x+1(\because x>0)$

STEP Ⓒ $f'(x)$를 적분하여 적분상수를 구한 후 $f(x)$ 구하기

$$\begin{aligned}\therefore f(x)&=\int(2\ln x+1)dx\\&=2(x\ln x-x)+x+C\\&=2x\ln x-x+C\end{aligned}$$

$f(1)=0$이므로 $f(1)=2\ln 1-1+C=0$

$\therefore C=1$

따라서 $f(x)=2x\ln x-x+1$이므로 $f(e)=2e\ln e-e+1=e+1$

(2) 모든 실수 x에 대하여 함수 $f(x)$가

$$xf(x)=x^2\sin x+\int_{\frac{\pi}{2}}^x f(t)dt$$

를 만족할 때, $f(\pi)$의 값은?

① 0 ② 1 ③ 2
④ 3 ⑤ 4

STEP Ⓐ $\int_{\frac{\pi}{2}}^{\frac{\pi}{2}} f(t)dt=0$을 이용하여 $f\left(\frac{\pi}{2}\right)$의 값 구하기

$xf(x)=x^2\sin x+\int_{\frac{\pi}{2}}^x f(t)dt$ …… ㉠

㉠의 양변에 $x=\frac{\pi}{2}$를 대입하면

$\frac{\pi}{2}f\left(\frac{\pi}{2}\right)=\frac{\pi^2}{4}$ $\therefore f\left(\frac{\pi}{2}\right)=\frac{\pi}{2}$

STEP Ⓑ 주어진 식의 양변을 x에 대하여 미분하여 $f'(x)$ 구하기

㉠의 양변을 x에 대하여 미분하면

$f(x)+xf'(x)=2x\sin x+x^2\cos x+f(x)$

$xf'(x)=2x\sin x+x^2\cos x$

$f'(x)=2\sin x+x\cos x$

$\therefore f(x)=\int(2\sin x+x\cos x)dx=-\cos x+x\sin x+C$

STEP Ⓒ $f'(x)$를 적분하여 적분상수를 구한 후 $f(\pi)$ 구하기

$f\left(\frac{\pi}{2}\right)=\frac{\pi}{2}$이므로 $f\left(\frac{\pi}{2}\right)=\frac{\pi}{2}+C=\frac{\pi}{2}$

$\therefore C=0$

따라서 $f(x)=-\cos x+x\sin x$이므로 $f(\pi)=-\cos\pi+\pi\sin\pi=1$

(3) 모든 실수 x에서 미분가능한 함수 $f(x)$가

$$\int_0^x f(t)dt=xf(x)-x^2\sin x$$

를 만족시킨다. $f(\pi)=2$일 때, $f\left(\frac{\pi}{2}\right)$의 값은?

① $\frac{\pi}{2}$ ② $\frac{\pi}{2}+1$ ③ π
④ $\pi+1$ ⑤ $\pi+2$

STEP Ⓐ 주어진 식의 양변을 x에 대하여 미분하여 $f'(x)$ 구하기

$\int_0^x f(t)dt=xf(x)-x^2\sin x$의 양변을 x에 대하여 미분하면

$f(x)=f(x)+xf'(x)-2x\sin x-x^2\cos x$

$\therefore f'(x)=2\sin x+x\cos x$

STEP Ⓑ $f'(x)$를 적분하여 적분상수를 구한 후 $f(x)$ 구하기

$$\begin{aligned}f(x)&=\int(2\sin x+x\cos x)dx\\&=-2\cos x+\int x\cos x dx\quad\cdots\cdots ㉠\end{aligned}$$

$$\begin{aligned}\int x\cos x dx&=x\sin x-\int\sin x dx\\&=x\sin x+\cos x+C\quad\cdots\cdots ㉡\end{aligned}$$

㉡을 ㉠에 대입하여 정리하면

$f(x)=x\sin x-\cos x+C$

이때 $f(\pi)=2$에서 $1+C=2$ $\therefore C=1$

따라서 $f(x)=x\sin x-\cos x+1$이므로 $f\left(\frac{\pi}{2}\right)=\frac{\pi}{2}+1$

NORMAL

0897

다음 물음에 답하여라.

(1) 곡선 $y=\ln x$ 위의 점 $\mathrm{P}(x, y)$에서의 접선이 x축의 양의 방향과 이루는 각의 크기를 $\theta(x)$라고 할 때, 정적분

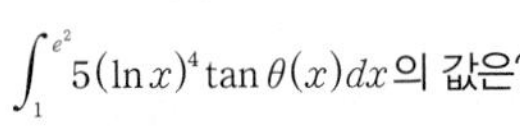

$\int_1^{e^2} 5(\ln x)^4 \tan\theta(x)dx$의 값은?

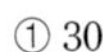

① 30 ② 32 ③ 34 ④ 36

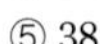

⑤ 38

STEP A $\tan\theta(x)$의 값 구하기

곡선 $y=\ln x$ 위의 점 (x, y)에서의 접선이 x축의 양의 방향과 이루는 각의 크기가 $\theta(x)$이므로 $\tan\theta(x)$는 접선의 기울기가 같다.

$y=\ln x$의 도함수 $y'=(\ln x)'=\frac{1}{x}$이므로 $\tan\theta(x)=\frac{1}{x}$

STEP B $\ln x=t$로 치환하여 치환적분법 구하기

$\int_1^{e^2} 5(\ln x)^4 \tan\theta(x)dx=5\int_1^{e^2}\frac{(\ln x)^4}{x}dx$

$\ln x=t$로 놓으면 $\frac{1}{x}dx=dt$

$x=1$일 때 $t=0$, $x=e^2$일 때 $t=2$이므로

$5\int_1^{e^2}\frac{(\ln x)^4}{x}dx=5\int_0^2 t^4dt=5\left[\frac{1}{5}t^5\right]_0^2=32$

(2) 곡선 $y=x^3+1$ 위의 점 $\mathrm{P}(x, y)$에서의 접선이 x축의 양의 방향과 이루는 각의 크기를 $\theta(x)$라고 할 때, 정적분 $\int_0^1 e^{x^3}\tan\theta(x)dx$의 값은?

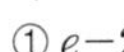

① $e-2$ ② $e-1$ ③ e ④ $e+1$ ⑤ $e+2$

STEP A $\tan\theta(x)$의 값 구하기

곡선 $y=x^3+1$ 위의 점 (x, y)에서의 접선이 x축의 양의 방향과 이루는 각의 크기가 $\theta(x)$이므로 $\tan\theta(x)$는 접선의 기울기가 같다.

$y=x^3+1$의 도함수 $y'=3x^2$이므로 $\tan\theta(x)=3x^2$

STEP B $x^3=t$로 치환하여 치환적분법 구하기

$\int_0^1 e^{x^3}\tan\theta(x)dx=\int_0^1 3x^2e^{x^3}dx$

$x^3=t$로 놓으면 $3x^2dx=dt$

$x=0$일 때 $t=0$, $x=1$일 때 $t=1$이므로

$\int_0^1 3x^2e^{x^3}dx=\int_0^1 e^t dt=\left[e^t\right]_0^1=e-1$

0898

다음 물음에 답하여라.

(1) $\int_{-2}^2\frac{1}{x^2+4}dx-\int_0^{\frac{3}{2}}\frac{1}{\sqrt{9-x^2}}dx$의 값은?

① $\frac{\pi}{12}$ ② $\frac{\pi}{6}$ ③ $\frac{\pi}{4}$ ④ $\frac{\pi}{3}$ ⑤ $\frac{5}{12}\pi$

STEP A $x=2\tan\theta$로 치환하여 치환적분법을 이용하기

$x=2\tan\theta\left(-\frac{\pi}{2}<\theta<\frac{\pi}{2}\right)$로 놓으면

$dx=2\sec^2\theta d\theta$

$x=-2$일 때 $\theta=-\frac{\pi}{4}$, $x=2$일 때 $\theta=\frac{\pi}{4}$이므로

$$\begin{aligned}\int_{-2}^2\frac{1}{x^2+4}dx&=\int_{-\frac{\pi}{4}}^{\frac{\pi}{4}}\frac{1}{4(\tan^2\theta+1)}\cdot 2\sec^2\theta d\theta\\&=\int_{-\frac{\pi}{4}}^{\frac{\pi}{4}}\frac{1}{4\sec^2\theta}\cdot 2\sec^2\theta d\theta\\&=\int_{-\frac{\pi}{4}}^{\frac{\pi}{4}}\frac{1}{2}d\theta=2\left[\frac{1}{2}\theta\right]_0^{\frac{\pi}{4}}=\frac{\pi}{4}\end{aligned}$$

STEP B $x=3\sin t$로 치환하여 치환적분법을 이용하기

$x=3\sin t\left(-\frac{\pi}{2}\le t\le\frac{\pi}{2}\right)$로 놓으면

$dx=3\cos t dt$

$x=0$일 때 $t=0$, $x=\frac{3}{2}$일 때 $t=\frac{\pi}{6}$이므로

$$\begin{aligned}\int_0^{\frac{3}{2}}\frac{1}{\sqrt{9-x^2}}dx&=\int_0^{\frac{\pi}{6}}\frac{1}{\sqrt{9-9\sin^2 t}}\cdot 3\cos t dt\\&=\int_0^{\frac{\pi}{6}}\frac{1}{3\cos t}\cdot 3\cos t dt\\&=\int_0^{\frac{\pi}{6}}dt=\left[t\right]_0^{\frac{\pi}{6}}=\frac{\pi}{6}\end{aligned}$$

STEP C 주어진 값 구하기

따라서 $\int_{-2}^2\frac{1}{x^2+4}dx-\int_0^{\frac{3}{2}}\frac{1}{\sqrt{9-x^2}}dx=\frac{\pi}{4}-\frac{\pi}{6}=\frac{\pi}{12}$

(2) $\int_0^{\frac{1}{2}}\frac{2}{1+4x^2}dx+\int_0^{\frac{\sqrt{2}}{2}}\frac{1}{\sqrt{1-x^2}}dx$의 값은?

① 0 ② $\frac{\pi}{6}$ ③ $\frac{\pi}{4}$ ④ $\frac{\pi}{3}$ ⑤ $\frac{\pi}{2}$

STEP A $x=\frac{1}{2}\tan\theta$로 치환하여 치환적분법을 이용하기

$x=\frac{1}{2}\tan\theta\left(-\frac{\pi}{2}<\theta<\frac{\pi}{2}\right)$로 놓으면

$dx=\frac{1}{2}\sec^2\theta d\theta$

$x=0$일 때 $\theta=0$, $x=\frac{1}{2}$일 때 $\theta=\frac{\pi}{4}$이므로

$$\begin{aligned}\int_0^{\frac{1}{2}}\frac{2}{1+4x^2}dx&=\int_0^{\frac{\pi}{4}}\frac{2}{1+\tan^2\theta}\cdot\frac{1}{2}\sec^2\theta d\theta\\&=\int_0^{\frac{\pi}{4}}\frac{2}{\sec^2\theta}\cdot\frac{1}{2}\sec^2\theta d\theta\\&=\int_0^{\frac{\pi}{4}}1d\theta=\left[\theta\right]_0^{\frac{\pi}{4}}=\frac{\pi}{4}\end{aligned}$$

STEP B $x=\sin t$로 치환하여 치환적분법을 이용하기

$x=\sin t\left(-\frac{\pi}{2}\le t\le\frac{\pi}{2}\right)$로 놓으면 $dx=\cos t dt$

$x=0$일 때 $t=0$, $x=\frac{\sqrt{2}}{2}$일 때 $t=\frac{\pi}{4}$이므로

$$\begin{aligned}\int_0^{\frac{\sqrt{2}}{2}}\frac{1}{\sqrt{1-x^2}}dx&=\int_0^{\frac{\pi}{4}}\frac{1}{\sqrt{1-\sin^2 t}}\cdot\cos t dt\\&=\int_0^{\frac{\pi}{4}}\frac{1}{\cos t}\cdot\cos t dt\\&=\int_0^{\frac{\pi}{4}}1dt=\left[t\right]_0^{\frac{\pi}{4}}=\frac{\pi}{4}\end{aligned}$$

STEP C 주어진 값 구하기

따라서 $\int_0^{\frac{1}{2}}\frac{2}{1+4x^2}dx+\int_0^{\frac{\sqrt{2}}{2}}\frac{1}{\sqrt{1-x^2}}dx=\frac{\pi}{4}+\frac{\pi}{4}=\frac{\pi}{2}$

0899

다음 물음에 답하여라.

(1) 부등식 $\int_0^2 |f(x)|dx > \left|\int_0^2 f(x)dx\right|$를 만족하는 함수 $f(x)$를 [보기]에서 모두 고르면?

ㄱ. $f(x)=\sqrt{x}-1$	ㄴ. $f(x)=x^2-2x$	ㄷ. $f(x)=e^{x-1}-1$

① ㄱ ② ㄴ ③ ㄱ, ㄷ
④ ㄴ, ㄷ ⑤ ㄱ, ㄴ, ㄷ

STEP A $a \le x \le b$에서 $y=f(x)$가 양과 음의 값을 모두 가지면 $\left|\int_a^b f(x)dx\right| < \int_a^b |f(x)|dx$임을 이해하기

$0 \le x \le 2$에서 $f(x) \ge 0$이거나 $f(x) \le 0$이면 $\int_0^2 |f(x)|dx = \left|\int_0^2 f(x)dx\right|$

즉 $\int_0^2 |f(x)|dx > \left|\int_0^2 f(x)dx\right|$을 만족하려면 함수 $y=f(x)$의 그래프가 $0<x<2$에서 x축과 적어도 한 점 에서 만나야 한다.
이때 각 함수의 그래프를 그리면 다음과 같다.

ㄱ. $f(x)=\sqrt{x}-1$ ㄴ. $f(x)=x^2-2x$ ㄷ. $f(x)=e^{x-1}-1$

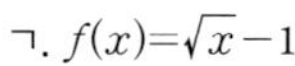
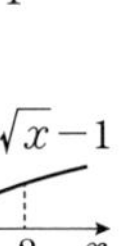
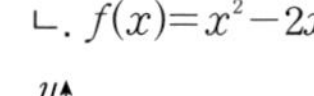
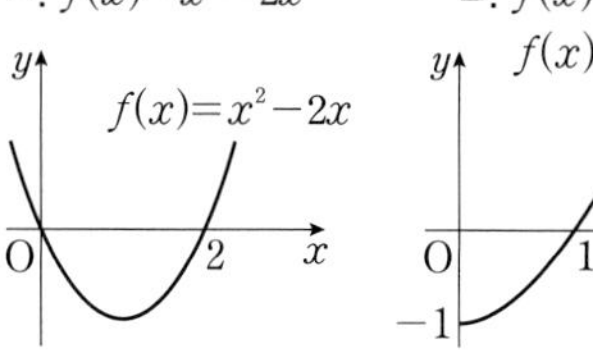

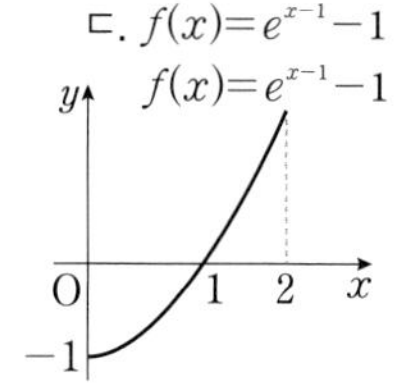

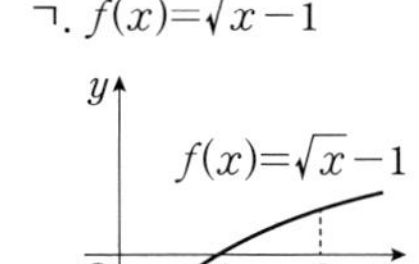

따라서 $\int_0^2 |f(x)|dx > \left|\int_0^2 f(x)dx\right|$을 만족하는 함수 $f(x)$는 ㄱ, ㄷ이다.

(2) $x>0$에서 정의된 함수 $f(x)=x\ln x+k$에 대하여 부등식

$$\left|\int_{\frac{1}{e}}^{e^2} f(x)dx\right| < \int_{\frac{1}{e}}^{e^2} |f(x)|dx$$

를 만족시키는 상수 k의 값의 범위는? (단, e는 자연로그의 밑이다.)

① $-3e^2<k<\frac{1}{e}$ ② $-2e^2<k<\frac{1}{e}$ ③ $-2e^2<k<e$
④ $1<k<e$ ⑤ $1<k<e^2$

STEP A $a \le x \le b$에서 $y=f(x)$가 양과 음의 값을 모두 가지면 $\left|\int_a^b f(x)dx\right| < \int_a^b |f(x)|dx$임을 이해하기

$\left|\int_{\frac{1}{e}}^{e^2} f(x)dx\right| < \int_{\frac{1}{e}}^{e^2} |f(x)|dx$를 만족하기 위해서는 함수 $f(x)=x\ln x+k$가 구간 $\frac{1}{e}<x<e^2$에서 x축과 적어도 한 점에서 만나야 하므로

$f\left(\frac{1}{e}\right)<0$, $f(e^2)>0$이 성립해야 한다.

$f\left(\frac{1}{e}\right)=\frac{1}{e}\ln\frac{1}{e}+k=-\frac{1}{e}+k<0$에서 $k<\frac{1}{e}$

$f(e^2)=e^2\ln e^2+k=2e^2+k>0$에서 $k>-2e^2$

따라서 $-2e^2<k<\frac{1}{e}$

+α 정적분과 부등식

구간 $[a, b]$에서 연속인 두 함수 $f(x)$, $g(x)$에 대하여 다음이 성립한다.

① $\left|\int_a^b f(x)dx\right| \le \int_a^b |f(x)|dx$

② $f(x) \le g(x)$이면 $\int_a^b f(x)dx \le \int_a^b g(x)dx$

③ $a \le x \le b$에서 $y=f(x)$가 항상 양이거나 음이면
⇨ $\left|\int_a^b f(x)dx\right| = \int_a^b |f(x)|dx$

④ $a \le x \le b$에서 $y=f(x)$가 양과 음의 값을 모두 가지면
⇨ $\left|\int_a^b f(x)dx\right| < \int_a^b |f(x)|dx$

0900

이계도함수 $f''(x)$가 연속이고 함수 $f(x)$가 다음 두 조건을 만족한다.

(가) $\lim_{x\to 2}\frac{f(x)-3}{x-2}=5$

(나) $\lim_{x\to 3}\frac{f(x)-4}{x-3}=10$

이때 정적분 $\int_2^3 xf''(x)dx$의 값을 구하여라.

STEP A 함수의 극한의 성질과 미분계수의 정리를 이용하여 구하기

$\lim_{x\to 2}\frac{f(x)-3}{x-2}=5$에서
$x\to 2$일 때, (분모)$\to 0$이고 극한값이 존재하므로 (분자)$\to 0$이어야 한다.
즉 $\lim_{x\to 2}\{f(x)-3\}=f(2)-3=0$ $\therefore f(2)=3$

(가)에 대입하면

$\lim_{x\to 2}\frac{f(x)-f(2)}{x-2}=f'(2)=5$

$\lim_{x\to 3}\frac{f(x)-4}{x-3}=10$에서
$x\to 3$일 때, (분모)$\to 0$이고 극한값이 존재하므로 (분자)$\to 0$이어야 한다.
즉 $\lim_{x\to 3}\{f(x)-4\}=f(3)-4=0$ $\therefore f(3)=4$

(나)에 대입하면

$\lim_{x\to 3}\frac{f(x)-f(3)}{x-3}=f'(3)=10$

STEP B 부분적분을 이용하여 구하기

따라서 $\int_2^3 xf''(x)dx=\Big[xf'(x)\Big]_2^3-\int_2^3 f'(x)dx$

$=\{3f'(3)-2f'(2)\}-\Big[f(x)\Big]_2^3$

$=\{3f'(3)-2f'(2)\}-\{f(3)-f(2)\}$

$=(30-10)-(4-3)=19$

0901

다음 물음에 답하여라.

(1) 함수 $f(x)$가 $f(x)=1+2\int_0^1 e^{t-x}f(t)dt$를 만족할 때, $f(1)$의 값을 구하여라.

STEP A $\int_0^1 e^t f(t)dt$의 값이 상수임을 이용하여 $f(x)$의 식 정하기

$f(x)=1+2e^{-x}\int_0^1 e^t f(t)dt$이므로

$\int_0^1 e^t f(t)dt=k$(k는 상수) …… ㉠

으로 놓으면 $f(x)=1+2ke^{-x}$ …… ㉡

STEP B 정적분을 이용하여 k를 구하여 $f(1)$의 값 구하기

㉡을 ㉠에 대입하면

$\int_0^1 e^t(1+2ke^{-t})dt=k$

$\int_0^1 e^t(1+2ke^{-t})dt=\int_0^1(e^t+2k)dt$

$=\Big[e^t+2kt\Big]_0^1$

$=e+2k-1$

$k=e+2k-1$ $\therefore k=1-e$

따라서 $f(x)=2(1-e)e^{-x}+1$이므로 $f(1)=2e^{-1}-1$

(2) 함수 $f(x)$가 $f(x)=x+\int_0^1 e^{-t}f(t)dt$를 만족시킬 때, $f(2)$의 값을 구하여라.

STEP Ⓐ $\int_0^1 e^{-t}f(t)dt$의 값이 상수임을 이용하여 $f(x)$의 식 정하기

$\int_0^1 e^{-t}f(t)dt=k$ (k는 상수) …… ㉠

으로 놓으면 $f(x)=x+k$ …… ㉡

STEP Ⓑ 부분적분법을 이용하여 k를 구하여 $f(2)$의 값 구하기

㉡을 ㉠에 대입하면

$$\begin{aligned}\int_0^1 e^{-t}f(t)dt&=\int_0^1 e^{-t}(t+k)dt\\&=\Big[-e^{-t}(t+k)\Big]_0^1+\int_0^1 e^{-t}dt\\&=-\frac{1}{e}(1+k)+k+\Big[-e^{-t}\Big]_0^1\\&=-\frac{2}{e}-\frac{k}{e}+k+1\end{aligned}$$

이때 $-\frac{2}{e}-\frac{k}{e}+k+1=k$이므로 $k=e-2$

따라서 $f(x)=x+e-2$이므로 $f(2)=e$

0902

다음 물음에 답하여라.

(1) 자연수 n에 대하여 $I_n=\int_0^1 x^n e^x dx$라 할 때, [보기]에서 옳은 것만을 있는 대로 고른 것은?

ㄱ. $I_1=1$
ㄴ. $I_2=e-1$
ㄷ. $I_n=e-nI_{n-1}$ (단, $n=2, 3, 4, \cdots$)

① ㄱ ② ㄱ, ㄴ ③ ㄱ, ㄷ
④ ㄴ, ㄷ ⑤ ㄱ, ㄴ, ㄷ

STEP Ⓐ $I_n=\int_0^1 x^n e^x dx$이면 $I_n=e-nI_{n-1}$ (단, $n=2, 3, 4, \cdots$) 임을 이용하여 참, 거짓 판단하기

ㄱ. $I_1=\int_0^1 xe^x dx$에서 $f(x)=x$, $g'(x)=e^x$으로 놓으면

$f'(x)=1$, $g(x)=e^x$

부분적분법에 의하여

$I_1=\Big[xe^x\Big]_0^1-\int_0^1 e^x dx=e-\Big[e^x\Big]_0^1=e-(e-1)=1$ [참]

ㄴ. $I_2=\int_0^1 x^2e^x dx$에서 $f(x)=x^2$, $g'(x)=e^x$으로 놓으면

$f'(x)=2x$, $g(x)=e^x$

부분적분법에 의하여

$I_2=\Big[x^2e^x\Big]_0^1-\int_0^1 2xe^x dx=e-2\int_0^1 xe^x dx=e-2$ [거짓]

ㄷ. $I_n=\int_0^1 x^n e^x dx$에서 $f(x)=x^n$, $g'(x)=e^x$으로 놓으면

$f'(x)=nx^{n-1}$, $g(x)=e^x$

부분적분법에 의하여

$$\begin{aligned}I_n&=\Big[x^ne^x\Big]_0^1-\int_0^1 nx^{n-1}e^x dx=e-n\int_0^1 x^{n-1}e^x dx\\&=e-nI_{n-1}(n=2, 3, 4, \cdots) \text{ [참]}\end{aligned}$$

따라서 옳은 것은 ㄱ, ㄷ이다.

(2) 자연수 n에 대하여 $I_n=\int_0^1 x^n e^x dx$라고 할 때, 다음 [보기] 중 옳은 것은?

ㄱ. $I_1>I_2$
ㄴ. $n\geq 2$일 때, $nI_{n-1}+I_n=1$
ㄷ. $I_4=9e-24$

① ㄱ ② ㄴ ③ ㄱ, ㄴ
④ ㄱ, ㄷ ⑤ ㄱ, ㄴ, ㄷ

STEP Ⓐ $I_n=\int_0^1 x^n e^x dx$이면 $I_n=e-nI_{n-1}$ (단, $n=2, 3, 4, \cdots$) 임을 이용하여 참, 거짓 판단하기

ㄱ. $$\begin{aligned}I_1&=\int_0^1 xe^x dx\\&=\Big[xe^x\Big]_0^1-\int_0^1 e^x dx\\&=e-\Big[e^x\Big]_0^1=1\end{aligned}$$

$$\begin{aligned}I_2&=\int_0^1 x^2e^x dx\\&=\Big[x^2e^x\Big]_0^1-\int_0^1 2xe^x dx\\&=e-\Big[2xe^x\Big]_0^1+\int_0^1 2e^x dx\\&=e-2e+\Big[2e^x\Big]_0^1=e-2\end{aligned}$$

$\therefore I_1>I_2$ [참]

ㄴ. $$\begin{aligned}I_n&=\int_0^1 x^ne^x dx\\&=\Big[x^ne^x\Big]_0^1-\int_0^1 nx^{n-1}e^x dx\\&=e-nI_{n-1}\end{aligned}$$

$\therefore nI_{n-1}+I_n=e$ [거짓]

ㄷ. ㄴ에 의하여 $I_4=e-4I_3$

$I_3=e-3I_2=e-3(e-2)=-2e+6$

$\therefore I_4=e-4(-2e+6)=9e-24$ [참]

따라서 옳은 것은 ㄱ, ㄷ이다.

(3) $n\geq 2$인 자연수 n에 대하여

$$I_n=\int_0^1 x^ne^x dx$$

라고 할 때, $10I_4+2I_5$의 값은?

① $e-1$ ② e ③ $e+1$
④ $2e$ ⑤ $2e+1$

STEP Ⓐ $I_n=\int_0^1 x^n e^x dx$이면 $I_n=e-nI_{n-1}$ (단, $n=2, 3, 4, \cdots$) 임을 보이기

$I_n=\int_0^1 x^ne^x dx$에서 $f(x)=x^n$, $g'(x)=e^x$으로 놓으면

$f'(x)=nx^{n-1}$, $g(x)=e^x$

부분적분법에 의하여

$$\begin{aligned}I_n&=\Big[x^ne^x\Big]_0^1-\int_0^1 nx^{n-1}e^x dx\\&=e-n\int_0^1 x^{n-1}e^x dx\\&=e-nI_{n-1}(n=2, 3, 4, \cdots)\end{aligned}$$

STEP Ⓑ $10I_4+2I_5$의 값 구하기

이때 $I_{n-1}=\int_0^1 x^{n-1}e^x dx$이므로 $I_n=e-nI_{n-1}$

따라서 $I_5=e-5I_4$이므로 $10I_4+2I_5=2e$

0903

실수 전체의 집합에서 미분가능한 함수 $f(x)$가

$$f(x)=e^x-1+\int_0^x f(t)dt$$

를 만족할 때, 다음의 설명 중 옳은 것을 모두 고른 것은? (단, e는 자연로그의 밑)

ㄱ. $f(0)=0$이다.
ㄴ. $f'(0)=0$이다.
ㄷ. 모든 실수 x에 대하여 $f'(x)>f(x)$이다.

① ㄱ ② ㄴ ③ ㄱ, ㄴ
④ ㄱ, ㄷ ⑤ ㄴ, ㄷ

STEP A 주어진 식에 $x=0$을 대입하여 참임을 판별하기

ㄱ. 주어진 식에 $x=0$을 대입하면

$f(0)=e^0-1+\int_0^0 f(t)dt=1-1+0=0$ [참]

STEP B 양변을 x에 대하여 미분하여 진위판단하기

ㄴ. 주어진 식을 x에 대하여 미분하면

$f'(x)=e^x+\frac{d}{dx}\int_0^x f(t)dt=e^x+f(x)$

$\therefore f'(0)=e^0+f(0)=1$ [거짓]

ㄷ. ㄴ에서 $f'(x)=e^x+f(x)$

$f'(x)-f(x)=e^x>0$이므로 $f'(x)>f(x)$ [참]

따라서 옳은 것은 ㄱ, ㄷ이다.

0904

구간 $[0, 2\pi]$에서 함수

$$f(x)=\int_0^x 3(1+\cos t)^2\sin t dt$$

의 최댓값과 최솟값의 합을 구하여라.

STEP A $f(x)$의 증가와 감소를 나타내는 표로 나타내기

양변을 미분하면 $f'(x)=3(1+\cos x)^2\sin x$

$f'(x)=0$일 때, $\cos x=-1$ 또는 $\sin x=0$이므로

$x=0$ 또는 π 또는 2π

$f(x)$의 증가와 감소를 나타내는 표를 만들면 다음과 같다.

x	0	$\cdots$	π	$\cdots$	2π
$f'(x)$		+	0	−	
$f(x)$		↗	극대	↘	

즉 구간 $[0, 2\pi]$에서 함수 $f(x)$의 최댓값은 극댓값인 $f(\pi)$이고

최솟값은 경계의 값인 $f(0)$과 $f(2\pi)$ 중 더 작은 값이다.

STEP B 최댓값과 최솟값의 합 구하기

$f(x)=\int_0^x 3(1+\cos t)^2\sin t dt$에서 $\cos t=a$로 놓으면 $-\sin t dt=da$

$t=0$일 때 $a=1$, $t=x$일 때 $a=\cos x$

$f(x)=\int_0^x 3(1+\cos t)^2\sin t dt=\int_1^{\cos x}3(1+a)^2(-1)da$

$=\left[-(1+a)^3\right]_1^{\cos x}=-(1+\cos x)^3+8$

$f(0)=-(1+\cos 0)^3+8=-8+8=0$

$f(\pi)=-(1+\cos\pi)^3+8=0+8=8$

$f(2\pi)=-(1+\cos 2\pi)^3+8=-8+8=0$

즉 $x=\pi$일 때 최댓값 8, $x=0$ 또는 $x=2\pi$일 때 최솟값 0이다.

따라서 최댓값과 최솟값의 합은 $8+0=8$

0905

함수 $f(x)$가 $f(x)=\int_0^x \frac{\sin 2t}{1+\sin^2 t}dt$일 때, $\lim_{x\to 0}\frac{f(x)}{\sin^2 x}$의 값은?

① $\frac{1}{2}$ ② 1 ③ $\frac{3}{2}$
④ 2 ⑤ $\frac{5}{2}$

STEP A $\int\frac{f'(x)}{f(x)}dx=\ln|f(x)|+C$를 이용하기

$\sin 2t=2\sin t\cos t=\frac{d}{dt}(1+\sin^2 t)$이므로

$f(x)=\int_0^x\frac{\sin 2t}{1+\sin^2 t}dt$

$=\int_0^x\frac{2\sin t\cos t}{1+\sin^2 t}dt$

$=\int_0^x\frac{(1+\sin^2 t)'}{1+\sin^2 t}dt$ ⬅ $\sin 2t=2\sin t\cos t=(1+\sin^2 t)'$

$=\left[\ln(1+\sin^2 t)\right]_0^x$

$=\ln(1+\sin^2 x)$

STEP B $\lim_{x\to 0}\frac{\ln(1+x)}{x}=1$임을 이용하기

$\sin^2 x=t$로 놓으면 $x\to 0$일 때 $t\to 0$이다.

$\therefore \lim_{x\to 0}\frac{f(x)}{\sin^2 x}=\lim_{x\to 0}\frac{\ln(1+\sin^2 x)}{\sin^2 x}=\lim_{t\to 0}\frac{\ln(1+t)}{t}=1$

0906

두 함수 $f(x)=ax+b$와 $g(x)=e^x$이

$$f(g(x))=\int_0^x f(t)g(t)dt-xe^x+3$$

을 만족할 때, $f(2)$의 값은?

① −4 ② −2 ③ 0
④ 2 ⑤ 4

STEP A $f(x)$, $g(x)$를 주어진 식에 대입하기

$f(g(x))=ae^x+b$이므로 주어진 식은

$ae^x+b=\int_0^x f(t)g(t)dt-xe^x+3$ ...... ㉠

STEP B 주어진 식의 양변을 x에 대하여 미분하여 a, b의 값 구하기

이 식의 양변에 $x=0$을 대입하면 $a+b=3$

㉠의 양변을 미분하면

$ae^x=f(x)g(x)-e^x-xe^x$

$=(ax+b)e^x-e^x-xe^x$

$=(a-1)xe^x+(b-1)e^x$

즉 $a-1=0$, $a=b-1$이므로 $a=1$, $b=2$

따라서 $f(x)=x+2$이므로 $f(2)=2+2=4$

$ae^x+e^x+xe^x=f(x)g(x)$

$(a+1+x)e^x=(ax+b)e^x$

$\therefore x+a+1=ax+b$

이 식이 항등식이므로 $a=1$, $b=2$

따라서 $f(x)=x+2$이므로 $f(2)=4$

0907

모든 실수 x에 대하여 미분가능한 함수 $f(x)$가

$$\int_0^x f(t)dt = x + \int_0^x (x-t)f(t)dt$$

를 만족시킬 때, $f(1)$의 값을 구하여라. (단, $f(x)>0$)

STEP Ⓐ 주어진 식의 양변을 미분하여 정리하기

$\int_0^x f(t)dt = x + \int_0^x (x-t)f(t)dt = x + x\int_0^x f(t)dt - \int_0^x tf(t)dt$

의 양변을 x에 대하여 미분하여 정리하면

$f(x) = 1 + \int_0^x f(t)dt + xf(x) - xf(x) = 1 + \int_0^x f(t)dt$

STEP Ⓑ $\int \frac{f'(x)}{f(x)}dx = \ln|f(x)| + C$를 이용하여 $f(x)$ 구하기

위의 식의 양변을 다시 x에 대하여 미분하면

$f'(x) = f(x)$, $\frac{f'(x)}{f(x)} = 1$

$\int \frac{f'(x)}{f(x)}dx = \int 1dx$, $\ln f(x) = x + C_1$

$\therefore f(x) = e^x + C_2$

$f(0)=1$이므로 $C_2 = 0$

따라서 $f(x)=e^x$이므로 $f(1)=e$

0908

오른쪽 그림과 같이 도함수 $f'(x)$가 연속이고 함수 $y=f(x)$가 $x=1$에서 극댓값 e, $x=2$에서 극솟값 1을 갖고 $f(3)=e^2$이다. 이때 정적분 $\int_1^3 |f'(x)|\ln f(x)dx$의 값을 구하여라. (단, e는 자연로그의 밑이다.)

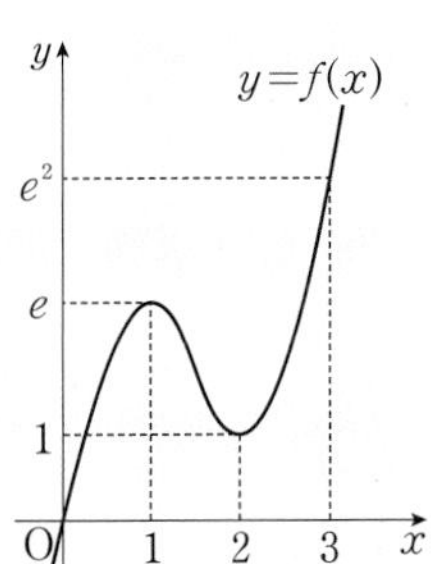

STEP Ⓐ 구간을 나누어 함수의 식 정리하기

구간 $[1, 2]$에서 $f(x)$는 감소,

구간 $[2, 3]$에서 $f(x)$는 증가하므로

$\int_1^3 |f'(x)|\ln f(x)dx = -\int_1^2 f'(x)\ln f(x)dx + \int_2^3 f'(x)\ln f(x)dx$

STEP Ⓑ $f(x)=t$로 치환하여 식 정리하기

$f(x)=t$라 하면 $f'(x)dx = dt$이고

$x=1$일 때 $t=e$, $x=2$일 때 $t=1$, $x=3$일 때 $t=e^2$이므로

$-\int_1^2 f'(x)\ln f(x)dx + \int_2^3 f'(x)\ln f(x)dx$

STEP Ⓒ 로그함수의 정적분 계산하기

$-\int_1^2 f'(x)\ln f(x)dx + \int_2^3 f'(x)\ln f(x)dx$

$= -\int_e^1 \ln t dt + \int_1^{e^2} \ln t dt$

$= -\left(\left[t\ln t\right]_e^1 - \int_e^1 1dt\right) + \left(\left[t\ln t\right]_1^{e^2} - \int_1^{e^2} 1dt\right)$

$= -\left\{(0-e) - \left[t\right]_e^1\right\} + \left\{(2e^2 - 0) - \left[t\right]_1^{e^2}\right\}$

$= -\{-e-(1-e)\} + \{2e^2 - (e^2 - 1)\}$

$= -(-1) + (e^2 + 1)$

$= e^2 + 2$

0909

실수 전체의 집합에서 미분가능한 두 함수 $f(x)$, $g(x)$가 있다. $g(x)$가 $f(x)$의 역함수이고 $g(2)=1$, $g(5)=5$일 때, $\int_1^5 \frac{40}{g'(f(x))\{f(x)\}^2}dx$의 값을 구하여라.

STEP Ⓐ 역함수의 성질과 합성함수의 미분을 이용하여 식 정리하기

$g(x)$는 $f(x)$의 역함수이므로

$g(f(x))=x$의 양변을 x에 대하여 미분하면

$g'(f(x))f'(x)=1$

$\therefore g'(f(x)) = \frac{1}{f'(x)}$

STEP Ⓑ 치환적분법을 이용하여 정적분 구하기

$\int_1^5 \frac{40}{g'(f(x))\{f(x)\}^2}dx = 40\int_1^5 \frac{f'(x)}{\{f(x)\}^2}dx$

$f(x)=t$로 놓으면 $f'(x)dx = dt$

$g(2)=1$, $g(5)=5$에서 $f(1)=2$, $f(5)=5$이므로

$x=1$일 때 $t=2$, $x=5$일 때 $t=5$이다.

따라서 $40\int_1^5 \frac{f'(x)}{\{f(x)\}^2}dx = 40\int_2^5 \frac{1}{t^2}dt = 40\left[-\frac{1}{t}\right]_2^5 = -40\left(\frac{1}{5} - \frac{1}{2}\right) = 12$

0910

함수 $f(x)$를 $f(x) = \int_a^x \{2+\sin(t^2)\}dt$라 하자. $f''(a) = \sqrt{3}a$일 때, $(f^{-1})'(0)$의 값은? (단, a는 $0 < a < \sqrt{\frac{\pi}{2}}$인 상수이다.)

① $\frac{1}{10}$ ② $\frac{1}{5}$ ③ $\frac{3}{10}$
④ $\frac{2}{5}$ ⑤ $\frac{1}{2}$

STEP Ⓐ 양변을 x에 대하여 미분하여 $f'(x)$ 구하기

$f(x) = \int_a^x \{2+\sin(t^2)\}dt$에서 양변을 x에 대하여 미분하면

$f'(x) = 2 + \sin x^2$이고 $f''(x) = 2x\cos x^2$

STEP Ⓑ $f''(a)=\sqrt{3}a$임을 이용하여 a의 값 구하기

$f''(a) = \sqrt{3}a$이므로

$f''(a) = 2a\cos(a^2) = \sqrt{3}a$에서 $\cos(a^2) = \frac{\sqrt{3}}{2}$

그런데 $0 < a < \sqrt{\frac{\pi}{2}}$에서 각 변을 제곱하면

$0 < a^2 < \frac{\pi}{2}$이므로 $a^2 = \frac{\pi}{6}$ $\therefore a = \sqrt{\frac{\pi}{6}}$

STEP Ⓒ 역함수의 미분법을 이용하여 $(f^{-1})'(0)$의 값 구하기

한편 $f(f^{-1}(x)) = x$이므로 양변을 x에 대하여 미분하면

$f'(f^{-1}(x))(f^{-1})'(x) = 1$

이때 $f(a) = 0$이므로 $f^{-1}(0) = a = \sqrt{\frac{\pi}{6}}$

따라서 $(f^{-1})'(0) = \frac{1}{f'(f^{-1}(0))} = \frac{1}{f'(a)} = \frac{1}{f'\left(\sqrt{\frac{\pi}{6}}\right)} = \frac{1}{2+\sin\frac{\pi}{6}} = \frac{2}{5}$

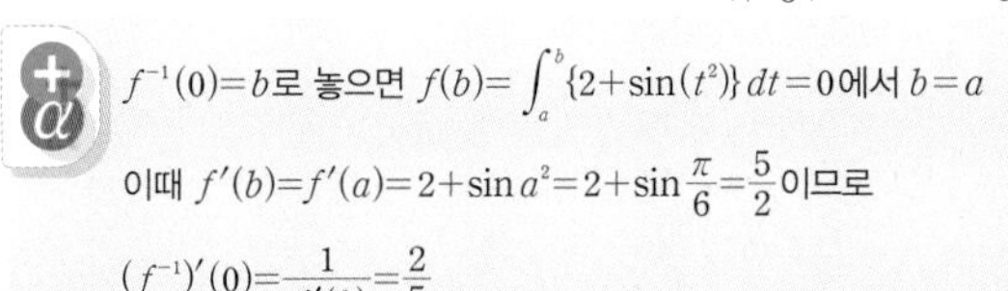

$f^{-1}(0) = b$로 놓으면 $f(b) = \int_a^b \{2+\sin(t^2)\}dt = 0$에서 $b=a$

이때 $f'(b) = f'(a) = 2 + \sin a^2 = 2 + \sin\frac{\pi}{6} = \frac{5}{2}$이므로

$(f^{-1})'(0) = \frac{1}{f'(b)} = \frac{2}{5}$

02 정적분

0911

다음 물음에 답하여라.

(1) 두 함수 $f(x), g(x)$는 실수 전체의 집합에서 도함수가 연속이고 다음 조건을 만족시킨다.

(가) 모든 실수 x에 대하여 $f(x)g(x)=x^4-1$이다.

(나) $\int_{-1}^{1}\{f(x)\}^2g'(x)dx=120$

$\int_{-1}^{1}x^3f(x)dx$의 값은?

① 12　② 15　③ 18
④ 21　⑤ 24

STEP Ⓐ 부분적분법을 이용하여 정적분의 값 구하기

조건 (가)에서 $f(x)g(x)=x^4-1$

$x=1$일 때 $f(1)g(1)=0$, $x=-1$일 때 $f(-1)g(-1)=0$

또, 양변을 미분하면 $f'(x)g(x)+f(x)g'(x)=4x^3$ …… ㉠

조건 (나)에서 $\int_{-1}^{1}\{f(x)\}^2g'(x)dx=120$이므로

$u(x)=\{f(x)\}^2$, $v'(x)=g'(x)$로 놓으면

$u'(x)=2f(x)f'(x)$, $v(x)=g(x)$이므로

$\int_{-1}^{1}\{f(x)\}^2g'(x)dx$

$=\Big[\{f(x)\}^2g(x)\Big]_{-1}^{1}-2\int_{-1}^{1}f(x)f'(x)g(x)dx$

$=\{f(1)\}^2g(1)-\{f(-1)\}^2g(-1)-2\int_{-1}^{1}f(x)f'(x)g(x)dx$

$=0-0-2\int_{-1}^{1}f(x)f'(x)g(x)dx=120$

$\therefore \int_{-1}^{1}f(x)f'(x)g(x)dx=-60$ …… ㉡

STEP Ⓑ $\int_{-1}^{1}x^3f(x)dx$의 값 구하기

㉠에서 $f'(x)g(x)=4x^3-f(x)g'(x)$을 ㉡에 대입하면

$\int_{-1}^{1}\{f(x)(4x^3-f(x)g'(x))\}dx=-60$

$4\int_{-1}^{1}x^3f(x)dx-\int_{-1}^{1}\{f(x)\}^2g'(x)dx=-60$

$4\int_{-1}^{1}x^3f(x)dx-120=-60$

따라서 $4\int_{-1}^{1}x^3f(x)dx=60$이므로 $\int_{-1}^{1}x^3f(x)dx=15$

다른풀이 $\{f(x)\}^2g'(x)=f(x)\times f(x)g'(x)$을 이용하여 풀이하기

조건 (가)에서 양변을 미분하면

$f'(x)g(x)+f(x)g'(x)=4x^3$에서 $f(x)g'(x)=4x^3-f'(x)g(x)$ …… ㉠

조건 (나)에서 $\{f(x)\}^2g'(x)=f(x)\times f(x)g'(x)$

$=4x^3f(x)-f'(x)f(x)g(x)$

$=4x^3f(x)-(x^4-1)f'(x)$

조건 (나)에 이 식을 대입하면

$\int_{-1}^{1}\{f(x)\}^2g'(x)dx=120$

$\int_{-1}^{1}\{4x^3f(x)-(x^4-1)f'(x)\}dx=120$

$4\int_{-1}^{1}x^3f(x)dx-\int_{-1}^{1}(x^4-1)f'(x)dx=120$이므로

$\int_{-1}^{1}x^3f(x)dx=\frac{1}{4}\int_{-1}^{1}(x^4-1)f'(x)dx+30$

$=\frac{1}{4}\left\{\Big[(x^4-1)f(x)\Big]_{-1}^{1}-\int_{-1}^{1}4x^3f(x)dx\right\}+30$

$=-\int_{-1}^{1}x^3f(x)dx+30$

따라서 $\int_{-1}^{1}x^3f(x)dx=15$

(2) 실수 전체의 집합에서 도함수가 연속인 두 함수 $f(x)$, $g(x)$가 다음 조건을 만족시킨다.

(가) 모든 실수 x에 대하여 $f(x)g(x)=x^2-x$이다.

(나) $\int_{0}^{1}\{g(x)\}^2f'(x)dx=14-\frac{38}{e}$

$\int_{0}^{1}(2x-1)g(x)dx=p-\frac{q}{e}$일 때, 두 자연수 p, q에 대하여 $p+q$의 값은?

① 26　② 27　③ 29
④ 31　⑤ 33

STEP Ⓐ 부분적분법을 이용하여 정적분의 값 구하기

조건 (가)에서 $f(x)g(x)=x^2-x$이고 $f(1)g(1)=f(0)g(0)=0$

조건 (나)에서 $\int_{0}^{1}\{g(x)\}^2f'(x)dx=14-\frac{38}{e}$이므로

$u(x)=\{g(x)\}^2$, $v'(x)=f'(x)$로 놓으면

$u'(x)=2g'(x)g(x)$, $v(x)=f(x)$이므로

$\int_{0}^{1}\{g(x)\}^2f'(x)dx=\Big[\{g(x)\}^2f(x)\Big]_{0}^{1}-\int_{0}^{1}\{2g'(x)g(x)\times f(x)\}dx$

$=\{g(1)\}^2f(1)-\{g(0)\}^2f(0)-2\int_{0}^{1}(x^2-x)g'(x)dx$

$=(0-0)-2\int_{0}^{1}(x^2-x)g'(x)dx$

$=-2\int_{0}^{1}(x^2-x)g'(x)dx$

STEP Ⓑ $\int_{0}^{1}(2x-1)g(x)dx$의 값 구하기

이때 $m(x)=x^2-x$, $n'(x)=g'(x)$로 놓으면

$m'(x)=2x-1$, $n(x)=g(x)$이므로

$-2\int_{0}^{1}(x^2-x)g'(x)dx=-2\Big[(x^2-x)g(x)\Big]_{0}^{1}+2\int_{0}^{1}(2x-1)g(x)dx$

$=2\int_{0}^{1}(2x-1)g(x)dx$

즉 $2\int_{0}^{1}(2x-1)g(x)dx=14-\frac{38}{e}$

따라서 $\int_{0}^{1}(2x-1)g(x)dx=7-\frac{19}{e}$이므로 $p=7$, $q=19$에서

$p+q=7+19=26$

0912

실수 전체의 집합에서 연속인 함수 $f(x)$에 대하여

$$\lim_{x\to2}\frac{\int_{1}^{x}f(t)dt-e^2+e}{x-2}=2e^2$$

일 때, $f(2)+\int_{1}^{2}f(x)dx$의 값은?

① $3e^2-2e$　② $3e^2-e$　③ $3e^2$
④ $3e^2+e$　⑤ $3e^2+2e$

STEP Ⓐ 함수의 극한의 성질을 이용하여 $\int_{1}^{2}f(t)dt$의 값 구하기

$\lim_{x\to2}\frac{\int_{1}^{x}f(t)dt-e^2+e}{x-2}=2e^2$에서

$x\to2$일 때, (분모)$\to0$이고 극한값이 존재하므로 (분자)$\to0$이어야 한다.

함수 $\int_{1}^{x}f(t)dt$는 $x=2$에서 연속이므로

$\lim_{x\to2}\left\{\int_{1}^{x}f(t)dt-e^2+e\right\}=\int_{1}^{2}f(t)dt-e^2+e=0$

즉 $\int_{1}^{2}f(t)dt=e^2-e$

STEP Ⓑ 미분계수의 정의를 이용하여 $f(2)$의 값 구하기

함수 $f(t)$의 한 부정적분을 $F(t)$라 하면

$$\lim_{x\to2}\frac{\int_1^x f(t)dt-e^2+e}{x-2}=\lim_{x\to2}\frac{\int_1^x f(t)dt-\int_1^2 f(t)dt}{x-2}$$
$$=\lim_{x\to2}\frac{\{F(x)-F(1)\}-\{F(2)-F(1)\}}{x-2}$$
$$=\lim_{x\to2}\frac{F(x)-F(2)}{x-2}=F'(2)$$
$$=f(2)=2e^2$$

STEP Ⓒ $f(2)+\int_1^2 f(x)dx$의 값 구하기

따라서 $\int_1^2 f(x)dx=\int_1^2 f(t)dt=e^2-e$이므로

$f(2)+\int_1^2 f(x)dx=2e^2+e^2-e=3e^2-e$

참고 연속함수 $f(x)$에 대하여 함수 $\int_1^x f(t)dt$는 모든 실수 x에 대하여 미분가능하므로 모든 실수 x에 대하여 연속이다.

0913

서술형

정적분 $\int_0^\pi |\sin x-\cos x|dx$의 값을 다음 단계로 서술하여라.

[1단계] 닫힌구간 $[0, \pi]$에서 방정식 $\sin x-\cos x=0$의 해를 구한다.

[2단계] 1단계를 이용하여 닫힌구간 $[0, \pi]$에서 $\sin x-\cos x\ge0$, $\sin x-\cos x\le0$을 만족시키는 구간을 각각 구하여라.

[3단계] 1단계를 이용하여 정적분 $\int_0^\pi |\sin x-\cos x|dx$의 값을 구한다.

1단계 닫힌구간 $[0, \pi]$에서 방정식 $\sin x-\cos x=0$의 해를 구한다. ◀ 30%

$\sin x-\cos x=0$에서 $\sin x=\cos x$이므로

$\tan x=1$ $\therefore x=\frac{\pi}{4}$

2단계 1단계를 이용하여 닫힌구간 $[0, \pi]$에서 $\sin x-\cos x\ge0$, $\sin x-\cos x\le0$을 만족시키는 구간을 각각 구하여라. ◀ 30%

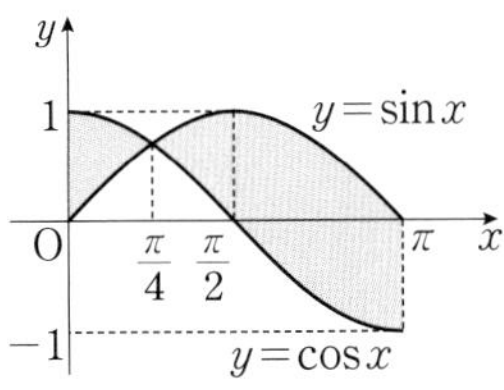

$\sin x-\cos x\ge0$을 만족한는 구간 $\left[\frac{\pi}{4}, \pi\right]$

$\sin x-\cos x\le0$을 만족한는 구간 $\left[0, \frac{\pi}{4}\right]$

3단계 1단계를 이용하여 정적분 $\int_0^\pi |\sin x-\cos x|dx$의 값을 구한다. ◀ 40%

$$\int_0^\pi |\sin x-\cos x|dx=-\int_0^{\frac{\pi}{4}}(\sin x-\cos x)dx+\int_{\frac{\pi}{4}}^\pi(\sin x-\cos x)dx$$
$$=-\Big[-\cos x-\sin x\Big]_0^{\frac{\pi}{4}}+\Big[-\cos x-\sin x\Big]_{\frac{\pi}{4}}^\pi$$
$$=-\left[\left(-\frac{\sqrt2}{2}-\frac{\sqrt2}{2}\right)+1\right]+\left[1-\left(-\frac{\sqrt2}{2}-\frac{\sqrt2}{2}\right)\right]$$
$$=2\sqrt2$$

0914

서술형

양의 실수 전체의 집합에서 연속인 함수 $f(x)$가

$$f(x)=\ln\frac{1}{x}+\int_1^e f(t)dt$$

를 만족시킬 때, $f(1)$의 값을 구하는 과정을 다음 단계로 서술하여라.

[1단계] $\int_1^e f(t)dt=k$(k는 상수)로 놓고 $f(x)$를 k를 포함한 식으로 나타낸다.

[2단계] k의 값을 구한다.

[3단계] $f(1)$의 값을 구한다.

1단계 $\int_1^e f(t)dt=k$(k는 상수) 로 놓고 $f(x)$를 k를 포함한 식으로 나타낸다. ◀ 20%

$\int_1^e f(t)dt=k$ (k는 상수)로 놓으면

$f(x)=\ln\frac{1}{x}+k$ …… ㉠

2단계 k의 값을 구한다. ◀ 40%

㉠을 $\int_1^e f(t)dt=k$에 대입하면

$$k=\int_1^e\left(\ln\frac{1}{t}+k\right)dt=\int_1^e(-\ln t+k)dt=-\int_1^e \ln t\,dt+\int_1^e k\,dt$$
$$=-\Big[t\ln t\Big]_1^e+e-1+k(e-1)=-1+k(e-1)$$

즉 $k(e-2)=1$ $\therefore k=\frac{1}{e-2}$

3단계 $f(1)$의 값을 구한다. ◀ 40%

따라서 $f(x)=\ln\frac{1}{x}+\frac{1}{e-2}$이므로 $f(1)=\frac{1}{e-2}$

0915

서술형

연속함수 $f(x)$가 모든 실수 x에 대하여

$$f(x)=5x\cos x+\int_0^{\frac{\pi}{2}} f(t)dt$$

를 만족시킬 때, $f(0)$의 값을 구하는 과정을 다음 단계로 서술하여라.

[1단계] $\int_0^{\frac{\pi}{2}} f(t)dt=a$($a$는 상수)로 놓고 $f(x)$를 a를 포함한 식으로 나타낸다.

[2단계] a의 값을 구한다.

[3단계] $f(0)$의 값을 구한다.

1단계 $\int_0^{\frac{\pi}{2}} f(t)dt=a$($a$는 상수) 로 놓고 $f(x)$를 k를 포함한 식으로 나타낸다. ◀ 20%

$\int_0^{\frac{\pi}{2}} f(t)dt=a$($a$는 상수)로 놓으면

$f(x)=5x\cos x+a$

2단계 a의 값을 구한다. ◀ 50%

$\int_0^{\frac{\pi}{2}}(5x\cos x+a)dx=a$에서

$5\int_0^{\frac{\pi}{2}} x\cos x\,dx+a\int_0^{\frac{\pi}{2}} 1dx=a$ …… ㉠

$\int_0^{\frac{\pi}{2}} x\cos x\,dx$에서 $u(x)=x$, $v'(x)=\cos x$로 놓으면

$u'(x)=1$, $v(x)=\sin x$이므로

$$\int_0^{\frac{\pi}{2}} x\cos x\,dx=\Big[x\sin x\Big]_0^{\frac{\pi}{2}}-\int_0^{\frac{\pi}{2}}\sin x\,dx$$
$$=\frac{\pi}{2}-\Big[-\cos x\Big]_0^{\frac{\pi}{2}}$$
$$=\frac{\pi}{2}-1 \quad \cdots\cdots ㉡$$

02 정적분

㉡을 ㉠에 대입하면

$5\left(\frac{\pi}{2}-1\right)+a\left[x\right]_0^{\frac{\pi}{2}}=a,\ \frac{5}{2}\pi-5+\frac{a}{2}\pi=a$

$\therefore a=-5$

3단계 $f(0)$의 값을 구한다. ◀ 30%

따라서 $f(x)=5x\cos x-5$이므로 $f(0)=-5$

0916

서술형

$x>0$에서 정의된 미분가능한 함수 $f(x)$에 대하여

$$\int_1^x f(t)dt=xf(x)-x^2e^x$$

이 성립할 때, $f(-1)$의 값을 구하는 과정을 다음 단계로 서술하여라.

[1단계] $\int_1^1 f(t)dt=0$을 이용하여 $f(1)$의 값을 구한다.

[2단계] 주어진 식의 양변을 x에 대하여 미분하여 $f'(x)$를 구한다.

[3단계] $f'(x)$를 적분하여 적분상수로 나타낸다.

[4단계] 적분상수를 구한 후 $f(-1)$을 구한다.

1단계 $\int_1^1 f(t)dt=0$을 이용하여 $f(1)$의 값을 구한다. ◀ 30%

$\int_1^x f(t)dt=xf(x)-x^2e^x$ …… ㉠

㉠의 양변에 $x=1$을 대입하면

$\int_1^1 f(t)dt=f(1)-e=0\quad\therefore f(1)=e$

2단계 주어진 식의 양변을 x에 대하여 미분하여 $f'(x)$를 구한다. ◀ 30%

㉠의 양변을 x에 대해 미분하면

$f(x)=f(x)+xf'(x)-2xe^x-x^2e^x$

$xf'(x)=2xe^x+x^2e^x$

$x>0$이므로 $f'(x)=2e^x+xe^x=(2+x)e^x$

3단계 $f'(x)$를 적분하여 적분상수로 나타낸다. ◀ 20%

$f(x)=\int(2+x)e^x dx$

$=2e^x+\int xe^x dx$

$=2e^x+(xe^x-e^x)+C$ (단, C는 적분상수)

$=e^x(1+x)+C$

4단계 적분상수를 구한 후 $f(-1)$을 구한다. ◀ 20%

$f(1)=e$이므로 $f(1)=2e+C$

즉 $e=2e+C$이므로 $C=-e$

따라서 $f(x)=e^x(1+x)-e$이므로 $f(-1)=-e$

TOUGH

0917

함수 $f(x)=\int_x^{x+2}|2^t-5|dt$의 최솟값을 m이라 할 때, 2^m의 값은?

① $\left(\frac{5}{4}\right)^8$ ② $\left(\frac{5}{4}\right)^9$ ③ $\left(\frac{5}{4}\right)^{10}$
④ $\left(\frac{5}{4}\right)^{11}$ ⑤ $\left(\frac{5}{4}\right)^{12}$

STEP Ⓐ 함수 $f(x)$가 최소가 되는 x의 값 구하기

$g(x)=|2^x-5|$라 하면

함수 $y=g(x+2)$의 그래프와 함수 $y=g(x)$의 그래프의 교점의 x좌표는 다음 그림과 같이 $-2+\log_2 5$보다 크고 $\log_2 5$보다 작다.

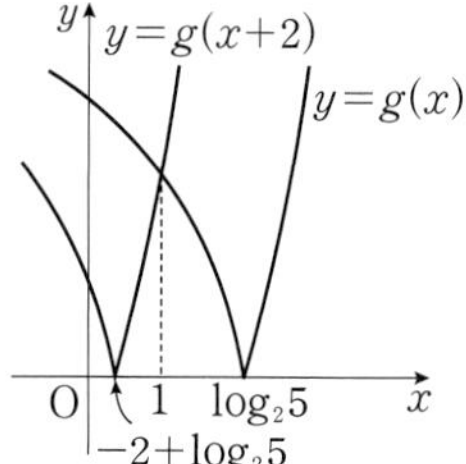

$f(x)=\int_x^{x+2}|2^t-5|dt=\int_x^{x+2}g(t)dt$의 양변을 x에 대하여 미분하면

$f'(x)=g(x+2)-g(x)$이므로

$f'(x)=2^{x+2}-5-(-2^x+5)=(5\times2^x-10)$

$f'(x)=0$에서 $5\times2^x=10\quad\therefore x=1$

$f(x)$의 증가와 감소를 표로 나타내면 다음과 같다.

x	$\cdots$	1	$\cdots$
$f'(x)$	$-$	0	$+$
$f(x)$	↘	극소	↗

함수 $f(x)$는 $x=1$에서 극소이면서 최소이다.

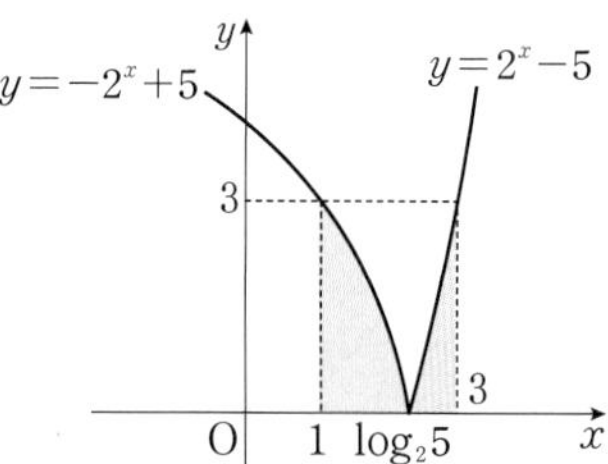

STEP Ⓑ 최솟값 m의 값 구하기

$f(1)=\int_1^3|2^t-5|dt$

$=\int_1^{\log_2 5}(-2^t+5)dt+\int_{\log_2 5}^3(2^t-5)dt$

$=\left[-\frac{2^t}{\ln 2}+5t\right]_1^{\log_2 5}+\left[\frac{2^t}{\ln 2}-5t\right]_{\log_2 5}^3$

$=\left(-\frac{3}{\ln 2}+5\log_2 5-5\right)+\left(\frac{3}{\ln 2}+5\log_2 5-15\right)$

$=10\log_2 5-20$

$=\log_2\left(\frac{5}{4}\right)^{10}$

따라서 $m=\log_2\left(\frac{5}{4}\right)^{10}$이므로 $2^m=2^{\log_2\left(\frac{5}{4}\right)^{10}}=\left(\frac{5}{4}\right)^{10}$

0918

실수 전체의 집합에서 미분가능한 함수 $f(x)$가 모든 실수 x에 대하여 다음 조건을 만족시킨다.

(가) $f(x)>0$
(나) $\ln f(x)+2\int_0^x (x-t)f(t)dt=0$

[보기]에서 옳은 것만을 있는 대로 고른 것은?

ㄱ. $x>0$에서 함수 $f(x)$는 감소한다.
ㄴ. 함수 $f(x)$의 최댓값은 1이다.
ㄷ. 함수 $F(x)$를 $F(x)=\int_0^x f(t)dt$라 할 때, $f(1)+\{F(1)\}^2=1$이다.

① ㄱ　② ㄱ, ㄴ　③ ㄱ, ㄷ
④ ㄴ, ㄷ　⑤ ㄱ, ㄴ, ㄷ

STEP A 적분구간과 피적분함수에 모두 변수 x가 있는 경우 정적분을 미분하기

조건 (나)에서

$\ln f(x)+2x\int_0^x f(t)dt-2\int_0^x tf(t)dt=0$

양변을 x에 대하여 미분하면

$\dfrac{f'(x)}{f(x)}+2\int_0^x f(t)dt+2xf(x)-2xf(x)=0$

$\dfrac{f'(x)}{f(x)}+2\int_0^x f(t)dt=0$

$f'(x)=-2f(x)\int_0^x f(t)dt$ …… ㉠

STEP B 정적분의 여러 가지 성질들을 이용하여 진위판단하기

ㄱ. $x>0$이면 조건 (가)에서 $f(x)>0$이므로

$\int_0^x f(t)dt>0$이다.

즉 ㉠에서 $f'(x)<0$이므로 함수 $f(x)$는 감소한다. [참]

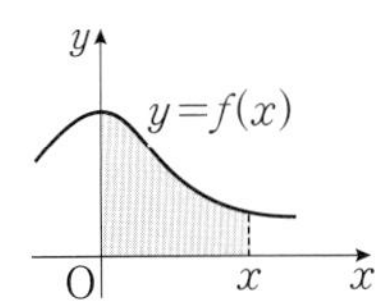

ㄴ. ㉠에 $x=0$을 대입하면 $f'(0)=0$

또한, $x<0$이면 조건 (가)에서 $f(x)>0$이므로 $\int_0^x f(t)dt<0$이다.

즉 ㉠에서 $f'(x)>0$이므로 함수 $f(x)$는 증가한다.

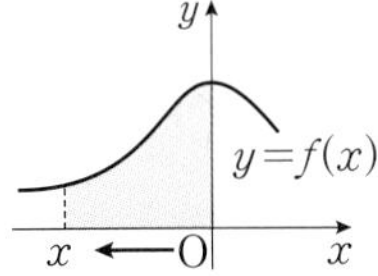

$f(x)$는 미분가능한 함수이고 $x<0$에서 증가하고 $x>0$에서 감소하므로 함수 $f(x)$는 $x=0$에서 극대이면서 최댓값을 갖는다.

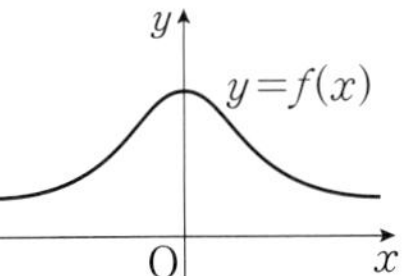

x	$\cdots$	0	$\cdots$
$f'(x)$	$+$	0	$-$
$f(x)$	↗	극대	↘

이때 조건 (나)에서 $x=0$을 대입하면 ← $\ln f(0)+2\int_0^0 (x-t)f(t)dt=0$

$\ln f(0)=0$이므로 $f(0)=1$이다.

즉 $f(x)$의 최댓값은 1이다. [참]

ㄷ. ㉠에서 $f'(x)=-2f(x)\int_0^x f(t)dt=-2f(x)F(x)$이고

$F(x)=\int_0^x f(t)dt$에서 $F'(x)=f(x)$이므로

$f'(x)=-2F'(x)F(x)$ …… ㉡

이때 $y=\{F(x)\}^2$라 할 때, $\dfrac{dy}{dx}=2F(x)F'(x)$이므로

㉡을 부정적분하면

$f(x)=-\{F(x)\}^2+C$ (C는 적분상수)

$x=0$을 대입하면 $f(0)=-\{F(0)\}^2+C$ ← $f(0)=1$, $F(0)=\int_0^0 f(t)dt=0$

$1=-0+C$이므로 $C=1$

즉 $f(x)=-\{F(x)\}^2+1$이므로 $x=1$을 대입하면

$f(1)=-\{F(1)\}^2+1$이므로 $f(1)+\{F(1)\}^2=1$ [참]

따라서 옳은 것은 ㄱ, ㄴ, ㄷ이다.

0919

함수 $f(x)$의 도함수가 $f'(x)=xe^{-x^2}$이다. 모든 실수 x에 대하여 두 함수 $f(x)$, $g(x)$가 다음 조건을 만족시킬 때, [보기]에서 옳은 것만을 있는 대로 고른 것은?

(가) $g(x)=\int_1^x f'(t)(x+1-t)dt$
(나) $f(x)=g'(x)-f'(x)$

ㄱ. $g'(1)=\dfrac{1}{e}$
ㄴ. $f(1)=g(1)$
ㄷ. 어떤 양수 x에 대하여 $g(x)<f(x)$이다.

① ㄱ　② ㄱ, ㄴ　③ ㄱ, ㄷ
④ ㄴ, ㄷ　⑤ ㄱ, ㄴ, ㄷ

STEP A 적분구간과 피적분함수에 변수가 있는 정적분에서 미분하기

ㄱ. 조건 (가)에서

$g(x)=(x+1)\int_1^x f'(t)dt-\int_1^x tf'(t)dt$

양변을 x에 대하여 미분하면

$g'(x)=\int_1^x f'(t)dt+(x+1)f'(x)-xf'(x)$

$=\int_1^x f'(t)dt+f'(x)$ ← 양변에 $x=1$을 대입한다.

$\therefore g'(1)=0+f'(1)=1\cdot e^{-1}=\dfrac{1}{e}$ [참]

참고 조건 (가)에서

$g(x)=x\int_1^x f'(t)dt+\int_1^x (1-t)f'(t)dt$

양변을 x에 대하여 미분하면

$g'(x)=\int_1^x f'(t)dt+xf'(x)+(1-x)f'(x)=\int_1^x f'(t)dt+f'(x)$

ㄴ. 조건 (가)에서

$g(x)=\int_1^x f'(t)(x+1-t)dt$

양변에 $x=1$을 대입하면 $g(1)=0$ …… ㉠

조건 (나)에서

$f(x)=g'(x)-f'(x)=\int_1^x f'(t)dt$ ← $g'(x)=\int_1^x f'(t)dt+f'(x)$

이므로 $x=1$을 대입하면 $f(1)=0$ …… ㉡

즉 ㉠, ㉡에서 $g(1)=f(1)$ [참]

STEP B $h(x)=g(x)-f(x)$의 최솟값을 구하여 거짓임을 판별하기

ㄷ. $h(x)=g(x)-f(x)$라 하면

ㄴ에 의하여 $h(1)=g(1)-f(1)=0$

$h'(x)=g'(x)-f'(x)=f(x)$

$h'(1)=f(1)=0$

$h''(x)=f'(x)=xe^{-x^2}$ ← $h'(1)=0$, $h''(1)=e^{-1}>0$이므로 $h(x)$는 $x=1$에서 극소

$x>0$에서 $h''(x)>0$이므로

$0<x<1$에서 $h'(x)<0$이고 $x>1$에서 $h'(x)>0$

$x>0$에서 함수 $h(x)$의 증가와 감소를 표로 나타내면 다음과 같다.

x	(0)	$\cdots$	1	$\cdots$
$h'(x)$		$-$	0	$+$
$h(x)$		↘	0	↗

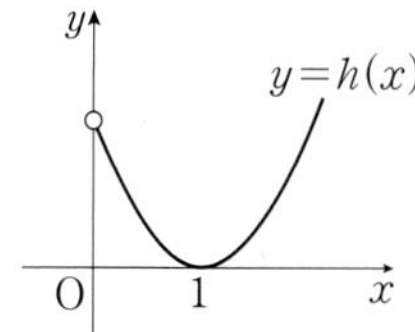

$x>0$에서 함수 $h(x)$의 최솟값이 0이고 모든 양수 x에 대하여

$h(x)=g(x)-f(x)\geq 0$이므로

$g(x)<f(x)$인 양수 x가 존재하지 않는다. [거짓]

따라서 옳은 것은 ㄱ, ㄴ이다.

참고 $h(x)=g(x)-f(x)$라 하면

$h'(x)=g'(x)-f'(x)=f(x)$

$=\int xe^{-x^2}dx=-\frac{1}{2}e^{-x^2}+C$

$=-\frac{1}{2}(e^{-x^2}-e^{-1})$ ⬅ $h'(1)=0$에서 $C=\frac{1}{2}e^{-1}$

$y=\frac{1}{2}e^{-x^2}$ $\quad y=\frac{1}{2}(e^{-x^2}-e^{-1})$ $\quad h'(x)=-\frac{1}{2}(e^{-x^2-e^{-1}})$

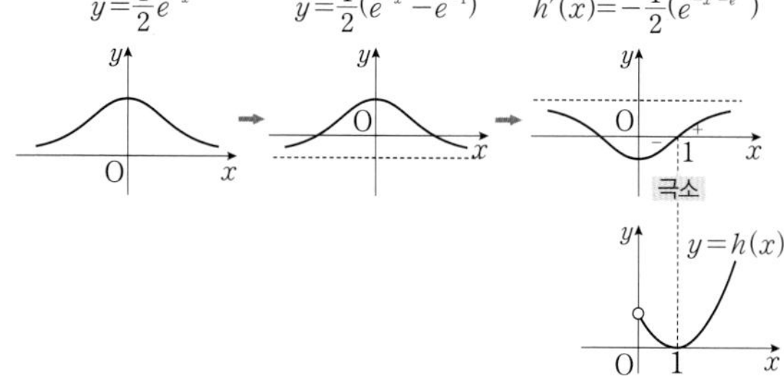

0920

실수 전체의 집합에서 미분가능하고, 다음 조건을 만족시키는 모든 함수 $f(x)$에 대하여 $\int_0^2 f(x)dx$의 최솟값은?

(가) $f(0)=1$, $f'(0)=1$

(나) $0<a<b<2$이면 $f'(a)\leq f'(b)$이다.

(다) 구간 $(0, 1)$에서 $f''(x)=e^x$이다.

① $\frac{1}{2}e-1$ ② $\frac{3}{2}e-1$ ③ $\frac{5}{2}e-1$

④ $\frac{7}{2}e-2$ ⑤ $\frac{9}{2}e-2$

STEP A 구간 $0<x<1$에서 $f(x)$ 구하기

조건 (다)의 구간 $(0, 1)$에서 $f''(x)=e^x$이므로

$f'(x)=\int e^x dx=e^x+C_1$ (단, C_1은 적분상수)

조건 (가)에서 $f'(0)=1=1+C_1$ $\quad\therefore C_1=0$

$f(x)=\int e^x dx=e^x+C_2$ (단, C_2은 적분상수)

또, 조건 (가)에서 $f(0)=1=1+C_2$ $\quad\therefore C_2=0$

$\therefore f(x)=e^x$ $\quad\cdots\cdots$ ㉠

STEP B 조건 (나)를 이용하여 $1<x<2$에서 $f(x)$ 구하기

조건 (나)에서 $0<a<b<2$이면 $f'(a)\leq f'(b)$이므로

구간 $0<x<2$에서 함수 $f'(x)$가 증가함수이다.

이때 구간 $(0, 1)$에서 ㉠의 함수 $f(x)$는 증가함수이므로

구간 $1\leq x<2$에서 함수 $f(x)$는 아래로 볼록이거나 기울기가 양인 직선이어야 한다.

즉 $1<x<2$에서 $f'(x)\geq f'(1)=e$

STEP C 적분값이 최소가 되기 위한 구간 $1\leq x<2$에서 함수 $f(x)$ 구하기

$\int_0^2 f(x)dx$의 값이 최소이려면 $1\leq x<2$에서

함수 $f(x)$는 직선이어야 하므로 다음 그림과 같이 $1<x<2$일 때,

함수 $f(x)$는 점 $(1, e)$를 지나고 기울기가 e인 직선의 방정식은

$y-e=e(x-1)$

$f(x)=ex(1\leq x<2)$ $\quad\cdots\cdots$ ㉡

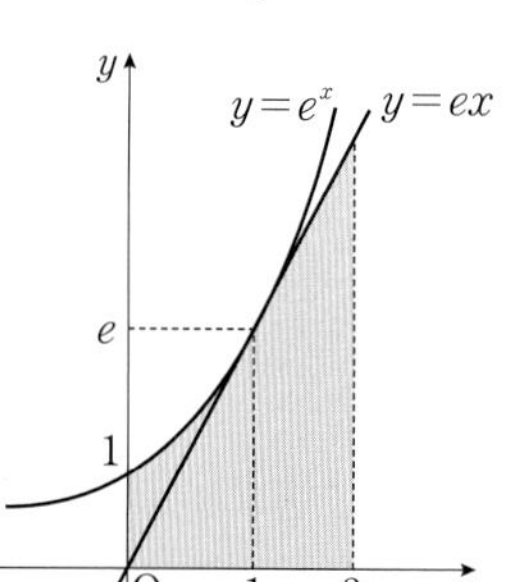

$\int_0^2 f(x)dx$의 값이 최소이려면

$1\leq x<2$에서 $f'(x)=e$이어야 하므로

$f(x)=\int edx=ex+C_3$ (단, C_3은 적분상수)

$f(1)=e+C_3=e$이므로 $C_3=0$

$\therefore f(x)=ex$ (단, $1\leq x<2$)

STEP D $\int_0^2 f(x)dx$의 값 구하기

㉠, ㉡에 의하여

$$f(x)=\begin{cases} e^x & (0\leq x\leq 1) \\ ex & (1\leq x\leq 2) \end{cases}$$

따라서 $\int_0^2 f(x)dx=\int_0^1 e^x dx+\int_1^2 exdx$

$=\Big[e^x\Big]_0^1+\Big[\frac{1}{2}ex^2\Big]_1^2$

$=e-1+\frac{e}{2}(4-1)$

$=e-1+\frac{3}{2}e$

$=\frac{5}{2}e-1$

0921

함수 $f(x)$는 모든 실수 x에 대하여 $f'(x)>0$, $f''(x)<0$을 만족하고 $f(0)=1$, $f(8)=12$이다.
다음 [보기]에서 옳은 것을 있는 대로 고른 것은?

ㄱ. $\int_0^8 \{f(x)+xf'(x)\}dx=96$
ㄴ. $\int_0^8 f(x)dx > \int_0^8 xf'(x)dx$
ㄷ. $\int_0^8 f(x)dx > 52$

① ㄱ ② ㄱ, ㄴ ③ ㄱ, ㄷ
④ ㄴ, ㄷ ⑤ ㄱ, ㄴ, ㄷ

STEP A 함수 $f(x)$는 증가하면서 위로 볼록인 그래프임을 이해하기

$f'(x)>0$, $f''(x)<0$이므로
함수 $f(x)$는 증가하면서 위로 볼록인 그래프이다.

STEP B 부분적분을 이용하여 [보기]의 참, 거짓 판단하기

ㄱ. $\int_0^8 \{f(x)+xf'(x)\}dx=\int_0^8 f(x)dx+\int_0^8 xf'(x)dx$
$=\int_0^8 f(x)dx+\Big[xf(x)\Big]_0^8-\int_0^8 f(x)dx$
$=\Big[xf(x)\Big]_0^8=8f(8)=96$ [참]

참고 $\int_0^8 \{f(x)+xf'(x)\}dx=\int_0^8 \frac{d}{dx}\{xf(x)\}dx$

ㄴ. $\int_0^8 f(x)dx$는 $x=0$에서 $x=8$까지의 정적분
$\int_0^8 xf'(x)dx=\Big[xf(x)\Big]_0^8-\int_0^8 f(x)dx$
$=8f(8)-\int_0^8 f(x)dx$
이므로
$\int_0^8 xf'(x)dx$는 아래 그림에서 직사각형의 넓이 $8f(8)$에서
정적분 $\int_0^8 f(x)dx$를 뺀 값이므로
항상 $\int_0^8 f(x)dx > \int_0^8 xf'(x)dx$이 성립한다. [참]

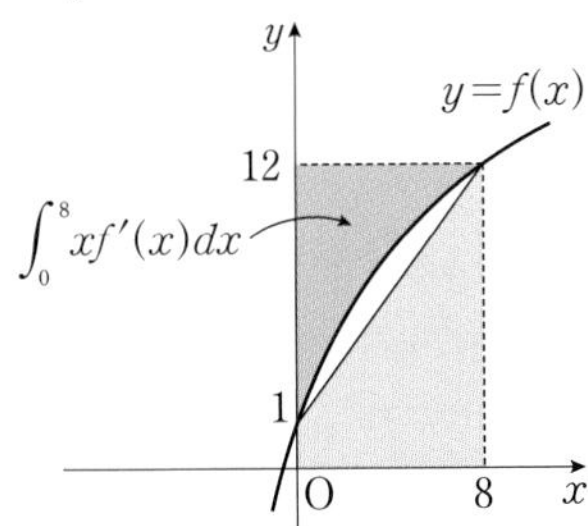

ㄷ. $f'(x)>0$, $f''(x)<0$이므로 $y=f(x)$는 증가하면서 위로 볼록인 그래프이므로 $x=0$에서 $x=8$까지의 정적분값이 사다리꼴의 넓이보다 항상 크다.
즉 $\int_0^8 f(x)dx > \frac{1}{2}(1+12)\cdot 8=52$ [참]

따라서 항상 옳은 것은 ㄱ, ㄴ, ㄷ이다.

0922

$x>0$에서 정의된 연속함수 $f(x)$가 모든 양수 x에 대하여

$$2f(x)+\frac{1}{x^2}f\left(\frac{1}{x}\right)=\frac{1}{x}+\frac{1}{x^2}$$

을 만족시킬 때, $\int_{\frac{1}{2}}^2 f(x)dx$의 값은?

① $\frac{\ln 2}{3}+\frac{1}{2}$ ② $\frac{2\ln 2}{3}+\frac{1}{2}$ ③ $\frac{\ln 2}{3}+1$
④ $\frac{2\ln 2}{3}+1$ ⑤ $\frac{2\ln 2}{3}+\frac{3}{2}$

STEP A 조건을 만족시키는 함수 $f(x)$를 구하기

$2f(x)+\frac{1}{x^2}f\left(\frac{1}{x}\right)=\frac{1}{x}+\frac{1}{x^2}$ …… ㉠

㉠에서 x대신 $\frac{1}{x}$을 대입하면
$2f\left(\frac{1}{x}\right)+x^2f(x)=x+x^2$
양변을 $2x^2$으로 나누면
$\frac{1}{x^2}f\left(\frac{1}{x}\right)+\frac{1}{2}f(x)=\frac{1}{2x}+\frac{1}{2}$ …… ㉡
㉠－㉡을 하면
$\frac{3}{2}f(x)=\frac{1}{2x}+\frac{1}{x^2}-\frac{1}{2}$ $\therefore f(x)=\frac{1}{3x}+\frac{2}{3x^2}-\frac{1}{3}$

STEP B 정적분의 값 구하기

따라서 $\int_{\frac{1}{2}}^2 f(x)dx=\int_{\frac{1}{2}}^2\left(\frac{1}{3x}+\frac{2}{3x^2}-\frac{1}{3}\right)dx$
$=\left[\frac{1}{3}\ln|x|-\frac{2}{3x}-\frac{1}{3}x\right]_{\frac{1}{2}}^2$
$=\left(\frac{1}{3}\ln 2-1\right)-\left(\frac{1}{3}\ln\frac{1}{2}-\frac{3}{2}\right)$
$=\frac{2\ln 2}{3}+\frac{1}{2}$

다른풀이 치환적분을 이용하여 풀이하기

STEP A 치환적분을 이용하여 식을 정리하기

$2f(x)+\frac{1}{x^2}f\left(\frac{1}{x}\right)=\frac{1}{x}+\frac{1}{x^2}$의 양변을 구간 $\left[\frac{1}{2}, 2\right]$에서 정적분하면
$\int_{\frac{1}{2}}^2 2f(x)dx+\int_{\frac{1}{2}}^2\frac{1}{x^2}f\left(\frac{1}{x}\right)dx=\int_{\frac{1}{2}}^2\left(\frac{1}{x}+\frac{1}{x^2}\right)dx$
이때 $\int_{\frac{1}{2}}^2\frac{1}{x^2}f\left(\frac{1}{x}\right)dx$을 치환적분하여 $\frac{1}{x}=t$로 놓으면
$-\frac{1}{x^2}dx=dt$
$x=\frac{1}{2}$일 때, $t=2$, $x=2$일 때, $t=\frac{1}{2}$
$\int_{\frac{1}{2}}^2\frac{1}{x^2}f\left(\frac{1}{x}\right)dx=-\int_2^{\frac{1}{2}}f(t)dt=\int_{\frac{1}{2}}^2 f(t)dt$

STEP B 정적분의 값 구하기

즉 $\int_{\frac{1}{2}}^2 2f(x)dx+\int_{\frac{1}{2}}^2\frac{1}{x^2}f\left(\frac{1}{x}\right)dx=\int_{\frac{1}{2}}^2\left(\frac{1}{x}+\frac{1}{x^2}\right)dx$
$2\int_{\frac{1}{2}}^2 f(x)dx+\int_{\frac{1}{2}}^2 f(x)dx=\int_{\frac{1}{2}}^2\left(\frac{1}{x}+\frac{1}{x^2}\right)dx$
$3\int_{\frac{1}{2}}^2 f(x)dx=\int_{\frac{1}{2}}^2\left(\frac{1}{x}+\frac{1}{x^2}\right)dx$
$=\left[\ln x-\frac{1}{x}\right]_{\frac{1}{2}}^2$
$=\left(\ln 2-\frac{1}{2}\right)-\left(\ln\frac{1}{2}-2\right)$
$=2\ln 2+\frac{3}{2}$
따라서 $\int_{\frac{1}{2}}^2 f(x)dx=\frac{2\ln 2}{3}+\frac{1}{2}$

0923

구간 $\left[0, \frac{\pi}{2}\right]$에서 연속인 함수 $f(x)$가 다음 조건을 만족시킬 때, $f\left(\frac{\pi}{4}\right)$의 값은?

(가) $\int_0^{\frac{\pi}{2}} f(t)dt=1$

(나) $\cos x\int_0^x f(t)dt=\sin x\int_x^{\frac{\pi}{2}} f(t)dt$ $\left(단, 0\le x\le\frac{\pi}{2}\right)$

① $\frac{1}{5}$ ② $\frac{1}{4}$ ③ $\frac{1}{3}$
④ $\frac{1}{2}$ ⑤ 1

STEP Ⓐ 조건 (나)에서 양변을 x에 대하여 미분하기

조건 (나)의 식에서

$\cos x\int_0^x f(t)dt=-\sin x\int_{\frac{\pi}{2}}^x f(t)dt$의 양변을 x에 대하여 미분하면

$$-\sin x\int_0^x f(t)dt+\cos x\cdot f(x)=-\cos x\int_{\frac{\pi}{2}}^x f(t)dt-\sin x\cdot f(x)$$

$$(\cos x+\sin x)f(x)=\sin x\int_0^x f(t)dt+\cos x\int_x^{\frac{\pi}{2}} f(t)dt$$

STEP Ⓑ $x=\frac{\pi}{4}$를 대입하여 $f\left(\frac{\pi}{4}\right)$의 값 구하기

등식의 양변에 $x=\frac{\pi}{4}$를 대입하면

$$\left(\frac{\sqrt{2}}{2}+\frac{\sqrt{2}}{2}\right)f\left(\frac{\pi}{4}\right)=\frac{\sqrt{2}}{2}\int_0^{\frac{\pi}{4}} f(t)dt+\frac{\sqrt{2}}{2}\int_{\frac{\pi}{4}}^{\frac{\pi}{2}} f(t)dt$$

$\sqrt{2}f\left(\frac{\pi}{4}\right)=\frac{\sqrt{2}}{2}\int_0^{\frac{\pi}{2}} f(t)dt=\frac{\sqrt{2}}{2}\cdot 1$ (∵ 조건 (가))

따라서 $f\left(\frac{\pi}{4}\right)=\frac{\sqrt{2}}{2}\cdot\frac{1}{\sqrt{2}}=\frac{1}{2}$

다른풀이 $f(x)$를 직접 구하여 풀이하기

조건 (나)에 $x=\frac{\pi}{4}$를 대입하면

$$\frac{\sqrt{2}}{2}\int_0^{\frac{\pi}{4}} f(t)dt=\frac{\sqrt{2}}{2}\int_{\frac{\pi}{4}}^{\frac{\pi}{2}} f(t)dt$$

$\int_0^{\frac{\pi}{4}} f(t)dt=\int_{\frac{\pi}{4}}^{\frac{\pi}{2}} f(t)dt$ …… ㉠

조건 (가)에서

$\int_0^{\frac{\pi}{2}} f(t)dt=\int_0^{\frac{\pi}{4}} f(t)dt+\int_{\frac{\pi}{4}}^{\frac{\pi}{2}} f(t)dt$

$=\int_{\frac{\pi}{4}}^{\frac{\pi}{2}} f(t)dt+\int_{\frac{\pi}{4}}^{\frac{\pi}{2}} f(t)dt$ (∵ ㉠)

$=2\int_{\frac{\pi}{4}}^{\frac{\pi}{2}} f(t)dt=1$

$\therefore \int_0^{\frac{\pi}{4}} f(t)dt=\int_{\frac{\pi}{4}}^{\frac{\pi}{2}} f(t)dt=\frac{1}{2}$

조건 (나)에서 양변을 $\cos x$로 나누면

$\int_0^x f(t)dt=\frac{\sin x}{\cos x}\int_x^{\frac{\pi}{2}} f(t)dt=\tan x\int_x^{\frac{\pi}{2}} f(t)dt$

양변을 x에 대하여 미분하면

$$f(x)=\sec^2 x\int_x^{\frac{\pi}{2}} f(t)dt+\tan x\cdot\{-f(x)\}$$

$$(1+\tan x)f(x)=\sec^2 x\int_x^{\frac{\pi}{2}} f(t)dt$$

$$f(x)=\frac{\sec^2 x}{1+\tan x}\int_x^{\frac{\pi}{2}} f(t)dt$$

따라서 $x=\frac{\pi}{4}$를 대입하면 $f\left(\frac{\pi}{4}\right)=\frac{2}{1+1}\int_{\frac{\pi}{4}}^{\frac{\pi}{2}} f(t)dt=1\cdot\frac{1}{2}=\frac{1}{2}$

다른풀이 주어진 식을 변형하여 $f(x)$를 구하여 풀이하기

조건 (나)에서

$\int_x^{\frac{\pi}{2}} f(t)dt=-\int_{\frac{\pi}{2}}^x f(t)dt$이므로

$$\cos x\int_0^x f(t)dt=-\sin x\int_{\frac{\pi}{2}}^x f(t)dt$$

$\cos x\int_0^x f(t)dt=-\sin x\left\{\int_0^x f(t)dt-\int_0^{\frac{\pi}{2}} f(t)dt\right\}$

$=-\sin x\left\{\int_0^x f(t)dt-1\right\}$ (∵ 조건 (가))

$=-\sin x\int_0^x f(t)dt+\sin x$

$$(\cos x+\sin x)\int_0^x f(t)dt=\sin x$$

$\therefore \int_0^x f(t)dt=\frac{\sin x}{\cos x+\sin x}$ …… ㉠

㉠의 양변을 x에 대하여 미분하면

$f(x)=\frac{\cos x(\cos x+\sin x)-\sin x(-\sin x+\cos x)}{(\cos x+\sin x)^2}$

$=\frac{\cos^2 x+\sin x\cos x+\sin^2 x-\sin x\cos x}{(\cos x+\sin x)^2}$

$=\frac{\sin^2 x+\cos^2 x}{(\cos x+\sin x)^2}$

$=\frac{1}{(\cos x+\sin x)^2}$

따라서 $f\left(\frac{\pi}{4}\right)=\frac{1}{\left(\frac{\sqrt{2}}{2}+\frac{\sqrt{2}}{2}\right)^2}=\frac{1}{2}$

0924

닫힌구간 $[0, 1]$에서 증가하는 연속함수 $f(x)$가

$$\int_0^1 f(x)dx=2,\ \int_0^1 |f(x)|dx=2\sqrt{2}$$

를 만족시킨다. 함수 $F(x)$가

$$F(x)=\int_0^x |f(t)|dt\ (0\le x\le 1)$$

일 때, $\int_0^1 f(x)F(x)dx$의 값은?

① $4-\sqrt{2}$ ② $2+\sqrt{2}$ ③ $5-\sqrt{2}$
④ $1+2\sqrt{2}$ ⑤ $2+2\sqrt{2}$

STEP Ⓐ 함수 $y=f(x)$가 x축과 만나는 점의 x좌표를 k라 하고 정적분과 넓이의 관계를 이해하기

함수 $y=f(x)$의 그래프가 닫힌구간 $[0, 1]$에서 x축과 만나는 점의 x좌표를 k라 하자.

곡선 $y=f(x)$와 x축, y축으로 둘러싸인 부분의 넓이를 S_1,

곡선 $y=f(x)$와 x축 및 직선 $x=1$로 둘러싸인 부분의 넓이를 S_2라 하면

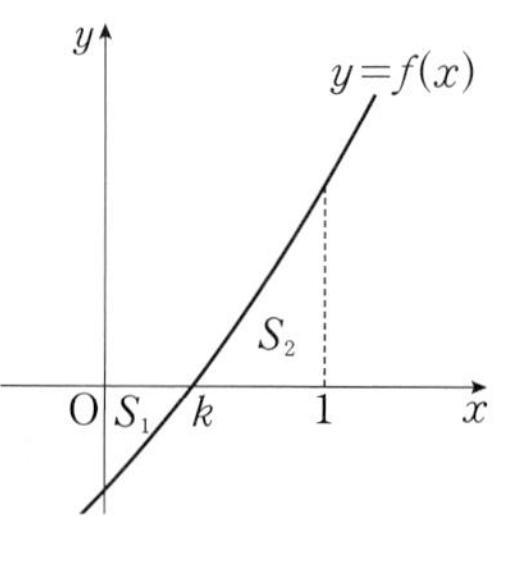

$\int_0^1 f(x)dx=2$에서

$-S_1+S_2=2$ …… ㉠

$\int_0^1 |f(x)|dx=2\sqrt{2}$에서

$S_1+S_2=2\sqrt{2}$ …… ㉡

㉠+㉡에서 $S_2=\sqrt{2}+1$

㉠−㉡에서 $S_1=\sqrt{2}-1$

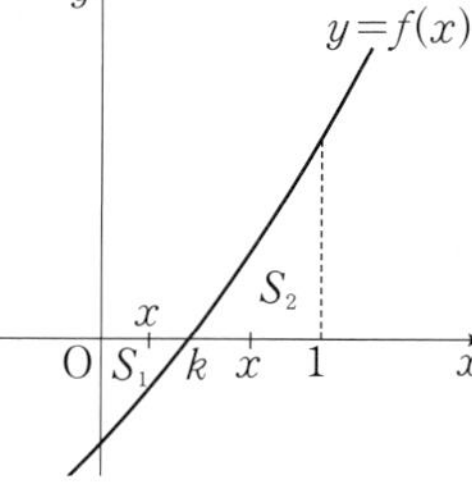

STEP Ⓑ 구간 [0, 1]을 $0 \le x \le k$, $k \le x \le 1$로 나누어 치환적분법을 이용하여 정적분의 값 구하기

(ⅰ) $0 \le x \le k$인 경우

$F(x)=\int_0^x(-f(t))dt$이므로 양변을 x에 대하여 미분하면

$F'(x)=-f(x)$

이때 $\int_0^k f(x)F(x)dx$에서 $F(x)=s$로 놓으면

$F'(x)dx=ds$

$x=0$일 때, $s=F(0)=\int_0^0|f(t)|dt=0$

$x=k$일 때, $s=F(k)=\int_0^k|f(t)|dt=\sqrt{2}-1$이고

$\int_0^k f(x)F(x)dx=\int_0^{\sqrt{2}-1}(-s)ds=\left[-\frac{1}{2}s^2\right]_0^{\sqrt{2}-1}=-\frac{1}{2}(\sqrt{2}-1)^2$

(ⅱ) $k \le x \le 1$인 경우

$F(x)=\int_0^k\{-f(t)\}dt+\int_k^x f(t)dt$의 양변을 x에 대하여 미분하면

$F'(x)=f(x)\left(\because \int_0^k\{-f(t)\}dt=S_1=\sqrt{2}-1\text{는 상수}\right)$

이때 $\int_k^1 f(x)F(x)dx$에서 $F(x)=t$로 놓으면

$F'(x)dx=dt$

$x=k$일 때, $t=F(k)=\int_0^k|f(t)|dt=\sqrt{2}-1$

$x=1$일 때, $t=F(1)=\int_0^1|f(t)|dt=2\sqrt{2}$이고

$\int_k^1 f(x)F(x)dx=\int_{\sqrt{2}-1}^{2\sqrt{2}}tdt=\left[\frac{1}{2}t^2\right]_{\sqrt{2}-1}^{2\sqrt{2}}=4-\frac{1}{2}(\sqrt{2}-1)^2$

STEP Ⓒ $\int_0^1 f(x)F(x)dx=\int_0^k f(x)F(x)dx+\int_k^1 f(x)F(x)dx$를 이용하여 정적분의 값 구하기

(ⅰ), (ⅱ)에서

$$\begin{aligned}\int_0^1 f(x)F(x)dx&=\int_0^k f(x)F(x)dx+\int_k^1 f(x)F(x)dx\\&=-\frac{1}{2}(\sqrt{2}-1)^2+4-\frac{1}{2}(\sqrt{2}-1)^2\\&=4-(\sqrt{2}-1)^2\\&=4-(3-2\sqrt{2})\\&=1+2\sqrt{2}\end{aligned}$$

+α

$$\begin{aligned}&\int_0^1 f(x)F(x)dx\\&=\int_0^k f(x)F(x)dx+\int_k^1 f(x)F(x)dx\\&=\int_0^k -F'(x)F(x)dx+\int_k^1 F'(x)F(x)dx\\&=\left[-\frac{1}{2}\{F(x)\}^2\right]_0^k+\left[\frac{1}{2}\{F(x)\}^2\right]_k^1\\&=-\frac{1}{2}\{F(k)\}^2+\frac{1}{2}\{F(0)\}^2+\frac{1}{2}\{F(1)\}^2-\frac{1}{2}\{F(k)\}^2\\&=-\{F(k)\}^2+\frac{1}{2}\{F(0)\}^2+\frac{1}{2}\{F(1)\}^2\\&=-(\sqrt{2}-1)^2+0+\frac{1}{2}(2\sqrt{2})^2\\&=4-(3-2\sqrt{2})\\&=1+2\sqrt{2}\end{aligned}$$

0925

실수 t에 대하여 곡선 $y=e^x$ 위의 점 (t, e^t)에서의 접선의 방정식을 $y=f(x)$라 할 때, 함수 $y=|f(x)+k-\ln x|$가 양의 실수 전체의 집합에서 미분가능하도록 하는 실수 k의 최솟값을 $g(t)$라 하자.

두 실수 a, $b(a<b)$에 대하여 $\int_a^b g(t)dt=m$이라 할 때, [보기]에서 옳은 것만을 있는 대로 고른 것은?

ㄱ. $m<0$이 되도록 하는 두 실수 a, $b(a<b)$가 존재한다.
ㄴ. 실수 c에 대하여 $g(c)=0$이면 $g(-c)=0$이다.
ㄷ. $a=\alpha$, $b=\beta(\alpha<\beta)$일 때, m의 값이 최소이면 $\frac{1+g'(\beta)}{1+g'(\alpha)}<-e^2$이다.

① ㄱ ② ㄴ ③ ㄱ, ㄴ
④ ㄱ, ㄷ ⑤ ㄱ, ㄴ, ㄷ

STEP Ⓐ 곡선 $y=e^x$ 위의 점 (t, e^t)에서의 접선의 방정식 구하기

곡선 $y=e^x$에서 $y'=e^x$

곡선 $y=e^x$ 위의 점 (t, e^t)에서의 접선의 방정식이 $y=f(x)$이므로

$f(x)=e^t(x-t)+e^t$

STEP Ⓑ $y=|h(x)-\ln x|$가 미분가능하도록 하는 실수 k가 최소가 되는 위치 구하기

함수 $y=|f(x)+k-\ln x|$에서

$h(x)=f(x)+k=e^tx+(1-t)e^t+k$라 하면

함수 $y=|f(x)+k-\ln x|$가 미분가능하고 실수 k가 최소일 때는

$y=|f(x)+k-\ln x|$가 양의 실수 전체의 집합에서 미분가능하면서

k값이 최소가 되는 경우는

접선 $y=f(x)$를 y축으로 k만큼평행이동한 직선이 $y=\ln x$에 접할 때이다.

즉 곡선 $y=h(x)$와 곡선 $y=\ln x$가 한 점에서 만날 때이다. ⬅ 두 함수가 접한다.

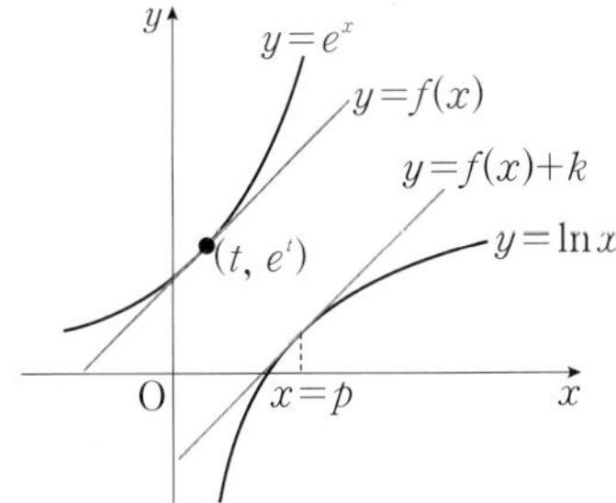

STEP Ⓒ 공통접선을 이용하여 실수 k의 최솟값 $g(t)$ 구하기

곡선 $y=h(x)$와 곡선 $y=\ln x$가 만나는 점의 x좌표를 p라 하면

$e^tp+(1-t)e^t+k=\ln p$ …… ㉠

또, $h'(x)=e^t$이고 $y=\ln x$에서 $y'=\frac{1}{x}$이므로

$e^t=\frac{1}{p}$ …… ㉡

$\ln p=\ln\frac{1}{e^t}=-t$ …… ㉢

㉡, ㉢을 ㉠에 대입하면

$\frac{1}{p}\times p+(1-t)e^t+k=-t$

$k=(t-1)e^t-t-1$

즉 $g(t)=k=(t-1)e^t-t-1$

STEP Ⓓ 주어진 명제의 참, 거짓을 판별하기

ㄱ. $g(t)=(t-1)e^t-t-1$에서

$g'(t)=e^t+(t-1)e^t-1=te^t-1$

⬅ $g'(t)=te^t-1$의 그래프는 $y=te^t$의 그래프를 y축으로 -1만큼 평행이동한 그래프이다.

02 정적분

이때 함수 $y=g'(t)$의 그래프와 t축이 만나는 점의 t의 좌표를 s라 하면 $s>0$이므로 함수 $y=g(t)$는 $t=s$에서 극솟값을 갖는다.

$g(s)=se^s-e^s-s-1$

$\quad=-e^s-s<0$ ⇐ $se^s-1=0$

한편 $g(0)=-2<0$이므로 방정식 $g(t)=0$는 양의 실근 하나와 음의 실근 하나를 가진다.

이를 각각 q, r $(q<0<r)$하면

함수 $y=g'(t)$의 그래프는 다음 그림과 같다.

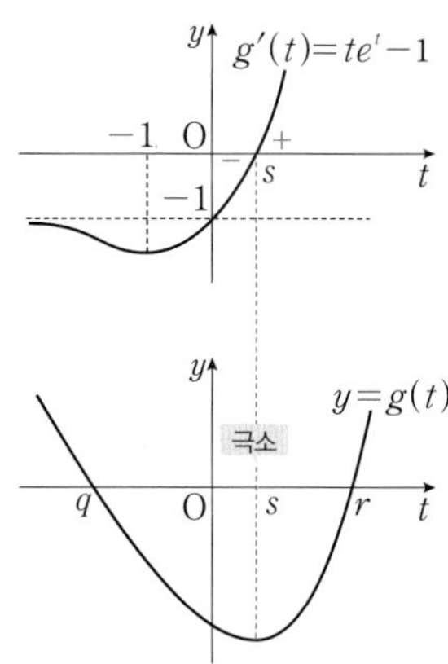

이때 $m=\int_a^b g(t)dt<0$이 되도록 하는 두 실수 a, b가 존재한다. [참]

ㄴ. $g(c)=(c-1)e^c-c-1=0$에서 $e^c=\dfrac{c+1}{c-1}$이므로

$g(-c)=(-c-1)e^{-c}-c-1$

$\quad=-(c+1)\times\dfrac{c-1}{c+1}+c-1$

$\quad=0$ [참]

ㄷ. $g'(t)=te^t-1$이고 m의 값이 최소이면

ㄴ에서 $\beta=c$, $\alpha=-c$이므로

$\dfrac{1+g'(\beta)}{1+g'(\alpha)}=\dfrac{1+g'(c)}{1+g'(-c)}=\dfrac{ce^c}{-ce^{-c}}=-e^{2c}$

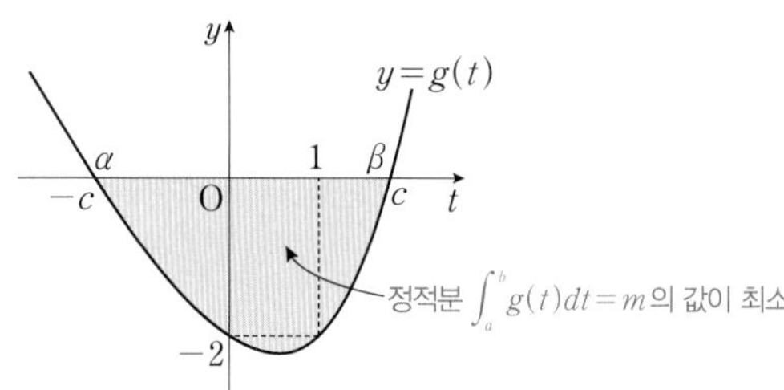

한편 $g(1)=-2$이므로 $c>1$이다.

이때 $-e^{2c}<-e^2$이므로 $\dfrac{1+g'(\beta)}{1+g'(\alpha)}<-e^2$ [참]

따라서 옳은 것은 ㄱ, ㄴ, ㄷ이다.

0926

실수 전체의 집합에서 미분가능한 두 함수 $f(x)$, $g(x)$가 모든 실수 x에 대하여 다음 조건을 만족시킨다.

(가) $g(x+1)-g(x)=-\pi(e+1)e^x\sin(\pi x)$

(나) $g(x+1)=\int_0^x\{f(t+1)e^t-f(t)e^t+g(t)\}dt$

$\int_0^1 f(x)dx=\dfrac{10}{9}e+4$일 때, $\int_1^{10} f(x)dx$의 값을 구하여라.

STEP A $g(n+1)=0$**임을 보이기**

조건 (나)에서

$x=0$일 때, $g(1)=0$

조건 (가)에서

$g(2)-g(1)=0$, $g(3)-g(2)=0$, $\cdots$, $g(n+1)-g(n)=0$

$\therefore$ $g(0)=g(1)=g(2)=\cdots=g(n+1)=0$ ⇐ $\sin\pi=\sin2\pi=\sin3\pi=\cdots=\sin n\pi=0$

STEP B 조건을 이용하여 $f(x+1)-f(x)$**의 값 구하기**

조건 (나)의 양변을 x에 대하여 미분하면

$g'(x+1)=f(x+1)e^x-f(x)e^x+g(x)$

$\therefore$ $f(x+1)-f(x)=g'(x+1)e^{-x}-g(x)e^{-x}$ $\quad\cdots\cdots$ ㉠

조건 (가)의 양변을 e^{-x}로 곱하면

$g(x+1)e^{-x}-g(x)e^{-x}=-\pi(e+1)\sin(\pi x)$에서

$g(x)e^{-x}=g(x+1)e^{-x}+\pi(e+1)\sin(\pi x)$이므로

㉠에 대입하면

$f(x+1)-f(x)=g'(x+1)e^{-x}-g(x+1)e^{-x}-\pi(e+1)\sin(\pi x)$

$f(x)$의 한 부정적분을 $F(x)$라 하고

양변을 부정적분하면 ⇐ $\int f(x)dx=F(x)+C$, $\{g(x+1)e^{-x}\}'=g'(x+1)e^{-x}-g(x+1)e^{-x}$

$F(x+1)-F(x)=g(x+1)e^{-x}+(e+1)\cos\pi x+C$ $\quad\cdots\cdots$ ㉡

이때 $\int_0^1 f(x)dx=F(1)-F(0)=\dfrac{10}{9}e+4$이므로

㉡의 양변에 $x=0$을 대입하면

$F(1)-F(0)=g(1)e^{-x}+(e+1)\cos0+C=(e+1)+C$

즉 $\dfrac{10}{9}e+4=(e+1)+C$에서 $C=\dfrac{1}{9}e+3$

STEP C $\int_1^{10} f(x)dx=F(10)-F(1)$**의 값 구하기**

따라서 $\int_1^{10} f(x)dx=F(10)-F(1)$이므로 ㉡에서

$F(10)-F(1)=\{F(10)-F(9)\}+\{F(9)-F(8)\}+\cdots\{F(2)-F(1)\}$

⇐ $g(0)=g(1)=g(2)=\cdots=g(9)=0$

$=(e+1)\cos9\pi+(e+1)\cos8\pi+\cdots+(e+1)\cos\pi+9C$

$=(e+1)\cos\pi+9\left(\dfrac{1}{9}e+3\right)$

$=-e-1+e+27=26$

0927

실수 전체의 집합에서 미분가능한 함수 $f(x)$가 모든 실수 x에 대하여

$$f'(x^2+x+1)=\pi f(1)\sin\pi x+f(3)x+5x^2$$

을 만족시킬 때, $f(7)$의 값을 구하여라.

STEP Ⓐ **부정적분을 이용하여 $f(x^2+x+1)$의 값 구하기**

$f'(x^2+x+1)=\pi f(1)\sin\pi x+f(3)x+5x^2$이므로

양변에 $(x^2+x+1)'=2x+1$을 곱하고

$f(1)=a,\ f(3)=b$라 놓으면

$(2x+1)f'(x^2+x+1)=a\pi\times(2x+1)\sin\pi x+b(2x^2+x)+10x^3+5x^2$

이때 좌변을 부정적분하면

$$\int f'(x^2+x+1)(2x+1)dx=f(x^2+x+1)+C_1 \quad \cdots\cdots ㉠$$

우변을 부정적분하면

$$\int\{a\pi(2x+1)\sin\pi x+b(2x^2+x)+10x^3+5x^2\}dx$$

$$=a\pi\int(2x+1)\sin\pi x dx+\int\{b(2x^2+x)+10x^3+5x^2\}dx$$

$$=-a(2x+1)\cos\pi x-a\int(-2\cos\pi x)dx+b\left(\frac{2}{3}x^3+\frac{1}{2}x^2\right)+\frac{5}{2}x^4+\frac{5}{3}x^3$$

$$=-a(2x+1)\cos\pi x+\frac{2a}{\pi}\sin\pi x+b\left(\frac{2}{3}x^3+\frac{1}{2}x^2\right)+\frac{5}{2}x^4+\frac{5}{3}x^3+C_2 \quad \cdots\cdots ㉡$$

그러므로 ㉠과 ㉡에서

$$f(x^2+x+1)=-a(2x+1)\cos\pi x+\frac{2a}{\pi}\sin\pi x+b\left(\frac{2}{3}x^3+\frac{1}{2}x^2\right)$$

$$+\frac{5}{2}x^4+\frac{5}{3}x^3+C\ (C\text{는 적분상수}) \quad \cdots\cdots ㉢$$

STEP Ⓑ **$f(1),\ f(3)$의 값 구하기**

이때 $f(x^2+x+1)$에서 $x^2+x+1=1$이면

$x^2+x=0$이므로 $x=0$ 또는 $x=-1$

㉢의 양변에 $x=0$을 대입하면

$f(1)=-a+C$에서 $2a=C$ ⬅ $f(1)=a$

㉢의 양변에 $x=-1$을 대입하면

$f(1)=-a-\frac{1}{6}b+\frac{5}{6}+C$에서 $b=f(3)=5$ ⬅ $f(1)=a,\ 2a=C$

또, $x^2+x+1-3$에서 $x^2+x-2=0$이므로

$x=1$ 또는 $x=-2$

㉢의 양변에 $x=1$을 대입하면

$f(3)=3a+\frac{7}{6}b+\frac{25}{6}+C$에서 $a=f(1)=-1$ ⬅ $f(3)=b,\ 2a=C$

STEP Ⓒ **$f(7)$의 값 구하기**

$$f(x^2+x+1)=(2x+1)\cos\pi x-\frac{2}{\pi}\sin\pi x+5\left(\frac{2}{3}x^3+\frac{1}{2}x^2\right)$$

$$+\frac{5}{2}x^4+\frac{5}{3}x^3-2 \quad \cdots\cdots ㉣$$

이때 $x^2+x+1=7$에서 $x^2+x-6=0$이므로

$x=2$ 또는 $x=-3$

따라서 ㉣에 $x=2$를 대입하면

$$f(7)=5+5\left(\frac{16}{3}+2\right)+40+\frac{40}{3}-2=93$$

다른풀이 치환적분과 부분적분을 이용하여 풀이하기

STEP Ⓐ **치환적분을 이용하여 구하기**

$f'(x^2+x+1)=\pi f(1)\sin\pi x+f(3)x+5x^2$의 양변에

$x=0$ 또는 $x=-1$을 대입하면

$f'(1)=0,\ f'(1)=-f(3)+5$이므로 $f(3)=5$

주어진 등식의 양변에 $2x+1$을 곱하여 구간 $[1,\ t]$에서 정적분하면

$$\int_1^t(2x+1)f'(x^2+x+1)dx=\pi f(1)\int_1^t(2x+1)\sin\pi x dx$$

$$+5\int_1^t(2x+1)(x+x^2)dx \quad \cdots\cdots ㉠$$

㉠의 좌변에서

$x^2+x+1=s$로 치환하면 $(2x+1)dx=dx$이므로

$$\int_3^{t^2+t+1}f'(s)ds=f(t^2+t+1)-f(3)=f(t^2+t+1)-5$$

STEP Ⓑ **부분적분을 이용하여 구하기**

㉠의 우변의 $\pi f(1)\int_1^t(2x+1)\sin\pi x dx$을 정적분하면

$2x+1=u(x),\ \sin\pi x=v'(x)$으로 놓으면

$$\pi f(1)\int_1^t(2x+1)\sin\pi x dx$$

$$=\pi f(1)\left\{\left[(2x+1)\frac{\cos\pi x}{-\pi}\right]_1^t-2\int_1^t\frac{\cos\pi x}{-\pi}dx\right\}$$

$$=f(1)\left\{\left[-(2x+1)\cos\pi x\right]_1^t+2\int_1^t\cos\pi x dx\right\}$$

$$=f(1)\left\{-(2t+1)\cos\pi t-3+\frac{2}{\pi}\sin\pi t\right\}$$

또한, ㉠의 우변의 $5\int_1^t(2x+1)(x+x^2)dx$을 정적분하면

$$5\int_1^t(2x+1)(x+x^2)dx=5\int_1^t(2x^3+3x^2+x)dx$$

$$=5\left(\frac{1}{2}t^4+t^3+\frac{1}{2}t^2-2\right)$$

STEP Ⓒ **$f(7)$의 값 구하기**

따라서

$$f(t^2+t+1)-5=f(1)\left\{-(2t+1)\cos\pi t-3+\frac{2}{\pi}\sin\pi t\right\}$$

$$+5\left(\frac{1}{2}t^4+t^3+\frac{1}{2}t^2-2\right) \quad \cdots\cdots ㉡$$

㉡에 $t=0$을 대입하면 $f(1)-5=-4f(1)-10$이므로 $f(1)=-1$

㉡에 $t=2$을 대입하면 $f(7)=-8f(1)+85=8+85=93$

M A P L ; Y O U R M A S T E R P L A N

03 정적분의 활용

0928

다음 물음에 답하여라.

(1) 함수 $f(x)=4x^2+6x+32$에 대하여 $\lim_{n\to\infty}\sum_{k=1}^{n}\frac{k}{n^2}f\left(\frac{k}{n}\right)$의 값은?

① 13 ② 15 ③ 17
④ 19 ⑤ 21

STEP Ⓐ 정적분과 급수의 합 사이의 관계를 이용하여 구하기

$$\lim_{n\to\infty}\sum_{k=1}^{n}\frac{k}{n^2}f\left(\frac{k}{n}\right)=\lim_{n\to\infty}\sum_{k=1}^{n}\frac{k}{n}f\left(\frac{k}{n}\right)\frac{1}{n} \quad \Leftarrow \frac{k}{n}=x,\ a=0,\ b=1$$
$$=\int_0^1 xf(x)dx$$
$$=\int_0^1 x(4x^2+6x+32)dx$$
$$=\int_0^1 (4x^3+6x^2+32x)dx$$
$$=\Big[x^4+2x^3+16x^2\Big]_0^1$$
$$=1+2+16=19$$

(2) 함수 $f(x)=\sin(3x)$에 대하여 $\lim_{n\to\infty}\sum_{k=1}^{n}\frac{\pi}{n}f\left(\frac{k\pi}{n}\right)$의 값은?

① $\frac{2}{3}$ ② 1 ③ $\frac{4}{3}$
④ $\frac{5}{3}$ ⑤ 2

STEP Ⓐ 정적분과 급수의 관계에 의하여 정적분으로 나타내기

$$\lim_{n\to\infty}\sum_{k=1}^{n}\frac{\pi}{n}f\left(\frac{k\pi}{n}\right)=\lim_{n\to\infty}\sum_{k=1}^{n}f(x_k)\Delta x \quad \Leftarrow x_k=\frac{k\pi}{n},\ a=0,\ b=\pi$$
$$=\int_0^{\pi}f(x)dx \quad \Leftarrow f(x)=\sin(3x),\ a=0,\ b=\pi$$
$$=\int_0^{\pi}\sin(3x)dx$$

STEP Ⓑ 치환적분법을 이용하여 정적분의 값 구하기

따라서 $t=3x$로 놓으면 $\frac{dt}{dx}=3$이고

$x=0$일 때 $t=0$, $x=\pi$일 때 $t=3\pi$이므로

$$\int_0^{\pi}\sin(3x)dx=\int_0^{3\pi}\frac{1}{3}\sin t dt$$
$$=\Big[-\frac{1}{3}\cos t\Big]_0^{3\pi}$$
$$=\left(-\frac{1}{3}\cos 3\pi\right)-\left(-\frac{1}{3}\cos 0\right)$$
$$=\frac{1}{3}+\frac{1}{3}=\frac{2}{3}$$

+α
$$\lim_{n\to\infty}\sum_{k=1}^{n}\frac{\pi}{n}f\left(\frac{k\pi}{n}\right)=\pi\int_0^1 f(\pi x) \quad \Leftarrow x_k=\frac{k}{n},\ a=0,\ b=1$$
$$=\pi\int_0^1\sin(3\pi x)$$
$$=\pi\Big[-\frac{1}{3\pi}\cos(3\pi x)\Big]_0^1$$
$$=\frac{1}{3}+\frac{1}{3}=\frac{2}{3}$$

0929

정적분을 이용하여 다음 극한값을 구하여라.

(1) $\lim_{n\to\infty}\sum_{k=1}^{n}\frac{3\pi}{n}\sin^3\frac{\pi k}{n}$

STEP Ⓐ 정적분과 급수의 관계에 의하여 정적분으로 나타내기

$$\lim_{n\to\infty}\sum_{k=1}^{n}\frac{3\pi}{n}\sin^3\frac{\pi k}{n}=3\int_0^{\pi}\sin^3 x dx$$
$$=3\int_0^{\pi}(1-\cos^2 x)\sin x dx$$

STEP Ⓑ 치환적분을 이용하여 정적분 계산하기

따라서 $\cos x=t$로 놓으면 $-\sin x dx=dt$

$x=0$일 때 $t=1$, $x=\pi$일 때 -1

$$3\int_0^{\pi}(1-\cos^2 x)\sin x dx=3\int_1^{-1}(1-t^2)\cdot(-1)dt=3\int_{-1}^{1}(1-t^2)dt$$
$$=3\cdot 2\int_0^1(1-t^2)dt=6\Big[t-\frac{1}{3}t^3\Big]_0^1=4$$

(2) $\lim_{n\to\infty}\frac{1}{n^2}\sum_{k=1}^{n}ke^{\frac{k}{n}}$

STEP Ⓐ 정적분과 급수의 관계에 의하여 정적분으로 나타내기

$$\lim_{n\to\infty}\frac{1}{n^2}\sum_{k=1}^{n}ke^{\frac{k}{n}}=\lim_{n\to\infty}\sum_{k=1}^{n}\left(\frac{k}{n}\right)\cdot e^{\frac{k}{n}}\cdot\frac{1}{n}=\int_0^1 xe^x dx$$

STEP Ⓑ 부분적분을 이용하여 정적분 계산하기

따라서 $\int_0^1 xe^x dx=\Big[xe^x\Big]_0^1-\int_0^1 e^x dx=e-\Big[e^x\Big]_0^1=e-(e-1)=1$

(3) $\lim_{n\to\infty}\frac{1}{n^3}\sum_{k=1}^{n}k^2e^{\left(\frac{k}{n}\right)^3}$

STEP Ⓐ 정적분과 급수의 관계에 의하여 정적분으로 나타내기

$$\lim_{n\to\infty}\sum_{k=1}^{n}\frac{1}{n^3}k^2e^{\left(\frac{k}{n}\right)^3}=\lim_{x\to\infty}\sum_{k=1}^{n}\left(\frac{k}{n}\right)^2e^{\left(\frac{k}{n}\right)^3}\frac{1}{n}=\int_0^1 x^2e^{x^3}dx$$

STEP Ⓑ 치환적분을 이용하여 정적분 계산하기

따라서 $x^3=t$라 하면 $x^2dx=\frac{1}{3}dt$이고

$x=0$일 때 $t=0$, $x=1$일 때 $t=1$

$$\int_0^1 x^2e^{x^3}dx=\int_0^1\frac{1}{3}e^t dt=\Big[\frac{1}{3}e^t\Big]_0^1=\frac{1}{3}(e-1)$$

0930

정적분을 이용하여 다음 극한값을 구하여라.

(1) $\lim_{n\to\infty}\sum_{k=1}^{n}\frac{k}{n^2}\cos\frac{k^2}{2n^2}$

STEP Ⓐ 정적분과 급수의 관계에 의하여 정적분으로 나타내기

$$\lim_{n\to\infty}\sum_{k=1}^{n}\frac{k}{n^2}\cos\frac{k^2}{2n^2}=\lim_{n\to\infty}\sum_{k=1}^{n}\left[\left(\frac{k}{n}\right)\cos\left\{\frac{1}{2}\left(\frac{k}{n}\right)^2\right\}\right]\frac{1}{n}$$
$$=\int_0^1 x\cos\left(\frac{1}{2}x^2\right)dx$$

STEP Ⓑ 치환적분을 이용하여 정적분의 값 구하기

따라서 $\frac{1}{2}x^2=t$라 놓으면 $xdx=dt$

$x=0$일 때 $t=0$, $x=1$일 때 $t=\frac{1}{2}$

$$\int_0^1 x\cos\left(\frac{1}{2}x^2\right)dx=\int_0^{\frac{1}{2}}\cos t dt=\Big[\sin t\Big]_0^{\frac{1}{2}}=\sin\frac{1}{2}$$

(2) $\lim_{n\to\infty}\sum_{k=1}^{n}\frac{1}{\sqrt{4n^2-(n+k)^2}}$

STEP Ⓐ 정적분과 급수의 관계에 의하여 정적분으로 나타내기

$$\lim_{n\to\infty}\sum_{k=1}^{n}\frac{1}{\sqrt{4n^2-(n+k)^2}}=\lim_{n\to\infty}\sum_{k=1}^{n}\frac{1}{\sqrt{4-\left(1+\frac{k}{n}\right)^2}}\cdot\frac{1}{n}$$
$$=\int_1^2\frac{1}{\sqrt{4-x^2}}dx$$

STEP Ⓑ 삼각치환을 이용하여 정적분의 값 구하기

$x=2\sin\theta$로 치환하면 $dx=2\cos\theta d\theta$

$x=1$일 때 $\theta=\frac{\pi}{6}$, $x=2$일 때 $\theta=\frac{\pi}{2}$

또한, $\sqrt{4-x^2}=\sqrt{4-4\sin^2\theta}=2\cos\theta$

$$\int_1^2\frac{1}{\sqrt{4-x^2}}dx=\int_{\frac{\pi}{6}}^{\frac{\pi}{2}}\frac{1}{2\cos\theta}\cdot2\cos\theta d\theta=\int_{\frac{\pi}{6}}^{\frac{\pi}{2}}d\theta=\frac{\pi}{3}$$

0931

다음 극한값을 구하여라.

(1) $\lim_{n\to\infty}\frac{\pi}{n^2}\left(\sin\frac{\pi}{n}+2\sin\frac{2\pi}{n}+3\sin\frac{3\pi}{n}+\cdots+n\sin\frac{n\pi}{n}\right)$

STEP Ⓐ 정적분과 급수의 관계에 의하여 정적분으로 나타내기

$$\lim_{n\to\infty}\frac{\pi}{n^2}\left(\sin\frac{\pi}{n}+2\sin\frac{2\pi}{n}+3\sin\frac{3\pi}{n}+\cdots+n\sin\frac{n\pi}{n}\right)$$
$$=\lim_{n\to\infty}\frac{\pi}{n^2}\left(\sum_{k=1}^{n}k\sin\frac{k\pi}{n}\right)$$
$$=\frac{1}{\pi}\lim_{n\to\infty}\frac{\pi}{n}\sum_{k=1}^{n}\frac{k\pi}{n}\sin\frac{k\pi}{n}$$
$$=\frac{1}{\pi}\int_0^{\pi}x\sin xdx$$

STEP Ⓑ 부분적분을 이용하여 정적분 계산하기

이때 $f(x)=x$, $g'(x)=\sin x$로 놓으면

$f'(x)=1$, $g(x)=-\cos x$

따라서 $\frac{1}{\pi}\int_0^{\pi}x\sin xdx=\frac{1}{\pi}\Big[-x\cos x\Big]_0^{\pi}+\frac{1}{\pi}\int_0^{\pi}\cos xdx$

$$=1+\frac{1}{\pi}\Big[\sin x\Big]_0^{\pi}=1$$

참고 $\lim_{n\to\infty}\frac{\pi}{n^2}\left(\sin\frac{\pi}{n}+2\sin\frac{2\pi}{n}+3\sin\frac{3\pi}{n}+\cdots+n\sin\frac{n\pi}{n}\right)$

$$=\lim_{n\to\infty}\frac{\pi}{n^2}\left(\sum_{k=1}^{n}k\sin\frac{k\pi}{n}\right)=\pi\lim_{n\to\infty}\frac{1}{n}\sum_{k=1}^{n}\frac{k}{n}\sin\frac{k\pi}{n}$$
$$=\pi\int_0^1x\sin\pi xdx$$

(2) $\lim_{n\to\infty}\frac{1}{n}\left\{\ln\left(1+\frac{2}{n}\right)+\ln\left(1+\frac{4}{n}\right)+\cdots+\ln\left(1+\frac{2n}{n}\right)\right\}$

STEP Ⓐ 정적분과 급수의 관계에 의하여 정적분으로 나타내기

$$\lim_{n\to\infty}\frac{1}{n}\left\{\ln\left(1+\frac{2}{n}\right)+\ln\left(1+\frac{4}{n}\right)+\cdots+\ln\left(1+\frac{2n}{n}\right)\right\}$$
$$=\lim_{n\to\infty}\sum_{k=1}^{n}\frac{1}{n}\ln\left(1+\frac{2k}{n}\right)$$
$$=\frac{1}{2}\lim_{n\to\infty}\sum_{k=1}^{n}\frac{2}{n}\ln\left(1+\frac{2k}{n}\right)$$
$$=\frac{1}{2}\int_1^3\ln xdx$$

STEP Ⓑ 부분적분을 이용하여 정적분 계산하기

따라서 $\frac{1}{2}\int_1^3\ln xdx=\frac{1}{2}\Big[x\ln x-x\Big]_1^3=\frac{1}{2}(3\ln3-2)$

다른풀이 $\int_0^2\ln(1+x)dx=\Big[(x+1)\ln(1+x)-x\Big]_0^2$임을 이용하여 풀이하기

$$\lim_{n\to\infty}\frac{1}{n}\left\{\ln\left(1+\frac{2}{n}\right)+\ln\left(1+\frac{4}{n}\right)+\cdots+\ln\left(1+\frac{2n}{n}\right)\right\}$$
$$=\lim_{n\to\infty}\sum_{k=1}^{n}\frac{1}{n}\ln\left(1+\frac{2k}{n}\right)$$
$$=\frac{1}{2}\lim_{n\to\infty}\sum_{k=1}^{n}\frac{2}{n}\ln\left(1+\frac{2k}{n}\right)$$
$$=\frac{1}{2}\int_0^2\ln(1+x)dx$$
$$=\frac{1}{2}\Big[(x+1)\ln(1+x)-x\Big]_0^2$$
$$=\frac{1}{2}(3\ln3-2)$$

0932

다음 극한값을 구하여라.

(1) $\lim_{n\to\infty}\frac{1}{n}\left\{\frac{1}{\sqrt{n^2+1^2}}+\frac{2}{\sqrt{n^2+2^2}}+\frac{3}{\sqrt{n^2+3^3}}+\cdots+\frac{n}{\sqrt{n^2+n^2}}\right\}$

STEP Ⓐ 정적분과 급수의 관계에 의하여 정적분으로 나타내기

$$\lim_{n\to\infty}\frac{1}{n}\left\{\frac{1}{\sqrt{n^2+1^2}}+\frac{2}{\sqrt{n^2+2^2}}+\frac{3}{\sqrt{n^2+3^3}}+\cdots+\frac{n}{\sqrt{n^2+n^2}}\right\}$$
$$=\lim_{x\to\infty}\frac{1}{n}\sum_{k=1}^{n}\frac{k}{\sqrt{n^2+k^2}}$$
$$=\lim_{x\to\infty}\sum_{k=1}^{n}\frac{\frac{k}{n}}{\sqrt{1+\left(\frac{k}{n}\right)^2}}\cdot\frac{1}{n}$$
$$=\int_0^1\frac{x}{\sqrt{1+x^2}}dx$$

STEP Ⓑ 치환적분을 이용하여 정적분의 값 구하기

$1+x^2=t$로 놓으면 $xdx=\frac{1}{2}dt$이고

$x=0$일 때 $t=1$, $x=1$일 때 $t=2$

$$\therefore\ \int_0^1\frac{x}{\sqrt{1+x^2}}dx=\int_1^2\frac{1}{2\sqrt{t}}dt=\Big[\sqrt{t}\Big]_1^2=\sqrt{2}-1$$

(2) $\lim_{n\to\infty}\frac{1}{n^3}\{\sqrt{n^2-1^2}+2\sqrt{n^2-2^2}+\cdots+(n-1)\sqrt{n^2-(n-1)^2}\}$

STEP Ⓐ 정적분과 급수의 관계에 의하여 정적분으로 나타내기

$$\lim_{n\to\infty}\frac{1}{n^3}\{\sqrt{n^2-1^2}+2\sqrt{n^2-2^2}+\cdots+(n-1)\sqrt{n^2-(n-1)^2}\}$$
$$=\lim_{n\to\infty}\frac{1}{n^3}\sum_{k=1}^{n-1}k\sqrt{n^2-k^2}$$
$$=\lim_{n\to\infty}\sum_{k=1}^{n-1}\frac{k}{n}\sqrt{1-\left(\frac{k}{n}\right)^2}\cdot\frac{1}{n}$$
$$=\int_0^1x\sqrt{1-x^2}dx$$

STEP Ⓑ 치환적분을 이용하여 정적분의 값 구하기

$1-x^2=t$로 놓으면 $-2xdx=dt$

$x=0$일 때 $t=1$, $x=1$일 때 $t=0$이므로

$$\int_0^1x\sqrt{1-x^2}dx=\int_1^0\sqrt{t}\cdot\left(-\frac{1}{2}\right)dt$$
$$=\frac{1}{2}\int_0^1\sqrt{t}\,dt$$
$$=\frac{1}{2}\left[\frac{2}{3}t^{\frac{3}{2}}\right]_0^1=\frac{1}{3}$$

0933

다음 극한값을 구하여라.

(1) $\lim_{n\to\infty}\frac{4}{n^2}\left(e^{\frac{2}{n}}+2e^{\frac{4}{n}}+3e^{\frac{6}{n}}+\cdots+ne^{\frac{2n}{n}}\right)$

STEP Ⓐ 정적분과 급수의 관계에 의하여 정적분으로 나타내기

$$\lim_{n\to\infty}\frac{4}{n^2}\left(e^{\frac{2}{n}}+2e^{\frac{4}{n}}+3e^{\frac{6}{n}}+\cdots+ne^{\frac{2n}{n}}\right)$$

$$=\lim_{n\to\infty}\frac{2^2}{n^2}\sum_{k=1}^{n}ke^{\frac{2k}{n}}=\lim_{n\to\infty}\sum_{k=1}^{n}\frac{2k}{n}\cdot e^{\frac{2k}{n}}\cdot\frac{2}{n}$$

$$=\int_0^2 xe^x dx$$

STEP Ⓑ 부분적분을 이용하여 정적분 계산하기

따라서 $\int_0^2 xe^x dx=\left[xe^x\right]_0^2-\int_0^2 e^x dx=2e^2-\left[e^x\right]_0^2=2e^2-e^2+1=e^2+1$

(2) $\lim_{n\to\infty}\left(\frac{n}{n^2+1^2}+\frac{n}{n^2+2^2}+\frac{n}{n^2+3^2}+\cdots+\frac{n}{n^2+n^2}\right)$

STEP Ⓐ 정적분과 급수의 관계에 의하여 정적분으로 나타내기

$$\lim_{n\to\infty}\left(\frac{n}{n^2+1^2}+\frac{n}{n^2+2^2}+\frac{n}{n^2+3^2}+\cdots+\frac{n}{n^2+n^2}\right)$$

$$=\lim_{n\to\infty}\sum_{k=1}^{n}\frac{n}{n^2+k^2}=\lim_{n\to\infty}\sum_{k=1}^{n}\frac{1}{1+\left(\frac{k}{n}\right)^2}\cdot\frac{1}{n}$$

$$=\int_0^1\frac{1}{1+x^2}dx$$

STEP Ⓑ 삼각치환을 이용하여 정적분의 값 구하기

$x=\tan\theta$라 놓으면 $dx=\sec^2\theta d\theta$이고 $\left(\text{단, }-\frac{\pi}{2}<\theta<\frac{\pi}{2}\right)$

$x=0$일 때 $\theta=0$, $x=1$일 때 $\theta=\frac{\pi}{4}$이므로

$$\therefore \int_0^1\frac{1}{1+x^2}dx=\int_0^{\frac{\pi}{4}}\frac{\sec^2\theta d\theta}{1+\tan^2\theta}=\int_0^{\frac{\pi}{4}}d\theta=\left[\theta\right]_0^{\frac{\pi}{4}}=\frac{\pi}{4}$$

0934

다음 그림과 같이 두 점 $\mathrm{A}(-1, 0)$, $\mathrm{B}(1, 0)$을 지름의 양 끝 점으로 하는 원 $x^2+y^2=1$의 호 AB를 n등분하는 점을 A에서 가까운 점부터 차례대로 $\mathrm{P}_1, \mathrm{P}_2, \mathrm{P}_3, \cdots, \mathrm{P}_{n-1}$이라고 하자. 삼각형 $\mathrm{ABP}_k$$(k=1, 2, 3, \cdots, n-1)$의 넓이를 S_k라고 할 때, $\lim_{n\to\infty}\frac{1}{n}\sum_{k=1}^{n-1}S_k$의 값을 구하여라.

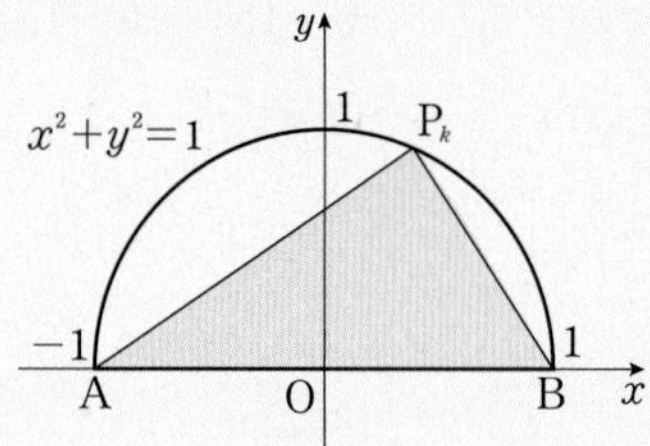

STEP Ⓐ 삼각형 ABP_k의 넓이 S_k 구하기

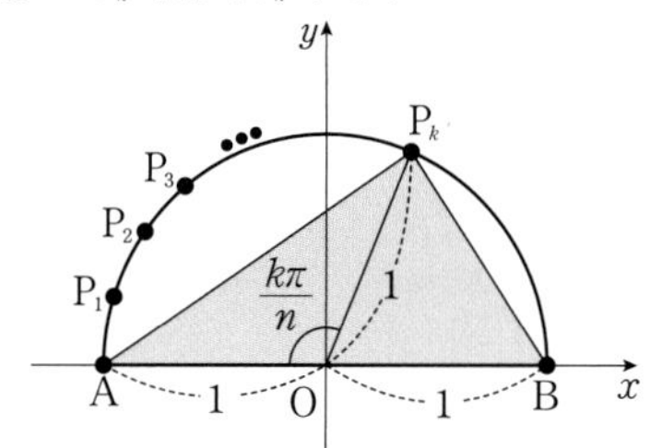

삼각형 ABP_k의 넓이 S_k는

$$S_k=\triangle\mathrm{ABP}_k=2\triangle\mathrm{AOP}_k=2\cdot\frac{1}{2}\cdot1\cdot1\cdot\sin\frac{k\pi}{n}$$

STEP Ⓑ 정적분과 급수의 관계를 이용하여 정적분으로 바꾸기

$$\therefore \lim_{n\to\infty}\frac{1}{n}\sum_{k=1}^{n-1}S_k=\lim_{n\to\infty}\frac{1}{n}\sum_{k=1}^{n-1}\sin\frac{k\pi}{n}$$

$$=\int_0^1\sin\pi x dx$$

$$=\left[-\frac{1}{\pi}\cos\pi x\right]_0^1$$

$$=\frac{2}{\pi}$$

다른풀이 점 P_k의 좌표를 구하여 풀이하기

$\angle\mathrm{AOP}_k=\frac{k}{n}\pi$이므로 점 P_k의 좌표는

$\mathrm{P}_k\left(\cos\left(\pi-\frac{k}{n}\pi\right), \sin\left(\pi-\frac{k}{n}\pi\right)\right)=\mathrm{P}_k\left(-\cos\frac{k}{n}\pi, \sin\frac{k}{n}\pi\right)$

$\triangle\mathrm{ABP}_k$의 넓이 S_k는

$$S_k=\frac{1}{2}\overline{\mathrm{AB}}\times\sin\frac{k}{n}\pi=\sin\frac{k}{n}\pi$$

$$\therefore \lim_{n\to\infty}\frac{1}{n}\sum_{k=1}^{n-1}S_k=\lim_{n\to\infty}\sum_{k=1}^{n-1}\frac{1}{n}\sin\frac{k}{n}\pi$$

$$=\int_0^1\sin\pi x dx$$

$$=-\frac{1}{\pi}\left[\cos\pi x\right]_0^1$$

$$=\frac{2}{\pi}$$

다른풀이 직각삼각형 ABP_k의 넓이를 구하여 풀이하기

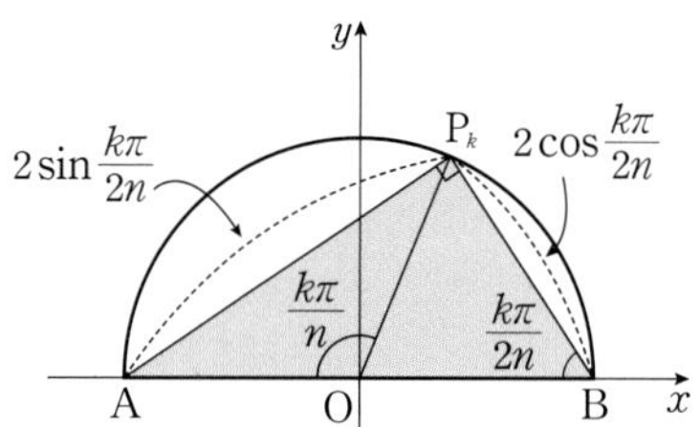

$\angle\mathrm{AOP}_k=\frac{k\pi}{n}$이므로 $\angle\mathrm{ABP}_k=\frac{k\pi}{2n}$이고

$\overline{\mathrm{AP}_k}=\overline{\mathrm{AB}}\sin(\angle\mathrm{ABP}_k)=2\sin\frac{k\pi}{2n}$,

$\overline{\mathrm{BP}_k}=\overline{\mathrm{AB}}\cos(\angle\mathrm{ABP}_k)=2\cos\frac{k\pi}{2n}$

$$S_k=\frac{1}{2}\times\overline{\mathrm{AP}_k}\times\overline{\mathrm{BP}_k}=2\sin\frac{k\pi}{2n}\cos\frac{k\pi}{2n}$$

$$\lim_{n\to\infty}\frac{1}{n}\sum_{k=1}^{n-1}S_k=\lim_{n\to\infty}\frac{1}{n}\sum_{k=1}^{n-1}2\sin\frac{k\pi}{2n}\cos\frac{k\pi}{2n}$$

$$=\lim_{n\to\infty}\frac{4}{\pi}\sum_{k=1}^{n-1}\left(\sin\frac{k\pi}{2n}\cos\frac{k\pi}{2n}\right)\frac{\pi}{2n}$$

$$=\frac{4}{\pi}\int_0^{\frac{\pi}{2}}\sin x\cos x dx$$

따라서 $\sin x=t$로 놓으면 $\frac{dt}{dx}=\cos x$이므로

$$\frac{4}{\pi}\int_0^{\frac{\pi}{2}}\sin x\cos x dx=\frac{4}{\pi}\int_0^1 t dt=\frac{4}{\pi}\left[\frac{1}{2}t^2\right]_0^1=\frac{2}{\pi}$$

0935

다음 그림과 같이 중심이 O, 반지름의 길이가 1이고 중심각의 크기가 $\frac{\pi}{2}$인 부채꼴 OAB가 있다. 자연수 n에 대하여 호 AB를 $2n$등분한 각 분점(양 끝점도 포함)을 차례로

$$P_0(=A),\ P_1,\ P_2,\ \cdots,\ P_{2n-1},\ P_{2n}(=B)$$

라 하자. 주어진 자연수 n에 대하여 $S_k(1\le k\le n)$을 삼각형 $OP_{n-k}P_{n+k}$의 넓이라 할 때, $\lim_{n\to\infty}\frac{1}{n}\sum_{k=1}^{n}S_k$의 값은?

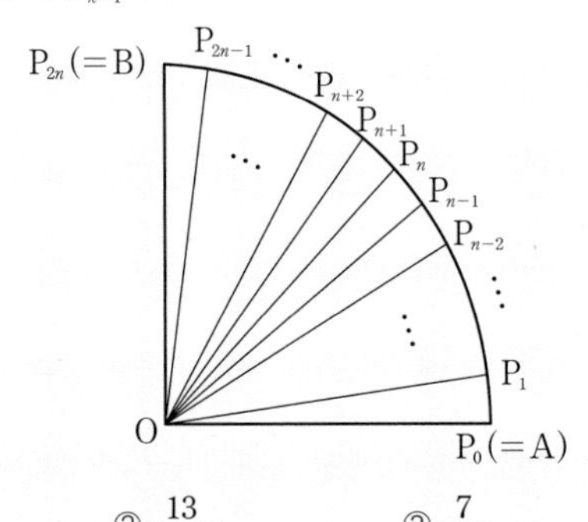

① $\frac{1}{\pi}$　② $\frac{13}{12\pi}$　③ $\frac{7}{6\pi}$

④ $\frac{5}{4\pi}$　⑤ $\frac{4}{3\pi}$

STEP A 호 AB를 $2n$등분했음을 이용하여 삼각형 $OP_{n-k}P_{n+k}$의 넓이 S_k 구하기

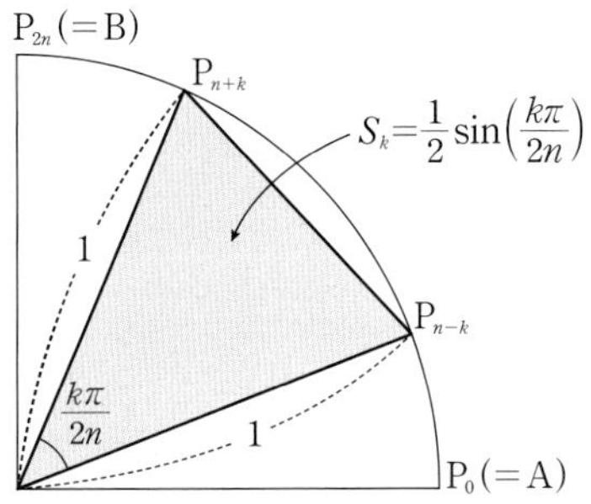

$2n$등분된 각 부채꼴의 중심각의 크기는 $\frac{\pi}{2}\cdot\frac{1}{2n}=\frac{\pi}{4n}$이므로

$\angle P_{n+k}OP_{n-k}=2k\cdot\frac{\pi}{4n}=\frac{k\pi}{2n}$

삼각형 $OP_{n-k}P_{n+k}$의 넓이 S_k는 $S_k=\frac{1}{2}\cdot1^2\cdot\sin\frac{k\pi}{2n}=\frac{1}{2}\sin\frac{k\pi}{2n}$

STEP B 정적분과 급수의 관계를 이용하여 정적분 계산하기

따라서 $\lim_{n\to\infty}\frac{1}{n}\sum_{k=1}^{n}S_k=\lim_{n\to\infty}\sum_{k=1}^{n}\frac{1}{2}\sin\frac{k\pi}{2n}\cdot\frac{1}{n}$

$=\int_0^1\frac{1}{2}\sin\frac{\pi}{2}x\,dx$

$=\left[-\frac{1}{\pi}\cos\frac{\pi}{2}x\right]_0^1$

$=0+\frac{1}{\pi}\cos0=\frac{1}{\pi}$

다른풀이 $x=\frac{k\pi}{2n}$로 놓고 정적분 풀이하기

$\lim_{n\to\infty}\frac{1}{n}\sum_{k=1}^{n}S_k=\lim_{n\to\infty}\frac{1}{2n}\sum_{k=1}^{n}\sin\left(\frac{k\pi}{2n}\right)$

$=\frac{1}{\pi}\lim_{n\to\infty}\frac{\pi}{2n}\sum_{k=1}^{n}\sin\left(\frac{k\pi}{2n}\right)$

$=\frac{1}{\pi}\lim_{n\to\infty}\sum_{k=1}^{n}\sin\left(\frac{k\pi}{2n}\right)\cdot\frac{\pi}{2n}$

따라서 $x_k=\frac{k\pi}{2n}$, $\Delta x=\frac{\pi}{2n}$라 하면 정적분의 정의에 의하여

$\lim_{n\to\infty}\frac{1}{n}\sum_{k=1}^{n}S_k=\frac{1}{\pi}\int_0^{\frac{\pi}{2}}\sin x\,dx=\frac{1}{\pi}\left[-\cos x\right]_0^{\frac{\pi}{2}}=\frac{1}{\pi}$

0936

다음 그림과 같이 함수 $f(x)=e^x$이 있다. 2 이상인 자연수 n에 대하여 닫힌구간 $[1, 2]$를 n등분한 각 분점(양 끝점도 포함)을 차례로 $1=x_0,\ x_1,\ x_2,\ \cdots,\ x_n=2$라 하자. 세 점 $(0, 0)$, $(x_k, 0)$, $(x_k, f(x_k))$를 꼭짓점으로 하는 삼각형의 넓이를 $A_k(k=1, 2, \cdots, n)$이라 할 때, $\lim_{n\to\infty}\frac{1}{n}\sum_{k=1}^{n}A_k$의 값은?

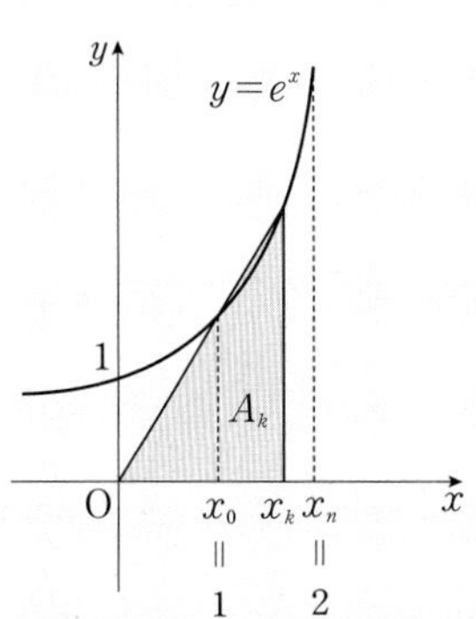

① $\frac{1}{2}e^2-e$　② $\frac{1}{2}(e^2-e)$　③ $\frac{1}{2}e^2$

④ e^2-e　⑤ $e^2-\frac{1}{2}e$

STEP A 삼각형의 넓이 A_k 구하기

닫힌구간 $[1, 2]$를 n등분한 구간의 길이 Δx는

$\Delta x=\frac{2-1}{n}=\frac{1}{n}$

이때 각 분점의 x좌표는

$x_1=1+\Delta x=1+\frac{1}{n}$

$x_2=1+2\Delta x=1+\frac{2}{n}$

$\vdots$

$x_k=1+\Delta x=1+\frac{k}{n}$이므로 $f(x_k)=e^{1+\frac{k}{n}}$

세 점 $(0, 0)$, $(x_k, 0)$, $(x_k, f(x_k))$를 꼭짓점으로 하는 삼각형의 넓이를

$A_k=\frac{1}{2}\left(1+\frac{k}{n}\right)\cdot e^{1+\frac{k}{n}}$

STEP B 정적분과 급수의 관계를 이용하여 정적분으로 바꾸기

$\lim_{n\to\infty}\frac{1}{n}\sum_{k=1}^{n}A_k=\lim_{n\to\infty}\frac{1}{n}\sum_{k=1}^{n}\frac{1}{2}\left(1+\frac{k}{n}\right)\cdot e^{1+\frac{k}{n}}$

$=\frac{1}{2}\lim_{n\to\infty}\frac{1}{n}\sum_{k=1}^{n}\left(1+\frac{k}{n}\right)\cdot e^{1+\frac{k}{n}}$

$=\frac{1}{2}\int_1^2xe^x\,dx$

STEP C 부분적분법을 이용하여 정적분의 값 구하기

이때 $f(x)=x$, $g'(x)=e^x$라 하면 $f'(x)=1$, $g(x)=e^x$

따라서 $\lim_{n\to\infty}\frac{1}{n}\sum_{k=1}^{n}A_k=\frac{1}{2}\int_1^2xe^x\,dx$

$=\frac{1}{2}\left\{\left[xe^x\right]_1^2-\int_1^2e^x\,dx\right\}$

$=\frac{1}{2}\left\{(2e^2-e)-\left[e^x\right]_1^2\right\}$

$=\frac{1}{2}\{(2e^2-e)-(e^2-e)\}$

$=\frac{1}{2}e^2$

0937

자연수 n과 $1 \le k \le n$인 자연수 k에 대하여

곡선 $y=e^x$ 위의 점 $A_k\left(\frac{k}{n}, e^{\frac{k}{n}}\right)$에서의 접선을 l_k라 하자. 점 A_k를 지나고 직선 l_k에 수직인 직선이 x축과 만나는 점을 P_k라 할 때, $\lim_{n\to\infty}\frac{1}{n}\sum_{k=1}^{n}\overline{OP_k}$의 값을 구하여라. (단, O는 원점이고, e는 자연로그의 밑이다.)

STEP Ⓐ 점 A_k를 지나고 직선 l_k에 수직인 직선이 x축과 만나는 점 P_k의 좌표 구하기

$y=e^x$에서 $y'=e^x$이므로

점 $A_k\left(\frac{k}{n}, e^{\frac{k}{n}}\right)$에서의 접선의 기울기는 $e^{\frac{k}{n}}$,

점 $A_k\left(\frac{k}{n}, e^{\frac{k}{n}}\right)$을 지나고 접선에 수직인

직선의 방정식은 $y-e^{\frac{k}{n}}=-\frac{1}{e^{\frac{k}{n}}}\left(x-\frac{k}{n}\right)$

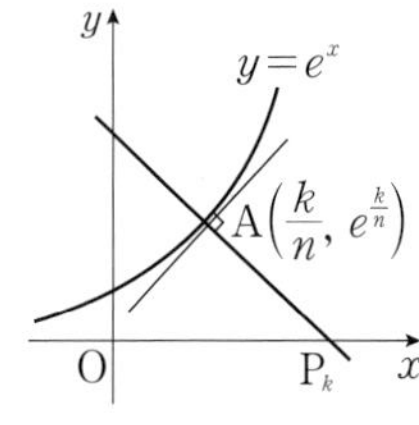

$y=0$일 때,

$x=\frac{k}{n}+e^{\frac{2k}{n}}$이므로 $\overline{OP_k}=\frac{k}{n}+e^{\frac{2k}{n}}$

STEP Ⓑ 정적분과 급수의 관계를 이용하여 정적분으로 바꾸기

따라서 $\lim_{n\to\infty}\frac{1}{n}\sum_{k=1}^{n}\overline{OP_k}=\lim_{n\to\infty}\frac{1}{n}\sum_{k=1}^{n}\left(\frac{k}{n}+e^{\frac{2k}{n}}\right)$

$=\int_0^1(x+e^{2x})dx=\left[\frac{1}{2}x^2+\frac{1}{2}e^{2x}\right]_0^1=\frac{e^2}{2}$

0938

다음 그림과 같이 자연수 n에 대하여 사분원

$x^2+y^2=4(x\ge 0,\ y\ge 0)$

의 호 AB를 n등분하여 양 끝점과 각 분점을 차례로

$A(=P_0),\ P_1,\ P_2,\ \cdots,\ P_{n-1},\ B(=P_n)$

라 하자. 원 위의 점 $P_k(1\le k\le n-1)$에서의 접선과 x축, y축으로 둘러싸인 부분의 넓이를 S_k라 할 때, 극한값 $\lim_{n\to\infty}\frac{1}{n}\sum_{k=1}^{n-1}\frac{1}{S_k}$을 구하여라.

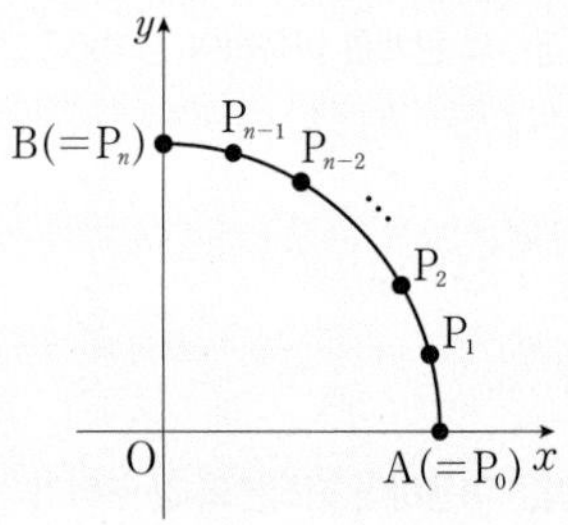

STEP Ⓐ 접선과 x축, y축으로 둘러싸인 부분의 넓이 S_k 구하기

$\angle AOP_k=\frac{\pi}{2}\times\frac{k}{n}=\frac{k\pi}{2n}$이므로

점 P_k의 좌표는 $\left(2\cos\frac{k\pi}{2n}, 2\sin\frac{k\pi}{2n}\right)$

원 $x^2+y^2=4(x\ge 0,\ y\ge 0)$ 위의 점 $P_k(1\le k\le n-1)$에서의

접선의 방정식은 $2x\cos\frac{k\pi}{2n}+2y\sin\frac{k\pi}{2n}=4$

즉 $x\cos\frac{k\pi}{2n}+y\sin\frac{k\pi}{2n}=2$

이 접선의 x절편과 y절편은 각각 $\frac{2}{\cos\frac{k\pi}{2n}}$, $\frac{2}{\sin\frac{k\pi}{2n}}$이므로

접선과 x축, y축으로 둘러싸인 부분의 넓이 S_k는

$S_k=\frac{1}{2}\times\frac{2}{\cos\frac{k\pi}{2n}}\times\frac{2}{\sin\frac{k\pi}{2n}}=\frac{2}{\sin\frac{k\pi}{2n}\cos\frac{k\pi}{2n}}$

STEP Ⓑ 정적분과 급수의 관계를 이용하여 정적분으로 바꾸기

$k=n$일 때, $\cos\frac{\pi}{2}=0$이므로

$\lim_{n\to\infty}\frac{1}{n}\sum_{k=1}^{n-1}\frac{1}{S_k}=\lim_{n\to\infty}\frac{1}{n}\sum_{k=1}^{n}\frac{1}{S_k}$

$=\lim_{n\to\infty}\frac{1}{n}\sum_{k=1}^{n}\frac{1}{2}\sin\frac{k\pi}{2n}\cos\frac{k\pi}{2n}$

$=\frac{1}{\pi}\lim_{n\to\infty}\sum_{k=1}^{n}\sin\frac{k\pi}{2n}\cos\frac{k\pi}{2n}\times\frac{\pi}{2n}$

이때 $f(x)=\sin x\cos x$, $\Delta x=\frac{\pi}{2n}$, $x_k=\frac{k\pi}{2n}$, $a=0$, $b=\frac{\pi}{2}$라 하면

$\frac{1}{\pi}\lim_{n\to\infty}\sum_{k=1}^{n}\sin\frac{k\pi}{2n}\cos\frac{k\pi}{2n}\times\frac{\pi}{2n}=\frac{1}{\pi}\int_0^{\frac{\pi}{2}}\sin x\cos x dx$

STEP Ⓒ 치환적분법을 이용하여 정적분의 값 구하기

따라서 $\frac{1}{\pi}\int_0^{\frac{\pi}{2}}\sin x\cos x dx$에서 $\sin x=t$로 놓으면 $\cos x=\frac{dt}{dx}$

$x=0$일 때 $t=0$, $x=\frac{\pi}{2}$일 때 $t=1$이므로

$\frac{1}{\pi}\int_0^{\frac{\pi}{2}}\sin x\cos x dx=\frac{1}{\pi}\int_0^1 t dt=\frac{1}{\pi}\left[\frac{1}{2}t^2\right]_0^1=\frac{1}{2\pi}$ ← $\sin x=t$로 놓으면

0939

다음 그림과 같이 2 이상의 자연수 n에 대하여 곡선 $y=\sin x$ 위의 점 $P_k\left(\frac{k\pi}{n}, \sin\frac{k\pi}{n}\right)(k=1, 2, 3, \cdots, n)$에서의 접선이 y축과 만나는 점을 Q_k라 하고, 점 $P_k(k=1, 2, 3, \cdots, n-1)$에서 x축에 내린 수선의 발을 R_k라 하자. 두 삼각형 OP_kQ_k, OP_kR_k의 넓이를 각각 S_k, T_k라 할 때, $\lim_{n\to\infty}\frac{1}{n}\sum_{k=1}^{n}(S_k-T_k)$의 값은? (단, O는 원점이고, $T_n=0$이다.)

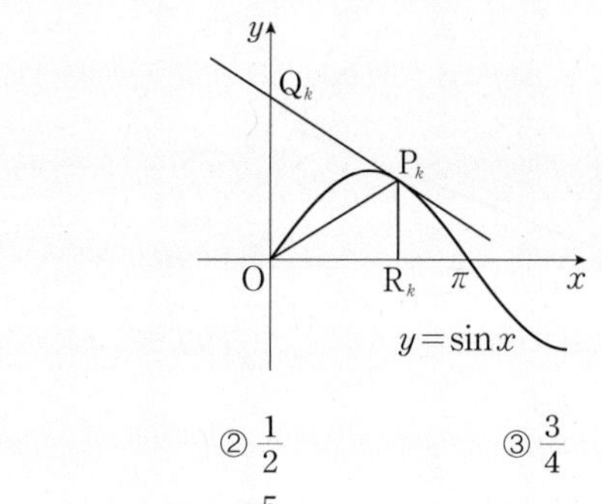

① $\frac{1}{4}$ ② $\frac{1}{2}$ ③ $\frac{3}{4}$
④ 1 ⑤ $\frac{5}{4}$

STEP Ⓐ 두 삼각형 OP_kQ_k, OP_kR_k의 넓이 S_k, T_k 구하기

$f(x)=\sin x$라 하면 $f'(x)=\cos x$

$f'\left(\frac{k\pi}{n}\right)=\cos\frac{k\pi}{n}$이므로 곡선 $y=\sin x$의

점 $P_k\left(\frac{k\pi}{n}, \sin\frac{k\pi}{n}\right)(k=1, 2, 3, \cdots, n)$에서의 접선의 방정식은

$y-\sin\frac{k\pi}{n}=\cos\frac{k\pi}{n}\left(x-\frac{k\pi}{n}\right)$

$y=\cos\frac{k\pi}{n}\left(x-\frac{k\pi}{n}\right)+\sin\frac{k\pi}{n}=\left(\cos\frac{k\pi}{n}\right)x-\frac{k\pi}{n}\cos\frac{k\pi}{n}+\sin\frac{k\pi}{n}$

이 직선이 y축과 만나는 점 Q_k는

$Q_k\left(0, -\frac{k\pi}{n}\cos\frac{k\pi}{n}+\sin\frac{k\pi}{n}\right)$이므로

$S_k=\frac{1}{2}\left(-\frac{k\pi}{n}\cos\frac{k\pi}{n}+\sin\frac{k\pi}{n}\right)\frac{k\pi}{n}(k=1, 2, 3, \cdots, n)$

또한, 점 $R_k(k=1, 2, 3, \cdots, n-1)$은 $R_k\left(\frac{k\pi}{n}, 0\right)$이므로

$T_k=\frac{1}{2}\times\frac{k\pi}{n}\times\sin\frac{k\pi}{n}(k=1, 2, 3, \cdots, n-1)$

이때 $T_n=0$이므로 $T_k=\frac{1}{2}\times\frac{k\pi}{n}\times\sin\frac{k\pi}{n}(k=1, 2, 3, \cdots, n)$

STEP B 정적분과 급수의 관계를 이용하여 정적분으로 바꾸기

$\lim_{n\to\infty}\frac{1}{n}\sum_{k=1}^{n}(S_k-T_k)=\lim_{n\to\infty}\frac{1}{n}\sum_{k=1}^{n}\frac{1}{2}\left(-\frac{k\pi}{n}\cos\frac{k\pi}{n}\right)\frac{k\pi}{n}$

이때 $\frac{k}{n}=x_k$, $\frac{1}{n}=\Delta x$로 놓으면

함수는 $y=-\frac{\pi^2}{2}x^2\cos\pi x$이므로 정적분의 정의에 의하여

$$\lim_{n\to\infty}\frac{1}{n}\sum_{k=1}^{n}\frac{1}{2}\left(-\frac{k\pi}{n}\cos\frac{k\pi}{n}\right)\frac{k\pi}{n}=\lim_{n\to\infty}\sum_{k=1}^{n}\left\{-\frac{\pi^2}{2}\left(\frac{k}{n}\right)^2\cos\frac{k\pi}{n}\times\frac{1}{n}\right\}$$
$$=-\frac{\pi^2}{2}\int_0^1 x^2\cos\pi x dx$$

STEP C 부분적분법을 이용하여 정적분의 값 구하기

$\int_0^1 x^2\cos\pi x dx$에서 $u(x)=x^2$, $v'(x)=\cos\pi x$로 놓으면

$u'(x)=2x$, $v(x)=\frac{1}{\pi}\sin\pi x$이므로

$$-\frac{\pi^2}{2}\int_0^1 x^2\cos\pi x dx=-\frac{\pi^2}{2}\left\{\left[\frac{1}{\pi}x^2\sin\pi x\right]_0^1-\frac{2}{\pi}\int_0^1 x\sin\pi x dx\right\}$$
$$=\pi\int_0^1 x\sin\pi x dx$$

$\int_0^1 x\sin\pi x dx$에서 $p(x)=x$, $q'(x)=\sin\pi x$로 놓으면

$p'(x)=1$, $q(x)=-\frac{1}{\pi}\cos\pi x$이므로

$$\pi\int_0^1 x\sin\pi x dx=\pi\left\{\left[-\frac{1}{\pi}x\cos\pi x\right]_0^1+\frac{1}{\pi}\int_0^1\cos\pi x dx\right\}$$
$$=\pi\left\{\frac{1}{\pi}+\frac{1}{\pi^2}\left[\sin\pi x\right]_0^1\right\}$$
$$=\pi\left(\frac{1}{\pi}+0\right)=1$$

0940

$f(x)=\sqrt{x}$에 대하여 $\lim_{n\to\infty}\sum_{k=1}^{n}\frac{k}{n}\left\{f\left(\frac{k}{n}\right)-f\left(\frac{k-1}{n}\right)\right\}$의 값은?

① $\frac{1}{5}$　② $\frac{1}{4}$　③ $\frac{1}{3}$
④ $\frac{1}{2}$　⑤ 1

STEP A $\sum_{k=1}^{n}\frac{k}{n}\left\{f\left(\frac{k}{n}\right)-f\left(\frac{k-1}{n}\right)\right\}$을 정리하기

$$\sum_{k=1}^{n}\frac{k}{n}\left\{f\left(\frac{k}{n}\right)-f\left(\frac{k-1}{n}\right)\right\}$$
$$=\frac{1}{n}\left\{f\left(\frac{1}{n}\right)-f\left(\frac{0}{n}\right)\right\}+\frac{2}{n}\left\{f\left(\frac{2}{n}\right)-f\left(\frac{1}{n}\right)\right\}+\frac{3}{n}\left\{f\left(\frac{3}{n}\right)-f\left(\frac{2}{n}\right)\right\}+\cdots+\frac{n}{n}\left\{f\left(\frac{n}{n}\right)-f\left(\frac{n-1}{n}\right)\right\}$$
$$=f(1)-\frac{1}{n}f(0)-\frac{1}{n}\left\{f\left(\frac{1}{n}\right)+f\left(\frac{2}{n}\right)+f\left(\frac{3}{n}\right)+\cdots+f\left(\frac{n-1}{n}\right)\right\}$$

STEP B 정적분과 급수의 관계를 이용하여 정적분으로 나타내기

따라서 $\lim_{n\to\infty}\sum_{k=1}^{n}\frac{k}{n}\left\{f\left(\frac{k}{n}\right)-f\left(\frac{k-1}{n}\right)\right\}=f(1)-\frac{1}{n}f(0)-\lim_{n\to\infty}\sum_{k=1}^{n-1}f\left(\frac{k}{n}\right)\frac{1}{n}$

$$=1-\int_0^1 f(x)dx=1-\int_0^1\sqrt{x}dx$$
$$=1-\left[\frac{2}{3}x^{\frac{3}{2}}\right]_0^1$$
$$=1-\frac{2}{3}=\frac{1}{3}$$

다른풀이 역함수를 이용하여 풀이하기

$1-\int_0^1 f(x)dx=1-\int_0^1\sqrt{x}dx$

$y=\sqrt{x}$와 $y=x^2(x\ge0)$의 그래프가 직선 $y=x$에 대하여 대칭이므로

$\int_0^1\sqrt{x}dx=1-\int_0^1 x^2 dx$

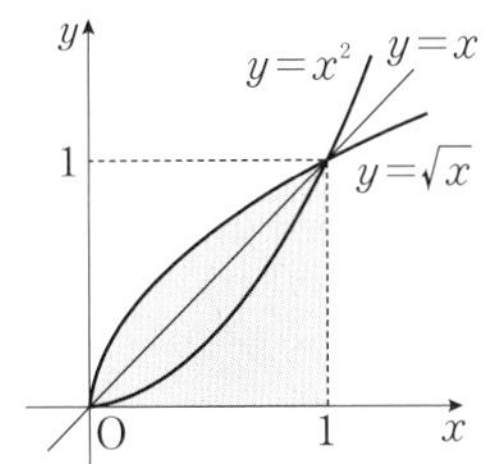

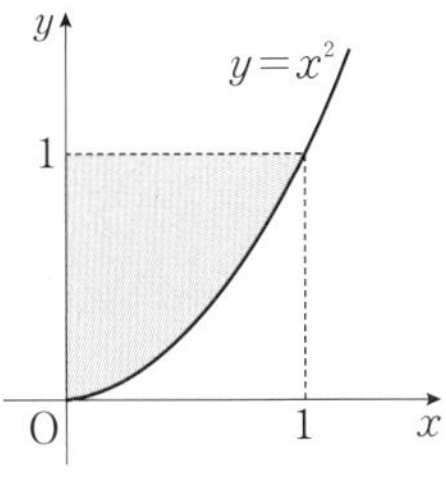

따라서 $1-\int_0^1\sqrt{x}dx=1-\left(1-\int_0^1 x^2dx\right)=\int_0^1 x^2dx=\left[\frac{1}{3}x^3\right]_0^1=\frac{1}{3}$

다른풀이 역함수의 대응관계와 구분구적법에 의한 정적분의 정의를 이용하여 풀이하기

[그림1]에서 $\frac{k}{n}\left\{f\left(\frac{k}{n}\right)-f\left(\frac{k-1}{n}\right)\right\}$의 값은 직사각형의 넓이와 같으므로

[그림2]에서 $\lim_{n\to\infty}\sum_{k=1}^{k}\frac{k}{n}\left\{f\left(\frac{k}{n}\right)-f\left(\frac{k-1}{n}\right)\right\}$의 값은 색칠한 부분의 넓이와 같다.

이때 $y=\sqrt{x}$와 $y=x^2(x\ge0)$은 서로 역함수 관계이므로

[그림2]의 색칠한 부분의 넓이는 [그림3]의 색칠한 부분의 넓이와 같다.

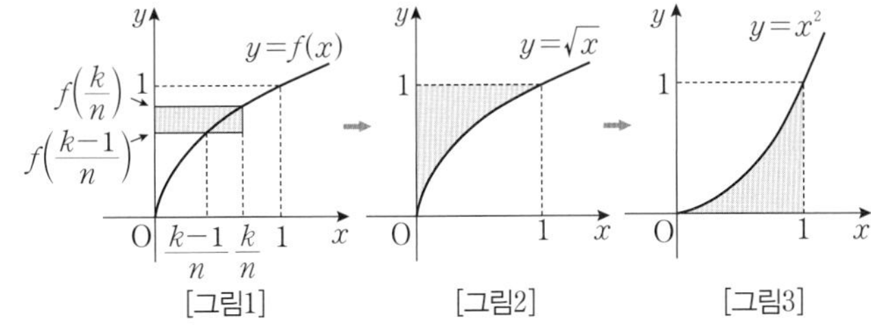

따라서 $\lim_{n\to\infty}\sum_{k=1}^{n}\frac{k}{n}\left\{f\left(\frac{k}{n}\right)-f\left(\frac{k-1}{n}\right)\right\}=\int_0^1 x^2dx=\frac{1}{3}$

0941

다음 물음에 답하여라.

(1) 실수 전체의 집합에서 미분가능한 함수 $f(x)$가 다음 조건을 만족시킨다.

(가) 모든 실수 x에 대하여 $f'(x)>0$, $f''(x)>0$이다.
(나) $f(1)=1$, $f(5)=5$
(다) $\lim_{n\to\infty}\sum_{k=1}^{n}f^{-1}\left(1+\frac{4k}{n}\right)\cdot\frac{3}{n}=12$

$\int_1^5\{x-f(x)\}dx$의 값을 구하여라. (단, $f^{-1}(x)$는 $f(x)$의 역함수이다.)

STEP A $f'(x)>0$, $f''(x)>0$이므로 함수 $f(x)$는 증가함수이고 아래로 볼록임을 이용하기

조건 (가)에서 $f'(x)>0$, $f''(x)>0$
이므로 연속함수 $f(x)$의 그래프는
아래로 볼록하게 증가한다.
조건 (나)에서 $f(1)=1$, $f(5)=5$이므로
$f(x)$의 그래프는 오른쪽 그림과 같다.

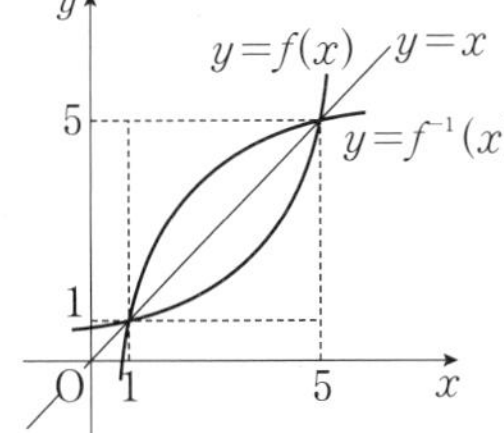

STEP B 정적분과 급수의 관계를 이용하여 정적분으로 나타내기

$$\lim_{n\to\infty}\sum_{k=1}^{n}f^{-1}\left(1+\frac{4k}{n}\right)\cdot\frac{3}{n}=\frac{3}{4}\lim_{n\to\infty}\sum_{k=1}^{n}f^{-1}\left(1+\frac{4k}{n}\right)\frac{4}{n}$$
$$=\frac{3}{4}\int_1^5 f^{-1}(x)dx=12$$

$\therefore \int_1^5 f^{-1}(x)dx=12\times\frac{4}{3}=16$

STEP **C** $\int_1^5 \{x-f(x)\}dx$ **구하기**

이때 $\int_1^5 f(x)dx=(25-1)-16=8$

이므로

$\int_1^5 \{f^{-1}(x)-f(x)\}dx=16-8=8$

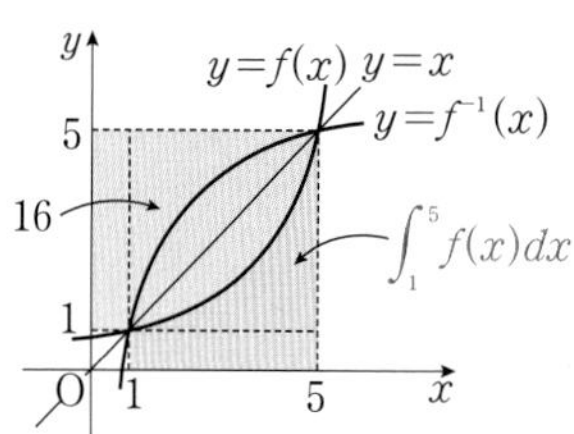

$\therefore \int_1^5 \{x-f(x)\}dx=\frac{1}{2}\int_1^5 \{f^{-1}(x)-f(x)\}dx=\frac{1}{2}\times 8=4$

(2) 미분가능한 함수 $f(x)$가 다음 조건을 만족시킨다.

(가) 모든 실수 x에 대하여 $f'(x)>0,\ f''(x)>0$이다.
(나) $f(0)=0,\ f(5)=5$

$\lim_{n\to\infty}\sum_{k=1}^{n}\left\{f\left(\frac{5k}{n}\right)+f^{-1}\left(\frac{5k}{n}\right)\right\}\frac{5}{n}$의 값을 구하여라.
(단, $f^{-1}(x)$는 $f(x)$의 역함수이다.)

STEP **A** $f'(x)>0,\ f''(x)>0$**이므로 함수** $f(x)$**는 증가함수이고 아래로 볼록임을 이용하기**

조건 (가)에서 함수 $f(x)$는 증가함수이고 아래로 볼록하다.
조건 (나)에서 $f^{-1}(0)=0,\ f^{-1}(5)=5$ 이므로 조건을 만족시키는 두 함수 $y=f(x),\ y=f^{-1}(x)$의 그래프 중 하나는 오른쪽 그림과 같다.

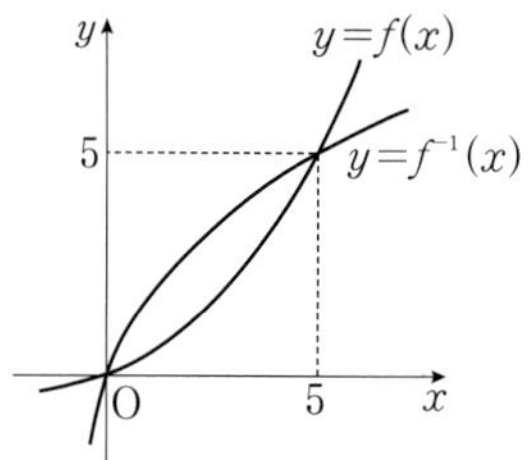

STEP **B** **정적분과 급수의 관계를 이용하여 정적분으로 나타내기**

$$\begin{aligned}\therefore \lim_{n\to\infty}\sum_{k=1}^{n}\left\{f\left(\frac{5k}{n}\right)+f^{-1}\left(\frac{5k}{n}\right)\right\}\frac{5}{n}&=\int_0^5\{f(x)+f^{-1}(x)\}dx\\&=\int_0^5 f(x)+\int_0^5 f^{-1}(x)dx\\&=\int_0^5 f(x)dx+\left(25-\int_0^5 f(x)dx\right)\\&=25\end{aligned}$$

(3) 닫힌구간 $[0, 1]$에서 정의된 연속함수 $f(x)$가 $f(0)=0,\ f(1)=1$이며, 열린구간 $(0, 1)$에서 이계도함수를 갖고 $f'(x)>0,\ f''(x)>0$일 때, $\int_0^1\{f^{-1}(x)-f(x)\}dx$의 값과 같은 것은?

① $\lim_{n\to\infty}\sum_{k=1}^{n}\left\{\frac{k}{n}-f\left(\frac{k}{n}\right)\right\}\frac{1}{2n}$ ② $\lim_{n\to\infty}\sum_{k=1}^{n}\left\{\frac{k}{n}-f\left(\frac{k}{n}\right)\right\}\frac{2}{n}$
③ $\lim_{n\to\infty}\sum_{k=1}^{n}\left\{\frac{k}{n}-f\left(\frac{k}{n}\right)\right\}\frac{1}{n}$ ④ $\lim_{n\to\infty}\sum_{k=1}^{n}\left\{\frac{k}{2n}-f\left(\frac{k}{n}\right)\right\}\frac{1}{n}$
⑤ $\lim_{n\to\infty}\sum_{k=1}^{n}\left\{\frac{2k}{n}-f\left(\frac{k}{n}\right)\right\}\frac{1}{n}$

STEP **A** **함수** $f(x)$**의 그래프가 증가하고 아래로 볼록임을 이용하여 그래프 그리기**

열린구간 $(0, 1)$에서 $f'(x)>0$, $f''(x)>0$이므로 연속함수 $f(x)$의 그래프는 아래로 볼록하게 증가한다.
또, 역함수 $f^{-1}(x)$의 그래프는 곡선 $y=f(x)$와 직선 $y=x$에 대하여 대칭이므로 오른쪽 그래프와 같다.

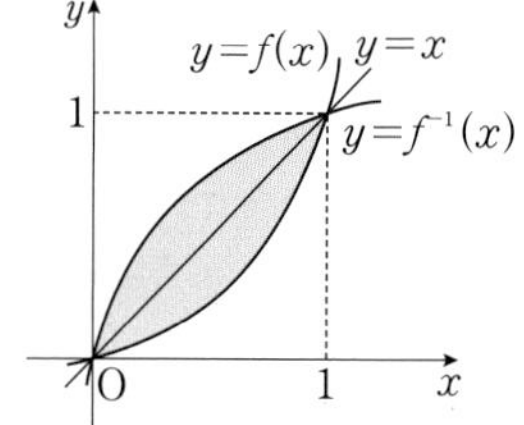

이때 $\int_0^1\{f^{-1}(x)-f(x)\}dx$의 값은 그림에서 색칠한 부분의 넓이와 같고 이는 직선 $y=x$와 곡선 $y=f(x)$로 둘러싸인 부분의 넓이의 2배와 같다.

STEP **B** **정적분과 급수의 관계를 이용하여 정적분으로 나타내기**

직선 $y=x$와 곡선 $y=f(x)$로 둘러싸인 부분의 넓이는 정적분의 정의에 의해

$\int_0^1\{x-f(x)\}dx=\lim_{n\to\infty}\sum_{k=1}^{n}\left\{\frac{k}{n}-f\left(\frac{k}{n}\right)\right\}\frac{1}{n}$

따라서 정적분과 급수의 합 사이의 관계에 의하여

$$\begin{aligned}\int_0^1\{f^{-1}(x)-f(x)\}dx&=2\int_0^1\{x-f(x)\}dx\\&=2\lim_{n\to\infty}\sum_{k=1}^{n}\left\{\frac{k}{n}-f\left(\frac{k}{n}\right)\right\}\frac{1}{n}\\&=\lim_{n\to\infty}\sum_{k=1}^{n}\left\{\frac{k}{n}-f\left(\frac{k}{n}\right)\right\}\frac{2}{n}\end{aligned}$$

0942

닫힌구간 $[0, 10]$에서 연속이고 열린구간 $(0, 10)$에서 이계도함수를 갖는 함수 $f(x)$가 다음 조건을 만족한다.

$$f(x)>0,\ f'(x)>0,\ f''(x)>0$$

이때 $\mathrm{A}=\sum_{k=1}^{10}f(k)$, $\mathrm{B}=\frac{1}{2}\sum_{k=1}^{20}f\left(\frac{k}{2}\right)$, $\mathrm{C}=\int_0^{10}f(x)dx$라 할 때, A, B, C의 대소 관계로 옳은 것은?

① A < B < C ② B < A < C ③ B < C < A
④ C < A < B ⑤ C < B < A

STEP **A** **조건을 만족하는 함수** $f(x)$**의 그래프 개형 그리기**

$f(x)>0,\ f'(x)>0,\ f''(x)>0$이므로
$y=f(x)$의 그래프는 증가함수이고
아래로 볼록 하므로 오른쪽 그림과 다음과 같다.

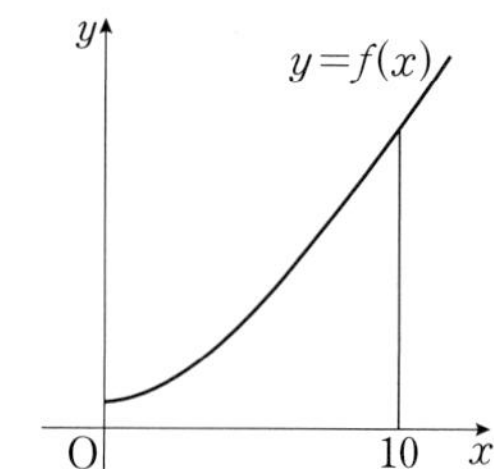

STEP **B** A, B, C**의 대소 관계 구하기**

이때 $\mathrm{A}=\sum_{k=1}^{10}f(k)$의 값은 [그림1]의 직사각형의 넓이의 합과 같다.

$\mathrm{B}=\frac{1}{2}\sum_{k=1}^{20}f\left(\frac{k}{2}\right)$의 값은 [그림1]의 각 직사각형에서 가로의 길이를 이등분한 후 만든 직사각형의 넓이의 합과 같으므로 [그림2]의 직사각형의 넓이의 합과 같다.

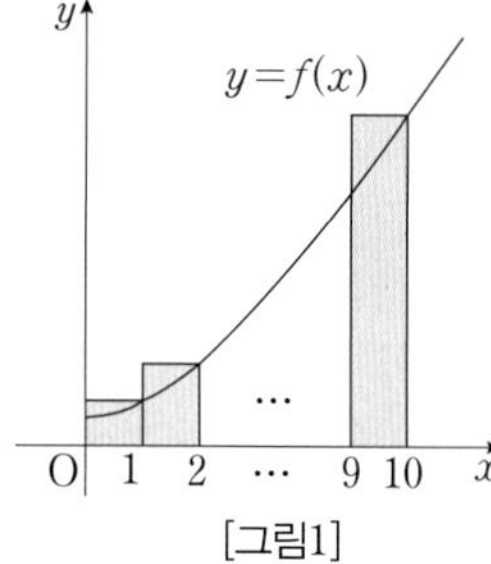

[그림1]

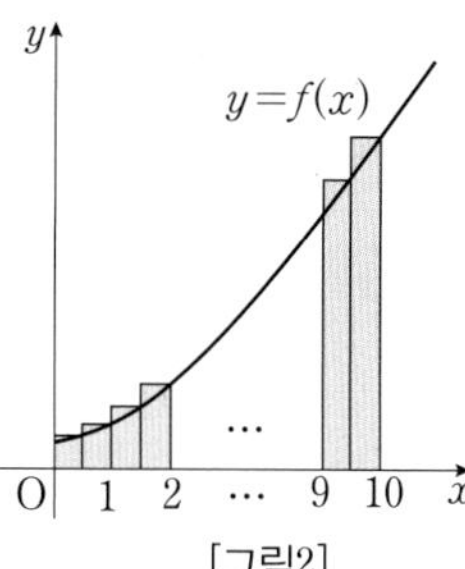

[그림2]

또한, $\mathrm{C}=\int_0^{10}f(x)dx$는 곡선 $y=f(x)$의 x축 및 두 직선 $x=0,\ x=10$으로 둘러싸인 부분의 넓이이다.
따라서 C < B < A

0943

다음 물음에 답하여라.

(1) 곡선 $y=x\sin x$와 x축, $x=0$ 및 $x=2\pi$로 둘러싸인 도형의 넓이를 구하여라.

STEP Ⓐ 곡선과 x축의 교점을 구하고 곡선이 x축 위쪽에 있는 구간과 x축 아래쪽에 있는 구간 구하기

$y=x\sin x(0\le x\le 2\pi)$와 x축의 교점의 x좌표는

$x\sin x=0$에서 $x=0,\ \pi,\ 2\pi$이고

구간 $[0,\ \pi]$에서 $y\ge 0$이고

구간 $[\pi,\ 2\pi]$에서 $y\le 0$이다.

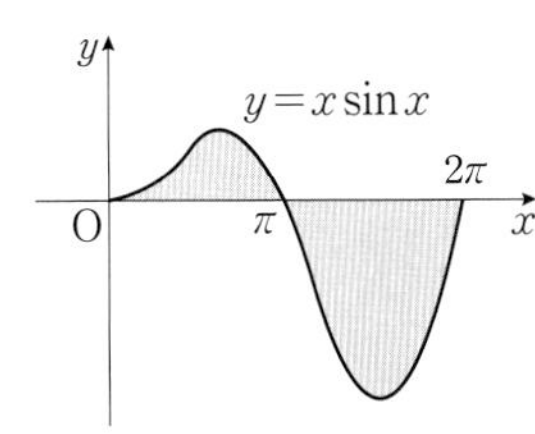

STEP Ⓑ 적분구간을 나누어 넓이 구하기

따라서 구하는 넓이를 S라 하면

$$S=\int_0^{\pi}x\sin x dx-\int_{\pi}^{2\pi}x\sin x dx$$

$$=\left\{\left[x(-\cos x)\right]_0^{\pi}-\int_0^{\pi}(-\cos x)dx\right\}$$

$$-\left\{\left[x(-\cos x)\right]_{\pi}^{2\pi}-\int_{\pi}^{2\pi}(-\cos x)dx\right\}$$

$$=\left(\pi+\left[\sin x\right]_0^{\pi}\right)-\left(-3\pi+\left[\sin x\right]_{\pi}^{2\pi}\right)=4\pi$$

(2) 곡선 $y=\sin^2 x\cos x\left(0\le x\le \frac{\pi}{2}\right)$와 x축으로 둘러싸인 도형의 넓이를 구하여라.

STEP Ⓐ 곡선과 x축의 교점을 구하고 그래프의 개형 그리기

$0\le x\le \frac{\pi}{2}$에서 $\sin^2 x\cos x=0$의 해를 구하면

$\sin x=0$ 또는 $\cos x=0$

$\therefore\ x=0$ 또는 $x=\frac{\pi}{2}$

$0\le x\le \frac{\pi}{2}$일 때, $\sin^2 x\cos x\ge 0$이므로 그래프의 개형은 다음과 같다.

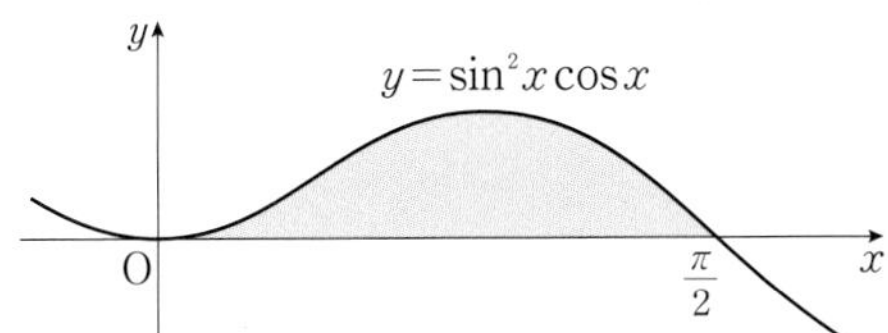

STEP Ⓑ x축으로 둘러싸인 도형의 넓이 구하기

구하는 넓이 S는

$$S=\int_0^{\frac{\pi}{2}}|\sin^2 x\cos x|dx=\int_0^{\frac{\pi}{2}}\sin^2 x\cos x dx$$

$\sin x=t$로 놓고 양변을 x에 대하여 미분하면

$\cos x dx=dt$

$x=0$이면 $t=0$이고 $x=\frac{\pi}{2}$이면 $t=1$

따라서 $\int_0^{\frac{\pi}{2}}\sin^2 x\cos x dx=\int_0^1 t^2 dt=\left[\frac{1}{3}t^3\right]_0^1=\frac{1}{3}$

0944

곡선 $y=|\sin 2x|+1$과 x축 및 두 직선 $x=\frac{\pi}{4}$, $x=\frac{5\pi}{4}$로 둘러싸인 부분의 넓이는?

① $\pi+1$　② $\pi+\frac{3}{2}$　③ $\pi+2$

④ $\pi+\frac{5}{2}$　⑤ $\pi+3$

STEP Ⓐ 그래프의 개형 그리기

$y=|\sin 2x|+1$의 그래프는 $y=|\sin 2x|$의 그래프를 y축으로 1만큼 평행이동한 그래프의 식이므로 그림은 다음과 같다.

← $0\le x\le \pi$에서 $|\sin 2x|=0$인 x의 값은 $x=\frac{\pi}{2}$ 또는 $x=\pi$

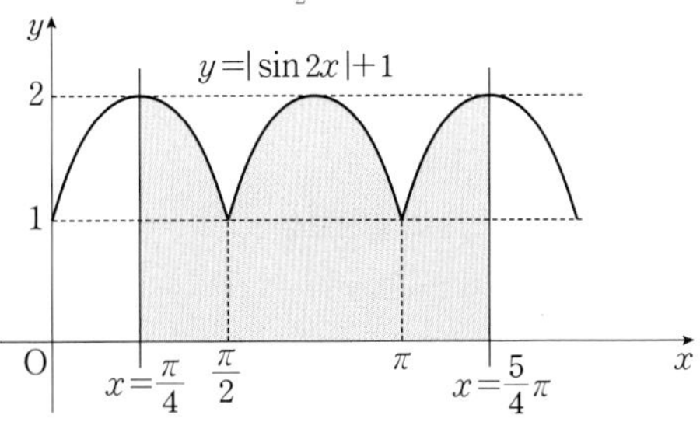

STEP Ⓑ 정적분을 이용하여 넓이 구하기

따라서 구하는 넓이는 색칠된 부분과 같으므로

$$\int_{\frac{\pi}{4}}^{\frac{\pi}{2}}(\sin 2x+1)dx+\int_{\frac{\pi}{2}}^{\pi}(-\sin 2x+1)dx+\int_{\pi}^{\frac{5\pi}{4}}(\sin 2x+1)dx$$

$$=4\int_{\frac{\pi}{4}}^{\frac{\pi}{2}}(\sin 2x+1)dx=4\left[-\frac{1}{2}\cos 2x+x\right]_{\frac{\pi}{4}}^{\frac{\pi}{2}}$$

$$=4\left\{\left(\frac{1}{2}+\frac{\pi}{2}\right)-\frac{\pi}{4}\right\}=\pi+2$$

0945

함수 $f(x)=\frac{\ln x}{x}(x>0)$가 $x=a$에서 극값을 갖고, 변곡점의 x좌표가 b일 때, 곡선 $y=f(x)$와 x축 및 두 직선 $x=a$, $x=b$로 둘러싸인 부분의 넓이를 구하여라.

STEP Ⓐ 함수 $f(x)$의 극값과 변곡점의 좌표 구하기

$$f'(x)=\frac{\frac{1}{x}\cdot x-\ln x\cdot 1}{x^2}=\frac{1-\ln x}{x^2}$$ 이므로 $f'(x)=0$에서 $x=e$

$$f''(x)=\frac{\left(-\frac{1}{x}\right)\cdot x^2-(1-\ln x)\cdot 2x}{x^4}=\frac{-3+2\ln x}{x^3}$$ 이므로

$f''(x)=0$에서 $x=e^{\frac{3}{2}}$

함수 $f(x)$의 증가와 감소를 표로 나타내면 다음과 같다.

x	(0)	$\cdots$	e	$\cdots$	$e^{\frac{3}{2}}$	$\cdots$
$f'(x)$		$+$	0	$-$		$-$
$f''(x)$		$-$		$-$	0	$+$
$f(x)$		↗	극대	↘		↘

함수 $f(x)$는 $x=e$에서 극값을 갖고 변곡점의 x좌표는 $e^{\frac{3}{2}}$이다.

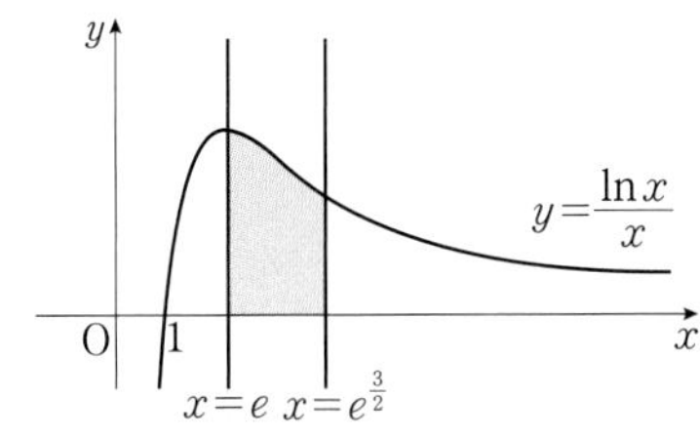

STEP **B** **치환적분을 이용하여 정적분 구하기**

따라서 구하는 넓이를 S라 하면 $S=\int_{e}^{e^{\frac{3}{2}}}\frac{\ln x}{x}dx$

$\ln x=t$로 놓으면 $\frac{1}{x}dx=dt$이고

$x=e$일 때 $t=1$, $x=e^{\frac{3}{2}}$일 때 $t=\frac{3}{2}$이므로

$S=\int_{e}^{e^{\frac{3}{2}}}\frac{\ln x}{x}dx=\int_{1}^{\frac{3}{2}}tdt=\left[\frac{1}{2}t^{2}\right]_{1}^{\frac{3}{2}}=\frac{5}{8}$

0946

다음 물음에 답하여라.

(1) 곡선 $y=e^{x}$과 y축 및 두 직선 $y=2$, $y=3$으로 둘러싸인 도형의 넓이를 구하여라.

STEP **A** **그래프의 개형 그리기**

$y=e^{x}$의 그래프는 오른쪽 그림과 같으므로

구하는 넓이 S는 $y=e^{x}$에서 $x=\ln y$

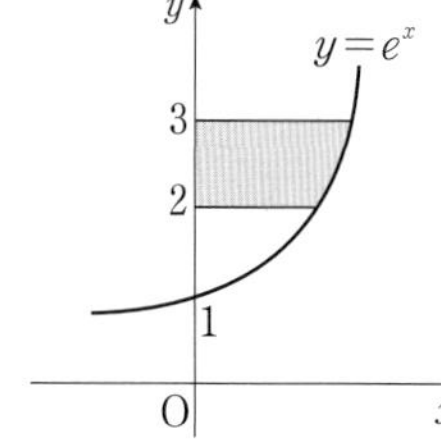

STEP **B** **부분적분법을 이용하여 넓이 구하기**

따라서 $S=\int_{2}^{3}\ln ydy=\Big[y\ln y-y\Big]_{2}^{3}=(3\ln 3-3)-(2\ln 2-2)=\ln\frac{27}{4}-1$

(2) 곡선 $y=\ln(x+1)$과 y축 및 두 직선 $y=-2$, $y=1$로 둘러싸인 도형의 넓이를 구하여라.

STEP **A** **곡선과 y축의 교점을 구하고 곡선이 y축의 오른쪽에 있는 구간과 y축의 왼쪽에 있는 구간 구하기**

곡선 $y=\ln(x+1)$과 y축 및 두 직선 $y=-2$, $y=1$으로 둘러싸인 도형은 오른쪽 그림과 같다.

함수 $y=f(x)$를 함수 $x=g(y)$꼴로 바꾸면 $y=\ln(x+1)$에서 $x=e^{y}-1$이고

$-2\le y\le 0$일 때, $x\le 0$

$0\le y\le 1$일 때, $x\ge 0$이다.

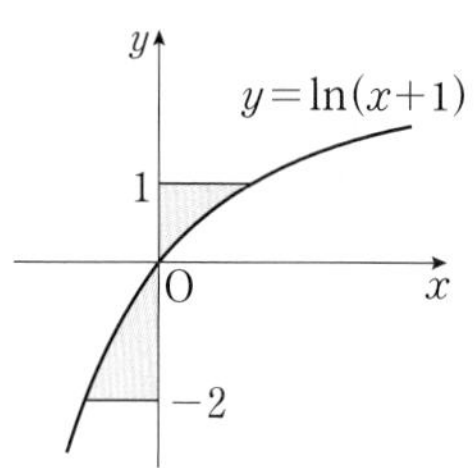

STEP **B** **적분구간을 나누어 넓이 구하기**

따라서 구하는 넓이 S는

$S=\int_{-2}^{1}|e^{y}-1|dy=\int_{-2}^{0}(-e^{y}+1)dy+\int_{0}^{1}(e^{y}-1)dy$

$=\Big[-e^{y}+y\Big]_{-2}^{0}+\Big[e^{y}-y\Big]_{0}^{1}$

$=-1-(-e^{-2}-2)+(e-1)-1$

$=e+\frac{1}{e^{2}}-1$

0947

곡선 $y=x\sqrt{x}$와 y축 및 두 직선 $y=1$, $y=a$로 둘러싸인 도형의 넓이가 $\frac{93}{5}$일 때, 상수 a의 값은? (단, $a>1$)

① 2 ② 3 ③ 6
④ 8 ⑤ 10

STEP **A** **y축으로 둘러싸인 도형의 넓이 구하기**

$y=x\sqrt{x}=x^{\frac{3}{2}}$에서 $x=y^{\frac{2}{3}}$

곡선과 y축 및 두 직선으로 둘러싸인 도형의 넓이가 $\frac{93}{5}$이므로

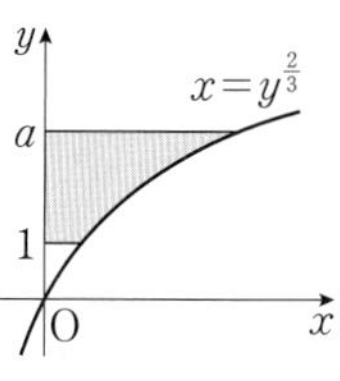

$\int_{1}^{a}y^{\frac{2}{3}}dy=\left[\frac{3}{5}y^{\frac{5}{3}}\right]_{1}^{a}=\frac{3}{5}(a^{\frac{5}{3}}-1)=\frac{93}{5}$,

$a^{\frac{5}{3}}=32$

따라서 $a=32^{\frac{3}{5}}=(2^{5})^{\frac{3}{5}}=8$

0948

함수 $y=xe^{x}$의 그래프와 직선 $y=e$ 및 y축으로 둘러싸인 부분의 넓이는? (단, e는 자연로그의 밑이다.)

① $e-2$ ② $e-1$
③ 1 ④ $\sqrt{e}$
⑤ e

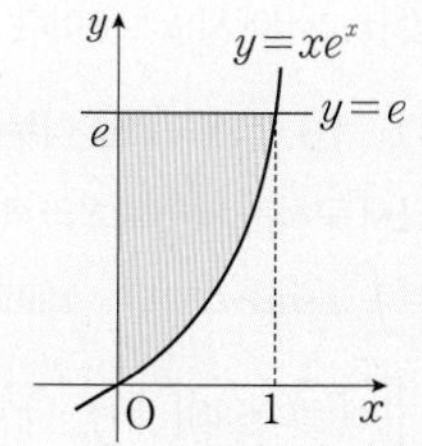

STEP **A** **직사각형의 넓이 구하기**

이 부분의 넓이는 네 점 $(0,\ 0)$, $(1,\ 0)$, $(1,\ e)$, $(0,\ e)$를 꼭짓점으로 하는 직사각형의 넓이에서 곡선 $y=xe^{x}$과 직선 $x=1$ 및 x축으로 둘러싸인 넓이를 제외하면 된다.

4개의 점 $\mathrm{O}(0,\ 0)$, $\mathrm{A}(1,\ 0)$, $\mathrm{B}(1,\ e)$, $\mathrm{C}(0,\ e)$를 꼭짓점으로 하는 직사각형의 넓이는 $1\times e=e$

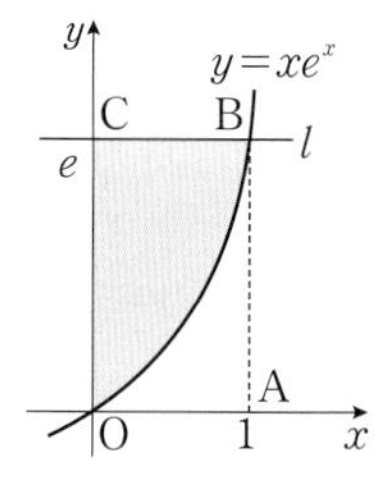

STEP **B** **부분적분을 이용하여 곡선 $y=xe^{x}$과 x축 및 직선 $x=1$로 둘러싸인 도형의 넓이 구하기**

곡선 $y=xe^{x}$과 x축 및 직선 $x=1$로 둘러싸인 도형의 넓이는

$\int_{0}^{1}xe^{x}dx=\Big[xe^{x}\Big]_{0}^{1}-\int_{0}^{1}e^{x}dx=e-\Big[e^{x}\Big]_{0}^{1}=e-(e-1)=1$

따라서 구하는 도형의 넓이는 $e-1$

0949

다음 물음에 답하여라. (단, e는 자연로그의 밑이다.)

(1) 두 곡선 $y=\frac{1}{x}(x>0)$, $y=-\frac{2}{x}(x>0)$와 두 직선 $x=\frac{1}{e}$, $x=e$로 둘러싸인 도형의 넓이를 구하여라.

STEP **A** **두 곡선의 위치를 비교하여 구하는 넓이 구하기**

구하는 넓이를 S라 하면

$S=\int_{\frac{1}{e}}^{e}\left\{\frac{1}{x}-\left(-\frac{2}{x}\right)\right\}dx$

$=\int_{\frac{1}{e}}^{e}\frac{3}{x}dx$

$=\Big[3\ln|x|\Big]_{\frac{1}{e}}^{e}$

$=6$

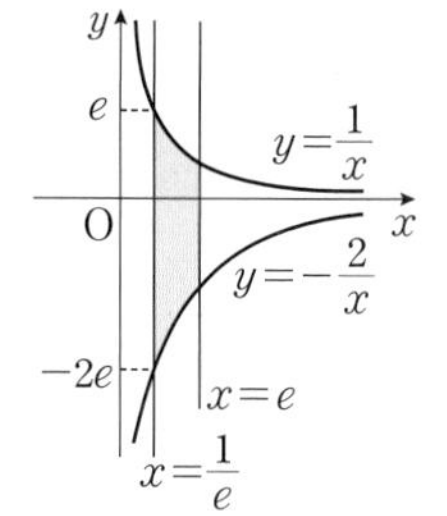

(2) 두 곡선 $y=\sin x$와 $y=\sin 2x$ 및 두 직선 $x=0$과 $x=\pi$로 둘러싸인 도형의 넓이를 구하여라.

STEP Ⓐ 두 곡선의 교점의 x좌표를 구하고 위치를 비교하기

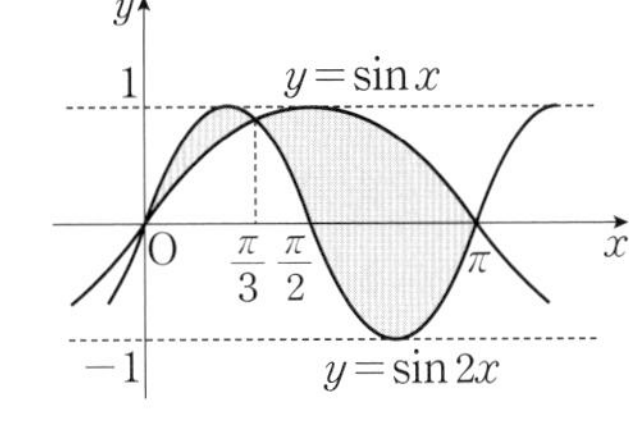

두 곡선 $y=\sin x$, $y=\sin 2x$의 교점의 x좌표는 $\sin x=\sin 2x$에서

$\sin x=2\sin x\cos x$

$\sin x(1-2\cos x)=0$

$\sin x=0$ 또는 $\cos x=\frac{1}{2}$

$\therefore\ x=0$ 또는 $x=\frac{\pi}{3}$ 또는 $x=\pi$

구간 $\left[0, \frac{\pi}{3}\right]$에서 $\sin x\le\sin 2x$

구간 $\left[\frac{\pi}{3}, \pi\right]$에서 $\sin x\ge\sin 2x$

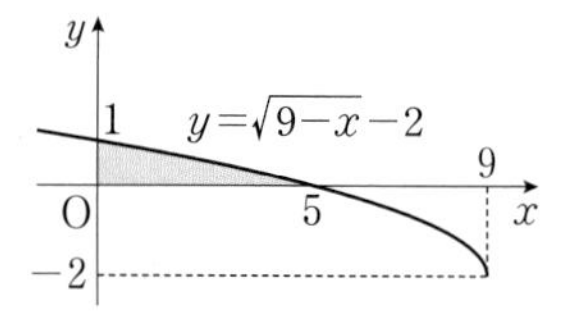

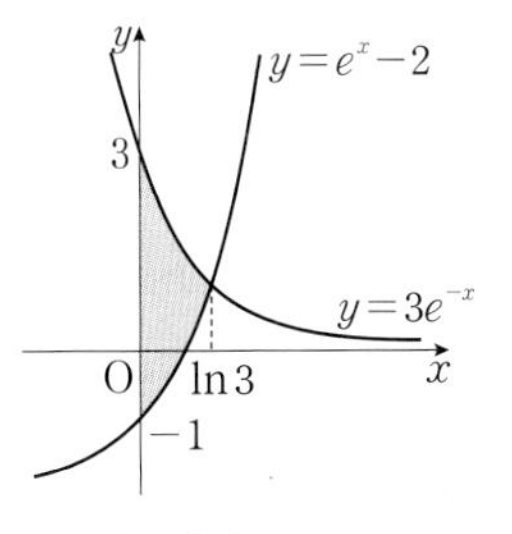

STEP Ⓑ 넓이를 정적분으로 나타낸 다음 정적분 계산하기

따라서 구하는 넓이 S는

$$S=\int_0^{\frac{\pi}{3}}(\sin 2x-\sin x)dx+\int_{\frac{\pi}{3}}^{\pi}(\sin x-\sin 2x)dx$$

$$=\left[-\frac{1}{2}\cos 2x+\cos x\right]_0^{\frac{\pi}{3}}+\left[-\cos x+\frac{1}{2}\cos 2x\right]_{\frac{\pi}{3}}^{\pi}=\frac{5}{2}$$

0950

오른쪽 그림에서 두 곡선 $y=e^x$, $y=xe^x$과 y축으로 둘러싸인 부분 A의 넓이를 a, 두 곡선 $y=e^x$, $y=xe^x$과 직선 $x=2$로 둘러싸인 부분 B의 넓이를 b라 할 때, $b-a$의 값은?

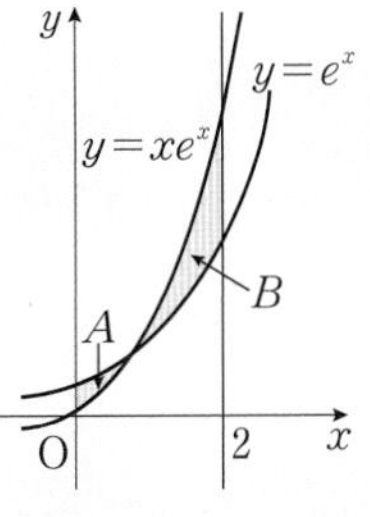

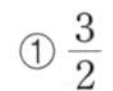

① $\frac{3}{2}$ ② $e-1$ ③ 2 ④ $\frac{5}{2}$ ⑤ e

STEP Ⓐ 두 곡선의 교점의 x좌표 구하기

두 곡선 $y=e^x$, $y=xe^x$의 교점의 x좌표는

$xe^x=e^x$에서 $(x-1)e^x=0$

$\therefore\ x=1\ (\because e^x>0)$

STEP Ⓑ A, B의 넓이를 구하여 $b-a$의 값 구하기

A의 넓이는 $a=\int_0^1(e^x-xe^x)dx$

$=\int_0^1(1-x)e^x dx$

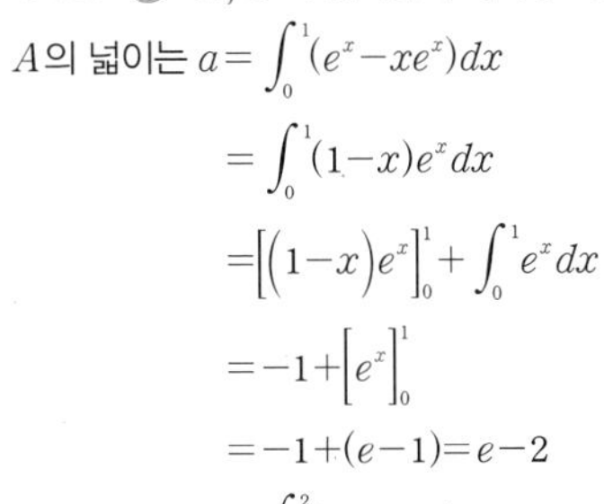

$=\left[(1-x)e^x\right]_0^1+\int_0^1 e^x dx$

$=-1+\left[e^x\right]_0^1$

$=-1+(e-1)=e-2$

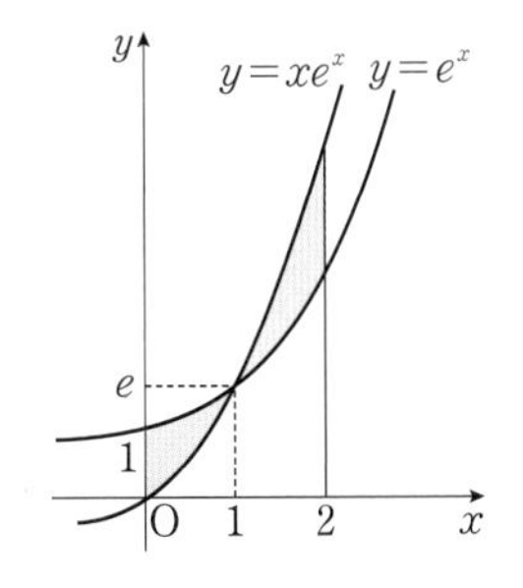

B의 넓이는 $b=\int_1^2(xe^x-e^x)dx$

$=\int_1^2(x-1)e^x dx$

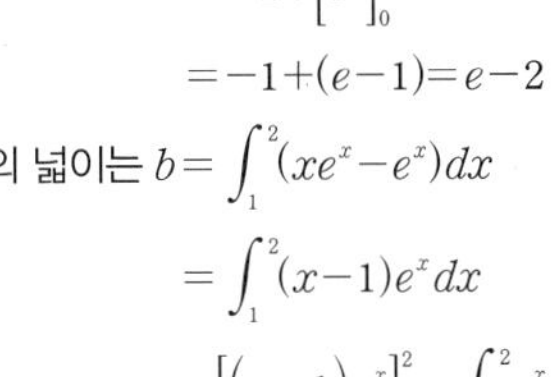

$=\left[(x-1)e^x\right]_1^2-\int_1^2 e^x dx$

$=e^2-\left[e^x\right]_1^2$

$=e^2-(e^2-e)=e$

따라서 $b-a=e-(e-2)=2$

다른풀이 정적분의 성질을 이용하여 풀이하기

두 곡선의 교점이 $x=1$이므로

$b-a=\int_1^2(xe^x-e^x)dx-\int_0^1(e^x-xe^x)dx$

$=\int_1^2(xe^x-e^x)dx+\int_0^1(xe^x-e^x)dx$

$=\int_0^2\{(x-1)e^x\}dx$

$=\left[(x-1)e^x\right]_0^2-\int_0^2 e^x dx$

$=\left[(x-1)e^x\right]_0^2-\left[e^x\right]_0^2$

$=(e^2+1)-(e^2-1)=2$

0951

다음 그림과 같이 두 곡선 $y=2^x-1$, $y=\left|\sin\frac{\pi}{2}x\right|$가 원점 O와 점 $(1, 1)$에서 만난다. 두 곡선 $y=2^x-1$, $y=\left|\sin\frac{\pi}{2}x\right|$로 둘러싸인 부분의 넓이는?

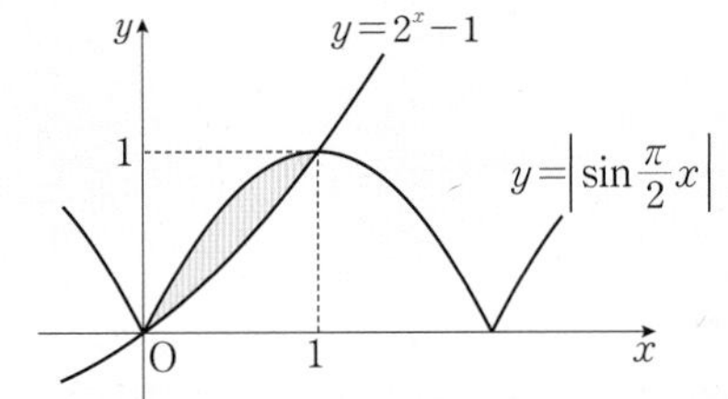

① $-\frac{1}{\pi}+\frac{1}{\ln 2}-1$ ② $\frac{2}{\pi}-\frac{1}{\ln 2}+1$ ③ $\frac{2}{\pi}+\frac{1}{2\ln 2}-1$
④ $\frac{1}{\pi}-\frac{1}{2\ln 2}+1$ ⑤ $\frac{1}{\pi}+\frac{1}{\ln 2}-1$

STEP Ⓐ $0\le x\le 1$에서 $\sin\frac{\pi}{2}x$의 부호 결정하기

두 함수 $y=2^x-1$, $y=\left|\sin\frac{\pi}{2}x\right|$의 교점은 $(0, 0)$, $(1, 1)$

이때 $0\le x\le 1$에서 $\sin\frac{\pi}{2}x\ge 0$이고 $\sin\frac{\pi}{2}x\ge 2^x-1$

STEP Ⓑ 두 곡선으로 둘러싸인 부분의 넓이 구하기

따라서 두 곡선 $y=2^x-1$, $y=\left|\sin\frac{\pi}{2}x\right|$로 둘러싸인 부분의 넓이는

$$\int_0^1\left\{\left(\sin\frac{\pi}{2}x\right)-(2^x-1)\right\}dx=\int_0^1\left(\sin\frac{\pi}{2}x-2^x+1\right)dx$$

$$=\left[-\frac{2}{\pi}\cos\frac{\pi}{2}x-\frac{2^x}{\ln 2}+x\right]_0^1$$

$$=\left(-\frac{2}{\ln 2}+1\right)-\left(-\frac{2}{\pi}-\frac{1}{\ln 2}\right)$$

$$=\frac{2}{\pi}-\frac{1}{\ln 2}+1$$

0952

다음 곡선과 직선으로 둘러싸인 도형의 넓이를 구하여라.

(1) $y=\sqrt{x}$, $y=x-2$, $y=0$

STEP Ⓐ 곡선과 직선의 교점의 y좌표를 구하고 위치 비교하기

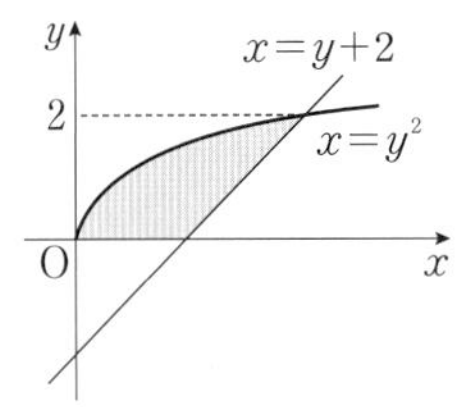

$y=\sqrt{x}$에서 $x=y^2\ (y\ge 0)$

교점의 y좌표는 $y^2=y+2$에서

$(y+1)(y-2)=0$

$y\ge 0$이므로 $y=2$

STEP B 넓이를 정적분으로 나타낸 다음 정적분 계산하기

따라서 구하는 넓이를 S라고 하면

$S=\int_0^2\{(y+2)-y^2\}dy=\left[\frac{1}{2}y^2+2y-\frac{1}{3}y^3\right]_0^2=\frac{10}{3}$

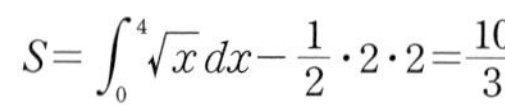

x축으로 둘러싸인 부분의 넓이로 풀이하기

곡선 $y=\sqrt{x}$와 x축 및 직선 $x=4$로 둘러싸인 도형의 넓이에서 오른쪽 그림의 삼각형 ABC의 넓이를 뺀다.

$S=\int_0^4\sqrt{x}\,dx-\frac{1}{2}\cdot2\cdot2=\frac{10}{3}$

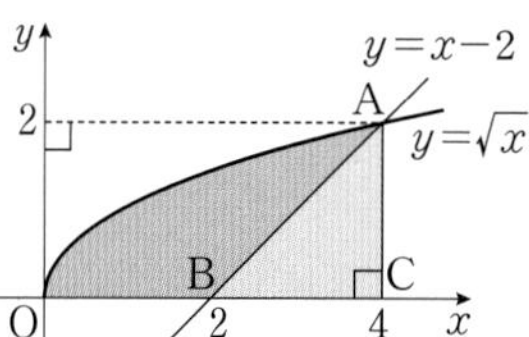

(2) $y=\sqrt{x-1}$, $y=\frac{1}{2}x$, x축

STEP A 곡선과 직선의 교점의 y좌표를 구하고 위치 비교하기

$y=\sqrt{x-1}$에서 $x=y^2+1$

$y=\frac{1}{2}x$에서 $x=2y$

곡선 $x=y^2+1$과 직선 $x=2y$의 교점의 y좌표는 $y^2+1=2y$에서

$(y-1)^2=0$, 즉 $y=1$

$0\le y\le1$에서 $y^2+1\ge2y$이다.

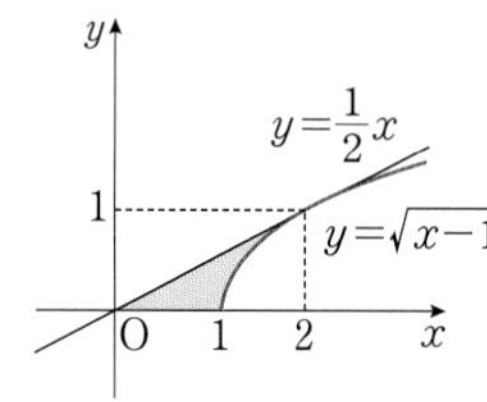

STEP B 넓이를 정적분으로 나타낸 다음 정적분 계산하기

따라서 구하는 넓이 S는

$S=\int_0^1\{(y^2+1)-2y\}dy=\left[\frac{1}{3}y^3-y^2+y\right]_0^1=\frac{1}{3}$

0953

다음 물음에 답하여라.

(1) 두 곡선 $y=\ln x$와 $y=-\ln x$ 및 두 직선 $y=1$과 $y=-1$로 둘러싸인 도형의 넓이는?

① $e-\frac{1}{e}+1$ ② $e+\frac{1}{e}+2$ ③ $2\left(e-\frac{1}{e}+2\right)$
④ $2\left(e+\frac{1}{e}-2\right)$ ⑤ $2\left(e+\frac{1}{e}+2\right)$

STEP A 두 곡선의 위치 비교하기

$y=\ln x$에서 $x=e^y$

$y=-\ln x$에서 $x=e^{-y}$

$0\le y\le1$일 때, $e^{-y}<e^y$이다.

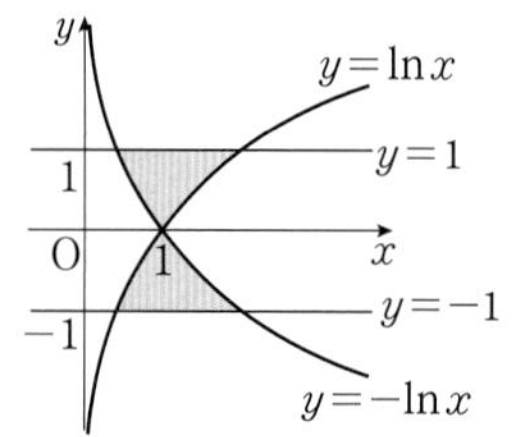

STEP B 넓이를 정적분으로 나타낸 다음 정적분 계산하기

따라서 구하는 넓이를 S라고 하면

$S=2\int_0^1(e^y-e^{-y})dy=2\left[e^y+e^{-y}\right]_0^1=2\left(e+\frac{1}{e}-2\right)$

(2) 두 곡선 $y=\ln x$, $y=-\ln x$와 두 직선 $x=\frac{1}{e}$, $x=e$로 둘러싸인 도형의 넓이는?

① $4-\frac{4}{e}$ ② $4+\frac{1}{e}$ ③ $2+\frac{2}{e}$
④ $1+\frac{1}{e}$ ⑤ $4e+\frac{4}{e}$

STEP A 두 곡선의 교점의 x좌표를 구하고 위치 비교하기

두 곡선의 그래프는 오른쪽 그림과 같고

$\frac{1}{e}\le x\le1$에서 $-\ln x\ge\ln x$이고

$1\le x\le e$에서 $\ln x\ge-\ln x$이다.

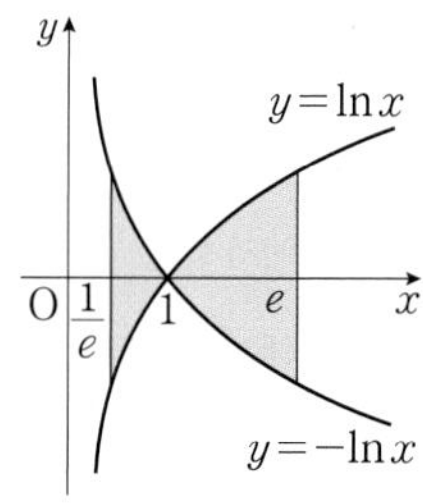

STEP B 적분구간을 나누어 넓이 구하기

$S=\int_{\frac{1}{e}}^1(-\ln x-\ln x)dx+\int_1^e\{\ln x-(-\ln x)\}dx$

$=-2\int_{\frac{1}{e}}^1\ln x\,dx+2\int_1^e\ln x\,dx$

$=-2\left[x\ln x-x\right]_{\frac{1}{e}}^1+2\left[x\ln x-x\right]_1^e$

$=2-\frac{4}{e}+2=4-\frac{4}{e}$

0954

두 함수 $y=\ln(x+1)$, $y=\ln 2x$의 그래프와 x축으로 둘러싸인 부분의 넓이를 구하여라.

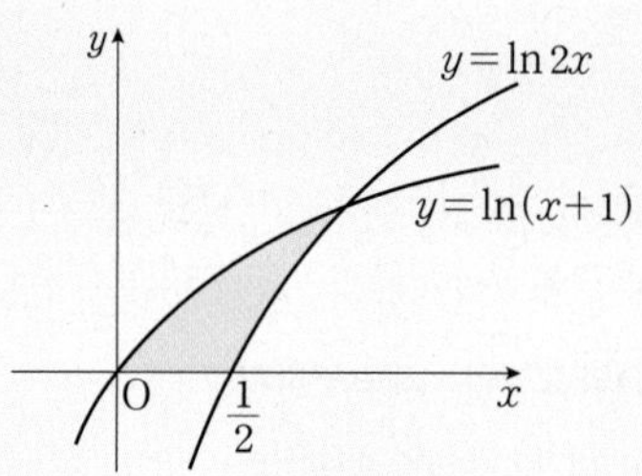

STEP A 두 곡선의 교점의 x좌표를 구하고 위치 비교하기

두 함수 $y=\ln(x+1)$, $y=\ln 2x$의 그래프의 교점의 x좌표를 구하면

$\ln(x+1)=\ln 2x$

$x+1=2x$ $\therefore x=1$

이때 두 함수

$y=\ln 2x$, $y=\ln(x+1)$은

각각 $x=\frac{1}{2}e^y$, $x=e^y-1$이므로

$0\le y\le\ln 2$에서 $\frac{1}{2}e^y\ge e^y-1$

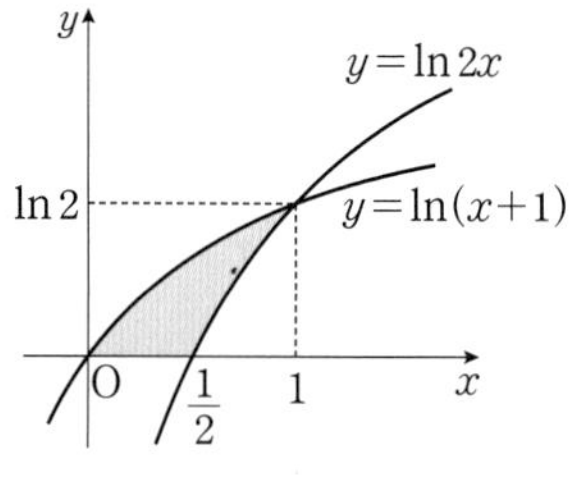

STEP B 넓이를 정적분으로 나타낸 다음 정적분 계산하기

따라서 구하는 넓이 S는

$S=\int_0^{\ln 2}\left\{\frac{1}{2}e^y-(e^y-1)\right\}dy=\int_0^{\ln 2}\left(1-\frac{1}{2}e^y\right)dy$

$=\left[y-\frac{1}{2}e^y\right]_0^{\ln 2}=(\ln 2-1)-\left(0-\frac{1}{2}\right)=\ln 2-\frac{1}{2}$

참고 x축을 기준으로 다음과 같이 계산한다.

$S=\int_0^{\frac{1}{2}}\ln(x+1)dx+\int_{\frac{1}{2}}^1\{\ln(x+1)-\ln 2x\}dx$

0955

다음 그림과 같이 곡선 $y=\frac{2}{x}$와 두 직선 $y=2x$, $y=\frac{1}{2}x$ 로 둘러싸인 도형의 넓이를 구하여라. (단, $x>0$, $y>0$)

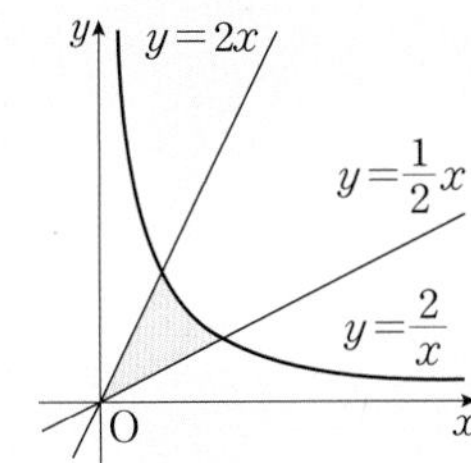

STEP A 곡선과 직선의 교점의 x좌표를 구하고 위치 비교하기

곡선 $y=\frac{2}{x}$와 직선 $y=2x$, $y=\frac{1}{2}x$의 교점을 각각 점 A, B라고 하면

$2x=\frac{2}{x}$ $\quad\therefore x=1(\because x>0)$

즉 점 A의 좌표는 $(1,\ 2)$이다.

또한, $\frac{1}{2}x=\frac{2}{x}$

$\therefore x=2(\because x>0)$

그러므로 점 B의 좌표는 $(2,\ 1)$이다.

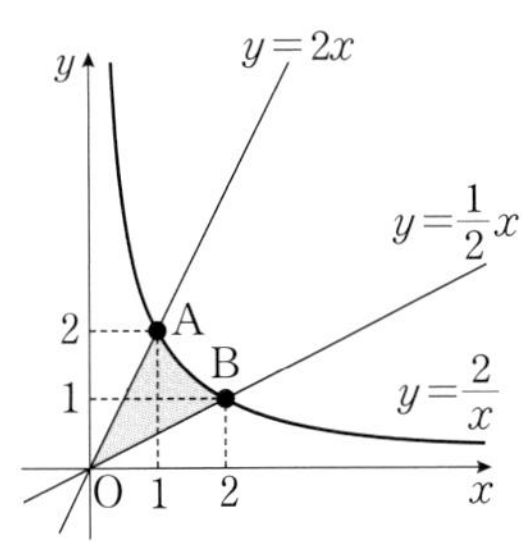

STEP B 넓이를 정적분으로 나타낸 다음 정적분 계산하기

따라서 구하는 도형의 넓이를 S라고 하면

$$S=\int_0^1 2x\,dx+\int_1^2 \frac{2}{x}dx-\int_0^2 \frac{1}{2}x\,dx=\Big[x^2\Big]_0^1+\Big[2\ln x\Big]_1^2-\Big[\frac{1}{4}x^2\Big]_0^2$$

$$=1+2\ln 2-1=2\ln 2$$

0956

오른쪽 그림과 같이 두 직선 $x=p$, $x=q$와 x축 및 곡선 $y=\log_a x$로 둘러싸인 부분을 곡선 $y=\log_b x$가 두 부분 A와 B로 나눈다. A와 B의 넓이를 각각 α, β라 할 때, $\frac{\alpha}{\beta}$의 값은? (단, $1<a<b$, $1<p<q$)

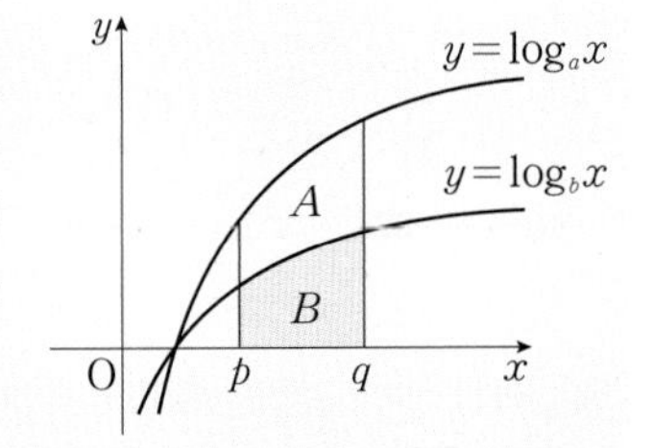

① $\left(\frac{b}{a}-1\right)(q-p)$ ② $\frac{a}{b}-1$
③ $\log_a b-1$ ④ $\log_b a-1$
⑤ $(q-p)\log_b a$

STEP A A의 넓이는 $(A+B)$의 넓이에서 B의 넓이를 뺀 값과 같음을 이용하여 $\frac{\alpha}{\beta}$의 값 구하기

$$\beta=\int_p^q \log_b x\,dx=\int_p^q \frac{\ln x}{\ln b}dx=\frac{1}{\ln b}\int_p^q \ln x\,dx$$

$$=\frac{1}{\ln b}\Big[x\ln x-x\Big]_p^q$$

$$=\frac{(q\ln q-p\ln p)-(q-p)}{\ln b}$$

$$\alpha+\beta=\int_p^q \log_a x\,dx=\int_p^q \frac{\ln x}{\ln a}dx=\frac{1}{\ln a}\int_p^q \ln x\,dx$$

$$=\frac{1}{\ln a}\Big[x\ln x-x\Big]_p^q$$

$$=\frac{(q\ln q-p\ln p)-(q-p)}{\ln a}$$

따라서 $\frac{\alpha+\beta}{\beta}=\frac{\alpha}{\beta}+1=\frac{\ln b}{\ln a}=\log_a b$이므로 $\frac{\alpha}{\beta}=\log_a b-1$

다른풀이 부분적분을 하지 않고 풀이하기

$$\beta=\int_p^q \log_b x\,dx=\frac{1}{\ln b}\int_p^q \ln x\,dx$$

$$\alpha=\int_p^q \log_a x\,dx-\beta=\frac{1}{\ln a}\int_p^q \ln x\,dx-\beta$$

이때 $\int_p^q \ln x\,dx=k$($k\neq 0$인 실수)라 하면

$\beta=\frac{k}{\ln b}$, $\alpha=\frac{k}{\ln a}-\beta$

따라서 $\frac{\alpha}{\beta}=\frac{\frac{k}{\ln a}-\frac{k}{\ln b}}{\frac{k}{\ln b}}=\frac{\ln b}{\ln a}-1=\log_a b-1$

0957

다음 물음에 답하여라.

(1) 오른쪽 그림과 같이 곡선 $y=\frac{2x}{x^2+1}$와 직선 $y=x$로 둘러싸인 도형의 넓이는?

① $2\ln 2-1$ ② $3\ln 2-1$
③ $5\ln 3-1$ ④ $4\ln 2+1$
⑤ $6\ln 3+1$

STEP A 곡선과 직선의 교점의 x좌표를 구하고 위치 비교하기

곡선 $y=\frac{2x}{x^2+1}$와 직선 $y=x$의 교점의 x좌표는

$\frac{2x}{x^2+1}=x$에서 $x^3-x=0$, $x(x-1)(x+1)=0$

$\therefore x=-1$ 또는 $x=0$ 또는 $x=1$

STEP B 넓이를 정적분으로 나타낸 다음 정적분 계산하기

곡선과 직선으로 둘러싸인 두 도형의 넓이가 같으므로 $x>0$인 부분의 도형의 넓이를 구하면

$$\int_0^1\left(\frac{2x}{x^2+1}-x\right)dx=\Big[\ln(x^2+1)-\frac{1}{2}x^2\Big]_0^1=\ln 2-\frac{1}{2}$$

따라서 주어진 곡선과 직선으로 둘러싸인 도형의 넓이는

$2\left(\ln 2-\frac{1}{2}\right)=2\ln 2-1$ $\left(\because y=\frac{2x}{x^2+1}-x\text{는 기함수}\right)$

(2) 오른쪽 그림과 같이 곡선 $y=\frac{xe^{x^2}}{e^{x^2}+1}$과 직선 $y=\frac{2}{3}x$로 둘러싸인 두 부분의 넓이의 합은?

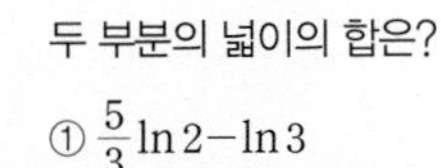

① $\frac{5}{3}\ln 2-\ln 3$
② $2\ln 3-\frac{5}{3}\ln 2$
③ $\frac{5}{3}\ln 2+\ln 3$
④ $2\ln 3+\frac{5}{3}\ln 2$
⑤ $\frac{7}{3}\ln 2-\ln 3$

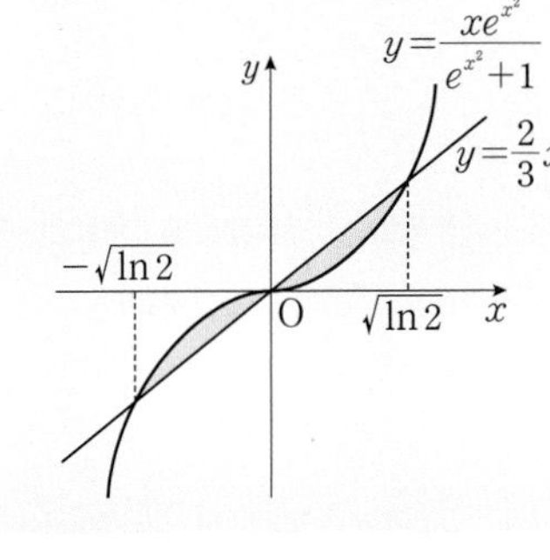

STEP A 곡선과 직선의 교점의 x좌표 구하기

곡선 $y=\frac{xe^{x^2}}{e^{x^2}+1}$과 직선 $y=\frac{2}{3}x$의 교점의 x좌표를 구하면

$\frac{xe^{x^2}}{e^{x^2}+1}=\frac{2}{3}x$에서 $xe^{x^2}=\frac{2}{3}xe^{x^2}+\frac{2}{3}x$, $\frac{1}{3}x(e^{x^2}-2)=0$

$x=0$ 또는 $e^{x^2}-2=0$

이때 $e^{x^2}=2$에서 $x^2=\ln 2$

$\therefore x=0$ 또는 $x=\sqrt{\ln 2}$ 또는 $x=-\sqrt{\ln 2}$

STEP B 그래프의 개형 그리기

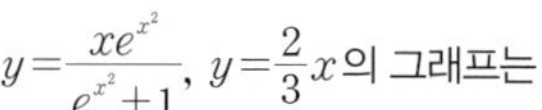

$y=\dfrac{xe^{x^2}}{e^{x^2}+1}$, $y=\dfrac{2}{3}x$의 그래프는 각각 원점에 대하여 대칭이고 구간 $[-\sqrt{\ln 2},\ 0]$과 $[0,\ \sqrt{\ln 2}]$에서 곡선과 직선으로 둘러싸인 부분의 넓이가 서로 같으므로 한 쪽 넓이의 2배를 구하면 된다.

$0<x<\sqrt{\ln 2}$일 때,

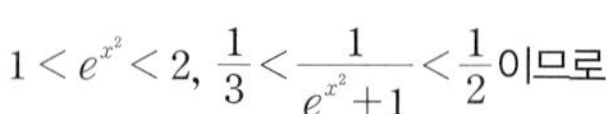

$1<e^{x^2}<2$, $\dfrac{1}{3}<\dfrac{1}{e^{x^2}+1}<\dfrac{1}{2}$이므로

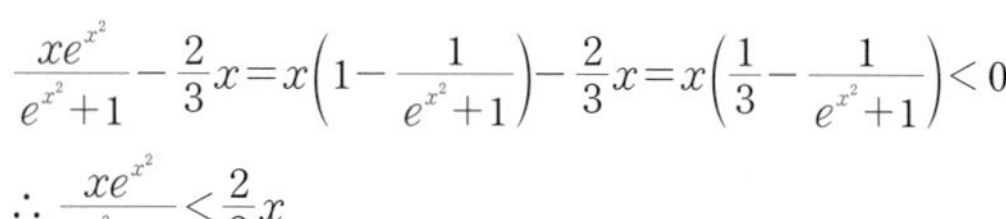

$\dfrac{xe^{x^2}}{e^{x^2}+1}-\dfrac{2}{3}x=x\left(1-\dfrac{1}{e^{x^2}+1}\right)-\dfrac{2}{3}x=x\left(\dfrac{1}{3}-\dfrac{1}{e^{x^2}+1}\right)<0$

$\therefore\ \dfrac{xe^{x^2}}{e^{x^2}+1}<\dfrac{2}{3}x$

STEP C 치환적분법을 이용하여 넓이 구하기

따라서 두 곡선으로 둘러싸인 도형의 넓이 S는

$S=2\displaystyle\int_0^{\sqrt{\ln 2}}\left(\dfrac{2}{3}x-\dfrac{xe^{x^2}}{e^{x^2}+1}\right)dx$

$=\displaystyle\int_0^{\sqrt{\ln 2}}\dfrac{4}{3}x\,dx-\int_0^{\sqrt{\ln 2}}\dfrac{2xe^{x^2}}{e^{x^2}+1}dx$

$=\left[\dfrac{2}{3}x^2\right]_0^{\sqrt{\ln 2}}-\left[\ln\left(e^{x^2}+1\right)\right]_0^{\sqrt{\ln 2}}$

$=\dfrac{2}{3}\ln 2-(\ln 3-\ln 2)$

$=\dfrac{5}{3}\ln 2-\ln 3$

0958

다음 물음에 답하여라.

(1) 곡선 $y=e^x$과 원점에서 이 곡선에 그은 접선과 y축으로 둘러싸인 부분의 넓이를 구하여라.

STEP A 원점에서 곡선 $y=e^x$에 그은 접선의 방정식 구하기

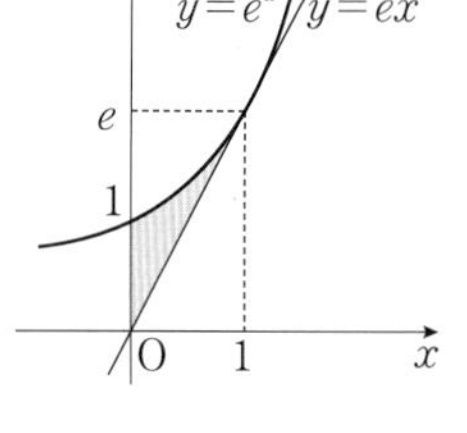

$y=e^x$에서 $y'=e^x$이므로

접점을 $(a,\ e^a)$이라고 하면

접선의 방정식은

$y-e^a=e^a(x-a)$ ······ ㉠

이 직선이 원점 $(0,\ 0)$을 지나므로

$0-e^a=e^a(0-a)$ $\therefore\ a=1$

이 값을 ㉠에 대입하면 접선의 방정식은 $y=ex$이다.

STEP B 넓이를 정적분으로 나타내고 정적분을 계산하기

따라서 구하는 넓이를 S라고 하면

$S=\displaystyle\int_0^1(e^x-ex)dx=\left[e^x-\dfrac{e}{2}x^2\right]_0^1=\dfrac{1}{2}e-1$

(2) 곡선 $y=e^{\frac{x}{3}}$과 이 곡선 위의 점 $(3,\ e)$에서의 접선 및 y축으로 둘러싸인 도형의 넓이를 구하여라.

STEP A 곡선 위의 점에서 접선의 방정식 구하기

$f(x)=e^{\frac{x}{3}}$라 하면 $f'(x)=\dfrac{1}{3}e^{\frac{x}{3}}$이므로

$(3,\ e)$에서의 접선의 기울기는 $f'(3)=\dfrac{1}{3}e$

점 $(3,\ e)$에서의 접선의 방정식은 $y-e=\dfrac{e}{3}(x-3)$

$\therefore\ y=\dfrac{e}{3}x$

STEP B 정적분을 이용하여 넓이 구하기

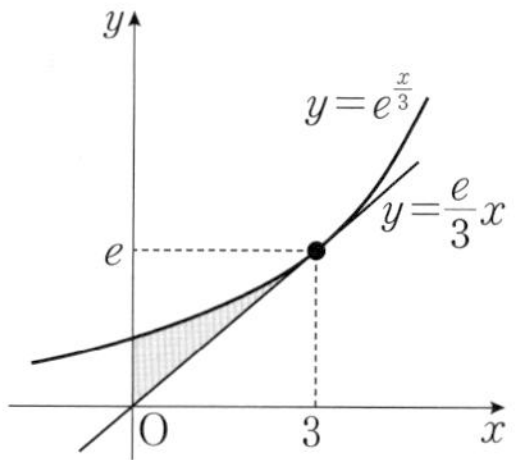

따라서 구하는 넓이는

$S=\displaystyle\int_0^3\left(e^{\frac{x}{3}}-\dfrac{e}{3}x\right)dx$

$=\left[3e^{\frac{x}{3}}-\dfrac{e}{6}x^2\right]_0^3$

$=\dfrac{3}{2}e-3$

0959

다음 물음에 답하여라.

(1) 곡선 $y=3\sqrt{x-9}$와 이 곡선 위의 점 $(18,\ 9)$에서의 접선 및 x축으로 둘러싸인 영역의 넓이는?

① 18 ② 20 ③ 24
④ 27 ⑤ 32

STEP A 접선의 방정식 구하기

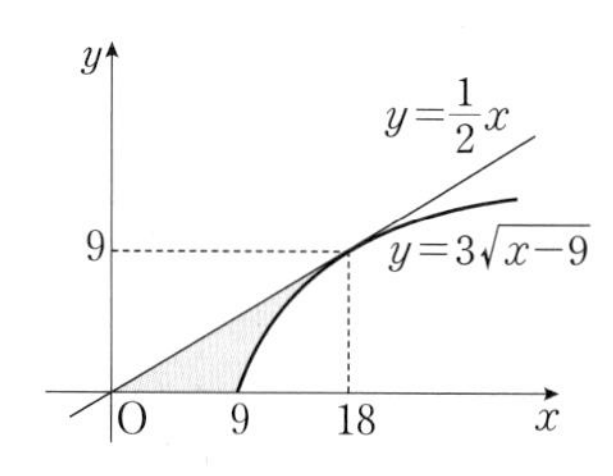

$f(x)=3\sqrt{x-9}$로 놓으면

$f'(x)=\dfrac{3}{2\sqrt{x-9}}$에서

점 $(18,\ 9)$에서의 접선의 기울기는

$f'(18)=\dfrac{3}{2\sqrt{18-9}}=\dfrac{1}{2}$이므로

접선의 방정식은 $y-9=\dfrac{1}{2}(x-18)$

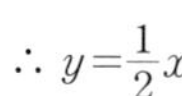

$\therefore\ y=\dfrac{1}{2}x$

STEP B 넓이를 정적분으로 나타내고 정적분 계산하기

따라서 구하는 넓이를 S라 하면

$S=\dfrac{1}{2}\cdot 18\cdot 9-\displaystyle\int_9^{18}3\sqrt{x-9}\,dx$

$=81-3\cdot\dfrac{2}{3}\left[(x-9)\sqrt{x-9}\right]_9^{18}$

$=81-54=27$

(2) 곡선 $y=e^x-1$ 위의 점 $\mathrm{P}(1,\ e-1)$에서의 접선을 l이라 하자. 이때 곡선 $y=e^x-1$과 y축, 접선 l로 둘러싸인 부분의 넓이는?

① $\dfrac{e}{2}-1$ ② $e-\dfrac{3}{2}$ ③ $\dfrac{e}{2}$
④ $e-1$ ⑤ $\dfrac{e}{2}+1$

STEP A 접선의 방정식 구하기

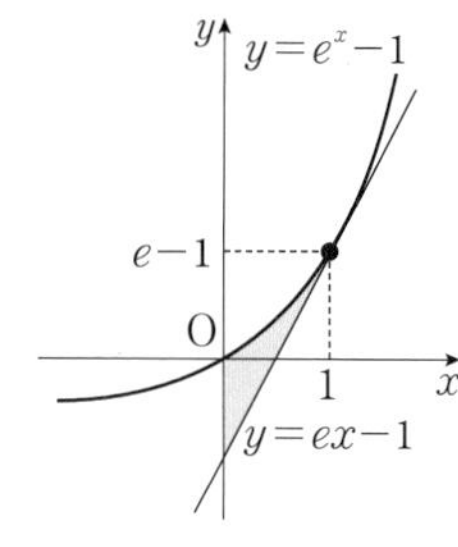

곡선 $y=e^x-1$에서 $y'=e^x$이므로

점 $\mathrm{P}(1,\ e-1)$에서의

접선의 방정식은 $y-(e-1)=e(x-1)$

$\therefore\ y=ex-1$

STEP B 넓이를 정적분으로 나타내고 정적분 계산하기

따라서 곡선 $y=e^x-1$과 y축, 접선 l로 둘러싸인 부분의 넓이는

$\displaystyle\int_0^1\{e^x-1-(ex-1)\}dx=\int_0^1(e^x-ex)dx$

$=\left[e^x-\dfrac{e}{2}x^2\right]_0^1=\dfrac{e}{2}-1$

0960

닫힌구간 $\left[0, \frac{\pi}{2}\right]$에서 정의된 함수 $f(x)=\sin x$의 그래프 위의 한 점 $\mathrm{P}(a, \sin a)\left(0<a<\frac{\pi}{2}\right)$에서의 접선을 l이라 하자. 곡선 $y=f(x)$와 x축 및 직선 l로 둘러싸인 부분의 넓이와 곡선 $y=f(x)$와 x축 및 직선 $x=a$로 둘러싸인 부분의 넓이가 같을 때, $\cos a$의 값은?

① $\frac{1}{6}$　② $\frac{1}{3}$　③ $\frac{1}{2}$
④ $\frac{2}{3}$　⑤ $\frac{5}{6}$

STEP A 점 $\mathrm{P}(a, \sin a)$에서 접선의 방정식 구하기

함수 $f(x)=\sin x$에서 $f'(x)=\cos x$이므로

점 $\mathrm{P}(a, \sin a)$에서 그은 접선 l의 방정식은 $y=\cos a(x-a)+\sin a$

직선 l이 x축과 만나는 점을 Q라 하면 점 $\mathrm{Q}\left(a-\frac{\sin a}{\cos a}, 0\right)$이고

점 P에서 x축에 내린 수선의 발을 R라 하면 점 $\mathrm{R}(a, 0)$이다.

STEP B 넓이를 정적분으로 나타내고 정적분 계산하기

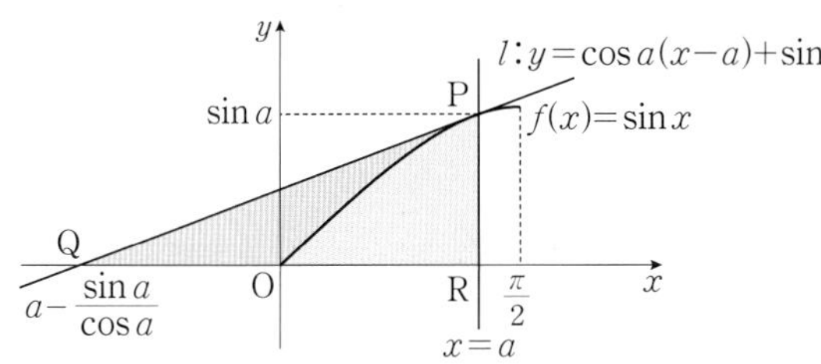

그림과 같이 곡선 $y=\sin x$와 x축 및 직선 l로 둘러싸인 부분의 넓이를 S_1, 곡선 $y=\sin x$와 x축 및 직선 $x=a$로 둘러싸인 부분의 넓이를 S_2라 하면

$S_1=\frac{1}{2}\times\frac{\sin a}{\cos a}\times\sin a-\int_0^a \sin x dx$, $S_2=\int_0^a \sin x dx$

STEP C 두 부분의 넓이가 같음을 이용하여 $\cos a$ 구하기

$S_1=S_2$이므로

$\frac{1}{2}\times\frac{\sin a}{\cos a}\times\sin a-\int_0^a \sin x dx=\int_0^a \sin x dx$

$\frac{\sin^2 a}{2\cos a}=2\int_0^a \sin x dx$

$\frac{1-\cos^2 a}{2\cos a}=2\left[-\cos x\right]_0^a=-2\cos a+2$

$3\cos^2 a-4\cos a+1=0$, $(3\cos a-1)(\cos a-1)=0$

따라서 $0<a<\frac{\pi}{2}$이므로 $\cos a=\frac{1}{3}$

0961

곡선 $y=\frac{1}{x}$과 세 직선 $y=0$, $x=n$, $x=n+1(n>0)$로 둘러싸인 도형의 넓이를 S_n이라 할 때, $\lim_{n\to\infty} nS_n$을 구하여라.

STEP A 넓이를 정적분으로 나타내고 정적분 계산하기

곡선 $y=\frac{1}{x}$과 세 직선 $y=0$, $x=n$, $x=n+1(n>0)$로 둘러싸인 도형의 넓이를 S_n이라 하면

$S_n=\int_n^{n+1}\frac{1}{x}dx=\left[\ln|x|\right]_n^{n+1}$

$=\ln\frac{n+1}{n}$

STEP B $\lim_{n\to\infty} nS_n$의 값 구하기

따라서 $\lim_{n\to\infty} nS_n=\lim_{n\to\infty} n\ln\frac{n+1}{n}=\lim_{n\to\infty}\ln\left(1+\frac{1}{n}\right)^n=\ln e=1$

0962

자연수 n에 대하여 곡선 $y=e^{-x}$과 x축 및 두 직선 $x=n$, $x=n+1$로 둘러싸인 도형의 넓이를 S_n이라고 할 때, 급수 $\sum_{n=1}^{\infty}S_n$의 값은?

① $\frac{1}{e}$　② $\frac{1}{2}$　③ 1
④ $\sqrt{e}$　⑤ e

STEP A 넓이를 정적분으로 나타내고 정적분 계산하기

곡선 $y=e^{-x}$과 x축 및 두 직선 $x=n$, $x=n+1$로 둘러싸인 도형의 넓이 S_n을 구하면

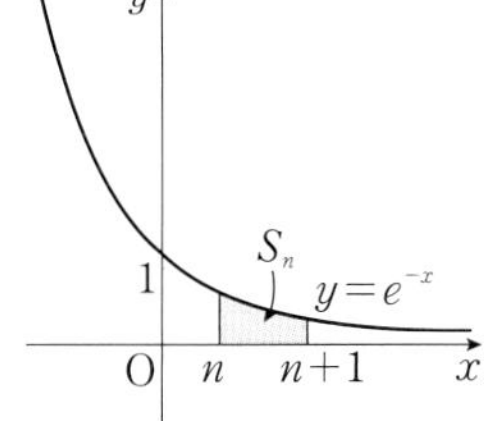

$S_n=\int_n^{n+1}e^{-x}dx$

$=\left[-e^{-x}\right]_n^{n+1}=e^{-n}-e^{-(n+1)}$

STEP B $\sum_{n=1}^{\infty}S_n$의 값 구하기

$\sum_{k=1}^{n}S_k=\sum_{k=1}^{n}\{e^{-k}-e^{-(k+1)}\}$

$=(e^{-1}-e^{-2})+(e^{-2}-e^{-3})+\cdots+\{e^{-n}-e^{-(n+1)}\}$

$=e^{-1}-e^{-(n+1)}=\frac{1}{e}-\frac{1}{e^{n+1}}$

$\therefore \sum_{n=1}^{\infty}S_n=\lim_{n\to\infty}\sum_{k=1}^{n}S_k=\lim_{n\to\infty}\left(\frac{1}{e}-\frac{1}{e^{n+1}}\right)=\frac{1}{e}$

0963

자연수 n에 대하여 닫힌구간 $[0, \pi]$에서 두 곡선 $y=\frac{1}{n}\sin x$, $y=\frac{1}{n+1}\sin x$로 둘러싸인 부분의 넓이를 S_n이라고 할 때, 극한값 $\lim_{n\to\infty}\sum_{k=1}^{n}S_k$의 값은?

① 2　② 5　③ 8
④ 11　⑤ 14

STEP A 두 곡선으로 둘러싸인 부분의 넓이 S_n 구하기

자연수 n에 대하여 구간 $[0, \pi]$에서 $\frac{1}{n}\sin x\geq\frac{1}{n+1}\sin x$이고 다음 그림과 같다.

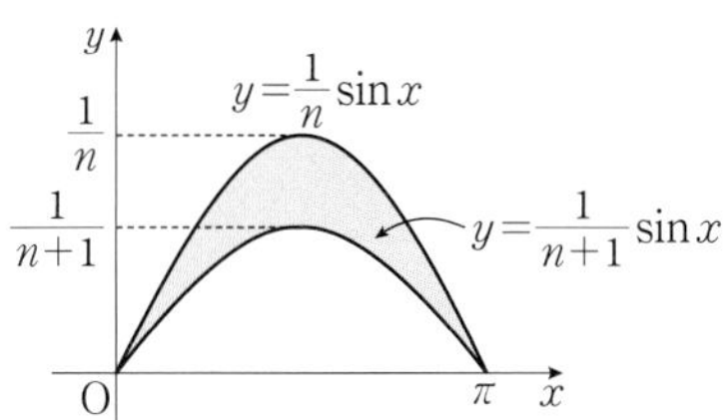

$\therefore S_n=\int_0^{\pi}\left(\frac{1}{n}\sin x-\frac{1}{n+1}\sin x\right)dx$

$=\left(\frac{1}{n}-\frac{1}{n+1}\right)\int_0^{\pi}\sin x dx$

$=\left(\frac{1}{n}-\frac{1}{n+1}\right)\left[-\cos x\right]_0^{\pi}$

$=2\left(\frac{1}{n}-\frac{1}{n+1}\right)$

STEP B $\lim_{n\to\infty}\sum_{k=1}^{n}S_k$의 값 구하기

따라서 $\lim_{n\to\infty}\sum_{k=1}^{n}S_k=\lim_{n\to\infty}\sum_{k=1}^{n}2\left(\frac{1}{k}-\frac{1}{k+1}\right)$

$=\lim_{n\to\infty}2\left\{\left(\frac{1}{1}-\frac{1}{2}\right)+\left(\frac{1}{2}-\frac{1}{3}\right)+\cdots+\left(\frac{1}{n}-\frac{1}{n+1}\right)\right\}$

$=\lim_{n\to\infty}2\left(1-\frac{1}{n+1}\right)=2$

0964

다음 물음에 답하여라.

(1) 오른쪽 그림과 같이 두 곡선 $y=a\sin x$와 $y=\cos x$ 및 두 직선 $x=0$과 $x=\frac{\pi}{3}$로 둘러싸인 도형에서 색칠한 두 부분의 넓이가 같을 때, 상수 a의 값은? (단, $a>1$)

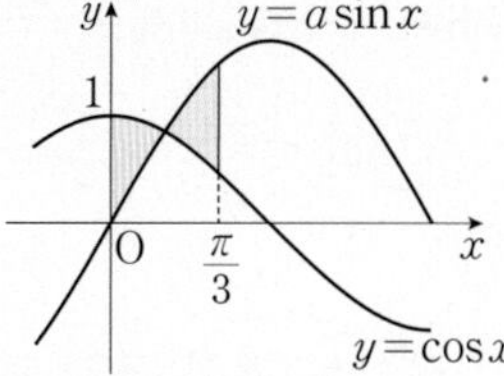

① $\sqrt{2}$ ② $\frac{3}{2}$
③ $\sqrt{3}$ ④ $2\sqrt{2}$
⑤ $2\sqrt{3}$

STEP A 두 도형의 넓이가 같은 경우 상수 a의 값 구하기

두 곡선 $y=a\sin x$와 $y=\cos x$ 및 두 직선 $x=0$과 $x=\frac{\pi}{3}$로 둘러싸인 도형에서 색칠한 두 부분의 넓이가 서로 같으므로

$$\int_0^{\frac{\pi}{3}}(\cos x-a\sin x)dx=\left[\sin x+a\cos x\right]_0^{\frac{\pi}{3}}=\frac{\sqrt{3}}{2}+\frac{1}{2}a-a=0$$

따라서 $\frac{\sqrt{3}}{2}-\frac{1}{2}a=0$이므로 $a=\sqrt{3}$

(2) 다음 그림과 같이 곡선 $y=e^{2x}$과 y축 및 직선 $y=-2x+a$로 둘러싸인 영역을 A, 곡선 $y=e^{2x}$과 두 직선 $y=-2x+a$, $x=1$로 둘러싸인 영역을 B라 하자. A의 넓이와 B의 넓이가 같을 때, 상수 a의 값은? (단, $1<a<e^2$)

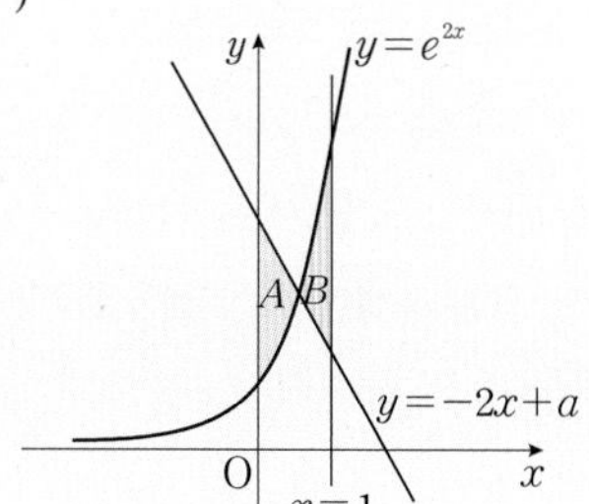

① $\frac{e^2+1}{2}$ ② $\frac{2e^2+1}{4}$ ③ $\frac{e^2}{2}$
④ $\frac{2e^2-1}{4}$ ⑤ $\frac{e^2-1}{2}$

STEP A 구간 $[0, 1]$에서 두 영역 A, B의 넓이가 같으므로 $\int_0^1\{e^{2x}-(-2x+a)\}dx=0$임을 이용하기

A의 넓이와 B의 넓이가 같으므로

$$\int_0^1\{e^{2x}-(-2x+a)\}dx=0$$

$$\begin{aligned}\int_0^1(e^{2x}+2x-a)dx&=\left[\frac{1}{2}e^{2x}+x^2-ax\right]_0^1\\&=\left(\frac{1}{2}e^2+1-a\right)-\left(\frac{1}{2}+0-0\right)\\&=\frac{1}{2}e^2+\frac{1}{2}-a=0\end{aligned}$$

따라서 $a=\frac{e^2+1}{2}$

다른풀이 두 부분의 넓이가 같음을 이용하여 풀이하기

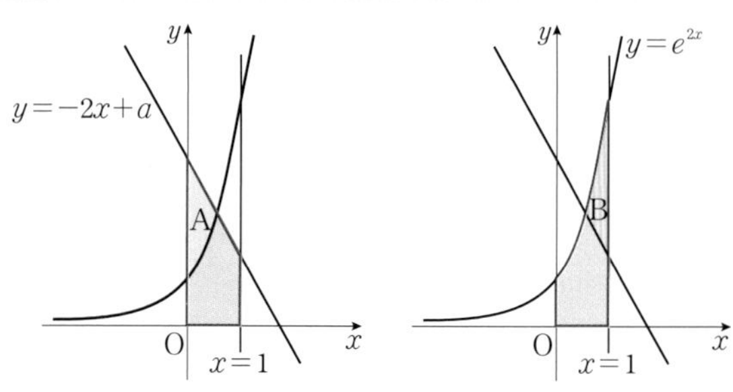

A의 넓이와 B의 넓이가 같으므로 두 직선 $y=-2x+a$와 $x=1$ 및 x축, y축으로 둘러싸인 영역의 넓이와 곡선 $y=e^{2x}$과 직선 $x=1$ 및 x축, y축으로 둘러싸인 영역의 넓이가 같다.

두 직선 $y=-2x+a$와 $x=1$ 및 x축, y축으로 둘러싸인 영역의 넓이는

$$\int_0^1(-2x+a)dx=\left[-x^2+ax\right]_0^1=-1+a \quad \cdots\cdots ㉠$$

곡선 $y=e^{2x}$과 직선 $x=1$및 x축, y축으로 둘러싸인 영역의 넓이는

$$\int_0^1 e^{2x}dx=\left[\frac{1}{2}e^{2x}\right]_0^1=\frac{e^2-1}{2} \quad \cdots\cdots ㉡$$

㉠, ㉡에서 $-1+a=\frac{e^2-1}{2}$

따라서 $a=\frac{e^2+1}{2}$

곡선 $y=e^{2x}$과 직선 $y=-2x+a$의 교점을 k라 하면

$A=\int_0^k\{e^{2x}-(-2x+a)\}dx$

$B=\int_k^1\{(-2x+a)-e^{2x}\}dx$

이므로 $A=B$에서

$\int_0^1 e^{2x}dx=\int_0^1(-2x+a)dx$를 만족한다.

$\left[\frac{1}{2}e^{2x}\right]_0^1=\left[-x^2+ax\right]_0^1$

$\frac{1}{2}(e^2-1)=-1+a$

$\therefore a=\frac{1}{2}(e^2+1)$

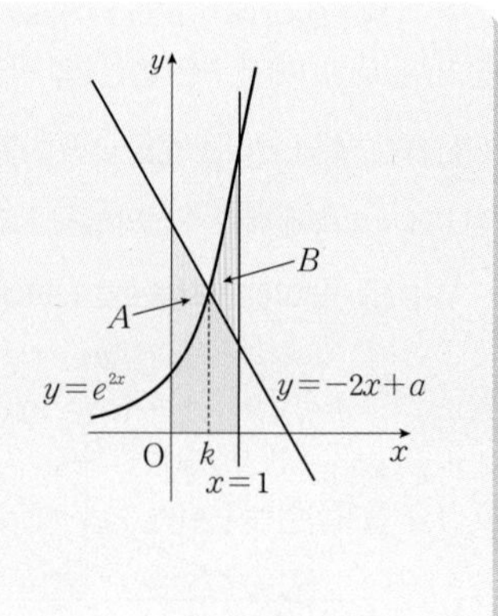

0965

다음 물음에 답하여라.

(1) 다음 그림과 같이 곡선 $y=\sqrt{x+1}$과 두 직선 $x=-1$, $y=1$로 둘러싸인 부분의 넓이와 곡선 $y=\sqrt{x+1}$과 두 직선 $x=k$, $y=1$로 둘러싸인 부분의 넓이가 서로 같을 때, 상수 k의 값은? (단, $k>0$)

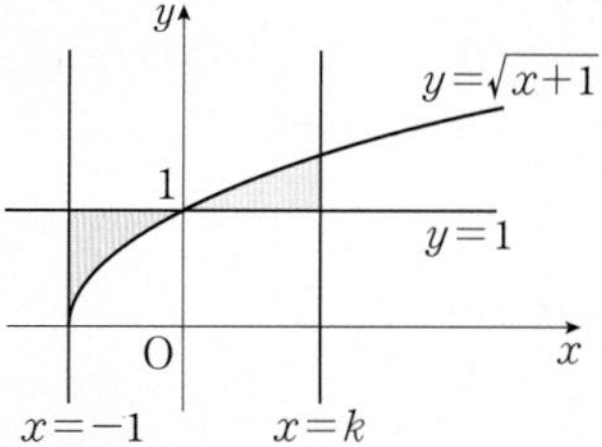

① 1 ② $\frac{9}{8}$ ③ $\frac{5}{4}$
④ $\frac{11}{8}$ ⑤ $\frac{3}{2}$

STEP A $y=1$로 나누어진 두 부분의 넓이가 같으므로 $\int_{-1}^k\{\sqrt{x+1}-1\}dx=0$을 이용하여 k의 값 구하기

빗금 친 부분과 색칠된 부분의 넓이가 서로 같으므로

$$\begin{aligned}\int_{-1}^k(1-\sqrt{x+1})dx&=\left[x-\frac{2}{3}(x+1)^{\frac{3}{2}}\right]_{-1}^k\\&=\left\{k-\frac{2}{3}(k+1)^{\frac{3}{2}}\right\}-(-1-0)\\&=k+1-\frac{2}{3}(k+1)^{\frac{3}{2}}=0\end{aligned}$$

$\frac{2}{3}(k+1)^{\frac{3}{2}}=k+1$에서 $k+1>0$이므로 $\frac{2}{3}(k+1)^{\frac{1}{2}}=1$

$(k+1)^{\frac{1}{2}}=\frac{3}{2}$

따라서 $k+1=\frac{9}{4}$이므로 $k=\frac{5}{4}$

다른풀이 두 부분의 넓이가 같음을 이용하여 풀이하기

다음 그림과 같이 색칠한 두 부분의 넓이가 같으므로 가로의 길이가 $k-(-1)$이고 세로의 길이가 1인 직사각형의 넓이와 $\int_{-1}^{k}\sqrt{x+1}\,dx$의 값이 같다.

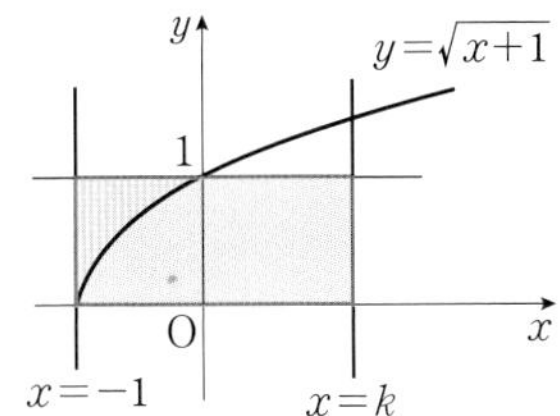

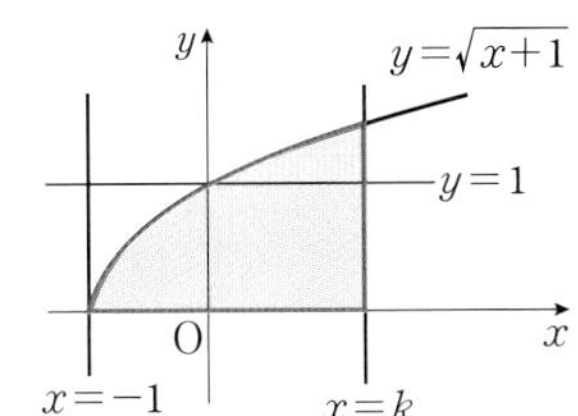

$\{k-(-1)\}\times 1=k+1=\int_{-1}^{k}\sqrt{x+1}\,dx=\left[\frac{2}{3}(x+1)^{\frac{3}{2}}\right]_{-1}^{k}$

$=\frac{2}{3}(k+1)^{\frac{3}{2}}$

즉 $k+1=\frac{2}{3}(k+1)^{\frac{3}{2}}$에서 $k+1>0$이므로 $\frac{2}{3}(k+1)^{\frac{1}{2}}=1$

$(k+1)^{\frac{1}{2}}=\frac{3}{2}$

따라서 $k+1=\frac{9}{4}$이므로 $k=\frac{5}{4}$

다른풀이 두 곡선 사이의 넓이를 이용하여 풀이하기

곡선 $y=\sqrt{x+1}$과 두 직선 $x=-1$, $y=1$로 둘러싸인 부분의 넓이를 S_1이라 하면

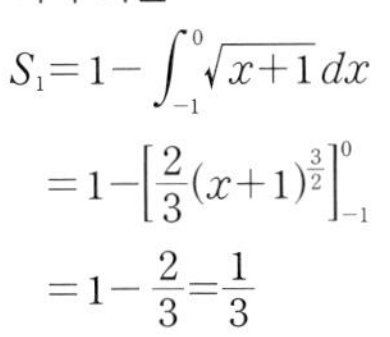

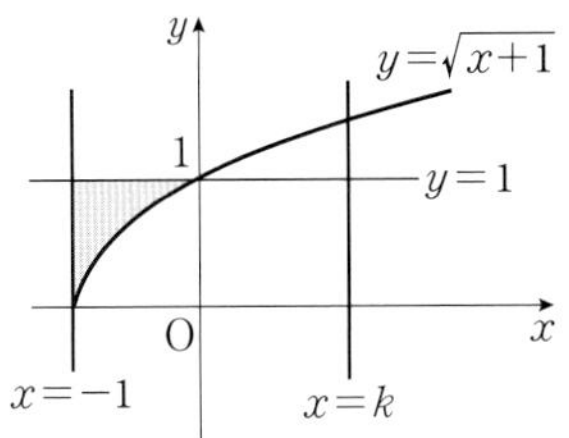

$S_1=1-\int_{-1}^{0}\sqrt{x+1}\,dx$

$=1-\left[\frac{2}{3}(x+1)^{\frac{3}{2}}\right]_{-1}^{0}$

$=1-\frac{2}{3}=\frac{1}{3}$

곡선 $y=\sqrt{x+1}$과 두 직선 $x=k$, $y=1$로 둘러싸인 부분의 넓이를 S_2라 하면

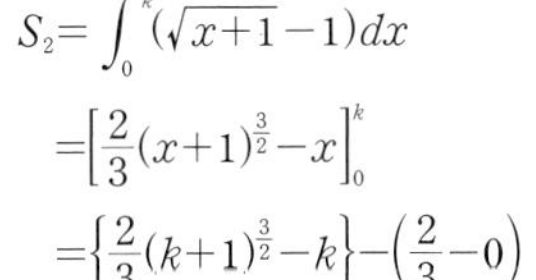

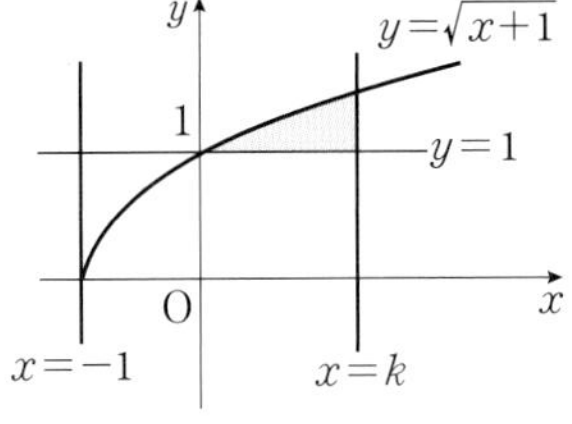

$S_2=\int_{0}^{k}(\sqrt{x+1}-1)dx$

$=\left[\frac{2}{3}(x+1)^{\frac{3}{2}}-x\right]_{0}^{k}$

$=\left\{\frac{2}{3}(k+1)^{\frac{3}{2}}-k\right\}-\left(\frac{2}{3}-0\right)$

$S_1=S_2$이므로 $\frac{1}{3}=\left\{\frac{2}{3}(k+1)^{\frac{3}{2}}-k\right\}-\frac{2}{3}$

$\frac{2}{3}(k+1)^{\frac{3}{2}}=k+1$에서 $k+1>0$이므로 $\frac{2}{3}(k+1)^{\frac{1}{2}}=1$

$(k+1)^{\frac{1}{2}}=\frac{3}{2}$

따라서 $k+1=\frac{9}{4}$이므로 $k=\frac{5}{4}$

(2) 다음 그림과 같이 곡선 $y=\ln(x+1)$과 두 직선 $x=0$, $y=a$로 둘러싸인 부분의 넓이와 곡선 $y=\ln(x+1)$과 두 직선 $x=e-1$, $y=a$로 둘러싸인 부분의 넓이가 서로 같을 때, 실수 a의 값은?

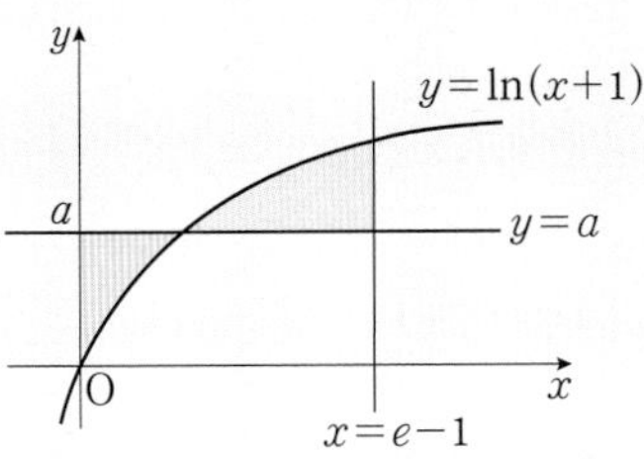

① $\frac{1}{e-1}$ ② $\frac{2}{e-1}$ ③ $\frac{2}{e}$
④ $\frac{1}{e+1}$ ⑤ $\frac{2}{e+1}$

STEP A $y=a$로 나누어진 두 부분의 넓이가 같으므로 $\int_{0}^{e-1}\{\ln(x+1)-a\}dx=0$을 이용하여 a 구하기

다음 그림과 같이 $S_1=S_2$이므로

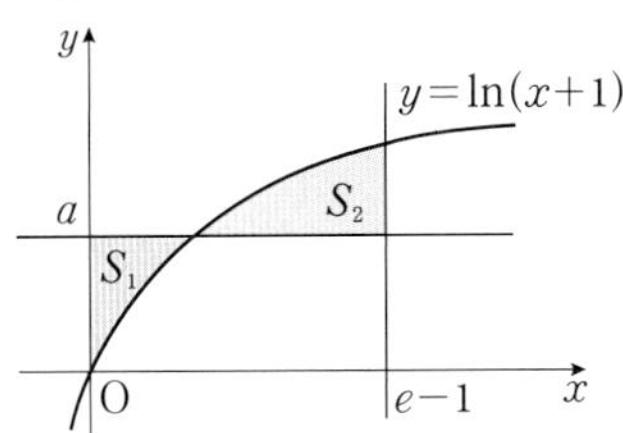

$\int_{0}^{e-1}\{\ln(x+1)-a\}dx=0$

$\int_{0}^{e-1}\ln(x+1)dx$에서 $x+1=t$로 놓으면 $dx=dt$이고

$x=0$일 때, $t=1$이고 $x=e-1$일 때, $t=e$

$\int_{0}^{e-1}\ln(x+1)dx=\int_{1}^{e}\ln t\,dt=\left[t\ln t-t\right]_{1}^{e}=(e-e)-(0-1)=1$

이므로

$\int_{0}^{e-1}\{\ln(x+1)-a\}dx=1-\left[ax\right]_{0}^{e-1}=1-a(e-1)=0$

따라서 $a=\frac{1}{e-1}$

다른풀이 평행이동하여 풀이하기

$y=\ln(x+1)$을 x축의 양의 방향으로 1만큼 평행이동한 후 적분구간도 똑같이 x축의 양의 방향으로 1만큼 평행이동하면

$\int_{1}^{e}\{\ln(x)-a\}dx=\left[x\ln x-x-ax\right]_{1}^{e}=0$

$=(e-e-ae)-(0-1-a)=0$

$=a(e-1)-1=0$

따라서 $a=\frac{1}{e-1}$

다른풀이 두 부분의 넓이가 같음을 이용하여 풀이하기

STEP A 색칠한 두 부분의 넓이가 같으므로 직사각형의 넓이와 $\int_{0}^{e-1}\ln(x+1)dx$가 같음을 이용하기

다음 그림과 같이 색칠한 두 부분의 넓이가 같으므로 가로의 길이가 $e-1$이고 세로의 길이가 a인 직사각형의 넓이와 $\int_{0}^{e-1}\ln(x+1)dx$의 값이 같다.

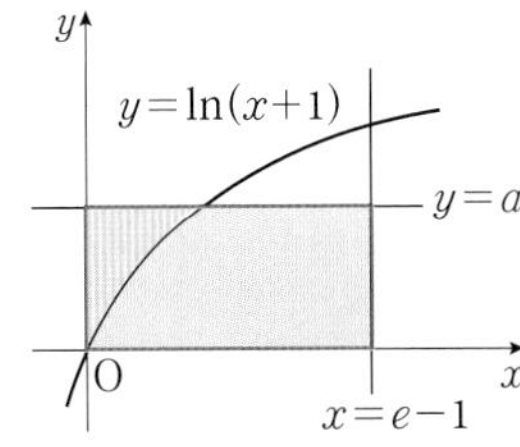

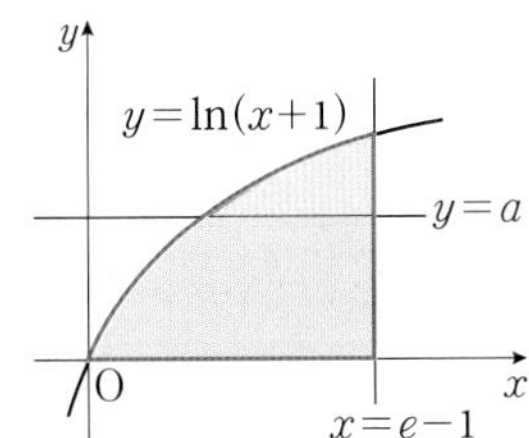

$\therefore a(e-1)=\int_{0}^{e-1}\ln(x+1)dx$

이때 $\int_{0}^{e-1}\ln(x+1)dx$에서 $x+1=t$로 놓으면 $dx=dt$이고

$x=0$일 때, $t=1$이고 $x=e-1$일 때, $t=e$이므로

$\int_{0}^{e-1}\ln(x+1)dx=\int_{1}^{e}\ln t\,dt$

$=\left[t\ln t-t\right]_{1}^{e}$

$=(e-e)-(0-1)=1$

$\therefore a(e-1)=\int_{0}^{e-1}\ln(x+1)dx$에서 $a(e-1)=1$

따라서 $a=\frac{1}{e-1}$

(3) 다음 그림과 같이 곡선 $y=\ln(4-x)$와 y축 및 직선 $y=a(0<a<\ln 4)$로 둘러싸인 부분의 넓이와 곡선 $y=\ln(4-x)$와 두 직선 $x=3$, $y=a$로 둘러싸인 부분의 넓이가 서로 같을 때, 상수 a의 값은?

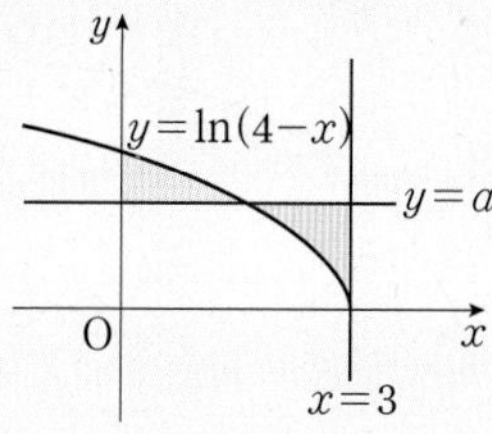

① $2\ln 2-1$ ② $\frac{8\ln 2}{3}-1$ ③ $\frac{10\ln 2}{3}-1$

④ $4\ln 2-1$ ⑤ $\frac{14\ln 2}{3}-1$

STEP A $y=a$로 나누어진 두 부분의 넓이가 같으므로 $\int_0^3\{\ln(4-x)-a\}dx=0$을 이용하여 a 구하기

곡선 $y=\ln(4-x)$와 y축 및 직선 $y=a(0<a<\ln 4)$로 둘러싸인 부분의 넓이와 곡선 $y=\ln(4-x)$와 두 직선 $x=3$, $y=a$로 둘러싸인 부분의 넓이가 서로 같으므로

$\int_0^3\{\ln(4-x)-a\}dx=0$

$\int_0^3\ln(4-x)dx-\int_0^3 adx=0$에서 $\int_0^3 adx=\int_0^3\ln(4-x)dx$

$4-x=t$라 하면

$\frac{dt}{dx}=-1$이고 $x=0$일 때 $t=4$, $x=3$일 때 $t=1$이므로

$\Big[ax\Big]_0^3=\int_4^1(-\ln t)dt$

$3a=\int_1^4\ln t dt$

따라서 $a=\frac{1}{3}\int_1^4\ln t dt=\frac{1}{3}\Big[t\ln t-t\Big]_1^4$

$=\frac{1}{3}\{8\ln 2-(4-1)\}$

$=\frac{8\ln 2}{3}-1$

다른풀이 두 부분의 넓이가 같음을 이용하여 풀이하기

다음 그림과 같이 색칠한 두 부분의 넓이가 같으므로 가로의 길이가 3이고 세로의 길이가 a인 직사각형의 넓이와 $\int_0^3\ln(4-x)dx$의 값이 같다.

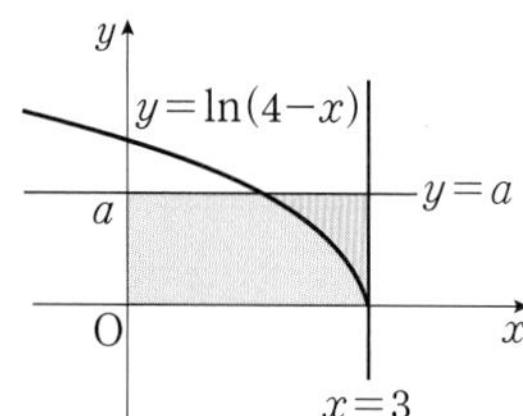

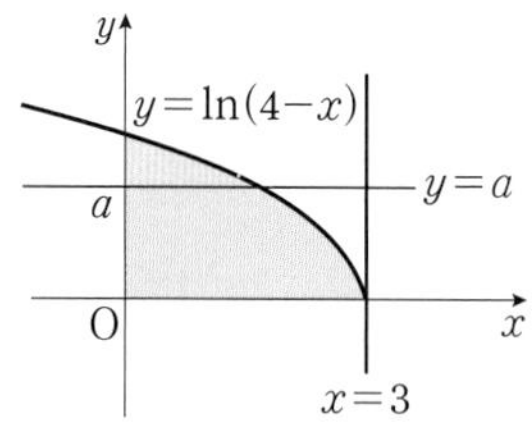

$3\cdot a=\int_0^3\ln(4-x)dx$

$4-x=t$라 하면 $\frac{dt}{dx}=-1$이고

$x=0$일 때 $t=4$, $x=3$일 때 $t=1$이므로

$3a=\int_1^4\ln t dt$

따라서 $a=\frac{1}{3}\int_1^4\ln t dt=\frac{1}{3}\Big[t\ln t-t\Big]_1^4$

$=\frac{1}{3}\{8\ln 2-(4-1)\}$

$=\frac{8\ln 2}{3}-1$

0966

다음 물음에 답하여라.

(1) 다음 그림과 같이 곡선 $y=x\sin x(0\le x\le\pi)$와 점 $(\pi, 0)$을 지나고 기울기가 음수인 직선 l이 있다. 곡선 $y=x\sin x$와 y축 및 직선 l로 둘러싸인 영역을 A, 곡선 $y=x\sin x$와 직선 l로 둘러싸인 영역을 B라 하자. 두 영역 A, B의 넓이가 같을 때, 직선 l의 기울기는?

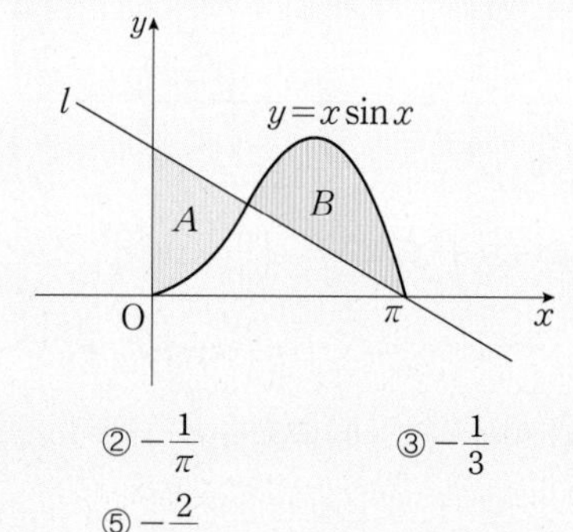

① $-\frac{1}{4}$ ② $-\frac{1}{\pi}$ ③ $-\frac{1}{3}$

④ $-\frac{1}{2}$ ⑤ $-\frac{2}{\pi}$

STEP A 두 도형의 넓이가 같은 경우 상수 a의 값 구하기

직선 l의 기울기를 m이라 하면 직선 l의 방정식은 $y=m(x-\pi)$

두 영역 A, B의 넓이가 같으므로 $\int_0^\pi\{x\sin x-m(x-\pi)\}dx=0$

이때 $\int_0^\pi\{x\sin x-m(x-\pi)\}dx$

$=\Big[-x\cos x\Big]_0^\pi-\int_0^\pi(-\cos x)dx-\Big[m\Big(\frac{x^2}{2}-\pi x\Big)\Big]_0^\pi$

$=\pi+\Big[\sin x\Big]_0^\pi+\frac{m\pi^2}{2}=\pi+\frac{m\pi^2}{2}$

따라서 $\pi+\frac{m\pi^2}{2}=0$이므로 $m=-\frac{2}{\pi}$

(2) 다음 그림과 같이 곡선 $y=x\sin x\left(0\le x\le\frac{\pi}{2}\right)$에 대하여 이 곡선과 x축, 직선 $x=k$로 둘러싸인 영역을 A, 이 곡선과 직선 $x=k$, 직선 $y=\frac{\pi}{2}$로 둘러싸인 영역을 B라 하자. A의 넓이와 B의 넓이가 같을 때, 상수 k의 값은? $\left(단, 0\le k\le\frac{\pi}{2}\right)$

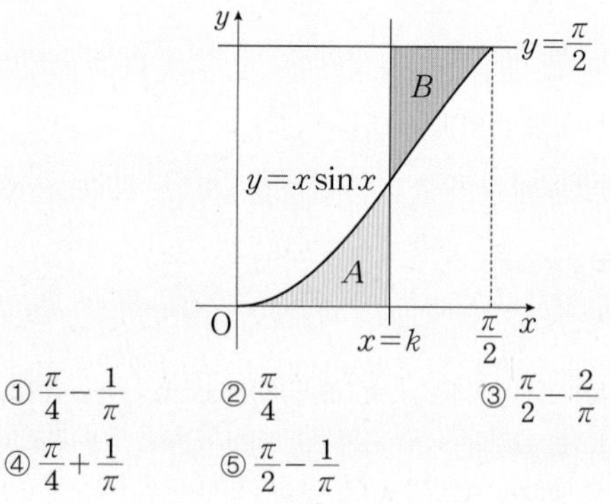

① $\frac{\pi}{4}-\frac{1}{\pi}$ ② $\frac{\pi}{4}$ ③ $\frac{\pi}{2}-\frac{2}{\pi}$

④ $\frac{\pi}{4}+\frac{1}{\pi}$ ⑤ $\frac{\pi}{2}-\frac{1}{\pi}$

STEP A 두 영역 A, B의 넓이 구하기

영역 A의 넓이를 S_A, 영역 B의 넓이를 S_B라 하면

$S_A=\int_0^k x\sin x dx$, $S_B=\int_k^{\frac{\pi}{2}}\left(\frac{\pi}{2}-x\sin x\right)dx$이고 $S_A=S_B$이므로

$\int_0^k x\sin x dx=\int_k^{\frac{\pi}{2}}\left(\frac{\pi}{2}-x\sin x\right)dx$

$\int_0^k x\sin x dx=\int_k^{\frac{\pi}{2}}\frac{\pi}{2}dx-\int_k^{\frac{\pi}{2}}x\sin x dx$

$\int_0^k x\sin x dx+\int_k^{\frac{\pi}{2}}x\sin x dx=\int_k^{\frac{\pi}{2}}\frac{\pi}{2}dx$

$\int_0^{\frac{\pi}{2}}x\sin x dx=\int_k^{\frac{\pi}{2}}\frac{\pi}{2}dx$

STEP B 정적분의 성질과 부분적분법을 이용하여 두 도형의 넓이가 같음을 이용하여 k의 값 구하기

이때 $\int_0^{\frac{\pi}{2}} x\sin x dx$에서 $f(x)=x$, $g'(x)=\sin x$라고 하면

$f'(x)=1$, $g(x)=-\cos x$이므로

$$\int_0^{\frac{\pi}{2}} x\sin x dx=\Big[-x\cos x\Big]_0^{\frac{\pi}{2}}-\int_0^{\frac{\pi}{2}}(-\cos x)dx$$

$$=0+\int_0^{\frac{\pi}{2}}\cos x dx=\Big[\sin x\Big]_0^{\frac{\pi}{2}}=1$$

$$\int_k^{\frac{\pi}{2}}\frac{\pi}{2}dx=\Big[\frac{\pi}{2}x\Big]_k^{\frac{\pi}{2}}=\frac{\pi^2}{4}-\frac{\pi}{2}k$$

따라서 $1=\frac{\pi^2}{4}-\frac{\pi}{2}k$이므로 $\frac{\pi}{2}k=\frac{\pi^2}{4}-1$ $\quad\therefore k=\frac{\pi}{2}-\frac{2}{\pi}$

다른풀이 $S_A+S_C=S_B+S_C$를 이용하여 풀이하기

다음 그림과 같이 색칠한 두 부분의 넓이가 같으므로 가로의 길이가 $\frac{\pi}{2}-k$이고 세로의 길이가 $\frac{\pi}{2}$인 직사각형의 넓이와 $\int_0^{\frac{\pi}{2}} x\sin x dx$의 값이 같다.

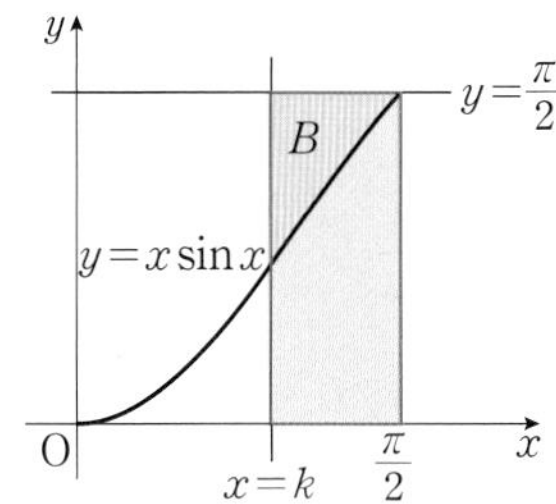

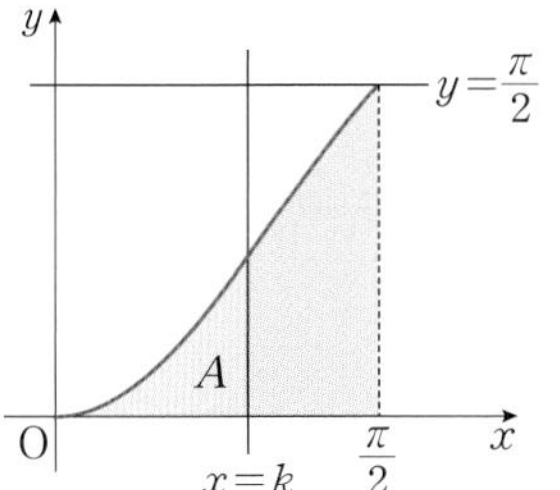

$$\left(\frac{\pi}{2}-k\right)\cdot\frac{\pi}{2}=\int_0^{\frac{\pi}{2}} x\sin x dx=\int_0^{\frac{\pi}{2}} x\sin x dx$$

$$=\Big[-x\cos x\Big]_0^{\frac{\pi}{2}}-\int_0^{\frac{\pi}{2}}(-\cos x)dx$$

$$=0+\int_0^{\frac{\pi}{2}}\cos x dx$$

$$=\Big[\sin x\Big]_0^{\frac{\pi}{2}}=1$$

따라서 $\left(\frac{\pi}{2}-k\right)\cdot\frac{\pi}{2}=1$이므로 $k=\frac{\pi}{2}-\frac{2}{\pi}$

다른풀이 역함수의 성질을 이용하여 풀이하기

STEP A 함수 $y=x\sin x$의 역함수를 $g(x)$라 하고 넓이가 같은 조건을 만족하는 식 작성하기

$y=x\sin x$의 역함수를 $y=g(x)$라 하면 오른쪽 그림과 같이 영역 A의 넓이와 영역 B의 넓이가 같다.

즉 $A=B$이므로

$$\int_0^{\frac{\pi}{2}}\{g(x)-k\}dx=0$$

$$\int_0^{\frac{\pi}{2}}g(x)dx=\int_0^{\frac{\pi}{2}}kdx=\Big[kx\Big]_0^{\frac{\pi}{2}}$$

$$=\frac{\pi}{2}k \quad \cdots\cdots ㉠$$

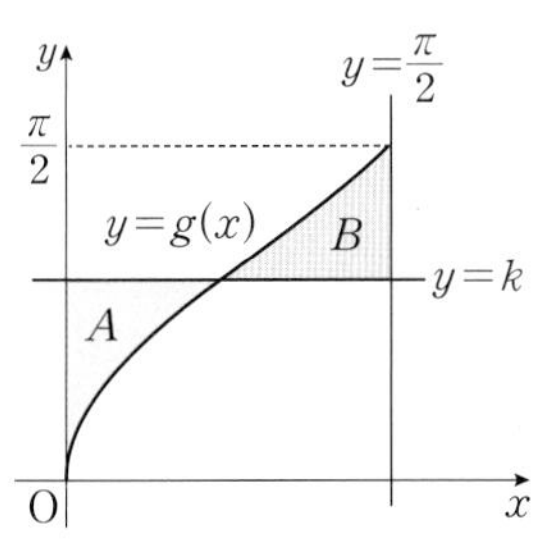

STEP B 정적분 $\int_0^{\frac{\pi}{2}}g(x)dx$를 이해하여 k의 값 구하기

이때 $\int_0^{\frac{\pi}{2}}g(x)dx$는 한 변의 길이가 $\frac{\pi}{2}$인 정사각형에서

함수 $y=x\sin x$를 구간 $\left[0, \frac{\pi}{2}\right]$에서 정적분의 값을 뺀 값이다.

$$\int_0^{\frac{\pi}{2}}g(x)dx=\left(\frac{\pi}{2}\right)^2-\int_0^{\frac{\pi}{2}}x\sin x dx$$

$$=\frac{\pi^2}{4}-\left(\Big[-x\cos x\Big]_0^{\frac{\pi}{2}}-\int_0^{\frac{\pi}{2}}(-\cos x)dx\right)$$

$$=\frac{\pi^2}{4}-1$$

따라서 ㉠에서 $\frac{\pi}{2}k=\frac{\pi^2}{4}-1$이므로 $k=\frac{\pi}{2}-\frac{2}{\pi}$

0967

함수 $y=e^x$의 그래프와 x축, y축 및 직선 $x=1$로 둘러싸인 영역의 넓이가 직선 $y=ax(0<a<e)$에 의하여 이등분될 때, 상수 a의 값은?

① $e-\frac{1}{3}$ ② $e-\frac{1}{2}$ ③ $e-1$
④ $e-\frac{4}{3}$ ⑤ $e-\frac{3}{2}$

STEP A 함수 $y=e^x$의 그래프와 x축, y축 및 직선 $x=1$로 둘러싸인 영역의 넓이 구하기

$y=e^x$, $y=ax(0<a<e)$의 그래프는 오른쪽 그림과 같다.

그림에서 함수 $y=e^x$의 그래프와 x축, y축 및 직선 $x=1$로 둘러싸인 영역의 넓이 S는

$$S=\int_0^1 e^x dx=\Big[e^x\Big]_0^1=e-1$$

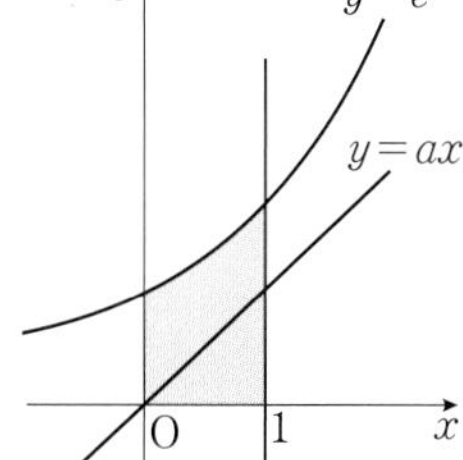

STEP B 직선 $y=ax$가 도형의 넓이를 이등분함을 이용하여 a의 값 구하기

이 영역의 넓이가 직선 $y=ax$에 의하여 이등분되므로 $\int_0^1 axdx=\frac{1}{2}S$

$\Big[\frac{1}{2}ax^2\Big]_0^1=\frac{1}{2}(e-1)$, $\frac{1}{2}a=\frac{1}{2}(e-1)$

따라서 $a=e-1$

0968

다음 물음에 답하여라.

(1) 함수 $y=\cos 2x$의 그래프와 x축, y축 및 직선 $x=\frac{\pi}{12}$로 둘러싸인 영역의 넓이가 직선 $y=a$에 의하여 이등분될 때, 상수 a의 값은?

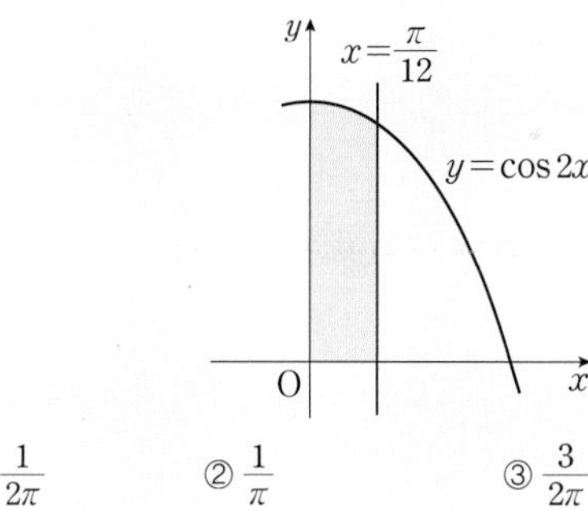

① $\frac{1}{2\pi}$ ② $\frac{1}{\pi}$ ③ $\frac{3}{2\pi}$
④ $\frac{2}{\pi}$ ⑤ $\frac{5}{2\pi}$

STEP A 함수 $y=\cos 2x$의 그래프와 x축, y축 및 직선 $x=\frac{\pi}{12}$로 둘러싸인 영역의 넓이 구하기

함수 $y=\cos 2x$의 그래프와 x축, y축 및 직선 $x=\frac{\pi}{12}$로 둘러싸인 영역의 넓이는 $\int_0^{\frac{\pi}{12}}\cos 2xdx=\Big[\frac{1}{2}\sin 2x\Big]_0^{\frac{\pi}{12}}=\frac{1}{2}\sin\frac{\pi}{6}=\frac{1}{4}$ 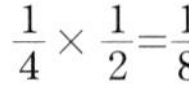 ㉠

STEP B 직선 $x=a$가 도형의 넓이를 이등분함을 이용하여 a의 값 구하기

㉠의 넓이가 $y=a$에 의하여 이등분되므로 오른쪽 그림에서 직사각형의 넓이는

$\frac{1}{4}\times\frac{1}{2}=\frac{1}{8}$

따라서 $\frac{\pi}{12}\times a=\frac{1}{8}$이므로 $a=\frac{3}{2\pi}$

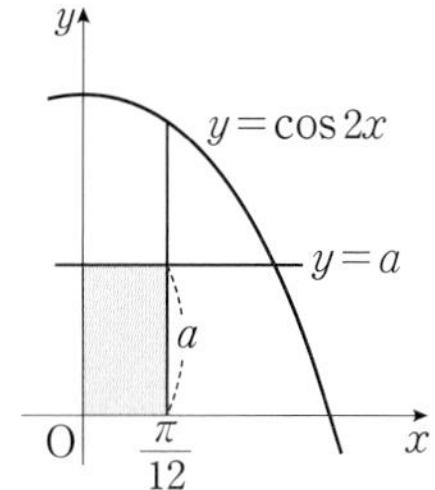

03 정적분의 활용

(2) 곡선 $y=\frac{e^x}{\sqrt{e^x+1}}$과 x축 및 두 직선 $x=\ln 3$, $x=\ln 8$로 둘러싸인 도형의 넓이를 직선 $y=\frac{1}{\ln a}$이 이등분할 때, 양수 a의 값은?

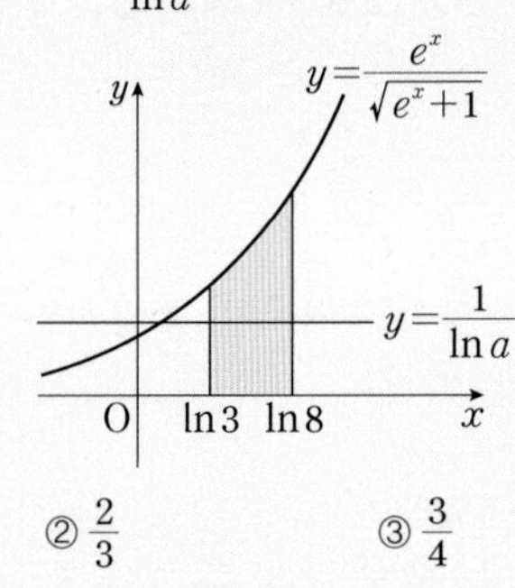

① $\frac{1}{2}$　② $\frac{2}{3}$　③ $\frac{3}{4}$　④ $\frac{5}{3}$　⑤ $\frac{8}{3}$

STEP Ⓐ **곡선 $y=\frac{e^x}{\sqrt{e^x+1}}$과 x축 및 두 직선 $x=\ln 3$, $x=\ln 8$로 둘러싸인 도형의 넓이 구하기**

$\int_{\ln 3}^{\ln 8}\frac{e^x}{\sqrt{e^x+1}}dx$에서 $e^x+1=t$로 놓으면 $e^x dx=dt$이고

$x=\ln 3$일 때, $t=4$이고 $x=\ln 8$일 때, $t=9$이므로

색칠한 부분의 넓이는

$\int_{\ln 3}^{\ln 8}\frac{e^x}{\sqrt{e^x+1}}dx=\int_4^9\frac{1}{\sqrt{t}}dt=\left[2\sqrt{t}\right]_4^9=2$ …… ㉠

STEP Ⓑ **직선 $y=\frac{1}{\ln a}$이 도형의 넓이를 이등분함을 이용하여 a의 값 구하기**

㉠의 넓이가 직선 $y=\frac{1}{\ln a}$에 의하여 이등분되므로

다음 그림에서 아래쪽 직사각형의 넓이는 $2\times\frac{1}{2}=1$

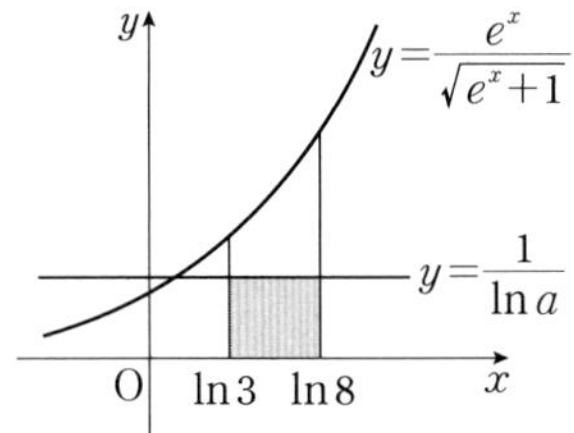

$(\ln 8-\ln 3)\frac{1}{\ln a}=1$, $\ln a=\ln 8-\ln 3$

따라서 $\ln a=\ln\frac{8}{3}$이므로 $a=\frac{8}{3}$

0969

곡선 $y=a\cos x\left(0\le x\le\frac{\pi}{2}\right)$와 x축 및 y축으로 둘러싸인 도형의 넓이를 곡선 $y=\sin x$가 이등분 할 때, 양수 a의 값은?

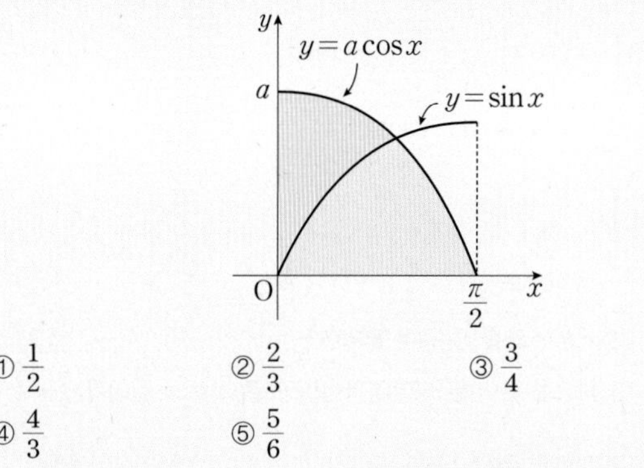

① $\frac{1}{2}$　② $\frac{2}{3}$　③ $\frac{3}{4}$　④ $\frac{4}{3}$　⑤ $\frac{5}{6}$

STEP Ⓐ **두 곡선 $y=a\cos x$와 $y=\sin x$의 교점의 x좌표 구하기**

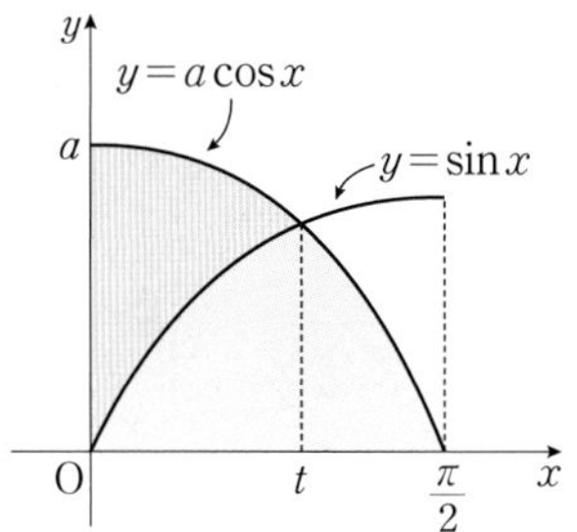

두 곡선 $y=a\cos x$와 $y=\sin x$의 교점의 x좌표를 $t\left(0<t<\frac{\pi}{2}\right)$라 하면

$a\cos t=\sin t$이고 $\sin^2 t+\cos^2 t=1$이므로

$\sin t=\frac{a}{\sqrt{1+a^2}}$, $\cos t=\frac{1}{\sqrt{1+a^2}}$ …… ㉠

STEP Ⓑ **직선 $y=\sin x$를 도형의 넓이를 이등분함을 이용하여 a의 값 구하기**

곡선 $y=\sin x$가 주어진 도형의 넓이를 이등분하므로

$2\int_0^t(a\cos x-\sin x)dx=\int_0^{\frac{\pi}{2}}a\cos x dx$

$2\left[a\sin x+\cos x\right]_0^t=\left[a\sin x\right]_0^{\frac{\pi}{2}}$

$2(a\sin t+\cos t-1)=a$ …… ㉡

㉡에 ㉠을 대입하여 정리하면

$2(\sqrt{1+a^2}-1)=a$, $2\sqrt{1+a^2}=a+2$에서

$4(1+a^2)=(a+2)^2$, $a(3a-4)=0$

$\therefore a=0$ 또는 $a=\frac{4}{3}$

따라서 a는 양수이므로 $a=\frac{4}{3}$

0970

함수 $f(x)=x+\sin x$의 그래프가 다음 그림과 같고 함수 $f(x)$의 역함수를 $g(x)$라 할 때, 두 곡선 $y=f(x)$와 $y=g(x)$로 둘러싸인 도형의 넓이를 구하여라. (단, $0 \le x \le \pi$)

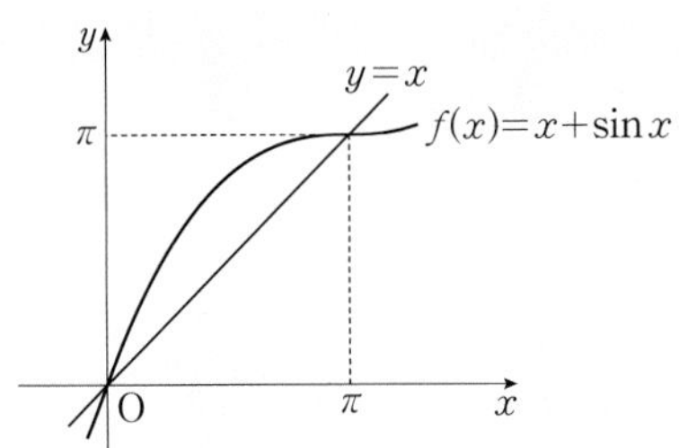

STEP Ⓐ **역함수 관계를 이용하여 교점의 x좌표 구하기**

$f'(x)=1+\cos x \ge 0$이므로 $f(x)$는 증가함수이고 $y=f(x)$의 그래프와 $y=g(x)$의 그래프는 직선 $y=x$에 대하여 대칭이다.

이때 두 곡선의 교점의 x좌표는 $y=f(x)$와 $y=x$의 교점의 x좌표와 같으므로 $x+\sin x=x$, $\sin x=0$

$\therefore x=0$ 또는 $x=\pi$

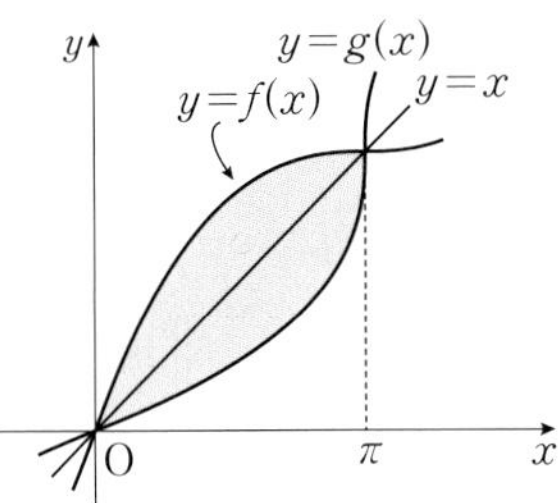

STEP Ⓑ **직선 $y=x$에 대하여 대칭임을 이용하여 정적분의 값 구하기**

이때 두 곡선 $y=f(x)$와 $y=g(x)\,(0 \le x \le \pi)$로 둘러싸인 도형의 넓이는 곡선 $y=f(x)$와 직선 $y=x$로 둘러싸인 도형의 넓이의 2배와 같다.

$$\begin{aligned}\int_0^{\pi}\{f(x)-g(x)\}dx &= 2\int_0^{\pi}\{f(x)-x\}dx \\ &= 2\int_0^{\pi}\sin x\,dx \\ &= 2\Big[-\cos x\Big]_0^{\pi} \\ &= 4\end{aligned}$$

0971

함수 $f(x)=e^{ax}$과 그 역함수 $y=g(x)$가 $x=e$에서 서로 접할 때,
두 곡선 $y=f(x)$, $y=g(x)$와 x축 및 y축으로 둘러싸인 부분의 넓이는?
(단, a는 상수이다.)

① e^2+1 ② $2e-1$ ③ $e+1$
④ e^2-2e ⑤ e^2+e

STEP Ⓐ **함수 $f(x)=e^{ax}$과 그 역함수 $y=g(x)$가 $x=e$에서 서로 접할 때, 상수 a 구하기**

$y=e^{ax}$을 x에 대하여 정리하면

$\ln y=ax$, $x=\dfrac{1}{a}\ln y$

$\therefore g(x)=\dfrac{1}{a}\ln x\,(x>0)$

두 곡선 $y=f(x)$, $y=g(x)$가 $x=e$에 접하므로

$f(e)=g(e)$에서 $e^{ae}=\dfrac{1}{a}$

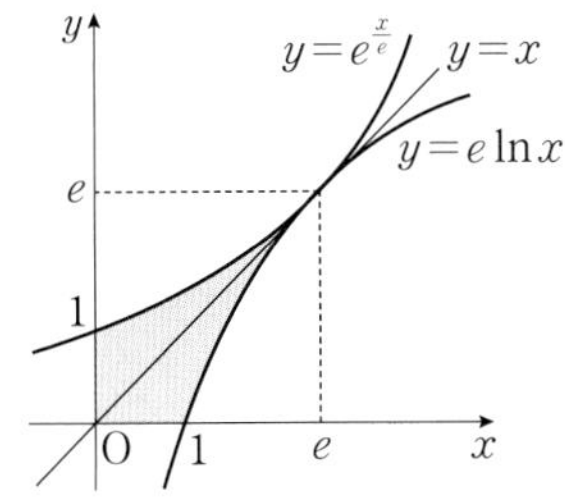

즉 $ae^{ae}=1$ …… ㉠

$f'(e)=g'(e)$에서 $ae^{ae}=\dfrac{1}{ae}$ …… ㉡

㉠, ㉡에서 $a=\dfrac{1}{e}$

$\therefore f(x)=e^{\frac{x}{e}}$, $g(x)=e\ln x$

STEP Ⓑ **두 곡선 $y=f(x)$, $y=g(x)$와 x축 및 y축으로 둘러싸인 부분의 넓이 구하기**

따라서 두 곡선이 직선 $y=x$에 대하여 대칭이므로 구하는 넓이는

$$\begin{aligned}2\int_0^{e}(e^{\frac{x}{e}})-x\,dx &= 2\Big[e\cdot e^{\frac{x}{e}}-\frac{1}{2}x^2\Big]_0^{e} \\ &= 2\left(e^2-\frac{1}{2}e^2-e\right) \\ &= e^2-2e\end{aligned}$$

다른풀이 $\displaystyle\int_a^b f(x)dx+\int_{f(a)}^{f(b)} g(x)dx=bf(b)-af(a)$를 이용하여 풀이하기

$f(x)=e^{\frac{x}{e}}$에서 $f(e)=e$, $f(0)=1$이므로

$\displaystyle\int_0^e f(x)dx+\int_1^e g(x)dx=e^2$ …… ㉠

이때 $\displaystyle\int_0^e f(x)dx=\int_0^e e^{\frac{x}{e}}dx=\Big[e\cdot e^{\frac{x}{e}}\Big]_0^e=e^2-e$

㉠에서 $\displaystyle\int_1^e g(x)dx=-\int_0^e f(x)dx+e^2=-(e^2-e)+e^2=e$

따라서 두 곡선 $y=f(x)$, $y=g(x)$와 x축 및 y축으로 둘러싸인 부분의 넓이는 $2\left(\dfrac{1}{2}\cdot e\cdot e-e\right)=e^2-2e$

[같은 문제 다른 표현]

함수 $f(x)=\dfrac{1}{a}\ln x$와 그 역함수 $g(x)$에 대하여
두 곡선 $y=f(x)$, $y=g(x)$가 $x=e$에서 서로 접할 때,
두 곡선 $y=f(x)$, $y=g(x)$와 x축, y축으로 둘러싸인 부분의 넓이는?
(단, a는 0이 아닌 상수이다.)

① e^2-e ② e^2-2e ③ e^2+e
④ e^2+2e ⑤ e^2+3e

해설 $f(x)=\dfrac{1}{a}\ln x$의 역함수는 $g(x)=e^{ax}$

두 곡선 $y=f(x)$, $y=g(x)$가 $x=e$에서 접하므로

$f(e)=g(e)$, $\dfrac{1}{a}=e^{ae}$ …… ㉠

$f'(e)=g'(e)$, $\dfrac{1}{ae}=ae^{ae}$ …… ㉡

㉠, ㉡에서 $a=\dfrac{1}{e}$

즉 두 곡선은 $y=e\ln x$, $y=e^{\frac{x}{e}}$

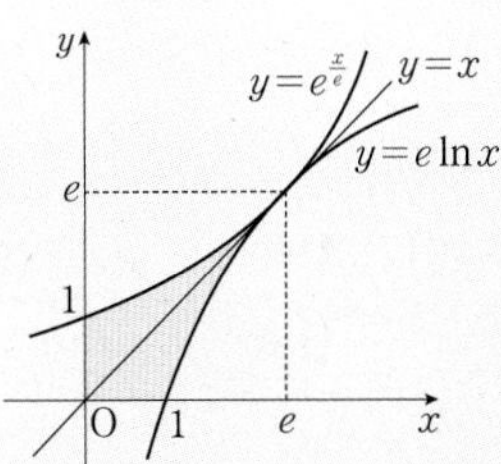

따라서 두 곡선이 직선 $y=x$에 대하여 대칭이므로 구하는 넓이를 S라 하면

$$\begin{aligned}S &= 2\left(\int_0^e e^{\frac{x}{e}}dx-\int_0^e x\,dx\right) \\ &= 2\Big[e\cdot e^{\frac{x}{e}}-\frac{1}{2}x^2\Big]_0^e \\ &= 2\left\{\left(e^2-\frac{1}{2}e^2\right)-e\right\} \\ &= e^2-2e\end{aligned}$$

[정답 ②]

0972

함수 $f(x)=e^x+x$의 역함수를 $g(x)$라 하고, 곡선 $y=g(x)$ 위의 점 $\mathrm{P}(f(1),\ 1)$에서의 접선을 l이라 하자.
곡선 $y=g(x)$와 x축 및 직선 l로 둘러싸인 부분의 넓이는?

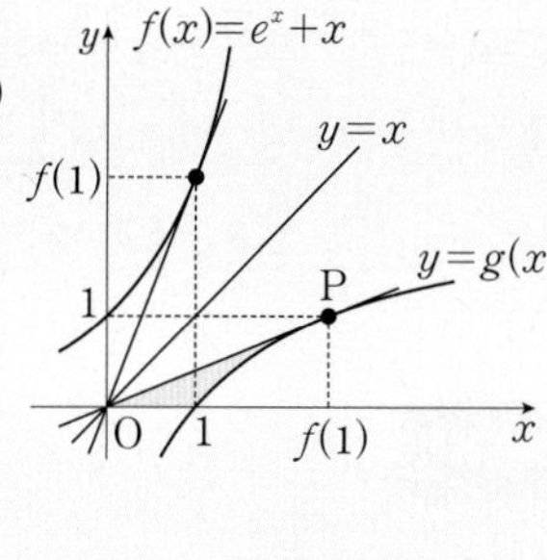

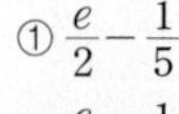

① $\dfrac{e}{2}-\dfrac{1}{5}$ ② $\dfrac{e}{2}-\dfrac{1}{4}$
③ $\dfrac{e}{2}-\dfrac{1}{3}$ ④ $\dfrac{e}{2}-\dfrac{1}{2}$
⑤ $\dfrac{e}{2}-1$

STEP **A** **곡선 $y=f(x)$ 위의 점 $\mathrm{Q}(1,\ f(1))$에서의 접선의 방정식 구하기**

점 $\mathrm{P}(f(1),\ 1)$을 직선 $y=x$에 대하여 대칭이동한 점을 $\mathrm{Q}(1,\ f(1))$이라 하자.
$f'(x)=e^x+1$에서 $f'(1)=e+1$이므로
곡선 $y=f(x)$ 위의 점 $\mathrm{Q}(1,\ f(1))$에서의 접선의 방정식은
$y-(e+1)=(e+1)(x-1)$
즉 $y=(e+1)x$

STEP **B** **곡선 $y=g(x)$와 x축 및 직선 l로 둘러싸인 부분의 넓이 구하기**

오른쪽 그림과 같이 함수 $y=g(x)$의 그래프와 x축 및 직선 l로 둘러싸인 부분의 넓이는 함수 $y=f(x)$의 그래프와 y축 및 직선 $y=(e+1)x$로 둘러싸인 부분의 넓이와 같다.
따라서 구하는 넓이를 S라 하면

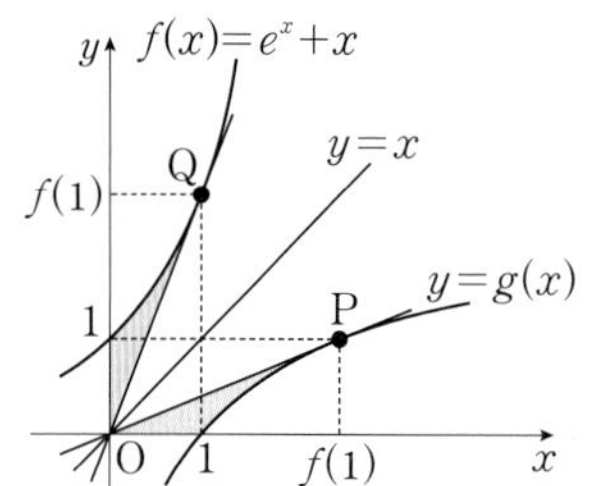

$S=\displaystyle\int_0^1\{(e^x+x)-(e+1)x\}dx$
$=\displaystyle\int_0^1(e^x-ex)dx$
$=\left[e^x-\dfrac{e}{2}x^2\right]_0^1$
$=\left(e-\dfrac{e}{2}\right)-(1-0)$
$=\dfrac{e}{2}-1$

0973

오른쪽 그림은 함수 $f(x)=xe^x\ (0\le x\le 1)$의 그래프이다. 함수 $f(x)$의 역함수를 $g(x)$라 할 때, 다음 물음에 답하여라.

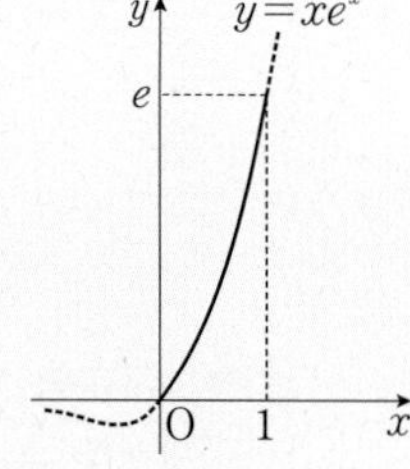

(1) 정적분 $\displaystyle\int_0^1 f(x)dx+\int_0^e g(x)dx$값을 구하여라.

STEP **A** $\displaystyle\int_a^b f(x)dx+\int_{f(a)}^{f(b)} g(x)dx=bf(b)-af(a)$**을 이용하여 구하기**

함수 $f(x)$의 역함수를 $g(x)$라 하면 $f(x),\ g(x)$는 $y=x$에 대칭이므로 오른쪽 그림에서 $A,\ B$ 두 부분의 넓이가 같다.

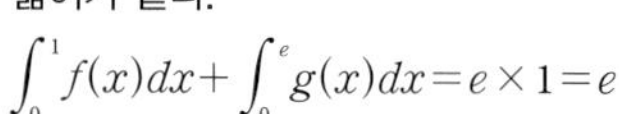

$\displaystyle\int_0^1 f(x)dx+\int_0^e g(x)dx=e\times 1=e$

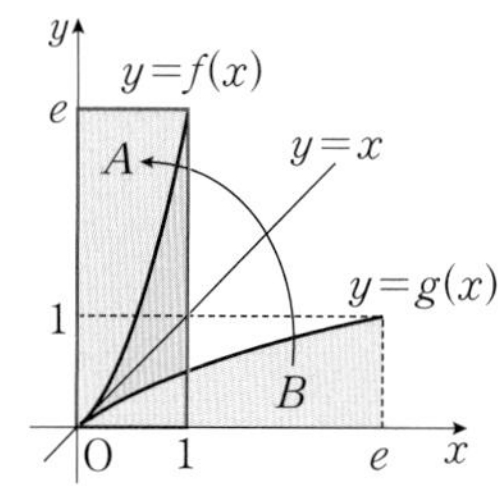

(2) 정적분 $\displaystyle\int_0^e g(x)dx$의 값을 구하여라.

STEP **A** **함수 $f(x)$의 역함수를 직접 구할 수 없으므로 $y=f(x)$와 $y=g(x)$의 그래프가 직선 $y=x$에 대하여 대칭임을 이용하여 $\displaystyle\int_0^e g(x)dx$를 $f(x)$로 나타내기**

$\displaystyle\int_0^e g(x)dx$는 A부분의 넓이와 같으므로 구하는 넓이는 가로의 길이가 1이고 세로의 길이가 e인 직사각형의 넓이에서 $\displaystyle\int_0^1 f(x)dx$를 빼면 된다.

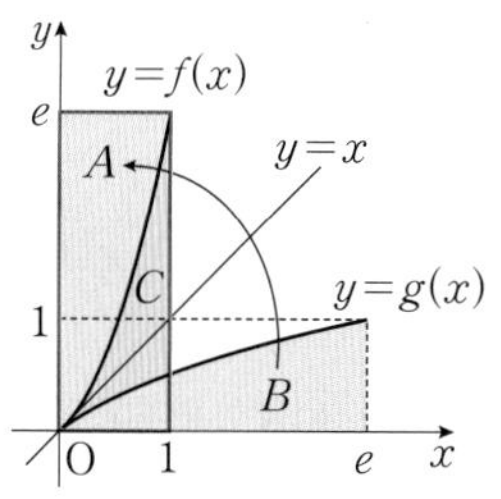

$\displaystyle\int_0^e g(x)dx=(1\times e)-\int_0^1 f(x)dx$
$=e-\displaystyle\int_0^1 xe^x dx$

STEP **B** **부분적분법을 이용하여 정적분 계산하기**

따라서 $\displaystyle\int_0^e g(x)dx=e-\int_0^1 xe^x dx$
$=e-\left\{\left[xe^x\right]_0^1-\displaystyle\int_0^1 e^x dx\right\}$
$=e-\left\{e-\left[e^x\right]_0^1\right\}$
$=e-e+(e-1)$
$=e-1$

0974

함수 $f(x)=\sin x+\dfrac{4}{\pi}x$의 그래프가 다음 그림과 같고 함수 $f(x)$의 역함수를 $g(x)$라 할 때, $\displaystyle\int_4^8 g(x)dx$의 값은?

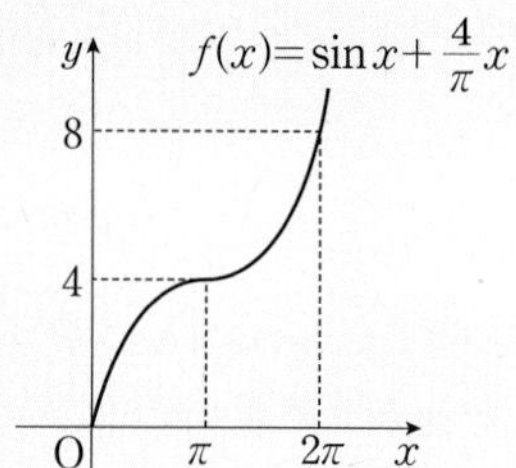

① $1+3\pi$ ② $2+4\pi$ ③ $2+6\pi$
④ $4+6\pi$ ⑤ $4+8\pi$

STEP **A** **함수 $f(x)$의 역함수를 직접 구할 수 없으므로 $y=f(x)$와 $y=g(x)$의 그래프가 직선 $y=x$에 대하여 대칭임을 이용하여 $\displaystyle\int_4^8 g(x)dx$를 $f(x)$로 나타내기**

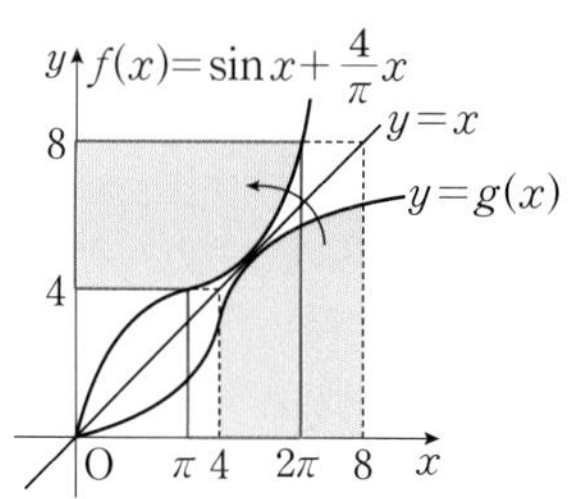

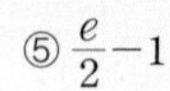

함수 $y=f(x)$와 그 역함수 $y=g(x)$의 그래프는 직선 $y=x$에 대하여 대칭이므로 오른쪽 그림과 같고
$f(\pi)=4,\ f(2\pi)=8$이므로
$\displaystyle\int_4^8 g(x)dx$
$=(2\pi\times 8-\pi\times 4)-\displaystyle\int_\pi^{2\pi} f(x)dx$
$=12\pi-\displaystyle\int_\pi^{2\pi}\left(\sin x+\dfrac{4}{\pi}x\right)dx$
$=12\pi-\left[-\cos x+\dfrac{2}{\pi}x^2\right]_\pi^{2\pi}$
$=12\pi-(-1+8\pi)+(1+2\pi)$
$=2+6\pi$

0975

모든 실수에서 연속이고 역함수가 존재하는 함수 $y=f(x)$의 그래프는 제 1사분면에 있는 두 점 $(2, a)$, $(4, a+8)$을 지난다.
함수 $f(x)$의 역함수를 $g(x)$라 할 때,

$$\lim_{n\to\infty}\frac{2}{n}\sum_{k=1}^{n}f\left(2+\frac{2k}{n}\right)+\lim_{n\to\infty}\frac{8}{n}\sum_{k=1}^{n}g\left(a+\frac{8k}{n}\right)=50$$

을 만족시키는 상수 a의 값을 구하여라.

STEP A 정적분과 급수의 관계에서 정적분으로 나타내기

$\lim_{n\to\infty}\frac{2}{n}\sum_{k=1}^{n}f\left(2+\frac{2k}{n}\right)$에서 $x_k=2+\frac{2k}{n}$, $\Delta x=\frac{2}{n}$라 하면
정적분의 정의에 의하여

$\lim_{n\to\infty}\frac{2}{n}\sum_{k=1}^{n}f\left(2+\frac{2k}{n}\right)=\int_2^4 f(x)dx$

$\lim_{n\to\infty}\frac{8}{n}\sum_{k=1}^{n}g\left(a+\frac{8k}{n}\right)$에서 $x_k=a+\frac{8k}{n}$, $\Delta x=\frac{8}{n}$이라 하면
정적분의 정의에 의하여

$\lim_{n\to\infty}\frac{8}{n}\sum_{k=1}^{n}g\left(a+\frac{8k}{n}\right)=\int_a^{a+8} g(x)dx$

STEP B 정적분을 그림으로 나타내고 두 정적분의 합이 50임을 이용하여 a의 값 구하기

함수 $f(x)$가 모든 실수에서 연속이고 역함수가 존재하므로
구간 $[2, 4]$에서 $y=f(x)$의 그래프는 다음 그림과 같이
점 $(2, a)$에서 점 $(4, a+8)$까지 증가하는 모양이다.

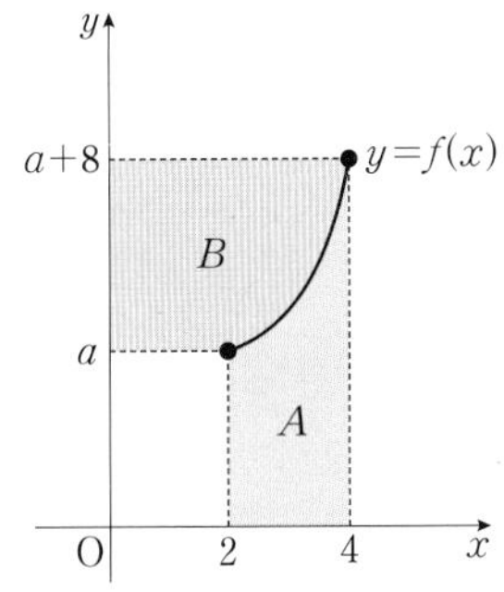

$\int_2^4 f(x)dx$는 그림의 A부분의 넓이와 같고
$\int_a^{a+8} g(x)dx$는 그림의 B부분의 넓이와 같으므로
$\int_2^4 f(x)dx+\int_a^{a+8} g(x)dx=50$에서 $4(a+8)-2a=50$이므로
$2a=18$
따라서 $a=9$

0976

높이가 5cm인 어떤 용기가 있다. 밑면으로부터 높이가 $x$cm인 지점에서 밑면과 평행한 평면으로 자른 단면이 한 변의 길이가 $\sqrt{e^{2x}}$cm인 정삼각형일 때, 이 용기의 부피는? (단, 단위는 cm³)

① $\frac{\sqrt{3}}{8}(e^{10}-1)$　② $\frac{\sqrt{3}}{4}(e^{10}-1)$　③ $\frac{\sqrt{3}}{8}(e^{8}-1)$
④ $\sqrt{3}(e^{8}-1)$　⑤ $4(e^{10}-1)$

STEP A 부피를 단면의 넓이를 이용하여 정적분으로 나타내기

밑면의 중심을 원점 O로 하고 밑면에 수직인 직선을 x축으로 정할 때,
x좌표가 $x(0\le x\le 5)$인 점을 지나고
x축에 수직인 평면으로 자른 단면의 넓이 $S(x)$는

$S(x)=\frac{\sqrt{3}}{4}(\sqrt{e^{2x}})^2=\frac{\sqrt{3}}{4}e^{2x}(\text{cm}^2)$

STEP B 정적분 계산하기

따라서 구하는 용기의 부피는

$\int_0^5\frac{\sqrt{3}}{4}e^{2x}dx=\frac{\sqrt{3}}{4}\left[\frac{1}{2}e^{2x}\right]_0^5=\frac{\sqrt{3}}{8}(e^{10}-1)(\text{cm}^3)$

0977

높이가 $\frac{\pi}{3}$인 입체도형을 밑면으로부터 높이가 x인 지점에서 밑면에 평행한 평면으로 자른 단면이 한 변의 길이가 $2\tan x$인 정삼각형일 때,
이 입체도형의 부피는?

① $3-\frac{\sqrt{3}}{3}\pi$　② $2-\frac{\sqrt{3}}{3}\pi$　③ $1+\frac{\sqrt{3}}{3}\pi$
④ $1+\frac{1}{3}\pi$　⑤ $2+\frac{2}{3}\pi$

STEP A 부피를 단면의 넓이를 이용하여 정적분으로 나타내기

단면의 넓이를 $S(x)$라고 하면

$S(x)=\frac{\sqrt{3}}{4}(2\tan x)^2=\sqrt{3}\tan^2 x$

STEP B 정적분 계산하기

따라서 구하는 입체도형의 부피는

$$\begin{aligned}\int_0^{\frac{\pi}{3}}\sqrt{3}\tan^2 x\,dx&=\int_0^{\frac{\pi}{3}}\sqrt{3}(\sec^2 x-1)dx\\&=\sqrt{3}\Big[\tan x-x\Big]_0^{\frac{\pi}{3}}\\&=\sqrt{3}\left(\sqrt{3}-\frac{\pi}{3}\right)\\&=3-\frac{\sqrt{3}}{3}\pi\end{aligned}$$

0978

어떤 용기에 물을 넣으면 깊이가 $x\left(0\le x\le\frac{\pi}{2}\right)$일 때, 수면은 반지름의 길이가 $\sqrt{x\sin x}$ 인 원 이라고 한다. 물의 깊이가 $\frac{\pi}{2}$일 때, 용기에 담긴 물의 부피는?

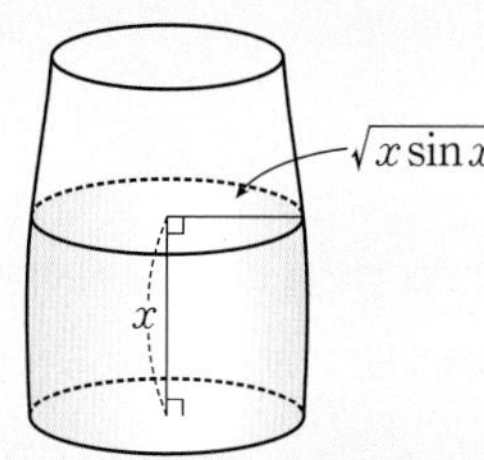

① π　② 2π　③ $\frac{1}{2}\pi^2$
④ π^2　⑤ π^2+1

STEP A 부피를 단면의 넓이를 이용하여 정적분으로 나타내기

밑면으로부터 높이가 x인 곳에서 단면의 넓이는 $S(x)$는
$S(x)=\pi(\sqrt{x\sin x})^2=\pi x\sin x$

STEP B 정적분 계산하기

구하는 입체도형의 부피는 $\pi\int_0^{\frac{\pi}{2}}x\sin x dx$이므로

$\int_0^{\frac{\pi}{2}}x\sin x dx=\Big[-x\cos x\Big]_0^{\frac{\pi}{2}}-\int_0^{\frac{\pi}{2}}(-\cos x)dx=\Big[\sin x\Big]_0^{\frac{\pi}{2}}=1$

따라서 구하는 물의 부피는 $\pi(\text{cm}^3)$

0979

다음 그림과 같이 곡선 $y=\sqrt{x}+1$과 x축, y축 및 직선 $x=1$로 둘러싸인 도형을 밑면으로 하는 입체도형이 있다. 이 입체도형을 x축에 수직인 평면으로 자른 단면이 모두 정사각형일 때, 이 입체도형의 부피는?

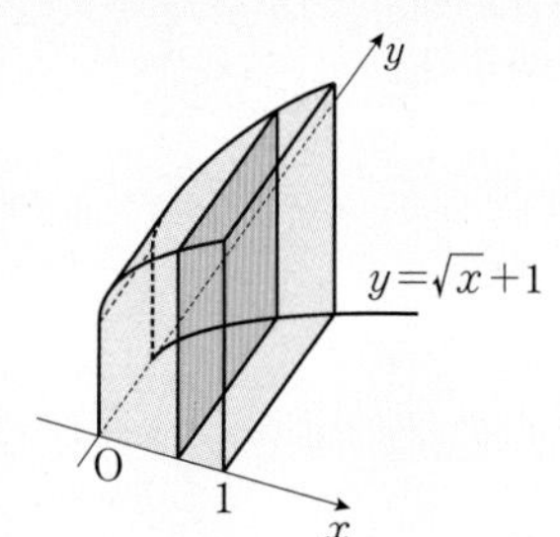

① $\frac{7}{3}$　② $\frac{5}{2}$　③ $\frac{8}{3}$
④ $\frac{17}{6}$　⑤ 3

STEP A 단면의 넓이 $S(x)$ 구하기

직선 $x=t\,(0\le t\le 1)$을 포함하고 x축에 수직인 평면으로 자른 단면의 넓이를 $S(t)$라 하면
$S(t)=(\sqrt{t}+1)^2=t+2\sqrt{t}+1$

STEP B 단면의 넓이를 정적분하여 부피 구하기

따라서 구하는 입체도형의 부피를 V라 하면

$$V=\int_0^1 S(t)dt=\int_0^1(t+2\sqrt{t}+1)dt$$
$$=\left[\frac{1}{2}t^2+\frac{4}{3}t\sqrt{t}+t\right]_0^1$$
$$=\frac{1}{2}+\frac{4}{3}+1=\frac{17}{6}$$

0980

다음 물음에 답하여라.

(1) 곡선 $f(x)=\sqrt{x\cos x}\left(0\le x\le\frac{\pi}{2}\right)$에 대하여 곡선 $y=f(x)$와 x축으로 둘러싸인 부분을 밑면으로 하는 입체도형이 있다. 두 점 $\mathrm{P}(x,\ y)$, $\mathrm{Q}(x,\ f(x))$를 지나고 x축에 수직인 평면으로 이 입체도형을 자른 단면이 선분 PQ를 지름으로 하는 반원일 때, 이 입체도형의 부피를 구하여라.

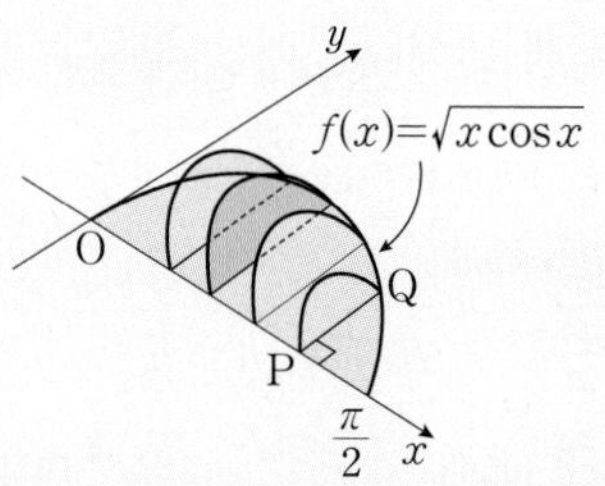

STEP A 단면의 넓이 $S(x)$ 구하기

단면의 넓이는 $\frac{1}{2}\pi\left(\frac{1}{2}\sqrt{x\cos x}\right)^2=\frac{\pi}{8}x\cos x$

STEP B 단면의 넓이를 정적분하여 부피 구하기

따라서 구하는 입체도형의 부피는

$$\int_0^{\frac{\pi}{2}}\frac{\pi}{8}x\cos x dx=\frac{\pi}{8}\left(\Big[x\sin x\Big]_0^{\frac{\pi}{2}}-\int_0^{\frac{\pi}{2}}\sin x dx\right)$$
$$=\frac{\pi}{8}\left(\frac{\pi}{2}+\Big[\cos x\Big]_0^{\frac{\pi}{2}}\right)$$
$$=\frac{\pi(\pi-2)}{16}$$

(2) 곡선 $f(x)=\sqrt{x\sin x}\,(0\le x\le\pi)$와 x축으로 둘러싸인 부분을 밑면으로 하는 입체도형이 있다. 두 점 $\mathrm{P}(x,\ 0)$, $\mathrm{Q}(x,\ f(x))$를 지나고 x축에 수직인 평면으로 이 입체도형을 자른 단면은 선분 PQ를 지름으로 하는 반원일 때, 이 입체도형의 부피를 구하여라.

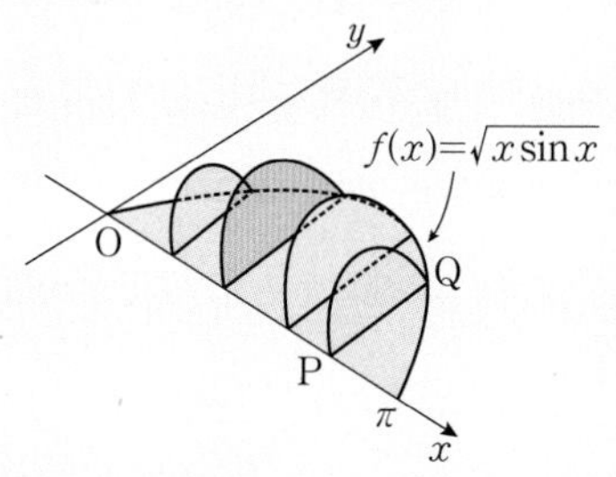

STEP A 단면의 넓이 $S(x)$ 구하기

단면의 넓이를 $S(x)$라고 하면
$S(x)=\frac{1}{2}\pi\left(\frac{1}{2}\sqrt{x\sin x}\right)^2=\frac{\pi}{8}x\sin x$

STEP B 단면의 넓이를 정적분하여 부피 구하기

따라서 구하는 입체도형의 부피는

$\int_0^{\pi}\frac{\pi}{8}x\sin x dx=\frac{\pi}{8}\int_0^{\pi}x\sin x dx$　　…… ㉠

$f(x)=x,\ g'(x)=\sin x$로 놓으면
$f'(x)=1,\ g(x)=-\cos x$이므로

$\int_0^{\pi}x\sin x dx=\Big[-x\cos x\Big]_0^{\pi}+\int_0^{\pi}\cos x dx=\pi+\Big[\sin x\Big]_0^{\pi}=\pi$

이것을 ㉠에 대입하면 구하는 부피는

$\frac{\pi}{8}\int_0^{\pi}x\sin x dx=\frac{\pi^2}{8}$

0981

오른쪽 그림과 같이 x축 위의 점 $\mathrm{P}(x, 0)$을 지나면서 x축과 수직인 직선이 곡선 $y=\sin x$와 만나는 점을 Q, 직선 $y=-x$와 만나는 점을 R이라고 하자.
x축을 접는 선으로 하여 좌표평면을 접어 두 평면이 서로 수직이 되도록 하고 점 P가 원점 O에서 점 $(\pi, 0)$까지 움직일 때, 삼각형 PQR에 의하여 만들어지는 입체도형의 부피는?

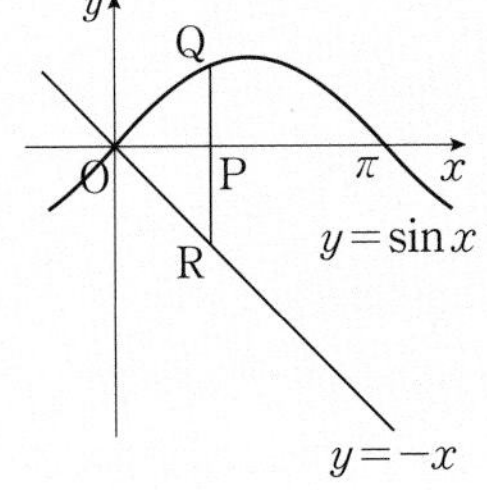

① $\frac{\pi}{4}$ ② 1 ③ $\frac{\pi}{2}$
④ 2 ⑤ π

STEP A 단면의 넓이 $S(x)$ 구하기

$\mathrm{P}(x, 0)$일 때, 삼각형 PQR의 넓이 $S(x)$는 $S(x)=\frac{1}{2}x\sin x$

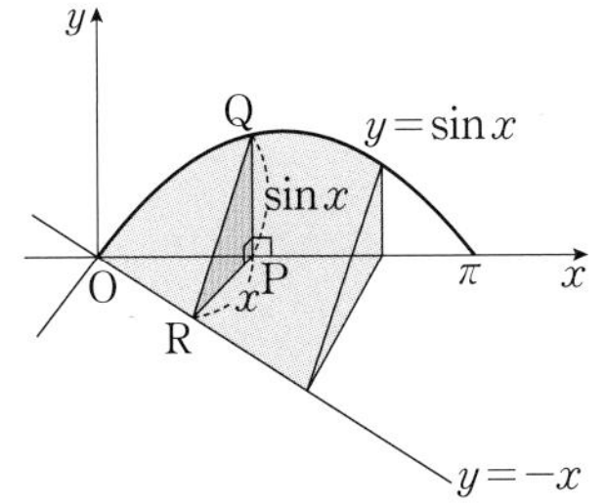

STEP B 단면의 넓이를 정적분하여 부피 구하기

따라서 입체도형의 부피 V는 $V=\int_0^{\pi}\frac{1}{2}x\sin x dx$

$f(x)=\frac{1}{2}x$, $g'(x)=\sin x$로 놓으면

$f'(x)=\frac{1}{2}$, $g(x)=-\cos x$이므로

$V=\left[-\frac{1}{2}x\cos x\right]_0^{\pi}+\int_0^{\pi}\frac{1}{2}\cos x dx=\frac{\pi}{2}+\left[\frac{1}{2}\sin x\right]_0^{\pi}=\frac{\pi}{2}$

0982

다음 물음에 답하여라.

(1) 다음 그림과 같이 곡선 $y=\sqrt{x+\frac{\pi}{4}\sin\left(\frac{\pi}{2}x\right)}$와 x축 및 두 직선 $x=1$, $x=4$로 둘러싸인 도형을 밑면으로 하는 입체도형이 있다.
이 입체도형을 x축에 수직인 평면으로 자른 단면이 모두 정사각형일 때, 이 입체도형의 부피를 구하여라.

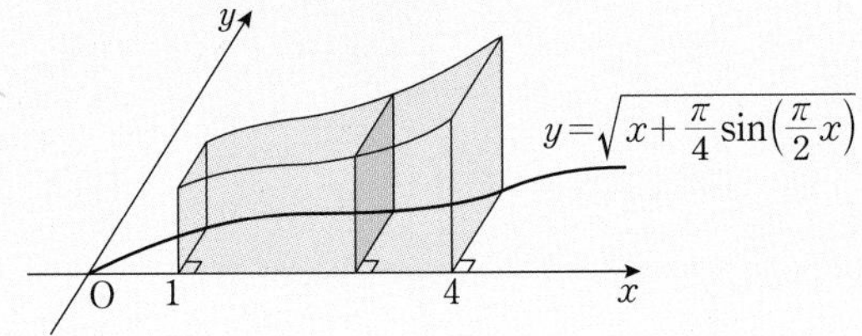

STEP A 단면적 $S(x)$ 구하기

x축에 수직인 평면으로 자른 단면의 넓이를 $S(x)$라 하면

$S(x)=\left\{\sqrt{x+\frac{\pi}{4}\sin\left(\frac{\pi}{2}x\right)}\right\}^2$

STEP B 입체도형의 부피 구하기

따라서 입체도형의 부피 V는

$V=\int_1^4 S(x)dx=\int_1^4\left\{x+\frac{\pi}{4}\sin\left(\frac{\pi}{2}x\right)\right\}dx=\left[\frac{1}{2}x^2-\frac{1}{2}\cos\left(\frac{\pi}{2}x\right)\right]_1^4$

$=\left(8-\frac{1}{2}\cos 2\pi\right)-\left(\frac{1}{2}-\cos\frac{\pi}{2}\right)$

$=7$

(2) 다음 그림과 같이 두 곡선 $y=2\sqrt{2x}+1$, $y=\sqrt{2x}$와 y축 및 직선 $x=2$로 둘러싸인 도형을 밑면으로 하는 입체도형이 있다.
이 입체도형을 x축에 수직인 평면으로 자른 단면이 모두 정사각형일 때, 이 입체도형의 부피를 V라 하자. $30V$의 값을 구하여라.

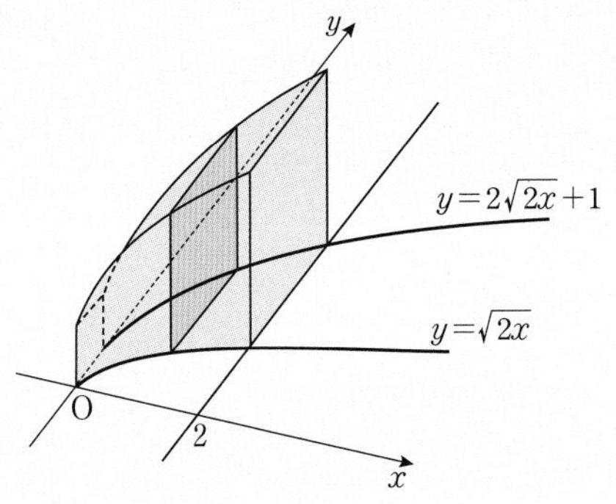

STEP A 입체도형의 단면의 넓이 $S(t)$ 구하기

입체도형을 직선 $x=t(0\le t\le 2)$를 포함하고 x축에 수직인 평면으로 자른 단면은 한 변의 길이가 $(2\sqrt{2t}+1)-\sqrt{2t}=\sqrt{2t}+1$인 정사각형이므로 단면의 넓이 $S(t)$는 $S(t)=(\sqrt{2t}+1)^2=2t+2\sqrt{2t}+1$

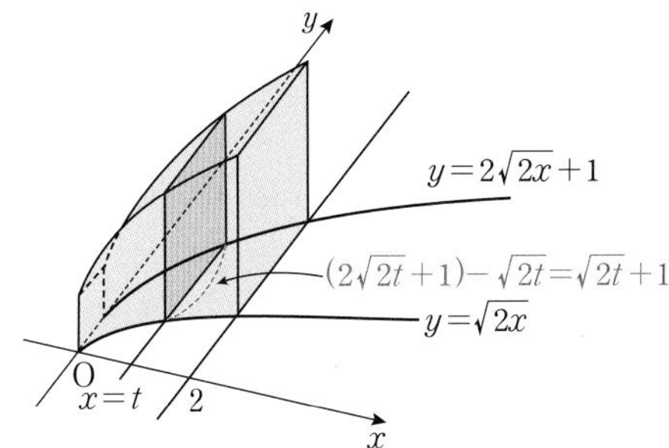

STEP B 단면의 넓이를 정적분하여 부피 구하기

구하는 입체도형의 부피 V는

$V=\int_0^2(2t+2\sqrt{2t}+1)dt$

$=\left[t^2+\frac{4\sqrt{2}}{3}t\sqrt{t}+t\right]_0^2$ ← $\int 2\sqrt{2t}dt=2\sqrt{2}\int t^{\frac{1}{2}}dt=2\sqrt{2}\cdot\frac{2}{3}t^{\frac{3}{2}}+C$

$=\left(4+\frac{16}{3}+2\right)-0=\frac{34}{3}$

따라서 $30V=340$

0983

다음 물음에 답하여라.

(1) 다음 그림과 같이 양수 k에 대하여 함수 $f(x)=2\sqrt{x}e^{kx^2}$의 그래프와 x축 및 두 직선 $x=\frac{1}{\sqrt{2k}}$, $x=\frac{1}{\sqrt{k}}$로 둘러싸인 부분을 밑면으로 하고 x축에 수직인 평면으로 자른 단면이 모두 정삼각형인 입체도형의 부피가 $\sqrt{3}(e^2-e)$일 때, k의 값은?

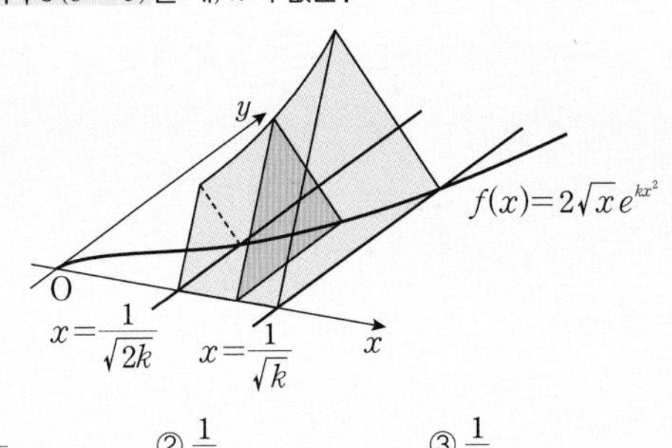

① $\frac{1}{12}$ ② $\frac{1}{6}$ ③ $\frac{1}{4}$
④ $\frac{1}{3}$ ⑤ $\frac{1}{2}$

STEP A 입체도형의 단면의 넓이 $S(t)$ 구하기

$\frac{1}{\sqrt{2k}} \le t \le \frac{1}{\sqrt{k}}$인 실수 t에 대하여 $f(t)=2\sqrt{t}\,e^{kt^2}$이므로

직선 $x=t$를 포함하고 x축에 수직인 평면으로 자른 단면은 한 변의 길이가 $f(t)$인 정삼각형이므로 단면의 넓이를 $S(t)$라 하면

$S(t)=\frac{\sqrt{3}}{4}\{f(t)\}^2=\frac{\sqrt{3}}{4}\times 4te^{2kt^2}=\sqrt{3}\,te^{2kt^2}$

STEP B 단면의 넓이를 정적분하여 부피가 $\sqrt{3}(e^2-e)$일 때, k의 값 구하기

입체도형의 부피는

$\int_{\frac{1}{\sqrt{2k}}}^{\frac{1}{\sqrt{k}}} S(t)dt=\sqrt{3}\int_{\frac{1}{\sqrt{2k}}}^{\frac{1}{\sqrt{k}}} te^{2kt^2}dt$

이때 $t^2=s$로 놓으면 $2t\frac{dt}{ds}=1$이고

$t=\frac{1}{\sqrt{2k}}$일 때 $s=\frac{1}{2k}$, $t=\frac{1}{\sqrt{k}}$일 때 $s=\frac{1}{k}$

입체도형의 부피는

$\frac{\sqrt{3}}{2}\int_{\frac{1}{2k}}^{\frac{1}{k}} e^{2ks}ds=\frac{\sqrt{3}}{2}\left[\frac{1}{2k}e^{2ks}\right]_{\frac{1}{2k}}^{\frac{1}{k}}=\frac{\sqrt{3}}{4k}(e^2-e)$

따라서 입체도형의 부피가 $\sqrt{3}(e^2-e)$이므로 $4k=1$에서 $k=\frac{1}{4}$

참고 $2kt^2=s$로 치환하면 $4kt\frac{dt}{ds}=1$

$t=\frac{1}{\sqrt{2k}}$일 때 $s=1$, $t=\frac{1}{\sqrt{k}}$일 때 $s=2$이므로

$\int_{\frac{1}{\sqrt{2k}}}^{\frac{1}{\sqrt{k}}} \sqrt{3}\,te^{2kt^2}dt=\frac{\sqrt{3}}{4k}\int_1^2 e^t dt=\frac{\sqrt{3}}{4k}\left[e^t\right]_1^2=\frac{\sqrt{3}}{4k}(e^2-e)$

(2) 다음 그림과 같이 양수 k에 대하여 곡선 $y=\sqrt{\frac{e^x}{e^x+1}}$과 x축, y축 및 직선 $x=k$로 둘러싸인 부분을 밑면으로 하고, x축에 수직인 평면으로 자른 단면이 모두 정사각형인 입체도형의 부피가 $\ln 7$일 때, k의 값은?

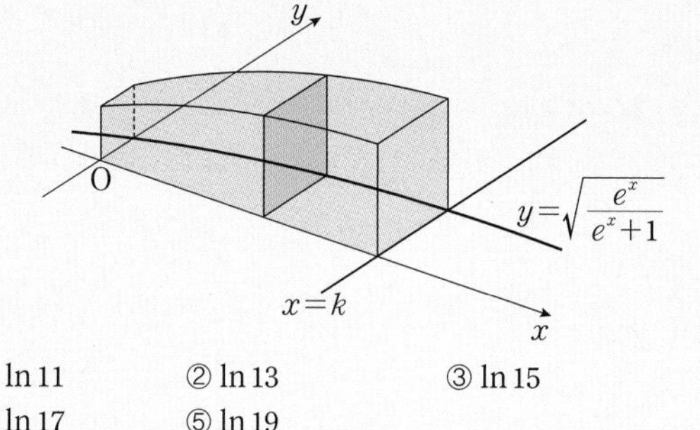

① $\ln 11$ ② $\ln 13$ ③ $\ln 15$
④ $\ln 17$ ⑤ $\ln 19$

STEP A 입체도형의 단면의 넓이 $S(x)$ 구하기

$0 \le x \le k$인 실수 x에 대하여 $y=\sqrt{\frac{e^x}{e^x+1}}$이므로

x좌표가 x인 점을 지나고 x축에 수직인 평면으로 자른 단면은 한 변의 길이가 y인 정사각형이므로 단면의 넓이를 $S(x)$라 하면

$S(x)=\left(\sqrt{\frac{e^x}{e^x+1}}\right)^2=\frac{e^x}{e^x+1}$

STEP B 치환적분을 이용하여 입체도형의 부피 구하기

입체도형의 부피는 $\int_0^k S(x)dx=\int_0^k \frac{e^x}{e^x+1}dx$

이때 $e^x+1=t$로 놓으면 $e^x dx=dt$

$x=0$일 때, $t=2$이고 $x=k$일 때, $t=e^k+1$이므로

$$\int_0^k \frac{e^x}{e^x+1}dx=\int_2^{e^k+1}\frac{1}{t}dt$$
$$=\left[\ln t\right]_2^{e^k+1}$$
$$=\ln(e^k+1)-\ln 2$$
$$=\ln\frac{e^k+1}{2}$$

주어진 입체도형의 부피가 $\ln 7$이므로 $\ln\frac{e^k+1}{2}=\ln 7$

$\frac{e^k+1}{2}=7$, $e^k=13$

따라서 $k=\ln 13$

0984

다음 물음에 답하여라.

(1) 다음 그림과 같이 함수 $f(x)=\sqrt{x\sin x^2}\left(\frac{\sqrt{\pi}}{2}\le x\le\frac{\sqrt{3\pi}}{2}\right)$에 대하여 곡선 $y=f(x)$와 곡선 $y=-f(x)$ 및 두 직선 $x=\frac{\sqrt{\pi}}{2}$, $x=\frac{\sqrt{3\pi}}{2}$로 둘러싸인 도형을 밑면으로 하는 입체도형이 있다. 이 입체도형을 x축에 수직인 평면으로 자른 단면이 모두 정사각형일 때, 이 입체도형의 부피는?

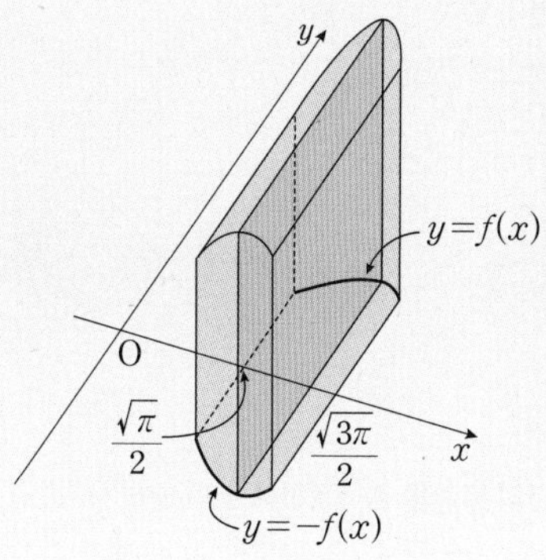

① $2\sqrt{2}$ ② $2\sqrt{3}$ ③ 4
④ $4\sqrt{2}$ ⑤ $4\sqrt{3}$

STEP A 단면적 구하기

점 $(t, 0)\left(\frac{\sqrt{\pi}}{2}\le t\le\frac{\sqrt{3\pi}}{2}\right)$를 지나고 x축에 수직인 평면으로 자른 단면의 넓이는 $2f(t)\times 2f(t)=4t\sin t^2$

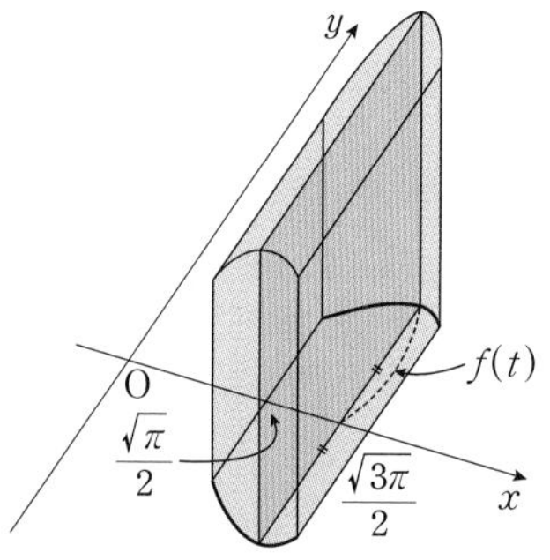

STEP B 입체도형의 부피 구하기

구하는 입체도형의 부피는 $\int_{\frac{\sqrt{\pi}}{2}}^{\frac{\sqrt{3\pi}}{2}} 4t\sin t^2 dt$

$t^2=u$로 놓으면 $2tdt=du$이고

$t=\frac{\sqrt{3\pi}}{2}$에서 $u=\frac{3\pi}{4}$이고 $t=\frac{\sqrt{\pi}}{2}$에서 $u=\frac{\pi}{4}$

따라서 $\int_{\frac{\sqrt{\pi}}{2}}^{\frac{\sqrt{3\pi}}{2}} 4t\sin t^2 dt=2\int_{\frac{\pi}{4}}^{\frac{3\pi}{4}}\sin u\,du=2\left[-\cos u\right]_{\frac{\pi}{4}}^{\frac{3\pi}{4}}=2\sqrt{2}$

(2) 다음 그림과 같이 함수 $f(x)=\sqrt{x(x^2+1)\sin(x^2)}$ $(0\le x\le\sqrt{\pi})$에 대하여 곡선 $y=f(x)$와 x축으로 둘러싸인 부분을 밑면으로 하는 입체도형이 있다. 두 점 $\mathrm{P}(x,\ 0)$, $\mathrm{Q}(x,\ f(x))$를 지나고 x축에 수직인 평면으로 입체도형을 자른 단면이 선분 PQ를 한 변으로 하는 정삼각형이다. 이 입체도형의 부피는?

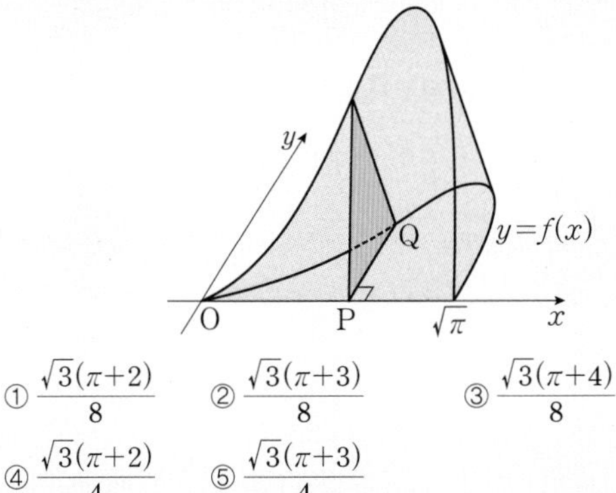

① $\dfrac{\sqrt{3}(\pi+2)}{8}$　② $\dfrac{\sqrt{3}(\pi+3)}{8}$　③ $\dfrac{\sqrt{3}(\pi+4)}{8}$
④ $\dfrac{\sqrt{3}(\pi+2)}{4}$　⑤ $\dfrac{\sqrt{3}(\pi+3)}{4}$

STEP A **단면적 $S(x)$를 구하여 부피의 식 구하기**

선분 PQ를 한 변으로 하는 정삼각형의 넓이 $S(x)$는

$S(x)=\dfrac{\sqrt{3}}{4}\{\sqrt{x(x^2+1)\sin(x^2)}\}^2$

입체도형의 부피 V는 $V=\displaystyle\int_0^{\sqrt{\pi}}\dfrac{\sqrt{3}}{4}x(x^2+1)\sin(x^2)dx$

STEP B **치환적분과 부분적분을 이용하여 정적분 계산하기**

$x^2=t$라 하면 $2x\dfrac{dx}{dt}=1$

$x=0$일 때, $t=0$이고 $x=\sqrt{\pi}$일 때, $t=\pi$이므로

$V=\dfrac{\sqrt{3}}{8}\displaystyle\int_0^{\pi}(t+1)\sin t\,dt$

$u(t)=t+1,\ v'(t)=\sin t$

$u'(t)=1,\ v(t)=-\cos t$

따라서 $V=\dfrac{\sqrt{3}}{8}\times\Big[-(t+1)\cos t\Big]_0^{\pi}-\dfrac{\sqrt{3}}{8}\displaystyle\int_0^{\pi}(-\cos t)dt=\dfrac{\sqrt{3}(\pi+2)}{8}$

0985

밑면인 원의 반지름의 길이가 3cm이고 높이가 9cm인 원기둥 모양의 컵에 물을 가득 채우고 오른쪽 그림과 같이 수면이 컵의 밑면을 이등분할 때까지 컵을 기울였다. 이때 컵에 남아 있는 물의 부피는? (단, 단위는 cm^3)

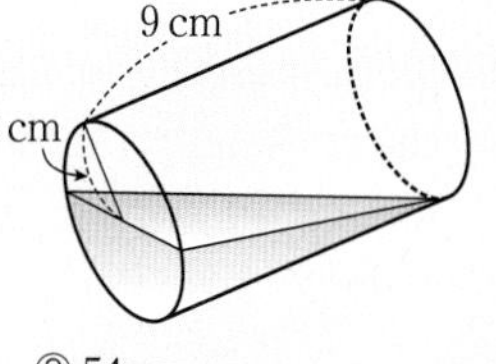

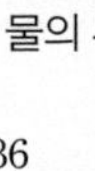

① 16　② 36　③ 54
④ 64　⑤ 72

STEP A **단면의 넓이 $S(x)$ 구하기**

오른쪽 그림과 같이 단면인 $\triangle\mathrm{PQR}$의 넓이를 $S(x)$라고 하자.

$\triangle\mathrm{OAB}\backsim\triangle\mathrm{PQR}$이고

$\overline{\mathrm{OA}}:\overline{\mathrm{AB}}=1:3$이므로

$\overline{\mathrm{PQ}}:\overline{\mathrm{QR}}=1:3$

$\overline{\mathrm{PQ}}=\sqrt{9-x^2}$이므로

$\overline{\mathrm{QR}}=3\overline{\mathrm{PQ}}=3\sqrt{9-x^2}$

$S(x)=\dfrac{1}{2}\overline{\mathrm{PQ}}\cdot\overline{\mathrm{QR}}=\dfrac{3}{2}(9-x^2)$

STEP B **단면의 넓이를 정적분하여 부피 구하기**

따라서 구하는 부피는 $\displaystyle\int_{-3}^{3}S(x)dx=\int_{-3}^{3}\dfrac{3}{2}(9-x^2)dx=54(\mathrm{cm}^3)$

0986

밑면의 반지름의 길이가 4, 높이가 4인 원기둥 모양의 그릇에 물이 가득 담겨 있다. 다음 그림과 같이 이 그릇을 45°의 각도로 기울였을 때, 그릇에 남아 있는 물의 부피는?

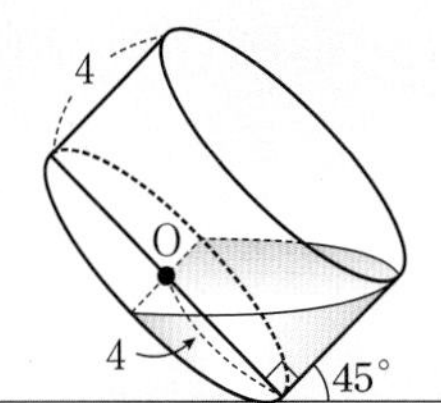

① $\dfrac{2\sqrt{2}}{3}$　② $\dfrac{56}{3}$　③ $\dfrac{64}{3}$
④ $\dfrac{64\sqrt{2}}{3}$　⑤ $\dfrac{128}{3}$

STEP A **단면의 넓이 $S(x)$ 구하기**

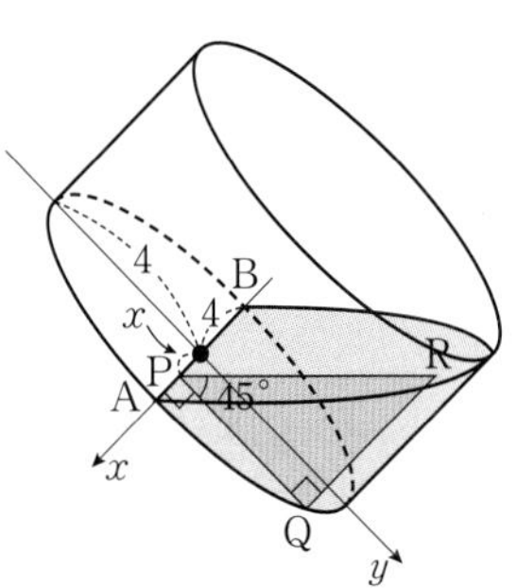

위의 그림과 같이 선분 AB 위의 점 $\mathrm{P}(x,\ 0)$을 지나고 선분 AB에 수직인 직선이 원과 만나는 점을 Q라고 하면

$\triangle\mathrm{OPQ}$에서 $\overline{\mathrm{OP}}=|x|$, $\overline{\mathrm{OQ}}=4$이므로 $\overline{\mathrm{PQ}}=\sqrt{16-x^2}$

점 Q에서 밑면에 수직이 되도록 그은 직선이 수면과 만나는 점을 R이라고 하면 $\overline{\mathrm{QR}}=\overline{\mathrm{PQ}}\tan45^\circ=\sqrt{16-x^2}$

이때 $\triangle\mathrm{PQR}$의 넓이 $S(x)$는

$S(x)=\dfrac{1}{2}(\sqrt{16-x^2})^2=\dfrac{1}{2}(16-x^2)$

STEP B **단면의 넓이를 정적분하여 부피 구하기**

따라서 구하는 물의 부피 V는

$$V=\int_{-4}^{4}S(x)dx=\int_{-4}^{4}\frac{1}{2}(16-x^2)dx$$
$$=\frac{1}{2}\Big[16x-\frac{1}{3}x^3\Big]_{-4}^{4}$$
$$=\frac{128}{3}$$

0987

다음 그림과 같이 반지름의 길이가 6cm인 반구 모양의 그릇에 물을 가득 채운 후 30°만큼 기울여 물을 흘려보낼 때, 남아 있는 물의 양은 몇 cm^3인지 구하여라. (단, 그릇의 두께는 고려하지 않는다.)

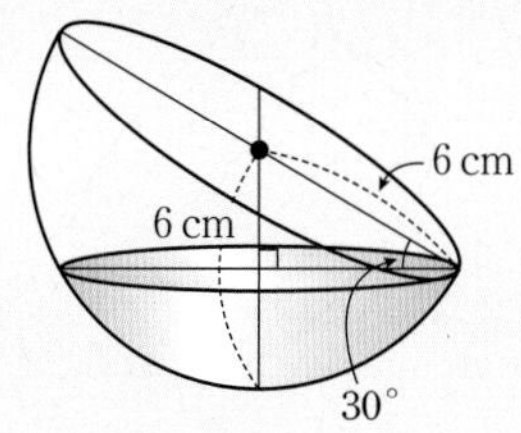

STEP A 단면의 넓이 $S(x)$ 구하기

오른쪽 그림과 같이 x축 위의 점 $\mathrm{P}(x,\ 0)$을 지나고 x축에 수직인 평면으로 자른 단면의 넓이를 $S(x)$라고 하면

$S(x)=\pi(\sqrt{36-x^2})^2=\pi(36-x^2)$

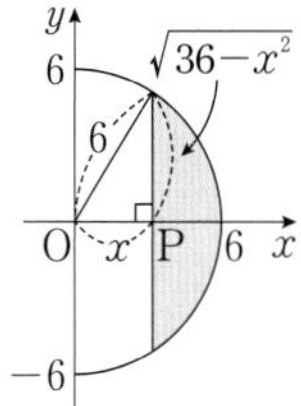

STEP B 단면의 넓이를 정적분하여 부피 구하기

따라서 구하는 물의 양은

$\int_3^6 \pi(36-x^2)dx=\pi\left[36x-\frac{1}{3}x^3\right]_3^6=45\pi(\text{cm}^3)$

0988

다음 물음에 답하여라.

(1) 좌표평면 위를 움직이는 점 $\mathrm{P}(x,\ y)$의 시각 t에서의 위치가

$$x=\sqrt{3}\sin t+\cos t,\ y=\sqrt{3}\cos t-\sin t$$

일 때, $t=0$에서 $t=2\pi$까지 점 P가 움직인 거리를 구하여라.

STEP A $t=a$에서 $t=b$까지 점 P가 움직인 거리 s는 $s=\int_a^b\sqrt{\left(\frac{dx}{dt}\right)^2+\left(\frac{dy}{dt}\right)^2}dt$임을 이용하기

$x=\sqrt{3}\sin t+\cos t,\ y=\sqrt{3}\cos t-\sin t$에서

$\frac{dx}{dx}=\sqrt{3}\cos t-\sin t,\ y=-\sqrt{3}\sin t-\cos t$이므로

$\left(\frac{dx}{dt}\right)^2+\left(\frac{dy}{dt}\right)^2$

$=(\sqrt{3}\cos t-\sin t)^2+(-\sqrt{3}\sin t-\cos t)^2$

$=(3\cos t-2\sqrt{3}\cos t\sin t+\sin^2 t)+(3\sin^2 t+2\sqrt{3}\sin t\cos t+\cos^2 t)$

$=4(\cos^2 t+\sin^2 t)$

$=4$

STEP B $\int_0^{2\pi}\sqrt{\left(\frac{dx}{dt}\right)^2+\left(\frac{dy}{dt}\right)^2}dt$을 계산하기

따라서 $t=0$에서 $t=2\pi$까지 점 P가 움직인 거리를 s라 하면

$s=\int_0^{2\pi}\sqrt{\left(\frac{dx}{dt}\right)^2+\left(\frac{dy}{dt}\right)^2}dt=\int_0^{2\pi}2dt=\left[2t\right]_0^{2\pi}=4\pi$

(2) 좌표평면 위를 움직이는 점 $\mathrm{P}(x,\ y)$의 시각 t에서의 위치가

$$x=e^t\cos 2t,\ y=e^t\sin 2t$$

일 때, $t=0$에서 $t=1$까지 점 P가 움직인 거리를 구하여라.

STEP A $\left(\frac{dx}{dt}\right)^2+\left(\frac{dy}{dt}\right)^2$을 간단히 하기

$x=e^t\cos 2t,\ y=e^t\sin 2t$에서

$\frac{dx}{dt}=e^t\cos 2t-2e^t\sin 2t=e^t(\cos 2t-2\sin 2t)$

$\frac{dy}{dt}=e^t\sin 2t+2e^t\cos 2t=e^t(\sin 2t+2\cos 2t)$이고

$\left(\frac{dx}{dt}\right)^2+\left(\frac{dy}{dt}\right)^2$

$=e^{2t}(\cos 2t-2\sin 2t)^2+e^{2t}(\sin 2t+2\cos 2t)^2$

$=e^{2t}\{\cos^2 2t-4\sin 2t\cos 2t+4\sin^2 2t\}$

$+e^{2t}\{\sin^2 2t+4\sin 2t\cos 2t+4\cos^2 2t\}$

$=e^{2t}\cdot 5(\sin^2 2t+\cos^2 2t)$

$=5e^{2t}$

STEP B $\int_0^1\sqrt{\left(\frac{dx}{dt}\right)^2+\left(\frac{dy}{dt}\right)^2}dt$을 계산하기

따라서 점 P가 $t=0$에서 $t=1$까지 움직인 거리를 s라 하면

$s=\int_0^1\sqrt{\left(\frac{dx}{dt}\right)^2+\left(\frac{dy}{dt}\right)^2}dt=\int_0^1\sqrt{5}e^t dt=\sqrt{5}\left[e^t\right]_0^1=\sqrt{5}(e-1)$

0989

좌표평면 위를 움직이는 점 $P(x, y)$의 시각 t에서의 위치가

$$x=a\cos^3 t,\ y=a\sin^3 t$$

이다. 점 P가 시각 $t=0$에서 시각 $t=\frac{\pi}{2}$까지 움직인 거리가 12일 때, 양수 a의 값은?

① 6 ② 8 ③ 10
④ 12 ⑤ 14

STEP A 정적분을 이용하여 점 P가 움직인 거리를 나타내기

$x=a\cos^3 t$에서 $\frac{dx}{dt}=-3a\cos^2 t\sin t$

$y=a\sin^3 t$에서 $\frac{dy}{dt}=3a\sin^2 t\cos t$

점 P의 시각 $t=0$에서 시각 $t=\frac{\pi}{2}$까지 움직인 거리는

$$\int_0^{\frac{\pi}{2}}\sqrt{(-3a\cos^2 t\sin t)^2+(3a\sin^2 t\cos t)^2}\,dt$$

$$=\int_0^{\frac{\pi}{2}}\sqrt{9a^2\sin^2\cos^2 t(\cos^2 t+\sin^2 t)}\,dt$$

$$=\int_0^{\frac{\pi}{2}}3a\sin t\cos t\,dt\left(\because 0<t<\frac{\pi}{2}\right)$$

STEP B 치환적분을 이용하여 움직인 거리 구하기

$\sin t=u$로 놓으면 $\cos t\,dt=du$

$t=0$일 때, $u=0$이고 $t=\frac{\pi}{2}$일 때, $u=1$이므로

$$\int_0^1 3a\sin t\cos t\,dt=\int_0^1 3au\,du=3a\left[\frac{1}{2}u^2\right]_0^1=\frac{3}{2}a$$

따라서 $\frac{3}{2}a=12$이므로 $a=8$

0990

좌표평면 위를 움직이는 점 $P(x, y)$의 시각 t에서의 위치가

$$x=6t^2+1,\ y=t^3+2$$

일 때, 점 P가 시각 $t=0$에서 시각 $t=3$까지 움직인 거리는?

① 56 ② 57 ③ 59
④ 60 ⑤ 61

STEP A 정적분을 이용하여 점 P가 움직인 거리를 나타내기

$x=6t^2+1$에서 $\frac{dx}{dt}=12t$

$y=t^3+2$에서 $\frac{dy}{dt}=3t^2$

점 P가 $t=0$에서 $t=3$까지 움직인 거리를 s라 하면

$$s=\int_0^3\sqrt{\left(\frac{dx}{dt}\right)^2+\left(\frac{dy}{dt}\right)^2}$$

$$=\int_0^3\sqrt{(12t)^2+(3t^2)^2}\,dt$$

$$=\int_0^3 3t\sqrt{t^2+16}\,dt$$

STEP B 치환적분을 이용하여 움직인 거리 구하기

이때 $t^2+16=u$로 놓으면 $2t\,dt=du$

따라서 $t=0$일 때, $u=16$이고 $t=3$일 때, $u=25$이므로

$$\int_0^3 3t\sqrt{t^2+16}\,dt=\frac{3}{2}\int_{16}^{25}\sqrt{u}\,du=\left[u\sqrt{u}\right]_{16}^{25}=61$$

0991

다음 주어진 구간에서 매개변수로 나타낸 곡선의 길이를 구하여라.

(1) $x=e^t-t,\ y=4e^{\frac{t}{2}}\ (0<t<2)$

STEP A $\frac{dx}{dt}$, $\frac{dy}{dt}$ 구하기

$x=e^t-t,\ y=4e^{\frac{t}{2}}$에서 $\frac{dx}{dt}=e^t-1,\ \frac{dy}{dt}=4e^{\frac{t}{2}}\cdot\frac{1}{2}=2e^{\frac{t}{2}}$

STEP B 곡선의 길이 l 구하기

따라서 점 P가 시각 $t=0$에서 시각 $t=2$까지 그리는 곡선의 길이는

$$l=\int_{\frac{1}{e}}^{e}\sqrt{\left(\frac{dx}{dt}\right)^2+\left(\frac{dy}{dt}\right)^2}\,dt=\int_0^2\sqrt{(e^t-1)^2+\left(2e^{\frac{t}{2}}\right)^2}\,dt$$

$$=\int_0^2\sqrt{(e^t+1)^2}\,dt$$

$$=\int_0^2(e^t+1)\,dt$$

$$=\left[e^t+t\right]_0^2$$

$$=e^2+2-1$$

$$=e^2+1$$

(2) $x=t-\sin t,\ y=1-\cos t\ (0\le t\le 2\pi)$

STEP A $\frac{dx}{dt}$, $\frac{dy}{dt}$ 구하기

$x=t-\sin t,\ y=1-\cos t$에서

$\frac{dx}{dt}=1-\cos t,\ \frac{dy}{dt}=\sin t$

STEP B 곡선의 길이 l 구하기

따라서 점 P가 시각 $t=0$에서 $t=2\pi$까지 그리는 곡선의 길이 l는

$$l=\int_0^{2\pi}\sqrt{\left(\frac{dx}{dt}\right)^2+\left(\frac{dy}{dt}\right)^2}\,dt=\int_0^{2\pi}\sqrt{(1-\cos t)^2+(\sin t)^2}\,dt$$

$$=\int_0^{2\pi}\sqrt{2(1-\cos t)}\,dt$$

← $\sin^2\frac{x}{2}=\frac{1-\cos x}{2}$ 에서 $1-\cos x=2\sin^2\frac{x}{2}$

$$=\int_0^{2\pi}\sqrt{4\sin^2\frac{t}{2}}\,dt$$

$$=\int_0^{2\pi}2\sin\frac{t}{2}\,dt$$

$$=\left[-4\cos\frac{t}{2}\right]_0^{2\pi}$$

$$=8$$

참고 삼각함수의 배각공식

① $\sin 2x=2\sin x\cos x$ ⇨ $\sin x\cos x=\frac{1}{2}\sin 2x$

② $\cos 2x=1-2\sin^2 x$ ⇨ $\sin^2 x=\frac{1}{2}(1-\cos 2x)$에서 $\sin^2\frac{x}{2}=\frac{1-\cos x}{2}$

③ $\cos 2x=2\cos^2 x-1$ ⇨ $\cos^2 x=\frac{1}{2}(1+\cos 2x)$에서 $\cos^2\frac{x}{2}=\frac{1+\cos x}{2}$

0992

다음 물음에 답하여라.

(1) 매개변수 t로 나타낸 곡선

$$x=e^t+e^{-t},\ y=2t\ (\ln 2<t<\ln 3)$$

의 길이는?

① 1　② $\frac{13}{12}$　③ $\frac{7}{6}$　④ $\frac{5}{4}$　⑤ $\frac{4}{3}$

STEP A $\frac{dx}{dt}$, $\frac{dy}{dt}$을 구한 후 $\left(\frac{dx}{dt}\right)^2+\left(\frac{dy}{dt}\right)^2$을 정리하기

$x=e^t+e^{-t}$에서 $\frac{dx}{dt}=e^t-e^{-t}$,

$y=2t$에서 $\frac{dy}{dt}=2$이므로

$\left(\frac{dx}{dt}\right)^2+\left(\frac{dy}{dt}\right)^2=(e^t-e^{-t})^2+2^2=(e^2-2+e^{-2t})+4=(e^t+e^{-t})^2$

STEP B $\int_{\ln 2}^{\ln 3}\sqrt{\left(\frac{dx}{dt}\right)^2+\left(\frac{dy}{dt}\right)^2}\,dt$의 값 구하기

따라서 시각 $t=\ln 2$에서 시각 $t=\ln 3$까지 점 P가 움직인 거리를 s라 하면

$$s=\int_{\ln 2}^{\ln 3}\sqrt{\left(\frac{dx}{dt}\right)^2+\left(\frac{dy}{dt}\right)^2}\,dt=\int_{\ln 2}^{\ln 3}\sqrt{(e^t+e^{-t})^2}\,dt=\int_{\ln 2}^{\ln 3}(e^t+e^{-t})dt$$
$$=\Big[e^t-e^{-t}\Big]_{\ln 2}^{\ln 3}=(e^{\ln 3}-e^{-\ln 3})-(e^{\ln 2}-e^{-\ln 2})$$
$$=\left(3-\frac{1}{3}\right)-\left(2-\frac{1}{2}\right)=\frac{7}{6}$$

(2) 매개변수 t로 나타낸 곡선

$$x=4t,\ y=t^2-2\ln t\,(1\le t\le 4)$$

의 길이는?

① $14+2\ln 2$　② $15+2\ln 2$　③ $14+4\ln 2$　④ $16+2\ln 2$　⑤ $15+4\ln 2$

STEP A $\frac{dx}{dt}$, $\frac{dy}{dt}$을 구한 후 $\left(\frac{dx}{dt}\right)^2+\left(\frac{dy}{dt}\right)^2$을 정리하기

$x=4t$에서 $\frac{dx}{dt}=4$, $y=t^2-2\ln t$에서 $\frac{dy}{dt}=2t-\frac{2}{t}$이므로

$$\left(\frac{dx}{dt}\right)^2+\left(\frac{dy}{dt}\right)^2=4^2+\left(2t-\frac{2}{t}\right)^2=16+4t^2-8+\frac{4}{t^2}$$
$$=4t^2+8+\frac{4}{t^2}=\left(2t+\frac{2}{t}\right)^2$$

STEP B $\int_1^4\sqrt{\left(\frac{dx}{dt}\right)^2+\left(\frac{dy}{dt}\right)^2}\,dt$의 값 구하기

따라서 시각 $t=1$에서 시각 $t=4$까지 점 P가 움직인 거리를 s라 하면

$$s=\int_1^4\sqrt{\left(\frac{dx}{dt}\right)^2+\left(\frac{dy}{dt}\right)^2}\,dt=\int_1^4\sqrt{\left(2t+\frac{2}{t}\right)^2}\,dt$$
$$=\int_1^4\left(2t+\frac{2}{t}\right)dt=\Big[t^2+2\ln|t|\Big]_1^4$$
$$=(16+2\ln 4)-(1+0)=15+4\ln 2$$

0993

매개변수 t로 나타낸 곡선

$$x=t^2\sin t,\ y=t^2\cos t\ (0\le t\le\sqrt{5})$$

의 길이는?

① $\frac{37}{6}$　② $\frac{19}{3}$　③ $\frac{13}{2}$　④ $\frac{20}{3}$　⑤ $\frac{41}{6}$

STEP A $\frac{dx}{dt}$, $\frac{dy}{dt}$을 구한 후 $\left(\frac{dx}{dt}\right)^2+\left(\frac{dy}{dt}\right)^2$을 정리하기

$x=t^2\sin t$에서 $\frac{dx}{dt}=2t\sin t+t^2\cos t$,

$y=t^2\cos t$에서 $\frac{dy}{dt}=2t\cos t-t^2\sin t$이므로

$$\left(\frac{dx}{dt}\right)^2+\left(\frac{dy}{dt}\right)^2$$
$$=(2t\sin t+t^2\cos t)^2+(2t\cos t-t^2\sin t)^2$$
$$=(4t^2\sin^2 t+4t^3\sin t\cos t+t^4\cos^2 t)+(4t^2\cos^2 t-4t^3\sin t\cos t+t^4\sin^2 t)$$
$$=4t^2(\sin^2 t+\cos^2 t)+t^4(\cos^2 t+\sin^2 t)$$
$$=4t^2+t^4$$

STEP B $\int_0^{\sqrt{5}}\sqrt{\left(\frac{dx}{dt}\right)^2+\left(\frac{dy}{dt}\right)^2}\,dt$의 값을 치환적분을 이용하여 구하기

구하는 곡선의 길이를 l이라 하면

$$l=\int_0^{\sqrt{5}}\sqrt{\left(\frac{dx}{dt}\right)^2+\left(\frac{dy}{dt}\right)^2}\,dt=\int_0^{\sqrt{5}}\sqrt{4t^2+t^4}\,dt=\int_0^{\sqrt{5}}t\sqrt{4+t^2}\,dt$$

이때 $u=4+t^2$이라 하면 $\frac{du}{dt}=2t$이고

$t=0$일 때 $u=4$, $t=\sqrt{5}$일 때 $u=9$이므로

$$l=\int_0^{\sqrt{5}}t\sqrt{4+t^2}\,dt=\int_4^9\frac{1}{2}\sqrt{u}\,du$$
$$=\left[\frac{1}{3}u\sqrt{u}\right]_4^9=\frac{1}{3}\times 9\sqrt{9}-\frac{1}{3}\times 4\sqrt{4}$$
$$=\frac{19}{3}$$

0994

다음 주어진 구간에 대응하는 각 곡선의 길이 l을 구하여라.

(1) $y=\frac{1}{3}(x^2+2)^{\frac{3}{2}}\,(0\le x\le 6)$

STEP A $\int_0^6\sqrt{1+(y')^2}\,dx$의 값 구하기

$y=\frac{1}{3}(x^2+2)^{\frac{3}{2}}$에서 $\frac{dy}{dx}=\frac{1}{2}(x^2+2)^{\frac{1}{2}}\cdot 2x=x\sqrt{x^2+2}$이므로

$x=0$에서 $x=6$까지 곡선 $y=\frac{1}{3}(x^2+2)^{\frac{3}{2}}$의 길이를 l이라 하면

$$l=\int_0^6\sqrt{1+\left(\frac{dy}{dx}\right)^2}\,dx=\int_0^6\sqrt{1+(x\sqrt{x^2+2})^2}\,dx$$
$$=\int_0^6\sqrt{(x^2+1)^2}\,dx=\int_0^6(x^2+1)dx$$
$$=\left[\frac{1}{3}x^3+x\right]_0^6=72+6=78$$

(2) $y=\frac{2}{3}x\sqrt{x}\,(0\le x\le 8)$

STEP A $\int_0^8\sqrt{1+(y')^2}\,dx$의 값 구하기

$y=\frac{2}{3}x\sqrt{x}=\frac{2}{3}x^{\frac{3}{2}}$에서 $\frac{dx}{dt}=x^{\frac{1}{2}}$

$0\le x\le 8$에서 곡선 $y=f(x)$의 길이를 l이라 하면

$$l=\int_0^8\sqrt{1+\left(\frac{dy}{dx}\right)^2}\,dx=\int_0^8\sqrt{1+(x^{\frac{1}{2}})^2}\,dx=\int_0^8\sqrt{1+x}\,dx$$

이때 $\sqrt{1+x}=t$라 하면 $1+x=t^2$, $\frac{dx}{dt}=2t$이고

$x=0$일 때 $t=1$, $x=8$일 때 $t=3$이므로

$$l=\int_1^3 2t^2\,dt=\left[\frac{2}{3}t^3\right]_1^3=18-\frac{2}{3}=\frac{52}{3}$$

0995

다음 물음에 답하여라.

(1) $1 \le x \le \sqrt{e}$에서 곡선 $y=\frac{1}{4}x^2-\frac{1}{2}\ln x$의 길이는?

① $\frac{1}{8}e$ ② $\frac{1}{4}e$ ③ $\frac{1}{2}e$
④ e ⑤ $2e$

STEP A $\int_1^{\sqrt{e}}\sqrt{1+(y')^2}\,dx$ 구하기

$y=\frac{1}{4}x^2-\frac{1}{2}\ln x$에서 $\frac{dy}{dx}=\frac{x}{2}-\frac{1}{2x}=\frac{1}{2}\left(x-\frac{1}{x}\right)$

$1 \le x \le \sqrt{e}$에서 곡선의 길이 l는

$$\begin{aligned} l &= \int_1^{\sqrt{e}}\sqrt{1+\left(\frac{dy}{dx}\right)^2}\,dx=\int_1^{\sqrt{e}}\sqrt{1+\left\{\frac{1}{2}\left(x-\frac{1}{x}\right)\right\}^2}\,dx \\ &= \int_1^{\sqrt{e}}\sqrt{1+\left(\frac{x^2}{4}-\frac{1}{2}+\frac{1}{4x^2}\right)}dx \\ &= \int_1^{\sqrt{e}}\sqrt{\frac{x^2}{4}+\frac{1}{2}+\frac{1}{4x^2}}\,dx \\ &= \int_1^{\sqrt{e}}\sqrt{\left(\frac{x}{2}+\frac{1}{2x}\right)^2}\,dx \\ &= \int_1^{\sqrt{e}}\left(\frac{x}{2}+\frac{1}{2x}\right)dx \\ &= \left[\frac{1}{4}x^2+\frac{1}{2}\ln x\right]_1^{\sqrt{e}} \\ &= \left(\frac{1}{4}e+\frac{1}{2}\ln\sqrt{e}\right)-\left(\frac{1}{4}+\frac{1}{2}\ln 1\right) \\ &= \frac{1}{4}e \end{aligned}$$

(2) $x=0$에서 $x=\ln 2$까지의 곡선 $y=\frac{1}{8}e^{2x}+\frac{1}{2}e^{-2x}$의 길이는?

① $\frac{1}{2}$ ② $\frac{9}{16}$ ③ $\frac{5}{8}$
④ $\frac{11}{16}$ ⑤ $\frac{3}{4}$

STEP A 곡선의 길이 $\int_0^{\ln 2}\sqrt{1+(y')^2}\,dx$를 구하기

$y=\frac{1}{8}e^{2x}+\frac{1}{2}e^{-2x}$에서 $\frac{dy}{dx}=\frac{1}{4}e^{2x}-e^{-2x}$

$x=0$에서 $x=\ln 2$까지의 곡선의 길이는

$$\begin{aligned} \int_0^{\ln 2}\sqrt{1+\left(\frac{dy}{dx}\right)^2}\,dx &= \int_0^{\ln 2}\sqrt{1+\left(\frac{1}{4}e^{2x}-e^{-2x}\right)^2}\,dx \\ &= \int_0^{\ln 2}\sqrt{\frac{1}{16}e^{4x}+\frac{1}{2}+e^{-4x}}\,dx \\ &= \int_0^{\ln 2}\sqrt{\left(\frac{1}{4}e^{2x}+e^{-2x}\right)^2}\,dx \\ &= \int_0^{\ln 2}\left(\frac{1}{4}e^{2x}+e^{-2x}\right)dx \\ &= \left[\frac{1}{8}e^{2x}-\frac{1}{2}e^{-2x}\right]_0^{\ln 2} \\ &= \frac{1}{8}e^{2\ln 2}-\frac{1}{2}e^{-2\ln 2}-\left(\frac{1}{8}-\frac{1}{2}\right) \\ &= \left(\frac{1}{2}-\frac{1}{8}\right)+\frac{3}{8}=\frac{3}{8}+\frac{3}{8}=\frac{3}{4} \end{aligned}$$

따라서 곡선의 길이는 $\frac{3}{4}$

0996

다음 물음에 답하여라.

(1) 실수 전체의 집합에서 이계도함수를 가지고 $f(0)=0$, $f(1)=\sqrt{3}$을 만족하는 모든 함수 $f(x)$에 대하여 $\int_0^1\sqrt{1+\{f'(x)\}^2}\,dx$의 최솟값을 구하여라.

STEP A 곡선의 길이를 이용하여 최솟값 구하기

$\int_0^1\sqrt{1+\{f'(x)\}^2}\,dx$는 $0 \le x \le 1$인 부분에서의 곡선 $y=f(x)$의 길이이므로 $\int_0^1\sqrt{1+\{f'(x)\}^2}\,dx$가 최소인 경우는 $0 \le x \le 1$에서 $y=f(x)$의 그래프가 직선일 때이다.

최솟값은 두 점 $(0, 0)$, $(1, \sqrt{3})$을 잇는 선분의 길이와 같다.

따라서 구하는 최솟값은 $\int_0^1\sqrt{1+\{f'(x)\}^2}\,dx=\sqrt{(1-0)^2+(\sqrt{3}-0)^2}=2$

(2) 미분가능한 함수 $f(x)$의 그래프가 두 점 $(0, 3)$, $(6, 11)$을 지날 때, $\lim_{n\to\infty}\sum_{k=1}^{n}\sqrt{1+\left\{f'\left(\frac{6k}{n}\right)\right\}^2}\cdot\frac{6}{n}$의 최솟값을 구하여라.

STEP A 급수의 합을 정적분으로 변형하기

$$\lim_{n\to\infty}\sum_{k=1}^{n}\sqrt{1+\left\{f'\left(\frac{6k}{n}\right)\right\}^2}\cdot\frac{6}{n}=\int_0^6\sqrt{1+\{f'(x)\}^2}\,dx$$

STEP B 곡선의 길이를 이용하여 최솟값 구하기

이때 $\int_0^6\sqrt{1+\{f'(x)\}^2}\,dx$는 곡선 $y=f(x)\,(0 \le x \le 6)$의 길이를 나타내는 두 점 $(0, 3)$, $(6, 11)$을 직선으로 연결할 때, $\int_0^6\sqrt{1+\{f'(x)\}^2}\,dx$의 값이 최소이다.

따라서 구하는 최솟값은 $\sqrt{(6-0)^2+(11-3)^2}=\sqrt{36+64}=10$

03 정적분의 활용

정적분의 활용

BASIC

0997

다음 물음에 답하여라.

(1) 함수 $f(x)=4x^3+x$에 대하여 $\lim_{n\to\infty}\sum_{k=1}^{n}\frac{1}{n}f\left(\frac{2k}{n}\right)$의 값은?

① 6 ② 7 ③ 8
④ 9 ⑤ 10

STEP A 정적분과 급수를 이용하여 구하기

$$\lim_{n\to\infty}\sum_{k=1}^{n}\frac{1}{n}f\left(\frac{2k}{n}\right)=\frac{1}{2}\lim_{n\to\infty}\sum_{k=1}^{n}\frac{2}{n}f\left(\frac{2k}{n}\right)$$
$$=\frac{1}{2}\int_0^2 f(x)dx$$
$$=\frac{1}{2}\int_0^2(4x^3+x)dx$$
$$=\frac{1}{2}\left[x^4+\frac{1}{2}x^2\right]_0^2$$
$$=\frac{1}{2}\times 18=9$$

(2) 함수 $f(x)=4x^4+4x^3$에 대하여 $\lim_{n\to\infty}\sum_{k=1}^{n}\frac{1}{n+k}f\left(\frac{k}{n}\right)$의 값은?

① 1 ② 2 ③ 3
④ 4 ⑤ 5

STEP A 급수를 정적분으로 나타내어 정적분의 정의를 이용하여 계산하기

$$\lim_{n\to\infty}\sum_{k=1}^{n}\frac{1}{n+k}f\left(\frac{k}{n}\right)=\lim_{n\to\infty}\sum_{k=1}^{n}\frac{1}{\frac{n+k}{n}}f\left(\frac{k}{n}\right)\frac{1}{n}$$
$$=\lim_{n\to\infty}\sum_{k=1}^{n}\frac{1}{1+\frac{k}{n}}f\left(\frac{k}{n}\right)\frac{1}{n}$$
$$=\int_0^1\frac{f(x)}{1+x}dx$$
$$=\int_0^1\frac{4x^4+4x^3}{1+x}dx$$
$$=\int_0^1\frac{4x^3(x+1)}{1+x}dx$$
$$=\int_0^1 4x^3dx=\left[x^4\right]_0^1$$
$$=1-0=1$$

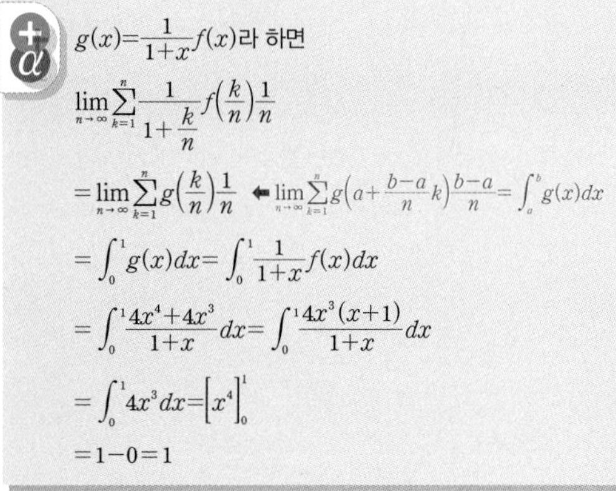

$g(x)=\frac{1}{1+x}f(x)$라 하면

$$\lim_{n\to\infty}\sum_{k=1}^{n}\frac{1}{1+\frac{k}{n}}f\left(\frac{k}{n}\right)\frac{1}{n}$$
$$=\lim_{n\to\infty}\sum_{k=1}^{n}g\left(\frac{k}{n}\right)\frac{1}{n} \leftarrow \lim_{n\to\infty}\sum_{k=1}^{n}g\left(a+\frac{b-a}{n}k\right)\frac{b-a}{n}=\int_a^b g(x)dx$$
$$=\int_0^1 g(x)dx=\int_0^1\frac{1}{1+x}f(x)dx$$
$$=\int_0^1\frac{4x^4+4x^3}{1+x}dx=\int_0^1\frac{4x^3(x+1)}{1+x}dx$$
$$=\int_0^1 4x^3dx=\left[x^4\right]_0^1$$
$$=1-0=1$$

0998

다음 물음에 답하여라.

(1) 함수 $f(x)=\cos\frac{\pi}{2}x$에 대하여 $\lim_{n\to\infty}\sum_{k=1}^{n}f\left(1+\frac{2k}{n}\right)\frac{1}{n}$의 값은?

① $-\pi$ ② $-\frac{\pi}{2}$ ③ $-\frac{2}{\pi}$
④ $\frac{2}{\pi}$ ⑤ π

STEP A 정적분과 급수의 관계에 의하여 정적분으로 나타내기

$$\lim_{n\to\infty}\sum_{k=1}^{n}f\left(1+\frac{2k}{n}\right)\frac{1}{n}=\frac{1}{2}\lim_{n\to\infty}\sum_{k=1}^{n}f\left(1+\frac{2k}{n}\right)\frac{2}{n}$$
$$=\frac{1}{2}\int_1^3 f(x)dx=\frac{1}{2}\int_1^3\cos\frac{\pi}{2}xdx$$
$$=\frac{1}{2}\left[\frac{2}{\pi}\sin\frac{\pi}{2}x\right]_1^3=-\frac{2}{\pi}$$

(2) 함수 $f(x)=2\sqrt{x}$에 대하여 $\lim_{n\to\infty}\sum_{k=1}^{n}f'\left(1+\frac{3k}{n}\right)\frac{6}{n}$의 값은?

① -2 ② -1 ③ 0
④ 1 ⑤ 4

STEP A 정적분과 급수의 관계에 의하여 정적분으로 나타내기

$$\lim_{n\to\infty}\sum_{k=1}^{n}f'\left(1+\frac{3k}{n}\right)\frac{6}{n}=2\lim_{n\to\infty}\sum_{k=1}^{n}f'\left(1+\frac{3k}{n}\right)\frac{3}{n}$$
$$=2\int_1^4 f'(x)dx=2\left[2\sqrt{x}\right]_1^4=4$$

0999

함수 $f(x)=3x^2-ax$가 $\lim_{n\to\infty}\frac{1}{n}\sum_{k=1}^{n}f\left(\frac{3k}{n}\right)=f(1)$을 만족시킬 때, 상수 a의 값을 구하여라.

STEP A 정적분과 급수의 관계에 의하여 정적분으로 나타내기

$$\lim_{n\to\infty}\frac{1}{n}\sum_{k=1}^{n}f\left(\frac{3k}{n}\right)=\frac{1}{3}\lim_{n\to\infty}\sum_{k=1}^{n}f\left(\frac{(3-0)k}{n}\right)\frac{3-0}{n}=\frac{1}{3}\int_0^3 f(x)dx$$

STEP B 상수 a의 값 구하기

$f(x)=3x^2-ax$이므로 $f(1)=3-a$

$$\lim_{n\to\infty}\frac{1}{n}\sum_{k=1}^{n}f\left(\frac{3k}{n}\right)=\frac{1}{3}\int_0^3 f(x)dx=f(1)=3-a$$

$$\frac{1}{3}\int_0^3(3x^2-ax)dx=\frac{1}{3}\left[x^3-\frac{a}{2}x^2\right]_0^3=9-\frac{3}{2}a$$

따라서 $9-\frac{3}{2}a=3-a$이므로 $a=12$

1000

$\lim_{n\to\infty}\sum_{k=1}^{n}\frac{\ln(n+k)-\ln n}{n}$의 값은?

① $\ln\frac{2}{e}$ ② $\ln\frac{3}{e}$ ③ $\ln\frac{4}{e}$
④ $\ln\frac{5}{e}$ ⑤ $\ln\frac{6}{e}$

STEP A 정적분과 급수의 관계에 의하여 정적분으로 나타내기

$$\lim_{n\to\infty}\sum_{k=1}^{n}\frac{\ln(n+k)-\ln n}{n}=\lim_{n\to\infty}\sum_{k=1}^{n}\left\{\ln\left(1+\frac{k}{n}\right)\times\frac{1}{n}\right\}$$

$x_k=1+\frac{k}{n}$로 놓으면 $\Delta x=\frac{1}{n}$이고 함수는 $y=\ln x$이므로

정적분의 정의에 의하여

$$\lim_{n\to\infty}\sum_{k=1}^{n}\left\{\ln\left(1+\frac{k}{n}\right)\times\frac{1}{n}\right\}=\int_1^2\ln xdx=\left[x\ln x-x\right]_1^2=2\ln 2-1=\ln\frac{4}{e}$$

1001

다음 물음에 답하여라.

(1) $\lim_{n\to\infty}\frac{\pi^2}{n^2}\left(\cos\frac{\pi}{n}+2\cos\frac{2\pi}{n}+3\cos\frac{3\pi}{n}+\cdots+n\cos\frac{n\pi}{n}\right)$의 값은?

① -2　② $-\frac{2}{\pi}$　③ $-\frac{1}{\pi}$
④ 2　⑤ π

STEP A 정적분과 급수의 관계에 의하여 정적분으로 나타내기

$\lim_{n\to\infty}\frac{\pi^2}{n^2}\left(\cos\frac{\pi}{n}+2\cos\frac{2\pi}{n}+3\cos\frac{3\pi}{n}+\cdots+n\cos\frac{n\pi}{n}\right)$

$=\lim_{n\to\infty}\left(\frac{\pi}{n}\cos\frac{\pi}{n}+\frac{2\pi}{n}\cos\frac{2\pi}{n}+\frac{3\pi}{n}\cos\frac{3\pi}{n}+\cdots+\frac{n\pi}{n}\cos\frac{n\pi}{n}\right)\frac{\pi}{n}$

$=\lim_{n\to\infty}\sum_{k=1}^{n}\left(\frac{k\pi}{n}\cos\frac{k\pi}{n}\right)\frac{\pi}{n}$

$=\int_0^{\pi}x\cos x\,dx$

STEP B 부분적분을 이용하여 정적분 계산하기

따라서 $\int_0^{\pi}x\cos x\,dx=\left[x\sin x\right]_0^{\pi}-\int_0^{\pi}\sin x\,dx=-\left[-\cos x\right]_0^{\pi}=-2$

(2) $\lim_{n\to\infty}\left(\frac{1}{3n+1}+\frac{1}{3n+2}+\frac{1}{3n+3}+\cdots+\frac{1}{4n}\right)$은?

① $\ln\frac{2}{3}$　② $\ln\frac{3}{4}$　③ $\ln\frac{4}{3}$
④ $\ln 2$　⑤ $\ln 5$

STEP A 정적분과 급수의 관계에 의하여 정적분으로 나타내기

$\lim_{n\to\infty}\left(\frac{1}{3n+1}+\frac{1}{3n+2}+\frac{1}{3n+3}+\cdots+\frac{1}{4n}\right)$

$=\lim_{n\to\infty}\sum_{k=1}^{n}\frac{1}{3n+k}$

$=\lim_{n\to\infty}\sum_{k=1}^{n}\frac{1}{3+\frac{1-0}{n}k}\cdot\frac{1-0}{n}$

$=\int_0^1\frac{1}{3+x}dx=\left[\ln|3+x|\right]_0^1$

$=\ln 4-\ln 3=\ln\frac{4}{3}$

1002

함수 $f(x)=e^x+2$에 대하여

$$\lim_{n\to\infty}\sum_{k=1}^{n}f\left(\frac{k}{n}\right)\frac{1}{n}+\lim_{n\to\infty}\sum_{k=1}^{2n}f\left(1+\frac{k}{n}\right)\frac{1}{n}$$

의 값은? (단, e는 자연로그의 밑이다.)

① e^2+5　② e^2+6　③ e^2+8
④ e^3+5　⑤ e^3+8

STEP A 정적분과 급수의 관계에 의하여 정적분으로 나타내기

$\lim_{x\to\infty}\sum_{k=1}^{n}f\left(\frac{k}{n}\right)\frac{1}{n}=\int_0^1 f(x)dx$이고

$\lim_{n\to\infty}\sum_{k=1}^{2n}f\left(1+\frac{k}{n}\right)\frac{1}{n}=\lim_{x\to\infty}\sum_{k=1}^{2n}f\left(1+\frac{2k}{2n}\right)\frac{2}{2n}=\int_1^3 f(x)dx$

STEP B 정적분의 성질을 이용하여 계산하기

$\lim_{n\to\infty}\sum_{k=1}^{n}f\left(\frac{k}{n}\right)\frac{1}{n}+\lim_{n\to\infty}\sum_{k=1}^{2n}f\left(1+\frac{k}{n}\right)\frac{1}{n}=\int_0^1 f(x)dx+\int_1^3 f(x)dx$

$=\int_0^3 f(x)dx=\int_0^3(e^x+2)dx$

$=\left[e^x+2x\right]_0^3=e^3+5$

1003

$\lim_{n\to\infty}\frac{1}{n}\left\{\tan^2\frac{\pi}{4n}+\tan^2\frac{2\pi}{4n}+\tan^2\frac{3\pi}{4n}+\cdots+\tan^2\frac{n\pi}{4n}\right\}$의 값은?

① $\frac{4}{\pi}-2$　② $\frac{4}{\pi}-1$　③ $\frac{4}{\pi}$
④ $\frac{4}{\pi}+1$　⑤ $\frac{4}{\pi}+2$

STEP A 정적분과 급수의 관계에 의하여 정적분으로 나타내기

$\lim_{n\to\infty}\frac{1}{n}\left\{\tan^2\frac{\pi}{4n}+\tan^2\frac{2\pi}{4n}+\tan^2\frac{3\pi}{4n}+\cdots+\tan^2\frac{n\pi}{4n}\right\}$

$=\lim_{n\to\infty}\frac{1}{n}\sum_{k=1}^{n}\tan^2\left(\frac{k\pi}{4n}\right)=\frac{4}{\pi}\lim_{n\to\infty}\sum_{k=1}^{n}\tan^2\left(\frac{k\pi}{4n}\right)\times\frac{\pi}{4n}$

⬅ $x_k=\frac{k\pi}{4n}$, $\Delta x=\frac{\pi}{4n}$로 놓으면 함수는 $f(x)=\tan^2 x$이므로

$=\frac{4}{\pi}\int_0^{\frac{\pi}{4}}\tan^2 x\,dx$

$=\frac{4}{\pi}\int_0^{\frac{\pi}{4}}(\sec^2 x-1)dx$

$=\frac{4}{\pi}\left[\tan x-x\right]_0^{\frac{\pi}{4}}$

$=\frac{4}{\pi}\left\{\left(1-\frac{\pi}{4}\right)-0\right\}$

$=\frac{4}{\pi}-1$

1004

다음 물음에 답하여라.

(1) 곡선 $y=\frac{1}{x}(x>0)$과 x축 및 두 직선 $x=1$, $x=a(a>1)$로 둘러싸인 도형의 넓이가 2일 때, 상수 a의 값은?

① 1　② 2　③ e
④ $2e$　⑤ e^2

STEP A 곡선과 직선으로 둘러싸인 도형의 넓이를 정적분으로 나타낸 다음 정적분 계산하기

구하는 도형의 넓이는 $\int_1^a\frac{1}{x}dx=\left[\ln x\right]_1^a=\ln a=2$

따라서 $a=e^2$

(2) 곡선 $y=\sqrt{x}$와 x축 및 직선 $x=a$로 둘러싸인 부분의 넓이가 18이 되도록 하는 양의 상수 a의 값은?

① $3\sqrt{2}$　② $3\sqrt{3}$　③ $6\sqrt{2}$
④ 9　⑤ $6\sqrt{3}$

STEP A 곡선과 직선으로 둘러싸인 도형의 넓이를 정적분으로 나타낸 다음 정적분 계산하기

구하는 넓이 S는

$S=\int_0^a\sqrt{x}\,dx=\left[\frac{2}{3}x^{\frac{3}{2}}\right]_0^a=\frac{2}{3}a^{\frac{3}{2}}$

따라서 $S=\frac{2}{3}a^{\frac{3}{2}}=18$이려면 $a^{\frac{3}{2}}=27$, $a=9$

1005

곡선 $y=\sqrt{9-x}-2$와 x축 및 y축으로 둘러싸인 부분의 넓이를 S라 할 때, $6S$의 값은?

① 10 ② 12 ③ 14
④ 16 ⑤ 18

STEP A 곡선과 x축과 교점을 구하고 그래프 개형 그리기

곡선 $y=\sqrt{9-x}-2$와 x축 및 y축으로 둘러싸인 부분은 오른쪽 그림의 색칠한 부분과 같다.

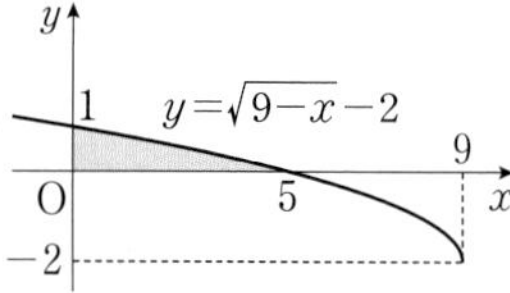

STEP B 넓이를 정적분으로 나타낸 다음 정적분을 계산하기

$S=\int_0^5(\sqrt{9-x}-2)dx$

$9-x=t$로 놓으면 $-dx=dt$이고

$x=0$일 때 $t=9$, $x=5$일 때 $t=4$이므로

$S=\int_0^5(\sqrt{9-x}-2)dx=\int_4^9(\sqrt{t}-2)dt$

$=\left[\frac{2}{3}t\sqrt{t}-2t\right]_4^9$

$=\left(\frac{2}{3}\times27-18\right)-\left(\frac{2}{3}\times8-8\right)=\frac{8}{3}$

따라서 $6S=6\times\frac{8}{3}=16$

1006

함수 $f(x)=\frac{2x-2}{x^2-2x+2}$에 대하여 곡선 $y=f(x)$와 x축 및 y축으로 둘러싸인 영역을 A, 곡선 $y=f(x)$와 x축 및 직선 $x=3$으로 둘러싸인 영역을 B라 하자. 영역 A의 넓이와 영역 B의 넓이의 합은?

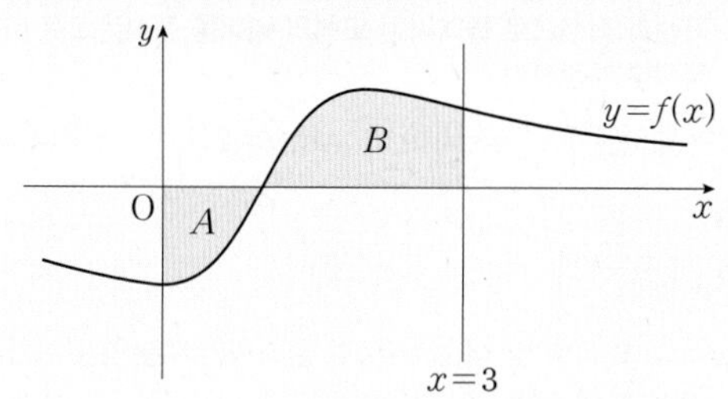

① $2\ln2$ ② $\ln6$ ③ $3\ln2$
④ $\ln10$ ⑤ $\ln12$

STEP A 곡선과 x축의 교점을 구하고 곡선이 x축 위쪽에 있는 구간과 x축 아래쪽에 있는 구간 구하기

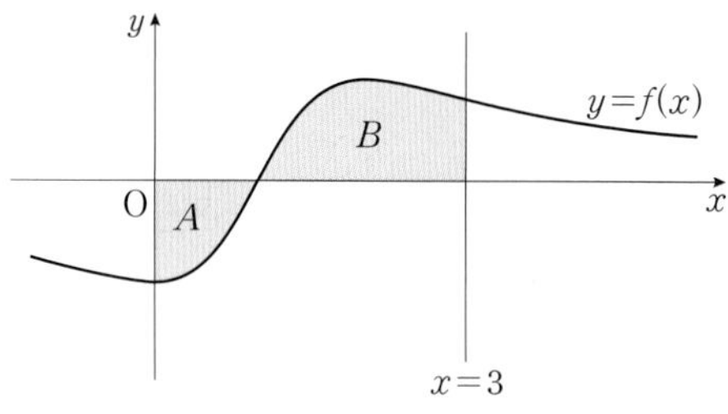

$x\geq1$이면 $f(x)\geq0$이고

$x<1$이면 $f(x)<0$이므로

영역 A의 넓이는 $\int_0^1|f(x)|dx=-\int_0^1f(x)dx$

영역 B의 넓이는 $\int_1^3|f(x)|dx=\int_1^3f(x)dx$

STEP B 치환적분을 이용하여 정적분 구하기

영역 A의 넓이와 영역 B의 넓이의 합은

$S=-\int_0^1\frac{2x-2}{x^2-2x+2}dx+\int_1^3\frac{2x-2}{x^2-2x+2}dx$

$=-\left[\ln\left(x^2-2x+2\right)\right]_0^1+\left[\ln\left(x^2-2x+2\right)\right]_1^3$ ⬅ $\int\frac{f'(x)}{f(x)}dx=\ln|f(x)|+C$

$=\ln2+\ln5=\ln10$

1007

다음 물음에 답하여라.

(1) 곡선 $y=\frac{4}{x}$와 x축 및 두 직선 $x=1$, $x=4$로 둘러싸인 도형의 넓이가 직선 $x=k$에 의하여 이등분될 때, 양수 k의 값은?

① 1 ② 2 ③ 3
④ 4 ⑤ 5

STEP A 넓이를 정적분으로 나타낸 다음 정적분 계산하기

곡선 $y=\frac{4}{x}$와 x축 및 두 직선 $x=1$, $x=4$로 둘러싸인 도형의 넓이가 직선 $x=k$에 의하여 이등분되므로 오른쪽 그림에서

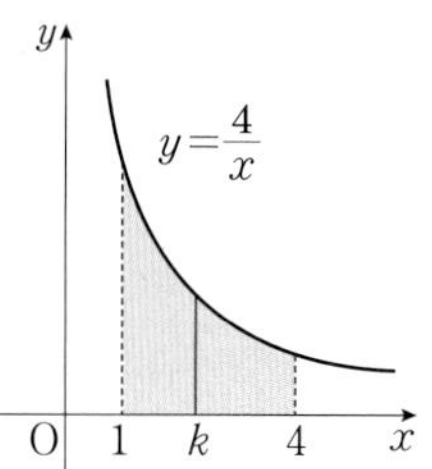

$\int_1^4\frac{4}{x}dx=2\int_1^k\frac{4}{x}dx$

$4\left[\ln x\right]_1^4=8\left[\ln x\right]_1^k$

$4(\ln4-\ln1)=8(\ln k-\ln1)$

$4\ln4=8\ln k$

$\therefore k=2$

(2) 곡선 $y=\frac{1}{x}$과 두 직선 $x=1$, $x=2$ 및 x축으로 둘러싸인 부분의 넓이를 S라 하자. 곡선 $y=\frac{1}{x}$과 두 직선 $x=1$, $x=a$ 및 x축으로 둘러싸인 부분의 넓이가 $2S$가 되도록 하는 모든 양수 a의 값의 합은?

① $\frac{15}{4}$ ② $\frac{17}{4}$ ③ $\frac{19}{4}$
④ $\frac{21}{4}$ ⑤ $\frac{23}{4}$

STEP A 구하는 부분의 넓이 S를 정적분을 이용하여 나타내기

곡선 $y=\frac{1}{x}$과 두 직선 $x=1$, $x=2$ 및 x축으로 둘러싸인 부분의 넓이는

$S=\int_1^2\frac{1}{x}dx=\ln2$

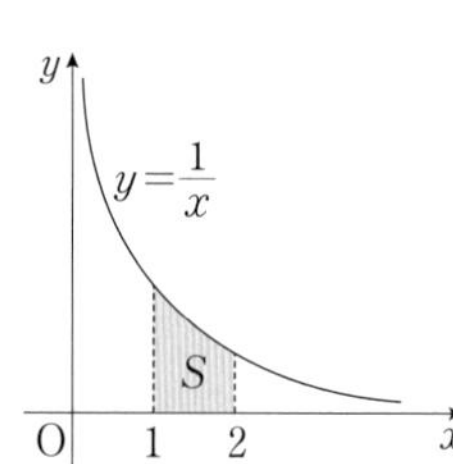

STEP B a의 범위에 따른 모든 양수 a의 값 구하기

곡선 $y=\frac{1}{x}$과 두 직선 $x=1$, $x=a$ 및 x축으로 둘러싸인 부분의 넓이는 $2S=2\ln2$이므로

(i) $a>1$일 때, $\int_1^a\frac{1}{x}dx=\ln a=2\ln2$

즉 $\ln a=\ln2^2$ $\therefore a=4$

(ii) $0<a<1$일 때, $\int_a^1\frac{1}{x}dx=-\ln a=2\ln2$

즉 $\ln a^{-1}=\ln2^2$ $\therefore a=\frac{1}{4}$

따라서 모든 a의 값의 합은 $4+\frac{1}{4}=\frac{17}{4}$

1008

다음 그림과 같이 곡선 $y=\frac{\ln x}{x}$와 x축 및 두 직선 $x=k$, $x=e^2$으로 둘러싸인 두 부분 A와 B의 넓이가 서로 같도록 하는 실수 k의 값은? (단, $1<k<e^2$)

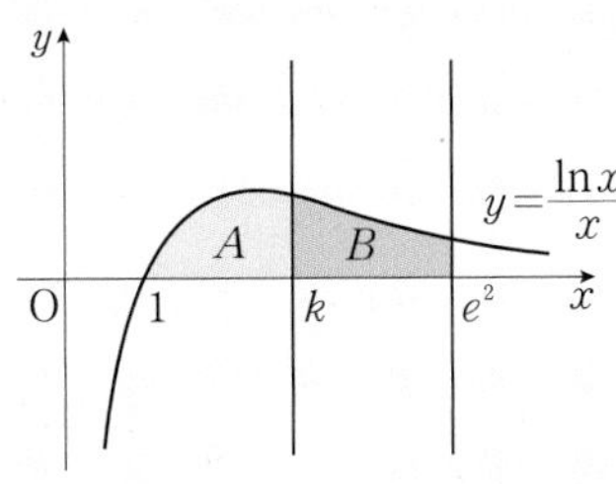

① $\sqrt{e}$ ② e ③ $e\sqrt{e}$
④ $e^{\sqrt{2}}$ ⑤ $e^{\sqrt{2}-1}$

STEP A 치환적분을 이용하여 구간 $[1, e^2]$에서 넓이 구하기

$1\le x\le e^2$에서 곡선 $y=\frac{\ln x}{x}$으로 둘러싸인 넓이는

$\int_1^{e^2}\frac{\ln x}{x}dx$

$\ln x=t$로 놓으면 $\frac{1}{x}dx=dt$

$x=1$일 때 $t=0$, $x=e^2$일 때 $t=2$

$\int_1^{e^2}\frac{\ln x}{x}dx=\int_0^2 tdt=\left[\frac{1}{2}t^2\right]_0^2=2$

STEP B 치환적분을 이용하여 구간 $[1, k]$에서 넓이 구하기

이때 A의 넓이는 $\int_1^k\frac{\ln x}{x}dx=1$이므로

$\int_1^k\frac{\ln x}{x}dx=\int_0^{\ln k}tdt=\left[\frac{1}{2}t^2\right]_0^{\ln k}=\frac{1}{2}(\ln k)^2=1$

따라서 $(\ln k)^2=2$이므로 $\ln k=\sqrt{2}$($\because 1<k<e^2$) $\therefore k=e^{\sqrt{2}}$

1009

곡선 $y=|e^x-1|$과 식선 $y=\frac{1}{2}$로 둘러싸인 부분의 넓이는?

① $\frac{3}{2}\ln 3-2\ln 2$ ② $\frac{1}{2}\ln 3-\ln 2$ ③ $2\ln 3-\ln 2$
④ $5\ln 3-2\ln 2$ ⑤ $6\ln 3-3\ln 2$

STEP A 곡선과 직선의 교점의 x좌표를 구하기

곡선 $y=|e^x-1|$과 직선 $y=\frac{1}{2}$의 교점의 x좌표는 $x>0$일 때,

$e^x-1=\frac{1}{2}$에서 $x=\ln\frac{3}{2}$

$x<0$일 때,

$-e^x+1=\frac{1}{2}$에서 $x=-\ln 2$

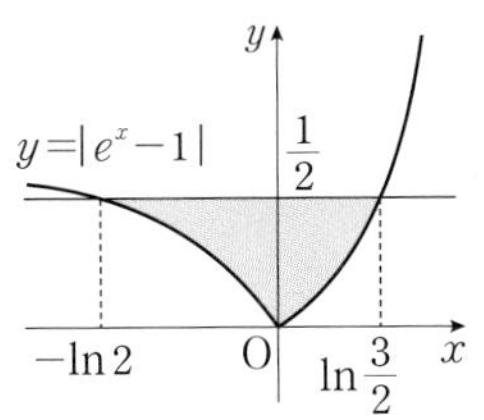

STEP B 적분구간을 나누어 넓이를 계산하기

따라서 구하는 넓이 S는

$$S=\frac{1}{2}\left(\ln\frac{3}{2}+\ln 2\right)-\int_{-\ln 2}^0(-e^x+1)dx-\int_0^{\ln\frac{3}{2}}(e^x-1)dx$$

$$=\frac{1}{2}\ln 3-\left[-e^x+x\right]_{-\ln 2}^0-\left[e^x-x\right]_0^{\ln\frac{3}{2}}$$

$$=\frac{1}{2}\ln 3-\left(-1+\frac{1}{2}+\ln 2\right)-\left(\frac{3}{2}-\ln\frac{3}{2}-1\right)$$

$$=\frac{1}{2}\ln 3-\ln 2+\ln\frac{3}{2}$$

$$=\frac{3}{2}\ln 3-2\ln 2$$

1010

다음 물음에 답하여라.

(1) 두 곡선 $y=e^x-2$, $y=3e^{-x}$ 및 y축으로 둘러싸인 도형의 넓이는?

① $\ln 2$ ② $2\ln 2$ ③ $3\ln 2$
④ $2\ln 3$ ⑤ $4\ln 3$

STEP A 두 곡선의 교점의 x좌표를 구한 후 두 곡선의 위치 비교하기

두 곡선 $y=e^x-2$, $y=3e^{-x}$의 교점의 x좌표는

$e^x-2=3e^{-x}$에서 $e^{2x}-2e^x-3=0$

$(e^x+1)(e^x-3)=0$

$e^x+1>0$이므로 $e^x=3$

$x=\ln 3$

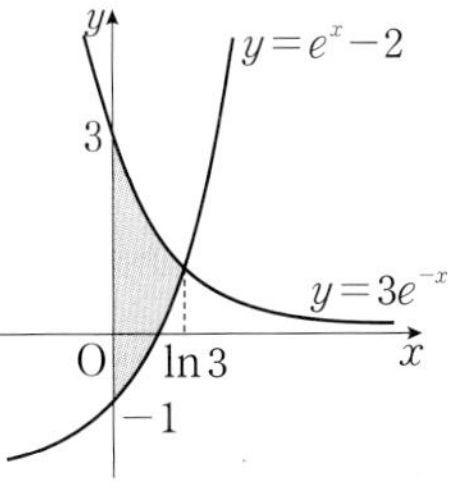

STEP B 넓이를 정적분으로 나타낸 다음 정적분 계산하기

따라서 구하는 넓이는

$\int_0^{\ln 3}\{3e^{-x}-(e^x-2)\}dx=\left[-3e^{-x}-e^x+2x\right]_0^{\ln 3}=2\ln 3$

(2) 두 곡선 $y=xe^x$, $y=ex$로 둘러싸인 도형의 넓이는?

① $\frac{1}{e}-2$ ② $\frac{1}{e}+1$ ③ $\frac{1}{2}e-3$
④ $\frac{1}{2}e-2$ ⑤ $\frac{1}{2}e-1$

STEP A 두 곡선의 교점의 x좌표를 구한 후 두 곡선의 위치 비교하기

두 곡선 $y=xe^x$, $y=ex$의 교점의 x좌표는

$xe^x=ex$에서 $x(e^x-e)=0$

$\therefore x=0$ 또는 $x=1$

$0\le x\le 1$에서 $ex\ge xe^x$

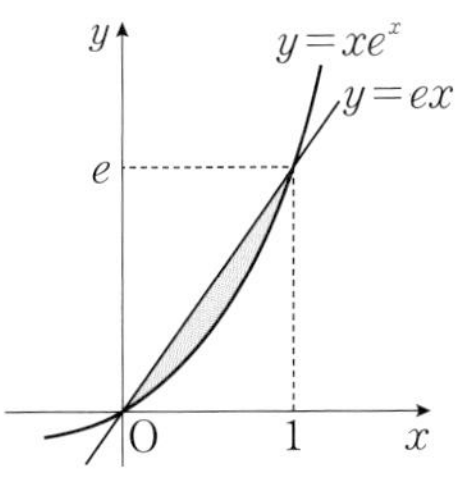

STEP B 넓이를 정적분으로 나타낸 다음 정적분 계산하기

따라서 구하는 넓이는

$\int_0^1(ex-xe^x)dx=\left[\frac{1}{2}ex^2-xe^x+e^x\right]_0^1=\frac{1}{2}e-1$

1011

다음 물음에 답하여라.

(1) 구간 $\left[\frac{\pi}{4}, \frac{5}{4}\pi\right]$에서 두 곡선 $y=\sin x$, $y=\cos x$로 둘러싸인 부분의 넓이는?

① $\sqrt{2}$ ② 2 ③ $2\sqrt{2}$
④ $3\sqrt{2}$ ⑤ 6

STEP A 두 곡선의 교점의 x좌표를 구한 후 두 곡선의 위치 비교하기

두 곡선 $y=\sin x$, $y=\cos x$의 교점의 x좌표는

$\sin x=\cos x$에서 $\tan x=1$

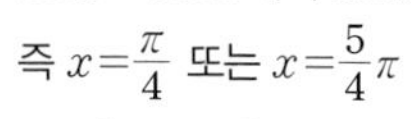

즉 $x=\frac{\pi}{4}$ 또는 $x=\frac{5}{4}\pi$

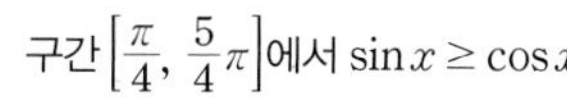

구간 $\left[\frac{\pi}{4}, \frac{5}{4}\pi\right]$에서 $\sin x \geq \cos x$

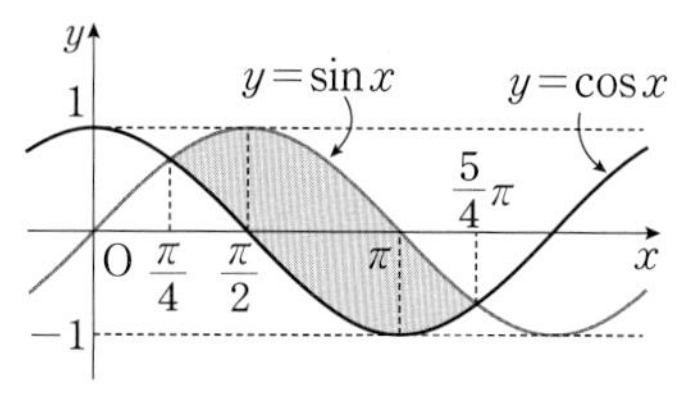

STEP B 넓이를 정적분으로 나타낸 다음 정적분 계산하기

따라서 구하는 넓이 S는

$$S=\int_{\frac{\pi}{4}}^{\frac{5}{4}\pi}(\sin x-\cos x)dx=\left[-\cos x-\sin x\right]_{\frac{\pi}{4}}^{\frac{5}{4}\pi}=2\sqrt{2}$$

참고 두 곡선 $y=\cos x$, $y=\sin x$ 및 두 직선 $x=0$, $x=\pi$로 둘러싸인 도형의 넓이 S는

$$S=\int_0^{\frac{\pi}{4}}(\cos x-\sin x)dx+\int_{\frac{\pi}{4}}^{\pi}(\sin x-\cos x)dx=2\sqrt{2}$$

(2) $0 \leq x \leq \frac{\pi}{2}$에서 두 곡선 $y=\cos x$, $y=\sin 2x$로 둘러싸인 도형의 넓이는?

① $\frac{1}{2}$ ② $\frac{2}{3}$ ③ $\frac{4}{3}$
④ $\frac{5}{2}$ ⑤ $\frac{7}{2}$

STEP A 두 곡선의 교점의 x좌표를 구한 후 두 곡선의 위치 비교하기

두 곡선 $y=\cos x$, $y=\sin 2x$의 교점의 x좌표는 $\cos x=\sin 2x$에서

$\cos x=2\sin x\cos x$

$\cos x(1-2\sin x)=0$

$\cos x=0$ 또는 $\sin x=\frac{1}{2}$

$0 \leq x \leq \frac{\pi}{2}$이므로

$x=\frac{\pi}{6}$ 또는 $x=\frac{\pi}{2}$

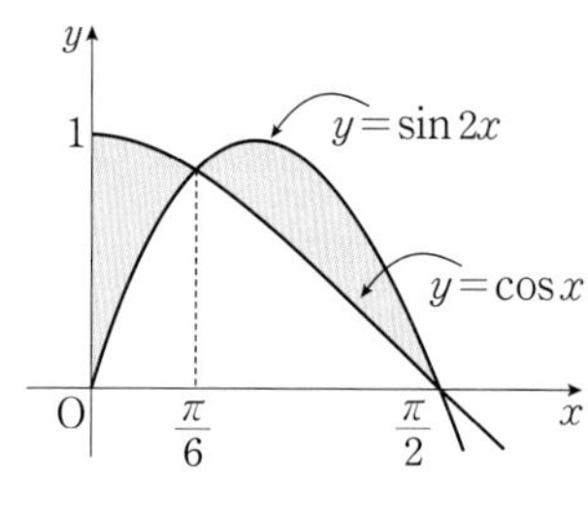

STEP B 적분구간을 나누어 넓이를 계산하기

따라서 구하는 넓이는

$$\int_0^{\frac{\pi}{6}}(\cos x-\sin 2x)dx+\int_{\frac{\pi}{6}}^{\frac{\pi}{2}}(\sin 2x-\cos x)dx$$

$$=\left[\sin x+\frac{1}{2}\cos 2x\right]_0^{\frac{\pi}{6}}+\left[-\frac{1}{2}\cos 2x-\sin x\right]_{\frac{\pi}{6}}^{\frac{\pi}{2}}=\frac{1}{4}+\frac{1}{4}=\frac{1}{2}$$

1012

다음 물음에 답하여라.

(1) 곡선 $y=e^x$과 이 곡선 위의 점 $(2, e^2)$에서의 접선 및 y축으로 둘러싸인 도형의 넓이는?

① $e-1$ ② e ③ e^2-1
④ e^2 ⑤ $2e^2+1$

STEP A 접선의 방정식 구하기

$y=e^x$에서 $y'=e^x$이므로

점 $(2, e^2)$에서의 접선의 기울기는

e^2이고 접선의 방정식은

$y-e^2=e^2(x-2)$

즉 $y=e^2x-e^2$

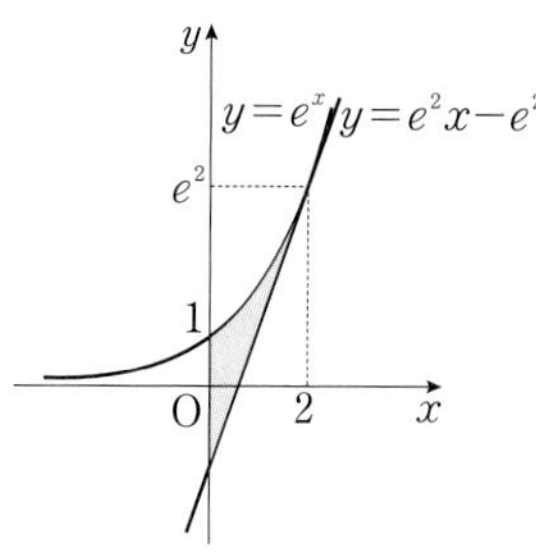

STEP B 넓이를 정적분으로 나타내고 정적분 계산하기

따라서 $0 \leq x \leq 2$에서 $e^x \geq e^2x-e^2$이므로 구하는 넓이 S는

$$S=\int_0^2\{e^x-(e^2x-e^2)\}dx=\left[e^x-\frac{e^2}{2}x^2+e^2x\right]_0^2=e^2-1$$

(2) 곡선 $y=e^{x+1}$과 이 곡선 위의 점 $(1, e^2)$에서의 접선 및 y축으로 둘러싸인 도형의 넓이는?

① $\frac{e^2}{2}-1$ ② $\frac{e^2}{2}-e$ ③ $\frac{e}{2}$
④ e ⑤ $e+2$

STEP A 접선의 방정식 구하기

$y=e^{x+1}$에서 $y'=e^{x+1}$이므로

점 $(1, e^2)$에서의 접선의 기울기는

e^2이고 접선의 방정식은

$y-e^2=e^2(x-1)$

즉 $y=e^2x$

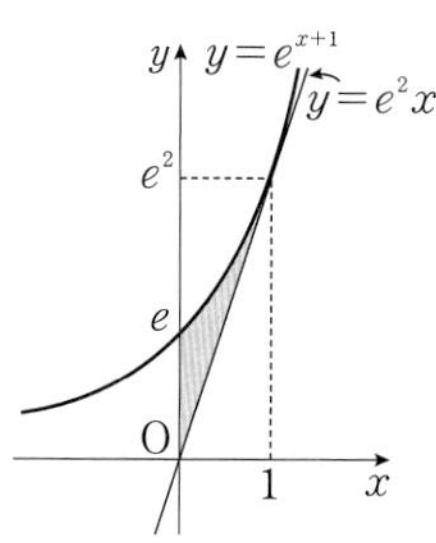

STEP B 넓이를 정적분으로 나타내고 정적분 계산하기

따라서 $0 \leq x \leq 1$에서 $e^{x+1} \geq e^2x$이므로 구하는 넓이 S는

$$S=\int_0^1(e^{x+1}-e^2x)dx=\left[e^{x+1}-\frac{e^2}{2}x^2\right]_0^1=\frac{e^2}{2}-e$$

1013

다음 물음에 답하여라.

(1) 함수 $f(x)=\ln x$의 역함수를 $g(x)$라 할 때, $\int_1^e f(x)dx+\int_0^1 g(x)dx$의 값은?

① 1 ② $\frac{e}{2}$ ③ 2
④ e ⑤ $e+1$

STEP A $\int_a^b f(x)dx+\int_{f(a)}^{f(b)} g(x)dx=bf(b)-af(a)$을 이용하여 정적분 구하기

곡선 $y=f(x)$와 x축, 직선 $x=e$로 둘러싸인 도형의 넓이를 A,

곡선 $y=g(x)$와 y축, 직선 $y=e$로 둘러싸인 도형의 넓이를 B라 하면

$A=B$이다.

이때 $\int_0^1 g(x)dx=C$라 하면

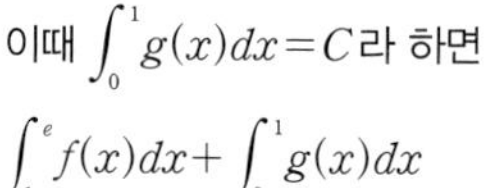

$\int_1^e f(x)dx+\int_0^1 g(x)dx$

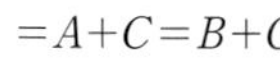

$=A+C=B+C$

$=1\times e=e$

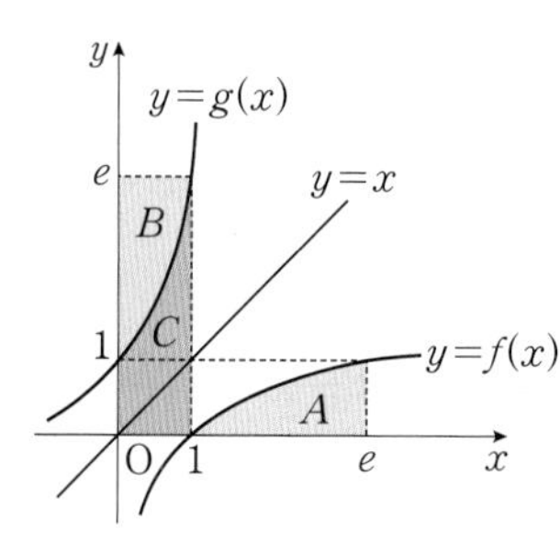

(2) 함수 $f(x)=e^x$의 역함수를 $g(x)$라고 할 때, 정적분

$\int_1^2 f(x)dx+\int_e^{e^2} g(x)dx$의 값은?

① e^2-e ② e^2+e ③ $2e^2-e$
④ e^2+2e ⑤ $2e^2+e$

STEP Ⓐ $\int_a^b f(x)dx+\int_{f(a)}^{f(b)} g(x)dx=bf(b)-af(a)$을 이용하여 정적분 구하기

오른쪽 그림에서 정적분 $\int_1^2 f(x)dx$의 값은 A영역의 넓이와 같고,

$\int_e^{e^2} g(x)dx$의 값은 B영역의 넓이와 같으므로

$\int_1^2 f(x)dx+\int_e^{e^2} g(x)dx=2e^2-e$

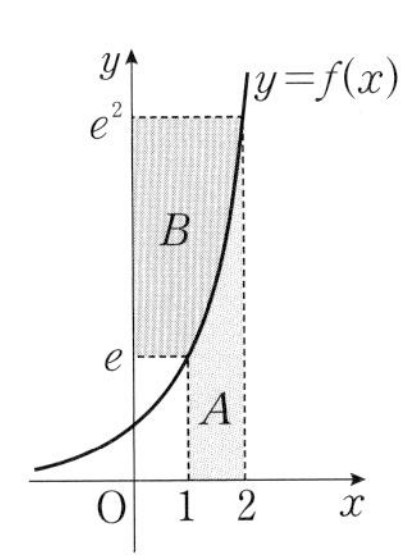

1014

좌표평면 위의 두 점 $P(x, 0)$, $Q(x, \sqrt{\cos x})$를 이은 선분을 한 변으로 하여 좌표평면에 수직이 되도록 정삼각형 PQR을 만든다. 점 P가 x축 위를 원점에서 점 $C\left(\frac{\pi}{2}, 0\right)$까지 움직일 때, △PQR이 그리는 입체도형의 부피는?

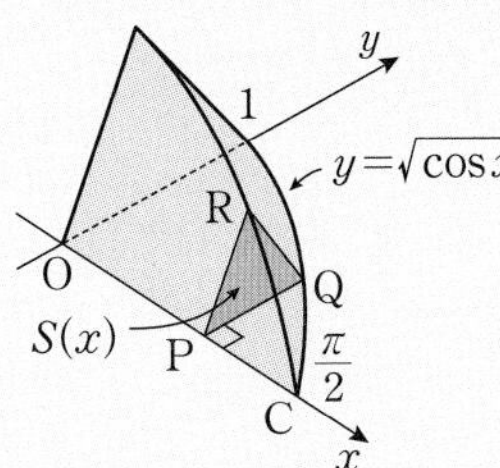

① $\frac{\sqrt{3}}{4}$ ② $\frac{\sqrt{3}}{3}$ ③ $\frac{\sqrt{3}}{2}$
④ $\frac{3\sqrt{3}}{4}$ ⑤ $\sqrt{3}$

STEP Ⓐ 단면의 넓이 $S(x)$ 구하기

다음 그림과 같이 $\overline{PQ}$의 길이는 $\sqrt{\cos x}$이므로

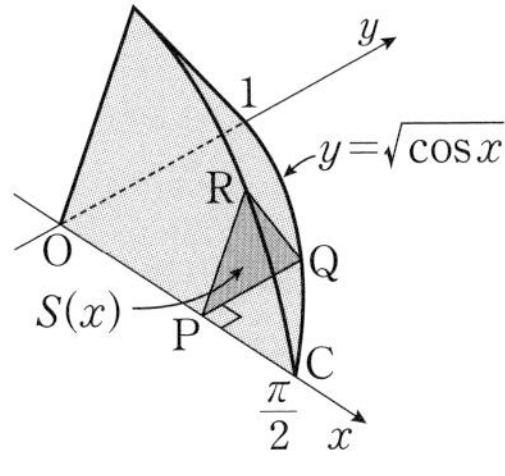

$\overline{PQ}$를 한 변으로 하는 정삼각형 PQR의 넓이 $S(x)$는

$S(x)=\frac{\sqrt{3}}{4}\overline{PQ}^2=\frac{\sqrt{3}}{4}\cos x$

STEP Ⓑ 단면의 넓이를 정적분하여 부피 구하기

따라서 구하는 입체도형의 부피 V는

$V=\int_0^{\frac{\pi}{2}}\frac{\sqrt{3}}{4}\cos x dx=\frac{\sqrt{3}}{4}\Big[\sin x\Big]_0^{\frac{\pi}{2}}=\frac{\sqrt{3}}{4}$

1015

좌표평면 위의 두 점 $P(x, 0)$, $Q(x, \sqrt{\sin x})$를 이은 선분을 한 변으로 하는 정사각형을 x축에 수직인 평면 위에 그린다. 점 P가 x축 위를 원점 O에서 점 $C(\pi, 0)$까지 움직일 때, 이 정사각형이 그리는 입체도형의 부피는?

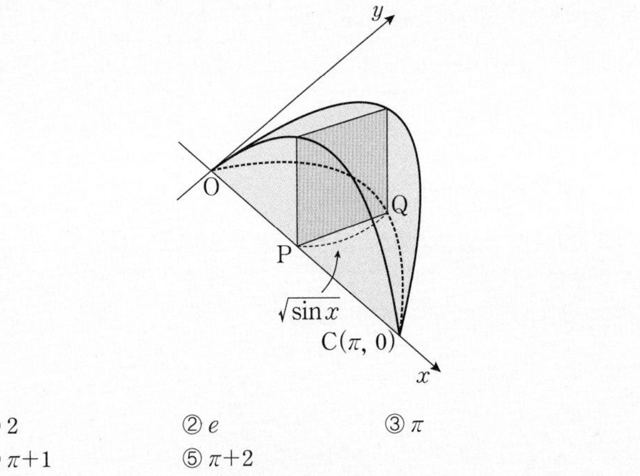

① 2 ② e ③ π
④ $\pi+1$ ⑤ $\pi+2$

STEP Ⓐ 단면의 넓이를 정적분하여 부피 구하기

다음 그림과 같이 곡선 $y=\sqrt{\sin x}$ 위의 한 점 $Q(x, \sqrt{\sin x})$에서 x축에 내린 수선의 발을 P라고 하면 $\overline{PQ}=\sqrt{\sin x}$

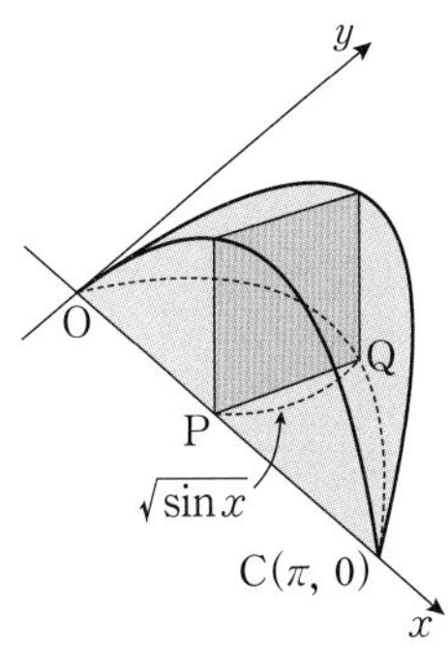

정사각형 모양인 단면의 넓이는 $S(x)=\sin x$

STEP Ⓑ 단면의 넓이를 정적분하여 부피 구하기

따라서 구하는 부피는 $\int_0^{\pi}\sin x dx=\Big[-\cos x\Big]_0^{\pi}=2$

1016

닫힌 구간 $[1, 2]$에서 곡선 $y=\sqrt{\ln x}$ 위의 점 $P(x, \sqrt{\ln x})$에서 x축에 내린 수선의 발을 H라 하고, 선분 PH를 한 변으로 하는 정사각형을 x축에 수직인 평면 위에 그린다. 점 P의 x좌표가 $x=1$에서 $x=2$까지 변할 때, 이 정사각형이 만드는 입체도형의 부피는?

① $2\ln 2-1$ ② $2\ln 2$ ③ $2\ln 2+2$
④ $2\ln 2+4$ ⑤ $\ln 3+1$

STEP Ⓐ 단면의 넓이를 정적분하여 부피 구하기

오른쪽 그림과 같이 곡선 $y=\sqrt{\ln x}$ 위의 한 점 $P(x, \sqrt{\ln x})$에서 x축에 내린 수선의 발을 H라고 하면 $\overline{PH}=\sqrt{\ln x}$

이때 정사각형 모양인 단면의 넓이는 $\ln x$이다.

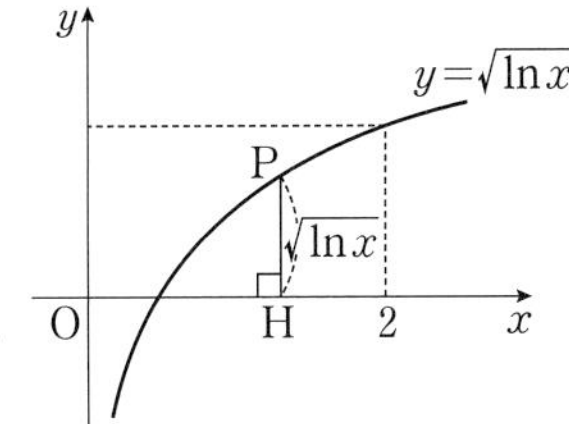

STEP Ⓑ 단면의 넓이를 정적분하여 부피 구하기

따라서 구하는 부피는 $\int_1^2 \ln x dx=\Big[x\ln x-x\Big]_1^2=2\ln 2-1$

1017

오른쪽 그림과 같이 밑면의 반지름의 길이가 1이고 높이가 2인 원기둥이 있다. 이 원기둥을 밑면의 중심을 지나고 밑면과 30°의 각을 이루는 평면으로 자를 때 생기는 두 입체도형 중에서 작은 것의 부피를 구하여라.

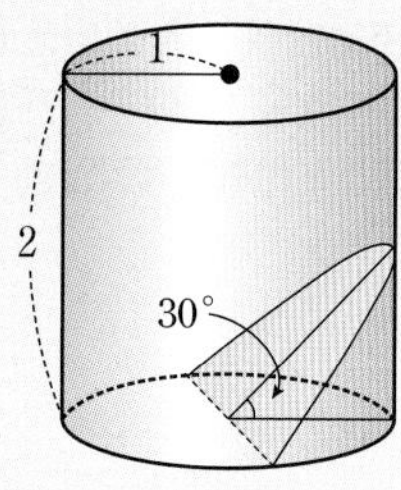

STEP A 단면의 넓이 $S(x)$ 구하기

그림과 같이 밑면의 중심을 원점, 밑면의 지름을 x축으로 잡고, x축 위의 점 $\mathrm{P}(x,\ 0)(-1\le x\le 1)$을 지나고 x축에 수직인 평면으로 입체도형을 자른 단면을 $\triangle\mathrm{PQR}$이라고 하자.

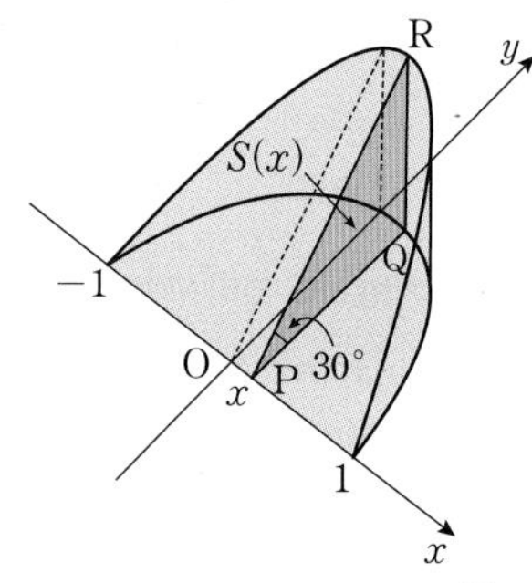

$\overline{\mathrm{PQ}}=\sqrt{\overline{\mathrm{OQ}}^2-\overline{\mathrm{OP}}^2}=\sqrt{1-x^2}$, $\overline{\mathrm{RQ}}=\overline{\mathrm{PQ}}\tan 30^\circ=\dfrac{\sqrt{3}}{3}\sqrt{1-x^2}$

이므로 $\triangle\mathrm{PQR}$의 넓이를 $S(x)$라고 하면

$$S(x)=\frac{1}{2}\cdot\sqrt{1-x^2}\cdot\frac{\sqrt{3}}{3}\sqrt{1-x^2}=\frac{\sqrt{3}}{6}(1-x^2)$$

STEP B 단면의 넓이를 정적분하여 부피 구하기

따라서 구하는 입체의 부피는

$$V=\int_{-1}^{1}S(x)dx=2\int_0^1\frac{\sqrt{3}}{6}(1-x^2)dx=\frac{\sqrt{3}}{3}\left[x-\frac{1}{3}x^3\right]_0^1=\frac{2\sqrt{3}}{9}$$

1018

다음 물음에 답하여라.

(1) 좌표평면 위를 움직이는 점 P의 시각 t에서의 위치 $(x,\ y)$가

$$x=\cos t+t\sin t,\ y=\sin t-t\cos t$$

일 때, $t=0$에서 $t=\pi$까지 점 P가 움직인 거리는?

① $\dfrac{\pi}{4}$ ② $\dfrac{\pi}{2}$ ③ $\dfrac{\pi^2}{4}$

④ $\dfrac{\pi^2}{2}$ ⑤ π^2

STEP A $\dfrac{dx}{dt},\ \dfrac{dy}{dt}$를 구한 후 $\left(\dfrac{dx}{dt}\right)^2+\left(\dfrac{dy}{dt}\right)^2$을 간단히 하기

$$\frac{dx}{dt}=-\sin t+\sin t+t\cos t=t\cos t,$$

$$\frac{dy}{dt}=\cos t-\cos t+t\sin t=t\sin t$$

$$\left(\frac{dx}{dt}\right)^2+\left(\frac{dy}{dt}\right)^2=t^2\cos^2 t+t^2\sin^2 t=t^2(\cos^2 t+\sin^2 t)=t^2$$

STEP B $\displaystyle\int_0^{\pi}\sqrt{\left(\frac{dx}{dt}\right)^2+\left(\frac{dy}{dt}\right)^2}\,dt$의 값 구하기

따라서 $t=0$에서 $t=\pi$까지 점 P가 움직이는 거리를 s라 하면

$$s=\int_0^{\pi}\sqrt{\left(\frac{dx}{dt}\right)^2+\left(\frac{dy}{dt}\right)^2}\,dt=\int_0^{\pi}t\,dt=\left[\frac{1}{2}t^2\right]_0^{\pi}=\frac{\pi^2}{2}$$

(2) 좌표평면 위를 움직이는 점 $\mathrm{P}(x,\ y)$의 시각 t에서의 위치가

$$x=\cos(t^2+1),\ y=\sin(t^2+1)$$

일 때, $t=0$에서 $t=4$까지 점 P가 움직인 거리는?

① 8 ② 10 ③ 12

④ 14 ⑤ 16

STEP A $\dfrac{dx}{dt},\ \dfrac{dy}{dt}$를 구한 후 $\left(\dfrac{dx}{dt}\right)^2+\left(\dfrac{dy}{dt}\right)^2$을 간단히 하기

$$\frac{dx}{dt}=-2t\sin(t^2+1),\ \frac{dy}{dt}=2t\cos(t^2+1)$$

$$\left(\frac{dx}{dt}\right)^2+\left(\frac{dy}{dt}\right)^2=4t^2\sin^2(t^2+1)+4t^2\cos^2(t^2+1)=4t^2$$

STEP B $\displaystyle\int_0^{4}\sqrt{\left(\frac{dx}{dt}\right)^2+\left(\frac{dy}{dt}\right)^2}\,dt$의 값 구하기

따라서 $t=0$에서 $t=4$까지 점 P가 움직인 거리는

$$\int_0^{4}\sqrt{\left(\frac{dx}{dt}\right)^2+\left(\frac{dy}{dt}\right)^2}\,dt=\int_0^4 2t\,dt=\left[t^2\right]_0^4=16$$

1019

좌표평면 위를 움직이는 점 P의 시각 t에서의 위치 $(x,\ y)$가

$$x=\frac{2}{3}t^3,\ y=t^2$$

일 때, 시각 $t=0$에서 $t=\sqrt{3}$까지 점 P가 움직인 거리는?

① 3 ② 4 ③ $\dfrac{14}{3}$

④ 5 ⑤ $\dfrac{17}{3}$

STEP A $\dfrac{dx}{dt},\ \dfrac{dy}{dt}$를 구한 후 $\left(\dfrac{dx}{dt}\right)^2+\left(\dfrac{dy}{dt}\right)^2$을 간단히 하기

$$\frac{dx}{dt}=2t^2,\ \frac{dy}{dt}=2t$$

$$\left(\frac{dx}{dt}\right)^2+\left(\frac{dy}{dt}\right)^2=4t^4+4t^2=4t^2(t^2+1)$$

STEP B 치환적분을 이용하여 $\displaystyle\int_0^{\sqrt{3}}\sqrt{\left(\frac{dx}{dt}\right)^2+\left(\frac{dy}{dt}\right)^2}\,dt$의 값 구하기

$t=0$에서 $t=\sqrt{3}$까지 점 P가 움직인 거리 s는

$$s=\int_0^{\sqrt{3}}\sqrt{\left(\frac{dx}{dt}\right)^2+\left(\frac{dy}{dt}\right)^2}\,dt$$

$$=\int_0^{\sqrt{3}}2t\sqrt{t^2+1}\,dt$$

$t^2+1=u$로 놓으면 $2t=\dfrac{du}{dt}$이고

$t=0$일 때, $u=1$이고

$t=\sqrt{3}$일 때, $u=4$이므로

$$\int_0^{\sqrt{3}}2t\sqrt{t^2+1}\,dt=\int_1^4\sqrt{u}\,du=\left[\frac{2}{3}u\sqrt{u}\right]_1^4=\frac{2}{3}(8-1)=\frac{14}{3}$$

1020

다음 물음에 답하여라.

(1) 좌표평면 위를 움직이는 점 P의 시각 t에서의 위치 (x, y)가

$$x=\frac{4}{3}t\sqrt{t},\ y=\frac{1}{2}t^2-t$$

일 때, 시각 $t=0$에서 $t=a$까지 점 P가 움직인 거리가 12가 되도록 하는 양수 a의 값은?

① 2 ② 4 ③ 6
④ 8 ⑤ 10

STEP Ⓐ $\frac{dx}{dt}$, $\frac{dy}{dt}$를 구한 후 $\left(\frac{dx}{dt}\right)^2+\left(\frac{dy}{dt}\right)^2$을 간단히 하기

$\frac{dx}{dt}=2\sqrt{t}$, $\frac{dy}{dt}=t-1$

$\left(\frac{dx}{dt}\right)^2+\left(\frac{dy}{dt}\right)^2=(2\sqrt{t})^2+(t-1)^2=t^2+2t+1=(t+1)^2$

STEP Ⓑ $\int_0^a\sqrt{\left(\frac{dx}{dt}\right)^2+\left(\frac{dy}{dt}\right)^2}\,dt=12$를 만족하는 양수 a 구하기

$t=0$에서 $t=a$까지 점 P가 움직인 거리 s가 12이므로

$s=\int_0^a\sqrt{\left(\frac{dx}{dt}\right)^2+\left(\frac{dy}{dt}\right)^2}\,dt=\int_0^a\sqrt{(t+1)^2}\,dt$

$=\int_0^a(t+1)dt=\left[\frac{1}{2}t^2+t\right]_0^a=\frac{1}{2}a^2+a$

이때 $s=12$이므로 $\frac{1}{2}a^2+a=12$

$a^2+2a-24=0$, $(a+6)(a-4)=0$

따라서 $a>0$이므로 $a=4$

(2) 좌표평면 위를 움직이는 점 P의 시각 t에서의 위치 (x, y)가

$$x=t^2-2t,\ y=\frac{8}{3}t\sqrt{t}$$

일 때, 시각 $t=0$에서 $t=a$까지 점 P가 움직인 거리가 8가 되도록 하는 양수 a의 값은?

① 2 ② 4 ③ 6
④ 8 ⑤ 10

STEP Ⓐ $\frac{dx}{dt}$, $\frac{dy}{dt}$를 구한 후 $\left(\frac{dx}{dt}\right)^2+\left(\frac{dy}{dt}\right)^2$을 간단히 하기

$\frac{dx}{dt}=2t-2$, $\frac{dy}{dt}=4\sqrt{t}$

$\left(\frac{dx}{dt}\right)^2+\left(\frac{dy}{dt}\right)^2=(2t-2)^2+(4\sqrt{t})^2=4t^2+8t+4=(2t+2)^2$

STEP Ⓑ $\int_0^a\sqrt{\left(\frac{dx}{dt}\right)^2+\left(\frac{dy}{dt}\right)^2}\,dt=12$를 만족하는 양수 a 구하기

$t=0$에서 $t=a$까지 점 P가 움직인 거리 s가 8이므로

$s=\int_0^a\sqrt{\left(\frac{dx}{dt}\right)^2+\left(\frac{dy}{dt}\right)^2}\,dt=\int_0^a\sqrt{(2t+2)^2}\,dt$

$=\int_0^a(2t+2)dt=[t^2+2t]_0^a=a^2+2a$

이때 $s=8$이므로 $a^2+2a=8$

$a^2+2a-8=0$, $(a+4)(a-2)=0$

따라서 $a>0$이므로 $a=2$

(3) 평면 위를 움직이는 점 P(x, y)의 시각 t에서의 위치가

$$x=\frac{1}{2}t^2-2t,\ y=\frac{4\sqrt{2}}{3}t\sqrt{t}$$

로 주어질 때, $t=0$에서 $t=a$까지 점 P가 움직인 거리가 6이 되도록 하는 양수 a의 값은?

① 2 ② 4 ③ 6
④ 8 ⑤ 10

STEP Ⓐ $\frac{dx}{dt}$, $\frac{dy}{dt}$를 구한 후 $\left(\frac{dx}{dt}\right)^2+\left(\frac{dy}{dt}\right)^2$을 간단히 하기

$\frac{dx}{dt}=t-2$, $\frac{dy}{dt}=2\sqrt{2t}$

$\left(\frac{dx}{dt}\right)^2+\left(\frac{dy}{dt}\right)^2=(t-2)^2+(2\sqrt{2t})^2=t^2+4t+4=(t+2)^2$

STEP Ⓑ $\int_0^a\sqrt{\left(\frac{dx}{dt}\right)^2+\left(\frac{dy}{dt}\right)^2}\,dt=12$를 만족하는 양수 a 구하기

$t=0$에서 $t=a$까지 점 P가 움직인 거리 s가 6이므로

$s=\int_0^a\sqrt{\left(\frac{dx}{dt}\right)^2+\left(\frac{dy}{dt}\right)^2}\,dt=\int_0^a\sqrt{(t+2)^2}\,dt$

$=\int_0^a(t+2)dt=\left[\frac{1}{2}t^2+2t\right]_0^a=\frac{1}{2}a^2+2a$

$\frac{1}{2}a^2+2a=6$에서 $a^2+4a-12=0$, $(a-2)(a+6)=0$

따라서 $a=2(\because a>0)$

1021

다음 물음에 답하여라.

(1) 매개변수로 나타낸 곡선

$$x=e^t\sin t,\ y=e^t\cos t\,(0\leq t\leq\pi)$$

의 길이를 구하여라.

STEP Ⓐ $\frac{dx}{dt}$, $\frac{dy}{dt}$를 구하기

$\frac{dx}{dt}=e^t\sin t+e^t\cos t=e^t(\sin t+\cos t)$

$\frac{dy}{dt}=e^t\cos t-e^t\sin t=e^t(\cos t-\sin t)$

STEP Ⓑ $\int_0^\pi\sqrt{\left(\frac{dx}{dt}\right)^2+\left(\frac{dy}{dt}\right)^2}\,dt$의 값 구하기

따라서 구하는 곡선의 길이를 l이라 하면

$l=\int_0^\pi\sqrt{e^{2t}(\sin t+\cos t)^2+e^{2t}(\cos t-\sin t)^2}\,dt$

$=\int_0^\pi\sqrt{2e^{2t}}\,dt=\int_0^\pi\sqrt{2}e^t\,dt$

$=\left[\sqrt{2}e^t\right]_0^\pi=\sqrt{2}(e^\pi-1)$

(2) 매개변수로 나타낸 곡선

$$x=e^t\cos\pi t,\ y=e^t\sin\pi t\,(0\leq t\leq 1)$$

의 길이를 구하여라.

STEP Ⓐ $\frac{dx}{dt}$, $\frac{dy}{dt}$를 구하기

$\frac{dx}{dt}=e^t\cos\pi t-e^t\pi\sin\pi t=e^t(\cos\pi t-\pi\sin\pi t)$

$\frac{dy}{dt}=e^t\sin\pi t+e^t\pi\cos\pi t=e^t(\sin\pi t+\pi\cos\pi t)$

STEP Ⓑ $\int_0^1\sqrt{\left(\frac{dx}{dt}\right)^2+\left(\frac{dy}{dt}\right)^2}\,dt$의 값 구하기

따라서 구하는 곡선의 길이를 l이라 하면

$l=\int_0^1\sqrt{\left(\frac{dx}{dt}\right)^2+\left(\frac{dy}{dt}\right)^2}\,dt$

$=\int_0^1\sqrt{e^{2t}\{\cos^2\pi t+\sin^2\pi t+\pi^2(\sin^2\pi t+\cos^2\pi t)\}}\,dt$

$=\int_0^1 e^t\sqrt{1+\pi^2}\,dt=\left[e^t\sqrt{1+\pi^2}\right]_0^1$

$=(e-1)\sqrt{1+\pi^2}$

1022

다음 물음에 답하여라.

(1) 좌표평면 위를 움직이는 점 P의 시각 t에서의 위치 (x, y)가

$$x=\sqrt{2}e^t\sin t,\ y=\sqrt{2}e^t\cos t$$

이다. 점 P가 시각 $t=0$에서 $t=\ln 10$까지 움직인 거리는?

① $9\sqrt{2}$ ② 18 ③ $18\sqrt{2}$
④ 36 ⑤ $36\sqrt{2}$

STEP A $\frac{dx}{dt}$, $\frac{dy}{dt}$를 구한 후 $\left(\frac{dx}{dt}\right)^2+\left(\frac{dy}{dt}\right)^2$를 간단히 정리하기

$\frac{dx}{dt}=\sqrt{2}(e^t\sin t+e^t\cos t)=\sqrt{2}e^t(\sin t+\cos t)$

$\frac{dy}{dt}=\sqrt{2}(e^t\cos t-e^t\sin t)=\sqrt{2}e^t(\cos t-\sin t)$이므로

$\left(\frac{dx}{dt}\right)^2+\left(\frac{dy}{dt}\right)^2=2e^{2t}(\sin t+\cos t)^2+2e^{2t}(\cos t-\sin t)^2=4e^{2t}$

STEP B $\int_0^{\ln 10}\sqrt{\left(\frac{dx}{dt}\right)^2+\left(\frac{dy}{dt}\right)^2}\,dt$의 값 구하기

점 P가 $t=0$에서 $t=\ln 10$까지 움직인 거리는

$$s=\int_0^{\ln 10}\sqrt{\left(\frac{dx}{dt}\right)^2+\left(\frac{dy}{dt}\right)^2}\,dt$$
$$=\int_0^{\ln 10}2e^t\,dt$$
$$=\left[2e^t\right]_0^{\ln 10}=2(e^{\ln 10}-e^0)$$
$$=2(10-1)=18$$

(2) 좌표평면 위를 움직이는 점 P의 시각 $t\,(t\geq 0)$에서의 위치 (x, y)가

$$x=e^t\cos t,\ y=e^t\sin t$$

일 때, 시각 $t=0$에서 시각 $t=\ln 5$까지 점 P가 움직인 거리는?

① $\sqrt{2}$ ② $2\sqrt{2}$ ③ $3\sqrt{2}$
④ $4\sqrt{2}$ ⑤ $5\sqrt{2}$

STEP A $\frac{dx}{dt}$, $\frac{dy}{dt}$를 구한 후 $\left(\frac{dx}{dt}\right)^2+\left(\frac{dy}{dt}\right)^2$를 간단히 정리하기

$x=e^t\cos t$에서 $\frac{dx}{dt}=e^t(\cos t-\sin t)$

$y=e^t\sin t$에서 $\frac{dy}{dt}=e^t(\sin t+\cos t)$이므로

$$\left(\frac{dx}{dt}\right)^2+\left(\frac{dy}{dt}\right)^2=e^{2t}(\cos t-\sin t)^2+e^{2t}(\sin t+\cos t)^2$$
$$=e^{2t}\{(\cos t-\sin t)^2+(\sin t+\cos t)^2\}$$
$$=e^{2t}\times 2(\sin^2 t+\cos^2 t)$$
$$=2e^{2t}$$

STEP B $\int_0^{\ln 5}\sqrt{\left(\frac{dx}{dt}\right)^2+\left(\frac{dy}{dt}\right)^2}\,dt$의 값 구하기

따라서 시각 $t=0$에서 시각 $t=\ln 5$까지 점 P까지 움직인 거리를 s라 하면

$$s=\int_0^{\ln 5}\sqrt{\left(\frac{dx}{dt}\right)^2+\left(\frac{dy}{dt}\right)^2}\,dt$$
$$=\int_0^{\ln 5}\sqrt{2e^{2t}}\,dt$$
$$=\int_0^{\ln 5}\sqrt{2}e^t\,dt$$
$$=\sqrt{2}\left[e^t\right]_0^{\ln 5}=\sqrt{2}(e^{\ln 5}-e^0)$$
$$=\sqrt{2}(5-1)=4\sqrt{2}$$

1023

좌표평면 위를 움직이는 점 $\mathrm{P}(x, y)$의 시각 t에서의 좌표가

$$x=\cos^3 t,\ y=\sin^3 t$$

일 때, $t=0$에서 $t=\frac{\pi}{2}$까지 점 P가 움직인 거리는?

① $\frac{1}{3}$ ② $\frac{1}{2}$ ③ 1
④ $\frac{3}{2}$ ⑤ 2

STEP A 점 P가 움직인 거리를 정적분으로 나타내기

$x=\cos^3 t,\ y=\sin^3 t$에서

$\frac{dx}{dt}=-3\cos^2 t\sin t,\ \frac{dy}{dt}=3\sin^2 t\cos t$ 이므로

점 P가 움직인 거리를 s라고 하면

$$s=\int_0^{\frac{\pi}{2}}\sqrt{(-3\cos^2 t\sin t)^2+(3\sin^2 t\cos t)^2}\,dt$$
$$=\int_0^{\frac{\pi}{2}}\sqrt{9\sin^2 t\cos^2 t}\,dt$$
$$=\int_0^{\frac{\pi}{2}}3\sin t\cos t\,dt$$

STEP B 치환적분을 이용하여 구하기

따라서 $\cos t=\theta$로 놓으면 $-\sin t\,dt=d\theta$이고

$t=0$일 때, $\theta=1$이고 $t=\frac{\pi}{2}$일 때, $\theta=0$이므로

$$s=\int_0^{\frac{\pi}{2}}3\sin t\cos t\,dt=\int_1^0-3\theta\,d\theta=\int_0^1 3\theta\,d\theta=\left[\frac{3}{2}\theta^2\right]_0^1=\frac{3}{2}$$

1024

좌표평면 위를 움직이는 점 $\mathrm{P}(x, y)$의 시각 $t\left(0\leq t\leq\frac{\pi}{2}\right)$에서의 위치가

$$x=2\cos^3 t,\ y=2\sin^3 t$$

일 때, 점 P의 속도의 크기가 최대가 될 때까지 점 P가 움직인 거리는?

① $\frac{1}{3}$ ② $\frac{1}{2}$ ③ 1
④ $\frac{3}{2}$ ⑤ 2

STEP A 점 P의 속도의 크기가 최대가 되는 시각 t 구하기

$x=2\cos^3 t,\ y=2\sin^3 t$에서

$\frac{dx}{dt}=-6\cos^2 t\sin t,\ \frac{dy}{dt}=6\sin^2 t\cos t$이므로

점 P의 속도는 $(-6\cos^2 t\sin t,\ 6\sin^2 t\cos t)$이고

속력은 $\sqrt{(-6\cos^2 t\sin t)^2+(6\sin^2 t\cos t)^2}=6\sin t\cos t=3\sin 2t$

속력이 최대가 되려면

$2t=\frac{\pi}{2}\quad\therefore t=\frac{\pi}{4}$

STEP B 점 P가 움직인 거리 구하기

점 P의 시각 $t=0$에서 시각 $t=\frac{\pi}{4}$까지 움직인 거리는

$$\int_0^{\frac{\pi}{4}}\sqrt{(-6\cos^2 t\sin t)^2+(6\sin^2 t\cos t)^2}\,dt=\int_0^{\frac{\pi}{4}}6\sin t\cos t\,dt$$

이때 $\sin t=u$로 놓으면 $\cos t\,dt=du$이고

$t=0$일 때, $u=0$이고 $t=\frac{\pi}{4}$일 때, $u=\frac{\sqrt{2}}{2}$이므로

$$\int_0^{\frac{\pi}{4}}6\sin t\cos t\,dt=\int_0^{\frac{\sqrt{2}}{2}}6u\,du=3\left[u^2\right]_0^{\frac{\sqrt{2}}{2}}=\frac{3}{2}$$

1025

좌표평면 위의 곡선

$$y=\frac{1}{3}x\sqrt{x}\,(0\le x\le 12)$$

에 대하여 $x=0$에서 $x=12$까지의 곡선의 길이를 l이라 할 때, $3l$의 값을 구하여라.

STEP A 곡선의 길이 $\int_0^{12}\sqrt{1+\{f'(x)\}^2}\,dx$를 구하기

$y=\frac{1}{3}x\sqrt{x}=\frac{1}{3}x^{\frac{3}{2}}$에서 $\frac{dy}{dx}=\frac{1}{2}\sqrt{x}$

$x=0$에서 시각 $x=12$까지의 곡선의 길이를 l이므로

$$l=\int_0^{12}\sqrt{1+\left(\frac{dy}{dx}\right)^2}\,dx=\int_0^{12}\sqrt{1+\frac{x}{4}}\,dx$$

$$=\int_0^{12}\frac{1}{2}\sqrt{4+x}\,dx=\frac{1}{2}\left[\frac{2}{3}(x+4)^{\frac{3}{2}}\right]_0^{12}$$

$$=\frac{1}{3}(16^{\frac{3}{2}}-4^{\frac{3}{2}})=\frac{1}{3}(64-8)$$

$$=\frac{56}{3}$$

따라서 $3l=56$

1026

다음 물음에 답하여라.

(1) 곡선 $f(x)=\frac{1}{4}x^2-\frac{1}{2}\ln x\,(1\le x<4)$의 길이는?

① $\frac{5}{2}+\ln 2$ ② $\frac{13}{2}+\ln 2$ ③ $\frac{15}{4}+\ln 2$
④ $\frac{15}{2}+2\ln 2$ ⑤ $\frac{15}{2}+4\ln 2$

STEP A 곡선의 길이 $\int_1^4\sqrt{1+\{f'(x)\}^2}\,dx$ 구하기

$f(x)=\frac{1}{4}x^2-\frac{1}{2}\ln x$에서 $f'(x)=\frac{1}{2}x-\frac{1}{2x}$이므로

구하는 곡선의 길이를 l이라고 하면

$$l=\int_1^4\sqrt{1+\{f'(x)\}^2}\,dx=\int_1^4\sqrt{1+\left\{\frac{1}{2}\left(x-\frac{1}{x}\right)\right\}^2}\,dx$$

$$=\int_1^4\sqrt{\left\{\frac{1}{2}\left(x+\frac{1}{x}\right)\right\}^2}\,dx=\int_1^4\frac{1}{2}\left(x+\frac{1}{x}\right)dx$$

$$=\frac{1}{2}\left[\frac{1}{2}x^2+\ln x\right]_1^4=\frac{15}{4}+\ln 2$$

(2) 곡선 $y=\ln(1-x^2)\left(0\le x\le\frac{1}{2}\right)$의 길이는?

① $\ln 3-\frac{1}{2}$ ② $\ln 3+\frac{1}{2}$ ③ $\ln 3+1$
④ $\ln\sqrt{3}-\frac{1}{2}$ ⑤ $\ln\sqrt{3}+\frac{1}{2}$

STEP A $\int_0^{\frac{1}{2}}\sqrt{1+(y')^2}\,dx$를 이용하여 곡선의 길이 구하기

$\frac{dy}{dx}=\frac{-2x}{1-x^2}$이므로 $0\le x\le\frac{1}{2}$에서의 곡선의 길이는

$$\int_0^{\frac{1}{2}}\sqrt{1+\left(\frac{-2x}{1-x^2}\right)^2}\,dx=\int_0^{\frac{1}{2}}\frac{1+x^2}{1-x^2}\,dx=\int_0^{\frac{1}{2}}\left(\frac{2}{1-x^2}-1\right)dx$$

$$=\int_0^{\frac{1}{2}}\left(\frac{1}{1+x}+\frac{1}{1-x}\right)dx-\int_0^{\frac{1}{2}}1\,dx$$

$$=\Big[\ln|1+x|-\ln|1-x|\Big]_0^{\frac{1}{2}}-\Big[x\Big]_0^{\frac{1}{2}}$$

$$=\ln 3-\frac{1}{2}$$

1027

미분가능한 함수 $f(x)$가

$$\lim_{h\to 0}\frac{f(x+h)-f(x-h)}{h}=2x\sqrt{x^2+2}$$

를 만족시킬 때, $0\le x\le 3$에서의 곡선 $y=f(x)$의 길이는?

① $\frac{14}{3}$ ② $\frac{23}{3}$ ③ 10
④ 12 ⑤ 24

STEP A 도함수의 변형을 이용하여 $f'(x)$ 구하기

$$\lim_{h\to 0}\frac{f(x+h)-f(x-h)}{h}=\lim_{h\to 0}\frac{f(x+h)-f(x)}{h}+\lim_{h\to 0}\frac{f(x-h)-f(x)}{-h}$$

$$=f'(x)+f'(x)$$

$$=2f'(x)$$

즉 $\lim_{h\to 0}\frac{f(x+h)-f(x-h)}{h}=2x\sqrt{x^2+2}$에서 $2f'(x)=2x\sqrt{x^2+2}$

$\therefore\ f'(x)=x\sqrt{x^2+2}$

STEP B $\int_0^3\sqrt{1+\{f'(x)\}^2}\,dx$의 값 구하기

따라서 $0\le x\le 3$에서의 곡선 $y=f(x)$의 길이는

$$\int_0^3\sqrt{1+(x\sqrt{x^2+2}^2)}\,dx=\int_0^3\sqrt{x^4+2x^2+1}\,dx$$

$$=\int_0^3\sqrt{(x^2+1)^2}\,dx$$

$$=\int_0^3(x^2+1)dx$$

$$=\left[\frac{1}{3}x^3+x\right]_0^3=12$$

1028

두 함수 f, g가 다음과 같이 정의되어 있다.

$$f(x)=e^x+e^{-x},\ g(x)=e^x-e^{-x}$$

다음 중 곡선 $y=\frac{1}{2}f(x)(-a\le x\le a)$의 길이를 나타내는 것은? (단, $a>0$)

① $f(a)$ ② $g(a)$ ③ $2f(a)$
④ $2g(a)$ ⑤ $\frac{1}{2}g(a)$

STEP A $\frac{dy}{dx}$를 구하여 정리하기

$y=\frac{1}{2}f(x)=\frac{e^x+e^{-x}}{2}$이므로 $\frac{dy}{dx}=\frac{e^x-e^{-x}}{2}$

$\therefore\ 1+\left(\frac{dy}{dx}\right)^2=1+\frac{e^{2x}+e^{-2x}-2}{4}=\left(\frac{e^x+e^{-x}}{2}\right)^2$

STEP B $x=-a$에서 시각 $x=a$까지의 곡선의 길이 구하기

따라서 $x=-a$에서 시각 $x=a$까지의 곡선의 길이를 l이라 하면

$$l=\int_{-a}^{a}\sqrt{1+\left(\frac{dy}{dx}\right)^2}\,dx$$

$$=\int_{-a}^{a}\frac{e^x+e^{-x}}{2}\,dx$$

$$=\frac{1}{2}\Big[e^x-e^{-x}\Big]_{-a}^{a}$$

$$=\frac{1}{2}(e^a-e^{-a}-e^{-a}+e^a)$$

$$=e^a-e^{-a}$$

$$=g(a)$$

1029

다음 물음에 답하여라.
(단, $f(x)$는 $x \geq 0$에서 정의된 미분가능한 함수이다.)

(1) 함수 $f(x)$에 대하여 $f(0)=1$이고 $f'(x) \geq 0$이다.
곡선 $y=f(x)$의 $x=0$에서 $x=t\,(t>0)$까지의 곡선의 길이가 $\frac{1}{2}(e^t-e^{-t})$일 때, $f(\ln 2)$의 값을 구하여라.

STEP Ⓐ $\int_0^t \sqrt{1+\{f'(t)\}^2}\,dt=\frac{1}{2}(e^t-e^{-t})$에서 $f'(t)$의 식 구하기

$\int_0^t \sqrt{1+\{f'(t)\}^2}\,dt=\frac{1}{2}(e^t-e^{-t})$이므로

양변을 t에 대하여 미분하면

$\sqrt{1+\{f'(t)\}^2}=\frac{1}{2}(e^t+e^{-t})$

양변을 제곱하면

$1+\{f'(t)\}^2=\frac{1}{4}(e^{2t}+2+e^{-2t})$

$\{f'(t)\}^2=\frac{1}{4}(e^{2t}-2+e^{-2t})=\left\{\frac{1}{2}(e^t-e^{-t})\right\}^2$ $(\because t>0)$

$\therefore f'(t)=\frac{1}{2}(e^t-e^{-t})$

STEP Ⓑ $f(0)=1$을 이용하여 $f(\ln 2)$의 값 구하기

$f(t)=\frac{1}{2}(e^t+e^{-t})+C$

$f(0)=1$이므로 $C=0$

따라서 $f(\ln 2)=\frac{1}{2}(e^{\ln 2}+e^{-\ln 2})=\frac{5}{4}$

(2) 곡선 $y=f(x)$ 위의 점 $(0, 1)$에서 곡선 위의 임의의 점 (x, y)까지의 곡선의 길이가 $e^x+f(x)-2$일 때, $f'(1)$의 값을 구하여라.

STEP Ⓐ $\int_0^x \sqrt{1+\{f'(t)\}^2}\,dt=e^x+f(x)-1$에서 $f'(t)$의 식 구하기

곡선 $y=f(x)$ 위의 점 $(0, 1)$에서 곡선 위의 임의의 점 (x, y)까지의 곡선의 길이가 $e^x+f(x)-2$이므로

$\int_0^x \sqrt{1+\{f'(t)\}^2}\,dt=e^x+f(x)-2$

양변을 x에 대하여 미분하면

$\sqrt{1+\{f'(x)\}^2}=e^x+f'(x)$

$1+\{f'(x)\}^2=e^{2x}+2e^xf'(x)+\{f'(x)\}^2$

$\therefore f'(x)=\frac{1-e^{2x}}{2e^x}$

STEP Ⓑ $f'(1)$의 값 구하기

따라서 $f'(1)=\frac{1-e^2}{2e}=\frac{1}{2}\left(\frac{1}{e}-e\right)$

NORMAL

1030

함수 $f(x)=\ln x$에 대하여

$$\lim_{n\to\infty}\sum_{k=1}^{n}\frac{k}{n^2}f\left(1+\frac{k}{n}\right)=\frac{q}{p}$$

일 때, $p+q$의 값을 구하여라. (단, p와 q는 서로소인 자연수이다.)

STEP Ⓐ 정적분의 정의를 이용하여 급수를 정적분으로 나타내기

$x_k=1+\frac{k}{n}$로 놓으면 $\Delta x=\frac{1}{n}$이므로

정적분의 정의에 의하여

$$\lim_{n\to\infty}\sum_{k=1}^{n}\frac{k}{n^2}f\left(1+\frac{k}{n}\right)=\lim_{n\to\infty}\sum_{k=1}^{n}\frac{k}{n}f\left(1+\frac{k}{n}\right)\frac{1}{n}$$
$$=\int_1^2(x-1)f(x)\,dx \quad \Leftarrow x_k-1=\frac{k}{n}$$

STEP Ⓑ 부분적분을 이용하여 계산하기

$$\int_1^2(x-1)\ln x\,dx=\left[\left(\frac{1}{2}x^2-x\right)\ln x\right]_1^2-\int_1^2\frac{1}{x}\left(\frac{1}{2}x^2-x\right)dx$$
$$=(0-0)-\int_1^2\left(\frac{1}{2}x-1\right)dx$$
$$=-\left[\frac{1}{4}x^2-x\right]_1^2$$
$$=-(1-2)+\left(\frac{1}{4}-1\right)$$
$$=\frac{1}{4}$$

따라서 $p=4$, $q=1$이므로 $p+q=5$

다른풀이 $x_k=\frac{k}{n}$로 치환을 이용하여 풀이하기

STEP Ⓐ 정적분과 급수를 이용하여 정적분으로 나타내기

$x_k=\frac{k}{n}$로 놓으면 $\Delta x=\frac{1}{n}$이므로

정적분의 정의에 의하여

$$\lim_{n\to\infty}\sum_{k=1}^{n}\frac{k}{n^2}f\left(1+\frac{k}{n}\right)=\lim_{n\to\infty}\sum_{k=1}^{n}\frac{k}{n}f\left(1+\frac{k}{n}\right)\frac{1}{n}$$
$$=\int_0^1 xf(x+1)\,dx$$

STEP Ⓑ 부분적분을 이용하여 계산하기

$$\int_0^2 x\ln(x+1)\,dx=\left[\frac{1}{2}x^2\ln(x+1)\right]_0^1-\int_0^1\left(\frac{1}{2}x^2\cdot\frac{1}{x+1}\right)dx$$
$$=\frac{1}{2}\ln 2-\frac{1}{2}\int_0^1\left(x-1+\frac{1}{x+1}\right)dx$$
$$\Leftarrow \frac{x^2}{x+1}=\frac{x^2-1+1}{x+1}=\frac{x^2-1}{x+1}+\frac{1}{x+1}=x-1+\frac{1}{x+1}$$
$$=\frac{1}{2}\ln 2-\frac{1}{2}\left[\frac{1}{2}x^2-x+\ln(x+1)\right]_0^1$$
$$=\frac{1}{2}\ln 2-\frac{1}{2}\left(\frac{1}{2}-1+\ln 2\right)$$
$$=\frac{1}{4}$$

따라서 $p=4$, $q=1$이므로 $p+q=5$

1031

다음 물음에 답하여라.

(1) 다음 그림과 같이 곡선 $y=\log_2 x$와 x축 및 두 직선 $x=e$, $x=a$로 둘러싸인 부분의 넓이가 $\frac{2a}{\ln 2}$일 때, 곡선 $y=\ln x$와 x축 및 두 직선 $x=e$, $x=a$로 둘러싸인 부분의 넓이를 구하여라. (단, $a>e$)

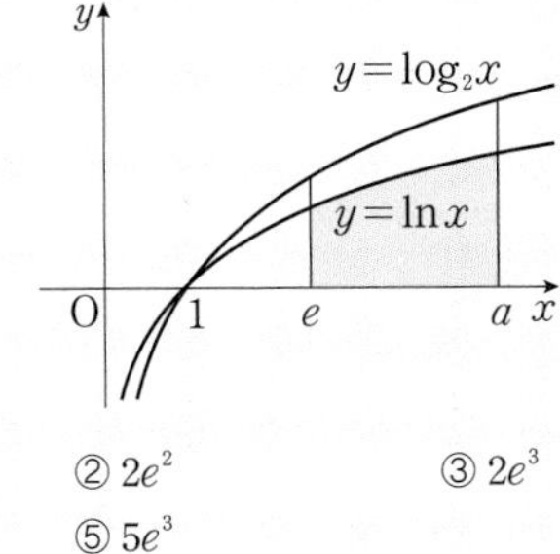

① $2e$ ② $2e^2$ ③ $2e^3$
④ $3e^3$ ⑤ $5e^3$

STEP A 주어진 조건을 만족하는 a의 값 구하기

곡선 $y=\log_2 x$와 x축 및 두 직선 $x=e$, $x=a$로 둘러싸인 부분의 넓이는

$$\int_e^a \log_2 x dx=\frac{1}{\ln 2}\int_e^a \ln x dx=\frac{1}{\ln 2}\left(\left[x\ln x\right]_e^a-\int_e^a dx\right)$$

$$=\frac{1}{\ln 2}\{a\ln a-e-a-e\}=\frac{a\ln a-a}{\ln 2}$$

이고 이때의 넓이는 $\frac{2a}{\ln 2}$이므로 $a\ln a-a=2a$에서 $\ln a=3$, 즉 $a=e^3$

STEP B 넓이를 정적분으로 나타낸 다음 정적분 계산하기

따라서 구하는 넓이 S는

$$S=\int_e^{e^3}\ln x dx=\left[x\ln x\right]_e^{e^3}-\int_e^{e^3}dx=3e^3-e-(e^3-e)=2e^3$$

(2) 다음 그림과 같이 두 곡선 $y=\ln x$, $y=\log_a x$와 직선 $x=e$로 둘러싸인 부분의 넓이가 $\frac{1}{4}$일 때, 상수 a의 값은? (단, $a>e$)

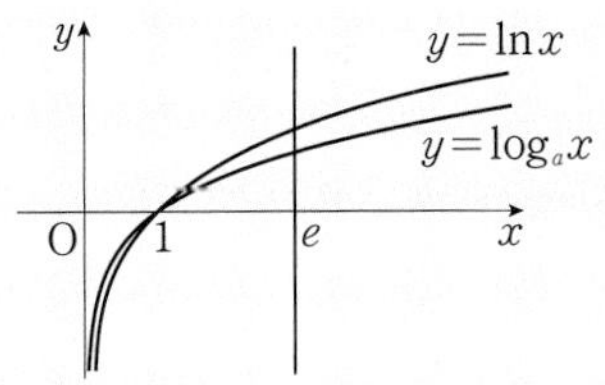

① $e^{\frac{6}{5}}$ ② $e^{\frac{5}{4}}$ ③ $e^{\frac{4}{3}}$
④ $e^{\frac{3}{2}}$ ⑤ e^2

STEP A 두 곡선의 교점의 x좌표를 구하고 위치 비교하기

$a>e$이므로 $x\geq 1$일 때, $\ln x\geq \log_a x$이다.

STEP B 넓이를 정적분으로 나타낸 다음 정적분 계산하기

따라서 구하는 넓이 S는

$$S=\int_1^e(\ln x-\log_a x)dx=\int_1^e\left(\ln x-\frac{\ln x}{\ln a}\right)dx$$

$$=\int_1^e\left(1-\frac{1}{\ln a}\right)\ln x dx=\left(1-\frac{1}{\ln a}\right)\int_1^e \ln x dx$$

$$=\left(1-\frac{1}{\ln a}\right)\left\{\left[x\ln x\right]_1^e-\int_1^e\left(x\times\frac{1}{x}\right)dx\right\}=\left(1-\frac{1}{\ln a}\right)\left(e-\left[x\right]_1^e\right)$$

$$=\left(1-\frac{1}{\ln a}\right)\{e-(e-1)\}=1-\frac{1}{\ln a}$$

STEP C a의 값 구하기

$1-\frac{1}{\ln a}=\frac{1}{4}$에서 $\ln a=\frac{4}{3}$

따라서 $a=e^{\frac{4}{3}}$

(3) 다음 그림과 같이 두 곡선 $y=\log_2 x$, $y=a\ln x$와 직선 $x=2$로 둘러싸인 영역의 넓이와 두 곡선 $y=\log_4 x$, $y=a\ln x$와 직선 $x=2$로 둘러싸인 영역의 넓이는 같다. 상수 a의 값은?

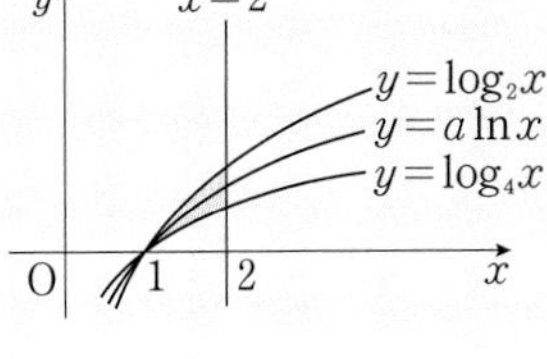

① $\frac{11}{16\ln 2}$ ② $\frac{3}{4\ln 2}$ ③ $\frac{13}{16\ln 2}$
④ $\frac{7}{8\ln 2}$ ⑤ $\frac{15}{16\ln 2}$

STEP A 두 곡선 $y=\log_2 x$, $y=a\ln x$와 직선 $x=2$로 둘러싸인 영역의 넓이 구하기

두 곡선 $y=\log_2 x$, $y=a\ln x$와 직선 $x=2$로 둘러싸인 영역의 넓이를 S라 하고, 두 곡선 $y=\log_4 x$, $y=a\ln x$와 직선 $x=2$로 둘러싸인 영역의 넓이를 T라 하자.

$$S=\int_1^2(\log_2 x-a\ln x)dx$$

$$=\left(\frac{1}{\ln 2}-a\right)\int_1^2\ln x dx$$

$$=\left(\frac{1}{\ln 2}-a\right)\left[x\ln x-x\right]_1^2$$

$$=\left(\frac{1}{\ln 2}-a\right)\{(2\ln 2-2)-(0-1)\}$$

$$=(2\ln 2-1)\left(\frac{1}{\ln 2}-a\right)$$

STEP B 두 곡선 $y=\log_4 x$, $y=a\ln x$와 직선 $x=2$로 둘러싸인 영역의 넓이 구하기

$$T=\int_1^2(a\ln x-\log_4 x)dx$$

$$=\left(a-\frac{1}{\ln 4}\right)\int_1^2\ln x dx$$

$$=\left(a-\frac{1}{\ln 4}\right)\left[x\ln x-x\right]_1^2$$

$$=\left(a-\frac{1}{\ln 4}\right)\{(2\ln 2-2)-(0-1)\}$$

$$=(2\ln 2-1)\left(a-\frac{1}{\ln 4}\right)$$

STEP C $S=T$를 만족하는 상수 a의 값 구하기

$$(2\ln 2-1)\left(\frac{1}{\ln 2}-a\right)=(2\ln 2-1)\left(a-\frac{1}{\ln 4}\right)$$

$$\frac{1}{\ln 2}-a=a-\frac{1}{\ln 4},\ 2a=\frac{1}{\ln 2}+\frac{1}{2\ln 2}=\frac{3}{2\ln 2}$$

따라서 $a=\frac{3}{4\ln 2}$

03 정적분의 활용

1032

좌표평면에서 곡선 $y=e^x$과 두 직선 $y=ex$, $y=-\frac{1}{e}x$로 둘러싸인 도형의 넓이는?

① $\frac{e}{2}-\frac{3}{2e}$ ② $\frac{e}{2}-\frac{3}{e}$ ③ $\frac{e}{2}+\frac{3}{e}$
④ 1 ⑤ $\frac{e}{2}$

STEP Ⓐ 곡선과 직선의 교점의 x좌표를 구하고 위치를 비교하기

$e^x=ex$에서 $x=1$이므로
곡선 $y=e^x$과 직선 $y=ex$는
점 $(1, e)$에서 만난다.
이때 $y=e^x$에서 $y'=e^x$이므로
곡선 $y=e^x$ 위의 점 $(1, e)$에서의
접선의 방정식은 $y-e=e(x-1)$
즉 $y=ex$이다.
$e^x=-\frac{1}{e}x$에서 $x=-1$이므로
곡선 $y=e^x$과 직선 $y=-\frac{1}{e}x$는 점 $\left(-1, \frac{1}{e}\right)$에서 만난다.

STEP Ⓑ 적분구간을 나누어 넓이 구하기

따라서 곡선 $y=e^x$과 두 직선 $y=ex$, $y=-\frac{1}{e}x$로 둘러싸인 도형의 넓이는

$$\int_{-1}^{0}\left\{e^x-\left(-\frac{1}{e}x\right)\right\}dx+\int_0^1(e^x-ex)dx=\left[e^x+\frac{1}{2e}x^2\right]_{-1}^{0}+\left[e^x-\frac{e}{2}x^2\right]_0^1$$
$$=\left(1-\frac{1}{e}-\frac{1}{2e}\right)+\left(e-\frac{e}{2}-1\right)$$
$$=\frac{e}{2}-\frac{3}{2e}$$

1033

오른쪽 그림에서 두 곡선 $y=e^x$, $y=2xe^x$과 y축으로 둘러싸인 부분의 넓이를 S_1, 두 곡선 $y=e^x$, $y=2xe^x$과 직선 $x=1$로 둘러싸인 부분의 넓이를 S_2라고 할 때, S_2-S_1의 값은?

① 2 ② $6-2e$
③ $3-e$ ④ $2+e$

⑤ $3+e$

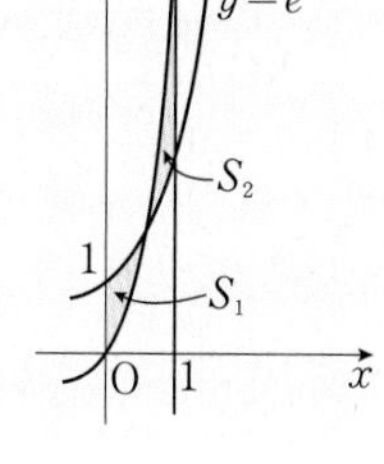

STEP Ⓐ 두 곡선의 교점의 x좌표 구하기

두 곡선의 교점을 찾으면 $2xe^x=e^x$에서 $(2x-1)e^x=0$

$\therefore x=\frac{1}{2}$

STEP Ⓑ S_1, S_2의 넓이를 구하여 $b-a$의 값 구하기

S_1의 넓이는

$$S_1=\int_0^{\frac{1}{2}}(e^x-2xe^x)dx=\int_0^{\frac{1}{2}}(1-2x)e^x dx$$
$$=\left[(1-2x)e^x\right]_0^{\frac{1}{2}}+2\int_0^{\frac{1}{2}}e^x dx=-1+2\left(e^{\frac{1}{2}}-1\right)$$

S_2의 넓이는

$$S_2=\int_{\frac{1}{2}}^{1}(2xe^x-e^x)dx=\int_{\frac{1}{2}}^{1}(2x-1)e^x dx$$
$$=\left[(2x-1)e^x\right]_{\frac{1}{2}}^{1}-2\int_{\frac{1}{2}}^{1}e^x dx=e-2\left(e-e^{\frac{1}{2}}\right)$$

$$\therefore S_2-S_1=e-2\left(e-e^{\frac{1}{2}}\right)-\left\{-1+2\left(e^{\frac{1}{2}}-1\right)\right\}=3-e$$

다른풀이 정적분의 성질을 이용하여 풀이하기

두 곡선의 교점을 $x=\frac{1}{2}$이므로

$$S_2-S_1=\int_{\frac{1}{2}}^{1}(2xe^x-e^x)dx-\int_0^{\frac{1}{2}}(e^x-2xe^x)dx$$
$$=\int_{\frac{1}{2}}^{1}(2xe^x-e^x)dx+\int_0^{\frac{1}{2}}(2xe^x-e^x)dx$$
$$=\int_0^1(2xe^x-e^x)dx$$
$$=\int_0^1\{(2x-1)e^x\}dx$$
$$=\left[(2x-1)e^x\right]_0^1-2\int_0^1 e^x dx$$
$$=\left[(2x-1)e^x\right]_0^1-2\left[e^x\right]_0^1$$
$$=3-e$$

1034

두 곡선 $y=(\sin x)\ln x$, $y=\frac{\cos x}{x}$와 두 직선 $x=\frac{\pi}{2}$, $x=\pi$로 둘러싸인 부분의 넓이는?

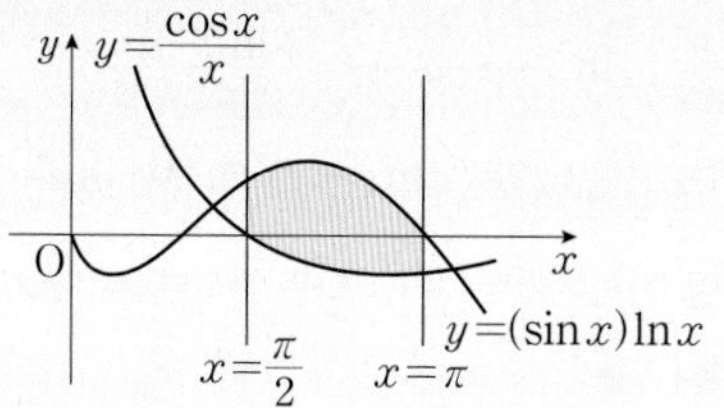

① $\frac{1}{4}\ln\pi$ ② $\frac{1}{2}\ln\pi$ ③ $\frac{3}{4}\ln\pi$
④ $\ln\pi$ ⑤ $\frac{5}{4}\ln\pi$

STEP Ⓐ 두 곡선 사이의 위치 비교하기

$$\int_{\frac{\pi}{2}}^{\pi}\left\{(\sin x)\ln x-\frac{\cos x}{x}\right\}dx=\int_{\frac{\pi}{2}}^{\pi}(\sin x)\ln x dx-\int_{\frac{\pi}{2}}^{\pi}\frac{\cos x}{x}dx$$

STEP Ⓑ 부분적분법을 이용하여 정적분 구하기

함수 $f(x)=\sin x\ln x$에서 $v=\ln x$, $u'=\sin x$이라 하면

$v'=\frac{1}{x}$, $u=-\cos x$

$$\int_{\frac{\pi}{2}}^{\pi}(\sin x)\ln x dx-\int_{\frac{\pi}{2}}^{\pi}\frac{\cos x}{x}dx$$
$$=\left[(-\cos x)\ln x\right]_{\frac{\pi}{2}}^{\pi}-\int_{\frac{\pi}{2}}^{\pi}\left(-\frac{\cos x}{x}\right)dx-\int_{\frac{\pi}{2}}^{\pi}\frac{\cos x}{x}dx$$
$$=\left[(-\cos x)\ln x\right]_{\frac{\pi}{2}}^{\pi}$$
$$=\ln\pi$$

1035

닫힌구간 [0, 4]에서 정의된 함수 $f(x)=2\sqrt{2}\sin\frac{\pi}{4}x$ 의 그래프가 오른쪽 그림과 같고 직선 $y=g(x)$가 $y=f(x)$의 그래프 위의 점 $\mathrm{A}(1,\ 2)$를 지난다. 직선 $y=g(x)$가 x축에 평행할 때, 곡선 $y=f(x)$와 직선 $y=g(x)$에 둘러싸인 부분의 넓이는?

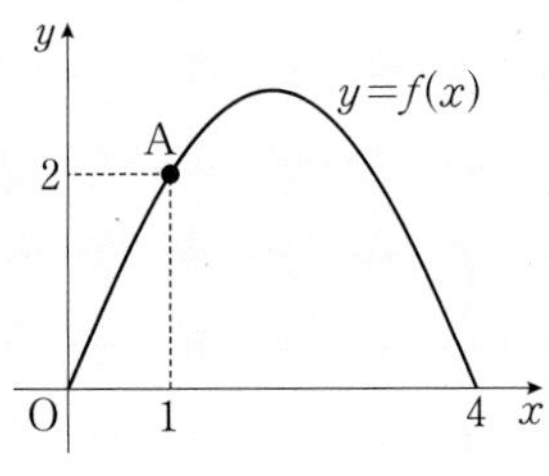

① $\frac{16}{\pi}-4$　　② $\frac{17}{\pi}-4$　　③ $\frac{18}{\pi}-4$
④ $\frac{16}{\pi}-2$　　⑤ $\frac{17}{\pi}-2$

STEP A　$y=f(x)$와 $g(x)=2$의 교점의 x좌표 구하기

오른쪽 그림과 같이 $y=g(x)$가 점 $\mathrm{A}(1,\ 2)$를 지나고 x축에 평행하므로 $g(x)=2$

$f(x)=2\sqrt{2}\sin\frac{\pi}{4}$와 $g(x)=2$의 교점의 x좌표를 구하면

$2=2\sqrt{2}\sin\frac{\pi}{4}x$에서 $\sin\frac{\pi}{4}x=\frac{\sqrt{2}}{2}$

즉 $\frac{\pi}{4}x=\frac{\pi}{4}$ 또는 $\frac{\pi}{4}x=\frac{3}{4}\pi$　$\therefore\ x=1$ 또는 $x=3$

STEP B　두 함수로 둘러싸인 부분을 정적분을 이용하여 넓이 구하기

따라서 곡선 $y=f(x)$와 $y=g(x)$에 의해 둘러싸인 부분의 넓이는

$$\int_1^3\{f(x)-g(x)\}dx=\int_1^3\left(2\sqrt{2}\sin\frac{\pi}{4}x-2\right)dx$$
$$=\left[-2\sqrt{2}\cdot\frac{4}{\pi}\cos\frac{\pi}{4}x-2x\right]_1^3$$
$$=-2\sqrt{2}\cdot\frac{4}{\pi}\cdot\left(-\frac{\sqrt{2}}{2}\right)-6-\left\{(-2\sqrt{2})\cdot\frac{4}{\pi}\cdot\frac{\sqrt{2}}{2}-2\right\}$$
$$=\frac{8}{\pi}-6+\frac{8}{\pi}+2=\frac{16}{\pi}-4$$

다른풀이　사인함수의 그래프의 성질을 이용한 풀이하기

STEP A　사인함수의 그래프의 성질을 이용하여 $y=f(x)$와 $g(x)=2$의 교점의 x좌표 구하기

$0\le x\le 4$에서 함수 $f(x)=2\sqrt{2}\sin\frac{\pi}{4}$는 주기가 $\frac{2\pi}{\frac{\pi}{4}}=8$이므로 $x=2$에 대하여 대칭이다.

오른쪽 그림과 같이 직선 $g(x)=2$와 곡선 $y=f(x)$의 교점의 x좌표는 $x=1,\ x=4-1=3$

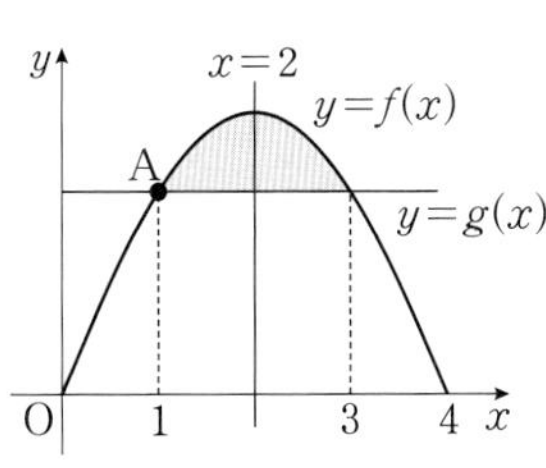

STEP B　$y=f(x)$와 $y=g(x)$로 둘러싸인 부분의 넓이 구하기

곡선 $y=f(x)$와 직선 $y=g(x)$로 둘러싸인 부분의 넓이는 $1\le x\le 3$에서 곡선 $y=f(x)$와 x축으로 둘러싸인 부분의 넓이에서 직선 $y=g(x)$와 x축으로 둘러싸인 넓이 $2\times2=4$를 빼주면 된다.

따라서 곡선 $y=f(x)$와 $y=g(x)$에 의하여 둘러싸인 부분의 넓이는

$$\int_1^3\{f(x)\}dx-4=\int_1^3 2\sqrt{2}\sin\frac{\pi}{4}xdx-4$$
$$=\left[-2\sqrt{2}\cdot\frac{4}{\pi}\cos\frac{\pi}{4}x\right]_1^3-4$$
$$=\frac{-8\sqrt{2}}{\pi}\left(\cos\frac{3}{4}\pi-\cos\frac{\pi}{4}\right)-4$$
$$=\frac{-8\sqrt{2}}{\pi}\left(-\frac{1}{\sqrt{2}}-\frac{1}{\sqrt{2}}\right)-4$$
$$=\frac{16}{\pi}-4$$

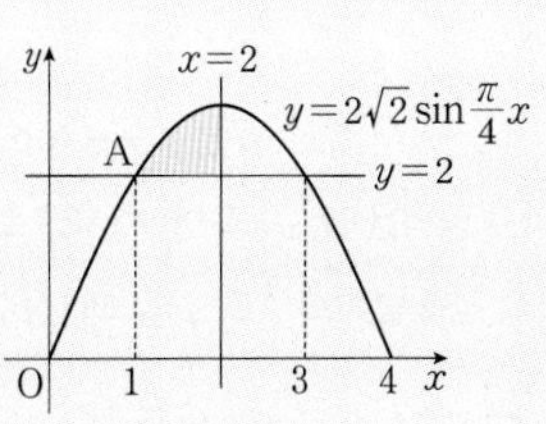

$y=f(x)$가 $x=2$에 대칭이므로 $y=f(x)$와 $y=g(x)$에 의하여 둘러싸인 부분의 넓이는 $2\int_1^2\left(2\sqrt{2}\sin\frac{\pi}{4}x-2\right)dx=\frac{16}{\pi}-4$

1036

다음 그림에서 곡선 $y=\cos x\left(0\le x\le\frac{\pi}{2}\right)$와 x축 및 y축으로 둘러싸인 도형이 곡선 $y=\frac{\sqrt{3}}{3}\sin x$에 의하여 나누어진 두 부분의 넓이를 각각 S_1, S_2라고 할 때, S_1-S_2의 값을 구하여라.

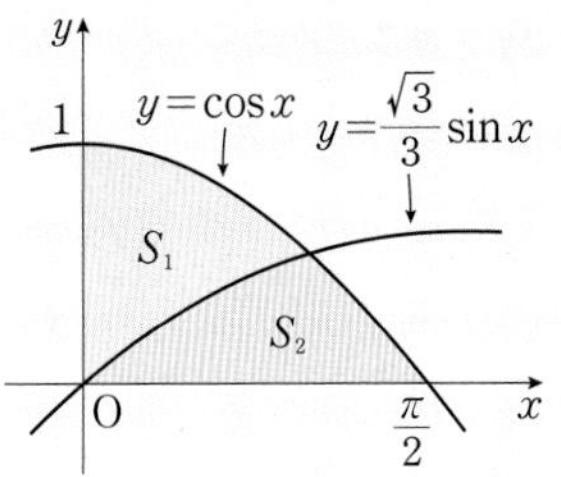

STEP A　두 곡선의 교점의 x좌표 구하기

두 곡선 $y=\cos x\left(0\le x\le\frac{\pi}{2}\right)$와 $y=\frac{\sqrt{3}}{3}\sin x$의 교점의 x좌표는 방정식 $\cos x=\frac{\sqrt{3}}{3}\sin x$의 실근과 같다.

$\frac{\sin x}{\cos x}=\sqrt{3}$, 즉 $\tan x=\sqrt{3}$이므로

$0\le x\le\frac{\pi}{3}$에서 $x=\frac{\pi}{3}$

STEP B　정적분을 이용하여 넓이 S_1, S_2 구하기

구하는 넓이 S_1, S_2는

$$S_1=\int_0^{\frac{\pi}{3}}\left(\cos x-\frac{\sqrt{3}}{3}\sin x\right)dx$$
$$=\left[\sin x+\frac{\sqrt{3}}{3}\cos x\right]_0^{\frac{\pi}{3}}$$
$$=\left(\frac{\sqrt{3}}{2}+\frac{\sqrt{3}}{6}\right)-\frac{\sqrt{3}}{3}$$
$$=\frac{\sqrt{3}}{3}$$

$$S_2=\int_0^{\frac{\pi}{3}}\frac{\sqrt{3}}{3}\sin xdx+\int_{\frac{\pi}{3}}^{\frac{\pi}{2}}\cos xdx$$
$$=\left[-\frac{\sqrt{3}}{3}\cos x\right]_0^{\frac{\pi}{3}}+\left[\sin x\right]_{\frac{\pi}{3}}^{\frac{\pi}{2}}$$
$$=-\frac{\sqrt{3}}{6}-\left(-\frac{\sqrt{3}}{3}\right)+1-\frac{\sqrt{3}}{2}$$
$$=1-\frac{\sqrt{3}}{3}$$

따라서 $S_1-S_2=\frac{\sqrt{3}}{3}-\left(1-\frac{\sqrt{3}}{3}\right)=\frac{2\sqrt{3}}{3}-1$

1037

다음 그림과 같이 곡선 $y=\sin\frac{\pi}{2}x+a\,(0\le x\le 2)$에 대하여 이 곡선과 x축, y축으로 둘러싸인 영역을 A, 이 곡선과 x축으로 둘러싸인 영역을 B라 하자. A의 넓이가 B의 넓이의 $\frac{1}{2}$과 같을 때, 상수 a의 값은? (단, $-1<a<0$)

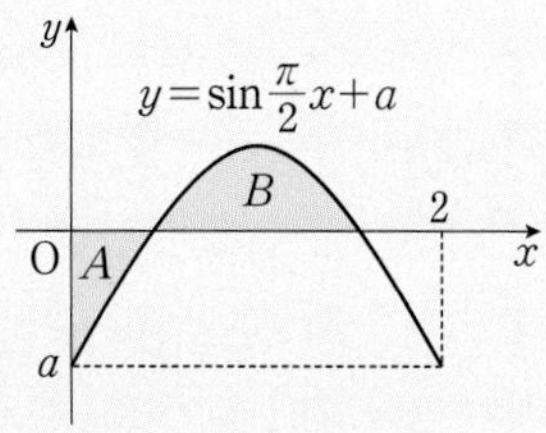

STEP A 두 곡선 사이의 넓이가 서로 같으므로 $\int_0^1\left(\sin\frac{\pi}{2}x+a\right)dx=0$임을 이용하여 a의 값 구하기

곡선 $y=\sin\frac{\pi}{2}x+a$의 주기는 4이고 A의 넓이가 B의 넓이의 $\frac{1}{2}$과 같으므로 구간 [0, 1]에서 이 곡선과 x축 및 두 직선 $x=0$, $x=1$로 둘러싸인 영역 중 A의 넓이와 C의 넓이가 같다.

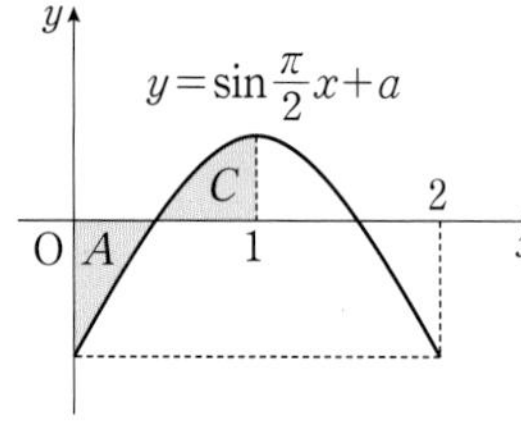

즉 $\int_0^1\left(\sin\frac{\pi}{2}x+a\right)dx=0$

$\left[-\frac{2}{\pi}\cos\frac{\pi}{2}x+ax\right]_0^1=0$, $a+\frac{2}{\pi}=0$ $\quad\therefore a=-\frac{2}{\pi}$

1038

다음 그림과 같이 곡선 $y=\sin\frac{\pi}{2}x\,(0\le x\le 2)$와 직선 $y=k\,(0<k<1)$가 있다. 곡선 $y=\sin\frac{\pi}{2}x$와 직선 $y=k$, y축으로 둘러싸인 부분의 넓이를 S_1, 곡선 $y=\sin\frac{\pi}{2}x$와 직선 $y=k$로 둘러싸인 부분의 넓이를 S_2라 하자. $S_2=2S_1$일 때, 상수 k의 값은?

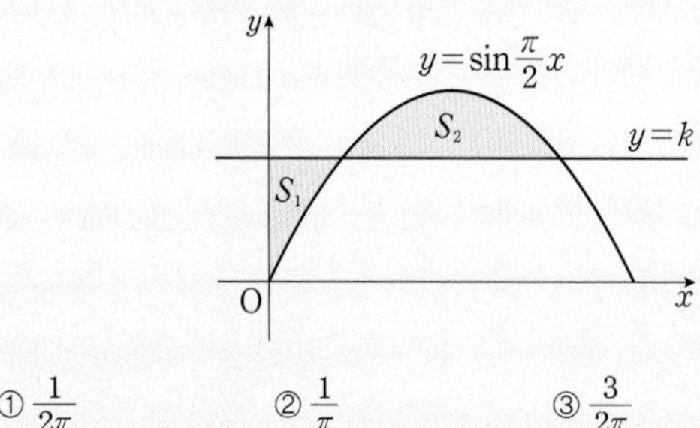

① $\frac{1}{2\pi}$ ② $\frac{1}{\pi}$ ③ $\frac{3}{2\pi}$
④ $\frac{2}{\pi}$ ⑤ $\frac{5}{2}\pi$

STEP A $x=0$에서 $x=1$ 사이의 두 곡선 사이의 넓이가 서로 같으므로 $\int_0^1\left(\sin\frac{\pi}{2}x-k\right)dx=0$임을 이용하여 k 구하기

$y=\sin\frac{\pi}{2}x\,(0\le x\le 2)$는 $x=1$에 대하여 대칭이고 $S_2=2S_1$이므로 $x=0$에서 $x=1$ 사이의 두 곡선 사이의 넓이가 서로 같으므로

$\int_0^1\left(\sin\frac{\pi}{2}x-k\right)dx=0$

$\left[-\frac{2}{\pi}\cos\frac{\pi}{2}x-kx\right]_0^1=0$

$\left(-\frac{2}{\pi}\cos\frac{\pi}{2}-k\right)-\left(-\frac{2}{\pi}\right)=0$

따라서 $k=\frac{2}{\pi}$

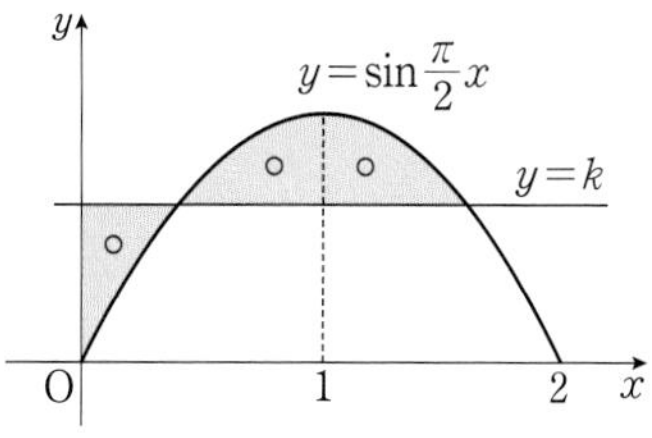

다른풀이 두 부분의 넓이가 같음을 이용하여 풀이하기

STEP A $\frac{1}{2}S_2=S_1$을 만족하는 그래프 개형을 이용하기

곡선 $y=\sin\frac{\pi}{2}x\,(0\le x\le 2)$는 $x=1$에 대하여 대칭이므로 곡선 $y=\sin\frac{\pi}{2}x$와 직선 $y=k$로 둘러싸인 부분의 넓이 S_2는 $x=1$에 의하여 이등분된다.

직선 $x=1$과 $y=k$, 곡선 $y=\sin\frac{\pi}{2}x$로 둘러싸인 부분의 넓이는 $\frac{1}{2}S_2$이므로 S_1과 같다.

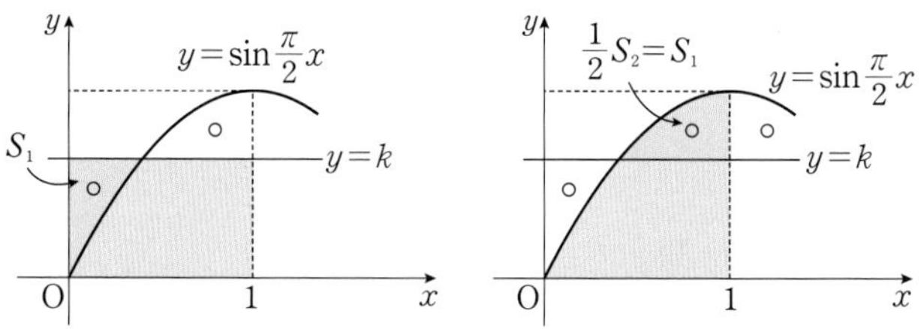

그림과 같이 가로의 길이가 1이고 세로의 길이가 k인 직사각형의 넓이와 $\int_0^1\sin\frac{\pi}{2}xdx$의 값이 같다.

$\therefore k=\int_0^1\sin\frac{\pi}{2}xdx$

STEP B k의 값 구하기

따라서 $k=\int_0^1\sin\frac{\pi}{2}xdx=\left[-\frac{2}{\pi}\cos\frac{\pi}{2}x\right]_0^1$

$=-\frac{2}{\pi}\left(\cos\frac{\pi}{2}-\cos 0\right)=\frac{2}{\pi}$

1039

다음 그림에서 두 함수 $y=k\sin x$, $y=\cos x$의 그래프와 x축 또는 y축으로 둘러싸인 색칠한 두 부분의 넓이 A, B가 서로 같을 때, 상수 k의 값은?

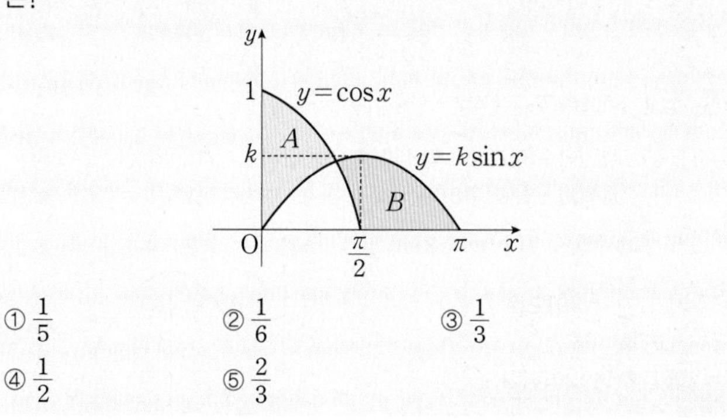

① $\frac{1}{5}$ ② $\frac{1}{6}$ ③ $\frac{1}{3}$
④ $\frac{1}{2}$ ⑤ $\frac{2}{3}$

STEP A 곡선 $y=\cos x$와 x축 및 y축으로 둘러싸인 도형의 넓이 구하기

오른쪽 그림과 같이 두 곡선과 x축으로 둘러싸인 부분의 넓이를 C라 하면

$A=B$에서 $A+C=B+C$

(i) $A+C$는 곡선 $y=\cos x$와 x축 및 y축으로 둘러싸인 도형의 넓이이므로

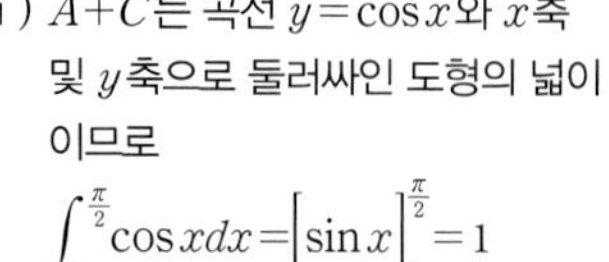

$\int_0^{\frac{\pi}{2}}\cos xdx=\left[\sin x\right]_0^{\frac{\pi}{2}}=1$

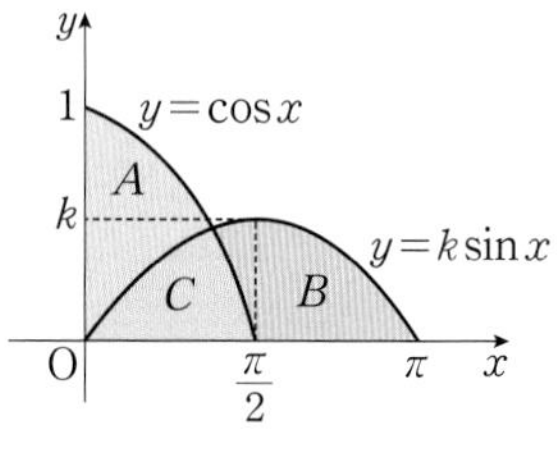

STEP B 곡선 $y=k\sin x$와 x축으로 둘러싸인 부분의 넓이 구하기

(ii) $B+C$는 곡선 $y=k\sin x$와 x축으로 둘러싸인 부분의 넓이이므로

$\int_0^{\pi}k\sin xdx=-k\left[\cos x\right]_0^{\pi}=2k$

(i), (ii)에서 $2k=1$이므로 $k=\frac{1}{2}$

1040

다음 그림과 같이 곡선 $y=\sin 2x\left(0 \le x \le \frac{\pi}{2}\right)$와 x축으로 둘러싸인 부분이 곡선 $y=k\cos x$에 의하여 나누어지는 두 부분의 넓이를 각각 S_1, S_2라고 하자. $S_1 : S_2=9 : 16$이 되도록 하는 상수 k의 값은?

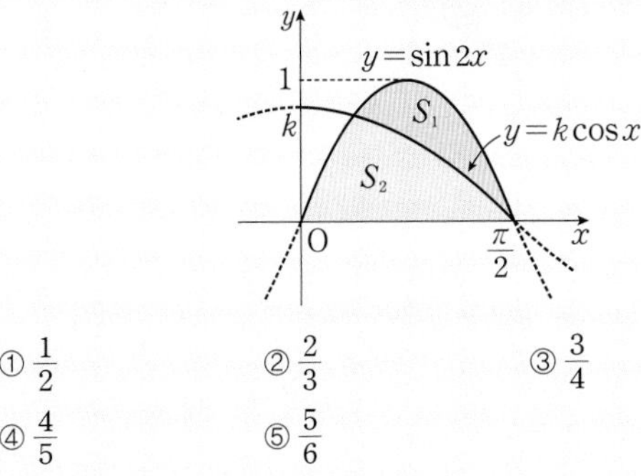

① $\frac{1}{2}$ ② $\frac{2}{3}$ ③ $\frac{3}{4}$
④ $\frac{4}{5}$ ⑤ $\frac{5}{6}$

STEP A 두 곡선의 교점의 x좌표 구하기

두 곡선 $y=\sin 2x$, $y=k\cos x$의 교점의 x좌표를 α라고 하면
$\sin 2\alpha=k\cos\alpha$에서
$2\sin\alpha\cos\alpha=k\cos\alpha$
$\cos\alpha(2\sin\alpha-k)=0$
즉 $\sin\alpha=\frac{k}{2}(0<k<2)$

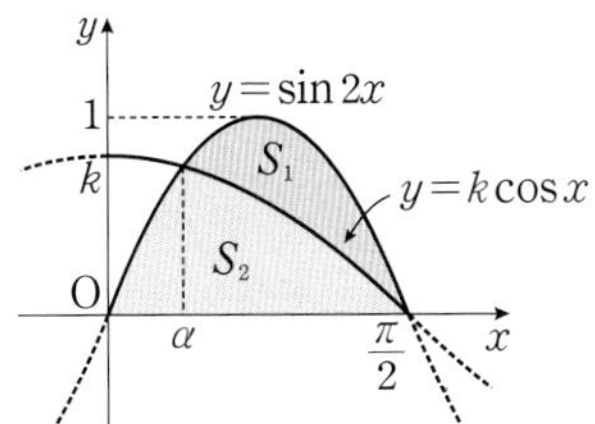

STEP B S_1의 넓이를 정적분으로 나타낸 다음 정적분을 계산하기

S_1의 넓이를 구하면

$S_1=\int_{\alpha}^{\frac{\pi}{2}}(\sin 2x-k\cos x)dx=\left[-\frac{1}{2}\cos 2x-k\sin x\right]_{\alpha}^{\frac{\pi}{2}}$

$=\frac{1}{2}-k+\frac{1}{2}\cos 2\alpha+k\sin\alpha$

이때 $\cos 2\alpha=\cos(\alpha+\alpha)=\cos^2\alpha-\sin^2\alpha=1-2\sin^2\alpha$이고

$\sin\alpha=\frac{k}{2}$이므로 $S_1=\frac{1}{2}-k+\frac{1}{2}\left(1-\frac{k^2}{2}\right)+\frac{k^2}{2}=1-k+\frac{k^2}{4}$

STEP C $S_1 : S_2=9 : 16$을 이용하여 k의 값 구하기

한편 $S_1+S_2=\int_0^{\frac{\pi}{2}}\sin 2x dx=\left[-\frac{1}{2}\cos 2x\right]_0^{\frac{\pi}{2}}=1$이고

$S_1 : S_2=9 : 16$이므로 $S_1=\frac{9}{25}$

즉 $S_1=1-k+\frac{k^2}{4}=\frac{9}{25}$

$25k^2-100k+64=(5k-4)(5k-16)=0$

따라서 $0<k<2$이므로 $k=\frac{4}{5}$

1041

실수 전체의 집합에서 증가하는 연속함수 $f(x)$가 다음 조건을 만족시킨다.

(가) $f(0)=-18$, $f(1)=0$

(나) $\int_0^1 f(x)dx=-12$, $\int_1^2 f(x)dx=2$

곡선 $y=f(x)$와 x축, y축으로 둘러싸인 부분의 넓이와 곡선 $y=f(x)$와 x축 및 직선 $x=4$로 둘러싸인 부분의 넓이가 서로 같을 때, $\int_1^2 f(2x)dx$의 값은?

① 4 ② 5 ③ 6
④ 7 ⑤ 8

STEP A 정적분의 성질을 이용하여 $\int_2^4 f(x)dx$의 값 구하기

함수 $f(x)$가 실수 전체의 집합에서 증가하므로 조건 (가)에 의하여
$0 \le x \le 1$일 때, $f(x) \le 0$이고
$x \ge 1$일 때, $f(x) \ge 0$이다.
또, 곡선 $y=f(x)$와 x축, y축으로 둘러싸인 부분의 넓이와 곡선 $y=f(x)$와 x축 및 직선 $x=4$로 둘러싸인 부분의 넓이가 서로 같으므로

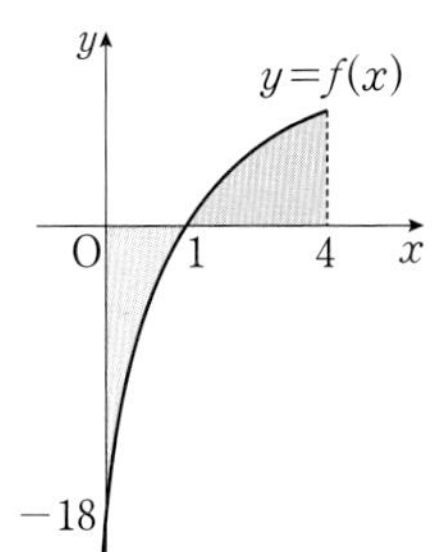

$\int_0^4 f(x)dx=0$

$\int_0^4 f(x)dx=\int_0^1 f(x)dx+\int_1^2 f(x)dx+\int_2^4 f(x)dx$

$=-12+2+\int_2^4 f(x)dx$

$-12+2+\int_2^4 f(x)dx=0$이므로 $\int_2^4 f(x)dx=10$

STEP B 치환적분을 이용하여 $\int_1^2 f(2x)dx$의 값 구하기

따라서 $\int_1^2 f(2x)dx$에서 $2x=t$라 하면 $\frac{dt}{dx}=2$이고

$x=1$일 때 $t=2$, $x=2$일 때 $t=4$이므로

$\int_1^2 f(2x)dx=\frac{1}{2}\int_2^4 f(t)dt=\frac{1}{2}\times 10=5$

1042

함수 $f(x)=e^{x-a}$과 그 역함수 $y=g(x)$에 대하여 두 곡선 $y=f(x)$, $y=g(x)$가 한 점 $(1,\ g(1))$에서만 만날 때, 두 곡선 $y=f(x)$, $y=g(x)$와 x축, y축으로 둘러싸인 부분의 넓이는? (단, a는 상수이다.)

① e ② 2 ③ 1
④ $1-\frac{1}{e}$ ⑤ $1-\frac{2}{e}$

STEP A 함수 $f(x)$와 역함수 $g(x)$의 교점이 $x=1$임을 이용하여 상수 a 구하기

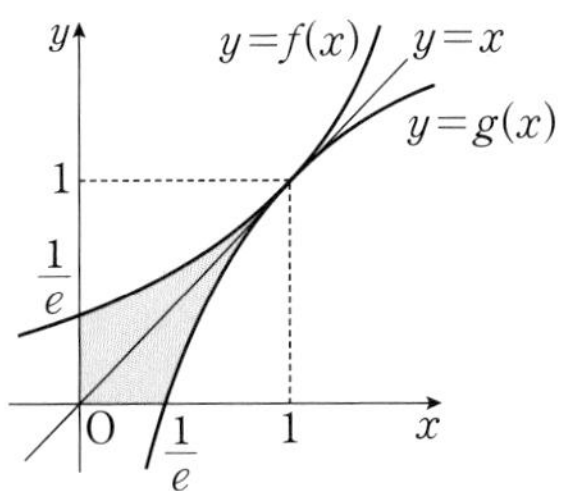

함수 $f(x)=e^{x-a}$의 그래프와 역함수 $y=g(x)$의 그래프가 한 점 $(1,\ g(1))$에서만 만나므로 $g(1)=f(1)=1$

즉 $1=e^{1-a}$에서 $a=1$이므로 $f(x)=e^{x-1}$

STEP B 구하는 넓이가 곡선 $y=f(x)$와 직선 $y=x$로 둘러싸인 부분의 넓이의 2배 임을 이용하여 넓이 구하기

$y=f(x)$와 $y=g(x)$는 역함수의 관계에 있으므로 구하는 넓이는 곡선 $y=f(x)$와 y축 및 직선 $y=x$로 둘러싸인 부분의 넓이의 2배이다.

$\therefore 2\int_0^1(e^{x-1}-x)dx=2\left[e^{x-1}-\frac{1}{2}x^2\right]_0^1=2-1-\frac{2}{e}=1-\frac{2}{e}$

03 정적분의 활용

1043

좌표평면에서 꼭짓점의 좌표가 $O(0, 0)$, $A(2^3, 0)$, $B(2^3, 2^3)$, $C(0, 2^3)$인 정사각형 OABC와 그 내부는 두 곡선 $y=2^x$, $y=\log_2 x$에 의하여 세 부분으로 나뉜다. 이 세 부분 중 색칠된 부분의 넓이는?

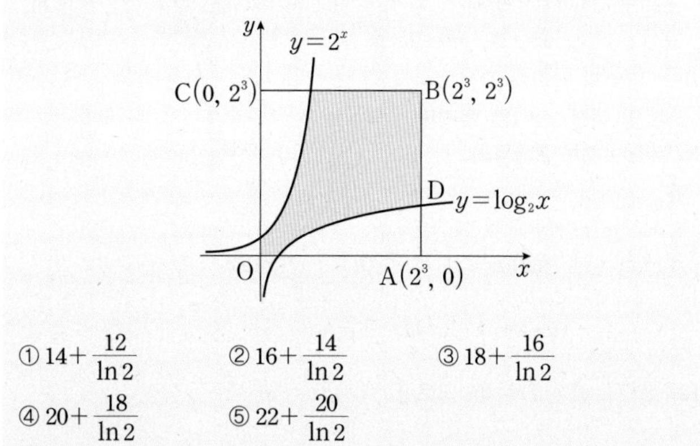

① $14+\frac{12}{\ln 2}$　② $16+\frac{14}{\ln 2}$　③ $18+\frac{16}{\ln 2}$　④ $20+\frac{18}{\ln 2}$　⑤ $22+\frac{20}{\ln 2}$

STEP A　두 함수 $y=2^x$, $y=\log_2 x$ 가 $y=x$에 대하여 대칭임을 이용하기

$O(0, 0)$, $A(2^3, 0)$, $B(2^3, 2^3)$, $C(0, 2^3)$에서 직선 BC와 곡선 $y=2^x$이 만나는 점을 E라 하면 $E(3, 2^3)$이다.

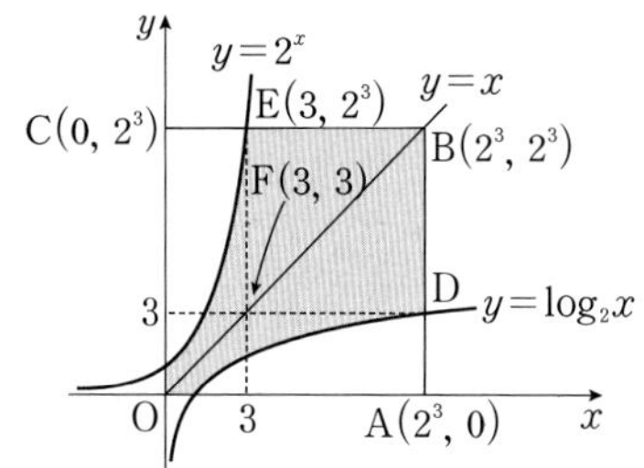

두 함수 $y=2^x$, $y=\log_2 x$는 역함수 관계이므로
두 함수의 그래프는 직선 $y=x$에 대하여 대칭이다.
이때 점 E를 지나고 y축에 평행한 직선이 직선 $y=x$와 만나는 점을 F라 하면 $F(3, 3)$이다.

STEP B　색칠된 부분의 넓이 구하기

따라서 구하는 넓이는 S는

$$S=2\int_0^3(2^x-x)dx+\square\text{BEFD}=2\left[\frac{2^x}{\ln 2}-\frac{1}{2}x^2\right]_0^3+5\cdot5$$
$$=2\left(\frac{7}{\ln 2}-\frac{9}{2}\right)+25=16+\frac{14}{\ln 2}$$

1044

함수 $f(x)=\sin x\left(0\le x\le\frac{\pi}{2}\right)$의 역함수를 $y=g(x)$라 하자. 다음 그림과 같이 구간 $[0, 1]$을 n등분한 점을 지나고 x축에 수직인 직선이 x축과 곡선 $y=g(x)$에 의해 잘린 선분을 세로로 하고, 가로의 길이를 $\frac{1}{n}$로 하는 n개의 직사각형의 넓이의 합을 S_n라 할 때, $\lim_{n\to\infty}S_n$의 값을 구하여라.

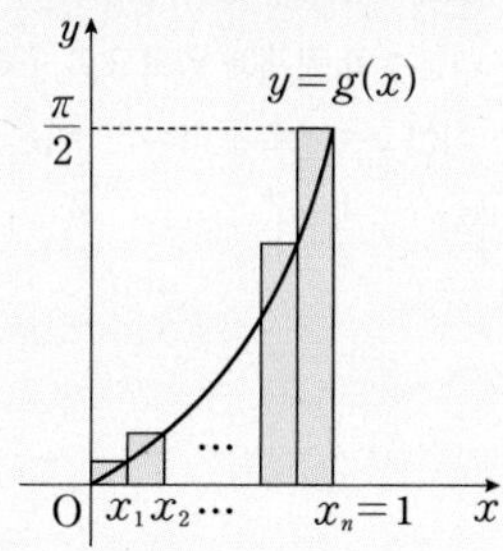

STEP A　구분구적법을 이용하여 $\lim_{n\to\infty}S_n$의 의미 이해하기

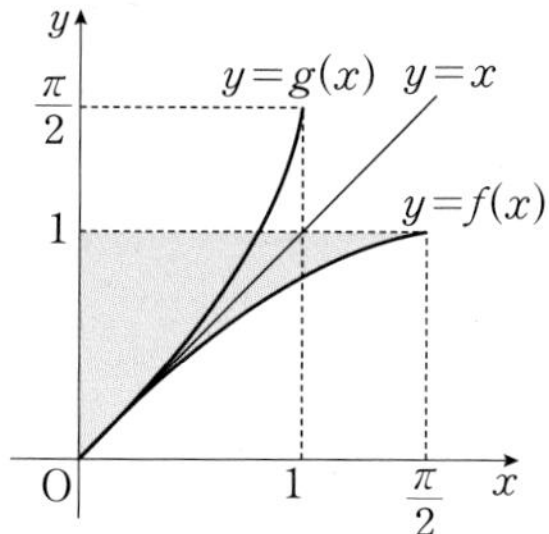

$\lim_{n\to\infty}S_n$의 값은 곡선 $y=g(x)$와 직선 $x=1$ 및 x축으로 둘러싸인 부분의 넓이이다.
한편 $y=f(x)$와 $y=g(x)$는 역함수 관계이므로 직선 $y=x$에 대하여 대칭이다.
이때 구하는 넓이는 그림과 같이 곡선 $y=f(x)$와 직선 $y=1$및 y축으로 둘러싸인 부분의 넓이와 같다.

STEP B　$\int_0^1 g(x)dx$의 값 구하기

따라서 구하는 넓이는

$$1\cdot\frac{\pi}{2}-\int_0^{\frac{\pi}{2}}\sin x dx=\frac{\pi}{2}-\Big[-\cos x\Big]_0^{\frac{\pi}{2}}=\frac{\pi}{2}-1$$

1045

반지름의 길이가 a인 원의 지름 AB에 수직인 현을 한 변으로 하는 정삼각형이 지름 AB와 수직인 상태로 점 A에서 점 B까지 움직일 때, 생기는 입체도형의 부피를 구하여라.

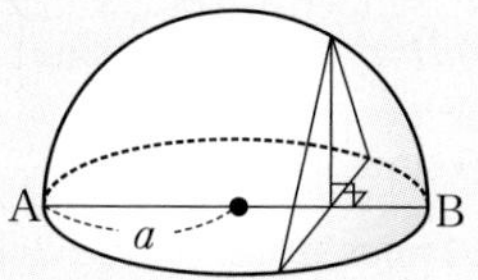

STEP A　단면의 넓이 $S(x)$ 구하기

다음 그림과 같이 밑면인 원의 중심을 O라 하자.

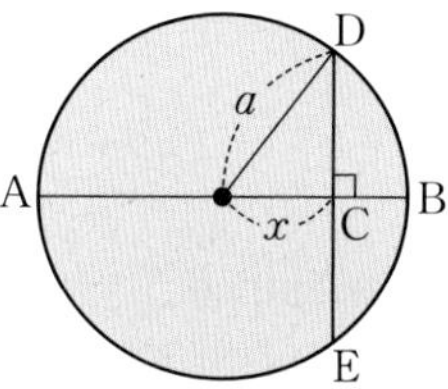

반지름 OB 위에 $\overline{OC}=x\text{cm}(0\le x\le5)$인 점 C를 잡아 점 C를 지나고 선분 OB에 수직인 직선이 밑면인 원과 만나는 두 점을 D, E라 하면
$\overline{CD}=\sqrt{a^2-x^2}\text{cm}$이므로 $\overline{DE}=2\sqrt{a^2-x^2}\text{cm}$
이때 점 C를 지나고 지름AB에 수직인 평면으로 공예품을 자른 단면은 한 변의 길이가 $2\sqrt{a^2-x^2}\text{cm}$인 정삼각형이므로 단면의 넓이를 $S(x)$라 하면

$$S(x)=\frac{\sqrt{3}}{4}(2\sqrt{a^2-x^2})^2=\sqrt{3}(a^2-x^2)(\text{cm}^2)$$

STEP B　단면의 넓이를 정적분하여 부피 구하기

따라서 구하는 입체도형의 부피 V는

$$V=2\int_0^a\sqrt{3}(a^2-x^2)dx=2\sqrt{3}\int_0^a(a^2-x^2)dx$$
$$=2\sqrt{3}\left[a^2x-\frac{1}{3}x^3\right]_0^a=\frac{4\sqrt{3}}{3}a^3$$

1046

다음 물음에 답하여라.

(1) 다음 그림과 같이 곡선 $y=\frac{1}{2e}x^2$과 곡선 $y=\ln x$는 점 $\left(\sqrt{e}, \frac{1}{2}\right)$에서 만나고 이 점에서의 접선의 기울기가 같다.
두 곡선 $y=\frac{1}{2e}x^2$, $y=\ln x$와 x축으로 둘러싸인 부분의 넓이는?

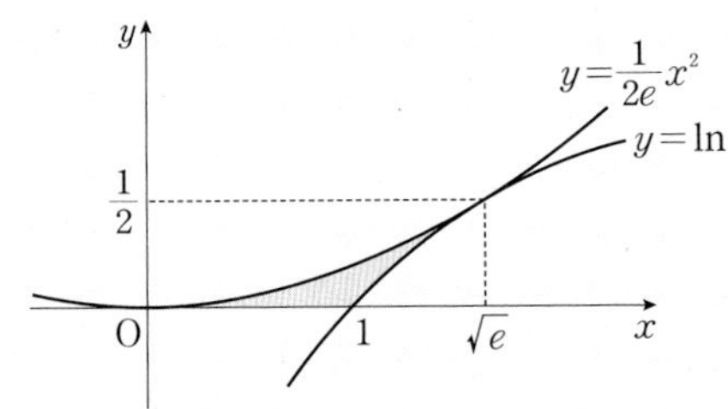

① $\frac{\sqrt{e}}{3}-1$ ② $\frac{2\sqrt{e}}{3}-1$ ③ $\sqrt{e}-1$
④ $\frac{4\sqrt{e}}{3}-1$ ⑤ $\frac{5\sqrt{e}}{3}-1$

STEP A 두 곡선의 x좌표를 구하고 위치를 비교하기

곡선 $y=\ln x$와 x축의 교점의 x좌표는 1이고

닫힌구간 $[1, \sqrt{e}]$에서 $\frac{1}{2e}x^2 \geq \ln x$

STEP B 두 곡선 $y=f(x)$, $y=g(x)$와 x축으로 둘러싸인 부분의 넓이를 정적분을 이용하여 구하기

따라서 구하는 넓이를 S라 하면

$S=\int_0^{\sqrt{e}}\frac{1}{2e}x^2dx-\int_1^{\sqrt{e}}\ln x dx$

$=\left[\frac{1}{6e}x^3\right]_0^{\sqrt{e}}-\left[x\ln x\right]_1^{\sqrt{e}}+\int_1^{\sqrt{e}}\left(x\cdot\frac{1}{x}\right)dx$

$=\frac{\sqrt{e}}{6}-(\sqrt{e}\ln\sqrt{e}-0)+\int_1^{\sqrt{e}}1dx$

$=\frac{\sqrt{e}}{6}-\frac{\sqrt{e}}{2}+\left[x\right]_1^{\sqrt{e}}$

$=-\frac{\sqrt{e}}{3}+(\sqrt{e}-1)$

$=\frac{2\sqrt{e}}{3}-1$

(2) 두 함수 $f(x)=ax^2(a>0)$, $g(x)=\ln x$의 그래프가 한 점 P에서 만나고, 곡선 $y=f(x)$ 위의 점 P에서의 접선의 기울기와 곡선 $y=g(x)$ 위의 점 P에서의 접선의 기울기가 서로 같다.
두 곡선 $y=f(x)$, $y=g(x)$와 x축으로 둘러싸인 부분의 넓이는? (단, a는 상수이다.)

① $\frac{2\sqrt{e}-3}{6}$ ② $\frac{2\sqrt{e}-3}{3}$ ③ $\frac{\sqrt{e}-1}{2}$
④ $\frac{4\sqrt{e}-3}{6}$ ⑤ $\sqrt{e}-1$

STEP A 공통접선을 이용하여 a의 값 구하기

$f(x)=ax^2$, $g(x)=\ln x$에서 두 함수 $y=f(x)$, $y=g(x)$의 그래프가 만나는 점 P의 x좌표를 k라 하면

$ak^2=\ln k$ …… ㉠

$f'(x)=2ax$, $g'(x)=\frac{1}{x}$에서

두 곡선 위의 점 P에서의 접선의 기울기가 서로 같으므로

$2ak=\frac{1}{k}$, $2ak^2=1$ …… ㉡

㉠, ㉡에 의하여 $\ln k=\frac{1}{2}$, $k=\sqrt{e}$ $\therefore a=\frac{1}{2e}$

STEP B 두 곡선 $y=f(x)$, $y=g(x)$와 x축으로 둘러싸인 부분의 넓이를 정적분을 이용하여 구하기

$f(x)=\frac{x^2}{2e}$이고 점 P의 좌표는 $\left(\sqrt{e}, \frac{1}{2}\right)$이므로

두 함수 $y=f(x)$, $y=g(x)$의 그래프는 다음과 같다.

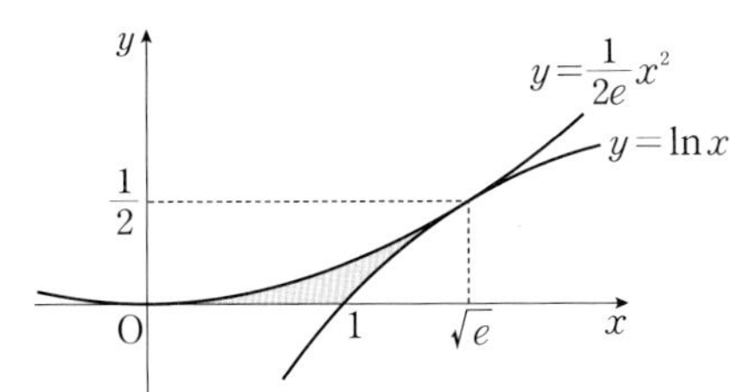

따라서 구하는 넓이는

$\int_0^{\sqrt{e}}\frac{x^2}{2e}dx-\int_1^{\sqrt{e}}\ln x dx$

$=\left[\frac{x^3}{6e}\right]_0^{\sqrt{e}}-\left\{\left[x\ln x\right]_1^{\sqrt{e}}-\int_1^{\sqrt{e}}\left(x\cdot\frac{1}{x}\right)dx\right\}$

$=\left[\frac{x^3}{6e}\right]_0^{\sqrt{e}}-\left[x\ln x\right]_1^{\sqrt{e}}+\left[x\right]_1^{\sqrt{e}}$

$=\left(\frac{\sqrt{e}}{6}-0\right)-\left(\frac{\sqrt{e}}{2}-0\right)+(\sqrt{e}-1)$

$=\frac{2\sqrt{e}-3}{3}$

1047

다음 물음에 답하여라.

(1) 닫힌구간 $[0, 2\pi]$에서 두 곡선 $y=\sin x$, $y=\cos x$의 교점의 x좌표를 각각 α, β라고 하자. 이 두 곡선과 직선 $x=t$가 만나는 두 점을 이은 선분을 한 변으로 하는 정사각형을 단면으로 하는 입체도형의 부피는? (단, $\alpha \leq t \leq \beta$)

① $\frac{\pi}{3}$ ② $\frac{\pi}{4}$ ③ $\frac{\pi}{2}$
④ $\frac{2}{3}\pi$ ⑤ π

STEP A 단면의 넓이 $S(x)$ 구하기

두 곡선 $y=\sin x$, $y=\cos x$의 교점의 x좌표는

$\sin x=\cos x$에서 $x=\frac{\pi}{4}$ 또는 $x=\frac{5}{4}\pi$

$\therefore \alpha=\frac{\pi}{4}$, $\beta=\frac{5}{4}\pi$

$\frac{\pi}{4}\leq t\leq\frac{5}{4}\pi$에서 $\sin t \geq \cos t$이므로

두 곡선 $y=\sin x$, $y=\cos x$와 직선 $x=t$가 만나는 두 점을 잇는 선분의 길이는 $\sin t-\cos t$

따라서 단면인 정사각형의 넓이 $S(t)$는

$S(t)=(\sin t-\cos t)^2=1-\sin 2t$

STEP B 단면의 넓이를 정적분하여 부피 구하기

따라서 구하는 입체도형의 부피는

$\int_{\frac{\pi}{4}}^{\frac{5}{4}\pi}S(t)dt=\int_{\frac{\pi}{4}}^{\frac{5}{4}\pi}(1-\sin 2t)dt$

$=\left[t+\frac{1}{2}\cos 2t\right]_{\frac{\pi}{4}}^{\frac{5}{4}\pi}$

$=\frac{5}{4}\pi-\frac{\pi}{4}=\pi$

(2) 다음 그림과 같이 곡선 $y=\sin x+\cos x\left(0 \leq x \leq \frac{\pi}{2}\right)$와 x축 및 두 직선 $x=0$, $x=\frac{\pi}{2}$로 둘러싸인 도형을 밑면으로 하는 입체도형이 있다. 이 입체도형을 x축에 수직인 평면으로 자른 단면이 반원일 때, 이 입체도형의 부피는?

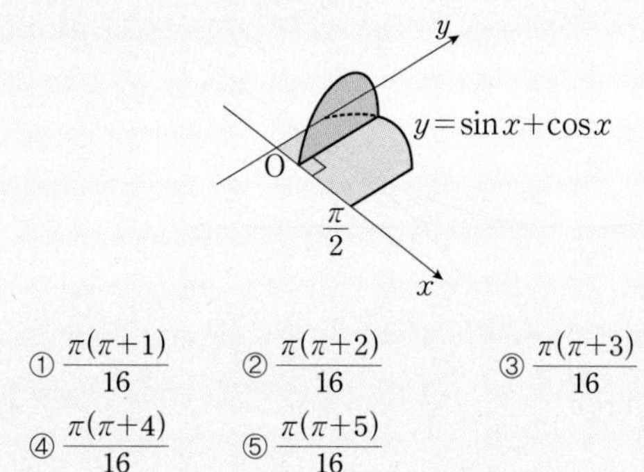

① $\frac{\pi(\pi+1)}{16}$ ② $\frac{\pi(\pi+2)}{16}$ ③ $\frac{\pi(\pi+3)}{16}$
④ $\frac{\pi(\pi+4)}{16}$ ⑤ $\frac{\pi(\pi+5)}{16}$

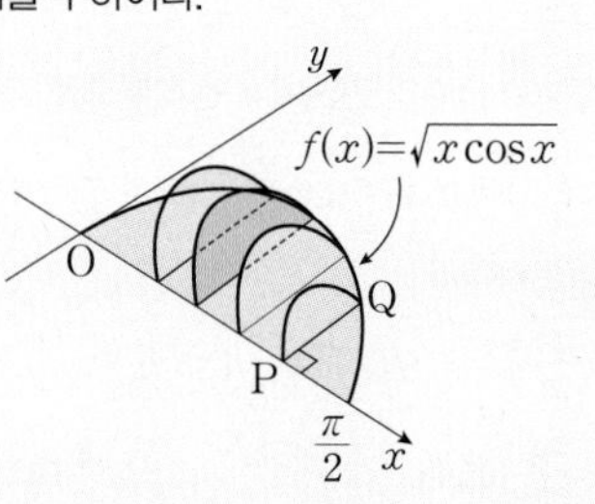

STEP Ⓐ 단면의 넓이 $S(x)$ 구하기

x좌표가 $x\left(0 \leq x \leq \frac{\pi}{2}\right)$인 점을 지나고 x축에 수직인 평면으로 자른 단면은 반지름의 길이가 $\frac{1}{2}(\sin x+\cos x)$인 반원이므로 단면의 넓이를 $S(x)$라 하면

$S(x)=\frac{1}{2}\times\pi\times\left\{\frac{1}{2}(\sin x+\cos x)\right\}^2=\frac{\pi}{8}(1+2\sin x\cos x)$

STEP Ⓑ 단면의 넓이를 정적분하여 부피 구하기

따라서 구하는 부피를 V라 하면

$V=\int_0^{\frac{\pi}{2}}\frac{\pi}{8}(1+2\sin x\cos x)dx$

$=\frac{\pi}{8}\int_0^{\frac{\pi}{2}}1dx+\frac{\pi}{4}\int_0^{\frac{\pi}{2}}\sin x\cos x dx$

$=\frac{\pi^2}{16}+\frac{\pi}{4}\int_0^{\frac{\pi}{2}}\sin x\cos x dx$

$\sin x=t$로 놓으면 $\frac{dt}{dx}=\cos x$이고

$x=0$일 때 $t=0$, $x=\frac{\pi}{2}$일 때 $t=1$이므로

$V=\frac{\pi^2}{16}+\frac{\pi}{4}\int_0^1 t dt=\frac{\pi^2}{16}+\frac{\pi}{4}\left[\frac{1}{2}t^2\right]_0^1=\frac{\pi^2}{16}+\frac{\pi}{8}=\frac{\pi(\pi+2)}{16}$

1048

(1) 다음 그림과 같이 곡선 $y=\frac{1}{x}e^{\frac{1}{x}}(x>0)$과 x축 및 두 직선 $x=1$, $x=2$로 둘러싸인 도형을 밑면으로 하는 입체도형이 있다. 이 입체도형을 x축에 수직인 평면으로 자른 단면이 모두 정사각형일 때, 이 입체도형의 부피는?

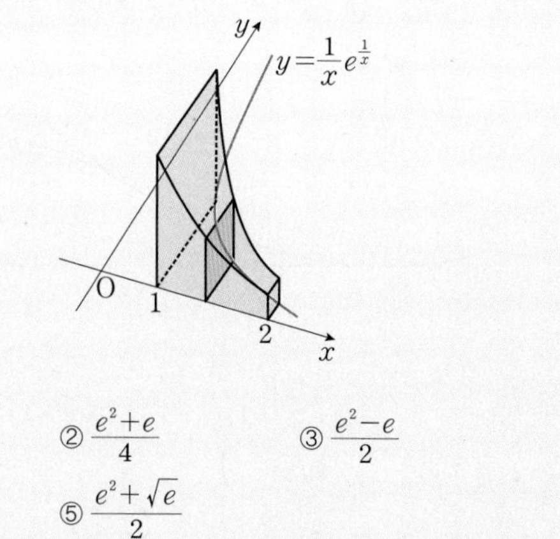

① $\frac{e^2-e}{4}$ ② $\frac{e^2+e}{4}$ ③ $\frac{e^2-e}{2}$
④ $\frac{e^2}{2}$ ⑤ $\frac{e^2+\sqrt{e}}{2}$

STEP Ⓐ 입체도형의 단면의 넓이 $S(x)$ 구하기

x좌표가 $x(1 \leq x \leq 2)$인 점을 지나고 x축에 수직인 평면으로 자른 단면은 한 변의 길이가 $\frac{1}{x}e^{\frac{1}{x}}$인 정사각형으로 단면의 넓이를 $S(x)$라 하면

$S(x)=\left(\frac{1}{x}e^{\frac{1}{x}}\right)^2=\frac{1}{x^2}e^{\frac{2}{x}}$

STEP Ⓑ 단면의 넓이를 정적분하여 부피 구하기

따라서 구하는 부피를 V라 하면 $V=\int_1^2\frac{1}{x^2}e^{\frac{2}{x}}dx$

$\frac{1}{x}=t$라 하면 $-\frac{1}{x^2}dx=dt$이고

$x=1$일 때 $t=1$, $x=2$일 때 $t=\frac{1}{2}$이므로

$V=\int_1^{\frac{1}{2}}(-e^{2t})dt=\int_{\frac{1}{2}}^1 e^{2t}dt=\left[\frac{1}{2}e^{2t}\right]_{\frac{1}{2}}^1=\frac{1}{2}e^2-\frac{1}{2}e=\frac{e^2-e}{2}$

(2) 다음 그림과 같이 두 곡선 $y=\frac{3}{x}$, $y=\sqrt{\ln x}$와 두 직선 $x=1$, $x=e$로 둘러싸인 도형을 밑면으로 하는 입체도형이 있다. 이 입체도형을 x축에 수직인 평면으로 자른 단면이 모두 정사각형일 때, 이 입체도형의 부피는?

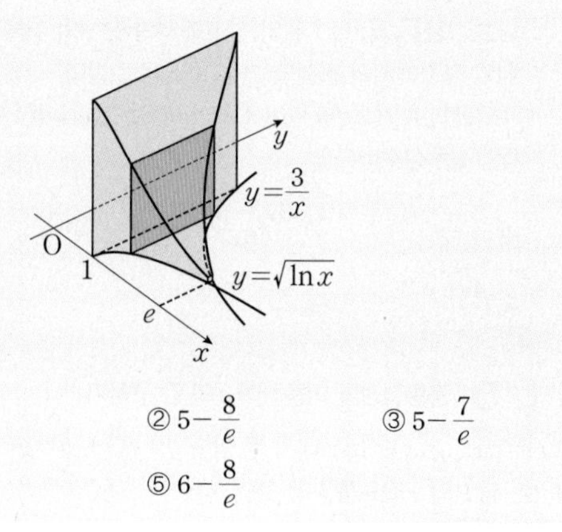

① $5-\frac{9}{e}$ ② $5-\frac{8}{e}$ ③ $5-\frac{7}{e}$
④ $6-\frac{9}{e}$ ⑤ $6-\frac{8}{e}$

STEP Ⓐ 단면적 $S(x)$ 구하기

점 $(x, 0)$을 지나고 x축에 수직인 단면으로 자른 단면의 모양은 한 변의 길이가 $\frac{3}{x}-\sqrt{\ln x}$인 정사각형이다.

즉 단면의 넓이는 $\left(\frac{3}{x}-\sqrt{\ln x}\right)^2$

STEP Ⓑ 정적분을 이용하여 입체도형의 부피 구하기

즉 이 입체도형의 부피는

$$\int_1^e\left(\frac{3}{x}-\sqrt{\ln x}\right)^2dx=\int_1^e\left(\frac{9}{x^2}-\frac{6}{x}\sqrt{\ln x}+\ln x\right)dx$$
$$=\left[-\frac{9}{x}-4(\ln x)^{\frac{3}{2}}+x\ln x-x\right]_1^e$$
$$=6-\frac{9}{e}$$

1049

다음 그림과 같이 윗면의 반지름의 길이가 5, 아랫면의 반지름의 길이가 3, 높이가 4인 원뿔대 모양의 그릇이 있다.
이 그릇에 물을 가득 채울 때, 다음 중 담긴 물의 양을 나타낸 식으로 옳은 것은? (단, 그릇의 두께는 무시하고, 물의 높이를 x라 한다.)

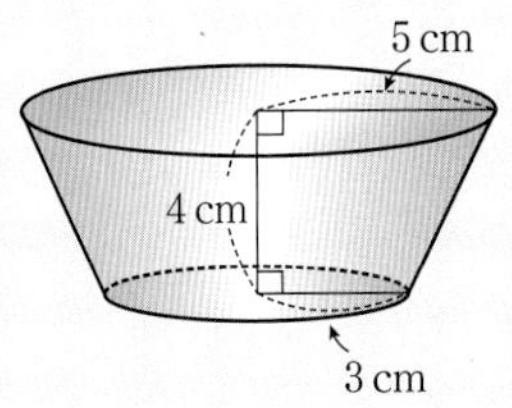

① $\pi\int_0^4\left(3+\frac{x}{4}\right)^2dx$ ② $\pi\int_0^4\left(3+\frac{x}{3}\right)^2dx$ ③ $\pi\int_0^4\left(3+\frac{x}{2}\right)^2dx$
④ $\pi\int_0^4(3+x)^2dx$ ⑤ $\pi\int_0^4(3x)^2dx$

STEP Ⓐ 단면적 $S(x)$ 구하기

다음 그림과 같이 그릇의 바닥면으로부터 높이가 x인 곳까지 물을 채웠을 때, 수면의 반지름의 길이는 $(3+y)$

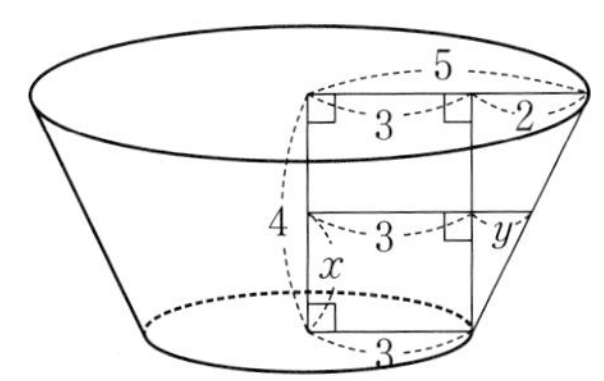

$x:4=y:2$이므로 $y=\frac{x}{2}$

즉 높이가 x일 때, 수면의 반지름의 길이는 $3+\frac{x}{2}$이므로

수면의 넓이는 $\pi\left(3+\frac{x}{2}\right)^2$

STEP Ⓑ 입체도형의 부피 구하기

따라서 그릇에 가득 담긴 물의 부피는 $\pi\int_0^4\left(3+\frac{x}{2}\right)^2dx$

1050

좌표평면 위를 움직이는 점 P의 시각 t에서의 위치 (x, y)가

$$x=4(\cos t+\sin t),\ y=\cos 2t\ (0\le t\le 2\pi)$$

이다. 점 P가 $t=0$에서 $t=2\pi$까지 움직인 거리를 $a\pi$라 할 때, a^2의 값을 구하여라.

STEP Ⓐ $\frac{dx}{dt}$, $\frac{dy}{dt}$ 구하기

$x=4(\cos t+\sin t)$에서 $\frac{dx}{dt}=4(-\sin t+\cos t)$

$y=\cos 2t$에서 $\frac{dy}{dt}=-2\sin 2t$

STEP Ⓑ 정적분을 이용하여 점 P가 움직인 거리 구하기

점 P가 $t=0$에서 $t=2\pi$까지 움직인 거리는

$$\int_0^{2\pi}\sqrt{\left(\frac{dx}{dt}\right)^2+\left(\frac{dy}{dt}\right)^2}\,dt$$
$$=\int_0^{2\pi}\sqrt{\{4(-\sin t+\cos t)\}^2+(-2\sin 2t)^2}\,dt$$
$$=\int_0^{2\pi}\sqrt{16(1-2\sin t\cos t)+4\sin^2 2t}\,dt$$
$$=\int_0^{2\pi}\sqrt{16-16\sin 2t+4\sin^2 2t}\,dt \quad \Leftarrow \sin 2t=2\sin t\cos t$$
$$=\int_0^{2\pi}\sqrt{4(\sin^2 2t-4\sin 2t+4)}\,dt$$
$$=\int_0^{2\pi}\sqrt{4(\sin 2t-2)^2}\,dt$$
$$=2\int_0^{2\pi}|\sin 2t-2|\,dt$$
$$=2\int_0^{2\pi}(2-\sin 2t)\,dt$$
$$=2\left[2t+\frac{1}{2}\cos 2t\right]_0^{2\pi}$$
$$=2\left(4\pi+\frac{1}{2}-\frac{1}{2}\right)$$
$$=8\pi$$

따라서 $a=8$이므로 $a^2=64$

1051

서술형

자연수 k에 대하여 닫힌구간 $[0, \pi]$에서 곡선 $y=k\cos x$와 x축 및 두 직선 $x=0$, $x=\pi$로 둘러싸인 도형의 넓이를 a_k라 할 때, $\sum_{k=1}^{10}\frac{1}{(k+1)a_k}$의 값을 구하는 과정을 다음 단계로 서술하여라.

[1단계] 도형의 넓이 a_k를 구한다.

[2단계] 시그마의 성질을 이용하여 $\sum_{k=1}^{10}\frac{1}{(k+1)a_k}$의 값을 구한다.

1단계 도형의 넓이 a_k를 구한다. ◀ 70%

닫힌구간 $[0, \pi]$에서 곡선 $y=k\cos x$와 x축 및 두 직선 $x=0$, $x=\pi$로 둘러싸인 도형의 넓이 a_k는

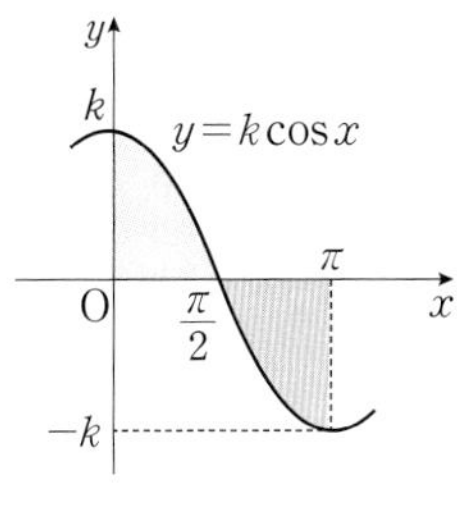

$$a_k=\int_0^{\pi}|k\cos x|\,dx$$
$$=k\int_0^{\frac{\pi}{2}}\cos x\,dx+k\int_{\frac{\pi}{2}}^{\pi}(-\cos x)\,dx$$
$$=k\Big[\sin x\Big]_0^{\frac{\pi}{2}}-k\Big[\sin x\Big]_{\frac{\pi}{2}}^{\pi}=2k$$

2단계 시그마의 성질을 이용하여 $\sum_{k=1}^{10}\frac{1}{(k+1)a_k}$의 값을 구한다. ◀ 30%

$$\therefore \sum_{k=1}^{10}\frac{1}{(k+1)a_k}=\sum_{k=1}^{10}\frac{1}{2k(k+1)}=\frac{1}{2}\sum_{k=1}^{10}\left(\frac{1}{k}-\frac{1}{k+1}\right)=\frac{1}{2}\left(1-\frac{1}{11}\right)=\frac{5}{11}$$

03 정적분의 활용

1052 서술형

닫힌구간 $\left[0, \frac{\pi}{2}\right]$에서 곡선 $y=\sin 2x$와 x축으로 둘러싸인 도형의 넓이를 곡선 $y=k\cos x$가 이등분할 때, 상수 k의 값을 구하는 과정을 다음 단계로 서술하여라. (단, $0<k<1$)

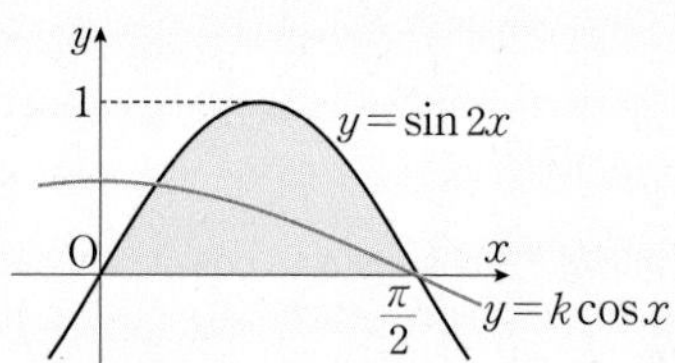

[1단계] 닫힌구간 $\left[0, \frac{\pi}{2}\right]$에서 곡선 $y=\sin 2x$와 x축으로 둘러싸인 도형의 넓이를 구하여라.

[2단계] 두 곡선 $y=\sin 2x$, $y=k\cos x$의 교점의 x좌표를 θ라고 할 때, $\sin\theta$를 k로 나타낸다. $\left(단, \theta \neq \frac{\pi}{2}\right)$

[3단계] 상수 k의 값을 구한다.

1단계 닫힌구간 $\left[0, \frac{\pi}{2}\right]$에서 곡선 $y=\sin 2x$와 x축으로 둘러싸인 도형의 넓이를 구하여라. ◀ 20%

$\int_0^{\frac{\pi}{2}}\sin 2x dx=\left[-\frac{1}{2}\cos 2x\right]_0^{\frac{\pi}{2}}=1$

2단계 두 곡선 $y=\sin 2x$, $y=k\cos x$의 교점의 x좌표를 θ라고 할 때, $\sin\theta$를 k로 나타낸다. $\left(단, \theta \neq \frac{\pi}{2}\right)$ ◀ 40%

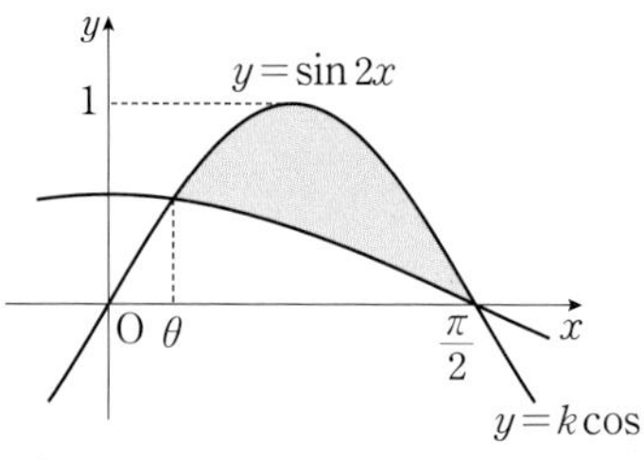

두 곡선 $y=\sin 2x$와 $y=k\cos x$의 교점의 x좌표는

$\sin 2x=k\cos x$에서 $2\sin x\cos x=k\cos x$

$\cos x(2\sin x-k)=0$

$0<x<\frac{\pi}{2}$에서 $\cos x>0$이므로 $2\sin x-k=0$

즉 $0<k<1$일 때, 교점의 x좌표가 θ이므로 $\sin\theta=\frac{k}{2}$ …… ㉠

3단계 상수 k의 값을 구한다. ◀ 40%

$2\int_\theta^{\frac{\pi}{2}}(\sin 2x-k\cos x)dx=2\left[-\frac{1}{2}\cos 2x-k\sin x\right]_\theta^{\frac{\pi}{2}}$

$=2\left\{\frac{1}{2}-k-\left(-\frac{1}{2}\cos 2\theta-k\sin\theta\right)\right\}$

$=2\left\{\frac{1}{2}-k+\frac{1}{2}(1-2\sin^2\theta)+k\sin\theta\right\}$

$=2(1-k-\sin^2\theta+k\sin\theta)=1$

$1-2\sin^2\theta-2k(1-\sin\theta)=0$이므로 이 식에 ㉠을 대입하면

$1-\frac{k^2}{2}-2k\left(1-\frac{k}{2}\right)=0$

$1-\frac{k^2}{2}-2k+k^2=0$, $k^2-4k+2=0$

따라서 $k=2-\sqrt{2}$ ($\because 0<k<1$)

1053 서술형

실수 전체에서 함수 $f(x)=(x^2+a)e^x$의 역함수가 존재하기 위한 상수 a의 최솟값을 m이라 하자. 함수 $g(x)=(x^2+m)e^x$의 역함수를 $h(x)$라 할 때, 다음 단계로 서술하여라. (단, e는 자연로그의 밑이다.)

[1단계] 함수 $f(x)$의 역함수가 존재하기 위한 a의 최솟값 m를 구한다.

[2단계] $\int_0^1 g(x)dx+\int_m^{2e}h(x)dx$의 값을 구한다.

[3단계] $\int_m^{2e}h(x)dx$의 값을 구한다.

1단계 함수 $f(x)$의 역함수가 존재하기 위한 a의 최솟값 m를 구한다. ◀ 30%

$f(x)=(x^2+a)e^x$에서

$f'(x)=2xe^x+(x^2+a)e^x=(x^2+2x+a)e^x$이므로 실수 전체에서

함수 $f(x)$의 역함수가 존재하려면 $x^2+2x+a\geq 0$이어야 한다.

이차방정식 $x^2+2x+a=0$의 판별식을 D라고 하면

$\frac{D}{4}=1-a\leq 0$이어야 하므로 $a\geq 1$

즉 a의 최솟값 m의 값은 $m=1$이므로 $g(x)=(x^2+1)e^x$

2단계 $\int_0^1 g(x)dx+\int_m^{2e}h(x)dx$의 값을 구한다. ◀ 40%

$g(0)=1$, $g(1)=2e$이므로 두 함수 $y=g(x)$, $y=h(x)$의 그래프는 다음 그림과 같다.

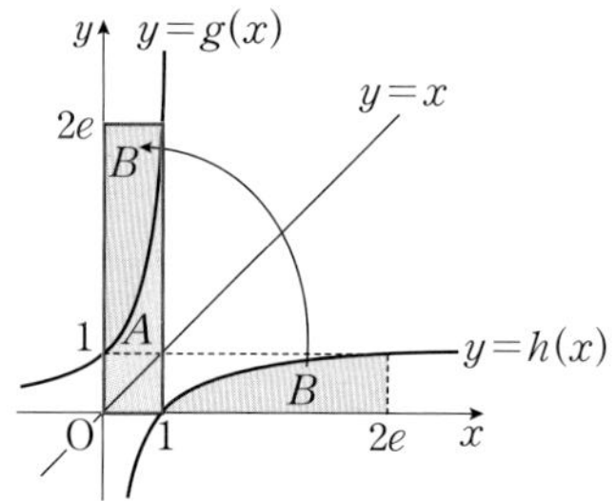

구간 $[0, 1]$에서 함수 $y=g(x)$와 x축으로 둘러싸인 부분의 넓이를 A, 구간 $[1, 2e]$에서 함수 $y=g(x)$의 역함수 $y=h(x)$와 x축으로 둘러싸인 넓이를 B라 하면

$\int_0^1 g(x)dx+\int_1^{2e}h(x)dx=A+B=1\cdot 2e=2e$

3단계 $\int_m^{2e}h(x)dx$의 값을 구한다. ◀ 30%

따라서 $\int_m^{2e}h(x)dx=\int_1^{2e}h(x)dx$

$=1\times 2e-\int_0^1(x^2+1)e^x dx$

$=2e-\left[(x^2+1)e^x\right]_0^1+\int_0^1 2xe^x dx$

$=2e-(2e-1)+\left[2xe^x\right]_0^1-\int_0^1 2e^x dx$

$=1+2e-(2e-2)$

$=3$

1054

서술형

높이가 2인 그릇에 물을 채우는데, 물의 깊이가 x일 때 수면은 반지름의 길이가 $\sqrt{\dfrac{4x+2}{4x^2+4x+5}}$인 원이라 한다. 이 그릇에 물을 채우기 시작하여 수면의 넓이가 최대가 되었을 때, 채워진 물의 부피를 구하는 과정을 다음 단계로 서술하여라.

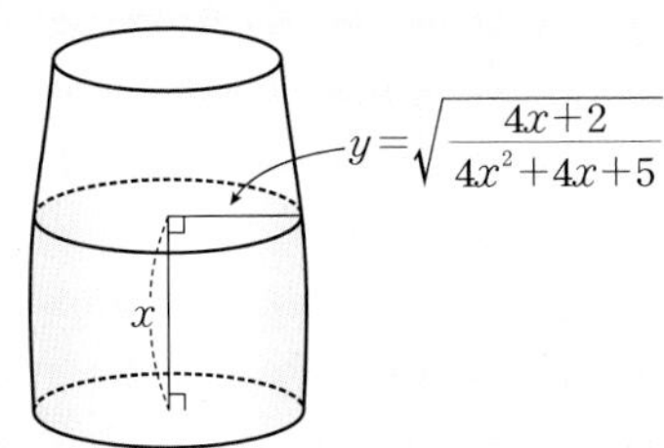

[1단계] 수면의 높이가 x일 때, 수면의 넓이 $S(x)$를 구하여라.
[2단계] 수면의 넓이가 최대가 되는 x의 값을 구한다.
[3단계] 이때 채워진 물의 부피를 구한다.

1단계 수면의 높이가 x일 때, 수면의 넓이 $S(x)$를 구하여라. ◀ 20%

$S(x)=\dfrac{4x+2}{4x^2+4x+5}\pi\,(0\le x\le 2)$

2단계 수면의 넓이가 최대가 되는 x의 값을 구한다. ◀ 50%

$$S'(x)=\frac{4(4x^2+4x+5)-(4x+2)(8x+4)}{\{4x^2+4x+5\}^2}\pi$$
$$=\frac{-16x^2-16x+12}{\{4x^2+4x+5\}^2}\pi$$
$$=\frac{-4(2x+3)(2x-1)}{\{4x^2+4x+5\}^2}\pi$$

$S'(x)=0$에서 $x=-\dfrac{3}{2}$ 또는 $x=\dfrac{1}{2}$

그런데 $0\le x\le 2$이므로 $x=\dfrac{1}{2}$

$0\le x\le 2$에서 함수 $S(x)$의 증가와 감소를 표로 나타내면 다음과 같다.

x	0	$\cdots$	$\frac{1}{2}$	$\cdots$	2
$S'(x)$		+	0	−	
$S(x)$	$\frac{2}{5}\pi$	↗	$\frac{1}{2}\pi$ (극대값)	↘	$\frac{10}{29}\pi$

따라서 수면의 넓이 $S(x)$는 $x=\dfrac{1}{2}$에서 극대이면서 최대이다.

3단계 채워진 물의 부피를 구한다. ◀ 30%

이때 채워진 물의 부피를 V라 하면

$V=\displaystyle\int_0^{\frac{1}{2}}S(x)dx=\pi\int_0^{\frac{1}{2}}\frac{4x+2}{4x^2+4x+5}dx$

$4x^2+4x+5=t$로 놓으면 $8x+4=\dfrac{dt}{dx}$이고

$x=0$일 때 $t=5$, $x=\dfrac{1}{2}$일 때 $t=8$이므로

$V=\dfrac{\pi}{2}\displaystyle\int_5^8\frac{1}{t}dt=\frac{\pi}{2}\Big[\ln|t|\Big]_5^8=\frac{\pi}{2}\ln\frac{8}{5}$

1055

서술형

다음 그림과 같이 곡선 $y=\sqrt{x}e^{\frac{x}{2}}(1\le x\le \ln 6)$과 x축으로 둘러싸인 도형을 밑면으로 하는 입체도형을 x축에 수직인 평면으로 자른 단면이 정사각형일 때, 이 입체도형의 부피를 구하는 과정을 다음 단계로 서술하여라.

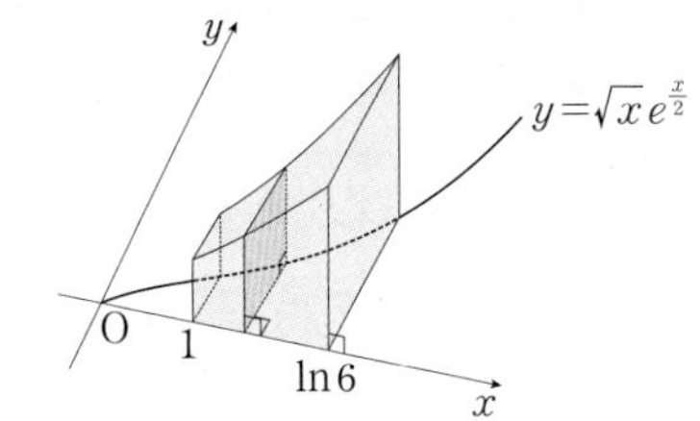

[1단계] 입체도형을 x축에 수직인 평면으로 자른 단면인 정사각형의 넓이 $S(x)$를 구한다.
[2단계] 입체도형의 부피 V를 구한다.

1단계 입체도형을 x축에 수직인 평면으로 자른 단면인 정사각형의 넓이 $S(x)$를 구한다. ◀ 50%

주어진 입체도형을 x축에 수직인 평면으로 자른 단면인 정사각형의 한 변의 길이는 $\left|\sqrt{x}e^{\frac{x}{2}}\right|=\sqrt{x}e^{\frac{x}{2}}$이므로

단면의 넓이를 $S(x)$라고 하면 $S(x)=\left(\sqrt{x}e^{\frac{x}{2}}\right)^2=xe^x$

2단계 입체도형의 부피 V를 구한다. ◀ 50%

따라서 구하는 입체도형의 부피 V는

$V=\displaystyle\int_1^{\ln 6}S(x)dx=\int_1^{\ln 6}xe^x dx$

이때 부분적분법을 이용하면

$\displaystyle\int_1^{\ln 6}xe^x dx=\Big[xe^x\Big]_1^{\ln 6}-\int_1^{\ln 6}e^x dx=\ln 6\times e^{\ln 6}-e-\Big[e^x\Big]_1^{\ln 6}=6\ln 6-6$

1056

서술형

좌표평면 위를 움직이는 점 $\mathrm{P}(x,\ y)$의 시각 t에서의 위치가

$x=e^{-t}\cos t,\ y=e^{-t}\sin t$

일 때, 점 P가 시각 $t=0$에서 $t=a\,(a>0)$까지 움직인 거리를 $s(a)$라 하자. 이때 $\displaystyle\lim_{a\to\infty}s(a)$의 값을 구하는 과정을 다음 단계로 서술하여라.

[1단계] 점 P가 시각 $t=0$에서 $t=a\,(a>0)$까지 움직인 거리 $s(a)$를 구한다.
[2단계] $\displaystyle\lim_{a\to\infty}s(a)$의 값을 구한다.

1단계 점 P가 시각 $t=0$에서 $t=a\,(a>0)$까지 움직인 거리 $s(a)$를 구한다. ◀ 80%

$\dfrac{dx}{dt}=-e^{-t}\cos t-e^{-t}\sin t=-e^{-t}(\cos t+\sin t)$

$\dfrac{dy}{dt}=-e^{-t}\sin t+e^{-t}\cos t=-e^{-t}(\sin t-\cos t)$

시각 $t=0$에서 $t=a$까지 점 P가 움직인 거리 $s(a)$는

$$s(a)=\int_0^a\sqrt{\{-e^{-t}(\cos t+\sin t)\}^2+\{-e^{-t}(\sin t-\cos t)\}^2}\,dt$$
$$=\int_0^a\sqrt{2}e^{-t}dt$$
$$=\sqrt{2}\big[-e^{-t}\big]_0^a$$
$$=-\sqrt{2}(e^{-a}-1)$$

2단계 $\displaystyle\lim_{a\to\infty}s(a)$의 값을 구한다. ◀ 20%

따라서 구하는 극한값은 $\displaystyle\lim_{a\to\infty}s(a)=\lim_{a\to\infty}\{-\sqrt{2}(e^{-a}-1)\}=\sqrt{2}$

1057

서술형

좌표평면 위를 움직이는 점 P의 시각 $t\,(t>0)$에서의 위치 $(x,\ y)$가

$$x=\frac{4}{3}t^3-t,\ y=2t^2$$

이다. 시각 $t=a\,(a>0)$에서의 점 P의 속도의 크기가 37일 때, 시각 $t=\frac{a}{3}$에서 $t=a$까지 점 P가 움직인 거리는 s을 구하는 과정을 다음 단계로 서술하여라.

[1단계] 시각 $t=a\,(a>0)$에서의 점 P의 속도의 크기가 37일 때, a의 값을 구한다.

[2단계] 시각 $t=\frac{a}{3}$에서 $t=a$까지 점 P가 움직인 거리는 s를 구한다.

1단계 시각 $t=a\,(a>0)$에서의 점 P의 속도의 크기가 37일 때, a의 값을 구한다. ◀ 60%

$x=\frac{4}{3}t^3-t,\ y=2t^2$에서 $\frac{dx}{dt}=4t^2-1,\ \frac{dy}{dt}=4t$ 이므로

시각 t에서의 점 P의 속도의 크기는

$$\sqrt{\left(\frac{dx}{dt}\right)^2+\left(\frac{dy}{dt}\right)^2}=\sqrt{(4t^2-1)^2+(4t)^2}$$
$$=\sqrt{16t^4-8t^2+1+16t^2}$$
$$=\sqrt{16t^4+8t^2+1}$$
$$=\sqrt{(4t^2+1)^2}$$
$$=4t^2+1$$

시각 $t=a\,(a>0)$에서 점 P의 속도의 크기가 37이므로

$4a^2+1=37$

즉 $a^2=9$에서 $a>0$이므로 $a=3$

2단계 시각 $t=\frac{a}{3}$에서 $t=a$까지 점 P가 움직인 거리는 s를 구한다. ◀ 40%

시각 $t=1$에서 시각 $t=3$까지 점 P가 움직인 거리 s는

$$s=\int_1^3\sqrt{\left(\frac{dx}{dt}\right)^2+\left(\frac{dy}{dt}\right)^2}\,dt$$
$$=\int_1^3(4t^2+1)dt$$
$$=\left[\frac{4}{3}t^3+t\right]_1^3$$
$$=(36+3)-\left(\frac{4}{3}+1\right)$$
$$=\frac{110}{3}$$

1058

서술형

다음 그림과 같이 반지름의 길이가 1인 원이 좌표평면에서 x축을 따라 매 초 1라디안씩 굴러갈 때, 원 위의 한 점 P가 원점에서 출발할 때, 다음 단계로 서술하여라.

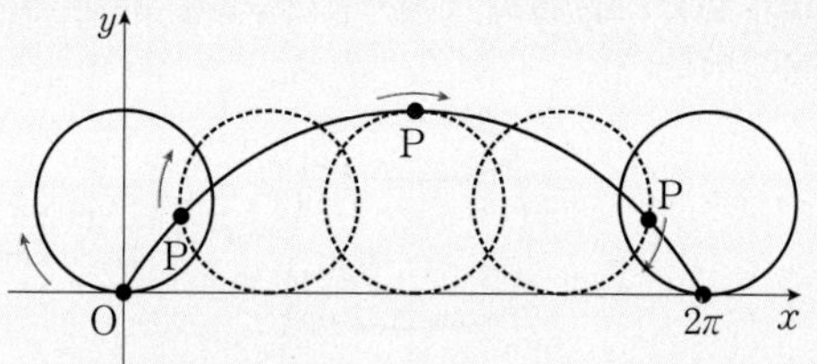

[1단계] t초일 때, 점 P의 좌표를 구한다.

[2단계] 점 P의 속도의 크기의 최댓값을 구한다.

[3단계] 한 점 P가 원점에서 출발할 때, $t=0$에서 $t=\pi$까지 점 P가 움직인 거리를 구한다.

1단계 t초일 때, 점 P의 좌표를 구한다. ◀ 30%

t초 동안 원은 t라디안만큼 굴러가므로

t초 후 점 P의 좌표는 다음 그림에서 $x=t-\sin t,\ y=1-\cos t$이므로

점 $\mathrm{P}(t-\sin t,\ 1-\cos t)$

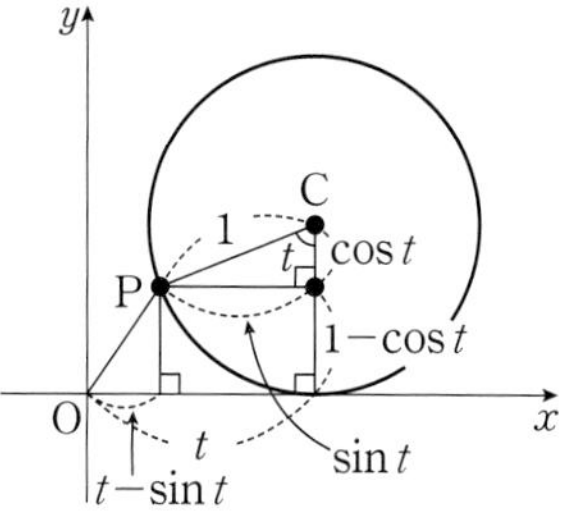

2단계 점 P의 속도의 크기의 최댓값을 구한다. ◀ 40%

점 P의 시각 t에서의 위치가 $x=t-\sin t,\ y=1-\cos t$

$\frac{dx}{dt}=1-\cos t,\ \frac{dy}{dt}=\sin t$이므로

시각 t에서의 속도의 크기는

$$\sqrt{\left(\frac{dx}{dt}\right)^2+\left(\frac{dy}{dt}\right)^2}=\sqrt{(1-\cos t)^2+\sin^2 t}$$
$$=\sqrt{1-2\cos t+\cos^2 t+\sin^2 t}$$
$$=\sqrt{2-2\cos t}$$

이때 $0\le t\le 2\pi$에서 $-1\le\cos t\le 1$이므로

속도의 크기의 최댓값은 $\cos t=-1$일 때, $\sqrt{2-2(-1)}=2$

3단계 한 점 P가 원점에서 출발할 때, $t=0$에서 $t=\pi$까지 점 P가 움직인 거리를 구한다. ◀ 30%

따라서 $\frac{dx}{dt}=1-\cos t,\ \frac{dy}{dt}=\sin t$이므로 움직인 거리 s는

$$s=\int_0^{\pi}\sqrt{(1-\cos t)^2+(\sin t)^2}\,dt$$
$$=\int_0^{\pi}\sqrt{2-2\cos t}\,dt$$
$$=\int_0^{\pi}\sqrt{2(1-\cos t)}\,dt$$
$$=\int_0^{\pi}\sqrt{4\sin^2\frac{t}{2}}\,dt$$
$$=2\int_0^{\pi}\sin\frac{t}{2}\,dt$$ ⬅ $0\le t\le\pi$일 때, $\sin\frac{t}{2}\ge 0$
$$=2\left[-2\cos\frac{t}{2}\right]_0^{\pi}$$
$$=4$$

1059 서술형

좌표평면에서 매개변수 θ로 나타내어진 곡선

$x=2\cos\theta+\cos 2\theta,\ y=2\sin\theta+\sin 2\theta$

에 대하여 다음 단계로 서술하여라. (단, θ는 실수이다.)

[1단계] $\theta=\frac{\pi}{6}$에 대응하는 이 곡선 위의 점에서의 접선의 기울기를 구한다.

[2단계] $0\le\theta\le\pi$일 때, 이 곡선의 길이를 구한다.

1단계 $\theta=\frac{\pi}{6}$에 대응하는 이 곡선 위의 점에서의 접선의 기울기를 구한다. ◀ 50%

$x=2\cos\theta+\cos 2\theta$에서 $\frac{dx}{d\theta}=-2\sin\theta-2\sin 2\theta$

$y=2\sin\theta+\sin 2\theta$에서 $\frac{dy}{d\theta}=2\cos\theta+2\cos 2\theta$이므로

$$\frac{dy}{dx}=\frac{\frac{dy}{d\theta}}{\frac{dx}{d\theta}}=\frac{2\cos\theta+2\cos 2\theta}{-2\sin\theta-2\sin 2\theta}$$

따라서 $\theta=\frac{\pi}{6}$을 대입하면

$$\frac{dy}{dx}=\frac{2\cos\frac{\pi}{6}+2\cos\frac{\pi}{3}}{-2\sin\frac{\pi}{6}-2\sin\frac{\pi}{3}}=\frac{\sqrt{3}+1}{-1-\sqrt{3}}=-1$$

2단계 $0\le\theta\le\pi$일 때, 이 곡선의 길이를 구한다. ◀ 50%

$\frac{dx}{d\theta}=-2\sin\theta-2\sin 2\theta,\ \frac{dy}{d\theta}=2\cos\theta+2\cos 2\theta$이므로

$$\begin{aligned}\sqrt{\left(\frac{dx}{d\theta}\right)^2+\left(\frac{dy}{d\theta}\right)^2}&=2\sqrt{(\sin\theta+\sin 2\theta)^2+(\cos\theta+\cos 2\theta)^2}\\&=2\sqrt{2+2(\sin\theta\sin 2\theta+\cos\theta\cos 2\theta)}\\&=2\sqrt{2}\sqrt{1+\cos(2\theta-\theta)}\\&=4\left|\cos\frac{\theta}{2}\right|\end{aligned}$$

따라서 $0\le\theta\le\pi$에서 $4\left|\cos\frac{\theta}{2}\right|=4\cos\frac{\theta}{2}$가 되므로 곡선의 길이는

$$\begin{aligned}l&=\int_0^{\pi}\sqrt{\left(\frac{dx}{d\theta}\right)^2+\left(\frac{dy}{d\theta}\right)^2}\,d\theta\\&=\int_0^{\pi}4\cos\frac{\theta}{2}\,d\theta\\&=8\left[\sin\frac{\theta}{2}\right]_0^{\pi}\\&=8\end{aligned}$$

TOUGH

1060

다음 그림과 같이 원점을 지나고 x축의 양의 방향과 이루는 각의 크기가 $\theta\left(0\le\theta<\frac{\pi}{4}\right)$인 직선을 l이라 하자. 곡선 $y=-x^3+x\,(x\ge0)$과 직선 l로 둘러싸인 부분의 넓이를 $S(\theta)$라 할 때, $\lim\limits_{\theta\to\frac{\pi}{4}-}\frac{S(\theta)}{\left(\theta-\frac{\pi}{4}\right)^2}$의 값은?

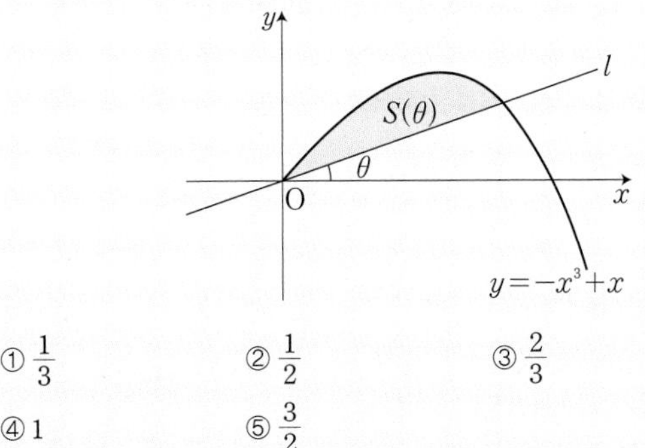

① $\frac{1}{3}$　② $\frac{1}{2}$　③ $\frac{2}{3}$　④ 1　⑤ $\frac{3}{2}$

STEP A 두 곡선의 교점의 x좌표를 구한 후 $S(\theta)$의 넓이 구하기

직선 l의 방정식은 $y=(\tan\theta)x$이므로

곡선 $y=-x^3+x$와 직선 l의 원점 이외의 교점의 x좌표를 구하면

$-x^3+x=(\tan\theta)x$에서 $x(x^2+\tan\theta-1)=0$

$x\ge0$에서 $x=0$ 또는 $x=\sqrt{1-\tan\theta}$

곡선과 직선으로 둘러싸인 부분의 넓이는

$$\begin{aligned}S(\theta)&=\int_0^{\sqrt{1-\tan\theta}}\{(-x^3+x)-(\tan\theta)x\}dx\\&=\left[-\frac{1}{4}x^4+\frac{1}{2}(1-\tan\theta)x^2\right]_0^{\sqrt{1-\tan\theta}}\\&=\frac{1}{4}(1-\tan\theta)^2\end{aligned}$$

STEP B $\lim\limits_{\theta\to\frac{\pi}{4}-}\frac{S(\theta)}{\left(\theta-\frac{\pi}{4}\right)^2}$의 극한값 구하기

$$\lim_{\theta\to\frac{\pi}{4}-}\frac{S(\theta)}{\left(\theta-\frac{\pi}{4}\right)^2}=\lim_{\theta\to\frac{\pi}{4}-}\frac{1}{4}\left(\frac{\tan\theta-1}{\theta-\frac{\pi}{4}}\right)^2$$

$\theta-\frac{\pi}{4}=t$로 놓으면 $\theta=\frac{\pi}{4}+t$

이때 $\theta\to\frac{\pi}{4}-$이면 $t\to0-$

$\tan\theta=\tan\left(\frac{\pi}{4}+t\right)=\frac{1+\tan t}{1-\tan t}$이므로 $\frac{\tan\theta-1}{\theta-\frac{\pi}{4}}=\frac{2\tan t}{t(1-\tan t)}$

따라서 $\lim\limits_{\theta\to\frac{\pi}{4}-}\frac{1}{4}\left(\frac{\tan\theta-1}{\theta-\frac{\pi}{4}}\right)^2=\lim\limits_{t\to0}\frac{1}{4}\left\{\frac{2\tan t}{t(1-\tan t)}\right\}^2=\frac{1}{4}\cdot4=1$

다른풀이 미분계수를 이용하여 풀이하기

$f(\theta)=\tan\theta$라 하면 $f'(\theta)=\sec^2\theta,\ f\left(\frac{\pi}{4}\right)=1$이므로

$$\lim_{\theta\to\frac{\pi}{4}-}\frac{\tan\theta-1}{\theta-\frac{\pi}{4}}=\lim_{\theta\to\frac{\pi}{4}-}\frac{f(\theta)-f\left(\frac{\pi}{4}\right)}{\theta-\frac{\pi}{4}}=f'\left(\frac{\pi}{4}\right)=2$$

따라서 $\lim\limits_{\theta\to\frac{\pi}{4}-}\frac{S(\theta)}{\left(\theta-\frac{\pi}{4}\right)^2}=\frac{1}{4}\left(f'\left(\frac{\pi}{4}\right)\right)^2=\frac{1}{4}\cdot2^2=1$

1061

양수a에 대하여 함수 $f(x)=\int_0^x (a-t)e^t dt$의 최댓값이 32이다. 곡선 $y=3e^x$과 두 직선 $x=a$, $y=3$으로 둘러싸인 부분의 넓이를 구하여라.

STEP A 함수 $f(x)$가 극대일 때, 최대가 됨을 이용하여 a의 값 구하기

$f(x)=\int_0^x (a-t)e^t dt$의 양변을 x에 대하여 미분하면

$f'(x)=(a-x)e^x$이므로 $f'(x)=0$에서 $x=a$

$x<a$에서 $f'(x)>0$이고 $x>a$에서 $f'(x)<0$이므로

함수 $f(x)$는 $x=a$에서 최댓값을 갖는다.

즉 $f(x)$는 $x=a$에서 최댓값 32를 가지므로

$$\begin{aligned} f(x)&=\int_0^x (a-t)e^t dt \\ &=\left[(a-t)e^t\right]_0^x-\int_0^x (-e^t)dt \\ &=\left[(a-t)e^t\right]_0^x+\left[e^t\right]_0^x \\ &=(a-x)e^x-a+e^x-1 \\ &=(a+1-x)e^x-a-1 \end{aligned}$$

최댓값은 $f(a)=e^a-a-1=32$

$\therefore e^a-a=33$ …… ㉠

STEP B 곡선과 두 직선으로 둘러싸인 부분의 넓이 구하기

한편 곡선 $y=3e^x$과 직선 $y=3$이 만나는 점의 x좌표를 t라 하면

$3e^t=3$에서 $t=0$

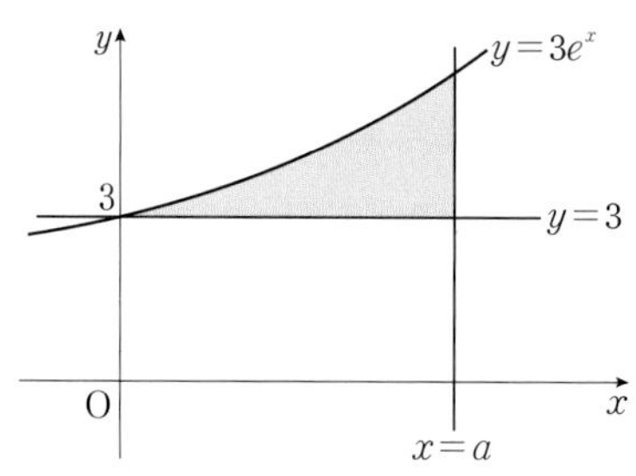

따라서 곡선 $y=3e^x$과 두 직선 $x=a$, $y=3$으로 둘러싸인 부분의 넓이는

$$\begin{aligned} \int_0^a (3e^x-3)dx&=\left[3e^x-3x\right]_0^a \\ &=(3e^a-3a)-(3-0) \\ &=3(e^a-a)-3 \\ &=3\cdot 33-3\ (\because ㉠) \\ &=96 \end{aligned}$$

1062

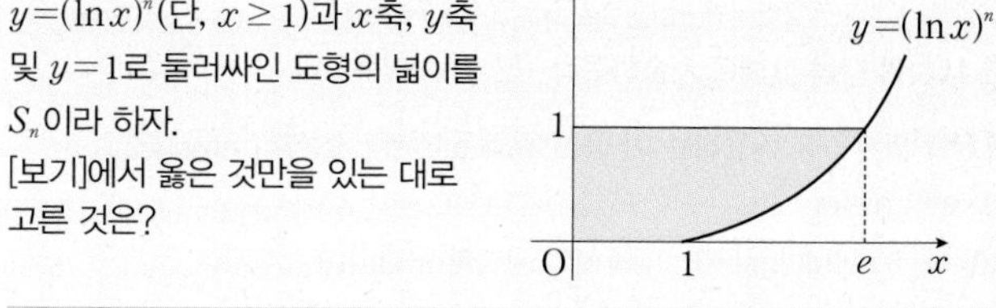

2 이상의 자연수 n에 대하여 곡선 $y=(\ln x)^n$(단, $x\ge 1$)과 x축, y축 및 $y=1$로 둘러싸인 도형의 넓이를 S_n이라 하자.
[보기]에서 옳은 것만을 있는 대로 고른 것은?

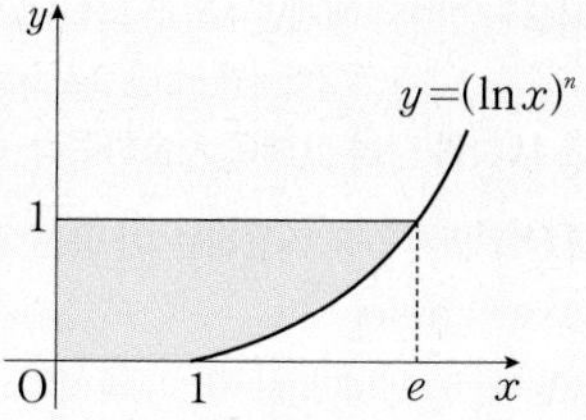

ㄱ. $1\le x\le e$일 때, $(\ln x)^n\ge(\ln x)^{n+1}$이다.
ㄴ. $S_n<S_{n+1}$
ㄷ. 함수 $f(x)=(\ln x)^n\ (x\ge 1)$의 역함수를 $g(x)$라 하면 $S_n=\int_0^1 g(x)dx$이다.

① ㄱ ② ㄱ, ㄴ ③ ㄱ, ㄷ
④ ㄴ, ㄷ ⑤ ㄱ, ㄴ, ㄷ

STEP A 자연수 n에 대하여 $0\le a\le 1$일 때, $a^n\ge a^{n+1}$이 성립함을 이용하여 참, 거짓을 판별하기

ㄱ. $1\le x\le e$일 때,
$0\le \ln x\le 1$이고 n은 2 이상의 자연수이므로
$(\ln x)^n-(\ln x)^{n+1}=(\ln x)^n(1-\ln x)\ge 0$
$\therefore (\ln x)^n\ge(\ln x)^{n+1}$ [참]

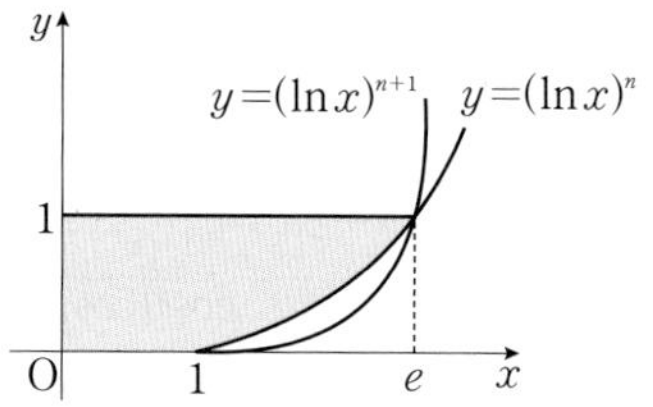

ㄴ. $S_n=e-\int_1^e (\ln x)^n dx$, $S_{n+1}=e-\int_1^e (\ln x)^{n+1}dx$
$1<x<e$이면 $0<\ln x<1$에서 $(\ln x)^n>(\ln x)^{n+1}$이므로
$\int_1^e (\ln x)^n dx>\int_1^e (\ln x)^{n+1}dx$
$-\int_1^e (\ln x)^n dx<-\int_1^e (\ln x)^{n+1}dx$
$e-\int_1^e (\ln x)^n dx<e-\int_1^e (\ln x)^{n+1}dx$
$\therefore S_n<S_{n+1}$ [참]

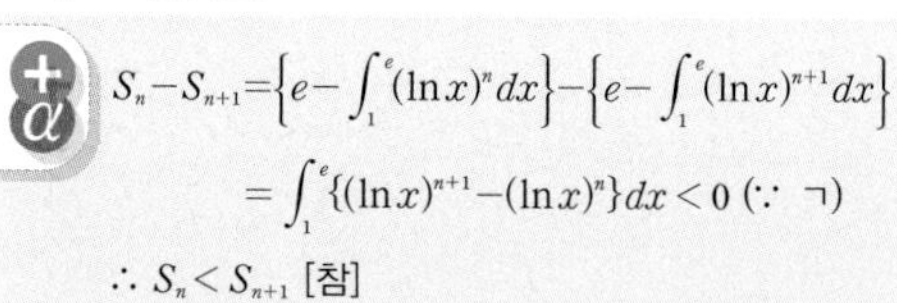

$$\begin{aligned} S_n-S_{n+1}&=\left\{e-\int_1^e (\ln x)^n dx\right\}-\left\{e-\int_1^e (\ln x)^{n+1}dx\right\} \\ &=\int_1^e \{(\ln x)^{n+1}-(\ln x)^n\}dx<0\ (\because ㄱ) \end{aligned}$$

$\therefore S_n<S_{n+1}$ [참]

STEP B 역함수의 그래프를 이용하여 참임을 판별하기

ㄷ. 함수 $f(x)=(\ln x)^n$의 그래프와 역함수 $y=g(x)$의 그래프는 $y=x$에 대하여 대칭이므로 다음 그림과 같다.

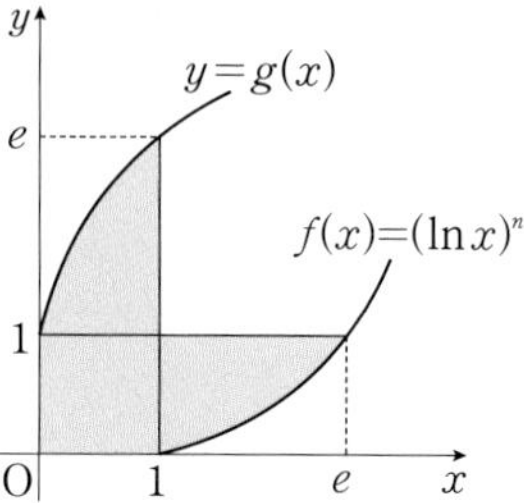

$S_n=\int_0^1 g(x)dx$ [참]

따라서 옳은 것은 ㄱ, ㄴ, ㄷ이다.

1063

함수 $f(x)=e^{-x}$과 자연수 n에 대하여 점 P_n, Q_n을 각각

$\mathrm{P}_n(n,\ f(n))$, $\mathrm{Q}_n(n+1,\ f(n))$이라 하자.

삼각형 $\mathrm{P}_n\mathrm{P}_{n+1}\mathrm{Q}_n$의 넓이를 A_n, 선분 $\mathrm{P}_n\mathrm{P}_{n+1}$과 함수 $y=f(x)$의 그래프로 둘러싸인 도형의 넓이를 B_n이라 할 때, 다음 중 옳은 것을 모두 고른 것은?

ㄱ. $\int_n^{n+1} f(x)dx=f(n)-(A_n+B_n)$

ㄴ. $\sum_{n=1}^{\infty} A_n=\frac{1}{2e}$

ㄷ. $\sum_{n=1}^{\infty} B_n=\frac{3-e}{2e(e-1)}$

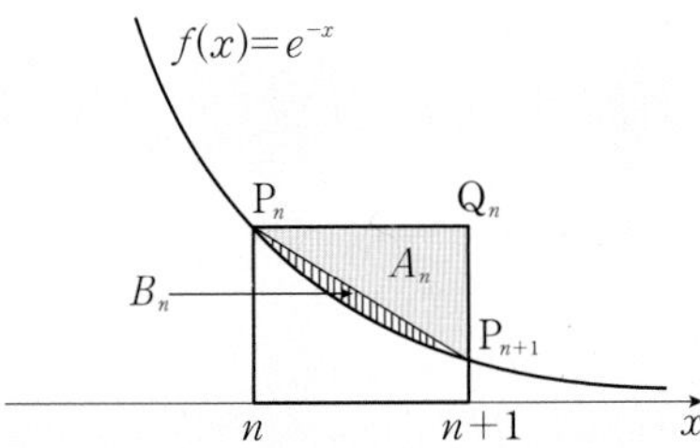

① ㄱ　　② ㄱ, ㄴ　　③ ㄱ, ㄷ
④ ㄴ, ㄷ　　⑤ ㄱ, ㄴ, ㄷ

STEP A (가로, 세로의 길이가 각각 1, $f(n)$인 직사각형의 넓이) $-A_n-B_n$임을 이용하여 $\int_n^{n+1} f(x)dx$를 구하여 참임을 판별하기

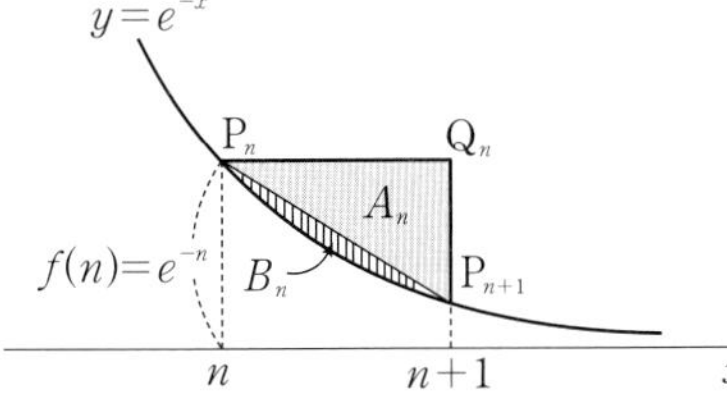

ㄱ. $f(x)>0$이므로 $\int_n^{n+1} f(x)dx$는 곡선 $y=f(x)$와 두 직선 $x=n$, $x=n+1$ 및 x축으로 둘러싸인 도형의 넓이와 같다.

$\int_n^{n+1} f(x)dx$는 x축, $x=n$, $x=n+1$과 $\overline{\mathrm{P}_n\mathrm{Q}_n}$으로 둘러싸인 사각형에서 A_n+B_n을 뺀 것과 같다.

사각형의 넓이는 $\{(n+1)-n\}\cdot f(n)=f(n)$이므로

$\therefore \int_n^{n+1} f(x)dx=f(n)-(A_n+B_n)$ [참]

STEP B A_n을 구하여 등비급수를 이용하여 참임을 판별하기

ㄴ. A_n은 삼각형 $\mathrm{P}_n\mathrm{P}_{n+1}\mathrm{Q}_n$의 넓이이므로

$$A_n=\frac{1}{2}\cdot 1\cdot\{f(n)-f(n+1)\}$$
$$=\frac{1}{2}(e^{-n}-e^{-n-1})$$
$$=\frac{1}{2}e^{-n-1}(e-1)$$
$$=\frac{1}{2}(e-1)\cdot\frac{1}{e^{n+1}}$$
$$=\frac{e-1}{2e^{n+1}}$$

즉 수열 $\{A_n\}$은 첫째항이 $\frac{e-1}{2e^2}$, 공비가 $\frac{1}{e}$인 등비수열이므로

$$\sum_{n=1}^{\infty} A_n=\frac{\frac{e-1}{2e^2}}{1-\frac{1}{e}}=\frac{1}{2e} \text{ [참]}$$

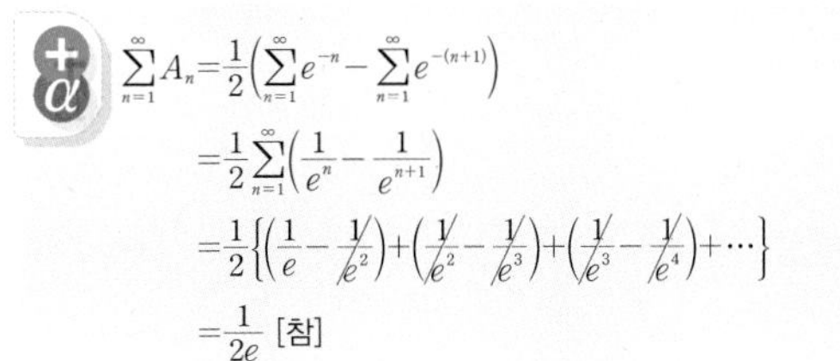

$$\sum_{n=1}^{\infty} A_n=\frac{1}{2}\left(\sum_{n=1}^{\infty} e^{-n}-\sum_{n=1}^{\infty} e^{-(n+1)}\right)$$
$$=\frac{1}{2}\sum_{n=1}^{\infty}\left(\frac{1}{e^n}-\frac{1}{e^{n+1}}\right)$$
$$=\frac{1}{2}\left\{\left(\frac{1}{e}-\frac{1}{e^2}\right)+\left(\frac{1}{e^2}-\frac{1}{e^3}\right)+\left(\frac{1}{e^3}-\frac{1}{e^4}\right)+\cdots\right\}$$
$$=\frac{1}{2e} \text{ [참]}$$

STEP C B_n을 구하여 등비급수를 이용하여 참임을 판별하기

ㄷ. B_n은 사다리꼴의 넓이에서 $y=f(x)$와 두 직선 $x=n$, $x=n+1$ 및 x축으로 둘러싸인 도형의 넓이를 뺀 값과 같으므로

$$B_n=\frac{1}{2}(e^{-n}+e^{-n-1})-\int_n^{n+1} e^{-x}dx$$
$$=\frac{1}{2}(e^{-n}+e^{-n-1})+(e^{-n-1}-e^{-n})$$
$$=\frac{3}{2}e^{-n-1}-\frac{1}{2}e^{-n}$$
$$\sum_{n=1}^{\infty} B_n=\frac{\frac{3}{2}e^{-2}-\frac{1}{2}e^{-1}}{1-\frac{1}{e}}=\frac{3-e}{2e^2-2e}=\frac{3-e}{2e(e-1)} \text{ [참]}$$

따라서 옳은 것은 ㄱ, ㄴ, ㄷ이다.

1064

좌표평면 위를 움직이는 점 P의 시각 t에서의 위치 $(x,\ y)$가

$$x=e^t(\sin t-\cos t)+1,\ y=e^t(\sin t+\cos t)-1$$

이다. 점 P가 시각 $t=0$에서 $t=a$까지 움직인 거리를 l이라 하고 시각 $t=a$에서의 점 P의 위치에서 원점까지의 거리를 d라 하자. $l^2=2d^2$일 때, 실수 a의 값은? (단, $0<a\le 2\pi$)

① $\frac{\pi}{4}$　　② $\frac{\pi}{2}$　　③ π
④ $\frac{3}{2}\pi$　　⑤ 2π

STEP A 점 P가 시각 $t=0$에서 $t=a$까지 움직인 거리 l 구하기

$$\frac{dx}{dt}=e^t(\sin t-\cos t)+e^t(\cos t+\sin t)=2e^t\sin t$$
$$\frac{dy}{dt}=e^t(\sin t+\cos t)+e^t(\cos t-\sin t)=2e^t\cos t$$
$$l=\int_0^a\sqrt{\left(\frac{dx}{dt}\right)^2+\left(\frac{dy}{dt}\right)^2}dt$$
$$=\int_0^a\sqrt{(2e^t\sin t)^2+(2e^t\cos t)^2}dt$$
$$=\int_0^a\sqrt{4e^{2t}}dt=\int_0^a 2e^t dt$$
$$=\Big[2e^t\Big]_0^a$$
$$=2e^a-2$$

STEP B 시각 $t=a$에서의 점 P의 위치에서 원점까지의 거리를 d 구하기

$$d=\sqrt{\{e^a(\sin a-\cos a)+1\}^2+\{e^a(\sin a+\cos a)-1\}^2}$$

이므로

$$d^2=e^{2a}(\sin a-\cos a)^2+2e^a(\sin a-\cos a)+1$$
$$+e^{2a}(\sin a+\cos a)^2-2e^a(\sin a+\cos a)+1$$
$$=2e^{2a}-4e^a\cos a+2$$

STEP C $l^2=2d^2$일 때, 실수 a의 값 구하기

$l^2=2d^2$에서 $(2e^a-2)^2=4e^{2a}-8e^a\cos a+4$

$4e^{2a}-8e^a+4=4e^{2a}-8e^a\cos a+4$, $e^a=e^a\cos a$

$e^a>0$이므로 $\cos a=1$

따라서 $0<a\le 2\pi$이므로 $a=2\pi$

mapl YOUR MASTER PLAN

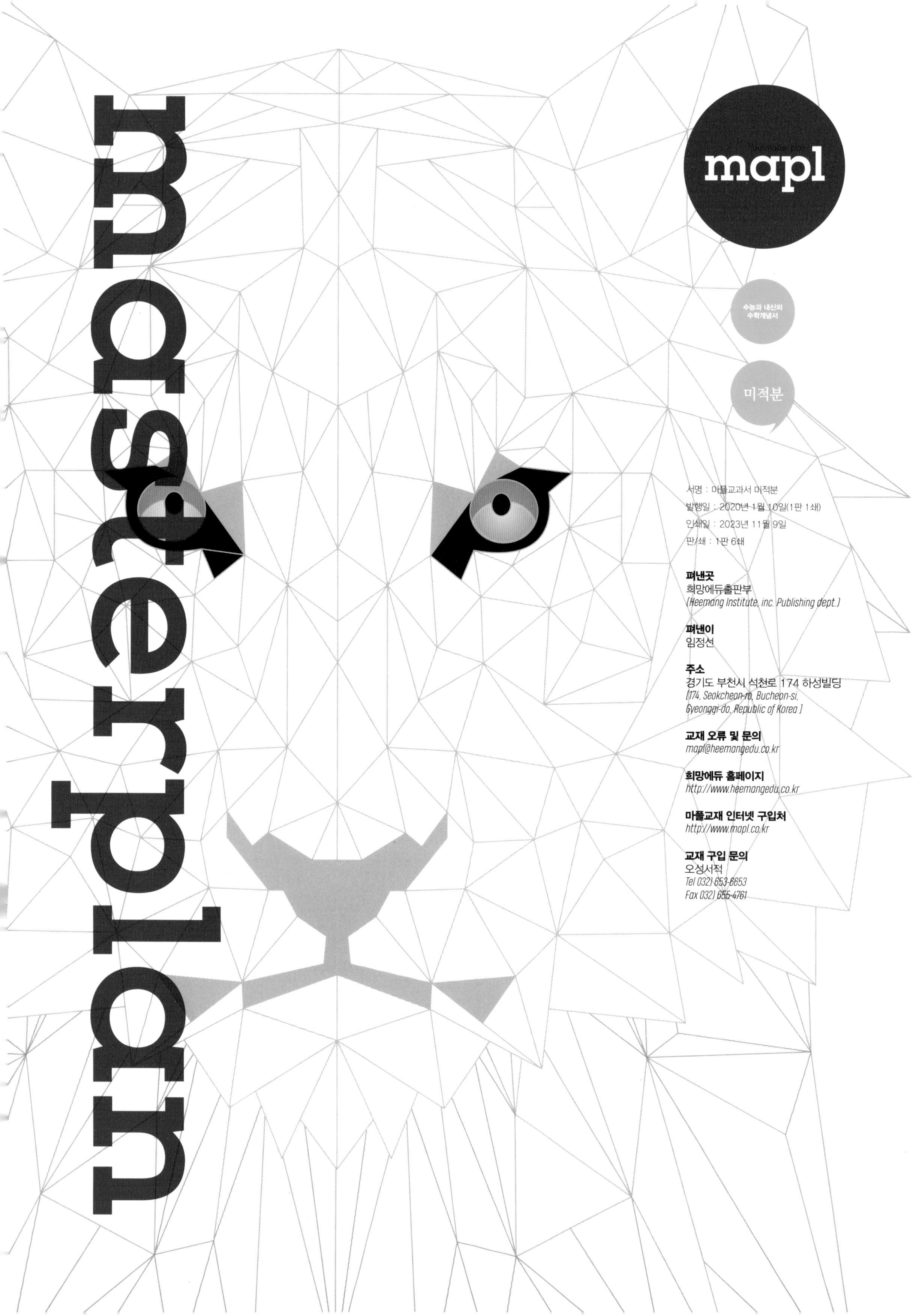

MEMO

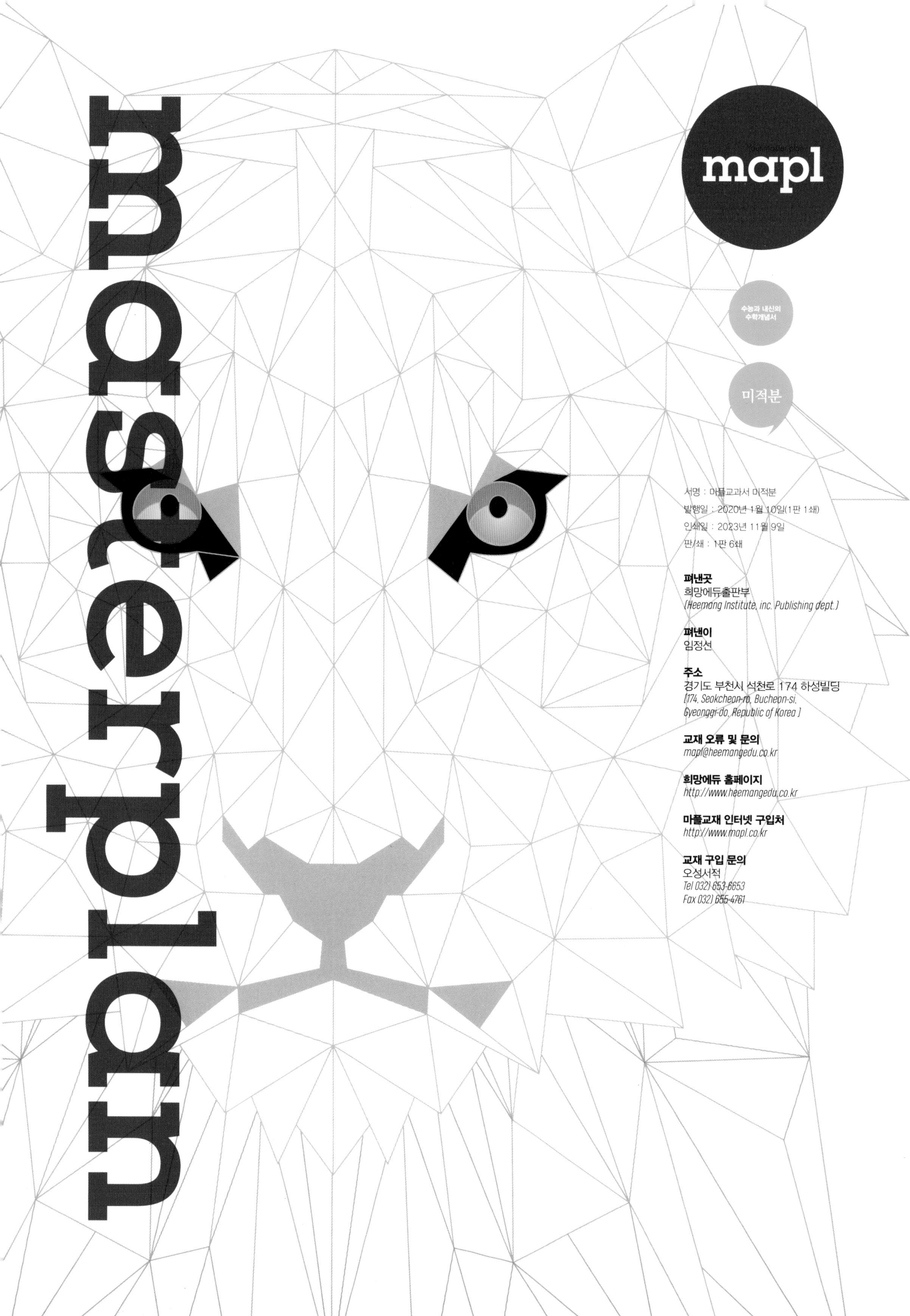

서명 : 마플교과서 미적분
발행일 : 2020년 1월 10일(1판 1쇄)
인쇄일 : 2023년 11월 9일
판/쇄 : 1판 6쇄

펴낸곳
희망에듀출판부
(Heemang Institute, inc. Publishing dept.)

펴낸이
임정선

주소
경기도 부천시 석천로 174 하성빌딩
[174, Seokcheon-ro, Bucheon-si, Gyeonggi-do, Republic of Korea]

교재 오류 및 문의
mapl@heemangedu.co.kr

희망에듀 홈페이지
http://www.heemangedu.co.kr

마플교재 인터넷 구입처
http://www.mapl.co.kr

교재 구입 문의
오성서적
Tel 032) 653-6653
Fax 032) 655-4761